R. N. Champlin, Ph.D.
ENCICLOPÉDIA de BÍBLIA, TEOLOGIA & FILOSOFIA

VOLUME 5 | P/R

hagnos

©1991 por Russel N. Champlin

1ª edição: 1991
14ª reimpressão: abril de 2021

REVISÃO
Equipe Hagnos

CAPA
Maquinaria Studio

DIAGRAMAÇÃO
Imprensa da Fé

EDITOR
Aldo Menezes

COORDENADOR DE PRODUÇÃO
Mauro Terrengui

IMPRESSÃO E ACABAMENTO
Imprensa da Fé

As opiniões, as interpretações e os conceitos emitidos nesta obra são de responsabilidade do autor e não refletem necessariamente o ponto de vista da Hagnos.

Todos os direitos desta edição reservados à
EDITORA HAGNOS LTDA.
Av. Jacinto Júlio, 27
04815-160 — São Paulo, SP
Tel.: (11) 5668-5668

E-mail: hagnos@hagnos.com.br
Home page: www.hagnos.com.br

Dados Internacionais de Catalogação na Publicação (CIP)
Angélica Ilacqua CRB-8/7057

Champli, Russel Norman, 1933-2018.

Enciclopédia de Bíblia, Teologia & Filosofia. Vol. 5: P-R. / Russel Norman Champlin — São Paulo: Hagnos, 1991. 6 vols.

ISBN 978-85-88234-33-8

1. Bíblia – Enciclopédias 2. Teologia – Enciclopédias 3. Filosofia – Enciclopédias I. Título

21-0891   CDD 220.3

Índices para catálogo sistemático:
1. Bíblia – Enciclopédias 220.3

Editora associada à:

1. Formas Antigas

fenício (semítico), 1000 A.C.	grego ocidental, 800 A.C.	latino, 50 D.C.
ㄱ	Γ	P

2. Nos Manuscritos Gregos do Novo Testamento

Π Π Φ Ψ

3. Formas Modernas

P *P* p *p*   **P** *P* p *p*   **P P** p p   *P p*

4. História

P é a décima sexta letra do alfabeto português (ou a décima quinta, se deixarmos de lado o K). Historicamente, deriva-se da letra consonantal semítica, *pe*, «boca». Tinha então o valor de «p» e de «f». Embora a palavra *pe* significasse «boca», as mais antigas representações dessa letra assemelhavam-se ao nosso número «7». Os gregos chamavam-na de *pi*, e no grego ocidental parecia um número «7», em reverso, isto é: «7». Porém, no grego posterior, recebeu outra perna e acabou tendo a forma pela qual é conhecida hoje em dia no alfabeto grego e como símbolo matemático, ou seja, Π. Daí passou para o latim e, então, para muitas línguas modernas. No grego, combinava-se com o h (daí *ph*) e com o s (daí *psi*, Ψ).

5. Usos e Símbolos

Nos sistemas de graduação, P significa «péssimo». Também é usado como abreviação de página; e, em combinação com S, (ou seja, *P.S.*), significa pós-escrito. Na teoria das múltiplas fontes informativas do Pentateuco, uma teoria denominada *J. E. D. P.(S.)* (vide), representa o código sacerdotal (em inglês, «priestly»). Em português isso é representado pelo *S.*, «sacerdotal». *P* é usado como símbolo do *Codex 024*, descrito no artigo separado P. Ver também sobre *P*(2), também chamado *P(apr)* (o *Codex Porphyrianus*).

Caligrafia de Darrell Steven Champlin

Arte céltica — o boi, símbolo do evangelho de Lucas, Livro de Kells

**Reprodução Artística de
Darrell Steven Champlin**

P

P (CÓDIGO SACERDOTAL)

Essa é uma das alegadas múltiplas fontes informativas do Pentateuco. A letra P, que a designa corresponde à palavra inglesa *priestly*, «sacerdotal». Nesta enciclopédia, ao aludir nos comentários sobre essa fonte, usei a sigla P(S). «P» representa sua designação em inglês e em alemão; e «S» fala sobre sua designação em português.

Os estudiosos datam essa alegada fonte informativa em algum tempo após o exílio babilônico, ou seja, após 535 A.C., fazendo da mesma uma compilação bastante tardia, por parte de algum autor desconhecido, interessado na casta sacerdotal e suas funções. É de se presumir que o sacerdócio oficial da época designado elaborou as práticas rituais dos judeus, tornando-as obrigatórias para todos os judeus; e, a fim de emprestar a isso uma maior força, incluíram essas práticas no que, finalmente, veio a tornar-se o nosso Pentateuco. Quanto a maiores detalhes sobre essa teoria, ver o artigo geral *J.E.D.P.(S.)*. Desnecessário é dizer que essa questão tem suscitado intensas disputas, porquanto põe em dúvida tanto a integridade do Pentateuco quanto a autoridade mosaica.

P (MANUSCRITO)

Essa é a designação do manuscrito também conhecido como 024, atualmente localizado em Wolfenbüttel, na Alemanha Ocidental. Data do século VI D.C., e pertence ao tipo de texto bizantino. Contém os quatro evangelhos.

P(2) (MANUSCRITO)

Esse manuscrito também é chamado P(apr), uma sigla que indica que o mesmo contém o livro de Atos, as epístolas paulinas e o Apocalipse. Mas também é designado P 025. Acha-se em Leningrado, na União Soviética. Seu título completo é *Codex Porphyrianus*. Os eruditos datam-no como pertencente ao século IX D.C.

Esse é um dos poucos manuscritos unciais (escritos com letras maiúsculas do alfabeto grego) que contêm o livro de Apocalipse. O Apocalipse é um dos menos confirmados livros do Novo Testamento, em manuscritos antigos. Além do texto mencionado, esse manuscrito contém um comentário de Eutálio sobre o livro de Atos e sobre as epístolas paulinas. O grego em que foi escrito é o *koiné* (vide), com alguma mistura de variantes. Trata-se de um palimpsesto, ou seja, havia algo escrito nele, originalmente, que então foi apagado para que recebesse o texto que agora nele se encontra.

PÁ

Nas páginas do Antigo Testamento, duas palavras hebraicas diferentes são traduzidas por «pá», a saber:

1. *Yaim*, «pás». Essa palavra, sempre no plural, ocorre por nove vezes. Por exemplo: Êxo. 27:3; 38:2; Núm. 4:14; I Reis 7:40,45; Jer. 52:8.

2. *Rachath*, «pá». Esse termo ocorre somente em Isaías 30:24.

O primeiro desses vocábulos refere-se a um implemento cerimonial, empregado na remoção das cinzas e dos restos dos holocaustos oferecidos nos altares do tabernáculo e do templo de Jerusalém. Na qualidade de objetos de uso cerimonial, o termo parece ter sido de origem semita ocidental; há cognatos que se encontram no judeu-aramaico e no hebraico de períodos posteriores.

O outro termo pode ser encontrado somente no livro de Isaías, em conexão com a palavra *forquilha* (vide), pois ambos os implementos eram usados na agricultura. Essas pás para grãos eram feitas de madeira, o que as diferenciavam daquelas outras, usadas para fins cerimoniais. Com base no texto de Isaías 28:17, alguns estudiosos chegaram à conclusão de que, no hebraico, havia um verbo que teria o significado de «varrer junto com», embora isso seja muito difícil de comprovar. Ambos os vocábulos para «pá», provavelmente eram substantivos hebraicos primários, cujos únicos cognatos remotos acham-se no árabe, no aramaico cristão e no cóptico. Essa palavra, «pá», aparece em nossa versão portuguesa em Mat. 3:12 e Luc. 3:17, como tradução do termo grego *ptúon* que indica muito mais um «forçado», provavelmente correspondente ao termo hebraico *mizreh*, que aparece em Isaías 30:24 e Jeremias 15:7, mas que a nossa versão portuguesa traduz, respectivamente, por «forquilha» e por «pá». A palavra grega *ptúon* também acha-se nos livros apócrifos gregos da Septuaginta.

Usos Figurados: 1. O ato de usar a pá, que em português, chama-se «padejar», é usado simbolicamente na Bíblia para indicar o ato de derrotar e dispersar o inimigo (Isa. 41:16). 2. Padejar às portas de uma cidade indica derrotar e dispersar um inimigo que esteja às fronteiras do país (Jer. 15:7). 3. Também está em foco a obra julgadora de Cristo, que separará os bons dos maus (Mat. 3:12), ou a mesma operação, feita por Deus (Jer. 15:7; Isa. 30:24). 4. Os medos e os persas foram executores de certos juízos terrenos de Deus (Jer. 41:2). 5. O simbolismo também é usado para indicar a dispersão da nação de Israel, em face de seus pecados (Eze. 36:19). 6. Em um sentido geral, Deus é quem submete a seu crivo os atos de todos os homens, a fim de testar a qualidade dos mesmos (Isa. 30:28).

PAARAI

No hebraico, «bocejo». Nome de um dos poderosos guerreiros de Davi, e que foi juntamente com ele para o exílio, quando esse ungido de Deus fugia de Saul. Ver II Sam. 23:25, onde ele é chamado de «arbita». Em I Crô. 11:37, seu nome é grafado de maneira mais correta, isto é, Naarai. Ele viveu na época de Davi, cerca de 1000 A.C. Há quem pense que seu nome, no hebraico, significa «revelação de Yah» (forma abreviada de Yahweh).

PAATE-MOABE

No hebraico, «governador de Moabe». Esse foi o nome de uma proeminente família da tribo de Judá. Nada menos de dois mil oitocentos e doze de seus descendentes voltaram do cativeiro babilônico e passaram a residir em Jerusalém (ver Esd. 2:6; Nee. 7:11). Esse grupo retornou à Terra Prometida em companhia de Zorobabel. O trecho de Nee. 7:11 fala em dois mil oitocentos e doze descendentes de Paate-Moabe. Outros duzentos e um descendentes de Paate-Moabe voltaram à Palestina em companhia de Esdras (ver Esd. 8:4). Vários homens haviam-se casado com mulheres estrangeiras durante o cativeiro, e então foram forçados a divorciarem-se delas, quando Israel renovou o seu pacto com Yahweh (ver Nee. 10:14). Hassube, que pertencia a esse clã, é mencionado como um dos reconstrutores das muralhas de Jerusalém (Nee. 3:11).

PACATIANA — PACIFICADOR

PACATIANA

No hebraico, «pacífica». Esse era o nome de uma província da Ásia Menor cuja capital era Laodicéia. A província nunca é citada no Novo Testamento; mas sua capital o é (ver Col. 2:1; 4:13,15,16; Apo. 1:11).

Nos fins do século III D.C., esse território foi dividido em vários segmentos, sete ao todo. Dois desses segmentos tornaram-se a Frígia Prima (a oeste) e a Frígia Secunda (a leste). A primeira dessas continuou também a ser chamada de Pacatiana.

PACIÊNCIA

Esboço:
I. Definições
II. Considerações Bíblicas Gerais
III. Um dos Aspectos do Fruto do Espírito
IV. Deus é o Pai da Paciência
V. A Paciência de Cristo
VI. O Que nos Ensina a Paciência?

I. Definições

A paciência é aquela qualidade habitual de suportar os testes e as circunstâncias testadoras, sem queixume. Também é a *tolerância* diante das falhas alheias; uma tranqüila espera por algum acontecimento, que venha alterar as circunstâncias incômodas. Trata-se da capacidade de esperar por mudanças, sem demonstrar ansiedade exagerada.

Na Bíblia vê-se certa variedade nessa virtude da paciência. Assim, o trecho de Sal. 40:1 expõe a paciência no sentido de esperar por alguma mudança. O próprio Senhor é paciente com os homens e os seus caprichos (ver Núm. 14:18; Êxo. 34:6; Sal. 86:5; Jer. 15:15). No Novo Testamento, a paciência usualmente envolve as noções de *longanimidade* sob as provações, resistência, constância em face da oposição. O termo grego *upomoné*, cujo sentido literal significa «resistência sob (algum peso)», usualmente envolve esses significados. Ver Rom. 5:3,4; 15:4; II Cor. 6:4; Col. 1:11.

II. Considerações Bíblicas Gerais

1. A paciência consiste da persistência neotestamentária, em face dos obstáculos. Procura alcançar uma obra perfeita (ver Tia. 1:4), e assim conseguirá fazer, se persistir. No presente ela já produz frutos (ver Luc. 8:15), ajudando-nos a percorrer o curso de nossas vidas, tendo em mira o prêmio da vida eterna (ver Heb. 12:1).
2. A paciência espera pela salvação de Deus (ver Lam. 3:26), sendo necessária no tocante à obtenção de nossa herança (ver Heb. 6:12 e 10:36).
3. Existe certo fortalecimento espiritual que nos infunde paciência (ver Col. 1:11).
4. A paciência é um dos aspectos do fruto do Espírito (ver Gál. 5:22); portanto, é cultivada por ele.
5. Ela é obtida através do desenvolvimento espiritual.
6. Uso dos meios de desenvolvimento espiritual:
   a. A oração (ver Efé. 6:18).
   b. A meditação visando à iluminação (ver Efé. 1:18).
   c. O estudo (ver I Tim. 4:13).
   d. A santificação (ver I Tes. 4:3).
   e. O viver segundo a lei do amor ou das boas obras (ver I João 5:7).
   f. O uso dos dons espirituais (ver Efé. 4:8 e *ss*).

III. Um dos Aspectos do Fruto do Espírito

O trecho de Gál. 5:22 encerra essa virtude cristã como um dos aspectos do fruto do Espírito, ou seja, uma qualidade espiritual que o Espírito cultiva no crente. Com base nesse ensino, aprendemos que a paciência autêntica é uma virtude espiritual, de que o homem espiritual é dotado. Sendo esse o caso, será um produto de um crescente desenvolvimento espiritual, conforme é sugerido e ilustrado na segunda seção, acima.

IV. Deus é o Pai da Paciência

Deus nos tolera, tal como devemos tolerar ao próximo. A paciência divina abrange todos os homens. Não fora isso, e todos pereceríamos (ver II Ped. 3:9; Sal. 86:15). A paciência de Deus é reiteradamente ilustrada na história da nação de Israel (ver Êxo. 34:6; Núm. 14:18; Sal. 86:15; Jer. 15:15). Isso aplica-se ao seu trato com os homens, em todas as coisas (ver Rom. 9:22).

V. A Paciência de Cristo

Jesus Cristo deixou-nos o grande exemplo de paciência, visto que ele percorreu a sua carreira terrena com alegria e paciência (resistência) (ver Heb. 12:1,2). Ele deixou um notável exemplo de paciência em sua vida terrena (ver Mat. 27:38-44; Mar. 15:28-32; Luc. 23:35-39; Sal. 22:1 *ss*). Os crentes deveriam seguir esse exemplo, mesmo nos casos em que sofrem contradição e oposição da parte de homens ímpios (ver Sal. 37:1,73; Pro. 3:31; 23:17; 24:1; Jer. 12).

VI. O Que Nos Ensina a Paciência?

Mudanças vitais podem ocorrer em nossas vidas quando suportamos a disciplina do Senhor (ver Heb. 12:5-13). Todas as coisas contribuem juntamente, visando ao nosso bem (ver Rom. 8:28). Até mesmo as provações devem ser toleradas com alegria (Tia. 1:2 *ss*). A paciência é companheira de outras virtudes cristãs, como a bondade e a benignidade (Rom. 2:4). Está vinculada à fé e à esperança (Heb. 6:11,12), e também ao amor (I Cor. 13:4). Cumpre-nos continuar labutando com toda a paciência, tal como um agricultor planta e espera com paciência, antes de poder fazer, jubilosamente, a sua colheita (Tia. 5:7,8).

PACIFICADOR

Mat. 5:9: *Bem-aventurados os pacificadores, porque eles serão chamados filhos de Deus.*

Os pacificadores. Não somente os dotados de natureza pacífica (Tia. 3:15), nem os que aceitam a paz sem protesto ou que preferem a paz ao desacordo, nem os que têm paz na alma, com Deus, como explicou *Agostinho*, e nem os que amam a paz (Grotius, Wetstein), mas aqueles que *promovem ativamente* a paz e procuram estabelecer a harmonia entre inimigos. O sentimento aqui referido é mais nobre que o de Rom. 12:18, que diz: «Se possível, quanto depender de vós, tende paz com todos os homens».

Serão chamados filhos de Deus. Significa mais do que reconhecimento. Está em foco a realidade de ser alguém filho de Deus. (Ver Rom. 8:17,28-32; I João 3:2). O conceito implica em participação na herança dos santos (Efé. 1:13,14), e, assim sendo, trata-se de filhos adultos, como Cristo, revestidos da plenitude e divindade de Cristo (Efé. 1:23; II Cor. 3:18; II Ped. 1:4).

Os rabinos também davam grande valor aos pacificadores. *Hilel*, famoso rabino contemporâneo de Jesus, escreveu: «Sê dos discípulos de Aarão, amando a paz e seguindo a paz» (Aboth 1:2). Tais seriam os filhos de Deus. O V.T. emprega esse termo,

PACIFICADOR — PACIFISMO

«filhos de Deus», referindo-se aos anjos ou aos seres divinos (Jó. 38:7), e algumas vezes também a pessoas piedosas, seres humanos que são objetos do amor especial de Deus (Deut. 32:6). Aqueles que buscam a paz amando os seus inimigos agem segundo o próprio Deus, e por isso são filhos de Deus em sentido verdadeiro. (Ver Mat. 5:44,45). A paz é uma das virtudes cardeais da ética cristã. O exclusivismo dos judeus era e é bem conhecido, e já se tornara proverbial antes dos dias de Jesus. O discípulo—autêntico—do reino não é aquele que odeia, mas aquele que ama os seus inimigos. Isso faz do exclusivismo uma impossibilidade na ética cristã. Jesus deu a sua vida a fim de trazer a paz universal no sentido mais lato possível, tanto na terra como nos lugares celestiais. (Ver Efé. 2:14-16 e Col. 1:20). Agostinho louvou altamente à sua própria genitora, Mônica, quando escreveu: «Ela mostrou ser uma pacificadora tal que, de ambos os lados ouvindo as coisas mais amargas...nunca deixou transparecer algo, para um ou para outra, senão aquilo que contribuísse para sua *reconciliação*» (*Confissões* ix.21). Haveria aplicação para algumas Mônicas hoje em dia na igreja. Suas adversárias formam multidões. Lê-se acerca de Richard Dobden que, ao ser-lhe mencionado que talvez adquirisse tanta fama a ponto de ser sepultado na abadia de Westminster, replicou que esperava que isso nunca lhe acontecesse, porque «Meu espírito não descansaria em paz entre aqueles homens de guerra». É uma tragédia que até mesmo muitos líderes cristãos sejam respeitados por serem homens *contenciosos*, e que os grandes guerreiros do mundo são feitos seus heróis.

PACIFISMO

Esboço:
1. O Termo e suas Definições
2. Alguns Informes Históricos
3. A Bíblia e o Pacifismo
4. O Ideal e sua Praticabilidade

1. O Termo e Suas Definições

A raiz da palavra portuguesa «pacifismo» é o latim, *pacificus*, «pertinente à paz». Essa palavra latina combina o latim *pax*, «paz», e *facere*, «fazer». Em um sentido geral, um pacifista é alguém que se opõe à violência, em qualquer de suas manifestações, com o intuito de resolver divergências, sejam elas pessoais, coletivas, nacionais ou internacionais. Todavia, mais recentemente, esse vocábulo passou a indicar não somente àqueles que não concordam com as guerras, mas até mesmo com o serviço militar. Um arbítrio pacífico é o ideal dos pacifistas.

No idioma inglês, o termo apareceu pela primeira vez no *Oxford English Dictionary*, em 1905. A maioria dos pacifistas não combate o uso de forças policiais na preservação da boa ordem, dentro de um país qualquer; mas eles se opõem ao uso de meios militares violentos na solução de disputas internacionais.

2. Alguns Informes Históricos

a. *Aristóteles* acreditava que a guerra é ocasionalmente necessária, a fim de corrigir injustiças que, doutra sorte, nunca seriam corrigidas. Talvez seja engenhoso pensar que homens iníquos, que nada fazem senão piorar cada vez mais, não podem ser freados de outra maneira. Ver o artigo chamado *Critérios de uma Guerra Justa.*

b. *Os povos antigos* eram guerreiros tribais. E desde então não mudou muita coisa na guerra, exceto que as armas se tornaram muito mais letais do que antigamente. As religiões e mitologias antigas inevitavelmente faziam de seus deuses cabeças de forças armadas, e a capacidade militar sempre foi glorificada. No entanto, desde remota antiguidade os homens aguardam, com anelo, por uma era áurea de paz, pelo que o espírito do pacifismo tem conseguido rebrilhar, mesmo em meio aos mitos.

c. *Os hebreus* estavam longe de ser pacifistas. A história da conquista da Terra Prometida é um relato de intensa beligerância. Os reis de Israel estavam constantemente em guerra. Não obstante, os profetas hebreus sonhavam com um período futuro em que as espadas seriam transformadas em relhas de arados (ver Isa. 2:4; Joel 3:10; Miq. 4:3). Naturalmente, para que isso suceda, é mister pensar em uma grande intervenção divina na história da humanidade.

d. *No seio da Igreja cristã.* O serviço militar foi repelido por muitos cristãos antigos, até o começo do chamado *Corpus Christianum*, sob o imperador Constantino. Dali por diante, os teólogos cristãos passaram a utilizar os critérios de Aristóteles quanto a uma guerra justa, cristianizando a questão. Agostinho e Tomás de Aquino foram os principais intérpretes desses critérios.

e. *No tempo da Reforma Protestante.* Os anabatistas eram protestantes. Indagavam eles: «Visto que seremos moldados à imagem de Cristo, como poderíamos combater ao inimigo com a espada?»

f. *Os quacres* concordavam com os anabatistas, em seu pacifismo.

g. *Tratados em favor do pacifismo* foram produzidos por vários filósofos, desde Desidério Erasmo (1469-1537) até Emanuel Kant (1724-1804).

h. O chamado *Iluminismo* (vide) produziu vários pensadores que defenderam a posição do pacifismo. A obra de William Penn: «An Essay Towards the Present and Future Peace of Europe», foi um notável escrito sobre o assunto.

i. *No século XIX*, quando foram organizados diversos movimentos em prol da paz, esse ideal atingiu muitos países. Os anabatistas, os menonitas, os quacres, os batistas alemães ou dunkers, além de outros grupos religiosos evangélicos, esposaram a causa do pacifismo. Muitos jovens fugiam da Europa, a fim de escapar do serviço militar obrigatório, emigrando principalmente para os Estados Unidos da América e para o Canadá.

j. *Os movimentos pacifistas continuaram no século XX*, chegando mesmo a aumentar muito em seu número, especialmente na América do Norte e na Europa. Porém, ao mesmo tempo em que essas organizações floresciam e faziam uma propaganda vocífera, as forças militares do mundo iam-se preparando para as devastadoras conflagrações da Primeira Grande Guerra e da Segunda Guerra Mundial, respectivamente em 1914-1918 e 1939-1945. Os líderes militares chegaram a denunciar os tratados unilaterais dos pacifistas como acordos ingênuos e sem sentido real. Quando a Alemanha começou sua marcha de conquista, viu-se que a guerra era mais poderosa que o pacifismo, e muitos pacifistas tiveram de confessar a sua ingenuidade.

1. *A consciência religiosa.* Os movimentos pacifistas serviram ao menos para que muitas pessoas religiosas organizassem melhor seus pensamentos sobre a questão. Na América do Norte, os objetores conscientes não são tratados como criminosos, podendo escapar ao serviço militar, embora possam ser empregados em situações mais pacíficas, em apoio às atividades militares. De fato, uma das alternativas tem sido servir nas forças militares, mas não transportar armas. Durante a Segunda Guerra

Mundial, muitos pacifistas norte-americanos serviram até mesmo em zonas de combate, dirigindo veículos, servindo no corpo médico, mas sem brandir armas. E muitos desses pacifistas foram decorados por bravura.

3. A Bíblia e o Pacifismo

Se usarmos somente o Antigo Testamento, dificilmente poderemos defender o pacifismo, a menos que destaquemos a esperança profética, em consonância com as predições proféticas acerca do milênio e do estado eterno. De fato, pessoalmente perturba-me a maneira como Deus é apresentado no Antigo Testamento, como o Senhor de Exércitos, encabeçando forças selvagens que matam e mutilam povos inteiros. Os deuses daquele período quase inevitavelmente eram apresentados como dirigentes que ordenavam não só a guerra, mas também o extermínio de populações inteiras, excetuando as mulheres, por razões óbvias. Um dos dez mandamentos ordena: «Não matarás» (Êxo. 20:13). Mas esse mandamento nunca fez parar algum exército.

Quando nos volvemos para o Novo Testamento, então podemos achar textos de prova tanto em favor do pacifismo quanto em favor do militarismo. Por certo que o *Sermão da Montanha*, proferido por Jesus, conforme se vê em Mat. 5:29 e seu contexto, serve de base do pensamento pacifista. Além disso, temos no Novo Testamento uma clara expressão da *lei do amor* (vide), que condena a violência. Entretanto, quando Cornélio, o centurião romano, converteu-se ao cristianismo, ele não foi forçado a mudar de profissão (ver Atos 10:47). Ademais, em Rom. 13:2 e seu contexto, temos o ensino que nos manda obedecer às forças civis; e isso, naturalmente, envolve o serviço militar.

Ver Rom. 13:1.

Este versículo tem sido usado em apoio ao serviço militar prestado por crentes. Naturalmente, não há nenhuma relação direta com o que aqui é dito com essa idéia surgida apenas recentemente na história da igreja cristã. Não obstante, poder-se-ia dizer que este versículo dá mais apoio à idéia da militância, já que quase todos os governos civis requerem o serviço militar dos seus cidadãos.

É interessante observarmos que os crentes em geral, através da história da igreja, não têm sido pacifistas. Não obstante, os pacifistas têm alguma razão em seu respeito pela vida humana, que pode ultrapassar seu senso de dever para com as obrigações dos cidadãos a seu governo. Certamente é errado matar. E certamente é um erro moral de proporções gigantescas um país enviar homens para conquistar o outro. Não se pode negar que a violência e a guerra são males próprios da humanidade. É possível que a melhor solução para o crente, nessa conjuntura, seja que ele não se deve recusar a servir no exército de seu país, mas, no caso de alguma guerra injusta, se recuse a pegar em armas. Poderia servir no corpo médico, como motorista de caminhão, ou fazendo qualquer outra coisa não diretamente ligada à função precípua de liquidar o inimigo. Caso esse outro serviço se torne impossível para ele, resta-lhe o outro único recurso de apelar para a sua consciência, fazendo o que lhe parecer melhor; porquanto, esta passagem do décimo terceiro capítulo da epístola aos Romanos *não* nos fornece qualquer orientação definida acerca desta questão. Não há tal orientação porque Paulo não estava considerando a eventualidade das exceções, quando escrevia esta seção de sua epístola aos Romanos. Antes, opunha-se ele à iniquidade, e não escrevendo alguma constituição que governasse todas as ações dos crentes no tocante à sua atitude para com as autoridades civis.

Alguns dos primeiros pais da Igreja, como Hipólito, Tertuliano e Lactâncio, eram pacifistas, parcialmente porque o serviço no antigo exército romano envolvia ritos pagãos. Porém, Clemente de Alexandria estava convencido de que um soldado que se convertesse ao cristianismo tinha o direito de permanecer como tal. Tenho traçado a história dessa questão no segundo ponto, acima. Basta dizer que a Bíblia tem sido variegadamente interpretada. O trabalho de Agostinho e Tomás de Aquino sobre a questão de uma guerra justa, teve o seu efeito. E é assim que a *Nova Enciclopédia Católica*, vol. X, pág. 856, assevera: «O pacifismo absoluto é irreconciliável com a doutrina católica tradicional». Lutero e Calvino reconheceram a necessidade de guerrear, sob determinadas circunstâncias, e quase todos os grupos protestantes têm retido esse ponto de vista. O reformador Zwínglio foi morto durante uma batalha. Mas os anabatistas, os waldenses e os quacres condenam qualquer forma de atividade militar.

4. O Ideal e Sua Praticabilidade

Não há que duvidar que matar é errado; também é um erro quando uma nação envia propositalmente suas forças armadas para matarem pessoas de outra nação! Também ninguém duvida que a guerra é um dos mais profundos males que o homem já inventou. Ainda recentemente, li sobre uma experiência perto da morte (ver o artigo a respeito), durante a qual um homem entrou nos primeiros estágios da morte, e viu os rostos de todos aqueles que tinham sido mortos, quando ele havia sido um soldado que atuou no Vietnã. A guerra constitui uma imoralidade, com as suas matanças, as suas mutilações, os seus rancores. Um amigo meu, que serviu durante a guerra da Coréia, contou-me que os soldados são ensinados a odiar, a fim de que possam desincumbir-se melhor de sua missão de matar. Um dos dez mandamentos proíbe que um homem mate a seus semelhantes; mas Israel não hesitava em matar *em massa*. Para mim, o ideal é claro. Quem pode matar, se é que ama? O amor é um dos principais princípios bíblicos, sendo a essência mesma da espiritualidade (ver I João 4:7 *ss*).

Por outra parte, a história demonstra que homens ímpios e seus exércitos em nada se deixam impressionar por esse ideal. Isso significa que a guerra torna-se uma necessidade, para proteger uma nação ou um povo. Assim, se o ideal é claro, é óbvia também a praticabilidade (e necessidade) histórica da guerra. Os pacifistas britânicos sempre tiveram muita força. Mas, tanto na Primeira quanto na Segunda Guerras Mundiais eles se deixaram convencer diante da premente necessidade de guerrear, a fim de fazer frente a gigantescas forças malignas. Quanto a mim, se tivesse de ser convocado ao serviço militar, eu tomaria o caminho intermediário: não me recusaria a servir, contanto que não pegasse em armas. Para mim, isso constitui um ideal pessoal; mas, como é óbvio, se todos os homens seguissem esse ideal, forças malignas de potências estrangeiras não poderiam ser detidas. No tocante à questão, pois, que cada indivíduo examine a sua própria consciência e ache a resposta mais apropriada para si mesmo, que os outros deverão respeitar. O pacifismo é um ideal que será atingido durante o *milênio* (vide). No momento, porém, não é muito prático, em um mundo como o nosso. (AM E H NTI, em Rom. 13:3, P)

PACOM

Esse termo é usado para designar o nono mês do ano, em III Macabeus 6:38. Ver *Calendário*.

PACÔMIO — PACTO

PACÔMIO (SANTO)

Pacômio foi o fundador do estilo de vida monástica. No Egito, ele fundou nove mosteiros, além de dois conventos para mulheres. A ordem religiosa por ele fundada continuou existindo até o século XI D.C. A festa religiosa em sua memória é celebrada a 14 de maio. Ver o artigo *Monasticismo*.

PACTO Ver os dois artigos: Pactos e Alianças.

Entre outras formas de linguagem antropomórfica nas Escrituras, encontramos o termo pacto. A palavra é usada para designar a maneira de Deus tratar com o homem e de entrar em alianças com ele; ou então somente entre seres humanos. No primeiro caso, há um uso antropomórfico; no segundo, um uso literal. O termo hebraico envolvido é *berith*, que significa «corte». Como o sentido de pacto deriva-se desse verbo não é bem claro. Talvez deva-se ao costume de *compartilhar* de alimentos, em uma refeição, por ocasião do estabelecimento de um pacto, nos dias antigos. Porém, também conjectura-se de que o termo hebraico envolvido esteja relacionado às idéias de «algemas», de «decidir», de «aquinhoar», mediante diversas conjecturas etimológicas. Ou então «cortar um acordo» era simplesmente uma expressão idiomática para «estabelecer um acordo».

O vocábulo *diathéke*, usado no Novo Testamento, é o termo grego que significa *pacto* ou *testamento*. Essa é a palavra envolvida no título «Novo Testamento», que alguns estudiosos prefeririam ver alterado para *Novo Pacto*.

1. Na *terminologia religiosa*, temos os acordos formais estabelecidos entre Deus e o homem, dos quais há diversos, no Antigo Testamento. Ver os detalhes abaixo. A teologia cristã distingue entre o antigo e o novo pactos. O primeiro repousa sobre a lei mosaica, e o segundo sobre a graça divina, por meio do sangue de Cristo. Paulo ensinava que o primeiro pacto foi ultrapassado pelo segundo. Segundo o islamismo, a esses dois pactos, foi adicionado um terceiro, final, por meio da aliança estabelecida entre Deus e Maomé.

2. Na *teologia*, a palavra «pacto» é usada para designar alguma interpretação particular da doutrina cristã. Ver o artigo sobre a Teologia do Pacto ou *Teologia Federal*. Uma aplicação especial desse vocábulo encontra-se no título *pacto do meio caminho*, que se refere a certa prática da Nova Inglaterra, mediante a qual crianças eram admitidas ao batismo se tivessem pais simpáticos à Igreja, embora não fossem membros qualificados.

3. *Inspiração por Fatores Sociais*. Na primitiva sociedade israelita, nômade ou seminômade, os pactos entre os homens e seus vizinhos eram necessários à sobrevivência. Assim, os vizinhos *cortavam acordos* uns com os outros, usualmente erigindo algum sinal visível do pacto estabelecido, como uma coluna ou um monte de pedras, com o acompanhamento de votos e sacrifícios, além de uma refeição da qual participavam aqueles que tinham feito o pacto. Visto que a segurança de que os homens mais precisam é a da paz com Deus, as relações com o Ser divino eram tidas como acordos ou pactos. Era questão séria alguém agir de modo contrário às estipulações de um pacto humano, com a quebra de votos e o desprezo a colunas ou montões de pedras, com tudo que esses sinais externos representavam. Portanto, em certo sentido, o pecado consiste em romper o pacto com Deus, desprezando seus sinais externos. Consideremos os conflitos causados por causa da circuncisão (que vide), que era o sinal do pacto abraâmico, quando os primitivos cristãos começaram a dizer que esse sinal não era necessário à salvação (Atos 15). A Igreja cristã entrou em estado de turbilhão por esse motivo, por um longo período de tempo, visto que a circuncisão era um grande montão de pedras, uma nobre coluna que assinalava o pacto feito entre Deus e Abraão. Mas, se era o sinal desse pacto, não era o próprio pacto. E foi isso que Paulo e outros líderes cristãos logo compreenderam.

Deus escolheu Israel, e impôs acordos, acompanhados por certas bênçãos, sob a condição dos acordos serem observados. Esses pactos foram estabelecidos em períodos históricos críticos, isto é, com Noé, com Abraão, com Moisés e com Davi. Isso posto, toda a teologia judaica estava envolvida no conceito de pactos. Destarte, poderíamos afirmar que o Antigo Pacto é a súmula do relacionamento diversificado de Deus com o povo de Israel.

4. *Nos Profetas Posteriores*. Escritores sagrados como Oséias, Jeremias, Ezequiel e Moisés, no livro de Deuteronômio, fazem uso do conceito de pacto a fim de expressar algumas de suas principais idéias. Em Oséias 6:7; 8:1; Jeremias 11:1 *ss*, e 34:18, lemos que Israel quebrou sua aliança com Deus. Disso resultou um intenso sofrimento.

5. *No Novo Testamento*. O vocábulo grego *diathéke* é usado com os sentidos de pacto e testamento. No grego helenista, era comum essa palavra ter o sentido de «testamento». O nono capítulo da epístola aos Hebreus retém a idéia de testamento. Um testamento, para que entre em vigor, requer a morte do testador (Heb. 9:16). Porém, o conceito de pacto é o sentido mais freqüente vinculado à palavra grega *diathéke*. Todo o debate que se vê nos comentários, em torno dessa questão é uma perda de tempo, visto que ambos os lados estão com a razão, até onde cada um deles vai. O oitavo capítulo de Hebreus trata longamente da idéia neotestamentária de pacto, afirmando enfaticamente que o antigo pacto foi substituído pelo novo (Heb. 8:13). A salvação da alma é um dos resultados do novo pacto, conforme o contexto dessa passagem mostra claramente.

6. *Considerações Teológicas*. Devemos levar em conta o livre-arbítrio humano e o amor de Deus. Há pessoas necessitadas. Deus amou o mundo de tal maneira que promoveu sua vontade misericordiosa através de pactos. Deus dá tudo aos homens, e espera-se que os homens dêem tudo a ele. Por sua parte, Deus sempre se mostra leal, constante e imutável (Êxo. 34:6). Mas o homem mostra-se vacilante. Contudo, o sistema funciona no caso do novo pacto, porque o Espírito de Deus atua a fim de garantir a transação. O pacto com Deus, no Antigo e no Novo Testamentos é retratado como um casamento (Osé. 2:22), devido à intimidade do relacionamento entre Israel ou a alma individual (conforme o caso), e Deus. O pacto com Deus é descrito como um acordo inscrito no coração (Jer. 31; Eze. 36:37; Heb. 8:10). Diz esta última referência: «Porque esta é a aliança que firmarei... Nas suas mentes imprimirei as minhas leis, também sobre os seus corações as inscreverei...» E o resultado disso aparece logo adiante: «...e eu serei o seu Deus, e eles serão o meu povo». O novo pacto opera com tão magníficos resultados porque Deus atua, e o homem, nesse processo, vai sendo espiritualizado. Nisso é que consiste a nossa salvação. O alvo final da salvação é a participação na imagem de Cristo (II Cor. 3:18), é a participação na própria natureza divina (II Ped. 1:4).

••• •••

PACTO, TEOLOGIA DO — PACTOS

PACTO, TEOLOGIA DO

A chamada Teologia do Pacto ou Teologia Federal surgiu nos fins do século XVI, aparentemente de forma independente, entre os reformados do oeste da Alemanha, os puritanos ingleses e certos teólogos escoceses. Essa teologia retrata Deus como quem trata com os homens por meio de dois pactos, um das obras e outro da graça. Sob o primeiro deles, Deus teria oferecido a vida eterna aos homens, com base na obediência. Mas esse pacto foi quebrado por Adão, e Deus alterou o seu plano, estabelecendo o pacto da graça, sob o qual a salvação é dada mediante a graça divina, através da fé. Essa doutrina recebeu impulso na Confissão de Westminster, tendo sido muito apreciada entre certos calvinistas. Ver o artigo sobre o *Calvinismo*. Na Confissão de Westminster, o pacto da graça é visto em operação em três períodos latos: antes da lei, durante a vigência da lei, e durante o ministério do evangelho. O puritanismo da Nova Inglaterra enfatizava essa doutrina, encontrando aplicação para a mesma não somente no campo da fé religiosa, mas também em contextos sociais e políticos.

O pacto das obras passou por vários estágios de aplicação, dentro do contexto histórico do Antigo Testamento. Esses estágios foram com Adão, Noé, Abraão e, finalmente, com o povo de Israel, quando se tornou um pacto nacional. As partes envolvidas eram Deus e Adão (bem como os seus descendentes). A promessa consistia na vida eterna; e a condição era a obediência. O fracasso do pacto das obras exigiu o estabelecimento de um *novo* pacto (que vide). Por sua vez, o pacto da graça tem dois aspectos: há um aspecto relativo a Deus, pelo que poderia ser intitulado de pacto da redenção. Os participantes, pelo lado divino, são o Pai e o Filho. A condição foi a perfeita obediência do Filho, mediante o seu sofrimento, levando sobre si as conseqüências do pecado humano. A promessa é a salvação de todos os crentes, por meio da obra expiatória de Cristo. O segundo aspecto diz respeito ao homem. Nesse caso, os lados envolvidos são Deus e o homem. A promessa é a vida eterna. A condição é a fé em Jesus Cristo, como a única *obra* requerida da parte do crente (João 6:29). (B CHA E)

Esta teologia contrastada com *Dispensacionalismo*. Ver o artigo sobre *Dispensação, Dispensacionalismo*, III, 1 e 2.

Ver os artigos sobre **Teologia Federal e Dois Homens, Metáfora dos**.

PACTO DE SAL

Era costume que aqueles que estabeleciam um acordo usarem de sal em uma refeição conjunta ou em algum ritual. Ver Núm. 18:19; II Crô. 13:5. Segundo as evidências indicam, esse costume originou-se da observação que o sal tem a capacidade de dar maior sabor aos alimentos e de preservá-los, o que pode simbolizar aquilo que se deve esperar dos pactos firmados, isto é, força, preservação, fidelidade, sem qualquer mescla com decadência ou hipocrisia. A lei judaica, em seu aspecto cerimonial, exigia o uso do sal em todas as ofertas de manjares; e é possível que fosse usado sal em todos os demais tipos de oferendas. Ver Lev. 2:13. Apesar de que certas ofertas eram consumidas no altar dos holocaustos, a maioria das oferendas tinha uma porção que era entregue aos sacerdotes, para ser consumida. E o sal fazia parte necessária da dieta. Disso proveio o fato que o sal, usado nas ofertas rituais, significava simbolicamente a perpetuidade e a fidelidade. Essa prática parece ter sido comum entre os povos orientais, e não somente em Israel.

PACTO NOVO Ver **Novo Testamento**
Ver também **Pactos**, seção VI, **Novo Pacto**.

PACTOS

Esboço:
I. Definição e Caracterização Geral
II. Os Pactos Enumerados
III. Os Pactos e Cristo
IV. Pacto Abraâmico
V. Pacto Davídico
VI. Novo Pacto

I. Definição e Caracterização Geral. Ver sobre **Pacto**.

II. Os Pactos Enumerados

1. O pacto edênico (ver Gên. 1:26-28). Esse pacto condicionava a vida do homem em seu estado de inocência.

2. O pacto adâmico (ver Gên. 3:14-19). Esse pacto condicionava a vida do homem após a queda, dando-lhe a promessa da redenção.

3. O pacto noaico (ver Gên. 9:1 e ss). Esse pacto estabeleceu o princípio do governo humano.

4. O pacto abraâmico (ver Gên. 15:8). Esse pacto diz respeito à fundação física e espiritual de Israel, impondo condições aos que quisessem pertencer ao Israel espiritual.

5. O pacto mosaico (ver Êxo. 19:25; 20:1-24:11 e 24:12-31:18). A lei foi dada, supostamente como meio de vida, mas terminou por ser o motivo da morte e da condenação.

6. O pacto palestiniano (ver Deut. 28—30). Esse prometeu a restauração de Israel no tempo devido.

7. O pacto davídico (ver II Sam. 7:8-17). Esse pacto estabeleceu a perpetuidade da família e do reino davídico, cumprindo em Cristo como Rei (ver Mat. 1:1; Luc. 1:31-33; Rom. 1:3). Isso inclui o reino milenar (ver II Sam. 7:8-17; Zac. 12:8; Luc. 1:31,33; Atos 15:14-17; I Cor. 15:24), que tipifica o reino eterno de Cristo.

8. *O novo pacto*. Esse repousa sobre a obra sacrificial e sacerdotal de Cristo, tendo por fito garantir a bênção eterna e a salvação para os homens. Apesar dos homens não poderem produzir nada que esse pacto exige, por si mesmos, a verdade é que ele está condicionado à fé e à outorga da alma nas mãos de Cristo. O trecho de Heb. 10:19 — 12:3 é, essencialmente, uma descrição de como esse novo pacto é melhor.

É o pacto mosaico que está em foco no trecho de Heb. 8:6, contrastado com o novo. Fazia exigências impossíveis aos homens, transformando-os em escravos. Mas não era capaz de dar-lhes a força para viverem à altura dessas exigências. Portanto, o pacto baseado na lei estava condenado ao fracasso. No novo pacto foi dada a lei do Espírito de Deus que opera no coração e em que as operações íntimas do Espírito garantem o cumprimento das condições. Daí vem o sucesso desse novo pacto.

III. Os Pactos e Cristo
Cristo, sua substância (Isa. 42:6; 49:8).
Cristo, seu mediador (Heb. 8:6; 9:15; 12:24).
Cristo, seu mensageiro (Mal. 3:1).
Estabelecido com:

PACTOS

Abraão (Gên. 15:7-18; 17:2-14; Luc. 1:72-75; Atos 3:25; Gál. 3:16).
Isaque (Gên. 17:19,21; 26:3,4).
Jacó (Gên. 28:13,14 com I Crô. 16:16,17).
Israel (Êxo. 6:4; Atos 3:25).
Davi (II Sam. 23:5; Sal. 89:3,4).
Renovado sob o evangelho (Jer. 31:31-33; Rom. 11:27; Heb. 8:8-10,13).
Cumprido em Cristo (Luc. 1:68-79).
Confirmado em Cristo (Gál. 3:17).
Ratificado pelo sangue de Cristo (Heb. 9:11-14; 16:23)
É um pacto de paz (Isa. 54:9,10; Eze. 34:25; 37:36).
É inalterável (Sal. 89:34; Isa. 54:10; 59:21; Gál. 3:17).
É eterno (Sal. 111:9; Isa. 55:3; 61:8; Eze. 16:60-63; Heb. 13:20).
Todos os santos estão interessados no mesmo (Sal. 25:14; 89:29-37; Heb. 8:10).
Os ímpios não se interessam pelo mesmo (Efé. 2:12).
Bênçãos vinculadas ao mesmo (Isa. 56:4-7; Heb. 8:10-12).
Deus é fiel ao mesmo (Deu. 7:9; I Reis 8:23; Nec. 1:5; Dan. 9:4).
Deus jamais se olvida do mesmo (Sal. 105:8; 111:5; Luc. 1:72).
Lembremo-nos do mesmo (I Crô. 16:15).
Cautela contra nos esquecermos do mesmo (Deu. 4:23).
Pleiteio-o em minhas orações (Sal. 74:20; Jer. 14:21).
Punição para quem o despreza (Heb. 10:29,30).

IV. Pacto Abraâmico

O pacto abraâmico conta com sete porções distintas (ver os trechos de Gên. 12:1-4; 13:14-17; 15:1-7 e 17:1-8):

1. Abraão tornar-se-ia uma *grande nação*: a. isso se cumpriria em sua posteridade natural, «como o pó da terra» seria o seu número (ver Gên. 13:16 e João 8:37), e isso fala da nação literal de Israel. b. Teria cumprimento e está sendo cumprido na sua posteridade espiritual. Nesse sentido, todos os homens regenerados são filhos de Abraão. O seu número seria «como as estrelas do céu» (ver João 8:39; Rom. 4:16,17; 9:7,8; Gál. 3:6,7,29). Quanto a isso, não haveria qualquer distinção de raça. c. Também teria cumprimento em Ismael, isto é, nas nações árabes (ver Gên. 17:18-20).

2. A bênção de Deus estaria sobre ele e os *seus descendentes*: a. em sentido temporal ou material (ver Gên. 13:14,15,17; 15:18; 24:34,35). b. Mais particularmente, em sentido espiritual, o que visa a vida eterna, conferida aos remidos (ver Gên. 15:6; João 8:56; Gál. 3:13,14 e Rom. 4:1-5).

3. A exaltação do próprio Abraão, porquanto haveria de ser grande e famosa *figura da história* — e isso lhe daria um grande nome. Naturalmente, Abraão é um dos nomes universais da história humana.

4. Através dele seriam dadas diversificadas bênçãos para *muitos* (ver Gál. 3:13,14).

5. Um favor divino especial seria conferido àqueles que fossem bondosos para com Abraão. Por implicação, provavelmente está em vista a nação de Israel; e, por extensão, está em vista o grupo dos regenerados, que são filhos espirituais de Abraão (ver Gên. 12:3).

6. O *desfavor divino* se voltaria contra todos que amaldiçoassem a Abraão, com as implicações que aparecem no ponto 5, acima. A própria história do mundo confirma isso, porquanto tem acontecido, invariavelmente, que aqueles que maltratam aos israelitas são, finalmente, julgados de maneira definida e pública. Não precisamos mais do que lembrar a Segunda Guerra Mundial, quando os nazistas também perseguiram aos judeus, para ter uma prova disso. Assim também acontecerá no futuro, conforme lemos nos trechos de Deut. 30:7; Isa. 14:1,2; Joel 3:1-9; Miq. 5:7-9; Ageu 2:22; Zac. 14:1-3 e Mat. 15:40,45. As hordas que invadirão a Palestina, provavelmente antes do fim do século atual, provocando assim a apocalíptica batalha de Armagedom, aprenderão a veracidade dessa provisão do pacto abraâmico. Israel será libertada por uma intervenção divina miraculosa, apesar de sabermos que essa nação será cercada por um adversário impossível de ser derrotado de outro modo. Reconhecendo então o caráter divino dessa estrondosa vitória, Israel, como nação, voltar-se-á finalmente para Deus e seu Cristo, a saber, o Senhor Jesus, e tornar-se-á uma nação verdadeiramente cristã.

7. «*Na tua descendência serão abençoadas todas as nações da terra...*» Essa é a sétima e última provisão do pacto abraâmico. Nessa provisão cumprir-se-á o grande propósito evangélico de Deus, por intermédio de Cristo, o Filho de Abraão (ver Gál. 3:16 e João 8:56-58). Esta sétima provisão revela-nos, mais especificamente, o que se tencionou revelar no trecho de Gên. 3:15, no tocante ao «descendente da mulher», que é Jesus Cristo. O Filho de Abraão seria o Redentor da humanidade, e isso retrata a missão do Messias, em sua inteireza, incluindo até mesmo o seu segundo advento e todos os seus gigantescos efeitos. Essa bênção, que é prometida aos filhos de Abraão, não respeitará distinções de nacionalidade, mas antes, terá um caráter universal, atingindo todos os verdadeiros regenerados. Os acontecimentos do dia de Pentecoste ilustraram o começo do cumprimento dessa promessa (ver Atos 2:5-11). O alvo final dessa bênção é a total transformação dos crentes segundo a imagem moral e metafísica de Cristo e, mediante isso, a participação dos remidos na própria natureza divina, que é o alvo real do destino da humanidade salva, bem como o mais elevado conceito que se conhece entre os homens (ver Rom. 8:29; II Cor. 3:18; II Ped. 1:4; Efé. 1:23 e 4:13).

V. Pacto Davídico

O Pacto Davídico, é referido em II Sam. 7:4-17 (vide). Suas previsões principais são as seguintes:

1. Teria continuação uma *casa* davídica, isto é, posteridade e família.

2. Haveria um *trono*, isto é, autoridade real.

3. Haveria um *reino*, isto é, uma esfera de governo.

4. Esse governo e reino se estenderiam *para sempre*.

5. A obediência era exigida; e por causa da desobediência, por parte dos descendentes de Davi, sobreveio a punição divina, a linhagem real foi interrompida e aparentemente até se perdeu no mundo para sempre. Não obstante, a promessa é que ela seria permanente, conforme vemos em II Sam. 7:15, devido às misericórdias de Deus.

6. *Salvação universal*, dos judeus e dos gentios, pelo «Rei» (ver Rom. 15:12).

7. O rei legítimo foi coroado de espinhos e crucificado; mas ainda *haverá de reinar*. Essa foi justamente a promessa e a afirmação de Pedro, na passagem de Atos 2:30. Esse pacto, confirmado por juramento de Deus, e renovado a Maria (ver Luc. 1:26-38), pelo anjo Gabriel, é imutável (ver Sal. 89:30-37). O Senhor Deus ainda entregará esse trono ao Salvador ressurrecto (ver Luc. 1:31-33; Atos 2:29-32 e 15:14-17).

VI. Novo Pacto — Ver o artigo separado sobre o Novo Testamento.

PADÃ (PADÃ-ARÃ) — PÃES ASMOS

PACTOS DE WESTPHALIA
Ver **Westphalia, Pactos de**.

PADÃ (PADÃ-ARÃ)
No hebraico, «planície de Arã». Essas palavras apontam para a área da alta Mesopotâmia, em redor de Harã, rio acima da junção entre os rios Eufrates e Harbur (ver Gên. 25:20; 28:8; 31:18). As tribos conhecidas como os arameus (da área de Arã) foram mencionadas, pela primeira vez, até onde vão os registros históricos, pelo rei assírio Salmaneser I, em cerca de 1300 A.C. Em seguida, essas tribos araméias ocuparam o território de Alepo até às margens do rio Eufrates, e até mesmo mais além, um fato que permaneceu até dentro da era cristã.

Abraão residiu nessa região antes de migrar para o sul, para a Palestina. Mais tarde, da Palestina enviou um servo seu para buscar noiva para Isaque, seu filho, dentre as jovens de Padã-Arã, onde tinham ficado alguns parentes seus. Mais tarde ainda, Jacó fugiu da Palestina para Padã-Arã, sentindo-se ameaçado de morte por seu irmão gêmeo, Esaú, e permaneceu com seu sogro, Labão, durante longo tempo, no mínimo vinte anos. Ver Gên. 25:20 quanto ao nome dado à região natal de Rebeca; e, em Gên. 28:2-7, Padã-Arã aparece como lugar onde residia Labão. Oséias chamou a área de «terra da Síria» (Osé. 12:12). O distrito em foco é uma extensa planície, circundada de montanhas.

PADEIRO Ver os artigos sobre *Artes e ofícios* e *Pão*.

PADOM
No hebraico, «redenção», «livramento», «resgate». Esse foi o nome de um dos *netinins* (vide), os servos do templo, que formavam a classe mais baixa em Israel, excetuando somente os escravos. Eles voltaram a fim de servir, uma vez mais, no templo reconstruído, terminado o cativeiro babilônico. Padom era um deles. Ver Esd. 2:44 e Nee. 7:47. Ele viveu por volta de 536 A.C. O nome Padom veio a designar um clã em Israel.

PADRES NEGROS E IRMÃS NEGRAS
São chamados assim os que seguem a regra de Stº Agostinho (ver o artigo), embora seu verdadeiro título seja Cânones e Canonesas Regulares de Stº Agostinho. As congregações monásticas que seguem essa regra vieram à existência no fim do século XI D.C. O termo «negro» lhes foi dado como adjetivo, devido à cor de sua vestimenta. (E)

PADRINHO, MADRINHA
Esses são os nomes do homem e da mulher que representam a criança, por ocasião da cerimônia de seu batismo, na Igreja Católica Romana. Eles comprometem-se em ser os guardiães espirituais da criança. Seu dever é instruírem ativamente a criança, cuidando para que ela cumpra seus votos por procuração, tomados durante a cerimônia de batismo. Em algumas culturas, esse ofício inclui ajuda também quanto a outras questões, não relacionadas à fé religiosa, de tal modo que os padrinhos tornam-se uma espécie de pais secundários. No caso de batismo de adultos, as pessoas envolvidas não são padrinhos, mas testemunhas. De fato, foi assim que esse costume começou. Em outras palavras, tudo começou com o batismo de adultos, e não com o batismo de infantes. Posteriormente, os infantes batizados eram representados por um padrinho e uma madrinha, e não por testemunhas, que tinham o dever de declarar a dignidade do batizando. O pano de fundo histórico da questão parece ter raízes em costumes judaicos quanto ao batismo de convertidos ao judaísmo. Nesse caso, as testemunhas deixavam-se ficar do lado de fora do ambiente cercado por cortinas, onde o próprio batizando imergia-se na água. Eles citavam passagens da lei de Moisés, que afirmavam as obrigações assumidas pelos convertidos por ocasião do batismo.

Tertuliano (*Sobre o Batismo*; Cap. 18) fala-nos sobre as testemunhas. Sua explicação (feita em cerca de 192 D.C.), não descreve quais eram os deveres dessas testemunhas; mas pelo menos, com base nessa circunstância, podemos supor que era uma prática que já havia sido estabelecida por algum tempo, que ele julgou não precisar de qualquer esclarecimento. Na história da Igreja antiga, os próprios pais da criança atuavam como padrinhos; mas essa prática foi proibida por ocasião do concílio de Mainz, em cerca de 813 D.C. Dentro da comunidade anglicana, desde 1661, um menino tem dois padrinhos e uma madrinha, ao passo que uma menina ganha duas madrinhas e um padrinho, embora isso possa incluir os próprios pais da criança. Na Igreja Católica Romana, os padrinhos são vistos como pessoas que contraíram um íntimo relacionamento espiritual uma com a outra, com o resultado que (pelo menos em alguns lugares) fica vedado o casamento entre os afilhados dos mesmos padrinhos. Membros de ordens religiosas não podem atuar como padrinhos, visto que, algumas vezes, estes são solicitados a cuidar de questões seculares, em favor dos afilhados, o que não é permitido para pessoas que seguem ordens religiosas.

PÃES ASMOS
Há uma palavra hebraica e uma palavra grega que precisamos levar em conta neste verbete, a saber:

1. *Matstsah*, «bolos sem fermento». Esse vocábulo ocorre por quarenta e duas vezes: Gên. 19:3; Êxo. 12:8,15,17,18,20,39; 13:6,7; 23:15; 29:2,23; 34:18; Lev. 2:4,5; 6:16; 7:12; 8:2,26; 23:6; Núm. 6:15,17,19; 9:11; 28:17; Deu. 16:3,8,16; Jos. 5:11; Juí. 6:19-21; I Sam. 28:24; II Reis 23:9; I Crô. 23:29; II Crô. 8:13; 30:13,21; 35:17; Esd. 6:22 e Eze. 45:21.

2. *Ázumos*, «bolos sem fermento». Essa palavra grega é utilizada por nove vezes no Novo Testamento: Mat. 26:17; Mar. 14:1,12; Luc. 22:1,7; Atos 12:3; 20:6; I Cor. 5:7,8.

O pão asmo, ou melhor, o bolo asmo, é apenas a massa feita sem o emprego de fermento. Na preparação do pão caseiro, um pouco de massa fermentada, do pão preparado anteriormente, era misturado com a massa nova, para então ser levado ao forno. Mas o pão asmo não levava essa mistura de massa já fermentada. O pão asmo, pois, é associado aos elementos ingeridos durante a refeição da páscoa, aquela festividade religiosa que comemorava o livramento do povo de Israel da servidão no Egito. Somente pão sem fermento podia ser consumido durante os sete dias que se seguiam à festa da Páscoa (ver Êxo 12:15-20; 13:3-7).

Alguns estudiosos pensam que a festa dos pães asmos (por sete dias), que se seguia à Páscoa, originalmente havia sido uma festa ligada à colheita da cevada, que, posteriormente, teria sido transmutada para a festa da Páscoa. Finalmente, a proibição do uso de fermento ter-se-ia tornado mais escrupulosamente observada. Assim, um israelita que comesse pão fermentado, durante aqueles dias, seria *cortado*, isto é, excluído do acampamento de Israel.

Quando consumiam pão sem fermento, os israelitas estavam relembrando a precipitação com que haviam abandonado o Egito, e tudo quanto de mal o mesmo representava, o que sucedeu por ocasião do êxodo, em meio a grandes prodígios divinos, desde algum tempo antes, e ainda por muito tempo depois. Naquela oportunidade, as mulheres hebréias não tinham tido tempo para preparar a massa, esperando que a mesma fermentasse; antes, tinham levado a massa fermentada em separado, em suas sacolas, quando de sua precipitada fuga do Egito. Mas, ao chegarem ao deserto, enquanto viajavam em direção à Terra Prometida, foram cozendo pão com fermento. Isso é o que fazem as mulheres beduínas no deserto, até os nossos próprios dias. Ao comer o «pão da amargura», o povo de Israel relembrava a negra noite do Egito, e assim começava um período em que só se comia pães asmos, um período comemorativo de sete dias.

Simbologia dos Pães Asmos. Visto que o fermento representa o pecado (ver, por exemplo, I Cor. 5:8), o pão sem fermento, naturalmente, representa a ausência do pecado, ou seja, a sinceridade do crente. Escreveu o apóstolo: «Lançai fora o velho fermento, para que sejais nova massa, como sois, de fato, sem fermento. Pois também Cristo, nosso Cordeiro pascal, foi imolado. Por isso celebremos a festa, não com o velho fermento, nem com o fermento da maldade e da malícia e, sim, com os asmos da sinceridade e da verdade» (I Cor. 5:7,8).

PÃES DA PROPOSIÇÃO

No hebraico há duas expressões diferentes, *lechem maareketh*, «pães do arranjo», e *lechem panim*, «pães da presença ou do rosto». No grego, *ártoi tēs prothéseos*, «pães da exposição». No hebraico, sob uma forma ou outra, a expressão ocorre em Êxo. 25:30; 35:13; 39:36; Núm. 4:7; I Sam. 21:6; I Reis 7:58; I Crô. 9:32; 23:29; II Crô. 4:19; 13:11 e Nee. 10:33. No Novo Testamento, a expressão grega aparece em Mat. 12:4; Mar. 2:26; Luc. 6:4 e, com leve transposição na ordem das palavras, isto é, *próthesis tōn árton*, em Hebreus 9:2.

Ao falar sobre os pães da proposição, entretanto, as Escrituras utilizam-se de quatro descrições designativas distintas, no Antigo Testamento: 1. «pães da proposição» (Êxo. 25:30); 2. «doze pães» (Lev. 24:5-7); 3. «mesa da proposição» (Núm. 4:7); e 4. «pão contínuo da proposição» (II Crô. 2:4). A primeira dessas designações fala sobre o «pão da face» ou «pão da presença». Há um paralelo na expressão assíria *akal panu*. A segunda dessas designações refere-se ao pão como um memorial. A terceira, ao pão como uma exposição permanente. E a quarta dessas expressões como um arranjo ou arrumação, ou seja, sobre a mesa onde aqueles pães ficavam expostos. Essa variedade de nomes, aplicada aos pães da proposição, indica a importância que esses pães tinham, dentro do cerimonial do tabernáculo e do templo de Jerusalém. Da mesma maneira que o azeite era importante para que o candeeiro produzisse luz, e assim como o incenso era elemento imprescindível para o altar do incenso, assim também, esse terceiro móvel, a mesa, tinha como elemento indispensável os doze pães da proposição, dentro do simbolismo da religião revelada aos hebreus.

Os pães da proposição eram doze e não levavam fermento em sua fórmula (o que é confirmado por Josefo, *Anti.* 3:6,6). Cada pão era feito de um quinto de efa de flor de farinha, ou seja, a farinha de trigo da melhor qualidade. Usualmente, esse pão era servido aos hóspedes, mas, principalmente, aos reis (Gên. 18:6; I Reis 4:22). Os pães eram postos sobre a mesa existente no Santo Lugar, um sobre o outro, formando duas pilhas de seis pães cada uma. Os pães ficavam expostos sobre essa mesa durante uma semana e, então, eram removidos e consumidos pelos sacerdotes, no recinto do santuário (Lev. 24:5-9). Seria considerado um sacrilégio se alguém, que não fosse sacerdote, comesse dos pães da proposição (I Sam. 21:2,3; Mat. 12:4), porquanto esses pães eram considerados pães «sagrados» (I Sam. 21:6). Os doze pães da proposição representavam as doze tribos de Israel (Lev. 24:8). Os sacerdotes coatitas estavam encarregados da confecção dos pães da proposição e dos cuidados com os mesmos (I Crô. 9:32).

Os «bolos» dos pães da proposição significam, literalmente, na opinião de alguns estudiosos, «bolos traspassados», porquanto eles eram perfurados, provavelmente para permitir um cozimento mais fácil e uniforme. Não há qualquer indício de que os pães da proposição eram cobertos por alguma peça de pano, ou eram postos sobre alguma peça de pano. Os pratos usados em conexão com a mesa dos pães da proposição podem ter sido usados para ali serem postos os pães; as colheres eram usadas para pôr incenso sobre os pães; as taças serviam para o vinho das libações. Os pires para o incenso permitiam que uma agradável fragrância permanecesse no Lugar Santo durante a semana inteira. O que restasse de tudo, porém, era queimado sobre o altar de bronze, a cada sábado (Lev. 24:7-9), juntamente com o que não fosse comido dos pães da semana anterior. Os doze pães da proposição representavam a unidade nacional (cf. I Reis 18:31,32; Eze. 37:16-22).

Quando o tabernáculo era transportado, durante as jornadas dos israelitas pelo deserto, a mesa dos pães da proposição era levada, juntamente com seus pratos, recipientes de incenso, as taças e as galhetas (Núm. 4:7). Incenso puro era posto sobre a mesa, provavelmente em taças de ouro, sobre os pães (Josefo, acima).

Nos livros históricos do Antigo Testamento, a primeira menção aos pães da proposição diz respeito a Davi, em Nobe. Davi e seus homens satisfizeram a fome com o pão sagrado, visto estarem todos eles cerimonialmente puros (I Sam. 21:6). Todos os evangelhos sinópticos mencionam essa ocasião (Mat. 12:4; Mar. 2:26; Luc. 6:4). No templo de Salomão, havia uma mesa especial, recoberta de ouro, onde ficavam expostos os pães da proposição (I Reis 7:48). No templo restaurado houve uma taxa com vistas ao serviço da casa de Deus, incluindo o necessário para os pães da proposição (Nee. 10:32). Quando Tito destruiu o templo de Jerusalém, em 70 D.C., ele levou a mesa dos pães da proposição, juntamente com outros despojos, para a cidade de Roma. Sua gravura pode ser vista no Arco de Tito, em Roma, que retrata o cortejo triunfal em comemoração da vitória dos romanos sobre os judeus. Ver também sobre o *Tabernáculo*.

PAFOS

Havia duas cidades com esse mesmo nome na parte sudoeste da ilha de Chipre. Os estudiosos, para distingui-las, vieram a chamá-las de Velha Pafos e Nova Pafos. A Velha Pafos, atualmente assinalada pela moderna cidade de *Konklia*, era um povoado fenício e santuário religioso de grande antiguidade, situada ligeiramente para o interior da costa marítima. — Ficava cerca de dezesseis quilô-

PAFOS — PAGÃOS, DESTINO DOS

metros a suleste da Nova Pafos. Essa cresceu como porto da Velha Pafos, depois que os romanos anexaram ao seu império a ilha de Chipre, em 58 A.C. A Nova Pafos tornou-se a sede do governo romano local, tendo sido reconstruída essencialmente através de fundos enviados pelo imperador, porquanto fora severamente danificada por um terremoto, em 15 A.C. Foi então chamada Augusta, em honra ao seu benfeitor, tendo sido adornada com muitas magníficentes edificações do estilo romano.

Originalmente, sua fama devia-se principalmente ao fato de ter sido um centro da adoração a Afrodite (Vênus). Afrodite era a deusa grega do amor, e a adoração a ela era considerada questão séria no mundo antigo. A razão de Pafos ser o centro do culto a Afrodite é que havia um mito associado ao nascimento dela, que ligava a Pafos. Os gregos eram um povo de fértil imaginação. Contava-se, pois, que Afrodite nascera da espuma do mar, tendo flutuado até Chipre em uma concha, que terminou aportando perto de Pafos. O festival religioso mais importante da ilha era a afrodisia, que durava três dias, durante a primavera. O arqueólogo De Cesnola descobriu o que pensou ser o templo de Afrodite, em Nova Pafos. Dispunha de um recinto de cerca de 210 m x 164 m. Um segundo grande abalo sísmico afetou o lugar em cerca de 76 D.C.; houve ainda um terceiro, no século IV D.C., o que pôs fim ao lugar como povoação de qualquer importância. A moderna aldeia de *Baffa* marca o antigo lugar da Nova Pafos.

Foi em Nova Pafos que Paulo conheceu o procônsul Sérgio Paulo (ver Atos 13:6,7,12), em sua primeira viagem missionária. Foi ali, igualmente, que teve um choque com o mágico Elimas (ver Atos 13:6-11). O ministério de Paulo envolveu a ilha inteira, e ele visitou as várias sinagogas judaicas do lugar. A conversão do governador do lugar, Sérgio Paulo, naturalmente foi um grande avanço na vitória da fé cristã na ilha. Sérgio Paulo serviu como procônsul romano entre 46 e 48 D.C. Uma inscrição com seu nome foi descoberta em Pafos.

PAGÃO (PAGANISMO)

Essa palavra pode ser um simples sinônimo de *Nações* (vide). Porém, em um sentido mais restrito, o termo adquire reverberações religiosas e culturais depreciativas. Um dos usos da palavra é aquele que declara pagãos todos quantos não seguem as grandes fés monoteístas, o judaísmo, o islamismo e o cristianismo. Por outro lado, os judeus podem considerar pagãos aos seguidores de todas as outras religiões; e nisso serem secundados por islamitas e cristãos.

Segundo o uso cristão primitivo, um «pagão» era alguém envolvido na adoração idólatra. A raiz dessa palavra é latina, *pagus*, «país», de onde se derivou a idéia de algo cru e não-civilizado, em contraste com os citadinos sofisticados. Porém, modernamente, esse vocábulo quase sempre tem reflexos religiosos. Os cristãos antigos usavam o termo latino *paganus*, (interiorano), aludindo àqueles que se recusavam a converter-se ao cristianismo, e permaneciam em suas religiões idólatras, grega ou romana. Talvez o termo fosse usado a princípio, pelos cristãos, em um sentido religioso devido ao fato de que os *habitantes das áreas rurais* durante muito tempo estiveram infensos à mensagem do evangelho, pelo que foram deixados no «paganismo», ao passo que, nas cidades, o cristianismo obteve desde o começo fortes centros de expressão.

PAGÃOS, DESTINO DOS

Esboço:
I. Definição
II. Uma Questão de Justiça
III. Podemos Levar-nos por Demais a Sério
IV. A Provisão da Descida de Cristo ao Hades
V. A Provisão do Mistério da Vontade de Deus
VI. A Severidade do Julgamento

I. Definição

De acordo com uma definição lata, um **pagão** é qualquer indivíduo que não aceitou o evangelho de Cristo e nem se deixou transformar segundo a imagem de Cristo (o que acontece com todos os regenerados), mesmo que tal pessoa viva em um país civilizado e nominalmente cristão, e mesmo que ela seja religiosa. Mas, de acordo com uma definição mais estrita, os pagãos são aqueles que vivem em condições primitivas, que nunca tiveram oportunidade de ouvir o evangelho cristão, o que significa que nunca se converteram e nem foram salvos. Em qualquer desses dois sentidos, os *pagãos* são a grande maioria dos seres humanos, tanto no passado quanto no presente. Em consequência de seu grande número, o destino deles é uma questão séria para nós, merecendo a nossa consideração.

II. Uma Questão de Justiça

Alguns teólogos (e também cristãos de todas as denominações) pensam que o Senhor não faz *injustiça* alguma aos pecadores quando permite que eles pereçam em seus pecados. Esses pensam que não há qualquer problema teológico se incontáveis milhões de pessoas chegam a perecer e sofrer as agonias de um inferno eterno, simplesmente porque nunca ouviram o evangelho. Eles apelam para o primeiro capítulo da epístola aos Romanos, como texto de prova de sua opinião. Tal atitude, entretanto, é uma afronta ao próprio caráter de Deus. Deveríamos lembrar que o oposto da injustiça não é a justiça, e, sim, o *amor*. Isso equivale a dizer que a justiça de Deus nunca subsiste sem o acompanhamento do amor e da misericórdia. O primeiro capítulo da epístola aos Romanos fala sobre uma justiça *nua*; em outras palavras, fala sobre o que Deus *poderia fazer*, se ele quisesse fazê-lo. O que ele poderia fazer seria deixar os pagãos perecerem, sem qualquer testemunho; e ainda assim ele continuaria sendo *justo*. Porém, a começar pelo terceiro capítulo de Romanos, Paulo mostra que a justiça de Deus, afinal de contas, não é uma justiça nua, ainda que, como um argumento lógico, possamos pensar a respeito dela como algo separado da provisão de amor de Deus. Porém, o próprio evangelho é a negação de uma justiça nua da parte de Deus. Portanto, declaro enfaticamente que envolve uma *questão moral e ética de vulto* se os pagãos chegarem a morrer sem qualquer testemunho do evangelho. Além disso, constitui uma questão moral importante se não houver para eles uma provisão *adequada*, visto que Deus amou ao *mundo* de tal maneira, e que Cristo morreu pelos pecados de todos os homens (João 3:16; I João 2:2).

Deus quer que *todos os homens* sejam salvos (I Tim. 2:4). Um apóstolo afirmou que Deus amou a todos os homens; um outro disse que Cristo morreu por todos os homens; ainda um outro asseverou que Deus quer que todos os homens sejam salvos. No entanto, os *homens* resolvem que eles podem interpretar essas declarações enfáticas como se elas nada significassem. Em seguida, falam sobre uma justiça divina nua, que faz o evangelho fracassar em muito, quanto aos seus propósitos, que faz o amor de

10

PAGÃOS, DESTINO DOS

Deus tornar-se ineficaz, e que leva o poder de Cristo a perder muito de sua potência de salvar. Não há algo de errado com um evangelho assim? Tal evangelho constitui más novas para os homens, e não boas novas. O Novo Testamento tem coisas melhores a dizer do que isso, se ao menos estivermos dispostos a ouvi-lo.

Os homens dizem que Deus não está sob qualquer obrigação de salvar àqueles que nunca ouviram o evangelho. Também dizem que Deus não tem obrigação de providenciar para que todos os homens ouçam o evangelho. No entanto, o Novo Testamento existe por causa do fato de que *Deus auto-obrigou-se* a interessar-se pela salvação de todos os homens. Um outro argumento falaz é aquele que nega o intuito *universal* de Deus. Alguns pensam que está tudo certo se Deus tomou providências quanto à salvação de alguns, mas não quanto à salvação das massas. Porém, isso contradiz as assertivas dos apóstolos, que mostram claramente o intuito e a provisão universais de Deus.

Um outro argumento falaz é aquele que se refere a uma *punição inferior*, como se isso solucionasse o problema. Os pagãos que nunca ouviram o evangelho, obviamente têm menos oportunidades; e, se têm menos oportunidades, continua esse argumento, então é lógico que eles também receberão um julgamento menos severo. No entanto, esse tipo de raciocínio não concorda com todos os fatos do evangelho. Devemo-nos preocupar em reconhecer as verdadeiras dimensões da missão de Cristo, não aceitando qualquer idéia que importe em falha, por parte da missão de Cristo, mesmo que tal falha signifique apenas que certos homens sofrerão *menos* no inferno do que outros.

Esse evangelho é pequeno demais. O tipo de evangelho que segue as linhas do raciocínio acima é pequeno demais para ser o verdadeiro evangelho do Novo Testamento. Esse evangelho truncado tem sobrevivido bem na teologia cristã ocidental. No entanto, sempre foi rejeitado pela Igreja oriental. Muitas heresias consistem em visões parciais da verdade, embora haja aquelas que consistem em acréscimos feitos à revelação bíblica. Ora, esse raciocínio nos apresenta uma visão parcial da verdade do evangelho.

III. Podemos Levar-nos por Demais a Sério

Muitos crentes supõem que se **nós** não atingirmos os perdidos, e dentro do período de vida em que eles viverem na terra, então eles estão automaticamente condenados, sem qualquer remédio. Porém, o evangelho real ensina-nos que Cristo fez provisão para os perdidos no hades, onde eles estão sendo castigados, tendo levado o evangelho até àquele lugar espiritual. Ver o artigo sobre a *Descida de Cristo ao Hades*. A citação feita abaixo, pelo teólogo batista A.H. Strong, ilustra como até mesmo homens inteligentes podem levar-se por demais a sério:

«A questão é que os pagãos nunca serão salvos, se não lhes apresentarmos o evangelho, não é uma questão tão séria quanto aquela outra, isto é, *se nós mesmos* seremos salvos, se não lhes dermos o evangelho».

Essa declaração de Strong é curiosa, para dizermos o mínimo. Os pagãos estão perdidos. Mas, poderíamos nos perder, se não cumprirmos o nosso dever para com os pagãos. Isso faz de nós importantes demais. Não é solução melhor pensarmos na tríplice missão de Cristo: na terra, no hades e no céu? O que poderíamos fazer, com nossos minúsculos e inconstantes esforços, para evitar que milhões e milhões de pessoas não morram sem ouvir o evangelho? O Novo Testamento, entretanto, assegura-nos que há uma solução para isso. Conforme ensina Pedro, o evangelho foi pregado até mesmo àqueles que estão no hades, a fim de que possam obter uma vida abençoada no Espírito, o que envolve a própria vida divina (ver I Pedro 4:6).

IV. A Provisão da Descida de Cristo ao Hades

Sem o ministério de Cristo **no hades**, o evangelho deixaria de atingir a fatia maior da humanidade. É sabido que o evangelho sempre foi uma mensagem muito localizada, desde a antiguidade até hoje. Milhões de criaturas humanas jamais terão oportunidade de ouvi-la. Acresça-se a isso que as pessoas que só conhecem a teologia da Igreja Católica Romana, e das igrejas protestantes e evangélicas (as quais, no Ocidente, originaram-se da Igreja Católica Romana, pelo menos historicamente falando) ficam surpreendidas quando descobrem que as Igrejas Orientais (que vieram dos quatro grandes patriarcados de Jerusalém, Alexandria, Antioquia e Constantinopla, e que se desenvolveram nas Igrejas Ortodoxas Orientais) ensinam que há uma oportunidade bem maior para os homens, com resultados muito mais amplos, do que se espera no mundo ocidental. Ofereço provas sobre isso no artigo intitulado *Descida de Cristo ao Hades: Perspectiva Histórica e Citações Significativas*. Esse artigo demonstra como a Igreja cristã histórica tem encarado a missão de Cristo no hades, com muitas e úteis citações, que ilustram a teologia envolvida. Paralelamente, há um artigo geral sobre a *Descida de Cristo ao Hades*. Orígenes afirmava que ensinar que o juízo divino é apenas retributivo é aceitar uma teologia inferior. O trecho de I Pedro 4:6 declara abertamente que os homens serão julgados a fim de poderem viver no Espírito, conforme Deus faz. Isso importa em uma vida bendita, e será conseguida *através* do julgamento. A leitura dos dois artigos citados oferece a posição deste autor sobre a questão, a qual conta com o apoio de largos segmentos da Igreja cristã histórica. Há um evangelho maior e mais amplo do que muitas pessoas supõem, cujas mentes só conhecem a teologia chamada ocidental.

V. A Provisão do Mistério da Vontade de Deus

A passagem de Efésios 1:9,10 mostra-nos que Deus, finalmente, fará todas as coisas girarem em torno de Cristo, formando uma *unidade*. Essa é a sua vontade, vontade essa que envolve, *finalmente*, o que ele realizará. Outrossim, essa vontade de Deus estava oculta em mistério, tendo sido revelada por Paulo na epístola aos Efésios. Isso significa que aquilo que Deus tenciona fazer com todos os homens não era conhecido nos tempos do Antigo Testamento; e nem mesmo no Novo Testamento, enquanto Paulo não o revelou. Mas vemos, para nossa imensa satisfação, que a vontade de Deus abrange todos os homens, e que conseguirá realizar uma vasta e universal harmonia. Ver os artigos separados sobre a *Restauração* e sobre o *Mistério da Vontade de Deus*. Afirmo, alicerçado sobre os ensinamentos de largos segmentos da Igreja cristã histórica, de que há um ministério do Logos nos ciclos da eternidade, que ainda jaz no futuro; e que também ali (já no ministério celestial de Cristo) grandes coisas serão feitas em favor de *todos* os homens.

Todavia, isso não fará todos os homens tornarem-se remidos, no sentido evangélico. Todavia, todos os que não forem salvos, serão restaurados. Os remidos serão aqueles poucos que participarão da natureza divina (ver II Ped. 1:4), por haverem sido regenerados; e os restaurados serão os demais homens. Isso só poderá redundar em bem para toda a espécie humana. De fato, pode-se esperar uma tremenda glória, em resultado disso, porquanto será a realização do Cristo

PAGÃOS, DESTINO DOS — PAI

cósmico. Solicito do leitor que examine o artigo intitulado *Restauração*, onde esse evangelho completo é apresentado. Também quero relembrar o leitor, a esta altura, que a teologia ocidental tem truncado o evangelho. Mas a Igreja oriental, demonstrando possuir uma sabedoria superior, quanto a esse particular, dispõe de uma visão mais completa e superior daquilo que, finalmente, será realizado pela missão de Cristo.

Portanto, torna-se claro que a questão do destino final dos pagãos tem uma solução boa, e até mesmo gloriosa, embora não se possa jamais comparar com a glória dos remidos que, repetimos, disporão da própria natureza divina. Ora, isso é exatamente o que poderíamos esperar da parte do amor de Deus, pois Deus é amor. Isso é precisamente o que poderíamos esperar do evangelho e da missão de Cristo. Ver o artigo separado sobre os *Gentios*.

VI. A Seriedade do Julgamento

O **Fator Tempo**. Efé. 1:9,10 fazem bastante claro que a restauração de todos os seres inteligentes, para ser realizada, necessitará de alguns ciclos (eras) da eternidade futura. Sendo que o julgamento é um dos instrumentos que restaura (I Ped. 4:7), deve também entrar nestes ciclos. Acredito, portanto, que o julgamento ocupará um tempo bastante prolongado, dentro dos ciclos da eternidade. Cada alma será punida o bastante para efetuar sua restauração. Todavia, o propósito do julgamento é operar o bem dos julgados, não meramente puni-los. A punição é um elemento do julgamento, não sua totalidade. O fato de que o julgamento poderá durar um tempo prolongado na eternidade futura aumenta nosso conceito sobre sua *seriedade*. Mas seria um erro nos rebaixar para uma teologia inferior declarando que o julgamento não é restaurador, afirmando que é meramente punidor. Também, sendo que os restauradores perdem a redenção (participação na natureza divina, II Ped. 1:4), que é o destino verdadeiro do ser humano, a restauração em si é um julgamento, considerado comparativamente com a redenção dos redimidos. *Neste sentido*, o julgamento será eterno. Todavia, não devemos rebaixar a obra *magnífica* do Restaurador que é também o Redentor.

Ver o artigo sobre *Restauração, Observações Preliminares*, especialmente pontos 3, 4 e 5.

PAGIEL

No hebraico, «encontro com El (Deus)». Esse era o nome de um filho de Ocrã. Pagiel foi chefe da tribo de Aser, ao tempo do êxodo (ver Núm. 1:13; 2:27; 7:72; 10:26). Ele viveu em cerca de 1440 A.C. Ajudou Moisés a fazer o censo dos israelitas.

PAGODE

A derivação dessa palavra é incerta. Talvez venha do sânscrito, *but*, «ídolo», e *kadah*, «casa», ou *bhagavati*, «divino». A palavra portuguesa *pagode* aponta para as torres ou templos religiosos do extremo Oriente. Usualmente, os pagodes têm um formato piramidal e são muito ornamentados. Ver o artigo geral intitulado *Templos*.

PÁHLAVI (PÁLAVI)

Originalmente, esse nome persa significava *parto*, alguém que nascera na Pártia. A Pártia era um antigo reino no que atualmente é o nordeste do Irã. Essa palavra foi aplicada pelos persas àquele dialeto de seu idioma que era usado pela dinastia sassânida, entre os séculos III e VII D.C., ou seja, da época da derrubada dos partas até à conquista islâmica. A escrita pahlavi era um alfabeto derivado de uma forma posterior do aramaico ou siríaco.

Esse idioma tornou-se o meio de comunicação quando chegou ao poder a dinastia sassânida, sob Árdashir I (cerca de 224 A.C.), uma dinastia que continuou governando até que os islamitas conquistaram a Pérsia (em 651 D.C.). Alguma literatura em pahlavi sobreviveu até hoje, quase toda tendo algo a ver com os livros sacros do *zoroastrismo* (vide). Porções das obras chamadas *Dadhastan i Menoghkhrad*, «Doutrina da Sabedoria Celeste», e *Ardagh Viraz-Namagh*, «Visão de Ardagh Viraz», contêm ensinamentos de Zoroastro. A vida lendária de Ardashir I é relatada na obra *Karnamak-i Ardashir-i Papakan*. Além disso, a obra chamada *Denkard* aborda questões cosmológicas, além de lendas religiosas de variegados tipos. Shapur I (241-270 D.C.) encorajou a tradução das principais obras do zoroastrismo para o sânscrito e para o grego.

PAI

No hebraico, **ab**, palavra que ocorre por cerca de seiscentas e oitenta vezes, desde Gên. 2:24 até Mal. 2:10. No grego, *pater*, que ocorre por cerca de trezentas e sessenta vezes, desde Mat. 2:22 até Apo. 14:1.

Esboço:
 I. Significados
 II. Referências Bíblicas e Significados
 III. O Pai e a Família

I. Significados

A palavra grega, **pater**, está relacionada à raiz que significa «nutridor» ou «protetor». Porém, no uso comum, havia muitas aplicações do vocábulo, como ao pai de uma pessoa, ao chefe de um clã ou nação, ao cabeça espiritual dos mesmos, ou a um líder espiritual, ou a alguém que ajudava a outrem para conseguir um significativo avanço espiritual, como o originador de alguma organização, filosofia ou religião; e também era usado como título de honra e respeito, incluindo os nomes Pai, Filho e Espírito Santo, da triunidade divina, ou então, Deus como o Pai dos seres humanos e de outros seres inteligentes.

II. Referências Bíblicas e Significados

Consideremos os onze pontos abaixo:
1. Pai, no sentido imediato (Gên. 19:31; 44:19); 2. um ancestral próximo ou remoto (I Reis 15:11; II Reis 14:3; Núm. 18:2; Sal. 45:16); 3. o fundador de uma tribo ou nação (Gên. 10:21; 17:4,5); 4. o iniciador de alguma profissão ou arte (Gên. 4:20); 5. o iniciador de uma fé, ou o principal exemplo da mesma (Rom. 4:1), como Abraão, o pai dos fiéis; 6. o criador (Jó 38:28; Deus é o criador dos homens e dos anjos, e também é o Pai deles, segundo se vê em Isa. 63:16; Efé. 3:14,15; e também é o criador das estrelas, o «pai das luzes», conforme se lê em Tia. 1:17); 7. um benfeitor (Jó 29:16; Isa. 22:21); 8. o Messias, como o eterno benfeitor e cabeça da raça espiritual, o Pai eterno (Isa. 9:6); 9. algum grande mestre (I Sam. 10:12), ou líder espiritual (II Reis 2:12; 5:13); 10. um primeiro ministro, ou conselheiro-mor (Gên. 45:8); 11. um relacionamento íntimo, que chegue a corromper, é o pai de alguns (Jó 17:14).

III. O Pai e a Família

Temos apresentado um artigo separado sobre o assunto, intitulado *Família*. Naquele artigo transparecem a posição, a autoridade e os deveres de um pai,

PAI — PAIS APOSTÓLICOS

no que concerne aos seus familiares. Esses deveres são sociais, psicológicos e espirituais. Há três coisas que um pai deve a seus filhos: exemplo, exemplo, exemplo. O pior erro que um pai pode cometer é conhecer os ensinos espirituais das Escrituras Sagradas e deixar de transmiti-los a seus filhos. O artigo sobre a *Família* expõe a história dessa unidade fundamental da sociedade humana, incluindo o papel do pai, no seio da família.

O pai da família era o principal mestre de sua família e precisava levar a sério os seus deveres. Suas instruções incluíam tanto alguma profissão como a educação religiosa (Deu. 4:9; 6:7; 31:13; Pro. 22:6; Isa. 28:9). Ele exercia poder absoluto sobre seus familiares e os disciplinava segundo essa autoridade (Pro. 13:24; 19:18; 22:15; 23:13). Através das autoridades constituídas, ele tinha o poder de determinar a punição capital (Deu. 31:18). Um filho desobediente, por exemplo, arriscava-se a perder a própria vida. O Talmude Babilônico oferece um sumário dos deveres dos pais: circuncidar seus filhos; remi-los; ensinar-lhes a lei; encontrar esposa para eles; prover instruções quanto a alguma profissão ou negócio; ser um guia geral e autoridade sobre os filhos, mesmo depois de se casarem.

Os deveres das mães, as instruções apostólicas para a família toda, e outras questões dessa natureza, aparecem no artigo geral sobre a *Família*.

PAI, CASA DO

Esse era um título conferido às **famílias** que havia entre os israelitas (Jos. 22:14). Comparar com Jos. 7:14,16-18. A palavra *casa* indica o lugar de residência de uma família, vinculada à palavra *Pai*. A combinação significa uma propriedade da família em foco (Gên. 12:1,31; I Sam. 18:2). Porém, a expressão também pode indicar as pessoas que residem naquela casa (Gên. 46:31; Êxo. 12:3), no sentido mais lato, incluindo os servos e os escravos, e não os membros imediatos da família. A expressão indica também as divisões principais de cada uma das doze tribos de Israel (Núm. 3:15,20), ou mesmo cada uma das tribos inteiras (Núm. 17:2).

No Novo Testamento, a palavra «casa» pode indicar um *lar* (Atos 7:20), o *templo* de Jerusalém (João 2:16), ou o *céu* (João 14:2). Nesta última referência, aprendemos que a casa do Pai tem muitas moradas, isto é, muitos lugares de residência. Isso posto, a expressão alude à pluralidade dos céus e dos lugares celestiais, uma doutrina comum judaica e que, sem dúvida, refletia essas verdades. Comparar isso com a expressão paulina, lugares celestiais (Efé. 1:3), acerca da qual examinar o NTI, nessa referência. Ver também Efé. 1:20; 2:6 e 3:10, onde o conceito é reiterado.

PAI-NOSSO

Ver sobre **Oração do Senhor**.

PAINE, THOMAS

Suas datas foram 1737-1809. Ele foi um escritor inglês e depois norte-americano que expressou vários pontos de vista radicais sobre questões políticas e religiosas, que lhe causaram uma vida cercada de controvérsias. Suas idéias foram expressas em suas obras (com títulos em inglês): *Common Sense; The Rights of Man* e *The Age of Reason*. Para o cristianismo, a última dessas obras é a mais importante. Na verdade, essa obra repudia a Bíblia e o cristianismo institucionalizado. Embora Paine tenha sido acusado de ser um ateu, a sua posição teológica real era o *deísmo* (vide).

Se muitos opunham-se a ele amargamente, outros o elogiavam efusivamente. No tocante a questões políticas, ele foi uma figura de proa no despertamento da oposição norte-americana aos ingleses, pois muito encorajou à revolução que resultou na independência da nação norte-americana. Seu livro, intitulado *Crisis*, era lido por oficiais das forças armadas, infundindo-lhes coragem. Terminada a guerra da independência, Paine passou algum tempo na Europa. Então retornou aos Estados Unidos da América, e logo estava envolvido em novas controvérsias. Seu livro, *The Age of Reason*, havia ganho para ele muitos adversários. Durante alguns anos, ele viveu em sua fazenda, no estado de Nova Iorque. Ali faleceu e ali foi sepultado, a 8 de junho de 1809.

Em 1819, porém, seus ossos foram levados à Inglaterra por William Cobbett. Ali, entretanto, foi-lhe recusado o sepultamento, e seus ossos foram espalhados pela ilha.

Paine era amante da liberdade, e poucas coisas têm sido mais vigorosas, nos Estados Unidos da América do Norte, do que esse sentimento e convicção. Washington, Franklin e outras figuras norte-americanas liderantes prestaram tributo a Paine, devido a seus esforços em prol das colônias norte-americanas e em favor da independência daquele país do hemisfério norte; mas as igrejas fundamentalistas nunca o perdoaram.

PAIS

Ver **Família**. Ver também **Paternidade** (**Maternidade**).

PAIS ANTENICENOS

O termo **pais da Igreja**, é usado para designar os primeiros líderes e escritores da Igreja pós-apostólica. Gregório o Grande, da Igreja Ocidental, usualmente é tido como o último da série (faleceu em 604). Esse título envolve as conotações de ortodoxia, honra e aprovação por parte da Igreja, já que estabeleceram a Igreja e a levaram à maturidade, como um pai faz com os seus filhos. Essa lista, porém, inclui nomes cuja ortodoxia tem sido desafiada, usualmente porque sua influência foi grande e essencialmente benéfica, a despeito das variações dogmáticas. Os pais antenicenos foram aqueles que viveram antes do concílio de Nicéia (ver o artigo), em 325 A.C. Os mais antigos deles foram os pais apostólicos (ver o artigo), que viveram na época dos apóstolos ou imediatamente depois, como Papias, Clemente de Roma, e que presumivelmente estavam em posição de falar como autoridades, visto terem vivido tão perto das origens da Igreja. Seguem-se então os apologistas do século II D.C., que deixaram escritos como *A Pregação de Pedro*, a apologia de Quadrato, escrita em Atenas em 125 D.C., apresentada a Adriano, na esperança de melhorar as condições da Igreja cristã. Aristides (147) pertence a esse grupo, o qual se dirigiu ao imperador Antônio. Houve também Aristo de Pella, na Peréia, o qual procurou mostrar que as profecias judaicas tinham predito a vinda de Jesus Cristo. Justino Mártir foi o maior dos primeiros **apologistas** (ver o artigo).

PAIS APOSTÓLICOS

Termo usado para aludir a vários líderes cristãos do final do século I D.C. até meados do século segundo,

PAIS APOSTÓLICOS — PAIXÃO

bem como aos seus escritos. Quase todos esses pais foram *gentios*, talvez discípulos dos apóstolos, ou intimamente relacionados ao círculo apostólico. Seus escritos caracterizavam-se pela simplicidade literária, sinceridade e convicção religiosa. Naturalmente, tais obras não fazem parte do Novo Testamento, mas revelam grande interesse pelo Novo Testamento e suas doutrinas, que aquelas personagens promoviam em face das perseguições, heresias e cismas.

O termo foi cunhado por J.B. Cotelier, que publicou uma edição dos escritos dos pais, em Paris, em 1672; e a L.T. Ittig, que usou precisamente essa expressão, em sua edição de Leipzig, desses escritos, em 1699.

1. *Escritos dos pais apostólicos*:

a. *Epístolas de Clemente* de Roma, a primeira escrita em Roma, em cerca de 95 D.C., e a segunda, um sermão, originado em Roma, em cerca de 140 D.C., ou em Alexandria, mas que não é considerada de autoria genuína de Clemente.

b. Sete cartas de *Inácio* de Antioquia, escritas quando se encaminhava ao martírio em Roma, durante o reinado de Trajano (98-117 D.C.). São cartas dirigidas aos efésios, aos magnesianos, aos tralianos, aos romanos, aos filadelfianos, aos esmirnenses e a Policarpo.

c. *Carta de Policarpo* aos filipenses (cerca de 135 D.C.).

d. O *Martírio de Policarpo* (escrito em cerca de 160 D.C.).

e. A *Didache*, ou *Ensino dos Doze Apóstolos*, obra de autoria composta, a começar em cerca de 90 D.C., provavelmente escrita na Síria.

f. Epístola de *Barnabé*, de autoria desconhecida, de cerca de 130 D.C.

g. O *Pastor de Hermas*, de Roma, escrita em cerca de 150 D.C.

h. *Carta de Diogneto*, de cerca de 129 D.C.

i. Citações de *Papias*, de Herápolis, cerca de 125 D.C.

2. *Características*: São de antiga data, geralmente ortodoxas, defendendo a fé cristã, a maioria endereçada a cristãos. Abordam questões práticas, as relações entre a Igreja e o estado, princípios éticos gerais, as ordenanças da Igreja, com uma elevada concepção da pessoa de Cristo, além do tema comum escatológico. Foram obras escritas em grego, sem exceção.

3. *Contribuição*: Esses escritos nos dão a primeira visão extrabíblica da Igreja primitiva, de seus líderes, organização, fé e ensinamentos. Preenchem o hiato entre o Novo Testamento e a moral formal que se desenvolveu na Igreja, algum tempo mais tarde. Conferem-nos nossa primeira visão da formação do cânon do Novo Testamento.

4. *Relação para com a Bíblia e o cânon neotestamentário*: Quase certamente, quando citam o Antigo Testamento, usam a Septuaginta. As citações incluem livros que não fazem parte do cânon hebreu. Mas o material assim citado é reputado Escritura. Quanto ao Novo Testamento, Clemente mostra que ele reconhecia uma primitiva coletânea de livros que haviam adquirido autoridade, a saber, as epístolas de Paulo, Hebreus, e provavelmente, o livro de Atos. Inácio conhecia e usava uma coletânea das epístolas de Paulo. Policarpo usava todas as treze epístolas paulinas, excetuando Filemom, e talvez, também, I Tessalonicenses e Tito. Ele aludia a epístola aos Efésios como Escritura (12:1). Vários dos pais da Igreja conheciam e usavam os evangelhos, mas nem sempre sabemos se eles estavam usando os próprios evangelhos ou manipulando a tradição oral. Barnabé lança mão do evangelho canônico de Mateus, e Papias nos dá valiosas informações sobre Mateus e Marcos. Quanto a idéias completas sobre o *cânon*, ver o artigo sobre esse assunto.

5. *Teologia*: Há alusão a várias doutrinas comuns ao Antigo e ao Novo Testamentos: Deus como criador, redentor e juiz. Conhecimento de Deus através de Cristo, o qual é o Salvador e o Filho de Deus. Expiação por meio do sangue (I Cle. 7:4). Uma antiga fórmula trinitariana em Clemente: «...como Deus vive, como Jesus Cristo vive, como o Espírito Santo vive...» (42:3). Inspiração de obras escritas pelo Espírito Santo (42:3; 63:2). Inácio também escreveu uma antiga fórmula trinitariana (Mag. 13:1), mencionando o nascimento virginal de Cristo (Efé. 18:2; 19:1) e a ressurreição (Mag. 9:1). A teologia de Clemente, Inácio e Policarpo repousava sobre a tradição apostólica; mas, nos escritos de Clemente, sente-se forte tradição pagã clássica, sobretudo no tocante a fórmulas éticas. As epístolas de Inácio e II Clemente usam terminologia gnóstica, mesmo não sendo obras gnósticas. O judaísmo exerceu forte influência na epístola de Barnabé, no Didache e no Pastor de Hermas. A grande omissão que se nota nessas obras é qualquer compreensão adequada ou a expressão da doutrina da graça, de Paulo.

6. *No tocante à Igreja primitiva*: Os apóstolos estavam desaparecendo, e a autoridade repousava agora sobre os bispos e diáconos, cujos deveres são definidos no Novo Testamento. Temos nessas obras vislumbres dos primórdios da organização eclesiástica, que transcendem a formas conhecidas no Novo Testamento. As Escrituras do Novo Testamento, em sua original forma canônica, são consideradas autoritárias, juntamente com o Antigo Testamento. Pouca atenção é dada aos estritos problemas sociais, embora sejam ressaltados os deveres pessoais e éticos, dos indivíduos e igrejas locais. O *Didache* dá grande atenção a questões relativas à adoração, incluindo as ordenanças, algo não muito comum nos demais escritos dos pais da Igreja. (AM C GR Z)

PAIS DA IGREJA, ÉTICA DOS

Ver sobre *Ética Patrística*.

PAIXÃO, MÚSICA DA

Cânticos solenes narram a história da paixão de Cristo. Isso teve início no século VIII D.C. Aí pelo século XII D.C., já se desenvolvera uma forma de música para ser usada durante a missa. Várias dessas antigas melodias têm sido preservadas até os nossos próprios dias. Na Alemanha, depois da Reforma (vide), a música era separada da liturgia. Foi assim que essa música atingiu sua mais magnificente expressão na **Paixão de São Mateus**, de Bach. Composições musicais de vários tipos foram criadas para a Semana Santa, muitas delas partindo de peças e produções teatrais medievais que destacavam mistérios religiosos, retratando os sofrimentos de Cristo. Daí surgiram vários oratórios. Os mais famosos oratórios são os de Shuta, Handel, Bach, Haydn e Beethoven. O **Messias**, de Handel, e o **Monte das Oliveiras**, de Beethoven, são exemplos notáveis.

PAIXÃO, OFÍCIOS DA

Esses ofícios são comemorações da paixão de Cristo nos Ofícios Canônicos, que foram inicialmente desenvolvidos pelos padres passionistas (cerca de 1775

PAIXÃO DE CRISTO — PALÁCIO

D.C.), e que atualmente são largamente usados às sextas-feiras, durante o período da quaresma, ou em outras ocasiões solenes.

PAIXÃO DE CRISTO (Semana da Paixão)

A derivação do termo **paixão**, neste caso, é a palavra latina **passie**, de **pati**, «sofrer». Nada tem a ver com o moderno uso da palavra, sobretudo na linguagem romântica. O termo aplica-se aos sofrimentos especiais de Cristo antes e durante a sua crucificação. Inerente ao vocábulo há a idéia da expiação assim obtida pelo Senhor. Essa palavra tem tido seu sentido ampliado, para incluir os sofrimentos dos mártires, que participam assim nos sofrimentos de Cristo (ver Fil. 3:10; I Ped. 4:13). O Domingo da Paixão é o quinto domingo da **quaresma** (vide); e a Semana da Paixão é aquela que antecede à Semana Santa. O período de duas semanas, desde o domingo da paixão até às vésperas da páscoa, é chamado de «tempo pascal».

Na Literatura. A Paixão de Cristo é a longa quádrupla narrativa, dos evangelhos, que descreve os eventos da paixão de Cristo.

PALÁCIO

Esboço:
I. Caracterização Geral
II. Tipos de Palácios
III. Características de Palácios de Vários Lugares
IV. Usos Figurados

I. Caracterização Geral

As diversas palavras hebraicas traduzidas nas línguas modernas por «palácio» também podem ser traduzidas de várias outras maneiras, como «cidadela», «fortaleza», «lugar alto», «casa», «templo»... Isso posto, esses vocábulos não transmitem necessariamente aquilo que entendemos por um «palácio», a saber, uma augusta e luxuosa residência, com muitos aposentos, ou um lar particular de riqueza incomum. Mas, como é óbvio, essas idéias também podem fazer parte daqueles termos porquanto, na verdade, os povos antigos tinham palácios no sentido moderno da palavra. E o significado bíblico mais comum é alguma residência suntuosa de algum rei ou importante figura pública.

A arqueologia tem ilustrado amplamente a existência e o esplendor de alguns desses palácios. E assim tem ficado provado que os palácios de Israel diferiam em bem pouco dos palácios dos povos circunvizinhos. Alguns palácios, na realidade, eram fortalezas, como o palácio de Saul, em Gibeá. Podemos pensar que o mesmo era parecido com o palácio de Davi, que a arqueologia encontrou em Jerusalém (ver II Sam. 5:7-9). Salomão também tinha o seu próprio palácio, construído com a ajuda de operários estrangeiros especializados (ver I Reis 7:1-12). Esse palácio era chamado de «casa da floresta do Líbano», por causa das colunas de cedro que ali havia. Construído em torno de um pátio central, tinha um espaçoso salão de espera, uma sala do trono (ricamente decorada com ouro), apartamentos reais, um harém e aposentos para servos. Havia uma entrada que dava para o pórtico sul do templo de Jerusalém.

Uma outra importante estrutura desse tipo era o palácio de Acabe e Jeroboão, na cidade de Samaria. Esse palácio, juntamente com os palácios de vários governadores persas, em Laquis, e as residências dos Tobíades, têm sido encontrados pelos arqueólogos em suas escavações. Herodes mandou construir um palácio na torre de Hananel, à qual reconstruiu com o nome de *Torre de Antônia* (vide). E também mandou construir um outro palácio, que recebeu o nome de *Torre de Fasael*. Esta pode ser vista até hoje, em suas ruínas. Josefo descreve como Herodes apreciava viver na suntuosidade (*Guerras* 5:6,4). Herodes também tinha palácios em Maquero, Heródium e Jericó.

II. Tipos de Palácios

1. *Residências Reais*. As famílias reais e os principais oficiais do governo ocupavam esses complexos. Naturalmente, eram bem fornidos com servos. Ver II Crô. 8:11; 9:11; II Reis 7:9.

2. *Principais Edifícios Públicos*. Nessa classe, os especialistas incluem o palácio de Acabe, em Jezreel (ver I Reis 21:1); os palácios do rei assírio, em Nínive (Naum 2:6); os palácios de vários governantes babilônicos, na cidade de Babilônia (II Reis 20:18; Dan. 4:4); e o palácio dos governantes persas, em Susã (Esd. 4:14).

3. *Os Principais Edifícios de Alguma Fortaleza ou Cidadela*. Esses ficavam na maioria das capitais das nações: em Jerusalém (Isa. 32:14); em Samaria (Amós 3:10,11); em Damasco, como o de Ben-Hadade (Amós 1:4); em Tiro (Isa. 23:13); na Babilônia (Isa. 25:2); em Edom (Isa. 34:13); em Gaza, Amom, Bozra, Asdode e Egito (Amós 1:7,12; 3:9).

A função de um palácio, como parte integrante de uma fortaleza, é salientada em trechos como I Crô. 29:1,19; Nee. 1:1; 2:8; Est. 1:2. Outras escrituras falam sobre seus jardins, pátios, complexos de edifícios, decorações suntuosas, colunas, etc. Ver Esd. 7:7,8; Can. 8:9; Eze. 25:4; Dan. 9:45.

III. Características de Palácios de Vários Lugares

1. *Em Israel*. Supõe-se que o palácio-fortaleza de Saul, em Gibeá, era uma construção bastante austera, um edifício de pedra, com o aspecto de um quartel militar. O palácio de Davi em Hebrom provavelmente também era um lugar rústico. Mas o palácio que ele construiu em Jerusalém, que ele conquistou dos jebuseus e então embelezou, sem dúvida, já era um palácio suntuoso. Hirão, de Tiro, enviou-lhe cedros, carpinteiros, artesãos e outros operários especializados para garantir o resultado (ver II Sam. 5:11). O palácio de Salomão caracterizava-se por considerável grandiosidade, adornado com muitas pinturas, ouro e prata, uma sala grande que continha um trono de ouro, decorada com a melhor arte fenícia. Esse palácio foi chamado de *casa da floresta do Líbano*, porque suas colunas, estruturas do teto, etc., foram construídas com cedro proveniente do Líbano (ver I Reis 7:2 ss). Dispunha de uma muralha circundante com três fileiras horizontais de pedra, reforçadas com uma fileira de traves de madeira, como proteção contra abalos sísmicos. O trecho de I Reis 7:9 informa-nos que foram usadas pedras valiosas na construção. Onri e Acabe construíram palácios quase equivalentes. Jeremias aludiu a diversos segmentos desse palácio, como «casa de inverno», «átrio da guarda», etc. (ver Jer. 36:20,22; 37:21; 38:6). Esse palácio, porém, foi destruído por Nabucodonosor. Demos outros detalhes a respeito na primeira seção, acima, que ilustram o que acabamos de dizer.

2. *No Egito*. Todos os Faraós do Egito (de trinta dinastias) tiveram seus luxuosos palácios. As escavações arqueológicas têm comprovado amplamente a natureza suntuosa daquelas edificações. Elas foram retratadas em relevos tumulares e nas mais diversas obras de arte. O palácio de Merempitá, filho de

PALÁCIO — PALAVRA DA VERDADE

Ramsés II (cerca de 1230 A.C.), foi desenterrado. Embora tal palácio tivesse sido destruído em um incêndio, sobrou o bastante para exibir as suas riquezas. Continha pinturas afresco; paredes de tijolos; teto de madeira; uma sala do trono no fim de um átrio com colunata. Essa sala era sustentada por seis gigantescas colunas de pedra calcária branca, com cerca de 7,60 m de altura. As portas foram confeccionadas em bronze. Por igual modo, o palácio de Amenhotepe III, em Taber, foi escavado, e objetos ali encontrados terminaram em exibição em vários museus. Um outro notável palácio é o de Amenhotepe IV (1385 A.C.). Foi construído em Aquetaten, em Amarna. As famosas cartas de *Tell el-Amarna* (vide) foram achadas ali. O palácio de Atom era um dos edifícios que faziam parte de um complexo. Uma dupla muralha circundava esse palácio. A rainha Nefertite (esposa de Atom) tinha o seu próprio palácio. E também havia luxuosas residências de altos oficiais do governo, nesse mesmo complexo.

3. *Na Mesopotâmia*. Os assírios e os babilônios dispunham de esplêndidos palácios. O palácio de Sargão II (772 A.C.), como o de seu filho, Senaqueribe, foram escavados, onde os arqueólogos encontraram evidências de sua luxuosa decoração artística e de seu mobiliário. O palácio de Nabucodonosor (século VI A.C.), representou outro triunfo arqueológico. O palácio de Nabucodonosor II estava adornado com tijolos esmaltados, com artísticas linhas geométricas. Motivos decorativos favoritos, nesse palácio, eram os touros e os dragões em alto-relevo, sobre tijolos coloridos. Um outro extraordinário palácio era o de Mari, que data de cerca de 1700 A.C. Trata-se de um tremendo complexo de construções, cobrindo nada menos que 61 mil metros quadrados! Ali havia apartamentos reais, edifícios administrativos e até lugares especiais para os escribas trabalharem. O palácio era adornado com murais artisticamente trabalhados, alguns dos quais até hoje permanecem em condições relativamente boas. Esses murais ilustram todas as fases da vida da época, com cenas de vida secular e religiosa. Também não podemos esquecer os palácios dos monarcas persas, em Persépolis, quase sempre extravagantes. Os palácios de Susã foram escavados, provendo excelentes exemplos da elevada cultura da época. Neemias serviu em um desses palácios, como copeiro real. Ver também Dan. 8:2.

4. *Em Creta*. Imensos labirintos foram encontrados em Cnossos, pelos arqueólogos. Nesses labirintos há muitos aposentos. Tais lugares ilustram a antiga cultura minoana, conferindo-nos muitos espécimes da arte antiga.

IV. Usos Figurados

Os filhos dos justos são comparados com palácios, em Sal. 144:12. O próprio céu é descrito como o palácio de Deus (Sal. 45:15). Para vários profetas, os palácios eram símbolos dos excessos reais (ver Amós 1:5). Certo hino cristão alude a como Cristo deixou os seus «palácios de marfim» para vir a este mundo de misérias. Isso refere-se ao tema do segundo capítulo da epístola aos Filipenses, a encarnação e a humilhação que isso significou para o Logos. E aí temos um reflexo do amor de Deus. As riquezas do céu foram derramadas sobre a humanidade, e os homens humildes foram beneficiados. Nos sonhos e nas visões, um palácio serve para enfocar a riqueza da entidade humana, os pincaros de seu ser e de suas potencialidades, em contraste com uma adega ou porão, que fala sobre seu passado primitivo e selvagem.

PALAL

No hebraico, «Deus julga». Esse era o nome de um dos filhos de Uzai. Ele foi contado entre aqueles que retornaram do cativeiro babilônico e ajudaram na reconstrução das muralhas de Jerusalém (Nee. 3:25). Sua época girou em torno de 445 A.C.

PALANQUIM

No hebraico, **appiryon**. Esse vocábulo, que só se encontra em Can. 3:9, é de significação incerta. Parece referir-se a uma espécie de cadeira transportável. A *Mishnah* (vide) opina que essa palavra indica um leito nupcial, ou mesmo um coche aberto, em ambos os casos, transportáveis. Várias traduções dão *coche* ou *leito nupcial*.

Há especulações a respeito, que chegam a pensar que esse artigo ilustra a pessoa de Cristo e seus ofícios; mas isso é exagerar o sentido do texto. Tal objeto foi construído em cedro do Líbano, e, sem dúvida, era altamente ornamentado.

PALAVRA DA VERDADE

Ver João 17:17.

Qual é o papel da Palavra de Deus, neste trecho bíblico? Exatamente aquilo que já pudemos encontrar no sexto e no oitavo versículos deste mesmo capítulo, a saber:

1. Não se trata de uma referência às Escrituras do A.T., embora essas Escrituras contenham a «palavra» aqui mencionada, posto que de forma um tanto imperfeita ou incompleta.

2. Por semelhante modo, não se trata de uma referência às Escrituras do N.T., as quais, quando Cristo proferiu tais palavras, ainda não existiam, e nem mesmo quando foi completado este quarto evangelho, ainda não havia «cânon» formal do N.T., apesar de que esse «cânon» já estava em seus primeiros estágios, nos evangelhos e em algumas das epístolas paulinas.

3. Pelo contrário, a Palavra de Deus, neste caso, *é aquela mensagem divina relativa a Jesus Cristo* — a mensagem messiânica; a mensagem de que Cristo veio da parte do Pai, a fim de realizar uma missão específica, que Cristo é o «Logos» eterno, o «Logos» encarnado, o «Logos» pós-encarnado (o que é subentendido nas diversas afirmativas de Cristo de que voltaria «para o Pai»). Trata-se, pois, da mensagem cristã central, o «evangelho», no dizer de João Gill (*in loc.*). Trata-se da mensagem que esse «evangelho» anuncia aos homens — Jesus é o Cristo, o Filho de Deus, e a fé em Cristo resulta na vida eterna (ver João 20:30,31). Trata-se da mensagem mesma que o Senhor Jesus trouxe aos homens, a qual foi profetizada e pintada incompletamente nas páginas do A.T., concernente à pessoa de Cristo, posteriormente cristalizada no N.T. Portanto, trata-se da mensagem essencial do N.T. referente a Cristo, embora isso tenha sido dito antes que os documentos do N.T. houvessem sido vazados em forma escrita.

Aspectos da Verdade

1. É a verdade de Deus, que se acha em Cristo, que transforma as vidas humanas e opera tão grande glória.

2. É a verdade que milita contra a incredulidade dos judeus, que negavam a autoridade do Messias, embora eles proclamassem todo o tempo terem a verdade absoluta nos ritos, cerimônias e exterioridades do A.T.

PALAVRA — PALAVRA DE DEUS

3. Ela milita contra toda a incredulidade humana, João 3:17 e ss.

Essa *verdade*, pois, pode tornar um homem santo, pode santificá-lo, pode separá-lo deste mundo; e assim acontece não porque se trata de uma palavra meramente escrita e, sim, de uma mensagem viva, soprada na alma pela atuação do Espírito Santo, que a usa como instrumento, e que através dela instrui aos homens, transformando-os segundo a perfeita santidade de Deus. A Palavra de Deus escrita, em face do fato de que descreve essa verdade de Cristo, pode servir de instrumento que expõe ante os homens qual é a verdade de Deus; e por isso mesmo tem papel preponderante na transformação da alma do crente. (Ver o artigo separado sobre *Santificação*).

PALAVRA DA VIDA

1. A alusão não é às Escrituras do A.T., e, menos ainda ao Novo Testamento, que ainda não recebera a forma de coletânea, pois muitos de seus livros ainda não haviam sido registrados, quando Paulo escreveu essas palavras.

2. Quase todas as expressões do N.T. que incluem o vocábulo «palavra», são de cunho evangélico. Isto é, referem-se ao «evangelho», de diferentes maneiras. (Veja-se isso amplamente ilustrado em Efé. 6:17 no NTI, sob o título «A Palavra de Deus»). Em Fil. 2:16 pois, Paulo se refere à mensagem de salvação que ele pregava.

3. Fil. 2:16 pode ser comparado ao trecho de João 6:68, que se refere a «palavras de vida eterna».

4. Podemos notar como a palavra do evangelho, que traz «vida» é vinculada à metáfora da *luz* (Fil. 2:15). Assim também, em João 1:4, temos a «vida» espiritual, que se deriva da vida física, através do processo da «iluminação» do Espírito.

5. Aprendemos que as palavras de Cristo e o evangelho, produzem vida através da iluminação.

6. Biologicamente, nada pode existir sem luz. Esse é um fato científico. Espiritualmente, nenhuma vida poderia existir sem a iluminadora palavra da vida. Esse é um fato espiritual.

7. Por essas mesmas razões é que Jesus é, pessoalmente, intitulado «vida» (ver João 14:6) e «luz» (ver João 1:9).

8. A «vida» aqui referida é, naturalmente, a vida eterna. (Ver o artigo sobre *Vida Eterna*). A vida eterna é a *salvação* (ver o artigo).

9. Se é o evangelho que traz vida aos homens, quão importante é a sua propagação! (Ver Rom. 10:14).

PALAVRA DE CRISTO

Rom. 10:17: *Logo a fé é pelo ouvir, e o ouvir pela palavra de Cristo*.

O sentido dessa citação de Paulo (Isa. 53), pois, é que está em foco a mensagem concernente a Cristo, *o evangelho cristão*, embora isso não signifique que o A.T. tenha sido completamente eliminado, porque é claro que Paulo, com freqüência, citou esses documentos do A.T., em apoio às suas afirmativas; e isso significa que, mui provavelmente, ele incluía, nessa expressão, a idéia da tradição messiânica e profética do A.T. como parte integrante da «palavra de Cristo». Mais especificamente ainda, Paulo aludia à mensagem do evangelho, que ele mesmo e outros cristãos primitivos pregavam, e não às Escrituras do A.T., as quais também, e com toda a razão, poderiam ser chamadas de «palavra de Deus». Visto que, quando o apóstolo escreveu, a coletânea sagrada do N.T., ainda não havia sido completada. É impossível que essa expressão se refira aos documentos neotestamentários, em todo ou em parte, exceto que essa «palavra de Cristo» posteriormente veio a ser escrita, tornando-se uma coleção concreta, tomando a forma de nosso atual Novo Testamento. O apóstolo dos gentios referia-se *à sua mensagem*, isto é, à mensagem concernente ao Senhor Jesus Cristo.

O pregador que se transforma em um mero político, e prega doutrinas políticas, erra crassamente, pois ocupa-se com essas questões, em vez de anunciar ao Senhor Jesus Cristo. Além disso, ficar perenemente pregando «contra alguma coisa», como contra o modernismo ou o mundanismo, é ter uma mensagem unilateral, não sendo tal prédica o cumprimento da Grande Comissão, que menciona especificamente tanto o evangelismo como o *ensino* de todas as ordens do Senhor Jesus, para serem praticadas por seu povo, e tudo centralizado em torno da pessoa de Cristo. Já perdeu o seu chamamento e a sua visão o pregador que não mais está «centralizado em Jesus Cristo», em sua pregação, porquanto não mais percebe com clareza qual seja a sua responsabilidade.

PALAVRA DE DEUS

1. Essa expressão, algumas vezes, aponta para o A.T., mas nunca para o Novo Testamento, porquanto a formação do cânon neotestamentário, só teve lugar após estar completo, como um documento escrito.

2. Usualmente, nas páginas do N.T., essa expressão indica «a mensagem oral do evangelho» (ver I Ped. 1:25). Isso também se patenteia em Rom. 10:17.

3. A palavra de Cristo, também, pode indicar aquele corpo de doutrinas e de conceitos que circundam a pessoa de Cristo, em seus ensinamentos, em suas instruções, etc., que algumas vezes têm algo a ver com a moralidade e a conduta de nosso viver diário.

4. Examinar as seguintes expressões paralelas:
a. **Palavra de promessa**, em Rom. 9:9
b. Palavra de fé, em Rom. 10:8
c. Palavra da verdade, em Efé. 1:13
d. Palavra de Cristo, em Col. 3:16
e. Palavra de justiça, em Heb. 5:13
f. Palavra de profecia, em I Ped. 1:19
g. Palavra da vida, em I João 1:1

5. A Palavra é vivificada pelo Espírito, tornando-se assim uma força impulsionadora para o bem (ver Heb. 4:12). A maioria dos usos neotestamentários é de natureza evangelística, tendo alguma referência ao evangelho pregado pelos apóstolos, à nova fé religiosa, a qual, posteriormente, assumiu forma escrita no N.T. Algo como esse uso, provavelmente, é o que está em pauta no presente texto. Esse vocábulo aponta para a espiritualidade, para sua criação e desenvolvimento.

É mister esclarecer aqui que os «dois gumes» da Espada do Espírito não são a «lei» e o «evangelho», porquanto tal interpretação é totalmente contrária à mensagem do N.T. Não obstante, a lei condena, e isso tem seu devido valor, para levar os homens a se entregarem a Cristo.

A idéia de que a Palavra de Deus é uma *espada* foi tomada por empréstimo da interpretação rabínica. Por exemplo, o comentário dos rabinos (a *Midrash*), diz com respeito ao trecho de Sal. 45:3: «Cinge a espada no teu flanco, herói...» que: «Isso se refere a Moisés, que recebeu a Tora, que se assemelha a uma espada». (*Rabino Judá*, 150 D.C.). E acerca da

PALAVRA DO SENHOR

«espada de dois gumes», que figura em Sal. 149:6, o comentário rabínico diz: «Essa é a *Tora*, escrita e oral». E a versão da Septuaginta traduz o trecho de Isa. 11:4, que diz, «...ferirá a terra com a vara de sua boca...», como «...com a espada de sua boca...» (Isso pode ser confrontado ainda com o trecho de II Tes. 2:8).

PALAVRA DO SENHOR

Ver o artigo separado sobre *Verbo*.

Por detrás do conceito de *palavra*, dentro da expressão «Palavra do Senhor», destaca-se um importante vocábulo hebraico e dois vocábulos gregos, a saber, respectivamente, *dabar*, *lógos* e *rêma*, que teremos de considerar um por um. Ambas as palavras gregas são usadas como tradução de *dabar*, na Septuaginta; e, além disso, essas palavras gregas são usadas como sinônimos virtuais nas páginas do Novo Testamento.

Esboço:
I. Os Vocábulos
  A. No Hebraico
  B. No Grego
II. A Palavra no Antigo Testamento
  A. A Palavra e a Revelação
  B. A Palavra e os Primeiros Profetas
  C. A Palavra e a Profecia
  D. A Palavra e a Lei Mosaica
  E. A Palavra nos Salmos
III. A Palavra Dentro da Filosofia Grega
  A. A Introdução
  B. Heráclito
  C. Os Filósofos Sofistas
  D. Platão
  E. Aristóteles
  F. O Estoicismo
  G. O Helenismo
    1. Os Mistérios
    2. O Hermeticismo
  H. Filo
  I. Conclusão
IV. A Palavra no Novo Testamento
  A. Uso Geral
    1. Neutro
    2. A Palavra e a Realidade
    3. Negativo
    4. Sentidos Específicos
  B. Uso Especial
    1. O Antigo Testamento
    2. A Palavra a Indivíduos
    3. A Palavra de Jesus
    4. A Palavra Sob a Forma do Evangelho
    5. Jesus Como a Palavra de Deus
      a. Apocalipse 19:13
      b. I João 1:1
      c. João 1:1 ss.

I. Os Vocábulos

A. No Hebraico. A raiz *dbr* deu, no hebraico, tanto o substantivo quanto o verbo correspondente. A etimologia é obscura, mas muitos hebraístas dizem que, por detrás dessa raiz temos a idéia de «aquilo que está por detrás». Se essa opinião está com a razão, então devemos pensar no pano de fundo de alguma questão, ou seja, o significado ou conteúdo conceptual. Desde o começo, parece que esse vocábulo hebraico envolvia tanto um elemento noético (o pensamento) quanto um elemento dinâmico (o poder). Dessa forma, não somente as palavras, mas também as ações que elas representam, devem ser levadas em consideração. Talvez essa idéia transpareça claramente em um texto bíblico como Salmos 35:20, que diz: «Não é de paz que eles falam; pelo contrário, tramam enganos contra os pacíficos da terra». A importância desse conceito da vinculação entre um pensamento e seu poder, ou ação, ficará mais clara à medida que avançarmos na discussão sobre a Palavra de Deus, tanto no Antigo quanto no Novo Testamentos.

B. No Grego. Os termos gregos *lógos* e *rêma* foram ambos usados pelos tradutores da Septuaginta, quando eles encontravam a palavra hebraica *dabar*. No entanto, no idioma grego, no decorrer dos séculos, esses vocábulos passaram por um desenvolvimento inteiramente independente e diferente um do outro. Assim, *lógos* passou por todo um leque de significações, indo desde «memória», passando por «cômputo», «cálculo», «prestação de contas», «consideração», «razão», «narrativa», «fala», e daí até «palavra». Por sua vez, desde o princípio, *rêma* teve o significado de «declaração», com todas as suas possíveis ramificações. Esse vocábulo indicava a palavra como algo distinto de atos, ainda que, paradoxalmente, preservasse em seu bojo um elemento ativo, até que os gramáticos chegaram a adotá-lo como o termo que significa verbo (a palavra ativa), em distinção ao substantivo. No entanto, apesar de suas origens e histórias tão diversas, essas duas palavras foram usadas, mais ou menos, como sinônimos, tanto na Septuaginta quanto no Novo Testamento. E a proporção ou freqüência de uso também é interessante. *Rêma* é usada, na Septuaginta, quase três vezes mais que *lógos*. Em proporções quase idênticas em Juízes e Rute. Daí por diante, o termo *lógos* começa a predominar. É duas vezes mais usado que *rêma* entre I Samuel e Cantares; e é quase oito vezes mais comum, nos escritos proféticos, do que *lógos*. E, então, quando chegamos ao Novo Testamento, *lógos* preserva a sua superioridade numérica, onde aparece na proporção de quatro para um, em relação a *rêma* (cerca de trezentas vezes contra setenta vezes). Entretanto, no tocante à significação precisa, na maioria dessas instâncias é muito difícil se fazer qualquer distinção entre essas duas palavras.

II. A Palavra no Antigo Testamento

A. A Palavra e a Revelação. No Antigo Testamento, *a palavra* é o meio supremo por intermédio do qual o Criador torna conhecidos, diante de suas criaturas, tanto a sua própria pessoa quanto a sua vontade. Uma conseqüência disso é que a religião ensinada na Bíblia, mormente no Novo Testamento, é primariamente uma religião para ser percebida com os ouvidos, e não para ser apreciada com os olhos. Daí provém a importância dos atos de ouvir e atender, nas Escrituras Sagradas. Todavia, não devemos correr daí para pensar que a religião bíblica seja, intrinsecamente, verbal ou abstrata. A Palavra divina, em distinção à mera palavra humana, é co-extensiva com aquilo que ela afirma ou representa. E daí segue-se, logicamente, que o seu atributo mais importante é a veracidade. «Agora, pois, ó Senhor Deus, tu mesmo és Deus, e as tuas palavras são verdade, e tens prometido a teu servo este bem» (II Sam. 7:28). «Santifica-os na verdade; a tua palavra é a verdade» (João 17:17).

No sentido que acabamos de verificar, nessas duas passagens citadas, uma do Antigo, e outra do Novo Testamento, a *verdade* não aparece como mera idéia abstrata, porquanto traz consigo o sentido de *fidelidade* e de *confiabilidade*. Portanto, a lição que isso nos ensina é que aquilo que ele diz é veraz. Se a

PALAVRA DO SENHOR

referência de alguma declaração divina ainda é futura, então devemos pensar que certamente o que Deus disse haverá de ter cumprimento. E isso, por sua vez, implica na força da palavra. Toda declaração divina envolve o poder de fazer com que aquilo que foi dito se torne uma realidade. Exemplificando, de acordo com aquela afirmativa de Jesus, os crentes são realmente santificados mediante a Palavra de Deus.

Acresça-se a isso que, no Antigo Testamento, lemos acerca de palavras vazias ou enganosas. Essas não contam com a força do Espírito de Deus, ou, em outras palavras, não foram ditas por Deus. Mas, quando Deus fala, a palavra falada intervém ativamente nas atividades humanas. Isso posto, a Palavra de Deus é histórica, não apenas no sentido de que registra os acontecimentos históricos, e, sim, naquele sentido dinâmico que ela faz a história. Isso nos é ensinado desde o primeiro capítulo de Gênesis, que mostra que a criação foi feita mediante a palavra proferida por Deus. Lemos por repetidas vezes, naquele capítulo: «Disse Deus...» E essa verdade também transparece em uma passagem como Isaías 40:26, que alude à criação das coisas, destacando a criação das estrelas: «Quem criou estas coisas? Aquele que faz sair o seu exército de estrelas, todas bem contadas, as quais ele chama pelos seus nomes...» E a história inteira do povo de Israel, no Antigo Testamento, reforça esse conceito, com muitos lances. E um importante ponto, nessa conexão, que não deveríamos esquecer, é que, por meio da Septuaginta, a força do termo hebraico *dabar* é refletida nos termos gregos *lógos* e *rêma*.

B. A Palavra e os Primeiros Profetas. Visto que, como já vimos, a revelação de Deus, verifica-se primariamente, por meio de sua palavra falada, em Israel desenvolveu-se o ofício ímpar dos profetas, os porta-vozes de Deus. Um profeta é alguém a quem é dada a Palavra do Senhor, e então ele declara essa palavra, quase impulsivamente, como se não pudesse retê-la consigo. «Quando pensei: Não me lembrarei dele e já não falarei no seu nome, então isso se fez no coração como fogo ardente, encerrado nos meus ossos; já desfaleço de sofrer, e não posso mais» (Jer. 20:9). Assim, não mais podendo conter-se, Jeremias abriu a boca e prorrompeu em profecias, à medida que a palavra do Senhor lhe vinha, pelo Espírito de Deus.

Muitos estudiosos têm afirmado, e com toda a razão, que a Palavra de Deus, por muitas vezes, é conferida ao profeta em meio a manifestações *místicas*. (Ver sobre *Misticismo*). Isso, sem dúvida, é incontestável, pois, desde os primeiros profetas de que temos notícia, na Bíblia, até os maiores luminares entre eles, como Isaías, Jeremias e Ezequiel, eles sempre aparecem como homens visionários. Portanto, há um aspecto plástico na profecia, que, com freqüência, faz imagens e sinais acompanharem as predições e declarações extáticas, uma garantia extra de que a palavra proferida certamente terá o seu cumprimento, conforme foi «visto». Por outra parte, é deveras significativo que, desde o começo, em todas as revelações divinas o aspecto oral é o aspecto predominante. O âmago da profecia é o fato de que Deus fala ao profeta e através dele. De fato, isso vinha acontecendo desde os primeiros patriarcas de Israel, conforme se vê, por exemplo, em Gên. 22:1 e 46:2. Mas Moisés é que pode ser devidamente considerado o protótipo de todos os profetas que se sucederam. «Vendo o Senhor que ele se voltava para ver, Deus, do meio da sarça, o chamou, e disse: Moisés, Moisés! Ele respondeu: - Eis-me aqui!» (Êxo. 3:4).

Samuel, considerado o último dos juízes e o primeiro dos profetas da nação de Israel, foi chamado para seu ministério por Yahweh (cf. I Sam. 3:1 *ss*). E, quando ele expressou sua prontidão para ouvir, foi-lhe dada uma mensagem, que deveria anunciar a quem de direito. O processo foi exatamente o mesmo, em I Sam. 15:10 *ss*, onde foi anunciada a palavra de julgamento contra Saul. Ora, Saul foi rejeitado pelo Senhor por haver rejeitado a sua palavra. Essa tradição profética, iniciada por Samuel, o que também deu início às *escolas de profetas* (vide), foi continuada, de forma soberba por Natã, por Elias, por Eliseu e por Micaías. Durante todo o período de vida deles, a palavra do Senhor vinha aos profetas e era por eles declarada. E, então, visto que tal palavra não era vazia, mas era impulsionada pelo poder de Deus, cumpria-se infalivelmente, sob a forma de perdão, de salvação ou de juízo. Assim sendo, a verdadeira diferença entre um profeta e um falso profeta é que este último não tem qualquer palavra que, realmente, proceda de Deus, mas antes, apenas do espírito imaginativo e inventivo do homem; e os próprios acontecimentos se encarregam de demonstrar a falsidade da profecia e, em conseqüência, do profeta. A verdadeira palavra do Senhor acontece. «Assim diz o Senhor: Eis que trarei males sobre este lugar, e sobre os seus moradores, a saber, todas as palavras do livro que leu o rei de Judá» (II Reis 22:16). À palavra proferida por Deus, sob a forma de profecia, não pode haver resistência eficaz. «Assim, pois, morreu (Acazias), segundo a palavra do Senhor, que Elias falara...» (II Reis 1:17).

C. A Palavra e a Profecia. Aquilo que pode ser percebido desde as primeiras profecias que se encontram no Antigo Testamento, pode ser visto, já em sua expressão clássica, nos grandes profetas escritores, de Oséias e Amós em diante. No caso de alguns desses profetas, eles também se utilizaram da fórmula: «Palavra do Senhor, que foi dirigida a...» (Osé. 1:1). Essa fórmula, usada por diversos dos profetas escritores, serve de epítome da compreensão do que seja uma profecia. O que o profeta disse ou escreveu era precisamente aquilo que Deus lhe estava dizendo, e, por seu intermédio, anunciando às pessoas em geral. Um profeta, pois, era chamado por Deus para o seu trabalho profético (ver Isa. 6; Jer. 1 e Eze. 1).

A palavra do Senhor era calcada sobre o profeta, como uma responsabilidade pessoal, de tal modo que até podia ser chamada de «peso», embora a nossa versão portuguesa prefira traduzir isso por «sentença»; ver Isa. 13:1; Eze. 12:10; Osé. 8:10; Naum 1:1; Hab. 1:1; Zac. 9:1; 12:1; Mal. 1:1, etc. Outra maneira de ensinar essa responsabilidade pessoal do profeta é quando o Senhor põe suas palavras na boca de um profeta. Ilustremos com o caso de Jeremias. «Depois estendeu o Senhor a mão, tocou-me na boca, e me disse: Eis que ponho na tua boca as minhas palavras» (Jer. 1:9). E também: «Tu, pois, cinge os teus lombos, dispõe-te, e dize-lhes tudo quanto eu te mandar; não te espantes diante deles, para que eu não te infunda espanto na sua presença» (Jer. 1:17). Noutras ocasiões, a palavra dita pelo Senhor e entregue ao profeta, aparece sob a forma de um rolo que ele precisava comer, a fim de que, digerindo-a, entendesse e transmitisse fielmente aos seus ouvintes. «...abre a boca, e come o que eu te dou. Então vi, e eis uma certa mão se estendia para mim, e nela se achava o rolo de um livro... Ainda me disse: Filho do homem, come o que achares; come este rolo, vai e fala à casa de Israel. Então abri a boca, e ele me deu a comer o rolo. E me disse: Filho do homem, dá de comer ao teu ventre, e enche as tuas entranhas deste rolo que eu te dou. Eu o comi, e na boca me era doce como o mel» (Eze. 2:9—3:3). Ora, tudo isso garantia que a palavra de um profeta chamado por Deus fosse certeira, de tal modo que, quando ela se cumpria, o povo tomasse conhecimento de que um profeta estivera entre eles. «Eles, quer ouçam quer deixem de ouvir, porque são casa rebelde, hão de saber que esteve no meio deles um profeta» (Eze. 2:5).

Visto que a palavra não era do profeta, mas — do Senhor, por isso mesmo ela era dotada de um poder irresistível, o mesmo poder com que Deus criou o Universo, meramente por haver falado: «disse Deus...» Por isso mesmo é que Deus diz que aquilo que ele proclamava, teria cumprimento, mesmo porque ele via todas as coisas, do princípio ao fim. «Quem anunciou isto desde o princípio, para que o possamos saber, antecipadamente...» (Isa. 41:26). Na maioria das vezes, por conseguinte, na intermediação dos profetas, a profecia assumia a forma de predição—de livramento, de bênção, de juízo, etc., porquanto o Senhor é o Deus do tempo. Essa palavra profética, pois, confronta o homem com uma advertência solene, com uma promessa segura ou com um mandamento incondicional, meramente por ser a palavra dita por Deus, que assim age com base em sua retidão, veracidade e graça. Em face disso, ninguém pode se mostrar desatento para com uma palavra dita por Deus e ficar isento de culpa. Essa é a conclusão claríssima do Novo Testamento: «...como escaparemos nós, se negligenciarmos tão grande salvação? a qual, tendo sido anunciada inicialmente pelo Senhor, foi-nos depois confirmada pelos que a ouviram; dando Deus testemunho juntamente com eles, por sinais, prodígios e vários milagres, e por distribuições do Espírito Santo, segundo a sua vontade» (Heb. 1:3,4). «Se eu não viera, nem lhes houvesse falado, pecado não teriam; mas agora não têm desculpa do seu pecado» (João 15:22). E há muitas declarações semelhantes a essas, no Antigo e no Novo Testamentos!

D. A Palavra e a Lei Mosaica. Alguns eruditos têm feito a distinção entre a profecia e a lei. Para tanto eles gostam de basear-se em Jeremias 18:18, onde se lê: «...porquanto não há de faltar a lei ao sacerdote, nem o conselho ao sábio, nem a palavra ao profeta...» Mas, à luz do ensino bíblico, porém, isso é mais fantasioso do que real. Os profetas declaram a vontade e a palavra de Deus à sua própria época; mas fazem isso dentro do contexto e à base da vontade e da palavra de Deus para o seu povo de todos os séculos, isto é, a revelação da lei. Assim, se é verdade que a palavra profética vem ao profeta e ao povo com grande potência e força de convicção, isso não é menos verdade no caso da lei. Afinal de contas, Moisés foi o primeiro e o maior de todos os profetas. A lei, dada por Deus a Moisés, e, através deste, a todo o povo de Israel, é a palavra de Deus, tanto quanto a profecia. Na verdade, Deus utiliza-se de vários métodos para tornar conhecida a sua vontade: lei, história, poesia, profecia, evangelho—sem que alguém tenha o direito de dizer que este ou aquele método é mais condizente com a revelação divina do que qualquer outro método igualmente usado por Deus. Por semelhante modo, tanto as duas tábuas da lei (os dez mandamentos) quanto os preceitos e estatutos do resto do Pentateuco têm igual valor como revelação divina: «Veio, pois, Moisés e referiu ao povo todas as palavras do Senhor e todos os estatutos; então todo o povo respondeu a uma voz, e disse: Tudo o que falou o Senhor, faremos» (Êxo. 24:3). Nossa atitude deve ser idêntica à dos israelitas, nessa oportunidade.

E o livro de Deuteronômio ainda expõe com mais clareza esse ponto de vista. Esse livro, com todo o seu conteúdo, começa com estas palavras: «São estas as palavras que Moisés falou a todo o Israel...» (Deu. 1:1). Essas palavras ele havia recebido da parte de Deus e as transmitiu ao povo de Israel. É dentro desse livro de Deuteronômio que Moisés se chama de «profeta», ao dizer: «O Senhor teu Deus te suscitará um profeta do meio de ti, de teus irmãos, semelhante a mim: a ele ouvirás» (18:15). Isso indica que as palavras que ele transmitia ao povo, fazia-o como um profeta, e essas palavras consistiam em uma revelação profética. A palavra estava ali mesmo, sem necessidade de alguém rebuscá-la no mar ou em terra (ver Deu. 30:11 ss). Em outras palavras, o que Moisés dizia era um autêntica palavra profética, entregue e recebida. Quando a lei mosaica é corretamente compreendida, então, não a aceitamos como mero código de regulamentos externos. Pelo contrário, ela faz parte da Palavra de Deus, recebida e entregue como qualquer outra revelação divina. Se, tecnicamente, a lei pertence aos sacerdotes e a predição aos profetas, isso não forma uma antítese final. Afinal, o próprio Jeremias, em cujo livro (18:18) se encontram aquelas palavras, «...porquanto não há de faltar a lei ao sacerdote, nem o conselho ao sábio, nem a palavra ao profeta...», tanto era profeta quanto era sacerdote! A lei é Palavra de Deus, tanto quanto as profecias bíblicas!

E. A Palavra nos Salmos. Embora o saltério nada nos apresente de novidade, no tocante à nossa compreensão acerca da Palavra de Deus, contudo, enfoca certas coisas. A poesia é uma das formas mediante as quais Deus achou por bem nos revelar a sua vontade. A relação entre os Salmos e a criação (Sal. 33) e entre os Salmos e a lei mosaica (Sal. 119) é um ponto especialmente enfatizado. No Salmo 119, «palavra» é um termo significativamente empregado como alternativa para «lei», «mandamentos», «estatutos», «preceitos», etc. — Tal como se vê no livro de Deuteronômio, os Salmos salientam a qualidade profética intrínseca da lei. Ao assim fazer, talvez os Salmos nos forneçam a melhor descrição isolada da «palavra», na Bíblia inteira—uma descrição que pode ser aplicada não meramente à lei mosaica, como também às Sagradas Escrituras, em sua inteireza. Assim, a palavra de Deus prevalece no céu (Sal. 119:89). Ela também é luz que nos alumia o caminho (vs. 105); proporciona vida (vs. 160); podemos confiar nela totalmente (vs. 42); podemos fazer nossa esperança depender dela (vs. 74); requer de nós a obediência (vs. 57); deve ser entesourada no coração (vs. 11); é doce para o paladar espiritual dos justos (vs. 103); e produz tanto deleite como quando alguém encontra um rico despojo (vs. 162). A língua dos justos haverá de falar de acordo com a Palavra de Deus (vs. 172). Acima de tudo, a Palavra de Deus é o alvo não somente da fé e da esperança, mas também do amor de todos os remidos. É justamente porque a lei de Deus é a Palavra de Deus que o salmista, expressando-se de modo totalmente contrário ao que faria o legalismo, pôde clamar: «Quanto amo a tua lei! É a minha meditação todo o dia» (Sal. 119:97)!

III. A Palavra Dentro da Filosofia Grega

A. Introdução. É preciso reconhecer que, paralelamente ao desenvolvimento da doutrina bíblica da Palavra de Deus, no Antigo Testamento, dentro da filosofia grega também estava havendo um desenvolvimento do *lógos*, posto que de natureza diversa. Isso sucedeu assim porque Cristo Jesus é «...a verdadeira luz que, vinda ao mundo, ilumina a todo homem» (João 1:9). Além disso, visto que o Novo Testamento

PALAVRA DO SENHOR

foi escrito tendo como pano de fundo o helenismo, é necessário que examinemos toda essa questão, embora de forma breve. Que significação a idéia da «palavra» foi adquirindo no mundo helenista? O desenvolvimento do pensamento grego, quanto a isso, foi-se desdobrando de acordo com duas linhas mestras. O *lógos* é: 1. o poder noético de aquilatar as coisas, ou seja, o conteúdo racional sobre as coisas; 2. uma realidade metafísica que se vai expandindo gradualmente, até chegar ao conceito de um ser cosmológico, um representante da divindade.

B. Heráclito. A principal contribuição de Heráclito foi que ele via, no *lógos*, a interconexão entre homem e homem, entre homem e Deus, e, finalmente, entre toda a existência e Deus. O *lógos* tanto é a palavra como a mensagem transmitida pela palavra, o seu conteúdo. No *lógos* estão embutidas tanto a fala quanto a ação correspondente. O *lógos* envolve a eterna ordem por detrás das coisas, como uma lei cósmica e eterna, e também a base da psique humana. Em última análise, não está em foco alguma palavra proveniente de fora do homem e, sim, a palavra imanente no homem. No entanto, estranhamente, para Heráclito, o olho, e não a audição, seria o instrumento principal de captação do *lógos*, por parte do homem.

C. Os filósofos Sofistas. Entre os pensadores sofistas, a **palavra** era concebida como algo mais intimamente associado à mente do homem. O *lógos*, para eles, era a *faculdade racional* que está por detrás da fala e do pensamento. Como tal, seria indispensável para a vida política e cultural de todos os povos. Além disso, também desempenharia um papel importantíssimo na pedagogia. No entanto, eles afastaram-se da idéia do *lógos* como um princípio dotado de proporções cósmicas, reduzindo-o apenas uma faculdade humana.

D. Platão. Embora Platão seguisse as diretrizes do pensamento dos filósofos sofistas sobre o *lógos*, não se mostrava defensor de um tão grande individualismo para a «palavra» quanto eles. Para ele, o *lógos* seria muito mais do que a faculdade racional individualizada. Antes, haveria um *lógos* comum, alicerçado, em última análise, sobre a concordância que há entre as palavras e as coisas. O *lógos* tanto deriva-se-ia das coisas quanto as interpretaria. Não seria meramente uma opinião, um ponto de vista particular. Visto que combinaria o pensamento, a palavra e a coisa assim concebida e expressa, seria mais amplo que a faculdade individual da razão, sendo uma realidade maior do que essa faculdade.

E. Aristóteles. Aristóteles manifestou entender a dupla natureza do *lógos*: seria palavra e compreensão, por um lado e, por outro lado, o resultado da palavra e da compreensão. O indivíduo proferiria a palavra; mas, em certo sentido, suas ações também seriam controladas pela palavra. E, visto que o *lógos* conduziria à ação, a «palavra» poderia ser considerada como a origem das virtudes peculiares ao ser humano.

F. O Estoicismo. Os filósofos estóicos voltaram à idéia do *lógos* como um princípio cósmico. No *lógos*, pois, expressar-se-ia a ordem racional do mundo, a razão cósmica. Assim sendo, o *lógos* poderia ser tomado diretamente como Deus, ou Zeus. O *lógos* seria o germe (no grego, *lógos spermatikós*), que se desdobraria na forma de formas orgânicas ou inorgânicas. E também seria o *lógos orthós*, a lei, que transmitiria conhecimento aos homens. Todas as coisas procederiam do *lógos*, e retornariam ao *lógos*. O *lógos* geral tomaria forma consciente no *lógos*

particular do ser humano. Todavia, no estoicismo posterior, o *lógos* foi sendo crescentemente identificado com a natureza. Essa fusão da ordem racional e dos poderes vitais criava um entendimento panteísta.

G. O Helenismo

1. *Os Mistérios*. O vocábulo *lógos* encontrou um uso religioso especial, dentro das religiões misteriosas orientais. O santo *lógos* era considerado alguma revelação ou doutrina sagrada. Por meio do *lógos*, pois, haveria a ligação com a deidade. Em algumas instâncias, o *lógos* era o equivalente aos próprios mistérios, e um indivíduo que se iniciasse era chamado de *lógos* de Deus. O *lógos* também indicava as orações como um caminho até Deus. O *lógos* também ensinaria o indivíduo tanto a orar quanto a adorar corretamente.

2. *O Hermeticismo*. Uma significativa característica, quanto a esse ponto, é que o deus Hermes personificava o *lógos*. Estava em foco uma personificação genuína e não uma encarnação. O princípio por detrás de todas as coisas, portanto, era identificado com uma divindade popular. Hermes foi escolhido com base no fato de que ele era tido como o mensageiro dos deuses, o mediador, e tornava conhecida dos homens a vontade dos deuses. Também havia um elemento racional, porquanto um conhecimento secreto seria desvendado por Hermes. Hermes, à raiz dessa idéia, personificava o princípio mais amplo da vida. Todas essas idéias, inevitavelmente, aproximavam-se do panteísmo. A relação entre o *lógos* e Deus era tema de muitas especulações. Deus seria o pai do *lógos*; e o *lógos* procederia de Deus. Uma outra linha de pensamento, entretanto, dizia que o *lógos* é a imagem de Deus, ao passo que o homem seria a imagem do *lógos*. Porém, a despeito de algumas similaridades verbais, essas idéias estão bem pouco relacionadas à doutrina neotestamentária de Jesus Cristo como o Verbo ou Palavra de Deus.

H. Filo. Para esse pensador judeu (vide), a palavra *lógos* era muito importante. Ele a usou de muitas maneiras diferentes, de tal modo que é quase impossível falar de uma doutrina do *lógos*, nos escritos de Filo. A grande dificuldade que ele enfrentava, como sucedia a todos os demais pensadores não-cristãos, era manter harmônicas entre si as suas convicções judaicas e as idéias da filosofia grega. Assim, os eruditos modernos estão divididos, sem saber se, para Filo, o *lógos* era um conceito predominantemente grego ou predominantemente judaico. Até onde vai o *lógos* divino, parece que as raízes desse conceito são judaicas, mas que o desenvolvimento do mesmo foi tremendamente influenciado pelo pensamento grego.

O *lógos* de Deus, ou *lógos* divino, não seria o próprio Deus. Seria apenas uma das obras de Deus. Porém, também seria a imagem de Deus e o agente da criação, o que já importa em uma contradição, pois uma criatura não pode ser criador. Filo identificava o *lógos* com o cosmos noético. Mas serviria de intermediário entre o Deus transcendental e o homem. No *lógos* estariam embutidos os *lógoi*, ou seja, as idéias individuais. O próprio *lógos*, entretanto, era mais do que um mero conceito. Filo personificava o *lógos*. Ele dizia que o *lógos* é filho de Deus. A herança judaica de Filo, entretanto, resguardou-o tanto de deificar o *lógos* quanto de conceber um imanentismo total de Deus, o que já seria equivalente ao panteísmo. De fato, o *lógos*, para ele, parecia um elo conveniente entre o Deus criador e o mundo que ele criou.

I. Conclusão. Visto que o Novo Testamento apresenta Jesus Cristo como o Verbo encarnado de

PALAVRA DO SENHOR

Deus, sentimo-nos fortemente tentados a buscar paralelos desse conceito bíblico no mundo grego ou helenista, como se as idéias gregas fossem as fontes de onde João extraiu o seu entendimento acerca do *lógos* ou Verbo de Deus. Fazer tal coisa, entretanto, é ignorar as diferenças decisivas entre o pensamento grego e o pensamento bíblico e neotestamentário. Poderíamos sumariar essas diferenças quanto a quatro pontos principais: 1. a compreensão grega sobre o *lógos* é racional e intelectual; a compreensão bíblica é teológica; 2. o pensamento grego chegava a dividir o *lógos* único em muitos *lógoi*; o Novo Testamento, por sua parte, reconhece somente um *Lógos*, o Mediador entre Deus e o homem, Jesus Cristo; 3. para os gregos, o *lógos* deveria ser concebido inteiramente fora da consideração de tempo; mas Jesus Cristo, o Verbo eterno, assumiu singularidade histórica quando se encarnou, ou seja, veio viver dentro do tempo; 4. para os gregos, o *lógos* tenderia para ser identificado com o mundo, de tal maneira que o mundo seria o filho de Deus; mas o *Lógos* da Bíblia é o Filho unigênito do Pai, um ser divino-humano distinto da criação, conhecido entre os homens como Jesus de Nazaré. À luz dessas quatro distinções fundamentais, aqueles paralelos óbvios, dos quais falamos acima, são reduzidos à insignificância material.

IV. A Palavra no Novo Testamento
A. Uso Geral

1. *Neutro*. Embora, no Novo Testamento, *lógos/rêma* seja um importante vocábulo teológico, também pode ser usado em um sentido geral. Em algumas instâncias, o sentido geral pode ter uma significação teológica toda própria; mas, em outros casos, essa significação reveste-se de um caráter inteiramente neutro. Assim sendo, esse termo, no singular ou no plural, pode denotar aquilo que já ocorreu, no passado (Mar. 7:29). O ato de falar também pode ser distinguido do ato de escrever uma carta (II Cor. 10:10). Mas, é digno de nota que a palavra escrita também transmite a palavra (vs. 11). Além disso, o vocábulo «palavra» pode indicar uma notícia ou um rumor, ou mesmo a narrativa contida em um livro (Atos 1:1). E nem mesmo é necessário que haja um discurso inteligível; pois as palavras podem ser proferidas em língua extática, tanto quanto com o entendimento (I Cor. 14:19). Qualquer coisa que se diga pode ser *lógos* ou *rêma*.

2. *A Palavra e a Realidade*. Um interessante uso do vocábulo *lógos* é aquele que indica uma palavra vazia, em distinção à realidade ou a uma ação. Isso é algo teologicamente impossível, quando a referência é à palavra divina. Porém, a fala humana pode consistir apenas em fala, destituída de qualquer substância ou realidade. A linguagem jactanciosa da sabedoria humana cabe dentro dessa categoria (ver I Coríntios 1—4). Por igual modo, a profissão de amor, sem as demonstrações correspondentes (ver I João 3:18; cf. Tia. 2:14 ss).

3. *No Mau Sentido*. As palavras podem ser não somente vazias e sem poder, mas também maldosas. O trecho de Efésios 4:29 alude a uma linguagem «torpe»; I Tessalonicenses 2:5 menciona palavras de «bajulação»; II Timóteo 2:17 compara as palavras ditas pelos heréticos a uma excrescência maligna; II Pedro 2:3 fala sobre «palavras fictícias»; e Tiago 3:2 reconhece solenemente que quase todas as pessoas ofendem em suas palavras. Paulo, em I Coríntios 1—4 nada de bom tem a dizer sobre as palavras ditadas pela sabedoria humana, porquanto nelas não há nem verdade e nem poder.

4. *Sentidos Específicos*. Nas páginas do Novo Testamento, o termo *lógos* pode também revestir-se de sentidos particulares, derivados de sua significação básica. Assim sendo, dar um *lógos* é prestar contas, ou a alguém, ou, mais comumente, nas páginas da Bíblia, a Deus (Mat. 12:36; Rom. 14:12). *Lógos* é vocábulo que também pode significar «base» ou «razão», conforme se vê, por exemplo, em Atos 10:29. Tema ou assunto, parecem ser os sentidos da palavra *lógos*, em Atos 8:21. Do ponto de vista espiritual, o conceito de prestação de contas é o mais importante dentro dessa categoria.

B. Uso Especial

1. *O Antigo Testamento*. Em um grupo inteiro de versículos do Novo Testamento, o verbo *légo*, «dizer», ou os substantivos *lógos/rêma*, «palavra», referem-se ou à palavra de revelação do Antigo Testamento ou ao próprio Antigo Testamento, na qualidade de Palavra escrita de Deus. Um interessante ponto a observar, nessas referências bíblicas, é que, algumas vezes, a «palavra» é descrita como a de algum autor humano e outras vezes, como a do Cristo preexistente e outras vezes, como a de Deus. Além disso, também seu uso é indefinido, «foi dito», ou expressão similar. E mesmo quando a ênfase recai sobre o orador ou escritor humano, não resta dúvida nenhuma de que o mesmo é um porta-voz de Deus, de tal modo que embora o homem esteja falando, Deus é o originador real das palavras ditas, no Antigo Testamento. A «palavra», sem importar se alguma declaração isolada, se um livro inteiro, é palavra tanto do homem quanto de Deus. O conceito que o Novo Testamento faz do Antigo Testamento, como também o conceito que o Novo Testamento faz de si mesmo e de sua mensagem, é a noção bíblica fundamental da Palavra do Senhor. Se a expressão «palavra do Senhor» (no grego, *lógos toū kuríou*) nunca é empregada no Novo Testamento, nessa conexão, para isso parece haver uma razão especial. Pois, no Novo Testamento, *kúrios* é um título do próprio Jesus Cristo, pelo que expressões como «palavra do Senhor» ou «palavras do Senhor» facilmente poderiam passar por expressões dominicais. E mesmo quando estão sendo feitas citações do Antigo Testamento, essas expressões não são usadas como uma fórmula introdutória, embora a palavra grega *kúrios*, com um verbo, possa ser usada dentro das próprias passagens citadas, conforme se vê, por exemplo, em Romanos 12:19. A maneira geral como o Novo Testamento se refere ao Antigo Testamento, como a Palavra de Deus, deixa claro, além de qualquer dúvida possível que, tanto a mensagem do Antigo Testamento como também os versículos individuais são reputados como divinamente dados e divinamente autoritários. O quanto isso é plenamente endossado pode ser visto com base no fato de que, em alguns poucos versículos do Novo Testamento é difícil dizer se há ali uma referência à palavra do Antigo Testamento ou à mensagem do Novo Testamento (cf. Heb. 4:12 e Efé. 6:17).

2. *A Palavra a Indivíduos*. No Novo Testamento, tal como no Antigo Testamento, encontram-se exemplos de pessoas a quem foi dada alguma palavra ou mensagem da parte de Deus. Assim sendo, a *rêma* de Deus veio a Simeão (ver Luc. 2:29). Outro tanto é dito a respeito de João Batista (ver Luc. 3:2). Entretanto é significativo que, embora os apóstolos tivessem sido especificamente encarregados do ministério de pregação, essa fórmula comum do Antigo Testamento não aparece mais depois do evangelho de João. Conforme diz o próprio Novo Testamento, a lei e os profetas vigoraram até João (Mat. 11:13). Se, dali por diante, não lemos mais que a palavra de Deus veio a alguém, isso não significa, naturalmente, que a palavra de

PALAVRA DO SENHOR

Deus foi retirada, e nem que toda a maneira da revelação divina tenha sido drasticamente alterada. A razão é outra; é que agora a Palavra de Deus veio, em toda a sua plenitude, na pessoa de Jesus Cristo. Falar, desde então, a uma palavra de Deus que tivesse vindo, por exemplo, para Paulo ou para Pedro, seria falar de uma maneira inteiramente contrária à mensagem do Novo Testamento. Agora, já foi proferida a palavra definitiva. Disso dá testemunho o trecho de Hebreus 1:1,2: «Havendo Deus, outrora, falado muitas vezes, e de muitas maneiras, aos pais, pelos profetas, nestes últimos dias falou pelo Filho, a quem constituiu herdeiro de todas as cousas, pelo qual também fez o universo». Todos os demais são comissionados para pregarem a palavra de Deus, e quaisquer orientações especiais que precisam receber, lhes são dadas por meio de uma visão, de um anjo, do Espírito Santo, ou, então, da parte do próprio Senhor Jesus.

É mister salientar que a fórmula profética do Antigo Testamento, que se faz ausente em todo o Novo Testamento, depois do evangelho de João, também aplica-se ao Senhor Jesus. Assim, embora ninguém tenha proferido a Palavra com tanta autoridade, nunca lemos no Novo Testamento que a palavra veio a Ele, como, por exemplo, veio a João. Uma voz manifestou-se por ocasião de seu batismo, e também por ocasião da transfiguração, mas essa voz dirigiu-se ao povo, e não ao próprio Senhor Jesus. Essa voz era uma confirmação e não uma comissão. Visto que, sem a menor dúvida, Jesus é o Profeta supremo, maior até mesmo do que Moisés, só podemos chegar à conclusão de que essa fórmula veterotestamentária foi evitada, no caso dele, de modo proposital. A relação entre Jesus e Deus Pai, e também entre Jesus e a Palavra de Deus transcende tão completamente o que poderia ser dito sobre os profetas que, falar sobre alguma palavra dada a Jesus seria totalmente impróprio. Conforme ver-se-á mais adiante, o âmago da mensagem do Novo Testamento é que a Palavra de Deus veio com Jesus, e não a ele ou por intermédio dele. Sua identidade com Deus e com a revelação de Deus situa todo o conceito da Palavra de Deus debaixo de uma nova luz, inteiramente inédita e sem igual. «...o Verbo era Deus... e o Verbo se fez carne, e habitou entre nós, cheio de graça e de verdade, e vimos a sua glória, glória como do unigênito do Pai» (João 1:1,14).

3. *A Palavra de Jesus*. Embora não se possa ler, no Novo Testamento, que a palavra de Deus veio a Jesus, conforme é dito sobre profetas e outros homens de Deus, o Novo Testamento, com freqüência, refere-se à prédica ou às declarações de Jesus, chamando-as de «palavra de Deus». Assim, Jesus aparece como pregador da palavra (ver Mar. 2:2). Jesus mencionou aqueles que dão ouvidos à palavra de Deus e a põe em prática (Luc. 8:21). Na parábola do semeador, a semente é a palavra (Mat. 13:18-23). Com muito maior freqüência, o Novo Testamento registrou aquilo que Jesus disse, como **declarações de Jesus** (cf. Mar. 10:22). Nessa conexão, são usados os vocábulos gregos *lógos* e *rêma*. E, quando chegamos ao livro de Atos e às epístolas, ocorrem fórmulas como «a palavra (*rêma*) do Senhor» (Atos 11:16), «palavra (*lógos*) do Senhor» (I Tes. 4:15), e «palavras do Senhor Jesus» (Atos 20:35). É digno de atenção que quando Paulo apelou para certa declaração, proveniente do Senhor, em I Cor. 7:10, esse apóstolo considerou que essa declaração se revestia de autoridade conclusiva, e isso em relação com sua própria opinião apostólica, como alguém que também tinha o Espírito de Cristo.

A Igreja primitiva, como é óbvio, sentia-se em liberdade para citar essas afirmações, sem aderir a qualquer fórmula única de citação; mas, a despeito de toda a variedade, manifesta-se a mais plena confiança de que as afirmações citadas são autênticas, tendo sido fielmente transmitidas (ver Luc. 1:1-4; Atos 1:21,22). De fato, em algumas instâncias, até o aramaico original foi preservado (como em Mar. 5:41 e 7:34), embora nos evangelhos escritos, originalmente, em grego, dirigidos, principalmente, a leitores de fala grega. Por conseguinte, quando alguma declaração do Senhor Jesus aparece em qualquer situação, ela tem toda a força e a autoridade de um clamor profético, como «Assim diz o Senhor».

A autoridade das declarações do Senhor Jesus também foi sentida por seus ouvintes originais. Se alguns se sentiram ofendidos, e outros julgaram-no louco, chegando até a tentar impedi-lo disto ou daquilo, a razão dessas atitudes é que ficaram perturbados por sua palavra, que lhes parecia ameaçadora (cf. Mat. 15:12; João 10:20). Mas, todos os ouvintes de Jesus parecem ter reconhecido, com espanto, que ele falava com toda autoridade, e não como os escribas (Mat. 7:28). As palavras de Deus produziam sobre as pessoas o mesmo impacto que a sua presença e pessoa. Por isso mesmo, Jesus disse que se envergonhar de suas palavras era envergonhar-se dele, e vice-versa (ver Mar. 8:38). As palavras proferidas por Jesus têm um poder dinâmico e autoritário. Tal como a palavra do Antigo Testamento, elas são eficazes. Por meio da palavra de Jesus, os enfermos eram curados, os pecadores arrependidos eram perdoados, os mortos eram ressuscitados. E, podemos acrescentar, eram e são. Pois, «passará o céu e a terra, porém as minhas palavras não passarão (Mat. 24:35).

A palavra de Deus realiza aquilo que ela diz (cf. Gên. 1:1 ss). Da mesma forma que a palavra do Antigo Testamento (ver Isa. 40:8), as palavras ditas por Jesus são eternas e potentes. O apóstolo João, à sua maneira, frisa a mesma verdade. No evangelho de João, as palavras de Jesus são palavras de vida eterna (ver João 6:68). Elas são «espírito e vida» (João 6:63). Têm a mesma autoridade que as palavras já registradas nas Escrituras Sagradas (João 2:22 e 5:47). Se os homens tiverem de ser salvos, terão de aceitar as palavras de Jesus (João 12:48), guardando-as (João 8:51) e permanecendo nelas (João 8:31). Além disso, essas palavras não eram apenas do homem Jesus, porquanto ele estava escudado no mandamento de Deus Pai, no tocante ao que ele deveria dizer e falar. «...e a palavra que estais ouvindo não é minha, mas do Pai que me enviou» (João 14:24). Por isso mesmo, rejeitar a Jesus e às suas palavras sujeita o homem à condenação. E será a palavra proferida por Jesus, se tiver sido rejeitada, que julgará aos incrédulos, no julgamento final. «Quem me rejeita e não recebe as minhas palavras, tem quem o julgue; a própria palavra que tenho proferido, essa o julgará no último dia» (João 12:48).

4. *A Palavra sob a Forma do Evangelho*. Os vocábulos gregos *lógos* e *rêma* não somente são aplicados às palavras proferidas pelo Senhor Jesus. Esses vocábulos também podem denotar a mensagem inteira do evangelho, isto é, tudo quanto Jesus «disse» e «fez». Nesse sentido, encontramos especialmente três expressões, a saber: «o *lógos* de Deus», «o *lógos* do Senhor» e «o *lógos*». As expressões mais comuns dentre essas três, são a primeira e a terceira. Em várias passagens do livro de Atos (como em Atos 6:4), o *lógos* não é alguma declaração de Jesus, mas antes, é a mensagem a respeito dele. E, se o Antigo Testamento também pode ser mencionado nessa conexão, isso deve-se ao fato de que a palavra e as

PALAVRA DO SENHOR

realizações de Jesus foram um cumprimento do Antigo Testamento (cf. Atos 17:11).

A incumbência dos apóstolos, como ministros da Palavra, consistia em falar, proclamar, ensinar e magnificar a palavra de Deus (Atos 4:29; 13:5,48; 18:11). As epístolas paulinas oferecem amplas evidências do mesmo uso (cf. I Tes. 1:6; II Tes. 3:1; I Cor. 14:36; II Tim. 2:9; Col. 1:25 ss e Efé. 1:13). E a «palavra», referida em I Pedro 1:23 e Tiago 1:21, envolve a mesma significação. Um ponto digno de atenção é que a palavra grega *rêma* raramente ocorre com esse sentido, embora haja boas instâncias em Hebreus 6:5; I Pedro 1:25 e Efésios 5:26. Diz I Pedro 1:25: «...a palavra do Senhor, porém, permanece eternamente. Ora, esta é a palavra que vos foi evangelizada».

Sob a forma de evangelho, a «palavra» possui os atributos e a autoridade de uma palavra definida, enviada por Deus. Essa palavra é a palavra da cruz, da reconciliação, da graça, da vida e da verdade. Quando os apóstolos pregavam a palavra, faziam-no somente como ministros de Cristo. Por essa razão, Paulo não ousava corrompê-la. Isso garantia a sua autenticidade. A palavra também é a fonte de autoridade e de poder. Homens podem contestar as palavras de outros homens; mas ninguém pode *contradizer* a Palavra de Deus. Sendo palavra de Deus, ela reveste-se de um poder vital. A palavra é o poder de Deus (I Cor. 1:18). Ela não está presa (II Tim. 2:9). Ela faz a sua própria obra, cortando como uma espada (Heb. 4:12; cf. Efé. 6:17, onde o original grego diz *rêma*), regenerando (I Ped. 1:23) e reconciliando (II Cor. 5:19). Na qualidade de palavra da vida ou da salvação, a palavra não meramente faz menção a essas coisas, mas também transmite vida e salvação.

Parte da eficácia da palavra de Deus consiste em impulsionar as pessoas para que reajam favoravelmente a ela, quando a ouvem. Na verdade, a palavra de Deus pode ser aceita ou rejeitada. Pode ser guardada ou negligenciada. Assim, o verbo «receber» é usado, com freqüência, em combinação com o substantivo *lógos* (ver Atos 8:14; I Tes. 1:6; Tia. 1:21). Está em pauta muito mais do que a apreensão ou o assentimento intelectuais. Ouvir a palavra é confiar nela (ver Atos 4:4). Por isso mesmo, a palavra de Deus opera nos crentes (I Tes. 2:13). «...a palavra de Deus, a qual, com efeito, está operando eficazmente em vós, os que credes», diz essa referência bíblica. Além disso, a obediência também faz parte do ato de recebimento da palavra de Deus (cf. Tia. 1:22; I Ped. 2:7,8). Mediante a sua obediência, ou a sua desobediência, um homem pode glorificar ao Senhor (ver Atos 13:48), ou pode blasfemar (Tito 2:5) da palavra do Senhor. Fora tudo isso, — também o papel desempenhado pelo Espírito Santo reveste-se de suprema importância; porém, isso já nos conduziria a um aspecto diferente do assunto, que é impossível cobrirmos no presente contexto.

5. *Jesus como a Palavra de Deus*. A «palavra» é a Palavra de Deus. Ela inclui tudo aquilo quanto Jesus disse e ensinou. Mas também inclui a doutrina a respeito de Jesus, e tudo quanto está ligado a essa doutrina, ou seja, todos os aspectos da doutrina cristã. Nessa qualidade, trata-se de Deus que fala aos homens por intermédio do Espírito de Deus. A «palavra» é a palavra de Deus (compreendida tanto como o objetivo quanto como um genitivo subjetivo), continuamente pregada ou anunciada. O ponto para onde convergem todas essas diferentes linhas de pensamento, bem como o clímax da doutrina bíblica sobre a Palavra de Deus, é que a Palavra de Deus é o próprio Senhor Jesus Cristo, o Filho eterno de Deus, que se fez homem, por ocasião de sua encarnação. A Palavra é Jesus, e Jesus é a Palavra. Consideremos três passagens-chaves, nessa conexão:

A. Apocalipse 19:13. Essa equiparação aparece em Apocalipse 19:13, onde «...o Verbo de Deus...» é o título designativo do Cristo exaltado e glorificado. Esse é o nome desconhecido, mas também já conhecido. Essa é a base do exercício da espada, por parte do Jesus glorificado. O Cristo que tinha esse título é o mesmo Cristo que morreu e ressuscitou, e agora está vivo para todo o sempre. Por igual modo, o título «o Verbo (*Palavra*) de Deus» não aparece isolado do evangelho cristão, porquanto, nesse mesmo livro de Apocalipse, esse título já havia aparecido em conexão com o testemunho cristão, e o Senhor Jesus é a Testemunha fiel e verdadeira. Nenhuma explicação particular é dada ali a esse título; mas, no contexto geral tal explicação é perfeitamente desnecessária, tal como quando aparece o título de «Cordeiro», aplicado a Jesus, nenhuma explicação se fez necessária. Ficam implícitas a deidade e a eternidade do Verbo de Deus, Jesus Cristo (cf. Apo. 19:16).

B. I João 1:1. Há uma equiparação similar, em I João 1:1, embora, ali, com o Jesus encarnado. Assim, a Palavra da vida foi vista, ouvida e tocada pelos apóstolos. Intrinsecamente, a referência poderia ser à mensagem do evangelho; mas os verbos usados sugerem a pessoa viva de Jesus Cristo, o Verbo que tomou carne. Essa idéia tem o apoio das palavras «O que era desde o princípio», nesse primeiro versículo da epístola. E também das palavras «com o Pai», no segundo versículo, sem falarmos na similaridade geral dessa passagem com o versículo de abertura do evangelho de João. Todo encontro com a Palavra é um encontro com a Pessoa de Jesus Cristo.

C. João 1:1 ss. A equiparação mais plena e definitiva deve ser vista com os primeiros versículos do evangelho de João. Essa equiparação nos conduz diretamente à esfera da cristologia, de tal maneira que, aqui, apenas algumas observações devem ser suficientes. Em primeiro lugar, João exprimiu a convicção neotestamentária comum de que Jesus é o coração da Palavra; e, além disso, ele levou ainda mais adiante a questão. Não somente Jesus é a Palavra, ou Verbo; mas também o Verbo é eterno e preexistente, juntamente com Deus. E Jesus, por conseguinte, é o Verbo encarnado, que veio participar da história humana. Isso posto, aquilo que é dito nas Escrituras sobre o Senhor Jesus, é dito, igualmente, sobre o Verbo de Deus. E essa é a grande razão que explica por que motivo o termo «lógos» não reaparece mais no evangelho de João, depois que termina o prólogo. Por semelhante modo, é por isso que nunca se lê que Jesus falou a palavra. Jesus é a própria Palavra de Deus, e a Palavra de Deus é Jesus. Em segundo lugar, a declaração sobre o Verbo, no evangelho de João, não consiste em alguma abstração ou personificação especulativa. O autor sagrado não parte de um conceito teórico sobre o *lógos*, que, em seguida, ele tivesse transferido para a pessoa de Jesus de Nazaré. Bem pelo contrário, João começa por Jesus, ouve a palavra de Deus, em toda a sua plenitude, na pessoa Dele, aprende a sua glória, e assim sente-se compelido a afirmar que Jesus é o Verbo, o Filho unigênito de Deus, e por conseguinte, o próprio Deus. E isso porque, em Jesus Cristo, o Verbo tornou-se carne. Em terceiro lugar, o versículo inicial do evangelho de João parece ser uma alusão intencional à passagem de Gênesis 1:1. O ponto saliente é que, no começo mesmo de Gênesis, Deus acha-se presente, a «falar» por meio do Verbo, através

PALAVRA DO SENHOR — PALESTINA

de quem todas as coisas foram feitas. É como se João estivesse interpretando, cristologicamente, o trecho de Gênesis 1:1 ss. Dessa forma, João foi capaz até mesmo de sugerir a idéia da nova criação, de natureza espiritual, por intermédio do Verbo, Jesus Cristo. A ênfase sobre os aspectos pessoal e histórico da Palavra ou Verbo de Deus, no evangelho de João, naturalmente, ultrapassa àquilo que diz o primeiro capítulo de Gênesis. Mas, dessa maneira, consegue-se salientar a inter-relação existente entre a palavra de Deus, em ambos os Testamentos, e a base final da autoridade e do poder da palavra, na qualidade de Palavra de Deus. Finalmente, em quarto lugar, a declaração do evangelho de João não tem paralelo, a despeito de todas as conexões sugeridas e de todas as influências que os estudiosos tenham procurado encontrar, como, por exemplo, do *lógos* helenista, da sabedoria judaica e da legislação rabínica, sobre os conceitos do Novo Testamento.

Em face do exposto, percebe-se que o verdadeiro intuito do autor do evangelho de João é a apresentação do Verbo ou Palavra de Deus. Mas, em última análise, para ele, como para todos os demais apóstolos que escreveram, essa é a apresentação do próprio Jesus, encarnado e ressurrecto, em toda a sua graça e verdade. Jesus Cristo é o eterno Verbo de Deus, o próprio Deus. Ver também o artigo intitulado *Lógos*.

PALAVRA QUE EXPRIME CONHECIMENTO

Trata-se de alguma palavra ou expressão que declara a verdade sobre alguma circunstância, em contraste com declarações como «creio», «suponho», «penso», etc. Para exemplificar, se eu disser: «O mundo é redondo», terei dito uma palavra que exprime conhecimento, quando falei em «redondo», porquanto nisso há uma inegável verdade. (F)

PALAVRAS DO NOVO TESTAMENTO

Palavra de Cristo (ver Rom. 10:17 no NTI quanto a notas expositivas sobre a expressão «palavra de Cristo». Ver também sobre «palavra do Senhor», isto é, de Cristo, em Atos 13:38,44,49; 16:32 e 19:10, além de I Tes. 1:8 e 4:15). A expressão «palavra de Deus» é de emprego mais freqüente, mas, nas páginas do N.T. usualmente significa a mesma coisa que «palavra de Cristo». (Ver exemplos disso em Atos 4:31; 6:2; 11:1; 18:11; 19:20; I Cor. 14:36; II Tim. 2:9). Outras expressões também são usadas, como «palavra da promessa» (ver Rom. 9:9), «palavra de reconciliação» (ver II Cor. 5:19), «palavra da verdade» (ver II Cor. 6:7), «palavra da vida» (ver Fil. 2:16), ou simplesmente «palavra» (ver Fil. 1:14). Todas essas variegadas referências aludem à «mensagem acerca de Cristo», o «evangelho», o qual, por ter vindo da parte de Deus, é a mensagem de esperança aos homens. Trata-se da palavra do «Senhor», que o declara Senhor; e é a palavra «da vida» e «da verdade», incluindo os muitos ensinamentos apostólicos que surgiram em redor da mensagem evangelística. Nessas expressões bíblicas, entretanto, não há qualquer alusão às Escrituras do Antigo ou do Novo Testamento, embora contenham elas, em forma escrita, a *mensagem* falada. Pelo contrário, em Col. 3:16, temos uma alusão à mensagem dada por Deus, e que os apóstolos e outros cristãos primitivos saíram a pregar oralmente. Posteriormente, essa «palavra» tomou forma escrita no N.T., apesar do que, nenhuma das referências à «palavra», no próprio N.T., sob qualquer de seus outros títulos, alude a esse fato.

PALESTINA

Esboço
I. Nome
II. Geografia e Topografia
III. Esboço de Informes Históricos
IV. Clima, Flora e Fauna
V. A Ocupação Humana
VI. Suprimento de Água e Agricultura
VII. Regiões e Divisões
VIII. Arqueologia da Palestina
IX. Usos Figurados
X. Mapas Ilustrativos

I. Nome

O nome Palestina figura por quatro vezes na Bíblia: Êxo. 15:13; Isa. 14:29,31 e Joel 3:4. Essa designação geográfica é de origem bastante tardia. Deriva-se dos filisteus (peleste), um povo não-semita, proveniente da região do mar Egeu, que veio a estabelecer-se em grande número ao longo das planícies costeiras do Mediterrâneo oriental, durante o reinado de Ramsés III, do Egito (cerca de 1190 A.C.). Essa região mais tarde veio a ser conhecida pelo nome de *Filístia* (ver Joel 3:14), pelo que esses dois termos, Palestina e Filístia, sem dúvida, são cognatos. Daí derivou-se também o adjetivo pátrio, *filisteus*, como transliteração de uma palavra grega. Até onde é possível sondar, foi Heródoto, grande historiador do passado, quem primeiro empregou essa tradução grega. No latim, a região chamava-se *Palestina*. Porém, foi somente já no século II D.C., que o nome Palestina tornou-se a designação oficial da área; mas até mesmo então também indicava a planície a sudoeste da Fenícia. E daí, passou finalmente a designar a totalidade da região que hoje se conhece como Palestina. O nome mais antigo dessa região era *terra de Canaã*. Esse último nome parece derivar-se do vocábulo hurriano que significa «pertencente à terra da púrpura vermelha». Esse termo continuou sendo usado até o século XIV A.C., sem dúvida como referência aos cananeus ou fenícios, que comerciavam com corantes púrpura-avermelhado, fabricados a partir das conchas do Murex, das costas do Mediterrâneo. Tanto as cartas de *Tell el-Amarna* (vide) quanto os egípcios chamavam por esse nome toda a região a oeste da Síria.

Um outro nome eminentemente bíblico é *Terra Santa* (ver Zac. 2:10), embora somente nessa referência apareça o nome, em todo o Antigo Testamento. Talvez esse seja o seu apelativo mais comum, hoje em dia. Nos tempos helenísticos, *Judéia* era usado para indicar a área inteira, visto que para ali voltaram os judeus (mormente da tribo de Judá), após o cativeiro babilônico, ao passo que outros hebreus, em virtude do anterior cativeiro assírio, há muito haviam sido espalhados entre nações pagãs, perdendo para sempre a sua identidade. Na verdade, as reivindicações de judeus modernos que procedem de outras tribos, que não as de Judá, Benjamim e Levi, não podem ser comprovadas. Um outro nome para essa região é «Terra de Israel», ou, mais simplesmente ainda, «Israel» (ver I Sam. 13:19). Finalmente, em Heb. 11:9, lemos sobre a «terra da promessa». Costumamos falar sobre a «Terra Prometida», que se tornou símbolo de todas as coisas e aspirações boas e celestes. O título «Terra Santa» foi muito comum durante a Idade Média.

II. Geografia e Topografia

É motivo de admiração verificar quão pequeno é o território da Palestina, levando-se em conta o gigantesco impacto histórico e cultural que o mesmo

PALESTINA

tem exercido sobre a civilização. Em números redondos, a Palestina tem 150 km de norte a sul, e uns 70 km de largura, em média. Conforme é fácil de calcular, a Palestina é bem menor que o estado brasileiro de São Paulo. Seu comprimento, de norte a sul, tornou-se proverbial dentro da frase «de Dã a Berseba», lugares esses que assinalavam seus extremos norte e sul, respectivamente. Foi durante os governos de Davi e Salomão que Israel atingiu suas maiores proporções territoriais. Então as suas fronteiras estendiam-se até às margens do Eufrates e até às fronteiras com o Egito, embora isso incluísse povos tributários. Na época, a população não ultrapassaria a casa dos dois milhões de habitantes, incluindo somente os israelitas; e talvez chegasse aos três milhões, se fossem contados os povos tributários.

A Palestina é dividida em duas partes iguais, de norte a sul, por uma linha de colinas que, na verdade, consiste na continuação dos montes do Líbano, da Síria-Líbano. No seu extremo norte, essa cadeia montanhosa tem alguns poucos picos que se aproximam dos mil metros de altitude. Ao descer para o sul, já no distrito da Galiléia, essa serra é intercalada por várias planícies. Entre essas está a famosa planície de Esdrelom, ou Jezreel. Também há colinas, mais baixas, mais ao sul, já dentro dos distritos da Judéia e da Iduméia. Em Jerusalém, a altitude é de cerca de 760 m, pois a cidade encontra-se em um platô, no alto das colinas da região. Também há colinas na área de Samaria, embora mais baixas, com vales espaçosos. Da extremidade norte das colinas de Samaria, segue um espigão na direção noroeste, até à planície costeira de Sarom, com seu ponto culminante no monte Carmelo, cujo sopé é banhado pelas águas do mar Mediterrâneo. A parte oriental da Palestina consiste em um longo platô, que vai desde o monte Hermom, ao norte, até o monte Hor, em Edom, ao sul.

Quatro Áreas Distintas

1. *A Planície Marítima*. Essa planície vai desde o rio Leontes, ao norte, a oito quilômetros ao norte de Tiro, até o deserto para além de Gaza, ao sul. O monte Carmelo, entretanto, interrompe esse vale. A partir do Carmelo para o sul, até Jope, a região é conhecida como planície de Sarom; e então como Sefelá, desde Jope até o ribeiro de Gaza, na direção sul. Mais ao sul ainda, fica a área conhecida como planície da Filístia.

2. *Cadeia Central*. Conforme foi dito acima, as montanhas do Líbano internam-se Palestina adentro; e nos distritos da Galiléia, da Samaria e da Judéia há extensões mais baixas dessa cadeia. A Alta Galiléia dispõe de certo número de colinas, algumas das quais entre 600 e 900 m de altura, ou mesmo pouco mais, e outras chegando até os 1200 m de altitude. Abaixo damos as altitudes dos principais montes e colinas da Palestina. A Baixa Galiléia forma um triângulo malfeito, limitado pelo mar da Galiléia e pelo rio Jordão, até Bete-Seã, a leste, e pela planície de Esdrelom, a sudeste. Colinas mais baixas são encontradas ali. O monte Tabor chega a 562 m, e o monte Gilboa a 502 m de altitude. A planície de Esdrelom intercepta a região central. Ao sul dessa área há muitos wadis (vide). O monte Gerizim chega aos 869 m de altura, onde ficava a cidade de Samaria. De Betel a Hebrom, na Judéia, a serra continua e chega à altura de 670 m. Betel está a uma altitude média de 792 m; Belém, a 778 m; Hebrom, a 927 m.

3. *O Vale do Rio Jordão*. Na verdade, esse vale é uma profunda e longa garganta. Desde a altitude de 518 m, no monte Hermom, vai descendo rapidamente na direção do mar Morto, que já fica a 375 m abaixo do nível do mar. E o mar Morto, propriamente dito, é bastante profundo; seu fundo fica a 396 m abaixo de sua superfície, tornando esse o lugar mais baixo à face do planeta. Na verdade, tudo isso faz parte da falha geológica que percorre daí até o mar Vermelho e entra na parte oriental da África.

4. *A Palestina Oriental*. Temos aí um extenso platô, a maior parte do qual mantém-se a uma altitude de mais de 900 m. Essa área incluía localidades como Basã, Gileade e Moabe. Está dividida por quatro rios: o Iarmuque, o Jaboque, o Arnom e o Zerede. Os dois primeiros são tributários do Jordão. Mas o Arnom e o Zerede deságuam diretamente no mar Morto. Ao sul do mar Morto fica a Arabá, rica em cobre, que se espraia até Eziom-Geber, no extremo norte do mar Vermelho.

Elevações de Alguns Picos e Locais Notáveis:

Monte Hermom, 3050 m; monte Catarina, no Sinai, 2460 m; Jebel Mousa, no Sinai, 2145 m; Jebel et-Tyh, no Sinai, 1312 m; Jebel er-Ramah, 915 m; Hebrom, 824 m; monte das Oliveiras, 774 m; Safete, 762 m; monte Gerizim, 732 m; Damasco, 667 m; monte Tabor, 533 m; passo de Zefate, 438 m; deserto de et-Tyh, 427 m; Nazaré, 250 m; planície de Esdrelom, 140 m; lago de Tiberíades, 26 m abaixo do nível do mar; a Arabá, em Cades, 28 m abaixo do nível do mar; o mar Morto, 375 m abaixo do nível do mar; o fundo do mar Morto, 771 m abaixo do nível do mar.

III. Esboço de Informes Históricos

Para relatar tudo, teríamos de começar pela pré-história e entrar no relato bíblico inteiro. Portanto, damos aqui apenas um breve sumário, em forma de esboço.

Por razões geográficas, a terra da Palestina servia como caminho obrigatório para os povos que passavam do ocidente para o sul; e as forças militares, em expansão, naturalmente escolhiam essa rota. Assim sendo, grande parte de sua história é uma interminável crônica de invasões e conquistas. No entanto, foi em meio a essa situação sempre perigosa que o propósito divino levou a Palestina a desempenhar um papel tão crucial na história. Por muitas e muitas vezes, os habitantes da Palestina, além do fluxo de fronteiras causado por conflitos intensos, têm sido sujeitados às imposições de potências estrangeiras, algumas distantes dos estreitos limites da região. Como característica geral, podemos afirmar que o princípio da cidade-estado conferiu alguma estabilidade à área.

1. *Antes da Idade do Bronze*. Não se sabe muita coisa sobre esses tempos, apesar das investigações arqueológicas. Contudo, desde os tempos neolíticos houve ali povoados representando um período cru e de baixa cultura. O décimo capítulo do livro de Gênesis informa-nos que Canaã descendia de Cão; e esse é o primeiro informe bíblico acerca da Palestina (ou terra de Canaã). Canaã era filho de Sidom, o que nos mostra que havia aí sangue fenício. A Tabela das Nações mostra-nos como esses povos espalharam-se.

2. *Idade do Bronze Antiga* (começando em 3000 A.C.). Esse período foi marcado por sucessivas invasões de povos semíticos, que ocuparam a região da Palestina. Em cerca de 1900 A.C. (mas outros pensam em data bem posterior), Abraão representaria uma migração semítica para essa área. Tutmés III, do Egito (cerca de 1480, ou um pouco mais tarde), veio a dominar a área. Esse domínio foi interrompido pelas invasões dos nômades habiru da Mesopotâmia, como também pelos poderes dominantes sucessivos dos amorreus, vindos do Líbano, e dos

PALESTINA

hititas, da Anatólia. A XIX Dinastia egípcia (1304-1181 A.C.), porém, reconquistou a Palestina. Os filisteus, um dos «povos do mar» (do mar Egeu, sem dúvida), tomaram conta das costas marítimas da Palestina. Os arameus estabeleceram-se na Palestina, vindos do deserto da Síria, que lhe fica ao norte. E o povo de Israel, ao libertar-se da servidão egípcia, fez uma grande excursão na Palestina, tornando-se então o povo predominante. Os estudiosos datam a conquista israelita entre 1500 e 1225 A.C., o mais tardar.

3. *O Período dos Juízes.* Esse período tem sido datado entre 1400 A.C. até 1150 A.C., o mais tardar. Se essa data posterior for aceita, isso já nos leva à Idade do Ferro. Na época, os ganhos territoriais de Israel foram alternadamente desafiados e confirmados, enquanto os israelitas procuravam dominar os povos por eles conquistados, mas que se rebelavam. A fé dos hebreus consolidou-se em torno da adoração a Yahweh, embora com períodos de apostasia. Emergiu daí uma notável fé monoteísta, que estava destinada a exercer efeitos duradouros sobre a espiritualidade do mundo.

4. *Os Reis de Israel.* O período dos juízes cedeu lugar aos reis, a começar por Saul. A monarquia adquiriu maior ímpeto com Davi e atingiu seu ponto culminante de glória com Salomão. A partir de então as datas podem ser fixadas com exatidão. A era áurea de Salomão fica entre 961 e 922 A.C. Nesse tempo, Israel atingiu o máximo de sua extensão territorial, e Salomão desfrutou de um período pacífico e próspero, que ele usou para impressionar os países em derredor. No entanto, após a sua morte, a unidade da nação viu-se quebrada, e o norte e o sul tornaram-se países distintos: Israel e Judá. Os artigos sobre *Israel* e *Judá* expõem detalhes completos sobre essa questão e sobre à história de ambas essas nações, até o final das mesmas. O tempo dos reis cobre as Idades do Ferro I, II e III. Depois disso, temos o período helenístico.

5. *O Cativeiro Assírio.* A nação do norte, Israel (cuja capital era Samaria), chegou ao seu fim quando os assírios, sob as ordens de Sargão II, destruíram praticamente tudo ali, levando os sobreviventes para a Assíria. Isso ocorreu em cerca de 721 A.C. Esse foi o fim da história do reino do norte, Israel. A moderna nação de Israel compõe-se, essencialmente de Judá, embora com vestígios de todas as outras tribos. Senaqueribe, sucessor de Sargão, assaltou e reduziu Judá; mas aos babilônios coube terminar a tarefa. Ver o artigo *Cativeiro Assírio.*

6. *O Cativeiro Babilônico.* Nabucodonosor, rei da Babilônia, destruiu tudo quanto pôde em Judá, e deportou os sobreviventes para a Babilônia. Isso teve lugar em cerca de 587 A.C. Ver o artigo intitulado *Cativeiro Babilônico.*

7. *O Retorno de Judá a Jerusalém.* Um pequeno remanescente voltou a Jerusalém, começando cerca de cinqüenta anos depois da deportação para a Babilônia. Isso sucedeu quando a Pérsia controlava a região, pois os babilônios tinham sido derrotados definitivamente pelos persas. Ciro, o Grande, conquistara e anexara ao seu império tanto a Babilônia quanto a Palestina, ao seu já gigantesco império, em cerca de 539 A.C. Nos dias de Esdras e Neemias, a cidade de Jerusalém foi reconstruída e a adoração a Yahweh foi renovada. Um novo templo (mas bem mais modesto que o de Salomão) veio à existência, e o judaísmo conseguiu reequilibrar-se, após ter sido quase extinto.

8. *Alexandre, o Grande, e os Monarcas Selêucidas.* Alexandre conquistou grande parte do mundo então conhecido e deixou que seus generais governassem as terras do império macedônico, após a sua morte. Foi ele quem expulsou os persas da Palestina, a qual, depois, passou a ser governada pelos ptolomeus, do Egito (até 198 A.C.), e, então, pelos selêucidas, da Mesopotâmia e do sul da Anatólia.

9. *A Revolta dos Macabeus.* Em 168 A.C., Judas Macabeu (ver o artigo intitulado *Hasmoneanos*) e seus irmãos revoltaram-se contra o poder dos selêucidas. Antíoco IV Epifânio havia tentado helenizar o judaísmo, e isso criou mais agitação do que alguém seria capaz de controlar. A liberdade religiosa dos judeus foi obtida, após muito derramamento de sangue, em 164 A.C. Mas essa independência foi mantida apenas pelo espaço de setenta e nove anos.

10. *A Era Romana.* As coisas desintegraram-se perigosamente sob os governantes macabeus, na Judéia. É que os macabeus haviam perdido a visão dos propósitos originais da revolução. E os romanos intervieram para impor a sua ordem. Pompeu ocupou a Palestina, em 63 A.C., e esta tornou-se um protetorado romano.

11. *Herodes, o Grande.* Ele era um rei vassalo nativo, responsável diante do senado romano pela sua administração. Foi em sua época que nasceu o Senhor Jesus. E foi por causa de suas ameaças que a santa família precisou descer ao Egito. Ele reinou sobre a Judéia de 37 A.C. a 4 D.C.

12. *Os Procuradores Romanos.* Dificuldades administrativas logo tornaram necessário Roma governar a Palestina mediante governadores ou procuradores. Isso significava que, doravante, Roma estaria governando a região diretamente. Os judeus, entretanto, ressentiam-se diante de qualquer forma de governo estrangeiro, sobretudo diante de um governo direto. E a revolta, que se ocultava nos corações de todos os judeus, acabou vinda à tona. Os *zelotes* (vide), desempenharam um papel liderante nisso.

13. *A Destruição do Ano 70 D.C.* Finalmente, foi mister que os romanos fizessem intervenção militar, a fim de controlar a rebelião. Sob as ordens de Tito (que mais tarde veio a tornar-se imperador de Roma), os exércitos romanos invadiram Jerusalém, executaram a milhares de judeus e arrasaram até o nível do chão o magnificente templo de Herodes.

14. *Destruição e Deportação.* Os rebeldes judeus conseguiram recuperar-se, e a rebelião ferveu de novo. Dessa vez, o imperador reinante, Adriano, precisou pôr fim definitivo à questão. Isso ocorreu em 132 D.C. Então ele começou a esvaziar a Palestina de judeus, dando início à Grande Dispersão, que se estendeu de 135 a 1920 D.C., quase dezoito séculos! A Jerusalém foi dado um nome pagão, *Aelia Capitolina*, e tornou-se uma colônia romana. Aos judeus foi proibido de se aproximarem da cidade, exceto em suas peregrinações. Os centros judaicos de erudição e cultura foram transferidos para lugares como a Galiléia, a Babilônia, a colônia norte-africana de Cairuan e a Península Ibérica.

15. *Influência Bizantina-Cristã.* Quando o império romano metamorfoseou-se no império bizantino, e depois que Constantinopla tornou-se a sua nova capital (cristã), em 330 D.C., automaticamente a Palestina transformou-se em uma importante província cristã-bizantina, uma espécie de posto avançado da Igreja Católica Oriental. Os patriarcados cristãos que então dominavam o cristianismo organizado eram Roma, Alexandria, Constantinopla, Antioquia e Jerusalém. Somente Roma ficava na parte ocidental do império; os outros quatro centros ficavam na porção desse império.

16. *Assaltos Persas.* Em 614 D.C., Jerusalém foi saqueada pelos persas, e quase todos os habitantes da

PALESTINA

cidade foram deportados. Mas o imperador Heráclio encabeçou uma cruzada contra os persas e restaurou na Palestina o domínio cristão, em 628 D.C.

17. *Assaltos Islâmicos*. A Palestina não conseguia descansar da guerra, e as invasões árabes (de mistura com várias restaurações, mediante as diversas cruzadas; vide) se processaram durante um longo período. O *califa Omar* ('Umar) I conseguiu tomar Jerusalém, em 638 D.C., e a Palestina e a Síria viram-se assim separadas por longos séculos do governo do império romano-bizantino. Foi edificada primeiramente a mesquita de el-Aksa, em Jerusalém; e, então, no século VII, no local onde estivera o famoso templo de Jerusalém, foi construída a mesquita de Omar. Desde então, Jerusalém tem sido uma cidade sagrada para os judeus, para os cristãos e para os árabes. Conforme alguém já observou: «Jerusalém é sagrada demais para seu próprio bem!»

18. *O Domínio Muçulmano*. Esse domínio foi representado por diversas dinastias, entre os séculos VII e XVI de nossa era. Várias cruzadas cristãs foram efetuadas entre os séculos XI e XIII D.C., na tentativa de recapturar Jerusalém. E o poder trocou de mãos por várias vezes, entre cristãos e islamitas.

19. *Os Turcos Otomanos*. Pelos fins do século XVI, os turcos otomanos haviam conquistado todas as terras possuídas pelos árabes, no Oriente Próximo e Médio, incluindo a Palestina, que passaram a fazer parte do enorme império otomano. Naturalmente, os turcos otomanos acabaram convertendo-se ao islamismo, o que significa que surgiu um novo estado islâmico, composto por outra etnia. E quando os turcos otomanos capturaram o Egito, em 1517, eles também obtiveram o controle sobre Jerusalém, bem como sobre as santas cidades islâmicas de Meca e Medina. Durante quatro séculos, a Palestina permaneceu sendo uma província de importância apenas relativa do império otomano. Napoleão tentou alterar essa situação, em 1799, mas não obteve êxito!

20. *Dos Fins do Século XIX à Primeira Grande Guerra*. Um movimento nacionalista árabe começou a tomar forma nas províncias árabes do império otomano, com extensões pela Síria-Líbano. Uma força opositora foi o Movimento Sionista Mundial, encabeçado por judeus, cuja finalidade era pôr novamente Israel na Palestina.

21. *Durante a Primeira Grande Guerra*. Árabes e judeus colaboraram com os aliados, com o propósito de liberar a Palestina dos turcos. Em uma das pouquíssimas vezes que assim aconteceu na história, árabes e judeus estiveram combatendo lado a lado. Terminada a guerra, as forças aliadas, Inglaterra e França, foram as potências encarregadas de decidir o que fazer com a Palestina e as áreas adjacentes. Muitas promessas conflitantes foram feitas. Na porção costeira da Síria, a França sentiu-se na liberdade de estabelecer um centro administrativo que, finalmente, haveria de determinar seu estado. À Grã-Bretanha cabia exercer autoridade militar em outras áreas. Em novembro de 1917, um mês antes de Jerusalém capitular diante do Gen. Edmund Allenby, foi publicada a Declaração de Balfour, em Londres. Essa declaração prometia, da parte dos ingleses, «um lar nacional para o povo judeu», na Palestina. Essa declaração incluía uma vaga previsão de que os direitos de outros povos interessados seriam salvaguardados. A vitória sobre os turcos foi alcançada no outono de 1917, e foi assinado um armistício, a 30 de outubro de 1918. Houve ainda mais combates, mas, finalmente, o mês de setembro de 1918 viu o fim do poder turco sobre a Palestina, ficando os ingleses encarregados de pôr o lugar em ordem. A parte estranha em tudo isso foi que os exércitos árabes mostraram ser aliados denodados e eficazes dos britânicos, nessas campanhas militares. Naturalmente, eles pensavam que a Palestina ficaria nas mãos deles. Os ingleses passaram a exercer o controle sobre a Palestina mediante um mandato da Liga das Nações. E os conflitos árabe-judeus começaram terminada a Primeira Grande Guerra. A divisão das terras palestinas entre árabes e judeus não deixou ninguém feliz, provocando a contenda.

22. *Imigrações Judaicas*. Os judeus começaram a retornar a sua terra, em cumprimento de antigas profecias bíblicas. Em 1935 (um ano extraordinário), mais de sessenta mil judeus voltaram à Terra Prometida. E os árabes começaram a agitar-se, pois viam o que estava sucedendo. Os judeus continuavam chegando de várias partes do mundo. Entre 1939 e 1944, cem mil judeus chegaram à Palestina.

23. *Segunda Guerra Mundial*. Foi durante esse período que o povo de Israel sofreu sua prova mais excruciante, desde os dias do cativeiro babilônico, especialmente na Europa, devido às perseguições nazistas, que ceifaram cerca de seis milhões de judeus, na mais séria tentativa moderna de extermínio de uma raça! Terminada a Segunda Guerra Mundial, porém, passado o pesadelo, grandes massas de judeus retornaram à Palestina. Os conflitos continuaram, entretanto, em torno da problemática questão de como dividir as terras entre judeus e árabes palestinos. A influência norte-americana tem sido crítica; mas a questão parece estar longe de ser solucionada.

24. *Estados Árabe e Judeu Independentes*. O mandato britânico chegou ao fim, e, a 14 de maio de 1948, as Nações Unidas aceitaram a declaração de independência do estado de Israel. Um grande acontecimento havia tido lugar, mais do que muitos políticos seculares puderam perceber. Mas estou certo de que o presidente norte-americano, Harry Truman, um bom evangélico batista, sabia exatamente o que estava sucedendo. Israel era novamente, uma nação oficial, independente, e no seu próprio território da Palestina!

A **dispersão, iniciada em 135 D.C.**, havia sido revertida. Os estudiosos da Bíblia, ao redor do mundo, saltaram de alegria e admiração. Lembro-me de como o pastor de minha igreja batista, bem como toda a irmandade, vibraram diante da notícia. E, durante algum tempo, a Igreja cristã foi varrida em todas as direções por um zelo profético. Os clamores dos céticos, que diziam que os judeus haviam produzido um autocumprimento das profecias, soavam ridículos. Os judeus praticamente não haviam exercido controle sobre os poderes em entrechoque, que tornaram tudo aquilo possível, exceto que eles se agitavam por detrás dos bastidores. E foi o exército britânico quem armou o palco para essa vitória!

Entretanto, as atividades terroristas dos árabes palestinos nunca cessaram. Forças das Nações Unidas foram enviadas ao local dos conflitos, tentando controlar a situação, mas parece que coisa alguma se tem mostrado eficaz.

25. *A Guerra dos Seis Dias*. Tal como nos dias da antiguidade, várias nações circunvizinhas aliaram-se contra Israel. Mas, a 5 de junho de 1967, Israel atacou seus adversários; e em apenas seis dias foi capaz de esmagar as forças combinadas do Egito, da Jordânia e da Síria. Isso deu a Israel a oportunidade de tomar conta da parte antiga de Jerusalém, com a área do templo, juntamente com outros territórios, aumentando substancialmente os territórios ocupados por Israel na Palestina. Aqueles dias são inesquecíveis

PALESTINA

para este co-autor e tradutor, pois poucas semanas antes recebera um poderoso derramamento do Espírito Santo, depois de ter passado um ano e meio vendendo literatura evangélica entre judeus da cidade do Rio de Janeiro, Brasil!

26. *Uma Previsão Profética*. Finalmente, Israel haverá de triunfar em sua luta. Porém, dias negríssimos estão à sua espera. A Terceira Guerra Mundial verá a Rússia e seus satélites invadirem Israel, somente para serem derrotados pelas forças aliadas do Ocidente. Quando a sobrevivência de Israel estiver muito ameaçada, Jesus será visto em forma corpórea entre as forças de Israel, e a maré virará ao contrário. A intervenção divina terá lugar, e Israel proclamar-se-á uma nação cristã. Se eu entendo corretamente a profecia bíblica, uma outra guerra mundial (a quarta), terá de ferir-se. A China será o poder opositor, e os Estados Unidos da América e a União Soviética novamente se aliarão. Nessa quarta guerra o mundo será reduzido a cinzas, e então a Fênix-Israel levantará a cabeça entre as nações. Seguir-se-á o *milênio*. Então Jerusalém tornar-se-á a capital religiosa e política do mundo. Uma nova e grande força religiosa emergirá no mundo, e um novo cristianismo produzirá, segundo creio, uma nova revelação, com uma nova coletânea de livros sagrados, um novo Novo Testamento; e, então, os homens poderão dizer novamente: «Vi, pessoalmente, as grandiosas obras de Deus». Ver o artigo separado intitulado, — *Profecia: Tradição da e a Nossa Época*.

IV. Clima, Flora e Fauna

A terra de Israel, embora tão minúscula, é bastante diversificada, com as montanhas, vales e desertos. E o resultado disso é que o clima também é muito variável. O monte Hermom, com seus 3050 m de altitude, fica coberto de neve no cimo. Dali o terreno desce sob a forma de uma garganta até 393 m abaixo do nível do mar. Mas há também um quentíssimo deserto. Na região montanhosa, as temperaturas são modificadas, e, de outubro a abril, ventos ocidentais carregam chuvas torrenciais. Porém, ventos que sopram do deserto trazem um calor tórrido (ver Jó 1:19; Jer. 18:17). A grosso modo, podemos falar em duas estações a cada ano: o *inverno*, que é chuvoso e úmido (de novembro a abril); e o *verão*, que é quente e sem chuvas (de maio a outubro).

A Palestina jaz à margem de um dos grandes desertos do mundo, o qual se faz sentir por meio de ventos secos e poeirentos. O deserto vai descendo na direção do mar, e então há uma área úmida com cerca de cem quilômetros de largura. O vale do Jordão, com suas baixas altitudes, torna-se quase insuportávelmente quente durante os meses de verão; mas, durante o inverno, é delicioso, bastante parecido com o sul do estado da Califórnia, nos Estados Unidos da América, ou com outros lugares de clima semitropical. A porção leste da garganta do Jordão praticamente desconhece chuva. Assim, o clima da Palestina é mais variegado do que qualquer outra área do mundo de dimensões similares.

Flora e Fauna. Há três regiões florais distintas na Palestina: 1. oeste (área do Mediterrâneo), um lugar dotado de árvores, arbustos de folhagem perene, muitas flores e prados. Amendoeiras, oliveiras, figueiras, amoreiras e videiras medram nessa faixa. 2. O vale do Jordão é subtropical, com muitas espécies de árvores, palmeiras, sicômoros, figueiras, carvalhos, nozes, peras, álamos, salgueiros, acácias, oliveiras bravas, mostarda, etc. Há muitas e variegadas espécies de flores. 3. O deserto (no sul). O Neguebe e a área de Berseba têm poucas árvores e um mínimo de vegetação. Há, contudo, arbustos anãos, alho, junipeiro e alguma vegetação desértica típica, com muitos tipos de flores selvagens.

Quanto à *fauna*, há animais de porte médio, como o gato do mato, o gato selvagem, a hiena listrada, o lobo, o mangusto, o chacal e algumas espécies de raposas. Os animais de porte pequeno incluem o morcego, muitas espécies de pássaros, a pomba, o corvo, a coruja, a avestruz, a cegonha, a garça, o ganso selvagem, a perdiz, a codorna e muitas outras. Cerca de cem espécies de aves habitam na Palestina como residentes ou passam por ali, em suas arribações. Atualmente é raro o aparecimento de espécies como o leopardo, o urso sírio e o crocodilo.

Os peixes ocorrem em grande variedade, nos rios e no lago da Galiléia. Há cobras, quase todas elas não-venenosas; abundantes também são os cágados, o camaleão, o lagarto, os escorpiões, etc.

V. A Ocupação Humana

Esta enciclopédia tem artigos sobre todos os nomes locativos da Bíblia. Há cerca de seiscentos e vinte e dois desses locais, somente na parte ocidental do Jordão, o que nos dá uma idéia do enorme número de lugares mencionados nas Escrituras. Além dos nomes locativos mencionados na Bíblia, há aqueles que têm sido fornecidos pela arqueologia, que incluem as listas de Tutmés III, Setos I, Ramsés II e Sesonque I. A primeira enciclopédia cristã (a de Eusébio), chamada *Onomasticon*, como também aquela de Jerônimo, são valiosas fontes informativas sobre localidades. A arqueologia tem feito uma grande contribuição quanto a essa questão. O Dr. Edward Robison identificou cento e setenta e sete lugares (em cerca de 1838); e o Fundo de Exploração da Palestina localizou quatrocentos e trinta e quatro lugares (em cerca de 1865). E Conder ajuntou a isso mais cento e quarenta e sete nomes.

Alguma forma de vida urbana já existia na Palestina desde nada menos de cerca de 8000 A.C., conforme a arqueologia tem sido capaz de demonstrar até agora. O vale do Jordão vem sendo habitado desde a pré-história remota. Cerca de setenta lugares dali datam de antes de 5000 A.C. A planície costeira, ao sul do Carmelo, tem contado com povoações desde tempos pré-históricos. Porém, um pouco mais para o norte, no vale de Sarom e na Alta Galiléia, antes havia densas florestas, que limitavam bastante a ocupação humana. Entretanto, na Baixa Galiléia e na Samaria as evidências dão conta de uma ocupação humana generalizada. A parte que fica ao sul de Jerusalém não era uma área favorável, devido a condições climáticas. Na Transjordânia, a arqueologia tem desenterrado grandes fortalezas, como as de Petra, Bozra e Tofé. Cidades importantes desenvolveram-se ao longo das rotas comerciais. Entre elas podemos citar Berseba, Hebrom, Jerusalém, Betel, Siquém, Samaria, Megido, Bete-Seã e Hazor.

VI. Suprimento de Água e Agricultura

O Nilo faz o Egito ser o que é. Sem esse rio, aquele território seria desértico, um ermo por onde somente os nômades passariam. A água é fonte de vida. Conforme já vimos, na Palestina há áreas onde as chuvas são abundantes durante os meses de inverno (ver ponto IV, primeiro parágrafo). Mas, no verão, as chuvas rareiam. E isso exigiu a criação de um sistema de cisternas e de irrigação. Por isso mesmo, uma *fonte* de água sempre foi de capital importância na Palestina. A palavra hebraica *'ain*, «fonte», aparece em combinação com setenta nomes locativos na Palestina. *Bir*, «poço», é outra palavra hebraica que aparece em combinação com cerca de sessenta nomes locativos. O Jordão é o único verdadeiro rio da

PALESTINA

Palestina; mas seus modestos tributários também são uma importante fonte de água potável. Há muitos ribeiros alimentados pelas águas derretidas das neves; esses, naturalmente, produzem água por algum tempo, mas logo secam quando o clima muda, e então no lugar dos mesmos nada mais resta senão wadis. Os trechos de I Reis 17:7; Jó 24:19; Joel 1:20 e Sal. 126:4 referem-se a essa situação. A invenção da argamassa permitiu a instalação de cisternas. Oferecemos um artigo separado a respeito, que ilustra a importância das cisternas nos países de clima seco. Em cerca de 1300 A.C., já se usavam largamente as cisternas. As pessoas que vivem em áreas desérticas ou nas proximidades sabem a suprema importância da «água armazenada». Naturalmente, hoje em dia usam-se grandes reservatórios. Mas o método humilde de armazenar água, na antiga nação de Israel, era o uso de cisternas. E esse foi um importante fator na rápida colonização das terras altas da Judéia. Apesar das cisternas praticamente em nada contribuíram para a irrigação, certamente facilitou a criação de gado, pelo que também grande parte das riquezas da Palestina girava em torno de animais domesticados. Além das cisternas, havia reservatórios primitivos, feitos conforme as indicações dadas em Can. 7:4. A necessidade de água chegou mesmo a ser uma lição moral, pois existe tal coisa como a água espiritual, bem como as necessidades espirituais da alma humana, que podem ressecar-se devido à sede espiritual (ver Deu. 8:7-10; 11:10-17; Jer. 2:13; 14:22). Assim, viver perto de *águas vivas* (ou correntes) constituía uma grande vantagem. E ter acesso às águas vivas espirituais é aquilo de que precisa a alma sedenta (ver João 4:7 ss).

A agricultura depende de água de modo absoluto. Isso posto, em qualquer região onde inexistem bons sistemas de reservatórios de água, um bom regime pluvial (ou, pelo menos, neves que se derretam) é essencial à vida das plantas, dos animais e dos seres humanos. A população rural da Palestina central consistia em pequenos proprietários de terras. A cevada era mais importante do que o trigo, na Palestina, porque podia ser cultivada com pouca chuva, o que já não sucede no caso do trigo. Além desse produto, muito importante era o cultivo da videira e da oliveira. A videira medrava principalmente na área do Carmelo, enquanto que a oliveira era plantada principalmente na Galiléia e no território de Efraim. A seca, porém, trazia o endividamento e a servidão, com seu labor servil e forçado (ver I Sam. 8:16; 22:7; 25:2). A vida pastoril era uma atividade proeminente na Transjordânia e no Neguebe. Os poços artificiais, e alguns poucos oásis permitiam uma agricultura muito limitada no deserto e em certas áreas desérticas.

VII. Regiões e Divisões
1. Regiões

Até mesmo um país pequeno, como é o caso da Palestina, se tiver uma natureza variegada (como é o caso ali) pode ser dividido em regiões e sub-regiões, pelo que aquilo que aqui dizemos está sujeito a revisões e objeções. Não obstante, na Palestina há algumas regiões naturais óbvias, que podemos mencionar. A seção X.1 deste artigo apresenta um mapa ilustrativo dessas regiões. Falando em termos bem genéricos, temos na Palestina as seguintes regiões naturais: a. a planície costeira; b. a região montanhosa central; c. a garganta do rio Jordão; d. o platô da Transjordânia; e. o deserto.

A Planície Costeira. Essa planície estende-se por cerca de cento e noventa quilômetros, desde as fronteiras do Líbano até Gaz. O monte Carmelo interrompe esse tipo de paisagem, no norte. Ao norte do mesmo fica a planície de Aser, que se estende por quarenta quilômetros até à antiga Escada de Tiro. Nesse local, as colinas da Galiléia chegam até bem perto das costas marítimas. Para suleste fica o vale de Jezreel e a planície de Esdrelom. Amplia-se por cerca de quarenta e oito quilômetros, para o interior, tendo apenas dezenove quilômetros de largura, em seu trecho mais amplo. Uma estrada importante passava por ali, ligando o Egito a Damasco, na Síria. Várias cidades importantes achavam-se ao longo dessa rota, como Megido, Jezreel e Bete-Seã (ver Juí. 5; 7:1; I Sam. 31:12). Ao sul do monte Carmelo fica a planície de Sarom. Cinco notáveis cidades filistéias existiam ali: Ecrom, Asdode, Asquelom, Gate e Gaza. Mais para leste ficava a Sefelá, uma espécie de zona tampão entre Israel e os filisteus. Nos tempos antigos, as colinas da região eram densamente arborizadas, principalmente com sicômoros (ver I Reis 10:27; II Crô. 1:15 e 9:27).

A Região Montanhosa Central. Essa região cobre cerca de trezentos e vinte quilômetros, desde o norte da Galiléia até o Sinai. Muitas formações montanhosas juntam-se para formar uma espécie de baixa serra montanhosa. Temos aí o coração geográfico de Israel. A região montanhosa eleva-se a um pouco mais que 900 m de altitude, em seu ponto mais elevado, em Hebrom. A oeste, o declive das colinas, na direção do Mediterrâneo, é suave. A leste, a descida na direção do vale do Jordão é mais abrupta. As terras dessa área não são muito férteis, e dependem de fontes e poços, para irrigação; mas grande parte da região é desértica. As colinas em torno da Judéia (ver Sal.125:2) formam uma massa compacta, o que facilitava a defesa militar da região. Ao norte de Jerusalém ficam as colinas do território de Efraim, bastião de defesa do reino do norte, Israel. Trata-se de uma espécie de planalto dissecado, com cumes isolados, como os montes Gerizim e Ebal. Termina ao norte no monte Gilboa, onde acaba o coração geográfico da Palestina. As colinas dessa área são bastante modestas. Ali ficavam localizadas cidades como Gibeá, Salém, Siquém e Sicar. Ao norte da planície de Esdrelom espraia-se a Galiléia, dividida naturalmente em Baixa Galiléia (ao sul), e Alta Galiléia (ao norte). Ali as colinas elevam-se a nada menos de 900 m de altitude, abrigando certo número de bacias. Essa área é excelente para as lides agrícolas. O monte Carmelo eleva-se ligeiramente mais de 600 m, mas está situado em uma região circunvizinha de baixa altitude, já perto do mar. Por isso mesmo, forma uma elevação impressionante, apesar de não estar em grande altura. A serra do Carmelo tem apenas cerca de oito quilômetros de largura, embora chegue mesmo a interromper a planície costeira, dividindo-a em planície da Filistia e planície de Sarom, separadas das terras costeiras estreitas da Fenícia. E a serra do Carmelo também forma uma barreira entre a planície de Sarom e a planície de Esdrelom, ficando assim de través da histórica rota comercial entre o Egito e a Mesopotâmia. Ver o artigo geral intitulado *Estradas*.

A Garganta do Rio Jordão. Essa vale, que é uma falha geológica natural, estende-se por cerca de cem quilômetros, quase cortando a Palestina ao meio. Ao norte temos os lagos de Hulé e da Galiléia, com colinas laterais, notavelmente o monte Hermom (ver Deu. 3:9), em cuja área o rio Jordão tem suas cabeceiras. As águas desse rio cortaram rochas basálticas que em tempos imemoriais bloqueavam a grande depressão que começa daí por diante. Uma garganta foi formada no caminho para o mar da Galiléia, que fica a 183 m abaixo do nível do mar. Não muito abaixo, em seu curso, o rio Iarmuque aumenta

PALESTINA

as águas do Jordão. Abaixo disso, o vale alarga-se, à medida que o rio desce para o mar Morto. Entre o mar da Galiléia e o mar Morto, ficam a planície de Bete-Hã e o vale do Jordão. O que sucede nesse vale é que as colinas da região precipitam-se abruptamente até àquilo que não é tanto um vale, mas um grande buraco na superfície da terra. Às margens do mar Morto, a elevação é de 375 m abaixo do nível do mar; e o fundo desse mar fica a 771 m abaixo do nível do mar, tornando-o o lugar de maior depressão à face do planeta. Isso posto, o grande buraco natural conta com duas grandes massas de água: o mar da Galiléia, ao norte, e o mar Morto, ao sul. E o largo vale da Arabá (que fica ao sul do mar Morto) resulta de uma falha geológica disfarçada. Tudo isso faz parte de um sistema ainda maior de falhas geológicas naturais, que atravessam o Oriente Próximo e penetra até certo ponto do continente africano. A Arabá estende-se por cerca de cento e sessenta quilômetros até chegar ao golfo de Ácaba, onde a área é pleno deserto.

O Platô da Transjordânia. A leste do rio Jordão, elevam-se colinas, formando uma cadeia que segue a direção norte-sul. Nesse lado, a paisagem é bastante diferente do que no lado ocidental. Conforme têm dito alguns estudiosos, a paisagem é «muito outra». A história mostra-nos que os habitantes dessa área oriental também eram bastante diferentes em sua aparência e expressão. No começo da história de Israel, foi ocupada pelas duas tribos e meia do leste do Jordão (ver Núm. 31:1-27). Para o norte, temos a Galiléia; para o sul, Moabe, que se estende até um pouco abaixo do mar Morto. Os montes formam um estreito cinturão de colinas, bem irrigadas. Esse cinturão varia entre 65 e 80 quilômetros de largura, jazendo entre o deserto, na Gor (para oeste) e o deserto da Arábia (para leste). Os picos mais elevados ficam a oeste, dando frente para o vale do Jordão. Em Gileade, os montes e suas florestas eram quase tão proverbiais quanto os cedros do Líbano. Nessas florestas era produzido o famoso bálsamo de Gileade. Pastos frutíferos tornaram-se a possessão das tribos de Rúben e Gade (ver Núm. 32:1). Ao sul de Gileade ficava Moabe. Ainda mais para o sul ficava Edom. O que ali predomina é uma espécie de longa e estreita faixa de terras bem irrigadas, que formam uma espécie de tampão que separa o resto do território do temível deserto, mais para oriente. Essa área sempre representou uma ameaça para o povo de Israel. Ali houve muitos conflitos e muitas trocas de terras. Na época de Salomão, toda a região acabou sob o controle rígido de Israel; mas essa situação não perdurou por longo tempo.

O Deserto. As regiões adjacentes a Israel eram o Líbano, nas costas marítimas, a oeste da Síria, no extremo norte do território de Israel. A oriente ficava o grande deserto da Arábia. Para oriente das montanhas do Líbano fica o oásis de Damasco, em meio a uma região essencialmente desértica, o que já fica no canto nordeste da Palestina. Essa área servia de portão de entrada para forças invasoras. Para leste, além da Transjordânia, — o deserto é muito vasto, servindo de fronteira da Palestina, ao longo de seu costado oriental. Essa área, que em eras remotas foi local de regular atividade vulcânica, é desolada e selvática, com muitas cavernas e elevações estéreis. Servia de abrigo para os fora-da-lei e para grupos minoritários. — Alguns poucos corajosos nômades trafegavam por ali. Ao sul da Palestina, havia mais desertos. Esse deserto servia de limite da Judéia ao sul e a sueste. Tribos do deserto vagueavam por ali, e vez por outra atuavam com hostilidade, invadindo Judá. No idioma hebraico, as palavras que significam «sul» e «crestado» vêm da mesma raiz; e foi esse deserto sul que causou essa associação de idéias. O povo de Israel nunca conseguiu manter um bom controle sobre as terras ao sul de Berseba. Somente por breves períodos o Neguebe esteve sob o domínio de Israel. Edom tinha nessa região predomínio muito maior. As terras prometidas a Abraão estendiam-se do rio Nilo ao rio Eufrates, envolvendo essa área sulista; mas os israelitas nunca tornaram isso uma realidade palpável.

2. Divisões

Aqui estudaremos como o povo de Israel dividiu o território da Terra Prometida, uma divisão que nada tinha a ver com regiões naturais, sobre as quais acabamos de discutir. Três principais períodos históricos provaram divisões políticas da área do mundo: a. entre os tempos patriarcais e Moisés; b. a invasão da Palestina, após a saída de Israel do Egito; c. a Palestina na época de Jesus, sob o domínio romano. Temos ilustrado os dois primeiros itens (a. e b.) no primeiro mapa apresentado abaixo, na seção décima. As palavras escritas em letras graúdas representam os reinos que Israel encontrou quando invadiu a Palestina, no século XIII A.C. Os nomes em letras menores (mas ainda grandes) indicam a localização das tribos de Israel, depois que o território foi dividido entre elas. Em letras ainda de corpo menor, há alguns poucos nomes locativos, a fim de que o leitor possa localizar mais facilmente certos detalhes. O território da Palestina, na época de Jesus, quando Herodes era o rei vassalo que governava a Judéia, e daí até o ano 30 D.C., é ilustrado no segundo mapa apresentado na décima seção deste artigo.

VIII. Arqueologia da Palestina

A despeito de suas minúsculas dimensões, o território da Palestina é aquele que mais intensamente tem sido vasculhado pelas explorações arqueológicas. O artigo chamado *Arqueologia* demonstra isso amplamente. Essa ciência moderna tem conseguido confirmar a existência de mais de cinqüenta dos antigos monarcas de Israel. Locais pré-históricos têm sido desenterrados (entre 4500 e 3000 A.C., ou seja, a *era calcolítica*). Primitivas culturas palestinas, como aquela de Teleilat Ghassul, ao norte do mar Morto (perto de Jericó), têm sido regularmente elucidadas. As casas de tijolos de barro eram humildes, embora ricamente adornadas com pinturas murais e outros labores artísticos. Algumas surpreendentes pinturas afresco têm sobrevivido até hoje, provenientes daquele remoto período. A *idade do Bronze* (cerca de 3000 a 2000 A.C.) tem sido iluminada mediante descobertas de antiqüíssimos povoados cananeus, como os de Megido, Jericó e Ai. A *idade do Bronze Média* (cerca de 2000 a 1500 A.C.), biblicamente considerada, teve início na Palestina com a chegada de Abraão na Terra Prometida. Na época, a região era densamente arborizada, embora esparsamente habitada. Têm sido descobertas muitas evidências arqueológicas ilustrando a era dos patriarcas, que tendem por confirmar muitos detalhes do relato bíblico, acerca dos quais os céticos expressavam dúvidas. Uma notável característica desse período eram as cidades fortificadas, dotadas de altas muralhas, valados e construções gigantescas, cujo intuito era desencorajar os invasores. A *idade do Bronze Moderna* (1500 a 1200 A.C.), do ponto de vista bíblico é muito importante porque foi nesse período que a Palestina foi invadida pelos israelitas, vindos do Egito. A data mais recuada desse evento, calculada pelos estudiosos, é cerca de 1400 A.C., e, 1300 A.C. o mais tardar. É realmente admirável o quanto os arqueólogos têm podido recuperar dessa época, incluindo (quase

PALESTINA — PALEY

certamente) o *altar de Josué* (vide). Muitas cidades e povoados, mencionados em conexão com essa invasão, têm sido desenterrados pela arqueologia. Assim, sabemos agora que Jericó foi edificada sobre o mesmo local onde já tinham existido outras três cidades. A quarta cidade foi aquela que ruiu diante de Josué. Ai, Betel e Laquis foram conquistadas pelos israelitas; e estão entre os lugares escavados pela arqueologia moderna. As descobertas arqueológicas são por demais numerosas para serem aqui mencionadas. Pedimos ao leitor que examine o artigo geral intitulado *Arqueologia*. Todavia, podemos mencionar aqui localidades como Bete-Seã, Taanaque, Megido, Gezer, Bete-Semes, Samaria, Gibeá, Dibir, Hazor e, naturalmente, Jerusalém.

IX. Usos Figurados

A Palestina arrebata e galvaniza a imaginação de homens do mundo inteiro, apesar de ser tão pequena. Judeus, cristãos e árabes cultos sabem tanto acerca dessa região que ela é, praticamente, uma segunda pátria de todos eles, embora eles mesmos estejam dispersos pela face do planeta. Até os filhos pequenos de famílias evangélicas sabem muita coisa sobre a Palestina, com sua história e monumentos. A Igreja Católica Romana está começando a despertar para a necessidade de ensinar às massas populares, cada vez menos satisfeitas com as informações parciais e dosadas que lhes são ministradas pelo clero. Os islamitas são um povo que segue um livro sagrado, o Alcorão; e grande parte do mesmo está alicerçada sobre o Antigo e o Novo Testamentos. Eles mantêm controle sobre a área onde os patriarcas hebreus foram sepultados. Portanto, é apenas natural que a Palestina tenha adquirido certas significações simbólicas.

1. *A conquista da Terra Santa*, por parte de Israel, veio a representar qualquer empreendimento nobre e inspirador. Israel precisava pôr os pés sobre a Terra Prometida, ande puseram os pés, a terra tornou-se deles. Ver Deu. 11:24,25. Ainda recentemente (na década de 1970), israelitas marcharam sobre os territórios ocupados, em um gesto simbólico, invocando Deus como testemunha, para que confirmasse os ganhos deles na Palestina. Essa conquista territorial também pode simbolizar a obtenção da vida eterna, que segue a escravidão ao pecado.

2. *De Dã a Berseba* indica a extensão da Palestina conquistada, de norte a sul, pelo que também veio a representar a gama inteira de alguma coisa. Ver Juí. 20:1; I Sam. 3:20; II Sam. 3:10; I Reis 4:25.

3. *A travessia do rio Jordão* aponta para a transição da morte física, que nos conduz a uma vida superior, celestial.

4. *Sião* é metáfora de qualquer grande centro de empreendimento espiritual. Os mórmons chamam a cidade de Salt Lake de *Sião*, por ser o centro da atividade e da cultura deles. Sião também simboliza a habitação de Deus, e, por extensão, os céus que os crentes antecipam. Ver Sal. 76:2.

5. *A dispersão* (o exílio assírio, o exílio babilônico e a grande dispersão judaica de 135 D.C.) representa os recuos ocasionados pelo juízo divino. E o retorno de Judá, representa os resultados do arrependimento e da restauração. E uma outra maneira de expressar a idéia são *os contra-ataques do reino*, após alguma grande derrota.

6. *As instituições hebréias* são emblemas dos ofícios e realizações de Cristo. Isso constitui a essência da mensagem da epístola aos Hebreus, no Novo Testamento.

7. *As peregrinações dos patriarcas*, que buscavam uma *cidade melhor*, falam acerca da nossa peregrinação terrestre, que haverá de terminar quando formos cidadãos do céu. Ver Heb. 11:16.

8. *Os quarenta anos de vagueação pelo deserto*, simbolizam aqueles que hesitam e que não entram na posse imediata de seus direitos espirituais, ou que deixam de cumprir os seus elevados propósitos, por serem por demais preguiçosos ou temerosos.

X. Mapas Ilustrativos: Ver a seguir.

1. *As Divisões da Palestina Entre Abraão e Moisés* As palavras em letras mais graúdas, neste mapa, indicam os reinos que Israel encontrou ao entrar na Terra Prometida. Aquelas um pouco menores indicam as localizações das tribos de Israel, após a conquista. Palavras em letras ainda menores indicam alguns lugares importantes na Palestina.
(Esse mapa é adaptado da RSV, mapas 1 e 3).

2. *As Divisões da Palestina nos Dias de Jesus* Temos aqui a divisão que prevaleceu durante os tempos do reinado de Herodes e posteriormente, até 30 D.C.
(Esse mapa é adaptado da RSV, mapas 10 e 11).

3. *As Regiões da Palestina*
(Esse mapa é adaptado da ND, pág. 924).

Bibliografia. ALB AM ANET BA BAL I IB ID IOT ND UN YO Z

PALEY, WILLIAM
O CLÁSSICO ARGUMENTO DO RELÓGIO

William Paley (1743-1805) foi um filósofo moral e teólogo britânico. Sua maior contribuição foi realizada na literatura ética. No seu tratado, *Natural Theology* (1802), ele desenvolveu uma *analogia* de Deus com *um fabricante de relógios*, que se tornou famosa. Esta analogia apresento a seguir:

••• •••

Ao atravessar um caminho, suponhamos que eu tropeçasse em uma *pedra*. E então que alguém me perguntasse como aquela pedra veio a aparecer ali. Nesse caso, eu poderia responder que, a menos que eu soubesse algo em contrário, deve ter sido posta ali desde sempre, e não seria muito fácil mostrar o absurdo de minha resposta.

Mas, suponhamos que eu tivesse encontrado um **relógio** no chão, e que alguém me indagasse como o relógio viera parar naquele lugar; nesse caso, dificilmente eu pensaria na resposta dada no caso anterior — que, a menos que eu obtivesse alguma prova em contrário, aquele relógio deveria ter estado ali desde sempre. Todavia, por que razão a resposta que serviria para o caso de uma pedra, não serviria para o caso de um relógio? Por esta razão, e por nenhuma outra, a saber, que ao passarmos a inspecionar o relógio, perceberemos (o que não poderia ser descoberto na pedra) que suas diversas partes foram feitas e reunidas para um determinado propósito, como, por exemplo, que foram formadas e ajustadas de tal maneira para produzir movimento, movimento esse regulado de tal maneira a marcar as diversas horas do dia; que, se as diversas partes do relógio tivessem formatos diferentes daqueles que têm, fossem de dimensões diferentes das que são, ou tivessem sido dispostas em outra posição, ou em outra ordem qualquer, então, ou nenhum movimento seria registrado pela máquina, ou não haveria utilidade para o relógio, segundo encontramos agora. Considerando algumas de suas partes componentes mais

PALEY, ARGUMENTO DO RELÓGIO

óbvias, bem como as suas respectivas funções, todas as quais tendem para obter um único resultado: vemos uma caixa cilíndrica que contém uma mola elástica em espiral, que devido ao seu esforço de expandir-se, faz o mecanismo funcionar... Também observamos que as rodas da engrenagem foram feitas de bronze, a fim de não se enferrujarem; e que as molas são feitas de aço, pois nenhum outro metal é tão elástico; e que na face superior do relógio foi posto um vidro, material empregado em nenhuma outra porção do relógio, porquanto se tivesse sido empregado em seu lugar qualquer substância que não fosse transparente, as horas não poderiam ser verificadas a menos que se abrisse o mecanismo. Uma vez — **observado** — esse mecanismo... **fica clara a inferência** que reputamos inevitável; aquele relógio **deve ter tido um fabricante**; que deve ter havido, em algum tempo, num lugar ou noutro, um artífice ou artífices que formaram o relógio com o intuito que nele encontramos; os quais compreenderam a maneira de fabricá-o, tendo traçado o desígnio de seu emprego.

I. *Segundo entendo*, essa conclusão de maneira alguma ficaria debilitada se jamais tivéssemos visto antes um relógio; se jamais tivéssemos conhecido um artífice capaz de fabricar um desses aparelhos; e se fôssemos inteiramente incapazes de executar pessoalmente uma obra dessa envergadura...

II. E nem, em *segundo lugar*, como compreendo, seria invalidada a nossa conclusão, se algumas vezes o relógio funcionasse mal ou raramente se mostrasse exato na marcação das horas... pois não é mister que um mecanismo seja perfeito a fim de ficar demonstrado o desígnio com que foi feito: ainda menos necessário se torna isso quando a única pergunta é se foi feito com qualquer desígnio.

III. E nem, em *terceiro lugar*, seria necessário dar qualquer foro de incerteza ao argumento, ainda que descobríssemos algumas poucas partes no relógio, para as quais não víssemos qual a sua utilidade dentro do quadro geral; ou mesmo que houvesse algumas partes acerca das quais não pudéssemos atribuir qualquer utilidade...

IV. E nem, em *quarto lugar*, qualquer indivíduo, em sua mente sã, haveria de pensar que o relógio, com seu complicado mecanismo, — poderia ser explicado pela declaração de que deveria ser alguma combinação fortuita de materiais; e que qualquer outro objeto que tivesse sido encontrado no lugar do relógio, devesse ter contido alguma configuração interna ou outra; e que essa configuração poderia ser a estrutura mais exibida, a saber, todas as partes componentes do relógio, embora em uma estrutura diferente.

V. Nem, em *quinto lugar*, o inquiridor haveria de obter mais satisfação, se lhe respondêssemos que existem nas coisas certo princípio de ordem fortuita que dispôs as partes componentes do relógio em sua forma e situação presentes. E isso porque jamais teria visto um relógio fabricado por efeito desse princípio de ordem; e nem mesmo poderia formar idéia do sentido desse princípio de ordem, distinto da inteligência de um fabricante de relógios.

VI. Em *sexto lugar*, ele ficaria surpreendido se ouvisse dizer que o mecanismo do relógio não pode servir de prova de simulacro, mas tão somente de motivo para induzir a mente a assim pensar.

VII. E não menos surpreso ficaria se fosse informado de que o relógio que tinha nas mãos nada mais era senão o resultado das leis de natureza metálica. Porquanto trata-se de uma perversão da linguagem atribuir a qualquer lei o papel de causa eficiente e operativa do que quer que seja. Toda lei pressupõe um agente, pois é apenas o modo pelo qual esse agente age; subentende poder, pois é a ordem segundo a qual esse poder atua. Sem esse agente, sem esse poder, ambos os quais são distintos dela, a lei nada faz e nada é.

VIII. E *finalmente*, o nosso suposto observador também não poderia abandonar a sua conclusão, e assim perder a confiança em sua verdade, se lhe fosse dito que ele nada sabia sobre a questão. Pois a verdade é que ele sabe bastante para o seu argumento — ele conhece a utilidade do objeto — ele conhece a subserviência e a adaptação dos meios ao fim colimado. Uma vez que sejam reconhecidos esses pontos, a sua ignorância sobre os outros pontos, as suas possíveis dúvidas sobre os demais pontos, jamais poderão afetar a segurança de seu raciocínio. A consciência de que pouco sabe não requer que ele desconfie daquilo que já sabe.

Continuação do Argumento

Suponhamos, em seguida, que a pessoa que encontrou o citado relógio, após algum tempo, viesse a descobrir que, em adição a todas as propriedades que ele vinha observando até ali, o relógio possuísse a inesperada propriedade de, no decurso de seus movimentos, vir a produzir um outro relógio semelhante a ele mesmo... qual seria o efeito dessa descoberta sobre a sua conclusão anterior?

I. *O primeiro efeito* seria o de aumentar a sua admiração pelo invento, e também o de aumentar a sua convicção sobre a grande habilidade do inventor...

II. Ele refletiria que embora o relógio estivesse ali à sua frente — em certo sentido — o fabricante do relógio fosse ele mesmo, no decurso de seus próprios movimentos, seria algo muito diferente em sentido do caso em que, por exemplo, um carpinteiro é o fabricante de uma cadeira; o autor de sua invenção, a causa da relação entre suas partes componentes e o seu emprego. No que diz respeito a isso, o primeiro relógio não teria sido causa, de forma alguma, do segundo relógio, pelo menos não no sentido de que foi o autor da constituição e da ordem, ou das partes contidas no novo relógio, ou dessas mesmas partes, mediante a ajuda e a instrumentalidade daquilo que foi produzido...

III. Embora não seja agora mais provável que o relógio individual, que fora encontrado pelo nosso suposto observador, tenha sido feito imediatamente pelas mãos de um *artífice*, todavia, essa alteração de forma alguma modifica a conclusão de que um artífice foi originalmente empregado na produção de um relógio, tendo concentrado a sua atenção nesse mister. O argumento baseado no desígnio permanece assim inalterado. Os sinais de desígnio e de invenção não serão atribuídos agora de forma diferente do que eram antes... Estamos agora indagando qual a causa dessa subserviência a um uso, aquela relação para com uma finalidade, que já observamos no relógio à nossa frente. Nenhuma resposta será dada a essa pergunta com a réplica de que um relógio anterior o produziu. Pois não pode haver para sem um planejador; nem invenção sem um inventor; nem arranjo sem alguém capaz desse arranjo; nem subserviência e relação para com um propósito, sem alguém que possa traçar esse propósito; nem meios apropriados a uma finalidade, e execução na realização dessa finalidade, sem que essa finalidade tenha sido contemplada, ou sem que os meios tenham sido adaptados à mesma Arranjo, disposição de

PALEY, ARGUMENTO DO RELÓGIO

partes, subserviência dos meios a uma finalidade, relação de instrumentos para com um determinado uso — tudo subentende a presença de inteligência e de mente. Por conseguinte, ninguém pode acreditar racionalmente, que um relógio insensível, inanimado, do qual se originou o relógio à nossa frente, tenha sido a causa apropriada do mecanismo que tanto admiramos nele — como se verdadeiramente houvesse construído o instrumento, disposto em ordem as suas diversas partes, dado a cada uma o seu papel, determinado a ordem, ação e dependência mútua das mesmas, e houvesse combinado os seus diversos movimentos, para obtenção de um único resultado...

IV. E nem se ganha coisa alguma levando a dificuldade um passo mais adiante, isto é, supondo-se que o relógio à nossa frente foi produzido por outro relógio, este por um outro ainda, e assim indefinidamente. Nosso retroceder, até esse ponto, não nos leva mais perto, em qualquer grau de satisfação, às origens do assunto. Pois a invenção, dessa maneira, continuaria sem explicação. Ainda haveríamos de procurar um inventor. Pois essa suposição nem supre e nem dispensa uma mente *planejadora*. Se a dificuldade fosse diminuindo à medida que fôssemos retrocedendo e recuássemos indefinidamente haveríamos de exauri-la...Não há diferença alguma quanto ao ponto em questão... entre uma série e outra; entre uma série que é finita, e uma série que é infinita. Uma corrente, composta de um número infinito de elos não pode sustentar-se mais do que uma corrente feita de um número finito de elos.

...Aumentando-se o número de elos, por exemplo, de dez para cem, de cem para mil, etc., não nos aproximaremos, em grau algum, da solução, e nem haverá a menor tendência para a autossustentação... Isso se assemelha extraordinariamente com o caso que temos à frente. A máquina, que estamos inspecionando, pela sua própria construção demonstra invenção e desígnio. A invenção deve ter tido um inventor; o plano deve ter tido um planejador; e isso sem importar se a máquina se derivou imediatamente de outra máquina, ou não. Essa circunstância não altera o caso... Um inventor continua sendo necessário. Nenhuma tendência é percebida, nenhuma aproximação é feita da diminuição dessa necessidade. Continua a mesma coisa, em cada sucessão dessas máquinas; uma sucessão de dez, de cem ou de mil; tal como sucede numa série, assim também sucede na próxima; uma série finita, tanto quanto uma série infinita... Sem a menor diferença, invenção e desígnio continuam inexplicados pela mera multiplicação dos casos.

A pergunta não consiste de «como é que o primeiro relógio **veio à existência?**...Supor que assim é equivale a supor que não faria diferença se tivéssemos encontrado uma pedra ou um relógio. Na natureza do caso, as questões metafísicas dessa pergunta não têm lugar; pois no relógio que estamos examinando podemos ver invenção e desígnio; finalidade e propósito; meios adaptados a um fim, e também adaptação a esse propósito. E assim, a pergunta que se destaca irresistivelmente em nossos pensamentos é: «De onde se deriva essa invenção e desígnio?» O que se busca é a mente que tencionou, a mão adaptadora, a inteligência por meio da qual essa mão foi orientada. Essa pergunta, essa exigência, não pode ser abalada pelo número crescente ou pela sucessão de substâncias... É inútil, portanto, atribuir uma série de tais causas, ou alegar que tal série possa ser levada de volta até o *infinito*...

V. ...*A conclusão* que é sugerida pelo primeiro exame feito no relógio, acerca de seu funcionamento, de sua construção e de seus movimentos, é que deve ter tido um artífice como causa e autor de sua construção, o qual compreendeu seu mecanismo e traçou o desígnio de sua utilização. Essa conclusão é invencível. Um «segundo» exame nos apresenta uma nova descoberta. O relógio é encontrado, no decurso de seus movimentos, a fim de produzir outro relógio similar a ele mesmo; e não somente isso, mas percebemos nele certo sistema ou organização, separadamente calculado para obter esse propósito. Que efeito produziria essa descoberta, ou que efeito deveria produzir sobre nossa inferência anterior? Que efeito teria, senão, além de tudo que já foi dito, aumentar em muito a nossa admiração pela habilidade que foi empregada na construção de tal mecanismo?

Ou, em vez disso, todos esses fatos nos fariam voltar para a conclusão oposta, a saber, que nenhuma arte ou habilidade de qualquer espécie foi envolvida na construção do relógio?... Poderia esta última conclusão ser mantida sem que se caísse no maior dos absurdos? Não obstante, isso é o ateísmo.

Avaliação do Argumento de Paley, à Base do Desígnio:

O argumento de Paley é criticado à base do fato de que se alicerçou em um tipo de universo mecânico de conformidade com a ciência do século XVII, o qual ficou eliminado pelo conceito darwiniano do mundo, que postula um universo orgânico, em desenvolvimento crescente, e não em uma máquina estática, sujeita às leis fixas da mecânica. A evolução darwiniana explica o artífice do argumento de Paley em termos da *seleção natural*, procurando dessa maneira eliminar a função do Deus de Paley; contudo, o que a «seleção natural» imaginada por Darwin não consegue fazer, e que ainda não foi explicada, é a adaptação da razão humana à ordem cósmica. Porque a seleção natural se restringe a explicar a preservação da vida. Conforme assevera William Sorley: «Se continuamos aferrados à teoria da evolução, e rejeitarmos a teologia ordinária, contudo teremos de admitir que existe certa adaptação (que não pode ser explicada pela seleção natural) entre a nossa razão e a ordem cósmica real, um desígnio maior do que qualquer desígnio que Paley jamais imaginou. E não é apenas quanto ao intelecto somente, mas também quanto à moralidade do universo de valores intrínsecos, que devemos asseverar a existência de certa adaptação entre as nossas mentes e a ordem universal»

Informação extraída de W. R. Sorley, *Moral Values and the Idea of God* (Cambridge: Cambridge University Press, segunda edição, 1921), pág. 326.

••• •••

Opinião do Autor desta Enciclopédia

Eu aprecio esta breve avaliação, mas não vai longe o bastante. Paley pensava que havia uma diferença entre a *pedra* na qual tropeçara e o *relógio*, no que diz respeito à nossa necessidade de explicar o «desígnio» das coisas. Mas — na realidade, não há diferença. A *pedra* é tão maravilhosa quanto o relógio e possuída de um desígnio tão imenso, que Paley, em sua época, não poderia ter imaginado sequer uma parte diminuta dele. Encontrar uma pedra exige uma explicação acerca de um Artífice. Note também que o que chamamos de coisa *inanimada* não pode ser pensado como o produto de uma seleção natural. O seu desígnio não tem sido produzido por algum longo processo de evolução, mas é real e demanda que procuremos alguma *razão suficiente para ele*. A razão nos leva de volta a Deus, o Grande Artífice. Então, que negócio é este de *solucionar*, supostamente, o

PALHA — PALHOÇAS

«problema do desígnio», pela mera produção das palavras mágicas, *seleção natural*, mesmo no que diz respeito aos organismos vivos? Como, podemos perguntar, — funciona — a seleção natural, que inteligência está atrás dela? Pode ser que funcione por acaso? Leva mais fé para aceitar isto do que para aceitar o conceito de um Grande Artífice. No máximo, a expressão «seleção natural» pode implicar meramente em como *funciona* a Mente Divina, em determinada parte da natureza. — É a seleção natural sem-mente? Que maravilhosas coisas a falta de mente ativa tem produzido! Os homens pensantes reconhecerão que o conceito intitulado *seleção natural*, nos leva ao Artífice, e não para longe Dele. Logicamente, sabemos que a seleção natural opera neste mundo, apesar de eventos caóticos e cataclísmicos produzirem mudanças imediatas, pulos para a frente e para trás. Ainda está aberto ao questionamento sério, mesmo no terreno científico, se este conceito pode explicar a *origem* do homem, como nós o conhecemos. Que a seleção natural opera no mundo de outras maneiras, não nos resta dúvida. Mas para pedir a mim que creia nela como «não pensante» é demais. Isto é tomar um passo para trás na *explicação* de um «porquê» do desígnio e não um passo em direção desta explicação.

PALHA

No hebraico, precisamos considerar **três** palavras, e no grego, **duas:**

1. *Teben*, «palha». Termo que ocorre por dezessete vezes, conforme se observa, por exemplo, em Gên. 24:25,32; Êxo. 5:7,10-13,16,18; Juí. 19:19; I Reis 4:28; Jó 41:27; Isa. 11:7; 65:25.

2. *Mathben*, «palha». Esse vocábulo figura apenas por uma vez, em Isaías 25:10, onde o profeta prediz um futuro muito triste para os moabitas: «Moabe será trilhado no seu lugar, como se pisa a palha na água da cova da esterqueira». Essa palavra hebraica poderia ser traduzida, mais acertadamente, por «resíduos vegetais».

3. *Qash*, «palha». Outra palavra hebraica, que aparece por dezesseis vezes: Êxo. 5:12; 15:7; Jó 13:25; 41:28,29; Sal. 83:13; Isa. 5:24; 33:11; 40:24; 41:2; 47:14; Jer. 13:24; Joel 2:5; Oba. 18; Naum 1:10 e Mal. 4:1.

4. *Kaláme*, «palha». Esse vocábulo grego ocorre apenas por uma vez em todo o Novo Testamento, em I Cor. 3:12.

5. *Áchron*, «palha seca». Termo grego usado somente em Mat. 3:12 e Luc. 3:17.

A palha é o refugo do grão peneirado, as cascas, etc. No oriente, usualmente esse material é queimado para impedir que o vento o sopre de volta ao grão limpo (Jó 21:18; Sal. 1:4; 35:5; Isa. 17:13; Sof. 2:2). Em Isaías 5:24 temos uma palavra diferente, que, literalmente, significa «erva seca». Em Jer. 23:38 temos a palavra que significa «palha». E em Daniel 2:35 temos a palavra aramaica que significa «palha».

Na Palestina havia mais palha de cevada do que palha de trigo, porquanto a cevada era usada como forragem de cavalos, de burros e do gado vacum, além do que a grande maioria do povo comum consumia pão de cevada. Sem dúvida, também havia palha de espelta. Não há certeza, entre os estudiosos, se a palha mencionada em Êxodo 5:7-18 era palha de cevada, palha de espelta, ou apenas de ervas selvagens, porque os filhos de Israel eram forçados a apanhar no campo o que pudessem, a fim de usarem para reforçar a massa de barro usada no fabrico de tijolos.

Em Gênesis 24:32, a nossa versão portuguesa diz «forragem». No entanto, no vs. 25 do mesmo capítulo, Rebeca respondeu a Eliezer: «Temos palha e muito pasto...», onde a palavra «palha» é a mesma que ali é traduzida por «forragem». Tal tradução reflete a dúvida de alguns estudiosos, se estaria em foco a mera palha, ou forragem para os camelos. Para que serviria a palha para os camelos? Nossa versão portuguesa, pois, não se mostra coerente consigo mesma, quanto a esse particular.

Outro trecho duvidoso, quanto ao que estaria em foco, é o de Isaías 11:7, onde se lê: «...o leão comerá palha como o boi». No entanto, sabe-se que o boi não come palha. Por esse motivo, alguns estudiosos têm preferido pensar que, nessa passagem de Isaías, deve-se pensar antes no «feno», o que significa que o termo hebraico *teben* daria a entender tanto a «palha» quanto o «feno», apesar do fato de que muitas versões traduzem por «feno» uma outra palavra hebraica, isto é, *chatsir*, em Provérbios 27:25 e Isaías 15:6. Nossa versão portuguesa só traduz essa palavra por «feno» na primeira dessas duas referências.

Usos Figurados: 1. A palha é algo pequeno e sem valor. Com base nessa circunstância, a palavra é usada para indicar aquilo que é doutrinário e espiritualmente destituído de valor, como o falso ensino (Jer. 23:28). 2. O malfeitor também pode ser considerado como se fosse palha, porquanto será reduzido a nada (Sal. 1:4; Isa. 33:11; Mat. 3:12). 3. Cristo é aquele que separa o trigo da palha, no sentido espiritual, pois ele é o supremo Juiz (Mat. 3:12; Luc. 3:17). 4. O crente, quando for julgado quanto às suas obras, precisa enfrentar a possibilidade de suas obras serem consumidas como palha sem valor (I Cor. 3:12 ss). 5. A palha e partículas de poeira representam as nações que negligenciam os princípios espirituais (Dan. 2:35). (G I ID)

PALHOÇAS, TENDAS

No hebraico, **sukkoh**, «palhoça», palavra usada por trinta e uma vezes. Por exemplo: Gên. 33:17; Lev. 23:42,43; Nee. 8:14-17; Jon. 4:5. Em nossa Bíblia portuguesa a palavra é traduzida como «palhoça», «tenda», «tendas de ramos», etc. Indicava algum abrigo tosco, feito de ramos de árvores e arbustos (Gên. 33:17), como proteção contra a chuva, a geada e o calor. Nessas estruturas muito simples, os israelitas celebravam a festa dos tabernáculos (que vide) (Lev. 23:42,43). Em tais abrigos foi que Jacó habitou, em seu retorno às fronteiras da terra de Canaã, em razão do que o lugar foi chamado Sucote (Gên. 33:17), a forma plural daquela palavra hebraica. Quando da festa dos tabernáculos, os israelitas usavam essas palhoças, mas não viveram em palhoças durante seus anos passados no deserto. No deserto eles viviam em tenda, que o hebraico chama de *ohel*. (Ver Gên. 4:20; Êxo. 16:16). Porém, ao ocuparem a Terra Prometida, os israelitas começaram a construir edificações mais permanentes. Além disso, na Palestina havia madeira em abundância para tais construções, como também para a feitura de palhoças, por ocasião da festa dos tabernáculos, ao passo que no deserto não havia madeira suficiente.

As palhoças foram usadas por Jacó (Gên. 33:17), por Jonas (Jon. 4:5), pelos soldados, nos campos de batalha (II Sam. 11:11), pelos vigias que cuidavam dos campos (Jó 27:18), nas quais eles se protegiam das intempéries, ou nas quais abrigavam seus animais. Essas palhoças eram feitas de salgueiros, de oliveiras, de murteiras, de palmeiras e de árvores de ramos bem copados (Lev. 23:40; Nee. 8:15). (G HA ID S)

PALIMPSESTO

Essa palavra é transliteração do grego *palímpsestos*, que vem de *pálin*, «novamente», e *pseein*, «esfregar», «apagar», ou seja, «raspado novamente». Esse é o nome que se dá a algum manuscrito escrito sobre um pergaminho que já havia sido usado para nele escrever-se alguma outra coisa. A escrita anterior foi removida, e um novo texto foi escrito sobre tal pergaminho. A razão do novo uso desse material de escrita é que o mesmo era muito caro.

Vários manuscritos do Novo Testamento são palimpsestos. Dentre esses destaca-se o *Codex Ephraemi Rescriptus*, atualmente em Paris, França. Quanto a informações detalhadas sobre esse manuscrito, ver o artigo *Manuscritos, Novo Testamento*, III.5. Outros palimpsestos são antigos evangelhos traduzidos para o siríaco, encontrados no monte Sinai, formando o papiro P(2), que também contém o livro de Atos, as epístolas paulinas e o Apocalipse.

PALINGENESIA

Essa palavra, transliteração do grego, *pálin*, «novamente», e *génesis*, «nascimento», significa «novo nascimento». Esse é um dos vários vocábulos usados para indicar a idéia da *reencarnação* (vide). Frouxamente usado, o termo pode significar qualquer tipo de regeneração ou novo nascimento. A palavra equivale a regeneração, derivada do latim, *regenerare*. No seu uso científico, essa palavra indica a transformação ou metamorfose de certos insetos.

PALLIUM

Essa palavra é usada, sem transliteração, na linguagem ritual da Igreja Católica Romana. Significa «capa». Está em foco uma espécie de faixa arredondada de lã branca, com pendentes, conferida pelo papa aos arcebispos, como símbolo da jurisdição deles.

PALMA DA MÃO

Ver o artigo sobre *Pesos e Medidas*.

PALMEIRA

No hebraico, **tamar**; no grego, **phoíniks**. Há muitas espécies de palmeiras. Nas Escrituras, quando se lê sobre a palmeira, usualmente trata-se da tamareira, cujo nome científico é *Phoenix dactylifera*. Essa espécie de palmeira pode chegar a mais de 24 m de altura. Seu tronco termina em um leque de ramos que se assemelha a muitos braços em atitude de petição. Por isso, sua aparência é pitoresca. Sua seiva pode ser preparada como uma bebida forte, conhecida pelo nome de *araca*, e seus frutos, as tâmaras, são muito nutritivos e de fácil digestão. Por esse motivo, esse fruto tradicionalmente sempre foi muito procurado, tendo-se tornado um importante item do comércio internacional. Nem mesmo as suas sementes perdemse; pois, uma vez trituradas, são usadas como forragem de animais, especialmente no caso dos camelos. As palmas são usadas para tetos, em cercas, cestos, esteiras e vários outros artigos de uso caseiro. Na Palestina, as palmeiras geralmente são encontradas formando bosques, embora também possam ser vistos espécimes isolados.

Heródoto referiu-se à palmeira como produtora de pão, mel e vinho; mas é provável que, no caso do «vinho», ele aludisse à aguardente araca. Com base nessa circunstância, é possível que algumas referências veterotestamentárias a «vinho» sejam, na verdade, a essa bebida forte; e também o «mel» nada tenha a ver com o mel de abelhas. Josefo também mencionou a existência de bosques de palmeiras. Esse bosques existiam na área do mar da Galiléia, no vale do Jordão, perto de Jerusalém e no monte das Oliveiras. Certo bosque de palmeiras, perto de Jericó, espraiava-se por cerca de onze quilômetros.

Uma palmeira precisa de cerca de trinta anos para amadurecer; mas, uma vez desenvolvida, ela é duradoura, sendo capaz de viver por duzentos anos. Essa espécie tem uma estranha forma de polinização. Algumas palmeiras produzem somente gametas masculinos, enquanto outras só produzem gametas femininos. Por isso, nos tempos antigos, os cultivadores cortavam inflorescências masculinas e penduravam-nas nas árvores femininas, a fim de garantir a polinização.

Referências Bíblicas. No Antigo Testamento há trinta e duas menções à palmeira, em suas três formas hebraicas: *tamar, tomer* e *timmorah*: Êxo. 15:27; Lev. 23:40; Núm. 33:9; Deut. 34:3; Juí. 1:16; 4:5; II Crô. 3:5; 28:15; Nee. 8:15; Sal. 92:12; Can. 7:7,8; Joel 1:12; Jer. 10:5; I Reis 6:29,32,35; 7:36; II Crô. 3:5; Eze. 40:16,22,26,31,32,37; 41:18-20, 25,26. E no Novo Testamento, por duas vezes é empregada a palavra grega, *phoíniks*: João 12:13; Apo. 7:9.

As referências em I Reis aludem às decorações do tabernáculo, que empregavam a figura de palmeiras; em II Crô. 3:5 e 28:15 há menção a Jericó, a cidade das palmeiras; em Sal. 92:12 a palmeira aparece como símbolo de inflorescência; em Can. 7:7,8 está em foco a beleza e frutificação da mulher, enquanto que o fruto da palmeira aparece como símbolo de seus seios; nas referências do livro de Ezequiel temos as visões desse profeta quanto ao futuro templo ideal, com enfeites sob o formato de palmeiras. Quanto ao Novo Testamento, — o trecho de João 12:13 menciona palmas em conexão com a entrada triunfal de Jesus em Jerusalém. Esse evento é a inspiração do chamado *Dia de Ramos*, da Igreja Católica Romana (vide). Em Apo. 7:9, a palmeira é símbolo de vitória.

A palmeira possui uma raiz profunda, em busca de água no subsolo; e assim ela resiste bem em lugares áridos. É devido a esse detalhe que a palmeira serve de símbolo de prosperidade e vida, segundo se vê em Sal. 92:12. Por muitas vezes, seu nome era aplicado a outras coisas, como Tamar, nome de uma mulher (II Sam. 13:1), ou nome de uma localidade (Eze. 27:19; 48:28).

PALMO

Ver sobre **Pesos e Medidas**.

PALTI

No hebraico, «Yahweh liberta». Esse foi o nome de duas personagens que figuram nas páginas do Antigo Testamento:

1. Um filho de Rafu. Palti foi um dos doze espias enviados por Moisés a investigar o estado da terra de Canaã. Ficou entendido que Moisés agiria em conformidade com o relatório deles. Palti representa-

PALTIEL — PAMPSIQUISMO

va a tribo de Benjamim, e deu um relatório negativo, secundado por nove outros (ver Núm. 13:9).

2. Palti, filho de Laís, um benjamita. Esse foi o homem a quem Saul deu como esposo a Mical, mulher de Davi, quando este precisou fugir para escapar com vida, e de quem ela foi tirada, quando Davi obteve novamente o poder. Ver I Sam. 25:44; II Sam. 3:15. Palti ficou desolado; Mical não voltou de bom grado a Davi. Finalmente, Davi percebeu que o que tinha feito era um erro. Uma total alienação entre Davi e Mical parece ter sido o que, finalmente, se instalou entre os dois. O trecho de II Sam. 3:15 exibe uma forma variante do nome, Paltiel.

PALTIEL

No hebraico, «livramento de El(Deus)», ou, então, **Deus liberta**. Esse apelativo ocasionalmente foi usado como forma alternativa de Palti; mas também houve um príncipe da tribo de Issacar, com esse nome. Ele era filho de Azã (ver Núm. 34:26). Ajudou a Eleazar e Josué na distribuição dos territórios da parte ocidental do rio Jordão quando as dez tribos, em meio a muitas batalhas, apossaram-se daquela área. O tempo foi cerca de 1440 A.C.

PALTITA

No hebraico, «nascido em Bete-Pelete», um lugar da parte sul do território de Judá (Jos. 15:27). Essa é uma forma variante do nome Palti. Era o nome gentílico de Helez, chefe da sétima divisão do exército de Davi (ver II Sam. 23:26). Ele é chamado «pelonita», em II Crô. 11:27; 27:10. Deve ter vivido em torno de 1000 A.C.

PALU

No hebraico, «distinguido». Esse foi o nome de um dos filhos de Rúben (Gên. 46:9; Êxo. 6:14; Núm. 26:5,8). Talvez o Pelete de Núm. 16:1 seja a mesma pessoa. O trecho de Núm. 26:5 mostra-nos que seus descendentes tornaram-se um clã em Israel, os *paluítas*.

PAMPSIQUISMO

Essa palavra vem do grego **pan**, «tudo», e **psuché**, «alma». O vocábulo indica que todas as coisas são possuidoras de alma, de algum elemento imaterial, usualmente incluindo a idéia de algum nível de inteligência. Esse termo pode ser comparado à palavra *hilozoísmo*, «matéria viva», uma matéria que tem em si mesma princípios de vida. Alguns filósofos têm uma interpretação pampsiquista do *hilozoísmo* (vide), e não uma interpretação mecanística. Tales de Mileto afirmava que todas as coisas estão «cheias de deuses», o que soa muito com o pampsiquismo. De acordo com esse ponto de vista, não há tal coisa como matéria inanimada, embora possa haver formas de vidas ativas e altamente inteligentes; mas estaria vivo o próprio humilde átomo, ainda que dormente. E de átomos é que todas as coisas se compõem. Alguns estudiosos têm exposto essa idéia como necessária a qualquer teoria da evolução. Se a matéria é viva, então não é preciso qualquer grande salto de fé para crer-se que a matéria viva poderia ter progredido até formas elevadas de vida, com altas expressões de inteligência.

Idéias dos Filósofos:

1. *O Hilozoísmo*. Talvez a declaração de Tales de que «todas as coisas são cheias de deuses», deva ser compreendida poeticamente. Talvez ele tenha apenas querido dizer que a matéria é dotada de propriedades tais que é possível que o desenvolvimento de todas as coisas tenha partido de alguns poucos elementos básicos, como a água, a terra, o fogo e o ar. Teríamos então um hilozoísmo mecânico. Porém, se um princípio psíquico realmente opera na matéria, então isso já nos apresenta um hilozoísmo pampsiquista.

2. *Aristóteles*. O mundo material responde a Deus; a todas as coisas são conferidos vida e movimento, através do amoroso Impulsionador Primário. Isso poderia envolver uma expressão poética que subentende processos mecânicos, embora tal afirmação também possa ser entendida em termos de pampsiquismo. Aristóteles talvez advogasse um hilozoísmo mecânico.

3. *Giordano Bruno*. Ele ensinava claramente o pampsiquismo. A unidade básica de todo o seu sistema é a *mônada*, que é dotada de sua própria energia e forma de vida. As almas e os deuses seriam formas superiores de vida. Deus é a Grande Mônada, e tudo vive nele e para ele. Temos aí uma espécie de *panteísmo* (vide).

4. *Campanella*. Ele criou uma elaborada e graduada realidade, onde cada nível é concebido como participante das qualidades de conhecimento, poder e amor.

5. *Leibnitz*. Ele desenvolveu uma monadologia onde cada unidade tem a sua própria consciência, apetites e sentimentos. As mônadas da matéria crassa seriam *sonolentas*, embora isso não signifique que elas estejam mortas.

6. *Maupertius*. Ele falava em termos de partículas, de que se comporiam todas as coisas. E até as menores dessas partículas teriam consciência, aversão e memória.

7. *Goethe*. Ele utilizou-se da monadologia de Leibnitz a fim de emprestar uma base filosófica à sua idéia de que todas as coisas são dinâmicas e esforçam-se por subir na escala do ser.

8. *Schelling*. Ao tentar evitar o dualismo, ele sugeriu que a natureza inteira está viva, ainda que certos elementos estejam «domentes». Mas todos os elementos da natureza participariam da consciência.

9. *Schopenhauer*. Todas as coisas possuem vida e *vontade* irracional, pelo que dificilmente elas podem ser inanimadas em qualquer sentido. Antes, todas as coisas teriam algum nível de consciência.

10. *Fechner*. Falamos sobre matéria, e à natureza chamamos de realidade externa. Mas, ainda segundo ele, todas as coisas teriam vida e alma.

11. *Lotze*. Ele ensinava uma monadologia que edifica a realidade a partir da base de um contínuo psíquico de almas.

12. *Kozlov*. Ele desenvolveu um sistema de pampsiquismo, chamando-o por esse nome.

13. *W. Wundt*. Ao considerar a natureza básica da realidade, chegamos mais perto da verdade se aceitarmos a posição pampsiquista, e não dependermos da idéia mecânica do universo.

14. *W.K. Clifford*. Para ele, a natureza consiste em «ejeções», constituídas por «produtos do pensamento».

15. *Charles Peirce*. Os mistérios da matéria são melhor explicados em termos do pampsiquismo do que em termos mecânicos. A lei tem um caráter formador de hábitos que subentende em mente.

16. *William James*. Em seu desejo de vincular a consciência humana ao divino, ele sugeriu que o pampsiquismo pode ser uma doutrina verdadeira. A posição dele parece ter um pampsiquismo pluralista.

PANAÉTIO — PANENTEÍSMO

17. *A.N. Whitehead*. Ele fazia dos *sentimentos* uma categoria universal, que todas as coisas possuiriam, pelo que também defendia certa forma de pampsiquismo.

18. *Hartshorne*. Ele criou uma doutrina denominada *societismo*, de acordo com a qual em cada entidade do universo há certo grau de consciência, o que nos remete ao pampsiquismo.

PANAÉTIO DE RODES

Suas datas foram 180-110 A.C. Ele foi um filósofo grego do período estóico médio. Nasceu na ilha de Rodes. Educou-se em Pérgamo e Atenas, onde foi discípulo de Carnéades, e depois associado dele. Ele ensinou em Roma e obteve notoriedade e influência no círculo de Cipião, o Moço. Após a morte deste, Panaétio voltou a Atenas e tornou-se cabeça da escola estóica dali. Cícero muito ficou devendo a ele, em termos de idéias e expressões!

Idéias:

1. De modo geral, Panaétio foi um estóico do tipo romano; mas acabou abandonando a cosmologia do sistema e começou a ensinar ciclos repetidos de destruição de todas as coisas, por meio do fogo. Parece que essa foi uma das idéias de Carnéades que Panaétio acabou adotando.

2. Panaétio, a exemplo da maioria dos estóicos romanos abandonou a **apatia** dos gregos e, em seu lugar, pôs a tranqüilidade mental, juntamente com a maneira de pensar dos epicureus. Ele salientava quão importante é a obtenção da felicidade, pelo que ensinava certa forma de *eudemonismo* (vide). Dentro desse sistema, a tranqüilidade mental reveste-se de capital importância. Nós, os crentes, também não nos devemos preocupar com aquelas coisas que estão fora de nosso controle, mas devemos fazer aquelas coisas que estão dentro de nosso alcance, de uma maneira fiel, confiando na providência do Logos, que faz correta e justamente todas as coisas.

3. A razão humana, para Panaétio, participaria da razão divina do Logos, o que subentende a doutrina de um humanismo universal, visto que a natureza humana transcende à natureza dos animais. O homem atua com base em dois tipos de razão: a teórica e a prática. Este último quase sempre é o tipo mais útil, aquele tipo de razão que precisamos enfatizar.

Escritos: Sobre o Dever; Sobre a Providência; Sobre o Bom Ânimo; Sobre as Escolas Filosóficas. Mas, dessas obras dispomos apenas de fragmentos.

PANAGUE, CONFEITOS

O sentido dessa palavra, no hebraico, **pannag**, é incerto. Aparece em Eze. 27:17, que fala sobre o comércio de Tiro e seus produtos. Nossa versão portuguesa traduz esse termo por «confeitos». De fato, quase todos os eruditos pensam estar em foco algum tipo de bolo. Talvez fosse feito de algum cereal tipo milho. Bolos assim são atualmente chamados *dhura*, na Palestina. A tradução siríaca verte a palavra hebraica por «painço», o *Panicum miliaceum*. Presumivelmente, certas massas comestíveis eram feitas desse cereal.

PANELA

Tradução errada de uma palavra hebraica, **kad**, «jarra de barro», usada por dezoito vezes no Antigo Testamento (por exemplo, I Reis 17:12,14,16; 18:23), e que no Oriente Próximo era usada para tirar água de uma fonte, ou a fim de guardar comestíveis, etc.

PANELAS DE CARNE

No hebraico, **sir basar**. A expressão inteira ocorre somente em Êxo. 16:3. Estão em foco ali as grandes panelas usadas para cozinhar carne. Essas panelas também podiam ser usadas para ferver água ou para lavagens.

Antes do êxodo, os israelitas trabalhavam duramente no Egito; mas também tinham muitas coisas boas para comer, incluindo a carne preparada nessas panelas. Presumimos que os judeus comiam carne de vários animais, domésticos ou caçados; e o peixe também era chamado «carne», entre os judeus. Seja como for, uma vez no deserto, eles relembraram a dieta abundante de carne, contrastando isso com a frugal alimentação que recebiam no deserto. Portanto, a expressão «panelas de carne» adquiriu o sentido metafórico de desejar algum luxo ou condição vinculado a um estado pecaminoso, ou, pelo menos, a um estado espiritual desvantajoso, como era continuarem eles escravizados no Egito. Portanto, aquele anelo, na verdade, era uma estupidez, era não entender o que Deus estava fazendo com eles.

A arqueologia tem mostrado que as panelas de carne do Egito eram vasos de bronze com três pernas. O mais provável, entretanto, é que havia muitos tipos e tamanhos de panelas. Esse utensílio também é usado simbolicamente para indicar a cidade de Jerusalém (Eze. 11:3), e também representa a avareza (Miq. 3:3) e a vingança imediata (Sal. 58:9).

As «panelas» usadas no santuário de Israel eram caldeirões fundos, feitos de bronze (ver Êxo. 38:3; I Reis 7:45; II Reis 4:38-41; 25:14; II Crô. 4:11,16; 35:13). Também eram usados para abluções (Sal. 108:9) e seus formatos eram adaptados para tirar água das cisternas (II Sam. 3:26).

PANENTEÍSMO

Ver o artigo geral sobre **Deus**, III.12. A raiz grega desse vocábulo é *pan*, «tudo», e *theós*, «deus», significando, assim, «tudo está em Deus» ou «Deus está em tudo». Tal palavra pode significar que tudo faz parte de Deus, ou que Deus está *em* todas as coisas, embora ele não seja todas as coisas. Isso posto, deve-se fazer a diferença entre este termo e aquele outro, *panteísmo* (vide). Todas as coisas estão dentro do Ser de Deus, de acordo com o panenteísmo, embora Deus não consista na totalidade das coisas. O panenteísmo afirma a auto-identidade de Deus como independente das coisas particulares que existem, em separado ou consideradas em sua totalidade. Assim, Deus pode existir necessariamente, embora todas as coisas existam de forma contingente. Esse conceito procura reconciliar os motivos legítimos do panteísmo ordinário (Deus é, simplesmente, *de facto*, a totalidade eterna das coisas, e o pensamento externo que as outras coisas em nenhum sentido fazem parte de seu ser). O panenteísmo admite que em Deus há algo independente dos particulares, mas também assevera que esse algo é apenas a «essência» de Deus, cuja natureza inteira também inclui os acidentes, cada um dos quais é a integração de todos os seres acidentais, em um dado estado do universo.

Idéias dos Filósofos Sobre a Questão:

1. *Krause*. Ele foi o primeiro a usar o termo para indicar que o mundo é uma criação finita dentro do Ser infinito de Deus. O todo é um organismo divino, onde co-existem o superior e o inferior. O panen-

teísmo usualmente diz que o ser existe mediante relações orgânicas.

2. *Fechner*. Ele foi tanto um pampsiquista (ver sobre o *Pampsiquismo*) quanto um panenteísta. Ele cria que a totalidade da existência, incluindo a chamada matéria inanimada, de alguma maneira tem sensibilidade. Todas as coisas seriam componentes da expressão mais elevada do ser. O Ser divino inclui todos os demais seres como partes constituintes, tal como as células de um organismo fazem parte desse organismo, embora o ser seja maior que cada uma de suas células.

3. *Whitehead*. Para ele, a deidade seria bipolar, em sentido tanto absoluto quanto relativo. O homem é imortal, por causa desse relacionamento. Ele vive a imortalidade de Deus, posto que de maneira finita.

4. *Hartshorne*. O Ser divino é bipolar, tendo aspectos absolutos e relativos. E o todo forma uma união orgânica, da mesma maneira que um organismo inclui a totalidade de suas células.

5. *Iqbal*. Ele foi um filósofo oriental que defendia a posição panenteísta, embora sem empregar o vocábulo.

PANFÍLIA

Essa palavra deriva-se do grego, onde significa «de toda raça». Esse é o nome de um antigo país ou província da Ásia. Em tempos remotos, chamava-se *Mopsósia*. Estava limitado a oeste pela Lícia e parte da Ásia; ao norte pela Galácia; a leste pela Cilícia e parte da Capadócia; e ao sul pelo mar de Panfília, ou seja, uma porção do mar Mediterrâneo. Ver Ptolomeu L.5, cap. 5. Era parte do que hoje é o centro-sul da Turquia, no mar costeiro. Evidências de natureza lingüística indicam que o país contava com uma população etnicamente mista. A cidade principal, Ataléia, provavelmente foi um centro de operações do apóstolo Paulo. Essa cidade foi fundada por Átalo II, de Pérgamo, depois de 189 A.C., com a ajuda de colonos gregos. Mas também dispunha de outras cidades, como Aspendo, uma base naval dos persas; e Side, fundada por colonos eólios; e também Perge.

A Panfília passou do domínio persa para a órbita grega, sob o governo dos reis selêucidas. Naturalmente, com a expansão romana, passou para o controle dos romanos. E a organização política romana deu à Panfília uma área maior do que tivera anteriormente.

Nos dias do apóstolo Paulo, a Panfília não era apenas uma província regular, porquanto o imperador Cláudio unira a Panfília à Lícia, envolvendo, provavelmente, uma boa porção da Pisídia, nesse amálgama. Foi através da Panfília que Paulo e Barnabé chegaram, pela primeira vez, à Ásia Menor, tendo partido da ilha de Chipre. Ele e Barnabé velejaram rio Cestro acima, até Petga (ver Atos 13:13). O trecho de Atos 2:10 indica que havia muitos judeus nessa província, sendo provável que eles tivessem uma sinagoga em Perge. Os dois missionários cristãos, finalmente, deixaram essa área, através de seu porto marítimo principal, Atalia. Anos mais tarde, Paulo passou de navio ao largo das costas da Cilícia e da Panfília (ver Atos 27:5). A igreja fundada em Perge é a única da região a ser mencionada nas páginas do Novo Testamento, no século I da era cristã. Porém, a **história eclesiástica** revela-nos que, no tempo das perseguições movidas por Diocleciano (304 D.C.), havia ali nada menos de doze outras congregações cristãs.

PANLOGISMO

Essa é uma palavra grega que significa «tudo é razão». Hegel identificava o racional com o real, e fazia de tudo uma parte da Razão divina. Assim sendo, o seu sistema era panlogístico. Outro tanto se dá com o estoicismo, dentro do qual o *Logos*, a Razão divina, é a base de todo o ser, e seu controle. De acordo com esses sistemas, a lógica (a teoria do pensamento) coincide com a ontologia (a teoria do ser).

PANO DE LINHO

No grego, **sindón**, «pano de linho». O termo grego aparece por cinco vezes: Mat. 27:59; Mar. 14:51,52; 15:46 e Luc. 23:53. Com a exceção da referência em Marcos 14:51,52, todas as outras menções desse vocábulo se referem à mortalha de linho na qual o corpo morto de Jesus foi envolvido, após haver sido retirado da cruz, no dia de sua crucificação. No entanto, em Marcos 14:51,52 é mencionado o surgimento de um jovem, coberto unicamente com um lençol, no trajeto entre o local da detenção de Jesus, o jardim do Getsêmani, e a casa do sumo sacerdote. Ao colocarem a mão sobre o jovem, ele fugiu, despido. Muitos estudiosos acham que isso é uma alusão velada e pitoresca a Marcos, autor do segundo evangelho ou amanuense de Pedro, que seria o verdadeiro autor desse evangelho. A noite do julgamento de Jesus pode ter sido uma noite muito quente, quando Marcos dormia. Ao despertar, talvez por ouvir o ruído de uma pequena multidão que prendera Jesus, e que passava, ele saiu à rua como estava. Levado pela curiosidade, ou pelo senso de confraternização, Marcos acompanhou Jesus durante algum tempo, até que foi obrigado a fugir desnudo, talvez por temer ser preso também.

PANO DE SACO

Ver sobre **Saco** (**Pano de Saco**).

PANSOMATISMO

Esse é o termo que se aplica à idéia de Kotarbinski, de que toda entidade sensível é um corpo. Ele advogava a doutrina que diz que todo objeto é uma coisa, ou física ou sensível. A essa doutrina ele chamou de *reísmo ontológico*, ou *somatismo*, tendo rejeitado o termo «materialismo».

PANTAENO

Ver os artigos separados sobre *Alexandria, Teologia de; Clemente de Alexandria* e *Orígenes*. Não se sabe de suas datas exatas, embora saiba-se que ele floresceu em torno do ano 200 D.C. Ele foi um dos principais mestres de Clemente de Alexandria, o qual, por sua vez, foi professor de Orígenes, e foi um dos primeiros mestres da Escola Catequética Cristã, de Alexandria, no Egito. Eusébio informa-nos que ele fez uma viagem missionária à Índia, onde permaneceu durante algum tempo; porém, não possuímos qualquer detalhe sobre essa fase de sua vida. A expressão «escola alexandrina» refere-se a qualquer uma das tradições intelectuais associadas àquela cidade, de origem pagã, judaica ou cristã. Pode-se dizer que essa escola teve suas origens em cerca de 310 A.C., quando Ptolomeu Soter fundou uma escola e uma biblioteca no lugar. Em 642 D.C., Alexandria foi capturada pelos islamitas, quando então, para todos os efeitos práticos, chegou ao fim a escola alexandrina. A biblioteca dali (ver sobre *Alexandria*,

Biblioteca de) tornou-se um gigantesco centro de coletâneas de livros. Ao ser, finalmente, incendiada, continha setecentos mil volumes, um número fantástico para o mundo antigo, um depósito de tesouros literários incalculáveis, quase tudo perdido nas chamas.

À medida que se foi expandindo a escola alexandrina, foi incluindo eruditos pagãos, judeus e cristãos. Filo foi representante dos judeus; os filósofos neopitagoreanos e neoplatônicos representavam os pagãos; e Pantaeno, Clemente e Orígenes representavam os cristãos. Houve empréstimos de conceitos e adaptações de conceitos para servirem aos sistemas particulares de cada um. — Quanto às idéias dos cristãos alexandrinos, ver os artigos mencionados acima.

PÂNTANOS

No hebraico, *gege*. Esse termo hebraico, que só ocorre em Eze. 47:11 e Isa. 30:14 (com a forma *geb*, em Jer. 14:3), indica água estagnada, repleta de vida animal e plantas aquáticas. Por causa do clima geralmente seco da Palestina, há bem poucos pântanos naquela região do mundo. E os poucos pântanos ali existentes podem ser achados em torno do mar Morto. O lugar citado na referência do livro de Ezequiel fica no vale do Sal, nas proximidades do mar Morto. Ao predizer a mudança da sorte de Israel, aquele profeta declarou que tais pântanos seriam deixados como depósitos de sal, para serem escavados.

Algumas traduções também traduzem as palavras hebraicas *bitstsah* e *tit* por pântano. Mas é melhor traduzi-las por «lama», «lamaçal». Ver *bitstsah* em Jó 8:11; e *tit* em II Sam. 22:43; Jó 41:30; Sal. 69:14; Jer. 37:6; Miq. 7:10; Zac. 9:3 e 10:5. As referências do livro de Jó provavelmente referem-se aos alagadiços do Egito, ao longo do rio Nilo.

PANTEÍSMO

Esboço:
1. Definição
2. O Panteísmo no Ocidente
3. O Panteísmo no Oriente
4. O Panteísmo na Igreja Cristã
5. O Panteísmo e a Ética

1. Definição

Essa palavra vem do grego, **pan**, «tudo», + **theós**, «deus», dando a entender que «tudo é Deus». De acordo com o panteísmo, Deus é a cabeça da totalidade, e o mundo é o seu corpo. A forma adjetivada, «panteísta», foi cunhada pela primeira vez por John Toland, em 1705. Por sua vez, Fay atacou a filosofia de Toland, e usou a forma nominal, «panteísmo». E, desde então o termo tem sido continuamente usado. Naturalmente que há várias formas de panteísmo, discutidas neste artigo, mais abaixo. Também deve-se distinguir o panteísmo de *panenteísmo* (vide). O panteísmo é uma espécie de monismo, que identifica a mente e a matéria, e que pensa que a unidade é divina. E assim, o finito e o infinito tornam-se uma e a mesma coisa, embora diferentes expressões de uma mesma coisa. O universo (toda a existência e todos os seres) passa a ser auto-existente, sem começo, embora sujeito a modificações. Como é óbvio, também não terá fim. Concebidos como um todo, todos os seres e toda a existência é Deus, de acordo com o panteísmo.

2. O Panteísmo no Ocidente

a. *O hilozoísmo* (vide) pode ser interpretado como uma variação do panteísmo, contanto que façamos da declaração de Tales, «todas as coisas estão cheias de deuses», como algo mais do que uma declaração poética. Essa forma tem sido denominada *panteísmo hilozoísta*.

b. *Parmênides* referia-se ao mundo como absoluto e imutável, e se considerarmos divino a esse absoluto, então teremos nessa idéia uma forma de panteísmo. Para ele as mudanças são *ilusórias*, razão pela qual sua forma de panteísmo é apodada de *acósmica*.

c. *Heráclito* pensava que o fogo é a essência de todas as coisas, e por isso considerava o fogo divino. O fogo atuaria sobre todas as coisas, produzindo mudanças nas mesmas. Esse tipo de panteísmo tem sido chamado de *panteísmo imanentístico*.

d. O *estoicismo* pensava que o *Logos* é o fator controlador de todas as coisas, e do Logos é que se derivariam todos os seres. O Logos é Razão Divina. O mundo da razão (Logos) seria imanente nos homens. Todas as coisas procedem do Logos; todas as coisas acabam retornando ao Logos, através de grandes ciclos. O Logos seria o fogo universal, e uma grande conflagração assinalaria o fim de cada ciclo. Esse tipo de panteísmo tem sido apodado de *panteísmo estóico*.

e. O *neoplatonismo* usou o conceito das *emanações* a fim de explicar como o Logos cria todas as outras coisas; contudo, no seu sentido mais estrito, não teria havido criação, mas, tão-somente, emanações. A matéria seria atenuada pelo Ser divino, não sendo algo separado e distinto dele. A essa idéia dá-se o nome de *panteísmo emanacionista*. Durante a Idade Média, as formas estóica e neoplatônica de panteísmo ocasionalmente encontraram defensores. Erígena, Averóis e o misticismo da *cabala judaica* (vide) são exemplos disso. *Nicolau de Cusa* (vide) e *Giordano Bruno* (vide) deram ao panteísmo suas próprias distorções. Boehme parece ter seguido uma espécie de panteísmo acósmico. *Spinoza*, com sua doutrina do aspecto dual, tinha um panteísmo monista. Hegel chamou seu tipo de panteísmo de panteísmo acósmico. Para ele, as mudanças eram apenas aparentes, porquanto tudo faz parte do Grande Planejador. Porém, é melhor dizer-se que, em sua filosofia, o mundo não está perdido em Deus, mas os dois conceitos coexistem formando uma indissolúvel unidade. Goethe misturava o panteísmo hilozoísta com o panteísmo estóico. O sistema de Hegel da Razão Absoluta, que opera através das tríades, é uma forma de panteísmo. Ele mesclava elementos do panteísmo estóico, com o panteísmo monista e com o panteísmo acósmico. F.H. Bradley e Josiah Royce, em seus tipos de idealismo, ensinaram um panteísmo absolutista, monista.

3. O Panteísmo no Oriente

As Escrituras do hinduísmo (Vedas e Upanishadas) identificam o «eu» interior do homem com o divino, e entendem que as coisas deste mundo são ilusórias. *Shankara* chamava o mundo de sonho, e encontrava a realidade somente em Brahman, pelo que ensinava um panteísmo acósmico. *Ramanuja* afirmava um panteísmo emanatístico. O mundo seria o corpo de Brahman. O *budismo*, em seus vários representantes, tem tomado diferentes posições, como acabamos de descrever. *Chih-i*, no budismo chinês, considera a existência ordinária ilusória, encontrando a única realidade na Mente Pura, o que significa que também defende um panteísmo acósmico. O *sufismo* (um movimento dentro do islamismo) também defende um tipo monístico de panteísmo.

4. O Panteísmo na Igreja Cristã

A tendência dos místicos, do Oriente ou do

Ocidente, cristãos ou não-cristãos, é o de usar expressões que pareçam panteístas, visto que uma das principais categorias do misticismo é aquela da unidade de Deus. Porém, a maioria dos místicos não tem a mesma paciência dos teólogos sistemáticos, e, assim sendo, não requerem definições. Ver o artigo geral sobre o *Misticismo*. Seja como for, o cristianismo tem um dualismo que separa Deus de sua criação, de forma radical, e usualmente defende a idéia da criação dentro do tempo. O conceptualismo fala sobre a criação como um conceito da mente divina, realizado dentro do tempo, embora admitindo a eterna existência da mente divina. Orígenes afirmava que a criação é um *ato eterno* de Deus, e isso pode significar que ele não acreditava em um começo no sentido absoluto do termo, mas antes, em uma interminável transição de uma forma de criação para outra. Não obstante, não identificava o mundo com Deus, e nem chamava o mundo de divino, pelo que ele não era panteísta. Visto que, no cristianismo, Deus é concebido como um Ser pessoa, não podendo ser ele concebido como idêntico à sua criação, conceitos panteístas são reputados manifestações do *ateísmo*, visto que não nos fornecem um conceito de Deus correspondente à idéia cristã do que Deus deve ser. Ver o artigo geral sobre *Deus*, seções III. *Conceitos de Deus*, e IV. *O Conceito Bíblico de Deus*.

5. O Panteísmo e a Ética

O cristianismo ortodoxo frisa, com base na ética, a pessoa divina-humana. O panteísmo salienta a relação parte-tudo, e perde de vista a relação eu-tu de um Deus pessoal. Várias formas de panteísmo podem enfatizar o livre-arbítrio humano ou o determinismo divino, mas não do mesmo modo como faz o cristianismo, que concebe Deus como uma pessoa. Palavras como amor, dever, bom, destino, assumem significados diferentes, no panteísmo e no cristianismo. A Bíblia deixa de ser o principal manual sobre a ética—para nada dizermos sobre o *único* manual da ética. Doutrinas como a da missão remidora de Cristo não são interpretadas, pelo panteísmo, segundo os moldes cristãos tradicionais, e a redenção tem muito mais a ver com os atos éticos dos homens, em sua natureza e em suas expressões.

PÃO

No hebraico, **lechem**, palavra usada por mais de duzentas e trinta vezes no Antigo Testamento, tratando-se de pão comum, sem falar nos pães asmos, etc. No grego temos *ártos*, que aparece em quase cem trechos diferentes, oitenta por cento ou mais nos quatro evangelhos, desde Mat. 4:3,4 até Heb. 9:2.

No hebraico, *lechem*, que também significa, em termos gerais, «**alimento**» ou «**sustento**». Esse vocábulo aparece no Antigo Testamento por mais de duzentos e oitenta vezes, desde Gên. 3:19 até Mal. 1:7, sendo, portanto, uma palavra comumente usada ali. No Novo Testamento, *ártos*, palavra grega que ocorre por noventa e sete vezes, desde Mat. 4:3,4 (que cita Deu. 8:3) até Apo. 20:2.

Nem sempre o pão foi leve e fofo conforme o conhecemos hoje em dia. De fato, foi somente a partir dos últimos cem anos que os panificadores têm usado regularmente, o fermento, para tufar o pão. Antes disso, era preciso ter muitos anos de prática para que alguém fizesse um bom pão, além de uma pitada de boa sorte. Os padeiros misturavam cereais esmigalhados com água, e então a massa era cozida sobre pedras quentes ou sobre fornos primitivos. Outras vezes, a mistura era cozida ao ar livre, sobre cinzas quentes.

Devemos atribuir aos antigos egípcios a primazia no uso do fermento para o fabrico do pão. Os estudiosos têm especulado que o processo foi descoberto por puro acaso, quando células de fermento silvestre caíram sobre a massa, antes desta ser levada ao forno. Mais tarde, descobriu-se que um pouco de massa podia ser usado como iniciador do processo de fermentação, para a próxima massa a ser preparada; e, desse modo, pão feito com fermento era guardado para esse propósito. Algumas vezes, os romanos usavam um fermento feito de suco de uvas e de trigo selvagem, que funcionava bem porque o suco de uvas continha fermento das cascas das uvas. A espuma que se forma na cerveja também é uma fonte de fermento, e os antigos celtas da Grã-Bretanha usavam essa fonte no fabrico do pão. Lá pelo começo do século XVIII D.C., foi identificado o organismo do fermento, e assim começou a indústria de fermentos artificiais. Ora, um dos subprodutos da cerveja é o fermento de que acabamos de falar, e os padeiros não demoraram a utilizar-se do mesmo. Atualmente, quase sempre, uma dona-de-casa que queira fazer pão caseiro pode esperar sucesso, agradando à sua família. Um desastre ocasional pode ser perdoado.

Tal como nos idiomas modernos, a palavra *pão*, tanto no hebraico como no grego, significava mais do que esse artigo da alimentação. Assim, em Luc. 11:3, por exemplo, a palavra parece indicar toda espécie de alimento, embora, em outros trechos bíblicos, estejam em foco todos os artigos de padaria e pastelaria. Todavia, também se deve pensar no próprio pão, feito de trigo, de cevada ou de centeio, embora, conforme o conhecemos entre nós, o pão não era um artigo comum nos antigos países do Oriente. Usualmente, a palavra significa pães mais em formato de bolo.

1. *Substâncias usadas no fabrico do pão*. O melhor pão era feito de farinha de trigo (Juí. 6:19; II Sam. 1:24; I Reis 4:22), bem amassada (Gên. 18:6; Lev. 2:1), ou então um pão mais popular era feito de cevada (Juí. 7:13; João 6:9-13).

2. *Modo de preparação do pão*. O cereal era esfarinhado de vários modos. Em seguida, a massa era amassada em gamelas de couro ou de madeira, quando a farinha era misturada com água e fermento. Permitia-se que a massa tufasse, por bastante tempo, talvez até por uma noite inteira (Mat. 13:33; Luc. 13:21 e Osé. 7:6), pois o fermento antigo era um pouco de massa já fermentada, e não era como os modernos fermentos químicos, que são, de ação rápida. Os pães asmos, todavia, não requeriam o uso de fermento. Esses eram chamados «doçuras» (ver Gên. 18:6; 19:3; Êxo. 12:39 e I Sam. 28:24). Quando a massa já estava fermentada, então era levada ao forno, que podia ser público ou particular. Havia padeiros profissionais desde a antiguidade (Osé. 7:4; Jer. 37:21). Ver também o artigo sobre *Forno*. Um tipo de forno era uma escavação feita no meio de um dos aposentos principais de uma casa, talvez com 1,20 m a 1,50 de profundidade e 0,90 m de lado. Esse tipo de forno era forrado com uma espécie de cimento, ou então com pedras. O fogo era aceso no fundo do forno. Quando ficava suficientemente aquecido, podia cozer grande variedade de alimentos. Durante os dias frios de inverno, o mesmo forno era usado para aquecer a casa. Um outro método consistia em uma cavidade rasa, onde eram acesas algumas pedras, no fogo ali feito. Uma vez quentes, as pedras eram removidas e a cavidade era limpa. A massa era posta nessa cavidade aquecida, onde, por muitas vezes, era deixada a noite inteira, pois o processo era lento. Nesse processo, também podia ser usada a areia.

PÃO — PÃO, O PARTIR DO

Também havia panelas especialmente feitas com essa finalidade, de barro, de ferro ou de ouros metais. Essas panelas eram postas sobre pequenas fogueiras. De outras vezes, eram feitas fornalhas ou lareiras nas casas, as quais eram usadas para cozinhar toda espécie de alimentos, bem como para aquecer o meio ambiente durante o inverno. Finalmente, havia o pão de cinzas. Era feita uma fogueira no chão. Quando o solo estava bem quente, o pão era posto ali, e então coberto com cinzas e brasas. Esse método, porém, deixava a crosta do pão saturada de cinzas e partículas de madeira queimada. O pão precisava ser virado ao contrário, pois, do contrário, ficava cozido apenas em um dos lados. O trecho de Oséias 7:8 diz que Efraim era «um pão que não foi virado», o que significa que não era bem preparado—um lado cozido, e outro cru. Isso refere-se ao estado espiritual de Efraim, onde sua espiritualidade era mesclada com idolatria e corrupção. No Novo Testamento há uma expressão similar, que lhe corresponde: «...tendo forma de piedade, negando-lhe, entretanto, o poder» (II Tim. 3:5). Entretanto, um Targum judaico sobre o trecho de Oséias também sugere estar em pauta a idéia de juízo do cativeiro. Isso significaria que antes de Efraim ter chegado à maturidade, povos pagãos haviam-no tomado e comido, ou seja, levaram-no à destruição. Historicamente, foi precisamente isso que aconteceu, quando a Assíria levou o reino do norte para o exílio, em 722 A.C.

3. *Tipos de pão*. a. Bolos chatos e finos, misturados com azeite, o que corresponderia, mais ou menos às nossas «pizzas». b. Uma espécie de panqueca feita de trigo e azeite, que era a forma usualmente usada nas ofertas de manjares, também chamadas ofertas de cereais. c. Bolos de mel (Êxo. 16:31). d. Bolos de uvas ou de uvas passas (Osé. 3:1; Can. 2:5). e. Um tipo de pão muito macio, tipo pudim (II Sam. 13:6-9). f. Havia também «massas folhadas», provavelmente aprendidas pelo povo de Israel no Egito, cujos padeiros eram famosos por sua arte (Keil, *Arch.*, 2:126).

4. *Um artigo da alimentação dos povos antigos*. O pão fazia parte da alimentação diária dos antigos (I Reis 11:8). Sara apressou-se para preparar pão para os visitantes (Gên. 18:1-6). Aos trabalhadores, nos campos, era dado pão como alimento (Rute 2:14). Nas campanhas militares, servia-se pão também aos soldados (I Sam. 16:20). Os viajantes levavam pão para a viagem (Gên. 21:14; 45:23; Juí. 19:19). Jesus multiplicou pães e peixes para as multidões (Mat. 14:13-21); e chegou a reiterar o milagre (Mat. 15:32-39). Era costumeiro a cabeça de uma família iniciar uma refeição tomando um pão, dando graças ao Senhor, partindo-o em pedaços e distribuindo-os entre os membros de sua família, algo que foi imitado quando da Ceia do Senhor (Mat. 26:26).

5. *Pão usado em ritos religiosos*. Além dos sacrifícios de animais, havia ofertas de cereais, sob a forma de pães ou bolos cozidos ao forno, em uma panela ou em uma orelha (Lev. 2:4-10,14-16. Ver também Lev. 24:5, quanto aos doze pães postos sobre a mesa dos pães da proposição, no Lugar Santo, referidos em Êxo. 40:23 e Heb. 9:2). Pães eram usados nas ofertas pacíficas (Lev. 7:12), nas ofertas das primícias (Núm. 15:17-20). E, naturalmente, o pão fazia parte das cerimônias da páscoa. Com base nessa festa, a Ceia do Senhor foi instituída, como símbolo de seu corpo (Mat. 26:26; I Cor. 11:23,24). Ver os significados dessas ofertas no item abaixo, *usos simbólicos*.

6. *Usos simbólicos*. a. O *uso religioso* do pão, conforme descrito no ponto 5, acima, antes de tudo, era uma espécie de agradecimento pelos cuidados providenciais de Deus, como devolução simbólica de parte daquilo que fora provido pela bondade de Deus. A mesa dos pães da proposição é um tipo de Cristo como o Pão da Vida, aquele que sustenta os homens, espiritualmente falando (I Ped. 2:9 e Apo. 1:6). Esse pão prefigura o grão de trigo (João 12:24), pulverizado no moinho dos sofrimentos (João 12:27) e sujeitado ao fogo do julgamento divino, em lugar dos homens (João 12:32-33). b. O *pão do céu*, o maná, era, literalmente falando, a provisão divina, simbolizando os cuidados de Deus pelos homens, em sua jornada durante a vida terrena, similar à subsistência de alguém no deserto. c. Além disso, Cristo é nosso pão espiritual, descido do céu (João 6). Ver o artigo separado sobre *Jesus como o Pão da Vida*. — Ver também sobre a *Transubstanciação*. d. O *pão do agape*, ou seja, a refeição memorial da Igreja, que comemora o sacrifício de Cristo (Mat. 26:26 e I Cor. 11:23 ss). e. O *pão da aflição*, que indica a sobrevivência com base em ração escassa, em períodos de escassez (I Reis 22:27; Isa. 30:20). f. O *pão da tristeza* ou do trabalho árduo (Sal. 127:2), que indica o sustento obtido através do trabalho exaustivo. g. O *pão de lágrimas*, que indica a condição de tristonha lamentação (Sal. 80:5). h. O *pão da iniqüidade*, ou do engodo (Pro. 4:17; 20:17), que simboliza a extrema iniqüidade do indivíduo — que vive como que alimentando-se do pecado, e cujo sustento vem através da fraude e de práticas enganadoras e desonestas. i. A Palavra de Deus é comparada ao pão da vida diária, sendo a provisão para as necessidades espirituais do homem (Mat. 4:4). j. O lançar o próprio pão sobre as águas (Ecl. 11:1), provavelmente refere-se ao costume dos egípcios de lançarem sementes sobre as águas rasas, das inundações do rio Nilo. Parecia ser uma insensatez, mas a semente germinava, e o resultado final era o pão. Isso simboliza a nossa generosidade com outras pessoas, o que, pelo menos para alguns, pode parecer uma tolice, pois pode parecer uma dilapidação de recursos materiais. Com a passagem do tempo, entretanto, a semente assim lançada germina, havendo um abundante retorno para esse tipo de ação. l. O *pão agradável*, comido secretamente, refere-se a prazeres secretos e ilícitos (Pro. 9:17). m. *Pão e água*, alude às coisas necessárias para o sustento do corpo físico, os alimentos básicos (Isa. 3:1; Mat. 6:11). n. O *pão dos homens*, aludido em Eze. 24:17, refere-se aos alimentos comuns. (FRI I IB NTI PRI S)

PÃO, O PARTIR DO

No Novo Testamento, a expressão aparece em Luc. 24:35; Atos 2:42; Mar. 8:6; 14:22; Mat. 14:19; I Cor. 10:16 e 11:24. Consideremos estes pontos:

1. Está em foco, basicamente, o costume hebreu do pai de uma família agradecer pelo pão, parti-lo e distribuir os fragmentos aos membros de sua família. Esse costume refletiu-se, pelo menos em parte, nos ritos da Páscoa e da Ceia do Senhor. O Manual das Ordens de Qumran ordena que o sacerdote estenda as mãos sobre o pão e o vinho, em uma bênção comunitária, antes do início do banquete da Páscoa. O *Didache* tem algo semelhante, no contexto cristão.

2. Ao multiplicar os pães para os cinco mil homens, Jesus partiu os pães e ordenou que os mesmos fossem distribuídos (João 6:9). Nisso, ele apresentava-se simbolicamente como a provisão espiritual dos homens, mediante o seu corpo partido. Essa refeição singela também serviu de antecipação do banquete messiânico, referido em João 6:53 ss.

PÃO DA VIDA, JESUS COMO

3. No trecho de Atos 2:42, o pão refere-se, provavelmente, à Ceia do Senhor, efetuada com relativa freqüência. Ou então, refere-se às refeições de comunhão, sem alusão formal à Ceia do Senhor. Ou então pode ser que cada refeição, entre os crentes primitivos de Jerusalém, fosse tomada informalmente, nos lares, em comemoração da Ceia do Senhor.

4. As passagens de I Coríntios 10:16 e 11:20 ss. apontam para refeições comunitárias que incluíam a celebração da Ceia do Senhor. Posteriormente, essa refeição foi simplificada para o simples rito que envolve o pão e o vinho, com a descontinuação da refeição por toda a comunidade. Ver os artigos sobre *Pão da Vida, Jesus como* e *Transubstanciação*. (B I NTI)

PÃO DA VIDA, JESUS COMO

«Eu sou o pão da vida...» (João 6:35).

«Quem comer a minha carne e beber o meu sangue tem a vida eterna...» (João 6:54).

«...isto é o meu corpo...isto é o meu sangue...» (Mateus 26:26,28).

«...o que vem a mim, jamais terá fome; e o que crê em mim, jamais terá sede...» (João 6:35).

«Assim como o Pai, que vive, me enviou, e igualmente eu vivo pelo Pai; também quem de mim se alimenta, por mim viverá» (João 6:57).

«Porque assim como o Pai tem vida em si mesmo, também concedeu ao Filho ter vida em si mesmo» (João 5:26).

«...os mortos ouvirão a voz do Filho de Deus; e os que a ouvirem, viverão» (João 5:25).

Em torno desses versículos gira o ensino de Jesus como o *Pão da Vida*. Crentes sinceros têm atribuído aos mesmos grande variedade de interpretações, e muitíssimas disputas se têm originado de tais explicações. Parece que uma das dificuldades da interpretação deriva-se do fato de que a mensagem central que essas passagens procuram nos transmitir é muito mal compreendida pela igreja cristã, sendo algumas vezes totalmente desconhecida e, ocasionalmente, até mesmo combatida. Por causa dessas condições, apesar de que certas porções da idéia correta do que aqui é ensinado são retidas por uma ou outra denominação, com algumas variações, contudo, a própria idéia, em sua inteireza e majestade, é percebida apenas em parte, obscuramente. Essa profunda idéia do cristianismo, que «Jesus, como o Pão da Vida», oferece aos homens, está contida nas Escrituras de forma dispersa. As alusões a esse conceito aparecem no evangelho de João; em alguns trechos das epístolas paulinas, sobretudo no oitavo capítulo da epístola aos Romanos e no primeiro capítulo da epístola aos Efésios; em II Coríntios 3:18 e em II Pedro 1:4.

Na tentativa de descobrir e lançar luz sobre o assunto, examinaremos os *seguintes particulares*:

1. *A orientação espiritual* de João é mística, e não-sacramental.
2. *O modo de expressão* de João.
3. *As interpretações centrais* do sexto capítulo do evangelho de João: a interpretação simbólica, a sacramental e a mística.
4. *A Ceia do Senhor*, em seu «símbolo» e na «verdade simbolizada».
5. *Indicações existentes* no sexto capítulo do evangelho de João sobre a veracidade da interpretação «mística».

Passemos, pois, à exposição de cada uma dessas particularidades:

A Orientação Espiritual de João é Mística, e Não Sacramental.

Dentre os quatro evangelhos, o de João é o mais místico e o menos sacramental; assim sendo, apesar do evangelho de João ser o mais usado, provavelmente é o menos compreendido dos quatro. Notemos que no trecho de João 1:29-34, o lugar onde poderíamos esperar a história do batismo de Jesus, por João Batista, não há qualquer menção ou descrição sobre o batismo em água, conforme se lê nos demais três evangelhos. Obviamente, se trata da mesma cena, e é indubitável que devemos compreender ali que Jesus foi batizado por João Batista; porém, não há qualquer alusão à própria cena do batismo. No entanto, encontramos nesse trecho a menção específica do batismo do Espírito Santo, em que Jesus aparece tanto como o Cordeiro de Deus quanto como o Filho de Deus. Nessa seção do evangelho de João, pois, o batismo é de natureza mística, e não-sacramental.

Ainda mais surpreendente que essa instância é a daquela outra passagem onde poderíamos esperar uma descrição sobre a instituição da Ceia do Senhor ou *eucaristia*, a saber, João 13:1-20. Pois, apesar de ser evidente que essa passagem se refere à páscoa, sendo paralela aos trechos de Mat. 26:7-30; Mar. 14:17-26 e Luc. 22:14-39, contudo, nem ao menos há alusão à instituição da Ceia do Senhor, ao passo que lemos ali uma longa descrição da cerimônia do lava-pés, que os demais evangelhos nem mencionam, e que poderíamos julgar comparativamente sem importância, em relação à Ceia do Senhor. Não obstante, nesse trecho do evangelho de João, nos é ensinada uma verdade mística, o que também era muito característico do autor do quarto evangelho; e por causa dessa verdade mística, essa passagem obviamente se revestia de grande importância para o seu autor sagrado.

Poderíamos asseverar, por conseguinte, que o autor do quarto evangelho nem ao menos registra ou descreve um evento tão importante como foi a instituição da Ceia do Senhor, ao passo que os outros três evangelistas lhe conferem um tão conspícuo lugar? Não, isso não seria verdade, pois o sexto capítulo do quarto evangelho encerra o registro sobre essa instituição da Ceia; no entanto, foi escrito não para descrever um sacramento e, sim, para servir de expressão acerca de uma elevada doutrina mística. Devemos observar, por igual modo, que nesse sexto capítulo do evangelho de João não há qualquer descrição acerca do *modus operandi* da cerimônia da Ceia do Senhor, porquanto isso não se revestia de importância, aos olhos do autor sagrado; pelo contrário, nos é exposto, com abundância de pormenores, o sentido espiritual retratado por essa cerimônia; e esse sentido espiritual é uma profunda verdade mística.

O evangelho de João, portanto, aborda tanto o batismo como a Ceia do Senhor de maneira mística, e não sacramental.

Modo de Expressão de João

A fim de ilustrar a natureza da pessoa de Cristo, bem como a sua relação para com o mundo, mais do que os outros evangelistas, o apóstolo João se utiliza de termos simbólicos. É João quem chama o Senhor Jesus de «a Luz», «a Água», «o Pão», «o Pastor» e «a Porta». E embora no evangelho de João não lance mão da expressão específica, «Este é o meu corpo» (em que Cristo se referiu ao pão da Ceia) contudo, no sexto capítulo do mesmo é óbvio que uma terminologia assim seria perfeitamente apropriada (ver João

PÃO DA VIDA, JESUS COMO

6:54,55). Todavia, esse pão (que simboliza o corpo) é declarado como algo que desceu do céu (ver João 6:32,58), o que mostra que, antes de tudo, não está em vista alguma alusão ao corpo físico de Jesus; antes, ele se refere a um tipo celestial de «pão», a um princípio espiritual, a uma comunicação e participação mística na vida divina, o que, na realidade, é um conceito transcendental, e não uma idéia sacramental.

Por semelhante modo, quando falamos na «água», devemos ter em mente a infusão da vida espiritual, recebida mediante a fé, e não algum elemento sacramental. Isso fica demonstrado pelo fato de que a grande passagem joanina sobre a «água da vida» (o quarto capítulo do evangelho de João), que nos fornece maiores detalhes sobre a significação tencionada acerca dessa «água», é registrada em um trecho totalmente separado do capítulo que versa sobre o batismo do Senhor Jesus. Ali a «água da vida» figura como a comunicação do Espírito Santo à alma humana (ver João 4:23,24), em que essa água «mana» como uma fonte eterna, uma ação contínua e toda possessiva, e não uma ação momentânea, como se verifica no caso de qualquer rito. Além disso, deve-se notar que no trecho de João 7:39 o próprio autor sagrado interpreta o símbolo da água, ao dizer: «...Isto ele disse com respeito ao Espírito que haviam de receber os que nele cressem...» Torna-se evidente, portanto, que vocábulos como «pão», «água», «porta», etc., são expressões que indicam elevadíssimas verdades espirituais, místicas quanto à sua natureza, e não sacramentais. Fica suposto com razão, neste sexto capítulo do evangelho de João, segundo acredito, que o «sangue» de Cristo, que é «...verdadeira bebida...» (João 6:55), tem um sentido equivalente ao atribuído à «água», nos capítulos quarto e sétimo do evangelho de João, e que abordamos aqui a transmissão da vida divina, por intermédio do Espírito Santo.

O modo de expressão do evangelho de João, portanto, é *místico*, e não-sacramental.

Interpretações Centrais do Sexto Capítulo do Evangelho de João

a. A Interpretação Simbólica

A maioria dos intérpretes protestantes concorda sobre o fato de que neste sexto capítulo do evangelho de João, há uma alusão à eucaristia ou Ceia do Senhor, apesar disso não ser explicitamente declarado. Mas esses intérpretes (exceto os luteranos) ordinariamente manuseiam essa passagem do mesmo modo que o fazem com Mat. 26:26. Nesse caso, o «corpo» (aqui é o «pão») nada tem a ver com o corpo literal de carne e ossos de Jesus, se estamos falando sobre o benefício espiritual e a transmissão real que se destacam neste capítulo; antes, esse «corpo» ou «pão» é a infusão da vida espiritual, sendo meramente simbolizado pelo corpo literal de carne, que foi partido e alquebrado por nós. Similar é a explicação que se deve dar em relação ao «sangue». O sangue, que foi verdadeiramente derramado, é o símbolo do Novo Pacto, bem como tudo quanto isso representa na vida espiritual dos crentes. A expiação exige o sacrifício real do corpo, bem como o derramamento do sangue; mas isso foi um ato efetuado de uma vez para sempre, que jamais pode ser repetido. E o benefício que isso produz para os homens — a vida eterna — é perpétuo, ainda que o próprio ato da expiação não tenha sido perpétuo. Notemos, além disso, que o Senhor Jesus proferiu as palavras «isto é o meu corpo...» enquanto ainda vivia fisicamente; pelo que também parece-nos lógico supor que ele falava em termos simbólicos, porquanto se torna uma «provação à fé», e não um artigo de fé, supormos que, por algum meio misterioso, enquanto Jesus estava sentado entre seus discípulos, inteiro e vivo, eles tivessem participado de seu corpo e de seu sangue de maneira literal.

b. A Interpretação Sacramental

I. Teoria da consubstanciação. Lutero não se sentia satisfeito com a interpretação protestante ordinária, a interpretação *simbólica*, pensando ele que as vigorosas palavras de Jesus, «Isto é o meu corpo...», exigem uma interpretação mais profunda e completa do que isso. Lutero também não se satisfazia com a explanação de Tomás de Aquino que afirma que há alguma alteração substancial nos elementos do pão e do vinho, de tal modo que, em alguma maneira mística, mas perfeitamente real, o pão e o vinho tornam-se verdadeiramente, no corpo e no sangue de Cristo. Por essa razão é que Lutero criou essa doutrina que veio a chamar-se de «consubstanciação».

Essa doutrina preserva a *presença* de Cristo, «com» e «em» os elementos, embora não requeira qualquer modificação real nos próprios elementos do pão e do vinho. Conforme o ponto de vista luterano, os elementos permanecem exatamente o que são, mero pão e mero vinho, sem qualquer modificação ou transferência de substância. Antes, através de algum processo místico, a «presença» do corpo e do sangue de Cristo é preservada, «em, em volta e sob» os elementos não-modificados do pão e do vinho. Ora, isso cria um «dualismo», pois duas substâncias distintas são misturadas, embora não intrinsecamente misturadas. Essa explicação pretende nos levar a crer que há uma espécie de «amassar ambos as substâncias em uma única massa», mas que, ao mesmo tempo, ambas as substâncias continuam distintas e independentes. Dentro da designação «consubstanciação», pois, a primeira parte, «con» («com»), significaria que a substância do corpo e do sangue é unida à substância do pão e do vinho, embora não se deva pensar que tomaram aquelas o lugar destas últimas.

Alguns estudiosos evangélicos têm rejeitado essa noção porque ela parece requerer a onipresença do corpo e do sangue de Cristo, o que, sem dúvida, é uma idéia monstruosa. No entanto, de acordo com conceitos teológicos e filosóficos mais refinados, que empreguem a idéia dos «universais» de Platão, ou o elemento místico da descrição aristotélica sobre o que é uma substância, não somos forçados a imaginar qualquer corpo ou sangue literais, como se os mesmos tivessem características de onipresença. A maioria dos eruditos luteranos, entretanto, tem abandonado essa explicação, porque não há como alguém demonstrar tal coisa, sendo um conceito que necessita de pura fé para que seja aceito. Outrossim, tal conceito está alicerçado sobre a especulação, e não sobre qualquer realidade implícita nas Escrituras.

II. Teoria da transubstanciação. Essa é a explicação filosófica-teológica de Tomás de Aquino, que se tornou a maneira usual da Igreja Católica Romana explicar o sentido da declaração de Cristo: «*Isto é o meu corpo...*» Depende das descrições filosóficas aristotélicas acerca de «substância», bem como das explanações de Platão sobre o «universal». Por causa disso, pessoas filosoficamente destreinadas não têm podido compreender muito exatamente o que a «transubstanciação» procura dizer. É quase impossível ter a idéia certa do que essa doutrina significa, se primeiramente não tivermos algum entendimento sobre certos aspectos da metafísica de Platão e Aristóteles. Aqueles que estudam a história

PÃO DA VIDA, JESUS COMO

eclesiástica sabem que, a começar pelos pais gregos da igreja Justino, Clemente e Orígenes de Alexandria, e continuando com Agostinho e chegando até os tempos de Tomás de Aquino (1250 D.C.), a teologia cristã vem sendo expressa pelo veículo da filosofia platônica. Pelo tempo de Tomás de Aquino, e especialmente no caso dele, a ênfase se alterou para modos aristotélicos de expressão, ao passo que os modos platônicos de expressão não foram totalmente abandonados. Quando surgiram controvérsias acerca da abordagem filosófica da teologia, empregada por Aquino, para dar solução à pendência, o papa Leão XIII pronunciou-se em favor de Tomás de Aquino e a sua filosofia se tornou a expressão oficial da doutrina da igreja romanista. E foi desse contexto que se desenvolveu a explicação sobre a eucaristia que tomou o nome de «transubstanciação».

Abaixo temos uma tentativa de declarar, de forma breve, o que essa idéia ensina. Acredita-se que a *substância* ou «essência» do pão e do vinho é 'suplantada' pela *substância* do corpo de Cristo. Essa «substância», entretanto, nada tem a ver com os «acidentes» do pão e do vinho. Os «acidentes» são todas aquelas características que, de um modo ou de outro, podem ser sentidas pelos cinco sentidos, ou percepção dos sentidos. Assim, pois, tudo que há a respeito do pão e do vinho que pode ser tocado, visto, pesado, testado quimicamente (pois os testes químicos são apenas extensões complexas da percepção dos sentidos), é chamado de «acidentes». Portanto, tudo quanto podemos saber cientificamente, acerca desses elementos, são apenas os seus «acidentes». Por outro lado, a «substância» desses elementos é aquilo que compõe o pão e o vinho reais, que dão apoio aos meros acidentes. É nesse ponto que invocamos *Aristóteles* e *Platão* para que nos ajudem a compreender o que é «substância». De conformidade com a discussão aristotélica sobre o que é *substância*, ele fala de uma espécie mística de elemento, que *subjaz* e *dá apoio* aos acidentes. Não se trata de algum elemento que possa ser percebido, em qualquer sentido, pela percepção dos sentidos humanos, a despeito do que é perfeitamente real.

Isso não é totalmente diferente da doutrina de John Locke que fala sobre *«algo que não sei o que é»*. Para ele, as coisas se compõem de «qualidades primárias», coisas tais como peso, extensão no espaço, estrutura atômica, etc., e *secundárias*, tais como cor, odor, paladar, etc., que não são necessárias para a existência das coisas, ao passo que as qualidades primárias o são. Porém, além das qualidades primárias e secundárias, existe aquela outra coisa, «algo que não sei o que é», que também faz parte da substância das coisas. E por essa razão é que Aristóteles falava em uma espécie de coisa, «algo que não sei o que é», um elemento místico, que seria a «substância» das coisas. Já Platão se referia ao «universal», que é uma espécie de existência própria do outro mundo, separada e distinta dos objetos físicos, mas segundo a qual os objetos físicos são feitos e da qual eles participam, como uma espécie de realidade inferior.

Assim, pois, no rito da eucaristia, de conformidade com a teoria da «transubstanciação», nenhum dos *acidentes* dos objetos físicos se modifica, mas é a «substância» que se altera. Esse elemento místico, que não é percebido por qualquer sentido humano, mas que é a porção mais real de todos os objetos, é substituído pela «substância» do corpo e do sangue de Cristo, isto é, essa substância é «transferida» para o pão e o vinho. Dessa idéia, portanto, é que se deriva o termo «transubstanciação». E assim, segundo essa teoria, antes que o rito tenha lugar, podemos realizar qualquer tipo de teste químico e científico, chegando mesmo ao exame da estrutura atômica do pão e do vinho; e, após o rito, podemos sujeitar o pão e o vinho aos mesmos testes. E mesmo que os dois testes produzam resultados exatamente idênticos, podemos dizer que a «substância», aquele elemento místico, foi alterado, porquanto os testes científicos podem examinar meramente os «acidentes». Se imaginássemos testes científicos ainda mais complexos e exatos, mesmo no número de milhares deles, e depois de tudo não descobríssemos qualquer diferença no pão e no vinho, antes e depois do rito, não precisaríamos ficar perturbados com isso, pois nos preocuparíamos meramente com a substância dos elementos, e não com os seus acidentes, e a ciência jamais poderá dizer ou descrever qualquer coisa sobre a substância, mas somente sobre os acidentes dos elementos.

A Debilidade dessa Teoria pode ser Declarada Como Segue:

1. Alguns pensam que foi criada uma mera *especulação filosófica*, pois essa questão jamais poderá ser examinada, — mas deve ser sempre aceita pela fé ou rejeitada pela fé. É possível que alguma forma de «substância» *misteriosa* tenha sido criada, mas nunca podemos estar certos de que ela é mais do que imaginária.

2. A sua maior fraqueza, entretanto, até onde interessa a pessoas biblicamente treinadas, é que não existe qualquer explicação dessa natureza dada nas *Escrituras*, e que, apesar dessa teoria ser engenhosa, aristotélica, platônica e aquiniana, a verdade é que ela não é joanina, e nem evangélica.

3. Se os elementos do pão e do vinho têm sua substância alterada para a substância do corpo e do sangue de Cristo, então, segundo algumas pessoas pensam, e com razão, o pão e o vinho se tornam objetos próprios de adoração; e isso é repugnante para os crentes, porque seria uma forma disfarçada de «idolatria», ou, pelo menos, tenderia nessa direção.

4. Outros estudiosos salientam que essa idéia não tem qualquer base nos ensinos *patrísticos* (isto é, não se acham nos escritos dos primeiros pais da igreja e, poderíamos acrescentar, nem em parte alguma dos escritos apostólicos), não passando de uma criação posterior, não sendo, portanto, obrigatória para a fé.

III. Uma idéia alternativa para a **consubstanciação** e a **transubstanciação** e que procura permanecer dentro da categoria da interpretação *sacramental*, porque, à semelhança de outras teorias afirma que o corpo e o sangue de Cristo são recebidos de alguma forma real no ato da participação dos elementos, consiste da simples asserção de que «de alguma maneira, não sabemos dizer como», a verdade é que isso realmente acontece — o corpo e o sangue de Cristo se fazem presentes no pão e no vinho, quando do rito da Ceia do Senhor. Os defensores dessa alternativa não tentam explicar a questão com qualquer esclarecimento, mas fazem da situação inteira um objeto da mais pura fé, sem a necessidade de quaisquer descrições teológicas ou filosóficas. Conforme se vê, essa terceira posição procura preservar, à semelhança das duas primeiras, o sentido literal das palavras de Cristo: *Isto é o meu corpo...*, embora também afirme que não existe qualquer explicação satisfatória que se possa dar a respeito, dentro do nosso presente estado de conhecimento.

Ordinariamente, em paralelo com todas as interpretações «sacramentais», fica suposto que a participação física dos elementos do pão e do vinho, é, ao mesmo tempo, o recebimento literal de Cristo e das bênçãos que ele proporciona, especialmente da bênção da salvação, porquanto tal rito é encarado

PÃO DA VIDA, JESUS COMO

como necessário para a salvação, se não é mesmo a única coisa necessária para a salvação.

c. A Interpretação Mística

Essa interpretação afirma que aquilo que João dizia nessa passagem não é que os benefícios se derivam da participação nos elementos do pão e do vinho (conforme assevera o ponto de vista sacramental) e, sim, se deriva da «realidade simbolizada» por esse rito. Essa realidade simbolizada é tudo quanto Cristo significa para a alma. O verdadeiro pão e o verdadeiro vinho são os benefícios que sobrevêm à alma dos homens, e não alguns elementos recebidos pelo corpo, mediante a ingestão. O verdadeiro pão é o «pão celestial», aquele pão que vem do céu, o que é reiterado por sete vezes neste sexto capítulo do evangelho de João (ver João 6:33,38,41,42,50,51 e 58). E isso significa que o pão espiritual é a transmissão da vida proveniente do céu, tudo quanto foi feito através de Cristo em sua vida, expiação e ressurreição, bem como através do ministério atual de seu Espírito Santo, o qual transforma os homens segundo a imagem de Cristo, conduzindo-os assim à glória, não envolvendo meramente a transação da eucaristia ou Ceia do Senhor, sem importar quaisquer benefícios que esse rito possa conferir aos homens. O sangue de Cristo é que satisfaz a todos os anelos espirituais, e isso não pode ser reduzido aos estreitos limites do ato simbólico da Ceia do Senhor. Trata-se, portanto, de uma transação celestial, acima, além, separada, mas simbolizada pelo rito da Ceia do Senhor.

A eucaristia ou Ceia do Senhor, conforme é normalmente observada, se caracteriza pelas seguintes particularidades:

1. Ela é sacramental (seu valor é recebido mediante a participação no próprio rito).
2. Ela é ocasional (sua participação ocorre em um momento ou outro).
3. Ela é temporal (precisa ser repetida, e os seus benefícios só se tornam válidos mediante a repetição).

Porém, aquilo que é simbolizado pela eucaristia ou Ceia do Senhor é a *realidade espiritual* que devemos procurar enxergar neste texto. E suas particularidades, em contraste com as da posição descrita acima, são:

1. Essa realidade é *mística* — é *infusão* mística do Espírito de Deus em toda a personalidade do indivíduo, através dos méritos de Cristo, recebidos mediante a fé (ver João 6:35). Isso importa em comunhão mística com Cristo; e, ao utilizarmos aqui o adjetivo «mística» não queremos dar a entender «irreal», mas antes, algo que inclui alguma comunicação verdadeira com o ser divino, um *contacto* autêntico com Deus, que é a definição mais básica do *misticismo* (vide), segundo a filosofia.

2. Essa realidade é *contínua* — essa comunicação, contacto e enchimento místicos com o Espírito de Deus não ocorre somente através da eucaristia, mas antes, é uma experiência contínua, para todos os crentes verdadeiros. Poderíamos dizer mesmo que o crente espiritual está envolvido em uma eucaristia mística e espiritual contínua, do que o rito literal da Ceia do Senhor serve de símbolo vívido. Porém, aquilo que Deus faz nas pessoas e pelas pessoas, ele o faz continuamente, e isso leva os crentes à transformação segundo a imagem moral e metafísica de Jesus Cristo.

3. Essa realidade é *eterna* — o resultado dessa comunicação constante com o ser divino, através do Espírito Santo (ver João 7:38,39) é que os homens são totalmente transformados segundo a imagem de Cristo, tornando-se verdadeiramente participantes da «substância» de Cristo, no sentido mais literal possível, de tal maneira que se tornam participantes da natureza divina, segundo também aprendemos em passagens neotestamentárias como II Ped. 1:4; Rom. 8:29 e Efé. 1:23. Sendo participantes da natureza divina, os crentes participam da essência ou substância literal do ser de Jesus Cristo. Em outras palavras, são feitos seres dotados da mesma natureza que ele, superiores aos próprios anjos, «filhos de Deus» autênticos, tal como Cristo Jesus é o Filho de Deus, filho por força da participação real na natureza divina, e não apenas de nome, ou por motivo de consideração.

Segundo creio, isso é o que ensina o sexto capítulo do evangelho de João. No entanto, cumpre-nos prosseguir com a explicação.

A eucaristia ou Ceia do Senhor é o «símbolo»; e essa total *transformação* segundo a imagem de Cristo (a consequente participação na vida divina e eterna) é a *realidade simbolizada*. A Ceia do Senhor consiste na participação de um elemento físico — o pão e o vinho — pelo corpo físico. Simboliza a participação de um elemento celestial e místico por parte da alma, o que não ocorre apenas ocasional e temporariamente e, sim, contínua e eternamente. O pão dos céus, portanto, é a vida de Cristo no homem, mediante o que uma pessoa não somente viverá eternamente, mas também possui a vida eterna, que é uma espécie de vida — a vida de Deus, em Cristo — e não apenas a existência de duração eterna.

Os trechos de João 5:25,26 e 6:57 nos ensinam algo sobre essa «vida eterna». Essa vida é *necessária e independente*. Essas são as únicas passagens, em todo o N.T., onde essa doutrina é ensinada diretamente. Existem muitos níveis de vida, começando pelos animais unicelulares, os mais simples de todos. Daí vamos passando para formas mais complexas de vida, como a dos insetos, a dos vertebrados, etc., até chegarmos ao homem. Ao chegarmos ao homem, encontramos uma forma de vida muito complexa, que já encerra em si mesma tanto o elemento físico como o espiritual, pois, na realidade, o homem é um ser espiritual, não muito inferior em estatura aos anjos, embora, temporariamente, exista aprisionado em um corpo físico. Subindo ainda mais na escala da criação inteligente, chegaremos a outros seres espirituais, de estatura superior à do homem, seres que são puros espíritos e intelectos. Entre os próprios anjos existem vários níveis de existência, pois podemos subir aos arcanjos. Ora, todos esses seres são dotados de uma «modalidade» qualquer de vida, e nisso as vidas diferem, embora muitos desses seres sejam «imortais», e, por conseguinte, possuem vidas «interminaveis». E então, no pináculo mesmo da hierarquia da vida, eleva-se Deus.

Somente Deus é verdadeiramente imortal, no sentido de que somente **ele possui vida em si mesmo**, derivada de si mesmo. Pois todos os demais seres possuem uma vida «derivada» ou *dependente*. Por conseguinte, somente Deus tem uma vida «independente». Outrossim, somente Deus possui a vida «necessária», isto é, não fora a sua graça, nenhuma outra vida poderia existir. Somente Deus «não pode deixar de existir». Todos os outros seres pertencem a uma categoria em que a sua não existência é perfeitamente concebível para sempre.

Assim, pois, esses versículos do evangelho de João, citados acima, ensinam a doutrina da vida «necessária» e «independente» de Deus. Contudo, ensinam-nos uma doutrina ainda mais extraordinária. E essa doutrina é que Jesus Cristo, «na qualidade de homem», quando de sua encarnação, tendo-se então tornado o homem representativo, recebeu esse tipo de

PÃO DA VIDA, JESUS COMO

vida «necessária» e «independente». É verdade que ele já a possuía como o Filho de Deus; mas, como homem, recebeu-a de Deus Pai. (O trecho de João 5:26 diz-nos expressamente que a Jesus Cristo foi «dada» essa modalidade de vida).

E os trechos de João 5:25 e 6:57 dizem-nos que Cristo tem o poder e a autoridade para conferir essa forma de vida aos outros homens também. Para essa exata finalidade é que todo esse quarto evangelho foi escrito — a outorga e o recebimento desse tipo de vida divina, vida essa que nem mesmo os anjos, por mais elevados e majestáticos que eles sejam, jamais possuirão. Por essa mesma razão é que a Bíblia declara que os crentes se tornam a plenitude de Cristo, aquele que preenche a tudo em todos (ver Efé. 1:23). Ora, isso jamais foi atribuído aos anjos, conforme é aqui atribuído aos crentes. Os homens, por conseguinte, se tornam verdadeiramente «imortais», no mesmo sentido em que o próprio Deus é imortal, isto é, «não podem deixar de existir». Os crentes também recebem vida em si mesmos, são **auto-existentes, tais como** o são Deus e Deus Filho. Ora, essa é a eucaristia celestial, através da qual tudo quanto Cristo é, em seu ser essencial, é transferido aos remidos. E a eucaristia terrena, ou cerimônia da Ceia do Senhor, é tão-somente o sinal simbólico dessa profundíssima realidade. A realidade espiritual é a «realidade simbolizada», que precede, transcende e perdura infinitamente para além do mero símbolo.

A transubstanciação espiritual — Isso é que o presente texto nos ensina, ou pelo menos, podemos lançar mão desse vocábulo a fim de expressar a mensagem do mesmo. Através dessa «transubstanciação espiritual», portanto, o ser de Cristo é insuflado no ser do homem, havendo então a modificação de substância, vindo assim o homem a participar da natureza ou substância divina. Aquilo que é normalmente chamado de «transubstanciação», portanto, se arrasta na direção dessa elevadíssima idéia bíblica, ainda que errônea e imperfeitamente.

E a Ceia do Senhor, visto que contém os emblemas do corpo e do sangue de Cristo, de sua expiação realizada em favor dos homens, que é verdadeiramente o instrumento que leva a essa modificação celestial, serve de «sinal simbólico» de todo esse processo. Reduzir o ensino do sexto capítulo do evangelho de João somente ao «sinal simbólico», ou supor que a concretização da realidade simbolizada se verifica através da participação em uma mera ordenança ou sacramento, e não misticamente — através de tudo quanto o Espírito Santo opera no homem interior, como o agente divino transformado — é compreender pouquíssimo e equivocadamente desse texto tão profundo.

Indicações Existentes no Sexto Capítulo do Evangelho de João

Sobre a Veracidade da Interpretação Mística

O sexto capítulo do evangelho de João, considerado em sua inteireza, fala acerca de tudo quanto Deus faz nos homens, pelos homens e com os homens, por intermédio de Jesus Cristo, que é a nutrição espiritual total do homem, e o seu princípio de vida. Isso ultrapassa a qualquer coisa que possa ser ensinada pela própria Ceia do Senhor, embora a eucaristia seja um vívido sinal simbólico de toda aquela concretização divina. Fica salientada, por conseguinte, a perfeita operação realizada pelo Espírito Santo, através da total existência da alma, até à sua completa glorificação. E, novamente, a Ceia do Senhor, por si somente, não pode significar tudo isso, embora simbolize toda essa verdade. Cumpre-nos, todavia, observar certos particulares:

a. Além da mensagem geral expressa por este sexto capítulo do evangelho de João, considerado como um todo, devemos voltar a atenção para os versículos 32,33,38,41,50,51 e 58, que falam acerca do *«pão celeste»*. Não se trata do corpo físico de Cristo, e nem de qualquer «substância» mística desse corpo, e, sim, de tudo quanto Cristo significa para os remidos — ele é o seu alimento espiritual. Quando o redimido é assim alimentado, ele é transformado segundo o modelo da imagem do Filho, moral e metafisicamente falando.

b. Devemos dar atenção especial ao versículo cinqüenta e sete. O Filho de Deus recebeu essa vida necessária e independente da parte de Deus Pai. Ele a recebeu mediante a comunicação espiritual, e não através de qualquer sacramento de que tivesse participado, estando ainda em sua peregrinação terrena. Exatamente da mesma maneira, os crentes, por intermédio de Cristo, recebem a transmissão dessa mesma vida, por parte de Cristo, sem a intervenção de qualquer meio sacramental. — O versículo cinqüenta e sete deste sexto capítulo do evangelho de João, pois, compreendido corretamente, parece exigir a interpretação *mística* para toda essa passagem.

c. O *«modus operandi»* dessa transmissão de vida aparece no versículo trinta e cinco. Aqueles que «vêm» a Jesus participam do *pão da vida*, e nunca mais sentem fome espiritual. Aqueles que «crêem» participam da «bebida espiritual» que mitiga para sempre a sua sede. A «vinda» a Jesus consiste na entrega total da alma nos braços de Cristo. Ora, a Ceia do Senhor simboliza essa verdade; e a participação em seus elementos, de uma maneira correta, e com a atitude certa, é então uma parte integrante dessa entrega; mas a própria Ceia do Senhor não é essa entrega. Outrossim, o beber da «água da vida» (conforme a definição de João 7:38,39) é o ministério realizado no homem interior do crente por parte do Espírito Santo. Ele como que emana continuamente no interior do crente individual, sempre transformando-o mais de acordo com Jesus Cristo. Portanto, trata-se de uma fonte que borbota do interior, e o resultado final é a «vida eterna», isto é, um tipo de vida, a vida divina, e não apenas uma existência sem fim.

Em minha opinião, isso é o que o sexto capítulo do evangelho de João procura nos transmitir, sendo uma dentre três ou quatro das mais profundas passagens espirituais de todo o N.T. E essas outras passagens, igualmente profundas, normalmente abordam o mesmo tema. (Ver o oitavo capítulo da epístola aos Romanos e o primeiro capítulo da epístola aos Efésios). O primeiro capítulo do evangelho de João é igualmente profundo e **inclui os temas de «luz»** e dos «filhos de Deus», o mesmo assunto aqui ventilado; porém, aborda essa questão de um ponto de vista diferente, sob a forma de símbolos e proposições.

«...Seu divino poder tem dado tudo quanto é necessário para a vida e a piedade, através do nosso pleno conhecimento daquele que, mediante a sua glória e excelência, nos chamou para si mesmo. Através dessas é que ele nos tem doado as suas preciosas e gloriosas promessas, a fim de que, por meio delas, depois de terdes vós escapado da corrupção que está no mundo, por causa de seus maus desejos, *possais vir a participar na natureza divina».* (II Ped. 1:3,4, conforme a tradução inglesa de Williams, aqui vertida para o português).

O vocábulo grego aqui traduzido por «natureza» é a mesma palavra regularmente traduzida por «essência», «substância» ou «ser», indicando a natureza essencial, em contraste com as meras características

PÃO DA VIDA — PAPA, PAPADO

adquiridas. A sua forma verbal é o termo grego ordinário que significa «gerar» ou «produzir». Por conseguinte, manuseamos aqui com a natureza essencial de alguma coisa, quando empregamos essa palavra. Não existe conceito espiritual mais elevado do que esse, o qual fala sobre homens que passam a participar da própria natureza divina, sendo esse o tema central em torno do qual gira a mensagem do sexto capítulo do evangelho de João. João Scotus Erigena (877 D.C.) percebeu o verdadeiro alcance dessa doutrina e a ensinou, ainda que, infelizmente, não muitos mestres evangélicos modernos tenham tido o mesmo profundo discernimento.

A participação na natureza divina pelos *filhos* será de modo finito, enquanto o Pai participa nesta natureza infinitamente. Durante toda a eternidade esta participação dos filhos será continuamente aumentada, mas o finito nunca alcançará o infinito. A glorificação será um *processo eterno*.

Referências e Idéias
1. Participação na divindade, II Ped. 1:4
2. Participação na plenitude de Deus, Efé. 3:19
3. Participação na natureza e atributos de Cristo, Col. 2:10

PÃO DIÁRIO

Esse é um dos elementos constitutivos da oração do *Pai Nosso*.

PÃO DO ALTAR

Pão especialmente preparado para ser usado no Ceia do Senhor, ou sem fermento (no Ocidente e na Igreja da Armênia) ou com fermento (no Oriente). No anglicanismo, o uso de pão sem fermento foi revivido no século XIX. O termo «hóstia» é usado para indicar esse tipo de pão. (E)

PAPA, PAPADO

Esboço:
I. Termos e Definições
II. Desenvolvimento Histórico
III. Opiniões Divergentes Sobre o Papado
IV. A Lista dos Papas

I. Termos e Definições

O termo *papa* vem diretamente do latim, *papas* (derivado do grego, *pappas*), «pai». Esse vocábulo, em seu uso mais antigo, referia-se a qualquer bispo importante ou notável, como Cipriano, que foi assim intitulado. Na Igreja oriental, era um título aplicado ao bispo de Alexandria. A palavra grega, *pappas*, até hoje é aplicada aos «padres» da Igreja Ortodoxa Oriental. Mas o *papa*, atualmente, é especificamente, o cabeça da Igreja Católica Romana. Ele também tem o título de Vigário de Cristo, ou seja, «substituto de Cristo»; e, como tal, é considerado o chefe da Igreja universal, alguém que retém nas mãos o poder de Cristo, podendo exercê-lo à face da terra. Outro título do papa é *Pontifex Maximus*, «chefe construtor de ponte». A idéia desse título é que ele é o grande intermediário entre Deus e os homens, servindo de uma espécie de ponte. A tradição católica romana faz do papa o sucessor de Pedro e possuidor das *Chaves* (vide).

O Papado. Esse termo indica o ofício, a dignidade e a jurisdição do papa, o bispo de Roma, que teria poder sobre todos os bispos, em sua liderança universal. Esse vocábulo vem do latim bárbaro, *papatia*, com base na palavra latina *papas*, «pai». Essa palavra também pode referir-se à sucessão dos papas e à administração ou governo que eles exercem sobre a Igreja Católica Romana. Quando escrita com inicial maiúscula, essa palavra indica o sistema governamental católico romano (o governo por meio dos papas).

A *história revela* que tem havido um desenvolvimento gradual do ofício papal e de seus poderes, começando pela própria invenção do conceito. Esse desenvolvimento gradual, porém, não parece coisa estranha para a Igreja Católica Romana, cuja teologia diz que a doutrina cristã evolui com a passagem do tempo, e que o Novo Testamento representa apenas um estágio inicial dessa evolução. Por sua vez, os grupos protestantes e evangélicos relutam em reconhecer qualquer doutrina que não seja especificamente ensinada e descrita nas páginas do Novo Testamento. Naturalmente, essa idéia é um dogma, não sendo algo requerido pelo próprio Novo Testamento.

Visto que a questão do papado nunca aparece no próprio Novo Testamento, é mister que ela seja examinada sobre bases históricas e teológicas, como um desenvolvimento gradual que requereu séculos para chegar ao que é hoje.

II. Desenvolvimento Histórico

1. *Começando pelo apóstolo Pedro*, que encabeça a lista dos papas, de acordo com a Igreja Católica Romana, o papado teria começado nas distinções e na autoridade maior desse apóstolo em relação aos demais apóstolos. Isso com base em Mat. 16:18 ss, uma passagem extremamente controvertida. Temos preparado um artigo detalhado sobre o assunto, intitulado *Fundamento da Igreja, Pedro como*. Ver também *Fundamento da Igreja, Cristo como*; e *Chaves*, o artigo inteiro, sobretudo a seção II, *As Chaves e Pedro*. Os intérpretes protestantes e evangélicos insistem em que os trechos de Mat. 18:18 e João 20:22,23 estendem a todos os apóstolos os mesmos privilégios que foram dados a Pedro, em Mat. 16:18,19. As chaves do reino (o privilégio de abrir a entrada do reino de Deus—uma realidade espiritual, e não alguma organização eclesiástica—aos homens) foram outorgadas a todos os apóstolos, e não somente a Pedro. Ver o artigo geral sobre *Pedro* (*Apóstolo*), que aborda todos os detalhes concernentes à sua pessoa, ao seu ofício e à sua possível posição de bispo da igreja cristã de Roma. Ver também os artigos intitulados *Sucessão Apostólica* e *Perdão de Pecados pelos Apóstolos*.

Pedro, Bispo de Roma? Papa? Essa questão de Pedro ter sido bispo de Roma foi adequadamente ventilada no artigo *Pedro* (*Apóstolo*), pelo que esse material não é aqui reiterado. Basta ser dito aqui que um apóstolo, sem importar onde tivesse residido, pelo menos teria exercido a autoridade de bispo ou pastor naquela área. É inútil tentar reduzir a autoridade de Pedro, em Roma, a menos do que isso. E a tradição de que ele passou seus últimos anos de vida em Roma é muito sólida, na história e nos escritos dos pais da Igreja. Mas, o ter sido ele bispo de Roma não é a mesma coisa que ter sido ele o primeiro papa, no sentido que a teologia católica romana dá a esse título. A esmagadora maioria dos conceitos que envolvem o papado surgiu posteriormente, algumas vezes séculos mais tarde que os dias de Pedro, sem qualquer sanção bíblica ou nos escritos.

Pedro Nunca Foi Papa no Sentido de João Paulo II. O dogma católico romano, a bem da verdade, não diz que a significação do primado petrino manifestou-se

PAPA, PAPADO

desde o começo com a pujança que adquiriu posteriormente. Ninguém pode provar que Pedro, ou mesmo os primeiros bispos de Roma, atuavam conforme o fizeram os papas medievais e contemporâneos. A estatura do papado, segundo os teólogos católicos romanos mesmo admitem, foi crescendo mui gradualmente, tendo sido sancionada por Deus mediante um processo evolutivo, até que chegou à sua atual magnitude. A explicação deles é que a Igreja, em expansão, a cada período histórico, contou com um papado à altura das circunstâncias. Diferentes períodos históricos teriam requerido diferentes tipos de papado, o que explica um oficio papal cada vez mais abrangente e de maior autoridade.

Naturalmente, os teólogos protestantes e evangélicos vêem nessa explicação apenas uma tentativa de justificação para uma excrescência extrabíblica, autopromovida; mas os teólogos católicos romanos, como é natural, nada vêem de estranho nessa idéia evolutiva que envolve não somente o papado, mas toda a organização eclesiástica da Igreja Católica Romana. Somente mediante essa evolução a Igreja poderia ter-se tornado uma entidade *universal* e um poder mundial.

Voltando, porém, à questão de Pedro, deve-se admitir que ele, pelo menos, foi bispo de Roma, cuja palavra exigia respeito em qualquer dos segmentos da Igreja cristã de sua época, tanto por ser o bispo na capital do império romano, quanto, muito mais ainda, por ter sido ele um apóstolo de Cristo! *Pedro e Paulo*. A declaração de Paulo, em Gál. 2:7, que o evangelho lhe fora confiado para o benefício dos povos gentílicos, e que o mesmo evangelho fora confiado a Pedro para o benefício dos judeus, pode ser interpretada como indicação de que esses dois apóstolos de Cristo destacavam-se acima dos demais, em seus respectivos ministérios.

2. *O Caso de Policarpo*. Policarpo foi discípulo do apóstolo João, e veio a tornar-se bispo de Esmirna. Ver o artigo separado sobre ele. A páscoa era celebrada em datas diferentes, na Igreja oriental e na Igreja ocidental. Então Policarpo foi a Roma (uma viagem longa), a fim de conferenciar com o então bispo de Roma, Aniceto (bispo entre 155 e 166 D.C.), a respeito da questão. Os dois não chegaram a um acordo, e o costume asiático continuou a ser seguido pela Igreja oriental, enquanto Roma continuou a agir a seu modo. De acordo com a teologia católica romana, o incidente prova que o «papa», mesmo então, tinha autoridade para além de sua própria região. Mas, se a jurisdição papal era universal, por que a Igreja oriental não atendeu a Aniceto e nem lhe prestou obediência? O que o incidente realmente prova é que então o bispo de Roma só exercia jurisdição sobre sua própria área, tal como cada bispo exercia jurisdição sobre sua própria região. Aniceto foi consultado por Policarpo somente devido ao prestígio de que já gozava a igreja em Roma, a capital do império.

3. *Os Gnósticos e os Montanistas*. Eles desagradaram à corrente principal da cristandade, devido aos seus pontos de vista doutrinários e às suas práticas, em muito diferentes do usual. E, visto que o grande poder opositor a eles foi Roma, isso fortaleceu a causa romanista desde cerca de meados do século II D.C., aos olhos do resto da cristandade ortodoxa. Pedro não havia sido testemunha em favor da doutrina cristã tradicional! Portanto, apelar para Roma parecia ser apelar para a autoridade apostólica, sempre que surgia alguma heresia. Outro tanto pode ser dito no tocante à questão ariana. Ver sobre *Ário*. Este último reforçou o prestígio de Roma como defensora da ortodoxia.

4. *Roma imperial*, naturalmente, reconhecia mais os bispos cristãos de *seu* próprio território do que os bispos cuja jurisdição ficava fora de sua esfera de influência romana. Isso se verificou antes mesmo da conversão de Constantino ao cristianismo, um fator que tendeu por exaltar ainda mais ao bispo de Roma.

5. *O imperador Aureliano*, em 274 D.C., decidiu que as propriedades cristãs de Antioquia ficariam na dependência das decisões dos bispos de Roma e da Itália. Essa intromissão imperial teve por base apenas um sentimento bairrista, e não que ele reconhecesse o primado de Pedro, pois nem cristão ele era.

6. *Cipriano, bispo de Cartago* (200-258 D.C.), o maior eclesiástico do século III D.C., falou enfaticamente da supremacia de Roma sobre o resto da Igreja.

7. *Cornélio, bispo de Roma* (251-253 D.C.), foi capaz de depor bispos rivais. Estava crescendo a prepotência dos bispos de Roma.

8. *A conversão de Constantino* (no início do sec. IV D.C.) obviamente em muito contribuiu para aumentar o prestígio dos bispos de Roma. Talvez tenha sido então que começou o papado, ainda incipiente, posto que ainda teria de haver muita evolução histórica para que o papado, como ele surgiu na Idade Média em diante, realmente viesse a caracterizar-se.

9. *A Cidade de Deus, obra escrita por Agostinho*, foi uma defesa da supremacia da Igreja sobre o Estado, aumentando o prestígio dos bispos de Roma. Foi a partir daí que a Igreja organizada começou a envolver-se pesadamente em questões seculares, no governo, etc., fatores esses que se tornaram ainda mais preponderantes durante o período da Idade Média. Agostinho foi bispo de Hipona, no norte da África, a começar em 396 D.C. Essa idéia choca-se diretamente com a doutrina de Cristo, que disse: «Dai, pois, a César o que é de César, e a Deus o que é de Deus» (Mat. 22:21).

10. *O Concílio de Calcedônia* (451), presidido por legados do papa Leão I, manifestou-se claramente em favor da supremacia espiritual de Roma. Seiscentos e trinta bispos estiveram presentes, vindos de toda parte do mundo então conhecido. Eles concordaram unanimemente diante da assertiva: «Aquilo em que Leão acredita, nós todos acreditamos; anátema seja aquele que crer de modo diferente. Pedro falou pela boca de Leão». Leão I, *o Grande*, bispo de Roma entre 440 e 461 D.C., é considerado por muitos historiadores e estudiosos o primeiro verdadeiro papa no sentido moderno do termo.

A partir de Leão I, o papado, já bem arraigado, não fez outra coisa senão **aumentar o seu poder**, religiosa e secularmente falando. Degraus importantes nessa ascensão foram os pontificados de Leão I (440-461), Gregório VII (1073-1085) e Inocente III (1198-1216).

11. *Gregório VII* (1073-1084). Os historiadores consideram que o pontificado de Gregório VII marcou a passagem da chamada Idade das Trevas para um aspecto mais sorridente da Idade Média. Ele impôs muitas reformas na Igreja Católica. Seu poder secular e político era tanto que ele chegou a excomungar o imperador Henrique IV, da Alemanha (1056-1106), decretando que os seus súditos estavam isentados de lhe prestar lealdade. Henrique IV foi forçado a submeter-se, declarando-se arrependido, e precisou comparecer em pleno inverno (janeiro de 1077), vestido de cilício, em Canossa (onde o papa estava como hóspede), a fim de implorar-lhe absolvição. Esta foi concedida, mas Henrique continuou em seu conflito com as autoridades

PAPA, PAPADO

eclesiásticas. Apesar de poder ser verdade que Gregório VII não procurava controlar os governantes seculares (ele estava apenas protegendo a Igreja dos ataques de que era alvo por parte daqueles governantes), permanece de pé o fato de que esse papa representava um papado que havia adquirido considerável poder secular e político.

12. *Inocente III* (1198-1216) é aquele a cujo crédito os historiadores atribuem o fato de ter levado o papado ao seu zênite, durante a Idade Média. O seu pontificado foi assinalado pela sua reivindicação de que, na qualidade de Vigário de Cristo, ele exercia uma autoridade absoluta e universal sobre a Igreja, excetuando a Igreja Oriental, dissidente, que rompera com o papado em 1054. Ele reivindicava e exercia a autoridade de intervir nos governos seculares, e tornou-se o mestre político da Itália, tendo ajudado a depor monarcas na Alemanha e na Inglaterra, e tendo recebido como feudos os reinos da Inglaterra, Portugal, Dinamarca, Aragão e outros lugares. Ele quase conseguiu estabelecer uma comunidade cristã de nações, sob a liderança do papado. Mas foi então que surgiu o nacionalismo, impedindo esse alvo, embora Inocente III tenha chegado bem perto desse alvo. Pedro, o pescador humilde, avançara extraordinariamente no campo da política mundial!

13. *Bonifácio VIII* (1294-1303). Foi ele quem baixou a bula intitulada *Unam Sanctam* (1302), que declarava que o poder temporal e o poder espiritual estão ambos sujeitos à autoridade da Igreja, e que o Estado deve sujeitar-se à Igreja. Essa bula foi tão atrevida que chegou ao ponto de declarar que a própria salvação depende do indivíduo sujeitar-se ao pontífice romano, um patente exagero!

Mas, após Inocente III, o poder temporal ou político do papa foi declinando mais e mais, ao ponto em que, em nossos dias, esse aspecto do papado quase desapareceu, embora ainda não tenha sido obliterado.

14. *O Concílio de Trento* (1545-1563) foi a resposta de Roma à Reforma Protestante. Seu principal alvo foi a eliminação da desunião religiosa, mediante a conformação com as exigências de Roma. As doutrinas dos protestantes acerca dos sacramentos foram anatematizadas. Esse concílio serviu para fortalecer a Igreja Católica Romana, consolidando seus poderes nas mãos do papa.

15. *O Concílio do Vaticano* (1870). Nessa oportunidade, foi oficialmente promulgada a autoridade absoluta do papa. Como suposto sucessor de Pedro e Vigário de Cristo, o papa teria autoridade sobre tudo. O papa teria poder para aconselhar e intervir, quando necessário, em qualquer congregação da Igreja cristã no mundo inteiro.

16. *A Infalibilidade Papal.* Essa doutrina foi oficialmente declarada pelo Concílio do Vaticano, em 1870, nos seguintes termos:

«Ensinamos e definimos que é um dogma divinamente revelado que o Pontífice Romano, ao falar *ex cathedra*, isto é, na sua prerrogativa oficial de pastor e doutor de todos os cristãos, em virtude de sua suprema autoridade apostólica, ele define uma doutrina acerca de fé e de moral a ser observada pela Igreja universal, mediante a divina assistência que lhe foi prometida no bendito Pedro, sendo possuidor daquela *infalibilidade* que o divino Redentor quis que sua Igreja fosse dotada, a fim de definir doutrinas atinentes à fé e à moral; e que, portanto, tais definições do Pontífice Romano são irreformáveis por si mesmas, não derivando sua autoridade do consentimento da Igreja».

Não podemos esquecer que o dogma católico romano afirma que os concílios ecumênicos também são infalíveis, pelo que a declaração citada acima, visto que foi expedida por um concílio, deve também ser considerada infalível.

III. Opiniões Divergentes Sobre o Papado

1. *Posição Católica Romana.* Na seção segunda, foi esboçado o desenvolvimento do dogma concernente ao papado dentro daquela organização que veio a tornar-se a Igreja Católica Romana. A citação dada acima, de uma decisão do Concílio do Vaticano, representa o ponto culminante desse desenvolvimento. A doutrina católica romana promove a idéia de uma evolução histórica e espiritual, e não sente qualquer necessidade de apoiar seus ensinos sobre as Escrituras. Ver o artigo geral chamado *Autoridade*, que descreve as várias posições cristãs a esse respeito. A citação abaixo dá uma idéia da extensão da autoridade do papa, de acordo com o dogma católico romano:

«Em virtude de (seu) poder supremo, o Pontífice Romano reivindica o direito de comunicar-se livremente com os bispos do mundo inteiro e seus rebanhos. Pode-se recorrer a ele, como o supremo tribunal, em toda as causas cuja decisão for eclesiástica e de cujo parecer não há apelação. A assertiva que é legítimo apelar a um concílio ecumênico, em face de uma decisão sua é, aqui, condenada como falsa» (AM).

Na verdade, isso é esperar demais de um homem.

2. *O Ponto de Vista Oriental.* Historicamente, a Igreja Ortodoxa Oriental tem concordado com a idéia de que o papa é o legítimo bispo de Roma, tendo um primado legítimo e autoridade sobre a Igreja ocidental. O Concílio de Lyons (1274-1289), bem como o de Ferrara-Florença (1438-1445) chegaram bem perto de admitir todas as reivindicações do papa; mas a unanimidade não foi conseguida, e a Igreja Ortodoxa Oriental nunca endossou essas opiniões. Não obstante, a perspectiva oriental difere da dos protestantes e evangélicos, porquanto reconhece a autoridade papal dentro de sua própria jurisdição ocidental, embora rejeitando-a «fora dessa jurisdição». Devemo-nos lembrar que a Igreja Ortodoxa Oriental é uma espécie de associação, que se mantém unida em torno de crenças e tradições comuns, mas não por meio de alguma autoridade centralizada, embora os seus vários patriarcados sejam mantidos em elevada estima. Apesar disso, nenhuma figura da Igreja Ortodoxa Oriental tem qualquer autoridade que se aproxime da do papa ocidental, e nenhuma personagem é ali considerada infalível.

3. *A Comunidade Anglicana.* Os anglo-católicos aceitariam de bom grado a autoridade do papa, conforme ela é entendida pela Igreja Católica Romana, mas muitos outros dentro daquela comunidade não se dispõem a tanto. Entre os anglicanos há um numeroso segmento de evangélicos (muitos deles de tendências batistas); portanto, não se pode esperar para breve que a autoridade do papa seja ali reconhecida. Ao arcebispo de Canterbury é conferido um primado de honra, dentro da comunidade anglicana; mas a sua autoridade está longe de comparar-se com a do papa romano. Tem havido esforços para reunir a comunidade anglicana com a Igreja Católica Romana; e isso teria lugar se os anglicanos reconhecessem o papa como o bispo dos bispos, com uma autoridade maior que a dos bispos, embora não absoluta. Além disso, com a exceção dos anglo-católicos, várias idéias concernentes ao papado, como a da *infalibilidade*, não poderiam fazer parte desse reconhecimento do papa como cabeça da Igreja. Outrossim, de algumas maneiras, os anglicanos têm

tornado menos provável essa reunião, com sua prática da ordenação de mulheres ao sacerdócio. A maioria dos anglicanos reconhece o papa como o legítimo bispo de Roma, conferindo-lhe uma autoridade legítima na Igreja ocidental, acima da de qualquer outro bispo.

4. *O Ponto de Vista Protestante*. Muitos protestantes liberais aceitam, em sua essência, o ponto de vista anglicano. Eles podem conceber o papa como cabeça da Igreja, contanto que vários pontos dogmáticos católicos romanos não sejam retidos. Porém, a maior parte dos protestantes conservadores, que ainda vivem sob o ímpeto do espírito da Reforma, rejeita a autoridade do papa como Vigário de Cristo e como chefe da Igreja universal; e alguns deles chegam mesmo a declarar que o papa nem ao menos é o cabeça legítimo da Igreja de Roma. Isso significa que eles consideram a Igreja Católica Romana apóstata, e o papa como o cabeça de um movimento apostatado. O que os católicos romanos chamam de «evolução histórica» eles chamam de «câncer». E alguns deles supõem que o papa será o profeta falso do futuro anticristo.

As Igrejas da Reforma Protestante começaram rejeitando a jurisdição do papa. Lutero negou a infalibilidade dos concílios. Isso posto, o papado, conforme é definido pelo protestantismo, não é dotado de autoridade sobre a Igreja. A Reforma, de certo ângulo, deveu-se a uma *crise de autoridade* no seio do catolicismo romano, quando ondas reformistas faziam-se sentir poderosamente. Alguns protestantes identificam o papa com o anticristo; mas, na verdade, essa identificação começou entre um movimento de minoria entre os próprios romanistas, os frades franciscanos, no século XIV. E então vários vultos reformadores aceitaram sem pestanejar essa idéia; e até hoje, alguns protestantes e evangélicos defendem essa opinião.

5. *Ponto de Vista do Autor Desta Enciclopédia*. Passo agora a exprimir uma opinião pessoal. De modo geral, embora não tão drasticamente, tomo o ponto de vista cristão oriental. Se lermos a história, veremos que o papado preservou a Igreja cristã em tempos dificílimos. Muitos papas foram não somente cabeças da Igreja, mas também foram homens de letras, de elevado intelecto, homens de notáveis habilidades, que mantiveram a unidade cristã e promoveram a civilização. Em outras palavras, eles foram grandes figuras históricas, e não apenas religiosas, sem as quais é duvidoso que a Igreja cristã tivesse sobrevivido em um mundo hostil. É verdade que alguns deles foram homens pervertidos que incorreram em erros gigantescos. Mas outros foram homens notavelmente piedosos, discípulos dedicados de Cristo. Grupos separados (especialmente os batistas) gostam de apontar para certos grupos do passado como se fossem a *verdadeira* Igreja, em meio a uma cristandade apostatada; mas esses grupos, na realidade, foram heréticos. Para exemplificar, os waldenses e albigenses (sobre os quais tenho apresentado artigos), em sentido algum foram evangélicos, e sob hipótese alguma foram batistas. Na verdade, os católicos romanos de nossos dias são muito mais evangélicos do que esses dois citados grupos. Um exame histórico descompromissado revela que houve, na verdade, apenas *uma Igreja cristã* por muitos séculos—a Igreja Católica. Assim sendo, seria absurdo negar a legitimidade da liderança dos papas naquela Igreja. Isso equivaleria a dizer que não houve Igreja cristã e nem autoridade cristã legítima durante muitos séculos. A tese que aqui defendo é fácil de comprovar. Tudo quanto alguém precisa fazer é estudar em profundidade todos os supostos «remanescentes» da verdadeira Igreja, dentro da Igreja Católica Romana. E descobrir-se-á que não houve evangélicos (conforme agora entendemos o termo), e que certamente não houve batistas durante muitos séculos. Isso posto, houve durante todo esse tempo uma única Igreja cristã organizada, a Igreja Católica (posteriormente dividida em Igreja Católica Romana e Igreja Ortodoxa Oriental). Assim, é melhor falarmos em termos de *abusos*, os quais foram muitos. Também houve exageros doutrinários, que criaram vários aspectos dogmáticos do papado. O pesado envolvimento político e militar dos papas, contribuiu para a decadência moral e espiritual. A declaração romanista de que concílios e papas são infalíveis serve de clara tentativa de obtenção de conforto mental, não sendo um reflexo da verdade (pois papas e concílios se autodesmentem por muitas vezes). Por outra parte, a Reforma Protestante não foi um erro. Antes, foi um grito para que a Igreja visível de Cristo se reformasse!

Mas, os reformadores também foram arrogantes e perseguidores daqueles que não concordavam com suas opiniões. Quanto a provas disso, ver meu artigo sobre *João Calvino*. Líderes católicos romanos e protestantes incorreram, igualmente, em erros graves. Não obstante isso, a Reforma Protestante foi uma convocação à liberdade, que até hoje ecoa. Por outro lado, não vejo razão para rejeitar o papa como legítimo bispo de Roma, o qual, devido à sua posição de liderança, está acima de outros bispos da organização religiosa que é a Igreja Católica Romana. Nós, que estamos fora do pálio católico romano, não podemos ditar regras à Igreja Católica Romana. Mas isso não significa que outros grupos cristãos estejam na obrigação de unirem-se àquela igreja, ou de submeterem-se à autoridade papal.

A tradição profética tem traçado (de antemão) a história futura do papado. E isso ilustra a necessidade histórica do ofício, ainda que não sancione os abusos e exageros que têm caracterizado o papado. Se compreendo corretamente a tradição profética, ela não prediz que qualquer papa futuro venha a tornar-se o anticristo ou o falso profeta do anticristo (ver Apo. 13). Muito pelo contrário, essa tradição profética (incluindo o que têm dito místicos católicos romanos) prevê uma grande matança no Vaticano, com o assassinato do último papa, que seria talvez intitulado Pedro II. E isso haveria de completar o ciclo dos papas e do papado, e então o centro da Igreja voltaria a Jerusalém, após a conversão dos judeus ao Messias, Jesus de Nazaré. Isso daria início a um ciclo inteiramente novo. Assim como à Roma foi dado o papel de preservar a Igreja durante mil anos negros de sua existência, assim também Jerusalém será o centro da Igreja por um período semelhante, garantindo a sua sobrevivência após tempos muito conturbados e destrutivos. Se as predições sobre o papado estão corretas, então João Paulo II provavelmente será o antepenúltimo papa. Então o ofício papal desaparecerá da Igreja, e terá início o novo ciclo de Jerusalém como o grande centro cristão no mundo.

Somente Deus é capaz de separar os bons dentre os maus, o trigo dentre o joio, o verdadeiro dentre o falso. Ambos esses elementos existem em *todas* as denominações cristãs. Há dogmas míopes e prejudiciais em *todos* os grupos cristãos. Mas isso não anula o que há de bom entre eles, e nem as suas legítimas funções.

6. *Ponto de Vista do Co-Autor e Tradutor Desta Enciclopédia*. Minha formação teológica é batista, mas, com a passagem do tempo, aprendi a ver

PAPA, PAPADO

horizontes mais amplos que os batistas tradicionalmente têm defendido e considero-me um interdenominacional evangélico. Quanto às questões escatológicas, reconheço ser esse o aspecto mais difícil da teologia bíblica e sistemática. Muitas vezes, os próprios apóstolos tiveram de aprender somente com o desenrolar dos eventos preditos. Mesmo assim, arriscando-nos a errar, temos o direito de opinar, dentro da sabedoria que a cada um de nós foi dada.

Para mim, espiritualmente falando, só há duas igrejas: a verdadeira (a Noiva do Cordeiro) e a falsa (a Meretriz) (ver Apo. 19:1—10). Ambas estão ainda em formação. A verdadeira, de cada vez em que o Espírito do Senhor regenera a uma alma e a mergulha no corpo místico de Cristo (I Cor. 12:13). A falsa, de cada vez em que Satanás planta o joio (cristãos falsos, não-regenerados) à face da terra. Essa distinção não obedece fronteiras denominacionais.

Organizacionalmente falando, há organizações cristãs inspiradas extrabiblicamente, e, portanto, tendentes a se desviarem progressivamente. Entre essas quero destacar a Igreja Católica Romana (não por ser a única errada, mas por ser encabeçada pelo papado, o assunto central deste verbete).

O grande erro do cristianismo organizado consiste em dizer que essa organização constitui a Igreja de Cristo. No entanto, a Igreja de Cristo é um organismo espiritual, cujo Cabeça único e insubstituível é o Senhor Jesus Cristo, e cujo corpo é formado por crentes regenerados. Há crentes autênticos que não percebem isso devido à infantilidade espiritual, mas esse é o ensino da Bíblia. Os cristãos nominais, não-regenerados, naturalmente não podem entender isso (ver João 3:3). Mas, que importa? A beleza do alvorecer ou de uma obra de arte não desaparece, somente porque os cegos não são capazes de contemplá-la.

Os cristãos do passado, os que viam a Igreja somente como uma organização religiosa, sentiram a necessidade de um cabeça visível—daí surgiu o papado. Os papas esforçam-se por ocupar a posição que cabe somente a Cristo. Eles se auto-intitulam Vigário de Cristo e Sumo Pontífice. Os crentes regenerados sabem que ninguém pode ser «substituto» de Cristo, *intermediário* entre Deus e os homens, senão o homem Jesus Cristo, e ninguém mais. Ver Efé. 4:14,15 e I Tim. 2:5. Os cristãos do presente, que não percebem essa realidade, como que sentem que sem o papado a Igreja ficaria acéfala—e isso explica a continuação do papado.

Mas, quando do retorno de Cristo, ele reunirá em torno de si a todo o seu povo regenerado, na cena chamada de bodas do Cordeiro. E todo aquele que não o tiver aceito como seu Salvador, Senhor e Cabeça, ficará de fora.

IV. Lista dos Papas

Apesar desta enciclopédia não ter tentado prover artigos sobre *todos* os papas, a *maioria* dos mesmos (e certamente aqueles de maior importância) tem merecido artigos separados.

Pedro (Apóstolo)	31 - 67
Lino	67 - 76
Anacleto ou Cleto	76 - 88
Clemente I	88 - 97
Evaristo	97 - 105
Alexandre I	105 - 115
Xisto I	115 - 125
Telésforo	125 - 136
Higino	136 - 140
Pio I	140 - 155
Aniceto	155 - 166
Sotero	166 - 175
Eleutério	175 - 189
Vítor I	189 - 199
Zeferino	199 - 217
Calisto I	217 - 222
Urbano I	222 - 230
Pontiano	230 - 235
Antero	235 - 236
Fabiano	236 - 250
Cornélio	251 - 253
Lúcio I	253 - 254
Estêvão I	254 - 257
Xisto II	257 - 258
Dionísio	259 - 268
Félix I	269 - 274
Eutiquiano	275 - 283
Caio	283 - 296
Marcelino	296 - 304
Marcelo I	308 - 309
Eusébio	309 - 309
Miltíades ou Milquíades	311 - 314
Silvestre I	314 - 335
Marcos	336 - 336
Júlio I	337 - 352
Libério	352 - 366
Dâmaso I	366 - 384
Sirício	384 - 399
Anastácio I	399 - 401
Inocente I	401 - 417
Zózimo	417 - 418
Bonifácio I	418 - 422
Celestino I	422 - 432
Xisto III	432 - 440
Leão I, o Grande	440 - 461
Hilário	461 - 468
Simplício	468 - 483
Félix III (II)	483 - 492
Gelásio I	492 - 496
Anastácio II	496 - 498
Símaco	498 - 514
Hormisdas	514 - 523
João I	523 - 526
Félix IV (III)	526 - 530
Bonifácio II	530 - 532
João II	533 - 535
Agapeto	535 - 536
Silvério	536 - 537
Virgílio	537 - 555
Pelágio I	556 - 561
João III	561 - 574
Benedito I	575 - 579
Pelágio II	579 - 590
Gregório I, o Grande	590 - 604
Sabiniano	604 - 606
Bonifácio III	607 - 607
Bonifácio IV	608 - 615
Deusdedit ou Adeodato I	615 - 618
Bonifácio V	619 - 625
Honório I	625 - 638
Severino	639 - 640
João IV	640 - 642
Teodoro I	642 - 649
Martinho I	649 - 655
Eugênio I	655 - 657
Vitaliano	657 - 672
Adeodato II	672 - 676
Dono	676 - 678
Agato	678 - 681
Leão II	682 - 683
Benedito II	684 - 685
João V	685 - 686

PAPA, PAPADO

Conon	686 - 687		Estêvão X	1057 - 1058
Sérgio I	687 - 701		Nicolau II	1059 - 1061
João VI	701 - 705		Alexandre II	1061 - 1073
João VII	705 - 707		Gregório VII	1073 - 1085
Sisínio	708 - 708		Vítor III	1086 - 1087
Constantino	708 - 715		Urbano II	1088 - 1099
Gregório II	715 - 731		Pascal II	1099 - 1118
Gregório III	731 - 741		Gelásio II	1118 - 1119
Zacarais	741 - 752		Calisto II	1119 - 1124
Estevão II	752 - 752		Honório II	1124 - 1130
Estêvão III	752 - 757		Inocente II	1130 - 1143
Paulo I	757 - 767		Celestino II	1143 - 1144
Estêvão IV	768 - 772		Lúcio II	1144 - 1145
Adriano I	772 - 795		Eugênio III	1145 - 1153
Leão III	795 - 816		Anastácio IV	1153 - 1154
Estêvão V	816 - 824		Adriano IV	1154 - 1159
Pascal I	817 - 824		Alexandre III	1159 - 1181
Eugênio II	824 - 827		Lúcio III	1181 - 1185
Valentino	827 - 827		Urbano III	1185 - 1187
Gregório IV	827 - 844		Gregório VIII	1187 - 1187
Sérgio II	844 - 847		Clemente III	1187 - 1191
Leão IV	847 - 855		Celestino III	1191 - 1198
Benedito III	855 - 858		Inocente III	1198 - 1216
Nicolau I, o Grande	858 - 867		Honório III	1216 - 1227
Adriano II	867 - 872		Gregório IX	1227 - 1241
João VIII	872 - 882		Celestino IV	1241 - 1241
Marino I	882 - 884		Inocente IV	1243 - 1254
Adriano III	884 - 885		Alexandre IV	1254 - 1261
Estêvão VI	885 - 891		Urbano IV	1261 - 1264
Formoso	891 - 896		Clemente IV	1265 - 1268
Bonifácio VI	896 - 896		Gregório X	1271 - 1276
Estêvão VII	896 - 897		Inocente V	1276 - 1276
Romano	897 - 897		Adriano V	1276 - 1276
Teodoro II	897 - 897		João XXI	1276 - 1277
João IX	898 - 900		Nicolau III	1277 - 1280
Benedito IV	900 - 903		Martinho IV	1281 - 1285
Leão V	903 - 903		Honório IV	1285 - 1287
Sérgio III	904 - 911		Nicolau IV	1288 - 1292
Anastácio III	911 - 913		Celestino V	1294 - 1294
Lando	913 - 914		Bonifácio VIII	1294 - 1303
João X	914 - 928		Benedito XI	1303 - 1304
Leão VI	928 - 928		Clemente V	1305 - 1314
Estêvão VIII	928 - 931		João XXII	1316 - 1334
João XI	931 - 935		Benedito XII	1334 - 1342
Leão VII	936 - 939		Clemente VI	1342 - 1352
Estêvão IX	939 - 942		Inocente VI	1352 - 1362
Marino II	942 - 946		Urbano V	1362 - 1370
Agapito II	946 - 955		Gregório XI	1370 - 1378
João XII	955 - 964		Urbano VI	1378 - 1389
Leão VIII	963 - 965		Bonifácio IX	1389 - 1404
Benedito V	964 - 966		Inocente VII	1404 - 1406
João XIII	965 - 972		Gregório XII	1406 - 1415
Benedito VI	973 - 974		Martinho V	1417 - 1431
Benedito VII	974 - 983		Eugênio IV	1431 - 1447
João XIV	983 - 984		Nicolau V	1447 - 1455
João XV	985 - 996		Calisto III	1455 - 1458
Gregório V	996 - 999		Pio II	1458 - 1464
Silvestre II	999 - 1003		Paulo II	1464 - 1471
João XVII	1003 - 1003		Xisto IV	1471 - 1484
João XVIII	1004 - 1009		Inocente VIII	1484 - 1492
Sérgio IV	1009 - 1012		Alexandre VI	1492 - 1503
Benedito VIII	1012 - 1024		Pio III	1503 - 1503
João XIX	1024 - 1032		Júlio II	1503 - 1513
Benedito IX (Ver rodapé)	1032 - 1044		Leão X	1513 - 1521
Silvestre III	1045 - 1045		Adriano VI	1522 - 1523
Benedito IX	1045 - 1045		Clemente VII	1523 - 1534
Gregório VI	1045 - 1046		Paulo III	1534 - 1549
Clemente II	1046 - 1047		Júlio III	1550 - 1555
Benedito IX	1047 - 1048		Marcelo II	1555 - 1555
Damaso II	1048 - 1048		Paulo IV	1555 - 1559
Leão IX	1049 - 1054		Pio IV	1559 - 1565
Vítor II	1055 - 1057		Pio V	1556 - 1572

PAPA, PAPADO — PAPIAS

Gregório XIII	1572 - 1585
Xisto V	1585 - 1590
Urbano VII	1590 - 1590
Gregório XIV	1590 - 1591
Inocente IX	1591 - 1591
Clemente VIII	1592 - 1605
Leão XI	1605 - 1605
Paulo V	1605 - 1621
Gregório XV	1621 - 1623
Urbano VIII	1623 - 1644
Inocente X	1644 - 1655
Alexandre VII	1655 - 1667
Clemente IX	1667 - 1669
Clemente X	1670 - 1676
Inocente XI	1676 - 1689
Alexandre VIII	1689 - 1691
Inocente XII	1691 - 1700
Clemente XI	1700 - 1721
Inocente XIII	1721 - 1724
Benedito XIII	1724 - 1730
Clemente XII	1730 - 1740
Benedito XIV	1740 - 1758
Clemente XIII	1758 - 1769
Clemente XIV	1769 - 1774
Pio VI	1775 - 1799
Pio VII	1800 - 1823
Leão XII	1823 - 1829
Pio VIII	1829 - 1830
Gregório XVI	1831 - 1846
Pio IX	1846 - 1878
Leão XIII	1878 - 1903
Pio X	1903 - 1914
Benedito XV	1914 - 1922
Pio XI	1922 - 1939
Pio XII	1939 - 1958
João XXIII	1958 - 1963
Paulo VI	1963 - 1978
João Paulo I	1978 - 1978
João Paulo II	1978 -

O nome de Benedito IX aparece por tres vezes, por causa de eventos confusos durante o seu pontificado. Silvestre III, Gregório VI e Clemente II podem ser considerados antipapas, ou rivais no papado.
Bibliografia. AM B BMU C CD CE COR JAL

PAPADO
Ver o artigo geral intitulado **Papa (Papado)**.

PAPEL
Ver os dois seguintes artigos: **Papiro e Escrita**.

PAPIAS DE HIERÁPOLIS
Papias foi um antigo autor cristão, cujas datas não são conhecidas com exatidão. Mas, sabe-se que ele floresceu em torno de 130 D.C. Foi bispo de Hierápolis, na Frígia Pacatiana, localizada a poucos quilômetros ao norte de Laodicéia, e cerca de cento e sessenta quilômetros a leste de Éfeso. Papias deve ter nascido por volta de 60 ou 70 D.C.

Papias era um homem curioso, que tinha o hábito de inquirir sobre as origens do cristianismo. E, tendo vivido em um período histórico favorável, pelo menos algumas de suas informações devem ser corretas, embora, atualmente, saiba-se que ele cometeu alguns equívocos de informação. Sua principal obra intitulava-se *Interpretação das Afirmações do Senhor*, também chamada *Exposição dos Oráculos do Senhor*, uma extensa obra, em cinco volumes. Infelizmente, a maior parte dessa obra pereceu com o tempo, e o que dela nos resta foi aquilo que outros citaram, principalmente Eusébio, o primeiro historiador eclesiástico. Joseph B. Lightfoot recolheu o quanto pôde dos fragmentos das obras de Papias, tendo-as incluído em sua publicação, *Apostolic Fathers*. Não temos muitas informações acerca de sua vida, mas Irineu adianta que ele foi companheiro de Policarpo, que, por sua vez, foi discípulo do apóstolo João. Assim sendo, Papias foi uma espécie de cristão da segunda geração, que teve contatos com discípulos (ou pelo menos, com um discípulo) dos apóstolos.. Eusébio também assevera que Papias foi bispo de Hierápolis. A tradição revela que ele foi martirizado juntamente com Policarpo, em cerca de 155 D.C., mas essa é uma informação que os pesquisadores modernos têm descoberto ser falsa.

Podemos derivar algumas informações de sua obra **Interpretação**. Foi Papias quem iniciou a tradição que diz que Marcos era intérprete de Pedro. Ele teria escrito as coisas que Pedro lhe narrara, mas não registrando necessariamente os acontecimentos por sua ordem cronológica. Se isso é verdade, então grande parte dos esforços dos harmonizadores não pode ser acurada, visto que o evangelho de Marcos foi utilizado por Mateus e por Lucas, quanto ao seu esboço histórico. E alguns eruditos têm chegado ao extremo de dizer que o evangelho de Marcos é o evangelho de Pedro, embora escrito por Marcos. Os céticos, por sua vez, negam a validade de muita coisa dita por Papias, pensando que, em muitos casos, ele estava meramente especulando. Porém, sua posição dentro da história indica que, a grosso modo, podemos ter confiança nas suas declarações. Papias também afirmou que Mateus coligiu as declarações de Jesus em hebraico (Eusébio, Hist. III.39.15,16). Mas, um exame do evangelho de Mateus mostra que o mesmo não é uma tradução do hebraico para o grego, razão pela qual alguns estudiosos têm suposto que Eusébio estava falando da fonte informativa do evangelho de Mateus, e não desse envangelho propriamente dito. E alguns deles têm identificado essa fonte informativa com um documento chamado Q, um alegado documento que Mateus e Lucas teriam usado. Ver o artigo intitulado *Problema Sinóptico*, onde são discutidas as supostas fontes informativas usadas por Mateus, Marcos e Lucas.

Irineu citou Papias, conferindo algumas poucas informações a respeito do apóstolo João, ao qual, é de presumir-se, ele pôde ter conhecido pessoalmente. Mas, ficamos desapontados diante da escassez informativa, pois Papias apenas asseverou que João continuou ensinando sobre Cristo, após a ressurreição dele, e prometeu um reino terrestre próspero, caracterizado pela paz e pela abundância, quando os homens seriam obedientes a Deus. Naturalmente, Papias foi um entusiasmado milenialista, e influenciou a outros de seu tempo, acerca dessa doutrina (Irineu, Haer. v.33.3). Acerca de João, embora Papias pareça tê-lo conhecido pessoalmente (Irineu, Haer. 5.33.4), Papias chamou-o de «ancião». Por esse motivo, Eusébio chegou a pensar que Papias confundira o apóstolo com algum outro homem do mesmo nome. E também chegou a supor que houvessem dois proeminentes homens, ambos chamados João: um apóstolo, e outro, ancião. Eusébio tinha em pouca conta os poderes intelectuais de Papias, e sua exatidão como escritor. É verdade que Eusébio não concordava com Papias quanto à ênfase milenista deste; mas é difícil crer que ele teria falado acerca de Papias, como o fez, somente por discordar dele quanto a alguns pontos doutrinários. Todavia, no campo das controvérsias doutrinárias, qualquer coisa pode acontecer. Seja como for, os eruditos modernos

P(52), Século II, João 18:31-34, 37-38. — Cortesia, John Rylands Library

P(45), Século III, João 10:7-25. — Cortesia, The Chester Beatty Library, Dublin

Rolo de papiro (pap. 125, Hyperides pro Euxenippo). — Cortesia, British Museum

PAPIAS — PAPIRO

concordam que os escritos de Papias não se caracterizavam pela lucidez. É lamentável, contudo, que algo mais de seus escritos não tenha sobrevivido até hoje. Entre o material duvidoso, talvez houvesse grandes tesouros informativos. Por outra parte, talvez Eusébio estivesse com a razão. Nesse caso, não perdemos muita coisa com o desaparecimento da obra de Papias, o que ocorreu em algum tempo depois de 1341. Até então, essa obra estava alistada nos catálogos da biblioteca de Estames, um mosteiro cisterciense.

PAPIRO

Esboço:
1. Descrições
2. Importância para a Arqueologia
3. O Papiro como Planta e seus Usos
4. O Papiro e o Novo Testamento
5. A Crítica Textual e os Manuscritos em Papiro

1. Descrições

O material de escrita mais conveniente e durável da antiguidade (embora extremamente dispendioso), era o *velino*, feito de peles de animais. Seu grande rival era o menos durável *papiro*, um tipo de papel feito de certa planta aquática muito abundante no Egito. Esse papel vinha sendo fabricado desde a antiguidade. Era utilizado o cerne do colmo do papiro. As camadas exteriores eram removidas e o cerne era exposto. Então esse cerne era cortado em fatias de pouca espessura, as quais eram coladas lado a lado, a fim de formarem uma «página», com cerca de 25 cm a 30 cm, em quadrado. Sobre essa primeira camada era colada uma outra, em ângulo reto; e tudo isso era submetido à pressão e deixado a secar. Então as folhas eram coladas, formando rolos, algumas vezes bastante longos. Os textos mortuários egípcios algumas vezes chegam a ter quase 50 m de comprimento, razão pela qual eram de difícil manipulação. Foi por essa razão que, finalmente, o velino acabou sendo o material de escrita preferido, podendo este ser preparado em forma conveniente de «livro», com páginas individuais.

Os gregos chamavam o papiro de *bíblos*; e um rolo de papiro era um *biblíon*, de onde nos vêm as palavras «Bíblia» e «livro». Se o velino podia ser utilizado no verso e no reverso, um rolo de papiro era escrito somente de um lado. Esse lado era alisado de modo que a sua superfície servisse de página para escrever. O outro lado era deixado ao natural. No século II D.C., começaram a aparecer livros de papiro. O papiro é um material bastante durável, contanto que não umedeça. E é precisamente por esse motivo que quase todos os manuscritos em rolos de papiro que têm chegado até nós foram preservados no Egito, onde o clima é desértico e seco.

2. Importância para a Arqueologia

Documentos sobre os mais diversos assuntos, escritos em papiro, têm sido encontrados em grande número, e daí a arqueologia tem extraído muitos conhecimentos que temos sobre a antiguidade. Quase todo esse material data de 400 A.C. a 600 D.C., quando o papiro foi sendo abandonado e o velino entrou em uso mais constante. Entretanto, as descobertas arqueológicas têm demonstrado que o papiro vinha sendo usado desde a era tão remota quanto 3000 A.C. O papiro era exportado para a Síria e para a Palestina, e também para outros lugares, embora em menor extensão. Apesar do papiro ser menos dispendioso que o velino, nem por isso era barato. As folhas de papiro eram brancas, quando novas, e iam amarelando com o tempo; mas, se fossem mantidas secas, esse processo de envelhecimento não alterava a legibilidade das mesmas. Na Universidade de Michigan, em Ann Arbor, nos Estados Unidos da América, vi pessoalmente uma grande porção da coletânea das epístolas de Paulo (P46). Cada folha é atualmente preservada entre duas peças de vidro. E embora esses manuscritos tenham agora cerca de mil e setecentos anos, a sua leitura não apresenta qualquer problema.

3. O Papiro Como Planta e Seus Usos

O nome científico essa espécie vegetal é *Cyperus papyrus*. Não há certeza quanto ao significado da palavra *papiro*; mas pode estar vinculada ao termo cóptico *papuro*, «pertencente ao rei». Sem dúvida isso se originou da circunstância que o material era usado na biblioteca real e nos documentos oficiais. A planta cresce em grande número nos alagadiços e nos lagos. Seus colmos, um tanto triangulares, chegam até seis metros de altura. Suas flores são grandes, abertas, com o formato de sinos. O formato gracioso da planta tornou-se um motivo favorito da arte e da arquitetura egípcias. Talvez o trecho de Jó 8:11 contenha uma referência a essa planta, sendo bastante provável que a cestinha em que Moisés foi posto a flutuar sobre as águas do Nilo tivesse sido feita dessa planta (ver Êxo. 2:3). Também sabemos que os egípcios usavam o papiro para construir pequenos botes. Além de ser usado no fabrico de papel e botes, o papiro também era empregado na confecção de cestas, cordas, sandálias e vários artigos de vestuário. As classes pobres usavam as raízes do papiro como alimento.

4. O Papiro e o Novo Testamento

Os mais antigos manuscritos do Novo Testamento de que dispomos foram feitos em papiro. Há fragmentos, nesse material, que retrocedem até o século II D.C., e consideráveis porções, mormente das epístolas de Paulo, datam do século III D.C. em diante. Damos uma relação completa dos manuscritos em papiro do Novo Testamento, no artigo *Manuscritos do Novo Testamento*, seção II. E a seção III.6 desse mesmo artigo descreve a importância dos manuscritos escritos em papiro do Novo Testamento. Também oferecemos artigos separados sobre as mais extensas coletâneas de papiros. Ver *Papiros Chester Beatty* e *Papiros Bodmer*.

5. A Crítica Textual e os Manuscritos em Papiro

Quanto a informações gerais sobre a crítica textual do Novo Testamento, ver o artigo *Manuscritos do Novo Testamento*, seções V, VI, VII e VIII. Os manuscritos em papiro são mais antigos que os mais antigos manuscritos em velino, e vários séculos mais antigos que aqueles que foram usados na compilação do Textus Receptus (vide). Preferir o Textus Receptus, e não esses manuscritos mais antigos, é suicídio. O fato é que os manuscritos não usados pelo Textus Receptus têm um tipo de texto predominantemente alexandrino, concordando com os manuscritos chamados Vaticanus e Sinaiticus. Muitos dos primeiros pais da Igreja também usaram esse texto mais antigo, que antecede, por diversos séculos, o chamado texto bizantino, que, em sua forma mais fundida, veio a fazer parte do Textus Receptus. Assim, preferir o Textus Receptus a esses papiros mais antigos é demonstração de ignorância de causa. Em favor da prioridade do tipo de texto alexandrino, em contraposição ao tipo de texto bizantino, temos estas formidáveis evidências: a. os papiros; b. os mais antigos manuscritos em velino; c. as citações dos primeiros pais da Igreja; d. as mais antigas versões, como a latina, e várias traduções egípcias, como o saídico e o boárico. Todas essas fontes informati-

PAPIRO DE NASH

vas são anteriores ao tipo de texto bizantino, e fortemente alexandrinas em sua forma mais primitiva.

PAPIRO DE NASH

Esse manuscrito escrito em papiro, que contém pequenas porções do Antigo Testamento, recebeu seu nome por honra a W.L. Nash, que o adquiriu de um nativo. Subseqüentemente, foi publicado por S.A. Coe (?) Consiste em uma única folha, e não em um rolo inteiro; e sua origem também é desconhecida. Antes da descoberta dos *Manuscritos* (*Rolos*) *do Mar Morto* (vide), era a mais antiga porção escrita do Antigo Testamento de que se tinha notícia. Ver o artigo geral intitulado *Manuscritos do Antigo Testamento*. Com base em indícios paleográficos, Albright datou esse papiro como pertencente ao período dos Macabeus (165-137 A.C.); porém, há estudiosos que o datam como bem posterior, até 70 D.C., pouco antes da destruição de Jerusalém.

O papiro de Nash contém algumas pequenas porções do Antigo Testamento, como Êxo. 20:2-17 (ou Deu. 5:6-21) e a *Shema* (Deu. 6:4,5). Esse vocábulo hebraico, Shema, aponta para a primeira palavra do texto hebraico envolvido, «Ouve», pois o mesmo conclama os israelitas a reconhecerem o Deus de Israel como o único Deus verdadeiro, o Senhor de seu povo, merecedor do amor não-dividido do seu povo. É provável que essa folha isolada fizesse parte de algum texto litúrgico, usado com finalidades de instrução.

PAPIROS BODMER

Esses papiros são assim chamados por fazer parte de um grupo de manuscritos da coleção de M. Martin Bodmer, de Genebra, cuja publicação começou em 1954.

O papipo P(66) contém os trechos de João 1:1 - 6:11 e 6:35 - 14:15, além de fragmentos de quarenta e seis outras páginas. Reflete principalmente o texto alexandrino e data de cerca de 200 D.C.

O papiro P(72) é a primeira cópia conhecida da epístola de Judas e das duas epístolas de Pedro pertencente ao século III D.C., refletindo o texto alexandrino. Esse manuscrito também contém a Natividade de Maria, a correspondência apócrifa entre Paulo e os coríntios, a décima primeira ode de Salomão, a Homília de Melito sobre a páscoa, um fragmento de um hino, a Apologia de Filéias, os Salmos 33 e 34.

O papiro P(74), — contém porções de Atos, Tiago, I e II Pedro, I, II e III João e Judas, reflete um tipo alexandrino de texto pertencente ao século VII D.C.

O papiro P(75), — contém porções de Lucas e João, 102 folhas dentre cerca de 144 páginas originais da mais antiga cópia conhecida do evangelho de Lucas, e uma cópia das mais antigas do evangelho de João, datada entre 175 e 225 D.C. É alexandrino em seu tipo de texto.

É impossível calcular a importância dessa coleção. Contém, essencialmente, o texto tipo alexandrino, mostrando que o Textus Receptus foi um texto posterior, combinado. O P(75) é muito parecido com o Manuscrito do Vaticano, contribuindo para testificar a grande antiguidade e caráter fidedigno daquele texto. Quanto a detalhes sobre os manuscritos em geral, bem como sobre a coleção Bodmer em particular, ver o artigo sobre *Manuscritos do Novo Testamento*. Esse artigo contém instruções sobre a teoria textual, bem como amplas descrições sobre os manuscritos antigos. (KE ME)

PAPIROS CHESTER BEATTY

Nosso século tem sido testemunha da descoberta de alguns manuscritos em papiros muito antigos e importantes, do Novo Testamento. Esses manuscritos mostram que o Textus Receptus (o texto usado para as primeiras traduções modernas para vários idiomas, e, por conseqüência, para **nossa Bíblia portuguêsa**) é um texto posterior e muito combinado. Entre esses testemunhos encontramos os papiros de Chester Beatty. Esse grupo de manuscritos é constituído por doze manuscritos gregos em papiro, adquiridos por A. Chester Beatty, em cerca de 1930. Acredita-se que vieram de Fayum, no Egito. Várias porções dessa coleção terminaram em diferentes lugares, como nas Universidades de Michigan, Princeton, Dublim e Viena. Eles têm sido publicados formando unidades distintas. A data dos mesmos varia entre os séculos II e IV D.C.

Conteúdo: 1. *Os Quatro Evangelhos e o Livro de Atos* P(45). Esses manuscritos contêm uma larga porção de Marcos e Lucas, e fragmentos de outros livros. O texto tem paralelos que se encontram em outros manuscritos provenientes do Egito, e é similar às citações feitas por Orígenes, no século III D.C. 2. *As Epístolas Paulinas* P(46), desde Romanos 5 até I Tessalonicenses 5, com algumas lacunas, atualmente na Universidade de Michigan, com um texto parecido com o manuscrito B (códex Vaticanus), do século IV D.C. 3. *O Apocalipse* P(47), 9:10-17:2. O texto concorda bem de perto com as citações de Orígenes e com Aleph. É menos puro do que o P(46), mas, mesmo assim, é muito superior ao texto posterior e mesclado que se encontra no Textus Receptus. Data do fim do século III D.C.. 4. *O Antigo Testamento em grego*. Gên. 9:14-17:42, com um texto similar ao de Gênesis de Berlim, parecido com o importante códex uncial Colberto Sarranvinus, pertencente ao começo do século IV D.C. 5. *O Antigo Testamento em grego*. Gên. 24:25; 26-35; 39; 41, 42, pertencente aos tins do século III D.C. 6. *Antigo Testamento*, porções dos livros de Números e Deuteronômio, atualmente na Universidade de Michigan, pertencente ao século II D.C. 7. *Antigo Testamento Grego*. Fragmentos do livro de Isaías, similar ao códex A e ao códex Marchalianus, com glosas em cóptico. 8. *Antigo Testamento Grego*, uma folha do livro de *Jeremias*, com porções dos capítulos 4, 5 e 10, porções de Ezequiel, Daniel e Ester. Um texto parecido com o códex B e com a LXX, do século III D.C. 9. *O Eclesiástico*, no grego, caps. 36,37,46,47. 10. *I Enoque*, capítulos 97-107, em grego, e também porções da homília de Melito, sobre a páscoa. Melito foi bispo de Sardis, em meados do século II D.C. Essa porção pertence ao século IV D.C.

Contamos com manuscritos em papiro que representam cerca de três quartas partes do volume do Novo Testamento, anterior ao desenvolvimento do tipo de texto posterior, refletido pelo Textus Receptus (texto bizantino). Quanto a maiores informações a respeito, ver o artigo sobre os *Manuscritos* do Antigo e do Novo Testamentos. (KE ME)

PARÁ

No hebraico, **parah**, «novilha», «vaca». Esse era o nome de uma cidade existente no território de Benjamim (Jos. 18:23). Somente nessa passagem a cidade é mencionada. Ficava localizada cerca de oito

PARÃ — PARÁBOLA

quilômetros ao norte de Jerusalém. No local existe a moderna Khirbet el-Farah. É nesse ponto que existe a fonte *'Ain Farah*, onde começa o *wadi Farah*.

PARÃ

A palavra hebraica correspondente é de significado incerto. Está em foco uma região desértica que se estendia desde as fronteiras de Judá até às margens do Sinai. Sua extensão sul é mencionada em Núm. 10:12 e 12:16. A parte norte fazia limites com Cades (Núm. 13:3,26; 20:1). Provavelmente, toda a área assim encerrada era *Parã*, e não que a palavra se aplicasse a territórios separados, naqueles pontos extremos. Essa região ficava contígua à Arabá e ao golfo de Ácaba, a leste, e aparentemente engolfava o deserto de Sim, Cades-Barnéia e Elate, em seus limites para ocidente. Foi para esse deserto que foram Hagar e Ismael, depois que foram expulsos da casa de Abraão (Gên. 21:21). Israel atravessou esse deserto, após a saída do Egito (Núm. 10:12; 12:16). Foi também dali que Moisés enviou os espias para verificarem o que pudessem na terra de Canaã (Núm. 13:3,26). Hadade atravessou a região, em sua fuga para o Egito (I Reis 11:18). Davi também se refugiou ali, ao evitar Saul, após a morte de Samuel (I Sam. 25:1). A *El-Parã*, mencionada em Gên. 14:6, talvez seja um antigo nome de Elate. Seja como for, ficava nos limites com esse deserto. O monte Parã, mencionado no cântico de Moisés (Deu. 33:2) e, novamente, em Hab. 3:3; provavelmente era um pico proeminente da serra montanhosa da margem ocidental do golfo de Ácaba.

Os limites de região são um tanto ambíguos, embora calcule-se que cubra uma área de 60.000 km(2). Sua área central consiste em um elevado tabuleiro sedimentar, coletivamente chamado «Jebel at Tih». Os montes, naquela porção do deserto, elevam-se até cerca de 1590 m. Ao sul desses montes ficam os montes cristalinos do sul do Sinai, onde predomina uma paisagem profundamente dissecada, com gargantas e escarpas rochosas. A margem leste da Península do Sinai é interrompida com colinas, mediante faltas geológicas e leitos de wadis.

PARÃ, MONTE

Esse pico é mencionado em Deu. 33:2, e era um dos marcos proeminentes do distrito desértico chamado *Parã* (vide). Tem sido identificado com o Jebel M'aqrah, cerca de quarenta quilômetros ao sul de 'Ain Qedeis. Porém, o monte Parã poderia ser qualquer pico proeminente dos montes do sul da Península do Sinai. Nessa região é que ficava situada Cades, que alguns estudiosos identificam com 'Ain Qedeis.

PARÁBOLA

Esboço:

I. Caracterização Geral
II. As Parábolas do Novo Testamento
III. As Parábolas do Reino
IV. As Parábolas do Antigo Testamento
V. As Parábolas Rabínicas
VI. Os Propósitos das Parábolas

Introdução

A palavra portuguesa **parábola** vem diretamente do grego, *parabolé*, «pôr ao lado de», com o sentido de «comparar», a fim de servir especificamente como ilustração de alguma verdade ou ensino. A comparação assim provida, pois, torna-se um instrumento didático.

As parábolas podem ser símiles simples ou narrativas elaboradas, cujos detalhes envolvam alguma espécie de conotação moral ou espiritual. Na interpretação das parábolas não podemos esquecer a «lição principal», sem entrar em maiores detalhes, que servem somente para preencher uma história aceitável, mas que não se revestem de qualquer sentido especial. Naturalmente, algumas das parábolas de Jesus foram esclarecidas por ele mesmo; e, nesses esclarecimentos, ele forneceu detalhes que vão além do ponto principal. Mas, quando esses pormenores não são explicados, devemos preocupar-nos apenas com o ímpeto principal da história, e os pontos secundários não deveriam ser exagerados em sua importância. Uma boa história com freqüência pode avivar um sermão ou uma lição, e uma parábola sempre pode ser um poderoso meio de fazer isso. Não é mister supormos que as parábolas sempre narram fatos acontecidos. Talvez algumas delas o façam; mas isso não sucede no caso de todas as parábolas. A ficção também tem seu lugar no ensino religioso. Em uma parábola, entretanto, não devemos estar atrás de alguma mera narrativa, pois o propósito delas é servir de ilustrações espirituais e morais. Até mesmo alguns mitos pagãos são muito instrutivos.

I. Caracterização Geral

A palavra «parábola» indica, literalmente, «comparação», e é comumente usada para indicar uma história breve, um exemplo esclarecedor, que ilustra uma verdade qualquer. A parábola não é uma fábula, porque a fábula é uma forma de história ilustrativa fictícia e que ensina através da fantasia, mediante a apresentação de animais que falam ou de objetos animados. A parábola nem sempre lança mão de histórias verídicas, mas admite a probabilidade, ensinando mediante ocorrências imaginárias, mas que jamais fogem à realidade das coisas. A parábola também não é mito, pois este narra uma história como se fosse verdadeira, mas não adiciona nem a probabilidade e nem a verdade. A parábola não tenta contar uma história que deve ser aceita como história real e, sim, um tipo de narrativa que nem sempre sucedeu realmente. A parábola, entretanto, não é idêntica ao provérbio, a despeito do fato de que a mesma palavra grega é usada para indicar ambas as coisas (ver Luc. 4:23; 5:36 e Mat. 15:14,15). A parábola pode ser, porém, um provérbio ampliado, e o provérbio pode ser uma parábola condensada ou resumida. A parábola também não é a mesma coisa que a alegoria. A alegoria interpreta a si mesma, tão somente substituindo as personagens reais por outras. Na alegoria, as personagens fictícias são dotadas das mesmas características das pessoas reais, sem qualquer tentativa para ocultar ou para ilustrar por meio de símbolos. A parábola ilustra por meio de *símbolos*, como por exemplo, «o campo é o mundo», «o inimigo é o diabo», «a boa semente são os filhos do reino», etc. A parábola é uma narrativa séria, colocada na esfera das probabilidades, isto é, a história narrada na parábola pode ter acontecido realmente, sendo ilustração das experiências comuns aos homens, e o conteúdo dessa história tem por fito ilustrar, ensinar ou enfatizar um ou mais princípios éticos, morais, doutrinários ou religiosos. Talvez a alegoria não seja muito diferente disso, excetuando o fato de que pode indicar uma história criada, dotada de mais símbolos comparativos. As definições não estipulam as diferenças entre essas formas de comparação, ou seja, a parábola, a fábula, o mito, o provérbio e a alegoria, conforme fizemos aqui, e pode

PARÁBOLA

ser que outras definições sejam acrescentadas a estas.

II. As Parábolas do Novo Testamento

1. *As Parábolas de Jesus*. O Senhor Jesus proferiu quarenta e uma parábolas, agora preservadas em nossos evangelhos sinópticos (Mateus, Marcos e Lucas). Damos uma lista completa sobre elas no artigo *Problema Sinóptico*, seção VI. Esse estudo nos mune de informações sobre alegadas fontes, títulos, locais. Quanto a completos propósitos ilustrativos, na terceira seção deste artigo, oferecemos uma descrição detalhada das parábolas do reino, contadas por Jesus. Muitas das parábolas de Jesus dizem respeito ao reino de Deus, em sua natureza, valor, desenvolvimento, etc. Porém, além desse assunto, muitas outras questões foram abordadas pelo Senhor Jesus, conforme a relação seguinte serve para demonstrar: a. os *dois alicerces* da vida, que trata da sabedoria na escolha espiritual (Mat. 7:24-27); b. a doutrina cristã tornou obsoleta a doutrina judaica, tal como o *vinho novo em odres velhos* se estraga (Mat. 9:17); c. o *bom samaritano*, que punha em prática a lei do amor para com o próximo, pois todos os homens são irmãos: contra o exclusivismo religioso (Luc. 10:25 ss); d. o poder da oração insistente, na história do *amigo importuno* (Mat. 13:36-43); e. *a torre*, que frisa a necessidade de sabedoria e planejamento espirituais quando levamos a sério o discipulado (Luc. 11:5 ss); f. *os talentos*, que mostra o uso apropriado das oportunidades (Mat. 25:14 ss).

Em suas parábolas, Jesus lançava mão de ilustrações tiradas da natureza (a parábola do semeador, Mar. 4:1-9); dos costumes domésticos e da vida diária (a parábola do fermento, Mat. 13:33, e a parábola da lâmpada, Mar. 4:21); de acontecimentos adversos que redundam em bem (parábolas da ovelha e da moeda perdidas, Luc. 15:3-10); eventos da história recente (Luc. 19:14); jogos infantis (Luc. 7:31 ss); lições da vida doméstica (o filho pródigo, Luc. 15:11-32). Aparentemente, Jesus contou a maioria de suas parábolas sem elaborações, deixando aos seus ouvintes a percepção do que ele procurava ensinar e ilustrar (Mar. 12:12). Em algumas ocasiões, porém, Jesus explicou suas parábolas, como no caso das parábolas do reino (Mat. 13:1-58; ver também Mat. 15:15).

2. *No Evangelho de João*. Um dos difíceis problemas do estudo do Novo Testamento é o fato de que, no evangelho de João, as parábolas são substituídas pelos discursos. De fato, esse evangelho praticamente não tem parábolas, embora tenha declarações enigmáticas. Ver João 16:25. O vocábulo grego usado por João foi *paroimía*, «símile», e não *parabolé*.

Muitos intérpretes pensam que os discursos do evangelho de João foram criações do autor sagrado, com base nas idéias de Jesus, e que as parábolas eram a maneira real de Jesus ensinar. Talvez possamos considerar seções como João 15, acerca da vinha e seus ramos, como uma espécie de parábola. Outro tanto pode ser dito acerca do décimo capítulo de João, que fala sobre o Bom Pastor. Na verdade, esses são mais ensaios do que parábolas. Quiçá seja superficial e exageradamente harmonístico tentar forçar sobre o evangelho de João o método de ensino por parábolas. Por isso, alguns estudiosos supõem que Jesus proferiu tanto discursos quanto parábolas, e que João preferiu registrar os discursos de Jesus, ao passo que os evangelhos sinópticos preferiram as parábolas; mas essa explicação também parece estar baseada no impulso harmonizador. Naturalmente, há algumas sementes de parábolas no evangelho de João, como o caso do grão de trigo (João 12:24), o viajante (João 11:9 ss), o escravo e o filho (João 8:25), o noivo e o amigo do noivo (João 3:29). Mas, afora esses casos, é admirável quão poucas parábolas estão contidas no quarto evangelho.

3. *Nos Escritos Paulinos*. Nos trechos de Rom. 11:17 ss e Gál. 4:24, há aquilo que poderíamos designar mais apropriadamente de «alegorias». Paulo usou alguns exemplos expressivos, que poderiam ser considerados sementes de parábolas, como o ladrão à noite e a mulher prestes a dar à luz (I Tes. 5:2 ss), o grão de trigo (I Cor. 15:37-38, 42-44); ilustrações agrícolas (I Cor. 3:6 ss; Gál. 5:22 ss); os crentes como membros do corpo de Cristo (I Cor. 12:12 ss; Rom. 12:4 ss). Mas, na verdade, essas não são parábolas autênticas.

4. *Na Epístola aos Hebreus*. O termo *parábola* é usado em Heb. 9:9 e 11:19. Ali fala-se sobre o arranjo do tabernáculo de Moisés e sobre como Abraão recebeu simbolicamente o seu filho, de volta dentre os mortos. Mas temos aí mais ensinamentos simbólicos do que verdadeiras parábolas.

III. As Parábolas do Reino

Esta seção enfoca o terceiro dos grandes discursos de Jesus (compêndios postos em ordem pelo autor sagrado). Ver Mat. 13:1-58. Talvez tenhamos aí as mais sugestivas parábolas de Cristo, onde, incidentalmente, ele dá a razão pela qual ensinava por meio de parábolas: «Por isso lhes falo por parábolas; porque, vendo, não vêem; e, ouvindo, não ouvem nem entendem» (Mat. 13:13).

Terceiro Grande Discurso: dirigido às multidões (Mat. 13:1-58) — *O Reino dos Céus e seus Mistérios*

Neste capítulo encontramos o *terceiro* grande grupo de discursos deste evangelho. O evangelho de Mateus foi erigido em torno de cinco grandes discursos de Jesus, os quais são: 1. Capítulos 5-7, o «Sermão da Montanha». 2. Capítulo 11, *trabalho e conduta* dos discípulos especiais do Mestre. 3. Capítulo 13, os *mistérios* do reino dos céus. 4. Capítulo 18, o *texto infantil* e os problemas comunitários. 5. Capítulos 21:1-26:2, o *fim* da atual dispensação. Em torno dessas seções de ensino é que esse evangelho foi construído. Não representam apenas cinco discursos de Jesus, feitos em apenas cinco ocasiões diferentes, mas antes são passagens que —sumariam em blocos — os ensinos de Jesus sobre diversos grandes assuntos, os quais, considerados em seu conjunto, constituem a porção principal dos *logoi* que temos de Jesus. Jesus apresentou muitas parábolas, abrangendo muitas questões diferentes. Algumas delas foram «verdadeiras parábolas», que consistem de uma narrativa breve que ilustra uma verdade central (por exemplo, Mat. 20:1-16 e Luc. 16:1-8). Outras foram histórias ilustrativas, como vemos em Luc. 10:29-37. E ainda outras foram declarações metafóricas ou símiles (Mat. 7:16), e outras foram até mesmo tipos de alegorias, como em Mar. 12:1-12. As fontes das parábolas deste décimo terceiro capítulo de Mateus são diversas. Algumas se encontram em Marcos, pelo que a sua origem é o *protomarcos*. Outras figuram somente no evangelho de Mateus, e «M» talvez seja a fonte. O vs. 33 tem um paralelo em Lucas, mas não em Marcos, e por isso *Q* é sua fonte mais provável. Ver os artigos separados intitulados, o *Problema Sinóptico* e *Marcos, Evangelho de*.

«Este capítulo ilustra a tentativa de Mateus em *combinar* os métodos cronológicos e tópicos. Segue o arcabouço de *Marcos* até onde pode; mas Marcos e suas demais fontes não tinham sido arranjados segundo um plano coerente. Neste ponto, Marcos expõe importante coleção de parábolas, que Mateus

PARÁBOLAS

••• ••• •••

PARÁBOLA DO SEMEADOR

O BOM PASTOR

A MOEDA PERDIDA

Os Trabalhadores — Amigo não te faço agravo.

O Bom Samaritano

PARÁBOLA

adota e expande, usando-a como um discurso geral sobre o reino dos céus, sobre sua aceitação e rejeição. Os dois capítulos anteriores levam a isso. Apesar do caráter variegado do material, o resultado é admiravelmente apropriado. O evangelista concebe a maior parte deste discurso como se fosse dirigido às multidões, mas teria havido explicações laterais para os discípulos». (Sherman Johnson, *in loc.*).

Este décimo terceiro capítulo de Mateus contém *oito parábolas* que são denominadas, em seu conjunto, «os mistérios do reino dos céus». A palavra «parábola» indica, literalmente, «comparação», e é comumente usada para indicar uma comparação breve, um exemplo esclarecedor, que ilustra uma verdade qualquer. A parábola não é uma fábula, porque a fábula é uma forma de história ilustrativa fictícia e que ensina através da fantasia, mediante a apresentação de animais que falam ou de objetos animados. A parábola nem sempre lança mão de histórias verídicas, mas admite a probabilidade, ensinando mediante ocorrências imaginárias, mas que jamais fogem à realidade das coisas. A parábola também não é mito, pois este narra uma história como se fosse verdadeira, mas não adiciona nem a probabilidade e nem a verdade. A parábola não tenta contar uma história que deve ser aceita como história real, e, sim, um tipo de narrativa que nem sempre sucedeu realmente. A parábola, entretanto, não é idêntica ao provérbio, a despeito do fato de que a mesma palavra grega é usada para indicar ambas as coisas (ver Luc. 4:23; 5:36 e Mat. 15:14,15). A parábola pode ser, porém, um provérbio ampliado, e o provérbio pode ser uma parábola condensada ou resumida. A parábola também não é a mesma coisa que a alegoria. A alegoria interpreta a si mesma, tão somente substituindo as personagens reais por outras. Na alegoria, as personagens fictícias são dotadas das mesmas características das pessoas reais, sem qualquer tentativa para ocultar ou para ilustrar por meio de símbolos. A parábola ilustra por meio de *símbolos*, como por exemplo, «o campo é o mundo», «o inimigo é o diabo», «a boa semente são os filhos do reino», etc. A parábola é uma narrativa séria, colocada na esfera das probabilidades, isto é, a história narrada na parábola pode ter acontecido realmente, sendo ilustração das experiências comuns aos homens, e o conteúdo dessa história tem por fito ilustrar, ensinar ou enfatizar um ou mais princípios éticos, morais, doutrinários ou religiosos. Talvez a alegoria não seja muito diferente disso, excetuando o fato de que pode indicar uma história criada, dotada de mais símbolos comparativos. As definições não estipulam as diferenças entre essas formas de comparação, ou seja, a parábola, a fábula, o mito, o provérbio e a alegoria, conforme fizemos aqui, e pode ser que outras definições sejam acrescentadas a estas.

Explicação Geral das Parábolas:

1. Nota-se que alguns comentaristas exageram o suposto fato de que há sete parábolas neste capítulo, como se Jesus tivesse proferido somente sete parábolas sobre os mistérios do reino dos céus, como se esse número tivesse alguma significação mística. Não podemos negar que, às vezes, as Escrituras empregam — certos números — com sentidos determinados; por exemplo, as sete igrejas do Apocalipse, sendo esse número evidentemente indica a perfeição. Teríamos, então, uma ilustração do caráter geral da igreja, e talvez um pequeno esboço do caráter geral da história eclesiástica. Quem pode negar que o número 666, número do anticristo, tem grande significação? Dificilmente alguém mostrou a sua exata significação, até hoje, mas provavelmente a explicação se tornará patente quando surgir esse personagem. O próprio livro de *Apocalipse* parece ser um estudo sobre o sentido dos números, mas aqui notamos que, em realidade, o autor do evangelho de Mateus registrou oito parábolas, e não sete, a saber: a do semeador, a do joio, a do grão de mostarda, a do fermento, a do tesouro escondido, a da pérola de grande valor, a da rede de pescar e a do pai de família.

Usualmente os intérpretes, pretendendo limitar o número dessas parábolas a sete, não consideram a história do pai de família como se fosse uma parábola, mas isso não passa de preconceito de número. Nota-se também que, nos trechos paralelos em Marcos e em Lucas, são apresentadas ainda outras parábolas: a da lâmpada (Mar. 4:21 e Luc. 8:16) e a da semente que cresce por si mesma (Mar. 4:26-29), o que perfaz um total de dez parábolas conhecidas. Também não é impossível que a parábola de Luc. 13:6,9, que fala sobre a figueira estéril, faça parte dos ensinos de Jesus acerca do reino dos céus. Talvez tenha sido apresentada ao mesmo tempo que as parábolas que se encontram no décimo terceiro capítulo de Mateus. Assim sendo, vê-se que o número de parábolas apresentadas por Jesus não é uma cifra exata, pelo que também é duvidoso formar qualquer teoria sobre exegese ou sobre dispensações à base do número das parábolas do reino.

Tanto Marcos como o autor do evangelho de **Mateus** indica a existência de **outras parábolas** (Mar. 4:33 e Mat. 13:34). Também é erro imaginar que Jesus proferiu todas essas parábolas em uma só ocasião; tal interpretação exagera as palavras exatas da história, olvidando que o principal intuito do autor do evangelho de Mateus foi o de reunir os ensinos de determinada qualidade em um lugar só, a fim de, ao redor deles, construir as histórias e incidentes do evangelho. A comparação com os outros evangelhos sempre ilustra que, por causa disso, o autor deste evangelho não relata os fatos pela sua ordem cronológica. Por exemplo, nessa mesma seção, a parábola do semeador, no evangelho de Marcos, aparece depois da visita da mãe e dos irmãos de Jesus, tal como sucede em Mateus, mas em Lucas a ordem é justamente a oposta (Luc. 8:4-15, 19-21).

Alguns intérpretes opinam que é provável que todas, senão a maior parte destas parábolas, tenham sido proferidas *antes* do Sermão do Monte, o que pode ser verdade ou não, mas que ilustra o fato de que alguns intérpretes estabelecem uma ordem artificial de acontecimentos, que nega muitos fatos já observados neste evangelho, confirmando que o autor não tinha o propósito de relatar todos os ensinos conforme foram apresentados, em sua ordem cronológica, na vida de Jesus. Realmente, o propósito do autor do evangelho de Mateus foi o de reunir os ensinos para formar um núcleo em torno do qual se baseia cada seção de acontecimentos.

Neste terceiro grande trecho dos ensinos de Jesus, portanto, encontramos os principais ensinos acerca do reino dos céus, e dificilmente podemos aceitar a idéia de que Jesus, de uma vez só, tenha proferido todas essas parábolas. Provavelmente apresentou uma de cada vez, quiçá com aplicações diferentes, fato esse que já foi observado outras vezes no tocante aos seus ensinos — a do semeador e a do grão de mostarda, enquanto Lucas apresenta apenas a parábola do semeador. No evangelho de Lucas, as outras parábolas aparecem em outros trechos. Por exemplo, em Lucas, a ordem de apresentação das parábolas é a seguinte: do semeador, Luc. 8:4-15; do fermento, Luc. 13:20,21. Porém, em seu oitavo capítulo, Lucas tem uma parábola não contida no evangelho de

PARÁBOLA

Mateus, a saber, a da lâmpada (Luc. 8:16), e talvez também uma outra parábola, a da figueira estéril, em Luc. 13:8,9. Marcos apresenta a parábola do semeador em Mar. 4:1-20, e a do grão de mostarda em Mar. 4:30-32. Tal como Lucas, Marcos acrescenta a parábola da lâmpada (em Mar. 4:21), e também apresenta uma parábola que não foi exposta nem por Mateus e nem por Lucas — a da semente que cresce por si mesma, em Mar. 4:26-29. A análise dessas informações prova que Jesus proferiu mais do que sete parábolas (seu número total talvez tenha sido onze) sobre o reino dos céus; e certamente não o fez de uma vez só, nem na mesma oportunidade. Bruce, do *Expositor's Greek Testament, in loc.*, acha que, segundo a ordem da seqüência e da semelhança de propósitos, é provável que as parábolas do semeador, do joio e a rede de pesca tivessem sido proferidas na mesma ocasião. Precisamos concordar com ele em que é impossível dizer quantas parábolas foram proferidas naquela ocasião em que Jesus saiu de casa e assentou-se à beira-mar (Mat. 13:1). Também é impossível dizer quantas parábolas, em sua totalidade, foram proferidas acerca dessa questão, ou qual o momento exato em que foram proferidas; mas certamente podemos confirmar e confiar que aquelas que temos nos evangelhos representam fielmente os ensinos de Jesus sobre o reino dos céus.

2. Como representação da *história da igreja*: Não há certeza se essas parábolas foram proferidas por Jesus como um esboço do reino dos céus, ou seja, a influência de Deus, através do Espírito Santo, durante o período da igreja, a época da graça; mas, por respeito aos bons comentaristas que assim ensinam, apresentamos aqui, em poucas palavras, a seguinte idéia: Alford, admitindo que a parábola tem por escopo principal ensinar, e não predizer, expõe com cautela este esboço geral do elemento profético das parábolas: a. o período áureo da semeadura da semente do reino, no tempo dos apóstolos — parábola do semeador. b. Intromissão de diversas heresias na igreja primitiva — parábola do joio. c. Apesar disso, o progresso do reino teve prosseguimento e o reino se desenvolveu — parábola do grão de mostarda. d. Durante tempos difíceis, como na Idade Média, o reino continuou se propagando, penetrando na sociedade inteira — parábola do fermento. e. Nos dias que correm surgiram as denominações evangélicas, mas, apesar disso, o tesouro ainda pode ser encontrado — parábola do tesouro escondido. f. Durante os períodos de desenvolvimento intelectual e da cultura secular em geral (Renascença). o homem ainda podia encontrar esse tesouro de excepcional valor — parábola da pérola de grande valor. Finalmente, após o passar dos séculos, haverá o julgamento, com a separação entre o bom e o mau — parábola da rede de pesca.

Alguns intérpretes apresentam uma comparação dessas parábolas com as sete cartas do Apocalipse, pensando que esses trechos apresentam um esboço da história eclesiástica. Inclusas nessa idéia, às vezes, também **encontramos as bem-aventuranças:**

BEM-AVENTURANÇAS	PARÁBOLAS	CARTAS DO APOCALIPSE
1. Humildes de espírito, o reino dos céus	O semeador, o bom campo e os frutos	Éfeso: paciência no trabalho, obras de fé: Apo. 2
2. Os que choram	O trigo e o joio	Esmirna: sofrimento, saúde espiritual em meio à oposição de Satanás, especialmente a religião falsa
3. Os mansos, possessão da terra	O grão de mostarda cresce grandemente	Pérgamo: fidelidade em meio às heresias; a igreja se casa com o mundo
4. Fome e sede de justiça	O fermento, expansão do reino	Tiatira: abundância de obras em meio à iniqüidade tolerada, Jezabel
5. Os misericordiosos alcançam misericórdia	O tesouro encontrado no campo	Sardes: nome de quem vive, mas está morto; alguns fiéis, dignos de andarem com Jesus. Alguns acham o tesouro
6. Limpos de coração verão a Deus	Pérola de grande preço, procurada e comprada por grande preço	Filadélfia: porta aberta, oportunidade aproveitada, êxito em alto grau no serviço de Deus, grandes promessas dadas e cumpridas
7. Pacificadores, característica dos filhos de Deus	A rede, separação entre os bons (verdadeiros) e os maus (falsos)	Laodicéia: dificuldades em distinguir os filhos verdadeiros dos falsos. Dura repreensão, tempo de julgamento

••• ••• •••

Outras aplicações dessa matéria (incluindo as parábolas) ao caráter geral da igreja na atualidade, ou ao esboço da história eclesiástica, são quase sem número, e naturalmente há muitas interpretações exageradas ou mesmo falsas. Dificilmente acharíamos um texto que tenha sido mais abusado que o terceiro capítulo de Mateus. Apesar disso, é certo que temos muitas aplicações às condições da igreja, além

PARÁBOLA

de muitas lições práticas, aplicadas à vida espiritual, quer da igreja, quer do indivíduo. Assim sendo, muito podemos aprender desses ensinos. Devemos ter o cuidado de não procurar ensinar mais do que Jesus quis ensinar e, especialmente, evitar as lições e os ensinos absurdos como aplicações dessas parábolas.

3. Interpretação geral das parábolas: em primeiro lugar, observamos que este trecho constitui o terceiro grande bloco de ensinos de Jesus (dentre os cinco existentes em Mateus), ao redor dos quais este evangelho foi formado. As seções do livro, cada uma tendo como centro um bloco de ensinos, são as seguintes:
1. Caps. 3 — 7
2. Caps. 8 — 10
3. Caps. 11 — 13
4. Caps. 14 — 18
5. Caps. 19 — 25

A conclusão é formada pelos caps. 26 — 28. Os principais capítulos que apresentam os ensinos são:
1. Caps. 5 — 7
2. Cap. 10
3. Cap. 13
4. Cap. 18
5. Cap. 25

Após cada um desses ensinos aparece o cumprimento dos mesmos em palavras do autor, como, por exemplo: «Quando Jesus acabou de proferir estas palavras...» (Mat. 7:28); ou: «Tendo Jesus acabado de dar estas instruções...» (Mat. 11:1). Ou ainda: «Tendo Jesus proferido estas parábolas...» (Mat. 13:53). Ou então: «Concluindo Jesus estas parábolas» (Mat. 19:1). Ou, finalmente: «Tendo Jesus acabado todos estes ensinamentos...» (Mat. 26:1), que marcam o esboço do livro.

1. *PARÁBOLA DO SEMEADOR* (Mar. 4:1—9 e Luc. 8:4-8)

O próprio Jesus interpretou essa parábola (Mat. 13:18-23). A semente é a palavra, isto é, a *pregação do reino*. O semeador é Jesus, mas também pode ser aplicado a qualquer discípulo que prega o reino. O *maligno* é Satanás (interpretação primária) ou qualquer agência satânica, como a atração exercida pelo mundo, a falta de fé, o fascínio das riquezas, etc. Os diversos lugares onde pode cair a semente significam as personalidades ou características daqueles que recebem a semente, bem como o uso que fazem dela, ou então, como a semente germina ou não nas vidas desses indivíduos. De modo geral, com estas palavras, Jesus ilustra o que se pode esperar da pregação da palavra, isto é, pequena porcentagem dos ouvintes acolherá a mensagem, mas, entre esses ouvintes, haverá o desenvolvimento de muitos frutos. Jesus implica aqui a rejeição geral ao reino. Provavelmente, segundo alguns intérpretes insistem, as parábolas se aplicam tanto à igreja como aos indivíduos, e ilustram, de modo geral — a rejeição — ao evangelho; mas também indicam o sucesso parcial do ministério da «palavra». Tais explicações dão idéia de que haverá um intervalo entre a primeira e a segunda vindas de Cristo, fato esse que os judeus jamais compreenderam claramente. Esse intervalo seria ocupado pela revelação dos *mistérios do reino*. As parábolas explicam, em termos gerais, o caráter desse tempo. Talvez o autor deste evangelho tivesse tido o propósito de revelar esses mistérios com estas parábolas, pois dificilmente poderíamos aceitar a idéia de que elas tivessem aplicação exclusiva aos tempos de Jesus. Porém, também não se pode aceitar que essas parábolas não tivessem tido aplicação às condições reinantes nos dias de Jesus. Ele falou ao povo para benefício de todos, e não há que duvidar que ele quis ilustrar a rejeição à parábola naquele tempo (ou sua aceitação, por parte de alguns), como também a rejeição ao reino dos céus, e, de maneira geral, rejeição à pregação de Jesus e aos seus conceitos doutrinários e morais. É certo que Jesus indicou a expansão do ministério da palavra de Deus no mundo, isto é, ensinou a universalidade da aplicação de sua mensagem e o seu objetivo, porquanto a «vinha de Deus», que é a nação de Israel (Is. 5:1-7) e a semeadura da semente no campo (o mundo), são coisas diferentes. Jesus, portanto, sugeriu aqui o desenvolvimento do movimento religioso que recebeu o nome de cristianismo, religião verdadeiramente universal.

2. *PARÁBOLA DO JOIO* (vss 24-30, e explicação dada por Jesus nos vss 36-43)

Nota-se aqui *pequena variação* no emprego dos símbolos: a «boa semente» (a palavra; a pregação, segundo a parábola do semeador) agora indica aquilo que a palavra tem *produzido*, isto é, os filhos do reino. Satanás também semeia a sua semente, que são os «filhos do maligno». O local onde isso se verifica é o mundo (o campo); alguns insistem em fazer disso a igreja. O resultado é o fato de que, por muitas vezes — é impossível distinguir as obras de Deus das obras do diabo, e os filhos de Deus dos filhos do diabo. Devemos notar que o campo não é a igreja, porquanto tal condição mista jamais foi a intenção de Deus, a despeito do fato de que, na realidade, tal mistura persiste. A igreja conta com mandamentos para observar, a fim de ser mantida a ordem e a disciplina, especialmente visando preservar a pureza doutrinária e pessoal, e esta passagem não foi dada para eliminar essa necessidade, supondo que tal obra seja atuação dos anjos no final desta dispensação. Esta parábola também não indica simplesmente as condições do mundo em geral e, sim, as condições irregulares daqueles que afirmam ser «filhos do reino», isto é, de Deus, cristãos. Assim sendo, esta parábola indica as condições da cristandade. O fato de ter sido feita uma mudança no simbolismo desta parábola, em comparação com o simbolismo da parábola do semeador, ilustra a verdade que os símbolos usados nem sempre significam a mesma coisa. Por exemplo, usualmente o símbolo da serpente, nas Escrituras e na literatura judaica, representa algo maléfico; no entanto, de certa feita Jesus se utilizou desse símbolo em bom sentido (ver Mat. 10:16). Não devemos ficar surpreendidos, portanto, ao acharmos que Jesus também usou o fermento como símbolo não de uma coisa má (ver Mat. 13:33).

3. *PARÁBOLA DO GRÃO DE MOSTARDA*, vss. 31,32 (ver Mar. 4:30-32 e Luc. 13:18,19)

«A menor de todas as sementes». Não se trata de uma verdade absoluta, e, sim, são palavras que representam um provérbio comumente usado com referência ao grão de mostarda. «Maior do que as hortaliças». Novamente não representa uma verdade absoluta, mas é uma comparação da minúscula semente que produz a hortaliça. Esta parábola ilustra o rápido desenvolvimento do reino, desde seu ínfimo começo, que era tão insignificante para as autoridades do mundo, tanto políticas como religiosas, até o grande e notável lugar que veio a ocupar no mundo. A figura das aves do céu, a habitarem nessa árvore, talvez seja tomada de empréstimo de Dan. 4:20-22, que dá a idéia da falta de segurança da árvore; mas muitos bons intérpretes indicam com isso que está em ista um lugar de refúgio, repouso e bênção, como esultado da existência do reino, e que essa é a ıtenção das palavras de Jesus.

PARÁBOLA

4. PARÁBOLA DO FERMENTO, vs 33 (ver Luc. 13:20,21)

Esta parábola ilustra o poder *de penetração* do reino dos céus. Embora seja verdade que as Escrituras apresentam o fermento como símbolo da corrupção, e que os rabinos tenham usado o termo nesse mesmo sentido, não há razão para crer-se que Jesus não tenha tido coragem suficiente para mudar o símbolo, neste caso, a fim de que passasse a simbolizar outra coisa. Segundo alguns intérpretes, a intenção desta parábola é ilustrar como o reino haveria de receber elementos pervertidos e assim se estragaria com o aparecimento de heresias, etc. Parece que muitos não admitem as palavras simples (e sem a interpretação de Jesus) que ele proferiu. Os símbolos nem sempre são coerentes, como já observamos em diversos casos: 1. A semente, na parábola do semeador, significa a palavra. Porém, na parábola do joio, significa os resultados da palavra, que são os «filhos do reino dos céus». 2. Nas Escrituras e nos escritos rabínicos, a serpente sempre tem um sentido mau, usualmente indicando Satanás ou o mau-caráter de sua pessoa; porém, em Mat. 10:16 descobrimos que Jesus empregou esse símbolo com bom sentido. O símbolo do leão é tanto usado para indicar a Satanás (I Ped. 5:8) como para indicar o próprio Cristo (Apo. 5:5). Esta parábola ilustra a mesma coisa que a do grão de mostarda (desenvolvimento), mas a parábola da mostarda implica em crescimento observado de fora, ao passo que esta do fermento implica no desenvolvimento que, partindo de dentro para fora, finalmente, se propaga a toda a parte, isto é, a influência e o poder do mundo. Naturalmente que esta parábola não tem a intenção de ensinar que o mundo inteiro se converterá, conforme alguns têm dito ser o ensino deste texto, especialmente nos estudos feitos pelos pós-milenistas. Devemos procurar evitar o extremismo na interpretação, que busca o sentido de cada palavra, ainda que pequena, interpretação essa que transforma parábolas simples como a que temos aqui em questões complicadas e complexas de teologia.

5. PARÁBOLA DO TESOURO ESCONDIDO, vs. 44 (somente em Mateus)

No sentido estritamente teológico, o homem *nada tem* para dar em troca de Cristo e do reino, além do fato de que Cristo não pode ser comprado e que a igreja separada do mundo não o compra; mas a prática desse tipo de prestidigitação exegética nos obriga a perder de vista o ensino desta parábola tão simples. A verdade ilustrada parece indicar que o homem é conduzido, pelas circunstâncias de sua vida, à verdade que se acha em Cristo e em sua mensagem, e então reconhece a maravilha dessa descoberta. Reconhecendo imediatamente que todos os demais «tesouros» de sua vida, quer riquezas, quer prazeres, quer fama, etc., não se podem comparar a este tesouro imenso, então, por todos os meios possíveis, assegura para si esse grande tesouro. Essa foi exatamente a experiência dos apóstolos, os quais «deixaram tudo», para seguirem a Cristo. Essa experiência também tem sido a de milhares de outras pessoas, entre os discípulos do reino. O espírito dessa parábola não difere muito do daquele que achamos em Mat. 11:12. «Desde os dias de João Batista até agora, o reino dos céus é tomado por esforço, e os que se esforçam se apoderam dele». Apesar da intensa oposição interna e externa, alguns, com atitude resoluta, asseguram seus respectivos lugares no reino de Cristo.

6. PARÁBOLA DA PÉROLA DE GRANDE PREÇO, vss 45,46 (encontra-se somente em Mateus).

Alguns interpretam a pérola como se fosse a *igreja* ou Israel, e que Cristo é aquele que a compra. Todavia, parece mais certo interpretar esta parábola como se interpreta a parábola do tesouro. No tempo de Jesus, as pérolas tinham grande valor, muito mais do que agora, comparativamente, porquanto eram mais valiosas do que as esmeraldas, safiras e outras pedras preciosas. Eram usadas para enfeitar as vestes dos ricaços. Por causa da associação das pérolas com o mar, os pescadores e aqueles que moravam à **beira-mar, certamente, devem** ter sentido o impacto desta parábola. Aqui temos o quadro de um homem que sempre achava pérolas pequenas de valor relativamente pequeno, e que vivia à cata de uma pérola de grande valor, sem igual. Finalmente a sua busca o guia até aquela raríssima pérola. Imediatamente vende tudo quanto tem, todas as outras pérolas e seus outros bens, vendo nisso um sacrifício pequeno, contanto que assim possa adquirir aquela pérola extraordinária — essa pérola é Cristo e seu reino. À semelhança de Paulo, tal homem diria: «Sim, deveras considero tudo como perda, por causa da sublimidade do conhecimento de Cristo Jesus, meu Senhor, por amor do qual perdi todas as cousas e as considero como refugo, para ganhar a Cristo...» (Fil. 3:8). Questões pesadas, como aquela que afirma que «nenhum homem busca a Deus», considerando assim que o homem aludido nesta parábola não poderia ser um pecador, são considerações impróprias que apenas obscurecem o sentido que Jesus quis dar a entender. Na *experiência humana*, o pecador sempre é comparado com aquele que busca e, de fato, algumas passagens bíblicas indicam exatamente isso. O impulso do Espírito está presente em toda a parte e leva os homens a procurarem o caminho de Deus. Contudo, não são todos os que buscam a pérola de grande preço, porquanto nem todos estão dispostos a pagar o necessário para obtê-la.

7. PARÁBOLA DA REDE DE PESCA, vss. 47-50 (encontra-se somente em Mateus)

Os vss. 49 e 50 fornecem a explicação, que é dura. Esta parábola expressa a *intensa busca* do reino dos céus que deve acompanhar a vida humana, porquanto os resultados de negligência, nessa busca, são simplesmente horríveis. A palavra «rede», neste caso, segundo o grego, não era a rede pequena que um homem, sozinho, poderia manusear e, sim, a rede grande, que só poderia ser manejada por muitos homens. Por causa de suas dimensões, essa rede de pesca apanhava muitos tipos de peixes, alguns apropriados ao consumo e outros inúteis para serem comidos. Assim se dá com aqueles que professam o cristianismo, neste mundo. Algumas pessoas possuem fé verdadeira, e sua religião cristã é autêntica; outras, não. Para os propósitos de Deus, algumas pessoas servem, e outras não. Ver o artigo sobre o *Julgamento*.

8. PARÁBOLA DO PAI DE FAMÍLIA, vs. 52 (encontra-se somente em Mateus)

Alguns não incluem esta parábola juntamente com as outras, evidentemente porque acham que não se trata de uma parábola, ou que não passa de um preconceito originado no desejo de preservar o número de *sete* parábolas. Porém, é perfeitamente óbvio que essas palavras formam outra parábola. Jesus usou a palavra «escriba», neste caso, para indicar os que ensinam a palavra de Deus, os intérpretes do reino, os apóstolos e outros, e não se refere aos escribas dos judeus. Jesus aludia aos seus discípulos que *têm a responsabilidade de ensinar*. Esses discípulos haveriam de ensinar o evangelho do

PARÁBOLA — PARACELSO

reino e da graça de Deus, utilizando-se dos meios disponíveis. Alguns interpretam que as «cousas novas e velhas» são a lei (as Escrituras do V.T., as coisas velhas) e o evangelho do reino (as coisas novas). Ou, segundo outros interpretam, significam as coisas antigas da velha dispensação, e as coisas novas do cristianismo: e que essas coisas novas são usadas para esclarecer e ilustrar as antigas. Provavelmente a idéia também inclui a experiência pessoal do «escriba», não indicando apenas os livros usados por ele mas também a expressão de sua própria pessoa, ao exercitar os dons do Espírito Santo.

IV. As Parábolas do Antigo Testamento

Como é óbvio, Jesus não foi o criador das parábolas. Elas já existiam no Antigo Testamento. E os rabinos também usavam esse método de ensino. Ver a seção V, abaixo. Os eruditos alistam onze parábolas no Antigo Testamento:

1. Os moabitas e os israelitas. O narrador foi Balaão, no monte Pisga (Núm. 23:24).
2. As árvores que escolheram um rei. Foi contada por Jotão, no monte Gerizim (Juí. 9:7-15).
3. A ovelha e o pobre. Foi narrada pelo profeta Natã, em Jerusalém (II Sam. 12:1-5).
4. O conflito entre irmãos. Uma mulher de Tecoa contou-a em Jerusalém (II Sam. 14:9).
5. O prisioneiro que escapou. Um jovem profeta, perto de Samaria, apresentou essa parábola (I Reis 20:25-49).
6. O espinheiro e o cedro. O rei Joás a contou, em Jerusalém (II Reis 14:9).
7. A videira que deu uvas bravas. Isaías contou essa parábola, em Jerusalém (Isa. 5:1-7).

As outras quatro parábolas são de autoria do profeta Ezequiel, que as escreveu na Babilônia, como segue:

8. As águias e a vinha (Eze. 17:3-10).
9. Os filhotes de leão (Eze. 19:2-9).
10. O caldeirão fervente (Eze. 24:3-5).
11. Israel como o vinha perto da água (Eze. 24:10-14).

V. As Parábolas Rabínicas

Os hebreus eram grandes contadores de histórias, conforme se vê no próprio Antigo Testamento. Foi apenas natural que parábolas viessem a fazer parte dos escritos sagrados e comentários daquele povo. Os escritos rabínicos contêm algumas excelentes parábolas. Uma delas conta como um rei convidou pessoas a um banquete e instruiu-as a que trouxessem algo sobre o que sentarem. Isso eles fizeram; mas então começaram a queixar-se da falta de bons lugares para sentar. Alguns tinham trazido tábuas de madeira, outros pedras, e outros alguma coisa desconfortável. É que tinham estado com pressa, não tendo trazido assentos decentes. Talvez pensassem que o rei providenciaria algo, apesar da negligência deles. O rei, aborrecido diante do descuido deles, mostrou-lhes que eles mesmos se tinham munido de assentos inadequados. Essa parábola tem por intuito ilustrar como, no após-túmulo, as almas dos homens encontrarão, na Geena, exatamente aquilo que proveram para si mesmos. Em outras palavras, a lei da colheita segundo a semeadura, ilustrada por meio de um relato interessante, mas comum. (Eclesiastes Rabba, 3:9,1).

Outra parábola rabínica informa-nos a razão pela qual Abraão é chamado de «a rocha de que fostes cortados» (Isa. 51:1; *Yalqut* sobre Núm. 7:66).

Certo rei queria construir um edifício. Mas, conforme cavava, encontrava apenas lama. Somente quando cavou muito fundo chegou a uma rocha que serviria de fundação. Por igual modo, no trato espiritual de Deus com os homens, não foi fácil encontrar uma provisão adequada para o seu templo espiritual. Mas Deus encontrou Abraão, que servia a esse propósito. É óbvio o paralelo com Mat. 16:18. Abraão foi o alicerce da comunidade judaica. Pedro e os demais apóstolos foram a fundação da Igreja neotestamentária (ver Efé. 2:20). Todavia, no sentido absoluto, Cristo é o grande alicerce da Igreja (ver I Cor. 3:11). Mas, em um sentido secundário (em que a salvação não está envolvida), os líderes principais da Igreja são fundamentais. Em I Enoque encontramos ensinos parabólicos nos caps. 40-71, pelo que esse método didático penetrou nos livros do período intermediário entre o Antigo e o Novo Testamentos.

VI. Os Propósitos das Parábolas

Os hipercalvinistas têm explorado muito o texto de Mar. 4:10-12, que indica que Jesus usava parábolas com a finalidade de ocultar a verdade, em vez de revelá-la. Porém, esse versículo deve ser considerado no contexto do «julgamento judicial». Os ouvintes de Jesus com freqüência mostraram-se hostis às suas palavras. Por aquela altura de seu ministério, ele fora rejeitado, embora ainda não tivesse sido crucificado. Isso posto, a verdade foi escondida daqueles que se recusavam a ouvir e ver. Quando algum ensino espiritual é rejeitado, o rejeitador torna-se mais calejado do que antes, embora com menos desculpas pela sua atitude. Deixar de compreender a Cristo é deixar de compreender as suas verdades; mas ele veio buscar e salvar (Luc. 19:10), o que significa que ele deve ter vindo para ensinar claramente aos homens o caminho da salvação. Não é concebível que ele tenha vindo para enganar àqueles por quem morreu (I João 2:2). Isso posto, quando os homens mal entendiam a Cristo, isso era conseqüência das atitudes negativas deles, um aspecto da lei da colheita segundo a semeadura.

A mente humana compreende facilmente uma história. Muitos conceitos são complexos e parcialmente ambíguos, ou mesmo duvidosos. Sempre será mais difícil apreender o intuito de um conceito do que uma história ilustrativa. De fato, as ilustrações ajudam-nos a aclarar e fixar conceitos em nosso entendimento. Ao interpretarmos as parábolas de Jesus, devemos evitar dois extremos; supercomplicação e supersimplificação. Em toda parábola há uma lição central; mas, algumas vezes, detalhes secundários também envolvem sentidos especiais. Contamos histórias aos nossos filhos pequenos, e eles as entendem com facilidade. Mas ensinamos conceitos aos estudantes universitários.

Bibliografia. AM E LA(2) LINN ND NTI TI WA(2)

PARÁBOLA, CONHECIMENTO COMO

Ver **Símbolo e o Conhecimento**.

PARACELSO

Suas datas foram 1490-1541. Ele foi um médico suíço, nascido em Einsiedeln. Ele era, principalmente, um autoditada. Viajou muito. Fez algumas descobertas no campo da medicina. Interessava-se fortemente pela alquimia, pela *Cabala* (vide), pelo neoplatonismo e pelo gnosticismo.

Idéias:

1. O homem é um microcosmo que corresponde ao macrocosmo externo. Todos os aspectos da natureza humana têm uma contraparte no mundo da natureza. A esse conceito ele chamava de «assinaturas»: uma coisa é a assinatura da outra.

2. A natureza inteira, incluindo o homem, caracteriza-se por uma criatividade dinâmica e incansável. O crescimento inevitavelmente emerge da decadência; a morte procede da vida; a vida procede da morte; os ciclos da reencarnação restauram todas as coisas; o mundo opera por meio de opostos, onde a vida e a morte, o masculino e o feminino, são exemplos importantes.

3. Deus é a origem de todas as coisas; a matéria crassa torna-se em matéria-prima, e o princípio de separação resulta em todas as coisas que existem. Então todas as coisas retornam a Deus, conforme os ciclos rolam. Nisso temos uma espécie de emanação pulsante, que vai e vem, como as marés.

4. Paracelso apresentou uma análise alquímica da natureza que, surpreendentemente, assemelha-se muito à análise química das funções do corpo físico, ultrapassando em muito às idéias de seu tempo. Isso posto, ele foi um dos iniciadores da ciência moderna. Porém, os seus interesses pela astrologia, pela alquimia e pelas especulações teológicas foram um outro lado de sua personalidade.

Escritos. Archidoxis; Four Treatises of Tehophrastus of Hohenheim; Philosophia Sagax.

PARACLETOS

João 15:26: *Quando vier o Consolador, que eu vos enviarei da parte do Pai, o Espírito da verdade, que do Pai procede, esse dará testemunho de mim;*

Nos capítulos catorze a dezesseis deste quarto evangelho é apresentado um grupo de declarações concernentes ao prometido *paracletos* (alguém enviado juntamente com outrem, a fim de ajudá-lo), o que é uma referência ao Espírito Santo. Quatro dessas declarações incluem a palavra grega *paracletos*, a saber, João 14:15-17; 15:26,27; 16:5-11; 25:26. E uma quinta declaração é similar, falando em termos definidos sobre o Espírito Santo, embora sem usar a palavra *paracletos* nas descrições ali expostas.

O vocábulo grego «paracletos» tem sido variegadamente traduzido e interpretado, como segue:

1. *Consolador*, como nas traduções KJ, AA, AC e IB. Isso faz parte do sentido da palavra, mas certamente não o esgota. O Espírito Santo veio a fim de consolar, mas também veio para muito mais do que isso.

2. Alguns intérpretes, seguidos por algumas traduções, como a tradução inglesa RSV, preferem *Conselheiro* como tradução. Isso também faz parte da significação do termo grego «paracleto», porquanto o Espírito Santo veio da parte de Deus Pai a fim de instruir, ensinar e aconselhar aos crentes.

3. A tradução inglesa NE diz *Advogado*, e isso também é um sentido possível, pois, na realidade, é o sentido mais primitivo do vocábulo grego, mas que se encontra também no grego helenista, bem como nos escritos de Josefo e de outros autores antigos. No trecho de I João 2:1 o termo é usado para indicar a pessoa de Cristo, onde a melhor tradução parece ser «advogado», posto ser Jesus Cristo o nosso justo advogado. Por semelhante modo, embora a palavra *paracletos* não seja usada, o Espírito Santo é apresentado como nosso «advogado», em Rom. 8:26,27. Portanto, temos neste terceiro caso uma interpretação legítima quanto ao ministério do Espírito Santo, embora imcompleta.

4. As traduções em inglês WM e GD dizem *Ajudador*. Temos a impressão de que essas traduções acertaram em cheio na escolha desse termo como tradução do vocábulo grego *paracletos*. Isso porque, em todos os sentidos, ele é o nosso Ajudador, no consolo, nos conselhos, em nossa defesa como filhos que estão sendo conduzidos à glória. Acrescente-se a isso o fato de que essa tradução concorda com a significação básica da palavra grega, derivada de «para» (para o lado de) e «Kaleo» (chamar), ou seja, alguém chamado ou convocado para o lado de outrem, a fim de ajudá-lo. (Quanto a outros detalhes sobre essa questão, ver as notas relativas a João 14:6 no NTI).

«O Espírito que ele envia para nós, é um Espírito vigoroso, que apela poderosamente para nós. Ele envolve, reaviva e revigora; infunde um novo coração e uma nova coragem nos descoroçoados; e, fazendo se reunirem as fileiras dispersas, capacita-nos a arrancar a vitória da própria derrota». (Arthur John Gossip, *in loc.*, referindo-se a João 14:16).

Ó Divino Preceptor,
Mostra-nos o Salvador!
Ó tu, bom Consolador,
Enche-nos de santo amor...
......
Vem Espírito veraz,
Esta escuridão desfaz;
Encha o mundo a tua luz,
Guie todos a Jesus.
(John Law)

Augusto Mestre! teu poder
Sublime, imenso e eficaz,
Opere em nós, faz exercer
As leis da santidade e paz;
E subirá nos altos céus
Culto que agrade ao eterno Deus.
(Kalley)

O vocábulo grego *paracletos* é utilizado exclusivamente nos escritos de João, em todo o Novo Testamento, em João 14:16,26; 15:26; 16:7 e I João 2:1. Mas a idéia de que o ministério do Espírito Santo consiste em ajudar ao crente, aparece em muitas passagens, por todas as Escrituras, embora figure especialmente nas páginas do N.T.

PARADIGMA

Essa palavra vem do grego **paradeigma**, «padrão», «modelo», «plano». Platão usou essa palavra para indicar suas *idéias* ou *formas*. Ver sobre os *Universais*. Neste mundo, tudo (as coisas às quais ele chamava de *particulares*) não passa de imitações dos paradigmas. — Estes são constantes, eternos, perfeitos e existem independentes do tempo. Os particulares, por sua vez, estão em estado de fluxo, sendo temporais e meras imitações da realidade.

Na filosofia moderna, o termo «paradigma» passou a indicar a solução de algum argumento. Kuhn afirmava que as teorias científicas são construídas em redor de paradigmas básicos; e deu o exemplo do sistema solar, modelado segundo a natureza do átomo. Mas as mudanças nas teorias científicas e o avanço dos descobrimentos fazem alterar os paradigmas, ou seja, os modelos científicos que norteiam o pensamento. O grande paradigma cristão é o Cristo-Logos, em cuja imagem estamos sendo transformados. A fé dos hebreus tinha certos paradigmas fundamentais que acharam cumprimento na pessoa de Cristo.

PARADOXO

Ver os dois artigos separados que são importantes

PARADOXO

no tocante aos paradoxos: *Zeno, Paradoxos de* (relativo à filosofia); e *Polaridade* (relativo à fé religiosa e às nossas maneiras de conhecer e compreender as coisas).

Referências a Certos Pontos. Em outros artigos, temo-nos referido à questão dos paradoxos e temos mencionado o presente artigo. Os números referidos estão localizados na seção II. A. B. C.

Esboço:
I. O Termo
II. Na Filosofia
III. Na Teologia

I. O Termo

Duas palavras estão combinadas nesse termo, os vocábulos gregos *pará*, «contra», e *doksa*, «opinião». Daí resulta a idéia de que um paradoxo é uma idéia autocontraditória, ou pelo menos, assim parece sê-lo. No uso comum, um paradoxo pode ser alguma idéia contrária à opinião aceita, contrária ao bom senso, ou, meramente, contraditória. Na teologia, um paradoxo é um ensino que parece ser autocontraditório, conforme ilustrei na seção III, abaixo. Um paradoxo também pode ser uma idéia ou uma declaração aparentemente absurda, mas que, na realidade, exprime uma verdade. Ou, então, declarações ou idéias que, efetivamente, são absurdas e falsas, e, portanto, «inacreditáveis».

II. Na Filosofia

A. Paradoxos têm sido formulados a fim de provar algum ponto de vista contrário, devido ao alegado absurdo de uma idéia exposta.

1. Nessa classe temos os *paradoxos de Zeno*, bem como aqueles do filósofo chinês *Hui Shi*. Ver os artigos sobre ambos, quanto a explicações; mas especialmente sobre *Zeno, Paradoxos de.* Ver também acerca do filósofo indiano, *Nagarjuna.*

B. Filósofos megarianos e estóicos. Nas filosofias deles surgiram os paradoxos lógicos e semânticos. Esses paradoxos foram considerados *insolubilia*, por filósofos posteriores, isto é, dilemas que não podem ser solucionados.

2. *Epimênides*, um filósofo cretense, apresentou um belo paradoxo quando expôs o «paradoxo do mentiroso». Se um mentiroso disser: «Se estou mentindo, estou dizendo a verdade?» Na verdade, não temos certeza sobre o que pensar então. Epimênides era cretense; e, conforme era sabido, todos os cretenses eram mentirosos. E assim, quando Epimênides afirmou que todos os cretenses são mentirosos (e ele mesmo era cretense), estaria ele dizendo a verdade?

Paulo fez alusão a essa debilidade dos cretenses, ao escrever: «Foi mesmo dentre eles, um seu profeta, que disse: Cretenses, sempre mentirosos, feras terríveis, ventres preguiçosos» (Tito 1:12). Essa foi uma citação extraída dos escritos de Epimênides de Cnossos. É interessante que aqui Paulo tacha-o de *profeta*. No NTI dou notas completas sobre esse homem, e antigas referências literárias a ele. Paulo parece que pensava que Deus levantara certos indivíduos, entre os pagãos, para testificarem aos povos, a despeito do fato de que tais homens não eram nem judeus e nem cristãos. A Igreja oriental sempre tomou essa posição, acompanhando as declarações dos pais da Igreja. Para eles, o Logos implanta por toda a parte as suas sementes, os *lógoi spermátikoi*.

3. *P.E.B. Jourdain* procurava confundir-nos quando escreveu, em uma das faces de um cartão: «A sentença do outro lado deste cartão é verdadeira». Virando o cartão, achava-se a declaração: «A sentença do outro lado deste cartão é falsa». Assim, que cada um faça a sua escolha. Provavelmente, Jourdain estava mentindo, em ambos os lados do cartão.

4. *Os Paradoxos de Greeling*. Os lógicos dizem coisas que não podemos entender. Assim, se o leitor vier a perder o rumo, no pequeno parágrafo que citamos aqui, não se sinta infeliz. Esses paradoxos distinguem entre *predicados* que têm propriedades que eles denotam e *predicados* aos quais faltam essas propriedades. Para exemplificar, «polissílabo» e «monossílabo». O primeiro tipo é chamado «autológico», e o segundo tipo, «heterológico». O grupo de predicados autológicos possuirá, então, as propriedades que eles denotam, ao passo que o grupo de predicados heterológicos não têm as propriedades que denotam. A questão que então surge é se o predicado «heterológico» é autológico ou heterológico.

5. *Bertrand Russell* aumentou nossa perplexidade ao falar sobre o paradoxo de pertencer a uma classe, também chamado de *paradoxo de Zermelo*, de acordo com o filósofo desse nome. Russell distinguiu entre classes que são membros de si mesmas e classes que não o são. A classe dos *lápis* não é um membro de si mesma, visto que a classe não é um lápis; mas a classe das coisas compreensíveis parece ser uma classe em si mesma, visto que tal classe é compreensível. Levanta-se a questão concernente à classe de todas as coisas que não são membros de si mesmas! Esse classe é um membro de si mesma, ou não?

6. *O Paradoxo Burali-Forti.* Esse é um paradoxo matemático, que diz respeito ao número ordinal maior; ou pode ser um paradoxo de Russell, concernente ao número cardinal maior; ou pode ser um paradoxo de Richard acerca de números reais, definíveis e indefiníveis; ou ainda um paradoxo de Konit, no tocante ao mínimo número ordinal indefinível.

C. Sugestões quanto a Soluções.

7. *Os paradoxos de Zeno* podem ser chamados de pseudoparadoxos, que dependem da fraqueza de nosso conhecimento acerca de infinitudes e da divisão artificial das coisas em um número infinito, o que, afinal de contas, não faz muito sentido. Além disso, uma flecha atirada pode atravessar um número infinito de unidades do espaço se houver, de modo correspondente, um número infinito de unidades de tempo que lhe permitiam fazê-lo.

8. *Os paradoxos semânticos e lógicos* usualmente envolvem um círculo vicioso de linguagem ou expressão, no qual caímos e não mais podemos sair. Definições próprias e predicativas não deveriam ter permissão para referir-se a uma classe inteira, da qual o termo que estiver sendo definido seja membro. Se o fizermos, ver-nos-emos envolvidos na chamada *falácia do círculo vicioso*. As sentenças devem referir-se a outras coisas, e não a si mesmas.

9. *Strawson* foi um homem corajoso quando ofereceu uma solução ao paradoxo do mentiroso. Ele procurou convencer ao mundo filosófico que os termos «verdadeiro» e «falso» não são termos *descritivos*, e, sim, termos *performativos*. De acordo com ele, pois, dizer-se que uma sentença é *verdadeira* é dizer somente que estamos concordando com uma sentença; mas se ela exprime, realmente, uma verdade já é coisa bem diferente. Em conseqüência, dizer que uma sentença é verdadeira equivale a dizer «*ditto*» (que quer dizer, «a mesma coisa repetida», do latim, *dictum*). Mas dizer «ditto» não determina se algo é, realmente, correspondente à verdade. Isso posto, embora fosse um cretense, Epimênides pode ter dito a verdade ao afirmar que todos os cretenses são mentirosos. Por outro lado, como podemos ter certeza? Afinal, Epimênides era cretense!

PARADOXO

III. Na Teologia

1. *Declaração Geral*. As pessoas odeiam complicações que perturbem seus sistemas. Todas as teologias sistemáticas procuram eliminar os paradoxos. Não obstante, o conceito de *paradoxo* é importante na teologia. Um paradoxo nos deveria levar a fazer a seguinte admissão: «Lamento, mas não sei como dar uma resposta lógica e isenta de dificuldades a este problema». A dificuldade é que os teólogos não gostam de fazer tal admissão, por não terem explicações lógicas para tudo. E o resultado é que as explicações lógicas que oferecem são pseudo-explicações, apesar do fato de que são capazes de convencer a seus estudantes de que solucionaram todos os problemas dentro e fora do céu. Muitos teólogos são pessoas de visão estreita. Deveriam ser forçados a estudar filosofia, que amplia a visão. Alguns teólogos são extremamente arrogantes acerca de seus sistemas. Daí é que têm surgido inúmeras denominações cristãs, cada qual afirmando ter-se aproximado mais da verdade do Novo Testamento do que as demais. A humildade sempre é melhor do que a arrogância, quando estudamos questões teológicas. De fato, só Deus não conhece paradoxos em sua teologia. Todos os teólogos humanos têm que admitir certo número de paradoxos em seus sistemas. Isso farão aqueles que ainda não reduziram sua *teo*logia a *humano*logia.

2. *Definições*. Um «paradoxo», no terreno da teologia, é algum ensino aparentemente autocontraditório. Quase sempre, um paradoxo tem dois pólos que parecem irreconciliáveis. Os teólogos sistemáticos, pois, procurando solução, anulam um dos pólos; mas o que eles não entendem é que isso deixa a verdade truncada. Aí surge algum outro teólogo que resolve anular o outro pólo!

Os teólogos assumem a tarefa de mostrar que os paradoxos não são autocontraditórios. Mas eles só conseguem convencer a si mesmos, e a seus alunos particulares. Enquanto não formos vastamente mais inteligentes do que somos agora, e enquanto nosso conhecimento não for quase infinitamente superior do que é atualmente, não poderemos escapar dos paradoxos filosóficos e teológicos. Pensar que a linguagem humana pode reduzir a verdade a proposições perfeitamente lógicas é algo por demais absurdo para merecer a nossa consideração. Uma das coisas que o *misticismo* (vide) nos tem ensinado é que há experiências espirituais que ultrapassam as categorias da intelecção humana, sendo experiências essencialmente inefáveis, que não podem ser expressas em termos da linguagem humana.

3. *Alguns Paradoxos Teológicos:*

Deus. Qualquer tentativa para explicar o *Mysterium Tremendum* (vide) que é Deus automaticamente envolve-nos em uma série de paradoxos. Deus é pessoal ou impessoal? e como? Deus é imanente ou transcendental? e como? Deus é infinito, mas manifesta-se de modo finito? e como? Deus é eterno mas governa um mundo temporal? e como? Qual *síntese* verdadeira desses problemas acha-se na Mente divina, mas não na mente humana. Os homens têm teses e antíteses. Para efeito de harmonização, as teologias sistemáticas ignoram alguma tese ou antítese. Mas não são capazes de elaborar uma síntese apropriada. Somente Deus sabe qual é a síntese de certos problemas.

Além disso, encontramos dificuldades com as explicações antropomórficas que os homens oferecem, na tentativa de explicar Deus. Mas essas explicações expõem um super-homem, e não um Ser transcendental. Para ajudar nessa fraqueza de definição, os homens ajuntam seus *omnis*, «onipotente», «onipresente», etc. Mas, nenhum de nós realmente compreende a infinitude, e usamos essas palavras para esconder nossa ignorância com declarações aparentemente profundas.

Se **perguntarmos a um teólogo** qual a natureza básica de Deus, e de sua espiritualidade e **essência**, veremos, surpresos, o quão pouco ele sabe e tem a dizer a respeito; e o que ele disser, será eivado de paradoxos. Os teólogos são capazes de falar com maior desembaraço sobre as obras de Deus; mas, quando tentam explicar a essência divina, falta-lhes o conhecimento necessário para dizerem coisas de grande peso. Falamos também sobre o *espírito*. Sabemos que se trata de algo bem diferente da matéria; mas não podemos apresentar boas definições nem da matéria e nem do espírito. E em seguida, quando procuramos dissertar sobre o Espírito Absoluto, ficamos essencialmente vazios de descrições; e mesmo quando conseguimos balbuciar alguma coisa, isso fica muito aquém da realidade dos fatos. Somente aqueles que são filosoficamente ingênuos não conseguem reconhecer essas dificuldades.

4. *Saímo-nos um pouco melhor quando falamos sobre o homem*. O homem é espírito e matéria. E a experiência humana e o misticismo, de modo geral, têm-nos dado mais descrições sobre o homem do que sobre o Ser divino. Apesar de continuarmos incapazes de definir a essência da alma, pelo menos podemos dizer algumas coisas significativas sobre a existência humana, expondo demonstrações razoáveis. Ainda assim, o homem é um paradoxo para si mesmo. Nosso conhecimento científico não tem contribuído grande coisa para dispersar os mistérios que circundam o ser humano, a sua origem, a sua vida presente e o seu destino.

5. *A Doutrina do Deus-Homem*. Falamos aqui sobre o Logos encarnado, chamado Cristo, em sua missão messiânica. Para nós, isso constitui um paradoxo. Aceitamos mediante a fé, de alguma maneira inexplicável, que o divino e o humano fundiram-se em um único ser, Cristo Jesus. Podemos descrever a natureza humana dele; e, até certo ponto, estamos nos atrevendo a descrever a sua natureza divina. Mas até hoje ninguém descobriu uma maneira muito inteligente de esclarecer como essas duas naturezas, tão diferentes entre si, podem **coexistir** em uma única pessoa. A Igreja tem lutado muito com a questão da *cristologia* (vide), e tem provido algumas úteis definições; mas a maior parte dessa atividade é apenas a tentativa de explicar o inexplicável.

6. *O Problema do Determinismo versus Livre-Arbítrio*. A questão é a relação entre essas duas realidades. Na história eclesiástica vemos denominações separarando-se de outras em torno dessa questão. Há grupos ferrenhos defensores do divino determinismo e há outros que morrem pelo livre-arbítrio humano. A verdade é que as Escrituras ensinam ambas as coisas, mas nunca tentam reconciliar esses dois conceitos. A reconciliação, Deus reservou-a para si mesmo! Precisamos do poder divino para determinar as coisas. Ninguém poderia ser transformado à imagem de Cristo (ver Rom. 8:29) sem o poder predestinador de Deus. O reverso da questão é que Deus não nos transforma em autômatos mecânicos, pois a verdade é que o livre-arbítrio humano está à base da responsabilidade moral do homem. É praticamente impossível dizermos qualquer coisa de significativo acerca dessa responsabilidade moral do homem, a menos que incluamos a verdade do livre-arbítrio humano. Assim, o *deter-*

PARADOXO — PARADOXO DO RELÓGIO

minismo (vide) é a tese; o *livre-arbítrio* (vide) é a antítese. E constitui um autêntico suicídio teológico quando alguém simplesmente elimina uma outra dessas facetas da verdade revelada.

Entrementes, os homens continuarão disputando, sem dúvida ainda por muito tempo. Mas isso não resolve coisa alguma. A teologia deveria ser uma aventura de fé, e não um campo de batalha onde idéias parciais se entrechocam. Indivíduos carnais vivem numa polêmica ignorante constante. Mas aqueles que, pela fé, aventuram-se a descobrir a verdade, deleitam-se com aquilo com que descobrem. Coisa alguma é tão deleitável à mente como examinar uma questão de muitos ângulos, mas sem lhe descobrirmos a solução final. É aí que verificamos que uma Mente muito maior do que a nossa está por detrás dessas questões reveladas. Há uma certa arrogância da parte daqueles que encontram soluções baratas para os mistérios da revelação. Somente porque alguém pode prover um nome famoso, de algum pensador que imaginou ter solucionado paradoxos (como Calvino, que anulou a antítese do livre-arbítrio humano, e terminou somente com a tese do divino determinismo), isso não quer dizer que foi realizada qualquer coisa significativa. Por sua vez, o arminianismo anulou a tese do determinismo, e preservou a antítese do livre-arbítrio, e acabou cometendo erro idêntico ao de Calvino. Quanto à síntese desse paradoxo, por enquanto ela existe somente na Mente divina. Naturalmente, é possível que, conforme nossa espiritualidade for crescendo, talvez enquanto ainda somos mortais (mas muito mais certamente quando já tivermos recebido a imortalidade), que certos paradoxos venham a ser solucionados. Mas, antes disso, as soluções fabricadas nos deixarão espiritualmente famintos.

7. *Uma Útil Citação.* «Por causa da diversidade e complexidade da realidade e também em face das limitações da finita e pecaminosa razão humana, os melhores esforços do homem para vir a conhecer a realidade, levam-no tão-somente a produzir verdades igualmente razoáveis (ou aparentemente razoáveis), posto que irreconciliáveis (ou aparentemente irreconciliáveis). *Nesses casos, os homens aproximam-se mais* da verdade quando defendem *ambos os lados* de qualquer questão paradoxal, em vez de defenderem apenas um lado ou outro da mesma questão» (B, os itálicos são meus).

8. *Consolo Mental.* Os homens geralmente buscam mais o consolo mental do que mesmo a verdade, ainda que a maioria não reconheça isso. Contudo, o consolo mental jamais será equivalente à verdade. Apesar de que certas verdades não sejam esclarecidas como um presente da parte de Deus, quase todas as verdades reveladas podem ser comparadas a uma mina de pedras preciosas. É mister que cavemos fundo, fazendo um esforço diligente para entendê-las. Outra ilustração é que as verdades bíblicas são como um campo que só produz seus deliciosos frutos quando cultivado mediante árduo labor. Ninguém pode solucionar os grandes mistérios mediante o simples manuseio de textos de prova da Bíblia, e quanto menos quando o fazemos para destacar *nossas* interpretações favoritas desses mesmos textos! Declarou Tertuliano: «**Creio porque é absurdo!**» Com isso ele quis dizer que é uma estupidez de nossa parte supor que a verdade divina precisa corresponder ao nosso raciocínio humano. É verdade que há verdades assim; mas há verdades que estão acima do nosso alcance!

9. *Martinho Lutero,* contrariando os eruditos da Sorbonne, defendeu a existência de verdades duplas, isto é, paradoxos dentro da revelação divina, em contraposição a contradições meramente aparentes, que poderiam ser solucionadas se os homens continuassem a refletir sobre os problemas.

10. *Na teologia moderna,* os paradoxos ocupam posição proeminente nos escritos de certos autores. Soren Kierkegaard, Karl Barth, Reinhold Niebuhr, além de outros, têm percebido a inevitabilidade dos paradoxos. O Deus infinito, que vive fora do tempo e não pode ser sondado, estendeu a mão à mente humana, que é finita, limitada e vive dentro do tempo. Com freqüência, pois, somente os olhos da fé são capazes de divisar algo, onde o intelecto falha totalmente. A fé tateia a verdade real em idéias e circunstâncias; e essa fé é capaz de transformar-nos a vida. A fé compreende que somente a Mente divina tem a síntese dos paradoxos. Isso significa que essa síntese está à nossa disposição; mas talvez não para esta vida, não para o homem ainda em sua mortalidade. Ver o artigo separado intitulado *Dialética, Teologia da.*

11. *Paradoxos Relativos à Onipotência e Onipresença de Deus.* Ver os artigos separados intitulados *Onipotência, Paradoxos da; e Onisciência, Paradoxos da.*

12. *Polaridade.* Ver o artigo separado sobre essa questão. Durante milênios os homens pensaram que a terra é chata e quadrada, e não tinham qualquer conceito da redondeza da terra e dos pólos. Somente depois que a ciência avançou consideravelmente, descobriu-se que a terra é uma esfera e que tem pólos opostos. Se algum explorador desse uma boa descrição acerca de um dos pólos, digamos, o pólo Norte, teria feito um bom serviço; mas, se ele afirmasse que o globo terrestre tem apenas aquele pólo, teria prestado um desserviço. No entanto, muitas teologias, quanto a questões críticas, reconhecem apenas um pólo, quando há *dois:* o lado divino e o lado humano. O homem que reconhece os *opostos* quanto a certas verdades fundamentais e procura expor descrições sobre *ambos*, — talvez com alguma tentativa de reconciliação, é um homem que está bem mais perto da verdade do que aquele que apresenta uma boa descrição sobre um só dos pólos, mas ignorantemente supõe que esse pólo não tem o seu oposto natural. Schelling avançou a idéia de uma polaridade básica em Deus, naquilo que é um contraste permanente e eterno *dentro* de Deus. Será difícil alguém provar que Schelling não estava com a razão. (B C EP P)

PARADOXO DA FLECHA VOADORA
Ver o artigo sobre **Zeno, Paradoxos de**.

PARADOXO DO RELÓGIO
A teoria da **relatividade** afirma que o tempo, e, portanto, os relógios, passa ou funcionam mais lentamente, em velocidades que se aproximam da velocidade da luz, quando observados de um ponto de referência fixo. Assim, se gêmeos idênticos fizerem uma viagem ao espaço, aquele que viajar quase à velocidade da luz retornará mais jovem que seu irmão gêmeo. Porém, quando alguém leva em conta a aceleração envolvida na ascensão, e a desaceleração envolvida no retorno, então um gêmeo não voltará mais velho do que o outro. Acelerações e desacelerações não fazem parte da teoria espacial envolvida nessa idéia de paradoxo do relógio. (F)

••• •••

PARADOXOS DE ZENO — PARAÍSO

PARADOXOS DE ZENO
Ver o artigo sobre **Zeno**.

PARAÍSO

Esboço:
I. O Vocábulo
II. No Antigo Testamento
III. Nos Escritos e Pensamento Posteriores Judaicos
IV. No Novo Testamento
V. Homens que Ingressam no Paraíso

I. O Vocábulo
Essa palavra portuguesa vem do antigo termo iraniano *pairidaeza*, «jardim», cercado por algum muro ou sebe. A transliteração dessa palavra para o grego tornou-se a base da palavra moderna. No grego temos *parádeisos*. Xenofonte usou o termo para indicar os jardins dos reis persas. A Septuaginta traduziu a expressão hebraica *gan 'eden*, «jardim do Éden», por essa palavra grega, em Gên. 2:8. Com base nessa circunstância é que a palavra adquiriu as conotações de paz e esplendor, mesmo quando o paraíso celeste não está em vista.

Usos Progressivos. Um jardim terrestre, físico, literal; o estado intermediário de almas que ainda não entraram no céu, mas que merecem ocupar um lugar muito agradável da existência. Isso foi estendido a vários lugares intermediários; o próprio céu, ou o céu dos céus, ou um dos céus inferiores, em contraste com a habitação de Deus, que fica no céu dos céus; por extensão popular, essa palavra indica qualquer lugar ou condição deleitosa, terrestre ou celestial.

II. No Antigo Testamento
Na versão da **Septuaginta** (vide), essa palavra aparece logo em Gên. 2:8, para indicar o jardim do Éden. O texto hebraico, entretanto, só contém a palavra hebraica *pardes* em Nee. 2:8, onde alude a uma floresta que servia de suprimento de madeira para Neemias. E o trecho de Ecl. 2:5 usa-a a fim de referir-se a um jardim ou parque com muitas árvores; e Can. 4:13 refere-se à esposa como um pomar (paraíso) de romãs, dotado de toda espécie de fruto delicioso. Na Septuaginta, novamente, a palavra é empregada por mais duas vezes: em Gên. 13:10, que descreve o frutífero vale do rio Jordão, que era como o jardim do Senhor; e o jardim do Éden, antes do dia do julgamento, em Joel 2:3.

III. Nos Escritos e Pensamento Posteriores Judaicos
É deveras curioso ver quão pouco o Antigo Testamento tem a dizer sobre o estado dos seres humanos após a morte física. O texto mais instrutivo ali é o de Dan. 12:2,3, que ensina a ressurreição geral: alguns irão para a vida eterna, e outros para a condenação e vergonha eternas: os sábios resplandecerão para sempre, como o brilho celeste, e aqueles que encaminharam outros à retidão refulgirão como as estrelas. Muitos eruditos estão convencidos que esses pensamentos do livro de Daniel refletem a teologia judaica helenista; e então, por essa e irias outras razões, atribuem a esse livro uma data posterior. A questão é ventilada no artigo sobre o livro de *Daniel*. Ver o artigo intitulado *Estado Intermediário*.

Apesar dos livros apócrifos muito expandirem as questões escatológicas, ainda assim temos ali bem pouco acerca do paraíso. A tradição judaica posterior localiza o paraíso como uma habitação dos mortos justos, situada no hades, embora isso não transpareça claramente nos livros apócrifos. O trecho de II Esdras 7:36 associa a Geena ao paraíso: «A fornalha da geena (inferno) será desvendada, e defronte da mesma fica o paraíso de deleites». Esse desenvolvimento prossegue nos livros pseudepígrafos, embora não seja usado necessariamente o termo «paraíso». I Enoque é livro que fala em um céu de múltiplos níveis, ou seja, um paraíso em gradação.

A literatura rabínica não usa a palavra com um único sentido. Algumas vezes, ela indica a habitação geral dos justos, como equivalente ao lado bom do hades, ou, talvez, um lugar além do mesmo, mais ou menos equivalente ao céu. Outras vezes, o paraíso é referido como o terceiro céu, uso esse que Paulo seguiu no Novo Testamento (ver II Cor. 12:2,3); mas esse não é o lugar da habitação de Deus, e sim um lugar de menor glória. Ainda noutras ocasiões, o paraíso é chamado de «seio de Abraão», uma expressão aproveitada por Lucas (16:19-21); mas este autor, usando o termo específico, «paraíso», refere-se ao lugar para onde Cristo iria após a morte, e com Quem o ladrão penitente se encontraria ainda naquele mesmo dia (Luc. 23:43). Isso poderia referir-se, como é óbvio, ao lado aprazível do hades, embora possa indicar o «céu».

A tradição rabínica falava sobre oitocentas mil espécies de árvores frutíferas que adornariam o paraíso, cujos frutos transmissores de vitalidade nunca deixam de ser produzidos. Naturalmente, esse simbolismo foi copiado pelo autor do livro de Apocalipse, em sua cena sobre o céu (cap. 22). Todavia, entre aquelas tradições havia algumas idéias ridículas, como aquela que assevera que o Éden (o paraíso terrestre) continuava existindo neste mundo físico, embora oculto do homem. E elas chegavam a imaginar que as almas dos justos vão para lá. Mas, afinal, isso não é tão estranho, quando nos lembramos que os antigos também localizavam o hades (tanto a parte boa quanto a parte má) no centro da terra; e isso mostra que suas noções não ascendiam muito quando eles falavam da vida após-túmulo. Os judeus tradicionalistas também pensavam que o Messias tem a chave que abre o paraíso, e que, por ocasião de sua vinda, ele restaurará o jardim do Éden entre os homens.

IV. No Novo Testamento
O Novo Testamento dá prosseguimento a algumas idéias típicas do judaísmo helenista.

O Paraíso No Novo Testamento
No Novo Testamento há apenas três usos.

1. Em II Cor. 12:4 o *terceiro céu* (um dos lugares celestiais) é o paraíso.

2. O uso que aparece em Lucas 23:34, onde está em pauta o «lado bom» do hades.

3. O uso que figura em Apocalipse 2:7, onde o «céu» está em foco. Somente o autor do Apocalipse, dentre todos os autores do N.T., se utiliza do vocábulo «céu» no singular, constantemente. Posto que ele concebia o céu como um lugar (ou reduzia os céus a um termo coletivo, «céu»), foi natural para ele intercambiar o termo com a designação «paraíso». Paulo, entretanto, lança mão, constantemente, do plural, em consonância com a maneira de pensar dos judeus. Portanto, o terceiro céu, ou paraíso, dificilmente tem paralelo ao uso que o termo paraíso recebe no Apocalipse. Paulo não reivindica ter visto a Deus, ou ter estado no mais elevado céu. (Ver o artigo sobre *Terceiro Céu*).

O lado bom do hades é um tema explorado por Lucas, em Luc. 16:19-21 e 23:34. Mas a doutrina lucana fica aquém do ensino paulino sobre os lugares celestiais (ver Efé. 1:3). É que Lucas continuava martelando sobre idéias judaicas; e, para ele, provavelmente a boa parte do hades era o céu cristão.

É um erro supormos que todos os vários escritores do Novo Testamento tinham recebido a mesma luz sobre aquelas outras dimensões da existência. Grande parte dos ensinos do Antigo Testamento e das idéias judaicas helenistas foi meramente transportada para o Novo Testamento, com pouca modificação. Coube a Paulo trazer mais luzes sobre a vida após-túmulo, especialmente em sua doutrina da transformação dos remidos segundo a imagem de Cristo, e em sua doutrina sobre os lugares celestiais. O trecho de Efé. 4:8-10 é usado pelos intérpretes cristãos como apoio à sua idéia de que a morte e a ressurreição de Cristo foram o poder por detrás da transferência das almas salvas do bom lado do hades para o céu. E então, conforme a doutrina prossegue, a partir da ressurreição de Cristo os mortos justos partem diretamente para o céu, sem terem de fazer um estágio na boa porção do hades.

A Igreja cristã ocidental deixa a questão nesse ponto; mas a Igreja cristã oriental vê na descida de Cristo ao hades (ver I Ped. 3:18-4:6) uma oportunidade oferecida aos mortos condenados, mormente em face do fato de que o texto petrino diz que Cristo pregou no hades aos *injustos* (3:20), e essa pregação foi a do *evangelho* (4:6). Entretanto, a Igreja ocidental (Igreja Católica Romana e as suas filhas históricas, protestantes e evangélicos) continua truncando a missão de Cristo, eliminando a extensão dessa missão ao hades. Na verdade, a missão de Cristo é tridimensional: na terra, no hades e nos céus, e sempre uma missão de salvação. E isso fornece-nos o poderoso ensino que não somente o lado bom do hades foi removido para os céus—o que a Igreja cristã ocidental também ensina—mas igualmente que a missão de Cristo modificou a parte má do hades. tendo-a tornado um campo missionário! Isso constitui boas novas para o homem moderno. Ver plenos detalhes acerca dessa doutrina no artigo *Descida de Cristo ao Hades*. Não deveríamos limitar o ministério de Cristo, referido em Efé. 4:8-10, como se isso envolvesse somente a salvação. De fato a sua descida ao hades teve o mesmo propósito que a sua subida ao céu: que ele viesse a encher todas as coisas, tornando-se «tudo para todos», conforme alguém parafraseou a idéia de «preencher todas as coisas». É nesse ponto que brilha mais intenso o famoso amor de Deus. Esse amor está estreitamente vinculado ao incansável poder de Cristo. E assim, feita essa vinculação, grandes coisas tinham mesmo de ser realizadas. É um equívoco diminuirmos o escopo da missão de Cristo, mediante nossas interpretações pessimistas.

V. Homens que Ingressam no Paraíso

As tradições e a literatura judaica e cristã pintam certos homens especialmente justos como quem ingressou no paraíso, conforme se vê na seguinte declaração:

Os judeus ensinaram que existem muitos céus ou paraísos. Bem provavelmente, Paulo compartilhava esta idéia de múltiplos paraísos. Não sabemos se ele estava familiarizado ou não com o ensino de que homens santos (antes da morte) entraram no paraíso. A literatura judaica menciona nada menos de nove homens do Israel que, supostamente, teriam passado por tão admirável experiência. Esses teriam sido Enoque, Elias, o Messias, Eliezer, Hirão, Ebede, Jabez, Betias (filha de Faraó), Sara (filha de Aser) e, conforme alguns diziam, também Josué ben Levi. (Ver Derech Eretz, fol. 19.1; Zohar sobre Êxo., fol. 102.3). Entre os rabinos, pensava-se que alguns também receberam esse privilégio, como Ben Azzai, Ben Zoma e o rabino Akiba.

Além disso, temos o próprio ensino neotestamentário, que parece fazer o antigo paraíso ser eliminado, cedendo lugar ao céu cristão, ao passo que a porção má do hades continuaria como o estado intermediário das almas perdidas. Entretanto, há indícios de que a doutrina da vida no além não é assim tão simples. Parece que continuam existindo lugares intermediários de bem-aventurança e felicidade, que não são nem o «céu» e nem os «céus».

Conforme já dissemos, a escatologia ocidental tem simplificado a escatologia propondo apenas dois estados: o céu e o inferno. Porém, as evidências fornecidas por pessoas que chegaram a entrar nos estágios preliminares da morte, e têm voltado, favorecem a existência de muitos lugares intermediários, tanto bons quanto maus, e não apenas dois estados opostos. Além disso, alguns místicos nos dão informações que certamente apoiam esta idéia. Por conseguinte, — podemos continuar usando o termo *paraíso* para fazer contraste com o céu e o hades. A Igreja oriental, por sua vez, continua crendo em lugares intermediários onde os destinos dos homens não são fixados, e onde o propósito redimidor continua atuante. De fato, tais lugares existiriam para preparar os seres humanos para a vida eterna. Essa noção faz sentido. Poucas almas, podemos ter certeza, atingem a salvação em um único período de vida terrena. A provisão de Deus precisa ser mais ampla do que isso. Em caso contrário o plano de salvação terá fracassado miseravelmente. A Igreja ocidental, em seus dogmas, dá a entender que o plano de salvação realmente falhou miseravelmente, mas, quanto a mim, deixei de crer nesse ponto de vista pessimista.

Ver o artigo separado sobre *Experiências Perto da Morte*.

PARALELISMO

Ver sobre **Poesia**.

PARALELISMO (PROBLEMA CORPO-MENTE)

Ver o artigo geral intitulado *Problema Corpo-Mente*, seções III e IV. Em um sentido secundário, um paralelismo pode significar apenas que todo evento mental tem uma correlação física.

PARALELISMO PSICOFÍSICO

Esse é outro nome dado ao **paralelismo**, como aquele encontrado nos escritos de Leibnitz. Dei completas explicações sobre a questão, além de outras relacionadas ao *Problema Corpo-Mente*, no artigo sobre esse assunto. Ver também sobre *Mônada*.

PARALIPOMENON

A **Septuaginta** (vide) intitulou os livros de I e II Crônicas de *Paralipomena*. No grego, essa palavra significa «coisas omitidas». Esses livros contêm detalhes que foram omitidos nos livros de Samuel e Reis, o que explica tal designação.

PARALISIA

Ver o artigo geral sobre *Enfermidades da Bíblia*, I.30.

••• •••

PARALOGISMO — PARAPSICOLOGIA

PARALOGISMO

Essa palavra vem do grego *pará*, «além», e *lógos*, «razão». De modo geral, o termo refere-se a raciocínios falazes. O termo é especificamente ligado à filosofia de Emanuel Kant. Em sua *Crítica da Dialética Transcendental*, ele distinguiu entre os paralogismos formais e os paralogismos transcendentais. Estes últimos designam as falácias da psicologia racional, que começam com um «eu penso» da experiência, como uma *premissa*, concluindo daí que o homem possui uma alma separada, substancial e contínua. Ele expunha razões para a crença na existência da alma sobre bases morais, e não psicológicas.

PARAPEITO

Essa é a forma latinizada da palavra hebraica, *maageh*. A palavra portuguesa vem do italiano *parapetto*, «pela altura do peito». Usualmente, um parapeito era uma mureta posta na beirada de um eirado (cobertura plana de uma casa). O seu propósito era o de impedir que alguém caísse da beira do eirado. Esses eirados eram muito usados como áreas elevadas de observação e lazer, um lugar para onde as pessoas iam no final de um dia quente, a fim de relaxar (ver Deu. 22:8). Mediante essa estrutura, pois, os proprietários das casas protegiam os membros de sua família ou outros circunstantes, de caírem de cima da casa.

PARAPSICOLOGIA

Ver os artigos separados intitulados **Percepção Extra-sensorial** e **Experiências Perto da Morte**.

Esboço:

I. Definições; Informes Históricos; Escopo
II. Declaração Introdutória; Defesa
III. Conceitos Básicos Desse Campo do Conhecimento
IV. Natureza dos Fenômenos Psíquicos
V. Experiências Ilustrativas: Todos São Psíquicos
VI. Contraste com o Ocultismo
VII. Contaste com a Espiritualidade
VIII. Sua Importância para a Filosofia e a Teolgia
IX. Psi: As Funções Psíquicas e a Privação dos Sentidos
X. O Mundo Psíquico de Crianças Moribundas
XI. Avaliação Pessoal

I. Definições; Informes Históricos; Escopo

O termo **parapsicologia** tem à sua base dois vocábulos gregos, *pará*, «ao lado», e *psuché*, «alma». Esse campo de estudos, que rapidamente se vai firmando como uma ciência distinta, começou como um ramo da psicologia (o estudo da mente, dos estados mentais, etc.), indicando algo «além da psicologia, mas relacionado a ela», ou, mais literalmente, algo «lateral à psicologia», com considerações adicionais além daquelas que interessam particularmente à mesma. O termo é um virtual sinônimo para *pesquisas psíquicas*, e alguns compêndios preservam esse título. Uma outra designação é *experiências da percepção extra-sensorial*. Vários pesquisadores preferem o simples termo *Psi*, como forma abreviada de aludir a todas as formas de fenômenos psíquicos.

Muitas universidades contam atualmente com um departamento separado para o estudo dos fenômenos psíquicos; mas, nos círculos acadêmicos esse estudo teve início como um ramo da psicologia, envolvendo alegadas habilidades incomuns que as pessoas tacham de *psíquicas*, e que a ciência ortodoxa não consegue explicar, por meio de seu limitado conjunto de leis fixas, todas apontando na direção do materialismo. À medida que tais estudos têm progredido, tem-se evidenciado que nada há de raro ou incomum quanto aos fenômenos psíquicos. De fato, há poderosas comprovações em favor da tese de que todas as pessoas são psíquicas, e que as capacidades psíquicas são básicas na natureza humana. Apesar de alguns desses fenômenos poderem ser paranormais ou mesmo sobrenaturais, usualmente são perfeitamente normais, embora até bem recentemente a ciência nunca os tivesse examinado e reconhecido. Provavelmente, a maior parte dos fenômenos psíquicos envolve a *normalidade*, embora seja um equívoco supor que todos esses fenômenos são apenas naturais.

Informes Históricos. Os fenômenos psíquicos são tão antigos quanto o homem. A filosofia percebeu a importância dos mesmos muito antes da ciência começar a estudá-los. As religiões, por sua parte, sempre reconheceram que esses fenômenos existem e fazem parte da experiência religiosa. Filósofos importantes, como Fichte, Schelling, Baader, Hegel e muitos idealistas têm reconhecido a realidade e a importância desses fenômenos para a religião e a filosofia. A parapsicologia, como um campo separado de pesquisas, está entregando toda essa questão à *ciência*. E é precisamente *esse* aspecto o aspecto novo da questão. Os pioneiros na psicanálise, especialmente Freud e Jung, foram forçados a examinar tais fenômenos por se terem eles tornado parte de seu labor diário com os seus pacientes. O próprio Jung foi um psíquico de alguma nota. Freud não queria crer nesses fenômenos, até que foi testemunha de tantas evidências dos mesmos, nos seus pacientes, que, finalmente, tais fenômenos vieram a tornar-se parte integrante da psiquiatria. Freud escreveu o primeiro estudo científico sobre os sonhos, e esse trabalho teve de incluir, necessariamente, especulações quanto à natureza da telepatia e do conhecimento prévio revelado nos sonhos, porquanto esses fenômenos constantemente ocorrem na experiência humana diária.

Historicamente falando, podemos datar o **estudo científico** dos fenômenos psíquicos, quando da organização da Sociedade para Pesquisas Psíquicas. Sua sigla, em português é SPP. Essa organização foi fundada em 1882, por um grupo de distinguidos cientistas e eruditos. Seu primeiro presidente foi Henry Sidgwich. A Sociedade Norte-Americana para Pesquisas Psíquicas foi fundada em 1885. O famoso filósofo, William James, foi um de seus primeiros líderes. Muitos outros nomes de nota têm estado associados a essas duas sociedades, incluindo James Hyslop, A.J. Balfour, Henry Bergson, F.C.S. Schiller, William McDougal, Hans Driesch, C.D. Broad, H.H. Price e C.J. Ducasse.

O estudo formal e departamental da parapsicologia começou na Universidade Duke, nos Estados Unidos da América, sob a direção de J.B. Rhine, em 1930. Desde então, muitas outras universidades iniciaram esses estudos como parte do departamento de psicologia, ou mesmo formando um departamento separado, exclusivamente dedicado a tais pesquisas. Muitas outras sociedades de parapsicologia têm sido formadas, e tem sido muito significativa a participação de professores universitários. Uma dessas sociedades é *The Academy of Religion and Psychical Research*, com sede em Bloomfield, estado de Connecticut. O autor deste artigo é membro acadêmi-

PARAPSICOLOGIA

J.B. Rhine, pesquisador que foi o pioneiro no estudo científico-estatístico dos fenômenos psíquicos

Cortesia, Mary Evans Picture Library, Society for Psychical Research

PARAPSICOLOGIA

Ingo Swann, psíquico bem-conhecido que tem participado em muitas experiências científicas.

Cortesia, Mary Evans Picture Library, Society for Psychical Research

PARAPSICOLOGIA

D. SCOTT ROGO — 1950-1990

Pesquisador *por excelência* no campo dos
fenômenos psíquicos;
escritor de rara dedicação e autoridade, que
escreveu quase trinta livros, embora morresse
tragicamente com somente quarenta anos de
idade. Scott falou acerca da morte de crianças
que as pesquisas que implicam que a alma
existe e sobrevive a morte biológica o
ajudaram a não sentir «tão amargo» quanto a
tais mortes.

Igualmente, nossa confiança na imortalidade
da alma, encorajada por pesquisas científicas,
nos ajuda a não sentir tão amargos sobre
a morte inesperada de D. Scott Rogo, o
irmão de todos nós que amamos a verdade.

••• ••• •••

PARAPSICOLOGIA

••• ••• •••

É possível que existem emanações desconhecidas para nós. Lembra-se de como correntes elétricas e «ondas invisíveis» foram ridicularizadas? O conhecimento sobre o homem ainda está na sua infância.

(Albert Einstein)

•••

Da covardia que teme novas verdades;
Da preguiça que aceita meias verdades;
Da arrogância que pensa saber toda a verdade;
Ó Senhor, *livra-nos!*

(Arthur Ford)

••• ••• •••

•••

PARAPSICOLOGIA

co dessa academia e tem publicado alguns artigos em seu *Journal of Religion and Psychical Research*. Meu interesse pessoal pelas pesquisas psíquicas deriva-se de duas considerações: a importância das mesmas para a *epistemologia* (teoria do conhecimento) e para a *ontologia* (o estudo do ser, que inclui a alma humana). Sempre me senti atraído pela alma, e tenho publicado vários artigos nos quais procuro demonstrar que, cada vez mais, dispomos de evidências científicas para crer na realidade da porção imaterial do ser humano. Ver, nesta enciclopédia, os vários artigos sobre a *Imortalidade*. Um desses artigos é de minha autoria, procurando oferecer razões para a crença na existência da alma, sobre bases científicas. Ver *Imortalidade*, artigo 1, *Abordagem Científica à Crença na Alma e em sua Sobrevivência Ante a Morte Biológica*. Também publiquei dois livros em português, relacionados aos fenômenos psíquicos, que o leitor poderá achar útil. Esses livros são intitulados: *Evidências Científicas Demonstram que Você Vive Depois da Morte*; e *Como Descobrir o Sentido dos Seus Sonhos*. Esses dois volumes foram publicados pela Nova Época Editorial, SP.

Escopo. Na terceira seção, abaixo, ofereço os conceitos básicos e as esferas de atividade da parapsicologia. Obviamente, esse escopo é muito vasto. Não estou interessado, pessoalmente, nessa perspectiva muito ampla embora creia que as pesquisas devam envolver todas as áreas. A ignorância jamais nos oferece qualquer coisa de valor. Também não concordo com todos os esforços que estão sendo feitos pelas ciências materiais e exatas; mas aos homens devemos permitir que pesquisas tragam tudo à tona. Não nos devemos opor a estágios preliminares desses estudos, simplesmente porque podemos ver alguns defeitos nos mesmos. Seja como for, sob o grande guarda-chuva que se chama «parapsicologia», estão sendo investigados os seguintes assuntos: telepatia, clarividência, psicocinesia, conhecimento prévio, retrocognição, psicometria, escrita automática e outras formas de automatismo, visões, aparições, fenômenos mediúnicos, sonhos, música psiquicamente produzida, como também pintura e escrita psiquicamente produzidas, medicina psicossomática, curas por meios mentais e espirituais, fenômenos religiosos como línguas, profecia, etc, que os pesquisadores acreditam ser (pelo menos mais freqüentemente) psíquicos, e não necessariamente sobrenaturais.

Naturalmente, alguns pesquisadores, crendo que os fenômenos psíquicos relacionam-se à porção imaterial do homem, têm concentrado seus estudos sobre a faceta da sobrevivência da alma ante a morte biológica. A projeção da psique e as experiências perto da morte têm-se tornado, ali, o foco das atenções. Tenho oferecido artigos separados detalhados sobre esses assuntos, intitulados: *Projeção da Psique* e *Experiências Perto da Morte*. E, visto que a reencarnação faz parte desses fenômenos psíquicos em geral, envolvendo a retroconhecimento, esse assunto também tem sido investigado especialmente por alguns pesquisadores, mormente pelo Dr. Ian Stevenson, da Universidade de Virgínia, nos Estados Unidos da América do Norte. Ver o artigo sobre a *Reencarnação*.

II. Declaração Introdutória; Defesa

Amigos, não significa muito se formos criticados devido a alguma idéia que defendamos. Somente aqueles que são absolutamente neutros sobre tudo podem escapar dessas críticas; mas, se alguém chegar a tal neutralidade, ainda assim será criticado por essa atitude. Mas, dificilmente a verdade é determinada pelo fato dela estar sendo criticada ou não. De fato, coisa alguma é mais clara, na história da ciência, do que a observação de que todas as idéias científicas importantes foram rejeitadas a princípio; e aqueles que as apresentaram foram perseguidos. Outro tanto se dá com os pioneiros na fé religiosa.

«O maior amigo da verdade é o Tempo; seu maior inimigo é o Preconceito; sua companheira constante é a Humildade» (Charles C. Colton).

«Se a verdade fere-nos tão gravemente, à maioria de nós, que nem queremos que ela seja dita, fere ainda mais cruelmente àqueles que ousam anunciá-la. A verdade é uma espada de dois gumes, com freqüência mortalmente perigosa para quem dela faz uso» (Juiz Ben Lindsey).

«O mais ínfimo átomo de verdade representa um amargo labor e agonia de algum homem; para cada porção ponderável da verdade, há o sepulcro de algum bravo desbravador da verdade em algum monte de cinzas solitário e uma alma torrando no inferno» (H.L. Mencken).

«Deus oferece a cada mente a escolha entre a verdade e o sossego. Escolhe o lado que quiseres—não poderás ficar com ambos» (Ralph Waldo Emerson).

O material apresentado abaixo, foi escrito por mim em defesa de meus interesses pela parapsicologia. Reproduzo esse material como uma espécie de declaração geral sobre a questão.

Os Fenômenos Psíquicos

O homem é uma **psique** (um alma). Em conseqüência disso, é impossível o homem viver sem experimentar e causar fenômenos psíquicos. As evidências obtidas em laboratórios, acerca dessa declaração, têm-se tornado avassaladoras. O meu interesse sobre esse campo resulta de duas ansiedades: a. Verificar o que esses fenômenos têm a dizer sobre o conhecimento (a epistemologia). Tenho ensinado essa disciplina em algumas universidades. Sou *forçado* a ter conhecimento sobre essas coisas. b. Averiguar o que esses fenômenos podem contribuir para uma prova científica da existência da alma e sua sobrevivência diante da morte biológica.

Como é óbvio, um espírito bom ou um espírito demoníaco pode produzir esses fenômenos (telepatia, clarividência, conhecimento prévio, etc.), da mesma maneira que uma alma humana pode fazê-lo também. Mas, pode haver abusos acerca de quaisquer dessas coisas. Não há que duvidar que forças demoníacas operam nos aspectos negros do espiritismo, da bruxaria, e até mesmo dentro do moderno movimento carismático, na Igreja cristã. Porém, ali encontram-se os abusos, e não a essência desses fenômenos psíquicos. Muitos evangélicos aceitam declarações dessa ordem sem qualquer objeção. Existem formas falsas e perigosas de misticismo, acerca das quais devemos advertir às pessoas, para que as evitem. No NTI incluí um detalhado artigo precisamente sobre esse assunto, que foi escrito com um propósito em mira: *avisar*. Se os pastores e mestres no Brasil tivessem contado com o conhecimento que tenho sobre essas coisas, o movimento carismático teria sido derrotado desde o começo. Não quero dizer com isso que algumas pessoas não tenham genuínas manifestações carismáticas; porém, quanto mais examino o movimento, *como um todo*, menos fico convencido de que foi gerado pelo Espírito de Deus. Não sou contrário ao misticismo. Como poderia sê-lo? Está em pauta a questão da imanência de Deus e o que isso pode significar para a alma.

Se eu tivesse de oferecer uma defesa sobre esse assunto, tal defesa assumiria o volume de um livro. Por conseguinte, limito-me aqui a algumas poucas

PARAPSICOLOGIA

observações:

a. *M.R. DeHann* disse-me, em pessoa, que acreditava que, antes da queda no pecado, o homem dispunha de poderes psíquicos claros e abundantes; mas, um dos resultados da queda é que esses poderes foram amortecidos, levando o homem a tornar-se mais dependente de seus sentidos físicos do que antes.

b. *Os estudos no campo dos sonhos* demonstram que recebemos experiências dessa natureza o tempo todo, e não apenas ocasionalmente. Meu interesse sobre essa questão encorajou-me a escrever um livro sobre a interpretação dos sonhos. Já me foi dito, por pessoas que devem saber o que estão dizendo, que esse livro é a única obra, escrita na língua portuguesa, que acompanha a história completa das investigações científicas sobre os sonhos. Contém tudo quanto a ciência tem dito sobre os sonhos, até o ano de 1982, quando o livro foi publicado.

Sabe-se agora que todos nós recebemos entre **vinte e trinta sonhos** a cada noite. Eles ocorrem no fim de ciclos de sono de noventa minutos. A princípio, a porção de cada ciclo, ocupada com sonhos, é curta; mas, à medida que a noite avança, essa porção amplia-se. A grosso modo, a primeira parte da noite de sono revisa o presente; uma outra parte, revisa o passado; e a parte final da noite de sono passa em revista o futuro. Sonhamos durante mais de duas horas a cada noite. Nesses sonhos, a maior parte, se não mesmo a totalidade, de nosso futuro, é projetada. Assim, em um sentido não-bíblico, cada indivíduo é seu próprio profeta particular. Alguns estudiosos afirmam que sonhamos *tudo* quanto nos acontece, e que isso ocorre mediante cenários literais ou simbólicos em nossos sonhos. E isso tem sido essencialmente confirmado pelos cientistas. Estudos realizados no Maimônides Hospital, de Brooklyn, cidade de Nova Iorque, têm mostrado que é fácil influenciar o conteúdo dos sonhos de uma pessoa que dorme, mediante a concentração dos pensamentos do influenciador sobre certos assuntos. Existem sonhos criativos, sonhos psíquicos e sonhos espirituais. Para exemplificar, durante muito tempo, Charles Singer, o inventor da máquina de costura, lutou com o problema de como fabricar uma agulha que funcionasse em uma máquina de costura. A resposta lhe foi dada por meio de um sonho. No sonho, ele via-se na África. Os nativos o haviam capturado e já o tinham posto em um caldeirão de água fervente. Um dos nativos debruçou-se sobre ele e disse: «Se você não resolver esse problema, então nós vamos cozinhá-lo e comê-lo». Aquele nativo estava segurando uma lança. Singer notou que a lança tinha uma perfuração na *ponta*. Ainda quando sonhava, Singer compreendeu que havia recebido a resposta. Acordou, saltou da cama e anotou por escrito a sua descoberta. Mais tarde, preparou uma agulha com um buraco na *ponta*, o que possibilitou a invenção da máquina de costurar.

Alguns sonhos são éticos e nos conferem profundas instruções. Outros são triviais e não têm significado evidente. Porém, tenho descoberto que mesmo alguns dos sonhos mais ridículos assumem significação quando chegamos a compreender os símbolos usados em nossos sonhos. Coisa alguma daquilo que tenho dito aqui serve para tomar o lugar dos meios normais de desenvolvimento espiritual. Não obstante, afirmo com confiança que sonhar é uma herança dada por Deus, que nos é outorgada através de uma linguagem misteriosa, que precisamos aprender. Uma vez que comecemos a aprendê-la, já começamos a usufruir benefícios. Tenho recebido muitos, e não poucos, sonhos de conhecimento prévio. Não os tenho com maior freqüência do que qualquer outra pessoa. Simplesmente, comecei a dar atenção à questão. Algumas das predições recebidas assim têm sido triviais, mas outras têm sido muito importantes para a minha vida.

Irene, minha esposa, e eu, temos compartilhado de vários sonhos, sobre os quais temos conversado um com o outro. Compartilhei de um significativo sonho com uma de nossas obreiras. Coisas dessa natureza acontecem, provavelmente de modo freqüente, mas, a menos que os contemos e compartilhemos com outras pessoas, jamais descobriremos a verdade em torno da questão.

c. *Sonhos Lúcidos*. Os sonhos também podem ter importância científica. Os chamados sonhos *lúcidos* são aqueles em que a pessoa sabe que está sonhando e, dessa forma, pode assumir o controle do seu sonho. Certo cientista britânico está desenvolvendo uma técnica que envolve o uso de uma corrente elétrica de baixa voltagem, a qual pode dar ao indivíduo o conhecimento de que ele está experimentando um sonho. Esse pesquisador aplica o choque elétrico quando as ondas cerebrais da pessoa mostram que ela está sonhando. Duas conseqüências práticas estão sendo vinculadas a essa técnica. Em primeiro lugar, pessoas afetadas por câncer ou por outras enfermidades mortais estão usando esses sonhos a fim de provocar uma melhor função do sistema imunizador do organismo. Em segundo lugar, está sendo feita a tentativa de utilizar esses sonhos como uma experiência francamente criativa. Presume-se que (finalmente), isso venha a produzir invenções, obras escritas criativas e funções solucionadoras de problemas.

Quero salientar novamente que essa questão, para mim, é apenas **uma peça**, dentro do quadro maior da natureza e do desenvolvimento espirituais do homem. Acredito que sonhar seja uma função dada por Deus («...sonharão vossos velhos...» — Atos 2:17), embora seja apenas uma função dentre muitas, não devendo ser levada ao exagero. Também deveria ser frisado que há muitos níveis de sonhos. Alguns desses níveis, conforme Freud destacou, são apenas mecanismos de cumprimento de desejos. Por outro lado, há aqueles sonhos do mais profundo da alma, que nos dizem algo que precisamos saber. O teólogo *Strong* conhecia um homem que, segundo ele alegava, foi salvo de um quase inevitável acidente por haver sido avisado de antemão em um sonho, *por um anjo*. Talvez alguns sorriam diante desse testemunho, mas as Escrituras dizem que Deus enviou o seu anjo a fim de fechar a boca dos leões, quando Daniel estava em dificuldades (ver Dan. 6:22).

d. *O Poder da Mente sobre a Matéria*. Consideremos uma única ilustração, dentre as inúmeras que poderíamos utilizar. No fenômeno conhecido pelo nome de *múltiplas personalidades*, em que um único corpo físico é controlado por diversas e diferentes personalidades, o organismo reage de diferentes maneiras. Quando uma das personalidades está no controle, a pessoa pode ser destra, mas canhestra quando outra personalidade vem controlá-la. Os traços do eletroencefalograma também se tornam diferentes, à medida que diferentes personalidades assumem o controle. No entanto, os atores que têm procurado alterar suas ondas cerebrais, quando representam outras personagens, não têm obtido qualquer sucesso na tentativa. Por igual modo, quando uma das personalidades está no controle, o corpo pode ter específicas e persistentes alergias; mas, vindo outra personalidade, o mesmo corpo não mais apresenta qualquer reação alérgica. Quando uma das

PARAPSICOLOGIA

personalidades dá as ordens, à pessoa pode precisar de óculos, para determinados problemas oculares; mas, quando há troca de personalidades, a visão da mesma pessoa torna-se cem por cento normal. Impelido por uma personalidade, o indivíduo pode ser cego para as cores; impulsionado por outra personalidade, ele será capaz de distinguir perfeitamente as cores. A lista é longa, demonstrando como a mente pode produzir mudanças radicais no corpo. Certo psiquiatra evangélico informa-nos de que cerca de cinco por cento dos casos de múltipla personalidade com que ele tem tratado, envolvem poderes demoníacos. Porém, em noventa e cinco por cento dos casos, a psicoterapia regular pode integrar em uma só as diversas personalidades. A maioria dessas personalidades constitui-se apenas de fragmentações ocorridas, devido a crises e tragédias que as pessoas não podem enfrentar com o uso de uma única personalidade. Em consequência, tornam-se duas pessoas ou mesmo mais. Porém, nenhuma dessas personalidades é *maligna*, como nos casos de invasão demoníaca. Ora, se assim acontece, então podemos asseverar, com toda a confiança, que a mente exerce tremendos poderes sobre o corpo, sendo bem provável que nossas enfermidades sejam criadas ou, pelo menos, encorajadas, pelos nossos estados mentais. Trata-se de um fenômeno psíquico, uma variante daquilo que se denomina *psicocinesia*. É óbvio, pois, que os fenômenos psíquicos têm tremendas implicações médicas.

e. *Psicocinesia*. Os filósofos falam sobre **o problema corpo-mente**. Existiria tal coisa como uma mente separada do cérebro? Em caso positivo, como é que a mente interage com o corpo físico? Cada indivíduo, a cada minuto de sua vida, manifesta uma contínua interação entre sua mente e seu corpo. Você nem ao menos poderia mexer com o dedão do pé, sem um fenômeno psíquico. Quando a mente atua sobre o corpo, a fim de manipulá-lo, ou quando a mente usa o cérebro para transmitir e controlar a inteligência, a pessoa está envolvida na *psicocinesia*. Sem isso, não poderia haver tal coisa como uma alma a habitar e manipular um corpo físico. A nossa própria existência como seres mortais-imortais, e a nossa vida diária como tal, dependem inteiramente de fenômenos psíquicos. Portanto, é ridículo dizer-se que essas coisas acontecem apenas ocasionalmente, ou que há algo de inerentemente maligno nesses fenômenos psíquicos.

Moralmente falando, os *fenômenos psíquicos* são neutros. — Tais fenômenos não são bons e nem maus, embora possam ser usados para finalidades boas ou para finalidades más. **Mostro abaixo como o** teólogo Strong concorda com essa avaliação. Tenho conversado com muitos evangélicos sobre essa questão, e eles também mostraram concordar com isso. E tenho conversado com outras pessoas, totalmente ignorantes sobre o assunto. Essas não reconhecem a sua importância no tocante a questões da metafísica e da epistemologia. Porém, sendo professor de filosofia, tenho tido de tratar com essas e com muitas outras questões das quais os missionários evangélicos comuns nunca se aproximam muito. E preciso testificar que a minha vida tem sido enriquecida pelas muitas avenidas de conhecimento que tenho podido investigar nesses estudos. Há uma diferença entre um missionário que é apenas um evangelista, cujo trabalho confina-se à sua igreja local, e um missionário que também atua como professor universitário, e que precisa enfrentar todas essas questões do conhecimento humano.

Ministério Angelical. É quase indiscutível que nossos anjos guardiães ocasionalmente guiam-nos na comunicação mente-a-mente, ou seja, a telepatia. Damos bem pouco valor ao ministério dos anjos. O notável teólogo batista, Augustus Strong, declara em sua *Teologia Sistemática*: «Assim como os espíritos malignos tiveram permissão de agir ativamente quando o cristianismo iniciou seu apelo aos homens, assim também reconheceu-se, com freqüência, que os anjos bons são executores dos propósitos divinos». Isso ele disse a fim de apoiar sua assertiva de que os anjos bons recebem a tarefa de influenciar homens para contrabalançar o mal e ajudar os bons. E foi por isso, igualmente, que ele disse: «Assim como os espíritos malignos podem tentar aos homens, assim também é provável que os anjos bons atraiam os homens à santidade». E então ele passa a dizer: «Pesquisas psíquicas recentes desvendaram possibilidades quase ilimitadas de influenciar outras mentes mediante a sugestão. Minúsculos fenômenos físicos, como o odor de uma violeta ou a visão de um livro, ou uma folha aleijada de roseira podem iniciar uma cadeia de pensamentos que alteram o curso inteiro de uma vida». Coisa alguma é tão poderosa quanto a mente, e existe comunicação de mente a mente que pode ser sentida de modo sutil ou poderoso. Strong citou favoravelmente a Fisher, em seu livro *Nature and Method of Revelation*, onde aquele autor fala sobre a naturalidade dos fenômenos psíquicos, e sobre como os homens são mais susceptíveis às influências espirituais do que a maioria das pessoas imagina. E ele também opinava que os anjos malignos podem atuar sobre nós por meio da telepatia; e, quanto ao outro lado da moeda, os anjos bons podem fazer a mesma coisa acerca do bem. Strong foi presidente do Rochester Theological Seminary e por muitos anos, foi um gigante intelectual do movimento batista. Sua *Teologia Sistemática* tem sido usada como obra padrão entre muitas pessoas, já por diversas gerações. As citações feitas acima acham-se nas páginas 451 e 453 daquela obra (título em inglês: *Systematic Theology*).

III. Conceitos Básicos Desse Campo do Conhecimento

Na primeira seção, mostrei quão amplo é o escopo dessa inquirição da parapsicologia. Limito-me aqui a uma breve declaração sobre os fenômenos mais comuns associados à mesma:

1. Telepatia. Dentre todos os fenômenos, esse é o que tem sido estudado de forma mais científica, e com esmagadoras confirmações. A telepatia consiste na comunicação entre mentes, ou, na linguagem popular, «leitura do pensamento». Nenhuma forma de energia conhecida explica o fenômeno, pelo que há pesquisadores que opinam que alguma forma desconhecida, mas real, de energia, física ou imaterial, que algum dia será descoberta, explica esse fenômeno que desde há muito vem deixando os pesquisadores confusos. Mas, apesar de não sabermos *como* a telepatia funciona, as evidências em favor do fato são avassaladoras.

2. Clarividência. Esse é o conhecimento das coisas mediante meios não-sensoriais, como objetos perdidos, acontecimentos à distância, etc., sem qualquer comunicação de mente-a-mente. Antes, envolve um misterioso conhecimento de mente-a-objeto. Quando J.B. Rhine investigou a telepatia mediante o uso de cartões com desenhos nos mesmos, ele fez que uma pessoa tentasse obter as informações da mente de outra pessoa. A clarividência foi investigada mediante uso desses mesmos cartões; mas, nesse caso, uma pessoa tenta adivinhar a figura do cartão sem que qualquer outra pessoa tivesse consciência do que

PARAPSICOLOGIA

estava no mesmo. A clarividência envolve uma espécie de «visão remota». Também não se sabe como o fenômeno funciona, embora existam muitas teorias, quase todas elas envolvendo alguma espécie de energia em operação. De alguma maneira, a mente é capaz de atravessar o espaço e observar e tomar conhecimento de coisas, sem o uso dos sentidos físicos.

3. Psicocinésia. Essa é a capacidade mental de movimentar objetos sem o emprego da força física. É quase certo que esse é o poder que a mente tem de fazer o corpo movimentar-se; e, assim sendo, trata-se de um acontecimento constante no caso de todas as pessoas (excetuando as mortas!). Pensamos, e, através do pensamento, fazemos um objeto qualquer movimentar-se à nossa vontade, mediante impulsos físicos. Isso sucede todo o tempo, pelo que deve haver algum contacto entre a mente e o corpo. Ver o *Problema Corpo-Mente*, quanto a uma detalhada explicação sobre as várias teorias filosóficas sobre como a mente e o corpo interagem. J.B. Rhine investigou primeiro a psicocinesia fazendo seus alunos lançarem dados mediante a força do pensamento. Acabou ficando demonstrado que a mente humana também tem um efeito sobre a desintegração do átomo, nos materiais radioativos. É provável que certas formas de curas psíquicas estejam envolvidas na psicocinesia. Pessoas têm sido capazes de mover pequenos objetos com o poder da mente, sem tocar nos mesmos. Assim, certa dama precisou de mais de uma hora para separar a gema da clara de um ovo. Pequenos objetos podem ficar suspensos no ar; objetos de metal podem ser dobrados ou mesmo quebrados. Instrumentos podem parar temporariamente de funcionar. A agulha de uma bússola pode sair temporariamente de seu lugar. Essa capacidade, tal como outros fenômenos psíquicos, pode ser desenvolvida mediante a prática.

4. Conhecimento Prévio. Temos aí a capacidade da mente para prever acontecimentos. A profecia é uma forma desse fenômeno, embora transcenda ao conhecimento prévio comum, por estar envolvida com o Espírito de Deus. Os estudos sobre os sonhos têm mostrado que quase todas as coisas que sucedem conosco são previstas em nossos sonhos, apesar do fato de que tão pouco disso emerge em nossa consciência. Ver o artigo sobre os *Sonhos*, quanto a uma demonstração do fato. Ver o artigo separado e detalhado, intitulado *Precognição (Conhecimento Prévio)*.

5. Retrocognição. Da mesma forma que a mente humana pode prever coisas, assim também pode revisar o passado por meios desconhecidos e misteriosos. Isso pode envolver a participação na Mente universal, tal como no caso do conhecimento prévio. Ver o artigo sobre a *Mente Universal*. Jung pensava que as mentes humanas participam do grande depósito dos arquétipos, como também de toda a consciência humana. Sob certas circunstâncias, essa fonte poderia ser sondada. Uma coisa é certa: a mente é um poder muito maior do que a maioria das pessoas imagina. A mente é capaz de fazer coisas notáveis. Uma importante aplicação do retroconhecimento, no dizer de alguns intérpretes, é a reencarnação. Modos de obter alegadas informações sobre vidas anteriores são, principalmente, cinco em número: a. os sonhos; b. a regressão hipnótica; c. as experiências místicas das próprias pessoas envolvidas; d. o trabalho dos místicos com outras pessoas; e. a memória espontânea em momentos despertos, especialmente no caso de crianças.

Apesar de grande parte disso poder ser mera fantasia, têm sido captadas algumas genuínas vidas passadas, realmente vividas. Mas isso ainda nos deixa a braços com o problema da identidade. O que é indiscutível é que a retrocognição é um fato; mas a identidade de um indivíduo, com uma série de memórias passadas, e a declaração: «Eu fui aquela pessoa», continuam sendo questões problemáticas, que requerem maiores investigações. No meu artigo sobre a Reencarnação, ofereço informações detalhadas sobre o que pode ser dito contra ou a favor dessa teoria.

6. Os Sonhos. Importantes parapsicólogos e psicólogos estão aplicando suas aptidões ao estudo dos sonhos, de tal modo que o assunto vai-se rapidamente tornando uma ciência por seus próprios direitos. Estão sendo buscados meios não somente para obterem-se informações dos sonhos, que atuem como diretrizes na vida, mas também que nos mostrem como controlar os sonhos, para que os homens possam lançar mão de seus poderes de criatividade e cura. A telepatia (capaz de provocar sonhos em outras pessoas, ou sonhos compartilhados) e a precognição são eventos perfeitamente comuns nos sonhos. E isso serve de demonstração do fato de que todas as pessoas são psíquicas, e que essa função não é rara ou esporádica. O conhecimento que temos sobre suas funções é que é defeituoso, levando-nos a distorcer a visão que temos sobre a questão. Os sonhos revestem-se de uma importância espiritual, e não meramente psíquica. No artigo sobre o assunto, dei aos leitores uma ampla visão a respeito.

7. Curas. Apesar das curas poderem ser uma questão espiritual, quando então torna-se indispensável a intervenção divina, há boas evidências em favor da afirmação de que muitas pessoas, se não mesmo todas, são dotadas de poderes mentais de curas, que parecem envolver a manipulação de energias misteriosas, mas naturais, que pertencem ao complexo humano de energias. No processo dessas curas, as pessoas usadas para curar com freqüência perdem peso, o que parece indicar a perda de certa quantidade de energia vital, que pode ser medida por certas balanças extremamente sensíveis. A antropologia tem demonstrado dois poderes psíquicos constantes em muitas culturas, se não mesmo em todas: o conhecimento prévio e as curas. Essas coisas são reais, sem qualquer coisa de divino ou de diabólico envolvida, embora, como é óbvio, possam ser produzidas por tais meios.

8. Projeção da Psique. Se o homem é um espírito que usa um corpo físico como veículo; e, se ele, como espírito, pode abandonar sua concha física por ocasião da morte, não seria possível ele fazer outro tanto estando ainda vivo, retornar ao corpo, e então lembrar-se sobre o que experimentou fora do corpo? Os pesquisadores estão encontrando fortes evidências em favor dessa tese. Nada há de moderno quanto à experiência propriamente dita. O que há de recente nessa ciência é a concentração de investigação sobre a questão, que está produzindo resultados positivos. Ver o artigo separado intitulado *Projeção da Psique*. Essa é uma das mais promissoras formas de demonstrar, cientificamente, a existência da alma e sua sobrevivência ante a morte física.

9. Experiências Perto da Morte. Será possível alguém entrar nos estágios preliminares da morte do corpo, passar por coisas significativas, enquanto o espírito está separado do corpo, e então voltar para contar algo a respeito? A ciência está começando a dizer que «sim». Ver meu artigo *Experiências Perto da Morte*, que é bastante detalhado quanto a essa questão. Outro artigo que aborda o assunto é

PARAPSICOLOGIA

Imortalidade, em seu quarto ponto, *Quando os Mortos Voltam*, por Henry L. Peirce, vol. III, pág. 277.

10. Pesquisas em Geral sobre a Sobrevivência da Alma. Para muitos pesquisadores, o interesse pela parapsicologia tem sido motivado pela esperança de descobrir evidências científicas em prol da existência da alma e sua sobrevivência após a morte física. De fato, alguns dos pioneiros do campo buscavam, especificamente, esse tipo de informação. Os fenômenos mediúnicos foram e continuam sendo investigados tendo isso em mente; mas também muitos têm crido que os fenômenos psíquicos são provas do *dualismo* platônico e cartesiano. Se um homem é, realmente, uma psique (uma alma, ou um espírito), então é apenas natural, e até necessário, que produza fenômenos *psíquicos*. Eu mesmo creio assim, e penso que os estudos feitos têm acumulado muitas evidências em favor dessa posição. Apesar de que certos fenômenos chamados psíquicos acabarão sendo classificados, afinal, como resultantes de qualidades desconhecidas dos átomos, parece que, até agora, o dualismo (o complexo mente-corpo do homem) é a posição melhor apoiada.

Os dez pontos acima apresentados estão longe de formar uma descrição completa sobre o assunto, mas tão-somente sugerem quão amplo é esse leque. Um assunto assim tão amplo, naturalmente coincide com muitos pontos da religião, da filosofia, da psicologia, da antropologia, e, de fato, tem vinculações com a maioria das ciências que tem qualquer coisa a ver com a natureza humana.

IV. Natureza dos Fenômenos Psíquicos

Eu seria muito brilhante se pudesse dizer aos leitores qual a natureza exata dos fenômenos psíquicos. Ofereço aqui apenas algumas sugestões:

1. *Alguns Fenômenos Psíquicos Podem ser Atômicos* (Físicos). Nesse caso, eles não requeririam qualquer tipo de essência espiritual ou psíquica. Para exemplificar, a psicocinesia pode ser realizada por alguma energia atômica real, como também muitas curas físicas. A telepatia poderia ser a manipulação de alguma forma de energia atômica, mas, no presente, desconhecida.

2. *Energias ou Estados Espirituais*. Há fortes evidências em prol da realidade da *mente*, como algo distinto do cérebro. Apesar de algum conhecimento prévio ser realizado pelos poderes de computação do cérebro, é muito difícil explicar alguns casos dessa maneira. Apesar do retroconhecimento poder ser cerebral em alguns casos, é difícil ver como o cérebro pode retroceder tanto no tempo. A *memória* parece envolver mais do que o cérebro. Pessoas que têm entrado nos estágios iniciais da morte, cujas ondas cerebrais acusam «zero», ainda assim têm a memória intacta. Existe tal coisa como memória extracerebral. Karl Popper e um outro pesquisador escreveram um livro que versa sobre «a mente e seu cérebro», um assunto extremamente sugestivo, que parece apontar para essa grande verdade. As experiências perto da morte servem de poderosa evidência em favor de um autêntico rompimento entre a mente e o corpo físico, por ocasião da morte, bem como em favor da realidade da mente (espírito, alma), em contraste com o cérebro e o corpo físicos.

3. *A Teoria do Duplo Aspecto*. É bem possível que as energias físicas e psíquicas sejam, afinal de contas, aspectos de uma mesma forma de energia, dando a entender que o homem é um monismo, embora com uma manifestação dualista. Nesse caso, as teorias espirituais seriam preliminares e parciais, e teríamos de esperar por alguma grande descoberta que demonstre que estamos tratando com pólos de alguma forma de energia ainda desconhecida. Quanto a uma mais detalhada explicação a esse respeito, ver o artigo *Problema Corpo-Mente*, seção III.

4. *Definições de Energias*. Apesar de abundarem as descrições acerca do átomo, a teoria atômica ainda não passa disso, uma *teoria*. Trata-se de uma crença, que vai recebendo evidências adicionais o tempo todo. Novos elementos subatômicos estão sendo descobertos com regularidade. Assim, apesar de suas grandes e impressionantes realizações, a ciência ainda não dispõe de coisa alguma como uma completa descrição do átomo. E sendo essa a verdade, muito menos ainda podemos dizer a respeito do espírito, de alguma energia não-material. Apesar das evidências apontarem na direção de algo não-material, conferindo-nos algumas idéias sobre essa *outra* forma de energia, ainda assim não contamos com qualquer definição real a respeito. Isso posto, é patente que estamos tratando com questões que requererão muito tempo para serem definidas. Da mesma maneira que os teólogos afirmam que Deus é *espírito*, mas não sabem dizer grande coisa sobre a *essência* de Deus (embora saibam dizer algo mais sobre as suas obras), assim também a parapsicologia usa o termo *espírito* sem ter ainda uma boa definição a seu respeito. O espírito opera de modos diferentes do que é atômico; tem propriedades diferentes daquilo que é atômico. Mas a sua essência permanece indefinida.

5. *Até Pequenos Problemas são Vexatórios*. As evidências em favor da telepatia são convincentes. Contudo, não há consenso geral acerca de como ela funciona. Alguns estudiosos pensam que uma energia real é transmitida de uma mente para outra, levando mensagens. Outros pensam que é melhor explicar a questão supondo-se que uma pessoa impressiona a outra mediante algum meio não-físico, talvez de mente para mente, mas sem envolver qualquer forma de energia. Uma mente é uma entidade capaz de tomar conhecimento das coisas, talvez podendo saber do conteúdo de outras mentes, sem a transmissão de qualquer forma de energia. E a vontade talvez leve as mentes a saberem das coisas; a vontade poderia levar a mente de um homem a receber conhecimentos. Deus conhece todas as coisas sem a transferência de qualquer forma de energia. O homem, criado à imagem de Deus, é um Ser que toma ciência das coisas, podendo saber, por habilidade inata, sem qualquer manipulação de energias. Tendo dito isso, dissemos uma teoria básica, embora nada tenhamos dito sobre como tudo isso opera. Apesar de algumas curas parecerem envolver certa transferência real de energia, outras parecem ir além disso; e ainda outras parecem envolver atos de *criação*, que podem estar dentro ou não do escopo dos poderes humanos. De certa feita, Jesus disse que ele sabia que uma «virtude» saíra dele, ao realizar certa cura (ver Mar. 5:20). Sem dúvida, isso implica em alguma transferência de energia; mas algumas curas podem envolver mais do que isso, conforme já observamos. Quando mortos são ressuscitados, isso quase necessariamente envolve um ato criativo, e não meramente a aplicação de alguma energia.

V. Experiências Ilustrativas: Todos São Psíquicos

A literatura sobre fenômenos psíquicos, na língua portuguesa, atualmente é suficientemente rica; e o leitor que tenha curiosidade, poderá examinar tal literatura. Ali ele verá quanta evidência real está envolvida. Os vários artigos aos quais me tenho referido também apresentam ao leitor boa abundância de provas ilustrativas. Os céticos, contudo, jamais deixar-se-ão convencer, sem importar a quantidade e a qualidade das evidências comprobatórias. Isso é assim porque essas realidades solapam seu sistema básico de crenças. E, desejando consolo mental, eles resguardam suas crenças preferidas. Por outra parte, alguns cristãos fundamentalistas temem investigar e tomar conhecimento desses fatos, tachando os fenômenos psíquicos de diabólicos. Nunca alguém obteve conhecimentos através dessa abordagem *a la avestruz*. Grande parte das evidências frisa o quão naturais são os fenômenos psíquicos. Não precisamos apelar para Deus ou para o diabo, a fim de explicá-los nesses casos. Fazem parte daquilo que o ser humano é. Afinal de contas, o homem é uma psique, sendo apenas natural que ele tenha experiências psíquicas. Um espírito humano não poderia manipular seu corpo físico a não ser através de algum poder conectador, como aquele postulado na psicocinesia. Os estudos acerca dos sonhos mostram, além de qualquer dúvida, os poderes psíquicos do ser humano. Temos entre vinte e trinta sonhos a cada noite. Em laboratórios especializados, tantos quantos oito desses sonhos, a cada noite, têm sido detectados. Quando uma pessoa sonha, seus olhos oscilam de forma característica, e, durante essas oscilações, a pessoa pode acordar, fixando na memória esses sonhos. Mesmo usando-se esse método de despertar a pessoa quando seus olhos estão oscilando, só se consegue capturar cerca de uma terça parte dos sonhos que ela tem. Não obstante, mesmo aí nota-se que o futuro da pessoa está sendo predito de modo simbólico, de mistura com casos de telepatia, incluindo casos de sonhos compartilhados. No decorrer de um período de dois anos e meio, registrei cerca de sessenta de meus próprios sonhos, de natureza precognitiva. Apesar de alguns desses sonhos poderem ter sido pura sorte, eles são numerosos demais para ser explicados dessa maneira. E, se alguns desses sonhos são triviais, outros me deram importantes informações. Mas isso é apenas comum, e não extraordinário. O que é incomum é quando as pessoas podem lembrar-se de um número significativo de seus sonhos.

A função psíquica é liberada nos sonhos, e todas as pessoas que sonham demonstram possuir essa capacidade na tranquilidade da noite. Mas, como é óbvio, a função dos sonhos é perfeitamente natural, não sendo algo inspirado pelo poder dos demônios. Não menos que os céticos, alguns cristãos temem que seus sistemas de crenças sejam abalados, e buscam, tanto quanto aqueles, consolo mental, e não a verdade dos fatos.

Gêmeos Idênticos:

Um **frutífero** meio de investigação de certos aspectos dos fenômenos psíquicos consiste no estudo de gêmeos idênticos. Parece haver certa proximidade incomum, genética ou não, que favorece os fenômenos psíquicos em relação a esses gêmeos. Donald Keith estava caminhando por uma rua, em Rockville, Maryland, quando, subitamente, teve dores agudas e inexplicáveis em um dos escrotos. Mais tarde, naquele mesmo dia, ao entrar em contacto com seu irmão gêmeo, ficou sabendo que este sofrera uma grave injúria naquela parte do corpo. Nada existe de isolado ou raro em tais acontecimentos. Um artigo sobre irmãos gêmeos, na edição de abril de 1988, da revista internacional *Reader's Digest*, afirma: «Os psicólogos têm ouvido sobre dúzias de relatos nos últimos anos, envolvendo irmãos gêmeos. A percepção extra-sensorial com frequência gira em torno de acontecimentos importantes: injúrias, nascimentos e mortes». Deveríamos supor que os gêmeos idênticos têm uma taxa de incidência maior de possessão demoníaca do que as outras pessoas?

Proximidade Emocional e Mental. A intimidade de convivência com alguém, havendo ou não o envolvimento de parentesco, aumenta a intercomunicação mental. Tenho desfrutado de uma proximidade especial com meu filho caçula. Quando ele ainda era criança, ele e eu experimentávamos várias óbvias transferências de pensamento. Isso sempre me deixou admirado, embora desnecessariamente. Conheci duas outras pessoas que obviamente eram capazes de ler os meus pensamentos, ao ponto de eu não ter dúvidas de que assim, realmente, sucedia. Tenho compartilhado de vários sonhos com minha esposa; e, em um caso notável, com uma funcionária minha, tive um sonho compartilhado, que envolvia pessoa íntima da minha família! E tenho tomado conhecimento de muitos sonhos de **pré-conhecimento** da parte de outras pessoas.

Usualmente, esses fenômenos existem dentro de «nosso círculo de relações», geralmente envolvendo-nos diretamente. Outras pessoas vêem coisas por nós; compartilham de nossas provações. Há uma união das mentes. Quando olhamos para as vastidões oceânicas, vemos várias ilhas. Mas, se mergulharmos fundo no mar, descobriremos que todas as ilhas estão interligadas, no fundo do mar. Assim também, se cada indivíduo pode ser considerado uma ilha, cada qual está vinculado a todos os outros indivíduos mediante uma mente subconsciente. Jung chegou ao extremo de postular uma memória racial, compartilhada no grande depósito da mente universal. Assim também se as pessoas consistem em entidades físicas distintas, há um vínculo mental e espiritual que confere a todos os homens uma humanidade coletiva. E certos fenômenos psíquicos envolvem essa humanidade coletiva. No quinto capítulo de sua epístola aos Romanos, Paulo asseverou o vínculo humano universal: em Adão todos são pecadores; em Cristo todos recebem retidão e são vivificados, atendidas as condições do evangelho. Um homem não é apenas um indivíduo isolado: ele é uma unidade dentro da totalidade. Isso pode ser demonstrado de várias maneiras, uma das quais são certos fenômenos psíquicos. Naturalmente, poderes demoníacos podem estar envolvidos em certos fenômenos psíquicos, o que discuto na seção VI, abaixo.

VI. Contraste com o Ocultismo

Não conhecem muito sobre o assunto aquelas pessoas que o equiparam com o ocultismo. A palavra *ocultismo* (apesar de indicar algo *oculto*, podendo assim aludir a qualquer questão onde suposto conhecimento oculto seja oferecido somente a alguns poucos seletos) usualmente tem conotações negativas. Tal conhecimento e suas práticas seriam ocultos por fazerem parte do jogo do diabo, que gosta de jogar com as pessoas. Esse conhecimento oculto, pois, é contrastado com o conhecimento de Deus, que foi trazido à luz, para conhecimento de todos. É verdade que um espírito demoníaco pode transmitir mensagens às mentes humanas através da telepatia. Também é verdade que tal espírito pode levar alguém a predizer o futuro. Um espírito não-humano (bom ou mau) naturalmente tem fenômenos psíquicos e pode provocá-los. Porém, essa é apenas uma das considerações sobre a questão, e uma das menores dentre elas. Alguns antropólogos e psicólogos chamam todas as religiões de superstições e manifestações da mente primitiva. Outros supõem que elas sejam mágicas, ou poderosamente influenciadas pelas artes mágicas. Pessoas religiosas, entretanto, objetam a essa simplificação e «agrupamento», que nos afastam da verdade, em vez de aproximarem-nos dela. Por

PARAPSICOLOGIA

semelhante modo, chamar os fenômenos psíquicos de *ocultismo* é uma simplificação que nos desvia da verdade, em vez de aproximar-nos dela. Isso seria o mesmo que dizer que todos os homens, até os mais devotos, participam das artes ocultas; e isso porque os homens são espíritos que participam dos fenômenos psíquicos e os produzem com naturalidade.

Quando usamos a palavra *mente*, em contraste com «cérebro», já estamos falando acerca da capacidade de qualquer ser humano participar dos fenômenos psíquicos e produzi-los. Psique é *mente*; psique é *espírito*; um espírito age; um espírito é *psíquico*.

VII. Contraste com a Espiritualidade

Os fenômenos mentais não são, necessariamente, fenômenos espirituais. Todos os homens são psíquicos, mas nem todos os homens são espirituais. O homem espiritual pode manipular os fenômenos psíquicos de maneira positiva, benéfica. Mas o homem natural só pode manipulá-los de maneiras negativas. Os fenômenos psíquicos são neutros, moral e espiritualmente falando. Aqueles que deles se utilizam é que os tornam positivos ou negativos. Algumas pessoas especialmente espirituais têm-se notabilizado pela produção de fenômenos psíquicos, mormente a precognição, a projeção da psique, a telepatia, etc. Porém, isso envolve um uso espiritual dessas funções. Essas funções, em si mesmas, não são espirituais e nem antiespirituais. Um homem não se torna mais espiritual meramente por ter tido um sonho de conhecimento prévio. Um homem pode curar a outrem, sem que tenha qualquer espiritualidade especial. Um homem pode até mesmo expulsar um espírito demoníaco, pela força de sua vontade, sem que isso faça dele um homem espiritual. Por outro lado, essas habilidades, embora naturais, podem ser usadas visando ao bem, por um homem espiritual. Usamos outras capacidades naturais para o bem, como nossos talentos e aptidões intelectuais. As habilidades psíquicas também podem ser usadas positivamente, mas a sua simples existência nem é contra e nem a favor da espiritualidade de uma pessoa. Homens maus podem usar capacidades psíquicas de modos negativos; mas, em si mesmos, esses homens são negativos. Estou convencido de que muito daquilo que acontece no movimento carismático é psíquico, e não espiritual. Saber o que outra pessoa está pensando não é prova de que um homem é impulsionado pelo Espírito de Deus. Ser capaz de falar em línguas pode ser uma função psíquica, e não espiritual. As profecias podem nada ser senão a criatividade de uma mente que foi psiquicamente expandida. Por outra parte, há manifestações genuínas de dons espirituais, que alguns *poucos* crentes sérios empregam.

Devemos ter o cuidado de não degradar a personalidade humana. O Espírito de Deus pode usar tudo quanto um ser humano possui naturalmente. Não foi por acidente que o Espírito Santo escolheu Lucas e Paulo para produzirem a maior parte do Novo Testamento. Eles eram dotados de alta capacidade intelectual, e o Espírito do Senhor pô-los a trabalhar na produção de uma literatura imortal. Por igual modo, o Espírito de Deus pode usar os poderes naturais psíquicos dos homens tendo em vista o bem. O Espírito Santo usa os *homens*, com tudo quanto eles têm, para as suas finalidades. Os espíritos malignos também usam homens, com tudo quanto possuem, para os seus propósitos. Deus tem dotado homens com certas habilidades básicas, e ele usa aos homens e às suas habilidades naturais. Ele também pode usar um homem para que ele ultrapasse a si mesmo; mas a vida diária consiste essencialmente em usar aquilo que temos para servirmos a Deus e ao próximo. Um aspecto disso, sem dúvida, consiste naquilo que um homem é, em sua natureza psíquica. Deus pode usar minhas capacidades naturais de sonho para que eu sirva a mim mesmo e a outros. Ele pode usar minhas capacidades naturais de cura para ajudar outras pessoas. Posso passar por experiências telepáticas (que alguns chamam de intuitivas) a fim de servir a outras pessoas. Algumas pessoas têm feito curas durante a experiência da projeção da psique. As experiências perto da morte têm sido utilizadas para iluminar mentes humanas. Nada há de errado ou maligno com essas experiências. Elas podem servir ao bem ou ao mal, tudo dependendo de como são usadas, e não dependendo do que elas são em si mesmas.

VIII. Sua Importância para a Filosofia e a Teologia

1. Se existem modos extra-sensoriais de tomarmos conhecimento das coisas, então o estudo dos fenômenos psíquicos está diretamente relacionado à *teoria do conhecimento*, também chamada *epistemologia*. Precisamos ter uma visão holística do homem, ou seja, em seu conjunto total. O homem não está limitado à percepção dos sentidos quando se trata dele conhecer as coisas. Antes, o homem é um espírito intuitivo, e não meramente uma máquina sofisticada. As fés religiosas sempre ensinaram que o homem está sujeito à revelação divina, e quase todas as religiões enfatizam os poderes racionais e intuitivos do ser humano. Os fenômenos psíquicos enfatizam a versatilidade da natureza humana, combatendo a visão mecânica do homem, promovida por alguns ramos da ciência.

2. *Ontologia*. Um homem é mais do que o seu corpo físico. Isso foi ensinado por Platão, Descartes e outros pensadores dualistas. Esse é o dogma religioso comum sobre a questão da natureza humana. Os fenômenos psíquicos provêm evidências em prol do dualismo e em prol da distinção entre a mente e o cérebro, como também em prol da diferenciação entre a alma e o corpo.

3. *Provas Científicas da Alma*. A parapsicologia está provendo um modo de demonstrar a porção imaterial do homem, do ponto de vista científico. E isso apresenta um vasto potencial para o bem. Se a ciência puder demonstrar que o homem é um espírito ou alma, e que o seu corpo é apenas um veículo, isso revolucionará toda a maneira de pensar e a conduta dos homens. Isso provará que a fé religiosa estava com a razão o tempo todo. Isso não significa, porém, que todos os dogmas religiosos devam ser automaticamente apoiados, mas significa que, em certo ponto crítico, a ciência e a fé religiosa concordarão plenamente. O Dr. Michael B. Sabom, em seu livro *Recollections of Death—a Medical Investigation*, estudou cientificamente, e em profundidade, a questão do retorno de muitos pacientes da morte clínica ou da quase-morte. Ele é um cardiologista que já viu a morte em muitíssimas ocasiões, e que começou seus estudos com o intuito de refutar esse acontecimento, e não para confirmá-lo. Para sua surpresa, suas pesquisas terminaram confirmando a realidade da experiência. Ele acredita que a morte é a separação entre a mente e o corpo. E isso significa que o dualismo foi favorecido por suas descobertas.

Albert Einstein, mui significativamente, declarou: «Todos quantos estão seriamente envolvidos nas pesquisas científicas ficam convencidos de que manifesta-se um Espírito nas leis do universo—um Espírito vastamente superior ao espírito humano, diante do qual nós, com nossos modestos poderes, precisamos sentir-nos humildes» (*The Human Side*, A.

PARAPSICOLOGIA

Einstein, Princeton University Press, pág. 33).

Quanto a essa citação, Sabom observa (à pág. 186): «...é precisamente esse *Espírito* que tem sido reconhecido por muitas e muitas vezes pela maioria daqueles que têm passado por uma experiência perto da morte... E é precisamente esse Espírito que parece continuar vivendo nas vidas daqueles que têm sido tocados por alguma verdade inefável, encontrada face a face, nos momentos mais próximos da morte».

IX. PSI: As Funções Psíquicas e a Privação dos Sentidos

Esta seção é um artigo que ilustra a praticabilidade, a normalidade e a importância dos fenômenos psíquicos.

PSI: As Funções Psíquicas e a Privação dos Sentidos
— O Efeito Ganzfeld —
Por Martin Ebon

Reimpresso pela gentil permissão de **Fate Magazine** (outubro de 1987).

Apagando das mentes dos pacientes tudo menos a percepção extra-sensorial, novas experiências têm produzido dramáticas evidências em favor das capacidades psíquicas das pessoas.

Nas décadas de 1960 e 1970, psicólogos e parapsicólogos interessaram-se pelos chamados estados alterados de consciência. A começar pelo início da década de 1960, os pesquisadores do Maimônides Medical Center, em Brooklin, Nova Iorque, passaram a investigar sonhos como possíveis transmissores de informações da percepção extra-sensorial. O projeto rendeu dividendos, e logo os pesquisadores estavam buscando métodos relacionados para tirar proveito das funções psíquicas. E isso conduziu-os à estranha dimensão da privação dos sentidos.

O estímulo Ganzfeld é uma forma simples de isolamento dos sentidos, em que o paciente é desligado das fontes normais de estímulos visuais e auditivos. Daí resultam quadros mentais espontâneos, parecidos com as imagens mentais que antecedem o sono. Por coincidência, três parapsicólogos, em diferentes laboratórios, deram início ao trabalho Ganzfeld, mais ou menos na mesma época. Eles esperavam encontrar provas de que as imagens produzidas desse modo transmitiriam informações extra-sensoriais. Charles Honorton estava usando esse procedimento, no Maimônides, e publicou seu trabalho primeiro, enquanto William e Lendell Braud estavam explorando simultaneamente suas possibilidades, no estado do Texas. A pesquisa com o efeito Ganzfeld também estava sendo feito pela Universidade de Edimburgo, na Escócia.

Atualmente, o efeito Ganzfeld é um dos procedimentos mais populares dos parapsicólogos. Neste relatório de nossa contínua série, «Parapsychology Today», Martin Ebon põe nossos leitores em contato com as pesquisas mais recentes que os estudiosos têm conseguido realizar.

O ambiente da experiência é uma sala totalmente às escuras. A paciente está sentada em uma cadeira confortável de encosto, dentro de um recinto fechado à prova de som. Bolas de pingue-pongue, cortadas pela metade, cobrem os seus olhos. Embora a paciente esteja diante de uma lâmpada que emite fortes raios de luz vermelha, ela vê apenas um campo difuso avermelhado, para onde quer que dirija os olhos. Através dos fones colocados sobre seus ouvidos, a jovem mulher nada mais ouve senão um chiado suave, um «ruído branco», muito parecido com o som das ondas do mar a se chocarem monotonamente contra a areia da praia.

O experimentador fecha a porta atrás de si e sai do quarto. A paciente está agora sozinha. Sua única companhia são os seus próprios pensamentos.

Não temos aí nem uma experiência com a privação dos sentidos e nem a tortura do confinamento solitário. Em vez disso, estamo-nos deparando com um teste recém-desenvolvido, que procura investigar a percepção extra-sensorial, com o emprego do chamado *efeito Ganzfeld*. («Ganzfeld» é um vocábulo alemão que significa «campo total»). Os principais sentidos dos pacientes são totalmente controlados durante a experiência. Nesse vácuo de sensações, a mente solitária parece estar morrendo de fome por estímulos e—ao que tudo indica—busca mensagens com grande anelo.

Visto que os pacientes nada vêem senão o resplendor avermelhado e nada ouvem senão o «ruído branco», a mente deles começa a criar imagens do tipo devaneio acordado. Em casos raros, esses devaneios tornam-se alucinações francas. Mas, conforme descobriu, em 1973, Charles Honorton, então diretor de pesquisas do Maimônides Medical Center, em sua divisão de parapsicologia e psicofísica, essas imagens talvez também contenham impressões extra-sensoriais. Desde há muito que Honorton estava interessado em estados mentais que podem ajudar às pessoas a obterem impressões extra-sensoriais, e suas pesquisas passadas haviam incluído a hipnose, os sonhos e a privação dos sentidos. E visto que ele deu notícia do seu sucesso, mediante o uso do **efeito Ganzfeld**, essa técnica tornou-se uma das mais populares formas de testar as percepções extra-sensoriais no campo da parapsicologia. Eis abaixo, exatamente, como a coisa funciona.

Antes de começarem os testes, estando o paciente no ambiente acima descrito, são lidas as seguintes instruções:

Nesta experiência queremos que você pense em voz alta. Fale sobre todas as imagens, pensamentos e sentimentos que passarem pela sua mente. Não se apegue a qualquer deles. Simplesmente observe-os enquanto sucedem. Em algum ponto, durante esta sessão, lhe enviaremos uma mensagem. Não tente antecipar ou imaginar qual será essa mensagem. Tão-somente sugira a si próprio—agora mesmo—que a mensagem aparecerá em sua consciência no momento certo. (Pausa).

Mantenha seus olhos abertos tanto quanto possível, durante toda a sessão, e permita que a sua consciência flua em meio ao ruído branco que você estará ouvindo através dos fones de ouvido.

Depois que eu puser os fones de ouvido sobre suas orelhas, sairei para a sala ao lado, de onde o monitorarei. Você deve esperar alguns minutos para ficar bem à vontade. Afrouxe toda a tensão muscular de seu corpo e relaxe completamente. Assim que você começar a observar o seu processo mental, comece a «pensar em voz alta». Continue a compartilhar conosco as suas imagens, pensamentos e sentimentos, durante toda a sessão.

Nos primeiros testes, os pacientes eram mantidos no isolamento do ambiente à prova de som durante trinta e cinco minutos. Em certa altura da experiência, ou um assistente laboratorista ou um amigo do paciente começava a olhar gravuras, em uma seleção feita ao acaso, postas em um carretel. Esses carretéis são um implemento favorito educacional. Uma série circular de sete slides com o mesmo tema são vistos em sucessão, mediante um visor posto contra a luz. (Esses carretéis variam desde cartões de desenhos Disney até cidades, animais e lições de

PARAPSICOLOGIA

'ciência). Enquanto isso, os pacientes falam o tempo todo, dizendo o que eles imaginam, com um experimentador, em ligação com eles mediante um sistema de comunicação interna. Honorton e sua assistente, Sharon Harper, não tardaram muito a descobrir que os pacientes encontram pouca dificuldade em descobrir as imagens que lhes ocorrem, que combinavam com os quadros que lhes estavam sendo enviados telepaticamente de algumas poucas salas de distância, no mesmo edifício.

Por exemplo, Jacklynne, uma de suas primeiras pacientes, e que nunca se considerou dotada de qualquer habilidade psíquica, experimentou um jorro de imagens, enquanto se submetia ao método Ganzfeld: «um avião voando no meio de nuvens... aviões passando acima das cabeças das pessoas... agora trovões, com nuvens de chuva... aviões... ultra-som... um incêndio, chamas vermelhas. Uma estrela de cinco pontas... um avião em picada...»

Um pouco adiante, durante a mesma experiência, ela disse: «Uma ave gigantesca a voar... seis faixas em um uniforme do exército, em forma de V. Um rosto que aparece dentre as faixas. Agora um V... uma serra montanhosa, coberta de neve. Um vôo passando por montes... A sensação de avançar muito rapidamente... uma metralhadora. Uma escada».

Durante essa experiência, um agente estava enviando um carretel intitulado *Academia da Força Aérea Norte-Americana*, de uma sala isolada próxima.

Algumas vezes, os acertos ainda são mais próximos. Quando um agente estava examinando um carretel chamado *Aves do Mundo*, — um outro paciente declarou: «A imagem de uma árvore estranha, talvez uma figueira-de-bengala... Sinto uma grande cabeça de falcão defronte de mim, de perfil. Uma percepção de penas lisas. Agora a ave vira a cabeça e sai voando. Talvez porque achamos, neste fim de semana, um falcão doente...»

A fim de determinar quão bem-sucedidas são essas experiências, afinal de contas, cada paciente tinha de examinar quatro carretéis de quadros, terminado o teste, para escolher *aquele* que pensava ter-lhe sido enviado telepaticamente, e que se ajustasse mais de perto às imagens que recebera. Dentre as primeiras trinta pessoas que se submeteram aos testes Ganzfeld—e, lembremo-nos que tais pessoas não afirmavam possuir qualquer poder de percepção extra-sensorial, e que elas só estavam se submetendo ao teste por pura diversão, 43,3 por cento escolheram o carretel certo. A pura chance teria resultado em uma cifra como vinte e cinco por cento.

À parte desses convincentes resultados globais, Honorton e Harper também encontraram algumas poucas inexplicáveis peculiaridades durante as suas pesquisas. Antes de tudo, os pacientes, com freqüência, descreviam o tema dos carretéis antes do agente realmente começar a olhar para os mesmos! Isso se devia à clarividência ou ao conhecimento prévio? Para exemplificar, um dos pacientes começou a falar sobre suas imagens mentais muito antes do agente começar a «enviar» as figuras do carretel, **Projeto Apolo**.

Embora ninguém, nem mesmo o agente, soubesse que dentro de instantes estaria examinando quadros sobre espaçonaves atravessando o espaço, o paciente começou a dizer, pelo sistema de comunicação interna: «É quase como se eu estivesse voando, voando cada vez mais alto no espaço... o céu mudou para a cor azul escuro, com estrelas. Agora, há alguma coisa que não é próprio dali, girando, em forma de crescente, arredondado. Está indo cada vez mais rápido, e parece que há estrelas no fundo».

Honorton e Harper também observaram uma estranha relação entre as memórias de seus pacientes e suas subseqüentes impressões de percepção extra-sensorial. Com freqüência, parecia que algum paciente não estava realmente captando os quadros que lhe estavam sendo enviados pela percepção extra-sensorial, e, sim, que a percepção extra-sensorial estava vinculada a memória de cenas relativas aos quadros enviados. Se o leitor reler os exemplos citados acima, poderá perceber que um dos pacientes falou em ter encontrado um falcão doente, pouco antes do teste em que o assunto era *Aves do Mundo*. E quando o assunto passado a um outro paciente foi *O Índio Americano*, esse paciente teve imagens baseadas na recente leitura que fizera do livro de Carlos Castaneda, *Journey to Ixtlan*, que narra as alegadas experiências do autor entre índios mexicanos.

O sucesso obtido por Honorton provocou uma pequena epidemia entre os experimentadores. Quando ele deu a público, pela primeira vez, o seu trabalho com o efeito Ganzfeld, outros pesquisadores quiseram examinar no que a coisa consistia, igualmente.

Um dos primeiros acompanhamentos do assunto foi feito por — Rex Stanford —, um professor de psicologia da Universidade de São João, em Jamaica, Nova Iorque. Durante suas primeiras experiências, os pacientes não tentaram captar telepaticamente o que um agente estava procurando transmitir-lhes. Em vez disso, eles empregaram a clarividência para ver quadros ocultos em envelopes fechados. Após o término do teste, os pacientes tiveram de selecionar o quadro escolhido dentre um grupo de quatro. Alguns pacientes descreveram vagamente esse quadro; mas outros deram boas descrições do quadro errado—ou seja, descreveram com exatidão um dos quadros que lhes fora mostrado terminado o teste, embora apenas um dos quadros alternativos.

Porventura o efeito Ganzfeld teria estimulado o conhecimento anterior, deixando de lado o verdadeiro quadro escolhido, e permitindo que o paciente percebesse o quadro que lhe seria enviado telepaticamente somente mais tarde? Apesar dos resultados não-conclusivos, Stanford descobriu que os pacientes que subestimaram o período de tempo que passaram encerrados (que era de vinte minutos) se saíram melhor do que aqueles que subestimaram o tempo do teste. Para Stanford isso sugeriu que os pacientes que passaram por um estado de consciência profundamente alterado perderam a consciência quanto à passagem do tempo, exibindo maiores poderes de percepção extra-sensorial do que os pacientes menos afetados pela experiência.

Outros parapsicólogos têm feito experiências com o efeito Ganzfeld que se parecem mais com o trabalho originalmente feito no Hospital Maimônides. Para exemplificar, no estado de Texas, nos fins da década de 1970, os Drs. William e Lendell Braud efetuaram uma pesquisa que foi tão excitante quanto inédita. Eles procuraram isolar os estados mentais e corporais que facilitam as percepções extra-sensoriais. A princípio estudaram como o relaxamento ajuda a pessoa a concentrar-se sobre a percepção extra-sensorial. Em seguida, fizeram experiências acerca da predominância de hemisférios cerebrais. Mediante o estímulo do hemisfério direito do cérebro, supostamente sede dos impulsos estéticos e criativos, eles foram capazes de ajudar seus pacientes a receberem ou detectarem mensagens através da percepção extra-sensorial. Porém, os dois Brauds obtiveram seu maior êxito quando passaram a usar o efeito

PARAPSICOLOGIA

Ganzfeld.

No seu primeiro teste, os pesquisadores fizeram defrontar-se dez pacientes submetidos ao efeito Ganzfeld e dez pacientes que meramente se sentavam tranqüilos, para então descreverem verbalmente os quadros recebidos, sem a ajuda do meio ambiente criado pelo efeito Ganzfeld. Todos os pacientes submetidos ao efeito Ganzfeld foram bem-sucedidos no teste, ao passo que somente metade dos outros pacientes obtiveram êxito. Os Brauds escreveram, no *Journal of the American Society for Psychical Research* (abril de 1975) que a taxa de sucesso com o efeito Ganzfeld é «o mais alto obtido em nosso trabalho, até agora».

Não demorou muito para que outras pesquisas com o efeito Ganzfeld tivessem lugar em Los Angeles. Encorajado pelo sucesso obtido por Honorton, D. Scott Rogo que era então diretor de pesquisas da Sociedade da Califórnia do Sul para Pesquisas Psíquicas, procurou reduplicar o trabalho feito no Hospital Maimônides, em um laboratório que lhe foi emprestado pelo Instituto de Neuropsiquiatria da UCLA. Mas Rogo acabou desviando-se da trilha selecionada por causa de uma paciente que foi tão bem-sucedida que ela se tornou uma superpsíquica assim que foi submetida ao efeito Ganzfeld. E então quase todas as suas pesquisas concentraram-se em torno dessa paciente.

Cláudia Adams é uma jovem ambiciosa de cabelos negros, uma atriz de Beverly Hills, que tem aparecido em comerciais populares na televisão. Ela trabalhava como secretária de meio-expediente na Sociedade de Pesquisas Psíquicas do Sul da Califórnia quando conheceu Rogo. A princípio ela hesitou em submeter-se ao efeito Ganzfeld. O que aconteceu, quando ela finalmente aceitou, foi descrito por Rogo como «admirável».

Depois que a jovem estava submetida ao efeito Ganzfeld por alguns minutos, a assistente de Rogo, Cristina Shepherd, do lado de fora do recinto isolado de chumbo, e que estava fazendo o papel de agente, escolheu ao acaso um dos quarenta carretéis com quadros e começou a examiná-lo. O carretel era intitulado *The American Indian*, «O Índio Norte-Americano». Sua primeira cena mostra uma mulher índia, deitada em uma rede, segurando um infante despido à sua frente. Naquele exato instante a voz de Cláudia falou pelo sistema de comunicação interna: «Nativos, pessoas nativas. Vejo um bocado de pessoas despidas. E também como se fosse uma mãe segurando uma criança nos braços».

A agente manuseou o quadro seguinte, uma fotografia aérea de uma floresta com uma clareira no meio. Imediatamente mudaram as imagens de Cláudia, e ela disse: «Uma floresta, com muitas árvores. E continuou. Todas as árvores parecem estar em fila, pelo que não é como se eu estivesse olhando para elas de cima para baixo, mas como se eu estivesse descendo sobre uma fileira de árvores».

Cláudia descreveu uma terceira cena, no mesmo instante em que esta estava sendo vista. Essa cena mostrava uma canoa, tripulada por dois índios, que descia por um rio abaixo. A vista era como se alguém estivesse contemplando a cena da praia. A paciente disse:—um barco à vela. Não, não há vela. É um bote simples. Está subindo e descendo nas ondas. Estou olhando da terra e um bote está passando!

Cláudia havia descrito vividamente três cenas em sucessão, *enquanto* elas estavam sendo vistas por sua agente. A maioria das pessoas que se submetem ao efeito Ganzfeld, a julgar pelo relatório de Honorton, parece abranger sua atenção para incluir imagens tematicamente relacionadas ou memórias dos slides reais. Mas o sucesso de Cláudia fez um notável contraste com aqueles. Ela vira representações quase fotográficas dos quadros transmitidos mediante a percepção extra-sensorial!

Rogo, portanto, passou a efetuar uma série de projetos com Cláudia, empregando a aparelhagem do efeito Ganzfeld. Porém, não demorou a surgir um pequeno problema. A percepção extra-sensorial de Cláudia era tão ativa que quando ela se assentava para submeter-se ao efeito Ganzfeld, a pesquisa tinha de ter por objetivo *limitar* seus poderes extra-sensoriais, em vez de tentar induzi-los. Rogo empregou alguns testes de clarividência nos quais ela tentou descrever quadros dentro de envelopes selados. E a cada vez em que Cláudia era submetida ao efeito Ganzfeld, sua clarividência mostrava uma potência tão ativa que, com freqüência, ela descrevia mais de um quadro que Rogo estivesse usando.

Para exemplificar, em uma das experiências, Rogo empregou quatro envelopes selados. Ele escolheu um dos quadros como aquele que queria transmitir, e deixou os outros três como quadros alternativos, para serem usados em experiências subseqüentes. Porém, não somente Cláudia descreveu o quadro, como também descreveu, com toda a exatidão, os três outros quadros, dentro dos envelopes fechados, em um único teste.

Assim sendo, Rogo foi abençoado com uma paciente que simplesmente era dotada de tremenda percepção extra-sensorial. As pesquisas prosseguiram. Conforme ele mesmo relatou, na convenção de 1975 da Associação de Parapsicologia, a percepção extra-sensorial de Cláudia talvez fosse superativa porque nada havia de suficientemente forte para que nisso enfocasse a sua atenção. Nesses testes, Rogo atuou como agente telepático. Assim que Cláudia começou a falar em imagens, após ser submetida ao efeito *Ganzfeld*, ele começou a enviar telepaticamente um quadro selecionado, dessa maneira criando um «motivo emocional» para que a sua paciente enfocasse no mesmo a sua atenção. E ele também mantinha as sessões o mais breve possível, a fim de que os poderes extra-sensoriais de Cláudia não «divagassem». Essas sessões raramente duravam mais de dez minutos, em vez dos usuais períodos de vinte a trinta e cinco minutos, que outros parapsicólogos têm usado. As experiências continuaram obtendo bom êxito.

Em breve, surgiram mais algumas novas adaptações da técnica de isolamento dos sentidos, na tentativa de obter resultados ainda melhores. Um grande avanço foi conseguido no Centro Médico Maimônides, onde Honorton havia adaptado, a princípio, o efeito Ganzfeld para testar os poderes extra-sensoriais. Essa nova experiência foi resultado de dois enérgicos voluntários do Hospital Maimônides, Michael Smith e Laurence Tremmel, que trabalhavam sob a supervisão de Honorton.

Em seu trabalho, eles partiam do pressuposto de que a percepção extra-sensorial é um processo inconsciente. Em outras palavras, a percepção extra-sensorial é primeiramente «recebida» pela mente inconsciente, um conhecimento que gradualmente vai filtrando para a mente consciente. E Honorton sentia que um teste acerca da percepção extra-sensorial poderia ser melhor sucedido se o agente telepático «enviasse» mensagens inconscientes também. Isso pode parecer uma contradição de termos; mas não o é, conforme fica demonstrado pelos resultados abaixo descritos.

Quanto a uma série de testes de percepção extra-sensorial especiais, Smith, Tremmel e Honorton

PARAPSICOLOGIA

contaram, cada um deles, com um agente, que contemplava um quadro através de um dispositivo taquitoscópico. Esse aparelho faz brilhar o quadro, para o agente, por não mais de um milésimo de segundo. Assim, o agente não «vê» conscientemente o quadro. Não há tempo hábil para isso; mas um grande número de experiências psicológicas tem provado que a pessoa *pode ver* e registrar tais quadros *de modo inconsciente*. Por exemplo, elementos de um quadro assim enfocado podem aparecer em sonhos na noite seguinte, ou a pessoa poderá relembrar o quadro, se meditar sobre o mesmo após a exposição. Usualmente, entretanto, apenas fragmentos ou distorções do quadro é que vêm à tona.

Destarte, depois que os agentes telepáticos examinaram seus quadros através do taquitoscópico, foram postos em um aparelho Ganzfeld separado, para falarem sobre as imagens que recebessem. Ao mesmo tempo, um paciente com poderes extra-sensoriais foi posto no aparelho Ganzfeld em outra sala, procurando imaginar o quadro visto apenas inconscientemente pelo agente que, por sua vez, estava procurando captar o quadro de seu inconsciente. E Smith, Tremmel e Honorton anunciaram ter obtido excelentes resultados com esse modo de proceder. O paciente captava e discernia o quadro projetado, mediante seus poderes extra-sensoriais, tão facilmente como se estivesse sendo «enviado» por telefone mental. De fato, essas experiências com um «quadro enviado subconscientemente» mostraram ser mais bem-sucedidas do que no caso dos testes convencionais com o efeito Ganzfeld.

Por volta de 1977, o efeito Ganzfeld já se havia tornado o mais debatido tópico no campo da parapsicologia. Nada menos de oito diferentes séries de experiências, usando o procedimento, tinham sido efetuadas no Hospital Maimônides, ao mesmo tempo em que dezoito diferentes séries de experiências haviam sido realizadas por outras instituições. Dezessete dessas séries produziram resultados significativos.

Instigados por esse desafio, finalmente os céticos entraram em ação, igualmente. O principal crítico dessa pesquisa havia sido o psicólogo Ray Hayman, da Universidade de Oregon, nos Estados Unidos da América. Ele havia citado uma falha no trabalho original do Hospital Maimônides—uma falha que os pesquisadores subseqüentes também estavam repetindo. Honorton e Harper tinham permitido que seus pacientes *e* seus agentes usassem os mesmos quadros em slides. Quando o agente terminava de «enviar», durante uma sessão típica, ele punha o carretel de volta na caixa, juntamente com os três outros carretéis. Então o pacote inteiro era entregue aos experimentadores, que os davam aos pacientes, para que fizessem comparações com as imagens que tinham antes recebido.

O Dr. Hyman, pois, argumentava que os agentes poderiam ter marcado os quadros, ou poderiam tê-los manchado com os dedos, por inadvertência. E esses pequenos indícios poderiam ter alertado os pacientes quanto aos carretéis certos. E os céticos davam excessiva importância a essa pequena falha na pesquisa, porquanto a maioria dos pesquisadores que usava o efeito Ganzfeld, triste é dizê-lo, *estavam* usando carretéis simples.

Porém, os parapsicólogos não demoraram a reagir favoravelmente ante o desafio. Observaram corretamente que a teoria dos «dedos gordurosos» poderia explicar somente o sucesso estatístico de suas experiências—ou seja, os resultados alicerçados sobre a escolha de um dentre quatro quadros em cada pacote que lhes haviam sido enviados. Mas essa falha não podia explicar como é que um paciente, isolado em seu ambiente fechado, podia realmente *descrever* os quadros, enquanto eles ainda estavam sendo «enviados»—um fenômeno freqüentemente observado pelos pesquisadores que usavam o efeito Ganzfeld.

Uma segunda reação favorável assumiu a forma de alguma pesquisa prática, efetuada por John Palmer, um parapsicólogo que atuava no estado da Califórnia, ligado à Universidade de Utrecht, na Holanda. O Dr. Palmer nunca teve boa sorte com o modo de proceder do efeito Ganzfeld, pelo que ele levou a efeito pesquisas para explorar a teoria dos «dedos gordurosos». E assim ele efetuou uma experiência com o efeito Ganzfeld no qual os pacotes entregues aos seus pacientes estavam deliberadamente manchados. Mas não descobriu qualquer evidência de que os seus pacientes tinham conseguido captar esse pequeno indício. De fato, chegaram a fracassar mesmo quando se chamou a atenção deles para os pacotes manchados.

Porém, o mais importante dos resultados foi que os parapsicólogos vieram a modificar seu modo de proceder, passando a usar carretéis duplicados—um conjunto para os enviadores e outro conjunto de carretéis para os pacientes avaliarem. E os resultados continuaram sendo tão coerentes e convincentes quanto haviam sido antes.

Carl Sargent insistiu em usar esse segundo modo de proceder, quando levava a efeito sua longa e bem-sucedida série de experiências com o efeito Ganzfeld, na Universidade de Cambridge, começando pelo ano de 1978. Não somente ele fez uma réplica do trabalho feito no Hospital Maimônides, como também o ampliou um tanto. Entre 1978 e 1980, ele efetuou diversas experiências, nas quais descobriu que as pessoas extrovertidas mostram-se especialmente hábeis na demonstração de seus poderes extra-sensoriais quando submetidas ao efeito Ganzfeld; que os pacientes podem tornar-se mais sensíveis a esse modo de proceder conforme se vão familiarizando mais e mais com o mesmo; e que—por alguma razão desconhecida—alguns parapsicólogos têm tido melhor sorte com o efeito Ganzfeld do que outros pesquisadores.

Infelizmente, está em debate a credibilidade do trabalho efetuado pelo Dr. Sargent. Quando a parapsicóloga inglesa Susana Blackmore visitou o laboratório de Sargent, no começo da década de 1980, ela suspeitou de algo, quando descobriu uma falha crucial na maneira como Sargent selecionava os seus quadros. E, quanto mais acompanhava as pesquisas dele, mais cheia de suspeita ia ficando. E Sargent reagiu às críticas feitas por ele abandonando subitamente as pesquisas, e recusando-se a cooperar com outros parapsicólogos, que desejavam acompanhar as alegações da Dra. Blackmore. Não foi descoberta qualquer evidência convincente de fraude, em Cambridge; mas o abandono das pesquisas, por Sargent, da maneira precipitada como o fez, fez muitos parapsicólogos estranharem de sua atitude.

Não obstante, continuam sendo efetuadas firmemente pesquisas que usam o efeito Ganzfeld, ao derredor do mundo:

*Rex Stanford e seus colegas, na Universidade de São João, estão fazendo experiências para verificar se diferentes tipos de «ruído branco» podem aumentar o efeito Ganzfeld.

*Nos Laboratórios de Pesquisas Psicofísicas de Princeton, Nova Jersei (sucessores do antigo laboratório do Hospital Maimônides), Charles Honorton está computarizando os resultados obtidos com o efeito

PARAPSICOLOGIA

Ganzfeld. Esses modos de proceder inovativos buscam evitar qualquer possibilidade de fraude, por parte dos experimentadores.

*Pesquisas quanto aos caminhos secundários do efeito Ganzfeld também estão sendo efetuadas na Universidade de Edimburgo, onde Julie Milton está explorando vários fatores que talvez intensifiquem a eficácia desse modo de proceder.

*O City College da City University of New York, ainda recentemente, conferiu um diploma de doutorado a Nancy Sondow, que vinha estudando a questão de que tipos de quadros mostram ser especialmente bons para serem usados como quadros no efeito Ganzfeld.

Por que motivo, pois, o efeito Ganzfeld funciona tão bem? Essa indagação tem ocupado muito da atenção de Honorton, e ele tem apresentado várias respostas possíveis. Antes de tudo, ele acredita que esse efeito submete o paciente a uma situação em que a sua mente anela por receber qualquer tipo de estímulo possível. Visto que a mente fica fora do alcance de qualquer sensação normal, talvez volte-se para as impressões captadas pela percepção extra-sensorial, como se fossem um substituto.

Também é fato bem conhecido que as pessoas que recebem impressões extra-sensoriais, com freqüência, asseveram que essas impressões ocorrem sob formas quase visuais. Os sonhos e as visões são veículos milenares da percepção extra-sensorial. E visto que o efeito Ganzfeld impulsiona os pacientes a extraírem imagens bastante nítidas, isso talvez fomente as chances dos pacientes adquirirem uma maior influência das percepções extra-sensoriais, conferindo às impressões extra-sensoriais um veículo natural de expressão.

Finalmente, um paciente submetido à privação dos sentidos sente-se psicologicamente ligado aos seus experimentadores. Porventura isso pode produzir aquele tipo de liame emocional que ajuda a percepção extra-sensorial a transcender ao tempo e ao espaço? Poderia isso explicar, por semelhante modo, por que razão somente alguns pesquisadores noticiam um reiterado sucesso com esse modo de proceder, ao passo que outros pesquisadores, como o Dr. Palmer, não têm sorte com o seu uso?

Todas essas são perguntas que as pesquisas futuras talvez consigam responder. Por enquanto, entretanto, bem podemos ficar no aguardo de novos desenvolvimentos, desfrutando dos sucessos recentes, sem nos preocuparmos demasiadamente com os seus fatores exatos. Certamente que o efeito Ganzfeld é um dos mais promissores desenvolvimentos da parapsicologia. Suas implicações são excitantes, e podemos ficar esperando novos progressos.

X. O Mundo Psíquico de Crianças Moribundas

Esta seção é um artigo que ilustra a praticalibilidade, a normalidade e a importância dos fenômenos psíquicos.

O Mundo Psíquico de Crianças Moribundas
Por D. Scott Rogo

Reimpresso pela gentil permissão de **Fate Magazine** (setembro de 1987).

As experiências delas confirmam uma antiga verdade: quanto às questões espirituais, as criancinhas podem ser nossos melhores mestres.

A Dra. Elizabeth Kubler-Ross tornou-se melhor conhecida por seu trabalho psicológico junto a pacientes moribundos. Seu primeiro livro sobre o assunto, *On Death and Dying* (Sobre a Morte e os Moribundos), foi publicado em 1969, tornando-se desde logo um sucesso de livraria. A principal descoberta dela foi que as pessoas exibem quatro estágios ou reações, antes de, finalmente, aceitarem a morte física. Usualmente, as pessoas primeiramente negam o fato da morte, em seguida exibem ira diante da sorte delas, então procuram barganhar com Deus, solicitando mais tempo, e, finalmente, entram em um profundo estado de depressão. Mas, depois de sobreviverem ante essa noite escura da alma, emergem preparadas para a viagem final da vida.

Continua sendo debatido entre os psicólogos se esses estágios da morte são reações previsíveis e seqüências de enfermidades terminais, ou se ao menos existem tais estágios. Porém, ao apresentar suas experiências diante do grande público, a Dra. Kubler-Ross ofereceu à sociedade uma nova apreciação acerca das complexidades da morte. Por assim dizer, ela tirou o assunto de dentro do arquivo, fazendo do mesmo um assunto a ser discutido.

Essa médica pioneira, após seus tão produtivos estudos, publicou uma seqüência intitulada *Questions and Answers on Death and Dying*, em 1974. Sete anos depois, ela publicou sua obra *Living With Death and Dying*. Esse livro apresenta uma modificação substancial no pensamento e nas pesquisas da Dra. Kubler-Ross. Essa psiquiatra suíça antes disso estivera primariamente interessada no estudo de pessoas que chegavam ao fim de uma vida longa e produtiva. Mas, no livro *Living With Death and Dying*, ela devotou um significativo capítulo aos cuidados com crianças moribundas. Nos fins da década de 1970, Kubler-Ross ficou fascinada diante do desafio de aconselhar a esses tenros pacientes. Atualmente, ela especializa-se no cuidado psicológico das crianças, e em seu livro mais recente, *On Children and Death*, ela explora o mundo psicológico de crianças às portas da morte. Surpreendentemente, o livro não diz respeito somente aos aspectos psicológicos desse mundo interior, mas também aborda as percepções psíquicas e as experiências de crianças moribundas.

Desde há muito que os parapsicólogos reconhecem que algumas pessoas tornam-se extremamente dotadas, psiquicamente falando, quando estão diante da morte física. Talvez o primeiro pesquisador a chamar uma atenção generalizada para o fato tenha sido Sir William Barrett, um médico de Dublin, Irlanda, co-fundador (em 1882) da Sociedade de Pesquisas Psíquicas da Grã-Bretanha. Em seu célebre livro, *Deathbed Visions*, publicado postumamente, esse pesquisador citou um incidente incomum, noticiado nos Estados Unidos da América do Norte. O relato dizia respeito a duas crianças pequenas, que estavam morrendo de difteria, que na época era uma enfermidade séria, causada por uma bactéria, e que usualmente resultava na morte. As meninas Jennie e Edith eram amiguinhas chegadas, e ambas contraíram essa infecção em junho de 1889. Jennie morreu primeiro, mas os pais e os médicos de Edith não deixaram transpirar qualquer informação da morte daquela a esta última. Mas, três dias depois da morte de Jennie, Edith falou acerca de uma figura bem-vinda, que chegara ao lado de seu leito. Instantaneamente, Edith percebeu que estava morrendo, e ficou de olhos fixos na presença invisível no quarto.

—Ora, papai, eu vou levar Jennie comigo! exclamou a menina, que então continuou: —Ora, papai, você não me disse que Jennie estava aqui! Em seguida, ela estendeu uma das mãozinhas para a fantasma e disse: —Oh, Jennie, estou tão alegre que você está aqui! E morreu logo em seguida, proferindo essas palavras para seus admirados genitores.

PARAPSICOLOGIA

Talvez pudéssemos eliminar esses casos de visões de leito de morte, não fossem eles tão numerosamente noticiados. Um estudo sério e detalhado de fenômenos similares à beira do leito de morte, foi efetuado pelo professor James H. Hyslop, que republicou os resultados de suas pesquisas no seu livro *Psychical Research and the Resurrection*, em 1908. (Hyslop começou a sua carreira ensinando filosofia na Universidade de Colúmbia; e, mais tarde, em 1907, ajudou na fundação da American Society for Psychical Research). Estando ocupado em suas pesquisas, descobriu um curioso livro publicado pelos pais de Daisy Dryden, uma pequena menina que havia falecido em Marysville, estado da Califórnia, a 9 de setembro de 1854. A história detalhada de Daisy Dryden foi publicada na revista *Fate*, edição de janeiro de 1953, no artigo de Philip Bartholomew, «The Little Girl Who Knew». Algum tipo de enterite progressiva foi a causa mortis da menina, e ela expirou quatro dias após ter ficado doente. Durante aqueles quatro dias críticos ela se tornou uma clarividente tão extraordinária que sua mãe ficou constantemente sentada ao seu lado, tomando notas abundantes. A pequena paciente anunciou ver uma série de visitantes «espirituais» ao lado de seu leito. Com freqüência, essas figuras afirmavam ser seus parentes já falecidos; mas Daisy também percebeu a presença de amigos e parentes falecidos de seus vizinhos, e falou de modo a dar-lhes provas de que os via.

Narrativas similares têm sido comumente noticiadas, especialmente quando a mortalidade infantil ainda era muito alto na América do Norte, e quando a maioria dos pacientes morria em suas próprias residências, rodeados por amigos e parentes. Entretanto, a morte vem sendo progressivamente furtada de sua essência espiritual, por parte de nossa sociedade organizada; pois, em nossos próprios dias, raramente os pacientes voltam dos hospitais às suas casas, a fim de falecerem. Em vez disso, os pacientes morrem confinados em seus quartos de hospital, sedados e inconscientes, atrelados a sistemas mecânicos de prolongamento da vida.

— 0 —

Kubler-Ross recusa-se a aceitar esse método impessoal de enfrentar a morte, bem como essa falta de consideração para com os moribundos. Ela prefere aconselhar aos moribundos onde quer que eles se sintam em maior conforto; e mediante essa prática é que ela tem podido redescobrir, gradualmente, o mundo psíquico das crianças à beira da morte. As crianças parecem ser dotadas de uma intuição consciente da aproximação da morte, sentindo a sua presença, sem importar se ela ocorre devido a alguma enfermidade ou devido a algum acidente repentino. E Kubler-Ross relatou as experiências das crianças por ela aconselhadas no livro de sua autoria, *On Children and Death*.

Relatou a psiquiatra: «Um casal compartilhou a história de sua pequena menina de oito anos de idade, a qual morreu devido a um pequeno acidente, em uma viagem ao outro lado do mar. Eles não prestaram atenção nos indícios que mostravam que teria sido melhor se eles nem ao menos tivessem feito aquela viagem».

Quando a pequena menina caiu e se feriu gravemente na cabeça, seus pais levaram-na correndo a um hospital; mas este distava muitos quilômetros dali, e a criança só sobreviveu à queda por cerca de vinte minutos. Posteriormente, os pais da menina perceberam que sua filha havia intuído a própria morte. Ainda no avião, cruzando o oceano, a criança escrevera uma nota de agradecimento aos futuros hospedeiros da família. Ela nunca havia escrito antes alguma nota parecida. Então ela deu a cartinha a uma sua irmã, pedindo-lhe que fizesse a entrega da mesma, como quem percebesse que jamais conseguiria fazê-lo pessoalmente.

Igualmente digna de atenção é uma carta que Kubler-Ross recebeu de uma perturbada mãe. Dois dias antes de sua filha ser morta em um acidente de trânsito, a correspondente levara a jovem para almoçar fora. Durante a refeição, a mãe e a filha conversaram sobre o futuro delas, e a mãe expressou alguma preocupação diante do fato de que as notas escolares de sua filha vinham piorando cada vez mais. Foi então que, subitamente, a menina disse que isso simplesmente não tinha importância: — Minha vida está quase no fim! dissera ela, para sua espantada mãe.

A maneira como a jovem *preparou-se* obviamente para sua morte, que ocorreria em breve, foi ainda mais bizarra. Escreveu sua mãe, na carta a Kubler-Ross: Ela passou os dois últimos dias passando a ferro toda a sua roupa. Eu quase não podia acreditar ao ver o quarto dela tão bem arrumado... Afinal, ela era apenas uma menina de quinze anos, sabia? Eu estava admirada. Ela não levava consigo qualquer identificação no dia do acidente e agora posso ver isso como um ato de amor, pois ela sabia de tudo. Ela sabia, quando entrou no automóvel, que nunca mais voltaria para casa; ela não quis que eu fosse despertada à 1:30 horas da madrugada, quando me disseram que minha filha havia morrido; e só fiquei sabendo do ocorrido às 15:00 horas do dia seguinte.

Esses comentários ficam mais claros quando a carta inteira é lida. A jovem **sempre** levava consigo o seu cartão de identificação, quando saía de casa. Por essa razão, foi muito significativo o fato dela não tê-lo levado, na opinião de sua mãe. A jovem deixara seu cartão de identificação sobre sua cama, bem ao lado de seu diário; e quando sua mãe examinou um pouco mais, descobriu uma mensagem importante escrita no livro. Essa mensagem fora escrita como um recado à sua mãe, para benefício da mesma, exortando-a a buscar autocura para as dores que ela sentia. E era evidente que a menina esperava que sua mãe encontrasse a passagem escrita.

Kubler-Ross citou casos adicionais de crianças que subitamente começaram a falar sobre a morte, a reencarnação e outras questões espirituais, imediatamente antes de acidentes com perigos de vida. Entretanto, esses casos nem sempre apresentam simples conhecimento anterior ou intuição da morte. Em certas oportunidades, as crianças realmente receberam alguma forma de revelação espiritual. A carta mais sensacional que a psiquiatra recebeu foi enviada por uma mãe residente na costa oriental dos Estados Unidos, que cabe diretamente dentro dessa categoria. Aquela mãe relatou que sua filha acordou ainda de madrugada extremamente excitada e eufórica. Ela havia dormido no leito de sua mãe, naquela noite, e despertou sua sonolenta mãe sacudindo-a e abraçando-a espontaneamente.

— Mamãe, mamãe! exclamava ela repetidamente. Jesus disse-me que eu vou para o céu. Gosto muito do céu, mamãe. Ali é tudo bonito, dourado, prateado e brilhante, e Jesus e Deus estão lá!

A menina estava falando tão depressa e com tanto frenesi que sua mãe não foi capaz de relembrar mais tarde tudo quanto ela disse.

— (A linguagem dela) fora afetada principalmente por sua excitação, escreveu a correspondente a

Kubler-Ross. E continuou: —(Minha filha) por natureza era uma menina calma, quase contemplativa, extremamente inteligente... mas não muito dada a conversas tolas e sem sentido, como acontece a muitas meninas de quatro anos de idade. Tinha boa habilidade verbal, muito precisa em suas frases. Notá-la tão excitada que tropeçava nas palavras foi algo muito incomum. De fato, não me lembro de tê-la jamais visto naquele estado, nem no Natal, nem nos seus aniversários e nem no circo.

A mãe tentou acalmar a criança, mas a menina estava tomada por um entusiasmo que ninguém podia sopitar. Ela continuava a falar sobre os anjos, as jóias que vira no céu, e nos seres que ela conheceria, chegando ali. Finalmente, quase em desespero, a mãe da menina tentou raciocinar com ela.

— Se você fosse para o céu, eu sentiria muito a sua falta, disse a mãe. E estou alegre que você teve um sonho tão feliz. Mas agora vamos nos tranqüilizar e relaxar por um pouco, está bem?

A menina, todavia, continuava a falar sobre a sua experiência. Mas *não* foi um sonho, insistia ela. Foi algo muito real! E enfatizava o que dizia daquela maneira melancólica com que as crianças pequenas algumas vezes demonstram quando estão protestando. E também disse que cuidaria de sua mãe, quando chegasse ao céu. Esse diálogo continuou por diversos minutos, antes da criança, finalmente, afrouxar sua tensão e começar a brincar. Algum tempo depois, naquela mesma tarde, a menina foi encontrada morta, assassinada que havia sido por algum desconhecido. Sua pequena vida chegara a seu trágico fim sete horas depois que ela recebera aquela revelação!

Muitas pessoas julgam ser deprimente todo esse assunto de crianças moribundas e o seu mundo psíquico. Usualmente ficamos amargurados quando a vida de uma criança é repentinamente ceifada—ou por causa de algum acidente, ou por causa de alguma enfermidade, como a leucemia. Porém, Kubler-Ross salienta um lado que nos enleva espiritualmente, em todo esse quadro fantasmagórico. Os casos por ela relatados indicam que algum poder prepara essas crianças para enfrentarem a morte, e elas parecem dispostas a compartilhar da informação recebida com seus genitores. De fato, esse processo de compartilhamento parece ser uma característica constante nesses casos.

Visto que creio pessoalmente na vida após-túmulo, não fico muito amargurado quando da morte de uma criança. Meus sentimentos estão alicerçados sobre casos semelhantes àqueles dados por Kubler-Ross, que já fazem parte da rica literatura sobre assuntos de parapsicologia. No último caso relatado por Kubler-Ross, por exemplo, embora não possa haver dúvidas de que tal assassinato foi trágico e sem sentido, a própria criança acolheu de braços abertos a própria morte, contemplando com grande expectação a sua futura vida no céu.

E isso nos conduz à segunda importante descoberta de Kubler-Ross, nesse terreno da morte de crianças. O processo psicológico por que passa a pessoa que morre pode ser psicologicamente enlevador. Aquela médica psiquiatra tem coligido vários casos que nos fazem lembrar relatos antes publicados pelo Dr. William Barrett e pelo professor James Hyslop.

Kubler-Ross tem-se preocupado principalmente em ajudar crianças moribundas a aceitarem o final da vida terrena e a enfrentarem essa realidade. No entanto, em alguns episódios ela tem visto que seu trabalho é impedido pelo médico da família envolvida. Os médicos mostram-se relutantes em revelar a seus pacientes a triste verdade de suas enfermidades terminais. Talvez devido a seus compreensíveis preconceitos, esses médicos algumas vezes têm-se recusado a permitir que Kubler-Ross trabalhe com os pacientes de uma maneira inteiramente franca e sem reservas. Mas a médica sente que as crianças sabem, intuitivamente, quando elas estão morrendo, e que ninguém lhes precisa dizer isso. Essa dedicada psiquiatra algumas vezes não tem arredado pé dos leitos de seus jovens pacientes, até o último suspiro de suas breves existências. E o que ela tem podido experimentar poderia servir de lição à profissão médica em geral.

Escreveu Kubler-Ross, em seu livro *On Children and Death:* «Pouco antes das crianças morrerem, com freqüência há um bem 'claro momento', conforme lhe dou o nome. Aquelas que tinham permanecido em estado de coma, desde o seu acidente ou cirurgia, abrem os olhos e parecem bem coerentes. E aquelas que tinham sofrido muitas dores e desconforto, ficam muito quietas e tranqüilas. É precisamente nesses instantes que pergunto delas se estão dispostas a compartilhar comigo daquilo que elas têm experimentado».

E os resultados dessas inquirições, finalmente, contribuíram para a crença pessoal de Kubler-Ross na *imortalidade* do espírito humano. A psiquiatra foi convocada durante uma dessas crises para atender a uma vítima acamada de um acidente de trânsito. A mãe do menino havia sido morta em um acidente de automóvel, seguido de incêndio; mas o irmão do menino, de nome Pedro, havia sobrevivido e estava sendo tratado em um hospital diferente, onde o equipamento incluía um centro mais bem preparado para receber pessoas com lesões provocadas por queimaduras. E quando a psiquiatra indagou do menino se ele se sentia bem, o garoto replicou com um surpreendente comentário:

— Sim, agora está tudo bem, disse ele a Kubler-Ross. «Mamãe e Pedro já estão esperando por mim». O menininho sorriu de contentamento e caiu novamente em estado de coma, do qual nunca mais se recuperou.

E Kubler-Ross termina seu relato: «Eu tinha plena consciência de que a mãe do menino havia morrido na própria cena do acidente, mas o menino Pedro não havia morrido». E completou a veterana conselheira: «Ele (Pedro) havia sido levado a uma unidade especial para queimados, porque o carro havia pegado fogo, antes dele ser solto das ferragens retorcidas. Visto que eu estava apenas colhendo informações, não aceitei o que o menino me dissera, e resolvi examinar como estava Pedro. Porém, isso nem foi necessário, porque quando passei pela enfermaria do hospital, havia um chamado telefônico do outro hospital para informar-me que Pedro havia expirado poucos minutos antes».

Os psicólogos sabem que pouco antes do desenlace final, os pacientes terminais, com freqüência, vêem figuras que se aproximam para dar-lhes as boas-vindas. A incidência generalizada desse fenômeno foi documentada formalmente, pela primeira vez, em 1961, quando o Dr. Karlis Osis, então pesquisador junto à Fundação de Parapsicologia, sediada na cidade de Nova Iorque, publicou o seu monógrafo *Deathbed Observations by Physicians and Nurses.* Esse estudo apresenta os resultados de uma pesquisa com mais de cinco mil pacientes e cinco mil enfermeiras dos Estados Unidos da América do Norte. Aquelas profissionais que cuidam da saúde alheia, que deram respostas às pesquisas feitas, relataram que seus pacientes moribundos geralmente afirmam ver lindas paisagens ou visitantes fantasmas em seus

PARAPSICOLOGIA

quartos de hospital. Essas aparições usualmente representam espíritos de mortos, ou são interpretadas como figuras religiosas, como mensageiros enviados do céu.

Depois que Osis tornou-se diretor de pesquisas da American Society for Psychical Research (também com sede na cidade de Nova Iorque), ele expandiu as suas pesquisas. Ele desejou comparar experiências de morte em nossa cultura com experiências similares, em outra cultura qualquer. E assim, esse psicólogo nascido na Letônia efetuou pesquisas entre médicos e enfermeiros, tanto nos Estados Unidos da América quanto na Índia. E os resultados de seus estudos mostram que os relatos de beira de leito são similares, tanto em um quanto em outro desses dois países. E visto que poucos dos pacientes entrevistados estavam tomando drogas quando suas visões tiveram lugar, Osis e seus colaboradores acreditam que os informes colhidos apontam diretamente para a sobrevivência da alma diante da morte física.

Mas, a despeito dessas pesquisas, alguns psicólogos e parapsicólogos permanecem no ceticismo ante as conclusões a que Osis tem chegado. Apesar das visões de leito de morte e das revelações provavelmente não serem causadas por disfunções cerebrais (como aquela causada pela falta gradual de oxigênio), permanece de pé a possibilidade de que essas experiências representem uma curiosa forma de fenômeno psicológico. Alguns céticos têm mesmo sugerido que o cérebro produz artificialmente essas experiências, com o intuito de aplacar os temores dos pacientes, diante da possibilidade de morte. Tais visões, assim sendo, talvez reconciliassem os pacientes moribundos com a sua sorte, ajudando-os a aceitar a própria mortalidade. É por um motivo assim que os casos que fornecem evidências, como aqueles episódios historiados por Kubler-Ross, tornam-se importantes. Porquanto indicam que um paciente qualquer *esteve* experimentando uma visitação real, uma experiência que a psicologia convencional não consegue encontrar meio para desconsiderar.

Em seu livro, essa psiquiatra escreveu: «Durante todos os anos em que venho coligindo tranqüilamente informes, desde Califórnia até Sidnei, na Austrália, entre crianças brancas e negras, aborígenes, esquimós, americanas do sul e líbias, cada criança que tem mencionado que alguém estava esperando por ela indicou alguém que a havia realmente antecedido na morte, nem que fosse por alguns poucos instantes. No entanto, nenhuma daquelas crianças havia sido informada acerca da morte recente de seu parente, de nossa parte, em qualquer instante. Coincidência? Mas agora não existe cientista ou estatístico que me possa convencer que isso sucede—conforme têm dito alguns colegas—em resultado da privação de oxigênio, ou por causa de alguma outra razão racional e científica».

Visto que esses casos apresentam evidências tão impressionantes, Kubler-Ross acredita na continuação da vida após a morte física. Por isso, ela relaciona a importância das visões à beira do leito com muitas experiências de quase-morte, cujos relatórios ela tem coligido de seus pacientes—pessoas que andaram vagueando no outro mundo, em seus breves encontros com a morte.

Essa ênfase sobre as dimensões espirituais da experiência da morte é reverberada na maneira de pensar de Kubler-Ross ainda de uma terceira maneira, e não menos importante. Ela tem recolhido e publicado alegados casos de crianças que *voltaram* da morte a fim de consolarem seus entristecidos pais. Para exemplificar, em seu livro ela escreveu a respeito de uma mãe que estava totalmente desesperada. Sua filhinha de seis anos havia sido sexualmente violentada e morta, e o incidente havia instilado o temor nos corações da pequena comunidade onde ela vivia. Poucos dias após o assassinato da menina, sua mãe estava descansando em seu quarto quando, subitamente, uma luz brilhante resplandeceu através da vidraça da janela. Então apareceu, dentro desse halo de luz, a pequena menina, sorrindo radiosamente. A figura desapareceu nos instantes seguintes, mas a visão consolou grandemente àquela mãe.

Escreveu então Kubler-Ross: «A visão encheu-a de tal paz e amor que ela se sentiu em uma condição mental muito melhor, após esse incidente, em comparação com os intranqüilos moradores da comunidade!»

Kubler-Ross continua explorando os mundos particulares de crianças moribundas. E ela agora está expandindo a sua obra para incluir as questões espirituais, psíquicas e psicológicas envolvidas. É provável que o melhor conselho dela, reiterado em cada um de seus livros, é que a sociedade deve aprender a viver diante da ameaça da morte. Quiçá possamos aprender a apreciar a morte como uma mudança final que visa ao nosso desenvolvimento pessoal, afinal de contas. A coragem e o cumprimento espiritual que muitas crianças têm achado durante o processo da morte deveriam representar uma importante lição para nós. As experiências dessas crianças refletem os temores que tantos dentre nós sentem diante do espectro da morte. Kubler-Ross tem-nos redirecionado a uma sábia e antiga verdade: quando se trata de questões espirituais, as criancinhas podem ser nossos melhores mestres.

XI. Avaliação Pessoal

Minhas opiniões pessoais têm sido expressas ao longo do artigo, pelo que ofereço aqui um breve sumário a respeito:

1. Os estudos sobre os fenômenos psíquicos confirmam algumas importantes verdades religiosas, especialmente aquelas relacionadas à vastidão e ao potencial humano, que mostram que ele é um espírito ou alma, e não um mero corpo físico mecânico.

2. Esses estudos confirmam o potencial humano de aprender muito mais do que ele é capaz de captar através da percepção de seus sentidos, o que, de resto, sempre foi afirmado pela fé religiosa.

3. O estudo sobre as aptidões psíquicas humanas é tão necessário e legítimo quanto o estudo de suas propriedades físicas, ou seja, aquelas questões investigadas pela biologia e pela fisiologia. A história da ciência tem-nos mostrado que os pioneiros, em qualquer campo da pesquisa, encontram amarga oposição da parte dos tradicionalistas e de várias ortodoxias, até que suas teorias tenham oportunidade de ser confirmadas. Porém, o progresso, quanto a tais questões, com freqüência só pode ser medido em termos de meio século, ou mesmo de um século.

4. Apesar de pessoas dotadas de fé possam não precisar do apoio de provas científicas, em favor da natureza imaterial do homem, e que a morte é apenas uma transição, e não o fim, muitas pessoas, na realidade, precisam desse tipo de confirmação. Se a porção imaterial do homem for provada como uma realidade científica, então uma grande vitória terá sido obtida em favor da fé religiosa.

5. Os abusos, como aqueles que ocorrem quando as pessoas interessadas pelos fenômenos psíquicos misturam-nos com o ocultismo, são exatamente isso, *abusos*. Esses abusos não detratam do valor geral desse estudo mais do que qualquer falsa teoria científica é capaz de anular as investigações científicas

em geral. Todos os campos da pesquisa científica têm tido suas falsas teorias, que somente a passagem do tempo é capaz de vencer. Mas essas falsas teorias, esses abusos, não descontinuam a ciência.

6. Os anglicanos e outros têm feito bem em promover estudos e pesquisas a respeito dos fenômenos psíquicos. Estão em jogo grandes questões. Se a existência da alma puder ser comprovada cientificamente, isso será de maior importância e de impacto mais decisivo para o mundo do que qualquer descoberta feita até o momento, incluindo a energia atômica.

7. Tem sido adequadamente demonstrada a naturalidade dos fenômenos psíquicos. Isso não significa, entretanto, que não existam forças demoníacas. Ver os artigos sobre *Demônios* e *Possessão Demoníaca*. Todos os campos do conhecimento estão sujeitos a abusos, mas nem por isso abandonamos as pesquisas.

8. Todos deveríamos estar interessados por todos os campos de investigação, mesmo que não tenhamos o tempo, o treinamento e o interesse para nos envolvermos pessoalmente. A ignorância não tem qualquer valor. Os teólogos pelo menos deveriam ter um conhecimento geral da filosofia e da parapsicologia, em face das momentosas questões envolvidas e da contribuição que essas disciplinas fazem ao nosso conhecimento em geral.

9. A parapsicologia e a filosofia têm enriquecido minha maneira de pensar e meu fundo de conhecimentos. Visto que o conhecimento é um aspecto importante da vida, posso afirmar, sem qualquer qualificação, que esses dois campos de investigação têm enriquecido a minha vida.

Bibliografia. No decurso do artigo, tenho mencionado vários artigos que se relacionam ao tema deste verbete. Vários desses artigos contêm bibliografias detalhadas. Limito-me aqui a algumas poucas obras-padrão, além de referências a enciclopédias que apresentam úteis estudos em esboço. O estudo de AM foi preparado por J.B. Rhine, pelo que nos fornece valiosas informações de pano de fundo, além de uma história das primeiras pesquisas nesse campo. A enciclopédia EP é surpreendentemente boa, considerando-se que essa é uma enciclopédia de filosofia. Quanto a obras individuais, ver: BAY BROA BU CHE CR DCJ DRE EC MOO MOO(1977) MY OSI PRIC RAN RH RIN SA SHG SL WEA.

Revistas especializadas importantes são *Proceedings* e *Journal* da London Society for Psychical Research; *Journal of the American Society for Psychical Research; Journal of Parapsychology* (impresso por Duke University); *The Journal of Religion and Psychical Research* (impresso pela Academy of Religion and Psychical Research); e *Theta* (Journal of the Psychical Research Foundation).

PARBAR

No hebraico, «subúrbio», uma porção da cidade de Jerusalém mencionada em relação ao templo, em II Reis 23:11 e I Crô. 26:18. Nossa versão portuguesa, em ambas as passagens, diz «átrio». Outras traduções, de acordo com indicações rabínicas, dizem «no lugar exterior». Mas é quase certo que essa palavra hebraica é cognato do hebraico *parvarim*, que significa «subúrbios», mormente em II Reis 23:11.

Josefo aludiu a um lugar em um vale profundo, que separou a muralha ocidental do templo da cidade, defronte ao vale. Isso corresponde à extremidade sul do vale Tiropoeano, podendo ser esse o local chamado Parbar. Também é possível que tal designação venha desde os tempos dos jebuseus, absorvida pelos hebreus em seu vocabulário. Alguns eruditos pensam estar em foco um complexo de construções, e não uma localidade. Por todas essas razões o próprio nome, sua derivação e o lugar (ou construções) permanecem na incerteza.

PARCIMÔNIA, LEI DA

Expressão alternativa para **Navalha de Ockham** (vide). A raiz dessa palavra é o termo latino *parcimonia*, «parcimônia». Trata-se de uma regra de simplificação. Assim, quando alguém está enfrentando um problema que tem duas ou mais soluções propostas, a mais simples delas deve ser escolhida, como a mais provável. Quine afirmava que a economia conceptual deve ser empregada com um procedimento científico básico. O resto que tenho a dizer sobre o assunto fica no artigo *Navalha de Ockham* (vide). É evidente que nem sempre a verdade é fácil; às vezes, a simplicidade serve somente para limitar a verdade, e não para esclarecê-la. Um exemplo berrante, na teologia, consiste em falar sobre a vida após-túmulo em termos de céu e inferno, como se não houvesse alternativas, e como se as coisas fossem tão simples quanto isso. Além disso, os paradoxos sempre envolvem-nos em complexidades, e mesmo em perplexidades, longe de atenderem ao princípio da parcimônia.

PARDAL

No hebraico, **tsippor**, palavra que aparece por quarenta vezes, nem sempre traduzida como «pardal». Em nossa versão portuguesa, isso só ocorre por uma vez, em Salmos 84:3. Outras versões também dizem «pardal», em Salmos 102:7, mas a nossa versão portuguesa diz ali «passarinho». Geralmente essa palavra é traduzida por «ave». Ver, para exemplificar, Gên. 7:14; Lev. 14:4-7,49-53; Deu. 14:11; Pro. 6:5; Amós 3:5.

No grego, *strouthíon*, «pardalzinho». O vocábulo está no diminutivo. É termo que ocorre por quatro vezes no Novo Testamento: Mat. 10:29,31; Luc. 12:6,7.

Todos os estudiosos concordam que o termo hebraico *tsippor* tem um sentido mais geral, indicando a idéia de «passarinho», e um sentido mais específico, segundo se vê em Salmos 84:3 e 102:7 (embora neste caso, como já mostramos, nossa versão portuguesa também a traduz por «passarinho»). Em Salmos 84:3, pode estar em foco o pardal caseiro, que tanto gosta de fazer seu ninho nas habitações humanas. E em Salmos 102:7, conforme pensam vários estudiosos estaria em foco o tordo, uma pequena ave que vive solitária nas rochas e nas edificações abandonadas. Na verdade, há ornitólogos que dizem que esse é o verdadeiro «pardal». Assim, há boas evidências em favor do uso geral da palavra em Gênesis 15:10, onde se refere explicitamente, à rola e ao pombinho do versículo anterior. A mesma palavra é empregada para indicar aves usadas no cardápio comum, em Neemias 5:18, ou para indicar aves oferecidas nos sacrifícios, em Levítico 14, sem falarmos em diversos outros contextos onde se lê sobre aves usadas na alimentação. Portanto, o sentido geral da palavra poderia ser qualquer ave pequena, limpa, ou seja, permitida para os judeus como alimento. Porém, sempre que houver comparação com alguma outra ave, deveríamos pensar no pardal. É precisamente o caso de Salmos 84:3, onde lemos: «O pardal encontrou casa, e a andorinha, ninho para si...»

Interessante é observar que o termo grego *strouthíon* também é uma palavra de sentido geral, que requer algum adjetivo ou frase qualificadora para denotar alguma espécie em particular. Os pardais, pois, eram tão comuns que Jesus pôde usá-los como indicação de coisa corriqueira e de pouco valor. «Não se vendem dois pardais por um asse? e nenhum deles cairá em terra sem o consentimento de vosso Pai» (Mat. 10:29).

PAREDE

Palavra que traduz diversos vocábulos hebraicos e dois vocábulos gregos. As palavras hebraicas mais usadas são *chomah*, «parede», usada por cerca de cento e trinta vezes, de Êxo. 14:22 a Zac. 2:5; e *qir*, «parede» ou «trave», usada por setenta e seis vezes, de Lev. 14:37 a Hab. 2:11. Há outras treze palavras hebraicas, variegadamente traduzidas, embora com a idéia geral de «muro» ou «parede». As palavras gregas são *teichos*, «muralha» (ver Atos 9:25; II Cor. 11:33; Heb. 11:30; Apo. 21:12-19), e *toichos*, «parede» (ver Atos 23:3).

As paredes das casas usualmente eram feitas de tijolos, colocados sobre alicerces de pedras brutas. Ocasionalmente as paredes eram feitas de pedras irregulares, presas umas às outras com argila. Nos primeiros tempos, as muralhas das cidades eram feitas verticalmente, sem quaisquer projeções ou guarnições externas, para proteção, prática que continuou até o começo da idade do ferro. Posteriormente, as muralhas passaram a ser sólidas e espessas, para poderem resistir aos aríetes assírios. A espessura das muralhas variava entre três e cinco metros, com bastiões que se projetavam a cada tantos metros. Esses bastiões eram dotados de saliências, para impedir o acesso de atacantes, havendo também grades para proteção dos arqueiros.

Em Cantares 8:9, a palavra hebraica *chomah* é usada simbolicamente para indicar uma menina na idade da puberdade. A idéia é que ela era chata como uma parede, mas que em breve obteria a típica figura feminina, porque seus seios, comparados com «torres sobre a muralha», apareceriam. O aparecimento dos seios era sinal de que ela estava chegando à idade própria para o casamento. Os intérpretes vêem nesse simbolismo a Igreja de Cristo, que se prepara como uma noiva para seu noivo; ou então qualquer forma de bênção que ocorre quando há o devido desenvolvimento espiritual. (G HA ID)

PAREDE DA SEPARAÇÃO

No grego, **mesótichon**, «parede do meio». Corresponde à *chel* dos hebreus, um vocábulo que indicava uma parede ou uma espécie de sebe, entre o átrio dos gentios e o templo de Jerusalém. O termo grego aparece em Efé. 2:14.

A intenção dessa parede era impedir que os não-judeus se aproximassem da área santa do templo, o qual era símbolo da própria lei mosaica, que separava os judeus dos gentios, para que estes não participassem dos privilégios religiosos de Israel. Foi assim que se foi estabelecendo uma espécie de inimizade mútua entre judeus e gentios. Mas o apóstolo Paulo, sendo apóstolo dos gentios, no segundo capítulo de sua epístola aos Efésios, salientou que essa parede de separação fora anulada pelo poder e pelos efeitos da missão terrena de Cristo. Efetuada essa missão de Cristo, a lei mosaica não continua sendo o fator dominante da fé religiosa revelada; antes, a graça e a fé substituíram aquele princípio. Outrossim, nada existe de tão universal neste mundo como a graça divina e a fé.

Paulo aludiu **metaforicamente** a um muro de hostilidade que separara judeus e cristãos, mas afirmou que esse muro foi anulado por Cristo, e assim passou a imperar unidade e harmonia entre esses dois povos, quanto àqueles que aceitam a Cristo. Parece que Paulo tinha especificamente em mente a legislação mosaica, e como esta havia dividido judeus de cristãos, e até mesmo cristãos de cristãos. Isso nos faz considerar o problema legalista. Muitas pessoas, incluindo cristãos de tendências legalistas continuam a crer na justificação em termos legais. As doutrinas da graça-fé têm levado os homens a separarem-se em campos opostos. Apesar da referência específica de Paulo ser à antiga fé judaica legalista (com base nas leis mosaicas), faremos bem em ver aqui uma aplicação desse texto à nossa situação moderna. Que pode haver de mais hostil do que a hostilidade religiosa?

Alguns ministros cristãos chegam a gabar-se de ser campeões das contendas. As várias denominações cristãs desenvolveram-se formando uma série de campos armados hostis, opondo-se, odiando-se e até perseguindo-se mutuamente, sempre que isso é possível. Noutras épocas, eles chegavam a matar-se. Mas atualmente eles preferem os desforços verbais, empregando a tática do isolamento, para manterem à distância aqueles que não concordam com os seus princípios separatistas. A parede de separação à qual Paulo aludiu era pior que a parede divisória do templo, da qual falamos acima. «A parede divisória da qual falávamos era muito mais formidável, por ser uma parede de preconceitos cegos». (Z)

PARENTE, VINGADOR DO SANGUE

No hebraico, **goel**, «redentor», palavra usada somente em Neemias 13:29. Ver o artigo separado sobre *Goel*. Na sociedade hebréia e em suas leis, vários deveres eram requeridos da parte dos parentes das pessoas. O primeiro responsável era o parente masculino mais próximo. Um dos mais importantes desses deveres era o de servir de vingador do sangue e de parente remidor (ver os artigos separados). A instituição da responsabilidade dos parentes era comum entre os povos semitas. Todo erro praticado contra alguém precisava ser devidamente vingado; e a família assumia formas de justiça que hoje em dia seriam prerrogativas exclusivas do Estado. O sangue da pessoa injustiçada (se um assassinato ou uma morte acidental tivesse tido lugar) é retratado como se estivesse clamando do chão, pedindo vingança. O parente masculino mais próximo estava na obrigação de ouvir o caso e cumprir o seu dever de tirar vingança. Um filho deveria vingar a morte de seu pai, um irmão devia vingar a morte de uma irmã sua. A *lei do linchamento* é uma forma primitiva de justiça. Mas, em certas sociedades, era legalizada de uma forma ou de outra. Em casos de morte acidental, o *goel* nada podia fazer, se o homicida se refugiasse em certas cidades. Ver sobre as *Cidades de Refúgio*. Ver o artigo separado sobre o *Vingador do Sangue*.

PARENTE REMIDOR
Ver sobre **Goel**.

PARETO, VILFREDO
Suas datas foram 1848-1923. Ele foi um filósofo italiano, mas nascido em Paris. Educou-se na Itália,

na Universidade de Lausanne.

Idéias:
1. Todas as sociedades são governadas por **elites**, apesar das reivindicações em contrário. Porém, há dois tipos de governos elitistas: a. aqueles que se arriscam e tentam novas coisas; b. aqueles que não se arriscam e sempre procuram manter o *status quo*. O primeiro tipo tenta novas combinações de idéias; o segundo tipo promove os antigos e já experimentados agregados.

2. Ambos esses elementos sempre existiram na sociedade, e ambos são forças internas que lutam em favor do bem ou do mal. A esses elementos contínuos ele chamava de *resíduos* da sociedade. Outrossim, as crenças dos homens estão ligadas a esses elementos. Aos elementos que variam ele chamava de *derivações*. Os homens usam essas derivações para justificar os seus resíduos. Essa é apenas uma outra maneira de dizer que quanto mais as coisas se alteram mais elas continuam a mesma coisa, visto que estamos sempre a braços com os mesmos conjuntos de condições e de formações na sociedade.

3. Quanto à questão religiosa, Pareto compartilhava da crença de **Freud** de que a religiosidade é apenas uma maneira de pensar esperançosa. As organizações religiosas são apenas grupos de interesses especiais existentes na sociedade. Seus ataques contra a religião eram venenosos e irracionais.

PARKER, THEODORE

Suas datas foram 1818-1860. Foi um teólogo norte-americano, nascido em Lexington, estado de Massachusetts. Educou-se em Harvard. Tornou-se um líder do liberalismo. Foi um dos principais ministros unitários, tendo construído o seu pensamento religioso em torno de três ensinamentos principais: Deus, a lei moral e a imortalidade. Tornou-se conhecido por seu amor pela liberdade, e mostrou-se ativo no movimento de emancipação que, finalmente, deu liberdade aos escravos. Sua influência era tão grande que Emerson apelidou-o de o Savonarola do Transcendentalismo da Nova Inglaterra (vide). Sua principal obra escrita foi *Discourse on Matters Pertaining to Religion*.

PARMASTA

Esse termo vem diretamente de um vocábulo persa que significa «o primeiro». Esse era o nome do primeiro dos dez filhos de Hamã (ver Est. 9:9). Foi executado pelos judeus. Deve ter vivido por volta de 470 A.C.

PÁRMENAS

Parece que o sentido da palavra grega por detrás desse nome próprio é «constante». Esse foi o nome de um dos sete diáconos originais da Igreja cristã primitiva, de acordo com Atos 6:5. Nada mais se sabe sobre ele, exceto esse fato. Mas a tradição não pôde resistir e acrescentou algumas poucas informações a seu respeito. Presumivelmente ele sofreu o martírio no tempo do imperador Trajano, em Filipos, sabendo-se que Trajano governou entre 99 e 117 D.C. Hipólito ajuntou que Pármenas tornou-se bispo de Soli. Sua festa é celebrada, na Igreja Oriental Ortodoxa a 28 de julho.

PARMÊNIDES

Suas datas aproximadas foram 515 a 450 A.C. Ele foi um dos mais importantes filósofos pré-socráticos. Nasceu em Eléia e foi influenciado pelos pitagoreanos. Opunha-se à doutrina de Heráclito de que «tudo se acha em estado de fluxo». Era expoente do monismo e da imutabilidade, e foi o fundador da filosofia eleática.

Idéias
1. **Racionalismo Extremo**. Para ele, o ser e o pensamento seriam idênticos, pelo que a verdade sobre o ser poderia ser conhecida através do pensamento disciplinado, e não através da percepção dos sentidos.

2. As experiências adquiridas pela percepção dos sentidos são contraditórias, razão pela qual são ilusórias, pois o mundo físico não passa de mera aparência.

3. O pensamento busca aquilo que é constante, invariável e comum nas coisas (ou seja, o universal, de acordo com o vocabulário de Platão). O ser existe; o não-ser não existe; não existe isso de tornar-se ou de estar vindo à existência.

4. A criação é impossível, porquanto nada pode ser trazido à existência, a partir do nada. O ser é eterno e imutável. O resto é ilusão.

5. As mudanças são impossíveis, pois elas significariam que algo veio à existência onde antes nada existia; a não-existência não existe, e nem qualquer mudança.

6. Se qualquer coisa mover-se, terá de ocupar um espaço onde antes essa coisa não estava; e visto que o espaço vazio não existe e nem é ser, o movimento é algo impossível.

7. As coisas parecem estar separadas pelo espaço; mas, se isso fosse verdade, então o espaço vazio teria de ser alguma coisa. Mas, visto que o espaço vazio não existe, então também não existe tal coisa como separação mediante o espaço. Isso também é ilusório, não passando de um sonho fantástico.

8. O ser é homogêneo em todas as suas dimensões, como a massa de uma esfera, que é perfeita em todos os seus lados. Todas as coisas estão a igual distância do seu centro. Ele e seu mais hábil discípulo, Zeno de Eléia, defenderam esses pontos de vista em seus paradoxos. Ver *Zeno, Paradoxos de*, bem como o artigo geral intitulado *Paradoxo*.

9. Deve-se observar que as descrições do Ser, por parte de Parmênides, são idênticas às descrições cristãs acerca de Deus: eterno, imutável, perfeito, etc. Esse é o único Real, e todas as demais coisas são ilusórias.

Escritos. Sobre a Natureza, do qual há somente alguns fragmentos.

PARNAQUE

No hebraico, «dotado». Esse era o nome do pai de Elisafã, um príncipe da tribo de Zebulom. Elisafã foi escolhido para ajudar a distribuir os territórios a oeste do rio Jordão, entre as tribos que deveriam viver naquela faixa da conquistada Terra Prometida. Ver Núm. 34:25. Isso sucedeu em cerca de 1440 A.C.

PAROLEIRO

Atos 17:8. Em vez de *tagarela*, a versão portuguesa AC diz *paroleiro*. A tradução literal dessa palavra seria *apanhador de sementes*, geralmente aplicada aos pássaros, os quais andam ao redor apanhando uma semente de cada vez, onde quer que as encontrem. Por extensão, essa expressão passou a ser usada acerca de qualquer pessoa que vivia apanhando

PAROLEIRO — PAROUSIA

ninharias, procurando harmonizá-las, em sentido físico ou em sentido mental. Era aplicada a indivíduos reputados como **pseudo-sábios**, cuja erudição se compunha de pedaços de material tomado por empréstimo de outros, em segunda mão, não-digeridos, mas meramente repetidos de uma forma desordenada. Shakespeare falou sobre os «apanhadores de trivialidades não-consideradas». Browning fez alusão aos «apanhadores de pedacinhos de erudição», expressões essas que são equivalentes modernos daquela expressão grega.

Um equivalente shakespeareano se encontra em *Love's Labor Lost*, verso segundo:

Esse indivíduo apanha perspicácia como os pombos apanham ervilhas,

E novamente as diz, quando Jove assim acha por bem.

Ele é o vendilhão da perspicácia, e retalha sua mercadoria,

Nas festas e bebedeiras, nas reuniões, nos mercados e feiras.

Aqueles que se dão ao vício da bisbilhotice também apanham as suas informações dessa maneira, por serem parasitas das conversas intermináveis, ansiosos por darem suas informações maliciosas. *Zenão*, o filósofo estóico, aplicava essa mesma palavra a um de seus discípulos, o qual era mais prolixo nas palavras do que mesmo sábio. E com isso o filósofo o desprezava. (Ver Diog. Laert. Zeno, cap. 19). Eustácio de Constantinopla (1160 D.C.), que foi um autor e retórico erudito, tece referências aos retóricos que eram meros coletores de palavras, não passando de plagiadores constantes. E, segundo ele nos diz, esse termo era igualmente aplicado àqueles que freqüentavam conferências mas que, de forma errônea e não-científica, repetiam o que tinham ouvido, aplicando erroneamente seus informes, por tê-los entendido mal, abusando disso. Alford (*in loc.*) sugere que essa palavra também faz alusão àqueles que eram capazes de falar fluentemente, mas sem propósito algum, sempre pedindo de empréstimo as suas idéias e palavras de terceiros.

Foi com esse vocábulo, pois, em nossa versão portuguesa traduzido por «tagarela», que aqueles filósofos epicureus e estóicos ridicularizaram de Paulo como se fosse um pretensioso mas grosseiro mestre, que meramente recolhia sobejos de conhecimentos, que havia apanhado aqui e acolá, sem a menor organização, ao longo de sua vida.

PARÓQUIA

Uma área local sobre a qual um padre ou pastor exerce jurisdição, e onde exerce seus deveres pastorais. Nas igrejas católica romana e anglicana, usualmente a paróquia faz parte de uma diocese. A raiz dessa palavra encontra-se no grego, *pará*, «ao lado», e *oikeeín*, «habitar». Daí vem o termo grego *paroikía*, «circunvizinhança».

PARÓS

No hebraico, «pulga». Nos trechos de Esd. 2:3; 8:3; 10:2; Nee. 3:25; 7:8; 10:14, lê-se sobre os descendentes de Parós. Estes formavam uma importante família dos tempos pós-exílicos que fixou residência em Jerusalém, quando um remanescente de Judá havia retornado do *cativeiro babilônico* (vide). Na época dessa volta, eles eram dois mil, cento e setenta e dois. Homens dessa família tinham-se casado com mulheres estrangeiras e tiveram de divorciar-se delas (ver Esd. 10:25). Eles atuaram na reconstrução das muralhas de Jerusalém (ver Nee. 3:25), e assinaram o pacto com Neemias (Nee. 10:14). Isso ocorreu ligeiramente depois de 536 A.C.

PAROUSIA
Segunda Vinda de Cristo

Esboço

I. Observações Gerais
II. O Tempo do Arrebatamento
III. A Vinda Literal de Cristo
IV. A Igreja Cristã Primitiva Esperava Esse Acontecimento em seus Próprios Dias
V. A Segunda Vinda de Cristo Será a Concretização do Senhorio, Tanto Para o Mundo Como Para a Igreja
VI. Observações Sobre o Arrebatamento No Tocante a Segunda Vinda de Cristo Para Julgar
VII. Urgência Desta Verdade
VIII. Acontecimentos que Terão de Anteceder à *Parousia*

I. Observações Gerais

1. A **parousia** será uma série de acontecimentos, começando com Armagedom e se estendendo até a destruição final da velha terra (II Ped. 3:4,12, ver notas no NTI). O tempo do aspecto da parousia que acontecerá antes do milênio é desconhecido (Mat. 24:6). O tempo do arrebatamento da igreja é debatido. Ver notas completas sobre este assunto em I Tes. 4:15 no NTI.

2. Será um período de refrigério ou descanso, vindo da parte do Senhor (Atos 3:19).

3. Significará a restauração de todas as coisas (Rom. 8:21; Efé. 1:10). O «mistério da vontade de Deus» será cumprido. A segunda vinda será uma série de acontecimentos e até o milênio pode ser considerado parte dela. II Ped. 3:4-13 mostra que até o julgamento final e a destruição do velho sistema cósmico fazem parte da *parousia* no seu sentido mais amplo. O processo histórico será incorporado na grande *transição* da «parousia». A parousia utilizará o processo histórico para cumprir o mistério da vontade de Deus, mas também transcenderá aquele processo. O cumprimento do mistério da vontade de Deus fará de Cristo o centro da Nova Criação na qual ele será tudo para todos. Ver o artigo sobre este assunto intitulado *Restauração*. Ver Efé. 1:10.

4. Consistirá da manifestação, aparecimento e revelação de Jesus Cristo (I Ped. 1:7,13).

5. Será o dia de nosso grande Deus e Salvador, Jesus Cristo (Tito 2:13).

6. Também será o Dia de Deus e de nosso Senhor Jesus Cristo (I Cor. 1:8 e II Ped. 3:12).

7. É acontecimento predito nas páginas do A.T. (Dan. 7:13); e figura tão freqüentemente no N.T., que é mencionado numa média de um versículo em cada vinte e três. (Ver Jud. 14; Mat. 25:31; João 14:3; Atos 3:20 e I Tim. 6:14).

8. Esse acontecimento será precedido por certos sinais (Mat. cap. 24).

9. Sua maneira: será nas nuvens (Mat. 24:30 e Apo. 1:7); na glória de Deus Pai (Mal. 16:27); na glória de Cristo (Mat. 25:31); uma verdade literal (Atos 1:9,11); acompanhado pelos anjos (Mat. 16:27; I Tes. 3:13 e Jud. 14); em companhia dos crentes (I Tes. 4:14); repentino (Mar. 13:36); como se fora um ladrão que assalta à noite (I Tes. 5:2; II Ped. 3:10 e Apo. 16:15); será como um relâmpago (Mat. 24:27).

10. Propósitos: a glorificação dos santos (II Tes. 1:10; I Tes. 4:15 e *ss*); não será para efeito de

PAROUSIA

expiação (Heb. 9:28 e Rom. 6:9,10); visará a própria glória de Cristo (II Tes. 1:10); visará julgar tanto aos salvos quanto aos perdidos (Sal. 50:3,4; João 5:22; II Tim. 4:1; II Cor. 5:10).

Cumpre-nos observar, por semelhante modo, que tal *juízo* é vinculado à *parousia* e não à morte física de cada indivíduo. Ver notas em I Ped. 4:6 no NTI. As questões eternas, pois, não serão fixadas até à segunda vinda de Cristo. Portanto, o poder salvador ou restaurador de Cristo se prolonga pelo mundo intermediário e não se restringe apenas a este mundo físico, terreno. Ver I Ped. 3:18.

Cristo destruirá a morte quando de sua vinda (ver I Cor. 15:25,26). Assim, os seus santos receberão a natureza e a semelhança de Cristo, mediante a ressurreição e a subseqüente glorificação; e isso atua neles, por enquanto, como uma esperança purificadora (ver I João 3:2,3 e I Tes. 4:14,16). Tal ocorrência redundará em glória tanto para Cristo como para os crentes (ver Col. 3:4). A coroa da glória será dada aos crentes nessa oportunidade (ver II Tes. 4:7 e I Ped. 5:4). Então, terá início o reino milenar de Cristo (ver Dan. 7:27; II Tim. 2:12; Apo. 5:10 e 20:6). (Ver o artigo sobre o **Milênio**).

11. *Em relação aos crentes*, esse acontecimento se reveste agora dos seguintes elementos: os crentes devem amar a vinda do Senhor (ver II Tim. 4:8); devem esperar por ele (ver Fil. 3:20; Tito 2:13); devem aguardar a Cristo (ver I Cor. 1:7 e I Tes. 1:10); devem apressar a vinda de Cristo (ver II Ped. 3:12); devem orar para seu desenlace (ver Apo. 22:20); devem estar preparados para esse dia (ver Mat. 24:44; Luc. 12:40); devem vigiar a respeito (ver Mat. 24:42).

12. *Em relação aos incrédulos*, a segunda vinda de Cristo serve de motivo de zombarias (ver I Ped. 3:3,4); os incrédulos presumem a sua ocorrência tardia (ver Mat. 24:48); serão surpreendidos por seu súbito desenlace (ver Mat. 24:37-39); serão castigados quando houver tal ocorrência (ver II Tes. 1:8,9); e o anticristo será destruído em seu poder e domínio nessa oportunidade, caindo em perdição eterna (ver II Tes. 2:8). Efésios 1:10, vinculado com I Ped. 3:18-20, 4:6, mostra como a missão de Cristo, afinal, terá efeitos imensos e universais, sobre todos os homens, não somente sobre os eleitos. Tudo, afinal, terá seu centro em Cristo, e terá uma utilidade, embora não a mesma dos eleitos, sendo imensamente inferior.

Queremos notificar ao leitor de que, nas referências sugeridas acima, nenhum esforço foi feito por nós para distinguir os temas relativos ao «arrebatamento da igreja», dos temas atinentes à segunda vinda de Cristo, na «glória».

II. O Tempo do Arrebatamento

Precisamos também considerar a questão do tempo da segunda vinda de Cristo, no que diz respeito à tribulação, e no que concerne à diferença entre o arrebatamento da igreja e a segunda vinda de Cristo. John F. Walvoord, presidente do Dallas Theological Seminary, de Dallas, no Texas, talvez tenha escrito a exposição mais completa que há sobre esse tema. Ele alistou cinqüenta razões pelas quais cria no arrebatamento antes da tribulação, o que significa que a igreja não passaria pelo período da Grande Tribulação. Bastaria a natureza completa de seus estudos para merecer a nossa atenção, mesmo que não concordemos totalmente com tal ponto de vista. Abaixo expomos essas razões e oferecemos uma breve crítica.

Para efeito de brevidade, o termo *arrebatamento* é usado para indicar a vinda de Cristo para a sua igreja, ao passo que a expressão «segunda vinda» é uniformemente usada em alusão à vinda de Cristo à terra, a fim de estabelecer o seu reino milenar, acontecimento esse que todos consideram pré-tribulacional.

Argumento Histórico

1. A igreja cristã primitiva cria na iminência do retorno do Senhor, o que é um ponto doutrinário essencial da posição pré-tribulacional.

2. O desenvolvimento detalhado da verdade pré-tribulacional, durante os poucos séculos passados não prova que essa doutrina seja recente ou que seja uma novidade. Seu desenvolvimento é similar ao das outras principais doutrinas da história da igreja.

Hermenêutica

3. A posição pré-tribulacional é o único ponto de vista que permite uma interpretação literal de todas as passagens tanto do Antigo como do Novo Testamento sobre a Grande Tribulação.

4. Somente a posição pré-tribulacional distingue claramente entre a nação de Israel e a igreja, em seus respectivos programas.

Natureza da Tribulação

5. O pré-tribulacionismo conserva a distinção bíblica entre a Grande Tribulação e a tribulação em geral que a antecede.

6. A Grande Tribulação é devidamente interpretada, pelos que crêem no arrebatamento antes da tribulação como tempo de preparo para a restauração da nação de Israel. (Ver Deut. 4:29,30 e Jer. 30:4-11). O propósito da tribulação não é preparar a igreja para a glória.

7. Nenhuma das passagens do A.T. sobre a tribulação menciona a igreja (ver Deut. 4:29,30; Jer. 30:4-11; Dan. 9:24-27 e 12:1,2).

8. Nenhuma das passagens do N.T. sobre a tribulação menciona a igreja (ver Mat. 24:15-31; II Tes. 1:9,10; 5:4-9 e Apo. 4—19).

9. Em contraste com a posição meio-tribulacional, o ponto de vista pré-tribulacional provê uma explanação adequada para o começo da Grande Tribulação, no sexto capítulo do livro de Apocalipse. Já a primeira dessas posições é refutada pelo ensinamento claro das Escrituras, que diz que a Grande Tribulação começará muito antes da sétima trombeta do décimo primeiro capítulo do livro de Apocalipse.

10. A distinção apropriada é mantida entre as trombetas proféticas das Escrituras através da posição pré-tribulacional. Há base firme para o argumento central do meio-tribulacionismo que a última trombeta do livro de Apocalipse é a última trombeta, não havendo conexão segura entre a sétima trombeta do décimo primeiro capítulo do livro de Apocalipse, a última trombeta do trecho de I Cor. 15:52 e a trombeta de Mat. 24:31. São três acontecimentos distintos.

11. A unidade da septuagésima semana do livro de Daniel é mantida pelo pré-tribulacionismo. Em contraste com isso, a posição meio-tribulacional destrói a unidade dessa septuagésima semana, confundindo o programa de Israel com o programa da igreja.

Natureza da Igreja

12. O arrebatamento da igreja nunca é mencionado em qualquer passagem referente à segunda vinda de Cristo, após a tribulação.

13. A igreja não está destinada à ira (ver Rom. 5:9; I Tes. 1:9,10 e 5:9). Portanto, a igreja não poderá entrar no «grande dia da ira deles» (ver Apo. 6:17).

14. A igreja não será surpreendida pelo Dia do Senhor (ver I Tes. 5:1-9), que inclui a tribulação.

15. A possibilidade do crente escapar da tribulação é

PAROUSIA

mencionada em Luc. 21:36.

16. À igreja de Filadélfia foi prometido livramento da «hora da provação que há de vir sobre o mundo inteiro, para experimentar os que habitam sobre a terra» (Apo. 3:10).

17. É uma das características da maneira divina de agir a de livrar os fiéis antes de qualquer juízo divino ser infligido contra o mundo, conforme é ilustrado nos livramentos de Noé, Ló, Racabe, etc. (ver II Ped. 2:6-9).

18. Ao tempo do arrebatamento da igreja, todos os crentes irão para a casa de Deus Pai (ver João 14:3), e não retornarão imediatamente à terra, após o encontro com Cristo nos ares, conforme ensinam os pós-tribulacionistas.

19. O pré-tribulacionismo não divide o corpo de Cristo quando do arrebatamento com base no princípio das obras. O ensinamento de um arrebatamento parcial se baseia sobre a falsa doutrina que diz que o arrebatamento da igreja recompensará as boas obras. Trata-se antes de um aspecto final da salvação pela graça divina.

20. As Escrituras ensinam claramente que a igreja inteira, e não apenas uma parte dela, será arrebatada quando da vinda de Cristo para a sua igreja (ver I Cor. 15:51,52 e I Tes. 4:17).

21. Em oposição ao ponto de vista que postula um arrebatamento parcial, o pré-tribulacionismo se alicerça sobre o ensinamento definido das Escrituras que a morte de Cristo nos livra de toda a condenação.

22. O remanescente piedoso da tribulação é retratado como composto de israelitas, e não membros da igreja, conforme é dito pelos pós-tribulacionistas.

23. O ponto de vista pré-tribulacional, em contraste com o pós-tribulacionismo, não confunde termos gerais como 'eleitos' e 'santos', que se aplicam aos salvos de todos os séculos, com termos específicos como 'igreja' e aqueles que estão 'em Cristo', o que se refere somente aos santos desta era.

Doutrina da Iminência

24. A posição pré-tribulacional é o único ponto de vista que ensina que o retorno de Cristo é realmente iminente.

25. A exortação para nos consolarmos ante a vinda do Senhor (ver I Tes. 4:18) só é significativa para o ponto de vista pré-tribulacional, sendo contradita especialmente pelo pós-tribulacionismo.

26. A exortação para esperarmos pela 'gloriosa manifestação' de Cristo em favor do que lhe pertencem (ver Tito 2:13) perde sua significação se a tribulação deve ocorrer antes disso. Os crentes, nesse caso, deveriam esperar sinais da vinda de Cristo, apenas.

27. A exortação para nos purificarmos, em face do retorno do Senhor, se reveste de maior significação se a vinda de Cristo for iminente (ver I João 3:2,3).

28. A igreja é uniformemente exortada a esperar a vinda do Senhor, ao passo que aos crentes que estiverem vivos durante o período da tribulação se recomenda que aguardem sinais da volta de Cristo.

A Obra do Espírito Santo

29. O Espírito Santo, na qualidade de «restringidor do mal», não poderá ser retirado do mundo a menos que a igreja, na qual habita o Espírito, seja retirada ao mesmo tempo. A tribulação não poderá começar enquanto essa restrição não for suspensa.

30. O Espírito Santo, na qualidade de «restringidor», será tirado do mundo antes de revelar-se o 'iníquo', que dominará o mundo durante o período da tribulação (ver II Tes. 2:6-8).

31. Se for literalmente traduzida a expressão «isto não acontecerá sem que primeiro venha a apostasia», ou seja, «isto não acontecerá sem que primeiro venha a partida», ficará claramente demonstrada a necessidade do arrebatamento antes do começo da Grande Tribulação.

Necessidade de um Intervalo entre o Arrebatamento e a Segunda Vinda de Cristo

32. De acordo com II Cor. 5:10, todos os crentes da presente era deverão comparecer perante o tribunal de Cristo, nos céus, um evento jamais mencionado nas narrativas detalhadas concernentes à segunda vinda de Cristo à terra.

33. Se os vinte e quatro anciões do trecho de Apo. 4:1 — 5:14 representam a igreja, conforme muitos expositores bíblicos acreditam, então torna-se necessário o arrebatamento e o galardoamento da igreja antes do início da tribulação.

34. A vinda de Cristo para buscar sua Noiva deverá ter lugar antes da segunda vinda de Cristo à terra, para a festa nupcial (ver Apo. 19:7-10).

35. Os santos da Grande Tribulação não serão arrebatados quando da segunda vinda de Cristo, mas continuarão em suas ocupações normais, plantando e edificando casas, e também gerarão filhos (ver Isa. 65:20-25). Isso seria impossível se todos os santos fossem arrebatados quando da segunda vinda de Cristo à terra, conforme ensinam os pós-tribulacionistas.

36. O julgamento dos gentios, que se seguirá à segunda vinda de Cristo (ver Mat. 25:31-46), indica que tanto os salvos como os incrédulos ainda se acharão em seus corpos naturais, o que seria impossível se o arrebatamento tivesse lugar quando da segunda vinda de Cristo.

37. Se o arrebatamento tivesse lugar ao mesmo tempo que a segunda vinda de Cristo à terra, não haveria necessidade alguma de separar as ovelhas dos cabritos, como algo ocorrido em um julgamento subseqüente, mas a separação teria lugar no próprio ato do arrebatamento dos crentes, antes de Cristo realmente estabelecer o seu trono à face da terra (ver Mat. 25:31).

38. O julgamento da nação de Israel (ver Eze. 20:34-38), que ocorrerá depois da segunda vinda de Cristo, indica a necessidade de reunir novamente o povo de Israel. A separação entre os salvos e os perdidos, nesse julgamento, obviamente terá lugar algum tempo após a segunda vinda, e seria algo desnecessário se os salvos já tivessem sido separados dos incrédulos por meio do arrebatamento.

Contraste Entre o Arrebatamento e a Segunda Vinda de Cristo

39. Ao tempo do arrebatamento, os santos se encontrarão com Cristo nos ares, ao passo que, na segunda vinda, Cristo retornará ao monte das Oliveiras, vindo assim ao encontro dos santos na terra.

40. Ao tempo do arrebatamento, o monte das Oliveiras ficará intocado, ao passo que ao tempo da segunda vinda será formado um grande vale a leste de Jerusalém (ver Zac. 14:4,5).

41. Quando do arrebatamento, os santos vivos serão arrebatados, ao passo que nenhum crente será arrebatado em conexão com a segunda vinda de Cristo à terra.

42. Quando do arrebatamento, os santos serão levados para os céus, ao passo que, na segunda vinda de Cristo à terra os santos continuarão à face da terra, sem qualquer arrebatamento.

43. Ao tempo do arrebatamento, o mundo

continuará sem julgamento e prosseguirá em seus caminhos pecaminosos, ao passo que na segunda vinda de Cristo o mundo será julgado e a retidão será estabelecida neste mundo.

44. O arrebatamento da igreja é retratado como livramento antes do dia da ira; mas a segunda vinda de Cristo será seguida pelo livramento daqueles que tiverem confiado em Cristo durante a tribulação.

45. O arrebatamento é descrito como iminente, ao passo que a segunda vinda de Cristo é precedida por sinais definidos.

46. O arrebatamento de santos vivos é uma verdade revelada exclusivamente no N.T., ao passo que a segunda vinda de Cristo, com suas ocorrências correlatas é uma doutrina que se destaca em ambos os Testamentos.

47. O arrebatamento diz respeito exclusivamente aos salvos, ao passo que a segunda vinda de Cristo envolve tanto os salvos como os perdidos.

48. Quando do arrebatamento, Satanás não será amarrado, ao passo que por ocasião da segunda vinda de Cristo, Satanás será amarrado e lançado no abismo.

49. Nenhuma profecia a ser cumprida há entre a igreja e o arrebatamento, ao passo que muitos sinais terão de ser cumpridos antes da segunda vinda de Cristo.

50. Nenhuma passagem, que trata da ressurreição dos santos, por ocasião da segunda vinda de Cristo, em ambos os Testamentos, menciona o arrebatamento dos santos vivos, ao mesmo tempo.

Não se presume que os argumentos acima expostos estabeleçam por si mesmos a sua validade; antes, apresentamos esses argumentos como apoio e justificação para a discussão previamente exposta, dando o sumário de razões em favor do ponto de vista pré-tribulacional.

A CRÍTICA

A partir deste ponto apresentamos a crítica a esses pontos de vista pré-tribulacionais:

1. **Um bom serviço** foi feito pelo autor da lista acima, pois apresenta-nos **várias formas de distinção**, existentes entre os evangélicos de hoje em dia, entre o «arrebatamento» e a «segunda vinda de Cristo», e a relação que ambas essas ocorrências têm para com a igreja cristã, para com os incrédulos, para com a Grande Tribulação e para com o milênio. Isso nos ajuda a perceber, de maneira geral, como a questão é manuseada em nossos dias, em contraste com o modo como era manuseada em gerações passadas, por aqueles que não estabeleciam tais distinções.

2. **Entretanto, devemos salientar** que um mero **grande número** de argumentos, por si mesmos, não prova a validade de tais distinções, a menos que alguns deles, considerados isoladamente, ou todos juntos, realmente sejam *convincentes*. Ora, aqueles que não acreditam na distinção entre o «arrebatamento», e a «segunda vinda de Cristo», quanto à sua natureza e quanto ao elemento do tempo, não se deixam convencer por aqueles argumentos acima, nem considerados em separado e nem em seu conjunto. Abaixo oferecemos apenas um exemplo de como alguns desses argumentos são negados, através do que se pode ver como podem ser todos eles derrubados. Não nos deveríamos esquecer de que qualquer sistema, quando bem desenvolvido, tem boa consciência dos argumentos dos sistemas opostos, pelo que também encerra argumentos e contraargumentos sobre pontos controvertidos:

a. *O argumento histórico*. A distinção cronológica entre o «arrebatamento» e a «segunda vinda de Cristo» é uma doutrina recente, que veio à cena apenas a cem anos passados. Portanto, pode tratar-se de uma criação moderna, que dá à igreja da *fé fácil* um meio de escape para não entrar na prometida Grande Tribulação. Os crentes primitivos criam na iminência do retorno de Cristo; mas isso não consistia de um dogma, mas tão-somente de uma *esperança*. (Caso contrário, a igreja primitiva teria incorrido em grave erro de cálculo, pois Cristo não retornou no tempo deles). Mas, quanto à sua «esperança», ela não se cumpriu, o que facilmente pode dar-se também em nosso caso. Por igual modo, Paulo esperava morrer em Roma, e no fim de sua vida terrena parece ter perdido a esperança que veria a Cristo enquanto vivo na carne. Outrossim, estando os crentes primitivos tão distantes daquele evento, não se mostraram muito exatos sobre o que deveriam esperar; e seus *sentimentos* sobre a iminência do retorno de Cristo não devem ser necessariamente transferidos para a igreja moderna, apesar de ser correto esperarmos pela vinda «breve» de Cristo, precedida por determinados sinais, conforme aqueles que lemos no vigésimo quarto capítulo do evangelho de Mateus. Passagens como essa não antecipam uma vinda de Jesus Cristo em dois «estágios»; e são somente os hiperdispensacionalistas que separam as previsões de Jesus nas categorias «para os judeus» e «para os cristãos», ao passo que o evangelho de Mateus é um documento «cristão», **escrito já bem dentro da era cristã.**

b. *O argumento baseado na hermenêutica*: pode-se acreditar bem firmemente em uma «tribulação» literal, e ao mesmo tempo crer que a igreja cristã passará por ela.

c. *Natureza da tribulação*. Limitar a tribulação somente à preparação da nação de Israel para a restauração, e não encarar a tribulação como medida que purificará a própria igreja, como se fosse uma espécie de medida preparatória da Noiva para a vinda do Noivo, é fazer com que os capítulos quinto a décimo nono, do livro de Apocalipse, não tenham qualquer aplicação direta à igreja cristã, ao passo que esse livro tem como seu *propósito específico* advertir e sustentar a igreja *em meio* à tribulação; e isso tanto no *período* da igreja primitiva, que sofria tribulações e perseguições, como *prefiguração* do que aconteceria futuramente, como também profeticamente, para ajudar a igreja cristã que existir quando ocorrer a «Grande Tribulação». Fazer com que a maior parte do livro de Apocalipse e outras passagens proféticas (como o décimo terceiro capítulo do livro de Marcos e o vigésimo quarto capítulo de Mateus), não tenham qualquer aplicação à igreja é estabelecer distinções que as próprias Escrituras não estabelecem, cortando a Bíblia em pedaços, porquanto assevera indiretamente que esses não são, realmente, documentos cristãos, não tendo sido escritos para *benefício da igreja*, o que é uma posição insustentável.

d. *No tocante à natureza da igreja*. Passagens como Apo. 3:10, que supostamente indicam o «livramento da presença da ira», bem podem não significar isso ao serem consideradas dentro do pensamento que tal versículo foi escrito para uma igreja que naquele exato momento passava por uma hora de teste, a qual foi «sustentada» ou «guardada», mas *não foi livrada* da presença da tribulação. A igreja primitiva foi «guardada da tribulação» por haver sido preservada de *seus maus efeitos*; mas não no sentido de ter sido tirada da tribulação. Ora, esse é o mesmo tipo de livramento que aguarda a futura igreja cristã. Em sentido algum a igreja do fim está destinada à ira; mas poderá sofrer os efeitos da ira divina que sobrevirá ao mundo, até o ponto em que ela mostrar-se mundana, necessitada de purificação desses elementos, embora a ira final de Deus não se descarregue contra ela. Se há alguma coisa evidente no mundo de hoje, é que a igreja precisa desesperadamente dessa purificação.

3. A obra do Espírito Santo. O Espírito Santo, na qualidade de **restringidor**, será realmente tirado do caminho antes que a grande tempestade comece a açoitar; mas isso não significa que Ele não possa permanecer com sua igreja durante a tempestade, protegendo-a até ao ponto em que isso não impeça a tempestade.

4. Contrastes entre o arrebatamento e a segunda vinda para julgar. Ninguém pode negar que há trechos bíblicos que descrevem diferentemente a segunda vinda de Cristo, mostrando os elementos variegados, complexos e aparentemente contraditórios que há ali, porquanto muitas condições e povos, terrenos e celestiais, estão ali em foco. Porém, tudo quanto pode ficar provado por essa observação é que se trata de uma ocorrência complexa e dotada de efeitos de longo alcance, não que deve ser dividida meramente em *duas* fases cronológicas separadas.

É melhor dizer que a segunda vinda de Cristo será uma série de acontecimentos, sobre um tempo *considerável*, e que alguns deles se aplicarão à igreja, e outros aos outros homens.

Nenhuma tentativa é feita aqui para apresentar uma refutação completa. Longos artigos têm sido escritos sobre o tema, ao longo das linhas aqui sugeridas. O argumento em favor do arrebatamento anterior à Grande Tribulação não é tão forte como seus defensores dão a entender. Todavia, a questão não está resolvida sob hipótese alguma. Esta enciclopédia toma a posição de que qualquer exame do problema em face do que dizem as Escrituras e mediante o uso de argumentos favoráveis e contrário, não pode *solucionar* a questão além de *qualquer dúvida*, e que somente os acontecimentos da história, em desdobramento podem aclarar o assunto, a menos que Deus ache bem nos dizer qual a verdade final sobre a matéria, mediante profecia ou revelação, e assim unir a igreja em torno da questão. O mais provável, entretanto, é que os próprios acontecimentos venham a esclarecer tudo. O autor desta enciclopédia crê pessoalmente *na necessidade de purificação*, através, pelo menos parte da Tribulação, e que assim a igreja sofrerá para seu próprio benefício; e também que esses acontecimentos ocorrerão por volta dos fins do século XX. A experiência demonstrará tudo para nós, ao passo que nossos argumentos em prol e contra esta ou aquela posição servem somente para nos deixar na dúvida, até que os próprios acontecimentos ocorram.

Estou escrevendo este pequeno parágrafo alguns anos depois da escritura dos parágrafos dados acima. Atualmente acho que a tribulação durará *bem mais* do que os sete anos tradicionais. Possivelmente o número 7 é simbólico e indica um período completo ou perfeito de desastres que quebrará o poder de um mundo pagão. Possivelmente o número (se não simbólico) indica um tempo especial para a nação de Israel que constituirá, não tudo, mas uma parte, da tribulação. A igreja, então, uma vez purificada, poderá escapar destes 7 anos. O Apocalipse deixa bem claro que a igreja passará a tribulação e enfrentará o anticristo. Certamente, os cristãos antigos esperavam exatamente isso, embora tal não fosse destinado para eles. A esperança de escapar aos sete anos (de terror maior, talvez), pode ser uma compreensão moderna, inspirada pelo Espírito Santo. Sobre este ponto, não tenho certeza e apresento esta interpretação como uma especulação que pode ser parcialmente certa, parcialmente errada. É parte da minha especulação a idéia de que a tribulação durará até 40 anos, o número místico e simbólico de *provação*.

III. A Vinda Literal de Cristo

A palavra **literal** normalmente é usada para indicar o que é físico ou visível e, com freqüência, «real». Mas a vinda de Cristo pode ser «real», ainda que não seja física e nem visível para *todos* os homens. Pelo menos, para a igreja e para o Israel, será visível. Cristo recolherá para si mesmo os seus santos, e passará a reinar sobre a terra; mas este «reino» poderá ocorrer «espiritualmente». Isso não indica uma maneira «irreal» e, sim, «real», de uma maneira diferente do que partes da igreja ordinariamente pensam. Afinal de contas, o que é «real», e mesmo «mais real», não é o que é material, mas antes, o que é *espiritual*. Portanto, uma elevada glória poderá ser dada à igreja, havendo grande transformação física à face da terra, um autêntico milênio, mesmo sem a forma visível de Cristo fazer-se presente. Seja como for, Cristo é o poder que há por detrás de ambas as coisas, e ele reinará verdadeiramente, «literalmente», embora talvez não se manifeste sob forma visível.

Ainda temos **muito** que aprender sobre o que significará a manifestação particular do segundo advento de Cristo, no que diz respeito à terra. Dizemos uma vez mais que os próprios acontecimentos, à medida que se desenrolarem, esclarecerão isso para nós, se Deus não o fizer mais claramente de antemão. A segunda vinda de Cristo será um acontecimento real e literal, mas talvez ocorra inteiramente de forma espiritual (para o mundo físico). Deus, entretanto, esclarecerá isso para nós, quando estivermos preparados para receber tal esclarecimento.

IV. A Igreja Cristã Primitiva Esperava Esse Acontecimento em seus Próprios Dias

(Ver I Tes. 4:15 e I Cor. 15:51). Não esperavam que houvesse um longo «período da igreja», entre o primeiro e o segundo adventos de Cristo. Em todos os séculos a igreja cristã deverá compartilhar dessa atitude, a fim de preservar essa esperança, para que ela atue como um elemento purificador (ver I João 3:2,3). A própria primeira epístola aos Tessalonicenses, a qual nos mostra quão viva era essa esperança, de modo que alguns cristãos primitivos tinham suspendido até mesmo o trabalho físico, com suposta base na iminência da vinda de Cristo, serve de demonstração dessa expectativa. É mesmo possível que as declarações do Senhor Jesus que se encontram em Mat. 16:28 e 24:34 tivessem sido **influências determinantes** dessa atitude da igreja primitiva. Essas passagens dizem, respectivamente: «Em verdade vos digo que não passará esta geração sem que tudo isso aconteça». E: «Em verdade vos digo que alguns que aqui se encontram de maneira nenhuma passarão morte até que vejam vir o Filho do homem no seu reino». Por outro lado, há passagens bíblicas, como Atos 1:7 e Mar. 13:32 que impossibilitam toda a idéia de cálculo aproximado de tempo, deixando o assunto como questão aberta.

V. A Segunda Vinda de Cristo Será a Concretização do Senhorio de Cristo, Tanto para o Mundo Como Para a Igreja

Será um gigantesco passo na direção da restauração de tudo, segundo os termos do primeiro capítulo da epístola aos Efésios. Ver o trecho de Efé. 1:10 e as notas expositivas ali existentes no NTI acerca do

PAROUSIA

«mistério da vontade de Deus», que se cumprirá quando do retorno de Jesus Cristo, como um fato ou potencialmente, devido ao poder e autoridade que Cristo assumirá naquela oportunidade, ainda que não se manifestem de imediato todos os efeitos da tomada daquela autoridade, conforme se vê no décimo quinto capítulo da primeira epístola aos Coríntios e na passagem dos capítulos décimo nono a vigésimo segundo do Apocalipse. Cristo será, afinal, «tudo para todos» (como Efé. 1:23 pode ser traduzido).

O termo grego mais freqüentemente usado para indicar a volta de Cristo é a *parousia*, que significa «presença» ou «chegada». De fato, esse vocábulo veio a ser usado como termo técnico para indicar esse acontecimento, que também é denominado — «segunda vinda», a fim de distingui-lo da primeira vinda de Cristo. (Ver as notas expositivas, em I Tes. 2:19 no NTI acerca do uso «técnico» e do uso «não-técnico» dessa palavra).

VI. Observações Sobre o Arrebatamento No Tocante a Segunda Vinda de Cristo para Julgar

1. Suposta contradição entre I e II Tessalonicenses no tocante a esse assunto. I Tessalonicenses parece ensinar um «arrebatamento» sem sinais de aviso, e, portanto, iminente, extremamente próximo. II Tessalonicenses, por sua parte, parece dizer que isso não poderá suceder enquanto não acontecerem primeiro certas coisas, a saber, o aparecimento do anticristo e a apostasia. Por que essa diferença?

a. Há uma interpretação que se vai popularizando em nossos dias, e que pretende fazer-nos crer que I Tessalonicenses fala sobre o arrebatamento da igreja (o que ocorreria sem sinais prévios e que poderia suceder a qualquer instante), ao passo que II Tessalonicenses se referiria à vinda de Cristo a fim de julgar o mundo (um acontecimento posterior, precedido por sinais). Tal idéia é extremamente duvidosa, como a leitura meramente casual do quinto capítulo de I Tessalonicenses é capaz de indicar. Pois o «mesmo dia» que apanhará o crente verdadeiro desperto e vigilante, apanhará o incrédulo dormindo, espiritualmente falando. Comparar I Tes. 5:2 com II Tes. 2:2. Ambos esses trechos aludem à «parousia», não havendo qualquer indício de que Paulo estivesse falando acerca de acontecimentos distintos.

b. *Luzes derivadas do A.T.* É verdade que o A.T. se refere ao primeiro e ao segundo adventos de Cristo, como se fossem um único evento. E por certo, os rabinos judeus também não faziam qualquer distinção entre as duas ocorrências. Portanto, é possível que os dois acontecimentos de que falamos (um arrebatamento e uma vinda de Cristo para julgar), venham a ser, afinal, acontecimentos distintos, sem que isso jamais tenha sido claramente descrito.

c. Seja como for, porém, a própria «parousia» não será um único evento, e nem mesmo um evento duplo. Antes, será uma série de acontecimentos. Terá início na batalha de Armagedom (ver Apo. 16:14,15); terá de incluir o arrebatamento da igreja; e terá de envolver, igualmente, a vinda de Cristo para julgar os perdidos. No entanto, envolverá também a destruição final dos céus e da terra, terminado o milênio (ver II Ped. 3:4,12). A «parousia», pois, será a vinda e a manifestação de Cristo através de uma série de ocorrências, o que se prolongará por um extenso período de tempo. No processo dessa manifestação, Cristo sujeitará todas as coisas debaixo de seus pés e tornar-se-á o Senhor universal (ver Efé. 1:10). Portanto, podem ser falsas ou verdadeiras as distinções de tempo que estabelecermos quanto a essa manifestação, no que diz respeito a «estágios».

2. Por conseguinte, o próprio Paulo, ao descrever a *parousia*, podia cair em aparentes contradições, porquanto explanava algo muito complexo, sobre o que ele mesmo tinha um conhecimento limitado. Alguns têm mesmo sugerido que, em diferentes oportunidades, Paulo possa ter exprimido uma idéia ou outra, no que chegou mesmo a contradizer-se. Nesse caso, em I e II Tessalonicenses, ele pode ter feito exatamente isso.

3. Sem embargo, penso que existe uma interpretação mais provável ainda. Em I Tessalonicenses, Paulo expressou um «sentimento» ou «esperança», isto é, que Cristo voltaria em breve. Isso é encarado como algo tão breve que fica eliminada qualquer necessidade de sinais prévios. No entanto, ele exprimia uma «esperança», e não um dogma. Se porventura fosse um dogma, estaria laborando em erro, porquanto Cristo não retornou durante o período de vida de Paulo. Já em II Tessalonicenses, Paulo teria tido de assumir uma posição mais madura sobre o assunto. E assim, a vinda de Cristo, embora ele continuasse sentindo que ocorreria *em breve*, não teria lugar imediatamente, porquanto seriam necessários pelo menos dois sinais de aviso, antes que pudesse realizar-se a vinda de Cristo: a. o aparecimento do anticristo; e b. a apostasia. Isso nos é dito em II Tes. 4:3. Tal ensino, pois, adquiriu então a forma de uma declaração dogmática, mais ampla e completa, que a declaração «esperançosa» de I Tessalonicenses. Em outras palavras, temos aqui um «desenvolvimento» teológico.

Nota do Tradutor. Além disso, em I Tessalonicenses, Paulo não estava entrando em contradição com aquilo que ensinara pessoalmente aos crentes de Tessalônica, quando ainda se encontrava entre eles. Apenas fizera um sumário de seu ensino, naquela primeira epístola. Como esse sumário fora entendido como se tivesse exprimido o quadro completo, Paulo se viu forçado, em II Tessalonicenses, a apresentar o quadro profético mais amplo. E no quinto versículo, capítulo 2, relembra aos Tessalonicenses, que quando estivera entre eles, mostrara a complexidade da questão, que eles haviam erroneamente simplificado ao lerem sua primeira epístola: «Não vos recordais de que, ainda convosco, eu costumava dizer-vos estas cousas?»

Essa controvérsia, contudo, é explicada ainda com **maiores detalhes** no artigo sobre a segunda epístola aos **Tessalonicenses**, seção I.

4. No tocante a «quando» o arrebatamento terá lugar, se pré-tribulacional, meio-tribulacional ou pós-tribulacional, isso é amplamente ventilado nas notas sobre I Tes. 4:15 no NTI. A posição desta obra é que a própria tribulação abarcará um período de quarenta anos (o número místico bíblico que representa provação), e que os sete anos (tradicionais), serão um período especial daquele período maior, e não a totalidade do mesmo. A igreja pode escapar ou não daquele período especial, no último estágio do período maior de quarenta anos, e terá envolvimentos especiais com Israel. Seja como for, a igreja terá de enfrentar o anticristo, pelo menos nos primeiros passos de seu poderio; e também será testemunha da apostasia. A cristandade tornar-se-á uma ala do poder do anticristo e o remanescente de verdadeiros crentes, que resistirá a ele, será amargamente perseguido.

VII. Urgência Desta Verdade

1. Poucas dúvidas existem de que o anticristo já está vivo e logo tornar-se-á conhecido por todos. Manifestará seu poder em nossa geração, e teremos de

PAROUSIA — PARTEIRA

enfrentá-lo. Ver o artigo intitulado, *Profecia: Tradição da, e a Nossa Época*. Este artigo nos dá razões para essa crença, juntamente com um esboço das profecias relativas ao futuro.

2. Cremos que a tribulação começará em breve, abrangendo um período total de quarenta anos. Os sete anos tradicionais serão uma porção desse período total, com aplicação especial à nação de Israel. (Ver o artigo sobre a «tribulação»).

3. Esse período é tão breve, mas terá muitas implicações morais.

4. Como nos poderemos preparar para os dias difíceis imediatamente à frente? Através do desenvolvimento espiritual. Utilizemo-nos dos meios desse desenvolvimento; a. o estudo dos livros sagrados (ver I Tim. 4:13); b. a oração (ver Efé. 6:18); c. a meditação (ver Efé. 1:18); d. a santificação (ver I Tes. 4:3); e. a prática da lei *do amor*, que consiste das boas obras em favor do próximo (ver I João 4:7); e f. o uso dos dons espirituais (ver a introdução ao décimo segundo capítulo da epístola de I Coríntios no NTI).

Há problemas de autenticidade e de autoria, na segunda epístola aos Tessalonicenses. Se a segunda epístola ensina que certos sinais devem anteceder à «parousia», ao passo que a primeira epístola aos Tessalonicenses não dá qualquer indicação nesse sentido, mas descreve um evento realmente iminente, então se cria o problema sobre como Paulo poderia ter ensinado uma coisa em uma epístola, e outra coisa na segunda. Surge então a suposição de que Paulo não teria sido o autor da segunda epístola, que é a explicação dada por alguns intérpretes. Esse problema inteiro, juntamente com outros, referente à autenticidade e à autoria, é abordado na seção II sobre esta epístola. Acerca disso, talvez seja melhor dizermos que um autor qualquer pode escrever de acordo com dois pontos de vista, com base em duas teses diversas. Quiçá Paulo visse a «parousia» como iminente, em certas ocasiões, e que em outros momentos sentisse que certos eventos deveriam precedê-la. Essa aparente *vacilação* é possível no que tange à questão das profecias, onde, em várias áreas, nosso conhecimento ainda *é incompleto*. Os primeiros cristãos esperaram uma iminente segunda vinda de Cristo, sem contemplar um grande intervalo entre a primeira e a segunda vindas. Mas esta esperança foi um *sentimento* não um dogma. Uma consideração mais exata mostrou para Paulo que a igreja deverá enfrentar o anticristo. I Tes. fala do sentimento de iminência. II Tes. tem o *dogma* de que a igreja deve enfrentar o anticristo. Os próprios acontecimentos, porém, dar-nos-ão maior entendimento sobre essas questões, e então perceberemos mais claramente o que diversos trechos bíblicos querem dizer. Essas predições bíblicas haverão de fortalecer espiritualmente os crentes, no tempo de seu cumprimento, ainda que agora tenhamos de permanecer curiosos sobre os detalhes específicos dos acontecimentos vindouros.

VIII. Acontecimentos que Terão de Anteceder à «Parousia»

1. O anticristo terá de surgir em cena e adquirir um domínio imenso.

2. Terá de haver a grande apostasia, I Tes. 2:3, que envolverá a todos os seres humanos, e até a igreja organizada. Essa «apostasia» nada tem a ver com o «arrebatamento», conforme alguns têm afirmado equivocadamente. Apesar de que «apostatar», no grego, significa «deslocar-se da posição», não está em pauta o deslocamento dos salvos deste mundo para as nuvens, ao encontro do Senhor, e, sim, a perda de posição no terreno da fé. A apostasia é uma idéia negativa, nas páginas da Bíblia, não podendo ser confundida com o arrebatamento dos salvos.

Primeiro venha a apostasia: II Tes. 2:3. No grego temos *apostasia*. Tal palavra pode significar «rebelião», «abandono». Daí vem o seu sentido religioso de «apostasia». Ver Jos. 22:22; II Crô. 20:19 e I Macabeus 2:15. Ver também Atos 21:21, onde se lê «...ensinas todos os judeus entre os gentios a apostatarem de Moisés...»

PARSISMO

Esse é o nome da religião do **Zoroastrismo** (vide), assim chamada porque foi inicialmente fundada em *Pars*, ou Pérsia. Atualmente é a fé religiosa de cerca de cem mil parses, na parte ocidental da Índia. Eles foram um grupo de zoroastrianos que migraram para a Índia quando os islamitas conquistaram a Pérsia, no século VIII D.C. E, uma vez na Índia, concentraram-se em Bombaim.

PARTAS (PÁRTIA)

O trecho de Atos 2:9 menciona judeus vindos desse lugar, presentes em Jerusalém no dia de Pentecoste. Sem dúvida eram prosélitos judeus que tinham vindo assistir à festa de Pentecoste. Os partas eram um povo da porção noroeste da Pérsia, moderno Irã, que vivia na área geral a sueste do mar Cáspio. «Na mente do escritor do livro de Atos, a Pártia designava o grande império construído pelos partas, e que se estendia desde a Índia até às margens do rio Tigre, e desde o deserto corasmiano até às praias do oceano Índico. Daí a posição proeminente ocupada pelos partas, na lista de nacionalidades presentes no dia de Pentecoste. A Pártia era uma potência que quase rivalizava com Roma, e foi o único poder que então existente que experimentou forças contra os romanos e não foi batido no encontro. O domínio parta perdurou por quase cinco séculos, a começar pelo século III A.C. e terminando já no século III D.C. Os partas haviam conquistado Jerusalém em 40 A.C., e Roma fez de Herodes rei da Judéia, na época, a fim de entravar o formidável avanço do império parta para o Ocidente» (UN).

A Pártia era um distrito que ficava a suleste do mar Cáspio, que fizera parte do império persa, conquistado por Alexandre o Grande, da Macedônia. Na guerra, os partas eram hábeis arqueiros-cavaleiros, o que os romanos descobriram com surpresa e desânimo. De conformidade com Josefo, historiador dos judeus, os israelitas deportados para esse território continuaram a falar um dialeto aramaico e a adorar a Yahweh. Enviavam tributo a Jerusalém.

A lenda que dizia que Nero recuperar-se-ia de seu ferimento mortal (ele cometeu suicídio), e que então voltaria com os partas para cometer matricídio, reflete-se em Apo. 17:10 *ss*. De acordo com essa lenda, os *dez reis* seriam reis partas que Nero faria consolidar, contando assim com um exército invencível, que serviria de seu instrumento de operações bélicas.

PARTEIRA

No hebraico, **yalad**, «quem ajuda a dar à luz», «parteira». A referência é àquelas mulheres que tomavam sobre si a tarefa de ajudar a outras mulheres, por ocasião do parto.

A cultura hebréia tinha bem pouco espaço

PARTEIRA — PARTO

concedido à medicina como uma ciência. Ver o artigo sobre a *Medicina*. Apesar disso, podemos supor que as parteiras hebréias que talvez tivessem aprendido a sua técnica com os egípcios, eram dotadas de considerável conhecimento e habilidade. Geralmente, as parteiras eram amigas ou parentas mais idosas, mas também parece que havia, entre os israelitas, uma classe de mulheres treinadas e experientes nessa técnica. Quanto a referências bíblicas às parteiras e ao trabalho que desempenhavam, ver Gên. 35:17; 38:28; Êxo. 1:15,17-21 e Eze. 16:4. A última dessas passagens fala sobre cortar o cordão umbilical, lavar o nascituro em água, esfregá-lo com sal e envolvê-lo em faixas de pano.

Outras pequenas informações que temos na Bíblia sobre a questão são como aquela que historia que quando nasceram gêmeos a Tamar, a parteira identificou o menino «mais velho» amarrando um fio vermelho no seu braço. Isso, sem dúvida, atendia às exigências dos preceitos sobre a herança (ver Gên. 38:28). Além disso, o Faraó, rei do Egito, querendo diminuir a ameaça representada pelo povo de Israel, que cada vez mais se multiplicava ali, ordenou que as parteiras hebréias matassem as crianças do sexo masculino, conforme fossem nascendo, mas poupassem a vida das crianças do sexo feminino, por razões óbvias. O texto envolvido (Êxo. 1:15-22) indica a facilidade com que as mulheres hebréias davam à luz a seus filhos, em contraste com as mulheres egípcias. Talvez essa facilidade no parto se devesse ao fato de que as mulheres hebréias, escravas como eram, faziam muito exercício físico, enquanto as damas egípcias pouco se exercitavam. Mas, como já seria mesmo de esperar, as ordens do Faraó foram desobedecidas pelas parteiras hebréias. Esse texto, no hebraico, também menciona a banqueta de parir, ilustrada em gravuras egípcias, nas paredes do palácio de Luxor. A rainha Mautmés aparece sentada em uma dessas banquetas, dando à luz a uma criança, enquanto duas parteiras lhe esfregam as mãos, sem dúvida para reanimá-la.

Essa banqueta podia ser algo tão simples como dois tijolos, postos de modo a deixarem um espaço no meio, e sobre os quais a mulher se assentava. Talvez a crueza do arranjo admire a alguns; mas está provado que essa posição, para a mulher na hora de dar à luz, é muito melhor que a nossa costumeira posição deitada de costas, pois até a força da gravidade ajuda à mulher a ter sua criança naquela posição. O termo egípcio *mshnt* aludia à banqueta de parir, e o hieróglifo egípcio para «nascer» estava alicerçado sobre o formato daquela banqueta. E o vocábulo egípcio *msi*, veio a significar «dar à luz». As passagens de I Sam. 4:20 e Rute 4:14,15 podem ser outras referências às «parteiras», embora ali não seja empregada a palavra hebraica propriamente dita.

Uso Metafórico. Os diálogos socráticos, que procuravam extrair idéias e conhecimentos de outras pessoas (em vez de simplesmente declará-los), eram chamados *maiéticos*, com base na palavra grega que significa «relativo às parteiras». Qualquer ato que procure extrair de outras pessoas o melhor que elas têm, em qualquer empreendimento moral, intelectual ou espiritual, pode ser considerado um trabalho de parto.

PARTENOGÊNESE

Essa palavra vem do grego, *párthenos*, «virgem», e *génesis*, «origem», «nascimento». Assim, significa ou «nascimento virginal» ou «nascido de uma virgem». Essa palavra é usada pelos entomologistas para indicar certos processos reprodutivos dos insetos. Daí foi tomada por empréstimo (e de modo impróprio, conforme alguns pensam) para aludir à controvérsia que envolve o nascimento virginal de Jesus. Ver o artigo geral *Nascimento Virginal de Jesus*.

PARTICIPAÇÃO DOS HOMENS NA NATUREZA DIVINA

Ver **Divindade, Participação na pelos Homens**.

PARTICULARES

Temos aí um vocábulo platônico que alude aos objetos terrestres, em contraste com os *universais* (vide). Estes também são chamados formas ou idéias. Os particulares aparecem no fluxo postulado por Heráclito. Os particulares são temporais, mutáveis, imperfeitos, meras imitações dos universais. Por serem perecíveis e limitados, representariam uma realidade inferior da dos universais. Teriam vindo à existência por meio do *Demiurgo* (um conceito parecido com o do *Logos*). A presente criação foi planejada para imitar os universais. Isso posto, nesse sentido, os particulares participam, em algum grau, da realidade dos universais. Platão não atribuía aos particulares uma natureza ilusória, conforme fazem certas religiões orientais. — Ele concebia um autêntico **dualismo**. Todavia, Platão aludia aos particulares como representantes de uma realidade secundária, temporal. O homem é apanhado no mundo dos particulares, visto que possui corpo físico. O corpo físico é o sepulcro ou prisão do homem. Mas a sua alma anela pelo mundo dos universais, ao qual pertencia, no passado distante, e para o qual voltará, como seu lar. A alma humana participaria da eternidade, e nem teria sido criada e nem jamais pereceria.

PARTIDO DA CIRCUNCISÃO

Ver **Circuncisão, Partido da**.

PARTO

1. As Palavras

Precisamos considerar três palavras hebraicas e duas palavras gregas, quanto a este verbete:

1. *Chabal*, — «ter trabalho de parto». Esta palavra ocorre com esse sentido por três vezes: Can. 8:5; Sal. 7:14.

2. *Yalad*, «ter trabalho de parto», «parir», palavra hebraica que aparece por pouco mais de duzentas vezes, conforme se vê, por exemplo, em Gên. 3:16; 30:39; II Reis 19:3; Jó 15:35; 39:1,2; Sal. 7:14; 48:6; Isa. 13:8; 21:3; 33:11; 37:3; 51:18; 65:23; 66:7,8; 42:14; Jer. 6:24; 22:23; 30:6; 31:8; 49:24; 50:43; Osé. 13:13; 9:16; Miq. 4:9,10; 5:3; Sof. 2:2.

3. *Chul*, «ter dores de parto», uma palavra hebraica que, com esse sentido, ocorre por quatro vezes: Isa. 23:4; 54:1; 66:7,8.

4. *Odíno*, «ter dores de parto». Palavra grega que é usada por três vezes no Novo Testamento: Gál. 4:19; 4:27 (citando Isa. 54:1); Apo. 12:2. O substantivo *odín*, «dores de parto», ocorre por quatro vezes: Mat. 24:8; Mar. 13:8; Atos 2:24 e I Tes. 5:3. O termo reforçado *sunodíno*, «ter dores de parto juntamente com», aparece por apenas uma vez, em Rom. 8:22.

PARTO

5. *Tíkto*, «dar à luz», «parir». Um vocábulo grego que é utilizado por dezoito vezes: Mat. 1:21; 1:23 (citando Isa. 7:14); 1:25; 2:2; Luc. 1:31,57; 2:6,7,11; João 16:21; Gál. 4:27 (citando Isa. 54:1); Heb. 6:7; Tia. 1:15; Apo. 12:2,4,5,13.

No grego, *teknogonía*, palavra que aparece somente em I Tim. 2:15. Consideremos os pontos abaixo:

1. *O Termo*. Essa palavra significa parturição, referindo-se ao trabalho de parto. O ato envolve intenso labor, o trabalho da mulher que dá à luz a um filho. O trecho de Hebreus 1:9 declara que as mulheres hebréias eram «vigorosas», mais que as mulheres egípcias, podendo dar à luz com mais facilidade e menos demoradamente. Provavelmente, isso deveria ser explicado com base no exercício físico regular, que prepara a mulher para o ato. As mulheres israelitas, sujeitas a muito trabalho, no cativeiro egípcio, naturalmente davam à luz a seus filhos com mais facilidade que suas sedentárias senhoras egípcias.

2. *Estágios do Parto*. a. Dilatação da boca do útero (cerviz) o que, geralmente, dura de oito a catorze horas. b. Expulsão da criança, com as contrações uterinas, o que geralmente demora de uma a duas horas. c. Separação e expulsão da placenta, o que regularmente demora mais quinze minutos. O elemento tempo, nesses processos, varia com as dimensões e o formato da pélvis da mãe, as suas energias físicas, o tamanho da vagina, e possíveis demoras ocasionadas por complicações.

3. *O Trabalho de Parto*. A Bíblia emprega simbolicamente essas dores para referir-se às angústias inesperadas (I Tes. 5:3), por ocasião da *parousia* ou segunda vinda de Cristo; Mar. 13:6-8, por ocasião dos juízos de Deus; Gál. 4:19, acerca do desenvolvimento dos convertidos, que são filhos dos mestres cristãos; Rom. 8:22, acerca dos sofrimentos da criação, na expectativa da restauração (que vide), o que, de acordo com Gênesis 3:16, resultam do pecado e da maldição impostos contra o mesmo.

4. O trecho de I Timóteo 2:15 não é de interpretação fácil, pois o mesmo assevera que as mulheres serão salvas «através de sua missão de mãe», se permanecerem na fé e no amor. O mais provável é que isso signifique que a mulher que assume seu legítimo papel na economia divina, como esposa e mãe, com isso prepara circunstâncias apropriadas para a conversão religiosa. Alguns intérpretes distorcem a idéia, traduzindo «será preservada através de sua missão de mãe», conforme faz nossa versão portuguesa, como se nada mais estivesse envolvido além da segurança física, das mães piedosas, por ocasião do parto. Antes, o que está em pauta é que uma mulher, através de sua missão de mãe, facilita seu próprio desenvolvimento espiritual, porquanto ela evita os excessos das mulheres mundanas, que agem como homens ou levam vidas caracterizadas pela iniqüidade. Alguns estudiosos têm chegado a pensar, embora sem nenhuma razão, que o dar à luz é algo necessário para a salvação de uma mulher. Não há nenhuma base bíblica para tal noção. Há várias outras interpretações a respeito, alistadas e discutidas nas notas expositivas sobre I Tim. 2:15, no NTI.

5. Alguns vinculam a questão ventilada no parágrafo acima à *maldição* acerca do parto, o qual, devido ao pecado, tornou-se um processo doloroso (Gên. 3:16). Em outras palavras, para a mulher que suportar pacientemente tais dores, disso derivará certo benefício espiritual.

II. Sentido Literal

Essas palavras aparecem tanto em sentido literal quanto em sentido figurado. O sentido literal aparece, por exemplo, quando Raquel, por ocasião do nascimento de Benjamim, «deu à luz... um filho, cujo nascimento lhe foi a ela penoso. Em meio às dores de parto...» Gên. 35:16,17, onde é empregada a palavra hebraica *yalad* («deu à luz», e «dores de parto»). Entretanto, na grande maioria das ocorrências, o termo hebraico em foco, qualquer que seja ele, é empregado em sentido figurado.

O trabalho de parto pode retratar as agonias envolvidas nos julgamentos divinos contra os ímpios. Os babilônios condenados sofreriam angústias como uma mulher em trabalho de parto: «...e terão contorsões como a mulher parturiente...» (Isa. 13:8; ver também Jer. 50:43). E o próprio Isaías, ao meditar sobre tais sofrimentos, por empatia, como que sofreu dores de parto (Isa. 21:3). O mesmo é afirmado, quando se fala sobre os juízos que sobreviriam a Sião (Miq. 4:9,10), a Israel (Jer. 6:24), a Judá (Jer. 4:31; 13:21), ao Líbano (Jer. 22:23) e a Damasco (Jer. 49:24). Portanto, na linguagem dos profetas, a expressão «trabalho de parto», ou sinônimo, era muito usada para indicar angústia profunda, mormente em resultado dos juízos divinos.

No Novo Testamento, vemos que o apóstolo Paulo, com a sua alma agonizada, em face da falta de avanço espiritual dos gálatas, de mistura com um lamentável desvio da pureza do evangelho, exprime o seu protesto contra esse estado de coisas, escrevendo: «...meus filhos, por quem de novo sofro as dores de parto, até ser Cristo formado em vós...» (Gál. 4:19). Essa figura simbólica das dores de parto também aponta para a angústia que os discípulos de Cristo haveriam de padecer, quando Cristo viesse a ser crucificado. Mas, assim como uma parturiente regozija-se, depois do nascimento de seu bebê, a mesma coisa sucederia aos discípulos: «A mulher, quando está para dar à luz, tem tristeza, porque a sua hora é chegada; mas, depois de nascido o menino, já não se lembra da aflição, pelo prazer que tem de ter nascido ao mundo um homem. Assim também agora vós tendes tristeza; mas outra vez vos verei; o vosso coração se alegrará, e a vossa alegria ninguém poderá tirar» (João 16:21,22).

III. Uso Metafórico

Finalmente, a metáfora do trabalho de parto retrata a atual condição da criação inteira, que geme sob o peso das conseqüências morais e físicas do pecado. Essa situação haverá de ter solução por ocasião do retorno de Cristo. O apóstolo Paulo refere-se a isso quando escreve: «Porque sabemos que toda a criação a um só tempo geme e suporta angústias até agora. E não somente ela, mas também nós que temos as primícias do Espírito, igualmente gememos em nosso íntimo, aguardando a adoção de filhos, a redenção do nosso corpo» (Rom. 8:22,23). Portanto, até mesmo nós estamos envolvidos nessa aflição, porquanto ainda estamos divididos: por um lado possuímos a natureza de Cristo, e por outro, ainda temos conosco a natureza de Adão. E isso, para nós, constitui-se em uma autêntica agonia, que pode ser comparada com as dores de uma mulher em trabalho de parto. Mas, se essa nossa agonia terá fim quando de nossa ida para o Senhor (mediante a morte física), ou quando do retorno de Cristo (que transformará os nossos corpos mortais em corpos imortais), outro tanto não sucederá aos ímpios. Antes, o retorno de Cristo ao mundo, para esses últimos, representará a mais cruel agonia, por saberem eles que estão inexoravelmente condenados: «Quando andarem dizendo: Paz e segurança, eis que lhes sobrevirá repentina destruição, como vem a dor do parto à que está para dar à luz; e nenhum modo escaparão» (I Tes. 5:3).

PARTOS

O historiador **Lucas** (Atos 2:9), evidentemente fez a lista dessas nações do ponto de vista do império romano, a começar pelo grande reino dos partos, que continuava sendo, como fora desde os dias de Crasso, o mais formidável adversário dos romanos. Outrossim, era a região que dava mais para o nordeste do império. O catálogo vai procedendo do nordeste para o ocidente e para o sul. Também segue a ordem das três dispersões dos judeus — caldaica, assíria e egípcia (segundo foi observado por Mede, livro I, Disc. xx). A isso poderíamos acrescentar o fato de que os judeus ainda passaram pela dispersão romana, formando uma quarta dispersão. Dessa maneira, as nações aqui nomeadas poderiam ser agrupadas não só geograficamente, mas historicamente por semelhante modo, porquanto houve diversos períodos da história judaica em que a população judia se misturou com os povos ali mencionados, a saber: 1. Dispersão *oriental* ou babilônia: partos, medos e elamitas; 2. dispersão *síria*: Judéia, Capadócia, Ponto, Ásia, Frígia e Panfília; 3. dispersão *egípcia*: Egito e as regiões da Líbia; 4. dispersão *romana*: seriam os prosélitos judeus procedentes de cada uma dessas regiões, além dos judeus de raça, que se encontravam presentes nessa festa do Pentecoste, e que portanto puderam observar os acontecimentos daquele dia.

A Pártia era um distrito que ficava a sueste do mar Cáspio, que fizera parte do império persa, conquistado por Alexandre, o Grande, da Macedônia. Atualmente a região faz parte do moderno Irã. Na guerra eram espertos arqueiros-cavaleiros, o que os romanos descobriram com surpresa e desânimo. De conformidade com Josefo, historiador judeu, os israelitas deportados para esse território continuavam a falar um dialeto aramaico e a adorar ao verdadeiro Deus, enviando tributos ao templo de Jerusalém.

PARUA

No hebraico, «inflorescência». Nome do pai de Josafá (não o rei). Josafá foi um dos servos civis de Salomão, encarregado de suprir o palácio real quanto às suas necessidades durante um mês por ano. Ver I Reis 4:17. Ele dirigia o distrito de Issacar.

PARVAIM

Não se sabe a significação desse nome hebraico. Sabe-se somente que era o nome de um lugar onde Salomão obteve ouro para decorar o templo de Jerusalém. Ver II Crô. 3:6. Os rabinos Hida e Ashi afirmaram que o ouro proveniente desse lugar tinha cor avermelhada, especialmente no dia da Expiação (ver **Talmude Yoma**, 45a), o que é uma declaração estranha. Geograficamente, o nome tem sido identificado com Sak el-Farwein, em Iemamá; ou com Farwa, no Iêmen, ou mesmo com Sefar (mencionado em Gên. 10:30). Gesênio e outras autoridades afirmaram que essa palavra era uma espécie de sinônimo para **Oriente**. Seja como for, esse nome nunca foi encontrado noutra fonte, exceto nessa única referência bíblica.

PASAQUE

No hebraico, «passado por cima». Esse foi o nome de um dos três filhos de Jaflete, que foi líder da tribo de Aser. Ele é mencionado em I Crô. 7:33, onde figura como bisneto de Aser. Viveu em cerca de 1390 A.C. Outras fontes dizem que seu nome significa «manco».

PASCAL (PÁSCHO)

O adjetivo **pascal** deriva-se do termo hebraico **pesach**. Mas este, por sua vez, não se deriva do verbo grego **páscho**, «sofrer», embora a similaridade desses vocábulos tenha tentado alguns estudiosos a apresentarem essa suposição. Aquela palavra hebraica foi adotada pelo vocabulário grego e latino como **pascha**, que veio a tornar-se «páscoa», em português. Paulo sugeriu esse uso, em I Cor. 5:7 *ss*, onde ele escreve que Cristo é o nosso «Cordeiro pascal». Ver o artigo intitulado **Páscoa, Cristo Como a**.

Desde tempos remotos do cristianismo, cerimônias pascais têm sido observadas na Igreja Ocidental; e, naturalmente, a base das mesmas é a Ceia do Senhor, conforme era observada na Igreja primitiva.

Na história da cristandade posterior, surgiu o costume de acender a **Vela da Páscoa** (vide), no Sábado Santo, que permanecia acesa até o dia da Ascensão. Isso representa a luz, a vida e a esperança no tocante ao sacrifício, à ressurreição e à ascensão do Senhor. Batismos em água tinham lugar nessa ocasião; e assim cumpria-se graficamente o simbolismo de Rom. 6:3-5, pois ali lemos que, por ocasião da imersão em água, somos «sepultados» e então «ressuscitados» juntamente com Cristo. Esse rito acabou incorporando a noção de renovação dos votos do batismo, feita pela congregação inteira.

PASCAL, AMULETO DE

Ver sobre **Pascal, Blaise**, primeiro parágrafo.

PASCAL, APOSTA DE

Ver sobre **Pascal, Blaise**, sexto ponto.

PASCAL, BLAISE

Suas datas foram 1623-1662. Matemático e cientista natural, nascido na França em Clermont-Ferrand. Mudou-se com a família para Paris. Mostrou ser um gênio matemático. Reconstituiu as provas da **Geometria** euclidiana até à Proposição 32. Isso ele fez com a idade de onze anos, sem nunca ter lido antes Euclides! Quando ainda adolescente, escreveu obras originais sobre matemática, tendo feito contribuições originais à mesma. Também escreveu sobre a física. Porém, as idéias religiosas atraíam-no poderosamente. Foi influenciado pelas idéias do estoicismo e do jansenismo. Sua mente lutava com contradições e problemas de toda sorte, envolvendo questões espirituais. Em 1654, ele passou por uma profunda experiência mística, das 22:30 de certa noite, durante duas horas. Experimentou o fogo espiritual, alegria, paz e o senso de união com Cristo. Com base nessa experiência, veio a perceber o transcendental valor do cristianismo, e que essa é a principal avenida para quem quer aproximar-se da verdade. Um ponto curioso é que a essência dessa compreensão foi reduzida à forma escrita por ele, tornando-se então uma espécie de **amuleto** que ele costurou ao seu paletó, e que permaneceu com ele pelo resto de sua vida. Oh! o poder de uma única experiência mística!

A irmã dele, Jacqueline, entrou no convento da abadia de Port Royal, que era um dos centros do jansenismo. O próprio Pascal uniu-se ao grupo, como leigo. Mas, finalmente, o jansenismo (vide) acabou sendo condenado como uma heresia. (Era simplesmente o calvinismo dentro do catolicismo romano). Pascal defendeu o jansenismo em uma série de ensaios e cartas que são chamados **Cartas Provinciais**. Ele

PASCAL — PÁSCOA

continuou a escrever sobre assuntos científicos, mas também preparava material que servia de apologias da fé cristã. Sua tendência geral consistia em rejeitar o racionalismo como o meio de encontrar Deus, e que ele substituía pela vereda mística, onde o coração e a vontade humanos são agências importantes. Seus escritos são reconhecidos em face de sua elevada qualidade literária.

Idéias:

1. **O dilema humano.** O homem sofre neste mundo. Ele não pode vindicar verdadeiramente suas crenças e aspirações religiosas, e nem pode ceder diante do inútil ceticismo. Tem certeza apenas da incerteza. O homem é apenas uma cana esmagada.

2. **Um ser humano** é um anjo e uma fera, misturados em um só ser. É capaz de atos de grandeza e de muitas desgraças. O homem é um paradoxo para si mesmo.

3. **A filosofia oferece** racionalismo e dogma, mas também ceticismo. Nenhuma dessas coisas ajuda o homem a encontrar solução para os seus paradoxos. A razão é limitada e o ceticismo é inútil, servindo somente para nos levar ao desespero. Pascal via sentido nos princípios calvinistas (jansenistas), que deixam tudo aos cuidados de Deus, encontrando resposta para tudo na graça divina. Porém, essa posição deixa sem solução a grande agonia do sofrimento humano. A vontade divina (de acordo com o calvinismo) deixa a grande maioria dos homens em um eterno terror. Essa idéia dificilmente oferece solução para qualquer problema humano.

4. **Os métodos humanos** consistem, essencialmente, naquilo que ele chamou de espírito da **geometria**, ou seja, um procedimento sistemático para resolver problemas (o método científico), ou então, «espírito de sutileza». Temos ali, essencialmente, a **intuição**, que obtém conhecimentos imediatos. Além disso, esse conhecimento pode ser muito mais completo do que o entendimento obtido através do método racional. O coração tem razões próprias que ultrapassam ao processo do raciocínio. Deus é muito mais sentido pelo coração do que conhecido através da razão. Porém, essa intuição não é completa e nem totalmente suficiente. Muito mais poderoso é o misticismo (o contacto direto da alma humana com o Espírito de Deus; ver sobre o **Misticismo**).

5. **Provas da Existência de Deus.** Apesar das provas racionais terem algum valor, parecem convencer somente por alguns momentos, e então perdem a força. A razão fracassa por tratar-se de um poder finito que procura descrever uma Entidade infinita. Contudo, as provas racionais da existência de Deus não devem ser abandonadas. Elas são de alguma ajuda para algumas pessoas. Dessa atitude foi que emergiu a famosa **Aposta de Pascal**, descrita abaixo, no sexto ponto.

6. **A Aposta de Pascal.** Os amigos de Pascal eram livres-pensadores, e muitos deles apreciavam o jogo. Foi dentro desse contexto que Pascal inventou uma prova da existência de Deus, ou talvez seja melhor dizer, um método de abordar o problema, e não tanto uma prova séria. Ele já havia assumido a posição que afirma que as provas racionais da existência de Deus têm algum valor, embora não grande. E Pascal pensou que seria útil se seus amigos jogassem acerca da idéia divina, visto que estavam interessados pela matemática e pela taxa de probabilidades. Crer ou não na existência de Deus pode ser uma espécie de jogo. E assim, apostemos que ele, de fato, existe. Se vier a ser provado, finalmente (na nossa experiência futura), que ele realmente existe, então teremos obtido a felicidade eterna. E, se Deus, afinal, não existe, então nada teremos perdido. Por outro lado, se ignorarmos a Deus e à sua existência, no que nos diz respeito, então terminaremos na condenação eterna. Os jogadores e os matemáticos precisam reconhecer que isso envolve um jogo razoável. Quem se arriscar pode ganhar muito, sem ter nada a perder. Isso posto, que todos apostemos. Um aspecto da aposta de Pascal é que aquele que fizer a aposta terá de ser sério no jogo. Não poderá simplesmente crer que Deus existe, como uma proposição intelectual. Antes, terá de moldar sua vida a essa crença. Terá de conformar sua vida aos princípios da graça divina. O Deus da graça é o Deus de Abraão, Isaque e Jacó, e não o Deus dos filósofos. É de presumir que, se fizermos essa aposta, levando nossas vidas a conformarem-se ao princípio divino, então o Deus da graça haverá de abençoar-nos, justificando-nos em nossa fé e aposta.

Filósofos e teólogos têm criticado severamente a essa aposta de Pascal. Eles frisam que se Deus existe e é dotado dos poderes de razão que lhe atribuímos, então não se deixará impressionar em nada com os homens que meramente apostam em sua existência. Isso posto, Deus não se sentirá forçado a abençoar aos indivíduos que fizerem tal aposta. Não há que duvidar que o próprio Pascal não ficou muito impressionado com o seu esquema. Ele dependia de experiências místicas para encontrar-se com Deus, e não de meras apostas. Ver sobre o **Misticismo**. Por outra parte, a sua insistência que tal aposta deve incluir a outorga de nossa vida aos cuidados de Deus, serve de fator favorável às experiências místicas. Para certas pessoas, a Aposta de Pascal pode ser um elemento valioso. Certamente Deus leva em conta a fraqueza humana, e bem pode abençoar ao indivíduo que tenha apostado a sério em sua existência. Afinal, a aposta de Pascal inclui a outorga da vida a Deus, e não um mero assentimento mental quanto à sua existência. Esse é o aspecto que levaria muitas pessoas a pensar duas vezes, antes de apostar de maneira superficial.

PÁSCOA

Esboço:
 I. Caracterização Geral
 II. Palavras Associadas à Páscoa
 III. Associações e Desenvolvimentos Históricos
 IV. Principais Símbolos e Lições Envolvidos
 V. A Última Ceia: A Páscoa Cristã

I. Caracterização Geral

A palavra portuguesa «páscoa» é usada para designar a festa dos judeus que, no hebraico, é chamada **pasach**, que significa «saltar por cima», «passar por sobre». **Pesach** é a forma nominal da palavra. Esse nome surgiu em face da tradição de que o anjo da morte, o anjo destruidor, «passou por sobre» as casas assinaladas com o sangue do cordeiro pascal, quando ele matou os primogênitos dos egípcios (ver Êxo. 12:21 e ss). Essa foi a última das pragas que se tornaram necessárias para convencer ao Faraó de permitir que Israel saísse do Egito, após séculos de escravidão naquele país. Portanto, a páscoa assumiu o sentido de livramento, e o próprio êxodo foi a concretização dessa libertação.

Em face do cordeiro pascal, sacrificado na ocasião, o evento veio a ser integralmente associado à idéia de expiação, embora não fosse essa a sua intenção original. É provável que tal sacrifício já fosse de uso comum, mas foi então utilizado com esse significado especial. Alguns estudiosos crêem que a festa original era pastoril nos seus primórdios, e que o seu nome, «saltar por cima», aludia a como as ovelhas costumam

PÁSCOA

saltar por cima de coisas, quando brincam. Seja como for, a festa (se é que realmente existia antes de sua associação com o êxodo) veio a ser associada a esse evento. Na terra de Canaã a festa veio a ser unida à festa agrícola dos pães asmos. Continua sendo celebrada durante sete ou oito dias, desde o décimo quarto dia do primeiro mês (Nisã), como memorial da libertação dos hebreus da servidão no Egito. Essa festa, de acordo com Êxo. 12:15; 34:18; Lev. 23:6; Núm. 28:17 e Deu. 16:3, era celebrada desde o pôr-do-sol do décimo quarto dia do mês de Abibe (na primavera), que posteriormente recebeu o novo nome de Nisã. Visto que o dia, para os judeus, começa tradicionalmente ao pôr-do-sol, estritamente falando, essa festa começava no décimo quinto dia do mês. O primeiro e o sétimo dia eram dias santos plenos, onde ninguém podia fazer qualquer trabalho.

As tradições judaicas posteriores adicionaram um dia a essa festa, perfazendo isso dois dias santos plenos tanto no começo quanto no fim, e assim reduzindo a quatro os meios-dias santos intermediários. Nas duas primeiras noites, ocorre a cerimônia do *Seder*, que se desenvolveu a partir da refeição pascal ensinada na Bíblia (ver Êxo. 12:8; Deu. 16:5-7). É então que toda a família se reúne. É cantado e lido o **Haggadah**, um texto ritual especial, que contém uma versão muito ornamentada da história do Êxodo, de mescla com certos salmos, cânticos religiosos, orações e bênçãos. Em seguida é consumida a refeição tradicional, que serve de memorial. Um osso torrado é posto sobre a mesa, simbolizando o cordeiro da páscoa, sacrificado e ingerido por cada família (ver Êxo. 12:3-11).

A Dupla Significação. 1. **A redenção** dos judeus da servidão no Egito, como uma questão histórica, que envolve, naturalmente, muitas implicações e símbolos morais e religiosos. Deve-se incluir aí o pão sem fermento. Esse pão é chamado *matzoth*. Em memória dos sofrimentos de Israel no Egito, são comidas ervas amargas (no hebraico, *maror*), que fazem parte do Seder. Todo fermento é removido dos lares israelitas. 2. **Festa da Natureza.** A páscoa incluía uma festa agrícola que envolvia as primícias (ver Lev. 23:10), oferecidas ao templo, em Jerusalém, em tempos posteriores. Essa era uma das três grandes festividades requeridas a todos os hebreus do sexo masculino, que deveriam reunir-se em Jerusalém.

II. Palavras Associadas à Páscoa

Pesach, «passar por sobre», «saltar por cima». Uma possível alusão a uma antiga festa de origem pastoril, além de ser uma referência direta ao anjo da morte, que passou por sobre os filhos de Israel, mas destruiu todos os primogênitos do Egito.

Abibe (vem de *aviv* = primavera), uma referência a essa estação do ano, bem como o nome do mês em que esse evento começava; mais tarde esse mês chamou-se Nisã. Esse tornou-se o primeiro dos meses do calendário judaico, em honra àquele momentoso acontecimento, o começo da nação de Israel.

Matzoth, os pães sem fermento, ou pães asmos, associados à páscoa. Muitos eruditos acreditam que a Páscoa e a festa dos Pães Asmos eram, orginalmente, festas separadas, mas que acabaram associadas, e então celebradas como se fossem uma só. O Novo Testamento combina as palavras distintas, *pascha*, «páscoa», e *ta adzuma*, «pães asmos», em uma única referência (ver Mat. 26:2,17; Luc. 2:41; 22:1). Entretanto, o evangelho de João emprega somente *pascha*. Ver exemplos disso em João 2:13,23; 6:4; 11:55, etc. Josefo combinou os termos ao referir-se a uma única celebração (*Anti.* 14:2,1; *Guerras* 5.3,1; 6.9,3).

Seder, a ingestão de ervas amargas (no hebraico, *maror* = amargo), para que os israelitas se lembrassem de quão amargos tinham sido a escravidão e os sofrimentos no Egito.

Haggadah (vide), a literatura embelezada empregada para o ritual da páscoa.

III. Associações e Desenvolvimentos Históricos

1. À Guisa de Sumário

Podemos afirmar que é possível que ambas as festas, o sacrifício ritual do cordeiro e os pães asmos fossem elementos da sociedade hebréia antes que a combinação das mesmas tivesse ocorrido, ao tempo do êxodo do Egito. Tais festas assumiram então uma nova significação, quando associadas à questão das pragas do Egito e da saída dos hebreus daquele país. Temos aí uma espécie de renascimento de Israel. O passado foi anulado e um glorioso novo começo foi iniciado na Terra Prometida. O sacrifício veio a ser associado ao livramento, a mesma associação que vemos dentro da doutrina da expiação. O Novo Testamento preserva ambas as idéias, e vê seu cumprimento final na pessoa de Cristo, que é tanto a nossa páscoa quanto a nossa expiação.

2. Ritos Primitivos

Alguns eruditos têm questionado a etimologia da palavra hebraica **pesach**, e têm proposto que esse termo hebraico também pode significar «manquejar» (com base em I Reis 18:21). Assim, a festa original poderia ter sido uma dança manquejante, lamentando a morte de uma divindade, e isso ligado aos ciclos do ano, quando uma estação morre e outra tem começo. Mas outros sugerem que o rito original estaria ligado ao temor aos maus espíritos, o que seria refletido na «noite do Senhor» (Êxo. 12:42), enquanto era esperado o anjo «destruidor». Nesse caso, estaria sugerido uma origem pagã (talvez tomada de empréstimo do culto pré-jeovista de Cades). O rito original talvez fosse realizado como proteção contra algum demônio noturno. Uma terceira idéia é que os ritos seriam originalmente pastoris e agrícolas em sua natureza, que se combinavam bem como o sacrifício de um cordeiro e com a questão dos pães asmos, produtos da terra. Quando Moisés requereu que Israel pudesse sair do Egito para celebrar a festa (ver Êxo. 5:1) talvez estivesse em foco esta festa da páscoa, ou então as festas da páscoa e dos pães asmos. É verdade que a festa dos pães asmos coincidiu com a colheita da cevada, na primavera, e com a ordenança do sacudir dos molhos de cereais diante do Senhor, sem dúvida observâncias de origem agrícola. É difícil dizer quanta verdade possa haver nessas especulações. Sem dúvida, porém, é verdade que Israel tinha ritos e observâncias primitivos, que se perderam com a passagem dos séculos. Exatamente qual porcentagem das celebrações bíblicas da páscoa e da festa dos pães asmos continuou nelas, não pode ser afirmado com qualquer grau de certeza. O que é certo é que esses ritos assumiram significados inteiramente inéditos, quando foram vinculados ao êxodo.

3. Elementos Históricos e Seu Desenvolvimento

À noitinha de 14 de Nisã (Abibe), eram mortos os cordeiros pascais. Eram então assados e comidos com pães asmos e ervas amargas (ver Êxo. 12:8); era uma observância em família. No caso de famílias pequenas, os vizinhos podiam reunir-se para participarem juntos da festa; e mais orientações e condições foram acrescentadas à questão, conforme o tempo foi passando. Esses acréscimos regulamentavam a festa dos pães asmos, que durava sete dias (ver Êxo. 14:3-10). A páscoa foi estabelecida a fim de instruir às gerações futuras (ver Êxo. 12:24-27). Então mais características foram adicionadas. Quatro sucessivas

PÁSCOA

taças de vinho, misturado com água, eram usadas. Os Salmos 113-118 eram entoados em lugares apropriados. Fruta misturada com vinagre, na consistência de massa de pedreiro, era servida, para relembrar a massa que os israelitas tinham usado nas edificações, quando estavam escravizados. O primeiro e o último dia das festas eram sábados solenes. Todo trabalho manual cessava (ver Êxo. 12:16; Núm. 28:18-25). No segundo dia, um molho de cevada recém-amadurecida era sacudido pelo sacerdote a fim de consagrar a inauguração da colheita (ver Lev. 23:10-14). Sacrifícios elaborados eram efetuados mediante as ofertas queimadas ou holocaustos de dois touros, um carneiro, sete cordeiros e um bode, como ofertas pelo pecado, a cada dia (ver Núm. 28:19-23; Lev. 23:8). Assim sendo, a idéia de expiação foi integrada à páscoa, passando a fazer parte do simbolismo que foi transferido para o Novo Testamento.

4. Negligência e Restauração

Após o Sinai (ver Núm. 9:1—14), esses ritos foram negligenciados, até à entrada na terra de Canaã (ver Jos. 5:10). A mesma coisa sucedeu na história subseqüente. Certos monarcas reformadores, como Ezequias (II Crô. 30) e Josias (II Reis 23:21-23; II Crô. 35), vieram a restaurar os antigos ritos. Por ocasião da dedicação do segundo templo, terminado o cativeiro babilônico, a celebração da páscoa foi restaurada, juntamente com outras antigas tradições dos hebreus (Esd. 6:19-22).

IV. Principais Símbolos e Lições Envolvidos

1. As primitivas associações sugerem a idéia de **ação de graças**, pelas provisões recebidas, mediante os produtos da terra e a criação de animais, resultantes em alimentos e produtos variados.

2. A idéia de **proteção** diante dos poderes demoníacos, também era um elemento importante.

3. O bem e o mal recebem seus respectivos **galardões e punições**. O Faraó foi longe demais. O Egito foi julgado. Israel obedeceu a Yahweh. Seguiram-se livramento e bênção.

4. Existem poderes **sobre-humanos** que abençoam e destroem. O homem não vive sozinho no universo.

5. A **escravidão** é algo a ser amargamente relembrado. A liberdade é a mais preciosa de todas as possessões humanas. As forças das trevas escravizam. O Espírito de Deus concede liberdade.

6. A **obediência** redunda na libertação. Israel seguiu as instruções divinas e fez as provisões apropriadas. A desobediência foi desastrosa para o Egito.

7. O princípio da **expiação** faz parte das necessidades humanas.

8. A **assistência divina**, ou intervenção, algumas vezes se torna parte necessária da experiência humana. Israel nunca poderia ter-se libertado por si mesmo.

9. É bom **preservar as tradições** e evitar a negligência, conforme certos monarcas reformadores demonstraram.

10. Em **Cristo** temos o nosso libertador, nossa expiação, bem como o **cumprimento espiritual** de vários princípios acima mencionados.

11. Foi estabelecido um **pacto** entre o Senhor e a emergente nação de Israel. Também há um novo pacto em torno de Cristo (ver Luc. 22:20; I Cor. 11:25).

V. A Última Ceia: a Páscoa Cristã

Um acontecimento tão importante como aquele que deu origem à nação de Israel não poderia ser ignorado pelo Novo Testamento. Isso pode ser comprovado nos cinco pontos abaixo:

1. A morte de Cristo, que ocorreu exatamente no período da páscoa, sempre foi considerada um evento capital para os primeiros cristãos, e daí por diante, durante todo o cristianismo. Jesus é chamado de nosso «Cordeiro pascal» (ver I Cor. 5:7). Isso tem sido associado pelos cristãos à idéia de expiação e livramento, que nos liberta dos inimigos da alma. Ver o artigo separado intitulado *Páscoa, Cristo Como a*.

2. A ordem de não ser partido nenhum osso do cordeiro pascal foi aplicada por João às circunstâncias da morte de Jesus Cristo (ver Êxo. 12:46 e João 19:36), pelo que foi estabelecido um vínculo entre os dois eventos, fazendo o primeiro ser símbolo do segundo. A idéia de expiação, como é patente, faz parte vital da questão.

3. O cristão (tal como os antigos israelitas) deve pôr de lado o antigo fermento do pecado, da corrupção, da malícia e da desobediência, substituindo-o pelos pães asmos da sinceridade e da verdade. A *santificação* (vide) faz parte necessária da experiência cristã.

4. A **Última Ceia** é exposta nos evangelhos sinópticos como uma refeição pascal. O evangelho de João (18:28; 19:14) apresenta o fato de que a refeição foi tomada antes da celebração, e Jesus foi crucificado ainda naquele mesmo dia (lembrando que, para os judeus, o dia começava às 18:00 horas). Para muitos, isso constitui um dos grandes problemas de harmonia dos evangelhos, sobre o que aludo no NTI, nas passagens envolvidas. Porém, essa pequena deslocação cronológica em nada contribui para anular a associação da última ceia com a páscoa. Talvez o Senhor Jesus tenha antecipado a refeição por algumas poucas horas. Nesse caso, o quarto evangelho expõe a correta cronologia quanto à questão. O ensino paulino sobre a última ceia (ver I Cor. 11:23-26) faz com que a mesma seja um memorial tanto da morte libertadora de Cristo quanto da expiação. Ambos os elementos faziam parte da páscoa do Antigo Testamento, segundo já vimos. Paulo não menciona especificamente a páscoa, naquela seção, embora ele o faça em I Cor. 5:7. Eusébio aceitava o conceito da páscoa cristã no sacrifício de Cristo (ver *Hist*. 5,23,1). E essa também era a idéia tradicional da Igreja antiga. É interessante que a palavra hebraica para páscoa, *pascha*, é tão parecida com a palavra grega para sofrer, *páscho*, que alguns cristãos antigos fizeram a ligação entre elas, embora não haja qualquer conexão histórica entre esses termos. Cristo sofreu e ele é a nossa *páscoa*, um jogo de palavras empregado por Eusébio. Para os cristãos, a palavra grega *anámnesis* (memorial), é uma palavra-chave. A ceia do Senhor é um memorial que deve ser mantido vivo, até que o Senhor retorne. Essa é a ênfase paulina, que não se vê nos evangelhos sinópticos, embora apareça em Luc. 22:19. Provavelmente, esse elemento foi uma adição cristã às declarações feitas por Jesus, embora sugerida pelo que ele havia dito, é que ele mesmo não ensinou assim. Por outro lado, é possível que Mateus e Marcos tenham omitido uma afirmação genuína de Jesus, e que Paulo e Lucas preservaram. O que é certo é que Jesus reinterpretou a páscoa em consonância com as suas próprias experiências. A páscoa, pois, foi encarada pela Igreja cristã como uma daquelas muitas coisas que receberam cumprimento e adquiriram maior significação na pessoa de Cristo, retendo o tipo de símbolo e de lições que descrevi na quarta seção deste artigo, acima.

A idéia de **pacto** também se faz presente. Yahweh firmou um pacto com a emergente nação de Israel. E Jesus estabeleceu um pacto com sua emergente Igreja.

PÁSCOA — PÁSCOA CRISTÃ

Ver Êxo. 2:24; 3:15; mas, especialmente, a *kainé diathéke*, «o novo pacto» (Heb. 12:24; Luc. 22:20; I Cor. 11:25). Esse Novo Testamento como foi um cumprimento do Antigo Testamento.

5. **O êxodo cristão**. Não nos deveríamos esquecer desse aspecto. A páscoa do Antigo Testamento marcava o começo de uma saída da escravidão; e, de fato, era o poder por detrás dessa libertação. Assim também, em Cristo, encontramos um êxodo que nos liberta da velha vida com sua escravização ao pecado. No sentido teológico, algo foi realizado que não poderia ter sido realizado pela lei. Esse é o tema principal tanto de Paulo (com sua doutrina da justificação pela fé) quanto do tratado aos Hebreus. O êxodo judaico libertou um povo inteiro da servidão física. O êxodo cristão oferece a todos os homens a libertação do pecado, bem como a outorga do Reino da Luz, onde impera perfeita liberdade. Em Cristo, pois, os homens podem tornar-se filhos de Deus (Gál. 4:4-6), transformados segundo a imagem do Filho (Rom. 8:29), participantes da natureza divina (II Ped. 1:4; Col. 2:10). E agora eles olham para a Cidade celeste como a sua pátria, da mesma maneira que Israel buscava uma nova pátria (ver Heb. 11:10). (AM B E ND SEG W Z)

QUARESMA

Esse é o título do período de penitências de *quarenta dias* (o que lhe explica o nome), e que se prolonga desde a Quarta Feira de Cinzas (vide), até à véspera da Páscoa. A terminologia oficial da Igreja Católica Romana, acerca desse período, é *Quadragésima*. O jejum pré-pascal, a princípio, era bem curto; mas, gradualmente, foi-se ampliando para incluir a Semana Santa, e, então, a décima parte de um ano, e, finalmente, quarenta dias. Na antiguidade, era um período de preparação para o batismo, durante a páscoa, e para a penitência pública por parte dos candidatos ao batismo. Gradualmente, porém, foi envolvendo uma aplicação universal, para todos os católicos romanos. O uso das cinzas, durante esse período, é um desenvolvimento posterior. As igrejas oriental ortodoxa, católica romana e anglicana observam a *quaresma*. Nos primeiros três ou quatro séculos da cristandade, havia muita latitude quanto a essa questão. João Crisóstomo (347? — 407) recomendava, embora não exigisse, que esse período fosse celebrado com esmolas, boas obras especiais, etc. Nos primeiros séculos, não havia qualquer distinção quanto à dieta desse período, pelo que não havia qualquer proibição de alimentos específicos. Até os mais bem conhecidos ascetas do cristianismo comiam carne durante esse período, embora se abstivessem de comê-la desde o amanhecer até o cair da noite. Então podiam comer carne. Gradualmente, porém, essas proibições se foram universalizando para os católicos, que observavam esse período de alguma maneira especial. A atual forma de observância da quaresma data de cerca do século IX D.C.

Sumário da História:
1. Quarenta horas de jejum eram observadas antes da páscoa. Esse tempo tinha por base o número de horas que Cristo passou da morte à ressurreição.
2. Então, vários dias foram adicionados ao período, cujo número dependia de cada localidade. João Cassiano (420 D.C.) informa-nos de que, em sua época e em sua região, o período era de seis ou sete semanas. Nenhuma das igrejas que ele conhecia ampliava isso para mais de trinta e seis dias de jejuns.
3. O historiador Sozomeno (440 D.C.) informa-nos de que as igrejas da Ilíria e as igrejas ocidentais observavam seis semanas, mas que em outras havia uma observância de sete semanas.
4. Crisóstomo fala sobre como havia latitude quanto à questão, conforme já se mencionou.
5. A observância da quaresma, conforme atualmente é praticada, data de cerca do século IX D.C.

••• ••• •••

PÁSCOA, CORDEIRO DA

A palavra portuguesa **páscoa** vem do termo hebraico **pesach**, cujo sentido é «passar por sobre», uma referência à páscoa original, relatada no livro de Êxodo, quando o anjo da morte passou por sobre os filhos de Israel, mas destruiu todos os primogênitos do Egito. Muitos eruditos crêem que, antes desse acontecimento, já havia o sacrifício do cordeiro, que envolvia a idéia de expiação simbólica. Mas então esse rito foi adaptado ligeiramente para os eventos do êxodo de Israel. Ver Êxo. 12:15; 34:18; Lev. 23:6; Núm. 28:17; Deu. 16:3.

PÁSCOA, CRISTO COMO A

«...Cristo, nosso Cordeiro pascal, foi imolado» (I Cor. 5:7). No seu contexto, essa declaração tem um sentido moral. Deveríamos desvencilhar-nos de todos os elementos estranhos à espiritualidade, visto que Cristo fez o seu grande e eterno sacrifício, que é o agente de nossa purificação moral. Cumpre-nos abandonar nossa velha maneira de viver. Ver os artigos separados sobre **Cordeiro de Deus** e **Páscoa**. Este último inclui um estudo sobre a páscoa cristã (em sua quinta seção).

PÁSCOA, VELA DA

De acordo com a liturgia da Igreja Católica Romana, uma grande vela é acesa em meio a uma cerimônia solene, no dia anterior ao da páscoa, a qual fica a queimar até o dia da ascensão. Isso serve de símbolo de luz, vida e esperança no que diz respeito ao sacrifício, à ressurreição e à ascensão de Cristo.

PÁSCOA CRISTÃ (EASTER)

Preservamos entre parênteses a palavra inglesa, a fim de melhor destacar o fato de que há uma diferença entre a páscoa dos hebreus e a páscoa dos cristãos. Ver o artigo geral sobre a *Páscoa*, onde a versão cristã é incluída em uma seção separada.

Easter é uma palavra usada nos idiomas germânicos para denotar a festividade do equinócio do inverno, e que, dentro da tradição cristã posterior, passou a ser usada para denotar o aniversário da ressurreição de Cristo. Nas línguas latinas, como o português, a palavra para «páscoa» vem do latim *pascha*, a qual, por sua vez, alicerça-se sobre o termo hebraico, *pesach*, que significa «passar por cima». O termo grego *pascha* também é derivado do hebraico, pelo que é indeclinável.

A origem da palavra *Easter* é controvertida. Alguns estudiosos pensam que a mesma está ligada ao nome da **deusa anglo-saxônica** que representa a primavera, *Eoestre*. Nesse caso, teríamos o comum fenômeno de um nome de um costume pagão receber um significado cristão. Ou então, essa palavra poderia estar relacionada às *vestes brancas* usadas durante a celebração da festa cristã relativa à semana da páscoa. Nesse último caso, o plural da palavra que

PASEA — PASSAS; PASTAS DE UVAS

significa «branco» foi confundido com a palavra que significa «alvorecer», e, subseqüentemente, foi vinculado ao alvorecer do dia da ressurreição. Seja como for, a celebração da ressurreição antecede a tudo isso, visto que cada primeiro dia da semana, originalmente, representava isso; e, pelos fins do século II D.C., a celebração da ressurreição como uma festa da Igreja cristã, já estava bem estabelecida. No tocante a detalhes sobre a *Páscoa Cristã*, ver isso como um subponto do artigo geral sobre a *Páscoa*.

PASEA

No hebraico, «mando». Esse é o nome de três personagens que figuram nas páginas do Antigo Testamento, a saber:

1. Um filho de Estom, descendente de Judá (I Crô. 4:12). Viveu em cerca de 1420 A.C.
2. O cabeça de uma família de servidores do templo, ou **netinim** (vide), que retornou do cativeiro babilônico em companhia de Zorobabel. Seu nome é grafado como Paseá. Ver Esd. 2:49; Nee. 7:51. Seu filho ou descendente, Joiada, ajudou a restaurar um dos portões da cidade. Isso ocorreu algum tempo antes de 536 A.C.
3. O pai de Joiada (Nee. 3:6), que ajudou a reparar as muralhas de Jerusalém. Alguns estudiosos identificam-no com o homem que aparece no número dois, acima.

PASSADIÇO COBERTO

No hebraico, **musak**, de sentido incerto. Sabe-se apenas que se tratava de um termo arquitetural. Talvez fosse uma estrutura coberta ou uma barreira. A expressão inteira diz «passadiço coberto para uso no sábado». (Ver II Reis 16:18).

Se essa palavra deriva-se do verbo que significa «cobrir» ou «sombrear», então a expressão refere-se a um lugar coberto ao salão, usado pelo rei ou pelos sacerdotes, para entrarem no templo, e que, por algum motivo para nós desconhecido, o rei Acaz «retirou da casa do Senhor, por causa do rei da Assíria» (II Reis 16:18; cf. II Crô. 28:24).

Porém, em vista de uma referência, em Eze. 46:1,2, a uma porta que era mantida fechada, exceto em dia de sábado e nos dias de lua nova, talvez esteja em pauta uma barreira ou uma grade, pela expressão que ali aparece, *myyasa hassabat*. — Nesse caso, a derivação poderia ser da palavra hebraica que significa «cercar», «encarrar» (cf. Jó 3:23; 38:8).

PASSADO

O conceito do passado tem atraído a atenção de filósofos e teólogos. Abaixo damos um mostruário de idéias:

1. As filosofias e as religiões orientais pensam que o tempo é uma *ilusão*, mera ficção, resultante do sonho de Deus.
2. Bergson aludia ao passado como algo interno em relação ao presente, e apresentou a analogia da bola rolante de neve, que vai adquirindo novas camadas **ad infinitum**, enquanto puder descer. O tempo, pois, é a bola-de-neve, e sempre contém elementos passados como suas partes.
3. Os filósofos pragmáticos têm ensinado que o passado é tão variável quanto o presente. Modifica-se com cada modificação do presente. Além disso, toda a extensão do tempo até certo ponto é uma avaliação subjetiva, pelo que os seus elementos podem alterar-se, embora nenhum evento passado realmente mude.
4. Whitehead dizia que o passado está perecendo perpetuamente, embora também consista em uma perpétua preservação. Esse segundo aspecto ele vinculava à natureza conseqüente de Deus.

PASSARINHEIRO

No hebraico, **yaqosh** ou **yaqush**, palavra que, em suas duas formas, ocorre por quatro vezes: Sal. 91:3; 124:7; Pro. 6:5 e Osé. 9:8.

Um passarinheiro é alguém que apanha aves por meio de redes, alçapões e armadilhas, que são engenhos que apanham as aves vivas; ou então, por meio de fundas e arco e flecha, que, geralmente, apanham as aves mortas. Os egípcios faziam dessa atividade um esporte, comum a todas as camadas sociais. Havia passarinheiros profissionais, que usavam armadilhas e redes. Porém, uma forma esportiva de apanhar aves, no Egito, consistia no uso de uma peça de madeira, talhada de certo formato, com uma superfície larga e chata, que não oferecia muita resistência ao ar, quando lançada, semelhante ao bumerangue. Tinha cerca de sessenta por trinta centímetros, podendo atingir um pássaro em pleno vôo, com relativa facilidade, por quem treinado para lançar a peça com pontaria. Os antigos passarinheiros, tal como seus congêneres modernos, também usavam chamarizes para atrair as aves.

Os egípcios caçavam aves por puro esporte, mas também porque as aves eram um de seus alimentos favoritos. E ambas as motivações são comuns até hoje, entre os homens. Os antigos também usavam aves nos seus sacrifícios religiosos, e também para propósitos decorativos, em aviários e gaiolas.

Muitas espécies de aves migram do norte para o sul, atravessando a Palestina durante a primavera e o outono, preferindo voar por sobre terras, ao invés de cruzarem as águas do mar Mediterrâneo. E isso sempre facilitou o trabalho dos passarinheiros.

A lei de Moisés proibia que se apanhasse uma ave mãe com seus ovos ou com os seus filhotes, tendo em vista a preservação das espécies (Deu. 22:6,7). Deus prometia longa vida àqueles que observassem esse preceito da lei.

Usos Metafóricos:

1. O homem maligno, que prepara armadilhas para suas vítimas, levando-as à ruína espiritual, moral ou material, também é chamado de passarinheiro. Ver Sal. 14:7; 91:3; Pro. 6:5.
2. Uma *ave* é um símbolo universal da *alma*, e qualquer tipo de maquinação que cativa ou impede uma ave, dentro das manifestações psíquicas, representa aquelas coisas que são moral ou espiritualmente prejudiciais para o ser.

PÁSSAROS DA BÍBLIA

Ver sobre **Aves da Bíblia**.

PASSAS, PASTAS DE UVAS

No hebraico, **tsimmuqum**, «frutas secas», que alguns pensam derivar-se de uma raiz que significa «comprimir». Os bolos comprimidos eram formados depois que as uvas estavam completamente secas, e, uma vez cobertas, tornavam-se quase imperceíveis. Eram usadas como oferendas aos deuses por muitos povos antigos, aparecendo nas listas de mercadorias de vários portos marítimos. Também são mencionadas como alimento usado por viajantes e soldados (II Sam. 6:19, etc.), e como um acepipe (Isa. 16:7). Geralmente as frutas secas eram postas em água ou caldo, misturadas com algum cereal, a fim de serem consumidas. Havia misturas de frutas secas como uvas, figos, abricós e tâmaras, tudo temperado com sal ou especiarias. Embora consideradas um afrodisíaco, essas pastas são remotamente mencionadas como tal no A.T. (ver Can. 2:5; Osé 3:1; etc.).

PASSIONISTAS

Esse é nome alternativo dado aos membros da Congregação dos Servos Descalços da Santíssima Cruz e da Paixão de Nosso Senhor Jesus Cristo. Essa organização foi fundada em Roma, em 1720, por Paulo da Cruz, também conhecido como Paulo Francis Danei.

Ele atuou em Gênova, na Itália. Seu irmão, João, esteve intimamente associado a ele nessa obra. A regra da ordem foi aprovada pelo papa Benedito XIV, em 1741. O principal propósito da ordem é a santificação, primeiramente dos seus próprios membros, e então daqueles a quem eles ministram. Seus membros ocupam-se em retiros, trabalho missionário, trabalho pastoral, e levam vida austera, algumas vezes monástica.

As freiras passionistas constituem um grupo distinto, embora a organização delas também tenha sido fundada por Paulo da Cruz. Elas devotam-se à vida contemplativa, caracterizada pela quietude e pela santidade. Porém, há uma ordem desse grupo, na Inglaterra, que se dedica ao trabalho eclesiástico.

PASSOS CURTOS

O profeta Isaías não estava satisfeito com a maneira como algumas mulheres israelitas andavam. Em 3:16 de seu livro ele as criticou, dizendo: «...são altivas as filhas de Sião, e andam de pescoço empinado, de olhares impudentes, andam a passos curtos, fazendo tinir os ornamentos de seus pés». Dessa maneira, elas se faziam de dengosas, embora, na verdade, fossem orgulhosas e sensuais.

Havia mulheres que usavam correntes que ligavam seus tornozelos, o que as obrigava a caminhar com passos curtos. Além disso, usavam sinetas nos tornozelos, para chamarem a atenção para si mesmas. Muitos concebem as mulheres judias como damas caseiras, ocultas por baixo de seus véus, cuidando de suas crianças! Isaías deve ter visto mulheres bem diferentes disso, em lugares públicos!

PASTOR

1. O Termo

No hebraico, *raah*, palavra que figura por setenta e sete vezes, no particípio, onde tem o sentido de «pastor» (por exemplo: Gên. 49:24; Êxo. 2:17,19; Núm. 27:17; I Sam. 17:40; Sal. 23:1; Isa. 13:20; 31:4; 40:11; Jer. 6:3; 23:4; 25:34-36; 31:10; Eze. 34:2-10,12,23; Amós 1:2; 3:12; Zac. 10:2,3; 11:3,5,8,15,16; 13:7. No grego *poimén*, vocábulo que ocorre por dezoito vezes: Mat. 9:36; 25:32; 26:31 (citando Zac. 13:7); Mar. 6:34; 14:27; Luc. 2:8,15,18,20; João 10:2,11,12,14,16; Efé. 4:11; Heb. 13:20; I Ped. 2:25. Ver também *Ovelhas* e *Ocupações*.

2. *O Trabalho do Pastor*

No seu sentido literal, um «pastor» é alguém que cuida dos rebanhos de ovelhas. Aparece pela primeira vez em Gên. 4:2, a fim de descrever a ocupação de Abel. Portanto, juntamente com a ocupação do agricultor, é a mais antiga profissão do mundo. Posteriormente, Abraão, Isaque, Jacó e os filhos de Jacó foram identificados como pastores (ver Gên. 13:7; 26:20; 30:36; 37:22 ss). Em vista de sua ocupação de pastores, os filhos de Jacó, quando se mudaram para o Egito, não tiveram permissão de viver nos mesmos lugares com os egípcios, que consideravam os pastores uma abominação (Gên. 46:34).

Os pastores eram conhecidos como profissionais que alimentavam e protegiam os rebanhos (Jer. 31:10; Eze. 34:2), que procuravam as ovelhas perdidas (Eze. 34:12) e que livravam dos animais ferozes as ovelhas que estivessem sendo atacadas (Amós 3:12).

3. *Moisés como Pastor*

Moisés era apenas um pastor, em Midiã, quando Deus o chamou ao Egito para libertar o povo de Israel, que estava ali escravizado há várias gerações (Êxo. 3:1). Davi também era pastor de ovelhas quando Deus o chamou, ainda na juventude, a fim de ser o futuro rei de Israel (I Sam. 16:11 ss). Parece que a vida dos pastores era uma excelente preparação para quem tivesse de ser um dos líderes do povo de Deus. Cf. Amós 1:1.

Com base na idéia de que o pastor é um protetor e líder do rebanho, surgiu o conceito de Deus como o Pastor de Israel. Os próprios pastores antigos foram os primeiros a salientar essa similaridade. Assim Jacó se dirigiu a Deus, nos dias que antecederam a sua morte (ver Gên. 48:15). E Davi chamou Deus de seu Pastor, no bem conhecido Salmo Vinte e Três (vs. 1), o que Asafe também fez, em Salmos 80:1.

4. *Isaías como Pastor*

Isaías expandiu esse ponto de vista de Deus que foi descrito por ele como o pastor que alimenta o povo de Israel (Isa. 40:11). Jeremias aludiu ao Senhor como um pastor que protege o seu rebanho (Jer. 31:10). E Ezequiel completou esse quadro a respeito de Deus ao descrevê-lo como um pastor que busca pelas ovelhas de seu rebanho (Eze. 34:12).

Em consonância com esse conceito, encontramos muitas passagens, no Antigo Testamento, que se referem aos líderes do povo de Deus como pastores que agem sob a supervisão de Deus. Nos trechos de Números 27:17 e I Reis 22:17, a sorte de Israel, que então estaria sem líderes à altura, é comparada com um rebanho de ovelhas que não dispõe de um pastor. Posteriormente, os profetas, os sacerdotes e os reis de Israel, que haviam falhado em seu encargo, diante de Deus e do povo de Deus, foram condenados como pastores que haviam desertado o rebanho ou que haviam enganado as ovelhas (Jer. 2:8; 10:21; 23:1 ss; Eze. 34:2 ss, etc.).

5. *Nas Páginas do Novo Testamento*

Não é surpreendente que, com tão rico pano de fundo, no Antigo Testamento, os escritores do Novo Testamento tenham descrito o Senhor Jesus como um Pastor (no grego *poimén*). Assim, Jesus é o Bom Pastor que deu a sua vida pelas suas ovelhas (João 10:2,11,14,16). Ele separa suas ovelhas dos bodes, à semelhança do que faz um pastor (Mat. 25:32); e ele sofreu pelas suas ovelhas, como deve fazer todo o bom Pastor (Mat. 26:31).

O escritor da epístola aos Hebreus chamou Jesus de «...o grande Pastor das ovelhas...» (Heb. 13:20). Pedro, por sua vez, também retrata o Senhor Jesus como o «...Pastor e Bispo das vossas almas» (I Ped. 2:25). Ver ainda sobre *Ovelhas* e *Ocupações*.

PASTOR — PASTOR (OFÍCIO DA IGREJA)

No tocante aos *pastores* como um dos ministérios da Igreja cristã, ver sobre a **Igreja, Seu Ministério e Pastor (Ofício da Igreja)**.

Características do Verdadeiro Pastor

1. Pode entrar *legalmente* no aprisco das ovelhas (João 10:1). Isso se refere à *missão messiânica autêntica* de Jesus e à sua autoridade. (Ver o artigo sobre *Autoridade*, seção 7. Ver também sobre a transferência dessa autoridade para a igreja cristã, em substituição à autoridade religiosa do sinédrio, que já fora destruído ao tempo em que o evangelho de João foi escrito, em Mat. 16:19 no NTI).

2. O trabalho do verdadeiro pastor é *coroado de sucesso* e ele entra apropriadamente no aprisco, mediante a ajuda do porteiro (provavelmente símbolo do Espírito Santo. João 10:7).

3. O bom pastor *instrui* as suas ovelhas com a sua palavra e o seu exemplo, e as guia (João 10:7).

4. O bom pastor vive bem familiarizado com as suas ovelhas, e elas o conhecem bem, o que indica *comunhão* e comunicação (João 10:3,4).

5. O pastor verdadeiro *guia* o rebanho, tanto nesta vida como em direção à vida eterna (João 10:4,10,17 e 28).

6. O bom pastor é o *exemplo moral* das ovelhas e vai adiante delas (João 10:4).

7. O verdadeiro pastor é *inteiramente devotado* ao seu rebanho e dá a própria vida pelas suas ovelhas (João 10:11). Fica implícito aqui, no caso de Cristo, a expiação realizada na cruz do Calvário, porém, mais particularmente ainda, a vida que lhes é conferida através do sacrifício do pastor, isto é, a vida eterna, o lado positivo da expiação, sendo frisada a união mística com Cristo, e não tanto o lado negativo, que é o perdão dos pecados (João 10:28).

8. O verdadeiro pastor *garante a segurança* do rebanho, tanto agora como para toda a eternidade, mediante a autoridade que lhe foi conferida pelo Pai, com quem Cristo tem perfeita união, tanto no tocante à sua natureza quanto no que diz respeito aos seus desígnios (João 10:27-30; ver também 5:19, acerca da unidade essencial entre o Pai e o Filho).

Todas essas características fazem violento contraste com os falsos pastores, que são indivíduos totalmente egoístas e perversos, e que, na realidade, não podem oferecer qualquer dessas vantagens e bênçãos ao rebanho de Deus. Por conseguinte, é dito aqui que o verdadeiro pastor, que é Cristo, entra pela porta, isto é, pelos canais espirituais competentes, porquanto não tem necessidade de iludir, posto que todos os seus propósitos são benévolos.

A mensagem principal de João 10:2 é ensinar que o verdadeiro pastor, que é Cristo Jesus, tem a *autoridade própria e a comissão divina* para ministrar às ovelhas, que são os verdadeiros filhos de Deus, de cujo direito não participam os falsos pastores. Essa autoridade é aqui ilustrada pelo ato de entrar no aprisco, com a permissão e a boa acolhida que é dada ao verdadeiro pastor pelo porteiro (ver João 10:3).

PASTOR (OFÍCIO DA IGREJA)

Esboço:
1. O Dom Pastoral
2. Distinções
3. Usos Bíblicos da Palavra
4. Qualificações dos Pastores

1. O Dom Pastoral

O ofício do *pastor* é um dom de Deus à Igreja. Essa questão é descrita no artigo chamado *Dons Espirituais, Homens Como*. Um bom pastor deve ser possuidor de dons espirituais. Sem dúvida terá o dom de governos, sendo esse um dom específico dos pastores. Mas também deve ter o dom da fé, e talvez outros dons, como o de profecia, etc. Além disso, deve ser capaz de ensinar (ver I Tim. 3:2b). Temos descrito a questão dos dons espirituais no artigo intitulado *Dons Espirituais*, especialmente sua seção IV, *Charismata*. Nem todos os pastores são mestres (ver I Tim. 5:17); e nem todos eles são dotados de facilidade de expressão. Mas um pastor deve ser possuidor de apreciável dose de compaixão e simpatia, sendo capaz de misturar-se bem com as pessoas, gostando da companhia dos seus semelhantes. Um monge, em seu mosteiro, que gosta da solidão, meditando, rezando e lendo seus livros sagrados, sem importar quantas outras virtudes possa ter, jamais seria um bom pastor. Um *mestre*, mergulhado até o pescoço nos seus livros, que manuseia idéias e gosta de estudar e aprender, pode ser um professor espetacular da Escola Dominical, mas provavelmente não está bem adaptado às tarefas próprias de um pastor.

2. Distinções

Um pastor, sendo ocupante de um ofício eclesiástico respeitável, ainda assim, de acordo com certos grupos cristãos, ocupa posição inferior à de um bispo.

É comum hoje, — em muitas denominações evangélicas, uma igreja ter mais de um pastor, dependendo das muitas necessidades da mesma. Assim, um deles ocupar-se-á do trabalho pastoral interno, um outro cuidará dos jovens, e ainda um outro ficará encarregado do evangelismo, por exemplo. Isso ocorre devido à complexidade do ofício pastoral, sem falarmos no fato de que, às vezes, o rebanho torna-se por demais numeroso para que um único homem faça a contento o seu trabalho.

3. Usos Bíblicos da Palavra

Na Bíblia, «pastor» pode ser alguém que, literalmente, cuida de ovelhas. A forma singular acha-se no Antigo Testamento somente em Jer. 17:16. A forma plural aparece por dezessete vezes, dentre os quais os trechos de Jer. 2:8; 3:15; 10:21; 23:1,2 servem de exemplo. No hebraico, a palavra correspondente é *raah*, baseada na idéia de «cuidar dos rebanhos», «dar pasto». Já no Novo Testamento, o termo grego correspondente é *poimen*, um substantivo que figura somente em Efé. 4:11, onde o pastor aparece como alguém que Deus deu à Igreja como um dom. Jesus é o principal pastor, segundo se vê no décimo capítulo de João; e todos os demais pastores são subpastores. Uma palavra grega cognata é *poimaine*, «pastar» (ver João 21:15), e outra forma verbal, *poimanate*, significa «pastoreai», «dai o pasto» (I Ped. 5:2). Esse pastoreio espiritual deve incluir um ensino sério, além do trabalho de cuidar das ovelhas, em todos os sentidos. Jesus é chamado de «o grande Pastor», em Heb. 13:20. Pedro, por sua vez, chamou-O de «Pastor e Bispo (supervisor) das vossas almas» (I Ped. 2:25). Assim, os bons pastores são imitadores daquele, e da parte dele recebem sua inspiração e orientação. Ele é o Bom Pastor que deu a sua vida pelas suas ovelhas (ver João 10:2,11,14,16).

4. Qualificações dos Pastores

No primeiro ponto, acima, demos os dons que um pastor deveria possuir; e isso, como é óbvio, faz parte de suas qualificações. Passagens das chamadas epístolas pastorais (I e II Timóteo e Tito) dão listas de qualificações desses ministros, além de outros. Ver I Tim. 3:1 ss e Tito 2. Um pastor deve ser homem controlado, livre de vícios, não belicoso, sem excessos. Deve governar bem a sua casa; não pode ser um

PASTOR (OFÍCIO) — PÁTARA

noviço; deve ter boa reputação, devidamente conquistada; deve ser avesso a maledicências e ao uso incorreto da língua; não deve ser ganancioso; não deve andar atrás do dinheiro; deve ser homem que se santifica; deve ter uma boa esposa, que não lhe traga perturbações; deve ser forte na fé e mestre da mesma; deve ter ousadia no seu ensino; deve ser cheio de amor e paciência; deve ser perseverante; deve caracterizar-se por boas obras; na doutrina, deve ser incorrupto; deve ser homem sério; sua linguagem deve ser sadia; deve saber exortar; deve ser honesto; deve saber repelir toda forma de impiedade; deve ser alguém ansioso para ensinar e capaz de fazê-lo; e, finalmente, deve ser homem de reconhecida piedade.

Unger, no artigo intitulado **Pastor**, divide as muitas qualificações de um pastor em três categorias:

a. O serviço de ministração ao culto divino, pondo em ordem a adoração da congregação, administrando as ordenanças, pregando a Palavra de Deus. Nesse sentido, o pastor é um **ministro**.

b. Ele deve ser habilidoso nos **cuidados pastorais**, cuidando de alimentar espiritualmente o rebanho, mostrando-se vigilante, deixando-se envolver em boas obras e ações de misericórdia e compaixão.

c. Ele deve brandir a autoridade espiritual da Igreja, sendo um dirigente que merece respeito e que impõe ordem e disciplina. Um pastor deve ter como um de seus alvos o aperfeiçoamento dos santos (Efé. 4:12), mostrando-se espiritualmente alerta (Heb. 13:17; II Tim. 4:5) sendo capaz de exortar, advertir, consolar e orientar com autoridade (I Tes. 2:22; I Cor. 4:14,15). No quarto capítulo da epístola aos Efésios, o trabalho dos pastores suplementa o trabalho dos apóstolos, evangelistas e profetas.

PASTOR DE HERMAS
Ver **Hermas, Pastor de**.

PASTORAIS, EPÍSTOLAS
Ver o artigo sobre **Epístolas Pastorais**.

PASUR
No hebraico, «libertação». Esse é o nome de quatro ou cinco homens que aparecem nas páginas do Antigo Testamento:

1. Um filho de Imer, um sacerdote. Ele foi o principal supervisor do templo de Jerusalém. Teve a infeliz distinção de haver ferido a Jeremias e tê-lo preso no tronco, por causa de suas predições de derrota de Judá e de sua deportação para a Babilônia. Então Jeremias contou-lhe que dali por diante seu novo nome seria Terror-por-todos-os-lados (no hebraico, **Magor-missabib**), e que ele e seus familiares seriam levados para a Babilônia, e que Pasur ali faleceria e seria sepultado (ver Jer. 20:2-6). Isso ocorreu em cerca de 605 A.C.

2. Um antepassado da família sacerdotal que retornou do cativeiro babilônico em companhia de Zorobabel, a fim de fixar residência em Jerusalém. Um dos seus descendentes assinou o solene pacto de que os judeus andariam pelos caminhos retos de Yahweh. Outros dentre seus descendentes tiveram de divorciar-se de mulheres estrangeiras com as quais se tinham casado, conforme se vê em passagens como Esd. 2:38; 10:22 e Nee. 7:41.

3. Um contemporâneo do Pasur que acabamos de mencionar, filho de Malquias. Esse foi enviado pelo rei Zedequias a fim de perguntar de Jeremias qual o resultado do ataque de Nabucodonosor contra Jerusalém. Jeremias deu previsões sombrias, de condenação. Pasur não gostou da resposta de Jeremias, e apresentou a Zedequias uma mensagem negativa. O resultado foi que ele e seus associados receberam permissão de fazer com o profeta o que bem entendessem. Assim, amarraram-no e baixaram-no à cisterna vazia; e Jeremias ficou atolado na lama (ver Jer. 38:6). Porém, o etíope Ebede-Meleque acabou retirando dali o profeta. Os descendentes de Pasur, por sua vez, retornaram a Jerusalém, terminado o exílio babilônico, segundo se vê em I Crô. 9:13; Nee. 11:12 e Jer. 21:1,3. Isso aconteceu mais ou menos em 589 A.C. Alguns identificam-no com o Pasur de número quatro, nesta lista, abaixo.

4. O pai de Gedalias e líder em Judá, que também participou do ato de descer Jeremias à cisterna, conforme foi descrito no terceiro ponto, acima. Ver Jer. 38:1.

5. Um dos chefes da tribo de Judá, que, terminado o cativeiro babilônico, assinou o solene pacto de observar os caminhos do Senhor, nos dias de Neemias. Ver Nee. 10:3.

PATANJALI
Ele foi um filósofo indiano e líder religioso do século II A.C. É considerado o fundador do sistema de **ioga** (vide). Para ele, a ioga era um método de se obter o avanço da alma e a salvação, através do controle dos aspectos físicos e psíquicos da natureza humana. Seu principal escrito chama-se **Ioga Sutra**.

PÁTARA
Trata-se de um porto do mar, a sudoeste da Lícia, no vale do rio Xantus, e que ficava localizado cerca de cem quilômetros a leste da ilha de Rodes. Esse porto ficava na porção sul da Ásia Menor. Era uma cidade populosa, com um ativo comércio. Já desde o século IV A.C., contava com as suas próprias moedas, o que indica a sua importância como centro comercial desde a antiguidade. Teria sido fundada por Patarus, filho de Apolo, o que lhe explica o nome. Dispunha de um templo, com um oráculo, que se tornou famoso e era muito freqüentado.

A Lícia era um pequeno distrito da costa sul da Ásia Menor, onde ficava o vale do rio Xantus, e onde há montanhas que atingem mais de três mil metros de altitude. Pátara funcionava como porto da cidade de Xantus, que ficava cerca de dezesseis quilômetros de distância. Atualmente, a embocadura do rio Xantus e o porto da cidade de Xantus estão parcialmente tomados pela areia. A antiga muralha da cidade ainda pode ser percebida, em suas ruínas modernas, às quais dão o nome de **Galemish**. Outrossim, o alicerce do templo e de alguns outros edifícios públicos é tudo perfeitamente visível. É possível que uma das mais interessantes ruínas ali existentes seja o arco triunfal onde estão inscritas as palavras «Pátara, metrópole da nação lícia».

O apóstolo Paulo atingiu Pátara por meio de Cós e da ilha de Rodes, tendo vindo de Mileto, em sua viagem final a Jerusalém. Foi ali que ele foi transferido para outro navio que se destinava a Tiro, segundo se aprende em Atos 21:1,2. O Códex Bezae, com uma adição tipicamente ocidental ao texto, diz «e Mira», depois da palavra «Pátara». Essa adição parece sugerir que o transbordo deu-se em Mira, e não em Pátara. Porém, não há como averiguar a exatidão disso, e nem mesmo a questão reveste-se de qualquer importância.

••• •••

PATERNIDADE

PATERNIDADE (MATERNIDADE)

Esses são grandes vocábulos éticos. Do ponto de vista biológico, referem-se à reprodução humana, mas não é esse o interesse desta enciclopédia. Antes, em uma obra desta natureza, o que importa são as implicações morais e espirituais dessas palavras. Grande parte dessa questão já foi abordada no artigo intitulado *Família*. Ver também o artigo *Educação*. Ser pai ou mãe é algo ao mesmo tempo glorioso e de muita responsabilidade.

1. *Informes Bíblicos:*
  a. O matrimônio é a base legal dessa questão. Ver Gên. 1 e 2. b. Os filhos são bênçãos divinas aos pais (Sal. 127:3-5; 128:3). c. É enfatizada a responsabilidade na criação deles, envolvendo a instrução espiritual (Gên. 18;19; Deu. 6:6,7; 11:19,20). d. A natureza pecaminosa básica das crianças precisa ser anulada mediante uma disciplina amorosa e uma instrução diligente (Efé. 2:3; 5:26; João 3:3,6; I Tim. 3:14-17). e. O caminho de Cristo deve estar sempre diante dos olhos dos pais (Mar. 10:14; Efé. 6:4; Col. 3:21; Sal. 103:13).

É um absurdo os pais preocuparem-se com as necessidades biológicas, sociais, profissionais e físicas em geral, ao mesmo tempo em que negligenciam as necessidades da alma das crianças. O treinamento das crianças deve incluir um treinamento planejado e sistemático do conhecimento das Escrituras, sem exclusão de outras coisas que promovam os interesses da alma. Um profeta persa, Bahá Ulláh, afirmou, e com toda a razão, que o pior erro que um pai pode fazer, no que toca a seus filhos, é não lhes transmitir o conhecimento espiritual que possui. Além disso, os pais devem três coisas a seus filhos: exemplo, exemplo, exemplo.

2. *O Propósito do Plano Divino*

Os filhos não são acidentes biológicos de seus pais. As Escrituras encarecem o propósito da vida humana, atribuindo a cada indivíduo um caráter ímpar que deve ser desenvolvido no interesse do cumprimento de sua missão espiritual. Deus conhece as pessoas antes mesmo delas nascerem (Jer. 1:5), o que alguns eruditos pensam ser uma alusão à preexistência da alma. João Batista era grande figura espiritual antes mesmo de nascer, e outro tanto se deu no caso de Paulo (Luc. 1:15; Gál. 1:15). Não há razão para supormos que a mesma coisa não se aplica, potencialmente, a todos os seres humanos. A Igreja cristã oriental sempre opinou que a alma é preexistente. Se isso é verdade, então é impossível exagerar o papel dos pais, que *continuam*, e não meramente começam a influenciar a seus filhos, ajudando-lhes a alma a prosseguir caminho.

3. *Caráter Ímpar dos Indivíduos*

A singularidade de todas as almas é ensinada em Apo. 3:12, na doutrina do *novo nome*. As *experiências perto da morte* (vide) incluem acontecimentos que demonstram o fantástico desígnio que circunda a vida humana. Os pais têm a grande responsabilidade de cuidar para que o desígnio divino quanto a cada vida seja cumprido da melhor maneira possível.

4. *Falhas*

Os pais materialistas falham em seu papel, sobretudo quando levam seus filhos a serem materialistas também. Certos povos antigos falhavam desde o começo, quando abandonavam seus filhos ao relento, para que morressem. O aborto (vide) é um equivalente moderno. Séculos atrás, morrer sem filhos era considerado um opróbrio; hoje em dia, ter filhos é que é considerado um infortúnio. Homens e mulheres ímpios, pois, têm revertido essa maneira de ajuizar as coisas.

Herança do Senhor são os filhos;
o fruto do ventre seu galardão. (Sal. 127:3-5)
Como flechas na mão do guerreiro,
assim os filhos da mocidade.
Feliz o homem que enche deles a sua aljava.

PATERNIDADE DE DEUS

Esboço:
  I. Principais Ensinos sobre a Paternidade de Deus
  II. O Conceito da Filiação
  III. A Paternidade é Efetuada pelo Poder do Espírito
  IV. A Adoção pelo Espírito
  V. Aba. Pai
  VI. O Novo Nascimento e a Responsabilidade

1. Principais Ensinos Sobre a Paternidade de Deus

1. Deus também é **Pai**, dentro da Trindade, que envolve o Pai, o Filho e o Espírito Santo. Alguns têm imaginado que o Espírito exerce funções análogas a uma mãe. Se assim for, então dentro da própria Trindade há uma relação doméstica. E isso tem paralelos com o ensino que a salvação consiste, essencialmente, na obtenção da filiação. Pelo menos é verdade que o trecho de Rom. 8:14 ss, onde a paternidade de Deus é claramente afirmada, também encerra a idéia da nossa adoção. E também devemos levar em conta as afirmações que fazem de Deus o Pai de nosso Senhor Jesus Cristo (Efé. 1:17; I Cor. 8:6; I Ped. 1:3). Jesus orava a Deus como o seu Pai (Mat. 6:7 ss). Também referiu-se a Deus como seu Pai e nosso Pai (João 20:17), o que também é um conceito comum na oração sacerdotal do Senhor Jesus (João 17). Ver o artigo geral sobre a *Trindade*.

2. *No Antigo Testamento*, Deus aparece como o pai da nação judaica, o que subentende a sua preocupação e interesse especiais por esse povo, como o veículo de sua mensagem ao mundo (Deu. 32:6; Osé. 11:1; **Sal. 68:5; 103:13; Mal.** 1:6).

3. *No Novo Testamento*, o conceito é expandido a fim de incorporar um sentido cósmico. Deus é o Pai de muitas *famílias* de seres inteligentes, e não apenas de almas humanas redimidas (Efé. 3:15). Todas essas famílias recebem o seu nome, ou seja, estão intimamente associadas a ele como Criador e Sustentador delas. Ele é o Pai dos espíritos (Heb. 12:9), como também das estrelas (Tia. 1:17), isto é, desta criação inanimada, mas gloriosa, como Criador de todas as coisas.

4. *Deus é o Pai de todos os homens*, remidos ou não. Isso explica o poder do seu amor universal. Ver Atos 17:27; Luc. 3:8 e João 3:16. Apesar de estar em foco principalmente o seu ato criador, também é verdade que os homens compartilham de sua natureza espiritual e moral; e os remidos virão a compartilhar da própria essência ou natureza, ou seja, tornar-se-ão filhos de Deus no mais completo sentido da palavra.

5. *Deus é o Pai dos Remidos*. Isso em sentido especial, porquanto esses tornam-se participantes de sua vida necessária e independente, através da missão do Filho (João 5:24 ss), participante de sua natureza essencial (II Ped. 1:4), e sendo transformador segundo a imagem do Filho, o Irmão mais velho (Rom. 8:29). Assim, os remidos participarão da plena divindade (Col. 2:10). **Ver também** João 1:12 e o artigo sobre **Adoção** (vide).

6. *Deus é Pai na Adoção*. Ver as seções IV e V deste artigo, bem como o verbete separado sobre esse assunto.

PATERNIDADE DE DEUS

Aqui nos é apresentado o *maior* de todos esses conceitos, — o qual também, sem dúvida, é a mais profunda demonstração de que o indivíduo regenerado não pode continuar no pecado, mas antes, precisa ter uma vida vitoriosa, vitória essa que lhe é conferida através do sistema da graça. E o conceito que garante isso é o fato de que *somos filhos de Deus*.

II. O Conceito da Filiação

1. Filiação é, na realidade, um termo **sinônimo** de salvação; pois somos salvos como filhos. A filiação descreve as condições e o fato da nossa salvação (vide).

2. Dois termos são usados para descrever a filiação: *uios*, que pode significar «filho por adoção». É questão vinculada a um antigo costume romano, o que nos dá algumas noções sobre o sentido da filiação. Envolvia a declaração de que alguém era «filho adulto», com plenos direitos à herança (ver Rom. 8:16). O outro vocábulo é *teknos*, que tem o sentido de *filho por geração natural* (ver João 1:12). É verdade que, com freqüência, as duas palavras eram usadas como sinônimas, a despeito de que esses elementos podem ser distinguidos claramente em alguns casos.

3. A filiação significa que participaremos da própria natureza de Deus Pai, em sentido perfeitamente literal. Ver II Ped. 1:4, Col. 2:10 e II Cor. 3:18.

4. Dessa forma, chegaremos a possuir igualmente todos os atributos divinos (ver Efé. 3:19), ou seja, a sua «plenitude», com base na participação em sua natureza.

5. Por semelhante modo, possuiremos a «plenitude do Filho», o que é esclarecido em Col. 2:10.

6. Já temos certa participação moral na natureza divina (ver Mat. 5:48) e também uma real participação quanto ao «tipo de vida» (ver João 5:25,26).

7. Por conseguinte, surgirá uma «nova espécie», muito superior aos anjos, porquanto os remidos participarão da própria natureza do Filho (ver Rom. 8:29). Essa nova espécie, comporá a família de Deus, em sentido bem real. A natureza do Pai, porém, é infinita, mas nós participamos de sua natureza em um sentido «finito». Todavia, a eternidade inteira será empregada em nosso progresso na direção de Deus, e iremos participando mais e mais de suas perfeições e atributos. Portanto, a glorificação será um processo eterno, e não — um único ato — instantâneo, imediatamente após a morte física.

Rom. 8:14: *Pois todos os que são guiados pelo Espírito de Deus, esses são filhos de Deus*.

No décimo terceiro versículo nos é assegurada a orientação do Espírito Santo em nossa vida, o que será evidenciado por uma participação crescente na santidade, bem como em uma vitória cada vez mais intensa sobre o pecado que procura utilizar-se de nossos corpos, o que é, tão-somente, uma manifestação do princípio do pecado-morte na personalidade humana. Neste ponto é introduzido na discussão o grande conceito de ser o crente um «filho de Deus». Essa é a mais exaltada explanação possível pela qual, tendo sido conduzidos aos pés de Cristo, — dentro do sistema da graça divina, não podemos mais continuar no pecado. Assim sendo, descobre-se certa *progressão* de pensamento na resposta à pergunta que aparece em Rom. 6:1: «Permaneceremos no pecado, para que seja a graça mais abundante?»

A filiação a Deus garante a herança celeste e a nossa transformação segundo a imagem moral e metafísica do Filho de Deus; e era isso que Paulo queria que entendêssemos, porquanto esse é um dos mais elevados cumes da mensagem cristã, o que é comentado com abundância de detalhes na exposição sobre o vigésimo nono versículo deste capítulo no NTI. Os filhos desfrutam de comunhão mística com o Espírito Santo, que é o agente da transformação espiritual que se processa neles. A passagem de Gál. 5:18 enfatiza o fato de que aqueles que são guiados pelo Espírito Santo não estão mais «debaixo da lei»; e o oitavo capítulo da epístola aos Romanos, apesar de não ensinar essa verdade especificamente, deixa entendido que assim acontece, do princípio ao fim do mesmo. Agora existe uma superior «lei de vida» para o crente. Porém, a lei mosaica não é nem o Salvador e nem a regra de conduta do crente do N.T. Cristo é quem é o nosso Salvador, e a comunhão com o Espírito Santo, no homem interior, é que é a nossa «regra de vida», sendo uma regra extremamente superior a tudo quanto poderia ter sido imaginado, como resultado da observância legalista. O resultado dessa regra de vida é a vida vitoriosa, conforme é comentado por Ernest De Witt Burton, em seu livro sobre a epístola aos *Gálatas* (pág. 302): «É claro pois, que a vida pelo Espírito constitui, para o apóstolo, uma terceira maneira de viver, por um lado distinta do legalismo e, por outro lado, caracterizada pelo fato de que o crente não cede aos impulsos da carne. Sob hipótese alguma é um curso médio entre essas duas coisas, mas antes, é um caminho elevado, que está acima de ambas as coisas, uma vida de liberdade de meros estatutos, uma vida de fé e de amor».

III. A Paternidade é Efetuada pelo Poder do Espírito

O trecho de II Coríntios 3:18 deixa claro que a nossa progressão metafísica, que nos levará de um estágio de glória para o próximo (em um processo eterno, estejamos certos), é obra do espírito de Deus, porquanto somente ele é capaz dessa realização. O Espírito do Senhor nos está conduzindo de um estágio do desenvolvimento espiritual para o seguinte, até que nos tornemos autênticos membros da família divina.

Guiados pelo Espírito

Essas palavras podem ser melhor compreendidas se as desdobrarmos *nos pontos abaixo*:

1. Somos guiados pelo Espírito Santo na vida diária de santidade, acima das exigências da carne e livres da mesma.

2. Em contraste com a liderança moral da lei, somos guiados pelo Espírito Santo. Os crentes possuem uma *nova* «regra de vida», muito superior à antiga regra legal de conduta, que foi dada aos israelitas.

3. Em sentido absoluto, através dessa orientação do Espírito, somos levados cada vez mais perto da imagem de Cristo, e somos levados a entrar na posse de nossa herança espiritual.

4. Mediante a orientação do Espírito Santo, entramos na relação de membros da nova família celeste, sendo *filhos* reconhecidos e feitos tais por nosso Pai, mediante o poder divino, algo que a lei jamais poderia fazer. A elevada «posição» e «categoria» do crente é assim salientada. Tal crente não pode mesmo ser escravo do pecado.

5. A relação para com a lei consistia de *escravidão*, de terror e servitude. A posição de «filho de Deus», em contraste com isso, é de *liberdade e privilégio*. Temos deixado a condição de servos na casa, tendo-nos tornado filhos favorecidos. Isso é o que a graça divina faz a nosso favor.

6. O termo «filho» subentende *responsabilidade* do crente para com o Pai celeste, de que não será desgraçado e vilipendiado o nome da família. Portanto, esse termo nos impõe esse dever.

PATERNIDADE DE DEUS

7. Ser conduzido pelo Espírito é algo que envolve «o poder e a energia» da nova vida, o que era impossível para a lei conferir-nos.

8. Ser «filho de Deus» também subentende que a santidade é o resultado natural de uma realidade espiritual, e não o resultado do esforço humano para que o alvo da santidade seja atingido, por meio de alguma exigência legalista.

9. A nossa posição de «filhos de Deus» requer motivos de *gratidão* e *amor*. «Esse favor é um exemplo de graça divina surpreendente, que excede a todas as outras bênçãos, tornando os santos honrosos. E isso é acompanhado por muitos privilégios, que perduram para sempre, para aqueles que estão nessa relação para com o Senhor Deus, os quais devem se colocar sob essa graça divina, solicitando, com gratidão, que essa se torne a sua maneira de viver, sendo seguidores dele, amando-o, honrando-o e sendo-lhe obedientes». (John Gill, *in loc.*).

IV. A Adoção pelo Espírito

Podemos notar, na tradução portuguesa que serve de base para o presente artigo, que o texto diz: *espírito*, e não *Espírito de adoção*, isto é, com inicial minúscula. Por conseguinte, essa versão faz a alusão ser um princípio, atitude ou estado mental. Ainda que alguns bons intérpretes assim tenham pensado, é muito mais natural, acompanhando o contexto desta passagem, continuarmos a compreender que Paulo se referia ao *Espírito de Deus*. No grego não foi usada uma letra maiúscula para indicar o *Espírito*, e quando os autores do N.T. se referiam ao Espírito de Deus ou ao espírito humano, lançavam mão da palavra «pneuma» sempre com a inicial minúscula. Portanto, essa questão aqui focalizada está sujeita à interpretação. Notemos, nos versículos catorze e dezesseis, que o Espírito Santo é claramente aludido, não havendo nenhuma razão de peso que nos leve a pensar que, no versículo quinze, a palavra «pneuma» também não se refira ao Espírito Santo.

É o Espírito Santo quem produz a adoção de filhos, aquele novo e altíssimo privilégio, porquanto ele é o «alter ego» de Cristo, que atua sobre a personalidade humana, transformando-a de acordo com a imagem do nosso irmão maior, a saber, Cristo Jesus. Assim é que Vincent diz (*in loc.*): «Trata-se do Espírito de Deus, que produz a condição de adoção».

Adoção. Paulo não negava aqui qualquer real transmissão de natureza, de Deus para os crentes (conforme diz especificamente o trecho de João 1:12); e nem negava que os verdadeiros crentes participam do real caráter ou natureza divina (conforme nos ensina a passagem de II Ped. 1:4). De fato, este oitavo capítulo desenvolve a idéia da participação real dos crentes na família de Deus, na qualidade de filhos, os quais se tornam iguais em sua natureza íntima. No entanto, *neste vs.*, o apóstolo se vale de um costume romano bem conhecido, a fim de ilustrar como o Espírito Santo leva os homens à família de Deus, utilizando-se do costume da «adoção». Essa palavra, por si mesma, indica o «pôr» ou «colocar» como filho. No presente contexto, isso deve indicar a colocação dos crentes na posição de *filhos adultos*, não mais filhos infantes, que ainda não chegaram à idade de entrarem na posse de sua herança, que não possam participar de todos os direitos e privilégios atinentes àqueles que pertencem à família divina. Pelo contrário, o crente entra na família de Deus como adulto, espiritualmente falando, capaz de gozar dos plenos benefícios de sua herança, bem como das responsabilidades decorrentes dessa posição. Por conseguinte, poderíamos dizer que essa adoção de filhos produz nos crentes a *filiação adulta*.

Merivale (em *Conversion of the Roman Empire*) explica o uso que Paulo faz desse conceito romano da «adoção», como segue: «Tratava-se do processo de adoção legal, mediante o qual um herdeiro escolhido recebia o direito não somente à reversão da propriedade à sua posse, mas também ao estado civil, em suas obrigações e direitos, daquele que o adotava, tornando-se, por assim dizer, seu outro 'eu', unido a ele... esse, igualmente, é um princípio romano, peculiar naquela época ao povo romano, desconhecido, segundo creio, entre os gregos e, segundo todas as aparências indicam, também desconhecido entre os judeus, porquanto tal provisão não se pode encontrar na legislação mosaica, nem sendo mencionada em qualquer lugar onde se faz menção aos filhos da aliança. Nós mesmos fazemos apenas uma pálida idéia do que essa ilustração significaria para quem estava familiarizado às práticas romanas; isso serviria para impressioná-lo com a certeza de que um filho adotivo de Deus se torna, em sentido peculiar e íntimo, **unido ao seu Pai celeste**».

Rom. 8:15: *Porque não recebestes o espírito de escravidão, para outra vez estardes com temor, mas recebestes o espírito de adoção, pelo qual clamamos: Aba, Pai!*

A expressão *espírito de escravidão* tem sido compreendida pelos intérpretes de diversas maneiras, como segue:

1. Seria uma referência à dispensação do A.T., governada pela lei. O espírito na mesma dominante levaria à escravidão, porquanto os que estavam debaixo da antiga dispensação ficavam sujeitos a muitas leis e cerimônias, pesadas e insuportáveis, as quais não oferecem qualquer possibilidade de transformação íntima, necessária para cumprir as exigências feitas. Não há que duvidar que o apóstolo Paulo tinha esse aspecto da realidade em mente, sem importar se aludia especificamente ou não ao mesmo.

2. Agostinho pensava que se trata de uma alusão a *Satanás*, autor do espírito de servidão (ver Heb. 2:14,15); e, por semelhante modo, Lutero aplicava esta expressão a Caim, em oposição ao espírito de Graça manifesto por Abel. É verdade que aquela referência na epístola aos Hebreus contém a idéia dada por Agostinho, mas não parece que Paulo se referia a isso, neste versículo da epístola aos Romanos. No entanto, em outras instâncias de seus escritos, Agostinho mostrou esposar uma interpretação similar à que aqui ocupa o primeiro lugar.

3. Alguns estudiosos vêem aqui ambos os «espíritos», isto é, o da servidão e o da adoção, como alusão a disposições espirituais subjetivas: portanto, estaria em foco o espírito de servilismo, bem como o espírito livre de um filho, o qual é adotado com plenos direitos na família divina. Essa interpretação, contudo, não expressa o sentido específico deste versículo, embora, naturalmente, contenha certa verdade, implícita aqui, embora não explicitamente declarada.

4. Alguns eruditos pensam que o *Espírito Santo* é focalizado em ambas as referências, tanto na referência ao «espírito de servidão», como na referência ao espírito da liberdade dos «filhos de Deus», mediante a adoção. O espírito de *servidão* seria o ofício penal atribuído ao Espírito Santo, mencionado em João 16:8. Isso expressa uma verdade, mas provavelmente ainda não é a idéia central deste versículo, e nem a questão específica tencionada.

5. O mais provável é que esteja em mira aqui o fato de que o Espírito Santo deve ser considerado somente

109

PATERNIDADE DE DEUS — PÁTIO

como o agente da adoção e não como se ele levasse os homens à servidão. Sua suposta conexão com a servidão é apenas uma hipótese, criada por Paulo, para fazer contraste com a verdadeira natureza de sua influência habitadora e serviço em favor dos crentes. Pois o Espírito Santo não é nenhum agente de escravidão, *como o era a lei*; pelo contrário, é o poder vivo que transforma os homens em filhos de Deus, levando-os a entrarem na plenitude de sua herança.

Outra vez atemorizados. A lei lançava o temor nos corações dos homens, porquanto revelava claramente o pecado deles, bem como a penalidade necessária para tal pecado, isto é, a morte eterna. Os homens, pois, tornavam-se escravos pelo temor, um temor que esperava a morte. Ora, o Espírito de Deus livra-nos de tudo isso. A lei era, essencialmente, um sistema refreador, por ameaças, e ameaças reais, e não meramente hipotéticas. Quanto melhor se compreendia os requisitos da lei, tanto mais se compreendia como a lei era um sistema de temor. As palavras *outra vez*, que aqui figuram, mostram-nos que as pessoas para quem o apóstolo escrevia haviam sido anteriormente escravizadas à lei; e isso significa que o apóstolo Paulo falava a uma igreja local que desfrutava de bom entendimento sobre o que significa estar alguém sob a lei, a despeito do fato de que a igreja local da cidade de Roma se compunha, principalmente, de elementos gentios.

V. Aba, Pai

Um servo ou escravo, espiritualmente falando, não poderia chamar a tal por esse título, fazendo-o por direito e razão. No aramaico, o vocábulo, *Aba*, significa *pai*. Isso nos faz lembrar que os primeiros seguidores de Jesus Cristo falavam nesse idioma, e é provável que, em suas orações e formas litúrgicas, eles tivessem preservado essa palavra como um título aplicado a Deus, paralelamente a outros vocábulos gregos e latinos. E a dupla expressão de *pai*, em dois idiomas diversos, serve para fortalecer aqui a idéia de filiação e de paternidade.

«A reiteração provavelmente se deriva de uma fórmula litúrgica, que talvez se tenha originado entre os judeus helenistas, que preferiram reter a consagrada palavra 'Aba'. Alguns estudiosos pretendem ver aqui indícios da união entre judeus e gentios, em Deus». (Vincent, *in loc.*).

Acompanhando essa opinião de Vincent, Morison, comentando sobre o trecho de Mar. 14:13, ao referir-se ao uso que o Senhor Jesus fez dessa dupla expressão, diz que é possível que ele personalizasse assim, em si mesmo, tanto os judeus como os gentios.

«Essa repetição expressa afeto e apelo, baseada no impulso natural que demonstram as crianças de repetirem um nome querido sob formas diferentes. Com isso se pode comparar o hino de Newton:

Jesus, meu Pastor, Esposo, Amigo,
Meu Profeta, Sacerdote e Rei...

(Sanday, *in loc.*).

É a chamada ao Pai, tal como as crianças pequenas chamam seu pai em confiança simples e própria de crianças». (Lutero, *in loc.*).

Portanto, abaixo damos as idéias que se têm dito a respeito do uso dessa dupla expressão, *Aba, Pai*.

1. Seria a preservação de um termo sagrado, por parte dos mais primitivos cristãos, que usavam o termo *aba* para se referirem a Deus, e que continuaram a fazê-lo, embora o grego se tivesse tornado o idioma predominante na igreja cristã. Deles, pois, os crentes gregos e romanos adotaram esse termo, como nome próprio de Deus.

2. Essa repetição fala da *dependência* que um filho mostra para com seu genitor, bem como a sua expectação de ser atendido pelo mesmo.

3. Seria uma expressão *mais completa* sobre a paternidade de Deus, visando aos judeus e aos gentios, unidos como um só povo crente, em Cristo.

4. Seria assim enfatizado o *afeto* que enlaça os membros de uma família harmoniosa, como atitude natural entre eles. (Quanto a outros usos dessa expressão, *Aba, Pai*, ver os trechos de Mar. 14:36 e Gál. 4:6).

A paternidade de Deus:

«Há cinco mil anos passados, ou talvez um pouco antes, os arianos, que então ainda não falavam nem o sânscrito, nem o grego e nem o latim, chamavam Deus de 'Dyu patar', Pai celeste.

Há quatro mil anos passados, ou um pouco antes, os arianos que se locomoveram para o sul dos rios do Panjab, chamavam-no de '*dyaush-pita*', Pai celeste.

Há três mil anos passados, ou um pouco antes, os arianos das praias do Helesponto, chamavam-no de '*zeus pater*', Pai celeste.

Há mil anos atrás, o mesmo Pai celeste, e Pai de todos, era invocado pelos nossos próprios antepassacos peculiares, os arianos teutônicos, por seu antigo nome de *Tiu ou Zio*, o qual foi então ouvido talvez pela última vez...

E nós, que estamos nesta antiga abadia... se desejamos dar nome para o invisível e infinito, que nos cerca por todos os lados, o desconhecido, o verdadeiro 'eu' do mundo, e o verdadeiro 'eu' de nós mesmos, igualmente nós, sentindo-nos uma vez mais como crianças, ajoelhadas em uma sala escura e pequena, dificilmente podemos encontrar uma designação mais apropriada do que 'Nosso Pai, que estás no céu'». (Extraído do livro *Lectures on the Origin of Religion*, de Max Muller, em conferências na abadia de Westminster, págs. 216 e 217. Londres: Longmans, Green, 1878).

VI. O Novo Nascimento e a Responsabilidade

A doutrina do **novo nascimento** (ver sobre a *Regeneração*) é a base do ensino do Novo Testamento sobre a paternidade de Deus, embora a adoção faça parte proeminente disso, conforme já pudemos ver. A adoção, contudo, não dá a entender que a natureza real de Deus não nos seja comunicada, como se fôssemos filhos de Deus somente em sentido metafórico. Todos os homens são filhos de Deus em virtude da criação, mas os remidos são filhos de Deus no sentido que já começaram e continuarão recebendo a natureza essencial de Deus, segundo os moldes de Jesus Cristo, o Filho. E, visto que somos filhos do Pai celestial, precisamos buscar as perfeições do Pai (Mat. 5:48). É por causa da transformação moral que a transformação metafísica é possível. Ver o artigo separado sobre a *Santificação*. A vida cristã caracteriza-se pela responsabilidade do crente diante do Pai (I Ped. 1:17). «Ora, se invocais como Pai aquele que, sem acepção de pessoas, julga segundo as obras de cada um, **portai-vos com temor**, durante o tempo da vossa peregrinação». Aquele que mostrar ser um filho responsável de Deus haverá de receber uma vida abençoada, bem como a aprovação do Pai, que provê tudo quanto for necessário para os seus filhos (II Cor. 1:3; II Tes. 2:16; I Ped. 1:3). Elevados privilégios sempre requerem uma elevada dedicação.

PÁTIO DA GUARDA

Excetuando o trecho de Nee. 3:25 (onde aparece, em nossa versão portuguesa, sob a forma de «pátio do cárcere»), essa expressão só figura no livro de

PÁTIO — PATRIARCA

Jeremias. O pátio da guarda era uma área no palácio onde esse profeta ficou detido (Jer. 32:2), recebendo visitantes (Jer. 32:8), e até efetuando negócios (Jer. 32:12). Contava com uma cisterna, onde alguns oficiais terminaram por arriar o profeta, quando quiseram tirar-lhe a vida (Jer. 38:6).

PÁTIO DO CÁRCERE, PÁTIO DA GUARDA

Essa expressão aparece em Nee. 3:25; Jer. 32:2,8,12; 33:1; 37:21; 38:6,13,28; 39:14,15. No hebraico é *chetser mattarah*. Os estudiosos estão divididos quanto ao significado da expressão. É possível que estejam em foco «celas de prisão», usadas pelos guardas de um palácio. Mas outros pensam que se trata de algum pátio descoberto existente em um palácio. Se eram celas, então eram usadas para deter prisioneiros por algum tempo, até que se pudesse obter um arranjo permanente para eles. Seja como for, Jeremias ficou confinado em um lugar assim, embora tivesse tido a permissão de dar prosseguimento ao seu trabalho profético, com bastante liberdade.

PATMOS

Ver Apo. 1:9. O começo da história dessa ilha é obscuro. Somente já dentro da era cristã dispomos de algum informe histórico fidedigno, acerca de coisas ali ocorridas. Esse foi o lugar para onde foi banido o vidente João (autor do livro do Apocalipse). Com base nessa circunstância, surgiu uma aura religiosa em torno da ilha, em tempos subseqüentes. Em 1088, o monge Cristóbulo levantou ali o Claustro de São João, no antigo local de um templo dedicado à Ártemis. E isso veio a ser local de aprendizado clerical. Uma excelente biblioteca foi edificada ali, que se tornou um dos bastiões da Igreja Católica Grega. Em 1453, foi lançado um apelo, por parte dos ministros cristãos dali, a Roma, para que os ajudasse contra os turcos. No século XVI, finalmente, a ilha caiu sob o poder dos turcos, ainda que, durante algum tempo, lhe fosse permitida grande dose de liberdade. Depois de 1912, passou a pertencer ao Dodecaneso italiano. Em 1947, passou para o domínio grego.

Informações Gerais

O **vidente João** fora banido para a ilha de —Patmos—, por ordem do imperador Domiciano; e ali, em sua solidão, recebeu as visões do livro do *Apocalipse*. Patmos era uma das ilhas Esporades, um grupo de ilhas do mar Egeu, ao sul de Mileto, cerca de quarenta e cinco quilômetros a sudoeste de Samos. Atualmente essa ilha se chama Patmo e Palmosa. Fica cerca de oitenta quilômetros de Éfeso. A ilha é vulcânica, com cerca de dezesseis quilômetros de comprimento e dez quilômetros de largura, em sua porção mais larga. É uma ilha estéril e rochosa, com colinas que atingem, no máximo, trezentos metros de altura. Conta com uma baía chamada La Scala, que se aprofunda pela ilha na direção do oeste, e que quase divide a ilha em duas partes iguais, para o norte e para o sul. Na porção do sul há um mosteiro chamado de «São João», e também uma gruta intitulada «gruta de Apocalipse», onde, supostamente, foram recebidas as visões constantes deste livro de Apocalipse, embora isso seja mera conjectura.

«A esterilidade severa e dura de seus promontórios interrompidos se prestava bem ao fato histórico de que às suas praias eram relegados cristãos condenados, como que a uma prisão. A visão do seu pico mais elevado, ou, de fato, de qualquer elevação maior da ilha, desdobra uma cena incomum, como bem se presta ao Apocalipse, o desvendamento do futuro aos olhos do vidente solitário. Acima, sempre houve o espaçoso céu do firmamento grego; algumas vezes brilhante com suas **nuvens brancas** (ver Apo. 14:14), outras vezes com **relâmpagos e trovões**, obscurecido por 'grande saraiva', ou alegado por um 'arco-íris como uma esmeralda' (ver Apo. 4:3; 7:7; 11:19; e 16:21). Sobre os cumes elevados de Icária, Samos e Naxos elevam-se os montes da Ásia Menor; entre os quais jazeria, ao norte, o círculo das sete Igrejas que foram endereçadas. Ao redor dele estavam os montes e as ilhas do arquipélago (ver Apo. 6:14; 16:20). Quando olhava ao seu derredor, abaixo ou acima, 'o mar' sempre ocupava lugar proeminente...as vozes do céu eram como o som de ondas batendo na praia, como 'o ruído de muitas águas' (ver Apo. 14:2 e 19:6); a grande pedra foi 'lançada ao mar' (ver Apo. 18:21); o mar haveria de 'entregar os mortos que nele havia' (ver Apo. 20:13)». (Arthur P. Stanley, *Sermons in the East*).

PATRIARCA (PATRIARCADO)

Ver o artigo geral intitulado *Ofícios Eclesiásticos*, especialmente seu décimo primeiro ponto. Ver também sobre *Patriarcas (Bíblicos)*.

Um patriarca é um elevado oficial e ministro da Igreja Católica Romana e da Igreja Ortodoxa Oriental. Quanto ao começo do desenvolvimento do patriarcado e à localização das grandes sés patriarcais da Igreja cristã antiga, ver os artigos referidos. Os patriarcados eram e continuam sendo superiores em autoridade aos metropolitas e arcebispos. O patriarcado consiste no território sobre o qual domina um patriarca. A organização eclesiástica do cristianismo antigo seguiu, quanto a certos aspectos, a organização do governo civil do império romano. Os bispos das regiões mais importantes adquiriram mais autoridade do que os bispos ordinários, e chamavam-se *metropolitas* (vide). Eles assumiam controle sobre mais de uma diocese, como se fossem superbispos, sem se tornarem arcebispos. Esses lugares mais importantes tornaram-se centros especiais da cristandade, e o bispo daquele lugar tornava-se um patriarca cuja autoridade era reconhecida até em lugares distantes de sua jurisdição direta. Os primeiros centros, nesse processo, foram Jerusalém, Antioquia, Alexandria, Roma e Constantinopla, ou seja, quatro no Oriente e um no Ocidente. Até pelo século V D.C., esses centros eram as províncias eclesiásticas mais importantes. Nos séculos VIII e IX D.C., o título patriarca veio a ser usado para indicar os líderes eclesiásticos (bispos) dessas áreas. O patriarca de Constantinopla tornou-se o cabeça da Igreja Oriental, e continua retendo o primado entre todas as igrejas ortodoxas orientais, embora não seja considerado um papa. Cada seção nacional da Igreja Oriental tem o seu próprio patriarca. As chamadas igrejas orientais heréticas também contam com seus próprios patriarcas, seguindo assim o estilo do cristianismo oriental. De acordo com a linguagem eclesiástica, o bispo de Roma tanto é papa quanto é patriarca.

No Sentido Veterotestamentário. Ver o artigo separado sobre *Patriarcas (Bíblicos)*. Chamamos de *patriarcas* aos primeiros fundadores da fé dos hebreus, como Abraão, Isaque, Jacó e José (como também aos originadores das doze tribos de Israel), todos eles filhos de Jacó. Além disso, os progenitores da raça humana, como Adão e Noé, são assim chamados.

No Sentido Geral. Qualquer grande líder, secular ou religioso, especialmente se for fundador de algum movimento, fé religiosa, etc., pode ser chamado de patriarca.

PATRIARCADO — PATRIARCAS

Na Igreja Mórmon. O termo, nessa fé, refere-se à ordem superior dos sacerdotes, dotados de autoridade especial e jurisdição, capazes de conferir bênçãos.

Definição Verbal. Patriarca é termo que vem do grego *patriá*, «família», e *archein*, «governo», ou seja, o governo ou chefia de uma família. Quanto a informações adicionais ver *Patriarcado*.

PATRIARCADO

Ver o artigo chamado **Patriarca, Patriarcado**. Este artigo supre informações adicionais àquele artigo.

O patriarcado é o ofício ou sede de um patriarca, um título confinado, no cristianismo antigo, aos bispos de Jerusalém, Antioquia, Alexandria, Roma e Constantinopla. Os patriarcas exercem a sua autoridade através e em conjunção com um concílio geral, e era através desse concílio que a autoridade desses bispos estendia-se às sés circunvizinhas. Em 1590, os patriarcas ortodoxos consentiram com a criação do patriarcado de Moscou.

O termo *patriarcado*, em sua designação mais ampla, pode significar: 1. ofício; 2. o domínio ou território governado pelo patriarca; 3. a residência do patriarca; 4. o tipo patriarcal de governo eclesiástico.

PATRIARCAL, ERA

Ver sobre **Patriarcas (Bíblicos)**.

PATRIARCAS (BÍBLICOS)
O PERÍODO PATRIARCAL

Esboço:
1. Definições
2. Estilo e Condições de Vida
3. Dirigentes
4. Costumes Ilustrados pela Arqueologia
5. Estrutura da Família
6. Religião dos Patriarcas Bíblicos
7. Contribuições dos Patriarcas
8. Cronologia

1. Definições

A palavra grega por detrás desse vocábulo é uma combinação de *pater*, «pai», e *archés*, «cabeça», «chefe». Os patriarcas bíblicos são aqueles que são considerados os fundadores da raça humana, Adão e Noé (este último através de seus três filhos, Sem, Cão e Jafé; ver Gên. 10); ou então aqueles que foram cabeças ou fundadores das doze tribos de Israel. O vocábulo também é aplicado a Abraão, no Novo Testamento, em Heb. 7:4, por ser ele o fundador (progenitor) da nação hebréia, sendo também o pai dos homens espirituais, tanto judeus quanto gentios, que sigam com seriedade a vereda espiritual. Os filhos de Jacó são chamados «patriarcas» em Atos 7:8,9 e Davi é denominado desse modo, em Atos 2:29. O *período patriarcal* é aquele período de tempo da formação da nação hebréia, antes da época de Moisés.

2. Estilo e Condições de Vida

Os patriarcas viviam em estilo seminômade, nas terras do chamado Crescente Fértil (vide). Abraão e sua família imediata vieram de Ur, na Caldéia, até o Egito, trazendo consigo seus rebanhos e demais possessões. As riquezas eram calculadas sob a forma de propriedades móveis. A única coisa que Abraão comprou, até onde vão os registros sagrados, foi um campo onde havia um local próprio para sepultamentos, para sua família, começando por Sara. A arqueologia tem demonstrado que os nomes bíblicos que aparecem na história de Abraão eram comuns em sua época. Além disso, nomes similares têm sido encontrados entre os amorreus do período. Esses eram semitas ocidentais, alguns dos quais se mudaram para a Caldéia, ao sul da Mesopotâmia, e que formaram o antigo império babilônico, dentre os quais Hamurabi foi o principal governante. O nome amorreu vem de *Amurru*, que significa ocidentais, visto que entraram na Mesopotâmia vindos do noroeste. Naturalmente, os relatos bíblicos mostram que eles formavam um povo que ocupava a Palestina no tempo dos patriarcas, como parentes chegados destes. O trecho de Eze. 16:3 reflete esse fato.

Os arqueólogos têm desenterrado tabletes que dão informações sobre as atividades comerciais da época. Aí pelo século XIX A.C., mercadores assírios haviam penetrado na Ásia Menor com propósitos comerciais. As evidências provam que esse comércio envolvia vários povos e ampliava-se até o Egito. Uma pintura tumular (de cerca de 1900 A.C.) retrata trinta e sete semitas entrando no Egito, procurando negócios, com vestimentas e equipamentos típicos dos semitas asiáticos.

As Viagens eram uma Constante. Abraão mudou-se de Ur da Caldéia para o Egito, no decurso de sua vida. Jacó viajou pela Palestina abaixo, até Harã, e então voltou (Gên. 28:35); e, mais tarde, transferiu-se para o Egito, o que armou o palco para o drama da escravidão dos israelitas nesse país, antes do êxodo. Os relatos do Antigo Testamento sugerem que havia rotas comerciais intensamente usadas. Um grupo de negociantes levou José até o Egito (ver Gên. 37:28-36).

3. Dirigentes

O pai era o chefe da família. O mais idoso e mais poderoso pai tornava-se o chefe do seu clã, que dele descendia. Acima dessa estrutura, podia haver um *melek*, isto é, um «rei». Porém, quase todos esses primeiros reis eram apenas dirigentes de clãs, que conseguiam reunir forças militares para impor aos outros a sua vontade ou para proteger o território deles. O trecho de Gên. 14:1,2 conta acerca de quatro desses «reis»; mas ali são destacados apenas chefes de clãs, e não chefes de cidades-estado, e, muito menos, de nações. Provavelmente, nessa época já havia tal coisa como as cidades-estado. Por exemplo, Melquisedeque é chamado rei de Salém (Jerusalém), e podemos imaginar que essa cidade controlava as áreas adjacentes, pelo que talvez ela tenha sido uma primitiva cidade-estado. Em Edom havia «reis» ou «duques» (ver Gên. 36:19,31). Os horeus também contavam com duques (ver Gên. 36:29). Mas, no Egito já havia verdadeiros reis, todos eles intitulados Faraós (ver Gên. 12:15-20; 37:36; 39:1). Devemo-nos lembrar que nada menos do que dez dinastias, ou mesmo mais, tinham subido sucessivamente ao trono do Egito, antes de Abraão chegar à Palestina; e que os egípcios representavam uma avançada civilização, antes e durante o tempo de Abraão, quando este e sua gente eram apenas pastores e criadores de gado que viviam como nômades. É impossível reconstituirmos o quadro contando somente com o livro de Gênesis; mas, lançando mão da ajuda da arqueologia, poderemos obter uma boa idéia do fato de que havia alguns poucos governantes poderosos cuja influência chegava até a alguma distância, pois quase todos eram apenas pequenos líderes de pequenos clãs. Uma boa pergunta, que lança muita luz sobre a questão, é aquela que indaga: «Como as coisas poderiam ter sido diferentes quando tudo isso acontecceu dentro de um território que era menor do que a metade do tamanho do estado de São Paulo?»

112

PATRIARCAS (BÍBLICOS)

4. Costumes Ilustrados pela Arqueologia

As descrições bíblicas têm paralelo bem próximo nos registros achados em tabletes com escrita cuneiforme, como aquelas descobertas em Nuzi, perto de Quircuque, na década de 1920. Foram encontrados cerca de quatro mil desses tabletes, fornecendo-nos preciosas informações sobre a vida na época, incluindo muitos paralelos bíblicos. Temos apresentado um artigo separado sob o título *Nuzi*, que ilustra a questão, pelo que esse material não é repetido aqui. Ver especialmente o quarto ponto daquele artigo, *Pontos de Interesse Confrontados com o Gênesis*. As mais diversas questões são ilustradas, como documentos escritos, costumes de adoção, os terafins, práticas de sepultamento, mães substitutas, poligamia, famílias poligamas, costumes entre as irmãs, os *habiru*, contratos, testamentos, etc., etc. O código de Hamurabi chega a ventilar uma situação análoga à de Sara e Hagar, onde a segunda esposa (ou concubina) de um homem podia aspirar por maiores coisas para seu filho do que no caso dos filhos da primeira esposa daquele homem. Nesses casos de «rebeldia», a segunda esposa podia ser reduzida à «servidão» (Par. 126). Naturalmente, Hagar já era escrava antes de haver gerado Ismael, ao passo que o código de Hamurabi refere-se a uma mulher que era sacerdotisa, que poderia ser tomada como segunda esposa; mas a filosofia é a mesma em ambos os casos. A questão da poligamia e os problemas atinentes são amplamente ilustrados nos antigos registros paralelos às Sagradas Escrituras. Ver o artigo geral sobre a *Poligamia*. Ver também sobre o *Matrimônio*. A arqueologia muito tem contribuído para confirmar a exatidão geral das narrativas bíblicas quanto ao período patriarcal. Também os textos de *Mari* são muito importantes quanto à questão de textos literários que ilustram o período patriarcal. No que concerne a uma ampla descrição, ver o artigo com esse título, especialmente sua quarta seção, *Os Textos de Mari e o Antigo Testamento*.

5. Estrutura da Família

Dentro da unidade da família, o pai era o chefe da casa. Também era o seu sumo sacerdote, responsável por dirigir devidamente os ritos e costumes da fé religiosa. O pai estendia sua autoridade sobre outras famílias, como um autêntico patriarca. Seu filho mais velho vinha a substituí-lo, quando falecia. Esse filho era o herdeiro da posição e das propriedades de seu pai. Se não houvesse herdeiros, um filho adotado (mesmo que tivesse sido um escravo), podia tornar-se o herdeiro (ver Gên. 15:2 e *ss*). Além disso, um filho nascido de uma concubina, talvez a escrava da esposa legítima, poderia vir a ser o herdeiro, na ausência de filhos da esposa principal (ver Gên. 16:2). Mas, se no decorrer dos anos, nascesse um filho à esposa principal, a questão era revertida, e esse filho vinha a ser o futuro chefe do clã (ver Gên. 15:4; 17:19). A poligamia complicava os laços familiares; mas os filhos de diferentes esposas eram identificados mediante o uso do nome materno. Os trechos de Gên. 16:4; 29:23,24,28,29 mostram quão comum era essa forma de matrimônio.

A história de Jacó mostra que um pretendente podia obter esposa trabalhando para o seu futuro sogro, sem dúvida regulado por algum tipo de contrato, escrito ou verbal (ver Gên. 29:18,27). Uma filha, com frequência, era dada como um presente se seu pai estivesse interessado em obter um determinado genro. Outrossim, uma criada (usualmente uma escrava) era dada como um presente, pelo pai, a uma sua filha, quando esta se casava (ver Gên. 19:24,29), e essas criadas tornavam-se parte integral da família, e às vezes tornavam-se segundas esposas ou concubinas do marido de suas senhoras.

6. Religião dos Patriarcas Bíblicos

Estudos sobre as culturas do Crescente Fértil têm mostrado que o Oriente Próximo e Médio exibiam várias formas de politeísmo. Os cananeus dispunham de um bem fornido panteão de divindades, tendo *El* («força») como o cabeça. Ele teria gerado nada menos de setenta deuses e deusas. *Baal* era um de seus descendentes, e que muito perturbou aos israelitas na história posterior deles. O nome *El*, naturalmente, era um nome comum dado a Deus pelos hebreus, também usado por outros povos, aparentados dos israelitas. A grande contribuição de Israel foi, primeiramente o *henoteísmo* (vide), e então o *monoteísmo* (vide), simplificação essa que levou a fé dos hebreus mais perto da verdade divina do que as religiões de seus vizinhos. Como é claro, durante o período patriarcal, havia uma concepção muito antropomórfica de Deus; mas até hoje isso persegue nossos conceitos sobre o Ser divino. Experiências místicas eram comuns, e Deus era muito pessoal para os patriarcas hebreus. Ficamos especialmente impressionados diante da vida de Jacó, com as suas muitas e significativas experiências espirituais. A cultura grega tinha algumas concepções similares, posto que em meio ao politeísmo.

Alguns estudiosos têm imaginado que o homem primitivo era mais sensível para com os poderes divinos e para com as manifestações do Espírito de Deus, em comparação ao que sucede ao sofisticado homem moderno. Apesar da maioria dos deuses pagãos começarem sua história como divindades tribais, segundo a história e a arqueologia tão claramente o demonstram, para então haver um progresso gradual na qualidade dessas divindades, bem como na esfera de sua jurisdição, o fato de que Abraão pagou dízimos a Melquisedeque mostra-nos que Abraão' e Melquisedeque pisavam sobre um terreno comum, pois eram dotados de um conceito mais lato de Deus, em sua universalidade, o que sucedia com outros povos. Muitos eruditos acreditam que o período patriarcal (dos hebreus) caracterizou-se pelo henoteísmo, e não pelo monoteísmo. Isso significa que apesar de talvez ser admitida por eles a existência de mais de um Deus, a fé dos hebreus havia progredido ao ponto de aceitar a Yahweh como «o nosso único Deus, o único a quem devemos prestar contas». Antes de Moisés, pois, já havia surgido entre os hebreus um autêntico monoteísmo. O Deus de Melquisedeque era *El Elyon*, ou seja, «o Deus Altíssimo»; e esse foi um dos nomes dados a Deus, a partir do período patriarcal.

O cabeça da família era também o sacerdote da mesma. Porém, o caso de *Melquisedeque* (vide) mostra-nos que também existia pelo menos uma classe especial de sacerdotes que desfrutavam de uma jurisdição mais ampla. Sacrifícios de animais e, algumas vezes, até sacrifícios humanos (como nos mostra o sacrifício de Isaque, que esteve perto de concretizar-se), eram empregados e, com base nos detalhes do episódio podemos supor que os sacrifícios humanos estavam desaparecendo gradualmente, pelo menos em alguns lugares. As mais antigas informações de que dispomos mostram-nos que os povos antigos acreditavam literalmente que a vida está no sangue, não meramente em sentido biológico, mas até em sentido psicológico. Atributos misteriosos, pois, eram atribuídos ao sangue, e o sangue vertido nos sacrifícios revestia-se de uma extrema importância ritualística. As pessoas criam que os deuses que eram honrados por eles manifestavam a sua presença por ocasião dos sacrifícios, conferindo-lhes favores espe-

PATRIARCAS — PATRÍCIO (SANTO)

ciais. Ver o artigo geral, *Expiação*; e também *Expiação Pelo Sangue*.

A Questão da Alma. O período patriarcal, pelo menos no que tange à fé dos hebreus, não incluía qualquer crença clara na existência da parte imaterial do homem, apesar de reivindicações em contrário, através da interpretação cristã do trecho de Gên. 2:7. E quando é dito, acerca de Raquel, que ao morrer o seu espírito saiu dela, isso poderia significar tão-somente que ela «soltou o último suspiro», como também a versão inglesa RSV traduz esse versículo (Gên. 35:18). Até mesmo dos tempos mosaicos não nos chega qualquer referência clara acerca da alma, como um elemento distinto do complexo humano, capaz de sobreviver à morte biológica. Nos escritos mosaicos, nunca é prometida uma *após-vida* para aqueles que praticassem o bem, e nem qualquer juízo *após-túmulo* é ameaçado para aqueles que praticassem o mal. A doutrina da alma só se tornou mais clara a partir da época em que foram escritos os Salmos. A partir de então, essa crença tornou-se uma constante na fé judaica, embora não fosse universalmente crida, conforme se vê no caso dos saduceus.

7. Contribuições dos Patriarcas

É patente que um povo nômade não consegue contribuir grande coisa para a arquitetura, para as ciências, para a agricultura ou para as artes em geral. Outrossim, a contribuição hebréia para a literatura, o ponto mais forte dos israelitas, só ocorreu algum tempo mais tarde. Podemos dizer que a principal contribuição que os patriarcas e seus descendentes deixaram à humanidade limitou-se ao campo do pensamento religioso. Já no tempo dos patriarcas hebreus tinham sido lançados os alicerces da fé do Antigo Testamento. E parece bem claro que houve significativas experiências religiosas que acompanhavam aqueles conceitos de fé, sendo até mesmo a origem desses conceitos, pois eram conceitos revelados.

8. Cronologia

Os eruditos conservadores datam a migração de Abraão à Palestina em cerca de 2000 A.C., embora outros pensem em uma data tão tardia quanto 1750 A.C. para esse acontecimento. Assim, se aceitarmos a data mais antiga, então diremos que o período patriarcal durou de 2080 a 1871 A.C., aproximadamente; e que a jornada do povo de Israel no Egito perdurou de 1871 a 1441 A.C., aproximadamente. Mas, se a data mais recente é que está certa, então Abraão deve ser posto dentro do novo império sumero-acadiano de Ur-Namu, fundador da famosa terceira dinastia de Ur (cerca de 2080-1960 A.C.). Esse monarca assumiu o novo título de «rei da Suméria e Acade». Ele construiu um gigantesco *zigurate* (vide) em Ur, que até hoje pode ser visto em suas ruínas. E se a data mais antiga estiver com a razão, então Abraão partiu de Ur exatamente quando essa cidade atingia o seu ponto de maior glória. No tocante aos estados amorreus e elamitas da Mesopotâmia, naquilo em que se relacionam a Abraão, então este viveu quando as cidades de Isin, Larsa e Esnuna eram proeminentes, cujos príncipes foram os herdeiros da terceira dinastia de Ur, depois que essa dinastia entrou em colapso. Por semelhante modo, o tempo de Abraão corresponde, ao reino médio do Egito, especificamente a sua XII Dinastia (2000-1780 A.C.). Abraão esteve no Egito precisamente no começo dessa dinastia. José tornou-se primeiro-ministro de um dos Faraós dessa dinastia, e José chegou ali nos tempos do mesmo, provavelmente Amenemes I-IV ou Senrosrete I-III. Desnecessário é dizer, a cronologia da época dos patriarcas é questão muito controvertida. No artigo *Cronologia*, procuro examinar os problemas envolvidos, onde também são apresentadas várias teorias alternativas. Ver especialmente os pontos 3. *Problemas Comuns da Cronologia*, e 5. *Períodos Bíblicos Específicos*, c. *Do Dilúvio até Abrão*, ponto 1. *A Grande Era dos Patriarcas*.

PATRICÍDIO

Palavra que vem do latim, **pater**, «pai», e **caedere**, «cair», «matar». Em todas as sociedades, os incidentes que resultam em patricídio geralmente são causados por atos violentos do momento. No entanto, há uma exceção, isto é, na Melanésia; ali a questão envolve um costume social. Quando um idoso chefe perdia sua capacidade mental e física, não sendo mais capaz de cumprir as suas responsabilidades, seu filho mais velho deveria substituí-lo. E isso incluía o assassínio público e cerimonial do idoso homem. Isso não era feito com um cacete, uma lança ou uma faca, conforme alguém poderia matar um inimigo; mas mediante um enterro cerimonial, onde a vítima era enterrada viva. O filho dizia respeitosamente: «Senhor, sua estrela se pôs». E o pai recebia tudo isso tranqüila e confiantemente, por ser esse o seu dever terreno; e, em segundo lugar, porque esperava ser deificado após a morte.

Como é óbvio, o cristianismo, ao chegar naquelas ilhas do Pacífico, fez oposição a tal bárbaro costume, em face de sua desumanidade e em face do valor das pessoas idosas. Deve haver uma maneira melhor de afastar um homem senil do que sepultá-lo vivo! Seja como for, esse costume enfatizava o louvável costume e atitude da solidariedade grupal, a disposição dos membros de um grupo a fazerem tão grandes sacrifícios pessoais.

PATRÍCIO (SANTO)

Esse nome vem do latim, **patricius**. Ele foi uma memorável personagem da antiga cristandade. Suas datas foram 389-461 D.C. Ele é considerado o apóstolo e patrono da Irlanda. Nasceu na parte ocidental das ilhas Britânicas, e faleceu na Irlanda, sua pátria adotiva e a grande área de suas atividades. Descendia de uma família proeminente e abastada. Seu pai, Calpórnio, era filho de um sacerdote cristão de nome Potito; e o próprio Patrício foi pai de um diácono e membro do conselho municipal. Com a idade de dezesseis anos, Patrício foi capturado e se tornou um escravo na Irlanda.

Tal como sucede a tantas notáveis figuras religiosas, podemos ver a mão divina em operação na sua vida. Patrício não estivera muito interessado pela fé religiosa, apesar de todo o envolvimento de sua família no cristianismo. Porém, quando se tornou cativo, precisou voltar-se mais e mais para Deus e para a fé, a fim de poder ser sustentado em sua provação. Então ele começou a receber sonhos e visões espirituais, que ele recebia como inspiração divina; e esse toque místico lhe transformou a vida. Foi escravo durante seis anos e durante esse tempo foi crescendo em visão e forças espirituais. Então recebeu um sonho que mostrava que havia um navio preparado para içar velas para a Inglaterra. Patrício fugiu e andou por duzentas milhas romanas, tendo chegado a um certo porto. Ali havia um navio prestes a partir. Patrício pediu para ser levado; o capitão, embora recusando-se a princípio, acabou mudando de idéia, e Patrício partiu de volta à sua terra. Ele jamais teria aceitado de bom grado o cativeiro, com labores forçados, por

PATRÍCIO — PATRIPASSIANISMO

tantos anos; mas assim Deus foi capaz de atingir o seu coração. Às vezes, a adversidade é a maior de todas as mestras, embora nunca queiramos tê-la como instrutora! Os melhores professores não são necessariamente os mais suaves e de relacionamento fácil! O navio aportou na Bretanha, na porção ocidental da França. Não havia alimentos no lugar, e os homens vagueavam à procura de algo para comer. Todos estavam à beira da inanição. Patrício apelou para a oração. E assim Deus mandou alimentos a eles. Os homens não acharam o que comer. Mas uma vara de porcos selvagens veio ao encontro dos homens; quando a gente não tem carne de vaca, a carne de porco é deliciosa.

Finalmente, Patrício voltou à companhia de seus pais. Naturalmente, ficaram muito satisfeitos, exortando-o a nunca mais deixar o lar. Bastava de vagueações pelo estrangeiro! Isso pareceu muito bom, e Patrício contentou-se em ficar entre sua gente. Porém, certa noite, apareceu-lhe um homem em um sonho. — Não era um sonho ordinário; e nem o homem era um homem qualquer. Ele aproximou-se de Patrício e lhe entregou uma carta. Patrício leu-a. As palavras iniciais diziam «a voz dos irlandeses». O incidente foi notável, porque, enquanto leu a carta, também ouviu vozes, e reconheceu que eram as vozes das pessoas com as quais estivera associado na Irlanda. Essas vozes diziam: «Nós te rogamos, jovem santo, que voltes e andes novamente entre nós».

A história não nos brinda com muitas informações sobre os estudos e os preparativos de Patrício; mas é evidente que ele passou algum tempo em um mosteiro, talvez na Gália (mais ou menos equivalente ao que é hoje a moderna França). Finalmente, ele foi consagrado bispo (432 D.C.), tendo sido preparado para a sua missão entre os irlandeses.

E assim Patrício partiu de novo, deixando para trás sua amada terra, sua família e seus amigos. Os laços domésticos foram novamente cortados, pois aquela missão exigia esse sacrifício pessoal. Patrício precisou enfrentar muitos empecilhos. Suas dificuldades começaram antes mesmo dele deixar a Inglaterra. Ao se espalharem as notícias sobre sua missão, um certo «amigo», aparentemente invejoso do progresso espiritual de Patrício, revelou um pecado que ele havia cometido na juventude. Coisa alguma se sabe acerca da natureza do lapso; mas essa questão, de parceria com outras declarações que foram feitas contra ele, criaram dificuldades. A maledicência daquele amigo, tão estúpida (pois quem não cometeu algo que pode ser dito contra sua pessoa?), causou-lhe muita dor. Não obstante, com firme propósito, — Patrício continuou em sua vereda.

Outros labutaram no século V D.C. para a conversão da Irlanda; mas, dentre todos eles, Patrício foi o mais enérgico e bem-sucedido. No entanto, homens menores puseram em dúvida a sua capacidade para a tarefa. Somos informados acerca da questão, além de outras, em sua obra intitulada *Confissão*, um tipo de vindicação de sua vida e conduta. Com base nessa obra, podemos obter uma boa idéia a respeito da oposição que ele teve de enfrentar na própria Igreja. Era considerado rústico e destituído de educação superior. E, de fato, ele confessou-se culpado disso. Sua vida, inclusive a questão da interrupção de sua educação devido ao cativeiro na Irlanda, — impedia que ele freqüentasse escolas, conforme gostaria de ter feito. Além disso, diferente de outros, ele foi forçado a usar um idioma estrangeiro em sua juventude; e isso muito dificultou os seus estudos na adolescência. Também foi acusado de estar na Irlanda por causa do dinheiro que dali

poderia obter. Mas essa acusação ele rebateu com sucesso, demonstrando, a sobejo, que ele recusara presentes oferecidos por seus convertidos vivendo uma vida simples e frugal. Por igual modo foi acusado de gastar dinheiro mui livremente. Ao que parece, ele recebia fundos da Inglaterra. E ele não negou isso. Talvez pudesse ter sido menos perdulário. Chegou mesmo a gastar algum dinheiro para subornar figuras locais do governo, a fim de ser protegido por elas. No entanto, lembremo-nos que ele estava em território hostil. Mas ele não gastava dinheiro em proveito próprio, vivia em relativa pobreza. Quase todo o seu dinheiro era canalizado para obras de caridade, que eram extensas. Ele desafiou as religiões pagãs da Irlanda, levantou um templo, estabeleceu um mosteiro, treinou um clero, organizou sociedades cristãs, introduziu o latim e a cultura européia na Irlanda. O fato histórico é que ele chegou a uma Irlanda inteiramente pagã, mas, ao morrer, deixou uma Irlanda cristã. Ao mesmo tempo em que tinha de enfrentar continuamente a oposição de homens que lhe eram inferiores, o seu prestígio ia crescendo poderosamente, com o resultado que, finalmente, com justiça passou a ser conhecido como «o apóstolo da Irlanda». A Igreja cristã declarou-o santo, e sua festa é comemorada a 17 de março.

Lições que Aprendemos da Vida de Patrício:

1. Deus escolhe definidamente alguns homens para missões especiais, e o seu propósito é invencível, realizando o Senhor o que quer.

2. Todos os homens são culpados de caírem em lapsos, mas esses não podem e nem devem impedir o cumprimento do propósito divino para suas vidas. Todos os homens têm defeitos que impedem em parte, embora não anulem, a contribuição deles para a causa do Senhor.

3. O cumprimento da nossa missão poderá exigir que nos separemos de nosso povo, família e amigos.

4. As experiências místicas de fato transformam as vidas de muitos crentes, e o propósito de Deus, com freqüência, opera através de sonhos, profecias, visões—a Presença do Senhor, enfim.

5. Até mesmo um homem que com razão podemos intitular de apóstolo, sofre as críticas e a oposição de muitos dentro da própria Igreja cristã. Mas, embora combatido, Patrício trabalhou mais abundantemente que eles todos. A história, por isso mesmo, vindicou-o.

6. Há alegria na tarefa bem-feita, completa e cheia de bons frutos.

PATRIMÔNIO DE SÃO PEDRO

O papa Gregório, o Grande, chamou a propriedade da Santa Sé, em Roma, de «propriedade dos pobres». Um nome alternativo e mais universal para a mesma coisa é «patrimônio de São Pedro». Essa expressão também tem sido usada, em sentido geral, para referir-se aos estados da Igreja, os quais, naturalmente, incluem propriedades muito além da área da cidade de Roma.

PATRIOTISMO

Ver o artigo sobre **Nacionalismo**, que inclui o que poderíamos dizer sobre a questão.

PATRIPASSIANISMO

Esse vocábulo vem do latim, **pater**, «pai», e **patior**, «sofrer». Está em foco o sofrimento de um pai. Mas está em pauta a doutrina do sofrimento de Deus Pai.

PATRIPASSIANISMO — PATROS

Uma das bases dessa teoria monstruosa é um exagerado *antropomorfismo*, que imagina que o que sucedeu ao Jesus terreno, foi tolamente transferido para o Pai celeste. Isso é aceito com base na analogia que o Filho é divino e o Pai também é divino: e assim, o que sucede a um deve suceder, obrigatoriamente, ao outro. Ou então, com base em uma doutrina má, que não reconhece a distinção entre Deus Pai e Deus Filho. Nos tempos modernos surgiu o movimento do «Jesus somente», que afirma que Jesus é divino, e que títulos como Pai e Espírito Santo também se aplicam a ele, do que resulta o abandono de qualquer doutrina trinitariana (que eles insistem ser uma doutrina triteísta).

O *patripassianismo* popular (não-histórico) envolve um antropomorfismo tolo acerca do Ser divino (o Pai), que diz que Deus tem todas as variedades de emoções humanas, desde a alegria até à tristeza. E até mesmo alguns autores evangélicos têm incorporado essas idéias em seus escritos, imaginando um Deus que realmente chora, ri, ira-se, grita e canta.

Historicamente, *patripassianismo* foi um nome jocoso cunhado por Cipriano (vide), para indicar a doutrina do monarquianismo modalista, que dizia que os sofrimentos remidores de Cristo também envolveram os sofrimentos de Deus Pai, visto que Cristo *era* o Pai sofredor. Em outras palavras, o Pai e o Filho eram a mesma pessoa, em diferentes modos e atos. Noeto e Práxeas foram expositores proeminentes dessa doutrina, que floresceu nos séculos II e III D.C. Tertuliano informa-nos que Práxeas chegou ao absurdo de dizer que «o Pai nasceu e o Pai sofreu». Também declarou graficamente que Práxeas «pôs em fuga ao Paracleto e crucificou ao Pai». Os modalistas (ver o artigo intitulado *Modalismo*) confundiam as pessoas da Trindade e negavam a união da natureza divina com a natureza humana na pessoa de Cristo. Talvez as noções gregas da divindade (que os romanos abraçaram e ampliaram), já que esses povos tinham mais de um deus que teria passado por consideráveis sofrimentos, embora tivessem permanecido imortais, tenham servido de influência sobre os criadores dessa esdrúxula doutrina.

Os pais da Igreja, Hipólito, Tertuliano e Orígenes, opuseram-se a essa doutrina, e a teologia cristã subseqüente, como é natural, deu-lhes apoio. Entretanto, isso não conseguiu abafar de todo o *antropomorfismo* (vide) que tão freqüente e poderosamente tem feito parte de declarações tradicionais acerca da natureza e dos atributos de Deus.

PATRÍSTICA

Essa é a designação dada àquele ramo da teologia (e da história) que estuda os chamados pais da Igreja cristã. Esses estudos incluem as vidas, os escritos e as doutrinas dos primeiros e mais proeminentes líderes da Igreja cristã pós-apostólica. A questão tem sido dividida cronologicamente em pais ante-nicenos e pais pós-nicenos. Aqueles que viveram mais próximos dos apóstolos, do ponto de vista cronológico, têm sido chamados *Pais Apostólicos* (vide). Entre eles contam-se Clemente de Roma, Policarpo e Inácio; e seus escritos têm sido intitulados escritos *dos* pais apostólicos. Em adição, esse termo é aplicado ao Pastor de Hermas e à epístola de Diogneto. Em Alexandria, Pantaeno, Clemente e Orígenes são considerados os principais primeiros pais da Igreja. Outros vultos notáveis, cujos escritos também são considerados patrísticos, foram Tertuliano, Cipriano, Novaciano, Irineu e Hipólito. Todos esses, mencionados até este ponto, são conhecidos como pais ante-nicenos (antes do concílio de Nicéia). E os pais pós-nicenos da Igreja são Ário, Atanásio, Hilário, Basílio, Gregório de Nissa, Cirilo de Alexandria, Teodoro de Mopsuéstia, Jerônimo, Agostinho e João Damasceno. Orígenes foi a maior influência teológica sobre a Igreja Oriental. E Agostinho foi a maior influência sobre as idéias teológicas da Igreja Ocidental. Algumas importantes doutrinas cristãs foram interpretadas de modo diferente por esses dois pais da Igreja.

Extensão do Termo. Alguns têm chamado de «pais» a líderes proeminentes da Igreja cristã que viveram até o século VIII D.C. Alguns poucos desses vultos, devido à sua influência extraordinária, também têm sido assim chamados, até mesmo depois desse tempo, como Tomás de Aquino (1225-1274). Mas talvez seja correto dizer que os *pais* chegaram até João Damasceno (675-749). Artigos separados são apresentados nesta Enciclopédia, acerca de *todos* os nomes acima alistados.

PÁTROBAS

Esse nome é abreviação de **Patrobius**, que significa «vida do pai». Pátrobas era um dos cristãos de Roma (Rom. 16:14), ou da Ásia Menor, se é que o décimo sexto capítulo de Romanos é uma breve carta aos cristãos da Ásia Menor, conforme têm pensado alguns estudiosos (ver o artigo sobre *Romanos*, VIII. *Integridade da Epístola*), para quem Paulo enviou suas saudações.

O nome Pátrobas era comum entre os escravos, embora não se saiba dizer se Pátrobas era escravo. Aparentemente, ele fazia parte de uma igreja que se reunia em uma casa. A tradição antiga diz que ele foi um dos discípulos-missionários antigos, mencionados em Lucas, décimo capítulo; mas, usualmente, tradições desse tipo são inúteis, pois não podem ser comprovadas.

PATROCLO

Esse foi o nome do pai de Nicanor, um general sírio que guerreou contra os judeus, segundo está registrado em I Macabeus 3:38 e II Macabeus 8:9. Isso aconteceu em cerca de 166 A.C. Seu nome derivava-se do herói homérico do mesmo nome, amigo de Aquiles, e ao qual Heitor matou. Coisa alguma se sabe sobre esse homem, embora seu filho tenha desempenhado um importante papel na história dos Macabeus.

PATROLOGIA

Ver o artigo sobre **Patrística**. A **patrologia** é a ciência que estuda os escritos dos primeiros pais da Igreja, cujo número geralmente é contado até João Damasceno, inclusive (cerca de 675-749 D.C.).

PATROS

Essa palavra é de origem egípcia e significa «terra do sul», o nome dado pelos egípcios ao Alto Egito, em distinção a *Matsor*, o Baixo Egito (ver Isa. 11:11; Jer. 44:1,15; Eze. 30:14). Sua forma alternativa era *Tebaida*. Nos textos cuneiformes, esse nome aparece como *Paturissu*. Esse território ficava entre o Cairo e Answan, seguindo o vale do rio Nilo. Há provas de que esse nome vinha sendo usado desde tão cedo quanto 680 A.C., quando ficou registrado nas inscrições de Esar-Hadom, rei da Assíria, o qual se jactou de ser o rei do Egito, juntamente com vários

PATRUSIM — PAULISTAS

outros lugares.

Nessa área havia uma colônia judaica numerosa. Jeremias identificou o Egito com Patros, em uma referência frouxa (ver Jer. 44:15). Ezequiel 29:14 e 30:14 ensinam que essa era a região de onde os egípcios se originaram.

PATRUSIM

Em egípcio, essa palavra, que ao ser passada para o hebraico está no plural, significa «habitantes de Patros». Ver o artigo sobre *Patros*. Esse povo vivia no Alto Egito. A palavra encontra-se nas listas genográficas de Gên. 10:14 e I Crô. 1:12.

PAU

O significado dessa palavra é obscuro, embora alguns estudiosos tenham sugerido «balido», isto é, a voz das ovelhas. De acordo com nossa versão portuguesa, Pau era a cidade capital de Hadar, um dos príncipes edomitas (ver Gên. 36:39). O nome dessa cidade aparece com a forma variante de Paí, em I Crô. 1:50. Nesta última passagem, o nome do tal príncipe também é alterado para Hadade, uma forma que alguns estudiosos consideram ser a correta. Não se sabe a localização moderna dessa cidade.

PAULICIANOS (PAULICIANISMO)

Os paulicianos foram uma seita **adocianista** armênia (vide), que talvez tenham derivado seu nome do bispo Paulo de Samosata (vide), e que defendia pontos de vista similares. Também muito enfatizavam a antítese do apóstolo Paulo entre a graça e a lei, o que pode ter sido outra razão para o título que ostentavam. No começo, o termo era de natureza pejorativa, mas logo tornou-se uma designação comum. Eles ensinavam que o homem Jesus recebeu o Espírito de Cristo por ocasião de seu batismo, tendo recebido «as vestes primárias de luz», que caracterizaram sua pessoa e sua vida. Desse modo veneravam a Cristo, mas rejeitavam qualquer forma de adoração à Virgem e aos santos da Igreja. Também eram fortemente iconoclásticos, rejeitando o emprego de qualquer tipo de imagem nas igrejas. Um grupo diretamente descendente deles foram os *bogomilos*, da Bulgária, e semelhantes a eles foram os *cátaros* e os *albigenses* do sul da França, movimentos cristãos dos séculos XII e XIII D.C. Ver os artigos sobre esses três grupos.

Os protestantes, ansiosos por encontrar raízes encravadas na antiguidade, com freqüência apontam para grupos como esses, que teriam tido idéias «protestantes», como anti-romanistas, que repudiavam a idolatria, o batismo infantil, as relíquias, as imagens, etc. Mas, convenientemente esquecem-se das doutrinas heréticas desses grupos, e ignoram o fato de que, *quanto à doutrina*, católicos romanos e protestantes estão mais perto um do outro do que os protestantes estão dessas antigas seitas anti-romanistas.

Os paulicianos foram um dos poucos grupos cristãos da Idade Média que praticavam o batismo por imersão, e que adiavam até que o candidato atingisse os trinta anos de idade, em imitação ao batismo de Cristo. Eles usavam tanto o Antigo quanto o Novo Testamentos, mas também pregavam uma obra chamada *A Chave da Verdade*, que consideravam um livro inspirado. Esse grupo cresceu na parte oriental da cristandade, e não na sua porção ocidental, e representaram um pequeno cisma dentro daquele segmento da cristandade. Se eram adocianistas, não eram docéticos. Deixararm de existir como um grupo separado no século XI D.C.

PAULINISMO

Esse termo refere-se ao cristianismo visto pelos olhos do apóstolo Paulo. Muitos estudiosos ficam impressionados pelo aparente fato de que a versão paulina do cristianismo de fato era bem diferente da versão de Jesus e de Tiago. Os dispensacionalistas reconhecem uma diferença radical. Seja como for, o cristianismo de Paulo era diferente, em muitos aspectos, daquele que transparece nos evangelhos sinópticos. Os hiperdispensacionalistas ficam impressionados com o contraste entre Paulo e outros autores cristãos, e chegam ao extremo de pensar que somente suas epístolas (ou mesmo as chamadas epístolas da prisão), são autoritárias quanto à *ordem eclesiástica*, embora outras passagens bíblicas, tanto do Antigo quanto do Novo Testamentos, sejam honradas quanto ao seu valor ético e instrutivo. Ccasionalmente, o paulinismo envolve essas posições radicais. *Somente* Paulo seria o doutrinador, para os paulinistas, ao passo que o resto das Sagradas Escrituras não recebe a aceitação que a Bíblia merece, em sua inteireza. Ver a doutrina de Paulo no artigo intitulado *Paulo*, II.5. O ponto seis dessa seção encerra uma discussão sobre *Paulo e Jesus*, onde o problema do contraste é ventilado. Paulo recebeu muitas visões e revelações que ultrapassaram às informações dadas por outros autores neotestamentários, e esse é o fato que emprestou a Paulo tão distinta posição no seio do cristianismo. A grande palavra-chave, em todas as coisas, é *moderação*. Reconhecemos a distinta contribuição de Paulo, mas não devemos negligenciar as contribuições dos demais escritores sagrados.

PAULISTAS

Esse é o título da organização cujo nome completo é *Sociedade Missionária de São Paulo, Apóstolo*, uma comunidade de padres, fundada em 1858, pelo padre Isaque Thomas Hecker, em Roma e Nova Iorque, com a ajuda dos padres Agostinho F. Hewit, George Deshon, Francis A. Baker e Clarence A. Walworth. O movimento dos redentoristas assinalara-se por controvérsias e problemas, e o padre Hecker fora excluído daquela comunidade. Então, juntamente com alguns bispos norte-americanos proeminentes, Hecker apelou para o papa. Ele e outros foram liberados dos seus votos, e formaram a sua própria comunidade, a dos paulistas, com a provação do arcebispo John Hughes, de Nova Iorque. Essa cidade tornou-se a base deles, e a obra missionária veio a ser sua principal atividade. Eles seguem a regra dos redentoristas (vide), embora sem tomarem votos. Esse grupo salienta a santificação pessoal e a conversão de não-católicos. Mostraram-se ativos na prédica, nas conferências e no trabalho de literatura. Certo número de igrejas tem sido estabelecido por eles, e também têm-se mostrado ativos na promoção de programas radiofônicos que propalam suas idéias. — A Imprensa Paulista de Nova Iorque, tem-se tornado uma das maiores casas publicadoras católicas romanas do mundo. A revista deles, *The Catholic World*, foi a primeira dessas publicações católicas nos Estados Unidos da América do Norte. O grupo tem-se internacionalizado através de suas organizações congêneres, em outras regiões do globo.

PAULO, APÓSTOLO Ver depois de **Paulo (Papas)**.

PAULO (PAPAS)

PAULO (PAPAS)

Seis papas assumiram o nome do apóstolo Paulo, como seus títulos eclesiásticos, a saber:

1. Paulo I, Santo

Ele pontificou entre 757 e 767 D.C. Foi sucessor de seu próprio irmão, o qual recebeu o título de Estêvão III. Fez parte de seu propósito fortalecer eclesiasticamente a sé de Roma, contra os poderes políticos da época, incluindo os da própria cidade de Roma. O rei Pepino, dos francos, ajudou-o nesse propósito. Os francos foram uma das tribos germânicas que viviam às margens do rio Reno, no começo da era cristã. Monges orientais, que tinham tido dificuldades com os *iconoclastas* (vide), visitaram a Pepino, tendo recebido dele o seu apoio. Um mosteiro foi fundado para uso deles, e o papa encorajou-os a continuar com a sua liturgia oriental. A festa de Paulo I é celebrada a 28 de junho.

2. Paulo II

Seu nome original era Pietro Barbo. Nasceu em Veneza, na Itália, a 23 de fevereiro de 1417, e faleceu em Roma, a 26 de julho de 1471. Seu governo foi de 1464 a 1471. Seu tio foi o papa Eugênio IV, que fizera dele cardeal, em 1440. Tornou-se bispo de Vicenza, e então sucedeu a Pio II como papa. Antes mesmo de sua eleição, ele trabalhou para fortalecer a autoridade dos cardeais, e ao tornar-se papa era pouco mais do que o presidente do Sagrado Colégio. Entretanto, certos elementos da Igreja Católica fizeram objeção a isso, tendo ficado claro, pela lei canônica, que ele não era obrigado a assumir uma posição tão humilde. O resultado foi que, com a passagem do tempo, ele adquiriu muito maior autoridade. Ele é melhor relembrado graças aos seus esforços por estabelecer uma liga cristã em face da ameaçada invasão da Europa pelos turcos; mas não foi bem-sucedido nesse intento. Também procurou reformar a Igreja, mas, igualmente, não obteve êxito, pois, ao que parece, faltava-lhe energia para a tarefa.

3. Paulo III

Seu nome original era Alessandro Farnese. Nasceu em Canino ou Roma, na Itália, a 29 de fevereiro de 1468, e faleceu em Roma, a 10 de novembro de 1549. Foi papa entre 1534 e 1549. Recebeu boa educação, em Roma e Florença, na corte de Lourenço, o Magnificente. O papa Alexandre VI fez dele cardeal-diácono; e tornou-se bispo de Corneto, e então de Montefiascone, Parma, Benevento e Ostia. E, finalmente, tornou-se deão do Sagrado Colégio. Sucedeu a Clemente VII como papa.

Tornou-se astuto diplomata, como também reformador e administrador. Suas decisões eram tomadas cuidadosamente; mas, uma vez que as tomasse, era resoluto no cumprimento das mesmas. Foi ele quem convocou o famoso Concílio de Trento, que, entre outras coisas, enfrentou os resultados da Reforma Protestante. Mostrou-se ativo na defesa da Europa contra os turcos; e foi a força que reprimiu o protestantismo em certos países do sul da Europa. No campo da política internacional, procurou manter a independência da sé romana, enquanto várias forças opostas se entrechocavam. Conseguiu manter um equilíbrio precário de forças entre Francisco I, rei da França, e o imperador Carlos V, da Alemanha, e procurou estabelecer entre eles a paz. Convidava a muitos homens ilustres a Roma, a fim de consultá-los. Em seu pontificado foram efetuadas várias reformas. Excomungou a Henrique VIII, da Inglaterra, o que acabou dando origem à Igreja da Inglaterra (anglicanismo), um grande cisma dentro da Igreja Católica Romana. Restabeleceu a famigerada *inquisição* (vide).

Os anos finais de sua vida foram maculados pelo assassinato de seu filho, Pier Luigi, e pela revolta de seu neto, Otávio. Ele apelava para o *nepotismo* (vide), da maneira mais desavergonhada; mas, do ponto de vista católico romano, foram muito significativas as suas contribuições para a restauração e unidade do catolicismo romano. Lançou os alicerces da reorganização da Cúria e do Sacro Colégio. O concílio de Trento tomou decisões de longo alcance, incluindo aquela referente a como tratar com o protestantismo, além de uma espécie de declaração final sobre o cânon do Novo Testamento. Ele aprovou a fundação da ordem dos jesuítas, uma providência que se mostrou extremamente frutífera para os interesses do catolicismo romano.

4. Paulo IV

Seu nome de batismo era Giampietro Caraffa, ou Giovanni Pietro Caraffa. Suas datas foram 1476-1559. Foi nomeado bispo de Chiete em 1509; núncio à Inglaterra em 1513; e então, à Espanha em 1515. Tornou-se arcebispo de Brindisi, em 1518. Fundou a ordem dos teatinos, em 1524, e tornou-se o primeiro superior da ordem. Paulo III nomeou-o dirigente da *inquisição* (vide). Para vergonha eterna do catolicismo romano, ele cumpriu seu papel principal inquisidor com elevado grau de desumanidade e crueldade. Foi o sucessor de Paulo III.

Seu sobrinho, cardeal Carlo Caraffa, era homem violento, carregado de crimes. Exercia poderosa influência sobre o papa, a princípio; mas, gradualmente, Paulo IV foi reconhecendo o verdadeiro caráter do sobrinho, e privou-o de suas honras, tendo banido a ele e a seu irmão, Giovanni, de Roma. Porém, isso não o livrou dos pendores genéticos que herdara, juntamente com eles. Pois também era homem de temperamento vulcânico e acabou envolvendo-se em muitos excessos. Manuseou de forma inepta o caso do cisma inglês, e seus erros têm tido repercussões desde então, até hoje.

5. Paulo V

Seu nome verdadeiro era Camillo Borghese. Nasceu em Roma, em 1552; e ali faleceu, em 1621. Estudou em Perúgia e Pádua; e retornou a Roma com o título de advogado. Sua atuação como tal foi notável. Foi feito vice-legado de Bolonha; auditor da Câmara Apostólica; serviu em missões diplomáticas; foi nomeado cardeal, em 1596; bispo de Jesi, em 1597; vice-regente de Roma, em 1603. Era homem dotado de considerável erudição canônica, e de elevada educação. Tornou-se conhecido como homem afável, de gentil e impoluta conduta. Entretanto, o *nepotismo* era a sua debilidade. Ele promoveu as reformas e princípios decretados pelo concílio de Trento. Publicou uma edição revisada do *Rituale Romanum*.

Foi homem que realizou muitas obras públicas, incluindo o estabelecimento do mercado de cereais para os pobres, a restauração de antigos aquedutos romanos, e o embelezamento da cidade de Roma. Também foi um mecenas das artes e das ciências, tendo completado a Basílica de São Pedro e ampliado o Palácio do Quirinal e a Biblioteca do Vaticano.

6. Paulo VI

Originalmente chamava-se Giovanni Battista Montini. Nasceu em Concesio, perto de Bréscia, na Itália, em 1897. Morreu em Roma, em 1978. Provinha de uma família proeminente e rica, envolvida no empresariado de jornais. Foi treinado pelos jesuítas; prestou exames finais em Bréscia. Foi ordenado padre em 1920. Fez trabalho de pós-graduação na Pontifícia Universidade Gregoriana, de Roma. E, como erudito distinguido, foi escolhido para ser treinado na

PAULO (PAPAS) — PAULO (APÓSTOLO)

diplomacia eclesiástica. Passou certo período de tempo como conselheiro espiritual da Federação Italiana da Universidade dos Estudantes Católicos (1923-1934), mas essa organização foi descontinuada pelo governo fascista de Mussolini. Serviu na Secretaria de Estado do Vaticano, até 1954, excetuando um breve período de ausência, quando atuou como núncio apostólico em Varsóvia, na Polônia.

Em 1954, o papa Pio XII nomeou-o arcebispo de Milão; o papa João XXIII o fez cardeal, em 1958. Os dois homens foram amigos íntimos durante os cinco anos seguintes, até que Paulo VI o sucedeu como papa, em 1963.

Em 1963, Paulo VI reconvocou o Concílio Ecumênico, iniciado por João XXIII, em 1962. Fez da unidade cristã o seu objetivo primário, e muitas reformas foram instituídas, tendo esse alvo em mente. Em 1964, foi efetuada uma terceira sessão desse mesmo concílio. Isso resultou na exoneração dos judeus em geral da culpa pela crucificação de Jesus, bem como em medidas que garantem a liberdade religiosa.

Em 1964, Paulo VI fez uma peregrinação à Terra Santa. Parte de sua missão ali foi a visita ao patriarca Atenágoras I, da Igreja Ortodoxa Oriental. Essa foi a primeira visita de um papa à Terra Santa, bem como o primeiro encontro com um patriarca oriental, desde 1439. Nesse tempo, o papa deixou claro que estava interessado na reconciliação; e Atenágoras I mostrou-se igualmente enfático. Meios de reunião foram discutidos, mas até hoje não foram postos em obra.

Paulo VI viajou mais extensivamente que qualquer papa antes dele. Mas João Paulo II ultrapassou em muito o recorde daquele. Sua viagem mais longa (até então a mais longa que já fizera qualquer papa) foi a viagem ao Trigésimo Oitavo Congresso Eucarístico Internacional, efetuado em Bombaim, na Índia. Na ocasião, ele aproveitou a oportunidade para conferenciar com Sarvepalli Radhakhrishnan, presidente da Índia.

Em 1965, ele visitou a cidade de Nova Iorque, sendo a primeira visita de um papa aos Estados Unidos da América do Norte. Ali discursou diante de uma sessão especial da Assembléia Geral das Nações Unidas, quando procurou promover a paz mundial. Também conferenciou com o presidente norte-americano, Lyndon B. Johnson, e com outras figuras liderantes da grande nação norte-americana.

Seguiram-se outras viagens, entre as quais uma ao santuário mariano de Fátima, em Portugal, em 1967, bem como uma visita à Turquia, em 1967, quando conferenciou com o patriarca Atenágoras I, de Constantinopla. Em novembro de 1967, foi submetido a uma operação na próstata. Esteve presente ao Congresso Eucarístico de Bogotá, na Colômbia, em agosto de 1968, a primeira vez em que o papa visitou a América Latina no decorrer de seu pontificado. Ali expressou sua preocupação acerca dos grandes problemas sociais daquela parte do mundo.

A 29 de julho de 1968, publicou uma encíclica sobre o controle de população intitulada *Humanae Vitae* (Sobre a Vida Humana), que tomou a linha dura sobre a questão, tendo-se mesmo declarado contrário a qualquer meio artificial de controle de nascimento. Essa mensagem provocou grande agitação dentro e fora da Igreja Católica Romana, e muitas pessoas resolveram não obedecer ao papa acerca dessa questão.

Paulo VI faleceu em Roma, em 1978, e foi substituído pelo papa João Paulo I, que ficou na cátedra papal por bem pouco tempo.

PAULO (APÓSTOLO)

A Importância de Paulo

Esboço:

I. Vida
 1. Fontes de Informação
 2. Passado
 3. Primeira Viagem Missionária
 4. O Concílio Apostólico
 5. Segunda Viagem Missionária
 6. Terceira Viagem Missionária
 7. Aprisionamento e Encarceramento em Roma
 8. Paulo, de Novo Livre, Vai à Espanha
 9. Segundo Encarceramento e Morte
 10. Cronologia da Vida de Paulo

II. Significação de Paulo
 1. As Escolas Críticas e Paulo
 2. As Epístolas Paulinas
 3. O Servo de Cristo
 4. O Apóstolo dos Gentios
 5. A Doutrina de Paulo
 6. Paulo e Jesus
 7. Como Paulo Comprovou seu Apostolado
 8. Paulo e Tiago

Discutir sobre todos os grandes temas paulinos, neste artigo, requeriria um estudo por demais longo. O cristianismo deve suas distinções à pessoa de Cristo e à teologia de Paulo. Damos abaixo os títulos de alguns dos principais temas paulinos, manuseados em diferentes artigos, embora temas menores também tenham merecido ser ventilados em artigos separados, visto que um dos propósitos desta enciclopédia consiste em cobrir o campo inteiro da teologia.

Artigos Separados a Consultar, para Melhor Compreensão de Paulo:

Adoção
Andar, Metáfora do
Anjos
Batismo
Batismo no Espírito Santo
Batismo pelos Mortos
Boas Obras
Casamento (ver sobre Matrimônio)
Céu (ver também sobre Lugares Celestiais)
Conduta Ideal
Descida de Cristo ao Hades
Depravação
Demônios (Demonologia)
Divórcio
Eleição
Espírito Santo
Expiação
Expiação pelo Sangue
Fruto do Espírito
Graça
Herança
Igreja
Justificação
Lugares Celestiais
Livre-Arbítrio
Matrimônio
Mistério da Vontade de Deus
Misticismo
Paciência (cada aspecto do fruto do Espírito tem um artigo separado)
Pactos
Parousia
Paternidade de Deus
Paulo e Jesus (ver Paulo, II.6)
Paulo, Ética de
Paz (cada aspecto do fruto do Espírito tem um artigo

PAULO (APÔSTOLO)

separado)
Pecado
Perfeição Espiritual
Plenitude dos Gentios
Plenitude dos Tempos
Plenitude (Pleroma) de Deus, Participação do Homem na Pleroma
Predestinação
Presciência de Deus
Primícias do Espírito
Propiciação
Salvação
Santificação
Segurança Eterna do Crente
Transformação Segundo a Imagem de Cristo

APÓSTOLO PAULO

Cristo! Sou de Cristo! e que esse nome te seja bastante;
Sim, para mim, também, ele tem sido grandemente suficiente;
Eis que não te quero conquistar com palavras melífluas,
Paulo não tem honra ou amigo, a não ser Cristo.

Sim, sem o ânimo de uma irmã ou de uma filha
Sim, sem o apoio de um pai ou de um filho,
Sozinho na terra, sem lar sobre as águas,
Passe eu, com paciência, até estar finda a obra.

Contudo, não estou sozinho, se Cristo está comigo.
Ele acorda obreiros para o grandioso emprego;
Oh, não na solidão, se as almas que me ouvem
Extraem, de meu júbilo, a surpresa da alegria.

Tenho conquistado corações de irmãs e irmãos,
Vivo sobre a terra ou oculto entre torrões;
Eis que cada coração espera por mim, outro
Amigo na impoluta família de Deus.

Sim, através da vida e da morte, da tristeza e do pecado,
Ele será suficiente para mim, ele tem sido bastante;
Cristo é o fim, pois Cristo foi começo.
Cristo é o começo, pois o fim é Cristo.

(Frederic W.H. Myers, 1868)

I. Vida

1. Fontes de Informação

Sabe-se muito mais acerca de Paulo do que acerca de qualquer outro personagem apostólico. Nosso conhecimento sobre esse apóstolo e a sua carreira é praticamente tudo quanto se sabe acerca do desenvolvimento do cristianismo, durante aqueles dias. Fora de suas próprias epístolas e do livro de Atos dos Apóstolos, no N.T., temos apenas uma referência adicional a ele, a saber, em II Ped. 3:15, onde se lê: «...o nosso amado irmão Paulo...» *A fonte primária* de informação, portanto, é o livro de Atos; *a fonte secundária* de informação são as suas epístolas e as alusões incidentais que ele faz a si mesmo e às suas viagens. Entretanto, alguns têm ensinado que apesar de fornecerem menos informações sobre ele, as epístolas são mais valiosas para o estabelecimento da cronologia — pelo menos uma cronologia que é mais extensa e que inclui os últimos poucos anos de sua vida, acerca dos quais o livro de Atos nada nos diz. Isso incluiria o seu período de liberdade entre os dois encarceramentos a que foi sujeito em Roma, e seu martírio final.

Fora do N.T. há algum material informativo, mas normalmente esse não é reputado como digno de muita confiança. Por exemplo, temos o livro apócrifo «Atos de Paulo», que só foi escrito na segunda metade do século II D.C. Essa obra contém alguns incidentes e viagens de Paulo que não se encontram nas páginas do N.T., mas parecem ser quase totalmente lendários. *A arqueologia* em nada tem podido contribuir para comprovar esse material e atualmente não há modo como afirmarmos a validade de qualquer informação adicional, sobre a vida de Paulo, contida nesse livro apócrifo. Há muitas declarações sobre Paulo nos escritos dos pais da igreja, mas quase todos esses se derivam, de algum modo, do livro de Atos ou das epístolas de Paulo, e outra parte se deve, provavelmente, ao material legendário que foi se avolumando em torno da pessoa de Paulo. A comunidade cristã, em sua maior parte, compunha-se de pessoas vindas das classes humildes, pelo que também os historiadores antigos ignoraram-na quase completamente; e é por esse motivo que temos tão escassa informação acerca do desenvolvimento inicial do cristianismo, nos escritos desses autores seculares. A arqueologia nos fornece alguma informação sobre os muitos lugares que foram visitados por Paulo, bem como acerca de sua cidade natal, Tarso; porém, excetuando-se as influências culturais que tais localidades devem ter exercido sobre Paulo, não se pode extrair, dessas informações, qualquer elemento adicional sobre a pessoa do próprio Paulo. Por conseguinte, resta-nos analisar o livro de Atos dos Apóstolos e as epístolas paulinas; e toda outra informação deve ser aceita apenas experimentalmente.

2. Passado

Neste ponto, estamos mais limitados do que acerca dos anos posteriores de Paulo. Do nascimento de Paulo até o seu aparecimento em Jerusalém, como perseguidor dos crentes, temos apenas informações *muito esparsas*. Sabemos que ele nasceu em Tarso, «cidade não insignificante» (ver Atos 21:39), descrição essa que tem sido confirmada pelas escavações arqueológicas de Sir William Ramsay. Naquele tempo Tarso (na Cilícia) foi incorporada à província da Síria. Tarso, por essa época, já tinha história antiga, e fora cidade importante por muitos séculos antes da era cristã. Tarso chegou a ser a cidade mais importante da Cilícia. Essa cidade se tornou uma região de síntese entre o Oriente e o Ocidente, entre a cultura grega, a cultura oriental e, finalmente, a cultura romana. Também se sabe que era um centro cultural, e que ali era muito forte a variedade do estoicismo romano.

Paulo nasceu como cidadão romano, provavelmente porque o seu pai também já era cidadão romano. Ao nascer, o menino recebeu o nome de Saulo, provavelmente devido ao rei Saulo, mas é provável que também fosse chamado Paulo como cognome latino. Paulo significa *pequeno* e isso pode ter-se dado devido ao fato de que seus pais o chamavam de «pequerrucho»; mas também é possível que ele tenha recebido o nome de Paulo, simplesmente por ter som semelhante ao nome de «Saulo». Também é possível que o apóstolo tivesse um nome romano; mas, nesse caso, não deve tê-lo usado com freqüência, porquanto não temos nenhuma informação sobre qual seria esse nome. A alteração posterior de seu nome, de Saulo para Paulo, mui provavelmente foi apenas a adoção de seu apelido como nome próprio. Não se sabe qual o ano de seu nascimento; porém, quando do **apedrejamento de Estêvão** (que ocorreu em cerca de 32 D.C.), lemos que Saulo era um jovem. É razoável supor, por conseguinte, que ele tenha nascido na primeira década do século I D.C., sendo, assim, um contemporâneo mais jovem de Jesus, embora não haja qualquer evidência de que ele tenha visto alguma vez ao Senhor. E não é mesmo provável que o tenha visto, pois Paulo jamais se refere ao fato.

Paulo, o rapaz, observando os navios de Tarso

Os soldados levam Paulo a Antipatris (Atos 23:31)

Hardy

Cidades onde Paulo Ministrou

Moedas de Tarso

Paulo — nascido em Tarso da Cilícia, Atos 22:3 — Tarso, cidade não pouco célebre, Atos 21:39

Um Herói de Icônio, 1880 A.C.

Moeda de Listra, da deusa Listra, com trigo na mão, símbolo de prosperidade

Moeda de Icônio

Arkadiane de Éfeso, passagem pavimentada com mármore

Arco da área do templo de Apolo, Corinto — Cortesia, John F. Walvoord

Aqueduto de Antioquia da Pisídia

PAULO (APÓSTOLO)

As passagens de I Cor. 2:3 e II Cor. 10:10 indicam que a aparência física de Paulo não era impressionante, e a descrição que há sobre ele, no livro apócrifo *Atos de Paulo e Tecla*, concorda com esse ponto de vista: «E ele viu Paulo que se aproximava, um homem de baixa estatura, quase calvo, pernas tortas, de corpo volumoso, sobrancelhas unidas, um nariz um tanto adunco, cheio de graça: pois algumas vezes parecia um homem, e outras vezes tinha a fisionomia de um anjo».

Os genitores de Paulo eram judeus muito religiosos, pertencentes à seita dos fariseus, ou, pelo menos, fortemente influenciados por esse grupo; e pertenciam à tribo de Benjamim. Nada se sabe acerca da ocupação do pai de Paulo, e nem mesmo sabemos qual era o seu nome. Jerônimo cita uma tradição que assevera que a família de Paulo viera originalmente da Galiléia, e que dali migrara para Tarso. Se essa tradição expressa a verdade, então o fato de que eram cidadãos romanos mostra que essa imigração tivera lugar em tempo considerável antes do nascimento de Paulo. De conformidade com o livro de Atos, Paulo tinha uma *irmã* que vivia em Jerusalém (ver Atos 23:16), mas não há menção de qualquer irmão. O próprio Paulo aprendera uma profissão, provavelmente em Tarso, a de fabricante de tendas (ver Atos 18:3), posto que era costume entre os judeus ensinar aos filhos alguma profissão. Não é improvável, pois, que o seu pai também tivesse sido fabricante de tendas, o qual teria ensinado essa arte ao seu filho. Paulo foi instruído no judaísmo estrito, e os seus principais interesses se centralizaram nas questões religiosas, éticas e metafísicas. Alguns acreditam que ele era bem instruído na cultura, na estética e na filosofia grega e romana (à base de textos como Atos 17). Mas outros, alicerçando-se em Atos 22:3 e 26:4, procuram mostrar que a permanência de Paulo em Tarso, quando menino, deve ter sido muito breve, porquanto ele mesmo diz que se criara em Jerusalém. Quanto a esses detalhes não podemos ter *certeza*, mas o exame detido das epístolas de Paulo mostra que ele deve ter estudado a filosofia estóica (por causa da grande similaridade aos escritos de Sêneca, o estóico romano); e o seu grego é uma excelente variedade do grego helenista, não dando evidências de ter sido uma linguagem «adquirida». Em Jerusalém, Paulo estudou sob orientação do grande Rabban Gamaliel, o Velho, que era altamente respeitado como mestre.

As Palavras de Paulo, em Gál. 1:14, mostram-nos que ele era indivíduo intensamente *religioso* desde a juventude, tendo-se destacado nessas questões acima dos outros jovens de sua idade. Freqüentava regularmente a sinagoga, e é muito provável que geralmente tomasse parte na adoração. Mais tarde seguiu sua tradição farisaica, tornando-se membro dessa seita. Sendo indivíduo religioso tão intenso, tinha alta consideração pelas Escrituras, e a sua conversão não alterou a sua atitude, embora talvez ele tenha compreendido que algumas passagens eram alegóricas e outras literais, conforme se vê em I Cor. 10:1-11 e Gál. 4:22-31. Apesar dele reconhecer esse fato, as suas epístolas demonstram a influência de outros treinamentos. Os filósofos estóicos e cínicos de Tarso eram, geralmente, evangélicos em suas abordagens, porquanto, — pregavam nas esquinas das ruas, nos mercados e em outros lugares públicos. Por essa causa, Paulo deve tê-los conhecido; e mui provavelmente também estudou em suas escolas.

Sabemos mais acerca do apóstolo Paulo do que sobre qualquer outra das personagens apostólicas. No N.T., as nossas fontes informativas a seu respeito são o livro de Atos e as suas próprias epístolas. Fora disso só há mais uma alusão a ele, em II Ped. 3:15, onde ele é chamado de *nosso amado irmão*.

A arqueologia nos fornece muitas informações quanto aos locais visitados por Paulo, embora não sobre a sua pessoa. Nossos conhecimentos sobre os primeiros anos de sua vida são escassos. Desde o seu nascimento até o seu aparecimento, em Jerusalém, como perseguidor dos cristãos, possuímos informações meramente esparsas, parte das quais não passa de conjectura. Sabemos, contudo, que ele nasceu em Tarso, «...cidade não insignificante da Cilícia...» (Atos 21:39), descrição essa que as escavações arqueológicas de *Sir William Ramsay* confirmaram amplamente. Tarso da Cilícia foi incorporada à província da Síria e tivera história importante durante um período de muitos séculos. Era a principal cidade da Cilícia e como que sua região sintetizava o Oriente e o Ocidente, isto é, as culturas grega e oriental, incluindo, por igual modo, por fim, a cultura romana que representava o verdadeiro helenismo. Era centro da filosofia estóica da variedade romana, onde os filósofos pregavam as suas doutrinas nos mercados e nas praças públicas, mais ou menos como os missionários de Cristo têm feito tradicionalmente. As epístolas de Paulo, em suas ilustrações e em algumas de suas idéias básicas, por isso mesmo, refletem o que há de melhor no estoicismo. É ponto muito bem conhecido e amplamente discutido que Paulo deixa transparecer muito da mesma erudição refletida por Sêneca, o importante filósofo estóico romano, que foi igualmente martirizado por Nero, à semelhança de Paulo.

O Treinamento de Saulo, quanto à sabedoria profana, mui provavelmente incluiu a educação filosófica normal, a retórica e a matemática, sem falarmos em seus estudos sobre a religião judaica (ver Atos 22:3; 26:4 e diversas referências, em suas epístolas, a questões como *coroas*, jogos atléticos, lutas, etc., o que também servia de principais ilustrações entre os filósofos estóicos para ilustrar os princípios éticos). O fato é que o grego utilizado por Paulo, em suas epístolas, é uma excelente variedade do grego literário «koiné», o que nos mostra quão bem alicerçada fora a sua educação na linguagem, além de ficar demonstrado o fato de que ele falava o grego como seu idioma nativo, provavelmente do mesmo modo que o hebraico (isto é, o aramaico). Não se há de duvidar que esse apóstolo também conhecia o latim, e, antes do fim de suas viagens missionárias, já teria aprendido mais um idioma ou dois.

O Testemunho Pessoal de Paulo, em Gál. 1:14, mostra que ele era indivíduo intensamente religioso, desde a juventude. Costumava freqüentar regularmente as sinagogas judaicas, antes de sua conversão e quando já atingira idade suficiente, tornou-se seguidor fiel do farisaísmo. Esse versículo também indica que, mui provavelmente, ele era o jovem que mais se destacava em Jerusalém, sendo grande a sua fama como homem de grande zelo religioso. Sabemos também que ele estudou com o famosíssimo rabino fariseu, *Gamaliel* (ver Atos 5:34 e 22:3 e o artigo sobre ele). A erudição maior de Paulo fora adquirida em Jerusalém, naquela escola de fariseus, o que também contribui com algo para explicar o caráter geral de sua vida e de suas crenças, alicerçadas firmemente no judaísmo tradicional.

Conversão de Saulo. Intensa discussão se tem centralizado em redor das razões psicológicas por detrás de sua conversão a Cristo. Saulo se tornara um intenso perseguidor de cristãos, tendo chegado ao

PAULO (APÓSTOLO)

assassínio, não poupando nem as mulheres. — E, no entanto, repentinamente, tornou-se igualmente zeloso defensor e propagador do evangelho de Cristo. Que ocorrência teria sido suficientemente drástica e decisiva para produzir tão notável modificação em suas atitudes? As respostas dadas por certos indivíduos são repugnantes para a fé e a sensibilidade cristãs. Porquanto alguns querem fazer-nos crer que Paulo era um esquizofrênico, ou que de outra maneira sofrera **um desequilíbrio mental** qualquer, e que teriam sido essas aberrações mentais que criaram as condições necessárias para suas experiências místicas. No entanto, não nos devemos admirar ante essa opinião adversa sobre Paulo, porque até mesmo pessoas moderadamente dotadas de dons psíquicos são consideradas um tanto estranhas. Quanto mais poderosos são esses dons e quanto mais elas reivindicam possuir experiências místicas, mais são consideradas fracas da cabeça. Todavia, a verdade é que tais pessoas geralmente não são *subnormais*, e sim, *supranormais*. Por isso mesmo é que santos e homens piedosos, bem como os operadores de milagres, geralmente servem de escândalo para o mundo. Isso continuará nesse pé, até que o mundo seja suficientemente espiritualizado para compreender (se é que isso algum dia se tornará realidade) que assim deve ser a «normalidade» para a humanidade, embora, normalmente, os homens não passem de feras um pouco mais inteligentes do que os animais irracionais.

Outros críticos supõem que o senso de culpa, reprimido durante anos, em face de suas perseguições e assassínios contra os cristãos, teria subitamente explodido em experiências pseudomísticas, o que resultou em vir a ser ele justamente o contrário do que vinha sendo, ou seja, a sua *conversão*. Assim sendo, ainda segundo esse ponto de vista, a experiência de Saulo poderia ter sido meramente «psicológica», e não verdadeiramente mística. Ora, nesse caso, Lucas, o autor do livro de Atos, teria exagerado em suas narrativas, adornando com um colorido mais vivo a realidade da vida de Paulo.

É perfeitamente possível, entretanto, que o próprio Paulo soubesse muito bem que aquilo que lhe ocorrera era uma experiência mística da mais elevada ordem, ou seja, um encontro pessoal com o próprio Senhor Jesus. Nada existe no campo do bom senso ou da experiência religiosa sã que contradiga tal coisa. De fato, a maioria das doutrinas e das práticas religiosas, originalmente, se alicerçam em alguma forma de experiência mística. Os modernos estudos da parapsicologia tendem a confirmar a realidade das experiências místicas válidas, embora algumas dessas experiências, como é normal, não passem de ilusões psicológicas. O fato de que a personalidade de Paulo foi transformada tão radical e permanentemente é um ponto positivo em favor da validade de sua experiência e em prol da realidade de sua origem, porquanto o Senhor Jesus está vivo, e não se há de duvidar que teve contactos pessoais, após a sua morte, ressurreição e ascensão aos céus, com Paulo, desde o momento de sua conversão, na estrada de Damasco.

A história da conversão de Saulo de Tarso é narrada em *três* lugares do livro de Atos (ver Atos 9:3-19; 22:6-21 e 26:12-18), havendo algumas variações quanto às minúcias, o que nenhuma pessoa sensata pode negar, ante a simples leitura dessas passagens (ver notas sobre estas diferenças, Atos 22:6 no NTI). É possível que o próprio Paulo, ao narrar a história, inconscientemente tenha variado um tanto o seu conteúdo. No entanto, muitos eruditos, até mesmo da escola liberal, concordam que há uma harmonia essencial entre essas várias narrativas bíblicas, além de certas coincidências verbais que confirmam o fato de que há uma fonte informativa única para todas elas. Dessa maneira, essas narrativas são interdependentes entre si, e não narrativas independentes umas das outras. As histórias narradas por Lucas, mui provavelmente, — se basearam em narrativas pessoais, apresentadas pelo próprio Paulo. A história nos mostra que Lucas foi quase constante companheiro de viagens daquele apóstolo, em suas jornadas missionárias. Os sentimentos de temor, a luz brilhante, a purificação psicológica, a sua renovação, a sua conversão, são todos sinais de uma experiência mística genuína; e são exatamente esses os elementos que reaparecem em todas as narrativas sobre o evento da conversão de Saulo. Em sua vida posterior, Paulo recebeu outras grandes e *importantes visões*, e a sua doutrina repousa essencialmente sobre essas diversas revelações. Por que pensarmos ser estranho que Deus se revele a alguém? De fato, o cristianismo, como revelação distintiva de Deus, se alicerça em tais revelações, sobretudo sobre as revelações outorgadas ao apóstolo Paulo, porquanto nelas é que encontramos as grandes distinções que separam o cristianismo do judaísmo.

A *condição* original para alguém entrar no apostolado, entre outras, era que o candidato tivesse *visto* ao Senhor (ver Atos 1:21). Ora, essa exigência teve cumprimento na experiência de Saulo. Quando já apóstolo, refere-se Paulo por quatro vezes, em suas epístolas, à sua experiência de conversão; essas passagens mostram que ele estava convicto da realidade objetiva da mesma, considerando-a como equivalente a «ver» a Cristo, o que o qualificava ao ofício apostólico (ver Gál. 1:15,16; I Cor. 9:1; 15:8 e II Cor. 4:6). Paulo não estabeleceu distinção alguma entre essa forma de ver e aquelas que os demais apóstolos experimentaram, antes da ascensão de Cristo, porquanto todas essas aparições foram do «Senhor ressurrecto».

As duas grandes pedras fundamentais, que servem de características distintivas do cristianismo, são a ressurreição do Senhor Jesus e a conversão de Saulo, bem como as proposições que se seguem, coerentemente, desses dois fatos históricos.

Naturalmente, essa não foi a única experiência mística de Paulo, pois ele também menciona algumas outras (tal como a visita ao terceiro céu, em II Cor. 12). Parece que ele recebeu nada menos que sete grandes visões e a sua doutrina repousa sobre a informação transmitida por meio delas. O cristianismo repousa sobre o aparecimento do Cristo ressurrecto aos vários apóstolos e sobre a mensagem que ele lhes trouxe quando voltou dentre os mortos. Se esse fundamento for removido, restar-nos-á um judaísmo *reformado* (que também repousa em experiências místicas, como as de Moisés). Removendo-se essas formas de experiência, quando muito, nos restará uma forma de filosofia religiosa, e não a religião revelada que certamente o cristianismo é. Mas, por que se pensaria ser impossível que Deus se revelasse aos homens? E por que se pensaria ser impossível, neste mundo admirável, que Jesus, o Cristo, um personagem metafísico altamente exaltado não pudesse revelar-se aos homens?

A conversão de Paulo talvez tenha ocorrido por volta de 35 D.C. Após sua conversão, Paulo passou alguns *poucos dias* com os discípulos de Damasco. Pregou ali, por algumas vezes, ensinando, particularmente, que Jesus era o Messias. Depois disso, retirou-se para a Arábia, possivelmente para a região de Haurã, uma bacia fértil, que fica cerca de oitenta

PAULO (APÓSTOLO)

quilômetros ao sul da cidade de Damasco, diretamente a leste do extremo sul do mar da Galiléia. Outros crêem que a área aludida era o país dos nabateus e a península do Sinai. Aquele era mais acessível para quem partisse de Damasco, mas este último lugar revestia-se de grande significação religiosa, por causa de sua conexão com a transmissão da lei, sendo possível que Paulo tivesse preferido essa atmosfera. Passou algum tempo em seu retiro, e dali, como é provável, esteve por diversas vezes em Damasco e voltou. A sua mensagem era essencialmente a mesma — desde o princípio — mas por essa altura, Paulo «...mais e mais se fortalecia e confundia os judeus que moravam em Damasco, demonstrando que Jesus é o Cristo» (Atos 9:22).

Pouco depois disso, Paulo visitou *Jerusalém* pela primeira vez, após a sua conversão, tendo ficado com Pedro por quinze dias, para consulta e consolo mútuo (ver Gál. 1:18). Dali partiu para as regiões da Síria e da Cilícia (ver Gál. 1:21). É provável que tenha visitado sua cidade natal — Tarso, tendo permanecido naquela região por algum tempo, embora não tenhamos qualquer informação acerca disso. Enquanto Paulo pregava em Tarso, Barnabé e outros líderes cristãos se encontravam em Antioquia, onde se ia desenvolvendo uma poderosa comunidade cristã. A passagem de Atos 11:25 nos diz que Barnabé foi a Tarso, à procura de Paulo, sem dúvida para obter a sua ajuda na igreja em Antioquia, que precisava de uma liderança maior e mais forte. Isso foi um movimento provocado pela providência divina, pois armou o palco para a longa carreira de Paulo como apóstolo-missionário.

3. Primeira Viagem Missionária

Em cerca de 46 D.C., **Paulo e Barnabé** foram comissionados pela igreja em Antioquia a se atirarem numa excursão evangelística. Essa viagem fê-los atravessar a ilha de Chipre (onde Barnabé nascera), tendo passado pelo «sul da Galácia» (ver Atos 13 e 14). Na companhia de Paulo e Barnabé ia também João Marcos, autor do chamado evangelho de Marcos. Este era primo de Barnabé. Ao chegarem a Perge, capital da Panfília, por razões para nós desconhecidas, Marcos preferiu interromper a expedição e regressou a Jerusalém, sua terra. Talvez Marcos não estivesse disposto a dar prosseguimento a uma viagem tão difícil. — Paulo ressentiu a sua partida, julgando-a como ato de deserção, e mais tarde não consentiu que ele o acompanhasse em outra excursão missionária (ver Atos 15:38). Isso tornou-se motivo de acirrado debate entre Paulo e Barnabé, pois também eram humanos e também estavam sujeitos a errar. De Perge viajaram a Pisídia, um distrito em uma ilha, onde realmente teve começo a evangelização da Ásia Menor. Em Antioquia da Pisídia, em um dia de sábado, os dois missionários expuseram a sua importante mensagem messiânica, e foram bem acolhidos. No sábado seguinte, entretanto, já fora criada uma amarga oposição por parte de alguns judeus radicais. E os missionários cristãos foram obrigados a abandonar a cidade.

Dali partiram para Icônio, importante cidade comercial da *Licaônia*. Seguindo seu costume original, pregaram na sinagoga dos judeus, e obviamente tiveram êxito, pois ficaram ali por tempo considerável. Mas eis que os radicais novamente provocaram um levante, que forçou Paulo e Barnabé a fugirem, finalmente. Dali foram para Listra e Derbe, nenhuma das quais era considerada cidade de grande importância. Essas cidades ficavam localizadas na parte oriental da Licaônia. As superstições locais levaram as multidões a identificarem os missionários com Zeus (Barnabé) e com Hermes (Paulo). Um culto improvisado na hora, por alguns sacerdotes locais, em honra aos dois «deuses», teve de ser interrompido pelos missionários, porque sabiam que tal título não era merecido. Mas não demorou que os judeus radicais atacassem novamente, e em Listra (Atos 14) Paulo foi apedrejado.

Alguns intérpretes acreditam que foi nessa ocasião que Paulo teve a sua visão do *terceiro céu* (II Cor. 12), e que ele realmente esteve morto, mas reviveu. É possível que sua alma tenha sido momentaneamente liberta de seu corpo dormente e à beira da morte, o que algumas vezes ocorre, conforme também se tem aprendido em estudos parapsicológicos. O certo é que os enviados, tendo partido de Listra, foram pregar em Derbe. Começaram a voltar desse ponto, a fim de confirmarem na fé os novos convertidos, e assim passaram sucessivamente por Listra, Icônio e Antioquia da Pisídia. Oficiais foram eleitos para as congregações. — Dali, eles partiram para Perge, e, finalmente, para Atalia, — importante porto marítimo da Panfília. Ali chegando, embarcaram em um navio a fim de irem para Antioquia da Síria, de onde tinham partido dois anos antes. Essa primeira viagem os levara às áreas de Chipre, Panfília, Pisídia e Licaônia e nesses lugares novas igrejas cristãs foram estabelecidas.

4. O Concílio Apostólico

O grande influxo de gentios na Igreja cristã que se ia formando, criava grandes problemas entre os elementos judaicos, especialmente no tocante às experiências da lei mosaica, e particularmente no que dizia respeito à lei cerimonial e à questão da circuncisão. A fim de dar solução a esses problemas e com o fito de fornecer uma resposta universal e autoritária às mesmas, Paulo e Barnabé subiram a Jerusalém, a fim de conferenciarem ali com os apóstolos (ver Atos 15). Corria o ano de 49 D.C., calculadamente. O concílio determinou que os gentios não eram obrigados a cumprir as exigências da lei, e que não deveria haver maior «carga» do que se absterem de alimentos oferecidos a ídolos, do sangue, da carne de animais sufocados e da falta de castidade, isto é, de todas as formas de pecados sexuais. As restrições visavam uma aplicação essencialmente local, e não como padrão universal para todos os gentios, embora talvez tenham servido de precedentes para a solução de problemas que surgissem posteriormente. Tudo foi feito (isto é, as decisões de proibir certas coisas, esboçadas na lei cerimonial) a fim de ajudar os membros judeus e gentios da igreja a se darem bem uns com os outros com mais facilidade.

5. Segunda Viagem Missionária

Paulo, então já **dono** de maior experiência em viagens missionárias, ansiava por partir novamente. Mas, devido às divergências com Barnabé, por causa de João Marcos, dessa vez Paulo preferiu levar a Silas (ver Atos 15:40 — 18:22). Partindo de Antioquia, seguiram por terra para as regiões do «sul da Galácia», e em Listra o grupo foi engrossado com a adesão do jovem Timóteo. Ali chegando, o Espírito Santo desviou-os da direção ocidental, e passaram a viajar na direção norte, atravessando o *norte da Galácia*. Em Trôade, uma visão indicou que a Macedônia (no continente europeu) era um dos alvos dessa viagem. Assim sendo, começou a evangelização da Grécia. Foram visitadas as cidades de Filipos, Tessalônica e Beréia. Na Acaia (sul da Grécia), foram visitadas as cidades de Atenas e Corinto. Paulo demorou-se em Corinto por quase dois anos. Em Trôade, Lucas se reuniria ao grupo missionário, e parece certo que nesse

PAULO (APÓSTOLO)

tempo começou ele a escrever a sua importantíssima narrativa da igreja primitiva, chamada de *Atos dos Apóstolos*, obra da qual se obtém quase todo o conhecimento de que dispomos acerca de Paulo e suas viagens, bem como do desenvolvimento da igreja primitiva em geral.

Durante as suas viagens, Paulo se mantinha em contacto com as congregações cristãs anteriormente organizadas por meio de epístolas, certo número das quais têm chegado até nós, tendo-se tornado parte de nosso N.T. As epístolas de I e II Tessalonicenses devem ter sido escritas nesse tempo. De Corinto, Paulo partiu para Éfeso, onde ficou durante pouco tempo. Dali, em viagem apressada, passou por Jerusalém e chegou a Antioquia da Síria. Dessa maneira se encerrou a sua segunda viagem missionária. Essa segunda viagem missionária evidentemente ocupou de *ano e meio* a dois anos, e provavelmente terminou em cerca de 51 D.C. Depois disso Paulo passou mais algum tempo (quanto, exatamente, não sabemos), em Antioquia da Síria.

6. Terceira Viagem Missionária

Foi a época do ministério em volta do mar Egeu (ver Atos 18:23 — 20:38). Sob diversos aspectos, esse foi o período *mais importante* da vida de Paulo. A província da Ásia foi evangelizada, e postos avançados do cristianismo foram lançados na Grécia. Durante esses anos, Paulo escreveu I e II Coríntios, Romanos, e talvez (ainda que não todas) algumas das chamadas epístolas da prisão — I e II Timóteo e Tito. De Antioquia, Paulo partiu para Éfeso. Ali passou cerca de três anos, tendo estabelecido um dos centros mais importantes do cristianismo, a despeito da feroz oposição, movida tanto pelos judeus como pelos aderentes da adoração à deusa Ártemisa (*Diana*). Desse ponto, provavelmente, Paulo visitou diversas outras áreas ao redor, mas seu trabalho principal se concentrou em Éfeso. Também tornou a visitar as congregações cristãs ao redor do mar Egeu, que haviam sido anteriormente fundadas. Atravessando Trôade, Paulo chegou à Macedônia, onde escreveu a epístola chamada II Coríntios, e dali partiu para Corinto. Nessa cidade ele passou o inverno e escreveu a epístola aos Romanos, antes de continuar viagem até Mileto, um porto próximo de Éfeso.

Por essa altura, Paulo desejou subir a Jerusalém, a fim de levar *auxílios* aos crentes pobres dali (empobrecidos pela perseguição e pela fome), enviados pelos crentes gentílicos. A princípio ele queria ir à Síria por via marítima, mas, devido a uma armadilha que lhe fizeram para tirar-lhe a vida, preferiu viajar por terra, tendo atravessado a Macedônia. Dali, ele e seus companheiros de viagem tomaram um navio e velejaram ao longo das costas ocidentais da Ásia Menor. Breves paradas foram efetuadas em diversos lugares, incluindo Mileto, cidade portuária de Éfeso, o que forneceu a Paulo a oportunidade de se despedir finalmente, dos crentes que ali habitavam. Finalmente, desembarcaram em Tiro, na costa da Síria. A despeito das várias advertências sobre os perigos que ele teria de enfrentar em Jerusalém, Paulo prosseguiu viagem. Paulo chegou em Jerusalém no Pentecoste, provavelmente em cerca de 56 D.C. Sua terceira viagem missionária, por conseguinte, terminou após um pouco mais de três anos de atividades.

7. Aprisionamento e Encarceramento em Roma

Paulo se movimentava com **admirável liberdade**, embora nunca o tivesse feito sem teste, tribulação e perseguição. Jerusalém rejeitara muitos homens piedosos, muitos profetas, e o próprio Jesus; e Paulo não estava destinado a conseguir maior êxito ali. O trecho de Atos 21:17 — 28:16 conta a história. Os judeus radicais, nessa ocasião, não tiveram de perseguir a Paulo, mas ele caiu direto na armadilha que lhe armaram. — O mais estranho é que a confusão foi provocada por alguns judeus que vinham da província da Ásia, que por acaso estavam no templo e reconheceram Paulo; foram eles que agitaram as multidões e fizeram-nas atacar o apóstolo. As autoridades romanas aprisionaram Paulo por estar perturbando a ordem. A essa altura, Paulo fez um discurso na escadaria do templo, contando com pormenores como ele fora perseguidor dos crentes, como ele se convertera, e como pregara a Jesus como Messias de Israel. Paulo foi ameaçado de açoites pelas autoridades romanas, mas, informando-as de que era cidadão romano, o *tribuno militar* o soltou. Mas essa ação causou tal protesto, por parte dos judeus que, para sua própria proteção, Paulo foi levado de volta às barracas militares. Os judeus, ato contínuo, conspiraram em matá-lo, e por isso Paulo foi removido para Cesaréia, com um grupo armado. Ali Paulo foi conduzido à residência de Félix, procurador romano. Paulo foi guardado sob sentinela, no palácio de Herodes. Aparentemente, esteve em Cesaréia pelo espaço de dois anos, e alguns crêem que ali ele escreveu a sua epístola aos Colossenses, aos Efésios e a Filemom; mas uma data posterior para essas epístolas é mais provável.

Após dois anos de administração malsucedida, *Félix* foi chamado de volta a Roma, e Pórcio Festo tomou o seu lugar. Este era homem de caráter amargo. (Isso aconteceu em cerca de 58 D.C.). Quando o novo procurador se recusou a ouvir o caso de Paulo, em Jerusalém, os judeus desceram a Cesaréia, a fim de acusarem a Paulo ali. Assacaram graves acusações contra ele, mas que Paulo negou categoricamente. Foi então que Paulo apelou para César, que era direito de todos os cidadãos romanos, e dessa maneira se criou o motivo de sua viagem a Roma. Antes de partir para Roma, Paulo falou perante o rei Agripa II e sua irmã, Berenice. Esse Herodes era o bisneto de Herodes, o Grande. Nessa oportunidade, Paulo repetiu a história de sua conversão, e é óbvio que *impressionou* favoravelmente os que o ouviram.

Dali, viajando pelo mar, Paulo partiu para Roma, juntamente com muitos outros prisioneiros. Fez diversas paradas ao longo do caminho, incluindo uma permanência de três meses em Malta. Paulo chegou a Roma em 59 D.C., não como homem livre, mas, não obstante, como poderosa testemunha do cristianismo. Chegando a Roma, Paulo não foi tratado como prisioneiro no sentido ordinário, e nem como criminoso. Ali ele desfrutou do que se denominava «libera custodia», isto é, podia viver em sua própria casa, desfrutando de muitos privilégios de liberdade de ação, mas sempre acompanhado de um guarda. Paulo pregava àqueles que o visitavam, explicando-lhes as razões de seu aprisionamento; e também enviava epístolas a lugares distantes. Foi nesse período que, provavelmente, foram escritas as epístolas aos Colossenses, a Filemom, aos Filipenses (e, provavelmente, aos Efésios).

O livro de Atos dos Apóstolos encerra-se bruscamente, não como um livro *inacabado*, e, sim, dando a idéia de que o autor tencionava escrever outra seção ou livro a fim de suplementá-lo. Lucas escrevera um evangelho, e então essa história, e não é de modo algum impossível que ele tivesse planejado ainda um outro volume. De conformidade com a tradição cristã primitiva, Lucas continuou sendo fiel auxiliar de Paulo até o martírio deste, e então deu continuação ao seu

PAULO (APÓSTOLO)

ministério, no evangelho, por mais vinte anos (até 84 D.C.), até que, finalmente, faleceu em Beócia, na Grécia, com a idade de oitenta e quatro anos. Se podemos confiar nessa tradição, ficamos completamente atônitos, por não sabermos por que não foi *completada* a história de Paulo, em um escrito subseqüente, juntamente com outros importantes acontecimentos que estariam ocorrendo na igreja, após o falecimento de Paulo.

8. Paulo, de Novo Livre, Vai à Espanha

Nenhum relato bíblico nos diz que Paulo foi libertado novamente a fim de ministrar outra vez; mas existem *algumas evidências* que dão essa indicação. É possível que Paulo tenha sido libertado em cerca de 63 D.C., e que tenha visitado tanto a Espanha como a área do mar Egeu, uma vez mais. A epístola de Clemente (em vss. 5-7, 95 D.C.), — o cânon muratoriano (170 D.C.) e o livro apócrifo *Atos de Pedro* (1:3 — 200 D.C.) falam de uma visita de Paulo à Espanha. As epístolas pastorais, ou pelo menos II Timóteo, parecem envolver um ministério posterior à história narrada no livro de Atos, desenvolvido no Oriente, pelo que também parece que Paulo pôde cumprir o seu desejo de visitar a Espanha, conforme expressou em Rom. 15:24.

9. Segundo Encarceramento e Morte

Não se sabe quais as circunstâncias do segundo encarceramento de Paulo, embora a tradição indique que ele foi aprisionado pela segunda vez, levado de volta a Roma e lançado na prisão. Sabe-se que Nero odiava os cristãos e que chegou mesmo a usar os seus jardins pessoais como local de torturas cruéis, nos quais os cristãos eram obrigados a enfrentar animais ferozes. *Essa perseguição rebentou* em cerca de 64 D.C. Provavelmente, Paulo foi aprisionado, com muitos outros cristãos, em cerca de 64 D.C. Na qualidade de cidadão romano, é provável que tenha sido julgado por um tribunal, mas, quais tenham sido as acusações contra ele ou quais as condições do julgamento, não temos meios de saber. Paulo sofreu o martírio em Roma, provavelmente no ano de 65 D.C. De acordo com certa tradição, foi decapitado. É possível que nesse período final de sua vida tenha sido escritas as chamadas epístolas pastorais — I e II Timóteo, e Tito — e, igualmente, a epístola aos Efésios. Assim terminou a carreira do maior e mais influente exponente do cristianismo em toda a sua história, após ter combatido o bom combate, ter terminado a carreira e ter conservado a fé. Não há que duvidar que o esperam as coroas prometidas (ver II Tim. 4:7).

10. Cronologia da Vida de Paulo

I. *Vida de Paulo* antes do contacto com os seguidores de Jesus

1. *Provável nascimento* e infância em Tarso (judeu da dispersão) (Atos 22:3; Gál. 1:21) 5 D.C.

2. *Vida como judeu zeloso*, da seita dos fariseus (Gál. 1:13,14; Fil. 3:3-6; Atos 26:4,5) 20-26 D.C.

II. *Vida como perseguidor* dos seguidores de Jesus (Gál. 1:13; I Cor. 15:9; Atos 8:3; 9:1) 32 D.C.

III. *Conversão de Paulo*
(Gál. 1:15; I Cor. 9:1; talvez II Cor. 12:1-4; Atos 9:1-19; 22:4-16; 26:9-18). Cerca de 35 D.C.?

IV. *Carreira de Paulo* como apóstolo

1. Três anos na Arábia e em Damasco (e outras áreas) (Gál. 1:17) 32-39 D.C. Problema: Sobre o que ele meditava, ou quais suas atividades?

2. Quinze dias de visita a Jerusalém — Paulo viu a Pedro e a Tiago, irmão de Jesus (Gál. 1:27).

3. Sua obra na Síria, Cilícia e Galácia, e talvez nas regiões ocidentais — Macedônia e Grécia (14 anos) (Gál. 1:21) 35—93 D.C.

A. Escreveu a maioria de suas epístolas: I e II Tessalonicenses (II Cor. 6:14 — 7:1)

B. Possível aprisionamento em Éfeso Colossenses, Filipenses e Filemom

C. Visita a Jerusalém — Visita de conferência (Gál. 2:1; Atos 15) 49 D.C.

D. Volta à Ásia (província romana) I e II Cor. 10 — 13
Período de crise com os cristãos judaizantes — (**Gálatas inteiro**; II Cor. 10—13; Fil. 3:2 — 4:7)

4. Solução da Crise

A. Termina a coleta para os pobres de Jerusalém 55 D.C. (II Cor. 1—9 exceto 6:14-7:1 — I Cor. 16:1-4; II Cor. 9:1-15; Rom. 15:14-32)

B. Planos de visitar a Espanha e Roma (Rom. 15:24,28) 56 D.C. II Cor. 1-9; Romanos 16 (Pedro e Febe)

5. Viagem a Jerusalém, levando a oferta — Não há referências diretas, exceto as que antecipam o evento. 57 D.C.

6. Aprisionamento em Roma — Conforme a tradição cristã (Atos 20). 59 D.C.

7. Novamente livre, talvez com um ministério na Espanha — cerca de um ano. (Só tradição cristã, sem qualquer alusão bíblica).

8. Segundo aprisionamento e morte. (Só tradição cristã, sem qualquer alusão bíblica). 65 D.C.

II. Significação de Paulo

1. As Escolas Críticas e Paulo

Albert Schweitzer (*Paul and His Interpreters*, 1912) salientou o fato de que com freqüência as Escrituras têm sido usadas por pessoas comuns e por intérpretes tão somente como uma mina de textos de prova, sem qualquer consideração histórica ou epexegética. Esses dizem que qualquer argumento pode ser solucionado simplesmente abrindo-se a Bíblia em certa passagem que, alegadamente, traz a resposta. Os opositores, em qualquer debate, pareciam igualmente habilidosos em apelar para «textos de prova», empregando esse método. O século XVIII testemunhou uma revolta contra tais princípios, pelos pietistas e racionalistas, os quais, por razões diferentes entre si, procuravam distinguir a exegese das conclusões providas pelas considerações dos credos e pelo simples exame de «textos de prova»:

a. *O trabalho de J.S. Semler* (1725-91) e *J.D. Michaelis*. Esses homens tentaram aplicar métodos de *crítica histórica-literária* às Escrituras, tendo esboçado normas hermenêuticas, na esperança de mostrarem que o N.T. não se desenvolveu em um vácuo, mas que se devem aplicar indagações históricas e literárias, se quisermos entender apropriadamente a sua mensagem. A filologia foi introduzida como parte da abordagem histórica na interpretação e na solução dos problemas. À base desses estudos, mostrou-se que em I e II Coríntios temos uma correspondência do apóstolo com os crentes de Corinto, e não meramente duas epístolas, incluindo, talvez, um grupo de quatro epístolas, que, finalmente, foram reunidas em duas divisões principais. E outras sugestões semelhantes

PAULO (APÓSTOLO)

foram feitas, no tocante às epístolas de Paulo.

b. *A escola de Tubingen.* No século XIX, na Alemanha, surgiram formas mais radicais de escolas críticas da Bíblia. Obras de autores tais como G.W. Bramiley (*Biblical Criticism*) e J.E. Schmidt, Schleiermacher e F.C. Baur (de Tubingen), levantaram dúvidas sobre a autenticidade de I e II Timóteo e de II Tessalonicenses, à base de considerações literárias, lingüísticas e de vocabulário. Baur só deixou intactos cinco dos vinte e sete livros do N.T., como testemunhos incontestáveis do período apostólico e escritos pelos próprios apóstolos. — Ele tentou distinguir a verdadeira literatura apostólica mediante o princípio interpretativo da «tendência». As duas grandes tendências que teriam dado colorido à literatura apostólica eram o conflito entre Paulo (e o cristianismo gentílico), de um lado, e o cristianismo judaico estrito e a ameaça do gnosticismo, do outro; tendência, sob a qual teriam sido escritas as chamadas epístolas gerais. De conformidade com essa teoria da «tendência», toda literatura que tentasse reconciliar a controvérsia judaico-paulina, ou tentasse reconciliar em parte o gnosticismo, foi classificada como não-apostólica, e isso extirpava a maior parte dos livros existentes do N.T., tornando-os não-apostólicos. Baur também ensinava que Paulo foi o helenizador do cristianismo.

Em resultado disso, essa escola convenceu a bem poucos, além de a si mesma. Não é lógico supormos que um homem só, e em tão pouco tempo, *pudesse* ter helenizado o cristianismo (e assim tivesse alterado seu caráter original). Também é verdade que esse elemento helenístico, apesar de presente, tem sido altamente exagerado; e Paulo, sendo judeu criado em Jerusalém e ali criado como fariseu, certamente não foi quem helenizara a si mesmo. A citação de Paulo, feita em I Clemente (95 D.C.) e nos escritos de Inácio (110 D.C.), onde não se vê qualquer reflexo de um suposto *conflito* entre Paulo e uma tendência judaizante, nesse período, são argumentos fatais às teorias da Escola de Tubingen. Baur ficou na mira de vários conservadores, principalmente J.C.K. Hofman e os seguidores de Schleiermacher. Mas o golpe mais devastador foi dado por um ex-discípulo de Baur, A. Ritschl, o qual abandonou a idéia da alegada hostilidade entre Paulo e os discípulos originais de Cristo. Ele salientou a unidade dos discípulos e a unidade essencial da mensagem cristã. Os discípulos posteriores dessa escola de Tubingen começaram a aceitar como paulinas quase todas as epístolas atribuídas a Paulo (exceto II Tessalonicenses, as epístolas pastorais e Efésios, cuja aceitação, em muitos lugares, não era mais considerada essencial à ortodoxia).

As controvérsias sobre a autoria revolvem em torno de Efésios, Colossenses e as epístolas pastorais, sobretudo essas últimas; e as discussões podem ser vistas *in loc*. Os «clássicos paulinos» (que poucos duvidam ser de autoria paulina) são Romanos, Gálatas, I e II Coríntios. A essas quatro, outras cinco são adicionadas pela maioria dos estudiosos, com pouca hesitação, a saber, I e II Tessalonicenses, Filipenses, Colossenses e Filemom.

Somos forçados a reconhecer, entretanto, que algum bem surgiu dessa controvérsia, pois os intérpretes foram alertados para a necessidade de levar-se em conta as considerações históricas e literárias, para que se faça bom juízo do N.T. Baur trouxe à *luz* uma abordagem indutiva histórica ao cristianismo primitivo, e libertou as pesquisas da idéia de que nada havia a ser aprendido, posto que todas as conclusões já haviam sido formadas.

c. Os *eruditos* britânicos e norteamericanos examinaram a reconstrução apresentada por Baur, mas, na *maioria* dos casos, não se deixaram persuadir. O conjunto de escritos paulinos (com exceção de Hebreus, que poucos eruditos têm atribuído a Paulo, porquanto o próprio livro não reivindica tal autoria) permaneceu de pé. Sólida exegese histórica saiu da pena de Lightfoot e de Ramsay. Este último só escreveu após intensa pesquisa arqueológica. Tais autores confirmaram a autoria lucana do livro de Atos; e isso aumentou a credibilidade e esclareceu a cronologia desse livro, no que se relaciona a Paulo.

d. *Outros eruditos* têm produzido teorias sobre o conjunto paulino de escritos. E.J. Goodspeed conjecturou que em cerca de 90 D.C., algum admirador de Paulo (talvez Onésimo, conforme J. Knox sugeriu mais tarde) tenha publicado as epístolas de Paulo, tendo escrito pessoalmente a epístola aos Efésios como epístola generalizadora ou como tratado introdutório.

De conformidade com a tradição, Onésimo, ex-escravo, finalmente, veio a tornar-se superintendente da igreja de Éfeso, pelo que estaria em posição de fazer isso. Toda essa idéia, todavia, se esvai em fumaça, quando consideramos que nada há, na própria epístola aos Efésios, que indique que ela tenha encabeçado ou terminado um conjunto de epístolas paulinas; e nem se pode provar que essa epístola contenha um sumário não escrito por Paulo acerca do pensamento desse apóstolo.

e. *A crítica literária* do século atual tem procurado discutir e desenvolver os seguintes temas: a. Esforço contínuo para obter uma construção histórica geral das epístolas de Paulo e de seu pensamento. b. Determinação exata de quais epístolas Paulo teria escrito ou não. c. Determinação da origem e das datas das epístolas pastorais, que alguns supõem terem sido escritas por algum discípulo de Paulo, que procurava expressar as atitudes desse apóstolo. d. Determinação das epístolas paulinas e não-paulinas. e. Solução para várias questões relativas a unidade, a autoria e a interpretação das epístolas paulinas individuais.

Outras implicações dessas pesquisas se encontram no parágrafo abaixo acerca das epístolas paulinas.

2. As Epístolas Paulinas

Quanto aos detalhes do esboço fornecido aqui, o leitor pode examinar os artigos sobre cada epístola. Embora, ao longo dos séculos, toda correspondência que tem chegado até nós com o epíteto de *paulina*, isto é, escrita por Paulo, tenha sido posta em dúvida, por alguns, como autêntica. Existem quatro escritos paulinos clássicos que nem mesmo os eruditos modernos põem em dúvida, mesmo entre os mais liberais. Trata-se das epístolas aos Romanos, aos Gálatas e I e II Coríntios. Lutero dizia que se pudéssemos ao menos preservar o evangelho de João e a epístola aos Romanos, o cristianismo não poderia ser extinto. Entretanto, mais geralmente aceitam-se os nove livros seguintes como saídos realmente da pena de Paulo: Romanos, I e II Coríntios, Gálatas, Filipenses, Colossenses, I e II Tessalonicenses e Filemom. Para muitos, as epístolas de I e II Timóteo e Tito (as epístolas pastorais), além de Efésios, são consideradas obras dos discípulos de Paulo (escritas em seu nome). E a epístola aos Hebreus (apesar de não ter sido rejeitada do cânon do N.T.) é quase universalmente rejeitada como epístola escrita por Paulo. (Quanto a detalhes sobre essas declarações, consultar os artigos sobre cada uma dessas epístolas). De modo geral, nas pesquisas mais recentes, a atenção se tem desviado da autoria das epístolas para

PAULO (APÓSTOLO)

outras questões. Por exemplo, costuma-se discutir sobre a forma original das epístolas ou a sua unidade essencial. Teria sido escrita realmente aos crentes de Roma a chamada epístola aos Romanos? Nesse caso, por que alguns manuscritos omitem as palavras «A todos... que estais em Roma», em 1:7, e «...em Roma», em 1:15? Qual teria sido a forma original dessa epístola, porque alguns mss contêm mais de uma doxologia *finalizadora*. Por exemplo, a doxologia em Rom. 16:25-27 se encontra em L, 1175 e no Sy(h), em 14:23, ao passo que os mss A,P, 5 e 33, além de algumas traduções armênias, têm-na em ambos os lugares. O antigo ms P(46) tem-na somente após o cap. 15. Teriam sido escritas duas epístolas — uma mais longa e outra mais breve, que finalmente foram combinadas para formar uma só, deixando incerto o local exato da doxologia? (Ver os textos em foco, quanto às respostas experimentais). Nas epístolas aos Coríntios, alguns eruditos distinguem nada menos de quatro epístolas diversas, que finalmente foram combinadas para formar somente duas. (Ver o artigo sobre I Cor., quanto aos detalhes). Os melhores mss de Efésios não trazem as palavras «em Éfeso», em 1:1 dessa epístola. Foi essa epístola realmente escrita aos crentes de Éfeso, ou teria ela sido, originalmente uma circular enviada às igrejas da Ásia Menor, sem qualquer designação específica quanto ao destino? Como as palavras *em Éfeso* vieram a fazer parte do texto? (Ver o artigo sobre essa epístola e as notas textuais em 1:1 no NTI). Essas questões são expostas aqui a fim de dar exemplos, ao leitor, sobre os tipos de problemas que são discutidos nos artigos sobre as epístolas, bem como na exposição geral.

3. O Servo de Cristo

As **epístolas de Paulo** freqüentemente apresentam-no como *servo* «escravo» de Cristo. No original o termo usado é *doulos*, e geralmente, tem sido mal traduzido por «servo», e não pela sua tradução mais exata, «escravo». Paulo usou um termo forte a fim de indicar que ele fora comprado por bom preço, porquanto, tendo sido antes um homem indigno, por ter perseguido e morto aos cristãos, a sua dívida era imensa e insolúvel. Sua vida toda, da conversão por diante, foi um esforço por contrabalançar suas más ações, e disso se originou uma dedicação que tem inspirado o mundo inteiro durante séculos, e que tem sido eternamente usada, em sermões, como ilustração do discipulado cristão. Todo aquele que é chamado para perto do Senhor, o Mestre, torna-se um — escravo — como Paulo (conforme é indicado em I Cor. 3:23 e 7:22,23), e isso forma a idéia básica do discipulado totalmente dedicado que Paulo requer dos seguidores de Cristo. O Senhor (tal como os senhores de escravos) exerce direitos absolutos sobre todo pensamento, ambição, palavra, ação e alvo das vidas de seus escravos. Outro tanto se aplica à liberdade de ação dos escravos; mas, segundo a concepção paulina, estar verdadeiramente livre é ser *escravo completo* de Jesus, pois é então que o crente encontra a verdadeira liberdade de alma, além de completo livramento do pecado e de seus efeitos, sem falar na completa transformação segundo a imagem de Cristo. Paulo descreve o pecado como uma carência da glória de Deus (Rom. 3:23), e com isso ele revela a sua correta atitude para com o pecado. O pecado é a degradação da personalidade humana. Os homens foram criados para coisas exaltadas, para serem exaltados acima dos próprios anjos, porque, ao serem transformados segundo a imagem de Cristo (ver Efé. 1 e Rom. 8), tornam-se, realmente, superiores aos anjos. O pecado é a marca da humanidade envilecida, não transformada segundo o modelo divino. O verdadeiro escravo *de* Jesus progride muito mais rapidamente no caminho da absoluta transformação segundo a imagem de Cristo, e isso contribui para a verdadeira glória de Deus. Aqueles que persistem no pecado, portanto, «carecem» dessa glória. O verdadeiro escravo do Senhor, por conseguinte, é, realmente, um homem *liberto*, pois somente no cumprimento de seu destino é que o homem é libertado de seu estado inferiorizado pelo pecado.

Aos seus *escravos* é que Cristo ensina o seu *amor*, e é então que aprendemos a mansidão, a graça e a gentileza de Cristo (ver II Cor. 10:1; Rom. 12:1 e I Cor. 1:10). Aos seus escravos é que Cristo transmite os pensamentos de sua mente (Fil. 2:1-18), e isso fala de certa comunhão mística com o Senhor ressurrecto e assento ao céu. Para Paulo, esse companheirismo era muito real, e ele procurou transmitir o sentido dessa experiência aos discípulos de Jesus. Com grande freqüência, expressões tais como ‹em Cristo» e «mente de Cristo», são termos vazios para a igreja moderna, porque temos perdido de vista o sentido dessas coisas. E temo-lo perdido não nos nossos estudos de teologia, ou nos livros impressos, ou nos sermões falados, e, sim, na experiência e na realidade diárias.

Paulo ensinava a *obediência da fé*, porquanto a fé em Cristo era vista pelo apóstolo como uma realidade vital, como uma transmissão da própria vida de Deus, através da pessoa real, viva, ativa e comunicadora chamada Espírito Santo. O apóstolo Paulo comparava-se a uma ama que cuidava ternamente de infantes, ajustando a dieta dos mesmos às suas necessidades e capacidades (ver I Cor. 3:1-3 e I Tes. 2:7). Também comparou-se àquele que apresenta uma noiva ao seu noivo (ver II Cor. 11:2,3). Paulo, igualmente — comparou a igreja — ao campo de Deus, onde ele trabalhava a fim de produzir frutos. Dessas e de outras maneiras, Paulo demonstrou quanta dedicação se exige desse serviço absoluto a Cristo. Acima de tudo, o apóstolo esclareceu que o amor de Deus exige tais sacrifícios (ver Rom. 5:5; II Cor. 5:14). Mostrou, ainda, que antes de sua conversão traçara uma trilha de violência, ódio e homicídio, e justamente contra aqueles que menos mereciam tal tratamento, isto é, os cristãos. Mas eis que o amor de Deus, através de Cristo, modificara tudo isso, e foi justamente esse amor que o tornara escravo de Cristo, posição na qual Paulo se sentia verdadeiramente livre. Desde que fora conquistado por esse amor, ele é que devé passara a receber os golpes violentos da parte de homens ímpios e desarrazoados. Por conseguinte, quando contemplamos ainda que superficialmente a vida desse homem, compreendemos por que motivo os tradutores não têm sido capazes de traduzir o termo *doulos* por «escravo», preferindo um vocábulo mais suave, como «servo». Infelizmente, nossas vidas também refletem essa substituição. Nesse exemplo de total consagração à causa do Senhor, encontramos uma das significações da vida de Paulo.

4. O Apóstolo aos Gentios

Outra das grandes significações da vida de Paulo é o fato de que ele representava aquele princípio da nova religião revelada que não somente aceitava os pecadores, os publicanos e os desprezados, mas que também lhes prometia um destino mais elevado do que qualquer coisa exposta pelo judaísmo. Em seu caráter essencial (pelo menos até os tempos helenistas) o judaísmo tem sido uma religião terrena, com alvos e promessas terrenos. O cristianismo, porém, volta-se para as coisas da outra vida, e é essa atitude, em seu ensino acerca da total transformação do crente segundo a imagem de Jesus, o Messias, o Senhor eterno, que, aos olhos dos judeus, inspirava aos

PAULO (APÓSTOLO)

gentios «pretensões» e «ambições jamais ouvidas. Paulo tornou-se o porta-voz mais proeminente dessa nova mensagem, sendo bem reconhecido o fato de que somente Paulo expõe, com clareza e pormenores, a mensagem central da posição e do destino da «igreja», que declaradamente, e na realidade, viria a ser essencialmente uma igreja gentílica.

Paulo se opusera amargamente a essa mensagem, até mesmo quando ela ainda estava em sua forma primitiva, nas mãos dos outros apóstolos, antes das grandes revelações que encontramos em Romanos, em Efésios e em Colossenses, as quais, verdadeiramente, deram à igreja cristã a sua definição final. Paulo não podia aceitar antes da sua conversão, e até mesmo abominava, uma mensagem que falava de um Messias que fora crucificado e que ressuscitara. Aquele filho de Benjamim, o fariseu, era por demais *astuto* para não ser capaz de discriminar o possível impacto que esse Messias crucificado e ressurrecto haveria de impor à comunidade judaica. Outrossim, **certos porta-vozes** da nova religião tinham anunciado publicamente, que Deus ab-rogara as exigências da lei antiga, tais como a circuncisão, a justiça mediante a observância da lei, e os sacrifícios no templo, porque tudo isso eram símbolos que haviam sido cumpridos pelo Messias, o antítipo de todos esses tipos simbólicos. Além disso, também haviam anunciado que esse mesmo Messias era Senhor de todos, e que em breve estabeleceria o longamente esperado Reino de Deus, e que a nação judaica, como um todo, corria o perigo de perder a participação nesse reino. Sendo fariseu, Paulo sentia repugnância por tais ensinos, e, em seu zelo pela justiça que lhe parecia autêntica, que ele reputava estar exclusivamente na lei e nos ritos que saturavam o judaísmo, tornou-se o mais temível opositor do cristianismo. Não haveria de descansar enquanto não desaparecesse da face da terra o último vestígio dessa nova heresia. Sabia ao que fazia oposição, e por quais motivos.

Mas eis que, repentinamente, o próprio Jesus resolveu interferir na loucura do jovem, apanhando-o no ato de *intensificar* os seus violentos esforços de derrubar a igreja. A experiência mística de Paulo, pois, «purificou-o» e «modificou-o», mas deixou perfeitamente intacta a sua natureza ardente e zelosa. A princípio, Paulo podia pregar apenas a mensagem messiânica, pois até aquele ponto ainda não recebera maiores luzes sobre o sentido da morte de Cristo, as vastas implicações de sua ressurreição e ascensão. Por isso é que, em Damasco, ele pregou que Jesus era o Messias. É provável que em sua retirada para a «Arábia» tenha recebido as visões preliminares e as revelações que o equiparam para a tarefa de quarenta anos que tinha a sua frente. O trecho de Gál. 1:14,15 indica que um dos ingredientes essenciais das revelações recebidas por Paulo é que o seu ministério seria entre os «gentios». Posteriormente, no concílio efetuado em Jerusalém (sobre o qual lemos no segundo capítulo da epístola aos Gálatas), vemos que a sua missão especial foi reconhecida e aprovada pelos demais apóstolos. Dessa forma, Paulo lançou-se ao cumprimento do grandioso desígnio de Deus, como nem mesmo os profetas da antiguidade haviam imaginado. Alguns deles tinham previsto a salvação dos gentios, mas as indicações acerca da igreja — a noiva de Cristo — são escassas no V.T., e mesmo assim foram expostas de forma velada, em tipos e sombras. O grande propósito do oitavo capítulo de Romanos e do primeiro capítulo de Efésios jamais havia sido exposto por lábios judeus antes de Paulo.

Paulo aprendeu qual o propósito da cruz, conforme ele explica no décimo quinto capítulo de I Coríntios, onde se vê que a expiação ali efetuada faz parte integral do plano geral do evangelho. Ele percebeu que o esforço humano jamais poderia realizar o que foi *realizado* na cruz do Calvário. E assim também os seus esforços anteriores, como fariseu, assumiram um novo significado, pois em seus frenéticos esforços para obter a justiça própria, mediante a observância da lei, Paulo recebeu uma lição perfeitamente objetiva da total necessidade da justiça que vem por meio de Cristo. Posteriormente, ele usou sua própria experiência como lição objetiva (Fil. cap. 3), pois ninguém podia vangloriar-se de mais obras na carne do que o jovem Paulo. «Mas foi exatamente esse jovem» que chegou a compreender que o destino do homem está nas mãos de Cristo. Viver corretamente não é o alvo principal do destino humano. Isso deve ser feito e será feito por todos os verdadeiros discípulos de Cristo, mas essa vida resulta da transformação do crente à imagem mesma de Jesus Cristo. Paulo passou da noção do que a vida é aquilo que um homem faz para a idéia muito mais elevada de que a vida é aquilo em que tornamos metafísica e moralmente transformados segundo a imagem do *Caminho*, que é ao mesmo tempo o pioneiro do caminho, e o próprio caminho que devemos palmilhar. Paulo começou a perceber que o destino humano é uma longa e grande busca, que finalmente conduz à própria presença de Deus, e aqueles que ali chegam são transformados em seres que serão a própria imagem de Deus impressa neles, e que, de fato, não serão menos santos do que o próprio Deus. Essa grandiosa e elevada mensagem tornou-se o grande poder impulsionador por detrás do zelo de Paulo, e ele foi por toda parte do mundo gentílico com o intuito de proclamá-la. Os capítulos 9 a 11 da epístola aos Romanos consistem de revelações concernentes ao destino de Israel e à base dessas revelações Paulo sabia que a nação de Israel seria posta de lado por algum tempo, que a época dos gentios deveria chegar ao término de seu curso, até que toda a igreja tivesse sido chamada. Por essa razão, passou a buscar ainda com maior determinação a salvação dos gentios, a fim de estabelecer a igreja, permitindo, assim, que Deus tornasse a chamar a nação de Israel, a qual, no fim, teria um destino um tanto diferente do da igreja.

A cruz também se revestia de significação simbólica **na missão de Paulo como apóstolo aos gentios**. Significava sacrifício, conformidade com a morte de Cristo (ver Rom. 6), o que, por outro lado, significa não-conformação com o mundo. A cruz fala de dor, de sofrimento e de angústia em sua forma mais intensa, e Paulo aceitava essas coisas como sinais de seu ministério. Por toda parte era assediado pelos radicais, e sua longa lista de sofrimentos, em II Cor. 11:23-28, menciona espancamentos, muitos aprisionamentos (dos quais temos o registro de apenas alguns, talvez em número de três), apedrejamentos, açoites com flagelos e com varas, naufrágios, perigos de assaltantes e inundações, fome, exaustão física devido a trabalhos contínuos e árduos, frio e falta de vestes apropriadas. Acima de tudo, pesava-lhe nas costas o fardo psicológico do cuidado por todas as igrejas locais. Trazia em seu próprio corpo as marcas do Senhor Jesus, tal como Jesus levava, em suas mãos e em **seus pés**, os sinais dos cravos da cruz. Isso fazia parte da significação de Paulo como apóstolo dos gentios. Era um autêntico soldado da cruz, e exibia um discipulado de consagração sem-par, que o mundo jamais pôde esquecer, e que ficou para sempre gravado nas páginas das Santas Escrituras, para escrutínio de todos. Paulo anunciou uma mensagem distintiva, que falava do exaltado destino da humanidade, e foi um mensageiro distinto dessa

PAULO (APÓSTOLO)

mensagem, e é desses dois fatores que aprendemos um outro significado da vida de Paulo.

5. A Doutrina de Paulo

A descrição mais completa da doutrina de Paulo pode ser encontrada nas diversas centenas de páginas sobre suas epístolas, nesta enciclopédia, cujos pontos centrais são discutidos nos artigos sobre cada livro. Aqui temos apenas uma tentativa de salientar o caráter central dessa mensagem, em torno da qual tudo o mais é subserviente.

A **Reforma protestante** salientava a justiça ou justificação mediante a fé e nos séculos seguintes, esse continuou sendo o fator controlador de toda interpretação dos escritos de Paulo. Mui infelizmente, os intérpretes não sondaram ainda com mais profundidade o pensamento do apóstolo, pois apesar dele ter salientado a justiça e a justificação, essas idéias tão-somente são parte de uma mensagem maior, porções necessárias, para dizer a verdade, mas apenas partes componentes de um grande plano. É possível que se os reformadores e aqueles que os seguiram tivessem tido mais compreensão, a igreja atual talvez compreendesse melhor a descrição do *grande evangelho* de Paulo. Desafortunadamente, porém, a igreja tem estacado mais ou menos onde a reforma a deixou, e mui raramente o evangelho completo de Paulo é pregado na igreja comum. Não será isso um dos motivos para a intranqüilidade? Muitos não se sentem desassossegados e, algumas vezes, até mesmo famintos de informações pertinentes à inquirição espiritual? Sim, parece que o povo evangélico anela por uma mensagem mais profunda, por uma tentativa mais profunda de compreender por que estamos aqui e para onde nos dirigimos. Paulo, nos dá essa informação, mas esta dificilmente é pregada. Certamente a salvação é mais do que o perdão dos pecados e a mudança de endereço para o «céu». Porém, com que freqüência ouvimos prédicas que vão além disso? Seria declaração por demais ousada dizer que o evangelho de Paulo, na sua forma completa, raramente é pregado na igreja moderna?

Homens como L. Usteri (1824) e A.F. Daehne (1835) explicaram Paulo em termos da *justiça imputada*, segundo é ensinado na epístola aos Romanos. Em contraste com isso, H.E.G. Paulus salientou a «nova criação» e a «santificação» (conforme se vê em passagens como II Cor. 5:17 e Rom. 6). Grande discernimento foi exposto por Paulus, o qual declarou que a fé em Jesus, significa, na análise final, a fé de Jesus. E que coisa admirável seria se pudéssemos aprender esse conceito, pois nos conduziria a uma compreensão mais profunda do apóstolo Paulo. Imaginemo-nos, por um momento, a exercer realmente a fé de Jesus, a mesma fé que ele exercia. Porém, isso é impossível, a menos que sejamos pessoas «como Jesus», moralmente transformadas para sermos como ele era. Não obstante, avançar da fé em Jesus para a fé de Jesus, foi um discernimento que a reforma não doou à igreja, e que a igreja atual só pode explicar e compreender da maneira mais nebulosa.

F.C. Baur, que interpretava à base do arcabouço do idealismo de Hegel (1845), procurou primeiramente compreender a Paulo em termos do Espírito, dado mediante a *união com Cristo*, através da fé — e talvez, um tanto inconscientemente, ele conseguiu notável avanço na interpretação, pois não resta a menor dúvida de que o Espírito é a grande chave para o cumprimento do tema central de Paulo. Por semelhante modo, a idéia da união com Cristo é importante, embora esse conceito místico tenha geralmente desaparecido dos sermões da igreja e da literatura da Escola Dominical A despeito de Paulo ter sido um místico, parece que o misticismo tem caído no esquecimento, ou mesmo tenha sido geralmente rejeitado. Entretanto, Baur mais tarde retrocedeu e voltou ao padrão estabelecido pela reforma, dividindo as diversas doutrinas paulinas em compartimentos, sem qualquer tentativa de vê-las como um conceito unificado. Muitos outros escritores seguiram esse padrão, e ingenuamente pensaram que, ao descreverem individualmente as diversas doutrinas, ao mesmo tempo, expunham o pensamento de Paulo.

R.A. Lipsius (1853) deu um grande passo à frente quando reconheceu a «redenção» como o grande princípio unificador na doutrina de Paulo, e definiu também dois pontos de vista: *o jurídico* (a justificação) e o *ético* (a nova criação). Seguindo essa orientação, Hermann Luedemann, em seu livro «The Anthropology of the Apostole Paul» (1872), concluiu que os dois lados da redenção realmente repousam sobre esses dois aspectos da natureza humana. Do ponto de vista «judaico» anterior de Paulo (Gálatas e Romanos 1—4), a redenção aparece como um veredicto judicial de inocência; mas, para o Paulo mais maduro (Romanos 5—8 e Efé. 1), a redenção surge como uma transformação ético-física da «carne» para o «espírito», mediante a comunhão com o Espírito Santo. A fonte da primeira idéia é a morte de Cristo e a nossa participação nessa morte. A fonte da segunda idéia é a ressurreição de Cristo e a nossa participação nessa ressurreição, com sua implicação de um tipo de vida nova e transformada. Richard Kabisch recuou ao supor que essa redenção visa unicamente a livrar a alma do julgamento vindouro. Pois o destino humano envolve muito mais do que isso, embora, ouvindo alguém os sermões que geralmente se pregam nas igrejas, talvez não chegue a conclusão mais elevada do que essa. Albert Schweitzer, seguindo as indicações de Luedemann e Kabisch, desenvolveu uma síntese com a idéia da maneira que Paulo tencionava que sua «redenção» fosse principalmente escatológica, isto é, um fim dos acontecimentos mundiais. Porém o fato é que o segundo capítulo da epístola aos Filipenses contradiz essa posição, como também o quinto capítulo da segunda epístola aos Coríntios. E também errou ao pensar que posto que o mundo não terminou imediatamente, conforme Paulo pensava, passou o apóstolo a expor um «misticismo físico», no qual os sacramentos, através da mediação do Espírito Santo, servem de mediador da ressurreição de Cristo e de seus efeitos sobre o crente. «Misticismo», sim; mas misticismo físico, através dos elementos físicos dos sacramentos, jamais. Nada poderia estar mais distante do pensamento de Paulo, porque ele sempre destacou o puramente espiritual em detrimento do físico. Tinha razão, todavia, ao supor que Paulo ensinou que a união com Cristo, nesta vida, através do Espírito, assegura ao crente a participação na ressurreição espiritual de Cristo, quando de sua «parousia».

O grande tema cental de Paulo — qual é ele? É a salvação. Mas um ponto de vista muito **especial** da salvação. O grande tema de Paulo é soteriológico, e, se o quisermos, bem podemos usar o termo «redenção», pois isso diz exatamente a mesma coisa. Que espécie de salvação Paulo ensinava? Permitamos que os versículos seguintes falem por si mesmos: «Assim como nos escolheu nele antes da fundação do mundo, para sermos santos e irrepreensíveis perante ele; e em amor nos predestinou para ele, para a adoção de filhos, por meio de Jesus Cristo, segundo o beneplácito de sua vontade... e qual a suprema

129

PAULO (APÓSTOLO)

grandeza do seu poder para com os que cremos, segundo a eficácia do seu poder; o qual exerceu ele em Cristo, ressuscitando-o dentre os mortos, e fazendo-o sentar à sua direita nos lugares celestiais, acima de todo principado, e potestade, e poder, e domínio e de todo nome que se possa referir, não só no presente século, mas também no vindouro. E pôs todas as cousas debaixo dos seus pés, e, para ser o cabeça sobre todas as cousas, o deu à igreja, a qual é o seu corpo, a plenitude daquele que a tudo enche em todas as cousas» (Efé. 1:4,5, 19-23). «Pois todos os que são guiados pelo Espírito de Deus são filhos de Deus... o próprio Espírito testifica com o nosso espírito que somos filhos de Deus. Ora, se somos filhos, somos **também herdeiros, herdeiros de Deus e co-herdeiros com Cristo: se com ele sofrermos, para que também** com ele sejamos glorificados... a ardente expectativa da criação aguarda a revelação dos filhos de Deus... gememos em nosso íntimo, aguardando a adoção de filhos, a redenção do nosso corpo... Sabemos que todas as cousas cooperam para o bem daqueles que amam a Deus, daqueles que são chamados segundo o seu propósito. Porquanto aos que de antemão conheceu, também os predestinou para serem *conforme a imagem* de seu Filho, a fim de que ele seja o primogênito entre muitos irmãos. E aos que predestinou a esses também chamou; e aos que chamou, a esses também justificou; e aos que justificou, a esses também glorificou... nem altura, nem profundidade, nem qualquer outra criatura poderá separar-nos do amor de Deus, que está em Cristo Jesus, nosso Senhor» (Rom. 8:14,16,19,28,30, 39).

A participação na imagem metafísica de Cristo indica a participação na natureza divina, segundo Col. 2:9,10 mostra claramente (ver também Efé. 3:19). Ver a extensa exposição sobre aqueles vss., no NTI, onde é traçada a doutrina na história eclesiástica e na teologia. Participamos da «natureza divina» quando participamos da «imagem de Cristo». Naturalmente, disso participamos de modo finito, pois Deus é «infinito». Todavia, trata-se do mesmo «tipo» de «forma de vida», da mesma «essência de ser» que o próprio Cristo tem, o que é infinitamente exemplificado em Deus Pai. Diferimos da natureza de Deus Pai na «extensão» da participação na essência divina, mas não quanto ao «tipo» (ver João 5:25,26 e 6:57 no NTI quanto a notas sobre a vida «necessária» e «independente» de Deus, e como os homens, mediante a participação na ressurreição de Cristo, chegam a participar desse tipo *de vida*. Já que Deus é infinito, e será sempre o alvo da existência humana, terrena ou celestial, mortal ou imortal, sempre haverá um progresso infinito na direção desse alvo. Não pode haver estagnação na inquirição espiritual, pois seus horizontes são infinitos. Já que há uma infinitude com a qual seremos cheios, também haverá um preenchimento infinito. (Ver II Ped. 1:4 e o artigo **Divindade, Participação na, Pelos Homens.**

O plano é *imenso* e sua realização é além das capacidades humanas. Portanto, a salvação se realiza pela graça de Deus. Ver notas completas sobre este tema em Efé. 2:8 no NTI. Abaixo estão os pontos mais destacados desse evangelho:

a. *Plano divino* da redenção e *transformação* dos homens segundo a própria imagem de Cristo, a imagem absolutamente moral e metafísica de Cristo, que é um plano eterno, e que, em realidade, é a razão mesma da existência da criação. (Essa é, igualmente, a mensagem do primeiro capítulo do evangelho de João, porquanto a vida — a criação física — existe para prover material para a «luz» ou criação espiritual. — O primeiro capítulo da epístola aos Colossenses ensina a mesma verdade).

b. O alvo de Deus é a *adoção* de muitos filhos, que ainda serão iguais (sempre em potencial) e totalmente semelhantes (em essência de ser) a seu Filho, Jesus Cristo.

c. Deus enviou Jesus, não só para ser o Caminho, mas também para mostrá-lo. Em sua vida humana, Jesus viveu o tipo de experiência que devemos ter. Sua vida não foi somente um espetáculo para ser admirado, mas é um padrão que precisa ser duplicado em nós. Jesus, em sua vida humana, «...aprendeu a obediência pelas cousas que sofreu...», e, como homem, em sua existência humana, «...tendo sido aperfeiçoado, tornou-se o Autor da salvação eterna para todos os que lhe *obedecem*» (Heb. 5:8,9). Os que lhe obedecem são aqueles que agem como ele agiu e são o que ele foi, mediante uma obediência verdadeiramente completa e perfeita. Não obstante, esse é o alvo, e a transformação moral provoca a transformação metafísica, exatamente como ocorreu no caso de Jesus, o qual, devido à sua comunhão íntima com o Pai, mediante o Espírito (que é o agente transformador. II Cor. 3:18), foi capaz de multiplicar pães, andar sobre a água e até mesmo ressuscitar a mortos, incluindo a si mesmo, após a sua morte. Ele vivificou o seu próprio corpo, tão grande foi o seu poder espiritual.

Lembremo-nos da lição da encarnação: Jesus, manifestação do Verbo Eterno, veio participar literalmente da natureza humana. Ele não era um anjo que fazia um papel teatral. E assim como ele participou literalmente da natureza humana, fundindo a natureza humana com a divina, assim também abriu tal caminho para todos os homens. Pois todos os remidos haverão de participar de sua «natureza glorificada», de sua *divindade* de modo real, tal como sua participação da natureza humana foi real. Essa é a grande lição mística da encarnação. Ele é divino a fim de ser «admirado»; mas também é divino a fim de ser «duplicado» em «outros filhos», pois os remidos são filhos do mesmo Pai. Naturalmente, o Filho participou infinitamente da divindade, mas nossa participação será sempre finita. Contudo, a essência dessa participação é real; não é uma imitação. A eternidade inteira será passada enchendo o finito com o infinito, enchendo o que é secundário com o que é primário, havendo uma gradual e prodigiosa transformação da alma humana segundo a imagem e a natureza de Cristo (ver II Ped. 1:4 e Col. 2:9-10).

Lembremo-nos das outras lições: a lição de sua **vida, a lição de sua morte, a lição de sua ressurreição** e ascensão, a lição de sua infinita e interminável glorificação. Em tudo isso temos *símbolos místicos* do progresso e da redenção humanos. Pois em todos os pontos seremos assemelhados a ele, tal como em todos os pontos ele se fez como nós.

«E todos nós com o rosto desvendado, contemplando como por espelho, a glória do Senhor, somos transformados de glória em glória, na sua própria imagem, como pelo Senhor, o Espírito» (II Cor. 3:18).

d. *Jesus cumpriu a sua missão*, tendo vivido a admirável vida que teve, tendo morrido como expiação pelo pecado, tendo sido ressuscitado dentre os mortos, e, nesse processo, foi transformado de homem mortal em homem imortal, assento ao céu e glorificado — e tudo isso como homem — pois ele foi o *primeiro homem imortal* de Deus, o padrão para o resto da humanidade. Nessa glorificação ele foi ainda mais profundamente transformado, e continua esperando sua glorificação maior, quando receber a sua Noiva, a igreja. A última porção do primeiro

PAULO (APÓSTOLO)

capítulo de Efésios demonstra que foi o infinito poder de Deus que realizou tudo isso, o poder de Deus através do Espírito. Eis que esse mesmo Espírito está em nós, e tenciona realizar em nós a mesma obra. Morremos a morte de Cristo, compartilhamos de sua ressurreição e de sua ascensão e participamos de sua glorificação. Ele é quem preenche tudo em todos, e que está acima de todos; a despeito do que, o completamos, pois somos a sua plenitude, e nada tão elevado tem sido jamais dito acerca dos anjos. (Efé. 1:23).

O próprio espírito sussurra aos nossos ouvidos qual é nosso elevadíssimo destino, pois o destino de Cristo é o nosso e sabemos quão grande ele é, e quão vasto é o seu destino, como cabeça do universo inteiro. A criação física inteira se impacienta, esperando essa **poderosíssima manifestação dos filhos de Deus**, como homens imortais, **transformados e espantosamente glorificados** — pois eles serão — verdadeiramente filhos e irmãos de Cristo, e não menos perfeitos (potencialmente sempre) e exaltados, embora cabeça e corpo tenham ofícios distintos. Outro tanto se dá com Cristo e a igreja. E assim como a cabeça de um corpo tem certa ascendência sobre esse corpo, assim também Cristo tem proeminência sobre a igreja. Não **seremos sub-herdeiros dele, e, sim, co-herdeiros. Não estamos seguindo uma estrada diferente da dele, nem** um alvo diferente do seu — seguimos exatamente a mesma estrada que Cristo, e visamos ao mesmo alvo. A predestinação de Deus assegura a obtenção desse alvo, e é nas provisões dessa predestinação que seremos totalmente «transformados», e não apenas perdoados de nossos pecados, nem apenas nos aproximando do «céu», conforme há muito tempo, o «evangelho» vem sendo pregado por partes da igreja.

e. *Por conseguinte*, no que consiste a justificação? Consiste em um passo na direção do alvo, e que envolve o pecado que precisa ser eliminado, porque os filhos devem ser tão santos quanto o próprio Deus. E o que será a *santificação?* É apenas a estrada pela qual estamos caminhando, enquanto vamos sendo *transformados* moralmente à imagem de Cristo, o que também produz uma transformação metafísica, isto é, a transformação literal da natureza de nossos próprios seres. O nosso alvo, portanto, é a absoluta perfeição moral, não menos santa do que a santidade de Deus, que nos torna não (potencialmente) menos amorosos, não menos compassivos, não menos eficazes (em nossas respectivas esferas) na realização de sua obra e na expressão de sua natureza. Obteremos a imagem moral de Deus que os anjos não possuem e talvez jamais possuirão. O próprio Jesus ordenou que fôssemos *perfeitos*, tal como o Pai, nos céus, é perfeito (ver Mat. 5:48). Esse é o nosso alvo eterno e a nossa transformação total tornar-se-á uma realidade. Possuiremos a natureza moral de Deus. Mais do que isso, possuiremos a imagem metafísica de Cristo, que está acima de todos, de todos os nomes, de todos os poderes, até mesmo dos poderes angelicais. Nossa participação nisso será total. Os termos «filhos de Deus» e «irmãos de Cristo» indicam algo tremendamente elevado e ainda que tivéssemos a perfeita descrição dessas verdades, do ponto de vista metafísico, não poderíamos compreender suas implicações. O nosso atual desenvolvimento não permitiria a completa apreensão dessas verdades profundíssimas. Portanto, que significa estar alguém «em Cristo»? Isso fala do atual comunhão mística com ele, por meio do Espírito. Já conhecemos algo da transformação à sua imagem, porque já estamos começando a viver a sua vida. A energia de sua vida, em sentido bem real, já transparece em nós, e o céu já desceu à terra, e ele nos circunda através de seu Espírito. De maneiras ainda desconhecidas, ele está conosco, mas esse estar conosco, com toda a probabilidade, consiste de uma real transferência de alguma espécie de energia espiritualizada que o Espírito de Deus transmite, e essa energia, mui provavelmente, é a substância da própria vida. Essa é a «salvação» presente, e a participação nessa salvação é que produz os atuais padrões de «santificação». E a santificação presente provoca as transformações metafísicas de nossas naturezas. E tudo isso está prenhe de autêntica imortalidade. Daí o crente parte para a ressurreição, então para a ascensão e, finalmente, para a glorificação, que não se trata de um ato isolado, mas de um processo, o que continua acontecendo até mesmo com Cristo, nosso irmão mais velho. E o alvo final é a perfeição e a transformação absolutas. É a tudo isso que se denomina de *salvação*, e esse é o evangelho anunciado por Paulo. O leitor poderá julgar, por si mesmo, quanto dessa verdade é pregada atualmente nas igrejas evangélicas. A simplificação do evangelho como — se resumisse ao perdão dos pecados e a uma viagem ao céu — tem prejudicado — a todos nós. E tem deixado os crentes desassossegados, porque, interna ou externamente, perguntam se não há mais nada além disso? Os crentes, pois, ficam descontentes, pois o cristianismo tem perdido o seu fio cortante e desafiador. Precisamos pregar o evangelho de Paulo. Precisamos aprender o que isso significa na experiência diária. Precisamos conhecer, na realidade diária, o que significa estar alguém «em Cristo».

6. Paulo e Jesus

Os estudos sobre o pensamento paulino, neste século XX, se têm devotado, especialmente, a três perguntas: 1. Qual a relação entre Paulo e Jesus? 2. Quais as fontes do pensamento de Paulo? e 3. Qual o papel da escatologia na doutrina de Paulo? Dessas três, a primeira — Qual a *relação* entre Paulo e Jesus? é mais vexatória e problemática. A distinção entre os dois pensamentos básicos de Paulo — justiça *jurídica* (Rom. 1—4) e justiça /ética/ (Rom. 5—8), tem-se desenvolvido em um estudo muito importante, e a maioria dos escritores sobre o assunto se tem pronunciado a favor da idéia «ética» como mais básica ao pensamento paulino posterior, como mais representativa de Paulo em seus anos maduros. Pelo menos pode-se dizer que isso certamente se parece mais com o pensamento expresso nas epístolas de Efésios e Colossenses e com a mensagem geral da redenção ou «salvação» (conforme se explicou na seção anterior), e que certamente essa é a mensagem central do apóstolo Paulo. Por conseguinte, temos um certo tipo de «misticismo de Cristo», a saber, Cristo, o Deus-homem que do céu desce a este mundo rodeado pelo mal, incluindo uma espessa nuvem de poder demoníaco. A união com Cristo (isto é, a comunhão mística com ele) tornou-se o principal conceito acerca do sentido e da direção da atual experiência humana. E essa união assegura a «ressurreição» juntamente com ele, que é o passo inicial da glorificação da alma.

Esses pensamentos lançaram os fundamentos para uma série de estudos, e muitos intérpretes, ao lerem os evangelhos e as palavras de Jesus, segundo elas estão ali escritas, para em seguida lerem a Paulo, especialmente seus «escritos posteriores», como as epístolas aos Efésios e aos Colossenses, começaram a indagar se as duas mensagens ou «evangelhos» seriam realmente uma só. Alguns negaram isso em termos inequívocos. W. Wrede, em sua obra *Paulus* (1905), expôs a questão nos termos mais francos. Ali Paulo é visto não como verdadeiro discípulo do rabino Jesus, mas realmente um segundo fundador do cristianismo.

PAULO (APÓSTOLO)

A piedade individual e a salvação futura ensinadas por Jesus (idéias comuns ao judaísmo dos dias de Jesus) haviam sido transformadas, pelo teólogo Paulo, em uma redenção presente através da morte e da ressurreição do Cristo-Deus. Quem aceitar esse ponto de vista terá de escolher entre Jesus, e assim permanecer bem perto do judaísmo, ou terá de preferir a Paulo, entrando em uma esfera religiosa diferente. A tendência parecia permanecer com Jesus, e não levar muito a sério as idéias de Paulo.

A *controvérsia* acerca da suposta *diferença* entre Paulo e Jesus conduziu a uma investigação ainda mais detalhada sobre as origens do pensamento paulino. F.C. Baur explicava o pensamento de Paulo à base da controvérsia eclesiástica, isto é, Paulo era contrário ao judaísmo antigo, e, sendo o «helenizador» do cristianismo, fez declarações diversas que visam a afastar o cristianismo o mais possível do judaísmo. Schweitzer explicava que a origem do pensamento de Paulo era o seu problema escatológico peculiar, que era uma adaptação quase exclusiva das idéias do judaísmo posterior. Mas as pesquisas na história judaica não têm contribuído para consubstanciar essa idéia.

Outros, como R. Reitzenstein e W. Bousset, pensavam que tinham encontrado o manancial do pensamento paulino, em uma espécie de mistura das religiões misteriosas orientais helenistas e de elementos doutrinários do judaísmo. É verdade que os mistérios falavam de deuses que morriam e tornavam a viver, de «senhores» e de redenção por meio de sacramentos. Qualquer um que leia os clássicos, e suas adaptações religiosas posteriores, naturalmente verá os paralelos. (Ver o artigo separado sobre o *Período Intertestamental, Acontecimentos e Condições no Mundo, ao Tempo de Jesus*, que fala sobre a «religião» do mundo greco-romano). Estudos posteriormente feitos abrandaram o impacto dessa idéia, mostrando, acima de tudo, que tais idéias não eram totalmente estranhas ao pensamento judaico, especialmente ao pensamento judaico posterior. Finalmente, observamos que a idéia da «religião misteriosa» não conquistou muita aprovação, embora tenha continuado a exercer grande influência sobre os estudos acerca de Paulo.

Alguns também tentaram ligar o pensamento de Paulo com as idéias gnósticas, especialmente as idéias gnósticas acerca da natureza do mundo, seus muitos níveis de espíritos, autoridades, etc. (conforme alguns crêem estar refletido em Efésios e no primeiro capítulo de Colossenses). Sabemos, todavia, que essas duas epístolas de fato são livros escritos contra as formas iniciais da heresia gnóstica, e não é provável que Paulo tivesse apoiado um acordo justamente com a heresia que atacava. Essas idéias sobre muitos níveis de espíritos, autoridades, etc., eram comuns ao judaísmo posterior, e Paulo não teria que tomar de empréstimo dos primitivos gnósticos essas idéias. Alguns têm argumentado que a menção de Paulo sobre «principados», «poderes», «potestades», e «domínios» não significa que ele tivesse aceito como verídicos os muitos níveis de poderes espirituais nos lugares celestiais, mas que meramente ao usar esses termos, dizia que, sem importar quais poderes existam, Cristo é o cabeça desses poderes, sendo Deus sobre todos. Mas isso equivale a subestimar o pensamento de Paulo, pois parece perfeitamente claro, na análise dessas passagens, que Paulo aceitava tais níveis de poder, embora não os tivesse descrito. Bultmann aproximou-se mais da verdade ao mostrar que Paulo estava alicerçado no judaísmo helenista e no cristianismo helenista, que tem seus conceitos básicos de dualismo ético em uma redenção sacramental; porém, dizer, como Bultmann asseverou, que essas idéias foram *tingidas* pelo gnosticismo, é um erro; porque, segundo elas aparecem nas epístolas de Paulo, dificilmente precisamos atribuí-las a quaisquer idéias gnósticas.

Paulo concordava essencialmente com a declaração gnóstica de que existem vários níveis de seres espirituais, que existem princípios bons e maus neste mundo, cada qual investido de sua própria autoridade, tanto no céu como na terra. Porém, contrariamente aos gnósticos, o apóstolo ensinava que à testa de todos esses poderes avulta a pessoa de Cristo, que é o Deus e criador de tudo (ver Col. 2:8-16). Cristo *não pode* ser classificado em qualquer das categorias de espíritos. Os manuscritos do Mar Morto foram um embaraço para a identificação do gnosticismo com o pensamento paulino, segundo dizia Bultmann, posto que ali já se encontra expresso o *dualismo* ético que Paulo teria encontrado, supostamente, no gnosticismo, e que, subseqüentemente, teria influenciado a sua doutrina. Portanto, essas idéias são anteriores ao gnosticismo. Contudo, não havia necessidade de esperar pelo descobrimento dos manuscritos do Mar Morto para sabermos isso, pois, a simples leitura da literatura antiga nos fornece essas idéias básicas. Para começar, o estudioso deve ler Platão, onde se encontram todas as idéias dualistas que alguém poderia desejar. Outrossim, no gnosticismo primitivo, não há a doutrina da «descida de um redentor» (esse foi um desenvolvimento posterior, no gnosticismo, sobre o qual o apóstolo não teve conhecimento), o que mostra que é impossível que a idéia paulina tivesse sido tomada de empréstimo do gnosticismo. E assim tem continuado a controvérsia, em que vários autores assumem diversas posições em torno da questão, como é o caso de Grant, que vê Paulo como homem cujo mundo espiritual se situa entre as idéias apocalípticas judaicas e o gnosticismo plenamente desenvolvido do segundo século da era cristã. Ele acha que a tendência de Paulo, ao interpretar a ressurreição, era, entre outras coisas, torná-la *um triunfo* sobre os poderes cósmicos. (De fato, Col. 2:15 diz exatamente isso). Mas Paulo não tinha de apelar para o gnosticismo para encontrar essa idéia, porque a necessidade de tal triunfo era comum ao judaísmo posterior e o próprio Jesus expressou a mesma idéia, ao declarar: «Eu via a Satanás caindo do céu como um relâmpago», Luc. 10:18. Ver o artigo sobre *Satanás, Queda de*, que contém detalhes sobre este assunto que concorda com a tese de Paulo que a obra redentora de Cristo, finalmente, triunfará sobre todos os poderes cósmicos malignos.

Naturalmente, o próprio gnosticismo era sistema altamente misturado, pois tomava elementos emprestados da mitologia grega, da filosofia, das religiões misteriosas, de várias formas de misticismo oriental, e, diretamente, do próprio judaísmo, como também do cristianismo, depois que este surgiu na cena. Portanto, é quase impossível dizer-se, «Isto Paulo tomou por empréstimo do gnosticismo», até mesmo nos casos que parecem «empréstimos» feitos daquele sistema. O mais provável é que idéias que Paulo e os gnósticos tinham em comum, eram simplesmente pontos de concordância, sem que houvesse qualquer empréstimo direto. A tendência, mais recentemente, tem sido negar, ignorar ou suavizar a suposta «influência gnóstica sobre Paulo», à proporção que se vai entendendo melhor qual era o «meio ambiente de conceitos» do primeiro século. Não se pode negar, é claro, que muitas das idéias e expressões desse apóstolo refletem sua própria cultura, pelo que são

PAULO (APÓSTOLO)

«empréstimos» tirados das idéias correntes. Contudo, cremos que as grandes pedras fundamentais de sua doutrina se derivam de uma fonte superior, repousando sobre alicerce mais firme que a mera repetição de *idéias comuns a todos*. Levamos a sério sua reivindicação de haver recebido «muitas» revelações (ver II Cor. 12:1). Ele recebeu «visões e revelações», e fala de sua experiência no «terceiro céu», como ilustração desse fato. Ver Gál. 1 e Efé. 3:3 ss. Paulo era um místico de primeira ordem, e grande parte dos pontos distintivos do cristianismo repousa sobre suas visões, que se concretizaram nas Escrituras, preservadas para nós no Novo Testamento.

A discussão acima, sobre as origens do pensamento paulino, leva-nos à conclusão de que apesar de grande parte da doutrina de Paulo não ser geralmente ouvida dos lábios de Jesus, isto é, na exposição que os evangelhos fazem dos ensinos de Jesus, em coisa alguma estava em desacordo com os ensinos essenciais dele. Paulo não teve, por outro lado, de pedir emprestado as idéias do gnosticismo. Outrossim, pode-se observar que a discussão inteira sobre as «origens» conforme ela é apresentada pelos autores mencionados, ignora por completo a questão da inspiração, dando a entender que Paulo não era inspirado pelo Espírito Santo, segundo ele declarava que era, ou que ele não aprendeu o seu evangelho por revelação, conforme ele mesmo declarou (Gál. 1:12). A leitura das epístolas de Paulo não nos pode deixar de convencer que, quer isso expresse a verdade, quer não, o apóstolo pensava que aquilo que ensinava chegara ao seu conhecimento por meio de visões e revelações e que ele alicerçava o seu evangelho sobre esses fundamentos.

Mais especificamente, acerca de Jesus e Paulo, podem-se fazer as seguintes observações. Ver o artigo sobre *Jesus* que descreve Jesus, a sua identificação, o seu ministério e os seus ensinamentos. Na seção que aborda os seus ensinamentos, descobre-se que Jesus era bom representante do judaísmo, em sua forma mais excelente; mas é um erro vê-lo *apenas* como tal. Pois ele se reputava divino, igual ao Pai, em uma posição metafísica altamente exaltada. Por exemplo, consideremos a sua declaração: «Eu o sou; entretanto, eu vos declaro que desde agora vereis o Filho do homem assentado à direita do Todo-poderoso, e vindo sobre as nuvens do céu» (Mat. 26:64). O sumo sacerdote ficou extremamente perturbado ante essa declaração, e rasgou as próprias vestes, pois para ele tal declaração parecia uma grande blasfêmia. Outrossim, o capítulo vigésimo quarto de Mateus (o «pequeno apocalipse» como é chamado), ensina de maneira bem definida um Jesus metafísico altamente exaltado, e não meramente um rabino judeu que não tinha as credenciais fornecidas pelas escolas judaicas. Parece claro, pela narrativa dos dias finais de Jesus e sua crucifixão, que a principal acusação contra ele foi de que blasfemava, ao declarar-se mais do que um mero homem. O ponto de vista de Jesus sobre sua missão messiânica não se limitava à de um mero homem que cumpria uma incumbência. Para ele, *Messias* era um homem de origem celestial, dotado de um ministério celestial e terreno. Foi justamente esse o conceito que o levou à cruz, mas de fato ele não foi *apenas* um reformador. Sua declaração, em Mat. 20:28, que diz: «...tal como o Filho do homem, que não veio para ser servido, mas para servir e dar a sua vida em resgate por muitos», indica o conceito de Jesus acerca de sua vida e morte, cuja finalidade era oferecer expiação e vida espiritual, e não meramente servir de exemplo. A mesma verdade é destacada nos trechos de Mat. 26:26-29; Mar. 14:22-26 e Luc.

22:14-20, onde Jesus instituiu a ceia memorial, a qual indica que Jesus contemplava sua missão como realizadora da expiação e de uma redenção sacramental.

Não se pode dizer, por conseguinte, que Paulo tenha criado essa idéia, porquanto a sua passagem central sobre a questão — I Cor. 11:23-26 — é apenas uma compilação ou sumário do mesmo material de ensino que se reflete nos evangelhos. Portanto, a doutrina que alguns querem fazer-nos crer que foi tomada de empréstimo de alguma forma de gnosticismo ou de judaísmo helenizado, em realidade já estava presente nas palavras mesmas de Jesus.

A *expiação* subentende a idéia básica da justificação pela fé. Essa doutrina não é claramente ensinada nos evangelhos; e poucos afirmam tal coisa. Mas a expiação é o alicerce dessa doutrina, e de fato, todo o sistema sacrificial dos judeus aponta para esse ensino. A expiação só se torna **necessária** quando o indivíduo não é capaz de fazer tudo por si mesmo, ou seja, quando a *salvação*, o «livramento» está fora de seus próprios recursos. O judaísmo inteiro, pois, salientava essa verdade. É verdade que a doutrina formal da justificação pela fé não é esboçada nos evangelhos, embora existam ali as condições básicas que requeiram a sua delineação final. É verdade que Paulo foi além do que se lê nas palavras de Jesus, nos evangelhos, mas isso não significa, necessariamente, que ele tenha contradito o Senhor. Ninguém procura ocultar o fato de que o cristianismo é um desenvolvimento dos pontos de vista preliminares dos evangelhos, e, realmente, esse fato é confiantemente proclamado, pois o próprio Paulo, ao mencionar as revelações que recebeu, declara que as doutrinas da igreja lhe tinham sido dadas para serem expostas por ele. Também ninguém afirma que os evangelhos fornecem uma *clara* apresentação da igreja. A Paulo foi dado o privilégio de fazê-lo. Mas Jesus antecipou e mesmo predisse que a sua igreja seria uma comunidade religiosa separada do judaísmo. Por conseguinte, dificilmente alguém pode pensar em Jesus tão-somente como um reformador do judaísmo. Há *evidências* de que Jesus se alienou da corrente principal do judaísmo desde quase o princípio de seu ministério. De fato, já no décimo sexto capítulo do evangelho de Mateus vê-se que uma nova comunidade estava se formando. No décimo oitavo capítulo do mesmo livro vêem-se as regras básicas que os discípulos deveriam seguir em suas relações mútuas no seio da igreja. A partir do décimo sexto capítulo do evangelho de Mateus temos o arcabouço básico da «nova comunidade religiosa». Portanto, o que Paulo fez foi adicionar estatura a esse arcabouço, e, através das revelações que recebeu, indicou o destino da igreja, o qual, para sermos verazes, se encontra só nos escritos paulinos. Paulo nos fornece dimensões vastamente ampliadas acerca do destino do homem (que é descrito de modo breve sobre a seção «e» deste mesmo artigo). Ninguém afirma que Jesus, nos evangelhos, expôs qualquer coisa assim; mas as idéias não são contraditórias, e, sim, suplementares.

Devemos dar atenção à declaração de Paulo, em Gál. 2:2,6-8, onde ele mostra que propositalmente visou aos demais apóstolos, a fim de verificar se o seu *evangelho* não estava de acordo em alguma coisa com o que pregavam. Assim, descobriu que não havia desacordo algum, e, além disso, que nada podiam acrescentar ao que ele ensinava. Verificou que o evangelho de Pedro era igual ao seu, embora as suas esferas de atividade fossem diferentes, pois Pedro fora enviado aos judeus, ao passo que Paulo fora enviado aos gentios. Pedro confirma o fato com suas próprias

PAULO — PAULO, APOCALIPSE DE

palavras, no segundo capítulo de Atos, ao falar sobre a expiação. E em Atos 15:10, lemos que Pedro disse: «E não estabeleceu distinção alguma entre nós e eles, purificando-lhes pela fé os corações. Agora, pois, por que tentais a Deus, pondo sobre a cerviz dos discípulos um jugo que nem nossos pais puderam suportar, nem nós? Nessa oportunidade, como é claro, Pedro declarou a necessidade da «justificação mediante a fé». O ponto disso é que Paulo, quanto aos pontos básicos — sem pensarmos por enquanto sobre os grandes suplementos com que ele contribuiu para a mensagem cristã total, ou seja, as revelações especiais que recebeu — em coisa alguma estava em desacordo com os outros apóstolos quanto a essa doutrina.

Certamente os outros apóstolos, que andaram com Jesus durante três anos, conheciam perfeitamente a sua doutrina e as suas intenções, e não se teriam deixado *enganar* por Paulo, se seus ensinos estivessem equivocados. É verdade que os ensinamentos de Jesus, conforme os encontramos registrados, eram principalmente éticos, mas essa ética não é contrária ao cristianismo paulino. Também é verdade que muitas das idéias de Paulo não se encontram nos registros sobre as palavras de Jesus, isto é, o silêncio reina nesses particulares; mas o próprio Paulo foi o primeiro a admitir tal fenômeno, ao dizer que as *revelações* lhe confiaram explicações novas quanto ao destino da humanidade. Nada mais se pode fazer, no sentido de pesquisar o Jesus histórico, do que aceitar o testemunho daqueles que foram seus íntimos, que o viram e que o imitaram. Os outros apóstolos também declaram-no Senhor da glória, personagem de elevadíssima estatura metafísica. O evangelho de João é uma declaração expandida dessa verdade. E um pequeno fragmento desse evangelho intitulado P(52), definidamente escrito em cerca de 100 D.C., mostra que esse evangelho provavelmente foi escrito antes do ano 100 D.C. Assim sendo, temos no evangelho de João uma das primeiras interpretações apostólicas da pessoa de Jesus. Pedro declarou, no primeiro capítulo de sua primeira epístola, que aguardamos do céu o SENHOR, o aparecimento de Jesus Cristo (ver I Ped. 1:7), e que, através de sua morte e ressurreição, chega até nós a redenção e a expiação dos pecados (I Ped. 1:18-20). A passagem de II Ped. 1:17,18 menciona a glória da transfiguração que foi contemplada pelos apóstolos originais (conforme é descrita no décimo sétimo capítulo de Mateus), e isso faz parte da descrição de Jesus como personagem metafísico altamente exaltado, o *Senhor da glória*, conforme Paulo o denomina em I Cor. 2:8. No trecho de I Ped. 4:11 nos é ensinado o domínio eterno de Jesus. Portanto, concluímos que o «Jesus teológico» se destaca com grande evidência nos escritos dos apóstolos primitivos de Jesus, como Pedro. Se Pedro não era capaz de interpretar corretamente a pessoa de Jesus, após tão longa e intensa associação que teve com ele (e o livro de Atos reflete o alto conceito que os apóstolos tinham de Jesus como personagem metafísico), então resta-nos conjecturar para descobrir quem era realmente Jesus. É importante notar que também nessa particularidade, Pedro e Paulo estavam de pleno acordo. Pode-se dizer, pois, que não pode ser comprovada qualquer contradição entre Jesus e Paulo. O que permanece de pé, e ninguém se aventuraria a negá-lo, é que estava reservado a Paulo revelar, através do Espírito Santo, as doutrinas mais profundas sobre a natureza do mundo dos espíritos, e o chamamento e o *alto destino* da igreja, conforme o judaísmo jamais pudera imaginar, e que Jesus meramente indicou de passagem.

7. Como Paulo comprovou seu apostolado.
Uma multiplicidade de maneiras:

a. Ele foi diretamente comissionado por Cristo, o Senhor ressurrecto, para esse elevado ofício, o que fica implícito na sua pergunta, «...não vi a Jesus, nosso Senhor?...» Essa mesma idéia é expandida em Gál. 1:11 e *ss*.

b. Seu poderoso ministério é salientado como uma prova do caráter genuíno de seu ministério, prova de sua comissão divina. E isso é declarado através da seguinte pergunta: «...acaso não sois fruto do meu trabalho no Senhor?...» Essa idéia é desenvolvida em várias outras passagens, como no segundo capítulo da epístola aos Gálatas, embora o seja mais particularmente ainda nos capítulos décimo a décimo segundo da segunda epístola aos Coríntios. Por essa razão é que Paulo pode asseverar: «...trabalhei muito mais do que todos eles...» (I Cor. 15:10). E isso não constitui uma reivindicação de pouca monta, proveniente como foi do contexto do cristianismo do primeiro século, quando foram realizados labores realmente extraordinários.

c. O trecho dos capítulos décimo a décimo segundo da segunda epístola aos Coríntios nos fornece outras provas do apostolado de Paulo, incluindo suas experiências místicas e visões, que foram dadas a Cristo para confirmar o seu ministério e autoridade, bem como para aumentar a sua eficácia. (Ver especialmente o décimo segundo capítulo da citada epístola).

d. Os sofrimentos especiais pelos quais Paulo passou também são apresentados como provas de seu ofício apostólico. (Ver II Cor. 11:23 e *ss*).

e. Operações miraculosas, levadas a efeito por meio de dons especiais do Espírito Santo, também tiveram por propósito servir de prova de verdadeiros apóstolos de Cristo. Os trechos de II Cor. 12:12 e o nono capítulo do livro de Atos em diante fornecem provas tanto das grandes realizações como dos extraordinários sinais operados por Paulo, tudo o que fazia parte integrante de seu ministério apostólico. Grande porção do livro de Atos serve de demonstração desses fatos, embora esse livro do N.T. não tenha sido escrito diretamente com essa finalidade, visto que, para Lucas, não havia necessidade alguma de apresentar defesa do apostolado de Paulo, já que o próprio Espírito de Deus lhe autenticava o ministério.

f. O elevadíssimo conhecimento espiritual de Paulo, bem como o fato de que ele atuava como instrumento para revelar à igreja cristã o seu exaltado destino, no que Paulo se destacou acima de qualquer outro homem da história, também serve de prova de seu apostolado. Todas as suas epístolas, bem como os sublimes ensinamentos ali contidos, ilustram esse ponto (ver II Cor. 11:6 e Gál. 2:2 e *ss*).

g. Paulo foi um *instrumento especial* no avanço do evangelho de Cristo, tendo sido escolhido para essa tarefa desde o berço, tendo sido preservado para a mesma, até mesmo durante seus anos de rebeldia (ver Gál. 1:13-24). A leitura dos trechos dos capítulos primeiro e segundo da epístola aos Gálatas e dos capítulos décimo segundo da segunda epístola aos Coríntios, fornece-nos várias outras provas menos decisivas, como aquelas aqui mencionadas, em defesa do apostolado de Paulo.

8. Paulo e Tiago Ver **Tiago (Livro)**, VII.
Bibliografia. AM DEIS (1926) EN IB ID ND NTI POR RID TI W WIK WR Z

PAULO, APOCALIPSES DE

Existem **duas** dessas obras que chegaram até nós.
O Impulso de Escrever. Ver os comentários sobre esse ponto no artigo intitulado *Paulo, Atos de*. As

PAULO — PAULO, ATOS DE

pessoas não permitem que os grandes homens descansem. Foi apenas natural que atos, epístolas e apocalipses viessem à existência, atribuídos a Paulo. Esse era um antiqüíssimo hábito literário, que não aprovaríamos hoje em dia, mas que os antigos não sentiam ser uma prática errada. Um herói era exaltado mediante um livro escrito em seu nome, e as pessoas não faziam objeção a esse tipo de produção. Paulo foi um grande místico (ver sobre o Misticismo), pelo que alguns antigos autores julgaram que seria estético-se um apocalipse fosse escrito em seu nome.

Talvez a declaração de Paulo, em II Cor. 12:1-4, de que ele havia recebido revelações que incluíam coisas que não podiam ser ditas por meio de palavras, tenha servido de inspiração para obras desse jaez. Mas, agora, estando no paraíso, tais revelações podiam ser dadas ao público. Naturalmente, os escritores de apocalipses não precisavam de tais desculpas para dar livre curso à sua fértil imaginação; mas algo assim deve ter cruzado a mente dos autores dessas obras.

I. O Apocalipse de Paulo, existente em grego, em forma abreviada, mas em uma versão mais completa em vários manuscritos traduzidos para o latim e o cóptico, provavelmente é a mesma obra mencionada por Agostinho a que foi condenada pelo *Decretum Gelasianum*. Presumivelmente, essa obra fora deixada na casa de Paulo, em Tarso, e que, por um grande golpe de sorte, o livro foi descoberto por alguém, para ser apresentado ao mundo. No entanto, a visão do livro teria sido dada a um ocupante da casa já durante o reinado de Teodósio, o que data o livro como pertencente ao fim do século IV D.C., ou mesmo no começo do século V D.C.

Conteúdo:

1. Deus queixa-se (aos moldes do livro de Gênesis) dos muitos pecados dos homens. Anjos trazem-Lhe relatórios, noite e dia, acerca dos males que se vão multiplicando.

2. Paulo é arrebatado ao terceiro céu e vê o julgamento (típico) de duas almas, uma boa e outra má.

3. No paraíso, Paulo encontra-se com Enoque, atravessa o lago Aquerúsio, e visita a cidade de Cristo, circundada por doze muralhas, com doze torres e doze grandes portões, tudo de estonteante beleza.

4. Paulo contempla os condenados no inferno, sofrendo todo tipo de terrores, e, tendo compaixão deles, intercede por eles e obtém para eles descanso, no dia e na noite do dia do Senhor, o domingo.

5. De volta ao paraíso, ele encontra-se com ilustres profetas e santos homens como Abraão, Isaque, Jacó, Moisés, vários profetas do Antigo Testamento, Zacarias, João Batista, e, por último, Adão.

6. Diferentes manuscritos terminam de diferentes modos. Os manuscritos grego, latino e siríaco terminam quando Paulo encontra-se com Elias e Eliseu (Zacarias não aparece no relato). O siríaco adiciona alguns detalhes, incluindo como o livro fora registrado, como fora oculto (por causa do que Paulo foi repreendido pelo Senhor, visto que o livro destinava-se à publicação, e não a ser ocultado). A versão cóptica fala sobre uma terceira visita ao céu. Alguns eruditos pensam que tudo quanto é dito após o encontro de Paulo com Adão representa adições feitas por escribas posteriores. Outros pensam que o fim do livro é no ponto onde os condenados no inferno obtêm descanso aos domingos. Porém, o arrebatamento de Paulo, no Monte das Oliveiras, parece ser a conclusão mais apropriada, o que talvez correspondia ao original. Todavia, as variações existentes nos diversos manuscritos impossibilita-nos qualquer certeza quanto a essa particularidade. O fato de que há variantes (histórias obviamente originadas na mesma fonte informativa, mas com diferentes distorções) mostra-nos que vários escribas puderam manipular a produção, o que talvez tenha ocorrido durante um longo período de tempo.

Outras Obras Utilizadas. O livro dá provas de que o autor (ou autores) estava familiarizado com os Apocalipses de Elias, Sofonias e Pedro. Algum material foi extraído do capítulo vinte e um do Apocalipse canônico e do segundo capítulo do livro de Gênesis. A mitologia grega é mesclada com a narrativa, segundo se vê na menção a Aquerúsia, ao Tártaro e à jornada de bote (Carom e o rio Estix).

Influência. Obras como essa influenciaram as opiniões das pessoas acerca do céu e do inferno. Descrições similares encontram-se nos escritos medievais a respeito da vida após-túmulo, incluindo o *Inferno* de Dante.

II. O Apocalipse de Paulo, contido no códex V da biblioteca de Nag Hammadi, é a segunda das obras dessa natureza a trazer o nome de Paulo. Essa é a primeira de quatro obras existentes naquele códex. Um meio ambiente artificial é criado para os acontecimentos. A visão teria sido recebida na fictícia «montanha de Jericó», que então se torna uma espécie de pseudo-Sinai.

Conteúdo:

1. Na alegada montanha de Jericó, Paulo encontra-se com os doze apóstolos de Cristo. É então arrebatado ao paraíso, e o drama tem início.

2. Ele sobe ao terceiro céu, e em seguida ao quarto. Ali ele é testemunha ocular do julgamento de uma alma. Três testemunhas oculares condenam a tal alma, de acordo com os requisitos de Deu. 19:15. Como castigo, a alma é condenada a encarnar-se em um corpo humano. Isso provavelmente concorda com idéias platônicas, de acordo com as quais uma jornada em um corpo físico é um castigo para uma alma preexistente, uma idéia aproveitada pelo judaísmo helenista. Poderia apontar para a reencarnação. Essa alma não conseguira chegar, por seus merecimentos, à glória, pelo que foi enviada à terra para outra tentativa, uma idéia de Platão e também do farisaísmo.

3. Paulo continua subindo, até o sétimo céu, onde se encontra com um idoso homem. No outro Apocalipse, esse homem é chamado de Enoque; mas, neste, seria meramente um guardião. Paulo prossegue subindo, até o décimo céu; mas não há descrições a respeito.

4. A partir do quarto céu, Paulo olha para a terra, lá em baixo, onde vê muitos juízes divinos ocorrendo. As descrições são breves e destituídas de imaginação.

5. Não há conexão entre este e o outro Apocalipse de Paulo, embora algum material similar possa ser encontrado em ambos. (HEN JAM Z)

PAULO, APÓSTOLO, TEOLOGIA (ENSINOS) DE

Ver o artigo geral sobre *Paulo*, seção II, quinto ponto, *A Doutrina de Paulo*. Outras porções desse mesmo artigo abordam outras doutrinas paulinas, especialmente em sua sexta seção; e vários outros grandes temas paulinos aparecem em outros artigos, os mais importantes dos quais são alistados na seção acima referida. Ver também, **Paulo, Ética de**.

PAULO, ATOS DE
(PAULO E TECLA, ATOS DE)

Ver também *Paulo, Paixão de Paulo*, uma versão

PAULO, ATOS DE

latina de certa porção dessa mesma obra.

Esboço:
1. O Impulso de Escrever
2. Informações Históricas sobre os Atos de Paulo e Tecla
3. Caráter Geral
4. Natureza Teológica da Obra
5. Data e Fontes Informativas
6. Manuscritos

1. O Impulso de Escrever

As vidas dos grandes homens provocam uma reação. O gênio requer ação. Ele jamais se satisfaz com a indiferença generalizada. Lendas e histórias são escritas sobre esses homens; e, algumas vezes, é difícil distinguir a lenda do que é histórico. Paulo foi um desses indivíduos que provoca grande reação. Além do nosso Novo Testamento, do qual mais de trinta por cento pertence a Paulo (e cuja narrativa ocupa uma grande porção do livro canônico de Atos), também surgiu um bom número de obras apócrifas que têm por intuito contar-nos o que Paulo fez e disse. Assim, há os *Atos de Paulo* (também chamado Atos de Paulo e Tecla); os *Atos de André e Paulo;* o *Apocalipse de Paulo;* as *Cartas de Paulo e Sêneca* e a *Paixão de Paulo.* Esta enciclopédia contém artigos sobre todas essas obras. Ver também o artigo sobre os *Livros Apócrifos do Novo Testamento.* Apesar de poder haver, aqui e acolá, algumas narrativas e declarações autênticas, as obras apócrifas usualmente não passam de produtos da imaginação, uma propaganda em favor das doutrinas favoritas de seus autores. O *gnosticismo* (vide) foi a grande força isolada por detrás da produção dos livros apócrifos, embora nem todos tivessem provindo desse movimento.

2. Informações Históricas sobre os Atos de Paulo e Tecla

Tertuliano (*Sobre o Batismo,* 17) informa-nos esse livro foi escrito por um presbítero da Ásia Menor, que foi removido de seu ofício por haver produzido essa obra espúria, embora não tenhamos razão para duvidar de sua palavra que ele escreveu «movido pelo amor a Paulo». Hipólito e Orígenes também conheciam essa obra, e podemos supor que a mesma foi escrita no século II D.C. Eusébio (*Hist.* III.25) também chamou essa obra de «espúria», o mesmo termo que usou para descrever o livro *Pastor de Hermas,* como também *Barnabé* e o *Apocalipse de Pedro.* No entanto, os Atos de Paulo foram incluídos no catálogo do Codex Claromontano (designado D(2)). Os pais da Igreja em geral rejeitaram a obra, e quando os maniqueanos consideraram-na autoritária, ela veio a cair completamente no descrédito, dentro da corrente principal do cristianismo.

3. Caráter Geral

A obra contém uma seção acerca de Tecla e seu relacionamento com Paulo, o que explica o nome alternativo do livro. Ela interrompeu o seu noivado e permaneceu na virgindade, por amor ao evangelho. Uma das principais finalidades da obra foi exatamente essa: a exaltação da virgindade. Uma outra seção contém uma alegada correspondência de Paulo com os crentes de Corinto. E ainda uma outra seção encerra um relato lendário sobre o martírio de Paulo. Do começo ao fim do livro encontramos notáveis milagres de mistura com a biografia de Paulo, a começar pela sua conversão, no caminho de Damasco. A história de Tecla é geograficamente situada em Icônio. O noivo de Tecla ficou obviamente perturbado diante da influência exercida por Paulo sobre a jovem; e isso levou-o a criar uma agitação que resultou no fato de Paulo ser açoitado e expulso. A própria Tecla foi condenada a morrer na fogueira; mas uma súbita e pesada chuva salvou-lhe a vida. Em Antioquia, ela teve de enfrentar as feras; mas, novamente, foi miraculosamente salva da morte. Uma característica típica das obras apócrifas é que milagres extraordinários originam-se de toda parte, à medida que a narrativa avança.

Em Mira. O evangelho dividiu ali famílias, conforme Jesus predissera que aconteceria. Nesse lugar, Hermócrates, sua esposa, Ninfa, e seus filhos, Diom e Hermipos, foram as principais personagens. Os membros da família, com exceção de Hermipos, foram ganhos para Cristo por Paulo; mas, finalmente, até ele aderiu à verdade. E assim a família, antes dividida, acabou unida.

Em Sidom. Paulo foi aprisionado no templo de Apolo; mas, previsivelmente, o templo ruiu e libertou o apóstolo. Os acontecimentos tiveram lugar em Tiro, mas foi danificado o manuscrito que contava essa história.

Em Esmirna e Éfeso. Paulo passou por Esmirna e chegou a Éfeso. Chegando ali, ele pregou na casa de Áquila e Prisca. Foi submetido a julgamento e condenado a lutar contra as feras. Segundo as coisas sucederam, Paulo havia antes batizado um leão! E foi justamente esse o leão encarregado de comê-lo. Naturalmente, o leão recusou-se a morder o apóstolo. História fantástica!

Em Corinto. Segue-se uma espúria correspondência paulina com os crentes de Corinto, incluindo a história da ressurreição de Frontina, uma filha de Longino. Paulo embarcou de Corinto, partindo em direção à Itália. O capitão do navio, Artemão, fora batizado por Pedro, e a viagem ocorreu de maneira relativamente pacífica.

Em Roma. O relato fala sobre muitos convertidos na capital do império, inclusive na casa de César, onde Pátroclo, o copeiro-mor do imperador, converteu-se. Ele caiu de uma janela, mas foi restaurado à vida por Paulo. A pregação de Paulo, na prisão, resultou em conversões, incluindo a do prefeito Longo e a do centurião Cesto. Posteriormente, foram batizados por Lucas e Tito, perto do túmulo de Paulo, quando este já havia sofrido o martírio. Esse foi um toque dramático apropriado, provido por um autor que teria tido uma interessante, mas imaginária viagem em companhia de Paulo e seus amigos.

4. Natureza Teológica da Obra

A obra *Atos de Paulo* enfatiza a virgindade, embora não seja uma produção gnóstica. Nega as especulações gnósticas, dá apoio ao Antigo Testamento e sustenta a doutrina da ressurreição e defende um elevado código moral. Advoga o poder de Deus, mas, com freqüência envolve aplicações triviais e exageradas.

5. Data e Fontes Informativas

O segundo século da era cristã provavelmente foi o tempo em que essa obra apócrifa foi escrita. O fato de que Hipólito e Orígenes citaram a obra, no século III D.C., elimina a possibilidade de uma data muito posterior. É desapontador que uma obra cristã tão antiga não tenha muita coisa sólida a dizer. O livro faz empréstimos das obras canônicas de Atos e de algumas epístolas paulinas; é uma espécie de duplicação do *Quo Vadis,* relativo a Pedro, e que foi preservado no livro apócrifo *Atos de Pedro.* Talvez lendas locais sobre homens santos (cristãos e pagãos) tenham sido incorporadas em certos casos, e aplicadas a Paulo. Talvez a história de Tecla tenha sido inspirada pela vida de alguma santa mulher, cuja vida foi piedosa. Porém, a imaginação ali correu

PAULO, ATOS DE — PAULO, ÉTICA DE

solta. O autor não teve a intenção de apresentar um substituto para o livro canônico de Atos, mas tão-somente quis contar uma história interessante, que promoveria alguns de seus ideais e idéias, além de exaltar a pessoa de Paulo.

6. Manuscritos

As três divisões da obra, ou seja, os Atos de Paulo e Tecla, o martírio de Paulo e a correspondência apócrifa com os coríntios (uma espécie de pseudo III Coríntios), sobreviveram em fragmentos separados, em diversos idiomas. Mas a descoberta do Papiro Óptico Heidelberg (em 1894), revelou que as três partes pertenciam todas ao livro geral *Atos de Paulo*. A obra original continha cerca de 3600 linhas, em comparação com as 2800 linhas do livro canônico de Atos; mas a maior parte daquelas linhas perdeu-se com o tempo. A obra apresenta um esforço ambicioso, mas que produziu pouco. Diferente do livro canônico de Atos, os *Atos de Paulo* quase não demonstram estrutura. Paulo simplesmente achava-se em uma longa viagem, indo de lugar para lugar, sem qualquer quartel-general de onde partia e para onde retornava. Mas, tal como no caso do livro canônico de Atos, as suas vagueações, finalmente, levaram-no a Roma.

Um notável fragmento do livro foi publicado com o manuscrito Papiro Bodmer X, que data do século III D.C. Um outro notável fragmento do mesmo é o papiro grego de Hamburgo. (HEM M(1964) Z)

PAULO, ATOS DE ANDRÉ E

Ver sobre **André e Paulo, Atos de.**

PAULO, ÉTICA DE

Esboço:
I. A Natureza Revolucionária da Ética Paulina
II. Os Frutos do Espírito; as Virtudes Cardeais
III. A Base de Toda Ação Ética
IV. A Ética Paulina e a Lei
V. A Presença Transformadora; o Propósito da Ética
VI. Pressupostos da Ética Paulina
VII. Uma Citação Notável

Ver o artigo separado sobre *Paulo*, especialmente a seção II, quinto ponto, onde os ensinamentos de Paulo são apresentados e onde damos uma lista de títulos de artigos separados, que desenvolvem temas paulinos individuais. O presente artigo examina os ensinos de Paulo no tocante à conduta cristã ideal. Ver também sobre *Ética*, seção IX, *Ética Teísta*, que aborda questões importantes da doutrina paulina. Ver também *Ética Cristã; Ética de Jesus* e *Ética Patrística*.

I. A Natureza Revolucionária da Ética Paulina

Deveríamos começar considerando quão revolucionária era a visão ética de Paulo. Paulo, o ex-fariseu, rejeitava a lei como base da prática ética! Esse fato não foi visto claramente por muitos dos antigos pais da Igreja, ficou inteiramente esquecido na doutrina da Igreja Católica medieval, e nem chegou a ser restaurado à Igreja pelos reformadores protestantes. Esses reformadores, embora tivessem eliminado a lei como base da justificação, esqueceram-se de que a lei também não é o guia da conduta cristã ideal.

A doutrina paulina, por sua parte, era que o Espírito é agora o padrão e o guia da ética. Em outras palavras, um código escrito foi substituído por experiências místicas, a saber, a capacitadora Presença de Deus. Quando Paulo afirmou que o crente não está debaixo da lei (ver Rom. 3:19; 6:14,15; Gál. 3:10, 23-25; 4:2 ss; 5:18), quis dizer que não está debaixo da lei nem como medida justificadora e nem como medida santificadora, mas sob a influência e orientação do Espírito de Deus. O *galacianismo* (vide) é aquela falsa doutrina que o crente, uma vez justificado pela fé, agora está debaixo da lei como sua norma de vida. No entanto, é a lei do Espírito que nos torna livres, vivos e espiritualmente crescentes (ver Rom. 8:2,3). O contexto dessa passagem inclui a santificação. Essa é uma operação do Espírito, que a lei jamais poderia realizar. Aqueles que cogitam das cousas do Espírito são precisamente aqueles em quem reside o poder do Espírito (ver Rom. 8:5). A Presença do Senhor, o Espírito, é que faz toda a diferença, e não os nossos esforços por nos ajustarmos a algum código; e assim, sem aquela *Presença*, já teremos sido derrotados em nossa batalha contra o pecado. Os vários aspectos do fruto do Espírito são produtos do Espírito, conforme se aprende abaixo, na segunda seção.

II. Os Frutos do Espírito; as Virtudes Cardeais

Em Gál. 5:22,23, Paulo expõe a metáfora agrícola. Somos o campo onde são produzidos os vários aspectos do fruto do Espírito. O Espírito é o agricultor que planta a semente, que rega e lhe transmite vida. Tais virtudes são produzidas em nós, e tornam-se expressões permanentes de nossa natureza básica, porquanto estamos sujeitos a uma transformação moral e espiritual real. Daí vem a nossa transformação metafísica, que nos leva a compartilhar da própria imagem e natureza de Cristo, ou seja, que nos torna participantes da natureza divina. Ver o artigo separado intitulado *Transformação Segundo a Imagem de Cristo*, onde oferecemos detalhes sobre essa doutrina. Ver também sobre a *Santificação*. A atuação ética do crente é grande demais para ser reduzida a um código escrito. Antes, requer a direta intervenção do Espírito de Deus. Isso faz parte da herança do evangelho. Temos apresentado um detalhado artigo sobre o *Fruto do Espírito*, que expõe os princípios gerais envolvidos e descreve as virtudes cristãs cardeais.

III. A Base de Toda Ação Ética

O amor é o solo onde são cultivadas todas as virtudes cristãs. Temos apresentado um longo artigo, com várias citações ilustrativas, sobre esse assunto. É significativo que a lista paulina dos vários aspectos do fruto do Espírito seja encabeçada pelo amor, a maior de todas as virtudes. Além disso, algures, esse apóstolo refere-se à fé, à esperança e ao amor como as três principais expressões cristãs, dentre as quais a maior é o amor (ver I Cor. 13:13). O amor é divino; o amor é cultivado em nós pelo Espírito de Deus. O amor transforma; o amor é o cumprimento mesmo da lei, seu espírito e condicionamento (ver Rom. 13:10).

IV. A Ética Paulina e a Lei

Na primeira seção deste artigo, mostrei que a ética ensinada por Paulo era revolucionária, mormente considerando-se que ele fora um fariseu, para quem a lei de Moisés havia sido a norma de toda crença e ação. Não obstante, Paulo asseverou que a sua doutrina não anulava a lei (Rom. 3:21). Antes, em sua mente, ela «confirmava» a lei. Porém, quando lemos a explicação dele, vemos que esse estabelecimento da lei não é exatamente aquilo que a mente judaica teria antecipado por meio dessa expressão. Pois Paulo não confirmava a lei nem como poder justificador e nem como poder santificador, mas tão-somente como uma apta ilustração e demonstração da pecaminosidade do pecado. A lei empresta ao pecado o seu poder, porque, sem lei, o pecado jamais teria podido ser imputado aos homens. Mediante a lei vem o «pleno conhecimento» do pecado (ver Rom. 3:20). O pecado, pois, é revivido pela lei (ver Rom. 7:9). Mas a lei nada faz para ajudar-nos a pôr em obras aquilo que pensamos ser melhor (segundo o sétimo capítulo de Romanos demonstra abundantemente), e nem nos capacita a agir em conformidade com a ética cristã. A conclusão do sétimo capítulo de Romanos é que precisamos de Jesus Cristo para cumprir essas funções; e o seu oitavo capítulo ilustra ainda mais esse conceito, salientando o ministério do Espírito Santo em nós, sendo ele o alter ego de Cristo.

A função do amor. Os dois grandes mandamentos consistem em amarmos a Deus de todo nosso coração, forças e mente, bem como ao próximo como a nós mesmos. Essa idéia já aparecia no Antigo Testamento, mas foi confirmada por Jesus (ver Mat. 22:37,38). E Cristo adicionou que a lei depende inteiramente desses dois princípios fundamentais (vs. 40). Paulo repetiu a essência dessa verdade ao afirmar que o amor é o cumprimento da lei inteira, porque aquele que ama não fará qualquer coisa prejudicial (Rom. 13:10). Ver o artigo separado sobre o *Amor*.

A letra mata; o Espírito transmite vida. Temos aqui outra maneira pela qual Paulo falava da relação entre a lei e o Espírito de Deus. Ver II Cor. 3:6. É evidente que aquilo que mata sob hipótese alguma pode ser uma medida justificadora ou santificadora. Paulo chamou a lei de «ministério da morte» (II Cor. 3:7), como também em «véu» que entenebrece o entendimento (II Cor. 3:15). A conclusão de seu argumento é uma das mais nítidas declarações acerca da transformação que nos é conferida em Cristo. Cristo é um espelho espiritual; e, quando nos contemplamos nesse espelho, vamos sendo transformados em sua própria imagem. Essa transformação passará por estágios, por toda a eternidade, até que cheguemos a compartilhar de sua imagem e natureza (II Cor 3:18). Isso posto, a verdadeira ética requer o toque místico, a Presença de Deus, que nos transforma.

V. A Presença Transformadora; o Propósito da Ética

Acabamos de ver, em II Cor. 3:18, qual é o propósito da ética. Seu alvo é a conduta ideal. Mas nisso encontramos o processo da santificação (vide). À medida que um homem vai sendo santificado, também vai sendo metafisicamente transformado. Esta não pode ocorrer sem aquela. Ambas as coisas, por sua vez, dependem de um gradual e significativo desenvolvimento espiritual. O homem bom não se tornou bom porque seguiu algum código, e, sim, mediante a sua comunhão com o Espírito, o toque místico. Ver sobre o *Misticismo*. Não basta alguém ler a Bíblia e orar. Também é mister que ele medite, ponha em prática as boas obras, siga a santificação, faça uso dos dons espirituais; mas, acima de tudo, é mister que receba os toques místicos, que realmente lhe desenvolvem a espiritualidade. O homem que coerentemente emprega esses métodos e busca ao Senhor tornar-se-á um gigante espiritual, e haverá de naturalmente agir como lhe convém. Mas a sua conduta será parte do quadro maior do desenvolvimento espiritual em geral que o estará conduzindo à participação na imagem moral e metafísica de Cristo, o Filho de Deus. Ver o artigo intitulado *Transformação Segundo a Imagem de Cristo*, quanto a uma declaração completa sobre esses princípios.

VI. Pressupostos da Ética Paulina

1. A lei é inadequada tanto para a justificação quanto para a santificação.
2. O homem justificado e regenerado é aquele que porá em prática a conduta ideal, em um grau que agrade a Deus.
3. Há um ministério do Espírito Santo, que é eficaz.
4. O desenvolvimento espiritual em geral tornará esse ministério uma realidade.
5. A conduta ideal não é algo isolado do resto dos propósitos atinentes à espiritualidade. Antes, faz parte do processo geral mediante o qual o crente vai sendo transformado segundo a imagem de Cristo, levando-o a compartilhar de sua natureza e atributos, incluindo os atributos morais.
6. As virtudes cristãs cardeais são outros tantos aspectos do fruto do Espírito, que ele cultiva no homem.
7. Aqueles que estão «em Cristo» (uma expressão usada por mais de cento e cinqüenta vezes nos escritos paulinos) são aqueles que desfrutam de comunhão com o Espírito Santo. Todos os crentes precisam do toque místico. Precisamos da Presença de Deus. A conduta ideal é resultante disso, e não de algo que podemos produzir mostrando-nos obedientes a algum código. Um homem *em Cristo* é uma *nova criação* (ver II Cor. 5:17).
8. O homem que está «em Cristo» tem a lei de Cristo em seu coração (ver I Cor. 9:21; Gál. 6:2). E também é possuidor da mente de Cristo (ver I Cor. 2:16).

VII. Uma Notável Citação

«A ênfase primária de Paulo, na expressão da vida cristã, não recaía sobre a adição de virtude a virtudes, na formação do caráter, e nem sobre uma compilação de certas «virtudes cardeais», conforme pensavam quase todos os antigos moralistas. Antes, o apóstolo frisava uma personalidade permeada pelo Espírito, bem como o 'fruto do Espírito', que vai sendo produzido na vida do crente por atuação do Espírito, com o resultado que a vida de Cristo passará a manifestar qualidades como 'amor, alegria, paz, paciência, bondade, benignidade, fidelidade, mansidão e domínio próprio' (Gál. 5:22,23; comparar com Efé. 5:9). Uma das constantes designações dadas por Paulo ao ideal ético é a expressão grega *tò kalón* (ver Rom. 7:18,21; II Cor. 13:7; Gál. 6:9; I Tes. 5:21), uma expressão usualmente traduzida por *belo, bom, excelente, honroso*. O conceito incorpora nuanças religiosas, racionais, morais e estéticas, e aponta para atividades agradáveis aos olhos de Deus, dirigidas racionalmente, moralmente honrosas, realizadas com graça. Esse é o tipo de ética que o indivíduo *em Cristo* deve expressar com 'magnanimidade de espírito' (*tò epieikés*), para com todos os homens (Gál. 6:9,10; Fil. 4:5), mas, sobretudo para com os *domésticos da fé* (Gál. 6:10)». (H)

PAULO, PAIXÃO DE

A obra **Atos de Paulo** (vide) consiste em três seções principais: os Atos de Paulo e Tecla; o Martírio; a correspondência apócrifa com os coríntios. Na transmissão desse material, alguns manuscritos contêm apenas uma dessas seções, como se a mesma fosse uma obra distinta. Uma revisão latina do Martírio de Paulo veio a tornar-se conhecida como *Paixão de Paulo*, embora isso não signifique uma composição literária separada. Essa obra foi atribuída a Lino, o sucessor de Pedro na sé de Roma, segundo alguns pensam. Essa versão latina encerra algumas notáveis adições, como a alegada admiração de Sêneca pelo apóstolo Paulo (ver *Paulo e Sêneca, Cartas de*), e como a estória de *Plautila*. Alegadamente a caminho da execução, Paulo pediu emprestado dela um lenço, prometendo devolvê-lo mais tarde. Paulo foi executado, e, na volta, os soldados

PAULO, SÉRGIO — PAULO E TECLA

zombaram de Plautila, acerca do lenço. Mas ela lhes contou uma visão que tivera pouco antes, e dramaticamente mostrou-lhes o lenço—todo manchado de sangue! Um toque literário carregado de emoção! Se essa estória fizesse parte do Novo Testamento canônico, seria recontada em incontáveis sermões e encenada em muitas produções teatrais. (LIP Z)

PAULO, SÉRGIO
Ver sobre **Sérgio Paulo**.

PAULO DE SAMOSATA

Não se conhecem suas datas com precisão, mas sabe-se que ele foi bispo de Antioquia de 260 a 272 D.C. Ele foi o mais famoso expositor e dinâmico representante do *monarquianismo* (vide), uma doutrina surgida nos séculos II e III D.C., que salientava a unidade (monarquia) da natureza divina, em contraste com distinções pessoais, segundo se vê na doutrina da trindade. O artigo acima referido apresenta várias versões da idéia.

Paulo de Samosata pensava que o poder do *Logos* inspirara o homem Jesus, o qual teria nascido de uma virgem. Em face das operações do Logos, Jesus foi unido moralmente ao Pai, embora não tendo havido uma unidade de natureza. E Jesus teria sido exaltado à posição de ser divino, mediante a ressurreição dentre os mortos, por causa da obra que realizou e da pessoa que era.

Os eruditos não concordam acerca da interpretação de Paulo de Samosata sobre o *Logos*. Certamente ele não vinculava essa idéia à idéia trinitariana. De acordo com a doutrina de Paulo de Samosata, Deus existiria único e solitário, pelo que o termo *Logos* pode ter sido usado por ele somente como uma maneira poética de aludir às manifestações e à influência de Deus. Ou, então, ele pode ter crido que o Logos a princípio existiu imanente no único Deus, para então receber uma existência quase hipostática, no decurso dos atos criadores de Deus. Essa *hipóstase* (vide), entretanto, não envolveu alguma pessoa separada, segundo se vê na doutrina da Trindade. Certos trechos dos escritos de Paulo de Samosata parecem conferir ao Espírito Santo uma existência separada. No entanto, parece que ele era essencialmente um unitário. Assim, parece melhor interpretar que as hipóstases concebidas por ele (o Logos e o Espírito) seriam apenas modos funcionais do único Deus, e não, em qualquer sentido, substâncias ou pessoas distintas.

Trindade Econômica: Esse é o termo empregado pelos teólogos para referirem-se a um tipo de doutrina trinitariana em que o Deus único manifesta-se de diferentes modos, como Filho (o Logos) ou como Espírito. Mas essas manifestações, de acordo com esse ponto de vista, devem ser entendidas como atividades de Deus, e não como pessoas divinas separadas, que compartilham da mesma essência divina. Na divina economia das coisas, ou seja, na maneira como ele se relaciona com os homens, Deus manifesta-se de diferentes maneiras, embora não seja um Deus em três Pessoas. Ver o artigo intitulado *Trindade Econômica*. Alguns vêem em Paulo de Samosata um ponto de vista *binitariano*. Ver sobre o *Binitarianismo*. Seja como for, sem importar qual tenha sido a cristologia de Paulo de Samosata, suas idéias foram condenadas no terceiro dos três sínodos efetuados em Antioquia, entre 264 e 269 D.C., e ele foi excluído. Mas Paulo de Samosata continuou propalando as suas crenças, e conseguiu um bom número de seguidores. Isso parece haver resultado em um pequeno cisma na Igreja antiga, que perdurou até o concílio de Nicéia.

PAULO E SÊNECA, CARTAS DE

1. *Um Acontecimento Natural*

Qualquer pessoa que tenha lido as obras de Sêneca poderá reconhecer um fundo comum de declarações e idéias que Paulo e Sêneca defendiam igualmente. Mas isso não é surpreendente, porque ambos tinham uma formação no estoicismo romano. Uma observação desse fenômeno aparentemente serviu de inspiração a essas pseudocartas, que, alegadamente, representam uma correspondência mantida entre esses dois homens. Porém, aqueles que lêem somente o Novo Testamento, não tomam consciência dessas fontes informativas. Não nos deveríamos esquecer que Paulo nasceu em Tarso, um dos centros da erudição estóica, que Paulo recebeu ali uma notável educação, levando-o, naturalmente, a familiarizar-se com a literatura não-bíblica.

2. *Natureza Geral*

A coletânea consiste em catorze cartas. Sêneca (vide) foi um filósofo estóico romano, e foi o tutor de Nero. Portanto, na realidade, era contemporâneo de Paulo. Jerônimo informa-nos que Sêneca faleceu somente dois anos antes do glorioso martírio de Pedro e Paulo. Os dois poderiam ter-se conhecido em Roma, embora não disponhamos de indicações históricas válidas quanto a isso. Alguns estudiosos têm chegado a imaginar que Sêneca foi parcialmente responsável pela declaração de inocência de Paulo, em seu primeiro julgamento; mas isso não passa de especulação romântica. Provavelmente, o propósito por detrás da compilação dessas cartas tenha sido duplo. Em primeiro lugar, a reputação de Sêneca foi usada em apoio ao cristianismo, como uma espécie de aprovação romana à fé cristã; e, em segundo lugar, uma espécie de universalidade é emprestada a Paulo. Presumivelmente, Sêneca admirava as epístolas paulinas aos Gálatas e outras, que são mencionadas na obra. E Sêneca também lamenta que o cristianismo estivesse sendo perseguido por Roma. Presumivelmente, por igual modo, o próprio imperador teria manifestado admiração pelas idéias de Paulo, indagando como um homem que não recebera a educação *usual* poderia ter escrito tais obras. Naturalmente, esse informe dado no livro é incorreto—Paulo havia recebido a educação usual, que havia no mundo romano, além da educação recebida em Jerusalém.

3. *Nos Escritos dos Pais da Igreja; Data*

Jerônimo conhecia doze dessas catorze cartas, e ao que parece aceitava-as como genuínas. E ele também chamou Sêneca de «escritor cristão», por causa dessas cartas (*Vir. Ill.* III.12). Agostinho também conhecia essas cartas, mas nada escreveu de especial acerca das mesmas. Duas delas foram acrescentadas à coletânea, provavelmente de data posterior, com grande diferença de estilo. Provavelmente, as primeiras delas pertençam ao século IV D.C. Manuscritos atualmente existentes foram copiados no século IX D.C. Lino, em sua obra *Paixão de Paulo*, faz menção a essas cartas. São interessantes, mas sem nada de extraordinário; e também não podem ser consideradas históricas, infelizmente. (HEN JAM Z)

PAULO E TECLA, ATOS DE
Ver sobre **Paulo, Atos de**.

PAULUS, SERGIUS — PAZ

PAULUS, SERGIUS
Ver sobre **Sérgio, Paulo**.

PAVÃO
No hebraico, sempre no plural, **tukkiyyim** (I Reis 10:22; II Crô. 9:21). Em algumas traduções, a palavra «pavão» também aparece em Jó 39:13. No entanto, ali a palavra hebraica é outra, *renanim*, «avestruzes». Deve-se observar que a raiz de *tukkiyyim* não é tipicamente hebraica. Poderia provir do termo egípcio *ky*, que significa «símio» ou «babuíno». Porém, no tamil (idioma falado em certas áreas da Índia), a palavra para pavão é *tokei*, bem perto da transliteração hebraica para ser mera coincidência.

O pavão é uma ave muito ornamentada, e a história mostra-nos que era um artigo de luxo e de comércio entre os fenícios, que costumavam transportar tais aves para o Egito, antes mesmo da época de Salomão. Mas essa espécie não chegou à Grécia antes dos finais do século IV A.C. Isso posto, se a identificação daquela palavra hebraica com o pavão não é indiscutível, pelo menos é muito provável. Em seus costumes luxuosos, Salomão importava vários itens exóticos e de luxo, entre os quais o marfim, o sândalo, os símios e o pavão, etc., conforme também os textos acima nos informam. Salomão importava vários artigos da Índia. O pavão (nome científico moderno *Pavo cristatus*) é ave nativa da Índia, onde não conhece predadores, pelo que também é muito comum. As riquezas de Salomão permitiram-lhe reunir luxos e curiosidades, e ao que parece tinha conhecimento de lugares distantes e suas condições, ainda que os informes bíblicos não nos digam muita coisa a esse respeito.

Significação nos Sonhos e nas Visões. Esse pássaro representa uma realização terminada, uma personalidade ou caráter bem formados e também o renascimento e a ressurreição, porquanto o *pavão*, nesse sentido, é paralelo da *fênix*. Os papas costumavam ser coroados com penas de pavão.

PAVILHÃO
Palavras. A palavra hebraica da qual essa palavra é traduzida pode ter certo número de sentidos como «tenda», «cobertura», «toldo». A palavra hebraica em apreço é *sukkah* (II Sam. 22:12; I Reis 20:12,16; Sal. 18:11; 31:20). Mas também devemos pensar na palavra hebraica *sok*, «cobertura» (ver Sal. 27:5). A palavra portuguesa, por sua vez, vem do latim, *papilio*, que significa «borboleta». Não é preciso grande imaginação para pensar nas asas de uma borboleta que formam uma cobertura ou toldo; sem dúvida essa é a conexão. A palavra hebraica *sukkah* significa, basicamente, «tecer com», com base na circunstância de que as coberturas e toldos eram produzidos por algum tipo de trabalho de tecelagem. Esse termo hebraico aparece em várias conexões. Em Sal. 27:5, algumas traduções dizem «pavilhão», como é o caso de nossa versão portuguesa. Em Sal. 10:9 lemos sobre a «caverna» (no hebraico, *sukkah*) de um leão que arma emboscada. Em II Sam. 22:12 lemos acerca do «pavilhão» de trevas de que Deus se cerca, escondendo-se da visão humana, e conferindo-nos alguma idéia sobre o *Mysterium Tremendum* (vide) que é Deus. Em I Reis 20:12, as tendas dos sírios são referidas mediante a palavra hebraica em questão. Várias cabanas, abrigos, proteções de soldados, postos de vigia em vinhedos, etc., aparecem na Bíblia através desse vocábulo. Ver Lev. 23:42,43, por exemplo. A casa restaurada de Davi (ver Isa. 4:5) também é referida como que coberta pela glória do Senhor.

PAVIMENTAÇÃO DE PEDRA E SAFIRA
Essa expressão figura em Êxodo 24:10: «E viram o Deus de Israel, sob cujos pés havia uma como pavimentação de pedra de safira que se parecia com o céu na sua claridade». Está em foco o próprio firmamento, como uma unidade, pontilhado de estrelas, não encoberto por nuvens, como se esse firmamento fosse o próprio escabelo de Deus, por ocasião da visão dada a Moisés, Aarão, Nadabe, Abiú e setenta dos anciãos de Israel.

PAVIMENTO
Ver sobre **Gábata**. Em João 19:13, na cena do tribunal de Pilatos, há alusão ao *pavimento*, uma palavra baseada no nome aramaico *Gabbatha*. O significado dessa palavra é desconhecido, e etimologias gregas e latinas têm sido propostas, mas o vocábulo provavelmente é de origem semita. Talvez seja o equivalente hebraico do termo grego *lithóstrotos*, «recoberto de pedra». Ver o artigo referido, quanto a maiores informações.

No Antigo Testamento, em Est. 1:6, temos menção de um pavimento de pedra, um pórtico com trabalho em mosaico. Vários materiais foram usados nessa construção, como o mármore, o porfírio, a madrepérola e até mesmo pedras preciosas. A arqueologia tem encontrado muitos milhares desses pavimentos e obras artísticas em mosaico. O rei Acaz mandou fazer um pavimento, no meio do qual pôs um altar. Ver II Reis 16:17.

PAX
Palavra latina que significa **paz**. O termo chegou a ser aplicado ao «ósculo santo», mediante o qual um cristão desejava a outro a paz no Senhor. Ver Rom. 16:16. Ver o artigo sobre *Beijo*, especialmente em seu quarto ponto, *Ósculo Santo*. O ósculo santo tornou-se um elemento litúrgico da eucaristia. Durante a Idade Média, a *pax* era um pequeno tablete decorado que era beijado pelo padre e então, por outros, substituindo o ósculo direto nas pessoas. A Igreja Anglicana também empregava tabuinhas de oscular. Os modernos intérpretes, familiarizados com os germens transmissores de doenças infecciosas, sentem-se perturbados ao lerem sobre essas tabuinhas de beijar. Por outra parte, qualquer tipo de beijo nunca foi uma medida higiênica.

PAZ Ver também, **Paz de Deus**.
Esboço
I. Natureza da Paz
II. Cristo Como Nossa Paz
III. Qualidades e Poderes da Paz
IV. Verdades da Paz Espiritual

Definição e Declaração Introdutória:

Paz. Um estado de calma e tranqüilidade, livre de agitação e conflito; um estado de harmonia, de uma ordem mantida sem violência; um estado de amizade e de acordo. A paz significa liberdade de espírito; espiritualidade sem os transtornos que o pecado traz.

O termo hebraico envolvido na tradução *paz* é o bem conhecido *shalom*. Além de «paz», esta palavra pode significar bem, feliz, tranqüilo, saúde e

PAZ

prosperidade. O termo grego envolvido é *eirene* que tem as idéias de paz, harmonia, unidade, acordo descanso e quietude. Esta palavra é usada por 92 vezes no N.T. Ver exemplos em Mat. 10:13, 34; Marc. 5:34; Luc. 1:79; 7:50; 14:32; Jo. 14:27; 16:33; 20:19,21,26; Rom. 1:7; 5:1; 8:6; 10:15; 14:17; I Cor. 7:15; II Cor. 13:11; Gál. 5:22; Efé. 2:14,15; Col. 3:15; I Tes. 1:1; 5:3; II Tim. 2:22; Heb. 7:2; 11:31; 13;20; Tiago 2:16; 3:18; I Ped. 5:14; II Ped. 3:14; Apoc. 6:4. Todos os tipos de paz são descritos nestas referências, o mundano, social, individual e espiritual.

Espiritualmente falando, *paz* é uma *cultivação* (fruto) do Espírito (Gál. 5:22) que produz harmonia e tranqüilidade a despeito das circunstâncias. A paz do Espírito cria uma harmonia entre Deus e homem, Rom. 5:1 e *reconciliação*, Col. 1:20. «A paz de Deus...excede todo o entendimento...e guarda os vossos corações e os vossos pensamentos em Cristo Jesus» (Fil. 4:7).

I. Natureza da Paz

1. A paz vem da calma certeza de que o desígnio de Deus para conosco (tal como para com Cristo) será perfeitamente realizado. Não poderemos fracassar em Cristo; a força dele também é a nossa; ele completará a nossa missão.

2. Deus também completará seu desígnio em nós, transformando-nos segundo a imagem de Cristo. Seu propósito não pode falhar. Eis por que temos paz no coração (ver Fil. 1:6).

3. Portanto, as circunstâncias adversas que necessariamente acompanharão nosso caminho, não podem derrotar-nos no final, embora nos entravem temporariamente e cheguem a preocupar-nos por algum tempo.

4. A paz é um dos aspectos do fruto do Espírito, pelo que se manifesta mais verdadeiramente no crente espiritual (Gál. 5:22).

5. As aflições redundarão para nós em grande glória, II Cor. 4:17. A esperança da imortalidade dá paz presente e promete o triunfo final, II Cor. 4:18.

6. A paz resulta da justificação (Rom. 5:1), mas a inteireza da salvação nos outorga certeza de harmonia, tranqüilidade e o **senso e bem-estar**.

Em conexão com essa idéia, Philip Schaff (em Jo. 16:33 no Lange's Commentary) diz: «A paz abarca tudo quanto constitui o descanso, o contentamento e a autêntica felicidade de coração, à base da salvação cristã e da união vital com Cristo. A tribulação consiste tanto na perseguição vinda do exterior como na interrupção e perturbação causadas pelas fraquezas e pecados restantes dos remidos ou causadas por este mundo ímpio. Não obstante, bem lá no fundo da alma, a paz continua a reinar, por mais que a superfície do oceano da vida seja agitada pelos ventos e tempestades da existência».

II. Cristo como Nossa Paz (Efé. 2:14)

As palavras **ele é a nossa paz**, formam paralelo com o trecho de Col. 1:20. Aprendemos ali que a paz vem através do «sangue da cruz», e que isso se deve ao fato de que Cristo reconciliou todas as coisas consigo mesmo, tanto nos céus como sobre a terra. Essa passagem da epístola aos Colossenses tem, portanto, uma aplicação mais ampla, falando da paz e unidade universais também referidas em Efé. 1:10. Mas, neste ponto, Paulo limita a idéia à «paz», no que concerne à igreja cristã, que é a comunidade dos remidos unidos, vindos tanto dentre os judeus como dentre os gentios, os quais não podiam ser unidos, pelo menos religiosa, espiritual e até mesmo politicamente falando, debaixo das condições do antigo pacto.

Cristo é o motivo da nossa «paz» pelas seguintes razões:

1. O sentido das palavras que temos aqui é mais que «Cristo é o autor da paz», embora isso também expresse uma verdade. O original grego, literalmente traduzido, diria: «Ele mesmo é nossa paz». Isso quer dizer que a paz conferida é uma «pessoa», e que ela se concretiza «em uma pessoa». Portanto, isso deve incluir o conceito de «comunhão mística» com o Senhor, — de tal modo que todos que participem dessa comunhão, experimentarão, mui naturalmente, a mesma paz.

2. A paz com Deus é porção necessária de tudo isso, conforme o trecho de Col. 1:20 nos mostra, pois a «inimizade» foi neutralizada por meio da cruz de Cristo. E essa inimizade era entre Deus e o homem, entre homem e homem, e entre cada ser humano e a sua própria alma. Por conseguinte, foi estabelecida uma base geral para a paz, sendo ela de natureza essencialmente espiritual, encontrada através do companheirismo com uma pessoa, o Senhor Jesus. (Ver as notas expositivas acerca do tema da «paz com Deus», em Rom. 5:1 no NTI).

3. A paz é uma das condições da vida, uma condição espiritual na qual vivemos, dentro de uma era perturbada. Pois, a despeito de tratar-se de uma disposição mental, é igualmente uma qualidade espiritual; na realidade, é um dos aspectos do «fruto» **do Espírito Santo. Ver o artigo detalhado sobre Fruto do Espírito e também, Gal. 5:22**.

4. A paz é também a confiança no tocante ao futuro, tanto neste mundo material como no mundo da alma. Consiste na confiança da alma, em Cristo Jesus, o que nos conserva vinculados a ele, em atitude de fidelidade para com ele e para com os seus ensinamentos.

5. A paz que há na alma crente e no seio da igreja serve de prefiguração da paz e da harmonia universais que haverá no governo milenar de Cristo, o que é salientado no trecho de Col. 1:20, e onde as «coisas nos céus» são inclusas, e não apenas as *coisas terrenas*. Portanto, a *paz* consiste na harmonia, na boa vontade **e no bem-estar resultantes do fato** de que Cristo terminou a sua missão universal, o que é antecipado no primeiro capítulo desta epístola aos Efésios. Ao instaurar uma «paz», entre judeus e gentios, no seio da igreja (entre duas entidades que antes estiveram em grande conflito), mostrou o Senhor Deus que isso se tornará universal, no tempo próprio.

6. Devemos ainda observar que o «vínculo da paz» não consiste em alguma doutrina, na aceitação de algum credo, por qualquer grupo de crentes. Pelo contrário, consiste em uma pessoa, Cristo Jesus, o qual, portanto, transcende a quaisquer crenças particulares. Deus dispõe de tempo suficiente para nos unificar, em nossas muitas «crenças» divergentes; e isso será efetuado mediante a unidade superior de nossa comunhão mística com Cristo, através do seu Santo Espírito.

7. A paz era um conceito freqüentemente associado à vinda do reino do Messias, de conformidade com o pensamento do A.T. (ver Isa. 9:5,6; 52:7; 53:5; Miq. **5:5; Hag. 2:9; Zac. 9:10)**. Esse é um dos aspectos da grande paz universal que Cristo Jesus inaugurará. A ênfase do presente versículo, entretanto, recai sobre a «paz» que reina no seio da igreja, a paz pessoal, de um crente individual com a sua própria alma, com o seu Deus, com os seus semelhantes — a paz entre judeus e gentios. Não obstante, a igreja, em certo sentido, já é o reino de Deus sobre a terra, ainda que o conceito do

PAZ

reino não se circunscreva à igreja, mas antes, envolve muitas outras coisas.

Cristo Jesus é a nossa «sabedoria», «retidão», «santificação» e «redenção» (ver I Cor. 1:30). Ainda um dos seus nomes é «a Paz». Cristo é todas essas coisas porque, nele e por ele é que essas coisas se cumprem. Em alusão ao trecho de Isa. 9:6, certo escritor rabino chama o Messias de «a Paz». Ele também é a «oferta pacífica», aquela que reconcilia o homem com seus semelhantes e com Deus.

8. *De ambos fez um*. Harmonia e união foram conferidas «a judeus e a gentios», que ficaram unidos dentro da comunidade superior da igreja cristã, ficando assim eliminadas as muitas barreiras e preconceitos inerentes ao sistema judaico. E a maneira como Cristo estabeleceu a paz é revelada através de uma série de imagens vívidas, conforme a lista abaixo:

a. Cristo fez de judeus e gentios, uma vez crentes, uma única comunidade religiosa, vivendo em plena harmonia, servindo ao mesmo Senhor — e isso não foi uma realização sem importância.

b. Cristo derrubou o *muro de separação*, os aspectos restritivos da antiga lei mosaica, porquanto eliminou tais preceitos como norma da conduta diária do crente. Esse muro falava sobre o sistema judaico em sua inteireza, o qual, devido à sua própria natureza, excluía os gentios. (O décimo quinto versículo deste capítulo define o presente versículo, dizendo-nos exatamente o que é indicado pela figura simbólica da lei).

c. Cristo pregou a «paz» (ver o décimo sétimo versículo deste capítulo).

d. Cristo nos confere o seu Espírito, mediante quem obtemos acesso ao próprio Deus Pai.

e. Cristo nos tornou cidadãos e membros da família de Deus (ver o décimo nono versículo deste capítulo).

f. Cristo, ao unir todos os homens, edificou um novo templo, um templo de carne humana, para servir de habitação para o próprio Deus, no Espírito do Senhor (ver os versículos vigésimo e vigésimo segundo de Efé. 2).

Por conseguinte, em Cristo há um só «corpo», há união. Em contraposição a isso, não há judeu ou gentio, escravo ou livre, varão ou varoa, mas todos são um só em Cristo Jesus (ver Gál. 3:28).

III. Qualidades e Poderes da Paz

1. A paz nos chega através da *calma certeza* da confiança na providência divina e seus desígnios, crendo que os acontecimentos, tanto os de natureza cósmica como os de natureza espiritual ou prática, de todos os dias, foram determinados adredemente pelo Senhor; pois nada sucede sem propósito, sem a aprovação e o controle divinos.

2. As ocorrências devastadoras da natureza, portanto, fazem parte desse plano divino, embora sejam lamentáveis; mas a sua dureza pode ser suportada, porque o crente tem a certeza de que Deus continua entronizado nos céus, e que, finalmente, tudo correrá bem neste mundo.

3. O Senhor Jesus experimentou tristezas semelhantes às nossas, e teve de lutar contra os mesmos adversários que temos de combater; no entanto, *triunfou*, até mesmo nas horas mais negras de sua provação, tendo triunfado completamente, em sua ressurreição para a vida eterna.

4. A paz é um dos aspectos do fruto do Espírito Santo (segundo nos informa Gál. 5:22), e isso resulta do ministério transformador do Espírito de Deus, que habita no íntimo do crente. A própria paz serve de evidência sobre o desenvolvimento espiritual de nosso homem interior. Os crentes que se deixam controlar pelo Espírito Santo gozam da mesma paz de que o Senhor Jesus desfrutou, porquanto Cristo, em seu desenvolvimento espiritual como homem, se limitou as mesmas condições impostas a todos os homens, porquanto esse era o próprio desígnio de sua encarnação. E esse fato, mesmo considerado isoladamente, nos infunde grande consolo.

«A paz inclui tudo quanto constitui o descanso, o contentamento e a felicidade autêntica de coração, alicerçada sobre a base da salvação cristã e da união vital com Cristo. Já a tribulação consiste tanto na perseguição que nos chega do exterior como das interrupções e perturbações provenientes de nossas próprias fraquezas remanescentes, de nossos pecados, do mesmo modo que procedem do mundo ímpio que nos cerca. Contudo, lá no mais profundo do ser, continua a reinar a paz, ainda que grande parte da superfície do oceano da vida esteja agitada pelo vento e pela tempestade». (*Philip Schaff*, sobre João 16:33).

5. Finalmente, o destino do crente em Cristo, posto que Jesus nos promete a participação em sua natureza e destino, por sermos filhos de Deus, ainda que não houvesse outro fator na vida humana que pudesse nos conferir a paz — é suficiente para garantir a tranqüilidade da alma que os homens tanto buscam. Todos os acontecimentos da vida convergem para o cumprimento desse destino, e esse destino é a própria essência da paz: paz de alma, paz entre os homens e paz com Deus. O Espírito Santo nos conduz a uma melhor compreensão sobre a natureza desse destino especial; e isso nos confere paz, na vida diária. (Sobre o «elevado destino do homem», ver os trechos de Efé. 1:23; Rom. 8:29 e II Cor. 3:18).

6. *A paz que há em Cristo*

a. Ela vem através do poder reconciliador de sua expiação, Col. 1:20.

b. Vem através da realização da nossa justificação, Rom. 5:1.

c. Ela solucionou a divisão e o conflito universais, Efé. 1:10.

IV. Verdades da Paz Espiritual

1. Cristo nos oferece a paz, isto é, a harmonia com Deus (Rom. 5:1) e com os homens, a tranqüilidade que nasce da retidão espiritual.

2. A paz se baseia **sobre o bem-estar da alma**, sendo produto da regeneração.

3. Cristo é a nossa paz, pois sua missão nos concede harmonia com Deus.

4. Ela é fruto do Espírito, uma operação espiritual, uma qualidade da alma (Gál. 5:22).

5. Ela acompanha a fé (Rom. 15:13) e a retidão (Isa. 32:17), e se deriva do amor da lei de Deus (Sal. 119:165). Ela se firma mediante a mentalidade espiritual (Rom. 8:6).

6. O evangelho anuncia a paz e a introduz, Rom. 10:15.

7. Os que são espirituais haverão de promovê-la, Mat. 5:9.

8. Aos ímpios faltam o conhecimento e a experiência da paz, Rom. 3:17.

9. A paz ultrapassa o entendimento, Fil. 4:7. E se consuma após a morte física, Isa. 57:2.

10. A paz espiritual é um consolo e uma força presentes, e essa é a mensagem principal de João 14:27.

É evidente que somos atingidos em nossas reações emocionais às coisas. Por isso mesmo é que Epicteto declarou: «O que é, portanto, que perturba e

PAZ, OFERTA DE — PÉ

confunde as multidões? Seria o tirano e seus guardas? Não, de forma alguma. Pois é impossível que aquilo que é livre por natureza seja perturbado ou impedido por qualquer coisa fora de si mesmo. O que perturba a um homem são os seus próprios julgamentos. Pois quando o tirano diz a um homem: 'Vou prender-lhe pelas pernas', se ele dá valor às suas pernas, responde: 'não, tem misericórdia'; mas, se dá mais valor à sua própria vontade, então diz: 'Se te parece mais proveitoso assim, prende-as'. 'Não dás atenção ao que digo?' 'Não, não dou atenção. Mostrar-te-ei que tenho domínio próprio'» (*Discursos*).

Não se turbe o vosso coração, nem se atemorize, (João 14:27). Juntamente com a declaração do dom da paz, o Senhor Jesus repete as palavras que serviram de introdução a João capítulo 14, uma firme declaração de que nada há para o crente temer — portanto confiamos nele e confiamos em Deus, conhecemos ao seu Espírito, e esse Espírito nos administra paz na própria alma.

PAZ, OFERTA DE
Ver o artigo geral sobre **Sacrifícios e Ofertas**.

PAZ DE DEUS

Ver o artigo geral sobre a *Paz*, seção II, *Cristo como a Nossa Paz*, que está diretamente relacionada à *paz de Deus*. Ver Efé. 1:10; 2:14 e Col. 1:20. Cristo confere-nos a paz com Deus, porque Cristo é o agente da paz divina. A paz de Deus (que pertence a ele e que ele oferece aos homens), também é conhecida como *paz de Deus*. Ele passa a ser dos homens quando eles se reconciliam com o Senhor, mediante o perdão dos pecados. O Deus da paz é aquele que outorga paz aos remidos (ver I Tes. 5:23), através da salvação. Há um *evangelho da paz* que é o veículo dessa mensagem (ver Efé. 6:15). Jesus conferiu a sua salvação e a sua paz aos homens (ver João 14:27; 16:33). Ver sobre a fórmula «Deus da paz», em Rom. 15:33; Fil. 4:9 e I Tes. 5:23, onde a expressão é usada como uma espécie de conclusão litúrgica de letras ou parágrafos principais.

Paulo exprimiu o desejo que seus leitores experimentassem a paz com Deus e a paz de Deus, isto é, aquela vida que Deus dá aos crentes. Em Rom.5:1, a «paz com Deus» é o resultado da justificação mediante a fé. O estado de paz resulta das operações da graça (ver II Ped. 3:14). Há uma paz de Deus que ultrapassa todo o entendimento, e essa deve ser a obra do Espírito (ver Fil. 4:7). Temos aí a idéia de tranqüilidade e confiança, que uma correta relação com Deus nos confere, a despeito das perturbações externas da vida diária. A paz é um dos aspectos do fruto do Espírito (ver Gál. 5:22), ou seja, uma qualidade divina, e mera tranqüilidade, conforme os homens a conhecem naturalmente. Os homens estão sendo convidados à «paz de Cristo», como parte da herança espiritual deles (ver Col. 3:15).

PE

Essa é a décima sétima letra do alfabeto hebraico. Essa letra encabeça a décima sétima seção do Salmo 119 onde cada versículo do original começa com essa letra. Tinha o valor numérico de 80, e equivalia à letra moderna «P». No hebraico significa «boca». Nosso alfabeto latino veio de letras semíticas, com alguns empréstimos tirados dos hieróglifos egípcios. Ver sobre *Alfabeto*. Os gregos tomaram essa letra por empréstimo e chamaram-na *pi*. Daí ela passou para o latim, e deste para muitos idiomas modernos. A mais antiga representação dessa letra que a arqueologia tem podido descobrir tinha o formato de um número «7». Esta enciclopédia presta informações sobre o formato e a história de todas as letras do alfabeto, como parte de uma página-título para cada letra.

PÉ

Há três palavras hebraicas e uma palavra grega, envolvidas neste verbete, a saber:

1. *Ken*, «base», «pé». Com este último sentido, aparece por oito vezes: Êxo. 30:18,28; 31:9; 35:16; 38:8; 39:39; 40:11; Lev. 8:11.

2. *Paam*, «passo», «pé». Palavra hebraica usada por seis vezes com o sentido de pé: I Reis 19:24; Sal. 58:10; 74:3; Pro. 29:5; Can. 7:1; Isa. 37:25.

3. *Regel*, «pé». Vocábulo hebraico usado por duzentas e dezesseis vezes, segundo se vê, por exemplo, em Gên. 8:9; Êxo. 21:24; Lev. 8:23; Núm. 22:25; Deu. 2:5; Jos. 1:3; II Sam. 2:18; II Crô. 33:8; Jó. 2:7; Pro. 1:15; Ecl. 5:1; Isa. 1:6; Jer. 2:25.

4. *Poús*, «pé». Palavra grega usada por noventa e três vezes, por exemplo: Mat. 4:6 (citando Sal. 91:12); Mat. 28:9; Mar. 5:22; Luc. 1:79; Atos 7:49 (citando Isa. 66:1), I Tim. 5:10; Heb. 1:13; Apo. 1:15,17.

Os pés, no ser humano, são a extremidade inferior das pernas, sobre os quais o corpo se apóia, quando de pé, bem como o instrumento de movimento de um local para outro, — mediante o andar. O homem é bípede (dois pés) como as aves. O macaco tem quatro mãos e os outros animais têm quatro patas. A palavra «pé» também é aplicada a bases, pedestais ou extensões de vários objetos. Assim, algumas traduções usam a palavra «pé», para indicar a base do lavatório do tabernáculo (Êxo. 30:18), ou a mastro de um navio (Isa. 23:23). Uma outra palavra hebraica, *regel* (ver acima), refere-se aos pés dos homens e também às patas dos animais e, antropomorficamente, aos pés de Deus (ver sobre *usos figurados*, abaixo). Essa palavra hebraica também era usada para indicar bases de objetos. O vocábulo hebraico *paam*, que se deriva de uma palavra que significa «bater», pode significar «passo», ou o próprio «pé» (Isa. 26:6). O termo grego *poús* é genérico, indicando tanto pés humanos quanto patas de animais. Grande cuidado se conferia aos pés, nos países do Oriente. É que as pessoas andavam descalças, ou quando muito, com sandálias. E assim, a lavagem dos pés tornou-se parte da hospitalidade oriental (Gên. 18:4). A tarefa da lavagem dos pés era deixada ao encargo de escravos e servos. Isso explica a força do exemplo deixado por Jesus, em favor desse humilde serviço prestado a seus discípulos, quando lhes lavou os pés, e recomendou que fizéssemos o mesmo (João 13:5). O trecho de I Timóteo 5:10 mostra que as viúvas lavavam os pés dos santos. Em tempos de aflição, os judeus negligenciavam os pés, deixando-os descalços, a fim de mostrarem a sua consternação (II Sam. 15:30; Eze. 24:17). Cair aos pés de outra pessoa era sinal de profundo respeito ou temor (I Sam. 25:24; II Reis 4:37). Beijar os pés de outrem exprimia os mesmos sentimentos (Luc. 7:38). As patas dos animais algumas vezes eram decepadas ou aleijadas (Juí. 1:6,7; I Sam. 4:12). Pisar o pescoço de um inimigo prostrado simbolizava triunfo absoluto (Jos. 10:24; Sal. 110:1). Descalçar os próprios pés era sinal de adoração (Êxo. 3:5).

Usos Metafóricos:

1. Os anjos guardam os pés dos santos, ou seja, protegem-nos em tudo quanto são e fazem (Sal. 91:1,12).

2. Descalçar-se indicava respeito, como na presença de um alto oficial, ou do Senhor Deus (Êxo. 3:5).

PÉ — PECA

3. Estar sob os pés de alguém indicava sujeição (Sal. 8:6; Heb. 2:8; I Cor. 15:25).

4. Estar sobre os próprios pés indicava estar pronto para servir, ou para receber instrução (Juí. 4:10). Os discípulos sentavam-se aos pés de seus mestres, nas escolas judaicas. Ver Atos 22:23; Luc. 10:39.

5. Aleijão era sinônimo de aflição ou calamidade (Mat. 18:8; Jer. 10:10; Miq. 4:6,7).

6. Pôr os pés em um lugar significava tomar posse do mesmo (Deu. 1:36; 11:26).

7. Andar por um caminho reto simbolizava andar de modo correto, moralmente falando (Gál. 2:14).

8. Descobrir os pés indicava luto ou lamentação (Eze. 24:17). Também poderia ser um sinal de adoração (Êxo. 3:5). No Oriente, uma pessoa jamais entraria calçada em um templo, a fim de adorar. Os sacerdotes levitas serviam descalços.

9. Pôr os pés sobre uma rocha indica estabilidade e confiança própria (Sal. 31:8).

10. Escorregar os pés indica ceder diante das tentações e falhar (Jó 12:5; Sal. 17:5; 38:16).

11. Pisar com os pés indica total destruição (Isa. 18:7).

12. Lavar ou mergulhar os pés em manteiga indica a posse de grande abundância material (Deut. 33:24; Jó 29:6).

13. Guardar os pés é proteger e guiar (I Sam. 2:9).

14. Molhar os pés indica irrigar, visto que esse ato era feito por meio de bombas manejadas com os pés (Deu. 11:10).

15. Cobrir os próprios pés é fazer as próprias necessidades (I Sam. 24:3).

16. Abraçar e beijar os pés demonstrava humildade, sujeição e temor (Luc. 7:38).

17. Conservar os próprios pés em seus passos indicava manter uma conduta coerente (Jó 23:11).

18. Um pé não deve invejar uma mão, no corpo de Cristo. Em outras palavras, um crente não deve invejar os dons espirituais de outro crente.

19. Lavar os pés é sinal de humildade e de prestação de serviço a outrem (João 13). Ver o artigo separado sobre o **Lava-pés**.

PÉ DE VENTO Ver **Vento, Pé de.**

PECA

1. *Nome.* Esse nome, no hebraico, significa «ele (Deus) abriu os olhos», ou apenas «abriu». Porém, o nome divino, *Yahu*, está presente no nome.

2. *Família.* Ele era filho de Remalias. Visto que Peca havia sido um oficial do exército, é possível que sua família também contasse com muitos militares. Seja como for, não pertenciam à família real.

3. *Rei de Israel.* Peca reinou entre 741 e 732 A.C., tendo sido o décimo oitavo rei do reino do norte, Israel. Ele servira como oficial militar às ordens do rei Pecaías. Obteve o trono mediante uma conspiração contra aquele monarca, da qual participaram cinqüenta gileaditas. Com base nessa circunstância, alguns pensam que Peca era gileadita. Seja como for, a conspiração resultou no assassínio de Pecaías, quando então seu assassino usurpou o seu trono. Uma das razões da conspiração é que vários reis que o tinham precedido haviam enfraquecido a Israel, pagando imensas somas de tributo aos assírios (ver II Reis 15:20), sem falar em agitações intestinas. E talvez Peca estivesse interessado em reverter a situação. Com esse propósito, ele buscou o apoio de uma aliança estrangeira com Rezim, rei de Damasco. Então ele passou a saquear a nação de Judá, o reino hebreu irmão. Ao que parece, o rei de Judá, no começo desse processo, era Jotão (ver II Reis 15:37). Porém, a execução do plano consumiu um longo tempo, provavelmente porque Jotão dispunha de um sistema de defesa eficaz, além de ter sabido governar o seu país (ver II Crô. 27). Mas quando seu filho Acaz, um homem mais fraco, substituiu-o no trono, as coisas derruíram para Judá. O décimo sexto capítulo de II Reis e o vigésimo oitavo capítulo de II Crônicas contam a triste história. Peca aliara-se à Síria, tentando derrotar o poder assírio, que ameaçava à Síria e a Israel. Acaz, embora convidado a fazer parte da aliança, recusou-se a tal. E assim, a primeira coisa que sucedeu foi que Judá foi invadido e derrotado, e muitos judaítas foram levados em cativeiro. Mas houve a intervenção do profeta Obede, que fez os prisioneiros serem devolvidos a Judá. No entanto, em 733 A.C., as forças assírias de Tiglate-Pileser III invadiram Israel vindas do norte, e ele foi capaz de assenhorear-se das fortificações e ocupar a Galiléia e a região costeira. Esses territórios foram anexados ao império assírio, e cada região recebeu um governador estrangeiro. Muitos habitantes foram exilados, sendo levados à Assíria. A única porção do reino de Israel que continuou independente por algum tempo foi a capital, Samaria, com a região montanhosa de Efraim, que lhe ficava contígua. Porém, uma década mais tarde, o poder assírio pôs fim até mesmo a isso.

O próprio Peca não sobreviveu ao desastre. Foi morto e substituído no trono por Oséias, filho de Elá, que renovou a política de submissão à Assíria. Ver II Reis 15:30. Nessa passagem bíblica, a questão da remoção de Peca do trono é atribuída a uma conspiração palaciana (sem dúvida encabeçada por Oséias), ocasião em que Oséias tornou-se rei de Israel. Todavia, os anais de Tiglate-Pileser III dizem que os samaritanos dominaram Peca e nomearam a Oséias rei em seu lugar. Talvez isso signifique que Oséias, ao conspirar pelo poder, voltou-se contra o seu próprio rei, mas acabou sendo um instrumento dócil nas mãos dos assírios. Seja como for, *Oséias* (vide) foi o último monarca de Israel, o reino do norte.

4. *Evidências Arqueológicas.* Escavações efetuadas em Hazor e Megido mostram que houve uma destruição generalizada ali, que teria havido na época de Peca, sem dúvida obra dos assírios. Ver II Reis 15:25-32,37; 16:1,5; II Crô. 28:6; Isa. 7:1.

5. *Problema de Cronologia.* Tem sido provado que informes que envolvem a cronologia e a sucessão dos reis de Israel e Judá nem sempre foram cuidadosamente manuseados pelos autores dos livros históricos do Antigo Testamento. Portanto, ocasionalmente, surgem problemas. Uma das principais causas da confusão é o fato de que houve reinados justapostos, onde, vez por outra, mais de um rei esteve no poder, como na combinação pai e filho. A Enciclopédia de Zondervan enfrenta esse problema de Peca segundo se vê na citação abaixo. Em questão está a data da sua subida ao trono e da sua morte.

«O problema pode ser equacionado dizendo-se que as datas de 753-752 A.C. para o trigésimo oitavo ano de Uzias e de 732 para a queda de Samaria, não permitem tempo suficiente para os reinados de Zacarias (seis meses), Salum (um mês), Menaém (dez anos), Pecaías (dois anos), Peca (vinte anos) e Oséias (nove anos), perfazendo um total de quarenta e um anos e sete meses, ao passo que o tempo real foi de apenas trinta anos. A solução está baseada em II Reis 15:30 e 17:1, quando o último ano de Peca, o primeiro de Oséias, o décimo segundo de Acaz e o vi~ésimo de

144

PECA — PECADO

Jotão ocorreram ao mesmo tempo. Computando o tempo para trás, o ano de 722 A.C., fornece-nos o ano da coroação de Oséias como sendo 732/731 A.C. Nesse mesmo ano morreu Peca, sendo esse ano correspondente a esses quatro reis. Dando margem para os governos de Zacarias, Salum, Menaém e Pecaías, chegaríamos a 740-739 A.C., quando Peca usurpou o trono de Israel. Dessa data até 732/731 A.C., temos cerca de oito anos, para o governo de Peca sobre Israel. E comparando os governos dos reis acima alistados, e a reivindicação de que Peca reinou durante vinte anos, faria com que o começo desses vinte anos coincidisse mais ou menos com a coroação de Zacarias. E visto que Peca foi designado capitão de cinqüenta gileaditas (ver II Reis 15:25), isso parece indicar o local onde ele residia—Gileade—e isso, juntamente com o seu governo de vinte anos, parece indicar uma *pretensão* sobre a Transjordânia, nos dias de Pecaías». Isso posto, aos seus próprios olhos, parece que ele exerceu poder durante vinte anos, o que incluiria sua pretensão ao trono, embora seu governo real e oficial tivesse durado muito menos do que isso.

6. *Avaliação Bíblica*. O trecho de II Reis 15:28 diz que Peca deu continuação às más tradições instituídas por Jeroboão. Ele teve seu dia de glória e poder; mas, tendo começado a reinar em meio à violência, terminou pela violência. Isso revela muita coisa sobre a história dos reis e dos homens em geral.

PECADO
Esboço
I. Definições
II. Como Transgressão da Lei
III. A Natureza do Pecado
IV. Como É Que Todos Pecaram: Rom. 5:12
V. Como a Graça Opera a Fim de Nos Dar Vitória Sobre o Pecado: Rom. 6:14
VI. Perfeição Impecável? I Jo. 1:10
VII. Perdão dos Pecados
VIII. Gradações de Pecado
IX. O Reino do Pecado

I. Definições
No grego é *amartia*. Esse termo é derivado de uma raiz que indica «errar o alvo», «fracassar». Trata-se do fracasso em não atingir um padrão conhecido, mas antes, desviando-se do mesmo. Essa palavra, porém, veio a ter também um significado geral, indicando o princípio e as manifestações de pecado, sem dar qualquer atenção a seu significado original. O trecho de I João 3:4 usa o vocábulo *anomia*, «desregramento», desvio da verdade conhecida, da retidão moral. O pecado tanto é um *ato* como é uma *condição*. É o «estado» dos homens sem regeneração, que se manifesta na forma de numerosos e perversos atos. Pecar é afastar-se daquilo que Deus considera a «conduta ideal», do homem ideal, exemplificado em Jesus Cristo. Isso conduz à «impiedade» (*asebeia*; II Ped. 2:6), que consiste na oposição a Deus e a seus princípios, em autêntica rebelião da alma. E isso leva à «parabasis», «transgressão» (ver Mat. 6:14 e Tia. 2:11) contra princípios piedosos reconhecidos. Isso leva o indivíduo à «paranomia», a «quebra da lei», o «afastamento» da lei moral (ver Atos 23:3 e II Ped. 2:16). Nossos pecados também são «passos em falso», isto é, «paraptoma», no grego (ver Mat. 6:14 e Efé. 2:1). Propositadamente «caímos para um lado», «desviamo-nos pela tangente», apesar de estarmos instruídos o bastante para não fazê-lo.

Desse modo, o N.T. descreve o «pecado» sob boa variedade de modos, cada um deles com o uso de um *quadro falado* sobre o que isso significa. Cristo Jesus é a cura de cada uma dessas manifestações do pecado, pois a sua expiação apaga a dívida; e a santificação em Cristo transforma o pecador, para que seja um ser santo e celestial. E Deus é fiel e justo, conferindo esse imenso benefício aos homens que se submetem a ele, isto é, que exercem fé em Cristo e ao seu mundo eterno (ver Heb. 11:1).

II. Como Transgressão da Lei (I João 3:4)
O pecado é a **transgressão da lei**. O autor sagrado oferece-nos uma definição possível de «pecado», bastante lata, mas não a única possível. O pecado pode ser praticado por «omissão» (ver Tia. 4:17); e os pagãos, que não tinham lei — no sentido de uma legislação divinamente dada — mesmo assim pecavam (ver o segundo capítulo da epístola aos Romanos). A «lei», neste caso, certamente é a «lei mosaica», e não a nova lei do Espírito, revelada no evangelho. Porém, apesar de poderem ser dadas outras definições de pecado, o autor sagrado não estava interessado em qualquer delineamento completo do que pode ser o pecado. Para o seu argumento, bastava que o chamasse de «transgressão da lei». O «desregramento» dos gnósticos era ato condenado peremptoriamente na legislação mosaica, pelo que o conceito de pecado como «transgressão da lei» servia de instrumento adequado para ser usado contra os falsos mestres. É possível que essa definição de pecado tenha sido escolhida porque os mestres gnósticos negavam a autoridade do A.T. O autor afirma, por conseguinte, a despeito do que os gnósticos asseveravam em contrário, que a lei de Deus, revelada no A.T., os condenava. Os gnósticos desconsideravam o sétimo mandamento, além de outros similares. Julgavam-se acima da lei. No entanto, a lei os condenava. É como se então o autor advertisse a seus leitores: «Cuidai para que não sejais numerados entre eles. Cerinto deve ser confrontado com Moisés».

«A gravidade do pecado ou de atos pecaminosos é salientada pela identificação dos mesmos com o 'desregramento', termo que parece indicar o pecado em toda a sua enormidade e blasfêmia, a julgar pela caracterização do anticristo, em II Tes. 2:7,8, como o 'iníquo', e suas atividades como o 'mistério da iniqüidade'. O trecho de Mat. 24:12 também cita o aumento da iniqüidade como um dos sinais da tribulação messiânica. Os cismáticos iluminados e jubilosos talvez dessem excessiva importância ao fato de que não estavam acima de toda a lei, sem apreciarem que não estavam 'sem lei para com Deus, mas sob a lei de Cristo' (I Cor. 9:21). Irineu aludiu aos hereges, que supunham que 'devido à nobreza de sua natureza, em grau algum podiam contrair poluição, sem importar o que comessem ou fizessem' (*Contra Heresias*, II. 14:5); e em outra oportunidade fala daqueles para quem o bem e o mal são apenas questões de opinião humana (*op. cit.*, II.32.1)».

III. A Natureza do Pecado
1. O pecado é *cósmico* em sua natureza. Nenhum ser humano peca sozinho. O pecado sempre fará parte de uma rebelião cósmica contra Deus e contra a retidão. I João 3:8 enfaticamente assevera que aquele que «pratica o pecado» é do diabo. Esse ser maligno é intitulado «o deus deste mundo» (ver II Cor. 4:4), e muitos são seus súditos e escravos. Será necessária uma providência cósmica para remover o pecado, e o julgamento tomará conta disso.

2. Mas o pecado também é *pessoal*. Embora as forças satânicas forneçam a agitação (ver Efé. 6:11 e ss), o indivíduo é responsável pelas suas ações, e,

PECADO

portanto, ele é convocado a arrepender-se. O homem não pode alterar o quadro cósmico, mas pode ser pessoalmente redimido. (Ver o artigo sobre o **Arrependimento**).

3. Sem importar se cósmico ou pessoal, o fato é que o pecado é, definidamente, uma questão de rebeldia. O pecado tem por escopo destruir uma alma eterna (ver I Ped. 2:1). O pecado é algo muito mais sério do que aquilo que gostamos de pensar a seu respeito.

4. Foi preciso a missão de Cristo para dar solução ao problema do pecado (ver Rom. 5:1; Col. 1:20 e Efé. 1:10).

IV. Como é que Todos Pecaram? Rom. 5:12

1. Alguns intérpretes dizem: «Em Adão», isto é, todos os homens participaram, em Adão, do pecado original, e contra esse pecado é que o juízo foi proferido. Essa idéia é frisada por causa da analogia com o ato isolado de justiça que nos outorgou a justificação. A expiação de Cristo foi exatamente esse ato, mediante o qual somos justificados, e não mediante inúmeros atos de justiça que porventura pratiquemos. Por semelhante modo, somos julgados por causa de um único ato — o pecado de Adão — do qual todos participamos. Há evidências rabínicas em favor dessa idéia (ver Zohar, em Lev. fol. 46:2, e Pugionem Fidei, par. 590).

2. Outros afirmam que Rom. 5:12 fala de pecados individuais (e essa opinião é esposada pela maioria dos intérpretes). Também há evidências rabínicas quanto a esse ponto de vista (conforme é esclarecido por Henry St. John Trackeray, «The Relation of St. Paul to Contemporary Jewish Thought», pág. 33).

3. Talvez seja melhor misturar esses dois pontos de vista. O homem nasce com o pecado original. Ele pecou em Adão. Mas cada indivíduo também tem seu próprio pecado. E ambas as modalidades o condenam. Isso está em consonância com os princípios ensinados em Romanos 2:6, o de que cada um será finalmente julgado de acordo com suas próprias obras. O pecado de Adão é a raiz; os pecados da humanidade são os ramos; e os pecados individuais são os frutos. A sentença de julgamento recai sobre a árvore inteira, e não apenas sobre uma parte da mesma. Ver a elaboração abaixo acerca dessa idéia. (Comparar este versículo com Rom. 3:23 e ver as notas ali existentes no NTI).

Como ilustração do que Paulo procurava dizer aqui, podemos usar uma árvore, com suas *raízes*, com seu desenvolvimento acima do solo e com seus *frutos*. A realidade de tudo quanto uma árvore é, *se origina* de suas raízes. Uma árvore, entretanto, é *bem mais* do que apenas as suas raízes; pois **também consiste no grande tronco que se eleva da superfície do chão**. Também inclui até mesmo os seus frutos. Ora, outro tanto sucede no caso do pecado. A raiz é o pecado de Adão, e o juízo divino foi pronunciado contra a raiz. Mas o pecado também desenvolveu o seu tronco, visível para todos, o que representa *o* princípio do pecado, que opera neste mundo. Finalmente, o pecado tem os seus *frutos*, o que significa os *atos individuais* de todos os homens. Ora, tais atos também produzem o julgamento, determinando a intensidade do mesmo, porquanto a declaração bíblica, freqüentemente repetida, é que os homens serão julgados de acordo com as suas obras. (Ver Rom. 2:6 e as notas expositivas ali existentes no NTI, onde o princípio inteiro é ilustrado e onde várias referências paralelas são dadas). Portanto, para dizermos toda a verdade, o pronunciamento original do julgamento foi contra a transgressão de Adão, de cujo julgamento todos os homens são apresentados como participantes.

V. Como a Graça Opera, a Fim de Nos Dar Vitória Sobre o Pecado Rom. 6:14

1. A palavra «graça», neste caso, refere-se ao sistema espiritual da graça, em contraste com o sistema da lei. Sob Moisés, os homens receberam um conhecimento para eles elevado demais. Ficaram sabendo o que havia de errado, mas foram deixados sem poder para resistir ao pecado. De fato, a lei revigorou-o pecado. Sob a graça, pelo contrário, o ministério do Espírito nos é conferido, pois ele é o alter ego de Cristo, o qual faz de nós o seu templo (ver Efé. 2:20), e, dessa forma, nos transforma.

2. O método mosaico era «legalista», isto é, consistia **em uma lei** que exigia coisas dos homens, encorajando o orgulho humano. Abria caminho para os méritos humanos como maneira de considerar-se a obtenção da salvação. Portanto, não podia prover aos homens o dom divino, a saber, a salvação da alma.

3. O caminho do Espírito é místico. Esse vocábulo, consoante à sua definição mais básica, significa que entramos em «contacto» com algum poder superior, especificamente, Deus, o Espírito Santo, Cristo. Esse contacto capacita-nos a cumprir os requisitos da retidão, não com perfeição impecável, mas com vitórias sobre o vício e o pecado.

4. No trecho de Rom. 6:12 no NTI, demos notas sob o título «Como pôr fim a esse reino do pecado», onde há certo número de sugestões que têm aplicação aqui. Assim perceberemos que tais meios, todos eles em seu conjunto, foram providos pelo poder do Espírito, o qual é o agente do «método da graça» da salvação.

5. O trecho de Rom. 8:2 fala sobre a «lei do Espírito» que opera em nós; e é através desse novo princípio que obtemos a vitória. Essa nova lei foi escrita em nossos corações, pelo que se torna em uma característica da alma, e não mero conhecimento mental (ver II Cor. 3:3 quanto a esse conceito).

6. O Espírito Santo é o poder por detrás dos meios de desenvolvimento espiritual. O método da graça opera através de tais meios.

7. Obviamente, o método da graça abre a provisão necessária para a santificação, uma importantíssima realidade e doutrina cristã (ver I Tes. 4:3).

8. O alvo maior das operações do Espírito, o que, paralelamente, é o aspecto mais elevado da salvação, é a transformação do indivíduo segundo a própria imagem de Cristo, de tal modo que o crente vai passando de um estágio de glória para outro, em contínua ascensão. (Ver notas completas a respeito em II Cor. 3:18 no NTI). É óbvio que a pessoa assim beneficiada, dificilmente se vê sujeita ao reino do pecado.

VI. Perfeição Impecável? I João 1:10

O autor sagrado demonstra que a «perfeição impecável», é, essencialmente, auto-ilusão. Ele reafirma a mensagem coerente das Escrituras, a qual é confirmada pela razão e pela intuição, de que todos os homens devem imensa dívida, tendo-se afastado desse problema, sendo assim restaurada a comunhão com Deus, através de sua mediação. Tudo isso, como é claro, tem um aspecto polêmico. Os gnósticos (ou, pelo menos, alguns deles), afirmavam ser «impecáveis», pelo que também rejeitavam a necessidade de *expiação*, admitindo o poder de Cristo em seu batismo (Cristo teria vindo somente «pela água»), ao mesmo tempo que negavam qualquer poder em sua morte (não teria vindo pelo «sangue»). Esses falsos mestres afirmavam ter elevada e ímpar comunhão com Deus, mas supunham que podiam ter isso sem a necessidade da verdadeira pureza e santidade de corpo e espírito.

JESUS E A MULHER PECADORA

W. Dyce, R. A. JESUS E A MULHER DE SAMARIA

PECADO — PECADO IMPERDOÁVEL

O autor desta epístola afirma que tal opinião não passa de ilusão. Sim, é fácil alguém cair na **auto-ilusão, mediante o exagero** da importância e profundidade dos nossos *sentimentos religiosos*. Facilmente podemos superestimarmos a nós mesmos, no que diz respeito à qualidade de nossa espiritualidade. O egoísmo pode assumir muitos disfarces, sendo fácil aliviar uma consciência intranqüila por truques emocionais e racionalizações. As pessoas religiosas se tornam sofistas. Mas o autor sagrado procura destruir todos esses truques religiosos sentimentais, declarando que a prova da espiritualidade se acha na observância dos mandamentos divinos. O «imperativo moral» do evangelho não pode ser exagerado. Nossa fé exige que «façamos» e que «sejamos», e não somente que «acreditemos». O princípio da graça divina envolve o poder do Espírito Santo, em nós residente, o qual é capaz de nos transformar moral e espiritualmente. Ora, isso a lei jamais poderia ter feito, pelo que o autor sagrado diz que, no caminho cristão, a lei moral se encontra nas mãos da Realidade espiritual em nós residente, devendo ser cumprida naqueles que lhe são hospedeiros. A transformação moral do crente não é algo que possa ser acompanhado ou não pela fé, mas é a própria fé em expressão. Não pode haver salvação, sob hipótese alguma, sem a santificação. Isso é deixado bem claro na seção a nossa frente, o que confirma a observação paulina, em II Tes. 2:13. A santificação é o próprio meio da salvação, pois, sem a santificação, ninguém jamais verá a Deus (ver Heb. 12:14). O autor sagrado, por conseguinte, ataca a chamada «crença fácil» que há, de modo generalizado, na moderna igreja cristã, bem como havia na filosofia amoral dos mestres gnósticos.

Ao abordar a questão do pecado, o autor sagrado reafirma o valor da morte de Cristo como «expiação» (ver I João 1:7,9). Ele sabia que seu valor é *pelo mundo inteiro*, pelo «pecado de todo e qualquer homem», e não apenas em favor de alguns poucos indivíduos selecionados. Os gnósticos, entretanto, acreditavam que somente alguns poucos indivíduos eram passíveis de redenção. No entanto, a missão de Cristo, é tão eficaz que todos os homens são potencialmente redimíveis.

VII. Perdão dos Pecados

1. É conferido exclusivamente por Deus (Mar. 2:7).
2. Alicerça-se sobre a expiação pelo sangue (Heb. 9:22; ver também Efé. 1:7).
3. É dado por meio de Cristo (Luc. 1:69,77).
4. É exibição das multiformes misericórdias de Deus (Efé. 1:7; Isa. 55:7 e Rom. 5:20).
5. **Consistem em serem apagadas** nossas transgressões (Isa. 44:22), com total olvido das mesmas por parte de Deus (Heb. 10:17).
6. Restaura o pecador diante de Deus (Isa. 44:22).
7. É o começo da salvação, além de ser condição necessária para a mesma (Rom. 4:8).
8. **Mas a salvação não consiste apenas no perdão de pecados e na transferência de endereço para os céus**, como, algumas vezes, a salvação é definida. O perdão é apenas o começo, e jamais o fim (ver Heb. 6:1-3). Segue-se a isso a santificação, como um resultado natural e necessário (ver I Tes. 4:3). Segue-se, obrigatoriamente, a participação nas virtudes de Cristo (ver Gál. 5:22,23). Nisso tudo ocorre a transformação moral do ser, o que, por sua vez, provoca a transformação metafísica. Dessa forma, o crente vem a participar da imagem e da natureza de Cristo (ver Col. 2:10 e Rom. 8:29). Isso é uma operação do Espírito (ver II Cor. 3:18). A participação na natureza divina é a principal característica da salvação (ver II Ped. 1:4).

VIII. Gradações de Pecado

1. Alguns crentes, naqueles momentos que fazem experiências com a teologia popular, supõem que não há gradação no pecado. Em outras palavras, «pecado é pecado», dizem, «e todos os pecados são igualmente maus diante de Deus».
2. Essa opinião, entretanto, nega o princípio exarado em Rom. 2:6, que diz que cada indivíduo será julgado de conformidade com as suas próprias obras, e que o próprio crente será julgado segundo o que tiver praticado, de bom ou de mau, através do seu corpo (ver II Cor. 5:10).
3. Essa teologia popular também nega a base mesma da lei da colheita segundo a semeadura (ver Gál. 6:7,8).

IX. O Reino do Pecado

1. O pecado, fortalecido pela lei, transformou-se em um tirano universal; prometia benefícios, mas dava aos homens a morte física e a espiritual (ver Rom. 6:3).
2. A morte é merecida, conforme fica claro na referência bíblica acima. Os homens se aprovam mutuamente, —encorajam uns aos outros, ao mesmo tempo que ganham esse horrendo salário (ver Rom. 1:32). Isso prova o quanto o pecado se tornou em um tirano, a ponto que os homens sejam enganados e cheguem mesmo a gostar daquilo que praticam. O tirano os submeteu a uma lavagem cerebral tão completa que eles, mesmo quando reconhecem que estão praticando o que é errado, e mesmo quando podem antecipar seus resultados, não podem controlar-se.
3. Esse tirano domina o corpo inteiro (o que explica as ações da alma) e reduz os homens a totais escravos (o que é a mensagem do sexto capítulo de Romanos).
4. O pecado obriga os homens a fazerem coisas irracionais e absurdas, mas os homens não têm força de vontade contra isso. Alguém disse uma verdade: «Senhor, temos conhecimento; o que não temos é força de vontade».
5. O que os homens se recusam a fazer habitualmente torna-se para eles uma impossibilidade moral. Ou aquilo que os homens fazem de errado habitualmente extrai de suas consciências o senso da pecaminosidade do pecado.
6. Os pensamentos se transformam em hábitos; os hábitos se tornam em caráter; o caráter determina o destino.

PECADO, GRAUS DE

Ver **Pecado Mortal e Pecado Venial**, especialmente ponto 3 e **Pecado**, VIII.

PECADO ETERNO

Ver sobre o **Pecado Imperdoável**.

PECADO IMPERDOÁVEL — Mat. 12:32

Mat. 12:32: *Se alguém disser alguma palavra contra o Filho do homem, isso lhe será perdoado; mas se alguém falar contra o Espírito Santo, não lhe será perdoado, nem neste mundo, nem no vindouro.*

Diversas Interpretações

1. O ato de *não confiar* em Cristo, que termina em juízo inevitável. Mas o próprio texto indica claramen-

PECADO IMPERDOÁVEL

te que Jesus não aludiu a isso. É verdade que a rejeição contínua a Cristo produz um julgamento idêntico ao do pecado imperdoável; mas Jesus falava sobre atos hostis ao Espírito Santo. Alguns explicariam, desejando manter essa explicação, que o ato de rejeição a Cristo não seria apenas um ato, mas um processo que envolveria a pessoa do Espírito Santo, como atitude final de quem assim o fizesse. Isso também é verdade, mas dificilmente cabe dentro deste texto. É verdade que os mandamentos e deveres que os homens se recusam, continuamente, a cumprir, tornam-se moralmente impossíveis para eles, mas o texto aborda outra questão.

2. Outros, modificando a primeira idéia, explicam que Jesus falou do fato de não crerem em Cristo, apesar dele *ter provado* que suas obras eram inspiradas pelo Espírito Santo; seria uma espécie de descrença arrogante. Essa explicação se baseia mais no texto que a primeira, mas ainda não focaliza a idéia principal do texto, isto é, *um tipo* de blasfêmia que visa o Espírito Santo. A descrença arrogante será julgada como tal, merecendo a condenação eterna; mas o próprio texto mostra que os crimes contra o Cristo, o Filho do homem, são perdoáveis, e o que fica entendido com as palavras «todo pecado e blasfêmia serão perdoados aos homens», é que tais pecados, mesmo que sejam excluídos os piores, são passíveis de perdão. É possível que depois de algum tempo, a alma culpada de descrença arrogante não procurasse a salvação em Cristo e assim viesse a perecer. Também é possível que, neste caso, o Espírito Santo perdesse toda influência sobre tal pessoa, deixando-a para perecer nessa condição, o que a levaria a ser fatalmente condenada; mas, ainda que tudo isso seja verdade, o texto ensina outra doutrina.

3. Uma leve modificação da segunda explicação, que aplica o texto mais ao Espírito Santo que a Jesus, é a que diz que Jesus deu a idéia de que o indivíduo que rejeitasse a *influência e a obra* do Espírito Santo, que é a de convencer os pecadores de sua necessidade de aceitar a salvação em Cristo, uma vez que a influência do Espírito se tenha dado por sinais e obras convincentes e inegáveis, teria rejeitado definitivamente essa influência do Espírito, e, naturalmente, pereceria por fim. Esta interpretação também apresenta uma verdade, e provavelmente isso ocorre, mas ainda não chega a alcançar o sentido pleno do texto, que fala diretamente de um pecado cometido contra o Espírito Santo, e não só da rejeição à influência do Espírito de Cristo.

4. O texto não alude a um pecado em particular, mas a um ato ou a atos definidos que determinam *um estado* pecaminoso **que consiste na oposição** determinada e voluntária contra a força e a obra patentes do Espírito Santo. Esta idéia incluiria o fato de que aquele que comete o pecado imperdoável atribui as obras do Espírito a Satanás, ou pelo menos não reconhece a atuação do Espírito Santo. Jesus continuava mostrando que a própria razão, bem como a instrução religiosa sobre a pessoa de Deus, demonstravam que o Espírito Santo é que operava através de Jesus. Mas, em seu ódio contra Jesus, os fariseus optaram por não aceitar essa evidência dada por Deus. Preferiam dizer que Satanás expelia a Satanás do que admitir que Jesus operava pelo poder do Espírito. É perfeitamente claro que a aceitação ou rejeição da pessoa de Jesus contribuiu para determinar a atitude dos fariseus quanto às obras de Cristo e à origem das mesmas; mas a rejeição a Cristo, por si só, não constituía pecado imperdoável. Essa rejeição é que servia de base para alguém cometer o pecado imperdoável, que consiste em *atribuir a Satanás* as obras do Espírito Santo. O texto indica que aqueles homens religiosos, autoridades da religião judaica, deveriam ter reconhecido o fato de que as obras operadas por Jesus, eram realizadas mediante o Espírito Santo; mas, como já vimos, em seu ódio, consciente ou inconscientemente preferiram atribuí-las a Satanás. Parece certo que tal conduta resulte de um processo de rebeldia contra Deus. Não se pode imaginar que um homem pudesse agir assim sem conhecer os princípios religiosos que mostram se algo é feito por Deus ou por Satanás. O texto inclui também a idéia de que aqueles que cometem tal pecado só podem cometê-lo porque têm conhecimento de Deus, de Cristo e da natureza da influência e das obras do Espírito Santo. Somente tais pessoas são capazes de cometer o pecado imperdoável.

5. Pequena modificação da quarta posição, é aquela que contempla um aspecto temporário, que atribui intencionalmente a Satanás as obras feitas pelo Espírito Santo, apesar de terem sido realizadas *através de Cristo*, quando *ainda* se achava na terra. Essa interpretação dá a idéia de que tal tipo de pecado só podia ser cometido *nos dias de Cristo* neste mundo, porquanto a natureza desse pecado exige a presença de Cristo, agindo em suas obras maravilhosas, as quais são atribuídas a Satanás. A passagem de Mar. 3:30 acrescenta: «Porque diziam: tem espírito imundo». Essa adição, naturalmente, faz avultar esta quinta interpretação, porque os líderes dos judeus realmente acusaram a Jesus de estar possuído por algum demônio, acusação essa que dificilmente pode ser repetida em nossos dias, porquanto Cristo não está conosco em carne.

A rejeição a Cristo conduz ao julgamento — eterno. Os homens rejeitaram-no então, como continuam a fazê-lo agora. Mas, o pecado aqui em foco, ainda que tenha o mesmo resultado, é muito diferente desse. A quinta interpretação só admite a possibilidade desse pecado nos dias de Cristo, pois só naquele tempo havia possibilidade de atribuir as obras de Cristo, feitas pelo poder do Espírito Santo, a Satanás. *A ausência* de Jesus desta terra impossibilita que se cometa tal pecado hoje em dia, ainda que os homens rejeitem a Cristo. O julgamento sobrevirá fatalmente contra aqueles que, em sua incredulidade, não aceitarem a Jesus, os quais, por isso mesmo, também rejeitam as obras e a influência do Espírito; e o resultado será idêntico. A diferença é que consideramos impossível que alguém pudesse cometer esse ato atualmente. Assim sendo, conclui-se também que os que rejeitam agora a Cristo não se tornam incapazes de aceitá-lo depois, embora isso talvez se torne impossível em decorrência do processo de endurecimento do coração, por motivo de incredulidade e da rejeição à influência do Espírito Santo. Mas, no juízo final, o resultado será o mesmo; os meios para alguém chegar a ele é que são diferentes.

«*Não lhe será isso perdoado, nem neste mundo nem no porvir*». Essa declaração tem sido alvo de diversas interpretações:

1. Fica subentendido que o perdão, impossibilitado nesta existência terrena, por causa da blasfêmia contra o Espírito Santo, poderá ocorrer na vida além-túmulo. Talvez as próprias palavras, se não levarmos em conta o sentido dado pela literatura judaica, possam ter esse sentido; mas os intérpretes em geral recusam reconhecer a possibilidade dessa interpretação. Não é provável que Jesus quisesse dizer tal coisa, pois a intenção do ensino, como é óbvio, é provar justamente a impossibilidade do perdão.

••• ••• •••

PECADO — PECADO MORTAL

2. *Muitos exemplos* dessa expressão, existentes na literatura judaica, demonstram que, com essas palavras, os judeus indicavam o presente (antes da vinda do Messias, para eles) e o porvir (depois da vinda do Messias). Portanto, essas palavras ensinariam que aquele que cometesse tal pecado não seria perdoado nem no período anterior à vinda de Cristo, nem no tempo do reino dos céus sobre a terra. Mas, embora essa interpretação concorde com as palavras literais e com o uso que aparece na literatura judaica, devemo-nos lembrar que o próprio Jesus proferiu essas palavras, e, assim sendo, dificilmente se poderia estabelecer essa distinção entre dois períodos de sua vinda.

3. Outros pensam que o perdão não podia ser conferido nem no tempo da lei judaica nem no período atual do cristianismo, que Jesus veio iniciar. Novamente, aqui está uma interpretação que parece aceitável se levarmos em consideração exclusivamente as palavras literais do texto, mas não é provável que assim seja.

4. A idéia de outros é que o julgamento se aplica somente à vida física, à morte do corpo, e não à alma; e também que a alma pode ser perdoada, mesmo desse pecado. Mas tal idéia não goza do apoio do texto.

5. Acompanhando Alford, devemos concordar que essa e outras expressões do N.T. indicam tanto esta vida como a vida depois da morte, no além-túmulo. Wordsworth, referindo-se ao Talmude, diz que essas palavras são uma expressão hebraica que tem o sentido de *para sempre*. Bruce diz: «Neque ante mortem, neque per mortem». A interpretação verdadeira, por conseguinte, é que o pecado imperdoável não pode ser perdoado durante a vida física, na terra, nem mesmo na vida de além-túmulo. Alguns como Ellicott (*in loc.*), desejando ainda encontrar alguma esperança de misericórdia e perdão de pecado na vida do outro mundo, enfatizam o fato de que somente um pecado tenha merecido tão severa condenação, e daí concluem que outros pecados talvez possam ser perdoados no outro mundo. É certo que I Ped. 3:18-20 e 4:5,6 ensinam algo semelhante. Ver notas ali no NTI. Porém, dificilmente se pode ver tal ensino *neste texto*.

«No porvir, Mat. 12:32. Isso implica em que o arrependimento, e conseqüentemente, o perdão, será dado no estado que há depois da morte? Não sabemos dizê-lo, e fazemos aqui indagações que não podemos resolver; mas pelo menos as palavras impedem uma inflexível resposta negativa. Se apenas um pecado não pode ser incluído no perdão no mundo do além, outros pecados não podem ser postos na mesma classe, e assim, a escuridão, através do véu, é atravessada ao menos por um raio de esperança» (Ellicott, *in loc.*).

O que Ellicott implica, I Ped. 4:6 ensina. *Quão grande é a graça de Deus!*

PECADO MORTAL E PECADO VENIAL

1. *Pecado Mortal*

De acordo com a teologia católica romana, para que um pecado seja considerado «mortal», é mister que tenha duas características: ser sério e ter sido deliberadamente cometido. Já os pecados cometidos ignorantemente, embora sem esse fator fossem considerados mortais, são considerados veniais. Segundo essa teologia, um pecado mortal separa o homem de Deus, e, se não for perdoado, resultará na condenação eterna. Ainda segundo essa mesma teologia, o perdão é provido através da graça sacramental que a Igreja Católica Romana administra, mediante o poder da expiação de Cristo. O trecho de I João 5:16,17 é oferecido como texto de prova dessa idéia em geral. Essa passagem fala sobre pecados para morte e pecados não para morte. Não há ali, entretanto, qualquer referência ao chamado «pecado imperdoável». Ver o artigo intitulado *Pecado Imperdoável*. No entanto, é mais acertado interpretar aquela passagem de I João como alusiva a pecados que levam à morte física, e não à morte eterna, porquanto não há pecado que leve à morte eterna sobre o qual não se possa orar. Ninguém está jamais fora do alcance da graça de Deus. Todavia, se está mesmo em pauta a morte espiritual, conforme bons intérpretes evangélicos insistem (embora poucos), então devemos pensar nos casos de *apostasia final*, como sucedia aos oponentes gnósticos da antiga Igreja cristã, que eram destrutivos e malignos, e acerca de quem o autor sagrado não recomendava que se orasse, na hipótese de que eles já estavam no caminho descendente da perdição. Seja como for, homens comuns, mui provavelmente, não estão aqui em foco, sem importar a gravidade de seus pecados. E, assim sendo, o texto nada diz sobre pecados mortais em contraste com pecados veniais.

Se aquela passagem de I João visa pecados graves (e não a apostasia, especificamente), então o autor sagrado, mui provavelmente, tinha em mente aqueles indivíduos que persistem em seus caminhos pecaminosos, não dando ouvidos aos conselhos dados por homens espirituais. Existem indivíduos acerca dos quais a Igreja simplesmente deveria desistir de tentar salvar, não perdendo tempo em orações que peçam a conversão dos mesmos. «Evita o homem faccioso, depois de admoestá-lo primeira e segunda vez, pois sabes que tal pessoa está pervertida e vive pecando, e por si mesma está condenada» (Tito 3:10,11).

Mas, voltando ao texto de I João 5:16,17, dificilmente poderíamos pensar que temos ali a doutrina católica romana ordinária dos pecados mortais. À Igreja de Cristo nunca foi aconselhado que não orasse por indivíduos que cometam pecados graves, mesmo que tenham pecado deliberadamente. Todavia, devemos pensar que *alguns casos* podem ser tão radicais que desencorajam aos crentes a orarem a respeito.

2. *Pecado Venial*

Esse adjetivo vem da palavra latina *venia*, «perdão», «misericórdia». Refere-se a pecados menos graves, que envolvem menor grau de depravação, não cometidos de forma deliberada, e sem que haja persistência nos mesmos. Já dissemos que até mesmo pecados mortais, quando cometidos na ignorância, são considerados «veniais» pela teologia católica romana. Segundo essa teologia, a penitência pode remover a culpa desse tipo de pecado. E, mesmo depois da morte física, um período passado no *purgatório* (vide), é capaz de cancelar os pecados veniais.

3. *Graus de Pecado*

É verdade que o trecho de I João 5:16,17 reconhece que há diferentes graus de pecado. O Senhor Jesus fez idêntica distinção, segundo se vê em Mat. 23:14. Outrossim, Paulo ensinou que os homens podem piorar (ver II Tim. 3:13). Uma visão superficial do pecado é a que pensa que todos os pecados têm a mesma gravidade, mas isso é ridículo. Os trechos de Rom. 2:6 e Apo. 20:12 mostram que haverá níveis de condenação, dependendo tudo do mal e do bem que cada indivíduo tiver praticado. Mas, a verdade bíblica é que todo pecado é pecado, e que todo pecado é mortal, se não for perdoado por Deus. Esse é o ensino

PECADO — PECADO ORIGINAL

paulino, em Rom. 3:23 e 6:23. Esta última passagem estipula: «...o salário do pecado é a morte, mas o dom gratuito de Deus é a vida eterna em Cristo Jesus, nosso Senhor».

Os protestantes e evangélicos diferem dos católicos romanos quanto a essa questão da distinção dos pecados em mortais e veniais. Os protestantes e evangélicos reconhecem a necessidade de perdão divino a pecados mais ou menos graves. Mas entendem que o pecado que resulta na condenação eterna é aquele que consiste em não querer o homem arrepender-se e crer em Cristo. Disso resulta a eterna separação entre a alma humana e Deus. Além disso, protestantes e evangélicos nunca vinculam o perdão dos pecados à intervenção sacramental. Ademais, eles não vêem o perdão de pecados como algo dependente de penitências. Antes, tudo depende de um ato perdoador direto da parte de Deus, por meio do Senhor Jesus Cristo, recebido mediante a fé. Não obstante, alguns grupos protestantes, como os luteranos, retêm certa dose de sacramentalismo, mormente no tocante ao batismo em água.

PECADO ORIGINAL

Essa doutrina procura definir o problema da natureza pecaminosa do homem. Várias considerações atraem a nossa atenção, a saber:

1. *A explicação bíblica* sobre a questão é que Adão e Eva, pessoas humanas literais, foram criados em estado de inocência, por um ato divino. Em seguida, foram tentados e caíram no pecado. Isso impôs a mortalidade, a degradação e a desintegração. Esse ato de pecado, e seu estado resultante, foram então transferidos para a raça humana inteira, devido à conexão da raça com Adão. O apóstolo Paulo introduziu essa maneira de pensar no cristianismo, no quinto capítulo da epístola aos Romanos. «...por um só homem entrou o pecado no mundo...», asseverou ele. Paralelamente, Paulo via em Cristo o Segundo (ou último) Adão, no qual há uma perfeita justiça, que pode ser imputada a todos os homens, tal como nos foi imputado o pecado do primeiro Adão. Temos aí a doutrina dos Dois Homens. Esse tema é desenvolvido longamente no artigo intitulado *Dois Homens, Metáfora dos*. Até onde sei dizer, essa doutrina foi originada pelo apóstolo Paulo. Nos escritos rabínicos não há qualquer ensino claro sobre o pecado adâmico transmitido à raça humana. No entanto, visto que Paulo era fariseu, é perfeitamente possível que a abordagem dele sobre a questão tivesse surgido no judaísmo helenista, não tendo sido originada por ele.

2. *Como o Pecado é Transmitido?* Nos escritos de Paulo, parece que a idéia de alguma espécie de *comunhão mística* da raça indica que o que se aplica a Adão aplica-se também a todos os homens. Um homem é mais do que um indivíduo; antes, faz parte do todo; ele é uma alma que faz parte da comunidade das almas; e essa identificação do indivíduo com a humanidade inteira é algo íntimo, que não pode ser quebrado. Por igual modo, a redenção é mais do que uma questão individual. A redenção envolve o corpo inteiro dos remidos, e os mesmos fazem parte desse corpo. Irineu e Tertuliano, que falaram sobre esse tema, aceitavam o ensino bíblico correspondente, sem exigir qualquer explicação. Mas Agostinho lançou mão da doutrina estóica do *traducionismo* (vide), que ensina que o homem e a mulher, sendo seres tanto físicos quanto não-materiais, naturalmente procriam seres de sua própria natureza. E assim, o pecado é espiritualmente transmitido, no ato da procriação. *Pelágio* (vide) pensava que o pecado passa adiante por força do mau exemplo, e não por qualquer mecanismo de natureza física ou espiritual. É que ele desejava preservar o conceito de liberdade moral, mediante a sua doutrina, e pensava que a idéia do pecado original (ensinada por Paulo), debilitava esse conceito da liberdade moral do homem.

3. *Teólogos Modernos e o Liberalismo; a Evolução*. Há tantos mistérios em qualquer tipo de transmissão de pecado, de uma geração para a outra! Esse problema pode ser solucionado simplesmente afirmando-se que o homem proveio de um passado animalesco, e que a selvageria e todo tipo de elemento desagradável, em sua natureza, simplesmente são resquícios daquela sua natureza animal anterior. Por evolução, o homem é um ser defeituoso, não tendo havido necessidade de qualquer queda específica no pecado, em algum ponto histórico de sua existência, para que se caracterizasse por essa condição.

4. *Uma Realidade Prática*. Todos os pensadores, excetuando os extremamente otimistas, reconhecem que o homem é uma combinação do que é mais excelente com o que é mais vil, e que a depravação é uma realidade brutal no homem. Essa condição requer o remédio apropriado. E esse remédio é destacado pela fé religiosa. Para sabermos disso, não precisamos da história. Essa condição requer o remédio prescrito por Deus, a fé em Deus Pai e no Senhor Jesus. Ver João 17:3.

5. *Um Texto de Prova Dúbio do Antigo Testamento*. Alguns teólogos usam a passagem de Sal. 51:5 como texto de prova veterotestamentário quanto a essa questão do pecado original: «Eu nasci na iniqüidade, e em pecado me concebeu minha mãe». Essas palavras podem significar que um homem, desde o começo de sua existência (a concepção) recebe uma natureza pecaminosa, em razão de que as gerações que vão sendo concebidas derivam sua natureza pecaminosa da geração anterior. Mas, para outros, o que esse texto provavelmente significa é que qualquer mulher que tenha contato sexual inevitavelmente é assaltada por pensamentos de adultério, pelo que qualquer concepção *daí* resultante inclui uma expressão pecaminosa. Naturalmente, os intérpretes cristãos cristianizam o versículo, e vêem aí o pecado original. Na verdade, pensamos que esse versículo exprime precisamente esta última idéia, embora admitindo que é difícil ver no mesmo, sem a assistência do Novo Testamento, um ensino claro sobre o pecado original; e por isso temos dito que esse texto veterotestamentário não é definitivo.

6. *Aspectos Históricos da Doutrina*

a. A verdadeira interpretação do texto de Sal. 51:5, antes do Novo Testamento, permaneceu em dúvida. Agora, precisamos expurgar o ensino rabínico a respeito.

b. Paulo expôs a verdadeira doutrina do pecado original. Muitos dos pais da Igreja concorreram com Paulo nessa posição, pois entendiam que a humanidade mantém uma comunhão mística íntima entre todos os seus membros. Isso posto, quando Adão pecou, nele todos pecaram.

c. Agostinho, fazendo oposição a Pelágio, incluiu na questão a idéia do *traducionismo*, conforme foi dito acima.

d. Tomás de Aquino explicou que o pecado original consiste na ausência de retidão ou justiça, privação essa causada pela queda. Nesse caso, a transmissão do impulso pecaminoso ocorre em um vácuo de bem, não dependendo da prática de algum ato externo. Esse vácuo logo é preenchido por atos pecaminosos.

e. A Igreja Católica Romana acompanhou Agosti-

PECADO — PECADO VOLUNTÁRIO

nho, quando do concílio de Trento. Ali foi explanado que o pecado não passa de uma geração para outra meramente por efeito do mau exemplo deixado por Adão.

f. Os reformadores protestantes não se afastaram da posição de Paulo e Agostinho, e sustentaram as bases históricas da questão.

g. Os arminianos e socínios rejeitaram essa posição, no afã de preservarem a idéia da liberdade e da capacidade humanas, bases da moralidade; pois, segundo pensavam, essa liberdade só pode ser preservada dessa maneira. A idéia deles é que a morte de Cristo cancelou o pecado original e conferiu aos homens um novo começo. Isso posto, nenhum ser humano nasceria pecador; mas adquiriria posteriormente essa natureza, pela força do hábito. Os mórmons apegam-se a essa idéia.

h. A doutrina cristã em geral isenta Jesus do pecado original. E a doutrina católica romana inclui Maria, mãe de Jesus, nessa isenção, embora a Bíblia faça total silêncio a respeito.

i. Emanuel Kant e outros têm definido o pecado como uma fraqueza inerente à natureza humana, sem envolverem-se em interpretações históricas.

j. Os evolucionistas (entre os quais há até teólogos) acreditam que o pecado é um resquício natural da anterior natureza animalesca do homem.

l. A maioria dos cristãos reconhece a natureza pecaminosa do homem (que precisa ser curada) como uma *realidade prática*, sem importar o que diga a teologia a respeito.

PECADO, RETENÇÃO DO

Ver **Retenção de Pecados**.

PECADO VENIAL

Ver sobre *Pecado Mortal e Pecado Venial*.

PECADO VOLUNTÁRIO

Heb. 10:26: *Porque se voluntariamente continuarmos no pecado, depois de termos recebido o pleno conhecimento da verdade, já não resta mais sacrifício pelos pecados,*

O ponto de vista do autor é de que não há remédio para a «apostasia», o que certamente ele entendia como um dos pecados «deliberados», sendo destacado como tal dentro deste versículo. Na realidade, nada havia de novidade nesse ponto de vista; era opinião comum entre os rabinos, com base no A.T. (ver Núm. 15:24-31). Somente os pecados de «ignorância» poderiam ser expiados; se um homem pecasse teimosamente, com pleno conhecimento de sua maldade, mas «deliberadamente» prosseguisse, não haveria mais sacrifício em seu favor; simplesmente ficaria «cortado» ou excluído do povo. Sua iniqüidade permanecia sobre ele (ver o trigésimo primeiro versículo); e isso significaria que ele entraria no outro mundo sem perdão, perdido. Todavia, não sabemos como eram determinados quais eram os pecados de ignorância e quais eram os deliberados.

Se viermos deliberadamente em pecado. O grego diz, simplesmente, «pecarmos deliberadamente». O termo grego «ekousios» indica «de própria e livre vontade», «voluntariamente». Portanto, não temos exatamente uma «tradução» neste ponto, e, sim, uma interpretação.

Do que Consiste o Pecado Voluntário?

1. Os tradutores ou revisores de nossa versão portuguesa dão a impressão de que qualquer pecado pode ser praticado «deliberadamente», a propósito, de tal modo que o indivíduo passa a «viver no pecado». Isso está de acordo com certas indicações que aparecem no A.T.

2. Mas também podem estar em foco certos pecados seriíssimos e agravados, cometidos com pleno conhecimento de causa; segundo o presente texto, que fala em «...depois de termos recebido o pleno conhecimento da verdade...», isso só pode suceder depois que alguém ouviu e recebeu o evangelho. Essa é uma idéia razoável, mas nada existe no contexto, ou no pano de fundo do A.T., que a sugira.

3. Outros estudiosos supõem que o sentido é que qualquer pecado, de qualquer classe, se for cometido voluntariamente, após alguém chegar ao conhecimento da verdade, segundo ela se acha em Cristo, não pode mais ser perdoado. Porém, apesar de talvez podermos ver esse sentido na passagem do décimo quinto capítulo do livro de Números, e até mesmo aqui, se ficarmos com a simples declaração que aqui se acha, sem injetar qualquer interpretação, isso não poderá ser feito. E ainda que o autor sagrado tivesse dito isso, estaria equivocado, pois, nesse caso, ninguém poderia jamais ser salvo, pois quem é aquele que, depois de ter conhecido e recebido a mensagem cristã, não tem cometido deliberadamente muitos pecados?

4. Em consonância com o presente contexto, e levando em conta uma advertência similar já feita (ver Heb. 6:4 e *ss*), o pecado voluntário parece ser o da *apostasia*, em que o indivíduo abandona a fé cristã, retornando aos caminhos pagãos ou ao judaísmo. Essa interpretação está em total harmonia com a mensagem central do tratado, e provavelmente é o que está em foco aqui. Contudo, não entra em contradição com a explicação de número «um». O autor sagrado veria a apostasia como um processo progressivo; começa na indiferença, continua na lassidão moral e termina na apostasia. Portanto, o autor sagrado incluiria a primeira explicação, ainda que não seja essa a questão primariamente em foco aqui.

5. Seja como for, a advertência é feita a *crentes*, pois ele não se dirigia a alguma audiência fantasma. Em Heb. 3:6b, no NTI, damos notas expositivas acerca de «para quem foram dirigidas essas advertências». Faremos do tratado inteiro um caos, se transferirmos as mesmas para os judeus ou para os «quase crentes». O autor sagrado, sem importar se gostamos disso ou não, cria que a apostasia é possível, que ela é fatal, sem reversão e sem expiação. Uma grande parte da igreja cristã tem anulado estes ensinos. Alguns poucos teólogos continuam afirmando estas opiniões. Outros, rejeitando estas idéias, forçam o autor a não ter, igualmente, estas noções; mas nisso demonstram ignorância sobre a teologia judaica, que forma a base dos pontos de vista do autor sagrado, os quais, segundo a literatura rabínica o demonstra, consubstanciavam essas mesmas idéias. (Uma discussão mais completa sobre essa questão é dada na introdução ao sexto capítulo desta epístola ao trecho de Heb. 6:4 no NTI).

6. O pecado *voluntário*, pois, não é cometido por «quase crentes», que muito têm aprendido acerca de Cristo, mas que, finalmente, abandonam o cristianismo. Essa posição é uma forma tipicamente calvinista de evitar o sentido claro da passagem, e não uma explicação da mesma. (Ver os artigos sobre: *Calvinismo; Segurança Eterna do Crente; Arminianismo*, e *Apostasia*). Especulo que a queda é «relativa», limitada a esta peregrinação terrena, ou no

PECADO VOLUNTÁRIO — PECAÍAS

mundo intermediário do espírito. Um homem que conhecera a Cristo em verdade pode cair; mas tudo é «relativo», «temporário», não podendo caracterizá-lo finalmente. Por outro lado, a segurança do salvo é «absoluta», no sentido de que a promessa de que nenhuma das ovelhas de Cristo se perderá deverá se cumprir finalmente. Deus trará de volta os tais, mesmo que seja no mundo intermediário do espírito, antes da segunda vinda de Cristo e antes de serem fixadas as fronteiras eternas, se é que isso será feito. O amor de Deus não permitirá que uma de suas ovelhas se perca finalmente, embora possam vaguear e errar; mas, nesse estado de desvio terão de aprender muitas e difíceis lições, sofrendo juízos e disciplinas difíceis, os quais serão castigos retributivos, mas também terão natureza restauradora.

7. *Não está* em foco o pecado contra o Espírito Santo, o «pecado imperdoável». (Ver o artigo sobre o *Pecado Imperdoável*). (Quanto a outras passagens que enfatizam o «caráter final da apostasia», que é idéia do autor sagrado, ver Heb. 2:2,3; 6:4-8 e 12:25-29. A seriedade da apostasia se vê no fato de que o apóstata rejeita ao «único e perfeito sacrifício», que não pode ser substituído por outro. Portanto, se o sacrifício de Cristo for rejeitado, não mais haverá expiação pelo pecado).

Depois de termos recebido. A «verdade» é a mensagem cristã, a esperança dada na expiação e no sacerdócio de Cristo, na «mensagem cristã». Esse é o uso normal do termo, nas páginas do N.T. (Ver II Cor. 6:7; Efé. 1:13, «palavra da verdade»; Gál. 2:5, «verdade do evangelho»; e II Tes. 2:10, «amor da verdade»). Alguns indivíduos tapam os ouvidos para não ouvirem a verdade (ver II Tim. 4:4). Jesus é a verdade personificada (ver João 14:6). A questão de ter alguém «recebido» a verdade envolve muito mais do que tê-la «ouvido»; também inclui o seu «acolhimento». Está em foco a profissão cristã, não havendo razão para supormos que o autor sagrado não visse tal profissão como genuína, da parte de seus leitores originais.

O *conhecimento* dessa verdade é dado «misticamente», como uma revelação, conferido por meio de Cristo, através de seus apóstolos, e sob a mediação do ministério do Espírito Santo. O termo grego traduzido aqui por «conhecimento» é *epignosis*, «pleno conhecimento». Está em foco uma pessoa realmente iluminada. Notemos, por igual modo que, no vigésimo nono versículo, tal pessoa foi verdadeiramente «santificada». Isso deixa claro que o autor sagrado fala de verdadeiros crentes, os quais corriam o perigo de apostatarem de Cristo.

Não resta sacrifício pelos pecados. Essas palavras devem ser entendidas em dois sentidos, a saber: 1. Não pode haver outro sacrifício, além daquele que já foi feito — o de Cristo — e que possa conferir perdão de pecados. Os sacrifícios levíticos foram abolidos; não têm valor para fazer expiação; e nem pode haver um novo sacrifício expiatório. 2. Mas, além disso, o autor sagrado indica que tal pecado está fora do alcance do perdão divino, a apostasia é fatal.

«Deus já fez tudo quanto pode ser feito, tudo quanto o próprio Deus pode fazer. As indizíveis riquezas que possuem como crentes serão equiparadas por indizível desgraça e perda, se agora rejeitarem deliberadamente a elas. Essa não é apenas a opinião do autor. Repousa sobre as Escrituras, porquanto o antigo pacto punia os ofensores deliberados com a morte (ver Deut. 17:2-6); 'quanto pior' será a pena para quem rejeita deliberadamente a nova ordem?» (Purdy, *in loc.*).

As passagens de Heb. 7:27; 9:12,26,28 e 10:10 mostram a convicção que tinha o autor sagrado de que o sacrifício único de Cristo é o sacrifício final e perfeito. Nada pode ser acrescentado a essa perfeição. Se rejeitarmos o sacrifício perfeito, simplesmente perdemos o perdão. A apostasia é uma maneira de rejeitarmos esse sacrifício, ainda que por algum tempo tenha sido o mesmo aceito. Naturalmente, nesse particular, o autor sagrado impõe certa limitação sobre a nova aliança e seu sacrifício, que não é reconhecida no resto do N.T., e que certamente não é válida. Não há ocasião em que um homem, sem importar o que tenha feito, mesmo que tenha desprezado a Cristo, depois de tê-lo recebido, em que não possa ser perdoado. A paixão e a intensidade do autor, em salvar os seus leitores originais da apostasia, são atitudes recomendáveis, mas ele exagerou o seu caso, ao não fazer provisão para o retorno dos apóstatas. O trecho de Heb. 6:4, em suas notas expositivas no NTI, aborda mais profundamente essa questão. Há muitos Pedros que, depois de terem negado a seu Senhor, retornam. Também cremos que muitos Judas Iscariotes podem retornar e o têm feito. E haverá maior número dessas restaurações. O amor de Deus não apenas atinge a mais alta estrela; também atinge o mais profundo inferno.

PECADOS CAPITAIS

Ver sobre os **Sete Pecados Capitais**.

PECADOS CARDEAIS

Também são chamados de **Sete Pecados Mortais** (que vide) ou de pecados capitais. Esses pecados são o orgulho, a concupiscência, a inveja, a ira, a cobiça, a glutonaria e a preguiça. Há diferentes listas desses pecados mortais, com pecados veniais ou secundários que os acompanham. O artigo referido fornece detalhes sobre a questão, comentando também sobre a significação teológica da questão.

PECADOS DE OMISSÃO

Ver sobre **Omissão, Pecados de**.

PECAÍAS

Esse nome significa «Yahweh abriu (Seus olhos)». Esse rei foi filho de Menaém, e foi o décimo sétimo rei de Israel. Sucedeu a seu pai em cerca de 742/741 A.C. (ver II Reis 15:23-26). Peca, filho de Remalias, havia encabeçado a conspiração e o assassinato de Pecaías, para que ele mesmo pudesse ser o próximo monarca de Israel (ver sobre *Peca*). Talvez uma das razões dessa conspiração seja o fato de que Pecaías estava dilapidando os recursos da Nação de Israel por pagar um elevadíssimo tributo à Assíria, na tentativa de diminuir o ímpeto dessa nação guerreira e reter uma certa dose de independência. Peca, porém, tentou obstar em vão esse poder. De fato, ele foi o penúltimo rei de Israel, antes do *cativeiro assírio* (vide). E assim teve lugar o inevitável, a despeito de seus esforços. Oséias, que foi o sucessor de Peca, voltou a submeter-se aos assírios; mas isso somente serviu para adiar o inevitável, por alguns poucos anos.

Seja como for, Pecaías teve um breve reinado de apenas dois anos, depois do que foi derrubado. Durante esse tempo, além de suas outras falhas, permitiu e mesmo promoveu a idolatria no reino de Israel. Ocupou-se em práticas pecaminosas, ensinadas pelo notório Jeroboão, o qual viera a tornar-se uma espécie de emblema da corrupção. O trecho de II Reis 15:24 oferece-nos um quadro constrangedor de avaliação de sua vida. Ele deu prosseguimento à adoração ao bezerro, em Dã e em Betel; e Peca, seu sucessor, fez a mesma coisa. Nos livros de Crônicas não há qualquer alusão a ele ou ao seu pai, talvez devido à amarga desaprovação divina quanto ao que ele fez e deixou de fazer. Peca apossou-se do trono de Israel com a ajuda de cinqüenta homens de Gileade, que então parecia ser o principal centro de oposição à política de Pecaías.

PECODE

Essa palavra vem do assírio-babilônico **Puqudu**. Talvez o termo signifique «visitação» ou «julgamento», conforme seu equivalente hebraico parece indicar. O nome alude a uma tribo de arameus do sul da Babilônia, que residiam na margem oriental do baixo rio Tigre. Os reis assírios Tiglate-Pileser III, Sargão II e Senaqueribe conseguiram dominar esse povo, pelo menos temporariamente. Jeremias mencionou o lugar (e o povo), em suas profecias de condenação, no capítulo cinqüenta de seu livro (ver o vs. 21). Ali ele apresenta um jogo de palavras (*merathaim*, com base na raiz *mhr*, «rebelar-se», e *pekod*, com base na raiz que significa «castigo»), dando a entender que a Babilônia estava destinada a cair, sofrendo tal castigo em virtude de sua rebeldia. Ezequiel incluiu Pecode juntamente com os babilônios e outros entre os *amantes* de Jerusalém que, finalmente, mostrar-lhe-iam uma conduta, traiçoeira, tornando-se seus adversários, em vez de amantes. Ver 23:22.

Fontes informativas no acádico informam-nos de que *Puqudu* era uma tribo de arameus que viviam no lado oriental do baixo rio Tigre que tinham combatido contra os assírios mas, finalmente, foram subjugados por Nabucodonosor. Eles deram o seu nome a uma cidade e a um canal, que são mencionados nos registros assírios, e, naturalmente, ao seu território em geral. Nos dias de Ezequiel eles já tinham sido engolfados pelo império caldeu, conforme se vê através das referências dos livros de Jeremias e Ezequiel, acima.

PEDAÇO DE PÃO MOLHADO

No grego, **psomion**, palavra que ocorre por quatro vezes: João 13:26,27,30. Era uma fatia fina de pão que era molhada na terrina comum, como uma espécie de colher improvisada, para apanhar algum molho. Na época eram desconhecidos os talheres à mesa. Portanto, as porções mais líquidas de uma refeição eram obtidas molhando-se nelas um pedaço de pão.

PEDAEL

No hebraico, «Deus Libertou». Nome de um dos homens nomeados para trabalhar com Eleazar e Josué na distribuição da Terra Prometida conquistada, entre as tribos de Israel, que deveriam ocupar a área a oeste do rio Jordão (ver Núm. 34:28). Ele pertencia à tribo de Naftali e era filho de Amiúde. Viveu em torno de 1450 A.C.

PEDAÍAS

No hebraico, «Yah (Yahweh) comprou». Esse é o nome de um certo número de pessoas que aparecem nas páginas do Antigo Testamento, a saber:

1. O pai de Joel, príncipe da meia-tribo de Manassés, na época de Davi (I Crô. 27:20). Ele viveu em torno de 1013 A.C.

2. O pai da esposa de Josias, Zebida. Ele era habitante de Ruma (II Reis 23:36). Ele viveu em cerca de 536 A.C.

3. O pai de Zorobabel (I Crô. 3:18), mediante a viúva de Salatiel, seu irmão. Ele viveu em cerca de 536 A.C.

4. Um descendente de Parós, que ajudou a reconstruir as muralhas de Jerusalém, terminado o cativeiro babilônico (Nee. 3:25). Isso ocorreu por volta de 446 A.C.

5. Um filho de Colaías, um benjamita da família de Jesaías (Nee. 11:7). Ele viveu em cerca de 530 A.C.

6. Um levita que servia como tesoureiro, nos tempos de Neemias (ver Nee. 13:13). Provavelmente foi ele quem ficou ao lado esquerdo de Esdras, quando este explicava a lei ao povo reunido, e quando os israelitas firmaram um novo pacto com Yahweh (Nee. 8:4). O tempo da ocorrência foi cerca de 445 A.C.

PEDAZUR

No hebraico, «a rocha liberta». Nome de um chefe de clã da tribo de Manassés. Ele era pai de Gamaliel, o qual ajudou Moisés a enumerar o povo (ver Núm. 1:10; 2:20; 7:54,59; I Crô. 27:20). Viveu em torno de 1450 A.C.

PEDERASTIA

Um dos terrores de nossa época é o abuso sexual contra crianças. A palavra *pederastia* refere-se especificamente a um comportamento homossexual dirigido a crianças do sexo masculino (e freqüentemente forçado). A raiz grega dessa palavra é *país* (*paidós*), «menino», e *erastés*, «amante». Uma das mais perturbadoras perversões sexuais é aquela que só encontra prazer no sexo com crianças. A pederastia é quase universalmente condenada por lei. É óbvio que as crianças não têm poder real de escolha, o que significa que qualquer atividade dessa espécie é uma opressão que equivale moralmente ao estupro.

Algumas vezes, esse ato é inspirado pelo desequilíbrio mental; em muitos casos, nenhuma causa dessa natureza pode ser encontrada. Seja como for, o homossexualismo é claramente condenado na Bíblia, e quanto mais quando é cometido com crianças! Ver o artigo sobre esse assunto.

PEDERNEIRA

Há duas palavras hebraicas envolvidas, a saber:

1. *Challamish*, «pederneira», palavra usada por quatro vezes: Deu. 8:15; Sal. 114:8; Isa. 50:7 e Jó 28:9.

2. *Tsor*, «rocha», «pederneira». Essa palavra só é usada por duas vezes: Eze. 3:9 e Êxo. 4:25.

A pederneira é uma rocha de sílica, uma variedade granulada do quartzo, um tanto parecida com a *calcedônia*. É uma rocha classificada como criptocristalina, isto é, seus cristais são pequenos demais para serem vistos, mesmo no microscópio. Usualmente tem cor cinza-escuro ou amarronzada, sendo mais escura no interior do que à sua superfície. Nódulos de pederneira podem ser encontrados entre rochas sedimentares calcárias. Muitos veios de pederneira

PEDERNEIRA — PEDRA DE TROPEÇO

têm-se formado em águas marinhas profundas, através do acúmulo de organismos que contêm sílica, como os dioptásio e as radiolárias. Sepultados abaixo de sedimentos, esses organismos acabam alterados, formando a pederneira. Outras formas de pederneira formam-se com base na sílica coloidal, isto é, em suspensão em água, mas debaixo de grandes pressões. E também pode ser formada a pederneira **mediante a silicificação de sedimentos. Muitos fósseis de animais delicados têm sido preservados em pedaços de pederneira.**

A pederneira é bastante dura e ocorre em nódulos duros. Ver Isa. 50:7. Há nódulos de pederneira que ocorrem em pedras de giz e em pedra calcária, no norte de Samaria e em certas porções do oeste da Galiléia, além de várias áreas do leste do rio Jordão e no vale do Jordão. A pederneira não é tão dura uanto certas gemas; mas é mais dura que o aço e é sada como abrasivo.

Instrumentos de pederneira têm desempenhado um papel crucial na sobrevivência do homem, desde os tempos pré-históricos. Pederneira lascada, que já pode ocorrer nesse estado, é muito afiada, podendo servir como arma ou como instrumento de corte. Os povos antigos produziram muitas facas e outros instrumentos de pederneira, lindamente modelados. Instrumentos de pederneira de vários tipos também eram produzidos pelos antigos. *Metaforicamente* falando, a pederneira representa a dureza, a falta de sensibilidade e a crueldade. Os cascos dos cavalos são comparados com pederneiras, em vista de sua dureza (Isa. 5:28). Em Isaías 50:7, o profeta resiste a todos os ataques e vicissitudes, mas não cede diante de nada, porque o seu rosto torna-se duro como se fora feito de pederneira. Assim sendo, não podia envergonhar-se, porquanto Deus mesmo o sustentava. Em Ezequiel 3:9, lemos que a fronte do profeta Ezequiel também era dura como a pederneira, o que significava que ele não precisava temer seus inimigos, e nem a rebelde casa de Israel.

PEDESTAL

No hebraico, **ken**. Essa palavra ocorre somente em I Reis 7:29 e 31, em relação ao lavatório do templo de Jerusalém. A referência é à base arredondada que servia como ponto de apoio ao lavatório. A descrição ali diz como segue: «...a boca era redonda como a obra de um pedestal, e tinha o diâmetro de um côvado e meio». Algumas traduções dizem apenas «base».

PEDOBATISMO

Essa palavra foi transliterada do grego, *país* (*paidós*), «criança», *báptismós*, «imersão», «batismo». Essa palavra enfoca a prática do batismo de crianças. Ver o detalhado artigo intitulado *Batismo Infantil*.

PEDRA BRANCA

Ver **Novo Nome e Pedra Branca.**

PEDRA COM FIGURAS

No hebraico, **maskith eben**. A primeira dessas palavras hebraicas significa «conceito», «imagem», «figura». A idéia é a de alguma pedra lavrada ou esculpida, para conceituar alguma idéia; no caso específico, alguma divindade. A segunda palavra hebraica significa «pedra». Portanto, a idéia é a de alguma «pedra esculpida». A expressão inteira ocorre somente em Lev. 26:1, onde se lê: «Não fareis para vós, outros ídolos... nem poreis pedra com figuras na vossa terra, para vos engastades a ela...» Geralmente as figuras eram engalhadas à superfície de uma laje de pedra. Nos *lugares altos* (que vede), onde as práticas idólatras eram levadas a efeito, havia pedras esculpidas e também imagens fundidas, que faziam parte dos objetos do culto. A arqueologia tem ilustrado abundantemente a questão. Numerosas figuras em relevo, com sentidos mágicos religiosos, têm sido encontradas nas paredes externas e internas dos túmulos e templos do Egito. Os marcos de fronteira, na Babilônia, eram decorados com figuras de divindades protetoras e de símbolos mágicos. Outrossim, representações mitológicas de todas as variedades têm sido encontradas esculpidas na superfície de lajes de pedras. O trecho de Provérbios 25:11: «Como maçãs de ouro em salvas de prata...», talvez aluda a trabalho de prata marchetado de ouro.

PEDRA DE CAL

No hebraico, **eben gir**, que aparece somente em Isa. 27:9. Trata-se de uma pedra extraída de rochas de pedra calcária, que constituem uma característica geológica comum na Palestina. É facilmente reduzida a pó, e, algumas vezes, é queimada a fim de servir de cal. Esse material varia, em coloração, do branco ao cinzento, sendo pouco coerente, consistindo em carbonato de cálcio finamente granulado, de origem incerta, de mistura com pequena quantidade de fragmentos de conchas. Tal material forma extensas e espessas camadas, em várias regiões do mundo. Data de cerca de 88 a 38 milhões de anos. Na Palestina, extensas camadas desse material encontram-se ao norte de Samaria, a oeste da Galiléia e em grande parte da região a leste do rio Jordão. A maciez e a falta de resistência do material é que dá origem ao uso metafórico que se acha em Isaías 27:9, onde é declarado que os ídolos serão quebrados e demolidos como pedra de cal, pondo completo fim à adoração idólatra.

PEDRA DE ESCAPE

Esse nome aparece, em nossa versão portuguesa, somente em I Sam. 23:25-29. A expressão hebraica significa mais «rocha de divisão» ou «rocha macia». A tradução «rocha dos caminhos» também tem sido sugerida pelos estudiosos. Nossa versão portuguesa, entretanto, prefere seguir a versão inglesa RSV. Um penhasco bem conhecido, no deserto de Maom (vide), está em foco, provavelmente referindo-se à Maom existente ao sul de Hebrom, onde Saul esteve prestes a capturar Davi. Parece não se tratar de Massada, conforme alguns já disseram, visto que esse penhasco é um tanto distante de Maom. A localização da Pedra de Escape é desconhecida.

PEDRA DE TROPEÇO

A. *As Palavras Utilizadas*

Este verbete exige que consideremos três palavras hebraicas, duas palavras gregas e uma expressão grega, a saber:

1. *Mikshol*, «pedra de tropeço». Essa palavra hebraica aparece por doze vezes, conforme se vê, por exemplo, em Lev. 19:14; Isa. 57:14; Jer. 6:21; Eze. 3:20; 7:19; 14:3,4,7.

2. *Makshelah*, «causa de tropeço». Vocábulo hebraico que é empregado por duas vezes: Sof. 1:3; Isa. 3:6.

PEDRA DE TROPEÇO — PEDRAS

3. *Negeph*, «golpe», «praga». Embora ocorra por sete vezes, essa palavra só tem o sentido de «pedra de tropeço» em Isa. 8:14.

4. *Próskomma*, «pedra de tropeço». Palavra grega que foi usada por seis vezes: Rom. 9:32,33 (citando Isa. 8:14; cf. 28:16); 14:13,20; I Cor. 8:9 e I Ped. 2:8. O verbo correspondente, *proskópto*, «tropeçar», aparece por oito vezes: Mat. 4:7 (citando Sal. 91:12); 7:27; Luc. 4:11; João 11:9,10; Rom. 9:32; 14:21; I Ped. 2:8.

5. *Skándalon*, «armadilha», «ardil». Palavra grega usada por quinze vezes: Mat. 13:41; 16:23; 18:7; Luc. 17:1; Rom. 9:33 (citando Isa. 8:14; cf. 28:16); 11:9 (Sal. 69:23); 14:13; 16:17; I Cor. 1:23; Gál. 5:11; I Ped. 2:8; I João 2:10 e Apo. 2:14. O verbo correspondente, *skandallízo*, «armar armadilha», «escandalizar», aparece por trinta vezes: Mat. 5:29,30; 11:6; 13:21,57; 15:12; 17:27; 18:6,8,9; 24:10; 26:31,33; Mar. 4:17; 6:3; 9:42,43,45,47; 14:27,29; Luc. 7:23; 17:2; João 6:61; 16:1; Rom. 14:21; I Cor. 8:13; II Cor. 11:29.

6. *Líthos toū proskómmatos*, «pedra de tropeço». Essa expressão grega foi usada por duas vezes: Rom. 9:32,33.

B. *No Antigo Testamento*

A causa de tropeço pode ser algo literal, como um obstáculo posto no caminho de um cego (Lev. 19:14). No entanto, na maioria das vezes, o sentido é figurado e ético. Figuradamente, fica retratado o juízo de Deus contra os rebeldes (ver Jer. 6:21; Eze. 3:20). Eticamente falando, uma pedra de tropeço é aquilo que causa a iniqüidade. Essa causa pode ser o ouro ou a prata (Eze. 7:19) ou os ídolos (Eze. 14:3,4,7; 44:12; Sof. 1:3). Nesta última passagem, a nossa versão portuguesa diz «ofensa», o que é um sentido possível e legítimo para a palavra hebraica.

C. *No Novo Testamento*

Encontramos a idéia de «tropeçar» contra um objeto qualquer. Geralmente devemos pensar em um sentido figurado, como o caso de um crente que tropeça em face de alguma ação errada de um seu irmão em Cristo (Rom. 14:13; I Cor. 8:9). A causa desse tropeço está no ato errado do irmão mais forte, que não mostra consideração para com a consciência mais impressionável do seu irmão mais fraco, que, por isso mesmo, sente-se ofendido. A vida de Paulo foi um exemplo notável do exercício apropriado do amor e da consideração cristãos (I Cor. 9).

O vocábulo grego *skāndalon* transmite a idéia de uma armadilha armada para apanhar alguém que de nada suspeita. Esse termo é usado em conexão com o fato de que Israel não reconheceu o seu próprio Messias sofredor (Rom. 11:9; I Cor. 1:23; Gál. 5:11). Não devemos pensar que, nesse caso, a cruz de Cristo seja a armadilha em foco. Antes, a causa da própria queda do povo de Israel eram as suas idéias preconcebidas a respeito da pessoa e das realizações do Messias prometido, visto que tais idéias não admitiam que ele deveria sofrer, antes de poder entrar em sua glória. Os judeus, em suas fantasias de homens sem a luz divina, chegaram a conceber o Messias apenas como um grande guerreiro, que deveria libertá-los militarmente dos seus inimigos em derredor.

No trecho de Apocalipse 2:14, a armadilha é vinculada ao ato de Balaão e Balaque, para enganar Israel a comer alimentos sacrificados a ídolos e a praticarem a idolatria e a imoralidade.

PEDRA DE ZOELETE

No hebraico, o sentido provável da expressão é «pedra da coisa que se arrasta», ou, então, «pedra escorregadia». A forma como ela se acha em nossa versão portuguesa deriva-se da Septuaginta, *líthon to Zóeleth*. A única menção a essa pedra fica em I Reis 1:9.

Era uma pedra ou rocha arredondada que havia perto de En-Rogel, uma fonte existente nas proximidades de Jerusalém, no vale do Cedrom, perto da qual Adonias ofereceu sacrifícios durante sua abortada tentativa de tornar-se rei (ver I Reis 1:9). O original hebraico, *hazohelet*, que vem de um verbo que significa «escorregar» (cf. Deu. 32:24 e Miq. 7:17) talvez indique que essa pedra deslizou das elevadas colinas perto da fonte, ou, então, que essa pedra estivera associada ao emblema cúltico da serpente.

PEDRA FILOSOFAL

Esse era o nome que se dava a uma substância hipotética que os alquimistas procuravam descobrir (ver sobre *Alquimia*), e que supunham ter o poder de transformar metais vis em ouro. Essa substância aparece na literatura da alquimia com vários títulos. A *pedra filosofal* é usada por alguns místicos para aludir à *kundalini* (vide), uma suposta energia inerente ao homem (embora pouco conhecida e usada), que confere iluminação e gênio, quando provocada a prestar iluminação. Supõe-se que muitas pessoas têm acesso a essa forma de energia, embora não tenham consciência de seu *modus operandi*, o que explica a sua natureza extraordinária. Meu artigo sobre a *kundalini* entra em completos detalhes sobre essa questão.

PEDRA MOABITA

Ver sobre **Moabita, Pedra**.

PEDRAS

No hebraico, há quatro palavras a serem consideradas e no grego, três, a saber:

1. *Eben*, «pedra». Palavra hebraica que ocorre por mais de duzentas e trinta vezes, desde Gên. 2:2 até Zac. 12:3.

2. *Sela*, «pedra rude». Palavra hebraica que aparece por sessenta vezes, como, por exemplo, em Núm. 20:8,10,11; Deu. 32:13; Juí. 1:36; 6:20; 21:13; I Sam. 13:6; 23:25; II Sam. 22:2; I Reis 19:11; II Crô. 25:12; Nee. 9:15; Jó 39:1,28; Sal. 18:2; 42:9; 104:18; Pro. 30:26; Can. 2:14; Isa. 2:21; 7:19; Jer. 5:3; 13:4; 51:25; Eze. 24:7,8; Amós 6:12; Oba. 3.

3. *Tsur*, «rocha» (com base no fato de que é aguçada). Essa palavra hebraica é usada por cerca de setenta vezes, como em Êxo. 17:6; 33:21,22; Núm. 23:9; Deu. 8:15; 32:4,13,15,18,30,31,37; Juí. 6:21; I Sam. 2:2; II Sam. 21:10; 23:3; I Crô. 11:15; Jó. 14:18; 18:4; 29:6; Sal. 18:31; 27:5; 28:1; 105:41; 114:8; Isa. 2:10.

4. *Tseror*, «pedrinha redonda». Com esse sentido, apenas por uma vez, isto é, em II Sam. 17:13.

5. *Líthos*, «pedra». Esse substantivo grego é usado por cinqüenta e seis vezes: Mat. 3:9; 4:3,6 (citando Sal. 91:12); 7:9; 21:42 (citando Sal. 118:22); 21:44; 24:2; 27:60,66; 28:2; Mar. 5:5; 12:10; 13:1,2; 15:46; 16:3,4; Luc. 3:8; 4:3,11; 11:11; 17:2; 19:40; 24:2; 20:17,18; 21:5,6; 22:41; 24:2; João 8:7,59; 10:31; 11:38,39,41; 20:1; Atos 4:11; 17:29; Rom. 9:32,33 (citando Isa. 8:14; cf. 28:16); I Cor. 3:12; II Cor. 3:7; I Ped. 2:4-6 (citando Isa. 28:16); 2:7,8; Apo. 4:3; 15:6; 17:4; 18:12,16,21; 21:11,19.

PEDRAS

6. *Pétros*, «pedrinha». Em João 1:42, refere-se à coisa com esse nome. Em todas as outras passagens em que a palavra ocorre, alude à alcunha dada a Simão, filho de João, pelo Senhor Jesus. Ver sobre *Pedro*.

7. *Pséphos*, «calhau», «pedrinha». Essa palavra grega ocorre apenas por três vezes: Atos 26:10 e Apo. 2:17.

As pedras são pedaços de rocha, de qualquer tamanho e formato, geralmente, desprendidas de alguma grande rocha, como fragmentos de pequeno tamanho, conforme se vê à beira dos rios, por exemplo (I Sam. 17:40). Os homens sempre usaram pedras para vários propósitos de construção (ver Gên. 35:14, para exemplificar). A menos que tiradas das rochas mediante a ação humana, conforme se vê nas pedreiras (I Crô. 22:15), as pedras são destacadas pela ação das águas dos rios. Vários processos naturais, como a água corrente ou a neve, dão formato às pedras. O termo «pedras» também indica as chamadas pedras preciosas. Ver sobre *Jóias e Pedras Preciosas*.

É perfeitamente compreensível a importância das pedras para os povos que habitavam na Terra Prometida e nas cercanias, pois eles viviam em um território rochoso, onde havia muitas pedras soltas de todos os tamanhos. Montes de pedras eram feitos para comemorar eventos notáveis (Gên. 31:46; Jos. 4:5-8). A lei de Moisés foi inscrita em tábuas de pedra (Êxo. 31:18), e a pedra de esquina de um edifício se revestia de grande significação (Sal. 118:22; Efé. 2:20). Os altares eram edificados de pedras (Jos. 22:10), como também residências. Os israelitas que residiam em lugares pedregosos conheciam bem a dificuldade de caminhar em tais terrenos (Sal. 91:12). Entre os israelitas, no caso daqueles que desobedecessem gravemente à lei de Moisés, havia a execução por apedrejamento (Deu. 22:24 e Atos 7:59). Um sepulcro escavado na rocha, com uma tampa redonda de pedra, foi considerado o lugar final de descanso terreno de Jesus de Nazaré (Mat. 27:60); mas, depois que Jesus ressuscitou, essa pedra foi rolada de defronte da entrada do sepulcro, para mostrar que ele não estava mais ali dentro (Mat. 28:2).

A natureza e a antiguidade das rochas do Oriente Próximo variam muito. Na maior parte do sul dessa região, aparecem rochas pré-cambrianas, pertencentes ao maciço arabe-núbio. Essas rochas são antiqüíssimas, e ali o granito é comum. Lado a lado com esse maciço cristalino há uma zona sedimentar em formato chato, onde predominam os arenitos. Um pouco mais para noroeste, norte e nordeste, as camadas são gentilmente dobradas, e aí são comuns as pedras calcárias.

Na região da Síria moderna, da parte oriental do Curdistão e da porção ocidental da Pérsia, as rochas são dobradas de forma complexa, formando parte do cinturão de montanhas alpinas. Rochas sedimentares um tanto mais recentes aparecem na garganta do Jordão, bem como ao longo da planície costeira da Palestina, ao passo que na Síria e um pouco mais ao sul da região do lago de Tiberíades, houve alguma atividade vulcânica no passado distante. Isso criou grandes pilhas de lava basáltica, de antiguidade relativamente recente, ou seja, de cerca de apenas quatro mil anos de idade, de acordo com as análises pelo radiocarbono, feitas sobre matéria orgânica ali carbonizada.

Essa grande variação quanto ao tipo e combinações de rochas, a par com condições climáticas extremas, que vão desde o clima desértico até os picos montanhosos eternamente recobertos de neve, no extremo norte da Terra Prometida, resultou em grandes contrastes quanto aos tipos de pedras encontradas por toda a região.

Em ambas as margens do mar Vermelho, os granitos, lado a lado com as rochas cristalinas, explicam as formas das rochas expostas às intempéries. As montanhas que ladeiam o mar Vermelho supriam o Egito e, mais tarde, Roma imperial, de pedras para monumentos, além de alguns metais. A água gelada vai penetrando e rachando as rochas, tanto ali como na península do Sinai, dando origem a granitos de formato mais ou menos retangular (cf. sobre as «tábuas de pedra», em Êxo. 24:12), muitos dos quais podem ser facilmente lavrados (cf. Êxo. 34:4).

No distrito que vai do golfo de Ácaba até o mar Morto, mais ao norte, região essa que inclui Edom, o vento desempenha um papel erosivo importante, cavando largos vales entre montes de arenito, ladeados de plintos, perto do golfo de Ácaba. Também há gargantas estreitas, — inclusive nas vizinhanças de Petra e no *wadi Yitan*, onde a «estrada do rei», dos tempos bíblicos, subia do Egito para o Jordão, e daí para Damasco e até à Mesopotâmia (cf. Núm. 20:14-18). As pesadas chuvas ocasionais, arrastando para longe os sedimentos, deixaram descobertos grandes massas de arenitos, com muitos rochedos íngremes. Ali há depósitos tanto de cobre (vide) quanto de ferro (vide), que desempenharam um importante papel na história de Israel, nos dias de Davi e de Salomão.

O platô do Jordão, a leste desse rio, é aberto e plano, com grandes áreas cobertas de pedregulhos, que são resíduos da erosão produzida pelos ventos na camada calcária que antes prendia os pedregulhos (vide). Isso só é interrompido raramente por colinas de topo plano, as pedras calcárias da série Belqa.

A maior parte da região montanhosa a oeste do rio Jordão foi escavada da base de pedras calcárias e dolomitas da região calcária da Judéia. Essa formação rochosa é tendente a produzir fontes, e também conta com muitas cavernas, devido à ação de correntes subterrâneas de água. Essas cavernas proviam para os antigos israelitas lugares de esconderijo (I Sam. 13:6), sem falarmos que também serviam de lugares de sepultamento. Essas pedras calcárias e dolomitas eram muito usadas em vários propósitos, pelos construtores antigos. Nos terremotos, muitas dessas rochas, em posição vertical, caíam (cf. Apo. 6:16).

No norte de Samaria e em várias porções ocidentais da Galiléia, as rochas mais comuns são o giz e as pedras calcárias brancas da série Belqa. Por causa disso, a topografia apresenta muitas formações rochosas arredondadas, havendo pedras brancas que se prestam bem para a construção de casas, feitas com blocos retangulares brancos, conforme se vê na região em redor da cidade de Nazaré.

A região montanhosa é atravessada por uma série de depressões. Entre elas poderíamos citar a planície de Beerseba, tendo Berseba como o principal oásis do Neguebe, e também a planície de Esdrelom. Nessas depressões depositaram-se camadas de aluvião, geralmente, recobertas por dunas de areia amarronzada. Ali há bem poucas pedras visíveis e quando há, geralmente são formações de xisto mole.

O monte Carmelo divide em dois trechos a planície costeira, o trecho norte e o trecho sul. O Carmelo é formado por um bloco separado de pedras calcárias da Judéia, com várias camadas de pedra calcária e dolomita, provendo blocos retangulares chatos, que facilmente podiam ser usados na construção de edifícios ou de altares (I Reis 18:26).

PEDRAS — PEDREIRAS

O leito do vale do Jordão (produzido por terremotos), mostra-se árido e estéril, fazendo contraste com as regiões montanhosas que o ladeiam. O rio Jordão vai descendo lentamente, em meandros, cerca de cinqüenta metros abaixo do terreno circundante. E, de uma margem à outra há uma faixa de terras imprestáveis, produzidas pela erosão do terreno muito mole que o rio atravessa. Ao sul do mar Morto há rochas brancas, devido à presença de sal rochoso. Esse sal aparece entremeado com argilas (vide), e toda a região está sujeita a deslizamentos de terras, particularmente quando ocorrem terremotos (vide). Isso, juntamente com os canais de erosão, resultantes de grandes e pesadas chuvas, resultou na produção de formatos erodidos estranhos, alguns com a aparência de colunas de sal (cf. Gên. 19:26). Os abalos sísmicos, muito comuns em todo o comprimento do vale do Jordão, provavelmente, também têm sido os responsáveis pelas quedas e desbarrancamentos que ali se verificam, — conforme o que aconteceu quando as águas do rio Jordão foram temporariamente represadas pouco acima da cidade Adão, cerca de trinta e nove quilômetros acima da entrada do rio Jordão no mar Morto, segundo nos relata o trecho de Josué 3:13-16.

PEDRAS ANGULARES

No hebraico, *zaviyyoth*, termo que aparece somente em Sal. 114:12 e Zac. 9:15. No grego, *akrogoniaîos*, «ângulo extremo», palavra que figura somente em Efé. 2:20 e I Ped. 2:6 (citando Isa. 28:16).

As pedras angulares eram maciças pedras postas na esquina formada pela junção de duas paredes, unindo-as de modo mais firme do que poderia ser feito, na antiguidade, de outra maneira qualquer. Essa pedra também contribuía para fortalecer os alicerces da estrutura.

A «pedra de remate» (no hebraico, *eben roshah*, ou «pedra da cabeça»), que aparece em Zac. 4:7, parece indicar que, em algumas construções, as paredes que formavam esquina eram unidas no alto por alguma forma de pedra. O trecho de Isaías 28:16 refere-se a uma certa pedra, que nossa versão portuguesa chama de «angular», mas que no hebraico é *pinnah*, que era usada como laje sobre a qual uma parede era construída, a fim de melhor ligá-la com outra, em uma esquina. Algumas vezes, essas pedras formavam duas camadas. A arqueologia tem demonstrado que a maioria das pedras angulares eram simplesmente imensas pedras, toscas e mal formadas. Mas, a partir da época de Salomão, essas pedras eram cortadas e modeladas cuidadosamente.

Usos Espirituais e Figurados. 1. O Cristo profetizado (Sal. 118:22; no hebraico, pinnah), a *pedra* que os edificadores rejeitaram, mas que se tornou a pedra principal, — correspondendo ao sentido da palavra hebraica, que significa «principal» ou «da frente». Esse feito divino é uma maravilha aos nossos olhos. Envolve importantíssima doutrina do Novo Testamento. Ver Mat. 21:42; Mar. 12:10; Luc. 20:17; Atos 4:11 e I Ped. 2:7. A idéia envolvida é que pedreiros insensatos (a nação judaica, para a qual viera o Messias), tinham rejeitado o mais importante elemento de seu edifício espiritual, a saber, o Messias. Mas Deus corrigiu tal injustiça, assegurando que a Pedra encontrasse seu devido lugar no templo espiritual.

2. O apóstolo Paulo, em Efé. 2:20,21, faz Cristo ser a «predra de remate» (embora nossa tradução portuguesa diga «pedra angular»; mas o sentido da palavra grega é «ângulo extremo»), completando e unindo toda a estrutura. Sem essa Pedra, não haveria como unir judeus e gentios no edifício espiritual.

3. O trecho de Isaías 28:16 parece referir-se às maciças pedras que formavam o templo, simbolizando a presença de *Yahweh*, em todo o seu poder, entre o seu povo. Isso é interpretado como profecia messiânica, em Rom. 9:33 e I Ped. 2:6, em conjunto com Isaías 8:14.

4. A passagem de Salmos 144:12 invoca o Senhor, pedindo-lhe que as moças israelitas fossem como «pedras angulares», isto é, fossem sustentáculos, em virtude de suas altas qualidades morais e espirituais.

Simbologia. A «pedra angular», que é Cristo, é o mais importante fator do templo espiritual. Esse templo não é material, e nem mesmo é alguma organização terrena, e, sim, uma entidade espiritual, da qual Cristo é o construtor (Mar. 14:58; Mat. 16:18). Cristo é o Sumo Sacerdote desse organismo espiritual (Heb. 9:11). Seu corpo é a essência do templo espiritual (João 2:21). Os crentes, por sua vez, são «pedras vivas», que fazem parte da sobrestrutura desse templo espiritual (I Ped. 2:5).

Ainda de acordo com uma outra metáfora, Cristo é retratado como o alicerce inteiro desse templo espiritual, e não meramente a «pedra angular» (I Cor. 3:11). Os apóstolos e profetas da Igreja também são intitulados «alicerce» do templo espiritual (Efé. 2:20), em cujo caso Cristo é novamente chamado de «pedra angular». Os apóstolos e profetas do Novo Testamento formam o alicerce do templo espiritual como líderes, e não em sentido soteriológico. No sentido soteriológico, somente Cristo pode servir de fundamento da Igreja. (B NTI S W Z)

PEDRAS PRECIOSAS

Ver sobre **Jóias e Pedras Preciosas**.

PEDREIRAS

Escavações feitas para remover pedras a serem usadas nas mais diversas construções. Em nossa versão portuguesa, a referência mais clara é a de I Reis 6:7: «Edificava-se a casa com pedras já preparadas nas pedreiras...» Há grande número de pedreiras na Palestina, pois a qualidade das pedras ali existente é própria para construções. Destacados os blocos por métodos primitivos, porém eficientes, eram transportados sobre toras de madeira. Em Baalbeque as maiores pedras de construção chegam a pesar algumas centenas de toneladas e foram transportadas de uma pedreira a mais de um quilômetro e meio de distância.

No A.T. há alguns trechos problemáticos que envolvem pedras e pedreiras. Por exemplo, Juí. 3:19,26, onde nossa versão portuguesa lê «imagens de escultura». Contudo, tal tradução faz pouco sentido, a menos que Gilgal, referida no trecho, fosse um centro de fabrico de ídolos. Alguns estudiosos têm sugerido a tradução «pedras escavadas» para esse trecho, embora não haja qualquer indício disso no próprio texto bíblico. Outro tanto pode ser dito quanto ao trecho de Jos. 4:4-9. Há versões que falam em «pedreiras» em ambas essas passagens, mas sabe-se que, pelo menos na atualidade, não há qualquer sinal de que em Gilgal ou nas proximidades houvesse pedreiras. O termo hebraico usado nesses trechos, como também em Deu. 7:5 e II Reis 17:41, poderia ser traduzido por «algo escavado».

••• ••• •••

PEDREIRO — PEDRO (APÓSTOLO)

PEDREIRO

Há dois vocábulos e duas expressões hebraicas que precisam ser levadas em conta, para entendermos o assunto:

1. *Gadar*, «levantar uma parede». Verbo que ocorre por dez vezes, e que no particípio tem o sentido de «pedreiro», que aparece por três vezes: II Reis 12:12; 22:6 e Isa. 58:12.
2. *Chatsab*, «cavar». Esse verbo ocorre por vinte e cinco vezes, e que, no particípio, aparece com o sentido de «pedreiro» por sete vezes: I Crô. 22:2; II Crô. 24:12; Esd. 3:7; I Reis 5:15; II Reis 12:12; I Crô. 22:15; II Crô. 2:18.
3. *Charash eben qir*, «cavador de parede de pedra». Essa expressão hebraica aparece somente em II Sam. 5:11.
4. *Charash qir*, «cavador de parede». Essa expressão aparece somente em I Crô. 14:1.

Salomão empregou milhares de homens para prepararem as pedras que haveriam de ser usadas na construção do templo de Jerusalém (I Reis 5:15-18). Oitenta mil homens talhavam as pedras nas montanhas, e setenta mil transportavam-nas, sem falar nos supervisores, que atingiam o número de três mil e trezentos.

Há versões que traduzem por «lavradores de pedras» a palavra hebraica que, em nossa versão portuguesa é traduzida por *giblitas*. Por isso, muitos leitores sem conhecimentos técnicos têm pensado que eles também seriam pedreiros de algum tipo. Esclarecemos aqui que essa palavra é apenas um adjetivo pátrio, indicando os naturais de Gebal ou Biblos, uma cidade da Fenícia, à beira-mar. Ver sobre *Gebal*, cidade mencionada na Bíblia em Josué 13:5. Nossa versão portuguesa está com a razão.

O trabalho dos pedreiros é tão antigo quanto a história humana. Os egípcios eram hábeis no trabalho com pedras, e podemos supor que os hebreus derivaram deles esse conhecimento. O trecho de II Sam. 5:11 sugere que os hebreus não eram tão habilidosos nesse mister quanto os tírios (ver I Reis 6:7 e 7:10). Sabe-se que Salomão contratou operários estrangeiros para a construção do templo de Jerusalém. Ver II Reis 12:12 e 22:6, que são trechos que falam sobre aqueles que trabalharam como pedreiros, no projeto da construção do templo. Um pedreiro tanto construía paredes simples como também erigia edifícios (I Crô. 22:2), fortalezas e arcos (II Crô. 33:14; Esd. 3:10), além de lavrar pedras para ereção de edifícios (II Crô. 24:12). As passagens de I Reis 5:17 e 6:7 falam sobre o trabalho de talhar pedras, nas pedreiras; Isa. 5:2 refere-se ao fabrico de talhas de pedra, para vinho. E os trechos de Êxo. 20:25; I Reis 5:17 e Amós 5:11 referem-se ao trabalho de talhar pedras. II Sam. 5:11 e I Crô. 14:1 informam-nos que os fenícios eram peritos nesse trabalho; e II Sam. 5:11 e I Crô. 22:2 dizem como Davi e Salomão tiraram proveito dessa perícia.

As cidades maiores dos israelitas, como Jerusalém, Megido e Samaria, servem de exemplos da habilidade dos pedreiros construtores. O ponto culminante dessa arte foi atingido no templo de Herodes, uma das maravilhas do mundo antigo.

Entre os instrumentos usados pelos pedreiros havia os martelos, entre os quais um maior, para ser usado nas pedreiras (ver Jer. 23:29), e um menor, para a preparação das pedras individuais (ver I Reis 6:7). Um relevo em bronze, da época de Salmaneser III, apresenta pedreiros assírios trabalhando, usando vários tipos de ferramentas. Ver o artigo intitulado *Arquitetura*.

PEDRINHAS DE AREIA

Em nossa versão portuguesa, essa expressão traduz a palavra hebraica *chatsats*, que ocorre somente em Pro. 20:17 e Lam. 3:16, com esse sentido. Na primeira dessas passagens bíblicas está em foco o indivíduo que amassa o *pão* do engano, e que lhe parece doce à boca. Mas depois, em vez de ter bom gosto, a sua boca fica cheia de pedrinhas de areia. A lição é que tudo aquilo que é ganho de forma desonesta, redunda em detrimento para quem assim age. E, na segunda passagem, temos a idéia de quem sente tanta tristeza que é como se sua boca estivesse cheia de pedrinhas de areia.

PEDRO (APÓSTOLO)

Esboço:
 I. Seus Nomes
 II. Família
 III. Caracterização Geral
 IV. Nos Escritos dos Pais da Igreja e nas Tradições
 V. Um Louvor a Pedro: Suas Características Pessoais
 VI. Pedro e Alguns Problemas Especiais
 VII. Pedro e os Símbolos dos Sonhos e Visões
 VIII. Pedro Foi Mesmo o Primeiro Bispo de Roma?
 IX. Pedro Foi a Rocha sobre qual a Igreja foi Edificada?

I. Seus Nomes

O nome hebraico original do apóstolo Pedro era *Symeon* (ver Atos 15:14; II Ped. 1:1), um nome pessoal comum nos dias do Antigo Testamento. Ver Gên. 29:33; 34:25; 42:24,36. O Simeão do Antigo Testamento era filho de Lia, e tornou-se o progenitor de uma das tribos de Israel. Ver o artigo separado sobre *Simeão*. E «Simão» é uma variante da grafia desse nome. Várias personagens bíblicas tiveram esse nome, o que se demonstra no artigo *Simão*. O sentido dessa palavra é «audição». O Simeão original foi assim chamado por Lia porque ela cria que o Senhor havia *ouvido* a sua oração, dando-lhe esse seu segundo filho. Rúben era o filho primogênito dela. O Senhor Jesus teve um irmão que atendia por esse nome (ver Mat. 13:55), e um outro dos apóstolos dele também era chamado assim.

O Senhor Jesus deu a Simão, filho de Jonas, a alcunha de *Pedro*. No grego, esse nome significa «pedregulho». Ver Mar. 3:16; Luc. 6:14; João 1:42. Podemos dizer, pois, que esse era o «nome cristão» de Simão, e que lhe foi dado em antecipação ao fato de que ele era uma pedra sobre a qual a Igreja seria edificada (ver Mat. 16:18), tal como a «casa de Deus» é edificada sobre indivíduos fundacionais, ou seja, os apóstolos e profetas (ver Efé. 2:20). Dentro dessa estrutura espiritual, Jesus Cristo é a «pedra angular»; e uma pedra angular dificilmente pode ser o alicerce inteiro. No entanto, no sentido salvatício, Cristo é o único fundamento, segundo aprendemos em I Cor. 3:11. Mas, no tocante à Igreja visível, organizada, Pedro e os demais apóstolos (mas, especialmente, Pedro) são os alicerces. Tenho apresentado um artigo separado sobre essa questão, chamado *Fundamento da Igreja, Pedro Como*, e que aborda a exposição do décimo sexto capítulo de Mateus, além de outras considerações.

Algumas vezes, os evangelhos usam a combinação «Simão Pedro», como em Mat. 16:16; Luc. 5:8; João 1:40; 6:8; 13:6. Por duas vezes encontramos um reflexo da forma hebraica, *Simeão* (ver Atos 15:14 e II Ped. 1:1). O equivalente aramaico do nome Pedro é *Cefas*, «rocha». E isso figura em João 1:42; I Cor.

PEDRO SE AFUNDA

A NEGAÇÃO DE PEDRO

PEDRO (APÓSTOLO)

1:12; 3:22; 9:5; 15:5; Gál. 1:18; 2:9,11,14. Paulo usa o nome *Pedro*, em Gál. 2:7,8. E dessas várias referências recolhemos a idéia de que Pedro atendia por vários nomes.

II. Família

O nome do pai de Pedro era Jonas (ver Mat. 16:17). Mas o pai de Pedro também era conhecido como João (ver João 1:42; 21:15-17). Uma variante textual procura harmonizar a questão, no evangelho de João, embora não haja qualquer razão para isso. Talvez ele fosse chamado por ambos os nomes, de som similar, posto que não da mesma origem. Seja como for, o pai de Pedro, tal como seus filhos, Simão e André, era pescador. A família era da cidade de Betsaida (João 1:21,29), e parece que eram sócios, na indústria de pesca, de Tiago e João, filhos de Zebedeu (Luc. 5:10), e que, posteriormente, mudaram-se para Cafarnaum (ver Mar. 1:2,29). Os trechos de Mar. 1:30 e I Cor. 9:5 mostram que Pedro era casado, embora não disponhamos de informações sobre sua família imediata, sua esposa, seus filhos, etc. Por essa razão, nada de certo pode ser dito sobre a questão. Esse fato de Pedro ter sido homem casado é admitido universalmente; mas muitos católicos romanos supõem que ele abandonou o estado ao tornar-se o primeiro papa. Todavia, quanto a isso não há qualquer informação e nem evidência. E a alusão feita por Paulo, em I Cor. 9:5, dá a entender que Pedro não abandonou sua esposa, mesmo depois de começar a atuar como apóstolo, após a ressurreição do Senhor Jesus. E a questão também não é importante, exceto para os dogmas posteriores.

André, irmão de Pedro, era seguidor de João Batista, até que veio a tornar-se discípulo de Cristo (ver João 1:35-37,40). Foi André quem atraiu Simão a conhecer a Jesus e tornar-se seu discípulo (João 1:41,42); e, de acordo com o evangelho de João, foi quando se encontraram que o Senhor deu a Simão o apelido de «Pedro», em antecipação ao seu destino e importância no seio da Igreja cristã, que estava prestes a emergir.

III. Caracterização Geral

Fica claro, nos evangelhos, que Pedro ocupava posição de supremacia entre os doze. E essa posição é mantida no livro de Atos, até que Paulo parece ter-lhe feito sombra. Pedro é alistado em primeiro lugar nas quatro listas dos doze discípulos de Cristo (ver Mat. 10:2; Mar. 3:16; Luc. 6:14-16; Atos 1:13). Pedro é o mais freqüentemente mencionado dos doze apóstolos; e em certos episódios, como aquele no qual é chamado de fundamental, ou o outro, no qual negou a Jesus (Mat. 16 e Mat. 26:69-75, respectivamente), seus atos são descritos longamente. Noutras oportunidades, Pedro é descrito como um dos três discípulos mais chegados de Cristo, juntamente com Tiago e João (por ocasião da transfiguração, Mat. 17:1-9; no jardim do Getsêmani, Mat. 26:37-49; e por ocasião da ressurreição da filha de Jairo, Mar. 5:37). Foram esses três, juntamente com André, que fizeram perguntas sondadoras sobre questões escatológicas (ver Mar. 13:3).

Em Atos, depois de Paulo, Pedro é o maior vulto. Este livro termina sem nos dar qualquer indicação sobre a sua vida posterior; mas isso é preenchido por informes provenientes da tradição. Não há base suficiente para alguém disputar a residência de Pedro em Roma e seu martírio naquela cidade. Quase certamente, a primeira epístola de Pedro foi escrita dali, porquanto a palavra *Babilônia* (ver I Ped. 5:13), era um título críptico para indicar Roma. O livro apócrifo, Atos de Pedro, registra seu martírio por crucificação de cabeça para baixo, bem como seu ministério prévio em Roma. Não sabemos quanto desses informes é válido, mas é provável que o esboço principal o seja. As escavações feitas na capital do antigo império romano têm revelado um antigo culto de Pedro em Roma. Isso pode ser comparado com o que diz Eusébio, em sua *História Eclesiástica* II.25. Portanto, há indicações de que Pedro trabalhou ali, embora isso talvez tenha sido exagerado. A tradição afirma que ele pereceu na matança dos cristãos, na colina do Vaticano em 64 D.C., sob as perseguições neronianas.

Pedro foi uma rocha e uma coluna da igreja nos seus primeiros anos. Devido à sua fé e ardor, ao seu temperamento gentil e de mente aberta, além de seus dotes intelectuais, ele salvou a igreja em seus dias iniciais e mais difíceis da possível desintegração. Em alguns lugares ele era altamente favorecido, acima de todos os demais apóstolos, conforme fica claro na famosa passagem da «pedra», no décimo sexto capítulo do evangelho de Mateus. A igreja cristã, após a destruição de Jerusalém, com seu templo e seu Sinédrio e, conseqüentemente, com sua autoridade religiosa, buscou alguma autoridade estabilizadora. Alguns segmentos da igreja puseram Pedro nesse lugar; mas outros (conforme se reflete no evangelho de João 20:22,23) deram ao Sinédrio a autoridade anteriormente dada ao concílio dos doze. Mais tarde, a própria igreja cristã foi investida dessa autoridade, conforme fica demonstrado no décimo oitavo capítulo do evangelho de Mateus, bem como em vários lugares do livro de Atos, onde se vê que a igreja é que comissiona os seus líderes e seus respectivos labores, por consenso geral.

Foi Jesus quem deu a Simão o nome de «Pedro», que significa «rocha», para caracterizar a missão que ele estava prestes a realizar (ver Mat. 16:18 acerca disso). Assim, ao referir-se a si mesmo, ele usa o novo nome, *Pedro*, e não o nome original, «Simão», tal como Paulo nunca mais chamou a si mesmo de Saulo, depois que se tornara conhecido como Paulo entre os cristãos. Paulo, entretanto, chamou Pedro de «Cefas», que é transliteração do termo aramaico que significa *rocha* (ver Gál. 2:9 sobre isso).

IV. Nos Escritos dos Pais da Igreja e nas Tradições

Na seção III abordei essa questão até certo ponto; e aqui apresento maiores detalhes. O termo «Babilônia», em I Ped. 5:13, quase certamente é um código para Roma, pelo que essa epístola localiza Pedro ali, sob a ameaça de martírio. O livro de Apocalipse (14:8; 16:19; 17:5; 18:2,10,21) também usa o nome «Babilônia» para indicar Roma; e podemos supor corretamente que relacionar Babilônia com Roma era costumeiro entre os cristãos primitivos. *Roma* era a *Babilônia* da época apostólica. Seja como for, no tocante a Pedro, temos uma conexão com Roma, apesar do silêncio do livro de Atos.

Os intérpretes pensam que Pedro e Paulo foram vítimas da demência de Nero. Eusébio data a morte de ambos em seu décimo quarto ano (67-68 D.C.) de governo, marcando a partir daí as perseguições nerônicas contra os cristãos. Todavia a data é disputada, embora não necessariamente o acontecido. O trecho de João 21:18 pode ser uma alusão profética-histórica da suposta crucificação de Pedro de cabeça para baixo. E a passagem de João 21:19 definidamente diz respeito ao modo de sua morte. Os Atos de Pedro e Eusébio (*Hist. Eccl.* 3:1) contam a mesma história. Eusébio faz alusão a uma declaração de Orígenes sobre a questão, mas não sabemos qual a fonte informativa de Orígenes. A Epístola de I Clemente, Irineu, Papias, Gaio e Tertuliano disseram

PEDRO (APÓSTOLO)

todos que Pedro foi martirizado na colina do Vaticano, em Roma; e um memorial sobre esse evento ali existia desde tão cedo quanto 160 D.C.

Presume-se que o túmulo de Pedro já foi localizado; mas muito debate circunda o ponto. A discussão gira em torno da Igreja de São Pedro e das catacumbas de São Sebastião, na via Ápia. A existência de desenhos simples com invocações a Pedro e a Paulo, nas catacumbas de São Sebastião talvez preste algum apoio à teoria de que os restos mortais de Pedro ali jazem, talvez por terem sido transferidos para o lugar durante as perseguições movidas por Valeriano (258 D.C.), para sua maior segurança. Eusébio (*Hist. Eccl.*) citou Gaio (residente em Roma em cerca de 199-217 D.C.), que afirmara que ali estavam os troféus de São Pedro, localizados no Vaticano e no caminho para Óstia. Outros opinam que as sepulturas de Pedro e de Paulo estiveram naqueles lugares até serem transferidos dali, mais tarde, conforme foi mencionado acima. E aqueles que argumentam contra a permanência de Pedro em Roma têm usado, entre outras coisas, uma inscrição, em um ossuário, existente na capela franciscana (*Dominus Flevit*) que fala sobre Simão Barjonas como uma indicação de que seus ossos acham-se ali. Entretanto, o texto dessa inscrição é incerto, e dificilmente pode contrabalançar outras evidências. Além desses nomes serem bastante comuns, ainda que o citado texto fosse bem legível, o que não sucede, não teria de estar em foco, necessariamente, o apóstolo Pedro do Novo Testamento.

O papa Paulo VI, a 26 de junho de 1968, anunciou que os ossos de Pedro haviam sido positivamente identificados por Margherita Garducci, que os teria achado em uma gaveta de mármore, na parede G, sob a Igreja de São Pedro, no Vaticano. Naturalmente, as evidências a respeito têm sido questionadas ou negadas. Parece seguro dizer que a identificação desses ossos permanece uma questão precária, se não mesmo uma tarefa impossível. Contudo, parece além de qualquer disputa que Pedro passou os anos finais de sua vida em Roma. As evidências (a começar pela própria primeira epístola de Pedro) parecem variadas e bastante extensas. Pedro morreu como mártir, em algum ponto nas vizinhanças da colina do Vaticano. Um estudo completo sobre a questão foi apresentado no livro de Oscar Cullmann, *Peter; Disciple-Apostle-Martyr*, publicado em 1953. No tocante à questão se Pedro foi mesmo o primeiro papa, essa questão repousa sobre o dogma e a fé da Igreja Católica Romana, mas não sobre provas históricas. Que ele foi *bispo* de Roma é questão que dificilmente pode ser disputada; mas os primeiros bispos de Roma não eram, *ipso facto*, papas, visto que esse ofício papal resultou de um desenvolvimento que se arrastou por vários séculos. Ver sobre *Papa, Papado*.

V. Um Louvor a Pedro: Suas Características Pessoais

Jesus não se equivocou quando chamou Pedro por esse nome, «rocha». Ele, juntamente com um grupo de outras personalidades fortes, preservaram a primitiva Igreja cristã, a despeito do reinado de terror de vários imperadores romanos. Pedro foi uma autêntica rocha e coluna da Igreja, poderoso na fé, embora ocasionalmente vacilante. Pelo menos, quando ele se mostrava forte, era *muito forte*; e isso foi o suficiente para garantir o pleno sucesso de sua missão terrena. Pedro não era um literato, a exemplo de Paulo; mas a literatura que chegou até nós, em seu nome (se ele escreveu suas duas epístolas, com o próprio punho, é duvidoso), mostra uma mente aguda e um caráter bem formado. Não há como explicar que ele foi um dos três discípulos mais chegados de Jesus, a menos que tenha sido, verdadeiramente, um homem extraordinário. O livro de Atos (cap. 2 e *ss*) fornece-nos vários incidentes que mostram a sua coragem e os seus labores eficazes. Ele e Paulo são as figuras que ocupam a maior parte do conteúdo do livro de Atos; e isso serve para informar-nos como a Igreja primitiva sobreviveu e se desenvolveu, e quais as forças que tornaram isso possível. Pedro era homem entusiasmado e ousado. Era supremamente devotado a Cristo, e, apesar de algumas poucas falhas, nunca se desviou de seu curso. Tornou-se também um homem miraculoso, segundo o terceiro capítulo do livro de Atos o demonstra. Recebeu algumas das mais contundentes reprimendas de Jesus, mas sempre foi beneficiado por elas. Talvez ele se tenha mostrado arrogante, em algumas ocasiões, segundo as figuras religiosas costumam ser; mas isso era anulado pelo seu caráter geral e pelas realizações de sua vida. Ele serve de supremo exemplo de ousada lealdade a uma nobre causa. Talvez seja verdadeira a tradição que diz que o evangelho de Marcos consiste em uma espécie de *memórias de Pedro*, pois o conteúdo essencial ter-se-ia originado nesse apóstolo. Nesse caso, não nos afastaríamos grandemente da verdade se disséssemos que o evangelho original foi o evangelho de Pedro. Papias, citado por Eusébio (*Hist. Eccl.* 3:39,15) diz-nos que Marcos foi o «intérprete» (no grego, *ermeneutes*) de Pedro. Nesse caso, grande parte da história conhecida de Jesus Cristo repousa sobre a autoridade de Pedro.

VI. Pedro e Alguns Problemas Especiais

1. *A Negação de Pedro*. Esse foi um incidente muito instrutivo. Tenho provido um artigo separado a respeito, intitulado *Negação de Pedro*.

2. *Os Apóstolos Perdoavam Pecados?* Ver o artigo separado chamado *Perdão de Pecados pelos Apóstolos*.

3. *Pedro foi o Alicerce da Igreja?* Ver o artigo separado intitulado *Fundamento da Igreja, Pedro como*.

4. *Portas do Inferno* (Mat. 16:18). Qual é o sentido dessa expressão no que diz respeito à Igreja, contra a qual nenhum poder é capaz de prevalecer? Ver o artigo chamado *Portas do Inferno*.

5. *Relato Petrino da Descida de Cristo ao Hades*. Os intérpretes que não sabem muito sobre as tradições preservadas nas obras *pseudepígrafas* (vide) e nem sobre o testemunho das religiões antigas, supõem que o relato de Pedro acerca da descida de Cristo ao hades (ver I Ped. 3:18-4:6) é um texto isolado, podendo ser interpretado sem ligação alguma com o resto da Bíblia, de acordo com os seus dogmas. O artigo *Descida de Cristo ao Hades* procura mostrar que esse conceito reflete um motivo universal, que não era ensinado somente pelo judaísmo e pelo cristianismo. Era apenas apropriado que Pedro, que nos deu (posto que indiretamente, através de Marcos) a primeira descrição do ministério terreno de Jesus, também nos desse uma descrição de seu ministério no hades. Para que tivesse pleno sucesso, o Logos precisava ter uma missão tridimensional: na terra, no hades e nos céus.

VII. Pedro e os Símbolos dos Sonhos e Visões

Foi apenas natural que certos símbolos de sonhos e visões se tenham alicerçado sobre a pessoa de Pedro. O mais comum desses símbolos, naturalmente, é o da «permissão» de entrada no céu, visto que Pedro, popularmente, é retratado como o porteiro das mansões celestes. E visto que, por brincadeira, é dito que Pedro controla as intempéries, ele também pode

PEDRO (APÓSTOLO)

simbolizar bênçãos inesperadas: «as chuvas celestes». E como presumível primeira cabeça da Igreja, o delegado de Jesus Cristo, nessa capacidade, pode servir de símbolo de alguém que dá tarefas especiais a serem realizadas. Ou então, como suposto primeiro papa, ele pode representar qualquer elevada autoridade, mormente de natureza religiosa, ou importantes princípios religiosos.

VIII. Pedro Foi Mesmo o Primeiro Bispo da Roma?

1. Evidências Extraídas das Escrituras

Pedro, como uma rocha fundamental da Igreja (cap. 16 de Mateus) mostra que ele nem foi um cristão comum e nem um apóstolo qualquer. O Sinédrio acabou sendo destruído, e, juntamente com ele, a autoridade religiosa máxima entre os judeus. E a Igreja cristã, ao procurar um substituto por esse princípio (após a ascensão de Cristo), encontrou esse substituto ou em Pedro (Mateus), ou nos apóstolos como um todo (João 20:22), ou nos apóstolos e profetas (Efé. 2:20). Os apóstolos eram dotados de uma autoridade real, segundo vemos no livro de Atos. Não eram apenas líderes de uma democracia. O governo da Igreja primitiva tomou algumas medidas democráticas, no tocante a certas coisas (ver Mat. 18:15 ss), mas o livro de Atos mostra-nos que esse governo era *episcopal*, pois os apóstolos eram os *supervisores* principais e mais autoritários. Já uma outra questão é se esse tipo de governo eclesiástico continuou atuando ou não (ver sobre *Sucessão Apostólica*). Mas, que tal governo existia durante o período apostólico é algo inegável.

As chamadas epístolas pastorais (I e II Timóteo e Tito) mostram-nos que certos homens, como Tito e Timóteo, exerciam sua autoridade sobre regiões, e não meramente sobre igrejas locais. Apesar dessa ter sido uma forma primitiva do ofício episcopal (ofício esse que se foi tornando mais e mais complexo), continua de pé o fato de que nem todos os pastores tinham igual autoridade. E nem essa autoridade estava limitada a uma única congregação local, apesar da doutrina batista e de outros grupos *democráticos* similares. Assim, na Igreja primitiva, havia, em primeiro lugar, a autoridade apostólica, então a autoridade de delegados especiais (como Tito e Timóteo), e então a autoridade dos pastores. Não há razão para supor que não houve a intenção de existir um autoridade secundária à dos apóstolos, isto é, a dos bispos, ou que essa autoridade secundária não teve continuação. Toda a história da Igreja que registra o século II D.C. mostra-nos que sem dúvida foi o ofício episcopal. Conseqüentemente, supor que Pedro, sem importar onde ele atuou, não foi pelo menos um bispo, em seu poder e autoridade, é um absurdo. Aliás, isso ele diz que é: «...eu, presbítero como eles...» (I Ped. 5:1).

O trecho de Tito 1:5 mostra-nos que Tito foi deixado em Creta a fim de nomear anciãos. E apesar de ancião (ou presbítero) ser um termo sinônimo de supervisor (ou bispo), se alguém tinha autoridade de nomear outros anciãos, então é que já era um bispo primitivo. Não se deve descartar, contudo, a possibilidade de que Timóteo e Tito estavam agindo como delegados apostólicos, cuja autoridade não era deles mesmos, mas a do apóstolo Paulo. Nesse caso, já não teríamos de pensar em uma classe de superbispos primitivos, que exerciam autoridade sobre outros bispos. Por outra parte, a história da Igreja, no século II D.C. mostra-nos que certos anciãos exerciam autoridade sobre áreas, e não meramente sobre igrejas locais. A complexidade que esse ofício adquiriu mais tarde não labora contra a sua existência, em forma mais simples, aí pelos fins da era apostólica. As epístolas pastorais foram escritas para ajudar Timóteo e Tito a serem bons administradores, e não meramente pastores de igrejas individuais. Assim, a autoridade manava dos apóstolos, passava pelos administradores e daí descia até os pastores (ver II Tim. 2:2). É óbvio que qualquer apóstolo, onde quer que se encontrasse, tinha maior autoridade que um administrador-delegado ou um pastor. Nesse caso, poderíamos chamar um apóstolo de «bispo», sem importar em que região estivesse agindo. Ver também os pontos 4 e 5, abaixo.

2. Pedro, Rocha Fundamental da Igreja

Tenho apresentado um artigo separado sobre esse assunto. Ver sobre *Fundamento da Igreja, Pedro como*. Esse verbete aborda as muitas interpretações e debates que cercam a questão, iniciada em Mat. 16:16. O catolicismo romano usa esse texto para tentar provar que Pedro foi o primeiro papa. Contra isso, deve-se afirmar, antes de tudo, que não houve ofício cristão eclesiástico como o papado, senão vários séculos mais tarde. Nem por isso devemos negar que a posição dos bispos de Roma, desde o princípio, foi uma posição altamente respeitada e autoritária. É difícil crer que Pedro, apóstolo do Senhor, testemunha ocular e principal autoridade humana da Igreja, não tenha exercido pelo menos o ofício de bispo em Roma ou cercanias, e não meramente em alguma outra cidade. A teologia católica romana aplica aqui a lógica, supondo que, em qualquer época, a Igreja cristã deve ter tido uma cabeça unificadora, e daí parte para a afirmação que, apesar de desenvolvimentos posteriores inegáveis, essa cabeça unificadora pode ser chamada corretamente de «papa». A Igreja Católica Romana usa o trecho de Mat. 16:16 como sua principal prova bíblica da idéia, e isso em combinação com a razão humana e as tradições.

3. Argumentos Extraídos das Tradições e da História

Na seção IV. *Nos Escritos dos Pais da Igreja e nas Tradições*, tenho provido material que pode ser usado para mostrar que Pedro tinha, pelo menos, a estatura de um bispo. Eusébio (*Hist. Eccl.* 4:1) afirma que o ofício dos bispos era uma realidade no século II D.C. E ele afirma que Lino, além disso, mesmo desse tempo (exerceu seu bispado em cerca de 67-79 D.C.), foi o segundo bispo de Roma, Pedro tendo sido o primeiro. Sua declaração exata diz: «Lino... foi o primeiro, depois de Pedro, que obteve o *episcopado* da igreja dos romanos». Em seguida vieram, sucessivamente, Cleto (Anicleto) e Clemente (cerca de 98 - 99 D.C.). Assim, antes mesmo do século II D.C., quatro homens são chamados «bispos de Roma» por Eusébio. Essa informação foi oficializada e formalizada na teologia católica romana (Concílio do Vaticano 4, cap. 1,2; cânon 1; cap. 4 do mesmo concílio). As tradições mostram que o bispo de Roma era tido em honra especial, embora não fosse então reputado como um papa, o que só veio a acontecer vários séculos depois. Irineu (*Adv. Haer.*, livro III, caps. 1-3) e Clemente de Alexandria (em Eusébio, *Hist. Eccl.* 6.14) afirmam que Pedro exerceu um ministério apostólico em Roma, antes de ser ali martirizado.

4. As Chaves e as Obrigações Pastorais

A Pedro foram entregues as *chaves do reino do céu*, o que significa que, através de seu ministério, coisas seriam soltas ou atadas. A declaração de Mat. 16:19 é muito controvertida; mas pelo menos fica evidente que algo bastante incomum foi entregue a Pedro por Jesus. Houve alguma espécie de poder que lhe foi dado na ocasião que ultrapassou totalmente a qualquer noção democrática de governo eclesiástico. Mas essa autoridade especial de Pedro era comparti-

PEDRO — PEDRO (PRIMEIRA EPÍST.)

lhada por todo o grupo apostólico, segundo se vê em Mat. 18:18: «Em verdade vos digo que tudo o que ligardes na terra, terá sido ligado no céu, e tudo o que desligardes na terra, terá sido desligado no céu». Por isso mesmo, diz-se que a figura de Pedro era a de um par entre seus iguais, que se destacava entre os demais por suas qualidades de personalidade e liderança, um «primus inter pares». Mas, é impossível supormos que, tendo chegado a Roma, Pedro deixou de ter esses poderes. Acresça-se a isso que Pedro recebeu deveres pastorais especiais, da parte de Jesus, em João 21:15. Em terceiro lugar, o nome de Pedro encabeça todas as listas dos apóstolos; e isso subentende algum tipo de primado.

A questão das **chaves do reino** precisa de alguma elaboração. Se o reino e a Igreja fossem exatamente a mesma coisa, então teríamos aí um argumento muito poderoso em favor da noção episcopal de governo eclesiástico. Mas, como as Escrituras definidamente mostram que a Igreja é uma parte especialíssima do reino, esse argumento perde praticamente todo o seu ímpeto. Os apóstolos pregavam o evangelho do reino, e jamais o evangelho da Igreja. Com sua prédica, Pedro abriu o evangelho do reino a judeus e gentios (ver Atos 2:14 e 10-11).

5. *Pedro Presidiu o Primeiro Concílio Ecumênico?*

A questão do legalismo causou muitas dificuldades na Igreja primitiva. Sob que condições os gentios deveriam ser acolhidos na Igreja? Essa foi a pergunta que o primeiro concílio ecumênico, em Jerusalém, quis solucionar. Ver Atos 15. Pedro presidiu esse concílio. Ali estava em jogo mais do que o mero cuidado pastoral—era mister fazer sentir a autoridade apostólica. Essa autoridade, é claro, não repousava somente sobre os ombros de Pedro. E tanto isso é verdade que foi Tiago quem sugeriu quais medidas deveriam ser tomadas (ver Atos 15:13-21). E as palavras seguintes ainda são mais esclarecedoras: «Então pareceu bem aos apóstolos e aos presbíteros, com toda a igreja...» (Atos 15:22). Novamente, Pedro agiu como *primus inter pares*, dentro do colégio apostólico, e não como um papa medieval ou moderno. Mas, definido melhor esse papel de Pedro, no concílio de Jerusalém, é difícil imaginarmos que, dotado de tal autoridade, ele também não presidisse a igreja em Roma e sua área imediata, na capacidade de um bispo ou supervisor, depois que ali chegou.

6. *A História e o Bispo de Roma*

Antes mesmo da conversão de Constantino, no começo do século IV D.C., os sucessivos bispos de Roma eram respeitados no seio da Igreja universal. E foi somente após o casamento do Estado com a Igreja, por iniciativa de Constantino e aceitação do grosso da Igreja cristã organizada, que realmente teve início o ofício papal, embora tivesse continuado à sombra da figura maior dos imperadores romanos, os quais foram os virtuais cabeças da Igreja cristã (a partir de Constantino, e com uma ou outra rara exceção, como a de Juliano, o apóstata) enquanto o império romano do Ocidente não foi destruído pelos bárbaros germânicos. Com a queda do império romano e o desaparecimento de seus imperadores, restou, como a única outra figura respeitável, o bispo de Roma. E então teve começo a fase papal, propriamente dita, e que ainda assim continuou evoluindo até chegar ao que hoje é, após longas lutas com imperadores do Santo Império Romano e com os concílios, o que é sobejamente conhecido por todos os que estudam a história universal. Ver sobre *Papa, Papado*.

IX. **Pedro Foi a Rocha Sobre a qual Cristo Edificou Sua Igreja?**

Ver o artigo separado intitulado *Fundamento da Igreja, Pedro como*, e então comparar esse material com o artigo *Fundamento da Igreja, Cristo como*.

Bibliografia. AM B C CHE ID JTS(8,1957) ND NTI TON(1956) WW Z

PEDRO (PRIMEIRA EPÍSTOLA)

Esboço:
I. Confirmação Antiga
II. Autoria
III. Data; Proveniência e Destino
IV. Estilo Literário e Linguagem
V. Motivo e Propósitos
VI. Primeira Epístola de Pedro e o Resto do Novo Testamento
VII. Pedro e Paulo
VIII. Temas Principais
IX. Conteúdo
X. Bibliografia

As Epístolas Católicas. As chamadas *Epístolas Católicas* do N.T. são Tiago, I e II Pedro, as três epístolas de João e a epístola de Judas. Para alguns, esse título significa «canônico», isto é, aquela série de epístolas, dessa porção do N.T., que foi aceita no *cânon* dos livros sagrados da igreja. Para outros, significa «apostólico»; e ainda para outros, «ortodoxo». O sentido comumente aceito do termo, entretanto, é «geral», dando a entender aquelas epístolas neotestamentárias que foram escritas para uma «audiência geral», e não para qualquer comunidade cristã específica.

I. Confirmação Antiga

A **antiga confirmação** conferida à primeira epístola de Pedro é igual àquela dada à maioria dos outros livros do N.T., e, em alguns aspectos, é mesmo superior. Consideremos os seguintes pontos:

1. O trecho de II Ped. 3:1 é a primeira confirmação antiga da primeira epístola de Pedro. Ainda que ponhamos em dúvida a autoria petrina daquela segunda epístola, ainda assim ela nos fornece o reconhecimento do uso da presente epístola, desde os primeiros tempos do cristianismo, porquanto aquela segunda epístola não deve ter sido escrita mais tarde que os meados do segundo século da era cristã. Incidentalmente, essa referência também demonstra que a primeira epístola de Pedro circulara desde os primeiros tempos, sendo reconhecida como uma epístola do apóstolo Pedro, e não como carta anônima, conforme alguns estudiosos têm pensado.

2. *A epístola de Barnabé* evidentemente cita e faz alusão a esta primeira epístola de Pedro. A epístola de Barnabé data entre 70 e 130 D.C., segundo as diversas opiniões. (Comparar Barnabé 1:5 com I Ped. 1:9; 4:12 com 1:7; 5:1 com 1:2; 5:6 com 1:11 e 16:10 com 2:5). Esses paralelos não são absolutamente convincentes, mas parecem resultar de algum conhecimento da primeira epístola de Pedro.

3. *Clemente de Roma*. Essa epístola data de cerca de 95 D.C. Além da similaridade do vocabulário, o que, por si mesmo, não é particularmente significativo, há certo número de passagens paralelas, o que pode indicar certa dependência de Clemente à primeira epístola de Pedro. Lightfoot apresenta doze desses paralelos, e Harnack descobre vinte. (Ver as saudações, que são igualmente similares; comparar Clemente 7:4 com I Ped. 1:19; 9:4 com I Ped. 3:20; 36:2 com I Ped. 2:9). Além desses paralelismos, há outros menos óbvios. Clemente se utiliza de duas citações, extraídas do A.T., que também foram usadas na primeira epístola de Pedro. (Ver Clemente

PEDRO (PRIMEIRA EPÍSTOLA)

30:2 e I Ped. 5:5: Pro. 3:34; 49:5 e 4:8: Pro. 10:12). E isso pode ser significativo ou não. A primeira dessas passagens, Pro. 10:12, também é citada em Tia. 4:6.

4. *Testamenta XII Patriarcharum*. Fim do primeiro século ou começo do segundo século de nossa era. (Comparar Benu. 5. 8, Naftali 4 com I Ped. 1:3,19; Gade 6 com I Ped. 1:22; Benjamim 8 com I Ped. 4:14 e Aser 5 com I Ped. 3:10).

5. *Hermas*, 110 a 140 D.C. (Comparar Hermas 3:5 com I Ped. 2:5; 4:3,4 com I Ped. 1:7; Sim. 9:28,5 com I Ped. 4:14; Sim. 9:16 com I Ped. 4:6).

6. *Policarpo*, martirizado em 155 D.C. Na *História Eclesiástica* de Eusébio (iv. 14.9) temos uma vinculação de Policarpo com a presente epístola. Em Policarpo há várias citações reais, e não meras similaridades, conforme se vê até este ponto na discussão. (Comparar Fil. 1:3 com I Ped. 1:8; 2:1 com 1:13,21; 2:2 com 3:9; 5:3 com 2:11; 7:2 com 4:7; 8:1 com 2:14,22; 10:2 com 2:12). Uma das curiosidades sobre o uso que Policarpo faz desta epístola é que ele nunca diz que se trata de uma epístola de Pedro, apesar de sempre citar *Paulo* por nome. Alguns estudiosos têm julgado que tal indício não é significativo, mas outros têm pensado que isso indica que a epístola circulou a princípio como carta anônima, e que somente mais tarde o nome de Pedro foi ligado à mesma. Nesse caso, a segunda epístola de Pedro teria sido escrita após os dias de Policarpo, porquanto o trecho de II Ped. 3:1 demonstra que a primeira epístola de Pedro era conhecida como de autoria petrina pelo menos pouco depois de meados do segundo século.

7. *Papias*. Eusébio, em sua *História Eclesiástica* iii.39.17, menciona que Papias se utilizou desta primeira epístola de Pedro. Sua data é 130 — 140 D.C.

8. *Justino Mártir*. Sua morte é datada em 163 — 165 D.C. Mas alguns pensam em uma data tão recuada como 148 D.C.. Em sua *Apologia* i.61 e em *Trifo* 110, o título de Cristo, *aspilos*, isto é, «imaculado», é empregado, cujo paralelo, no N.T. inteiro, aparece somente em I Ped. 1:19. Em *Trifo* 114 ele alude a Cristo como a *pedra angular*, tal como temos em I Ped. 2:6. Também há outras similaridades verbais, **Trifo 138** parece subentender conhecimento da história de Noé, segundo ela é comentada em I Ped. 3:18-21 no NTI. Noé, como tipo do batismo cristão, em que oito pessoas foram envolvidas no incidente, é referido, conforme se dá no seu paralelo na primeira epístola de Pedro. Justino Mártir também escreve sobre a descida do Senhor ao hades, a fim de pregar o evangelho aos mortos (ver **Trifo 72**), conforme também se vê em I Ped. 3:18-20 e 4:6; mas ele apela para uma citação apócrifa que ele atribui a Jeremias. A mesma citação é usada por Irineu em idêntica conexão. A dependência de Justino Mártir é considerada como provável, mas de modo algum como conclusiva.

9. Há vários outros escritos antigos em que talvez haja certa dependência, conforme é demonstrado no caso de Melito de Sardis *Apologia* ix, par. 432, em comparação com I Ped. 1:4. Sua data é cerca de 170 D.C. Teófilo de Antioquia (185 D.C.), em *Ad Autol*. ii,34, que é comparável com I Ped. 1:18. E atos dos Mártires Cilitanos (180 D.C.), edição de J.A. Robinson, pág. 114, em comparação com I Ped. 2:17.

10. *Irineu* (nasceu em 130 D.C.). Foi o primeiro dos pais da igreja a citar esta epístola pelo nome de Pedro. (Ver iv.9:2; 16:5 e v.7:2). Ele inclui a mesma citação, extraída de livros apócrifos, que se refere à descida de Cristo ao hades, a fim de pregar o evangelho aos perdidos, e que foi usada por Justino Mártir, em iii.20,4, atribuindo tal citação a Isaías; mas, em iv. 22:1, a atribuição é a Jeremias. Entretanto, originalmente, a citação pode ter sido tomada por empréstimo de I Ped. 3:18-20 e 4:6.

11. *Tertuliano*, falecido em 220 a 240 D.C. Seu livro *Scrop*. xii pode ser comparado com o trecho de I Ped. 2:20; e *Adu. Judaeos* x com I Ped. 2:22; iv.13 com I Ped. 2:8 e *De Orat*. xv com I Ped. 3:3.

12. *Clemente de Alexandria*. Morreu em cerca de 213 D.C. Clemente cita livremente passagens de cada capítulo desta primeira epístola de Pedro.

13. Os gnósticos Basílides, Valentino, Marcósio conheciam e citaram, ou mesmo puseram em dúvida certas porções da primeira epístola de Pedro. Márcion também conhecia o livro, mas recusou-se a aceitá-lo como autoritário.

14. Visto que os primeiros «cânones» do N.T. estavam baseados sobre leves modificações do «cânon» de Márcion: dez epístolas paulinas e o evangelho de Lucas, incorporando as mesmas epístolas paulinas, mas expandindo o «cânon» para incluir todos os quatro evangelhos, a primeira epístola de Pedro não foi incluída em qualquer cômputo canônico dos primeiros séculos, nem mesmo no caso do cânon muratoriano, datado de cerca do ano 200 D.C., que refletia as idéias da igreja de Roma. A sua natureza fragmentar, entretanto, tem sido ventilada como uma das razões por que não foi incluída a presente epístola. Presumivelmente, o documento original a conteria. Mas, acerca disso, não há qualquer indício positivo ou negativo. Entretanto, Eusébio, em sua *História Eclesiástica* iii.25.2 alistou a primeira epístola de Pedro entre os livros «comumente aceitos» entre os cristãos, o que demonstra que, por essa altura, a epístola atingira aceitação universal, em contraste com vários outros livros (como Tiago, II Pedro, Hebreus, Judas, II e III João e o Apocalipse), os quais continuaram sendo «livros disputados», por não serem de aceitação universal nas fileiras cristãs. Ainda outros escritos foram por ele chamados de «espúrios», o que significa que Eusébio deu à primeira epístola de Pedro a melhor avaliação possível em seu tempo. (Quanto a detalhes sobre a questão do *«Canon»*, ver o artigo separado sobre essa importante questão). Tal como no caso da epístola de Tiago, a presente epístola foi usada e citada, primeiramente, pela igreja grega. A confirmação dada por autores latinos não é muito forte. Mas, no início do terceiro século de nossa era, tal aceitação já se tinha tornado universal em seu escopo.

II. Autoria

Argumentos típicos contra a autoria petrina da primeira epístola de Pedro:

1. A epístola se reveste de tal qualidade, quanto ao grego usado (ver a seção IV deste artigo, acerca dos detalhes a respeito), que não há como atribuí-la a um pescador galileu. A idéia de que a obra é uma tradução não convence, pois as traduções inevitavelmente exibem o fato de que o original foi escrito em outro idioma. Não há qualquer indício de que a primeira epístola de Pedro seja uma tradução para o grego. Seu uso dos artifícios retóricos, ensinados nas escolas gregas, demonstra que seu autor estava afeito ao idioma grego, tendo sido criado na cultura grega. Há menos hebraísmos em I Pedro do que nos escritos de Paulo que, sem dúvida, falava o grego desde a infância e escrevia em grego. Dificilmente poderíamos esperar ser isso verdade no caso de um autor criado na Galiléia, pois uma tradução feita de obra assim certamente incluiria esses maneirismos lingüísticos, conforme fica abundantemente demonstrado em outros livros do N.T., cujos autores são definidamente

PEDRO (PRIMEIRA EPÍSTOLA)

conhecidos como israelitas que tiveram contacto com a Palestina, tendo vivido ali pelo menos durante algum tempo.

2. Esta epístola é obviamente dependente dos escritos de Paulo, quase servilmente. Isso é comentado na seção VI do presente artigo. Esta epístola depende pesadamente de Romanos e de Efésios, especialmente. Não é muito provável que Pedro, um apóstolo do Senhor, dotado pessoalmente de revelações e de uma vasta experiência, incluindo o contacto direto e pessoal com o Senhor Jesus, tivesse sentido a necessidade de depender tanto do apóstolo Paulo.

3. O extenso contacto de Pedro com Jesus teria influenciado mais definitivamente qualquer coisa que ele tivesse escrito sobre a doutrina cristã; mas não há quaisquer evidências que o autor desta epístola tenha escrito com base na experiência em primeira mão. (Isso pode ser contrastado com I João 1:1,2). No entanto, poderíamos esperar algo dessa natureza, se esta epístola fosse genuinamente petrina.

4. O período que a epístola parece refletir, deve ser situado na primeira porção do segundo século de nossa era, o que dificilmente coincide com a época da vida de Pedro.

5. Confirmação antiga. (Ver a seção I deste artigo). Temos de admitir que essa confirmação é forte, não parecendo ter havido quaisquer dúvidas, nos tempos antigos, sobre a autoria petrina. Entretanto, apesar de ser evidente que esse livro foi usado pelos primeiros pais da igreja, não foi senão nos tempos de Irineu (nascido em 130 D.C.) que a epístola foi diretamente atribuída a Pedro. Policarpo, por exemplo, apesar de citá-la diretamente, não a atribui a Pedro. Alguns têm pensado, com base nessa circunstância, que a princípio a epístola circulou como obra anônima. A passagem de II Ped. 3:1 atribui a Pedro esta primeira epístola; mas talvez a segunda epístola de Pedro tenha surgido somente após os meados do século II D.C. refletindo idéias próprias daquela época, e não idéias anteriores. Já que nos faltam informes mais diretos sobre esse ponto, é impossível demonstrar, meramente através da confirmação antiga, que Pedro foi o autor desta epístola.

Essas cinco objeções, no entanto, têm sido respondidas pelos eruditos da seguinte maneira:

1. Alguns eruditos presumem que Pedro poderia ter *aprendido* suficientemente bem o grego, para produzir um livro dessa natureza. Sendo galileu, provavelmente ele sabia, desde a infância, algum grego «koiné». Mais tarde na vida, poderia ter estudado o grego, dominando-o suficientemente para produzir uma epístola como esta. Além disso, ele teve a ajuda de outros, que «revisaram» sua obra, como é a de Pedro, mas que a *mão* que a escreveu foi a de Silvano. Uma revisão extraordinariamente hábil poderia ter produzido o grego de I Pedro e eliminado as expressões hebraicas naturais que devem ter aparecido na obra original de Pedro.

2. Que se pode dizer sobre a forte dependência que esta epístola demonstra, quanto aos escritos paulinos? Pedro e Paulo representaram a mesma teologia e tradição, pelo que pouca divergência haveria entre eles quanto às doutrinas. Alguns estudiosos acreditam que a idéia da dependência tem sido *exagerada*, pelo que não haveria aqui qualquer forte argumento. De qualquer maneira, Pedro, um homem com pouca instrução formal, não teria hesitado em emprestar liberalmente idéias e expressões de Paulo, um óbvio gigante literário.

3. Por que razão o autor, se realmente foi Pedro, não exibiu memórias mais vitais de seus anos passados em companhia de Jesus? Por que não o citou uma vez sequer? Por que não pronunciou ilustrações baseadas na vida de Jesus? A isso alguns têm declarado que os trechos de I Ped. 1:8 e 5:1 subentendem que o autor conhecia Jesus pessoalmente; que I Ped. 2:21-24 alude ao julgamento de Jesus; e que I Ped. 5:2 pode ser uma reminiscência da ordem de Jesus, conforme se lê em João 21:17. Há diversos «ecos» dos evangelhos e dos ensinamentos de Jesus, embora não sejam citações diretas. Talvez não se possa esperar que um livro de cento e cinco versículos contenha mais do que esses pontos implícitos sobre a possibilidade de que o autor sagrado conhecia pessoalmente a Jesus.

4. Quanto ao tempo em que esta epístola foi escrita, a alusão às «perseguições» (ver I Ped. 1:6; 2:12,15; 4:12 e ss e 5:9) é de ordem geral (excetuando o trecho de I Ped. 4:12 e *ss*), e pode facilmente ser aplicada a perseguições anteriores (como no tempo de Pedro, o apóstolo) e não às mais intensas perseguições do início do segundo século da era cristã. A expressão «se sofrer como cristão» (I Ped. 4:16), não subentende, necessariamente, uma época em que o cristianismo já fora oficialmente declarado como uma traição ao estado (o que ocorreu nos tempos de Plínio, 112 D.C. em diante, pelo menos ao que se sabe), porquanto grandes tinham sido as perseguições contra os «cristãos», que desde há muito vinham sendo intitulados dessa maneira. Nero ordenou a decapitação de Paulo; e Roma era o centro das ferozes perseguições que rebentaram em cerca de 62 D.C. Mas até mesmo naquela época, a mera profissão cristã era, por muitos, considerada como uma traição. De fato, nosso livro de Atos foi escrito como uma apologia, na esperança de que ao cristianismo se desse a posição de religião legal. Por conseguinte, até mesmo naquele tempo os cristãos vinham sendo perseguidos somente por serem cristãos, membros de uma seita «fora da lei», embora isso ainda não tivesse sido uma questão universal e decidida por parte das autoridades romanas.

5. A forte confirmação antiga nos convence de que esta carta é petrina. O bom grego provavelmente foi devido ao fato de que Silvano, ou outro, cuja língua nativa era o grego, fez uma revisão cuidadosa, acrescentando, talvez, algumas expressões tipicamente gregas.

O fato de que alguns dos pais mais antigos citaram I Pedro sem mencionar, especificamente, o nome de Pedro, podemos considerar uma simples omissão que não tem qualquer significado. Todos os manuscritos gregos (e das versões que possuímos) têm o nome de Pedro em 1:1. Se o manuscrito original, e as primeiras cópias, circularam sem o nome de Pedro, é quase certo que pelo menos uma cópia em grego ou uma cópia de uma versão teria chegado a nós sem seu nome. O fato de que isto não tem acontecido prova (quase certamente), que, desde o princípio, o livro foi conhecido como uma carta do Apóstolo Pedro.

III. Data; Proveniência e Destino

Data. As tradições afirmam que Pedro sofreu martírio durante o reinado de Nero, ou seja, durante a década de 60 D.C. A perseguição neroniana irrompeu em 64 D.C., portanto, é provável que este livro foi escrito em cerca de 67 D.C. Alguns lhe dão uma data ainda anterior, supondo que esta epístola foi escrita imediatamente antes do irromper dessa perseguição, porquanto Pedro continua aconselhando a lealdade ao imperador (ver I Ped. 2:13-17), talvez dando a entender que ele previa que o pior ainda viria, segundo se vê em I Ped. 4:12. Nesse caso, a epístola deve ter sido escrita pouco antes de 64 D.C.

Seja como for, a epístola não pode ter sido escrita

164

PEDRO (PRIMEIRA EPÍSTOLA)

muito tarde, sendo que Papias a usou em sua epístola aos Filipenses. Eusébio diz que Papias se utilizou dela (ver *História Eclesiástica* iii.39,17), pelo que deve ter gozado de boa circulação no início do segundo século de nossa era.

Proveniência. Se Pedro não é o autor desta epístola, então qualquer conjectura sobre isso pode ser artificial, pois as menções sobre pessoas e lugares seriam artifícios. Mas, se ele realmente foi seu autor (como supomos) então qualquer localização geográfica indicada pelo termo «Babilônia» deve ser identificada com o lugar de onde a epístola foi enviada. Naturalmente, é possível que ainda que Pedro não tivesse sido seu autor, a referência à Babilônia seja genuína, de parte do seu verdadeiro autor. O trecho de I Ped. 5:13 nos fornece essa identificação. «Aquela» que se encontrava em Babilônia, conforme se vê na saudação final, mui provavelmente era a *igreja local*, e não a esposa de Pedro ou alguma proeminente figura feminina da comunidade cristã — portanto, a igreja em Babilônia enviava saudações aos endereçados da epístola. Alguns estudiosos supõem que a antes renomada cidade da beira do rio Eufrates realmente esteja em foco; mas a maioria deles pensa que isso é apenas um código, um nome críptico para a cidade de Roma. Se assim realmente é, e se a epístola foi realmente escrita pelo apóstolo Pedro, pelo menos é dado algum crédito à tradição que diz que Pedro foi bispo de Roma, tendo ali sido martirizado, sob ordens de Nero, embora isso não faça dele, sob hipótese alguma, o primeiro papa, conforme diz a Igreja Católica Romana.

Na atualidade, a maioria dos intérpretes protestantes aceita a tradição que põe Pedro em Roma durante os últimos anos de sua vida. Não há qualquer razão verdadeiramente válida para duvidar disso. (Comparar com Apo. 14:7 e 17:5, onde há outras alusões crípticas a «Roma»). A menção de Marcos e Silvano, além disso, favorece a referência a Roma. A tradição afirma que Marcos escreveu seu evangelho na capital do império, e que esse evangelho consiste essencialmente nas memórias da igreja de Roma sobre a vida de Jesus, de mistura com as memórias do apóstolo Pedro. A associação de Marcos com Roma, portanto, é quase certa; e a associação de Pedro com Marcos, nas proximidades da morte desse apóstolo, indicaria que Pedro esteve igualmente associado com a igreja em Roma. Quanto ao motivo por que a epístola de Paulo aos Romanos não menciona a pessoa de Pedro, pode ser que essa epístola tenha sido escrita antes da chegada de Pedro ali. Seja como for, a longa lista de saudações, no décimo capítulo da epístola aos Romanos (e que não inclui o nome de Pedro), mui provavelmente não faz parte original daquela epístola, mas antes, parece ser uma carta de recomendação em favor de Febe, enviada para a igreja em Éfeso. (Acerca de evidências a esse respeito, ver a introdução ao décimo sexto capítulo da epístola aos Romanos no NTI).

A aceitação da referência à «Babilônia», como se fora «Roma», era universal na igreja, até à época da **Reforma protestante,** quando alguns pensaram ser necessário negar isso a fim de combater a idéia de que Pedro foi o primeiro papa de Roma. Mas agora, tendo-nos afastado do calor da polêmica da reforma, a maioria dos eruditos, protestantes ou não, chegou a reconhecer que isso é o que realmente essa menção significa. Se Pedro foi ou não o primeiro papa é uma questão que tem de alicerçar-se sobre muitas outras considerações, além daquela que ele pode ter vivido em Roma por algum tempo; e essas considerações, naturalmente, se originam das tradições e dos dogmas eclesiásticos, e não do próprio N.T.

Destino. O trecho de I Ped. 1:1 nos fornece a resposta, pelo menos em parte: Ponto (norte da Ásia Menor), Galácia (região centro-sul da Ásia Menor, incluindo as cidades visitadas por Paulo durante sua primeira viagem missionária — Antioquia da Pisídia; Icônio, Listra e Derbe, ver os capítulos treze e catorze do livro de Atos), Capadócia (oriente da Ásia Menor), Ásia (ocidente da Ásia Menor, da qual Éfeso era sua principal cidade) e Bitínia (norte da Ásia Menor), onde se encontravam as congregações para as quais escreveu o autor sagrado. Não se pode duvidar de que aquelas igrejas se compunham, predominantemente, de gentios, embora algumas daquelas localidades contassem com numerosa população judaica, isto é, as cidades mais importantes. Isso significa que essas igrejas eram compostas de algum elemento judaico.

Essa epístola poderia ter sido uma carta circular, cujo intuito era ser enviada a diferentes províncias da Ásia Menor romana, na ordem alistada em I Ped. 1:1; ou quiçá o portador da epístola faria uma viagem a essas áreas, na ordem alistada, levando diferentes cópias da epístola original.

IV. Estilo Literário e Linguagem

Esta Epístola não se mostra tão hábil na retórica como a epístola de Tiago, mas evidencia conhecimentos sobre os artifícios retóricos do grego. A epístola contém menor número de hebraísmos do que os escritos de Paulo. A versão da Septuaginta (tradução do original hebraico do A.T. para o grego, completada bem antes da era apostólica) é usada nas citações, tal como se dá no caso da epístola de Tiago; e pode-se observar que o autor sagrado tinha especial predileção pela literatura do período dos Macabeus e pela literatura de Sabedoria. Os hebraísmos supostamente identificados na presente epístola aparecem em I Ped. 1:13,14,17,25 e 3:7.

A primeira epístola de Pedro se assemelha mais ao grego clássico do que ao grego «koiné» vernáculo, o que evidencia que o autor sagrado recebera uma educação liberal. Emprega o artigo definido grego com mais elegância do que qualquer outro dos escritores do N.T. (Ver I Ped. 1:17; 3:1,3,20; 4:14; 5:1 (por duas vezes) e 4, quanto a usos especiais do artigo). Também exibe o uso clássico do termo grego «os» (advérbio), tal como o faz o autor do tratado aos Hebreus, o que não é comum nas páginas do N.T. O autor sagrado emprega um vocabulário muito lato, considerando-se as dimensões da epístola, empregando sessenta e dois vocábulos que não se acham em qualquer outra porção do N.T. De forma geral, o autor sagrado usa de graça, liberdade e dignidade em sua linguagem, e freqüentemente com precisão refinada. É óbvio, portanto, que Pedro, o apóstolo, não poderia ter escrito essa epístola *pessoalmente*. Mas alguns estudiosos têm sugerido (provavelmente com razão) que temos aqui a voz de Pedro, que passou pelas mãos de *Silvano* (ver I Ped. 5:12). O dialeto aramaico de Pedro deixaria transparecer sua origem humilde (ver Mat. 27:73), tendo outros se referido a ele como homem *iletrado e inculto* (ver Atos 4:13). O argumento de que ele poderia ter *aprendido* suficientemente bem o grego, a ponto de escrever dessa maneira, é extremamente improvável, conforme sabem todos aqueles que se utilizam de um idioma aprendido como segunda língua.

Silvano era um judeu, um cidadão romano, escolhido para a delicada tarefa de explicar as resoluções tomadas pelo concílio de Jerusalém (ver Atos 15:22 e *ss*), para igrejas gentílicas de áreas remotas; portanto, era homem de considerável habilidade. Era um obreiro devotado, que trabalhava

PEDRO (PRIMEIRA EPÍSTOLA)

em áreas gentílicas. Portanto, deveria ser homem que dominava bem o idioma grego. Têm sido encontrados alguns paralelos verbais entre I e II Tessalonicenses e esta primeira epístola de Pedro. (Comparar I Tes. 4:3-5 com I Ped. 3:7). Em I Tes. 1:1 e II Tes. 1:1, ficamos sabendo que Silvano (também chamado Silas), estava associado com Paulo naquele tempo, e que talvez tenha sido usado pelo apóstolo como amanuense de algumas de suas epístolas. É provável, portanto, que seus pensamentos pessoais e suas formas de expressão tenham dado certo colorido a essas epístolas paulinas, como também a esta primeira carta de Pedro. (Ver o artigo separado sobre *Silas*).

V. Motivo e Propósitos

Há muitas alusões a perseguições nesta epístola, considerando-se sua brevidade. (Ver I Ped. 1:6; 2:12,15; 4:12 e *ss* e 5:9). Torna-se imediatamente óbvio que as perseguições é que levaram esta epístola a ser escrita. O autor sagrado queria fortalecer os crentes da Ásia Menor para poderem enfrentar as tribulações que já sofriam, preparando-os para testes ainda mais severos, no futuro (ver I Ped. 4:12 e *ss*). Também queria que se mostrassem firmes em sua lealdade cristã, e mostrou-lhes que o próprio Cristo fora assim perseguido; dessa maneira não estranhariam a tragédia, de outro modo inexplicável, baseada no caos. (No tocante a quando tiveram lugar essas perseguições, que envolve a questão de quando foi escrita a epístola, ver sobre a «data», na seção III do presente artigo).

«O alvo do autor desta breve epístola — é mais ou menos das mesmas dimensões da epístola aos Filipenses — é exclusivamente prático. Seu próprio desejo era o de inspirar e encorajar seus leitores, em face de uma severa perseguição, ou pelo menos, em face da oposição. Não deveriam perder de vista o grande prêmio; através de seu amor e pureza deveriam avançar e propagar o poder do evangelho, provocando a admiração de seus adversários. O verdadeiro crente só aparece em período de grande sofrimento. Essa é a tese mesma desta epístola. Mas, embora todo o esforço do autor sagrado visasse essa finalidade, reforçando a espinha dorsal daqueles que dentro em breve seriam chamados a 'sofrer como cristãos', nada há de pessimista ou mórbido, do começo ao fim. Pelo contrário, a nota-chave é a esperança. E desde às palavras de abertura essa nota é soada com uma mão firme»:

«Bendito o Deus e Pai de nosso Senhor Jesus Cristo que, segundo a sua muita misericórdia, nos regenerou para uma viva esperança... para uma herança incorruptível, sem mácula, imarcescível, reservada nos céus para vós outros...' (I Ped. 1:3,4).»

«Eles haveriam de sofrer, mas não como 'homicidas, ou ladrões, ou malfeitores, ou quem se intromete em questões alheias, e, sim, como cristãos'. Nada tinham a temer. Para eles, a esperança nunca esmaeceria». (Morton Scott Enslin, *The Literature of the Christian Movement*, pág. 321).

O propósito a ensinar. Esta epístola, apesar de visar, principalmente, o encorajamento dos crentes na perseguição, tal como fazem todos os demais documentos do N.T., aproveita a oportunidade para ensinar. Portanto, ela tem um propósito didático. Consideremos os pontos seguintes: 1. Há uma esperança eterna que conduz à salvação da alma; ela se alicerça sobre a redenção, e isso mediante a expiação pelo sangue de Cristo, e não devido a méritos pessoais; essas são as idéias capitais do primeiro capítulo da epístola. 2. Essa doutrina da redenção faz do crente uma pessoa de «outro mundo»; e o fato de que é perseguido neste mundo confirma esse fato; portanto, devemos viver aqui como estrangeiros e peregrinos. Até o grande Cristo, a «pedra de esquina» do edifício espiritual de Deus, foi rejeitado e perseguido na esfera terrena: isso é o que ensina, principalmente, o segundo capítulo. 3. Enquanto estivermos neste mundo, devemos fazê-lo com nossos lares em ordem. As mulheres devem conduzir-se em piedade e propriedade, e os maridos devem cumprir os seus deveres: essas são as principais idéias do terceiro capítulo. 4. Os sofrimentos de Cristo e a sua missão recebem uma atenção especial e extensa. Têm valor para fazer expiação aqui, e até mesmo no *hades*, o mundo dos espíritos perdidos, porquanto ele também teve uma missão a cumprir ali (ver I Ped. 3:18 — 4:6). Quanto bem, portanto, foi conseguido com os sofrimentos de Cristo. Portanto, se o crente sofrer juntamente com Cristo, só poderá advir disso a bênção (ver I Ped. 4:12-19). Esses são os temas principais do quarto capítulo. 5. Os anciãos, na qualidade de líderes do rebanho, são os que mais dispostos devem ser por cuidar do rebanho que sofria, tal como fazia o Sumo Pastor. Esse é o tema básico do quinto capítulo. Pode-se ainda notar que até mesmo no propósito didático o tema dos sofrimentos do crente percorre do princípio ao fim do livro, assumindo diversas formas e aplicações.

VI. Primeira Epístola de Pedro e o Resto do Novo Testamento

Apesar de alguns estudiosos terem procurado diminuir ao máximo a dependência desta epístola aos escritos de Paulo, o que tem sido usado como argumento contrário à autoria petrina (ver a seção II do presente artigo), é perfeitamente óbvio que o autor sagrado leva pelo menos várias epístolas de Paulo, principalmente Efésios e Romanos. Daniel Schulze, no começo do atual século XX, afirmava que a primeira epístola de Pedro era pouco mais do que reminiscências extraídas **das epístolas de Paulo**. Outros eruditos, como Holtzmann e Julicher, em tempos mais recentes, têm procurado mostrar que o autor deve ter estado familiarizado com quase todo o resto do N.T. E isso subentende, naturalmente, uma data posterior para esta epístola. Von Soden via uma dependência definida às epístolas aos Romanos, aos Gálatas, à primeira epístola a Timóteo e a Tito. Vários eruditos (como Lightfoot, Hort e Sieffert) têm mencionado e procurado demonstrar a mesma coisa. O último desses nomes tem até mesmo defendido a estranha teoria de que as epístolas aos Efésios e a primeira de Pedro foram escritas pelo mesmo autor (não o apóstolo dos gentios, mas um paulinista). Outros têm revertido a prioridade, dizendo que Romanos e Efésios é que demonstram dependência literária a esta primeira epístola de Pedro, uma idéia que não é aceita de bom grado pela maioria dos eruditos.

Considerando que Paulo foi um homem letrado e tinha uma reputação de erudito e teólogo (tendo recebido muitas visões e experiências místicas do Espírito), não teria sido estranho para Pedro, um homem com pouca instrução, emprestar liberalmente as idéias e expressões das cartas de Paulo. Certamente, ele tinha diversas das cartas dele para usar.

Comparar:

Efésios	I Pedro
1:1-3	1:1-3
1:4	1:20
1:14	2:9
1:21	3:22

PEDRO (PRIMEIRA EPÍSTOLA)

2:21,22	2:5	12:14	3:11
5:22-24	3:1-6	1:2	1:20
5:25-33	3:7	9:14	1:19 (afinidade de termos sobre a redenção)
6:1-6	Instruções às crianças, não em I Pedro.		
6:5-9	2:18-25	9:28	2:24 (mesmo fenômeno que o caso anterior)

Essas similaridades envolvem algum material que fazia parte de itens comuns do ensinamento e da pregação do cristianismo primitivo, podendo coincidir com os mesmos; mas não é provável que todos esses itens coincidam. Embora a mentalidade do autor da epístola aos Efésios seja mística, e a mentalidade do autor desta epístola seja prática e pastoral, não há razão para supormos que não há qualquer dependência. Cada autor expressou o assunto à sua maneira.

Romanos	I Pedro
4:24	1:21
6:7	4:1
6:11	2:24
8:18	5:1
8:34	3:22
12:1	2:5
12:2	1:14
12:3-8	4:10,11
12:9,10	1:22
12:14-19	3:8-12
13:1-4	2:13-15

Um caso especial a ser observado:
Rom. 9:33   I Ped. 2:6,7

Uma série de citações aparece na epístola aos Romanos, extraídas de Isa. 28:16a; 8:14 e 28:16b, e que Pedro, por igual modo, usou. Fizeram ambos essas citações praticamente do mesmo modo, utilizando-se da Bíblia em grego (mas com modificações para o sentido hebraico original), que sofrera certas modificações na Septuaginta utilizada. Como é que essas citações foram usadas em série, e praticamente do mesmo modo, a menos que haja certa forma de dependência um ao outro? É possível que os cristãos primitivos tivessem antologias de citações do A.T., e que ambos os autores tivessem feito empréstimos de uma fonte comum, e não um do outro. Mas, apesar disso ser possível, simplesmente há um número demasiadamente grande de similaridades para supormos que não houve qualquer interdependência. Pelo menos deve-se dizer que o autor «ouviu» Paulo pregando por muitas vezes, ainda que talvez não houvesse lido os seus escritos; e isso explicaria como ele podia estar tão bem fundado no pensamento e nas expressões de Paulo.

Gálatas	I Pedro
3:23 e 4:7	1:4
5:13	2:16
4:24	3:16

No entanto, esses exemplos podem ter sido meras coincidências. Alguns estudiosos fazem objeção ao uso da epístola aos Gálatas por parte do autor desta epístola, porquanto ele não tece qualquer comentário sobre o controvertido segundo capítulo; mas talvez não tenha tido ele qualquer motivo para usar material dali extraído. E nem mesmo deveria ser de seu interesse reavivar a controvérsia entre Pedro e Paulo, descrita naquele capítulo.

As afinidades desta epístola com as epístolas a Tito e as duas a Timóteo são menos óbvias. Mas a afinidade com o tratado aos Hebreus é forte.

Hebreus	I Pedro
13:21	4:11
13:21	5:10 (oração final)

11:1	1:8 (o objeto da fé é o mundo invisível)
12:1-3	2:21-23 e 3:17,18 (Jesus mostrou como se deve sofrer)
10:37	4:7,27,19 (perseguições, um sinal do fim).

Afinidades literárias entre Tiago e I Pedro:

Tiago	I Pedro
1:1	1:1 (a diáspora)
1:2,3	1:6,7
1:10,11	1:23—2:2
4:6,7	5:5-9

Muitos eruditos acreditam que se um desses autores sagrados dependeu do outro, Tiago é que se baseou em Pedro.

Alusões aos evangelhos, em alguma forma pré-canônica. Alusões às fontes que, mais tarde, se tornaram os nossos quatro evangelhos. A semelhança é mais evidente no caso do evangelho de Lucas.

Lucas	I Pedro
10:24,25	1:10
24:26	1:11-21
12:35	1:13
11:2	1:17
8:12	1:23
20:17,18	2:7
6:28	3:9
12:42	4:10
Mateus	I Pedro
5:16	2:12
5:10	3:14
João	I Pedro
3:3	1:3
1:13	1:23
1:29	1:19
10:11	2:25
21:16	5:2
Atos	I Pedro
10:34	1:17
15:9	1:22
4:11	2:4
5:41	4:13,16
1:8,22	5:1

Tudo isso poderia ser usado como argumento em prol de uma data posterior, o que daria tempo para que o N.T. fosse circulado, mediante a prédica e o ensino. Porém, grande parte dessa coincidência poderia ser devida meramente ao uso de material proveniente de fontes informativas comuns; contudo, a dependência a Paulo parece ser bem real. (Quanto ao problema de autoria que isso cria, quanto à presente epístola, ver a discussão sob a seção II deste artigo).

VII. Pedro e Paulo

No artigo sobre a epístola de Tiago é discutida a relação entre Paulo e Tiago; e esta breve seção tem

PEDRO (PRIMEIRA EPÍSTOLA)

atitude similar àquela. Apesar de ser quase certo que Tiago representa o ramo **legalista** da igreja (ver o artigo detalhado sobre **Legalismo**), e apesar de ser absolutamente certo que o livro de Tiago, que foi escrito em seu nome, representa essa tradição, somente a escola de Tubingen e alguns escassos eruditos dispersos têm contendido que Pedro se aliou ao legalismo, opondo-se à doutrina paulina de «justificação pela fé, mediante a graça, sem o concurso da lei mosaica».

Evidências: as principais evidências bíblicas a serem examinadas são os capítulos dez, onze e quinze do livro de Atos, e o segundo capítulo da epístola aos Gálatas. Pedro facilmente teria sido um legalista; mas recebeu uma visão especial que lhe deu uma amplitude de visão mais lata que a dos membros comuns da comunidade cristã de Jerusalém; foi severamente criticado por sua defesa da missão gentílica, bem como por causa de seus métodos; ele não impunha a circuncisão, a observância da lei ou regras dietéticas aos convertidos gentios; misturava-se livremente com eles; e se declarou favorável e pregador da doutrina da justificação pela fé, quando do concílio de Jerusalém. A única dúvida que surge em todo o N.T., acerca dessa questão, é a do segundo capítulo da epístola aos Gálatas, onde se vê Pedro em uma de suas falhas, porquanto se retirou dos gentios, não tendo mais companheirismo com eles. Todavia, deve-se notar que até *Barnabé* errou nessa oportunidade. É claro que em nenhum dos casos isso foi feito por convicção, mas por acomodação àqueles que tinham sido enviados da parte de Tiago. E o próprio Paulo não deixou de deslizar ou de se comprometer, devido à época de transição do antigo para o novo pacto, em que ele viveu. (Ver o fato de que ele fez votos judaicos, em Atos 21:18, o que, uma vez mais, foi feito devido à pressão exercida por Tiago, irmão do Senhor). Não há qualquer razão para crermos, porém, que Pedro continuou em sua conduta comprometedora, e o fato de que mais tarde ele ministrou em Roma parece ser outra indicação de que ele não poderia diferir grandemente de Paulo quanto à doutrina e à prática. Não há que duvidar que se tivesse havido algum conflito sério entre Paulo e Pedro, quanto à questão do legalismo, a história eclesiástica tê-lo-ia registrado. É verdade que algumas seitas legalistas do segundo século de nossa era tomaram a Pedro como seu herói, rejeitando a Paulo, especificamente por causa de sua posição acerca da lei mosaica e do método de justificação; e seitas legalistas de séculos posteriores continuaram assim fazendo. Porém, não há quaisquer provas de que Pedro foi bem escolhido por elas, como campeão de sua doutrina, do mesmo modo que certas seitas libertinas, como alguns ramos do gnosticismo, não tinham o direito de reivindicar a autoridade de Paulo quanto às suas idéias e práticas, que atribuíam a esse apóstolo.

Não há qualquer evidência, no N.T., acerca de qualquer grande divergência, na doutrina e na prática, entre Paulo e Pedro; e qualquer dedução que se possa tirar disso, com base na história eclesiástica, dificilmente pode apoiar tal tese. Se a presente epístola é autenticamente petrina, então o argumento já está bem firmado. Trata-se do livro mais tipicamente paulino do N.T., fora da coletânea paulina.

VIII. Temas Principais

O tema predominante, que também sugere quase todos os demais, é o do sofrimento do crente. (Ver I Ped. 1:6; 2:12,15; 4:12 e *ss* e 5:9). Consideremos os pontos seguintes: 1. Podemo-nos regozijar nos sofrimentos (I Ped. 1:6). 2. Isso traz honra e glória a Cristo, através da prova e da purificação da fé (I Ped. 1:7). 3. Isso resulta em alegria inexprimível e cheia de glória (I Ped. 1:8). 4. Isso resulta em vida eterna, a salvação da alma (I Ped. 1:9). 5. A própria morte, mediante a perseguição, não é fatal: Deus ressuscitou a Cristo; e ele também nos ressuscitará, após a purificação de nossas almas (I Ped. 1:21,22). 6. Seja como for, toda a carne é apenas «erva», e através da perseguição ou de outro modo, logo haverá de perecer (I Ped. 1:24,25). 7. Mas a Palavra de Deus, o evangelho, não pode perecer, como também não podem perecer aqueles que confiam nessa Palavra (I Ped. 1:25). 8. O próprio Jesus, a despeito de toda a sua grandeza e valor, não pôde evitar o sofrimento (I Ped. 2:6 e *ss*); antes, seus sofrimentos foram vicários e expiatórios, o que lhes dá imenso valor: assim também os sofrimentos do crente podem revestir-se de valor (I Ped. 2:21 e *ss*). 9. O sofrimento nos mostra que precisamos ser estrangeiros e peregrinos neste mundo, pois a terra não oferece habitação segura (I Ped. 2:10 e *ss*). 10. Os sofrimentos de Cristo levaram o evangelho até às almas perdidas no hades, melhorando suas condições, ou lhes oferendo salvação. (Ver I Pedro 3:18-4:6). — Isso nos mostra os imensos resultados dos sofrimentos de Cristo. Fizeram dele o Salvador cósmico. 11. O sofrimento serve-nos de lição moral que nos ensina a rejeitar os pecados da carne, pois é o princípio do pecado que produz desastres, bem como os atos desumanos dos homens (I Ped. 4:1 e *ss*). 12. Os sofrimentos humanos podem ser uma participação nos sofrimentos de Cristo, mas devem ser sofridos somente porque o crente participa da sua santidade, e não porque merece os maus-tratos, devido a uma vida depravada (I Ped. 4:12 e *ss*). 13. Os anciãos da igreja local, particularmente, deveriam estar prontos a sofrer pelo rebanho, tal como fez o Grande Pastor (I Ped. 5:1 e *ss*). 14. Satanás está por detrás de homens ímpios e desvairados; ele é o inspirador das desumanidades deles. Resistamos ao diabo, portanto (I Ped. 5:8 e *ss*). 15. Haverá um fim de todos os sofrimentos do crente, porquanto Deus nos chamará para a vida eterna (I Ped. 5:10), e haveremos de finalmente triunfar, contra todos os obstáculos (I Ped. 5:11).

Temas doutrinários da primeira epístola de Pedro. É óbvio que esta carta apresenta elementos da **pregação cristã mais primitiva (no grego, kerugma).** Paralelamente a essa «pregação», devemos levar em conta os ensinamentos de Jesus, quase sempre de natureza ética. Portanto, o evangelho foi proclamado (como se vê em Marcos, o mais antigo dos evangelhos), em combinação com ensinamentos morais. Dentro desse padrão de pregação e ensino, supunha-se que a substância do A.T. ficava preservada; mas, no cristianismo, isso era visto sob uma luz mais significativa. Isso é o que explica as freqüentes alusões ao A.T., e mesmo citações diretamente extraídas dali. Em livros como Hebreus, Tiago e I Pedro, **também foram usados os livros** posteriores do A.T., os livros apócrifos, sobretudo a literatura de Sabedoria; e isso na forma de alusão, de idéia, embora não na forma de citações diretas. Na **epístola de Tiago, isso é demonstrado na seção V do artigo sobre o mesmo. Nesta primeira epístola de** Pedro, há pelo menos quarenta referências veterotestamentárias, além de seis claras referências a livros apócrifos do A.T. Devemo-nos lembrar que a Septuaginta (a tradução grega do A.T. hebraico) continha os livros apócrifos. Era apenas natural, pois, que alusões e citações extraídas dos mesmos chegassem a penetrar nas epístolas «católicas», que foram enviadas a áreas tipicamente gentílicas, ou para a igreja cristã em geral. Somente os judeus da

PEDRO — PEDRO (SEGUNDA EPÍSTOLA)

Palestina é que rejeitavam os livros apócrifos do A.T. Esses nunca foram recebidos como parte da Bíblia hebraica (o A.T. original). Contudo, os judeus da dispersão usavam esses livros, segundo se vê mediante o uso lato da versão da Septuaginta, naquelas regiões ocupadas por eles. Os temas que figuram nesta epístola de Pedro, por conseguinte, são estes:

1. *A doutrina de Deus.* Nesse caso temos o conceito judaico, com pouca ou nenhuma modificação. Deus é vivo, criador (I Ped. 4:9); transcendental e santo (I Ped. 1:5); longânimo e gracioso (I Ped. 3:20 e 5:10). Dentro do contexto cristão ele é nosso Deus e Pai, bem como o Pai de nosso Senhor Jesus Cristo (I Ped. 1:3,17); temos de aproximarmo-nos dele com profundo respeito (I Ped. 1:7 e 3:2). Ele é o Juiz (I Ped. 1:17). Dentro do contexto cristão, ele é o Deus da ressurreição (I Ped. 1:3,21).

2. *Os ensinamentos morais.* Aparece aqui o cingir moral (da mente) (I Ped. 1:13; comparar com Luc. 12:35). Há a invocação de Deus como Pai (I Ped. 1:7; comparar com Luc. 11:2). Há a menção das boas obras para glória de Deus (I Ped. 2:12; comparar com Mat. 5:16). Não se deve retornar o mal pelo mal (I Ped. 3:9; comparar com Luc. 6:28). Os sofrimentos devido à justiça são abençoados (I Ped. 3:14; comparar com Mat. 5:11). Teremos de prestar contas ao Juiz dos vivos e mortos (I Ped. 4:5; comparar com Mat. 12:36). Quem sofre por causa de Cristo é abençoado (I Ped. 4:14; comparar com Mat. 5:11). Convém que nos humilhemos debaixo da mão de Deus, para sermos exaltados finalmente (I Ped. 5:6; comparar com Luc. 14:11). É mister pormos de lado toda a ansiedade (I Ped. 5:7; comparar com Mat. 6:25). Uma lista similar de comparações entre esta epístola e o *Didache* também pode ser feita. Este último é um documento que representa a pregação cristã primitiva, imediatamente após a época apostólica.

3. *A doutrina de Cristo e sua obra.* Cristo é o Senhor (I Ped. 2:3 e 3:15). Ele é o que ressuscitou (I Ped. 1:3,21 e 3:21). Ele é o Servo Sofredor (I Ped. 2:21,22). Ele é quem fez expiação por nossos pecados (I Ped. 2:24 e 3:18 e ss). Ele é o Salvador cósmico (I Ped. 3:18-29 e 4:6). Ele é preexistente (I Ped. 1:20). O título divino *Yahweh*, que aparece no A.T., pode ser aplicado com propriedade a Cristo (I Ped. 2:3 e 3:15). Ele ocupa o mesmo nível do Pai e do Espírito Santo (I Ped. 1:2). Ele é o instrumento de nossa fé em Deus (I Ped. 1:21). Em contraste com o tratado aos Hebreus, esta epístola jamais usa o título simples, «Jesus».

4. *A doutrina do Espírito Santo.* O Espírito Santo foi enviado dos céus (I Ped. 1:2), uma provável referência ao dia de Pentecoste. A consagração vem mediante o Espírito (I Ped. 1:2). Ele forma agora uma casa espiritual (I Ped. 2:5). Ele repousa sobre os crentes (I Ped. 4:14). Ele se encontrava tanto no Antigo quanto no N.T., como o inspirador dos profetas (I Ped. 1:11).

5. *A doutrina da igreja.* A palavra «igreja» (no grego, *ekklesia*) não figura neste livro, mas existem vários ensinos sobre a igreja. A igreja é o povo de Deus, e se forma de judeus e gentios crentes, reunidos em um corpo (I Ped. 2:10). Por isso mesmo, a igreja assume vários títulos que tinham pertencido à nação de Israel (I Ped. 2:9,10). A igreja é um templo espiritual (I Ped. 2:5). Os crentes que a formam são pedras vivas, e Cristo é sua principal pedra de esquina. Além disso, os crentes são sacerdotes desse templo, e oferecem sacrifícios espirituais (I Ped. 2:5). Também são o rebanho de Deus (I Ped. 5:2). E Cristo é o seu Sumo Pastor (I Ped. 5:4).

6. *A esperança e a vida eterna.* Esse é um dos temas predominantes desta epístola, um encorajamento em meio às tribulações e desastres. (Ver I Ped. 1:3, onde se aprende que a esperança repousa sobre a ressurreição de Cristo). A esperança da salvação vem através de Cristo (I Ped. 1:7,13; 4:13). Ocorrerá quando da vinda de Cristo, como coroa de Glória, como galardão de imensas proporções (I Ped. 4:13; 5:1,5). A esperança é dada ao crente no tocante ao julgamento (I Ped. 4:5,17,18); mas Cristo levou a esperança até mesmo ao hades (I Ped. 3:18-20 e 4:6).

Abandona os teus planos tolos;
Pois ninguém poderá segurar-te,
Salvo aquele que nunca muda,
Teu Deus, tua vida, tua cura!
(Henry Vaughan)

IX. Conteúdo

I. Saudação (1:1-2)
II. Ação de graças (1:3-12)
 1. Pela misericórdia e esperança, mediante a ressurreição de Cristo (vs. 3)
 2. Pela herança eterna (vs.4)
 3. Pelo poder resguardador de Deus (vs.5)
 4. Em meio aos sofrimentos (vss. 6,7)
 5. Pelo consolo dado pelo Cristo invisível (vs. 8)
 6. Pela salvação da alma (vs. 9)
 7. Pela revelação do Espírito de Cristo (vss. 10:12)
III. Resultados implícitos na salvação. Exortação à vida santa (1:13-2:3)
IV. A pedra de esquina e o novo templo de Deus (2:4-10)
V. Os deveres dos cristãos (2:11—4:11)
 1. Relações entre o crente e o incrédulo (2:11-12)
 2. Os cristãos em relação ao estado (2:13-17)
 3. O dever dos escravos (2:18-20)
 4. Imitando a Cristo (2:21-25)
 5. Relações entre esposos e esposas (3:1-7)
 6. Sumário (3:8-12)
 7. Os cristãos debaixo da perseguição (3:13-17)
 8. Cristo, exemplo de sofrimento. Sua misericórdia atingiu o próprio hades, habitação das almas perdidas (3:18-22. Ver também 4:6).
 9. A pureza da vida (4:1-6)
 10. Vivendo em função do fim de tudo (4:7-11)
VI. Os sofrimentos do cristão (4:12—5:11)
 1. Chamada à perseverança (4:12-19)
 2. Exortação aos anciãos (5:1-5)
 3. Exortação final (5:6-11)
VII. Conclusão e bênção (5:12-14)

X. Bibliografia. AM E EN IB ID ID KELL(1969) LAN MOF NTI TI TIN VIN RO Z

PEDRO (SEGUNDA EPÍSTOLA)

I. Confirmação Antiga
II. Autoria
III. Data
IV. Proveniência e Destino
V. Relação Entre Esta Epístola, I Pedro e Judas
VI. Motivo e Propósitos
VII. Conteúdo
VIII. Bibliografia

Esta segunda epístola de Pedro pode ser chamada «literatura de heresia», ou seja, um dos livros do N.T. escrito para combater a heresia. Seu autor foi um ardoroso defensor da fé cristã ortodoxa. Parece que vários mestres falsos usavam o fato de serem membros

PEDRO (SEGUNDA EPÍSTOLA)

da igreja cristã como frente para a propagação de doutrinas e práticas não-cristãs. A conseqüência desse erro é que a licenciosidade invadiu a igreja. O autor toma a posição, tomada por toda a parte no N.T., que a prática correta deve estar alicerçada sobre a doutrina correta, e que quando há desvios doutrinários inevitavelmente haverá debilidades morais na vida diária. Provavelmente, nesta epístola, é atacada alguma forma primitiva de gnosticismo. Em contraste com a variedade ascética, atacada na epístola aos Colossenses, esta segunda epístola de Pedro trata dos gnósticos libertinos. Outros livros neotestamentários que atacam o gnosticismo, direta ou indiretamente, são o evangelho e as epístolas de João, as epístolas pastorais e a epístola de Judas. (Ver o artigo separado sobre *Gnosticismo*, que foi um câncer da igreja primitiva por cerca de cento e cinqüenta anos. Ver Col. 2:18).

I. Confirmação Antiga

Parece não haver citações absolutamente claras desta epístola até Orígenes (falecido em 253 D.C.). Os primeiros pais da igreja, como Irineu (185 D.C.), com freqüência citam a primeira epístola de Pedro, mas nenhuma de suas citações, tiradas da presente epístola, diz que Pedro era citado. Irineu fala da «epístola de Pedro». É possível, naturalmente, que ele tivesse conhecido a presente epístola, mas a tivesse rejeitado como autêntica. Contemporâneos seus no Ocidente, como Tertuliano e Cipriano, não fazem qualquer alusão ao livro. O cânon muratoriano, que refletia a tradição canônica primitiva no Ocidente, não contém a presente epístola. Pelo menos no Ocidente, até 200 D.C., a segunda epístola de Pedro não era aceita como canônica, era ignorada e não era citada, mesmo que porventura fosse conhecida.

No Oriente, por esse tempo, Clemente de Alexandria era o principal líder cristão. Eusébio (*História Eclesiástica* vi.14:1), nos diz que Clemente deu «explicações concisas sobre todas as escrituras canônicas», incluindo os escritos chamados «disputados», como Judas, e as demais epístolas católicas, a epístola de Barnabé e o Apocalipse de Pedro. Suas declarações subentendem que Clemente conhecia nossa segunda epístola de Pedro, mas os próprios escritos de Clemente não contêm qualquer citação direta tirada desta epístola. *Protrep*, x.106 talvez aluda ao trecho de II Ped. 2:2; *Strom*. 1:19,94 talvez se refira a II Ped. 1:14; *Strom*. ii.12.55 a II Ped. 2:8. E alguns poucos outros casos poderiam ser alistados. Mas o mais provável é que se tratem de «coincidências verbais», e não citações diretas, porquanto certo acúmulo de material (idéias, expressões, partes de declarações, etc.) estava em disponibilidade de todos os autores do período. E assim, nas epístolas católicas, há similaridades de conteúdo, o que é transferido para os escritos dos primeiros pais da igreja; mas isso não reflete qualquer real dependência literária.

Pelo menos é certo que Pantaeno, antecessor imediato de Clemente, não exibe ter tido qualquer conhecimento deste livro; pelo que é possível que certas similaridades de expressão, nos escritos de Clemente e nesta epístola, sejam meras coincidências. No Oriente, pois, esta epístola certamente não era reputada canônica até o começo do século III D.C., embora pudesse ser conhecida. De outro modo, teria sido usada em citações, embora não diretamente reputada como livro canônico.

Orígenes cita esta segunda epístola de Pedro por cerca de seis vezes, diretamente, além de fazer outras poucas alusões. Tem sido salientado que até mesmo nesse autor as citações são tiradas da versão latina dos escritos gregos de Orígenes, talvez sendo interpolações. Mas Orígenes afirma que Pedro deixou apenas uma epístola genuína (I Pedro). Ele classificou II Pedro como «duvidosa» quanto à sua autenticidade e participação no cânon. (Comentário sobre *João*, V.3).

Eusébio incluía II Pedro em seu N.T., juntamente com outras epístolas católicas, mas dizia que sua final aceitação pela igreja resultou de ser «lida em público, na maioria das igrejas» (*História Eclesiástica* 23:25; III.3.1,4). Contudo, de conformidade com ele, «os anciãos de tempos antigos», reconheciam somente a primeira epístola de Pedro como autêntica e canônica. Assim sendo era um livro «disputado, apesar de ser familiar para a maioria». (*Op. Cit.* III.25.3). O próprio Eusébio duvidava de sua autenticidade, mas não negava seu uso na igreja.

Após o século III D.C., o livro começou a obter aceitação geral, embora antes fosse reputado duvidoso. Assim Atanásio (*Epístolas Festais* xxxix.5) e Agostinho (*Sobre a Doutrina Cristã*, II.8.13) reconheceram ambos o livro como canônico; e essa posição também foi assumida pelo concílio de Cartago, em 397 D.C. Jerônimo alude às «duas epístolas de Pedro», mas uma vez mais revive a antiga questão da autenticidade, admitindo que «muitos» não aceitavam uma delas como de autoria petrina (*Sobre Homens Famosos*, I). Ele mencionou o problema, mais amplamente investigado em tempos modernos, dizendo que seu estilo é contrário à sua aceitação. Certamente é muito diferente em estilo à primeira epístola de Pedro. Mas dá a entender o uso de um diferente escritor ou compilador, o que poderia explanar tal diferença. Parece que ele a aceita com cautela; mas sua atitude não foi compartilhada por vários pais eminentes de seus próprios dias, principalmente Crisóstomo, Teodoro e Teodoreto, cujos escritos, apesar de volumosos e prenhes das Escrituras, não citam II Pedro.

A versão siríaca, em suas formas primitivas, aceitava somente três das epístolas católicas como canônicas, a saber: Tiago, I Pedro e I João, e alguns estudiosos duvidam que o siríaco original ao menos incluía tais livros.

II. Autoria

Não foi senão no século IV D.C., que esta epístola começou a ser aceita como de autoria petrina. E foi somente no século V D.C. que ela recebeu reconhecimento geral na igreja. Mas mesmo assim, alguns pais importantes a ignoraram. Isso dificilmente poderia ter ocorrido se Pedro realmente a tivesse escrito. Assim, a maioria dos eruditos concorda, tanto liberais como conservadores (embora não necessariamente pastores e líderes não-eruditos da igreja) que ersta segunda epístola de Pedro deve ser classificada como uma *pseudepígrafe*. Naturalmente, nos primeiros séculos, muitas obras assim foram produzidas. Conhece-se, em forma fragmentar ou mediante citações, cerca de cem obras primitivas que supostamente foram escritas por apóstolos ou outros nomes cristãos famosos. Um evangelho é atribuído a Tomé, outro a Pedro, e um outro a Nicodemos. Há um **Apocalipse de Pedro, um Atos de Paulo, etc. Os livros apócrifos seguem as mesmas classificações das escrituras canônicas: evangelhos, Atos, epístolas e apocalipses. (Ver o artigo sobre Livros Apócrifos do Novo Testamento).**

Naqueles dias não era vergonhoso atribuir uma epístola ou um livro a algum autor famoso. Isso era feito para «honrar» tal autor, propagando suas idéias, ou mesmo apenas para garantir larga circulação para o livro. Não havia leis que regulamentassem tais práticas; e parece que elas não eram condenadas pela

PEDRO (SEGUNDA EPÍSTOLA)

opinião pública. Paulo tinha o cuidado de autenticar suas epístolas mediante assinatura pessoal, ou então escrevendo de próprio punho as últimas poucas linhas. E é bem possível que ele assim fizesse a fim de evitar as más conseqüências de epístolas que circulassem em seu nome, mas que não lhe pertenciam de fato. (Ver I Cor. 16:21; Gál. 6:11; Col. 4:18 e II Tes. 3:17 quanto a essa prática).

Argumentos Típicos Contra a Autoria Petrina de II Pedro:

1. Falta-lhe a confirmação dos pais da igreja, que viveram nos primeiros séculos da era cristã. Nenhuma confirmação sólida, pelos pais da igreja, aparece, até o século V D.C. (Ver as notas expositivas a esse respeito, na seção I).
2. Parece haver dependência literária para com a epístola de Judas, o que dificilmente sucederia, se o apóstolo Pedro realmente a tivesse escrito. Isso é anotado na seção V deste artigo.
3. Sua distância de I Pedro, quanto ao estilo literário e quanto ao conteúdo. Não há possibilidade do mesmo autor, da mesma mente, ter estado por detrás de ambas essas epístolas. (Ver notas expositivas sobre isso na seção V deste artigo).
4. Parece ter sido grande a ansiedade de seu autor por autenticar a autoria petrina. Assim Pedro é chamado e descrito como «servo e apóstolo» de Jesus Cristo (ver II Ped. 1:1). A predição do martírio de Pedro é aludida (ver II Ped. 1:14; comparar com João 21:18,19). Há alusão à sua presença com Jesus, no monte santo (monte da transfiguração) (ver II Ped. 1:17,18; comparar com Mat. 17:5; Mar. 9:7 e Luc. 9:35). Há uma referência implícita à «primeira epístola», como livro igualmente escrito por ele. Esses dados, longe de serem favoráveis à autenticidade da epístola, parecem ser uma tentativa exagerada, por parte de seu autor, por fazer a obra passar por petrina. Esse zelo «autenticador» cria mais dúvidas do que confiança. Porém, apesar disso, a igreja em geral, até o século IV D.C., não a aceitava ou não a conhecia como livro autenticamente petrino.
5. O reconhecimento, por parte do autor, sobre certas epístolas paulinas como «Escritura», e seu abuso às mãos de hereges (ver II Ped. 3:16) aponta definidamente para um período pós-petrino, embora essa seja nossa primeira afirmação «canônica» na igreja primitiva.
6. Alguns estudiosos crêem que a heresia combatida é o gnosticismo, e que isso a situa, automaticamente, nos meados do século II D.C., obviamente distante dos tempos de Pedro. Todavia, isso não é argumento muito forte, pois agora se sabe que já havia formas primitivas de gnosticismo desde o começo da igreja cristã.
7. Outro argumento fraco é o que afirma que as «idéias» da epístola refletem o período dos meados do século II D.C. e depois. Nada, entretanto, na própria epístola, reflete idéias que já não existiam na era apostólica.
8. O terceiro capítulo desta epístola parece ter sido especificamente escrito **para restabelecer a fé** na «parousia» ou segundo advento de Cristo. Isso sugeriria que, pelo tempo em que esta epístola foi escrita, vários elementos da igreja já tinham começado a crer que a volta de Cristo não seria imediata. Evidentemente, alguns dos mestres falsos tinham chegado a essa conclusão, incorporando-a em suas doutrinas. Sabemos, porém, que a verdadeira igreja primitiva sempre teve o ponto de vista do «retorno de Cristo a qualquer instante». (Ver o artigo sobre a *Parousia*). Por conseguinte, parece que esta segunda epístola de Pedro reflete um tempo posterior, na história da igreja, ao período refletido na primeira epístola de Pedro, pois ali as alusões à «parousia» são freqüentes, sem qualquer indicação de que alguém, na igreja cristã, se opunha a essa idéia.

9. A primeira epístola de Pedro foi escrita para fortalecer a igreja sob perseguição. Pouco depois de sua composição, essa situação se agravou. É difícil imaginar que uma carta, escrita à igreja que sofria sob tais circunstâncias, pudesse olvidar-se totalmente de tais assuntos. Além disso, há boas evidências de que Roma foi o lugar de «proveniência» e que a Ásia Menor foi o «destino», tanto quanto no caso da primeira epístola de Pedro. No entanto, nada diz ela acerca da questão das perseguições sofridas. Parece, então, que a segunda epístola de Pedro foi escrita mais tarde que a primeira, de fato, em um período pós-petrino.

10. A maioria dos eruditos concorda que a segunda epístola de Pedro (cap. 2), é um plágio da epístola de Judas, incorporando grande parte da mesma. Não é provável que um homem da experiência espiritual do apóstolo Pedro tivesse tido necessidade de fazer tal empréstimo, embora não se possa dizer que, de conformidade com os padrões da antiguidade, isso era «rebaixar-se» em uma atividade obviamente dúbia.

Argumentos em Favor da Autoria Petrina de II Pedro:

1. Ela afirma isso em seu próprio favor.
2. Suas várias «autenticações internas» são reputadas marcas genuínas de autoria petrina.
3. Suas diferenças, quanto ao estilo, e à gramática podem ser explicadas, supondo-se que Pedro se utilizou de dois escritos diferentes, na composição de I e II Pedro. O grego «artificial» de II Ped. (um grego, parcialmente aprendido de livros) bem possivelmente pode refletir a realização do próprio Pedro na língua grega. É possível, então, que I Ped. foi escrito (reduzido) **por Silvano**, enquanto II Ped. foi escrito por Pedro diretamente, com uma revisão por um discípulo.
4. O argumento contra II Ped. que nos diz que «deveria» ter incluído trechos sobre perseguições (como existem em I Ped.) perde toda a sua força quando nos lembramos que as perseguições continuaram até o quarto século, e até ficaram piores do que nos primeiros anos apostólicos. Por este argumento (das perseguições), qualquer livro escrito até o quarto século devia ter tratado, pelo menos parcialmente, das perseguições. — O fato é que não é assim que aconteceu. Um livro ou carta podia ter tratado de um ou outro assunto crítico, sem mencionar outros menos ou igualmente críticos.
5. A dependência sobre Judas teria sido natural para Pedro, um homem sem grande instrução. I Ped. depende pesadamente de Paulo. O pescador da Galiléia podia ter usado bom material de diversas fontes, sem qualquer condenação da consciência.
6. A ansiedade da autenticação apostólica não é mais exagerada do que o que nós encontramos em certos trechos de Paulo, como em I e II Cor. e Gál. A oposição contra os hereges, naturalmente, exigiu uma forte declaração de autoridade apostólica. Assim, aconteceu com Paulo, e porque não podia ter acontecido com Pedro?
7. O reconhecimento das escrituras de Paulo como autoritárias (3:16) seria bem natural dentro do contexto do primeiro século. Todos que conheceram Paulo, suas visões e forças espirituais, podiam ter considerado suas escrituras inspiradas desde o princípio. Tal reconhecimento não teria exigido

PEDRO (SEGUNDA EPÍSTOLA)

qualquer grande período de tempo.

8. O terceiro capítulo pode *reafirmar* a crença na «Parousia», e não procurar restabelecê-la. Além disto, certos escritos de Paulo (como I Cor. 15; sobre a ressurreição) mostram que a igreja primitiva tinha elementos que não aceitaram doutrinas básicas da fé cristã. Portanto, todas estas doutrinas exigiram reafirmação e repetição, bem dentro da época apostólica.

9. O único argumento de peso real contra a autoria petrina desta carta é aquele que nos informa que a atestação antiga da carta foi fraca. Teria sido possível isto se o próprio Pedro (ou um discípulo seu, sob sua direção) tivesse escrito a carta? É possível, certamente, que Pedro (como Paulo) escreveu muitas cartas que nunca chegaram a ser incluídas no «cânon» do N.T. Sendo que existiam muitas composições contra os hereges, é possível que «mais uma», até de Pedro, podia ter passado muito tempo sem ser conhecida ou reconhecida como importante.

III. Data

1. O que acreditamos sobre a data depende muito do que cremos sobre a autoria. Se Pedro escreveu esta epístola, deve tê-lo escrito em 67-68 D.C., pouco antes de seu martírio, sob as ordens de Nero. Mas, se negarmos a autoria petrina, podemos situá-la no fim do primeiro século (dando tempo à formação de uma coletânea de escritos paulinos, considerados canonicamente autoritários; ver II Ped. 3:16). A maioria dos eruditos modernos, porém, a situa nos meados do século II D.C. Esse argumento se baseia sobre a observação de que, de modo geral, reflete o meio ambiente do segundo século. O autor sagrado conhecia e, evidentemente, aceitava a tradição de que o evangelho de Marcos **consiste, essencialmente, nas** memórias de Pedro (ver II Ped. 1:15; comparar com I Ped. 5:13 e Eusébio, *História Eclesiástica* III.39,15).

2. Apesar de que as epístolas de Paulo, sem dúvida, obtiveram reconhecimento quase imediato, não foi senão no tempo de Márcion (150 D.C.) que teve lugar o real processo de canonização dos livros do N.T., na igreja. É provável, alguns dizem, que II Ped. 3:16 reflita um período não muito distante disso.

Não tem nada no livro, todavia, que não possa refletir uma situação do primeiro século. II Pedro 3:16 reconhece as escrituras (algumas, pelo menos) de Paulo como autoritárias. Isto facilmente podia ter acontecido no tempo de Pedro, e, podia ter sido uma convicção do próprio Pedro. A declaração não reflete, necessariamente, um «cânon» do N.T. muito avançado, o que foi, naturalmente, o produto de um tempo posterior. II Ped. 1:15 pode refletir um fato histórico. O que Pedro experimentou, o que ele viu e ouviu, seria reduzido a um evangelho, ou quando ele escreveu esta carta, já foi publicado. Pedro, bem provavelmente, teria mencionado isto em uma ou mais das cartas que ele escreveu.

Outros fatores, que alguns acham em favor de uma data posterior têm sido discutidos sob «autoria», com argumentos pró e contra.

IV. Proveniência e Destino

Alguns indícios parecem apontar para uma origem romana. O quadro que o autor sagrado nos dá das relações entre Pedro e Paulo (remotas das controvérsias que os cercaram na igreja primitiva, acerca das relações entre a graça e o legalismo) parece indicar uma área distante do conflito. Em Roma, — Pedro e Paulo eram tidos em alta conta, sendo possível que ambos sofreram martírio sob Nero. A menção do martírio potencial de Pedro seria natural a uma epístola produzida em Roma, lugar de muitas perseguições. A alusão ao evangelho de Marcos (produzido em Roma) tende a localizar ali a produção desta epístola. (Ver II Ped. 1:15 e *ss*). Além disso, em I Pedro e em Judas (que influenciou o conteúdo da presente epístola), quase certamente temos documentos romanos; pelo que seria natural que o autor sagrado, residente naquele lugar, tivesse dependido dos mesmos. Apesar de que nenhum desses argumentos em separado, ou todos eles, coletivamente, possam ser vistos como prova inequívoca de origem romana, a idéia não conta com qualquer alternativa séria, pelo que pode ser aceita com alguma confiança. I Ped. 5:13 quase certamente coloca Pedro em Roma nos seus últimos anos.

Destino. Esta epístola é dirigida àqueles que «...conosco obtiveram fé igualmente preciosa...» Os outros que tinham tal fé seriam os apóstolos. Supostamente, os leitores endereçados tinham recebido a primeira epístola de Pedro (ver II Ped. 3:1). Também é dito que pertenciam à mesma área onde foram distribuídas algumas epístolas de Paulo, as quais tinham sido canonicamente aceitas. (Ver II Ped. 3:16). Se não temos nisso armadilhas literárias (como provavelmente não) então a Ásia Menor está em vista, pois, certamente, esse foi o destino da primeira epístola de Pedro. (Ver I Ped. 1:1). As epístolas de Paulo (a maioria delas, em comparação com qualquer outro território) foram enviadas primeiramente àquela área, tendo obtido autoridade ali antes que em qualquer outra região. Nenhuma congregação local estava particularmente em foco. Portanto, a epístola é «católica», isto é, dirigida às igrejas de uma determinada região, ou à igreja em geral, e não a alguma assembléia cristã local.

O gnosticismo sempre foi forte no cristianismo da Ásia Menor, e isso serve de uma evidência a mais, inteiramente à parte de questões específicas da própria epístola, de que essa região foi o destino original da epístola. Portanto, é quase certo que alguma forma de gnosticismo libertino é aqui assediada. Não há valor nas observações de que esta segunda epístola de Pedro não poderia ter sido escrita para a mesma área que recebeu a primeira epístola de Pedro, já que os tópicos abordados pelas duas epístolas *tanto diferem* entre si. De fato, esta epístola deixa inteiramente de lado o tópico da perseguição, que tanto satura a primeira epístola.

Portanto, ambas as epístolas foram escritas para a mesma área, mas refletem circunstâncias diferentes. O sofrimento era o principal problema abordado por Pedro, em sua primeira epístola. Mais tarde, o principal problema se tornou a entrada de conceitos heréticos na igreja.

V. Relação Entre Esta Epístola, I Pedro e Judas

Judas. Todos os eruditos concordam que um autor se baseou no outro; mas os estudiosos não concordam sobre quem se apoiou em quem. Lutero se manifestou em prol da prioridade da segunda epístola de Pedro, dizendo que a epístola de Judas fora «forjada». Mas essa suposição, apesar de continuar sendo apoiada por alguns, tem caído no descrédito da maioria. Holtzmann escreveu: «Não é mister refugar novamente essa hipótese (a prioridade da segunda epístola de Pedro), a qual tem sido abandonada praticamente no presente». Weiss diz que «não pode haver dúvidas» quanto à prioridade da epístola de Judas. Essa posição é defendida pela maioria dos eruditos. Mas há aqueles que tomam uma posição mediana, postulando uma «origem comum» para ambas as epístolas, crendo muitos que os evangelhos também têm fontes

PEDRO (SEGUNDA EPÍSTOLA)

informativas comuns, tomadas por empréstimo, com algumas modificações.

Em favor da prioridade da epístola de Judas, Morton Enslin (*The Literature of the Christian Movement*) declara que várias obscuridades existentes na segunda epístola de Pedro são imediatamente esclarecidas mediante a consulta da epístola de Judas. Ele supõe que essas obscuridades surgiram em resultado do manuseio inapropriado da epístola de Judas, por parte do autor da presente epístola. Ele vê evidências de que o autor desta epístola modifica, sistematicamente, os tempos passados dos verbos, na epístola de Judas, para o futuro, na tentativa de dar a Pedro a posição de profeta. (Ver II Ped. 2:10-22 quanto a provas sobre isso). Judas se refere à negativa de Miguel, ao contender com o diabo, de proferir «julgamento» condenatório contra ele (ver o nono versículo). Sobre isso, comenta Enslin: «II Pedro (2:11), ao omitir essa alusão específica, tirada da *Assunção de Moisés*, faz uma alusão totalmente ininteligível aos anjos em geral, que não ousariam proferir juízo contra dignidades em **geral**». (pág. 340).

Alguns acham impossível que um homem, com a experiência espiritual de Pedro tivesse emprestado seus materiais desta maneira. Mas isto é de ver a coisa com olhos modernos. Na antiguidade, escritores não hesitaram em copiar de outros sem qualquer condenação segundo os padrões do tempo. Pedro, um homem com pouca instrução formal, provavelmente não teria hesitado em emprestar materiais que ele considerava importante para sua composição.

Dependência a Judas. O segundo capítulo desta epístola exibe muito dessa dependência. (Considerar II Ped. 2:1-2 com Jud. 4; II Ped. 2:4 com Jud. 6; II Ped. 2:11 com Jud. 9; II Ped. 3:3,4 com Jud. 17,18). Ambos os escritores apresentam um quadro bem similar quanto ao julgamento dos ímpios:

II Pedro 2	Judas
1. -----	Israel no deserto (vers. 5)
2. Anjos caídos (vers. 5)	Anjos caídos (vers. 9 e ss)
3. O dilúvio (vers. 5)	-----
4. Cidades da planície (Ló) (vers. 6,7)	Cidades da planície (sem a menção de Ló, vers. 7)
5. -----	Caim (vers. 11)
6. Balaão (vers. 15,16)	Balaão (vers. 11)
7. -----	Coré (vers. 11)

Dado o fato de que Judas tem apenas vinte e cinco versículos, pode-se ver que quase toda ela foi incorporada nesta epístola, principalmente em seu segundo capítulo.

I Pedro. Nesta segunda epístola de Pedro há cerca de cinqüenta e cinco vocábulos gregos que não figuram no resto do N.T. Há cerca de trezentas e sessenta palavras que não figuram na primeira epístola de Pedro. Bigg (em sua introdução à segunda epístola de Pedro, seção 4), alista cerca de quarenta palavras que se esperariam que aparecessem na segunda epístola de Pedro, se a primeira e a segunda tivessem sido escritas pelo mesmo autor, apesar da diferença quanto ao conteúdo. Essas palavras envolvem expressões comuns e usos típicos da primeira epístola de Pedro. Na presente epístola há cerca de duzentas e trinta dessas expressões que não fazem parte da primeira. Esta epístola usa menor número de particípios do que a primeira. Além disso, sempre haverá os «sinais» de autoria, como as expressões adverbiais, — «além disso», «portanto», «não obstante», etc. Essas são as coisas que um escritor usa bem regularmente em suas composições, sem importar a diferença quanto ao tema. Nesta segunda epístola de Pedro há a tendência de cair no ritmo jâmbico. (Ver II Ped. 2:1 — «*ton agropasanta*», etc. Ver II Ped. 2:3 — «*plastoisin umas*», etc. Ver II Ped. 2:4 — *theos ouk*, etc.). No seu terceiro capítulo, há uma perceptível aproximação ao movimento de versículos em branco, nos sonoros passivos futuros, bem como no valor métrico da linguagem, como em *stoiceia de kausoumena*, etc. Sabemos que, em Alexandria, os autores judaicos gostavam de imitar o verso grego jâmbico; portanto, não é de surpreender que isso transpareça nas páginas do N.T. Porém, o ponto que aqui destacamos é que a primeira epístola de Pedro não demonstra essa característica de estilo. Os autores antigos **também observaram a** diferença de estilo e de vocabulário, particularmente Jerônimo, embora Orígenes, que era melhor autoridade sobre essa questão, tenha negligenciado a questão no que concerne às duas epístolas de Pedro. A primeira delas está saturada de citações extraídas do N.T. Nesta segunda epístola isso é muito menos aparente. A primeira epístola de Pedro conta com um número muito maior de alusões a palavras e fatos dos evangelhos. Seu vocabulário também é solene. Já o vocabulário desta segunda epístola de Pedro tende por ser grandioso, talvez até mesmo *artificialmente*.

Para alguns, estas diferenças literárias lançam dúvida sobre a autoria comum de I e II Pedro. É certo que Pedro usou escribas diferentes na redução das cartas. **Provavelmente, Silvano** escreveu I Pedro (sob a orientação de Pedro), e possivelmente, o próprio Pedro escreveu II Ped. usando um grego «aprendido» de livros, portanto, «artificial». Subseqüentemente, sua carta provavelmente foi revisada. Ver notas completas sobre o problema de «autoria» na parte II deste artigo.

VI. Motivo e Propósitos

1. O autor sagrado via que alguma forma de gnosticismo libertino invadia a igreja. Portanto, ele lança um amargo ataque contra essa heresia, que assediou a igreja por cerca de cento e cinqüenta anos. O segundo capítulo envolve isso. O primeiro capítulo é essencialmente introdutório, envolvido com o estabelecimento da autoria petrina do autor.

2. O terceiro capítulo reinicia o ataque, mas assedia primariamente um ângulo da heresia. A igreja começara a negligenciar a doutrina da «parousia», e evidentemente os falsos mestres tinham negado inteiramente o segundo advento de Cristo, ou então o transferiam para um futuro distante. O autor sagrado não estava disposto a permitir que isso sucedesse àquela doutrina, pois evidentemente concordava com a opinião da igreja primitiva de que tal acontecimento poderia ter lugar a qualquer instante. (Ver I Tes. 2:15 e I Cor. 15:51 quanto à expectação da igreja primitiva, de que esse acontecimento teria lugar em seu próprio tempo).

3. A heresia atacada não era o tipo asceta de gnosticismo, como sucedeu em Colossos (ver Col. 2:14 e ss), mas a variedade *libertina* de gnosticismo. (Ver II Ped. 2:12 e ss quanto a esse problema nesta epístola). Os gnósticos criam que um dos propósitos do processo do sistema do mundo visa «destruir» o corpo, que é a sede do princípio do pecado, porquanto o corpo é material, e toda a matéria seria inerentemente má. Podemos cooperar com o sistema do mundo, ainda segundo essa opinião, degradando e castigando o corpo. Isso poderia ser feito através do ascetismo ou da licenciosidade, pois ambas as coisas enfraquecem e degradam eficazmente o corpo. Podemos nos ocupar de ambas as atividades, segundo diziam os gnósticos, sem sofrer qualquer dano no espírito, o qual simplesmente ficaria livre do corpo físico por ocasião da sua morte. Assim sendo, não

PEDRO — PEDRO, APOCALIPSE DE

importa o que fazemos com o corpo. De fato, faríamos bem em puni-lo. Dependendo das inclinações pessoais, alguns gnósticos escolhiam o ascetismo, ao passo que outros preferiam a licenciosidade, como meio de cooperar com o sistema do mundo para livrar-se o homem do seu corpo físico e de toda a matéria.

4. Esse tipo de gnosticismo, portanto, tirava proveito do ensinamento paulino sobre a liberdade cristã, transformando-a em licença para a vida imoral. (Ver II Ped. 3:16).

5. O ataque contra a má moral, naturalmente, levou o autor sagrado a inserir algum material «ético». (Ver o trecho de II Ped. 1:4-9, que contém a melhor porção ética desta epístola. Tal seção é a mais significativa da epístola, do ponto de vista espiritual, e, como é freqüente nas páginas do N.T., nos fornece os «imperativos morais» do evangelho). Deve o evangelho produzir fruto santo, ou, de outro modo, terá falhado, quanto ao indivíduo que se diz crente, mas é um profano. Ao darmos atenção ao imperativo moral, através do desenvolvimento da vida santa, «fazemos certa a nossa eleição». O autor sagrado, pois, procurou corrigir um ensinamento falso, levando os verdadeiros crentes a se declararem contrários ao mesmo, propagando, ao mesmo tempo, uma autêntica ética cristã. A heresia é que «ocasionou» esta epístola; sua correção foi o propósito do autor sagrado. E todos os «temas» da presente epístola giram em torno desses elementos.

VII. Conteúdo

I. Saudação (1:1,2)

II. Fé Ortodoxa, Guia para a Salvação (1:3-21)
  1. Conhecimento de Cristo, portão da apropriação da gloriosa salvação (1:3-11)
  2. Autoridade de Pedro em prol da verdade do evangelho dos apóstolos (1:12-21)
     a. Está contida na revelação (1:12-15)
     b. Baseia-se no testemunho ocular (1:16-18)
     c. Concorda com a tradição profética (1:19-21)

III. Heresia, Fonte de Perdição e não de Salvação (2:1-22)
  1. Os hereges são filhos espirituais dos falsos profetas do A.T. (2:1-10a)
  2. São corruptos quanto à doutrina e à prática
     a. Concupiscência e irreverência são seus guias (2:10b-17)
     b. A liberdade pregada por Paulo é pervertida por eles (2:18-22)

IV. A *Parousia*, Poder Determinante dos Deveres Cristãos (3:1-18)
  1. Critérios para a condenação da heresia que nega a *parousia* (3:1,2)
  2. Os ímpios, destruídos pelo dilúvio, foram os precursores dos que agora negam a *parousia* (3:3-7)
  3. Provas extraídas do A.T. em apoio à *parousia* (3:8-10)
  4. Aplicação ética da doutrina da *parousia* (3:11-13)
  5. Epístolas de Paulo em apoio à doutrina da *parousia* (3:14-18a)

V. Conclusão e Bênção (3:18b)

VIII. Bibliografia. AM E EN IB ID ID LAN MOF NTI TI TIN VIN RO Z

••• ••• •••

PEDRO, APOCALIPSE DE

1. *Semicanonicidade*. O leitor que dedicar tempo à leitura das obras apócrifas e pseudepígrafas que chegaram até nós em nome de Pedro, o apóstolo, talvez chegue a entreter-se, mas não se sentirá espiritualmente elevado. O Apocalipse de Pedro, entretanto, é um caso um tanto diferente, por ser um dos poucos livros apócrifos que desfrutaram de uma espécie de prestígio semicanônico. O Apocalipse de Pedro é alistado no *Cânon Muratoriano* (vide), juntamente com uma nota que esclarece que alguns não o respeitavam como obra canônica. Naturalmente, isso indica que alguns o respeitavam como tal. Alguns poucos dentre os pais da Igreja acharam alguma utilidade para esse livro, como Teófilo de Antioquia, Clemente de Alexandria e Sozomeno (século V D.C.). Eusébio rejeitou a obra, juntamente com outras obras apócrifas atribuídas a Pedro (*Hist. Eccl*. 3.3). Ele chamou de *espúrios* (*Hist. Eccl.* 3.25) a livros como Pastor de Hermas, Barnabé, Atos de Paulo e Apocalipse de Pedro, o que, sem dúvida, é um bom adjetivo para os mesmos. Mas, apesar de avaliações negativas, essa obra teve uma larga circulação, tendo parcialmente incorporada em outras obras, como os Oráculos Sibilinos (livro II) e os Apocalipses de Paulo e de Tomé. Até mesmo Dante, em sua *Divina Comédia*, utilizou uma pequena porção dessa literatura.

2. *Data*. Com base no manuseio que dela fizeram os pais da Igreja, parece que essa obra foi produzida no século II D.C., um período muito ativo em produções literárias dessa natureza.

3. *Remanescentes*. Um fragmento grego dessa obra foi achado em Akhmim, juntamente com uma parte do *Evangelho de Pedro*, outra das fabricações preparadas em nome de Pedro. Ainda um outro fragmento, em etíopico, existe. Além disso, há a considerar as citações patrísticas. Esses dois fragmentos apresentam algumas diferenças quanto à ordem dos eventos, mas são obviamente representantes da mesma obra. Além disso, existem dois fragmentos menores.

4. *Conteúdo*. O que damos abaixo segue a versão etíopica, mais longa:

a. Os discípulos perguntam acerca dos sinais da *parousia* (vide), ou seja, acerca da segunda vinda de Cristo.

b. Eles mostram-se interessados em conhecer os sinais sobre esse evento.

c. Jesus adverte sobre os enganadores. Até este ponto, a fonte inspiradora é o Pequeno Apocalipse de Mat. 24; Mar. 13; Luc. 21.

d. Aparece a parábola da figueira, novamente um reflexo dos evangelhos canônicos.

e. Jesus lamenta as almas perdidas. Pedro sente-se perturbado diante das aflições e do pranto dessas almas, e agoniza diante do fato de que elas ao menos foram criadas (um reflexo de Mar. 14:11 ss).

f. Jesus repreende a Pedro por causa disso—embora não seja dada a razão de tão inesperada repriménda—pois, em seguida, Ele passa a descrever, com detalhes, os terríveis sofrimentos que as almas precisam atravessar, em face dos seus pecados. Algumas porções de tão horrível material foram aproveitadas por autores da Idade Média, que queriam descrições vívidas sobre os sofrimentos dos condenados.

g. Em seguida vem uma *breve* descrição da bem-aventurança dos salvos (caps. treze e catorze).

h. A história da transfiguração, dos evangelhos sinópticos, é adaptada como parte da descrição da condição dos salvos.

PEDRO — PEDRO, EVANGELHO DE

i. Jesus e Elias é que dão essas descrições. Terminando de dá-las, eles são transportados em uma nuvem e recebidos no céu. Essa seção está faltando na versão grega. Os discípulos, arrebatados pela visão de Jesus e Elias, descem a colina exultantes.

5. *Variações*. No fragmento *Akhmim* (escrito em grego), a descrição do paraíso antecede à descrição do inferno. Alguns estudiosos crêem que a versão etiópica é a que melhor representa o original; e o grego é a forma modificada da mesma. Talvez a versão grega circulasse originalmente com o *Evangelho de Pedro*.

PEDRO, ATOS DE

Esboço:
1. O Impulso de Escrever
2. Primeira Menção dos Atos de Pedro
3. Uma Fonte Latina
4. Conteúdo

1. *O Impulso de Escrever*

Foi apenas natural o surgimento de várias obras apócrifas e pseudepígrafas em redor do nome de Pedro. As grandes figuras sempre causam um grande fluxo de produção literária. Assim, em relação a Pedro, temos evangelhos, atos, epístolas e apocalipses.

2. *Primeira Menção dos Atos de Pedro*

Eusébio (*Hist. Eccl.* 3:3,2) queixou-se de que não havia uma abundante literatura relacionada a Pedro, ao evangelho, aos atos, à pregação e ao Apocalipse de Pedro, à disposição dos antigos autores cristãos. Mas Tertuliano conheceu um Atos de Paulo (no cap. 35) que continha uma versão da famosa história do *Quo Vadis*, onde Pedro teria tentado fugir de Roma, o que Jesus, mediante uma visão, impediu. Os maniqueus sabiam dessa lenda, e utilizaram-na. Mas havia uma certa hostilidade, na antiguidade, contra tais obras, o que desencorajou a sua propagação.

3. *Uma Fonte Latina*

O manuscrito latino *Vercelli Acts* (ou *Actus Petri cum Simone*) ao que parece preserva a maior parte das tradições apócrifas dos Atos de Pedro. O fato de que existem fragmentos desse material em grego e em várias outras versões, dá a entender que, em algum tempo no passado houve uma ampla circulação dessa obra. E sem dúvida alguma, prepararam-se várias publicações da mesma, embora nunca em um único volume. Um fragmento em cóptico inclui uma estória sobre uma filha de Pedro. Certo episódio, no Pseudo-Tito, evidentemente pertencia, originalmente, ao livro Atos de Pedro. Uma outra obra, *Vita Abercii*, contém algumas evidências em favor dos Atos de Pedro.

4. *Conteúdo*

O relato sobre a filha de Pedro é, no mínimo, curioso. Ela ficara paralítica, e Pedro não a curava. Quando indagado quanto ao porquê, ele a curou, mas então, espantosamente, tornou a fazê-la paralítica. E apresentou suas razões: o sofrimento pode ser um dom de Deus, com propósitos especiais; no caso dela, entre outras coisas, servia para mantê-la virgem. E o livro Pseudo-Tito contém uma narrativa ainda mais chocante sobre a filha de um aldeão. Pedro disse ao aldeão que faria pela filha deste o que era melhor para ela. E assim, ela caiu morta! Seguiu-se grande confusão, em que o pai exigia que a jovem fosse ressuscitada. Então Pedro atendeu-o. E a jovem foi restaurada à vida. Mas, não muito tempo depois, ela foi seduzida e desvirginada, algo que, segundo a opinião do autor, era muito pior do que a morte. Os *Vercelli Acts* exploram, principalmente, a estória da rivalidade entre Pedro e Simão, o Mago (ver o oitavo capítulo de Atos). As vicissitudes dessa rivalidade trazem à tona diversos milagres insensatos e tipicamente apócrifos: um cão que fala; um peixe seco que volta a viver; e várias ressurreições. Simão, o Mago, aparece ali como um mágico realmente poderoso; mas Pedro sempre consegue ultrapassá-lo, afinal. E Pedro ali aparece obcecado pela questão da virgindade e da continência; e sua constante pregação acerca dessas questões é que acabam provocando o seu martírio. Mas isso faz a Igreja cristã redobrar em seu poder. (HEN)

PEDRO, ATOS ESLAVÔNICOS DE

Essa obra, em alguns sentidos similar ao *Martírio de Pedro*, que fazia parte dos *Atos de Pedro* (vide), é o relato distinto, em eslavônico, de atividades petrinas. Há variações no conteúdo e quanto a detalhes, pelo que circulou como obra separada. Também há outras versões dessa obra, embora sua principal representante seja aquela em eslavônico.

Conteúdo. Uma criança ordena a Pedro que vá a Roma. Um nobre romano compra a criança e lhe contrata um professor; mas a criança é muito especial, e logo silencia ao mestre, devido à sua sabedoria e conhecimento. Em Roma, Pedro dá andamento ao seu ministério, mas é finalmente preso. A criança acompanha a Pedro quando do comparecimento deste diante de Nero, e repreende ao imperador por sua iniquidade. Por causa disso, Pedro é muito maltratado pelos soldados. Pedro é condenado, e então é crucificado de cabeça para baixo. A criança aparece e revela-se como Jesus! Os cravos desprendem-se do corpo de Pedro. Ele perdoa àqueles que o tinham feito sofrer, e seu espírito alça vôo para o céu.

Essa obra inclui vários motivos que pertencem a outras obras apócrifas-pseudepígrafas, dando-nos a entender que aquelas tradições estavam circulando e se desenvolvendo.

PEDRO, CADEIRA DE Ver **Cadeira de São Pedro**.

PEDRO, EPÍSTOLAS Ver os artigos **Pedro (Primeira Epístola)** e **Pedro (Segunda Epístola)** logo depois do artigo sobre **Pedro (Apóstolo)**.

PEDRO, EVANGELHO DE

Esboço:
1. Caracterização Geral
2. Manuscritos e Citações
3. Alguns Detalhes Distintivos
4. Características Distintivas

1. *Caracterização Geral*

Essa obra contém traços de idéias gnósticas, incluindo o *docetismo* (vide). Tal como outras obras da mesma natureza, está ela repleta de milagres estupendos, mas, às vezes, ridículos. Procura vindicar a Pilatos e intensificar a culpa de Herodes, na questão dos sofrimentos de Jesus. Naturalmente, os judeus em geral aparecem como culpados da crucificação do seu próprio Messias. O grito de Jesus na cruz: «Meu Deus, meu Deus, por que me abandonaste?» é alterado para: «Meu poder, meu poder, por que me abandonaste?»—o que representa um toque gnóstico mediante o qual o *aeon* (espírito angelical) que controlava a Jesus de Nazaré abandonou-o no seu momento mais crítico. Destarte, esse elevado espírito não é ali identificado com o homem Jesus; mas antes, aparece somente como um poder controlador que esteve com ele, do seu batismo à sua morte. Essa obra é uma das muitas obras pseudepígrafas do Antigo e do Novo Testamentos que contêm alguma referência da descida de Cristo ao hades. Nesse livro, ainda na cruz, alguém indaga de Jesus se ele havia cumprido uma missão no hades, a bem das almas perdidas. E, em antecipação àquela missão misericordiosa, ele responde: «Sim?» Provavelmente, a presença desse relato nesse evangelho foi influenciado pelo fato de que o livro canônico de I Pedro contém o relato (ver I Ped. 3:18-4:6), onde também está em pauta uma missão misericordiosa de Cristo. Ver o artigo separado intitulado *Descida de Cristo ao Hades*.

2. *Manuscritos e Citações*

Essa obra no começo era conhecida somente através de citações, como aquelas extraídas dos escritos de Eusébio. Mas, em 1886, foi encontrado um fragmento, em *Nag Hammadi* (vide). Distingue-se pela maneira como apresenta os relatos acerca da paixão e da ressurreição de Jesus. Eusébio citou um fragmento de Serapião de Antioquia (cerca de 200 D.C.). Ele autorizava o uso desse livro, ainda que, conforme ele mesmo declarou, nunca o tivesse lido. Mas o próprio Eusébio chegou a condenar o livro como herético (*Hist. Eccl.* 3.3,2; 3.25). Orígenes também mencionou a obra. Serapião, depois de obter uma cópia do livro e de lê-lo, resolveu condená-lo, o que serviu para diminuir seu prestígio, ao ponto de não mais continuar favorecido no seio da Igreja.

O Fragmento Akhmim. Uma parte desse evangelho foi achado em um túmulo, em Akhmim, no Egito, juntamente com uma parte do Apocalipse de Pedro. É possível que essas duas obras tenham circulado juntas, em alguns lugares. Seu conteúdo essencial (nesse fragmento) é um relato da paixão e da ressurreição de Cristo, a mais antiga narrativa não-canônica acerca desses acontecimentos.

3. *Alguns Detalhes Distintivos*

Pilatos é vindicado; Herodes e os judeus são condenados sem mitigação. O túmulo de Jesus teria sido selado com sete selos; uma guarda é ali postada; as sentinelas são testemunhas da descida dos anjos libertadores, na madrugada do dia do Senhor. Diante do grande poder dos anjos, a pedra rola sozinha. Os anjos penetram no túmulo; os guardas notificam ao centurião e aos anciãos dos judeus. Todos correm para a cena e se deparam com três homens de estatura gigantesca. Uma cruz os segue. Os anciãos dão notícia a Pilatos, exortando-o a guardar silêncio a respeito, dizendo: «É melhor incorrermos no pior pecado diante de Deus do que cairmos nas mãos do povo judeu, e sermos apedrejados».

4. *Características Distintivas*

Milagres fantásticos; elementos gnósticos; relatos diferentes sobre a paixão e a ressurreição de Jesus; preconceitos antijudaicos pronunciados; exoneração de Pilatos quanto a toda culpa; dependência aos evangelhos sinópticos, embora com desvios notáveis do que eles dizem; alusão à história da descida de Cristo ao hades (por empréstimo de I Pedro); um final similar ao do evangelho de João, onde Pedro, André e Levi retornam à sua indústria de pesca. E, mui estranhamente, é com essa nota que esse evangelho espúrio termina.

PEDRO, FUNDAMENTO DA IGREJA?
Ver **Fundamento da Igreja, Pedro como**.

PEDRO, NEGAÇÃO DE
Ver **Negação de Pedro**.

••• •••

PEDRO — PEDRO, PREGAÇÃO DE

PEDRO, O EREMITA

Ele também era conhecido como **Pedro Amiens**, por haver nascido na diocese de Amiens, na França. Suas datas aproximadas foram 1050-1115. Pouco se sabe sobre seus primeiros anos de vida, embora existam muitas lendas que cercam o seu nome. Ele se tornou conhecido largamente por seu desempenho na promoção da Primeira Cruzada, embora o papel dele tenha sido exagerado posteriormente. Ele foi um dentre vários pregadores que pensavam que seria vantajoso recuperar a Terra Santa para a cristandade. Ver sobre as *Cruzadas*.

Pedro foi a cabeça de um pequeno grupo armado que se dirigiu ao Oriente; esteve presente ao cerco de Antioquia. Ele e seu grupo partiram para a Palestina; e tendo ali chegado, Pedro pregou no Monte das Oliveiras, a 8 de julho de 1099, tendo participado da captura de Jerusalém, a 15 de julho daquele mesmo ano. Uma vez cumprido o seu propósito, Pedro retornou à sua França nativa, e ali fundou a abadia de Neufmoutier, onde, finalmente, veio a falecer, quando ainda era o cabeça daquela comunidade.

Sua alcunha, o Eremita, nasceu do fato de que, quando viajava, percorria muitos lugares solicitando apoio para a cruzada, montado em uma mula e vestido como um eremita, com um crucifixo em uma das mãos.

PEDRO, PAIXÃO DE

Essa obra é uma paráfrase latina e expansão do *Martírio de Pedro*, que fazia parte dos *Atos de Pedro* (vide). O relato foi atribuído a Lino, segundo bispo de Roma e sucessor de Pedro. Mas, na realidade, essa obra data do século VI D.C. Essa obra acrescenta vários detalhes à narrativa dos sofrimentos e da morte de Pedro, sem dúvida adornos não-históricos. Aparecem os nomes dos carcereiros de Pedro, Processo e Martiniano. Os circunstantes têm uma visão quando Pedro é crucificado: — «...anjos de pé, com coroas de flores, rosas e lírios, e, sob o topo da cruz levantada, Pedro de pé, recebendo um livro da parte de Cristo, ao qual lia em voz alta». Em alguns segmentos da cristandade, esse material costumava ser lido no dia de festa em honra a Pedro. Isso produziu a circunstância de que a história do martírio de Pedro circulava separadamente do livro *Atos de Pedro*; e muitos adornos foram adicionados ao escrito original.

PEDRO, PREGAÇÃO DE

Esboço:

1. Citações e Canonicidade
2. Características e Conteúdo
3. Outros Documentos com o Mesmo Título

1. *Citações e Canonicidade*

Clemente de Alexandria citou uma obra chamada *Pregação*, que presumivelmente provia informações sobre os discursos de Pedro. Orígenes, ao comentar sobre o trecho de João 13:17, mencionou essa obra e seu uso, por parte de alguns; mas levantou a questão de sua autenticidade, e se ela seria parcialmente histórica e parcialmente espúria. Em sua obra, *De Principiis*, ele negou peremptoriamente a autenticidade de uma obra chamada *Doutrina de Pedro*, que podemos pensar ter sido uma obra diferente. Eusébio tachou de espúrio o livro *Pregação*, a mesma avaliação dada por eles a outros escritos petrinos apócrifos e pseudepígrafos (ver *Hist. Eccl.* 3:3,2). O apologista Aristides talvez conhecesse essa obra, tendo-a empregado até certo ponto, o que também pode ser dito acerca de Teófilo de Antioquia, embora nenhum dos dois tivesse mencionado o título do livro. Heráclion também usou esse livro, e isso significa que essa obra deve ter sido composta no século II D.C.

2. *Características e Conteúdo*

Clemente de Alexandria ofereceu-nos a mais longa citação extraída desse livro, ou seja, a parte maior do que sabemos sobre o seu conteúdo. A seção por ele citada abordava a questão do culto. Ele falou zombeteiramente da maneira pagã e grega de adorar: objetos que são considerados deuses. Os judeus também foram repreendidos por adorarem a anjos, e por sua observância dos meses e a adoração à lua. Para ele, a adoração cristã precisa ser cristocêntrica, um novo caminho, a adoração da *terceira raça* (os cristãos, como um povo distinto dos judeus e dos pagãos). Essa obra também mencionava a adoração a animais, como a doninha, os ratos, os gatos, os cães e os macacos, espécies essas comuns no Egito, o que talvez sugira que essa obra foi produzida naquela região do mundo.

A Grande Comissão é vista por um ângulo diferente. Os apóstolos deveriam sair pregando pelo mundo após doze anos a partir da ascensão de Cristo (presumivelmente devotando esse número de anos aos judeus). O ponto era atingir a todos os homens, deixando-os inescusáveis. Algumas fontes gnósticas também falam nesse mesmo número de anos, pintando Jesus como quem continuou com seus discípulos por esse período. A *Pregação* de Pedro talvez tenha sugerido esse número para os gnósticos, embora a *Pregação* não seja uma obra gnóstica. De fato, tal obra é bastante ortodoxa, salientando as provas do messiado de Jesus, da sua ressurreição, etc. Representa tradições dos tempos da primitiva prédica cristã; e, até certo ponto, é um pequeno manual missionário.

3. *Outros Documentos Com o Mesmo Título*

a. A *Pregação de Pedro*, em siríaco, pode ter tido alguma conexão com os *Atos de Pedro*, mas não com a obra chamada *Pregação*, descrita acima.

b. A *Kerugmata Petrou* (*Pregação de Pedro*), uma fonte da literatura Pseudoclementina, e que se originou de um contexto judaico-cristão. Há alguma influência gnóstica nessa obra. Não tem, porém, qualquer conexão com a *Pregação*, acima descrita.

PEDRO, PRIMEIRO BISPO DE ROMA?

Ver **Pedro (Apóstolo)**, seção oitava.

PEDRO, PRIMEIRO PAPA?

Ver **Pedro (Apóstolo)**, seção oitava, e **Fundamento da Igreja, Pedro como**. Ver também, **Papa, Papado**.

PEDRO, ROCHA FUNDAMENTAL DA IGREJA

Ver **Fundamento da Igreja, Pedro como**

PEDRO E ANDRÉ, ATOS DE

Essa composição faz parte de uma obra maior intitulada *Atos de André e Matias*; e os *Atos de Pedro* são uma continuação da mesma. Ver sobre *André e Matias, Atos de*. E houve uma obra mais antiga, chamada *Atos de André*, de onde se desenvolveu toda essa tradição espúria.

1. *Manuscritos*. Os **Atos de Pedro e André** existem em grego, eslavônico e etiópico. Mas esta última versão substitui André por Tadeu.

2. *Conteúdo*. André teria retornado de uma cidade de antropófagos, em uma nuvem luminosa. Flutuando, ele foi levado a um monte onde se encontrou com Pedro, Matias, Alexandre e Rufo. E quando ele estava prestes a ir descansar (segundo Pedro lhe havia sugerido), apareceu Jesus, ordenando que ele fosse trabalhar. E assim André partiu para uma cidade ocupada por bárbaros. Pedro foi junto com ele. Encontrando-se com certo homem, Pedro pediu-lhe pão. O homem foi buscar algum pão. Na ausência do homem, os apóstolos semearam para ele o seu campo; e imediatamente cresceu uma plantação, pronta para ser colhida. O milagre foi deveras impressionante, mas houve oposição aos apóstolos, de qualquer modo, por parte dos líderes da cidade. Na entrada da cidade, veio ao encontro deles uma prostituta nua; mas eles continuaram caminhando, não se deixando impressionar. Mas todos os truques dos líderes da cidade de nada adiantaram. Então um homem rico, de nome Onesíforo, atacou a André; e Pedro revidou, atacando-o verbalmente e citando o trecho de Mat. 19:24, que mostra quão difícil é a um rico entrar no reino dos céus. Ato contínuo, solicitaram de Pedro que realizasse um milagre: o de fazer um camelo passar pelo buraco de uma agulha. A fim de dar a Pedro o poder para tanto, Jesus lhe apareceu como um menino de doze anos. Foram-lhe então trazidos um camelo e uma agulha. Pedro disse uma palavra, o buraco da agulha expandiu-se, tornando-se tão grande como uma porta, e assim, naturalmente, o camelo atravessou por ali, sem qualquer dificuldade. Mas, embora o prodígio fosse grande, nem por isso Onesíforo ficou satisfeito. E assim o ricaço apresentou seu próprio camelo e sua própria agulha, sem truques. Mas Pedro não encontrou qualquer dificuldade em repetir o feito. Isso impressionou deveras a Onesíforo, e este pediu que lhe fosse permitido fazer a mesma coisa. Pedro não gostou da idéia, mas uma voz do céu deu a devida permissão. O homem então tentou, e obteve sucesso parcial. O camelo conseguiu passar a metade, e então ficou preso na agulha! Pedro explicou que isso sucedera porque Onesíforo ainda não havia sido batizado, o que é exposto como uma explicação razoável. Em seguida, houve a colheita da plantação. Uma grande multidão acreditou e, naquela noite, mil pessoas foram batizadas. A prostituta também acreditou, deu seus bens para os pobres e ingressou em um convento para virgens! Se tivéssemos de dar uma nota ao autor dessa estória, quanto à obra literária que ele produziu, dar-lhe-íamos dez pela sua imaginação, e zero pela história!

PEDRO E OS DOZE APÓSTOLOS, ATOS DE

Esse documento foi encontrado entre os achados da biblioteca Nag Hammadi, que descrevemos em um artigo separado, *Nag Hamade, Manuscritos de*. Essa obra particular é identificada como o Códex VI, e, originalmente, era uma obra gnóstica que sofreu várias emendas tipicamente cristãs, da parte da cristandade organizada, central.

PEDRO E PAULO, ATOS DE

Várias tradições acerca de estupendos atos de Pedro e Paulo foram reunidas formando um único volume, escrito em grego. Parte foi extraída do livro *Atos de Pedro*, e, ao que parece, várias lendas locais oram adicionadas.

Conteúdo. O relato começa com a descrição da iagem de Paulo, desde a ilha de Gaudomelete até

Roma. Naturalmente, os judeus tentaram impedir isso, obtendo ordens, da parte de Nero, para deter Paulo antes dele chegar a Roma. O infeliz Dióscuro, mestre do navio, foi confundido com Paulo e decapitado em Potéoli. Em seguida há uma parte do chamado texto Marcelo, que incorpora vários feitos de Pedro e de Paulo, que eles realizaram juntos em Roma—como eles derrotaram a Simão, o Mago, e fizeram várias outras coisas admiráveis. Há também uma alegada missiva ao imperador Cláudio, enviada por Pilatos, extraída do corpo de material apócrifo que diz respeito a ele. E a obra termina com descrições dos martírios de Pedro e de Paulo.

PEDRO E PAULO, PAIXÃO DE

Essa obra é parte integrante de **Pedro e Paulo, Atos de** (vide), uma peça de literatura que faz parte da mesma espécie de literatura, acerca daqueles dois, que acabou associada à coletânea. Esse livro também é conhecido como *Marcellus*, por causa de uma versão latina que tem esse nome. Esse é um dos três livros que narram as atividades de Pedro e de Paulo em Roma, e que vieram a ser unificados na obra acima mencionada. O título latino dessa obra é *Pasio santorum apostolorum Petri et Pauli*. Também há versões gregas e eslavônicas da mesma.

Conteúdo. Ao chegarem em Roma, certos judeus tentaram conseguir a ajuda de Paulo contra Pedro (o que explicaria que Paulo era hebreu de hebreus, fariseu, etc.). Naturalmente, o plano fracassou. Aparece uma descrição do conflito entre os judeus e os gentios. As lutas entre Paulo e Simão, o Mago, também fazem parte da narrativa. Simão acaba morrendo; mas esse incidente é variegado e contraditoriamente relatado pelas versões e pelos manuscritos existentes. O restante da história é bastante uniforme nos manuscritos que chegaram até nós. São descritos os martírios de Pedro e de Paulo.

Outra obra com esse título. Há uma breve versão latina que contém variações quanto aos detalhes. O *conteúdo* dessa outra obra é o seguinte: Pedro e Paulo hospedam-se em Roma com um crente que era aparentado de Pilatos. Eles entram em choque com Simão, o Mago. Não é dito muito sobre os martírios desses dois apóstolos, mas há detalhes que divergem daquilo que é dito em outras tradições. Simão, o Mago, sobrevive a uma queda e parte para Arícia. Os apóstolos, Pedro e Paulo, são condenados à morte, não por Agripa, mas por Clemente. Essa obra originalmente tinha sido composta em latim, mas também surgiu uma versão grega.

PEDRO DAMIÃO

Suas datas foram 1007-1072. Ele nasceu em Ravena, na Itália, pelo que foi um prelado italiano. Educou-se na cidade de Ravena e na Universidade de Parma. Ingressou no mosteiro de Fonte-Avellana. Tornou-se amigo do papa Gregório VII e de outros papas.

Pedro Damião foi um reformador que combateu os vícios e fraquezas do clero católico romano. Foi nomeado bispo-cardeal de Óstia, na Itália, por Estêvão X. Nunca foi formalmente canonizado, mas extra-oficialmente é considerado um santo, cuja festa é celebrada pela Igreja Católica Romana, com a aprovação de Leão XII, desde 1823. E também é considerado um dos doutores da Igreja.

Idéias:

1. Ele opunha-se à **dialética**, ou raciocínio aplicado à fé e à teologia. Porém, exagerou, ao exigir a mesma coisa no tocante à filosofia e à ciência. Ele pensava que a dialética é fruto do pecaminoso orgulho humano. No entanto, ele admitia que o conhecimento das Escrituras é um tipo distinto e útil de conhecimento.

2. Ele enfatizava a infinitude e onipotência de Deus, e não permitia que a razão humana especulasse acerca dessas questões. Em outras palavras, ele era um voluntarista. Ver sobre o *Voluntarismo*.

3. Ele frisava a importância da contemplação (misticismo) na fé e na prática religiosas. A contemplação deve ser promovida no espírito da humildade e mediante práticas ascéticas que mortificam a carne.

Escritos: *Sobre a Santa Simplicidade*; *Sobre a Ordem das Coisas*; *Sobre a Divina Onipotência*.

PEDRO DE AUREOL

Ele foi um filósofo escolástico do século XIV. Foi monge franciscano, mestre de filosofia e de teologia. Foi arcebispo de Aix-en-Provence. Combatia a Tomás de Aquino e a Duns Scotus. Foi uma força influente sobre o pensamento de Guilherme de Ockham, tendo empregado o seu espírito na busca de soluções mais simples para os problemas. Ver o artigo *Navalha de Ockham*. Era conhecido pelo título de *Doctor Facundus*, em face de sua eloqüência.

1. Ele promovia o *nominalismo* (vide), negando a existência de formas distintas, conforme fazia Platão. Ver sobre os *Universais*. Isso destruiu um bom instrumento metafísico para explicar a existência de dois mundos distintos da existência.

2. Um dos resultados dessa atitude foi o de aumentar a importância da simples fé, para explicar os postulados religiosos e neles crer, visto ter sido removido o raciocínio filosófico relativo aos mesmos.

3. A filosofia dele encorajava um ponto de vista empírico como base de investigação sobre os objetos deste mundo, o que foi um passo dado na direção da ciência moderna. Ele acreditava que a experiência é necessária para que se estabeleçam proposições.

Escritos. *Comentário sobre os Quatro Livros de Sentenças*.

PEDRO ESPANHOL (PETRUS HISPANUS)

Suas datas foram 1226-1277. Nasceu em Lisboa, Portugal. Educou-se na Universidade de Paris. Ensinou em Siena. Foi bispo cardeal de Tusculum. Foi eleito papa em 1276, e adotou o nome de João XXI (vide). Foi instrumental na condenação do averroísmo latino, na Universidade de Paris. Era um reconhecido erudito e escritor de assuntos de lógica. Produziu um compêndio de lógica que foi usado por três séculos e passou por cento e sessenta e seis edições!

Idéias:

1. Ele mantinha a posição agostiniana do *realismo* sobre a questão dos universais.

2. Ele defendia a existência da alma como uma entidade separada do corpo, e cria na necessidade da iluminação ou misticismo filosófico.

3. A distinção que ele fazia entre *significatio* e *suppositio* teve importância histórica, tendo influenciado a Guilherme de Ockham e ao seu método científico, além de outros pensadores posteriores.

Suppositio. Consiste no uso de um termo, em um discurso, para indicar indivíduos definidos, conforme se vê na afirmação clássica «Sócrates é mortal».

Significatio. Consiste no uso de um termo para aludir a uma classe de coisas, como «todos os homens são mortais».

A distinção é mais ou menos aquela entre o sentido e a referência de um termo qualquer, ou entre sua conotação e sua denotação.

Escritos. Summulae Logicales; Syncategoremata; Tratado Sobre as Falácias Principais; Sobre a Alma.

PEDRO LOMBARDO

Suas datas foram 1100-1160. Foi assim chamado por haver nascido na província italiana de Lombardia. Estudou em Bolonha e em Rheims. Mudou-se para Paris, na França, e ajudou a Hugo de São Vítor e a Abelardo, ensinando na escola da catedral. Tornou-se bispo de Paris, mas morreu pouco tempo mais tarde.

Realizações:
Pedro Lombardo não foi um filósofo original, mas foi um grande compilador, organizador e analista. Seu maior esforço literário foi o *Libri IV Senteniarum*. Esse «IV» significa que a obra compunha-se de quatro volumes. O nome abreviado desse livro é *Sentenças*. Na época, e ainda durante algum tempo, esse foi o mais completo e sistemático compêndio de teologia e filosofia. Vários outros autores comentaram sobre a obra, subseqüentemente. Na época, somente as próprias Escrituras foram mais estudadas pelos eruditos. Pode-se dizer que durante uma boa parte da Idade Média foi o principal livro de texto de teologia. Também pode ser dito que foi Pedro Lombardo quem levou à maturidade o método escolástico. Outros contribuidores ao método foram Abelardo, Hugo de São Vítor, Graciano e João Damasceno. Tomás de Aquino, mais de um século mais tarde, naturalmente representou um estágio mais avançado dessa mesma tradição.

As Sentenças. Nessa obra encontramos as idéias teológicas e filosóficas, com seus textos, com o acréscimo das opiniões dos pais da Igreja, e de outras figuras autoritárias. As idéias são comparadas, analisadas e criticadas, e daí são tiradas conclusões. Os principais assuntos teológicos são: Deus, as criaturas, as virtudes, a salvação, os sete sacramentos (que ele derivou de Hugo de São Vítor). As idéias de Pedro Lombardo sobre os sacramentos tornaram-se a posição central no pensamento da Igreja Católica Romana. Em certo sentido, a *Summa Theologica* foi o coroamento e ponto terminal do processo do qual Pedro Lombardo participou e para o qual contribuiu de modo tão importante.

Comentários Bíblicos. Pedro Lombardo também mostrou-se ativo nesse campo, tendo produzido obras sobre os Salmos e sobre a epístola aos Romanos, que vieram a ser conhecidas como *Magna Glossatura*.

Ênfase Sobre a Teologia. Apesar das *Sentenças* de Pedro Lombardo conterem muita filosofia, ele evitava questões puramente teológicas (em contraste com Tomás de Aquino), além de evitar apresentar a teologia através do raciocínio filosófico (também em contraste com Tomás de Aquino). Isso posto, sua obra na verdade era uma espécie de teologia sistemática que logo veio a predominar nas universidades européias da Idade Média, exercendo uma duradoura influência sobre a teologia da Igreja Católica Romana.

PEDRO MÁRTIR (DOMINICANO)

Suas datas foram 1206-1252. Ele nasceu em Verona, na Itália. Uniu-se à ordem religiosa dos dominicanos. Foi um extremista que se notabilizou por sua abordagem radical à heresia. Foi apenas natural que o papa Gregório IX o tivesse nomeado supervisor da **Inquisição** (vide) na Itália. Mostrou-se especialmente brutal com os cátaros (**Albigenses**, vide). Em autodefesa, eles planejaram o seu assassinato, o que obteve êxito. Foi canonizado por Inocente IV, a 25 de março de 1253, e tornou-se conhecido como o santo patrono da inquisição espanhola, uma designação que, segundo penso, ele detestou e lamentou *em espírito*. Certamente ele não cumpriu a lei do amor e da tolerância, ensinada pelo Senhor Jesus. Tornou-se um notável exemplo de pessoa religiosa mal orientada, pois fazia da perseguição e da matança um aspecto fundamental de sua expressão religiosa, supondo, absurdamente, que essa malignidade é inspirada pelo Espírito de Deus. Ver o artigo geral sobre a *Tolerância*.

O paradoxo que envolve toda essa questão é que um indivíduo desses possa ser reputado santo e mártir, por haver sido morto por aqueles a quem perseguia e matava. Podemos supor, contudo, que ele era dotado de certas qualidades que o destacavam, e que mereciam louvor. Porém, coisa alguma é capaz de anular o tipo de erro no qual ele se deixou envolver.

PEDRO MÁRTIR (MARTIRE VERMEGLI)

Suas datas foram 1500-1562. Nasceu em Zurique, na Suíça. Ingressou na ordem monástica dos agostinianos e viveu no mosteiro de Fiesole. Estudou o grego e a filosofia em Pádua. Tornou-se um pregador popular em várias cidades da Itália. Ocupou importantes ofícios na Igreja. Foi influenciado pelas doutrinas ensinadas por Lutero e por Zwínglio, cujas obras ele estudava zelosamente. Finalmente, ele renunciou ao catolicismo romano e precisou deixar o solo italiano. Mas foi recebido de braços abertos pelos protestantes de Zurique, na Suíça; e então começou a ensinar em Estrasburgo. Foi convidado para mudar-se para a Inglaterra, pelo arcebispo Cranmer, e foi nomeado professor de divindades em Oxford e cânon de Christchurch. Ajudou Cranmer a editar seu segundo *Livro da Oração Comum*. Casou-se com uma freira que tinha renunciado a seus votos. Foi um instrumento nas reformas da comunidade anglicana. Porém, quando a radical rainha católica, Maria, subiu ao trono inglês, tudo desabou para ele. Pedro Mártir precisou deixar a Inglaterra, e voltou a Estrasburgo, onde reiniciou suas atividades anteriores ali. Então, mudou-se para Zurique, a fim de ensinar o hebraico.

Em 1561, esteve presente à famosa conferência entre católicos romanos e protestantes, em Poissy, a qual buscava bases comuns para uma possível reconciliação. Foi um autor prolixo, que se tornou melhor conhecido em face de seus comentários sobre o Antigo e o Novo Testamentos.

PEIRCE, CHARLES SANDERS

Suas datas foram 1839-1914. Ele foi um notável filósofo pragmatista norte-americano. Nasceu em Cambridge, Massachusets. Era filho de um professor de matemática de Harvard. Formou-se nesta última universidade. Serviu na US Coast and Geodesic Survey. Ensinou lógica na Universidade de John Hopkins. Fez preleções na Universidade de Harvard e no Instituto Lowell, de Boston. Foi originador do *pragmatismo filosófico* (vide), embora, como é óbvio, esse sistema tenha bases históricas em filosofias mais antigas, mormente o utilitarismo (vide). Fez contribuições significativas para o estudo da lógica, bem como para o sistema do pragmatismo.

PEIRCE

A Essência do Pragmatismo

Antes de considerar as idéias específicas de Peirce (cujo nome é praticamente um sinônimo do pragmatismo) devemos examinar as idéias principais deste sistema:

1. *Base gnosiológica na percepção dos sentidos.* Enquanto há alguns filósofos pragmáticos que enfatizam outros meios para saber as coisas (como William James que tinha bastante interesse no *misticismo*), o normal deste sistema é a ênfase sobre o valor *relativo* das percepções físicas. O que podemos saber vem dos sentidos físicos, mas este *saber* é mera convenção e não verdade absoluta. Sendo assim, o pragmatismo cai, logicamente, no **ceticismo** (vide).

2. *Na metafísica,* o pragmatismo é cauteloso, para falar o mínimo, (com algumas exceções nas filosofias de alguns filósofos pragmáticos). Os representantes mais radicais deste sistema assumem a posição do Positivismo Lógico (vide), rejeitando absolutamente as realidades sobre-humanas, ou pelo menos, sendo influenciados muito pouco por tais considerações. William James fez aplicações pragmáticas de conceitos metafísicos, achando que as idéias de Deus, alma, desígnio, etc., servem para finalidades críticas na experiência humana. Mas estas finalidades são críticas, exatamente porque são práticas, dando bons resultados. James achou razões *experimentais*, na psicologia e no misticismo para aceitar a realidade de dimensões sobrenaturais. Ele não foi, simplesmente, um homem teórico.

3. *Na ética*, o que funciona domina todas as considerações. Os filósofos pragmáticos não têm paciência com mera teoria. Uma idéia deve ter «valor em dinheiro», para usar uma expressão metafórica. A praticabilidade é comprovada na experiência diária da pessoa, isto é, sofre «a prova da própria vida». Os valores éticos são humanos e relativos. Ver sobre *Relativismo*. Alguns filósofos pragmáticos enfatizam a utilidade individual (ver sobre *Egoísmo*), mas outros acham os valores sociais os mais importantes (ver sobre *Altruísmo*). No egoísmo, ou no altruísmo, o que é de valor é o que dá bons resultados, não o que faz uma teoria bonita.

Idéias:

1. Peirce introduziu o termo **pragmatismo** na filosofia, em 1878. Isso foi feito no interesse de um critério da verdade. Ele criou o que veio a ser chamado de *máxima pragmática*. Todas as proposições são examinadas quanto às conseqüências práticas que as mesmas produzem. A *súmula das conseqüências* produzidas é o significado e o valor da verdade de qualquer proposição. Em seus anos de vida derradeiros ele admitiu certas «condições», isto é, potencialidades de uma proposição qualquer, antes da mesma poder ser demonstrada.

O Pragmaticismo. Vários outros filósofos fizeram adições e popularizaram a forma do pragmatismo de Peirce; e ele não ficou satisfeito diante das atividades deles. Eles alteraram o princípio dele para uma teoria da ação, e não meramente uma teoria da significação de algo. Por conseguinte, ele começou a intitular sua teoria de *pragmaticismo*, e que ele dizia ser uma palavra tão feia que ninguém seria capaz de seqüestrá-la.

2. Apesar dele criticar as filosofias de poltrona (aquelas que envolvem especulações, sem resultados práticos), ele mesmo envolveu-se em significativas investigações metafísicas.

Primeirismo; Segundismo; Terceirismo. Esses termos foram usados por ele como estágios de sua análise filosófica. Ele cria que a filosofia deve, necessariamente, desenvolver a sua análise de acordo com esses princípios. Essas categorias procuram descrever o *phanerón,* aquelas coisas que ferem a vista e podem ser investigadas.

O *primeirismo* relaciona-se ao exame das *qualidades.*
O *segundismo* relaciona-se ao exame das *reações.*
O *terceirismo* relaciona-se às *generalidades.*

Para ele, as filosofias são unilaterais quando não abordam todas essas três categorias. A filosofia deve ter uma natureza *arquitetônica*, edificando pouco a pouco, a fim de atingir resultados apreciáveis. Deve analisar de forma adequada as experiências, de tantos pontos de vista diferentes quantos sejam possíveis. Toda e qualquer ciência deve esforçar-se por ser completa, e todos os dados de todas as ciências devem contribuir conjuntamente para a investigação filosófica.

3. As três categorias abordam a questão tempo, como passado (o que é necessário); o presente (é); e o futuro (aberto a todas as formas de possibilidade, o «pode vir a ser»).

4. *Tiquismo.* Peirce tomou por empréstimo a palavra grega *tuché*, «chance», como base dessa palavra. Com a mesma ele entendia que certas coisas podem realmente suceder *ao acaso*, um elemento que faz parte necessária da experiência humana, sem antecedentes, pois a novidade sempre pode fazer parte da nossa experiência do dia-a-dia.

5. *Sineguismo.* Esse vocábulo foi usado por Peirce para aludir a como as *leis naturais* podem ser explicadas por uma característica de formação de hábito no universo. Talvez os eventos bem ordenados tenham tido origem em uma sucessão de ocorrências inéditas, que, sem sabermos como, organizaram-se formando sistemas. Parece que Peirce tinha uma espécie de visão pampsiquista do universo, insuflando em tudo a presença da mente, e explicando os *hábitos* inerentes às leis naturais. Porém, não devemos salientar exageradamente esse ponto, visto que ele também não o fez. Seja como for, é difícil pensarmos em qualquer *hábito* genuíno ou ato repetido, a menos que ali esteja em operação a *mente*, em algum ponto.

6. A *sociedade humana* não é produto da necessidade, visto estar envolvida no fator unificador das regularidades e novidades. O homem é um ser criativo, que pode produzir verdadeiras novas situações. O homem é livre, mas tem sido subestimado por alguns teólogos.

7. *A razão, a vontade, os sentimentos*. Não podemos compartimentalizar o homem. Não podemos separar e exagerar suas qualidades da razão, da vontade e dos sentimentos. Antes, a sua vida interior, a sua expressão, compõe-se desses três elementos, que se interpenetram. O homem é um ser de *razão-vontade-sentimentos*. Nenhuma razão existe sem o concurso da vontade e dos sentimentos. Somos um composto, um processo complexo.

8. *O ato de pensar*. Esse ato compõe-se da tríade formada pela *indução, abdução* e *dedução.*

a. A *indução* é de onde procedem os princípios gerais. Muitos fatores são examinados; informes completos produzem idéias. A indução fornece-nos as premissas gerais.

b. A *abdução*. Dos informes obtidos pela indução, extraímos hipóteses preliminares. Descobrimos assim a conexão entre idéias e termos, e proferimos estes últimos.

c. A *dedução* consiste no processo de coligação das

premissas, para determinarmos o que elas podem resultar, em termos formais.

9. *Conclusões indutivas*. Qualquer processo indutivo termina em probabilidades. Mais evidências poderão produzir premissas diferentes. Em qualquer processo, há uma certa proporção de proposições verdadeiras de mistura com proposições inverídicas. Quanto maior for o número de proposições verdadeiras, maior será a taxa de probabilidade de uma proposição.

10. A *probabilidade* ensina-nos que nenhum sistema de filosofia ou de ciência jamais pode atingir uma forma completa. Todo conhecimento é um processo; toda teoria é uma mera tentativa. Todo indivíduo aborda suas pesquisas munido de um leque de preconceitos, que somente prejudicam. Parte de sua tarefa, pois, consiste em refinar o seu método e os resultados obtidos, a fim de anular esses preconceitos, e assim seguir a verdade, até onde esta o guiar. Apesar de que um indivíduo pode não estar errado quanto a todas as suas crenças, é certo que com freqüência ele estará equivocado, e estará seguindo pela vereda errada. Peirce chegou ao extremo de declarar que não existe crença que não possa ser falsa. Ele salientava o *falibilismo*.

11. *Interdependência*. Nenhuma ciência é completa, e todas as ciências estão inter-relacionadas, sendo dependentes umas das outras. Ademais, as ciências repousam sobre certos princípios que, em si mesmos, não são científicos. Esses princípios escudam-se na lógica, na filosofia, na ética e na estética.

A *estética* é um estudo que aponta para o ideal da vida humana.

A *lógica* é o estudo que nos fornece os princípios que devem ser usados na nossa inquirição.

A *ética* é o estudo que, com a ajuda da estética e da lógica, provê o ideal racional para a vida.

Todas essas disciplinas, conjuntamente, provêem o controle necessário para a pesquisa científica, a direção que devemos tomar para obter o *summum bonum* na vida diária.

12. *A certeza que pode ser obtida*. Peirce evitava o ceticismo e o relativismo absoluto, afirmando que apesar do homem ser falível, o processo da busca pela verdade é autocorretivo, e que absurdos e falsidades podem ser eliminados ao longo do caminho. Assim, absolutos poderiam ser obtidos. A verdade é algo que pode ser obtido. O real pode ser conhecido e crido. Mas a busca é longa e árdua.

13. *Autolimitações*. Para Peirce, todas as filosofias, religiões, instituições, nações, etc., são entidades limitadas. O homem que se prende a uma única forma de abordagem, necessariamente fracassará em sua busca. Suas inferências estarão alicerçadas sobre premissas parciais, e, com freqüência, ilógicas. A devoção final do indivíduo deve ser à *comunidade ilimitada*.

14. *A Idéia Divina*. A comunidade ilimitada é o grande alvo do homem. Esse ensino é claro nos escritos de Peirce. A idéia divina já é menos clara em suas obras. Obteríamos nossa idéia de Deus através da criação de uma hipótese, mediante o pensamento constante e disciplinado ou reflexão. Essa hipótese emerge da livre associação com as três categorias do pensamento (ver o oitavo ponto, acima), e em consonância com as três categorias mencionadas no décimo primeiro ponto, acima. O conceito de Deus é sempre crescente, à medida que se aprimora a nossa inquirição e aumenta o nosso conhecimento. O *Mysterium Tremendum* (vide) não cede facilmente diante da busca humana, e aqueles que pensam ao contrário disso não são pensadores profundos.

15. *A lógica e a semântica*. Peirce fez contribuições significativas quanto a essas áreas de estudo. Os tipos básicos de sinais ele chamou de ícones, índices e símbolos.

a. Um *ícone* é um sinal que contém algumas das qualidades da coisa especificada.

b. Um *índice* é um sinal que chama a nossa atenção, achando-se em relação dinâmica para com a coisa especificada.

c. Um *símbolo* é um sinal com uma conotação convencionada. Todo sinal necessariamente tem algum aspecto icônico, indéxico e simbólico.

Peirce alistou dez classes de sinais, que expandiu para sessenta e seis, em sua filosofia posterior. Esses dez sinais são os seguintes:

Qualisinal (uma qualidade sensória), sinal discente (um objeto, como um galo que mostra a direção do vento, que dá alguma direção ou idéia específicas), um legisinal icônico (um diagrama, sem individualidade factual), o símbolo remático (um substantivo comum), o legisinal indéxico discente (uma tabuleta de rua), um símbolo discente (uma proposição ordinária), um argumento (um silogismo ordinário), um sinal indéxico remático (um grito espontâneo), um sinal icônico (um diagrama individual), um legisinal indéxico remático (um pronome demonstrativo).

16. *Relações entre categorias, sinais e pensamento, vontade e sentimentos*. Peirce pensava que suas várias tríades, segundo mostramos acima, são mutuamente relacionadas e interdependentes. Esse relacionamento existe através dos modos de interpretação simbólico e dinâmico.

Escritos. The Collected Papers of C.S. Peirce (8 volumes); Letters to Lady Welby.

PEITO, BATER NO

No hebraico, **taphaph**, «bater em um tamborim». Essa palavra hebraica ocorre somente em Naum 2:7. Ela tem causado alguma dificuldade aos tradutores mais antigos, devido à sua raridade. Nossa versão portuguesa não traduz literalmente a palavra, e nem a expressão inteira onde ela se encontra, mas diz apenas «batem no peito». No hebraico, a palavra correspondente a «peito» é *lebab*, «coração». Essa é uma boa tradução.

PEITORAL
Ver **Armas e Armadura**.

PEITORAL DO SUMO SACERDOTE

No hebraico, temos a palavra **chosen**, usada por vinte e cinco vezes (por exemplo: Êxo. 25:7; 28; 30:16-21; Lev. 8:8). Esse vocábulo hebraico deriva-se de um termo que aponta para a *beleza*, apontando para o sentido estético. Ver Êxo. 28:4,15-30; 39:8-21. Na LXX temos o termo grego *peristéthion*, em Êxo. 28:4. O peitoral do Sumo Sacerdote era feito laboriosa e artisticamente, com materiais como fio de ouro, azul, púrpura e escarlate, sobre linho fino retorcido (Êxo. 28:15). Sua forma era quadrada, porquanto era dobrada pelo meio, e quando aberto, tinha o dobro do comprimento em relação à largura (Êxo. 28:16). Havia argolas de ouro nas quatro pontas (vs. 23,26). As argolas inferiores eram atadas, por meio de laços azuis, a argolas existentes na estola sacerdotal. No peitoral havia doze pedras preciosas, gravadas, cada qual, com o nome de uma das tribos de Israel (Êxo. 28:17-21). Cordões de ouro ligavam as argolas

PEITORAL — PEIXE, PESCA

superiores do peitoral às duas pedras preciosas gravadas, que havia nos ombros da estola sacerdotal (vs. 9-12,22-25). O peitoral do sumo sacerdote tinha os seguintes sentidos simbólicos: 1. A obra do sumo sacerdote, em favor do povo de Israel. Ele levava Israel sobre o peito e sobre os ombros, porquanto era o representante do povo escolhido diante de Yahweh. 2. Sua obra intercessória em favor de Israel, pelo que ele também contava com o Urim e o Tumim (que vide), que o ajudava a determinar a vontade do Senhor (vs. 30). 3. Alguns estudiosos identificam o Urim e o Tumim com as doze pedras do peitoral, visto que essas pedras e o Urim e o Tumim nunca são mencionados ao mesmo tempo. Mediante essas pedras, o sumo sacerdote evidentemente era induzido a um leve e passageiro transe, segundo pensam alguns estudiosos, embora nenhuma explicação possa ser dada a respeito do processo. Notemos que o peitoral era o principal adorno das vestes sumo sacerdotais. Ver o artigo geral sobre o *Sumo Sacerdote*, no subtítulo *Vestes*, quanto a descrições mais amplas sobre a questão.

Alguns estudiosos pensam que a «couraça da justiça», referida em Efésios 6:14, de algum modo estaria baseada no peitoral do sumo sacerdote. Porém parece melhor pensarmos, nesse caso, na «couraça» (no hebraico, *shiryan*) aludida em Isaías 59:17, e que, em sentido literal, aparece também em I Reis 22:34 e II Crô. 18:33, onde está em pauta uma cota de malhas, isto é, uma couraça feita com peças de metal sobrepostas, como as escamas de um peixe. (HAND Z)

PEIXE, PESCA

Esboço:
I. As Palavras e Caracterização Geral
II. Maneiras de Pescar
III. Comercialização da Pesca
IV. A Idolatria e o Peixe
V. Usos Figurados

I. As Palavras e Caracterização Geral

1. **No hebraico, dag ou dagah.** Embora haja referências a peixes, nas páginas do Antigo Testamento, como na distinção entre alimentos permitidos e vedados, não há ali qualquer palavra que, realmente, signifique «peixe». Baleias, focas e dugongos, além de outros animais que respiram por meio de pulmões, e não de guelras, eram considerados peixes, pelos hebreus. Nas águas interiores da Palestina, quarenta e cinco espécies de peixes eram conhecidas; e muito mais ainda nas águas do mar Mediterrâneo. Uma das principais divindades dos filisteus, Dagã, era representado como um ser com corpo de homem mas com cauda de peixe. E duas outras palavras hebraicas, traduzidas por «peixe», na realidade referem-se a crustáceos, moluscos e animais mamíferos marinhos. As leis alimentares levíticas também não contém a palavra, embora haja referências óbvias a peixes nos versículos que mencionam barbatanas e escamas, como características necessárias dos peixes comestíveis. Ver Lev. 11:9; Deu. 14:9,10. Isso elimina, automaticamente, todos os animais aquáticos invertebrados do cardápio, apesar do fato de serem nutritivos e de bom gosto. Desconhecemos a base ou a lógica por detrás dessas regras. Ver o artigo separado sobre *Limpo e Imundo*.

O peixe-gato ou lampreia, que havia nas águas da Galiléia, provavelmente era evitado. Mas, apesar daquelas regras alimentares, sempre havia um bom número de espécies permitidas de peixes. Supõe-se que muitas espécies presentes também existiam na antiguidade, embora seja impossível identificá-las agora, mediante referências bíblicas, como as que temos em Mat. 14:17; 15:36 (peixinhos), etc. Espécies existentes até hoje na Palestina são a tilápia, o barbilhão e o salmonete. Este último é nativo do mar Mediterrâneo, mas foi transplantado com êxito para o lago da Galiléia. Além desses, há a sardinha, enlatada em grandes quantidades. No lago da Galiléia, atualmente há cerca de vinte e quatro espécies diferentes de peixes e todas elas abundantes. Naturalmente, o mar Morto, devido à exagerada salinidade de suas águas, não é piscoso. A Bíblia menciona o Egito (Núm. 11:5), o lago da Galiléia (Luc. 5:6) e Tiro (Nee. 13:16), como locais onde o peixe era encontrado em abundância.

O idioma grego conta com mais de quatrocentos nomes de peixes, que distinguem espécies e variedades. O termo genérico para peixe, no grego, é *ichthys*. Sua forma diminutiva é *ichthydion*. A primeira dessas palavras gregas ocorre por dezenove vezes no Novo Testamento: Mat. 7:10; 14:17,19; 15:36; 17:27; Mar. 6:38,41,43; Luc. 5:6,9; 9:13,16; 11:11; 24:42; João 21:6,8,11; I Cor. 15:39. Sua forma diminutiva ocorre por duas vezes, em Mat. 15:34 e Mar. 8:7. No cristianismo posterior ao Novo Testamento, o termo grego *ichthys* passou a ser usado como um dos símbolos de Cristo, conforme se vê na seção V.1, «Usos Figurados».

II. Maneiras de Pescar

A. Redes. Havia três tipos de redes: a tarrafa, a rede e o arrastão, explanadas nos três pontos abaixo.

1. *A Tarrafa*. Essa forma de rede era circular, com pesos em seu perímetro. Era lançada à mão. Caía chata sobre a superfície da água, afundava primeiro nas beiradas e, assim, apanhava qualquer coisa que estivesse no meio. O termo grego que representa esse tipo de rede é *amphíblestron*, que significa «o que se lança ao redor». O termo ocorre somente em Mat. 4:18 e Mar. 1:16.

2. *A Rede Longa*. Era apoiada em bóias. Então ficava pendente pouco abaixo da superfície da água durante horas, ou mesmo um dia inteiro, e então era recolhida. Em seguida recolhia-se qualquer pescado que ali tivesse sido apanhado. O termo grego que lhe corresponde é *díktuon*, empregado por doze vezes no Novo Testamento: Mat. 4:20,21; Mar. 1:18,19; Luc. 5:2,4-6; João 21:6,8,11.

3. *O Arrastão*. Essa era uma longa rede, puxada por um barco, em torno de um semicírculo. Então, era puxada para fora d'água por ambas as extremidades, apanhando todos os peixes que estivessem na área por ela alcançada. Por esse motivo tornava-se mister selecionar os tipos de peixes apanhados, e esse é o ponto salientado na parábola envolvida no único trecho onde esse tipo de rede é mencionado, Mat. 13:47. Ali figura o termo grego *sagéne*. Essa parábola simboliza a seleção de almas boas, dentre as almas más, quando a humanidade for julgada e quando os bons forem levados para o céu e os maus forem precipitados na *Geena* (vide).

As redes de pesca requeriam muitos cuidados, como limpeza e reparos (ver Luc. 5:2; Mat. 4:21). Atualmente, há redes feitas de fibras artificiais, muito mais resistentes do que as antigas. No Brasil, nas regiões onde há rios piscosos, como na Amazônia, muitas pessoas sabem emendar redes com uma agulha própria, feita de madeira, com a qual a malha é refeita onde tiver sido rompida. Devido à natureza do leito dos rios da região amazônica, a rede mais comumente utilizada é a tarrafa, a qual, apesar de seu pequeno tamanho, em comparação com a rede de

PEIXE, PESCA

arrastão ou com o espinhel (que consiste mais em um cabo com muitos anzóis pendurados, o que não lhe dá o caráter de rede), ainda assim embaraça-se facilmente em tocos e galhos de árvores submersos e rompe-se. De certa feita, este tradutor viu uma pesca de tambaquis (um peixe de escamas, com cerca de dez quilos de peso), na qual, em cerca de duas horas, foram apanhados nada menos de setenta desses saborosos peixes. Isso ocorreu no Médio Amazonas, em uma das muitas lagoas existentes por detrás da cidade de Parintins.

B. Caniço e Anzol. Esse tipo de instrumento de pesca é referido em textos como Is. 19:8; Jó 41:1; Hab. 1:15; Amós 4:2 e Mat. 17:27 (a única referência neotestamentária). É geralmente usada uma isca, presa à farpa do anzol. Porém, até mesmo sem isca é possível pescar algo, ao acaso. Para tanto, o pescador simplesmente puxa a linha com o caniço para lá e para cá, na esperança de apanhar algum peixe com o anzol. Esse tipo de pesca é pouco usado nos rios da Amazônia, sendo deixado mais para os amadores. Um pescador que pesque por esse método pode apanhar tanto um peixe como uma cobra. Talvez essa seja a idéia que está por detrás do trecho de Lucas 11:11, onde o Senhor Jesus disse que um pai não daria a seu filho uma serpente, se ele lhe pedisse um peixe para comer.

C. Arpão. Jó 41:7 é um trecho bíblico que menciona esse instrumento de pesca. Essa maneira de pescar geralmente é reservada para apanhar animais mais volumosos, como um crocodilo, embora também possa ser usada para peixes pesados. Isso é ilustrado em uma pintura tumular em Tebas, de Simute (cerca de 1500 A.C.). É preciso grande habilidade para que alguém use com eficiência esse método. Os índios usam arco e flecha, nos rios da Amazônia. Ali, o arpão é reservado para a pesca de peixes grandes, como o pirarucu, ou de certos animais mamíferos aquáticos, como o peixe-boi. O arpão, que é apenas a ponta de metal (geralmente ferro) aguçada e farpada, posta na extremidade do cabo do arpão, desloca-se facilmente do cabo, quando atinge o alvo. Mas esse arpão está preso a um cabo forte. A outra extremidade do cabo é amarrada na proa da canoa ou montaria, que o peixe chega a arrastar por algum tempo, antes de morrer, em seu afã por livrar-se do arpão.

III. Comercialização da Pesca

No caso da antiga nação de Israel, contamos apenas com algumas poucas referências bíblicas à pesca. Portanto, não sabemos qual a extensão da atividade da pesca na Palestina, durante todo o período do Antigo Testamento. Israel não era um povo voltado para as lides do mar, pelo que a pesca em águas salgadas devia ser praticada de modo extremamente limitado. No entanto, as descobertas arqueológicas nos dão mostras de que eles conheciam a pesca em rios e lagunas. Parece haver menção a uma dessas lagunas em Cantares 7:4, onde lemos sobre «as piscinas de Hesbom». Lagunas de pesca eram conhecidas na Mesopotâmia, no Egito e na Assíria; e os romanos também especializaram-se nesse tipo de pesca, chegando a criar um ativo comércio em torno dessa atividade. Nos dias do Senhor Jesus parece que a pesca, pelo menos no lago da Galiléia, era uma ocupação importante de muitos, conforme qualquer criança de Escola Dominical o sabe. Vários dos primeiros discípulos de Jesus eram pescadores habilitados e prósperos. Da região da Galiléia exportava-se peixe até mesmo para a capital do império romano. No entanto, Jesus ensinou a seus discípulos para que fossem pescadores de homens: «E disse-lhes: Vinde após mim, e eu vos farei pescadores de homens» (Mat. 4:19).

Na cidade de Jerusalém havia um portão chamado Porta do Peixe (vide), que os eruditos pensam que ficava na muralha norte da cidade, e através de cuja porta os negociantes traziam seu peixe para ser vendido à população (Sof. 1:10). O trecho de Neemias 13:16 mostra-nos que negociantes tírios de peixe viviam em Jerusalém, após o exílio babilônico. Os métodos de preparação de peixe iam desde o simples cozimento (João 21:9; Tobias 6:5), até o salgamento e a secagem ao sol (Tobias 6:5). Os negociantes vindos de Tiro traziam peixe seco e salgado, ao mercado de Jerusalém. Alguns pensam que os peixes da multiplicação miraculosa de pães e peixinhos (Mat. 4:17 e 15:36) fossem peixes assim preservados, e não peixes frescos.

IV. A Idolatria e o Peixe

Um dos deuses dos filisteus, **Dagã** (I Sam. 5:2 ss), era representado como um ser dotado de corpo humano, mas com cauda de peixe. O trecho de Deuteronômio 4:18 proíbe a adoração da figura do peixe, através de imagens, o que significa que, na época, deve ter havido uma generalizada adoração ao deus peixe. Também havia a deusa peixe, Atargatis, que era adorada em Ascalom e também entre os nabateus. Na província de Oxyrhynchus, no Egito, havia uma espécie de peixe, com esse nome, que era ali adorado. Alguns pensam que um antigo símbolo cristão, representando um peixe, apontava para Cristo, de várias maneiras. Ver o ponto «V.1». Esse símbolo parecia estar calcado sobre símbolos pagãos, pelo menos em sua idealização.

V. Usos Figurados

1. Como símbolo cristão, a palavra grega para «peixe», *ichthus*, era dividida como segue: *I* (Jesus); *ch* (Cristo); *th* (de Deus); *u* (Filho); *s* (Salvador). A frase grega, por inteiro, era: *Ieosoūs Christós*, theoū uiós, soter, o que traduzido para o português, torna-se: Jesus Cristo, Filho de Deus, Salvador. Sabe-se que os mais antigos símbolos cristãos, pela ordem, foram a cruz, a âncora e o peixe.

2. Os habitantes do Egito também foram simbolizados por um peixe (ver Eze. 29:4,5).

3. Também tornou-se o peixe um símbolo da *igreja visível* (Mat. 13:48), ou seja, enquanto a Igreja está neste mundo, ainda sem distinções internas, que só serão feitas por ocasião do juízo divino que haverá de separar os autênticos dos falsos seguidores de Cristo. Em outras palavras, o *reino dos céus* assemelha-se a uma grande mistura de todas as espécies de peixes, bons e maus. A rede de arrastão da mensagem do evangelho apanha toda a espécie de gente; mas somente algumas pessoas realmente converter-se-ão, o que ficará comprovado pela seleção a ser feita no fim. Acima disso, naturalmente, paira o mistério da vontade de Deus, que envolve uma restauração geral, embora isso não venha a ter lugar para aumentar o número dos eleitos. Ver o artigo sobre *Restauração*. Não obstante, a restauração final faz parte da obra total do Redentor, com um resultado muito mais amplo do que aquele concebido dentro da parábola da rede de pesca.

4. Os ministros do evangelho são chamados pescadores, porquanto procuram conquistar os homens para Cristo e para o reino (Mat. 4:16). Ver também o trecho de Ezequiel 47:10.

5. Em um sentido negativo, os *caldeus* foram chamados de «pescadores», por parte de Deus, porquanto eles apanhavam e arrastavam para o exílio grandes multidões (Jer. 16:16; Hab. 1:15).

PEIXE, PESCA — PELÁGIO

6. O alimento espiritual pode ser simbolizado, nos sonhos e nas visões, por peixe. Um *rico suprimento* é outra coisa que pode ser representada por um peixe, nessas manifestações. E também podem estar em pauta a Igreja cristã e a doutrina cristã.

7. A *psicanálise* tem demonstrado que o peixe tem muitos sentidos simbólicos, a saber:

a. Dentro do contexto, aqueles sentidos anotados sob o sexto ponto, acima.

b. As camadas mais profundas da mente inconsciente, visto que o peixe nada a profundidades às quais o homem não tem acesso.

c. A qualidade espiritual do próprio «eu».

d. O estado primitivo do ser humano, que os evolucionistas pensam ter tido a sua origem no peixe.

e. O poder salvatício e renovador, o *renascimento*, que tem, por detrás de si a idéia de *tesouros* ocultos nas profundezas do mar, onde os peixes vivem.

f. A frieza, a impotência, a pobreza, a excentricidade, a ausência de sentimentos, visto que o peixe é um animal de águas frias. O peixe tem um formato que se aproxima do formato do pênis.

g. Um negócio ludibriador, alguma desonestidade.

h. Um peixe que nade contra a correnteza pode simbolizar a mente inconsciente e as emoções mentais.

i. O ato de pescar pode simbolizar uma ocupação precária, ou então alguma incerteza ou mesmo perigo.

j. Pescar um peixe grande pode significar um golpe de sorte, ou então a tentativa para descobrir os tesouros da mente inconsciente.

l. O ato de comer peixe simboliza a renovação, o renascimento, pois os peixes, postos nas mãos do Senhor Jesus, multiplicaram-se milagrosamente. O peixe foi ali um alimento miraculoso. (CHE E ND S UN Z)

PEIXE COMO SÍMBOLO

Ver o artigo geral sobre **Peixe**, seção quinta, quanto a certa variedade de coisas que o peixe pode simbolizar.

PELA

Essa era uma cidade da região de **Decápolis** (vide), embora não seja individualmente mencionada na Bíblia. Pela era uma antiga cidade da área do rio Jordão, localizada ligeiramente a leste desse rio, e cerca de vinte e nove quilômetros ao sul do mar da Galiléia. Ao que parece, originalmente era um povoado cananeu, mencionado nas cartas de Tell el-Amarna, no século XIV A.C. Foi capturada por Antíoco o Grande, da Síria, em 218 A.C. Alexandre Janeu destruiu-a, em cerca de 100 A.C. A cidade foi reconstruída por Pompeu e, finalmente, tornou-se um refúgio para os cristãos que deixaram Jerusalém, fugindo dos exércitos romanos destacados para destruir essa cidade (e outros lugares em redor), em 70 D.C. O local moderno é o wadi Jurm, cerca de treze quilômetros a suleste de Bete-Seã.

Esse lugar preservou suas associações cristãs muito tempo depois que o Novo Testamento foi terminado. Durante todo o período bizantino foi local de mosteiros cristãos. Os persas invadiram a cidade no século VII D.C., e os muçulmanos fizeram o mesmo, um tanto mais tarde. Então entrou em declínio e, finalmente, deixou de existir. No século XIX, aumentou ali novamente a população. Mas atualmente sua população conta somente com algumas poucas centenas de pessoas. Seu nome moderno é Tabaquat Fahil. Algum trabalho arqueológico tem sido efetuado no local.

PELÁGIO, PELAGIANISMO

Esboço:
I. Pelágio, o Homem
II. O Pelagianismo
III. A Oposição de Agostinho
IV. O Semipelagianismo
V. A Ética de Pelágio

I. Pelágio, O Homem

Os estudiosos de teologia que têm ouvido falar sobre o conflito doutrinário entre Agostinho e Pelágio (e, naturalmente o papel do primeiro), ficam surpresos ao aprenderem algo sobre o homem, *Pelágio*. Sem dúvida, ele foi um distinguido prelado, tanto em sua piedade pessoal quanto em suas realizações.

Pelágio foi um teólogo britânico, provavelmente de sangue irlandês, cujas datas aproximadas foram 360-420 D.C., o que fez dele um contemporâneo de Agostinho. Pelágio foi monge de grande erudição e de elevado caráter moral. Em cerca de 400 D.C., ele foi a Roma e ficou chocado diante dos lassos padrões morais da cidade. E tentou fazer algo a respeito. Ele estava convicto de que a doutrina da total depravação do homem era a causa de tantas pessoas evitarem assumir a sua responsabilidade moral; e esse foi um dos fatores de suas formulações teológicas. Em 410 D.C., ele foi com o seu seguidor, Coelestius, à África do Norte, onde permaneceu por breve período. Isso levou-o a entrar em contato direto com Agostinho, o resultado sendo que Agostinho opôs-se amargamente a ele e às suas doutrinas. Finalmente, Pelágio foi condenado pelos dois sínodos norte-africanos de Mileve e Cartago, nos anos de 461 e 418 D.C., respectivamente. Essa condenação foi confirmada pelo papa Inocente I, e, mais tarde, pelo papa Zózimo. Ao que parece, ele faleceu em cerca de 420 A.C., porquanto depois dessa data não temos mais notícias sobre ele. O concílio de Éfeso condenou-o em 431 D.C.

II. O Pelagianismo

Esse nome refere-se ao sistema doutrinário de Pelágio, cujos pontos principais (que diferem da ortodoxia ocidental normal) são os seguintes:

1. Viver isento do pecado é uma possibilidade humana, embora isso requeira muita força de vontade. Em sua natureza básica, apesar da queda, o homem tem a capacidade de vencer o pecado.

2. O homem foi criado à imagem de Deus, e, apesar da queda, essa imagem é *real* e *viva*, pois doutra sorte, o homem não seria aquele homem criado por Deus. Essa imagem é ativa e poderosa, e confere ao homem capacidades morais, se ao menos ele quiser usá-las.

3. A vontade humana sempre foi e continua sendo livre para escolher o bem. Essa vontade pode rejeitar o mal, porquanto isso está ao alcance do homem, inteiramente à parte da degradação do pecado.

4. Não existe tal coisa como pecado original ou como pecado herdado. O homem torna-se no que é mediante sua desobediência proposital; mas ele tem capacidade de reverter isso para a obediência proposital. Ver o artigo geral sobre *Pecado Original*.

5. Nem a queda de Adão no pecado, e nem os maus

PELÁGIO — PELATIAS

hábitos de um homem, desenvolvidos na sua vida, podem anular o poder de sua vontade, poder esse que pode ser aplicado em favor do bem, e não meramente em favor do mal.

6. Adão não se tornou mortal em face de sua queda no pecado. Já foi criado como um ser mortal, e teria morrido finalmente, mesmo que não tivesse caído no pecado. Adão, à semelhança de qualquer outro homem, poderia ter conservado a sua inocência mediante o exercício de seu livre-arbítrio. No entanto, fez más escolhas. Os homens também têm feito escolhas errôneas, inteiramente à parte de suas conexões com Adão.

7. O pecado é um ato e não existe fora do ato, como se fosse alguma suposta natureza depravada herdada. Os homens fazem de si mesmos o que são ao cultivarem atos pecaminosos.

8. O homem foi dotado de perfeição original, e pode manter a mesma. E mesmo que venha a perdê-la, poderá recuperá-la e viver completamente isento de pecado. Ver o artigo geral intitulado *Pecado*, especialmente a sua sexta seção *Perfeição Impecável!*, quanto a um exame desse ponto.

9. Cada criança nasce como uma tábula rasa. À semelhança de Adão, enfrenta o problema da degradação, mas tem a liberdade de escolher o bem ou o mal, tal como sucedeu a Adão.

10. O pecado original é uma impossibilidade, visto que o pecado depende do um ato da vontade, e não de alguma questão de herança. O pecado é uma volição depravada, e não uma enfermidade da alma transmitida de geração em geração.

11. O batismo infantil é uma prática legítima, mas é administrado para admitir as crianças no reino dos céus, e não para remover delas alguma imaginária mácula do pecado. Os infantes não-batizados que morrem ainda na infância recebem uma vida eterna e abençoada.

12. Os homens iluminados, mesmo sem terem tido contato com o evangelho de Cristo, serão julgados pelo que eles são, e pela maneira como se conduziram como criaturas criadas à imagem de Deus. Eles podem atingir o céu mediante uma vida caracterizada pela retidão, tanto quanto através do evangelho.

13. Pelágio negava de modo absoluto a predestinação e exaltava o livre-arbítrio humano.

III. A Oposição de Agostinho

Contra Pelágio, Agostinho sustentou as doutrinas ortodoxas do pecado original, da morte física como resultado do pecado, que os infantes são batizados tendo em vista a remissão de pecados, e que Jesus foi o único homem sem pecado.

IV. O Semipelagianismo

Os ensinos de Pelágio atraíram algum apoio da parte de vários líderes cristãos. Uma forma modificada de seu sistema apareceu no século V D.C., especialmente nos mosteiros gauleses. De acordo com esse movimento, a graça de Deus é proporcionada a todos os homens; mas o indivíduo deve tomar o primeiro passo na questão de sua salvação pessoal. Essa doutrina também foi declarada herética, tendo sido condenada em Orange, em 529 D.C.

Tanto o pelagianismo original quanto o semipelagianismo enfatizavam o fator do livre-arbítrio humano, negando a doutrina da predestinação. Ver os artigos chamados *Livre-Arbítrio; Determinismo* e *Predestinação*.

V. A Ética de Pelágio

Pelágio era homem de notável piedade pessoal, dotado de vontade férrea. As suas próprias qualidades pessoais levaram-no a superestimar os homens em geral, atribuindo-lhes poderes que ele sentia em si mesmo. Além disso, é evidente que homens tendem por julgar-se mais fortes do que são, não dando o devido valor à gravidade do pecado e sua degradação. Todos os movimentos «perfeccionistas» são afligidos com uma visão superficial do pecado e de seu poder, redefinindo o pecado como se fosse mera fraqueza. Uma outra questão é que a perfeição torna-se mera ausência do pecado, ao mesmo tempo em que a participação nas virtudes morais positivas de Deus é esquecida. Todas as doutrinas perfeccionistas têm promovido perigosas distorções.

Elementos da Ética de Pelágio:

1. A ênfase sobre a responsabilidade humana: o homem tem capacidade real de escolher o bem ou o mal.

2. A liberdade da vontade e a vontade livre das peias do pecado original.

3. A retenção da imagem de Deus, apesar da queda no pecado, o que empresta ao homem imensa potencialidade para o bem, com base na sua própria natureza.

4. O pecado deriva-se do ato pecaminoso, e então do acúmulo de tais atos, mas nunca de uma herança da raça.

5. Da mesma maneira que um indivíduo pratica o mal, assim também pode passar a praticar o bem, anulando o seu passado.

6. Um homem, mediante o contínuo exercício de sua vontade em favor do bem, pode atingir o estado de perfeição, em cujo estado, como infante, ele havia começado a sua vida.

7. Pelágio era contra o derrotismo, e lançava a culpa sobre a doutrina do pecado original para fazer os homens pensarem em termos inferiores acerca de si mesmos e de suas potencialidades.

8. Os chamados pagãos também trazem a imagem de Deus e podem atingir uma verdadeira retidão; e, com base nisso, a salvação, sem qualquer contacto direto prévio com o evangelho. Há uma graça comum que opera por meio de Cristo, e que não requer qualquer organização religiosa específica para que seja propagada. Isso, porém, não significa que Pelágio negasse o uso e o poder da Igreja. Mas ele negava que o Logos limita-se à Igreja quanto à sua presente atuação no mundo.

PELAÍAS

No hebraico, «distinguido de Yahweh». Esse foi o nome de duas personagens que figuram nas páginas do Antigo Testamento.

1. Um levita que ajudou Esdras na instrução dada ao povo, quanto à lei mosaica, quando voltara da deportação para a Babilônia o remanescente de Judá, e foi renovado o pacto com o Senhor. Ver Nee. 8:7; 10:10. Isso ocorreu em 445 A.C.

2. O filho de Eleoenai, de Judá, um descendente distante de Davi (I Crô. 3:24). Ele viveu em cerca de 445 A.C.

PELALIAS

No hebraico, «Yah (Yahweh) julga». Esse foi o nome de um sacerdote que descendia de Malquias e foi pai de Jeroão (ver Nee. 11:12). Ele viveu em cerca de 445 A.C., ou seja, nos dias de Esdras.

PELATIAS

No hebraico, «Yahweh livra». Esse foi o nome de

PELE — PELES DE ANIMAIS

quatro homens mencionados no Antigo Testamento:

1. O primeiro dos filhos de Hananias a ser nomeado, descendente de Davi e Salomão (I Crô. 3:21). Viveu em cerca de 536 A.C. Zorobabel foi seu avô.

2. Um simeonita que ajudou a destruir o remanescente dos amalequitas, no monte Seir, no tempo de Ezequias (ver I Crô. 4:42). Isso ocorreu em cerca de 700 A.C.

3. Um filho de Benaia, um líder do povo de Israel, acusado por Ezequiel de dar maus conselhos durante o tempo em que a Babilônia estava assediando a cidade de Jerusalém. Ele caiu morto quando Ezequiel estava profetizando (Eze. 11:1,13). Isso sucedeu em cerca de 592 A.C.

4. Um contemporâneo de Neemias, que assinou com ele o pacto renovado, depois do cativeiro babilônico. Ele fixara residência em Jerusalém. Isso sucedeu por volta de 400 A.C. Ver Nee. 10:22.

PELE

No hebraico, **or**, palavra que figura por noventa e seis vezes no Antigo Testamento, desde Gên. 3:21 até Miq. 3:3. No grego, *dérma*, vocábulo que ocorre somente por uma vez, em Heb. 11:37.

A Bíblia alude tanto a peles de animais quanto à pele humana. As peles de animais eram usadas no fabrico de vestes, desde os dias mais remotos (Gên. 3:21). Rebeca utilizou peles de cabritos para cobrir as mãos e o pescoço de Jacó, para que parecessem peludos, a fim de que Isaque, já cego, pensasse tratar-se de Esaú, que era homem cabeludo. João Batista usava um cinto de couro na cintura, como uma de suas poucas peças de vestuário (Mar. 1:6).

Conforme explicou o Senhor Jesus, «...nem se põe vinho novo em odres velhos; do contrário, rompem-se os odres, derrama-se o vinho, e os odres se perdem» (Mat. 9:17). Esses odres eram feitos de peles de animais, costurados em determinados lugares, fechando-os inteiramente. O suco espremido da uva era posto nesses odres. No seu interior, o suco da uva fermentava, fazendo estufar os odres. Cada odre só servia para ser usado por uma vez. Se fosse usado novamente, visto que já estava distendido ao máximo, com a formação dos gases da fermentação do suco da uva, acabaria estourando. O que Jesus quis ensinar é que os princípios fundamentais do Novo Testamento não podem ser contidos pelos limites estreitos do Antigo Testamento. Se isso for feito, tanto um quanto outro haverão de estragar-se quanto à sua pureza. Erram muito, pois, aqueles que querem misturar os princípios da lei com os princípios da graça, como fazem, para exemplificar, — os Adventistas do Sétimo Dia, em que pese todo o afã deles por observarem a lei mosaica, mormente o dia de sábado.

Há algumas referências bíblicas a enfermidades humanas da pele. Que, em seu período de aflição, Jó sofria de varíola, é uma grande possibilidade. Ele foi afligido com feridas da cabeça aos dedos dos pés, ao ponto de seus amigos quase não poderem reconhecê-lo (Jó 2). Sua condição era de uma feroz coceira, pois ele chegou a se raspar com um pedaço de cerâmica. Ele mesmo comentou como segue: «A minha carne está vestida de verdes e de crostas terrosas; a minha pele se encrosta e de novo supura» (Jó 7:5). Essa descrição ajusta-se bem a algum caso severo de varíola embora haja outras possibilidades.

A lepra era uma temida doença da pele por todo o Antigo e o Novo Testamentos. No tempo de Moisés, que tinha avançadas idéias de medicina preventiva, era dever dos sacerdotes resolverem se um homem tinha sido afetado pela lepra ativa, o que o obrigava a viver separado da população em geral. Os sacerdotes também precisavam decidir se a enfermidade havia cessado. Os critérios usados nesse exame dos pacientes aparecem no décimo terceiro capítulo do livro de Levítico. Cristo purificou, — numa única oportunidade, dez leprosos. A cura envolveu a restauração das porções danificadas dos corpos deles (ver Luc. 17:11-19).

Existem provérbios bem conhecidos concernentes à pele, que se derivam das Escrituras. Jó declarou: «Os meus ossos se apegam à minha pele e à minha carne, e salvei-me só com a pele dos meus dentes» (Jó 19:20). E Jeremias perguntou: «Pode acaso o etíope mudar a sua pele, ou o leopardo as suas manchas?» (Jer. 13:23). Ver também o artigo sobre *Curtidor*.

PELEGUE

No hebraico, «divisão» ou «canal (de água)». Esse foi o nome de um filho de Éber e pai de Rau (Gên. 11:19), na quarta geração depois de Sem. Ele foi assim chamado porque, em seus dias «a terra foi dividida». Ao que tudo indica, isso alude a como o povo da terra foi disperso por ocasião da torre de Babel (ver Gên. 11:1-9). A tradição era que todos os habitantes da terra descendiam dos três filhos de Noé (ver Gên. 9:19). Mas, uma outra teoria acerca desse nome é que o homem de algum modo estava vinculado a Falga, uma cidade da Mesopotâmia, situada na junção (ponto de divisão) do rio Caraboas com o rio Eufrates. O substantivo comum *peleg* pode significar «canal». Portanto, Pelegue poderia referir-se a um território e seu povo, cujo território era bem regado por águas. A palavra assíria para «canal» é *palgu*, o que empresta apoio lingüístico a essa interpretação.

PELES DE ANIMAIS (TRABALHO EM COURO)

Esboço

1. Artigos a Examinar e Vocabulário
2. Antiguidade do Uso do Couro
3. Natureza das Peles de Animais e Processo de Curtição
4. Peles Usadas e Informes Bíblicos
5. Paulo e seus Pergaminhos

1. Artigos a Examinar e Vocabulário

Ver os artigos separados intitulados *Peles de Animais Marinhos; Peles de Cabras; Peles de Carneiro* e *Peles de Ovelhas*. Ver também sobre *Artes* e *Ofícios*. A palavra que a Bíblia usa no Antigo Testamento, para indicar «couro», é o termo hebraico, *or*, que aparece por um total de noventa e nove vezes, podendo ser traduzido por «couro», «pele», desde Gên. 3:21 até Miq. 3:3. No Novo Testamento, encontramos *derma*, palavra grega empregada por apenas uma vez, em Heb. 11:37. E o adjetivo, *dermátinos*, «feito de couro», «feito de pele», ocorre por duas vezes. O couro é a pele tratada de algum animal, então usado na feitura de vestuário, sacolas e muitos outros itens de uso caseiro ou pessoal.

2. Antiguidade do Uso de Couro

A manufatura do couro é tão antiga quanto a própria história. Na China, há menção ao uso do couro desde seus dias mais remotos. Artefatos de couro têm sido encontrados em mausoléus do Egito. Os babilônios e os persas sabiam curtir o couro, e transmitiram esse conhecimento aos gregos e aos romanos. Até onde a arqueologia tem sido capaz de descobrir, os índios norteamericanos trabalhavam com couro, fazendo desse material grande variedade

PELES DE ANIMAIS

de objetos.

3. Natureza das Peles de Animais e Processo de Curtição

O processo de curtição impede a putrefação, e as peles assim tratadas atravessam séculos. De fato, alguns dos maiores manuscritos do mar Morto (vide) eram feitos de couro, com o nome latino de *vellum*.

As peles de animais consistem em três camadas, epiderme, mesoderme e derme, cada qual mais profunda que a anterior. A epiderme, que não pode ser tingida, é removida juntamente com os pêlos. Isso deixa a mesoderme e a derme, a fim de serem tratadas. A epiderme, onde estão os pêlos ou a lã, é uma camada pouco espessa, também chamada cutícula. É abaixo dela que fica a mesoderme ou cório, mais espessa, e que é a verdadeira pele. Então vem a derme, mais abaixo. Visto que a camada mais externa, a epiderme, não se combina com o *tanino* (ou outras substâncias e os compostos químicos usados na curtição), é mister removê-la juntamente com os pêlos, conforme já dissemos. A camada intermediária, que se torna então a camada mais externa, é feita de fibras gelatinosas. Ela contém fluidos que servem para renovar a cutícula e manter a pele úmida e flexível. No processo da curtição, esse material é removido, o que reduz o peso da pele, deixando apenas o material fibroso. A *derme* consiste em tecido conetivo frouxo, onde ficam as glândulas sebáceas e sudoríparas, juntamente com vasos sangüíneos e fibras musculares. Essa mistura chama-se *lado carnal*. Quando é tratada, a derme serve para dar maior resistência ao cório. O cório é que pode ser tratado até tornar-se uma superfície fina e polida. Sendo uma substância orgânica, a pele é feita de carbono, oxigênio, hidrogênio, nitrogênio e enxofre.

Na antiguidade, as peles de animais eram preparadas mediante a remoção das partes inúteis. Então, o couro era mergulhado em grande cubas, em líquidos apropriados. Isso removia todos os vestígios de gordura, sangue, pêlos e epiderme. Depois, as peles eram esticadas e postas a secar. Em seguida, eram bezuntadas em azeite e esfregadas, e finalmente, eram tingidas.

4. Peles usadas e Informes Bíblicos

Uma grande variedade de animais era usada para aproveitamento de seu couro. Sabemos que, nos tempos bíblicos, eram usados animais como bois, jumentos, ovelhas, cabras, cabritos, carneiros (ver Gên. 27:16; Êxo. 25:5), lagartos, texugos, leopardos, crocodilos, cavalos e camelos. Atualmente, vários tipos de peixes também fornecem couros que podem ser usados em trajes elegantes e itens decorativos. Uma sandália de longa duração era feita de uma pele especial, talvez da toninha. Ver Eze. 26:10.

A primeira menção bíblica a peles aparece no relato sobre o jardim do Éden, onde se lê que Deus fez vestes de peles de animais para Adão e Eva (Gên. 3:21). Sabemos, mediante referências literárias e descobertas arqueológicas que objetos de couro de todos os formatos eram usados nas terras bíblicas e imediações. O trecho de Lev. 13:47-49 fala sobre uma doença da pele humana, chamada lepra. Sabe-se que essa palavra, na antiguidade, tinha muitas conotações, além daquilo que, atualmente, se conhece como de Hansen, ou lepra. Há estudiosos que supõem que condições de má conservação atacavam os couros, quando mal curtidos; e assim, o que eles chamavam de lepra, seria apenas uma forma de decadência causada por bactérias.

Elias usava uma espécie de cinturão de couro (ver II Reis 1:8). João Batista, na qualidade de segundo Elias, usava vestes de pêlos de camelo e um cinturão de couro (ver Mat. 3:4). O autor da epístola aos Hebreus mencionou *peles de cabras* como material de que eram feitas as vestes dos santos afligidos da antiguidade (Heb. 11:37). Havia itens do tabernáculo que eram feitos de couro; e o tabernáculo também era coberto por duas camadas de couro, uma de «peles de carneiros» e outra de «peles de animais marinhos» (vide), segundo se lê em Êxo. 26:14 e Núm. 4:6. A arqueologia tem demonstrado abundantemente o uso do couro para fabrico de recipientes de água ou de vinho. O vinho novo, não-fermentado, precisava ser posto em recipientes novos, flexíveis, e não em «odres» (nome desses recipientes de couro, no Novo Testamento) velhos e ressecados, para evitar rupturas. Ver Mat. 9:17. Essa circunstância foi usada pelo Senhor Jesus para ilustrar que o antigo judaísmo não podia conter a nova e expansiva fé cristã, que se estava desenvolvendo. E isso, por sua vez, significa que o cristianismo não era apenas um judaísmo reformado, e, sim, uma autêntica progressão espiritual, levando os crentes a novos níveis de espiritualidade.

O couro era um material usado na feitura de livros, na antiguidade. Suas principais desvantagens eram o alto preço e o volume. Somente com o tempo começaram a ser usados materiais mais parecidos com o nosso papel, muito menos espessos, mais baratos, mais abundantes. Paulo solicitou de Timóteo que lhe trouxesse alguns livros, incluindo aqueles escritos em pergaminho, talvez contendo porções do Antigo Testamento, além de outras obras de valor. Ver II Tim. 4:13. O pergaminho não pode ser confundido com o *papiro* (vide). Este último era um material feito de uma cana com esse nome, ao passo que o *pergaminho* (vide) era um couro finíssimo, bem tratado. Embora não sejamos diretamente informados quanto a isso, tudo indica que Paulo era fabricante de tendas; e quase todas as tendas da antiguidade eram feitas de couro. Alguns dos principais manuscritos do mar Morto eram feitos de **velino**, ou seja, peles costuradas umas às outras. E quase todos os manuscritos do Novo Testamento, a partir do século IV D.C., foram escritos sobre **velino**, ainda que os manuscritos mais antigos que possuímos do Novo Testamento tenham sido escritos sobre papiro.

O couro também era usado no fabrico de escudos. Esses escudos eram de madeira revestida de couro. Eram de menor qualidade que os escudos de metal, é claro, mas ainda assim davam proteção, além de serem mais baratos. Sabemos que os gregos e romanos usavam esse tipo de escudo. Os trechos de II Sam. 1:21 e Isa. 22:6 também se referem a esse tipo de escudo. Os egípcios, por sua vez, usavam artefatos de couro para cobrir e decorar paredes, tetos, portas e assoalhos. Excelente mobiliário também era fabricado em couro. Tronos e leitos eram feitos de peles especialmente tratadas e tingidas. As mulheres ricas tinham suas sacolas de couro, e vários artigos de uso pessoal também eram feitos desse material. As botas, os capacetes, os escudos, as aljavas para flechas e a corda dos arcos, como também as bainhas de espadas, eram feitos de couro, usados pelos soldados. Selas de montaria, botas e partes de carruagens também eram feitas de couro.

As tribos nômades sabiam tingir peles. Nas cidades, certas pessoas ocupavam-se nesse mister, curtindo couros ou vendendo artigos feitos de couro. Em Jope, Simão, o curtidor (ver Atos 10:6), era um desses profissionais. Era costumeiro os curtidores viverem fora das muralhas das cidades ou seus limites, em face dos odores desagradáveis que seus produtos emanavam.

PELES DE ANIMAIS — PELETE

5. Paulo e Seus Pergaminhos

«O idoso pregador poderia sentir-se feliz só com os seus livros» (Robertson, comentando sobre II Tim. 4:13). Paulo demonstrou interesse particular por certos pergaminhos, os quais, provavelmente, incluíam porções do Antigo Testamento. Ele também queria que Timóteo lhe trouxesse outros livros, cuja natureza não foi especificada. É bem provável que aquele texto aluda a seleções da biblioteca pessoal (e, provavelmente, pequena) de Paulo. Material dessa ordem revestia-se de grande valor na antiguidade. Ver o artigo sobre *Alexandria, Biblioteca de*, quanto a uma noção acerca das dimensões a que chegaram as bibliotecas na antiguidade. Estando encarcerado, Paulo precisava de seus livros, conforme declarou; e, sem dúvida, lhes dava grande valor. Os ministros antiintelectuais fariam bem em observar essa particularidade. Em sua hora de provação, Paulo, sem dúvida, voltou-se para a oração e a meditação; mas sem dúvida ele também desejava ler os seus livros.

Esta vida seria brutal se, algumas vezes,
Não tivéssemos claros vislumbres de um escopo mais vasto,
Indícios de uma ocasião infinita.
......
Algumas vezes, ao andar pelas ruas,
Ou nos montes, sempre sem aviso prévio,
Uma graça de ser, mais excelente do que somos,
Que acena mas desaparece, uma vida mais ampla
Que se impõe a si mesma, com rápido vislumbre
De círculos espaçosos, ilumina-nos a mente.

(James Russell Lowell)

O mais nobre uso do couro sempre foi o fabrico de livros. Por meio deles, os homens comunicavam seus pensamentos, sua filosofia, suas esperanças. (AM ED(1927) ID KLIN Z)

PELES DE ANIMAIS MARINHOS

As traduções exprimem a palavra hebraica envolvida de diversas maneiras, a qual aparece por catorze vezes no Antigo Testamento, principalmente nos livros de Êxodo e Números, embora também uma vez em Ezequiel 16:10. A palavra hebraica envolvida era empregada em duas conexões: 1. O material usado para cobrir o tabernáculo (ver Êxo. 25:5 *ss.*), bem como a arca da aliança, quando os israelitas se punham em marcha (ver Núm. 4:6 *ss*). 2. Um material usado para o fabrico de sandálias (ver Eze. 16:10).

Fatos a considerar. O nome hebraico foi dado em relação a uma área desértica, perto do golfo de Áqaba. As peles eram de grandes dimensões. Assim, a arca da aliança era coberta por uma única dessas peles. Poucos animais do deserto poderiam satisfazer a essa qualificação. O trecho de Eze. 16:10 mostra-nos que o material era caro, visto ter sido alistado entre coisas valiosas. Alguns estudiosos têm pensado em peles de cabras, ao invés de tentarem encontrar um animal que vivesse no deserto. Mas outros eruditos insistem que se tratava da foca, ou de algum tipo pequeno de baleia. Além disso, temos a considerar o boi marinho, que era abundante nas costas do golfo de Áqaba, e cuja pele era usada com muitas serventias. O boi marinho adulto tem cerca de três metros de comprimento, e uma única pele desse animal facilmente poderia cobrir a arca. Era um animal vegetariano, cujas patas dianteiras tinham a forma de nadadeiras, e destituído de patas trazeiras, pelo que não podia abandonar a água. Seria um animal semelhante ao nosso «peixe-boi», abundante na Amazônia. O animal vive em grupos de até seis indivíduos. Em certas áreas do mundo a espécie está em via de extinção. Parece ser esse o animal referido naquelas catorze passagens do Antigo Testamento: Êxo. 25:5; 26:14; 35:7,23; 36:19,34; Núm. 4:6,8,10-12,14,25 e Eze. 16:10. (BOD ID Z)

PELES DE CABRAS

A rigor, a expressão ocorre somente em Hebreus 11:37, no original grego, *dérma aígeion*, «peles de cabra», onde o autor sagrado referia-se a certos homens de grande fé, nos dias do Antigo Testamento, que, em meio às suas privações e hábitos frugais, chegaram a usar vestes feitas de peles de carneiros e peles de cabras. Ver o artigo separado sobre *Vestimentas*. E ver também sobre *Cabra*.

As peles de cabras serviam de útil material para o fabrico de vestes e de coberturas de grande duração. Assim, elas foram empregadas como cobertura para o tabernáculo armado no deserto do Sinai (Êxo. 26:14), como também para a arca da aliança e para outros móveis e artigos do tabernáculo (Núm. 4:6-14). Por semelhante modo, certos calçados femininos eram feitos desse material, em Israel e em outros países (Eze. 16:10). Todavia, muitas traduções, como a nossa tradução portuguesa, preferem traduzir por «peles de animais marinhos» (vide). E alguns estudiosos pensam que a palavra hebraica por detrás dessa tradução, *tachash*, significa «coisas vermelho-escuro».

PELES DE CARNEIROS

No hebraico, **or**, indicando peles de carneiros, tingidas de vermelho, usadas como a quarta cobertura do tabernáculo (Êxo. 25:5; 26:14; 35:7,23; 36:19; 39:34). Peles de carneiros, tratadas com azeite, até hoje são usadas pelos pastores do Oriente Próximo. Elas fornecem boa proteção contra o vento e a chuva. Os sírios continuam tingindo de vermelho essas peles, esfregando-as com um corante vermelho. Então com essas peles são fabricados sapatos e sandálias.

PELES DE OVELHAS

A rigor, essa expressão aparece somente em Hebreus 11:37 (no grego, *meloté*). Essa palavra grega aponta para uma veste simples, feita com peles de ovelhas tingidas.

É possível que uma pele de ovelha, que até em nossos dias é um artigo ordinário do vestuário, no Oriente, tenha sido a veste feita por Deus para o primeiro casal, Adão e Eva, no jardim do Éden, após a queda no pecado (Gên. 3:21). Essa era a veste comum dos profetas de Israel, conforme se vê na expressão de Zacarias 13:4, «manto de pêlos». De fato, esse tipo de veste tornou-se uma espécie de marca registrada dos profetas hebreus. O Senhor Jesus advertiu os seus seguidores acerca dos impostores que haveriam de se vestir (metaforicamente falando) desse modo, ao dizer: «Acautelai-vos dos falsos profetas que se vos apresentam disfarçados em ovelhas, mas por dentro são lobos roubadores» (Mat. 7:15). Esse material também foi utilizado para servir de cobertura do tabernáculo erigido no deserto onde os israelitas vaguearam por cerca de quarenta anos. Ver Núm. 4:25.

PELETE

No hebraico, «escape» ou «livramento». Nome de

PELETITAS — PENALOGIA

duas pessoas que aparecem no Antigo Testamento:
1. O quarto filho de Jadai, da tribo de Judá (I Crô. 2:47). Ele viveu por volta de 1657 A.C.
2. Um descendente de Azmavete, um benjamita e guerreiro que tomou o partido de Davi, contra Saul, e uniu-se às suas forças, em Ziclague (I Crô. 12:3). Isso aconteceu em cerca de 1015 A.C.

Com grafia diferente no hebraico, e com outro sentido, «fuga», «pressa», embora grafado do mesmo modo em nossa versão portuguesa, temos outros dois homens, a saber:
1. O pai de Om, da tribo de Rúben (ver Núm. 16:1). Ele fez parte da rebelião de Coré contra Moisés e Aarão. Seria o ano de 1657 A.C.
2. Um filho de Jônatas, da tribo de Judá, da família de Hezrom (I Crô. 2:33). Ele descendia de Jerameel, através de Onã. Viveu em torno de 1618 A.C.

PELETITAS

No hebraico, «corredores» ou «correios». Uma referência àqueles que levavam as ordens do rei a lugares distantes. Com a passagem do tempo, esse nome veio a tornar-se o nome de uma família. Ao que parece, os *peletitas* e os *quereteus* (vide) eram estrangeiros, provavelmente filisteus que passaram a fazer parte da comunidade de Israel. Seja como for, alguns deles tornaram-se valentes guerreiros a serviço de Davi (ver II Sam. 15:18-22; 20:7). Temos fornecido maiores detalhes sobre eles no artigo sobre os *Quereteus*.

PELICANO

No hebraico **qaath**, uma ave mencionada em Lev. 11:18; Deu. 14:17 e Sal. 102:6. Talvez na última dessas três referências esteja em vista o «abutre», segundo se vê em algumas versões. No hebraico, o nome dessa ave é um termo cognato da palavra para «vomitar». Duas circunstâncias explicam isso. Em primeiro lugar (embora erroneamente), o pelicano alimenta-se principalmente de ostras, para depois regurgitar as conchas, enquanto digere o resto. A verdade é que esse pássaro regurgita o alimento para alimentar seus filhotes, apresentando a eles alimento parcialmente digerido, o que é necessário para a sobrevivência dos mesmos. Os filhotes alimentam-se enfiando a cabeça na garganta de seus pais.

Os pelicanos não vivem como aves residentes na Palestina, mas visitam essa região, onde podem ser vistos ocasionalmente. Passam pelos céus da Palestina o mais rapidamente possível, em bandos de diversas centenas. Voam planando com asas quase paradas, usualmente na direção norte. Durante o inverno vivem nos lagos da África central, e viajam para a região do mar Negro para o choco. Alguns deles dirigem-se à Europa central e à Europa oriental. O pelicano é uma das maiores aves do mundo, com um corpo com cerca de 1,50 m, de comprimento. Pescam em grupos, usando seus bicos e papos como se fossem redes de pesca. O pelicano marrom norte-americano mergulha na água atrás dos peixes, embora não seja esse o hábito da espécie que pode ser vista na Palestina. O pelicano é essencialmente um pássaro tropical, é muito gregário, dotado de vôo poderoso, capaz de voar a grandes altitudes. Duas espécies podem ser vistas na Palestina, cujos nomes científicos são *Pelecanus onocrotalus* e *Pelecanus crispus*.

PELONITA

Essa designação foi aplicada a Helez e a Aías, que foram dois dos trinta heróicos guerreiros de Davi, que se aliaram a ele contra Saul, acompanhando-o em seu exílio em Ziclague. Ver I Crô. 11:27; 27:10. Mui provavelmente, Aías é o mesmo homem chamado Eliã em II Sam. 23:34. Helez é chamado de paltita (nativo de Bete-Pelete) em II Sam. 23:26.

PÊLOS DE CAMELO

Os pêlos de camelo até hoje são usados para fabrico de um tecido grosseiro e resistente; e somos informados, em Mat. 3:4 e Mar. 1:6, que João Batista usava vestes feitas de pêlos de camelo. Jesus contrastou tal tipo de vestuário com os tecidos finos dos ricos e dos nobres, em Mat. 11:8. Ver também Josefo, *Guerras* I.24,3. Naturalmente, é possível que as roupas de João Batista fossem feitas do couro do camelo, e não de um tecido feito com os pêlos desse animal. Até hoje os beduínos fazem mantas de pêlos de camelo. A manta de pêlos parece ter sido uma marca registrada dos profetas (Zac. 13:4), mais ou menos como a manta era usada pelos filósofos-mestres profissionais, nos tempos antigos. Elias usava um manto de pêlo de camelo e um cinturão de couro (II Reis 1:8). E alguns supõem que João Batista o imitou, de modo proposital ou então inconsciente. Esse mesmo material era usado para fabrico de tendas e capas externas.

Uso Figurado. O trecho de Zacarias 13:4 parece fazer desse tipo de vestuário um sinal dos profetas. O verdadeiro líder espiritual prejudica-se quando assume as características dos ricos e nobres, por ser um homem que rejeitou a tudo, devendo manter um estilo de vida simples, para que a sua mensagem não seja impedida. Aquele que clama contra o pecado, dificilmente pode fazer companhia aos pecadores que usam de ostentação e luxo. (H I IB S)

PELUSIUM

Essa é a transliteração grega de um nome egípcio, cujo significado é desconhecido. A forma grega significa «cidade de lama», mas os eruditos não crêem que isso reflita o significado do original egípcio. Seja como for, essa cidade estava situada na extremidade nordeste do delta do rio Nilo. Parece que a área de alagadiços deu nome à cidade, em sua versão grega. Alguns estudiosos acreditam que essa cidade é a Sin mencionada na Bíblia. Por uma coincidência verbal, a palavra hebraica *Sin* significa «lama». A cidade era notável por seu linho e por seu vinho. Em tempos posteriores, tornou-se um lugar fortificado que resistiu aos sírios. O trecho de Eze. 30:15 chama-a de «fortaleza do Egito».

Pelusium foi o palco de muitas batalhas na antiguidade. Em 525 A.C., Cambises derrotou ali aos egípcios, fazendo do Egito uma província persa. Em 343 A.C. caiu sob o domínio de Artaxerxes; mas, em 333 A.C., Alexandre, o Grande, tomou posse da cidade. Em 169 A.C. caiu sob o domínio de Antíoco IV. Em 55 A.C., Galbínio e Marco Antônio capturaram-na, o que significa que o poder romano estendeu-se sobre a região. Os romanos fizeram de Pelusium uma estação importante à beira da estrada que levava ao mar Vermelho. Foi nessa cidade que nasceu o notável geógrafo Ptolomeu. Atualmente, tudo quanto resta da cidade antiga são alguns poucos cômoros e fragmentos de colunas partidas.

PENALOGIA

Esse termo português vem do latim **poena**, «pena»,

PENALOGIA — PENAS ECLESIÁSTICAS

e do grego **logia**, «estudo», ou seja, a ciência que trata dos castigos, da prevenção do crime e o gerenciamento de prisões e reformatórios. Vários artigos desta enciclopédia tratam dessa questão. Ver *Punição Capital; Punição Corporal; Reforma das Prisões; Punição e Retribuição*.

Problemas Relacionados a essa Ciência:
1. A severidade e a duração dos castigos.
2. Sistemas educacionais que ajudem a reabilitar os prisioneiros, e não somente que os castiguem.
3. Instrução religiosa com esse mesmo propósito.
4. Cooperação de várias ciências, com esse mesmo propósito.
5. A questão do aprisionamento e do banimento.
6. A relação entre a insanidade e os hospitais para alienados mentais.
7. As alternativas das prisões domiciliares e da liberdade condicional.
8. A alternativa do trabalho forçado, ou dos serviços públicos, em lugar do aprisionamento.
9. A alternativa das multas para substituir ao aprisionamento.
10. A alternativa da restituição às vítimas dos crimes, para substituir ao aprisionamento ou suplementá-lo.

PENAS ECLESIÁSTICAS

Ver o artigo sobre **Disciplina**. Os seres humanos, imperfeitos como são, requerem a orientação e as pressões que lhes são impostas pelas penas baixadas contra os erros que praticam, mesmo quando o contexto dentro do qual cometem esses erros é a Igreja. As várias divisões do cristianismo aplicam variegadas formas de disciplina. Os grupos evangélicos têm a tendência de permanecer mais perto das declarações bíblicas, no tocante ao que fazer com o indivíduo que erra, ao passo que a Igreja Católica Romana tem desenvolvido um sistema disciplinar mais elaborado.

Esboço:
I. Princípios Envolvidos
II. Infrações
III. Algumas Penas
IV. Maneiras de Aplicar

I. Princípios Envolvidos

A fé cristã requer que o indivíduo goze de grande liberdade de ação, a fim de poder manter a sua autonomia, porquanto uma única alma humana tem mais valor que a criação física inteira (Mar. 8:36). Paulo reconhecia o princípio da liberdade cristã quanto àquelas questões que não são eticamente críticas, embora fossem precisamente isso para *algumas* pessoas. Ver o décimo quarto capítulo de Romanos. O Novo Testamento pode ser usado para mostrar quais coisas estão franqueadas à liberdade cristã, e quais coisas realmente contradizem os princípios morais. Naturalmente, há ramos do cristianismo que não concordam quanto à interpretação dessas instruções, em sua íntegra, ainda que, em sentido geral, as diretrizes lhes pareçam claras.

Nem sempre, porém, pode um ato ser explicado pelo uso ou pelo abuso da liberdade. Há tal coisa como o pecado. Quando o erro real penetra, a atitude da Igreja deveria caracterizar-se pela razão, pela gentileza e pela consideração, na atitude de quem procura restaurar àquele que errou, como alvo mais importante do que a punição. De fato, a própria punição deveria ser um meio de restauração, e não de mera retribuição.

O propósito da Igreja cristã não deve tentar aniquilar a vontade do indivíduo e moldá-la à vontade da maioria. É preciso manter certa latitude de idéias e práticas. Mas, quando o erro genuíno penetra, então é mister, para a saúde do corpo místico inteiro, que a disciplina seja devidamente aplicada.

A Igreja precisa reconhecer a dependência mútua entre seus membros, bem como a sua individualidade. A própria liberdade também precisa reconhecer esse princípio.

Nas igrejas ou denominações cristãs menos formalizadas, a base das penas aplicadas são as Escrituras que tratam da disciplina, como Mat. 18:15-18; I Cor. 5:5; II Cor. 2:6; I Tim. 1:20. Mas as igrejas ou denominações mais formais, como na Igreja Católica Romana, têm desenvolvido um sistema de leis canônicas. Ver sobre o *Cânon*, sétimo ponto, quanto a uma descrição a esse respeito. Entretanto, várias dessas medidas são desnecessárias no caso de igrejas com pouca ou nenhuma hierarquia. Os tribunais eclesiásticos (que vide) tornaram-se parte das sanções eclesiásticas. Houve tempo em que os tribunais eclesiásticos não tinham maior autoridade do que qualquer tribunal secular; e tinham o poder de impor punição a indivíduos que tivessem praticado crimes civis, e não apenas de natureza religiosa. De fato, em certos estágios da história eclesiástica, a distinção entre esses dois tipos de tribunal praticamente se perdeu, da mesma maneira que sucedeu no antigo povo de Israel, onde não havia, virtualmente, separação entre a Igreja e o Estado.

II. Infrações

A maioria das infrações cometidas na Igreja produz apenas cenhos franzidos e comentários adversos. Algumas vezes, os sermões incluem alfinetadas que visam membros específicos, que não estejam andando de acordo com os princípios e *ideais* do Novo Testamento. Usualmente a disciplina é evitada, mediante um recado dado por algum oficial eclesiástico.

Em certas ocasiões, porém, infrações sérias e mesmo crimes, são cometidos por membros de igrejas. No caso de igrejas menos formais, isso torna-se uma questão para ser tratada nos tribunais civis. Esses são os *delicta fori mixti*, os quais, na Igreja ocidental, são punidos tanto pelas autoridades civis quanto pelas autoridades eclesiásticas. Essas infrações incluem o suicídio, o aborto, o duelo e outras coisas que são castigadas pelas leis civis, como os furtos, os assaltos, os seqüestros, etc. O membro de uma igreja que se torne assassino, sob hipótese alguma pode ser considerado um membro de boa posição, e terá de enfrentar a lei civil, sem importar quais outras medidas a sua igreja venha tomar.

As infrações não-eclesiásticas, no mundo atual, não são tratadas conforme costumavam ser durante a Idade Média, por tribunais que tinham todo o poder civil e eclesiástico. E nem impõem as igrejas penas que pertencem, com maior propriedade, às autoridades civis. Os hereges não continuam sendo banidos ou executados, mas podem ser separados da comunhão da igreja local. A hierarquia maior da Igreja Católica Romana apresenta a possibilidade de haver certos crimes eclesiásticos como a profanação das santas espécies (o pão e o vinho da eucaristia), a violência contra a pessoa do papa ou de outras figuras eclesiásticas, a violação do selo da confissão sacramental, a apostasia, a heresia, o impedimento das funções das autoridades eclesiásticas, a aderência à maçonaria, a participação nas atividades de seitas não-católicas, a violação do enclausuramento das freiras, a manufatura de relíquias falsas, etc.

PENAS ECLESIÁSTICAS — PENDÃO

Em algumas igrejas, o número das coisas dessa natureza é grandemente multiplicado, cobrindo todas as áreas da vida como a participação em atividades mundanas, vestes indecentes, certos penteados, a falta de freqüência à igreja, etc. Porém, para alguns grupos evangélicos há poucas coisas tão drásticas como o desvio de idéias, mesmo quando isso não possa ser classificado como heresia franca. Casar-se fora do próprio grupo é considerado um problema sério em quase todos os grupos cristãos, mesmo quando tal matrimônio se dá com membros de alguma outra denominação *cristã*.

III. Algumas Penas

Nos grupos cristãos menos formais, às vezes, um membro aborrece o outro, não por meio de algum ato formal, mas como se fosse uma censura. A palavra de conselho do pastor ou de outro oficial eclesiástico é uma penalidade suave comum. Se alguma infração for mais séria, talvez a igreja sinta ser mister aplicar a pressão exercida por dois ou três outros membros, na companhia de quem o pastor visita o membro ofensor. Nos casos radicais, quando é sentido que o melhor é remover o membro faltoso do rol de membros da igreja, a questão é considerada por toda a congregação, ou então pelo presbitério (dependendo do tipo de governo eclesiástico existente). Essas questões são abordadas no artigo sobre a *Disciplina*, com textos de prova apropriados.

A Igreja ocidental fala em termos de duas classes gerais de penas: a primeira dessas categorias compõe-se das *censuras*, também chamadas *penas medicinais*. Em segundo lugar, há as *penas vindicativas*, cuja finalidade é infligir castigo. A primeira dessas categorias tem a esperança de produzir a reforma; a segunda categoria aplica à pessoa o que ela merece por suas más ações. Além disso, há as *penitências* (que vide), que visam à *satisfação* ou reparação. As penas vindicativas, naturalmente, também podem ter um aspecto medicinal. A própria exclusão é tanto vindicativa quanto medicinal. A privação de sepultamento cristão, como nos casos de suicídio, é uma espécie de medida vindicativa pós-morte. Os ministros que erram estão sujeitos às suas próprias penas como a deposição do cargo, a privação de direitos de ofício, a perda das vestes eclesiásticas e a suspensão, digamos, do direito de celebrar missas ou ouvir confissões, no caso de padres católicos romanos. A exclusão, visto que envolve muitos níveis de infração, é uma medida extremamente complexa na Igreja Católica Romana. Os excomungados são classificados de acordo com três classes diversas: 1. Os *tolerati*. Esses são aqueles que praticaram erros particulares. Esses não podem participar dos ofícios divinos, mas são excluídos das reuniões da igreja. 2. Os *notorii*. Esses são aqueles cujos erros são notórios, que vieram a tornar-se públicos. Os culpados são excluídos dos ofícios divinos, embora não necessariamente dos cultos da igreja. Se não se declararem arrependidos, poderão sofrer a pena de não terem sepultamentos cristãos. 3. Os *vitandi*, ou seja, aqueles que *devem ser evitados*. Esses são excluídos dos ofícios divinos, bem como de qualquer participação em funções eclesiásticas, embora não dos contatos sociais necessários. Esse tipo de exclusão só pode ser declarado pela Santa Sé, e atualmente somente os casos mais graves são assim tratados.

IV. Maneiras de Aplicar

Nas igrejas menos formais, o modo de proceder é simples: uma pessoa fala com outra e exprime seu desprazer; o pastor aconselha o ofensor, algumas vezes na presença da pessoa ofendida; o pastor leva outros oficiais da igreja, como os diáconos e anciãos, a fim de pressionar o membro ofensor; uma assembléia geral da igreja é convocada e as questões são discutidas; penas são impostas ao membro infrator. As penas mais sérias são a exclusão, talvez com a suspensão da mesma se houver evidência de arrependimento. Nos casos severos, que tratam de crimes morais graves, a pessoa pode ser entregue a Satanás, para destruição do corpo (I Cor. 5:5). Só tenho visto um único caso dessa natureza; mas suponho que muitos têm tentado impor essa pena sem sucesso. Pois Deus nunca fará qualquer coisa dessa natureza, somente porque algumas pessoas pensam que assim deve ser feito, e cujos motivos não são perfeitamente justos.

Na Igreja ocidental, as maneiras de proceder são muito complexas, sendo governadas por leis específicas. As *ferendae sententiae* são penas impostas por sentenças judiciais. Atualmente, são raramente impostas a membros leigos da Igreja Católica Romana. Usualmente, essas penas envolvem um julgamento na presença de um juiz. As *latae sententiae* envolvem casos onde leis específicas estão envolvidas e as penas são impostas sem a necessidade de qualquer julgamento, por já serem penas previstas na legislação. A exclusão pode ser uma das penas impostas. Das pessoas espera-se que saibam o bastante acerca das leis e das penas de suas igrejas, para que tenham consciência do que lhes poderá suceder, se cometerem certos erros. As *ferendae sententiae* (impostas principalmente contra membros ofensores do clero) envolvem julgamentos com advogados de defesa e modos de proceder muito parecidos com os dos tribunais seculares. Nesses casos, o juiz tem o poder de escolher entre penas alternativas possíveis, repreendendo no caso de uma primeira ofensa, ou suspendendo uma sentença já baixada. A audição perante um bispo pode substituir esse método, embora essa substituição não seja permitida no caso de ofensas mais sérias.

A disciplina e as penas têm por intuito reformar e não apenas injuriar. Mas, algumas vezes, o indivíduo precisa pagar pelo que fez. Certo autor cuja obra impressa tenho à minha frente neste momento, lamenta-se como segue: «Os fiéis têm ficado mais mornos, mais passivos e menos ativamente irreverentes do que antes—um sinal dos tempos. Mas as regras, conforme elas são, testificam sobre a solicitude da Igreja em favor daqueles que lhe foram confiados». (R)

PENDÃO

Duas palavras hebraicas são assim traduzidas em português:

1. *Degel*, «bandeira», «estandarte». No deserto, cada tribo de Israel tinha seu estandarte identificador (ver Núm. 1:52; 2:2,3). O trecho de Sal. 20:5 usa essa palavra para referir-se aos estandartes usados pelos exércitos que iam à batalha, com inscrições apropriadas, em consonância com seus propósitos e esperanças. Em Can. 6:4,10 temos um uso figurado do termo, referindo-se à aparência distinta da pessoa amada.

2. *Nes*, «bandeira», «insígnia». Era em torno dessa insígnia que os soldados reuniam-se. Em Isa. 11:12, lemos que o Messias levantaria sua bandeira, como sinal de seu poder e de seus propósitos. Talvez esteja implícita aí a assertiva *Yahweh nissi*, ou seja, «o Senhor é a minha Bandeira». Ver Êxo. 17:15 em conexão com essa possibilidade.

Essas bandeiras ou pendões eram erigidos em

PENDENTE — PENHOR

mastros, altos de colinas ou outros lugares elevados, convocando tribos ou exércitos. Ver Núm. 2:2; 21:8 ss; Sal. 60:4; Isa. 11:10; 13:2; Jer. 4:21. Os arqueólogos encontraram uma significativa insígnia dessas quando, nos túmulos reais da Suméria, em Ur (de cerca de 2900 A.C.), encontraram um pendão cravejado com conchas e lápis-lazúli.

Os pendões eram símbolos de identificação, autoridade, propósito—e tornavam-se objetos de ufania e patriotismo.

PENDENTE

No hebraico, devemos dar atenção a três palavras diferentes:

1. *Nezem*, «argola para o nariz ou para a orelha». Ela é usada por quinze vezes no Antigo Testamento: Gên. 24:22,30,47; 35:4; Êxo. 32:2,3; 35:22; Juí. 8:24-26; Jó 42:11; Pro. 11:22; 25:12; Osé. 2:13; Isa. 3:21; Eze. 16:12.

2. *Lachash*, «amuleto». Essa palavra ocorre por apenas duas vezes de modo a poder ser traduzida por pendente: Isa. 3:20 e Ecl. 10:11.

3. *Agil*, «argola». Também é palavra que só figura por duas vezes: Núm. 31:50; Eze. 16:12. Dá idéia de um adorno em forma circular.

Especialmente no caso da primeira dessas palavras temos a idéia de algo «pendurado». Por isso mesmo os pendentes têm um formato que faz lembrar uma gota que cai. O trecho de Juí. 8:24-26 pode indicar pendentes para pôr no nariz ou nas orelhas. Mas também havia pendentes para serem postos sobre a testa. Ver os artigos *Anéis* e *Jóias* e *Pedras Preciosas*.

PENDENTE (COLAR)

A arqueologia tem demonstrado quão comumente eram usados colares, nas terras bíblicas, embora esse item não seja diretamente mencionado na Bíblia mediante algum vocábulo específico. Provavelmente, devemos entender a menção indireta a colares nas passagens gerais que falam sobre jóias e adereços, como Êxo. 35:22, onde se lê acerca de jóias de ouro, juntamente com certos itens específicos.

Os colares eram feitos de vários tipos de metal, incluindo ouro e prata, ou então com pérolas enfiadas em um fio (ver Can. 1:10). Essa referência alude a fieiras de jóias e correntes de ouro, estando em pauta algum tipo de colar. Aos colares eram presos pendentes, com a forma de crescentes de ouro (ver Isa. 3:18; Juí. 8:21), como também amuletos (ver Isa. 3:18). No Egito e na Babilônia era costumeiro o uso de uma corrente de ouro em volta do pescoço, descansando sobre o peito (ver Gên. 41:42; Dan. 5:7, 16, 29).

PENDENTES

No hebraico, temos a palavra **netiphoth**, que aparece somente em Juízes 8:26 e Isaías 3:19. Na primeira dessas passagens, nossa versão portuguesa a traduz por arrecadas; e, na segunda, por pendentes. Apesar da dúvida refletida nessas duas traduções diferentes, parece estar em vista o tipo de enfeite que, na antiguidade era usado tanto por homens quanto por mulheres, os pendentes. Estes podiam ser usados pendurados ao pescoço, nas orelhas e na ponta do nariz. A primeira dessas referências faz esses objetos estarem incluídos entre os despojos tomados pelos israelitas dos midianitas e ismaelitas. Há estudiosos que sugerem a tradução «gotas de perfumes».

PENDENTES DE NARIZ

Por incrível que possa parecer, a vaidade feminina levava as mulheres, na antiguidade, a perfurarem a aba do nariz para ali enfiarem um pendente (conforme tantas mulheres hoje em dia furam as orelhas para usar brincos). Esses pendentes, munidos de uma argola, eram feitos de metais preciosos, como o ouro e a prata, nos quais se engastavam contas ou corais. Geralmente, esses pendentes de nariz eram usados no lado direito do apêndice nasal. Esse costume continua até hoje entre as mulheres beduínas, e na Índia. Rebeca usava um desses pendentes de nariz, erroneamente referido em algumas traduções como um brinco de orelha. Ver Gên. 24:22,30. O trecho de Isa. 3:21 mostra-nos que as mulheres, nos dias do profeta Isaías, usavam pendentes do nariz. Entre os presentes que Deus dará simbolicamente a Jerusalém, temos o pendente do nariz, em Eze. 16:12. Ver o artigo geral sobre *Jóias*.

PENEIRA

No hebraico, há duas palavras envolvidas, a saber:

1. *Kebarah*, que aparece somente em Amós 9:9.

2. *Naphah*, que figura também somente por uma vez, em Isa. 30:28.

Um utensílio usado pelos povos orientais para peneirar grãos de cereal. Esse utensílio era feito de talas ou de fios. Nos textos referidos, o instrumento aparece em sentido metafórico, referindo-se ao dia em que Deus julgará as nações gentílicas e a nação de Israel.

PENHAS DAS CABRAS MONTESES

Esse era o nome de um lugar, no deserto que havia próximo de En-Gedi, na margem ocidental do mar Morto. Ali Davi teve a oportunidade de tirar a vida de Saul, embora tivesse preferido poupá-la, por não querer fazer qualquer mal a alguém que, afinal de contas, era também um ungido do Senhor (I Sam. 24:2).

PENHOR

No hebraico, **erabon**, que aparece em Gên. 38:17,18,20. Essa palavra era um termo comercial de origem fenícia, conforme se vê nos papiros que mencionam uma aliança de noivado, usada como penhor ou garantia, como primeiro pagamento por uma vaca, até que o pagamento total fosse efetuado. Também poderíamos compreender isso como se fosse uma primeira prestação de uma venda a prestações. No grego temos o vocábulo *arrabon*, «penhor», «garantia», que figura por três vezes no Novo Testamento: II Cor. 1:22; 5:5 e Efé. 1:14. Em todas essas três passagens neotestamentárias, o Espírito Santo aparece como o penhor ou garantia da nossa herança total. Em outras palavras, enquanto não ressuscitarmos e entrarmos na posse da nossa pátria celeste, o Espírito do Senhor, que nos foi dado, serve de garantia de que não deixaremos de receber a herança por inteiro. Entretanto, lemos na epístola de Policarpo (8:1) lemos que a morte de Cristo é o penhor da nossa justiça final. Isso reflete a doutrina neotestamentária, visto que a nossa retidão está fundamentada sobre a retidão de Cristo, mediante a administração do Espírito Santo. Ver Rom. 3:21 ss.

1. Em II Cor. 1:22 lemos que o dom divino do Espírito Santo é a garantia de que o crente finalmente

entrará na posse e usufruto de toda a sua herança. A palavra «selo» também figura nessa passagem, reforçando a idéia de garantia. Para o crente, isso se traduz em forte senso de segurança.

2. Em II Cor. 5:5 a idéia é reiterada. Ali é dito que uma vez que sejamos retirados de nossa tenda terrestre (o corpo físico) a vida eterna espera por nós, visto que seremos revestidos pela imortalidade.

3. Uma vez mais, em Efé. 1:14, o Espírito Santo aparece como esse penhor. Ali ele aparece como a garantia de que, finalmente, receberemos a nossa herança espiritual, a plena redenção com tudo quanto está implícito na mesma.

É evidente, pois, que esse penhor sempre envolve algo que é maior do que aquilo que o crente já possui no momento. É deveras interessante, pois, que a palavra do grego moderno que indica a aliança de noivado é precisamente esse vocábulo do Novo Testamento. A aliança garante que a jovem se casará, o que, para ela, é algo muito importante. Por igual modo, são importantes para nós todas as garantias que nos são oferecidas nas páginas do Novo Testamento.

PENIEL (PENUEL)

No hebraico, «face de Deus» (ou «forma de Deus»). Nome de dois homens que aparecem no Antigo Testamento, e de uma localidade, a saber:

1. Penuel (uma forma variante do mesmo nome), figura como filho de Hur e neto de Judá. Ele foi o pai (ou fundador) de Gedor (ver I Crô. 4:4). Viveu em torno de 1650 A.C.

2. Um benjamita que residia em Jerusalém, o último a ser nomeado dentre os onze filhos de Sasaque, um líder do lugar. Seu nome também é grafado em nossa Bíblia portuguesa como Penuel, acompanhando o texto hebraico. Ver I Crô. 8:25. Ele viveu por volta de 1600 A.C.

3. *A Localidade*. Esta ficava às margens do ribeiro do Jaboque, a leste do rio Jordão. Foi ali que Jacó lutou contra o anjo que lhe apareceu. Ver Gên. 32:22-32. No vs. 30 desse mesmo capítulo encontramos a forma variante do nome, «Peniel». Jacó obteve uma bênção da parte do Anjo do Senhor, porque, vencendo-O, estava em posição de pedir-lhe algo. Naturalmente, a luta toda envolveu um exercício espiritual com os seus próprios propósitos, e que Jacó percebeu desde o início. De acordo com a antiga teologia dos hebreus, ver ao Anjo do Senhor era mais ou menos o equivalente a ver o próprio Senhor, o que explica o nome do lugar. Também é admirável que Jacó tivesse vencido ao Anjo do Senhor, e tivesse permanecido vivo, ainda assim (ver Gên. 32:31). Sem dúvida temos aí uma grande demonstração da graça divina.

O nome Peniel ocorre de novo no oitavo capítulo de Juízes, onde Gideão busca a ajuda militar dos habitantes do lugar, bem como os de Sucote. Mas isso eles negaram, pelo que, vitorioso, Gideão castigou aos dois lugares com uma matança (ver Juí. 8:17). Jeroboão reconstruiu a cidade, que aparentemente fora reduzida a cinzas nesse tempo (ver I Reis 12:25). Apesar de não haver certeza quanto ao antigo lugar da cidade, ela tem sido identificada com o Tell edh-Dhahab esh-Sherqiyeh, às margens do Nahr ez-Zerqa, idêntico ao do Jaboque, referido na Bíblia. Talvez o nome *Pernual*, que figura na lista de cidades conquistadas pelo Faraó Sisaque, corresponda à Peniel da Bíblia. O incidente com Jacó, em Peniel, ilustra a necessidade que temos de ver a face de Deus, mediante experiências místicas. Ver sobre o *Misticismo*.

PENINA

No hebraico, «coral». Esse era o nome de uma das esposas de Elcana, que foi o pai de Samuel (I Sam. 1:2). Penina zombava de Ana, a outra esposa de Elcana, porque, ao que parecia, Ana era estéril. Mas Ana orou ao Senhor, e este deu solução ao caso, e gerou Samuel. Ver I Sam. 1. Isso ocorreu por volta de 1125 A.C.

PENITÊNCIA

Essa palavra portuguesa vem diretamente do latim, *paenitentia*, um termo derivado da raiz *poena*, «satisfação», «castigo», «penalidade». Quatro significados são atrelados a essa palavra:

1. A *virtude* da penitência, ou seja, uma tristeza de coração por causa dos pecados cometidos, de parceria com a resolução de não mais cometê-los.

2. Na Igreja antiga aludia ao *castigo* canônico infligido em face de alguma ofensa séria. Incluídas estavam orações, jejum, dádiva de esmolas, peregrinações, flagelações, etc. Era uma medicina celestial.

3. Também pode referir-se ao *trabalho* ou à *oração* que alguém realiza com o propósito de fazer reparação, em face de alguma maldade cometida, imposto ao indivíduo penitente, no sacramento católico romano da penitência. Esse ato de oração é considerado como dotado de virtudes punitivas e remediais.

4. O *sacramento* da penitência. De acordo com a Igreja Católica Romana, esse sacramento consiste em contrição, confissão, satisfação (sob a forma de orações, boas obras ou castigos), e, finalmente, absolvição por um sacerdote, após o que, presumivelmente a ofensa é perdoada. Roma reserva esse sacramento exclusivamente para cristãos batizados que tenham cometido pecados após o ato do batismo. A Igreja Ortodoxa Oriental também opina que a penitência é um sacramento. A Igreja Anglicana deixa a questão à consciência de cada indivíduo, em seu relacionamento pessoal com Deus, o que corresponde ao ponto de vista protestante em geral.

No protestantismo e nas igrejas evangélicas, a verdadeira penitência obtém diretamente o perdão divino, por tratar-se de uma questão entre cada indivíduo e Deus. Mas, de acordo com a Igreja Católica Romana, esse perdão só seria obtido se mediado através daquela igreja e seu sacerdócio.

Desenvolvimento Histórico da Doutrina da Penitência

1. *Nos primeiros Séculos*. — A penitência era um meio de disciplina e provação, usada como medida purificadora pelos oficiais da Igreja. As perseguições causavam muitos lapsos de fé. A disciplina tornou-se necessária e a penitência ajudava nisso. Outrossim, os pecados graves, como as imoralidades sexuais, o homicídio e a apostasia causavam a exclusão, e a restauração à comunhão se dava mediante a submissão a um regime estrito, que incluía medidas penitenciais durante algum tempo, talvez anos. Isso variava de acordo com a decisão do bispo. Em alguns lugares da Igreja, a penitência era aplicada somente em casos de ofensa séria.

2. A partir do século V D.C., a penitência eclesiástica caiu em desuso, sendo substituída pelas confissões penitenciais particulares. O quarto concílio lateran (vide), de 1215 D.C., estabeleceu a prática

PENITÊNCIA — PENSAR

formal da confissão auricular, diante de um sacerdote. A confissão tornou-se um meio de impor penitências.

3. *Pedro Lombardo* (vide), cujas datas foram 1100-1160, proveu a primeira definição clara da penitência como um sacramento, dentro de uma lista de sete. Tomás de Aquino aceitou esse número, conferindo-lhe delineações ainda mais precisas. O concílio de Florença, em 1439, declarou formalmente a penitência como um sacramento. E isso foi confirmado pelo concílio de Trento (vide), já nos tempos da Reforma Protestante.

4. Assim, a Igreja Católica Romana considerou a penitência como um sacramento por cerca de oitocentos anos; mas faz apenas cerca de quinhentos e cinqüenta anos que isso foi ratificado pelos concílios.

5. Os reformadores do protestantismo negavam a validade da penitência, parcialmente sobre bases históricas, argumentando que isso se deveu a um desenvolvimento gradual, e, em parte, sobre bases doutrinárias, pois seu uso envolve o alegado uso das *chaves* do reino, por meio do sacerdócio. Além disso, a idéia inteira de que um mero padre pode perdoar pecados, foi repelida. Os grupos protestantes destacam o arrependimento e a contrição individuais. A Igreja Católica Romana não nega a validade desse arrependimento e contrição, mas ajunta a isso a necessidade de um sacramento, através do que fluiria a graça do Espírito. De acordo com o catolicismo romano, a penitência particular não perdoa; mas somente aquela mediada por algum sacerdote.

6. Os cânones do concílio de Trento estabeleceram uma distinção entre a *culpa* e a *poena* (a culpa e a punição). A culpa do pecador é perdoada por meio da penitência e da absolvição; mas ainda assim o pecador precisa pagar certo preço, sendo punido *temporariamente*, como parte da lei da colheita segundo a semeadura. Então vieram à existência as chamadas *indulgências*, para cuidar dessa punição necessária. Ver o artigo separado sobre *Indulgências*. Essa foi a causa (de mistura com vários outros abusos) primária da Reforma Protestante.

Para os protestantes e evangélicos, a questão é plenamente respondida mediante a *justificação pela fé* (vide), de mescla com a confissão particular de pecados, na busca pelo perdão divino. Esses grupos definem o arrependimento como uma mudança de atitude por parte do indivíduo, sem qualquer procuração sacerdotal, sem qualquer intermediário humano. O sacerdócio de Cristo e de todos os crentes cuida de todos os problemas relativos ao pecado, de acordo com esse ponto de vista.

No Judaísmo. Na fé judaica não existe tal coisa como a penitência, embora os dez dias de expiação e a confissão de pecados sejam características proeminentes da mesma. O judaísmo ensina que Deus perdoa ao pecador assim que este se arrepende. Penitências auto-impostas exercem a função de sinais de um arrependimento genuíno e sincero.

PENITENCIAL

Essa palavra vem do latim *paenitare*, «arrepender-se», embora aluda a um dos vários *libri paenitentiales*, ou seja, coletâneas de regras penitenciais. Essas regras governam todos os tipos de penitências, punições, etc., que devem ser impostos aos que pecaram, em consonância com a natureza e a gravidade dos pecados dos mesmos. Esses manuais eram populares nas igrejas britânicas e irlandesas do século VI D.C., embora muito desse material já viesse sendo reunido desde algum tempo antes, desde os tempos de alguns dos chamados pais da Igreja. Nenhum desses livros foi publicado pela Igreja cristã como um todo, e o costume acabou morrendo.

PENSAR, CAPACIDADE DE

A filosofia e a ciência antigas subestimavam o reino animal, alegando que somente o homem tem capacidade de organizar e direcionar o pensamento, ou seja, a razão. Mas atualmente sabe-se que os primatas mais elevados podem ser ensinados até mesmo a falar, por meio de computadores. De fato, chimpanzés e gorilas têm noções básicas de sintaxe, e podem até inventar situações «verbais» inéditas. Além disso, tem ficado comprovado que as abelhas podem até antecipar o futuro. Assim, se alguém puser água açucarada a certa distância da colméia, e então, gradualmente, for distanciando a água açucarada, em alguma direção específica, as abelhas poderão antecipar a «próxima» localização que a água açucarada ocupará.

Seja como for, a propriedade pensante e racionalizadora pertence especialmente ao ser humano, dentro da natureza animal. Muitos filósofos e teólogos têm atribuído isso aos poderes da alma; e é muito provável que eles estejam com a razão. Platão acreditava em inteligência extracerebral, havendo evidências científicas cada vez mais convincentes a esse respeito. Assim, nos casos de morte clínica, quando as pessoas mais não acusam ondas cerebrais (para em seguida recuperarem-se e dizer o que experimentaram então), a consciência prossegue, sem qualquer empecilho. Sim, há uma inteligência extracerebral. A alma conhece as coisas e funciona perfeitamente bem sem necessidade do corpo físico. Ver o artigo chamado *Experiências Perto da Morte*, onde a idéia é demonstrada. Ver também os artigos separados *Conhecimento e a Fé Religiosa, O; Razão; Raciocínio*.

No Antigo Testamento. O Antigo Testamento não é nenhuma coletânea de livros filosóficos e analíticos, interessados em questões como o pensamento e suas implicações. Reflexões acadêmicas e desinteressadas não eram próprias dos antigos hebreus. Por isso mesmo, ali temos a questão do pensamento e do raciocínio sem qualquer análise acerca de como esses processos têm lugar. O que é ali ressaltado é que esses processos devem ser dirigidos para Deus, formando-os por princípios éticos e pela obediência à lei. Cada indivíduo é ali considerado responsável por suas capacidades naturais superiores.

No Novo Testamento. Novamente, não temos ali qualquer tipo de análise filosófica. Entretanto, achamos ali regulamentos acerca do processo do pensamento, levando o cristão a concentrá-lo sobre o que é espiritual e ético. O apóstolo dos gentios falava na «renovação da vossa mente», o que leva o crente a ser moral e espiritualmente transformado (ver Rom. 12:1,2). E ele também falou sobre como devemos disciplinar nosso pensamento, concentrando suas potencialidades em Cristo, a fim de que as virtudes possam ser promovidas: «Finalmente, irmãos, tudo o que é verdadeiro, tudo o que é respeitável, tudo o que é justo, tudo o que é puro, tudo o que é amável, tudo o que é de boa fama, se alguma virtude há e se algum louvor existe, seja isso o que ocupe o vosso pensamento» (Fil. 4:8).

er o artigo detalhado sobre **Antiintelectualismo**.

••• ••• •••

PENTATEUCO

PENTATEUCO

Esboço:
I. A Palavra e Caracterização Geral
II. Designações Bíblicas do Pentateuco
III. Conteúdo
IV. Autoria e Unidade: os Críticos e o Pentateuco
V. Teologia do Pentateuco e sua Importância Religiosa
VI. Importância Histórica do Pentateuco
VII. Teorias Cosmológicas
VIII. Tipos de Literatura no Pentateuco

I. A Palavra e Caracterização Geral

1. A Palavra
O vocábulo *Pentateuco* vem do grego *pente*, «cinco», e *teúchos*, «livro», «rolo» (originalmente, um vaso ou implemento). A referência é aos primeiros cinco livros do Antigo Testamento, formadores de uma unidade básica—os livros de Moisés. O vocábulo foi aplicado a princípio, a esses livros, no século II D.C.; e, posteriormente, foi empregado por Orígenes, e a partir daí, se tornou uma designação comum para os livros em apreço. Contudo, há eruditos que pensam que a coletânea deveria incluir os seis primeiros livros da Bíblia, formando assim um *Hexateuco* (vide). Ainda outros pensam que a verdadeira unidade é formada pelos quatro primeiros livros da Bíblia, do que resultaria um *Tetrateuco*. E, nesse caso, o Deuteronômio seria uma adição posterior, uma repetição ou comentário dos quatro livros anteriores.

2. A Tríplice Divisão
Historicamente, o Pentateuco sempre foi o mais importante da tríplice divisão do Antigo Testamento, ou seja, a Lei (Pentateuco), os Salmos e os Profetas. Ver Luc. 24:25,27,44, onde Jesus referiu-se a essa divisão tradicional do Antigo Testamento. O vs. 44 fala das três divisões juntamente.

3. A Terminologia dos Hebreus
É evidente que não foram os hebreus que cunharam a palavra *Pentateuco*. A palavra *Torah*, «lei», era a que eles usavam para designar esses livros; mas, visto que esses livros nos expõem o código mosaico, aí temos o aspecto mais importante da fé judaica. A designação hebraica, *seper hattorah*, «livro da lei», era comumente usada. A *torah* era contrastada com a *haptara*, os «escritos dos profetas». Ver a seção II quanto à designação dada pela própria Bíblia (Antigo e Novo Testamentos), quanto a essa porção do Antigo Testamento.

4. Antiguidade dessa Divisão
Os primeiros cinco livros do Antigo Testamento — Gênesis, Êxodo, Levítico, Números e Deuteronômio—formam a divisão mais antiga da Bíblia. Tanto o Pentateuco Samaritano quanto a versão grega da Septuaginta assim agrupavam esses livros. Apesar de ser difícil datar o Pentateuco Samaritano, não há razão para negarmos que cópias dos cinco livros de Moisés eram possuídas pelo reino do norte, Israel, quando os assírios levaram quase toda a sua população restante para o exílio, em 721 A.C. Alguns estudiosos supõem que os samaritanos não tinham qualquer cópia da lei até o tempo em que Neemias expulsou do templo de Jerusalém a um neto do sumo sacerdote, que se casara com uma filha do samaritano Sambalate (ver Nee. 13:28). Foi então que ocorreu uma real separação religiosa, do que o resultado parece ter sido dois Pentateucos diferentes. Quanto a outras complicações que cercam o problema, ver o artigo separado intitulado *Samaritano, O Pentateuco*.

A Septuaginta foi traduzida a partir de cerca de 280 A.C., e os cinco livros em questão, sem dúvida, formavam desde então uma unidade literária. A arrumação desses cinco livros formando uma unidade, pelos israelitas, sem dúvida, pré-datou, por muitos séculos, a arrumação feita pelo Pentateuco Samaritano e pela Septuaginta. Isso está envolvido nas questões das datas dos livros, da autoria mosaica e do processo de canonização. Além disso, a teoria das múltiplas fontes informativas, chamada *J. E. D. P.(S.)*, determinava a questão, segundo o conceito de muitos estudiosos. Temos apresentado um artigo separado sob esse título.

A acreditar nos eruditos liberais, então, a fonte informativa *P (S)*, ou *sacerdotal*, foi a última parte do Pentateuco a ser escrita (antes dos vários elementos serem reunidos, formando uma unidade), e isso depois do cativeiro babilônico, como se fosse uma composição escrita saída da pena da casa sacerdotal (os sacerdotes zadoquitas), a partir de 458 A.C. Mas alguns pensam até mesmo em uma data tão tardia quanto 250 A.C., ou seja, após o início da tradução da Septuaginta. Idéias mais conservadoras diriam que a coletânea essencial foi completada na época de Moisés, quando obteve posição canônica, sendo usada como as Escrituras Sagradas básicas do povo hebreu. A teoria dos liberais, porém, não nega um uso muito anterior da parte maior do Pentateuco, talvez desde o século IX A.C.

5. Escopo e Importância
O Pentateuco propõe-se a fornecer uma narrativa contínua a partir da criação do mundo, e daí até à morte de Moisés. Isso posto, o período de tempo é extenso; e a sua associação com Moisés conferiu a essa coletânea, para sempre, a distinção de ter sido escrita pelo principal profeta de Israel, conferindo-lhe uma santidade e um respeito que, entre os israelitas jamais foi alcançado por qualquer outra obra escrita. De fato, certo segmento do judaísmo (o partido dos saduceus) nunca aceitou qualquer outro escrito religioso como verdadeiramente autoritário. Esses cinco livros foram intitulados, após a sua canonização formal (cerca de 400 A.C.), de «a lei de Moisés». Sabemos que Moisés, para o judaísmo, é o que o Senhor Jesus é para o cristianismo.

6. Propostas Divisões Principais do Pentateuco
a. A origem do mundo; as nações que vieram a existir (Gên. 1—11).
b. Os patriarcas (Gên. 12-50).
c. Moisés e o êxodo do Egito (Êxo. 1-18).
d. A revelação divina no Sinai (Êxo. 19-40).
e. A legislação levítica (Lev. 1-27).
f. Os últimos eventos e as leis do Sinai (Núm. 1:1-10:10).
g. A jornada até às planícies de Moabe (Núm. 10:11-22:1).
h. Eventos nas planícies de Moabe (Núm. 22:2-36:13).
i. Últimos discursos de Moisés e sua morte (Deu. 1-34).

7. O Hexateuco
Alguns estudiosos asseveram a unidade dos seis primeiros livros do Antigo Testamento, incluindo o livro de Josué, supondo que as mesmas fontes informativas tenham estado envolvidas no caso desses seis livros. O código sacerdotal, cuja sigla em português é *S*, estender-se-ia, segundo esses eruditos, até o fim do livro de Josué. Ver o artigo separado sobre *Hexateuco*, quanto a detalhes a respeito dessa teoria.

8. A Teoria das Fontes J. E. D. P.(S.) e suas Datas
Oferecemos um artigo separado com esse título, e

PENTATEUCO

também artigos separados sobre cada letra dessa sigla. O leitor deve examinar esse material, que não é reiterado aqui. Neste ponto, mencionamos somente as datas atribuídas a cada uma dessas alegadas fontes informativas, com uma declaração simples sobre o caráter de cada uma delas.

a. *J* (para *Yahweh*, ou *Jeová*). Assim chamada porque o nome divino é comum a certas porções do Pentateuco. É fonte datada em cerca de 850 A.C. Essa fonte salienta o reino de Judá e seus heróis.

b. *E* (para *Elohim*). Assim chamada porque o nome divino Elohim é comumente usado em certas porções do Pentateuco. Sua data é de cerca de 750 A.C. O escritor sagrado estaria interessado em Israel, o reino do norte, e seus heróis.

JE. Uma combinação das duas fontes acima, presumivelmente feita em cerca de 720 A.C.

c. *D* (para código *deuteronômico*). O livro da lei, encontrado no templo de Jerusalém em cerca de 621 A.C. Foi expandida e combinada com a fonte *JE*, formando assim a fonte *JED*. O livro de Deuteronômio refletiria essencialmente esse material. Os editores foram responsáveis por adições feitas aos livros de Josué, I e II Reis, Jeremias, o que os teria envolvido em um intenso esforço literário.

d. *P* (*S*). O código *sacerdotal* repete a história apresentada por outras fontes, sendo distinguida por seu ponto de vista e por sua ênfase sacerdotal e ritualista. A compilação teria começado em 500 A.C., e prolongou-se por alguns séculos. Supostas repetições de dados históricos (com base em duas fontes informativas) acham-se aqui e acolá, como os dois relatos da criação (Gên. 1:1,2,4a (*S*) e 2:4b-25 (*J*). Os dois relatos diferem quanto à ordem da criação e os nomes divinos são diferentes. E o que mais acentuaria que dois autores diferentes fizeram suas contribuições é que o hebraico reflete séculos diferentes. Outrossim, temos a duplicação das genealogias (4:7-26 em contraste com o cap. 5). O cap. 5 corresponderia a 1:1-2:4a (sendo da fonte *S*). O trecho de 4:7-26 corresponderia a 2:4b-25 (da fonte *J*). Também parece ter havido dois relatos sobre o dilúvio, que foram unificados. *S* fala sobre *um par* de animais que foram postos na arca, mas a fonte *J* fala em sete pares de casais limpos, o que *S* não menciona. Alguns estudiosos pensam que 12:10-20 e o cap. 20 formam uma duplicação—em um desses relatos o Faraó foi enganado acerca de Sara ser irmã de Abraão; mas, no outro, Abileque é que teria sido enganado.

Os eruditos conservadores, tendentes a manter a **unidade do Pentateuco** e autoria mosaica do começo ao fim, têm suas próprias respostas para questões como essas, que temos passado em revista nos artigos sobre cada um dos cinco livros do Pentateuco, quanto a esses trechos salientados pelos críticos, e que aqui somente trouxemos à tona, sem elaboração. Um problema que ainda não teve resposta adequada é aquele que envolve os diferentes tipos de hebraico empregados, cada qual refletindo um período de tempo diferente. Os lingüistas que estudam idiomas que experimentaram séculos de desenvolvimento não têm muita dificuldade para reconhecer suas diferentes fases. Para exemplificar, o grego dos tempos homéricos é radicalmente diferente do grego platônico; e o grego platônico é radicalmente diferente do grego «koiné» (no qual foi escrito o Novo Testamento). E até mesmo um conhecimento superficial do grego poderá revelar isso a um leitor. Pessoas que são capazes de ler o grego «koiné» dificilmente lerão obras escritas por Platão; e pessoas capazes de ler o grego «koiné» e o grego platônico quase não podem ler os escritos homéricos. O vocabulário vai mudando e crescendo, e assim a época histórica a que cada fase dessas pertence pode ser facilmente distinguida.

9. *Códigos Legais Distintos do Pentateuco*

Muitos eruditos não crêem que o Pentateuco consista em um único código, o mosaico; antes, pensam poder distinguir níveis diversos de códigos. Os níveis por eles propostos são os seguintes:

a. O código do pacto (Êxo. 20:22—23:33).

b. O código dos anátemas e maldições (Deu. 27:15-26). Esse seria essencialmente litúrgico, e não legal.

c. Os dez mandamentos, em duas edições: Deu. 5:6-21 (com base em *D*); e Êxo. 20:2-17 (com base em *S*).

d. O código deuterocanônico (Deu. 12-26), um sermão de Moisés expandido sob a forma de código.

e. O código de santidade (chamado *H*, uma unidade separada, Lev. caps. 17-26, que teria acabado incorporado em *S*), escrito em hebraico posterior e compilado em cerca de 570 A.C.

f. O código sacerdotal (legislação distinta de narrativa, caps. 25-31; 35-40; Lev. 1-16; Núm. 1:1-10:28; *fragmentos*: elementos de Êxo. caps. 1-24; Lev. caps. 17-26; Núm. caps. 11-36; Deu. caps. 31-34; e porções consideráveis de Josué). Seria uma espécie de comentário histórico sobre o Pentateuco embrionário.

10. *Seções Poéticas*

Essas seções datariam de diferentes períodos, refletindo um hebraico de diversos períodos históricos, desde 1200 A.C. até 400 A.C. Incluem duas antigas antologias: o livro das Guerras do Senhor (Núm. 21:14) e o livro dos Justos (Jos. 10:13); o cântico de Lameque (Gên. 4:23, pertencente ao período patriarcal, 1250-1050 A.C.); o cântico do Poço (Núm. 21:17 *ss*); o cântico de Miriã (Êxo. 15:21); a bênção de Jacó (Gên. 49:2-27); os oráculos atribuídos a Balaão (Núm. 23:7-10,18-24); a bênção sacerdotal (Núm. 6:22-27); o cântico de Moisés (Deu. 32:1-43). Os eruditos pensam poder distinguir quatro diferentes períodos durante os quais desenvolveu-se essa poesia, correspondendo a quatro diferentes períodos da evolução do idioma hebraico. Por isso fala em termos de compilações feitas por editores ou um editor, e não em termos da autoria mosaica essencial. De acordo com essa posição, escritos genuinamente mosaicos foram incorporados na massa geral do Pentateuco, embora Moisés seja por ela rejeitado como o autor-editor da massa inteira.

II. Designações Bíblicas do Pentateuco

Já vimos que o termo **Pentateuco** é de origem grega, e que não era o nome original da coletânea. Os nomes mais antigos desses cinco livros, individualmente falando, derivavam-se do costume mesopotâmico de chamar um livro por suas primeiras poucas palavras. Portanto, o Gênesis era chamado «no princípio»; o Êxodo, «e estes são os nomes de»; Levítico era «e ele chamou»; Números era «números», que era a quinta palavra no início do original hebraico do livro, e não a primeira palavra, mas muito apropriado como nome desse livro; e Deuteronômio era «estas são as palavras». Já os nomes desses livros, conforme os conhecemos hoje em dia, derivam-se da tradução da Septuaginta, que descrevem melhor o conteúdo de cada livro, enquanto que o método antigo dos hebreus falha quase totalmente quanto a esse propósito.

Referências aos Cinco Livros. As referências bíblicas à unidade do Pentateuco só aparecem nos escritos bíblicos posteriores, bem distantes do tempo representado pelo Pentateuco. Assim temos a lei (no hebraico, *Torah*), em Jos. 1:7; o livro da lei (Jos.

PENTATEUCO

8:34), o que talvez nem aluda aos cinco livros, mas à essência da legislação mosaica; a lei de Moisés (I Reis 2:3); o livro da lei do Senhor (II Crô. 17:9); o livro de Moisés (Nee. 13:1; II Crô. 25:47); o livro da lei de Deus (Nee. 8:18); a lei de Moisés, servo de Deus (Dan. 9:11). Não podemos ter certeza, em todos esses casos, que os cinco livros fossem assim agrupados mediante tais designações.

No Novo Testamento. Aí encontramos as seguintes designações: o livro da lei (Gál. 3:10); o livro de Moisés (Mar. 12:26); a lei (Mat. 12:5; Luc. 16:16; João 7:19); a lei de Moisés (Luc. 2:22; João 7:23); a lei do Senhor (Luc. 2:23,24). Quase todas essas referências incluem a coletânea do Pentateuco.

III. Conteúdo

Na primeira seção, pontos sexto e nono (este último os códigos legais), como também no décimo ponto (poesia), temos apresentado o esboço básico do conteúdo do Pentateuco. Nos artigos sobre cada livro do Pentateuco, damos um esboço detalhado acerca de cada um.

IV. Autoria e Unidade: os Críticos e o Pentateuco

Nos artigos sobre cada livro do Pentateuco, essas questões são descritas com detalhes. Também na primeira seção deste artigo, pontos oitavo, nono e décimo, abordamos a questão. Naturalmente, não há qualquer reivindicação, nos próprios livros, individualmente ou como uma unidade, que Moisés os tenha escrito. Isso apesar do fato de que, a começar pelo Êxodo, Moisés apareça como a personagem principal. Todavia, devemos pressupor que Moisés tenha sido o autor desses cinco livros. Que escritos genuinamente mosaicos tenham sido incluídos, é algo que poucos críticos atrevem-se a negar hoje em dia. Porém, quase todos eles acreditam que a tentativa para atribuir a totalidade do Pentateuco a Moisés é uma teoria que não dispõe de defesa razoável. Quanto a isso, só posso apresentar exemplos das idéias que giram em torno da questão.

1. *Considerações Históricas*

a. O trecho de Deu. 31:9 informa-nos que Moisés escreveu «esta lei», mas não é mister compreendermos essa declaração como se a mesma cobrisse o Pentateuco inteiro, mas tão-somente a legislação mosaica incorporada ao mesmo.

b. O Senhor Jesus fez uma declaração abrangente sobre a questão, em João 5:46,47 e em 7:19. Mas essa declaração simplesmente reiterou a tradição rabínica, e não precisa ser entendida como uma afirmação crítica e histórica. Além disso, muitos estudiosos crêem que Jesus poderia ter repetido aquela tradição, sem entrar nos méritos da autoria do Pentateuco como um todo, aludindo somente à essência da lei incorporada por aquela coletânea. E outros dizem simplesmente que a Igreja pôs essas palavras na boca de Jesus, concluindo daí que, pela autoridade de Jesus, essas palavras nada dizem a favor ou contra a autoria mosaica do Pentateuco como um todo.

c. A tradição rabínica, naturalmente, é o poder que estabeleceu a autoria mosaica do Pentateuco (ver Pirque Aboth 1:1; Baba Bathra 14b). Essa questão foi levada ao extremo de afirmar que Moisés escreveu sobre sua própria morte (ver Deu. 35:5 ss), conforme Filo e Josefo afirmaram. Mas o Talmude admite que Josué foi o autor desse comentário sobre a morte de Moisés.

d. O trecho de II Esdras 14:21,22 diz como os rolos do Pentateuco foram destruídos no incêndio que lavrou quando do cerco de Jerusalém, nos dias de Nabucodonosor, e como Esdras reescreveu a totalidade dos cinco livros, uma tradição aceita por vários dos pais da Igreja, como Irineu, Tertuliano, Clemente de Alexandria e Jerônimo.

e. João Damasceno ajuntou que os nazarenos, uma seita de judeus cristãos, rejeitavam a autoria mosaica do Pentateuco, em cerca de 750 D.C.

f. Os *ebionitas* (vide) olhavam com suspeita para certos trechos do Pentateuco, quando este entrava em choque com as idéias deles.

g. Alguns escritores judeus e islamitas da Idade Média salientaram algumas supostas contradições e anacronismos do Pentateuco. Um exemplo disso é a afirmação de Ibn Ezra (falecido em 1167), com base numa idéia do rabino Isaque ben Jasos (falecido em 1057), de que o trigésimo sexto capítulo de Gênesis não foi escrito antes do tempo do rei Josafá, por causa da menção feita ali a Hadade (comparar Gên. 36:35 com I Reis 11:14). E também afirmava que o texto sofrera algumas interpolações em Gên. 12:6; 22:14; Deu. 1:1; 3:11.

h. O reformador protestante Carlstadt (1480-1541) observou que Moisés não poderia ter escrito o Pentateuco em geral, embora não tivesse observado qualquer alteração estilística quanto ao material pertencente ao período antes e depois da morte de Moisés.

i. Andreas Masius, em seu comentário (1547), declarou que Esdras inseriu no Pentateuco algum material de sua autoria.

j. Mas a crítica detalhada, como a da teoria *J. E. D. P.(S.)*, apareceu no século XVIII. Alguns críticos, como Jean Astruc, acreditavam que o próprio Moisés utilizara documentos distintos, tendo atuado como autor-compilador, e não apenas como autor. A crítica posterior, entretanto, acabou negando inteiramente que Moisés fosse o autor real dos cinco livros, embora admitindo que algum material genuinamente mosaico tenha sido incorporado na compilação. Mas alguns extremistas chegaram a eliminar qualquer participação de Moisés, dizendo que ele nem ao menos sabia escrever!

1. Wellhausen (1844-1918) foi o criador da teoria das múltiplas fontes informativas em uma forma mais coerente, conferindo datas a cada suposta fonte; e os elementos essenciais dessa idéia aparecem na primeira seção, oitavo ponto. Autores posteriores deram-se ao trabalho de subdividir cada fonte, como E(1), E(2), tanto quanto de combinarem documentos como JE. Essa atividade chegou ao extremo de dividir a fonte *P (S)* em sete subfontes, na análise de B. Baentsch. Uma outra idéia combinada com a anterior, era aquela que diz que em vez de autores específicos estarem envolvidos em cada uma dessas fontes, cada uma delas, na verdade, seria o produto de uma *escola* inteira de editores e autores. Isso conferiu à teoria uma complexidade que deixa a mente estonteada.

Respostas Gerais dos Conservadores em Resposta aos Críticos:

Quase tudo quanto tem sido dito abaixo foi incluído nos artigos sobre cada um dos livros do Pentateuco, razão pela qual abaixo damos um mero esboço.

1. *O Método dos Textos de Prova.* Para alguns estudiosos conservadores, o uso de textos de prova é a principal forma de argumentação. No tocante à autoria do Pentateuco, eles argumentam que os trechos de Deu. 31:6 e João 5:46,47; 7:19 provam a questão em favor de Moisés. Porém, não há como decidir quão abrangentes são essas declarações, porque podem ser meras repetições de tradições correntes. Além disso, os textos de prova sempre estarão sujeitos à interpretação, e sua alegada validade depende do que eu e minha denominação

PENTATEUCO

pensamos a respeito desta ou daquela questão, sem que isso reflita, necessariamente, a verdade da mesma. Assim, apesar dos textos de prova fazerem parte legítima da argumentação, com freqüência são apenas uma maneira dos preguiçosos argumentarem, permitindo-lhes ignorar os problemas, em vez de enfrentá-los.

2. *O Método Contra as Subdivisões*. Quando subdividimos a fonte informativa em E(1) e E(2), e fazemos a mesma coisa com outras alegadas fontes do Pentateuco, terminamos com unidades literárias tão diminutas que é impossível determinarmos qualquer coisa com base em diferenças de estilo, vocabulário, etc. Até onde podemos ver as coisas, essa é uma crítica válida contra os críticos.

3. *Moisés Não Sabia Escrever?* O antigo argumento dos críticos de que Moisés não viveu em uma época que lhe capacitasse a escrever (a escrita só teria aparecido bem mais tarde), foi totalmente lançado no descrédito pela arqueologia, que tem demonstrado que a arte da escrita surgiu muito antes da época de Moisés. Os mais antigos documentos escritos de que se tem notícia têm sido escavados em áreas bíblicas, como o local de Uruque (na Bíblia, Ereque; ver Gên. 10:10), pertencente a uma época calculada em 3000 A.C., o que significa que Abraão poderia saber escrever, para nada dizermos acerca de Moisés. E Moisés, proveniente das elites egípcias, sem dúvida recebeu a educação necessária, como também diz a Bíblia: «E Moisés foi educado em toda a ciência dos egípcios...» (Atos 7:22). Ver o artigo geral chamado *Escrita*, quanto a detalhes sobre a questão. O ugarítico foi a mais antiga língua semítica, e a escrita ugarítica, puramente alfabética e fonográfica antecede ao hebraico bíblico por cerca de nada menos de mil anos. Abraão viveu em um tempo em que podia observar cinco sistemas distintos e completos de escrita, comumente usados no ambiente cultural à sua volta. Isso posto, Moisés, sem a menor sombra de dúvida, conheceu esses e outros sistemas de escrita. É até mesmo possível que os próprios israelitas comuns cativos no Egito (pelo menos alguns deles), fossem capazes de escrever nas antigas línguas semíticas, que Moisés também pode ter aprendido, além de saber escrever em egípcio. Escritas alfabéticas semíticas parecem já ter estado em uso desde 1900 A.C. As descobertas arqueológicas, além disso, tendem por mostrar que a arte da escrita é mais antiga do que se pensava anteriormente.

4. *O Uso dos Nomes Divinos*. Um dos principais alicerces da teoria dos múltiplos documentos, chamado de teoria J. E. D. P.(S.), argumenta que distintos nomes divinos identificam diferentes autores ou editores. Assim, a fonte *J* teria empregado o nome *Yahweh* (Jeová), ao passo que a fonte *E* teria empregado o nome *Elohim*. Contra esse argumento, pode-se mostrar que a fonte *J* também empregou o nome *Elohim*, e que a fonte *E* também empregou o nome *Yahweh*. Em réplica, os críticos dizem que editores posteriores é que misturaram os nomes, e que essas misturas não são muito freqüentes. No entanto, a arqueologia tem demonstrado que nas culturas mesopotâmicas, o uso de vários nomes divinos para uma única divindade era um fenômeno comum. Seria realmente de estranhar se isso também não tivesse sido feito pelos autores bíblicos. Assim sendo, o uso predominante de algum nome divino talvez tenha sido uma questão de mera preferência pessoal, e não que algum nome divino específico fosse o único nome conhecido e empregado por algum autor sagrado. O deus artífice ugarítico (adorado mais ou menos na época de Moisés) tinha um nome duplo, *Kothar* *wa-Khasis*; e o Deus dos hebreus poderia ter sido chamado tanto por *Yahweh* quanto por *Elohim*, nos dias de Moisés. Minha avaliação aqui é que o uso de nomes distintos, em qualquer fonte informativa, é um argumento válido *possível* em favor da idéia das múltiplas fontes, mas que não é, realmente, convincente.

5. *As Duplicações*. Ver a seção I. 8.d quanto às alegadas duplicações históricas na fonte informativa P.(S.), o que teria produzido narrações alternativas sobre a criação e o dilúvio. Apesar de ser verdade que qualquer autor pode repetir o que já havia dito, como em um sumário ou em uma simples reiteração de algo que fora dito, e que em tal repetição, tal autor pode até entrar em contradição consigo mesmo, e não meramente suplementar-se, há aqui um fator que não foi ainda devidamente respondido. Aqueles que conhecem o hebraico do ponto de vista histórico, asseguram-nos que essas duplicações envolvem tipos de hebraico pertencentes a períodos bem diferentes. Isso faz a questão parecer duplicações genuínas, e não variações feitas por algum único autor. E apesar de poder ser argumentado que um editor posterior poderia ter refraseado certas seções, empregando então um estilo hebraico mais recente, isso apenas apresentaria uma hipótese não-provada, e não uma argumentação genuína. Isso posto, o *argumento lingüístico* permanece sem resposta, esperando algum tipo de refutação. É certo que Moisés não poderia ter produzido certas seções do Pentateuco, que, lingüisticamente falando, pertencem a um período diferente desse idioma. Posso ilustrar isso, conforme também tenho feito, com base na minha experiência pessoal com o idioma grego. Tenho lido o grego por diversos anos, estando bem familiarizado com o grego clássico do tempo de Platão, e com o grego «koiné». Porém quando me foi dada a tarefa de ler Homero (que data de alguns poucos séculos antes da época de Platão), perguntei a meu professor: «O senhor tem certeza de que isto não é egípcio, e não grego?» Sim, porque o vocabulário grego é radicalmente diferente, de tal modo que o estudante precisa aprender um vocabulário virtualmente novo, pertinente àquele período mais antigo. E os eruditos do hebraico dizem-nos que existem níveis de hebraico no Pentateuco, que não podem ser todos atribuídos a um único período histórico.

É claro, pois, que a resposta a essa questão das duplicações não depende somente em explicar as discrepâncias existentes nos relatos paralelos. E também não podemos afirmar que algum dado autor meramente repetiu-se por meio de algum sumário, ou a fim de fornecer a seus leitores alguns outros detalhes. G.L. Archer expõe concisamente esse problema das duplicações, em sua obra *A Survey of Old Testament Introduction*, págs. 117-124, mas isso não resolveu o problema lingüístico.

6. *Os Problemas de Estilo e de Vocabulário*. O estilo de um autor é como as suas impressões digitais. Trata-se de algo muito pessoal. Além disso, sua escolha de certas expressões torna-se algo habitual. Por outra parte, qualquer autor, aqui e acolá, haverá de *incorporar* os escritos de alguma outra pessoa; e, nesses casos, temos um autor diferente, mas somente pelo fenômeno da incorporação, e não como uma autêntica múltipla autoria. Facilmente Moisés poderia haver incorporado outros materiais, como códigos legais, poemas e relatos, e ainda assim ter sido o único autor-editor do Pentateuco. Assim, o argumento alicerçado sobre as diferenças de estilo não é inútil a tal ponto que possa ser ignorado. Na verdade, diferentes autores escrevem de diferentes modos. Mas, visto que isso pode refletir mera incorporação, e

PENTATEUCO

não a obra verdadeira de algum autor distinto, o argumento não é conclusivo. O reformador protestante, Carlstadt não foi capaz de achar diferenças de estilo em seções de antes e depois da morte de Moisés, daí supondo que Moisés não poderia ter escrito tanto umas quanto outras. E visto que as seções que se seguiram à sua morte obviamente não foram escritas por ele, daí ele concluiu que Moisés não pode ter escrito o Pentateuco, sob hipótese alguma. Isso ele fez como aplicação do argumento baseado no estilo, ainda que de maneira um tanto inversa.

A distinção entre J e E com base no vocabulário e no estilo não parece estar suficientemente fundamentada, embora a fonte $P(S)$ pareça ter algumas características distintivas. Seu estilo é esquemático, altamente ritualista, estatístico (muito uso de genealogias, informes, cifras). No entanto, a alegada fonte informativa J menciona o sacerdócio aarônico por treze vezes, pelo que necessariamente contém muito daquilo que certos eruditos têm atribuído exclusivamente a P(S). — Isso significa que os argumentos não são suficientemente convincentes em favor de uma múltipla fonte informativa.

7. *A Data Posterior do Deuteronômio.* Uma grande porção desse livro (fonte informativa D) é datada em cerca de 620 A.C., por certos críticos. Os argumentos em favor disso incluem a afirmação de que as práticas pagãs ali mencionadas ajustam-se bem ao tempo de Josias, mas não antes. O Deuteronômio parece tomar consciência da posição cêntrica da adoração (em Jerusalém), apesar do fato de que o livro não menciona o templo, e, muito menos, Jerusalém. Passagens como Deu. 12:5 ss; 14:23 ss; 15:20; 16:2 ss; 17:8,10; 18:6 e 26:2 talvez apontem para a adoração efetuada em Jerusalém. Nesse caso, o autor sagrado teria evitado criteriosamente mencionar essa cidade e seu templo, porque estava tentando emprestar ao seu livro um passado mais distante. Por outra parte, a centralização da adoração em um único lugar, poderia ser uma espécie de antecipação profética ideal. Nesse caso, a omissão de Jerusalém e de seu templo foi uma omissão histórica genuína. Os críticos pensam que a proibição, em Deu. 16:5,6, de não se sacrificar a páscoa em qualquer outro lugar além daquele determinado por Deus, como um reflexo da contenção entre os judeus (Jerusalém é o lugar da adoração), e os samaritanos (o monte Gerizim é o lugar da adoração). Os eruditos conservadores acham, entretanto, que isso é ler demais no texto sagrado.

8. *O Uso da Terceira Pessoa do Singular e as Referências Históricas.* O próprio Pentateuco não reivindica a autoria mosaica (exceto em Deu. 31:6, mas que poderia ser uma anotação editorial, conferindo a autoridade mosaica à sua obra escrita, a tradição mosaica da lei, ou a coletânea dos cinco livros), e a totalidade da obra foi escrita na terceira pessoa do singular. Os discursos de Moisés, que foram incorporados, poderiam refletir genuínas declarações mosaicas, ou, em alguns casos, ser da lavra do editor. Até mesmo Deu. 31:9 é uma referência feita na terceira pessoa do singular, algo que um editor normalmente teria feito. O vs. 24 fala no ato de escrever de Moisés, mas, novamente, na terceira pessoa. Destarte, o livro de Deuteronômio poderia ser um pseudepígrafo, ou meramente uma obra que incorpora alguns escritos mosaicos genuínos. Declarou W.F. Albright: «Deuteronômio foi uma tentativa de *recapturar* a letra e o espírito do mosaísmo, que havia sido negligenciado no esquecido pelos israelitas da monarquia». Isso sumaria um ponto de vista possível da autoria e historicidade do livro de Deuteronômio. Contra isso, porém, pode ser dito que não há uma única referência histórica ao período após a morte de Moisés, embora certas coisas ali ditas possam ser entendidas dessa maneira. Seja como for, se é verdade que o livro foi escrito durante o período monárquico de Israel, então o autor sagrado usou de extremo cuidado para evitar qualquer referência clara às coisas que estavam sucedendo durante os seus próprios dias. A passagem de Deu. 17:14-20 é especialmente controversa, porquanto *antecipa* claramente a monarquia (talvez profeticamente), ou então é mesmo um pequeno trecho histórico, apresentado como se fosse uma antecipação. Os críticos argumentam que a monarquia está definidamente em vista como uma realidade histórica, apesar da tentativa do autor de fazer «tudo parecer antigo» no seu livro. Os vss. 16 e 18, que falam na multiplicação de esposas e cavalos parece ser um comentário indireto sobre Salomão, que cometeu avidamente ambos os erros. Porém, isso é negado pelos eruditos conservadores. O uso da terceira pessoa do singular era e continua sendo prática comum entre muitos autores, que preferem escrever desse modo, em vez de usarem a primeira pessoa. Talvez isso tenha ocorrido no caso do Deuteronômio.

9. *Diferenças Religiosas.* Alguns estudiosos vêem no Pentateuco certas idéias religiosas e problemas que foram típicos não nos tempos mais antigos, e, sim, em tempos monárquicos, posteriores. Um desses itens envolve a questão das formas de idolatria. Formas de idolatria, mencionadas em Deu. 4:19 e 17:3; que incluíam a adoração a corpos celestes, parecem ajustar-se melhor a um período histórico posterior. Porém, a arqueologia tem provado que a adoração aos astros é uma das mais antigas formas de idolatria. Já pudemos considerar a questão da centralização da adoração, em Israel, que se aplica ao que aqui dizemos. Ver sobre o sétimo ponto. Presumíveis diferenças religiosas podem depender da falta de informações, e não de distinções históricas genuínas.

10. *A Arqueologia e o Período Patriarcal.* Os críticos admitem hoje em dia que a arqueologia tem demonstrado de forma adequada a autenticidade dos relatos sobre os patriarcas. Mas isso pode envolver a incorporação de genuínas antigas tradições, e não que o próprio Moisés tenha sido autor desses relatos. Os estudiosos conservadores, por sua parte, pensam que Moisés foi o responsável pela transmissão desses materiais, como um figura cêntrica na corrente da fé dos hebreus.

Concessões Feitas por Alguns Eruditos Conservadores. Nem todos os estudiosos conservadores pensam que é mister supor a autoria mosaica do Pentateuco inteiro. Antes, procuram encontrar um meio-termo entre os críticos e os conservadores a qualquer preço. Crêem que a tradição da autoria mosaica do Pentateuco é satisfeita pela declaração de que há ali a incorporação de escritos mosaicos genuínos, e que seu código legal ficou ali bem preservado. Os grandes códigos legais são atribuídos especificamente a Moisés (a saber, Êxo. 20:2-23:33; Deu. caps. 5—26; 31). — Além disso, o itinerário coberto por Israel, em Núm. 32:2, sem dúvida, é um documento histórico genuíno.

Elementos Não-Mosaicos no Pentateuco. Isso é admitido até mesmo por estudiosos conservadores. Ver Gên. 14:14 (a menção de *Dã*); 36:31; Êxo. 11:3; 16:35; Núm. 12:3; 21:14,15; 23:34 ss; Deu. 2:12 e 34:1-12. Outras referências discutidas antes, podem caber dentro dessa categoria. Assim sendo, falamos sobre a autoria mosaica do Pentateuco, no sentido de incorporação genuína de escritos mosaicos, com suas idéias, tradições e contribuições. Mas não pensamos

PENTATEUCO

que Moisés foi o autor exclusivo do Pentateuco, sem qualquer papel desempenhado por um editor ou editores, e sem a incorporação de elementos posteriores. A redação final do Pentateuco pode ter ocorrido durante o período monárquico. Desnecessário dizer, o problema é extremamente complexo e vai crescendo, à medida que são apresentados novos argumentos, pelo que as conclusões são meras tentativas.

A defesa da autoria mosaica do Pentateuco *inteiro* é, essencialmente, a defesa da tradição que circunda a questão, e não a defesa de qualquer reivindicação feita pelo próprio Pentateuco.

V. Teologia do Pentateuco e Sua Importância Religiosa

«O Pentateuco precisa ser definido como um documento que empresta a Israel a sua compreensão, e sua etiologia da vida. Ali, através de narrativas, poemas, profecia e lei, é revelada a vontade de Deus acerca da tarefa do povo de Israel no mundo» (A. Bentzen, *Introduction to the Old Testament*, 1952, II, pág. 77).

«Um registro de revelações e reações às mesmas, o Pentateuco testifica dos atos salvatícios de Deus, o soberano Senhor da história e da natureza. O ato central de Deus, no Pentateuco (e, de fato, em todo o Antigo Testamento), é o êxodo de Israel do Egito. Ali Deus irrompeu na consciência do povo de Israel, revelando-se como o Deus redentor... Tendo provado poderosa e abertamente ser ele o Senhor, no ato do êxodo, Deus conduziu os israelitas à percepção de ser ele o criador e sustentador do universo, bem como o dirigente da história... A graça divina não somente é revelada em seu livramento e orientação, mas também na outorga da lei e na iniciação do pacto... Sem importar qual tenha sido a origem do Pentateuco, agora destaca-se como um documento que possui uma rica unidade interior. É o registro da revelação de Deus na história e de seu senhorio sobre a história. Testifica tanto sobre a reação de Israel como sobre sua falha, por não reagir devidamente. Testifica da santidade de Deus, que O separa dos homens, e também de seu gracioso amor, que vincula os homens com ele, segundo as suas condições» (ND).

Fatos Importantes a Notar. O Pentateuco é o começo e o alicerce de todas as revelações judaico-cristãs subseqüentes. Procura descobrir o começo de todas as coisas, apresentando Deus como a fonte de toda a vida. A partir daí, procura conferir-nos noções sobre o começo do homem, e como o mesmo relaciona-se com Deus, ou deve relacionar-se com Ele. Os três nomes divinos, *Yahweh*, *Elohim* e *Adonai*, cada qual com sua própria significação (respectivamente, o Eterno, o Todo-Poderoso e o Senhor), aludem a maneiras pelas quais Deus relaciona-se à sua criação. Seus variegados tipos de literatura e a complexidade de sua mensagem encontram seu mais perfeito cumprimento na pessoa do Cristo que veio dos céus até nós (ver I Cor. 10:11).

O Pentateuco e a Teologia do Novo Testamento. Antes de tudo, o Deus da *antiga criação* é também o Deus da *nova criação*, por meio de seu Filho. Essa circunstância distingue o cristianismo de todas as religiões e filosofias. Apesar de persistirem mistérios quanto ao modo e ao tempo da nova criação, pelo menos dispomos do grande fato de que essa criação envolverá uma *intervenção divina*, um plano divino, um alvo divino. A *queda do homem* no pecado tornou-se parte essencial do pensamento cristão, acompanhado pela necessidade de redenção que o êxodo e a entrada na Terra Prometida tipificavam. Muitas passagens do Novo Testamento empregam esse simbolismo, encontrando muitas lições religiosas e morais que se estribam sobre o relato do Antigo Testamento. O quinto capítulo da epístola aos Romanos dá-nos a doutrina dos dois homens, o primeiro e o segundo Adão. Ver o artigo intitulado *Dois Homens, Metáfora dos*. Ver também *Êxodo*. O conceito de *pacto* (havendo alguns deles no Pentateuco) é muito importante dentro do pensamento cristão. Ver o artigo geral sobre os Pactos. Paulo deixou claro que a fé cristã repousa sobre os atos históricos remidores, registrados no Pentateuco (ver Gál. 3 e Rom. 4). A *fé* do Antigo Testamento é a mesma do Novo Testamento. A fé de Abraão é a nossa fé, e nós somos filhos espirituais de Abraão. O antigo legislador, Moisés, foi substituído pelo Novo Legislador, Jesus Cristo (segundo se aprende em João 1:17). O Sermão da Montanha repousa sobre esse conceito e esclarece-nos bastante sobre a nova lei que Cristo ensinou. Ver Mat. 5-7. A lei exerceu sua função vital de mestre-escola, que nos conduziu a Cristo (ver Gál. 3). Através de seus muitos ritos e cerimônias, a lei ilustrou aspectos diversos do ofício remidor de Cristo, segundo também a epístola aos Hebreus ilustra com muitos detalhes.

VI. Importância Histórica do Pentateuco

O Pentateuco relata questões baseadas em fatos históricos genuínos. Não se trata, contudo, de uma história completa dos tempos historiados, mas enfatiza certos eventos que são importantes para compreendermos a história relativa à fé judaico-cristã. O período patriarcal tem sido ricamente ilustrado pela arqueologia. O registro do Pentateuco sobre os primórdios do homem e como se propagou subseqüentemente, limita-se às áreas em torno das quais gira o relato bíblico, e não pretende falar sobre raças que não pertenciam àquelas áreas, embora alguns tentem injetar isso no registro sagrado. Mas, quanto ao surgimento e propagação da civilização, naquelas regiões do mundo, o Pentateuco reveste-se de grande importância histórica. Seu relato sobre o dilúvio recebeu subsídios de outros antigos relatos a respeito, sendo confirmado por descobertas geográficas e arqueológicas modernas. Apesar de datas exatas e detalhes estarem em dúvida, a narrativa do Pentateuco sobre as jornadas de Israel no Egito e depois do êxodo, além da conquista da Terra Prometida, tem sido consubstanciada por outras fontes informativas, tanto literárias quanto arqueológicas. Apesar da fé religiosa ser capaz de sobreviver muito bem sem conexões históricas, a história sempre foi importante aos olhos dos hebreus; e outro tanto pode ser dito acerca dos registros cristãos no Novo Testamento, que falam sobre a origem e o desenvolvimento da fé em Jesus Cristo.

VII. Teorias Cosmológicas

Uma importante característica distintiva do Pentateuco consiste em sua tentativa de descrever origens, primeiramente do próprio universo material, e então do homem, dentro desse ambiente. Um importante aspecto disso é sua abordagem *monoteísta*, que distingue essa narrativa de relatos similares, de outros povos mesopotâmicos. Os cristãos têm cristianizado e modernizado seus relatos, a fim de ocultar certos problemas; mas a contribuição feita pela história bíblica da criação nem por isso saiu prejudicada. Tenho escrito vários artigos sobre o assunto, dando amplos detalhes sobre a questão, que não são reiterados aqui. Ver sobre *Cosmologia; Cosmogonia; Criação; Adão; Antediluvianos*.

VIII. Tipos de Literatura no Pentateuco

1. *Narrativas*. Uma das características do povo hebreu é que eles gostavam de narrar histórias, o que

PENTATEUCO — PENTECOSTALISMO

evoluiu ao ponto de tornar-se história verdadeira e séria, pela qual eles muito se interessavam. Daí originou-se o Antigo Testamento, o mais excelente dos livros de história da antiguidade, posto que de qualidade especial—a história das revelações divinas ao homem—que veio a tornar-se mundialmente conhecida. No Pentateuco começamos pelas narrativas da criação; em seguida vem a narração do dilúvio; então a propagação das nações; e depois a história dos patriarcas hebreus. No livro de Êxodo, ficamos sabendo como o povo de Israel terminou escravizado no Egito, e como, após vários séculos, por instrumentalidade de Moisés, os israelitas foram libertos do Egito. No livro de Números, é detalhada a história das vagueações de Israel pelo deserto, onde também encontramos a introdução das instituições que se tornaram o alicerce da nação hebréia. O livro de Levítico não inclui muito desse elemento de narrativa, embora tenhamos ali os relatos sobre os pecados rituais de Nadabe e Abiú, filhos de Aarão (cap. 10). Esse livro reinicia a história onde ela fora deixada pelo livro de Êxodo, com Israel estacionado no deserto do Sinai. E então, é dito como os israelitas organizaram seus exércitos para a conquista da Terra Prometida. O trecho de Núm. 9:1 conta a história da primeira páscoa. O relato sobre os espias arma o palco para a invasão da Terra Prometida, mas isso foi seguido por trinta e oito anos de vagueação, devido à covardia de fé da parte de Israel. Aí, pois, encontramos uma grande lição moral objetiva. Há coisas de grande valor, que podemos perder, por falta de coragem espiritual. Felizes aqueles que têm grandes sonhos e dispõem-se a pagar o preço para que tais sonhos se concretizem. Os capítulos 26-36 de Números falam sobre os preparativos para a invasão da Terra Prometida. O livro de Deuteronômio dá continuidade a esse aspecto, embora não contenha muita narrativa. Antes, ocupa-se com a reiteração dos códigos legais. Coube ao livro de Josué narrar como os israelitas entraram na Terra Prometida, como a conquistaram e nela se estabeleceram. Enquanto outras fontes, literárias e arqueológicas, têm servido para confirmar o relato apresentado, a narrativa do Antigo Testamento nunca teve apenas esse intuito. Pois, ao mesmo tempo, sempre serviu de manual de orientação, ensinando-nos sobre como agir. Há relatos que expõem exemplos positivos e negativos, que muito têm a ensinar-nos.

2. *Códigos Legais*. Quanto a um sumário desses códigos, ver a seção I, ponto nono, *Códigos Legais Distintos do Pentateuco*. Naturalmente, para o judaísmo nunca houve fato tão importante quanto a sua lei. Temos apresentado um artigo separado e detalhado sobre *Lei-Códigos da Bíblia*. Esta enciclopédia contém trinta e cinco diferentes artigos acerca da lei. Uma completa lista desses artigos pode ser achada no verbete intitulado *Lei*. Ver especialmente *Lei no Antigo Testamento* e *Lei no Novo Testamento*.

3. *Poesia*. Ver a seção I, décimo ponto, quanto a esse material.

4. *Genealogias*. Essas têm a função de apresentar linhagens, muito importantes para o desdobramento do relato bíblico. As primeiras genealogias (Gên. 5 e 11), entretanto, não visavam ser registros completos, pelo que não podem ser usadas para estabelecimento de datas. Antes, tinham a finalidade de apresentar nomes representativos de alguma linhagem que partia de Abraão, por meio da qual o propósito divino para Israel seria cumprido. Através de Abraão é que todas as famílias da terra seriam abençoadas; e dele, igualmente, procederia o Remidor, o Messias. Todavia, há algumas genealogias laterais que não se ajustam a esse esquema, como a de Ismael (Gên. 25:12-18), ou a de Esaú (Gên. 36). Mas tais genealogias foram anotadas por sua íntima associação com a história de Israel. O décimo capítulo de Gênesis encerra a tabela das nações, uma espécie de genealogia universal, que nos informa quanto ao papel das nações descendentes dos três filhos de Noé. Não é usado, porém, o termo «gerou», dando-nos a impressão de um bem amplo esboço de descendência, sem grande exatidão. Essa tabela apresenta várias nações do mundo bíblico, dentro daquilo que poderíamos chamar de relações etnogeográficas.

Bibliografia. ALB AM ARC BA BAR BEN BRI CG DRI G GN IB IOT MAN ND Z

PENTATEUCO SAMARITANO

Ver sobre **Samaritano, O Pentateuco**.

PENTECOSTALISMO

Ver o artigo geral sobre **Movimento Carismático**. O pentecostalismo emergiu dentre o metodismo. Não demorou para que surgissem muitas divisões separadas do movimento, as quais se transformaram em denominações. E, então, a fragmentação do protestantismo acelerou-se extraordinariamente. Minha principal fonte informativa alista vinte principais denominações pentecostais nos Estados Unidos da América; mas o número total é muito maior do que isso. A mensagem pentecostal espalhou-se a todas as partes do mundo, através de suas agências missionárias. Cerca de metade das igrejas evangélicas do Brasil compõe-se de grupos pentecostais.

As primeiras ênfases foram o perfeccionismo metodista, a possessão e o uso dos dons espirituais (ver sobre *Dons Espirituais*) e a santificação (vide). Com alguma variação, essas sempre foram as ênfases mais importantes do movimento pentecostal. O *livre-arbítrio* é enfatizado, fazendo contraste com o *determinismo* (ver os artigos sobre ambas as questões). De modo geral, a doutrina arminiana é favorecida, fazendo contraste com o *calvinismo* (vide). Ver sobre *Arminianismo*. No entanto, dentro do *movimento carismático* (vide), que vai alcançando as mais diversas denominações cristãs, é comum acharem-se igrejas de pendor nitidamente calvinista, ou mesmo aquelas que assumem posição de meio-termo entre o arminianismo e o calvinismo, quando então a questão fica assim definida: antes da regeneração, o calvinismo; após a regeneração, o arminianismo, ou, pelo menos, enfatiza-se a responsabilidade humana do crente. Quanto à posição histórica do pentecostalismo no âmago do protestantismo, ver a quinta seção do artigo chamado *Protestantismo*.

A maior virtude desse movimento é a sua ênfase sobre a necessidade da renovação espiritual através das experiências místicas (ver sobre o *Misticismo*). Os seus piores vícios são o fanatismo, o legalismo, o espiritismo cristão (promovido sem que aqueles crentes tenham consciência do fato) e o exclusivismo. É costumeiro aparecer algum novo grupo de «restauração», afirmando-se uma expressão superior ou mesmo única do cristianismo bíblico. Também poder-se-ia mencionar que, em vista de uma formação teológica deficiente, por parte de boa parte do ministério pentecostal, praticam-se muitas aberrações, que parecem chocantes para crentes mais bem fundamentados nos ensinos neotestamentários. Em defesa desse estado de coisas pode-se ventilar o fato de que o movimento pentecostal ainda é muito recente

PENTECOSTE

(surgiu aí por volta de 1900). O que isso significa pode ser ilustrado pelos batistas, no início de sua história, quando a falta de maturidade do grupo provocou muitos abusos e distorções grotescas. Portanto, aguardemos algum tempo. A história sem dúvida mostrará reformas dentro do pentecostalismo; e as profecias bíblicas certamente estão ao lado do misticismo que prevalecerá nos últimos dias. Ver Joel 2:28-32 e Atos 2:16-41.

PENTECOSTE E O PENTECOSTE CRISTÃO

Ver o artigo geral chamado **Festas (Festividades) Judaicas**, especialmente a seção II.4b. **Festa das Semanas ou Pentecoste**.

Introdução
Declaração Geral

O termo Pentecoste é de origem grega, referindo-se a «cinqüenta» dias. A festa religiosa bíblica do Pentecoste ocorria exatamente cinqüenta dias após a páscoa (Lev. 23:15-21; Deu. 16:9-12). Muitos eruditos supõem que sua origem era alguma festa da colheita, celebrada pelos cananeus e por outros povos da área. Então Israel teria tomado por empréstimo a mesma, depois de ter-se estabelecido na Palestina, posto que conferindo à mesma um significado diferente. O Pentecoste era celebrado ao final de *sete semanas*, envolvidas na colheita do cereal. Nos escritos bíblicos mais antigos, era chamada de «festa da colheita» ou «festa da sega dos primeiros frutos» (Êxo. 23:16). Posteriormente, veio a ser conhecida como o *shabuot*, isto é, «festa das semanas» (Deu. 16:10). Na literatura judaica pós-bíblica, veio a ser associada ao aniversário da revelação da lei no monte Sinai, segundo o registro do décimo nono capítulo de Êxodo.

Uso Secular do Vocábulo. A palavra «Pentecoste», a partir do século IV A.C. em diante, passou a ser usada em conexão com um imposto sobre as mercadorias, cobrado pelo Estado. Dentro do seu uso não-bíblico, a palavra era um termo técnico originalmente ligado aos impostos sobre as cargas no porto de Piraeus. Mas, em Israel, não havia qualquer conotação de um imposto sobre as primícias dos produtos do campo. O livro de Jubileus (6:21) revela-nos que se revestia de um duplo significado: uma referência às semanas, e também às primícias. Sua relação com a outorga da lei foi ainda uma outra significação que essa palavra acabou por adquirir.

Em Israel, a festa de Pentecoste é celebrada no sexto dia do mês de Sivã; e entre os judeus fora de Israel, no sexto e sétimo dias do mês de Sivã (entre a segunda metade de maio e a primeira metade de junho). Na *Diáspora*, essa festividade perdeu completamente o seu caráter agrícola, tornando-se, puramente, uma festa «do tempo da outorga de nossa lei (a *Torah*)». Esse é o aspecto que atualmente permeia a liturgia e as orações associadas às sinagogas modernas.

O Pentecoste e o Domingo de Pentecoste. O Pentecoste veio a tornar-se um feriado cristão que celebra a descida do Espírito Santo (ver a seção II deste artigo), conforme está registrado em Atos 2:1-4. Ocorre cinqüenta dias após a páscoa, pelo que foi retido o seu nome *Pentecoste*, com um sentido tipicamente cristão, vinculado à descida do Espírito Santo (a outorga da lei do Espírito) o seu antítipo, a doação da lei mosaica. A comunidade anglicana chama esse feriado religioso pelo seu nome inglês, «Whitsunday», que literalmente significa «domingo branco». Esse dia é assim chamado por causa das vestes de cor branca usadas por pessoas recém-batizadas, naquele dia.

I. Pentecoste Judaico

Temos no Novo Testamento na palavra **Pentecoste**, uma designação greco-helenista para a festa hebraica *das semanas*, cuja instituição é descrita em Lev. 23:15-21. Nas páginas do A.T., essa festa é chamada de *Festa das Semanas*. (Ver o artigo geral sobre *Festas (Festividades) Judaicas*, e especificamente seção II. 4.b.). O termo, *Festa das Semanas*, faz uma alusão às diversas semanas que se tinham de passar entre a páscoa e essa observância. Passavam-se sete semanas (50 dias) entre as duas ocorrências, calculadas a começar do primeiro dia após o primeiro sábado da páscoa (ver Lev. 23:15,16). Os judeus que falavam o grego chamavam a essa festa de *Pentecoste*, por ser observada no qüinquagésimo dia após o tempo que acabamos de mencionar. Ambas as designações aparecem em Tobias 2.1. A páscoa estava associada à colheita da cevada. O Pentecoste, pois, assinalava o término da colheita da cevada, que começava quando a foice era pela primeira vez lançada no grão (ver Deut. 16:9). Também se considerava o começo dessa colheita ao serem movidos os molhos, «...*no dia imediato ao sábado*...» (Lev. 23:11,12a). Já a festa de Pentecoste marcava a colheita do trigo, e agia como espécie de santificação de todo o período da colheita, da páscoa ao Pentecoste.

As festividades não se limitavam aos tempos do Pentateuco, mas a sua observância é indicada nos dias de Salomão (ver II Crô. 8:13), como a segunda das três festas anuais (ver Deut. 16:16). Essas três grandes festas anuais eram: a festa dos pães asmos (que veio a tornar-se parte integral da celebração da páscoa, embora tivesse sido instituída como celebração separada; ver Mat. 26:17 e João 2:13), a festa das semanas (Pentecoste) e a festa dos tabernáculos (ver João 7:2). Todas essas três festividades requeriam a presença de todos os indivíduos de sexo masculino em Jerusalém, a fim de que participassem das cerimônias e celebrações.

Observações sobre o Pentecoste e o Sinai. No período intertestamentário e posteriormente, a festa de Pentecoste era reputada como o aniversário da entrega da lei mosaica, no monte Sinai. (Ver Jubileus i.1 com vi.17; Talmude Babilônico, *Persashim* 68b e *Midras*, Tanhuma 26c). Os saduceus celebravam essa festa no qüinquagésimo dia (cômputo inclusivo, em que o primeiro dia de uma série é incluído no cálculo), começando pelo primeiro domingo após a celebração da páscoa. Esse era o cálculo que regulava a observância pública do Pentecoste, enquanto esteve de pé o templo de Jerusalém. Por conseguinte, a igreja cristã está justificada por sua observância do primeiro Pentecoste cristão em um primeiro dia da semana ou domingo, também chamado de *domingo branco*, termo esse criado com base nas vestes brancas que os candidatos ao batismo costumavam usar, prática essa que ficou vinculada à festa do Pentecoste.

A festa do *Pentecoste* era proclamada como dia de santa convocação, durante a qual nenhum trabalho manual podia ser feito, exceto aquilo diretamente associado à observância dessa festividade. Todos os indivíduos do sexo masculino estavam na obrigação de comparecer ao santuário central de Jerusalém (ver Lev. 23:21). Nessa ocasião, dois pães assados, de farinha de trigo nova e sem fermento, eram trazidos para fora da tenda da congregação e eram movidos pelo sacerdote na presença do Senhor, juntamente com as ofertas de sacrifício cruento, pelo pecado, e com as ofertas pacíficas, que expressavam agradecimento (ver Lev. 23:17-20). Era considerado o Pentecoste como um dia de júbilo, conforme também

Rockefeller-McCormick Ms 965, Atos 1:16; 2:1, ss. A Reunião dos Apóstolos no dia de Pentecostes.
Cortesia, University of Chicago

occiderent	ANEΛWCIN
acceptum autem	ΛΑΒΟΝΤΕC ΔΕ
eum	AYTON
discipuli	ΟΙ ΜΑΘΗΤΑΙ
nocte	NYKTOC
per murum	ΔΙΑ ΤΟΥ ΤΙΧΟΥC
dimiserunt	ΚΑΘΗΚΑΝ
laxantes	ΧΑΛΑCΑΝΤΕC
in sporta	ΕΝ CΠΥΡΙΔΙ
cum uenisset autem	ΠΑΡΑΓΕΝΟΜΕΝΟC
paulus	Ο ΠΑΥΛΟC
in hierosolymis	ΕΝ ΙΧΛΗΜ
temptabat	ΕΠΕΙΡΑΤΟ
adhaerere	ΚΟΛΛΑCΘΑΙ
discipulis	ΤΟΙC ΜΑΘΗΤΑΙC
et omnes	ΚΑΙ ΠΑΝΤΕC
timebant	ΕΦΟΒΟΥΝΤΟ
eum	AYTON
non credentes	ΜΗ ΠΙCΤΕΥΟΝΤΕC
quod	ΟΤΙ
est	ΕCΤΙΝ
discipulus	ΜΑΘΗΤΗC
barnabas autem	ΒΑΡΝΑΒΑC ΔΕ
adsumens	ΕΠΙΛΑΒΟΜΕΝΟC
eum	AYTON
duxit	ΗΓΑΓΕΝ

Atos Laudiano, Século VI, Latim e Grego, Atos 9:25-27. — Cortesia, Bodleian Library

nos diz Deut. 16:16; e era, essencialmente, um dia em que o povo rendia graças a Deus pelo abundante suprimento da colheita. Porém, essa festa também estava vinculada à memória do livramento de Israel da escravidão egípcia (ver Deut. 16:12) e do fato de que os israelitas eram um povo que firmara pacto com Deus (ver Lev. 23:22). O fato da aceitação das ofertas pressupunha a remoção do pecado e a reconciliação com Deus; e por isso é que sacrifícios eram oferecidos em conjunção com as demais atividades próprias da festa.

Dentre todas as festividades religiosas do calendário judaico, essa era a mais intensamente freqüentada, porquanto as condições atmosféricas prevalentes favoreciam as viagens, tanto por mar como por terra. Por outro lado, os perigos durante as viagens, devido às más condições do tempo, no princípio da primavera e no fim do outono, impediam muitas pessoas de virem à capital, Jerusalém, durante as festas da páscoa e dos tabernáculos. Portanto, por ocasião da festa de Pentecoste, chegavam a Jerusalém representantes judeus e gentios vindos tanto da Judéia como de muitas outras nações, mais do que em qualquer outro período do ano.

II. O Pentecoste Cristão

Atos 2:1: *Ao cumprir-se o dia de Pentecostes, estavam todos reunidos no mesmo lugar.*

As palavras *ao cumprir-se o dia* formam uma expressão utilizada exclusivamente por Lucas (ver também Luc. 9:51). Literalmente traduzidas teríamos, *estava sendo cumprido*. Trata-se de um modo de expressão hebraico, que encara a sucessão de dias que levava ao dia de Pentecoste (partindo da páscoa), como uma quantidade ou medida que deveria ser preenchida. Assim sendo, enquanto não chegasse o dia de Pentecoste, tal medida não ficaria preenchida. Porém, chegada aquela data, tal medida ficava repleta; e isso meramente significa que o dia em questão havia chegado.

No mesmo lugar. Provavelmente está em foco aqui o «cenáculo», onde o Senhor Jesus proferia a sua preciosa promessa concernente à vinda do Espírito Santo, e onde os apóstolos posteriormente se reuniram, em outras ocasiões memoráveis, conforme nos indica o trecho de Atos 1:13. (Ver o artigo sobre *Sala Superior*).

O Pentecoste cristão trata-se da comemoração da descida do Espírito Santo sobre a igreja, em cumprimento à promessa de Cristo a respeito. Podemos observar os seguintes elementos, em resultado do que sucedeu naquele dia que se tornou distintamente cristão, em confronto com o Pentecoste conforme era comemorado pelos judeus:

1. A igreja nasceu como *primícias* ou primeiros frutos da humanidade, para Cristo. Deu-se assim início ao grande recolhimento de pessoas de todas as nações, no seio da igreja, que assinala o começo da transformação dos remidos segundo a imagem moral e metafísica de Cristo (ver Rom. 8:29 sobre essa questão). Temos ali a colheita espiritual dos homens para dentro do reino dos céus (ver I Cor. 12:13). Naturalmente, isso assinalou o princípio de uma grande e nova dispensação — a era da graça — durante a qual Deus trata dos homens de maneira mais perfeita e íntima, a fim de produzir a redenção dos mesmos.

2. Para o crente individual, a *descida do Espírito Santo* foi e é a garantia e o selo de sua completa regeneração, glorificação e participação na natureza divina (ver II Ped. 1:4), porquanto o Espírito Santo é o agente de toda essa operação divina, por ser ele a emanação da presença de Deus em nós, o «alter ego» de Cristo, cujo desígnio é o de terminar a obra da redenção, que teve começo no ministério terreno de Jesus Cristo.

3. Posto que esse acontecimento corresponde ao dia em que a lei mosaica foi outorgada, no monte Sinai, o Pentecoste do cristianismo pode ser historicamente encarado como o começo daquela *nova lei* que é implantada nos corações dos homens, o que os capacita a observarem-na, pois o poder para que o crente observe a lei da liberdade é conferido juntamente com essa própria lei (ver II Cor. 3:3 e Rom. 8:1-4).

4. O princípio da nova vida, no Espírito Santo, assinala o *término da escravidão* ao esquema deste mundo, tal como o Sinai assinalou o começo de uma nova vida para a nação de Israel, em que ela foi liberta da escravidão ao Egito.

5. O Pentecoste também marca um dia de *ação de graças* e de comemoração, porque a obra do Espírito Santo, naquele dia, foi um daqueles «tempos» ou «épocas» que o Pai reservou para sua exclusiva autoridade e através do que, uma vez completado, a criação inteira haverá de encontrar o seu centro na pessoa de Cristo e será finalmente estabelecida uma ordem social completa e universal que será a grande característica dos séculos eternos. (Ver também o trecho de Efé. 1:10 sobre a questão).

6. O dia de Pentecoste trouxe uma experiência unificadora, unindo judeus e gentios, perfazendo uma só igreja (I Cor. 12:13) e conferindo unidade espiritual (Efé. 4:1 e ss), o que envolve muitos aspectos. (Ver também Atos 1:14). Os crentes estão unidos em fato e em ato.

7. A maioria dos intérpretes acredita que o Pentecoste assinalou o começo da igreja cristã. A presença do Espírito é a característica distintiva da igreja, a qual dificilmente poderia ter vindo à existência sem essa característica.

«...e embora houvesse tantos deles, reunidos, mostraram-se muito unânimes e pacíficos; não houve conflitos e nem contendas entre eles; todos se mantinham no mesmo parecer mental e no mesmo juízo, impelidos pela fé e pela prática comuns, gozando de um só coração e alma, cordialmente ligados por afeto uns aos outros; e todos se encontravam no mesmo lugar...» (John Gill, em Atos 2:1).

«Desejamos que o Espírito se derrame do alto sobre nós? Então estejamos todos de *comum acordo*, sem importar a imensa variedade de nossos sentimentos e interesses, como, sem dúvida, sucedia também entre aqueles primeiros discípulos, concordemos em amarmos uns aos outros; porque onde habitam os irmãos juntamente, em unidade, ali o Senhor ordena a sua bênção» (Matthew Henry, em Atos 2:1).

Todos. Certamente estão aqui em vista mais do que meramente os «doze», e talvez estejam incluídos os *cento e vinte* referidos no décimo quinto versículo do primeiro capítulo de Atos.

PEOR

No hebraico, «abertura», «fenda». No Antigo Testamento, esse é o nome de um monte e de uma divindade, a saber:

1. Peor figura como uma montanha de Moabe, o lugar para onde Balaque conduziu o profeta falso, Balaão, a fim de que ele amaldiçoasse ao povo de Israel (ver Núm. 23:28). Ali, lê-se que esse monte

PEOR — PERCEPÇÃO

«olha para a banda do deserto», o deserto que havia em ambas as margens do mar Morto. Foi perto do pico da parte norte das montanhas de Abarim, perto da cidade de Bete-Peor, que Israel acampou nas planícies de Moabe, segundo se lê em Deu. 3:29 e 4:46. Ficava isso na região de Nebo, embora não se tenha podido ainda fazer uma identificação segura.

2. Peor também era o nome de uma das divindades moabitas, o deus da imundícia (ver Núm. 25:18; 31:16 e Jos. 22:17). A primeira dessas passagens conta como Israel sofreu a pena por haver adorado a esse deus, porque muitos homens israelitas casaram-se com mulheres moabitas. O juízo divino seguiu-se a isso. Balaão armara o palco para os israelitas envolverem-se com essa falsa divindade (ver Núm. 31:36), — mediante casamentos com mulheres moabitas, o que provocou uma queda na espiritualidade do povo de Israel. E a última dessas três passagens alude à questão, mostrando que as duas tribos e meia envolveram-se em atos semelhantes. A cidade de Baal-Peor era um santuário especial da adoração a essa divindade pagã (Núm. 25:3; Deu. 4:3; Jos. 13:20; Sal. 106:28). O castigo infligido em face da corrupção provocada por essa idolatria tornou-se uma espécie de advertência proverbial em tempos posteriores (ver Núm. 31:16; Deu. 4:3; Jos. 22:17). Ver o artigo geral sobre os *Deuses Falsos*.

Além disso, na Septuaginta, no trecho de Jos. 15:59, aparece *Peor* como uma cidade do território de Judá. Mas isso não aparece em nossa versão portuguesa. Todavia, essa cidade tem sido identificada com a moderna Khirbet Faghur, a sudoeste de Belém.

PEPINO

No hebraico, **gishshuim**. Essa palavra aparece somente em Núm. 11:5. Mas os estudiosos vacilam entre os sentidos de melancia, cabaça e pepino. Nossa versão portuguesa prefere «pepino». Há um outro vocábulo hebraico, *miqshah*, que também é usado apenas por uma vez, em Isa. 1:8, que tem sido traduzido por «pepinal», conforme se vê em nossa versão portuguesa. Mas é possível que esteja em foco a melancia.

O pepino era conhecido em Israel, sendo usado na confecção de saladas, conforme sucede até hoje. Foi um dos itens alimentares que os israelitas lembravam com saudades, enquanto vagueavam pelo deserto (Núm. 11:5). Porém, os eruditos disputam quanto à identidade da planta. A cabana construída em um pepinal (Isa. 1:8), era um abrigo tosco, feito de varas e palmas, com o propósito de proteger o vigia do sol e dos animais ferozes, enquanto ele trabalhava na terra e cuidava dos frutos que amadureciam. Quando a colheita terminava, a cabana era esquecida, pois já havia servido à sua finalidade. Portanto, tal cabana tornou-se um símbolo de total desolação, porque acabava caindo em ruínas. Melões e pepinos medravam bem no Egito, em vista da irrigação pelas águas do rio Nilo. Foi no Egito que Israel conheceu pela primeira vez a planta. O *Cucumis sativus* era o mesmo legume que conhecemos hoje em dia. Algumas vezes, os pobres só conseguiam alimentar-se com pão e pepinos.

PEPPER, STEPHEN C.

Suas datas foram 1891-1972. Foi um filósofo norte-americano, educado em Harvard. Ensinou na Universidade da Califórnia, nos Estados Unidos da América.

1. *Metáforas-Raízes*. Ele acreditava que os sistemas filosóficos desenvolveram-se a partir de quatro metáforas-raízes básicas: o formismo (como em Aristóteles, onde a *forma* é a questão básica); o mecanismo (como em Hobbes e no materialismo, onde o conceito de *máquina* é básico); o organicismo (como em Whitehead, onde o organismo é o conceito organizador); o contextualismo (isto é, o pragmatismo) onde a referência aos contextos gerais é importante). O próprio Pepper favorecia a última dessas quatro metáforas.

2. No campo da ética e da estética ele acreditava que outros conceitos fundamentais são importantes no desenvolvimento dos sistemas, como o hedonismo, o pragmatismo, o relativismo cultural e a evolução, cada qual correto em seus próprios contextos limitados. — Cada um tem uma noção útil, como perspectiva. Daí, desenvolveu-se o conceito do *perspectivismo*, que significa que cada ângulo pelo qual se vê uma questão usualmente tem alguma validade e acrescenta algo ao nosso conhecimento sobre aquela questão. Ver o artigo com esse título. Entretanto, Pepper não foi o criador desse conceito, embora o tivesse achado útil para o seu próprio sistema.

Escritos. Aesthetic Quality; World Hypotheses; The Basis of Criticism in the Arts; The Work of Art; The Source of Value.

PERCEPÇÃO

Esboço:
I. Contrastada com Outros Modos de Tomar Conhecimento
II. Idéias de Vários Filósofos Sobre a Percepção
III. A Percepção e sua Relação com Outros Fatores; a Mediação da Mente; a Memória; a Gestalt; a Imaginação; a Ilusão; as Alucinações; os Equívocos
IV. A Percepção e a Mente

I. Contrastada com Outros Modos de Tomar Conhecimento

É um exagero pensar que só conhecemos as coisas através da percepção de nossos sentidos. Também precisamos levar em conta a *razão* (ver sobre o *Racionalismo*), a *intuição* (vide) e o *misticismo* (vide). Cada sistema tem o seu devido valor, e precisamos de todos eles para contarmos com uma abordagem global ao conhecimento. Platão punha a percepção dos sentidos no nível mais inferior da pilha dos modos de conhecimento, chegando a supor que a tendência da percepção dos sentidos é distorcer o conhecimento, em vez de representá-lo fielmente. Sua hierarquia de utilidade punha a contemplação da Idéia (uma forma de misticismo) no topo dessa pilha.

II. Idéias de Vários Filósofos Sobre a Percepção

1. *Empédocles* pensava que temos percepções devido à existência, em nós, de alguma coisa que corresponde a coisas similares em nosso ambiente. A percepção, pois, seria uma espécie de interação de similaridades.

2. *Anaxágoras* afirmava o ponto de vista oposto, supondo que a percepção se torna possível por algo em nós que contrasta as qualidades das coisas ao nosso derredor.

3. *Leucipo e Demócrito* (além de outros atomistas) criam que *imagens* (ou partículas) de coisas percebidas estão bombardeando constantemente nossos aparelhos dos sentidos, e que sentimos esses objetos através de imagens invasoras.

4. *Platão* defendia um baixo conceito da percepção

PERCEPÇÃO

dos sentidos, acreditando que ela só nos pode conferir conhecimentos quanto a este mundo dos particulares (o mundo físico), o qual é apenas uma imitação do real mundo das Idéias. Outrossim, mesmo nesse caso, as percepções tendem por distorcer os eventos que notamos no mundo físico. Acima da percepção dos sentidos ele punha a razão; acima da razão, a intuição; e acima da intuição, a contemplação (o misticismo).

5. *Aristóteles* não diminuía o valor da intuição (súbitos relâmpagos do entendimento); mas, como cientista que era, frisava a percepção como o principal modo de tomar conhecimento das coisas. Todavia, também dava à mente um papel importante nesse processo, supondo que a mesma tem qualidades que possibilitam extrair das inúmeras imagens que nossos sentidos captam, a «forma» que essas imagens representam. A abstração (uma capacidade da mente) deixa de lado os detalhes contingentes. A idéia de abstração de fantasmas tornou-se uma importante doutrina filosófica durante a Idade Média.

6. *Hobbes* apegou-se à teoria materialista, aceitando a natureza mecanicista da percepção e do conhecimento. Ele falava na percepção como matéria em movimento.

7. *Descartes* julgava que a percepção é um ato intelectual. Sensação sem intelecto seria algo amorfo. A mente precisa participar do nosso processo cognitivo, sem o que não haveria percepção.

8. *John Locke* fazia da mente uma tábula rasa, supondo que a percepção dos sentidos gradualmente a enche com sinais, que se tornam os elementos básicos do nosso conhecimento. A organização desses sinais confere-nos um quadro ou um conceito. Então damos nomes a esses conceitos; e é desse processo que evolui a linguagem. Nesse caso, a linguagem seria a base de toda a nossa intelecção. Mas, tudo teria começo na percepção física, sem o que a mente seria reduzida a nada. A sua idéia é denominada teoria representativa da percepção. A origem de todas as idéias poderia ser retraçada até à experiência; a experiência basear-se-ia nas sensações e nas reflexões mentais. Daí é que procede toda a complexidade da nossa vida mental.

9. *Leibnitz* asseverava que a percepção é um processo contínuo no homem, continuando mesmo no sono profundo, e provendo a continuidade mental do homem. As *pequenas percepções* ocorrem continuamente no homem. Porém, ele também dizia que o homem é uma mônada, com toda percepção adredemente embutida nele, correspondente às imagens externas, embora sob hipótese alguma causada por elas. Assim, de acordo com a sua filosofia, na realidade a percepção é algo embutido na mente, e não algum estímulo que chega ao homem do seu meio ambiente. Ver o artigo geral sobre o *Problema Corpo-Mente*, especialmente em sua quarta seção, *Paralelismo (Harmonia Preestabelecida).*

10. *Kant* definia a percepção como tomada de consciência acompanhada por sensações, misturando fatores físicos com mentais. Esse era o assunto de sua *estética transcendental*. Ele fazia da percepção a base das *proposições* (alicerçando a percepção sobre a atividade dos cinco sentidos), mas desenvolveu um ponto de vista mais amplo, em sua obra *Crítica da Razão Prática*, onde ele admitiu a necessidade da razão, da intuição e das experiências místicas, para que pudesse arquitetar uma filosofia razoável.

11. *Mill* dizia que a matéria fornece-nos a possibilidade permanente das sensações, abrindo espaço para o *fenomenalismo* (vide), onde o dualismo entre as sensações e os objetos é eliminado.

12. *Estudo Sobre Formas de Realismo.* O *realismo ingênuo* ensina que as percepções são validades, mostrando a realidade, conferindo-nos um autêntico conhecimento. As coisas seriam exatamente aquilo que parecem ser. Mas o *novo realismo* argumenta em favor da realidade dos objetos que percebemos, em contraste com o conteúdo de minha percepção, e acredita que uma percepção bem disciplinada dos sentidos (com ajustamentos apropriados e confirmados com instrumentos de precisão, etc.), seja capaz de conferir-nos um verdadeiro conhecimento. O *realismo crítico*, por sua vez, crê na realidade do mundo físico, à parte das nossas idéias, e aferra-se à idéia de que as nossas percepções (auxiliadas por instrumentos) são as fontes do conhecimento que podemos ter sobre este mundo. Entretanto, esse sistema utiliza-se de uma abordagem cética, declarando que o conhecimento assim adquirido não é perfeito, pode estar eivado de erros e ilusões, pelo que também o verdadeiro conhecimento será sempre apenas um ideal, e nunca uma realização. Temos aqui uma consideração em tríade; há o objeto a ser percebido; há os informes dos sentidos; e há o ato de perceber, mediado através da mente. O resultado pode ser prático, mas não é uma verdadeira *representação* da verdade. É apenas uma conclusão *representativa.*

13. *Os informes dos sentidos*, ou seja, quaisquer itens destacados pela percepção dos sentidos, são uma expressão introduzida na filosofia por *Moore* (vide) e que foi empregada por *Russell* (vide) e por *Broad* (vide). Essa expressão, «informes dos sentidos», indica que percebemos não as coisas propriamente ditas, mas os informes produzidos por nossos sentidos. Esse é o ponto de vista do realismo crítico. Os informes dos sentidos acerca de um objeto qualquer podem ser algo bem diferente daquele objeto. A ciência está confirmando esse fato. Um objeto é composto de átomos em movimento, constituído, principalmente, de espaço vazio; mas os informes dos nossos sentidos nada nos dizem acerca dessa realidade. Toda percepção dos sentidos está envolvida em uma ilusão mental (até que grau é difícil de dizer), sendo uma ilusão óptica.

Em sentido geral, aqueles que aceitam a relevância e a máxima importância da percepção dos sentidos, no tocante à obtenção de conhecimentos, são chamados teoristas dos informes dos sentidos, ainda que não defendam a idéia de que percebemos informes dados pelos sentidos, e não as coisas propriamente ditas. Nesse sentido mais geral, estão incluídos filósofos como John Locke.

14. *Alguns empiristas*, como Ryle e Austin, têm tachado a teoria dos informes dados pelos sentidos de compilação desnecessária, afirmando que recebemos percepção das coisas propriamente ditas.

15. *Merleau-Ponty* ofereceu uma análise fenomenológica da percepção, afirmando que a mesma sempre é acompanhada por várias relações, incluindo as avaliações mentais, as formas relacionais, a subjetividade, etc. Portanto, uma percepção não é meramente o ato mecânico de perceber. Antes, está em jogo uma complexa combinação de elementos.

III. A Percepção e sua Relação com Outros Fatores; A Mediação da Mente; a Memória; a Gestalt; a Imaginação; a Ilusão; as Alucinações; e os Equívocos

1. *A Mediação da Mente.* A percepção nunca ocorre isolada; sempre é acompanhada pela avaliação. A mente é sempre ativa, acrescentando ou diminuindo algo. Uma avaliação é um ato mental. Se eu vir um leão na floresta, provavelmente sentirei temor, e um resultado físico poderá ser sudorese nas

mãos. Mas, se eu vir o mesmo leão engaiolado em um zoológico, provavelmente não terei temor, e nem minhas mãos ficarão úmidas de suor (resultado do medo). Poderei pensar que esses dois eventos terão tido lugar (um com suor; outro sem suor) devido a duas diferentes percepções. Porém, a verdade é que houve duas avaliações distintas, ou seja, dois atos mentais; e o ato mental é que causará a presença ou ausência do suor nas mãos. Destarte, a percepção está envolvida no *Problema Corpo-Mente* (vide), porquanto sempre envolve avaliações mentais, atos mentais. Não existe percepção que não seja acompanhada de algum ato mental, que não envolva alguma mediação da *mente* (vide).

2. *A Memória*. Ver o artigo com esse título. A memória sempre é um fator na percepção dos sentidos. Lembramo-nos de como alguma percepção relaciona-se conosco, e isso nos ajuda em nossa avaliação da percepção obtida. A memória confere substância às nossas percepções, e muitas associações mentais vêem-se assim envolvidas.

3. *A Gestalt*. Essa palavra germânica que significa «forma» indica um arranjo de distintos elementos das experiências, das emoções, etc., que se apresentam sob certa forma ou padrão, uma *configuração* tão integrada que parece funcionar como uma *unidade*, e não como mero sumário de suas porções constituintes. A *psicologia Gestalt* interpreta os processos biológicos e psíquicos em termos de ação e interpenetração de padrões intimamente integrados, chamados *Gestalten*; o efeito observado de um *Gestalt*, bem como o mecanismo de sua ação, não podem ser adequadamente explicados mediante uma simples análise de suas partes constituintes. Isso posto, há uma espécie de complexidade envolvida na percepção que põe em ação as várias capacidades do ser humano, que ultrapassa à simples percepção dos sentidos, aos informes crus obtidos pelos sentidos.

4. *A Imaginação*. Uma pessoa pode acrescentar ou subtrair de uma percepção, por meio de sua imaginação. Por causa disso é que quando as pessoas recontam detalhes de algum acontecimento, são destacadas coisas bem diferentes. A imaginação quase sempre faz parte da cena da percepção; mas a imaginação é inventiva.

5. *A Ilusão e as Alucinações*. Sabe-se atualmente que parte da alegada percepção consiste em ilusões e alucinações. A mente elabora os informes crus dos sentidos, que nos são apresentados pela percepção. É muito difícil determinar o grau ou porcentagem de ilusões e alucinações em nossas percepções, mas esses são fatores constantes. A mente leva-nos a ter percepções enganadoras, exageradas, ou simplesmente equivocadas. «Nenhuma clara demarcação entre ilusões e percepção torna-se possível. Muita análise experimental tem sido devotada ao estudo das ilusões ópticas... quando alguém está percebendo algo, o que esse alguém percebe depende notoriamente de seus próprios hábitos de reflexão e concentração, de suas circunstâncias e de seu humor, como também do pano de fundo e do contexto dos objetos percebidos» (AM). Algumas vezes, uma ilusão é um virtual sinônimo de uma alucinação. Contudo, deveríamos fazer aqui uma distinção. Uma *ilusão* é uma interpretação errada dos informes prestados pelos sentidos. Uma *alucinação*, por sua parte, é uma invenção da mente, quanto a coisas que não estão contidas na percepção dos sentidos. As alucinações não têm base sensória, mas apenas nas sugestões. A sugestão pode criar alucinações na percepção dos sentidos. Assim sendo, temos as ilusões em operação, interpretando erroneamente e adicionando algo aos crus informes dados pelos sentidos. E também temos alucinações em operação, inventando coisas que não fazem parte dos crus informes obtidos pelos sentidos. É difícil precisar qual percentagem daquilo que vemos ou ouvimos está sendo erroneamente interpretado ou é mera invenção da mente.

6. *Os Equívocos*. Esses também corrompem a percepção dos sentidos. Temos aí algum erro de julgamento e de fé, e não tanto um erro da percepção. Vemos algo, mas cremos estar vendo outra coisa.

IV. **A Percepção e a Mente**

O uso comum da palavra **percepção** indica uma maneira breve de dizer *percepção dos sentidos*, os informes colhidos pelos nossos cinco sentidos físicos. Na presente discussão, não podemos esquecer que a mente também percebe e avalia, e que a mente é algo distinto do cérebro (ver sobre o *Problema Corpo-Mente*). De fato, os nossos cinco sentidos físicos são instrumentos da mente para que ela possa funcionar, incluindo a manipulação do corpo. A mente é a construtora; o corpo é o veículo; a mente é a inteligência primária; o cérebro é o instrumento da mente. A mente lança mão das percepções físicas; mas a mente tem percepções próprias independentes das sugestões dadas pela percepção dos sentidos. Ver os artigos gerais sobre *Mente e Memória*. Existe aquilo a que poderíamos chamar de memória extracerebral.

Bibliografia. AM EP F MM P

PERCEPÇÃO DOS SENTIDOS

Ver o artigo geral sobre a **Percepção**.

PERCEPÇÃO EXTRA-SENSORIAL

Ver o artigo detalhado sobre **Parapsicologia**.

Essa expressão indica que **há percepções** que nos outorgam conhecimentos que **não dependem** da atividade de nossos cinco sentidos físicos. Em outras palavras, o homem é capaz de conhecer coisas de modos não mediados pelos sentidos. Os racionalistas supõem que a razão é a faculdade humana superior, podendo proporcionar-nos verdades que o método científico não é capaz de fazer. Ver sobre o *Racionalismo*. Os intuicionistas pensam que podemos obter conhecimento imediato sem a mediação da percepção dos sentidos. Ver sobre a *Intuição*. Os místicos afirmam que há a revelação divina, que nos pode dar a verdade como um dom divino; e que, na contemplação, podemos ver diretamente as essências e compreendê-las parcialmente, sem a percepção dos sentidos, sem a razão e sem a comum intuição. Ver sobre o *Misticismo*.

Os poderes psíquicos como a telepatia, a clarividência, a psicocinesia, a retrocognição e o conhecimento anterior são chamados de poderes ou **percepções extra-sensoriais**. Em outras palavras, essas capacidades ultrapassam o poder dos sentidos físicos. Cada um desses termos mereceu um artigo separado nesta enciclopédia; e, no artigo intitulado *Parapsicologia* oferecemos uma descrição desses poderes e suas funções, juntamente com teorias que procuram explicá-los. O assunto reveste-se de importância na gnosiologia e na metafísica, pelo que é importante tanto para a filosofia quanto para a fé religiosa.

Tais poderes são naturais para o ser humano, pois o homem é uma psique (uma alma). Contudo, por detrás desses poderes pode haver outros seres espirituais, como os anjos ou os demônios. Essas capacidades, por si mesmas, não são boas e nem más.

PERCEPÇÃO — PERDÃO

Tudo depende de como forem utilizadas. Sem tais capacidades, seria impossível à nossa mente (uma substância imaterial) agir sobre o corpo físico (uma substância material). Por conseguinte, a cada instante as pessoas estão exercendo poderes psíquicos, de onde se derivam também as **percepções extra-sensoriais**. Os poderes psíquicos não somente percebem; também atuam. A psicocinesia é ato, e não mera percepção; mas é classificada juntamente com os outros fenômenos como uma parte da mesma capacidade humana. Seja como for, esses poderes estão interligados.

A afirmação de que os homens podem saber das coisas por meios extra-sensoriais, concorda com o espírito das declarações dessas diversas posições. Por exemplo, acredita-se que a transferência de pensamentos ou telepatia (que vede) é um fato da experiência humana. Também acredita-se que o pensamento (uma das propriedades da mente) pode exercer efeitos sobre a matéria, no fenômeno chamado de psicocinesia. Ver o artigo sobre esse assunto. A cura de enfermidades pode ser um aspecto da mente sobre a matéria, quando o poder da mente produz efeitos sobre a nossa porção física. O homem seria capaz de conhecer coisas, mesmo sem comunicar-se com outras mentes e sem a percepção dos sentidos. Isso se chama *clarividência* (que vede). O homem também seria capaz, inteiramente à parte da inspiração divina, de predizer o futuro. Isso se chama *conhecimento prévio* (que vede). O homem também seria capaz de passar em revista o passado, de maneira misteriosa, vindo a saber de certas coisas sobre o mesmo, como não aprendera por meio de livros. Isso chama-se *conhecimento retroativo* (que vede).

O que aqui dizemos é apenas sugestivo. Um completo estudo sobre essas questões figura no artigo sobre a *Parapsicologia*. Essa é uma ciência emergente. O fato de que alguns misturam o ocultismo e o demonismo com este assunto, não significa que esses estudos não possam ser feitos sobre bases científicas. Todas as ciências estão sujeitas a abusos. Todas as categorias da atividade e do conhecimento humanos têm sido abusadas. Sem os poderes psíquicos, o homem nem poderia existir, visto que é a mente, do começo ao fim, que controla o corpo físico. O homem é uma mente; o homem é uma alma; o homem é uma entidade imaterial; o homem é um intelecto. Como tal, ele controla o seu corpo, que é um veículo físico. Esse controle é uma utilização complexa da *psicocinesia*. Sem essa função psíquica, o homem morreria — no instante seguinte—, porquanto não haveria qualquer interrelacionamento possível em seu corpo. Ver sobre o *Problema Corpo-Mente*. Portanto, afirmar que **a percepção extra-sensorial** é algo do diabo e dizer que todos os homens são possuídos por demônios, porquanto a própria essência do conhecimento é a atividade da alma, ou seja, da psique. As percepções da alma podem ser mediadas através do corpo físico, mas também **podem ser extra-sensoriais**. Se a **percepção extra-sensorial** não existisse, a própria existência da alma seria posta em dúvida.

PERDÃO

Esboço

I. Palavras Envolvidas
II. Caracterização Geral
III. A Ênfase da Fé Cristã
IV. Ensino Bíblico Sobre o Perdão
V. Problemas Relativos à Doutrina do Perdão
VI. O Escopo e o Tempo do Perdão

I. Palavras Envolvidas

No hebraico, temos a considerar quatro palavras, e, no grego, também quatro, a saber:

1. *Salach*, «perdoar». Verbo hebraico usado por quarenta e seis vezes, conforme se vê, por exemplo, em Núm. 30:5,8,12; I Reis 8:30,34,35,39,50; II Crô. 6:21,25,27,30,39; Sal. 103:3; Jer. 31:34; 36:3; Dan. 9:19; Amós 7:2.

2. *Sallach*, «perdão». Substantivo hebraico usado por uma vez: Sal. 86:5.

3. *Kaphar*, «cobrir». Palavra hebraica usada por cerca de dez vezes com o sentido de «perdoar», embora seja palavra traduzida, principalmente, por «expiar». Ver, por exemplo, Sal. 78:38; Jer. 18:23; Deut. 21:8; II Crô. 30:18; Lev. 8:15; Eze. 45:15,17; Dan. 9:24.

4. *Nasa*, «levantar», «perdoar». Palavra hebraica usada por cerca de treze vezes com o sentido de «perdoar»: Gên. 50:17; Êxo. 10:17; 32:32; 34:7; Núm. 14:18,19; I Sam. 25:28; Sal. 25:18; 85:2; Isa. 2:9.

5. *Aphíemi*, «deixar ir», «perdoar». Termo grego usado por cento e quarenta e cinco vezes no NT, desde Mat. 3:15 até Apo. 11:9.

6. *Áphesis*, «perdão». Substantivo grego empregado por dezessete vezes: Mat. 26:28; Mar. 1:4; 3:29; Luc. 1:77; 3:3; 4:18 (citando Isa. 61:1); 4:18 (citando Isa. 58:6); 24:7; Atos 2:38; 5:31; Efé. 1:7; Col. 1:14; Heb. 9:22; 10:18.

7. *Charizomai*, «ser gracioso com», uma palavra grega utilizada por vinte e duas vezes: Luc. 7:21,42,43; Atos 3:14; Rom. 8:32; I Cor. 2:12; II Cor. 2:7,10; Gál. 3:18; Efé. 4:32; Fil. 2:9; Col. 2:13; 3:13; File. 22.

8. *Apolúo*, «soltar», «perdoar». Verbo grego que ocorre por apenas uma vez com o claro sentido de *perdoar*, em Luc. 6:37. Significa em outros lugares soltar, deixar, divorciar-se, etc.

II. Caracterização Geral

O perdão pode ser um **ato divino**, que resulta no perdão do transgressor humano. Por igual modo, um ser humano pode perdoar a outro. O perdão dos pecados é uma *prerrogativa divina* (Sal. 130:4). Jesus Cristo recebeu o poder de perdoar da parte do Pai (Mat. 2:5). Um perdão *pleno*, gratuito e eterno é oferecido a todos quantos se arrependerem e crerem no evangelho, contanto que disso resulte uma verdadeira *mudança* na vida e na alma, e não apenas uma profissão de fé. Ver Atos 13:38,39; I João 2:12. Os crentes devem perdoar àqueles que os ofendem, de modo imediato, abundante, definitivo, porque esse perdão deve imitar o ato divino (Luc. 17:3,4). Isso precisa ser feito, pois, de outra forma, não podemos esperar que o Senhor nos perdoe (Mat. 6:12-15; 18:15-35). Alguns chamam isso de *base legal*; mas aquele que retém o ódio em seu coração está longe de ter endireitado os seus caminhos diante de Deus, e, assim, continua levando o seu pecado. Por outra parte, aquele que foi verdadeiramente regenerado possui a atitude de perdão, como uma de suas qualidades essenciais. Se assim não for, é que aquele indivíduo não foi, realmente, regenerado.

O *perdão é um ato da alma* mediante o qual a pessoa ofendida permite que o seu ofensor fique livre, esquecendo-se então da ofensa. Deus requer, na maioria dos casos, embora nem sempre, que o ofensor se arrependa, que haja *perdão* e que haja *reparação* pelos danos causados, sempre que isso for *possível*. Essa é uma condição *básica*; mas o puro amor de Deus cobre uma multidão de pecados quando o indivíduo não é *capaz* de corrigir o erro praticado ou de *restaurar* o danificado (Rom. 5:5-8). Mesmo

PERDÃO

quando essas condições não podem ser preenchidas, o perdão divino é dado somente se o indivíduo, em imitação ao Senhor, for gracioso, amoroso, disposto a perdoar a seus ofensores. Textos como os de Mat. 6:12; 18:23—35; Mar. 11:26 contêm esses ensinamentos, enfaticamente.

III. A Ênfase da Fé Cristã

A fé cristã é supremamente destacada por sua ênfase sobre o perdão, mais do que as outras grandes religiões do mundo. Assim sucede porque o grande Profeta do cristianismo, o Cristo, em sua morte e ressurreição forneceu aos homens os próprios meios do perdão. Esse elemento faz parte do significado da missão do Filho. A fé cristã também salienta que o perdão nos é dado da parte de um Pai misericordioso, quem é a fonte de toda vida e existência. Quanto a referências bíblicas sobre esse ofício de Cristo, ver Efé. 4:32; Atos 5:31; 13:38; Mar. 2:10; I João 1:9 e, especialmente, Efé. 1:7. Este último trecho ensina: «...no qual (Amado, Cristo) temos a redenção, pelo seu sangue, a remissão dos pecados, segundo a riqueza da sua graça».

IV. Ensino Bíblico Sobre o Perdão

A. No Antigo Testamento

1. O elaborado *sistema de sacrifícios* do Antigo Testamento estava diretamente vinculado à idéia de expiação e, conseqüentemente, de perdão. Apesar de certos trechos do Novo Testamento, como Rom. 3:25, darem a entender que o perdão divino, no Antigo Testamento, estava condicionado ao futuro ministério de Cristo, não há que duvidar que os israelitas, nos dias do Antigo Testamento, pensavam que seus sacrifícios eram eficientes — para o perdão de seus pecados, mediante a expiação. O artigo sobre a *Expiação* fornece-nos detalhes.

2. As ofensas são vistas como perdoadas, e o perdão é encarado como um ato da graça divina, que deve ser recebido com profunda gratidão. O pecado merece ser punido, e o perdão é uma medida da graça e da misericórdia divinas. O recebimento desse benefício deveria criar o senso de temor no coração dos homens. Ver Sal. 130:4; Deu. 29:20; II Reis 24:4; Jer. 5:7 e Lam. 3:42, quanto às idéias aqui expressas.

3. Somente Deus tem a prerrogativa de perdoar aos homens (Deu. 9:9). A única maneira como o homem pode perdoar é indiretamente, mediante a pregação do evangelho. Os que aceitarem a mensagem cristã serão perdoados por Deus. Ver João 20:23. Mas os apóstolos nunca perdoaram pessoalmente senão a alguma ofensa pessoal contra eles, como qualquer crente pode fazer. No caso de pecados contra o Senhor eles deixavam a questão nas mãos de Deus. «Arrepende-te, pois, da tua maldade, e roga ao Senhor; talvez que te seja perdoado o intento do coração» (Atos 8:22).

4. O perdão divino está alicerçado sobre a misericórdia, a bondade e a veracidade de Deus (Êxo. 34:6 ss). O perdão torna-se impossível se Deus não se mostrar gracioso. E essa graciosidade divina, como é óbvio, manifesta-se exclusivamente através de Cristo e sua palavra.

5. O perdão dado por Deus é completo. Ele afasta de nós os nossos pecados tanto quanto o Oriente dista do Ocidente (Sal. 103:12). Ele lança para trás de suas costas as nossas transgressões, sem mais considerá-las (Isa. 38:17). Ele apaga as transgressões dos perdoados (Isa. 43:25; Sal. 51:1,9) e nunca mais relembra os seus pecados (Miq. 7:19).

B. No Novo Testamento

1. O pecador é perdoado, por sua vez deve perdoar aos que o ofendem (Luc. 3:37). No entanto, isso cria um problema teológico para alguns. Ver sob a seção quinta, abaixo. Ver também Mat. 6:12-15; 18:15-35.

2. O perdão depende diretamente da expiação de Cristo (Efé. 1:7; Rom. 3:25; 4:25; Mat. 26:28).

3. A validade da expiação cerimonial, no Antigo Testamento, dependia do indivíduo considerar a sua participação espiritual na futura missão e expiação de Cristo (Rom. 3:25). No Novo Testamento, os povos gentílicos também são beneficiados, mediante a fé em Cristo, e não somente o povo de Israel (Atos 17:30,31). A descida de Cristo ao hades (I Ped. 3:18 — 4:6) estende o benefício da expiação de Cristo a todos os homens, oferecendo-lhes a salvação através do evangelho, conforme I Pedro 4:6 deixa claro: «...pois, para este fim foi o evangelho pregado também a mortos, para que, mesmo julgados na carne segundo os homens, vivam no espírito segundo Deus».

4. O contínuo perdão dos pecados dos crentes, também depende diretamente da obra expiatória de Cristo (I João 1:9).

5. O perdão está diretamente vinculado ao arrependimento (Miq. 1:4; Atos 2:38; Luc. 24:47).

6. O perdão também está ligado à fé ou à confiança em Cristo (Atos 10:43; Tia. 5:15). O arrependimento e a fé servem de meios para o perdão. O mérito nunca é humano, mas somente em Cristo. Apesar disso, sem aqueles meios (arrependimento e fé = conversão) não haverá perdão, porquanto o mérito de Cristo precisa ser *apropriado* pelo homem.

N.B. — Outros ensinos neotestamentários sobre o perdão, que não foram ventilados aqui, são tratados na seção abaixo, sobre os *Problemas*.

7. Visto que Deus perdoa gratuita e abundantemente, outro tanto deveriam fazer os crentes, sem nunca limitarem o número de vezes em que eles perdoam a seus ofensores (Mat. 18:22). Esse ensino, naturalmente, está muito acima da capacidade da maioria das pessoas e serve como um elevado ideal.

8. O perdão repousa sobre a completa missão de Cristo, sobre a sua morte e ressurreição (Heb. 9:26; Rom. 4:25).

V. Problemas Relativos à Doutrina do Perdão

1. Cristo ensinou claramente que o perdão divino depende (como uma condição possível) de perdoarmos aos nossos ofensores. Ver Luc. 6:37; Mat. 6:12-15; 18:15-35. Isso cria uma grande consternação para os estudiosos de teologia. As explicações dadas por esses estudiosos têm sido as seguintes:

a. *A Declaração de Cristo é Absoluta*. Sem importar se no regime da lei ou no regime da graça, o perdão sempre foi dado somente àqueles que estiverem dispostos a tratar seus semelhantes conforme Deus trata com eles. Sem dúvida era assim que Jesus pensava. De outra sorte, como poderia ter falado como falou? Porventura, ele não tinha consciência de que uma nova dispensação religiosa estava começando, que o nosso período da graça haveria de modificar isso? Ou ele exprimiu uma lei moral fixa?

b. *A Declaração de Cristo é Legalista*. Os eruditos dispensacionalistas supõem que essa declaração refletia uma verdade antes da cruz, mas que, depois da mesma, o perdão é dado gratuitamente, através da graça de Deus, inteiramente à parte de quaisquer condições humanas, exceto o arrependimento e a fé, que é a resposta favorável do homem à mensagem divina.

c. *A Declaração de Cristo Precisa ser Condicionada*. O indivíduo perdoado, em face de ser um homem

PERDÃO

que foi regenerado e transformado pelo poder de Deus, mui naturalmente dispor-se-á a perdoar a seus ofensores. No caso dele não se dispor a isso, então será duvidoso se ele foi, realmente, regenerado. Em outras palavras, o perdão estendido a outros é um *resultado*, e não uma causa do perdão que recebemos da parte de Deus.

Não há maneira fácil de solucionar esse problema; e as respostas que os estudiosos têm dado nos deixam, algumas vezes, perplexos.

2. *O Anulamento do Perdão Recebido*. O sexto capítulo da epístola aos Hebreus certamente ensina que algumas pessoas que foram regeneradas e perdoadas podem perder essas graças mediante o desvio, o pecado voluntário e a apostasia. Esse texto é um antigo campo de batalha, levando-nos diretamente ao problema da eterna segurança dos salvos. Minha resposta especulativa é que um crente verdadeiro pode cair de sua posição, tornando-se como uma pessoa não-convertida. Mas, visto que ele recebeu a promessa da vida eterna, da parte do Senhor, e que pertenceu a ele, então será finalmente trazido de volta ao aprisco, ou ainda da morte física, ou já nos mundos espirituais. Todavia, também especulo que essa recuperação pode envolver um longo, longo tempo. A alma nessa situação pode vaguear em estado de perdição, chegando mesmo a sofrer o julgamento no hades. O relato da descida de Cristo ao hades (I Ped. 3:18 — 4:6) indica que o evangelho foi anunciado até mesmo ali, a fim de oferecer a vida. Suponho, pois, que uma pessoa que realmente se converteu, mas desviou-se de Cristo, pode terminar no juízo do hades; mas, em face dela ter sido escolhida, será restaurada, ainda que chegue ao hades. Aprofundo-me mais ainda na especulação. Se a reencarnação exprime uma verdade (ver o artigo sobre esse assunto), então a restauração da alma poderia ocorrer em uma outra vida terrena. Estamos envolvidos em grandes mistérios, quando pensamos sobre o destino da alma. Mas, para mim, parece-me preferível procurar respostas especulativas do que simplesmente ser um arminiano. O arminianismo ensina que se um homem salvo vier a se perder, estará perdido para sempre. Ou então, ser simplesmente um calvinista. O calvinismo ensina que o verdadeiro crente nunca pode se desviar de Cristo. No entanto, a experiência humana ensina-nos que um crente verdadeiro pode se desviar de Cristo; foi a consciência desse fato que inspirou o escritor da epístola aos Hebreus, no seu sexto capítulo. No entanto, esse mesmo capítulo de Hebreus termina com uma nota de segurança: «Quanto a vós outros, todavia, ó amados, estamos persuadidos das cousas que são melhores e pertencentes à salvação, ainda que falamos desta maneira» (Heb. 6:9). Cristo tem poder para restaurar a qualquer um, mesmo após o sepulcro. Ver o artigo geral sobre a *Segurança Eterna*, que entra em maiores detalhes sobre esse complicado problema. As respostas simples, ou unilaterais, raramente são adequadas para equacionar os profundos problemas. Suponho, pois, que a segurança do crente é *absoluta*. Ela haverá de ser apanágio do crente. No entanto, o desvio do crente é *relativo* à sua experiência total. Mas, se o crente vier a desviar-se, será, finalmente, restaurado, e ficará para sempre com o Senhor.

3. Os apóstolos podiam perdoar pecados? E essa autoridade deles poderia ser transferida a outros? A primeira dessas duas perguntas precisa ser respondida afirmativamente, embora requeira qualificação. A segunda já vai além das palavras que Jesus proferiu a respeito: «Se de alguns perdoardes os pecados, são-lhes perdoados; se lhos retiverdes, são retidos» (João 20:23). Nas notas expositivas do NTI, ofereço uma longa discussão sobre esse versículo. Aqui apresento apenas algumas observações principais.

a. A Igreja Ocidental compreende essas palavras de Cristo como uma declaração literal, supondo que os apóstolos tinham a autoridade real de perdoar pecados. Naturalmente, ali essa autoridade é explicada como algo delegado por Deus, e não que eles tivessem, em si mesmos, os méritos para perdoar os pecados alheios. Mas, o erro nessa posição é que, por um salto ilógico, esse poder é transferido para o sacerdócio, quando o Novo Testamento nem reconhece a existência de um corpo clerical, em contraste com um corpo laico. Na prática, essa posição equivale a dizer que a máquina eclesiástica é o agente do perdão divino, e que as suas funções e sacramentos são essenciais a isso. Os que estão fora dessa organização eclesiástica, assim sendo, não poderiam receber o perdão. Tudo isso é totalmente contrário ao ensino neotestamentário, que deixa claro que cada crente trata diretamente com Deus, por meio de Cristo Jesus, sem qualquer intermediação humana.

b. Os grupos protestantes (e também os católicos romanos liberais) têm dito que a doutrina, conforme é exposta tradicionalmente pelo catolicismo romano é por demais radical. Os grupos evangélicos pensam que o trecho de João 20:23 ensina que os apóstolos perdoavam *medianeiramente* (isto é, por meio de sua missão de pregadores do evangelho), e não *pessoalmente*, como se perdoar os pecados dependesse de uma decisão deles. Os protestantes liberais pensam que interpretar literalmente esse versículo é ultrapassar o bom senso e aquilo que a fé bíblica requer de nós. E também dizem que mesmo que o autor daquele versículo realmente acreditasse (e desejasse ensinar) que os apóstolos tinham a autoridade para perdoar pecados, ele estava equivocado, e seu ensino era falso. Os católicos liberais, por sua vez, acreditam que a ordem usual das coisas (o perdão dos pecados através do clero) tem suas exceções, controladas pela graça de Deus. Assim, até mesmo pagãos bem-intencionados (como aqueles referidos no segundo capítulo da epístola aos Romanos) podem ser perdoados, sem o ofício intermediário da Igreja visível.

Os evangélicos afirmam que mesmo que aos apóstolos tivesse sido dado autoridade para perdoarem pecados, não há qualquer razão convincente para supormos que essa autoridade tenha sido transferida para algum sacerdócio cristão (inexistente nas páginas do Novo Testamento, como uma classe distinta dos outros cristãos); e menos ainda, que o sacerdócio da Igreja Católica Romana tenha sido destacado como o — receptor — dessa autoridade transferida. Mediante uma manipulação interpretativa, alguns estudiosos têm dito que os apóstolos meramente confirmavam o perdão que já havia sido conferido por Deus, e não que eles fossem os perdoadores imediatos. Essa interpretação é conseguida mediante a observação que, no grego, o verbo é posto no tempo perfeito (uma ação no passado, com resultados no presente); porém, o mais provável é que isso seja uma eisegese, e não exegese. Ver os artigos sobre *Eisegese* e *Exegese*.

4. *O Pecado Imperdoável*. Esse é o pecado contra o Espírito Santo (Mat. 12:31 ss; Mar. 3:28 ss). Mais precisamente, no que consiste esse pecado?

a. Os textos envolvidos ensinam que se trata de uma blasfêmia. Essa blasfêmia diz respeito a Cristo, atribuindo aos demônios a inspiração por atos realizados por Jesus, ao invés de atribuir tal inspiração ao Espírito Santo. O *ponto de vista dispensacional* afirma que tal tipo de pecado só podia

PERDÃO

ocorrer nos dias em que Cristo estava neste mundo. Agora, porém, Cristo não está operando no mundo, em pessoa, pelo que as pessoas não podem atribuir ao diabo o que ele realiza.

b. A opinião dos não-dispensacionalistas é que esse pecado continua sendo possível até hoje. Por exemplo, quando os homens resistem teimosa e perversamente às operações do Espírito, manifestadas através da ministração do evangelho, e atribuindo tais operações a Satanás.

c. A interpretação da *resistência agravada*. Os indivíduos que continua e resolutamente se opõem ao evangelho e ao seu ministério, durante certo período de tempo, terminam por colocar-se fora do alcance do perdão divino. Assim sendo, esse pecado de blasfêmia contra o Espírito Santo envolveria um longo período de rebeldia e oposição, não sendo um pecado isolado.

d. Interpretação da desobediência agravada, pecaminosidade e apostasia. Os homens que persistem no pecado, em sentido geral, finalmente não mais podem ser alcançados pelo perdão divino. Aqueles que continuamente repelem a chamada divina, e que se opõem aos que anunciam o evangelho, tornam-se culpados de blasfêmia contra o Espírito Santo, contra a missão de Cristo. Dentre essas quatro possibilidades, parece-nos que a mais provável é a primeira, «a», acima.

5. *O Pecado para Morte de I João 5:16*. Alguns estudiosos têm vinculado esse pecado ao pecado imperdoável. No entanto, o *pecado para morte* é o pecado cometido por um crente. Tal pecado pode levar à morte física, mas não à morte espiritual. Alguns crentes abusam; e, depois, não há mais caminho de retorno. Vivem por tempo demasiado na obstinação do pecado e perdem a sua utilidade. Ou então acabam cometendo algum gravíssimo pecado (ou uma série de pecados); e assim precisam experimentar a morte física, como resultado natural de seus atos. Encontramos um caso assim em I Coríntios 5:1. O quinto versículo desse mesmo capítulo mostra que o pecado de imoralidade envolvido no caso resultaria fatalmente na morte física, a menos que o crente culpado se arrependesse do mesmo. Mui provavelmente, esse é o tipo de coisa tencionado em I João 5:16, onde a questão é tratada de modo geral, sem qualquer pecado específico em mira.

VI. O Escopo e o Tempo do Perdão

O trecho de Heb. 9:27 parece indicar que o perdão e, portanto, a salvação, precisa ser recebido dentro de uma única vida física da alma. Diz esse trecho: «E, assim como aos homens está ordenado morrerem uma só vez, e, depois disto o juízo...» O primeiro capítulo de Romanos também parece indicar que aqueles que não dão ouvidos ao evangelho, durante sua existência terrena, estão irremediavelmente perdidos, por não haverem sido perdoados. Devemos aceitar trechos assim como expressões de ensino geral. Porém, o relato da descida de Cristo ao hades (I Ped. 3:18 — 4:6) ensina que a mensagem do evangelho foi levada ao hades. E isso indica que o perdão e a salvação podem ser obtidos mesmo do outro lado da vida biológica. O trecho de I Pedro 4:6 afirma categoricamente que a obra do Espírito, que confere vida, foi estendida aos desobedientes, que estavam sofrendo a condenação no hades. O evangelho é capaz de fazer coisas assim. O trecho de Efésios 4:8 ss mostra-nos que a descida de Cristo ao hades, e sua subida dali, até os céus, tiveram o mesmo propósito: fazer Cristo ser tudo para todos. E o trecho de Efésios 1:9,10 mostra-nos que, de acordo com a vontade de Deus, que envolve um *mistério*, haverá uma restauração final, posto que nos ciclos remotos da eternidade futura (chamados ali de «dispensação da plenitude dos tempos»). Uma vez que cada período tenha contribuído com a sua parte, resultando no benefício máximo, então Cristo (o *Logos*) tornar-se-á tudo para todos (Efé. 1:23). E o resultado disso, segundo podemos antecipar, será a redenção plena para os eleitos de Deus, e restauração para os não-eleitos. Ao que parece, até estes obterão o perdão dos pecados, pois, de outro modo, como poderiam eles ser beneficiados? Uma dificuldade a enfrentar é que Jesus disse que alguns nunca serão perdoados, nem neste mundo e nem no vindouro: «...mas se alguém falar contra o Espírito Santo, não lhe será isso perdoado, nem neste mundo nem no porvir» (Mat. 12:32). É mister palmilhar com muito cuidado, nessas especulações, para não irmos além do que está escrito, e nem entrar em choque com ensinos bíblicos claros. O pecado imperdoável mostra que nem todos serão perdoados. Temos de confessar que há mistérios não-revelados por Deus, pois há coisas que ele reservou para a sua exclusiva autoridade. Quanto a essas doutrinas, ver os artigos sobre a *Restauração* e sobre a *Descida de Cristo ao Hades*. Esse modo de interpretação, contudo, é comum nas Igrejas Ortodoxas Orientais e na Igreja Anglicana, embora negligenciado no Ocidente, até mesmo pelas igrejas protestantes e evangélicas. Em minha maneira de pensar, o Oriente tem algo a ensinar ao Ocidente. (B C E ND NTI)

PERDÃO DE PECADOS PELOS APÓSTOLOS

João 20:23: *Àqueles a quem perdoardes os pecados, são-lhes perdoados; e àqueles a quem os retiverdes, são-lhes retidos.*

Esta passagem, (João capítulo 20), especialmente por causa do presente versículo, tem-se tornado campo de intensas controvérsias, como se dá no caso do texto de Mat. 16:19 e 18:18, sendo possível que preserve, de forma ligeiramente diferente, a mesma tradição por detrás do texto do evangelho de Mateus. Naquele primeiro evangelho, o Senhor se dirigiu a Simão Pedro; e isso parece dar a impressão de que ele recebeu algum tipo de poder ou autoridade que os outros apóstolos não receberam. Entretanto, conforme se vê na passagem de Mat. 18:18,19, estão em foco «*dois dentre vós*», e, no versículo seguinte, o Senhor ajunta: «...onde estiverem dois ou três reunidos em meu nome...», tudo o que serve para mostrar-nos que as ações coletivas da igreja cristã é que provocavam as «ligações» ou «desligamentos» de que fala o texto. Essas «ligações» e «desligamentos» do texto do evangelho de Mateus, mui provavelmente devem ser interpretados segundo os termos rabínicos dos judeus, isto é, como tais expressões eram utilizadas pelos rabinos. Nesse caso, tudo quanto estava em foco nas palavras de Jesus seriam decisões que proibiriam (ligar) ou permitiriam (desligar) certas ações ou condições no seio da comunidade cristã, e dificilmente essas palavras teriam qualquer vínculo com os alvos espirituais finais, como o perdão de pecados de alguém, ou a salvação de uma alma. Pelo contrário, nas páginas do N.T., quando aplicadas à igreja cristã, essas expressões significam que a igreja, e não os rabinos e o seu sinédrio é que tinham o direito de estabelecer normas religiosas, para governo de sua própria comunidade.

Devemo-nos lembrar que, quando foi escrito o evangelho de Mateus, bem como estas palavras que ora comentamos no quarto evangelho, a cidade de Jerusalém já havia sido destruída, e, juntamente com

PERDÃO

ela, terminara a autoridade, o poder e a presença do sinédrio na nação judaica. Ora, isso deixara um imenso *vácuo* de autoridade, de natureza eminentemente religiosa. Quem teria agora a autoridade anteriormente exercida pelo sinédrio? A resposta dada no décimo sexto capítulo do evangelho de Mateus é que o apóstolo *Pedro* deveria ser reconhecido como possuidor dessa autoridade. A resposta do décimo oitavo capítulo desse mesmo evangelho é que essa autoridade repousava sobre a *comunidade cristã*, quando agisse numa espécie de ação coletiva ou democrática. Já a resposta do trecho de João 20:23 é que essa autoridade fora entregue aos *apóstolos*. (Quanto a plenas explicações sobre o problema criado pela *autoridade especial* dada a Pedro, ver as notas referentes a Mat. 16:18,19, no NTI). Ver o artigo sobre *Fundamento da Igreja, Pedro Como*.

Têm aparecido diversas interpretações sobre o que significaria o fato de que os apóstolos receberam autoridade para perdoar ou reter pecados, como segue:

1. Alguns intérpretes têm observado que os verbos principais deste versículo estão vazados no tempo perfeito, no original grego, os quais, por isso mesmo, poderiam ser traduzidos como *foram retidos e foram perdoados*. Assim dizendo, esses intérpretes ensinam que essa aparente retenção ou perdão de pecados é meramente um discernimento daquilo que já fora determinado pela vontade divina, ou através de circunstâncias que circundam o caso. Assim sendo, eles preferem traduzir essa passagem do seguinte modo: «Se perdoardes os pecados a alguém, *já foram* perdoados; se retiverdes os pecados de alguém, já foram retidos». Dessa maneira os pregadores, ao ministrarem a Palavra de Deus, simplesmente confirmam o que deve ser de conformidade com as exigências divinas, sem que isso signifique que tenham criado essas exigências divinas. Porém, apesar de que a conclusão dessa interpretação muito provavelmente expressa a verdade, o modo gramatical de chegar a ela, segundo aparece na tradução provida acima, é extremamente *dúbio*, não se harmonizando bem com o contexto, — e nem com a idéia que aparentemente é transmitida aqui. Não podemos apresentar esse tipo de argumento com qualquer certeza, com base no tempo perfeito do texto grego, especialmente no caso do grego helenista (do qual o N.T. é um dos principais representantes), porquanto o tempo perfeito pode ser usado em lugar do presente e do aoristo, sem que isso tenha qualquer sentido especial. Outrossim, a condição da continuação do estado de «perdoado» ou do estado de «retido», gramaticalmente pelo menos, depende da cláusula anterior: «...se de alguns perdoardes... se lhos retiverdes...»; e assim fica derrubado por terra todo o argumento fundamentado no emprego do tempo perfeito.

2. Alguns estudiosos pensam que o *perdoar e o reter* são equivalentes ao *desligar* e ao *ligar* (respectivamente) segundo aparecem estes dois últimos verbos nos trechos de Mat. 18:18 e 16:19. Porém, isso não faz sentido neste presente contexto, porquanto não foi dito aos apóstolos que determinassem o que deveria ser considerado pecado ou não, isto é, que «permitissem» determinados atos mas «proibissem» outros (como no caso do evangelho de Mateus). Pelo contrário, neste quarto evangelho, estão envolvidos o *perdão* ou a *retenção* dos pecados, bem como o que significa esse pecado, determinado pela natureza moral de Deus, e não pelas idéias dos homens.

3. A interpretação *eclesiástica exagerada*, que tem assumido muitas formas, defendida por muitos intérpretes, é aquela que diz que os apóstolos, na realidade, na qualidade de representantes de Cristo, podiam *verdadeiramente* perdoar ou reter os pecados dos homens em sentido plenamente literal através da administração do confessionário ou de outros meios eclesiásticos. Essa interpretação pode assumir muitas formas variegadas e elaborações, tal como aquela que afiança que os apóstolos estabeleceram as primeiras regras da igreja cristã primitiva, tornando obrigatórios deveres, ritos e cerimônias, além de haverem determinado, em muitos casos, no que consiste exatamente o pecado, em vários casos duvidosos. A isso tem sido acrescentada a idéia da *sucessão apostólica*, ou seja, que esses privilégios e oficios, altíssimos como são, são efetuados através do clero de uma determinada denominação cristã, que seria a *única* capaz de exercer os mesmos direitos que os apóstolos tiveram enfeixados nas mãos. No entanto, essa doutrina se baseia *na tradição*, e não em qualquer declaração *bíblica*. A fé na mesma equivale à fé numa determinada denominação e em seus líderes, e jamais em qualquer declaração das próprias Escrituras Sagradas. Por isso mesmo, tal posição precisa ser comprovada ou refutada com base em outras considerações, e não com base na exegese simples do texto bíblico. Ainda que pudéssemos admitir que os *apóstolos* possuíam tais poderes, isso estaria *longe* de comprovar que outros indivíduos, depois deles, também receberam tal autoridade, ou que o alto privilégio proporcionado a Simão Pedro foi transferido a qualquer linhagem de sucessores seus. Essa transferência é exatamente o ponto que mais repousa sobre a tradição eclesiástica, desenvolvida *paulatinamente através dos séculos*, e não na autoridade das Escrituras, por meio da exegese bíblica.

4. Alguns intérpretes *protestantes*, entretanto, têm-se inclinado *em demasia* para o ponto de vista contrário, eliminando qualquer oficio apostólico especial, dizendo que qualquer ministro do evangelho, ao pregar aos homens, cria com isso as circunstâncias que levam os pecados dos homens a serem perdoados ou retidos. Apesar de que nisso há certa verdade, contudo, em sentido especial, o oficio apostólico é que criou essas condições, porquanto foi através dos apóstolos originais de Cristo que os homens vieram a se defrontar, pela primeira vez, com a mensagem de Jesus, de sua ressurreição e de suas exigências impostas aos homens, das novas definições cristãs do pecado e das conseqüências do mesmo. Também foi por meio dos apóstolos que a igreja cristã foi estabelecida, como agente divino para anunciar a mensagem de Deus à humanidade. Dessa forma, os apóstolos ocupavam uma posição elevada, investidos como estavam de *seriíssimo ofício*, envolto em considerações gravíssimas, de tal modo que a pregação deles e o *exercício* de dons especiais e até mesmo miraculosos, que tinham por intuito *autenticar* a sua mensagem e convencer aos homens, *criaram as condições* sob as quais os pecados dos homens podem ser perdoados ou retidos. É somente nesse sentido que se pode asseverar que os apóstolos perdoavam ou retinham os pecados dos homens. A idéia de que os apóstolos podiam fazer isso literalmente, embora não contradiga o presente texto, pois tal idéia pode ser espremida para fora do texto que ora consideramos, contanto que não se queira levar em consideração outras passagens que versam sobre a questão, não é admissível para a teologia geral, nem do Antigo e nem do Novo Testamentos. De fato, em parte alguma tal doutrina é ensinada pelo apóstolo Paulo, e grande mestre dos gentios na fé, em

PERDÃO — PERDIÇÃO

suas passagens *teológicas dogmáticas*. Um problema de tão magna importância certamente teria sido abordado de alguma maneira por esse apóstolo, ou pelo menos, por algum dos outros apóstolos, em qualquer porção do volume do N.T., se porventura devêssemos compreender que tal autoridade lhes fora dada — a de realmente perdoar pecados. Somente o Senhor Jesus, o Messias, é que tem tal autoridade e poder (ver Mat. 9:2-6).

5. Alguns estudiosos acreditam que o trecho de I João 5:16,17 é pelo menos aludido neste versículo. Nessa primeira epístola de João é abordada a questão dos pecados para a morte, e como aos crentes não é permitido fazer julgamento sobre tais questões, orando ou de alguma outra forma qualquer entregando alguém à morte, e ainda que uma pessoa tivesse cometido claramente um desses pecados, não deve o crente importar-se em orar por ela, como se tivesse autoridade ou poder para tal. Todavia, não parece haver qualquer conexão vital entre o presente versículo e esse texto, embora uma questão, tal como esta, seja séria. Não há nenhuma indicação de que alguém possa ser entregue à morte física e muito menos à morte *espiritual* por ação de outrem.

A autoridade de perdoar pecados era administrada **ministerialmente** pelos apóstolos, no fato de que eles trouxeram aos homens as condições sob as quais esse perdão lhes podia ser conferido. Na realidade, os apóstolos *forçavam* a tomada de decisões espirituais, por parte dos homens, mediante o seu ministério; não fora isso, essas pessoas nunca teriam tomado tais decisões a respeito de Cristo e nem jamais se interessariam por qualquer suposta salvação que porventura tivesse chegado ao conhecimento deles.

O que dissemos acima tinha lugar através dos *seguintes meios*: 1. A prédica do evangelho, com poder do Espírito, autenticado pelos milagres efetuados pelos apóstolos. 2. O estabelecimento da igreja cristã, o que forçou os homens a examinarem com mais cautela as extraordinárias reivindicações de Cristo. 3. O fato de serem os apóstolos a *nova autoridade* sobre as questões religiosas, autoridade essa que veio a preencher o vácuo deixado pela destruição do sinédrio, quando Jerusalém foi destruída pelos romanos, no ano 70 D.C.

Apesar de havermos enfatizado corretamente, neste ponto, a posição e autoridade dos apóstolos, não nos devemos olvidar daquela interpretação secundária que estende esse mesmo tipo de responsabilidade a *todos os ministros* do evangelho. O apóstolo Paulo expressou essa idéia quando escreveu: «Para com estes cheiros de morte para morte; para com aqueles aromas de vida para vida. Quem, porém, é suficiente para estas cousas?» (II Cor. 2:16). Ora, nessa passagem o apóstolo Paulo se referia ao ministério dos crentes, em lugar de Cristo, em favor dos homens.

Assim sendo, portanto, outros crentes, após os apóstolos, tornaram-se instrumentos de Cristo; porém, de alguma maneira, isso teve base no ministério original dos apóstolos.

Marcus Bach, em seu artigo, *The Moon has Changed our Thinking* (A Lua Mudou nossa Maneira de Pensar, Fate Magazine, maio de 1970), fala de um amigo seu que tinha grande dificuldade para pôr fim ao seu antigo hábito de fumar. Já tinha fracassado em diversas tentativas. Porém, quando «*Águia*», isto é, Apolo XI, alunissou, e Neil Armstrong desceu pelas escadas da nave, tornando-se assim o primeiro homem a pousar seus pés no solo lunar, esse seu amigo jogou fora o cigarro que estava fumando, e disse pensativamente: *Se eles puderam fazer isso, então eu também posso fazer isto*. E, assim exclamando, abandonou o vício do fumo para sempre. O notável feito da alunissagem, levou-o a praticar também um pequeno feito, de sua autoria. Sim, a lua havia modificado a sua maneira de pensar. Portanto, aquilo que Cristo realizou e o que os apóstolos fizeram, *certamente*, podem modificar ainda muito mais facilmente, e com muito maior razão, a nossa maneira de pensar no tocante às nossas relações com Deus, por intermédio de Cristo Jesus. Através dessa inspiração podemos ser homens melhores, servos melhores dos nossos semelhantes; e, mediante a pregação do evangelho, podemos conduzir outros homens aos pés de Cristo.

Nem mesmo os apóstolos, nos dias
 Em que andaram com ele, amaram-no tanto
Como amamos a Cristo agora, que notamos seu
   louvor
 Lendo a história que eles contam,
Escrita por eles quando sua visão aumentou
 E quando aquele que fugiu e o negou três vezes
Face a face, mostrou finalmente ser autêntico,
 E morreu alegremente por sua memória:
Tão poderosa visão como não houve outra
 Sobre quem a rede do Pai foi lançada;
Nem mesmo entre os mais assustados, nenhum houve
 Que o abandonou finalmente, para sempre.

(*Vision*, Obras Poéticas de Robert Bridges).

Por semelhante modo, este texto, através do exemplo que nos foi deixado pelos apóstolos, ensina-nos a nos elevarmos acima de nós mesmos, para que sejamos servos dignos de Cristo Jesus.

PERDIÇÃO

Essa palavra vem do latim **perdere**, «perder», «destruir». O termo é usado na teologia para indicar os resultados do julgamento dos ímpios, o estado de quem está perdido, em associação a vários conceitos de destruição e perda. O vocábulo grego envolvido é *apóleia*, «ruína», «perdição», «destruição». Essa palavra pode ser usada em sentido literal, não-teológico (como em Mat. 26:8; Mar. 14:4; referindo-se ao estrago de ungüento). Judas Iscariotes foi chamado de «filho da perdição», como alguém destinado à perdição espiritual. Outro tanto é dito acerca do anticristo, em Apo. 17:8,11 e II Tes. 2:3. No Apocalipse, o lago do fogo aparece como a mais terrível representação da perdição, uma figura simbólica tomada por empréstimo dos livros pseudepígrafos. Ver sobre o *Lago de Fogo, a Segunda Morte* (Apo. 20:14) uma outra maneira metafórica de falar sobre a perdição.

Perdição é uma maneira de indicar a perda da vida eterna bendita, de estar alguém excluído do reino de Deus (João 17:12; II Tes. 2:3; Heb. 10:39; II Ped. 3:7; Apo. 17:8,11). Ver os artigos intitulados *Julgamento de Deus dos Homens Perdidos; Hades; Inferno; Geena; Sheol; Mortos, Estado dos*. Esses artigos expõem o que penso sobre o assunto, mormente sobre o julgamento, pelo que não repito aqui esse material. Quanto ao aspecto mais esperançoso da questão, ver os artigos *Descida de Cristo ao Hades* e *Restauração*. Creio que os versículos mais pessimistas, a respeito do julgamento, que dependem da visão dos *livros pseudepígrafos* (vide), foram ultrapassados por uma visão muito mais otimista (também no Novo Testamento), e que falam sobre *o mistério da vontade de Deus* (vide), por meio da qual aquela sombria escatologia foi substituída por outra, dotada de esperança e glória. A teologia opera mediante *saltos quantum*, e não depende exclusivamente de textos de prova. Apesar de haver mais

PERDIÇÃO — PERDIZ

versículos que expõem a visão anterior do castigo eterno, envolvendo as chamas eternas do inferno, existem alguns versículos que mostram como a missão de Cristo anulou esse aspecto de punição eterna. Pois em Cristo, finalmente, será obtida uma *unidade*, dentro da qual haverá glória para todos os seres humanos, posto que não no mesmo grau para todos. Todavia, é óbvio que haverá muito tempo para que isso suceda, pois só ocorrerá nos corredores da eternidade futura (ver Efé. 1:9,10). Todavia, a obra divina será gloriosa, e o *julgamento fará parte* dessa realização. O julgamento é *remedial* (segundo se vê claramente em I Ped. 4:6), e resulta na vida. O julgamento é apenas um dedo da amorosa mão de Deus. O julgamento terá uma gloriosa obra a realizar, finalmente; mas isso em nada diminui a sua severidade.

A Missão Tridimensional de Cristo. Cristo atuou à face da terra, no hades e nos céus. Ou melhor, continua atuando, tanto pessoalmente quanto através de seus missionários, em todos os lugares onde residam almas humanas, sem importar o estado em que se encontrem. É errado solapar qualquer desses aspectos da missão de Cristo por meio de nossa bitolada teologia. Todos os labores de Cristo são redentores-restauradores — redenção para os eleitos e restauração para os não-eleitos. Com essas breves explicações, deixo a matéria, rogando que o leitor examine os artigos acima mencionados, e que desenvolvem esses temas. A Igreja cristã oriental (e os anglicanos), influenciados pelas interpretações dos pais gregos da Igreja, têm preferido essa alternativa mais esperançosa do julgamento, ao passo que a Igreja ocidental (com seus fragmentos: todos os protestantes e evangélicos) tem preferido tradicionalmente o ponto de vista mais pessimista. O ponto de vista pessimista destrói o evangelho até onde diz respeito às massas humanas. No entanto, Deus tem amado a todos os homens. Assim sendo, essa posição faz com que o amor de Deus pareça ter falhado. Para mim, essa é uma visão impossível da missão de Cristo.

Elevam-se aqui várias impossibilidades, a saber: *Primeira*, é impossível dizermos que Deus não amou à raça humana inteira, as massas (João 3:16; I João 2:4). *Segunda*, é impossível dizermos que apesar de Cristo ter realizado uma expiação universal, esta é apenas teórica, e não tem efeitos universais (ver o artigo sobre a *Restauração*). *Terceira*, é impossível supormos que fracassará o mistério da vontade de Deus (Efé. 1:9,10). *Quarta*, é impossível dizermos que a descida de Cristo ao hades não teve efeitos remidores-restauradores (I Ped. 4:6 ensina-nos que ele pregou o *evangelho* aos mortos *desobedientes*; ver I Ped. 3:20). *Quinta*, é impossível supormos que a missão tridimensional de Cristo fracassou, e que o poder de Cristo, por isso mesmo, não era adequado para a tarefa a que ele se propôs. *Sexta*, é impossível aceitarmos um cristianismo pessimista, onde a existência da grande maioria das pessoas será trágica além de toda descrição. Pergunto, onde estava o Deus Todo-Poderoso em tudo isso? Onde está o seu amor! Onde estava o Filho de Deus? Por quais razões eles teriam falhado? Por que razão a Igreja existe, se o que ela tem a pregar é apenas *tragédia*, exceto para uma pequena porcentagem de pessoas, que creram no tempo certo, da maneira certa? Schopenhauer falava em termos pessimistas sobre a existência, mas nunca desceu ao sepulcral pessimismo da Igreja cristã ocidental. A definição primária do *pessimismo* (vide) é que a própria existência é um mal. Se a posição da Igreja ocidental sobre o que finalmente sucederá aos homens, for verdade, então temos aí um evangelho pessimista. Eu teria vergonha de entrar em uma igreja evangélica e dizer: «Isso é tudo quanto Deus foi capaz de fazer. Lamento, amigos».

PERDIÇÃO, FILHO DA

Pano de Fundo Judaico. Temos aí uma expressão hebraica que expressa alguma característica básica de uma pessoa, chamando-a de «filho de». Assim, temos os «filhos da ressurreição» e os «filhos da desobediência», etc. De acordo com isso, um *filho de perdição* é alguém cujo destino de ruína eterna é ricamente merecido. Há dois homens chamados, no Novo Testamento, de «filho da perdição», a saber: *Judas Iscariotes*, que traiu ao Senhor Jesus; e o *anticristo* (vide). Ver João 17:12 e Atos 1:20, no tocante a Judas; e II Tes. 2:3 e Apo. 17:8,11 no que concerne ao anticristo. Os mórmons levam muito a sério essa questão, pensando que alguns *poucos* outros indivíduos, realmente *malignos*, com razão podem ser chamados «filhos da perdição», em face de seus crimes, que merecem um juízo especialmente severo, em contraste com todos os demais homens. Alguns grupos evangélicos também têm visto algo de especial na expressão «filho da perdição». Uma interpretação popular é aquela que diz que Judas Iscariotes, reencarnado, será o anticristo, pelo que não seria por acidente que a expressão é aplicada, em todo o Novo Testamento, somente a Judas e ao anticristo. E para reforçar essa interpretação, é salientado que a Bíblia diz que Judas foi «para o seu próprio lugar» (Atos 1:25). Essas palavras são interpretadas como se ele tivesse ido para algum lugar especial no hades, reservado para ele, e de onde ele ascenderia, segundo o Apocalipse diz que o anticristo fará (Apo. 11:7 e 17:8). Outros eruditos associam um Nero redivivo com a figura do anticristo. Os *Oráculos Sibilinos*, bem como certos escritores cristãos, comentaram sobre essa lenda.

Tudo isso envolve uma interessante interpretação, mas é bem possível que tudo quanto a expressão «filho da perdição» queria dizer é que aqueles que são assim designados merecem a perdição que tão cuidadosamente cultivaram. Ver o artigo geral sobre a *Perdição*.

PERDIZ

Ver I Sam. 26:20 e Jer. 17:11, onde este pássaro provavelmente está em foco. No hebraico é **gore**. Talvez o trecho de Sal. 91:1 faça alusão indireta a como essa ave era apanhada em armadilhas, pelos caçadores. Na Palestina havia duas espécies de perdiz: a perdiz das rochas (**Alectoris graeca**), que é similar à perdiz de pernas vermelhas, da parte sudoeste da Europa (**Alectoris rufa**). Além disso havia (e até hoje existe) a perdiz do deserto (**Ammonperdix heyi**), que é de porte bem menor e só é encontrada em regiões rochosas em torno do mar Morto e nos desertos do Neguebe e do Sinai. A primeira tem os lados da cabeça brancos, com bordas negras, e atinge cerca de 36 cm de altura. A última tem uma coloração arenosa, de tal modo que é difícil vê-la quando está ciscando a terra.

As perdizes correm bem, mas não voam bem. Sua melhor proteção é esconderem-se em ambientes que se assemelham à sua coloração, o que talvez seja aludido em I Sam. 26:20. Davi disse que ele agia como uma perdiz, quando fugia diante de Saul. O trecho de Jer. 17:11 reflete uma crença sobre as perdizes, que talvez não corresponda à realidade dos fatos. A perdiz remove os ovos dos ninhos de outras espécies de aves e, então, senta-se sobre os mesmos, para chocá-los. Mas, quando os filhotes nascem, correm para suas verdadeiras mães! Assim também acontece ao indivíduo que fica rico por meios desonestos, arrebatando o que não lhe pertence. Os árabes modernos acreditam que a perdiz põe ovos em dois ninhos diferentes, e um desses ninhos é cuidado pelo macho, sem dúvida uma provisão da natureza visando à sobrevivência da espécie. Mas essa idéia que a perdiz choca ovos que não são seus certamente envolve uma crença duvidosa. Nomes próprios, no Antigo Testamento, empregavam a raiz do nome que significa a perdiz, como En-Hacoré, nome de uma fonte, em Juí. 15:19. E também lemos sobre um homem de nome Coré, em I Crô. 9:19. Essa ave era excelente para ser consumida pelo homem, pelo que também era incansavelmente caçada, juntamente com muitas outras espécies de aves que serviam ao mesmo propósito.

PEREGRINO

Há quatro palavras hebraicas vinculadas a essa idéia, nas páginas do Antigo Testamento, a saber:

1. *Ger*, «peregrino». Essa palavra aparece por oitenta e oito vezes, como, por exemplo, em Gên. 15:13; Êxo. 2:22; Lev. 16:29; Núm. 9:14; Deu. 1:16; Jos. 8:33,35; I Crô. 22:2; II Crô. 30:25; Jó 31:32; Sal. 39:12; Isa. 14:1; Jer. 7:6; Eze. 14:7; Zac. 7:10; Mal. 3:5.

2. *Gur*, «peregrino». Esse termo figura por sete vezes com esse sentido, conforme se vê, para exemplificar, em II Sam. 4:3.

3. *Moshab*, «colono». Esse vocábulo é usado por quarenta e uma vezes, embora apenas por uma vez com esse sentido, em Êxo. 12:40.

4. *Toshab*, «colono», «habitante». Palavra empregada por catorze vezes, conforme se vê, por exemplo, em Gên. 23:4; Lev. 22:10; 25:23,35,40,47; Núm. 35:15; I Crô. 29:15; Sal. 39:12.

1. A primeira dessas palavras, *ger*, refere-se a um estrangeiro residente em um outro país, um não-cidadão que reside ali de modo mais ou menos permanente, desfrutando de certos direitos civis limitados. Um peregrino é alguém que habita no meio de um outro povo, em contraste com o estrangeiro, cuja permanência é temporária. Para que não haja confusão nas traduções, seria necessário que houvesse coerência na tradução dessa palavra, o que nem sempre tem acontecido, pois, algumas vezes, as traduções também dizem «estrangeiro», quando deveriam dizer «peregrino», além do que combina com o verbo hebraico *gur*, «peregrinar».

Esse termo foi usado na Bíblia para indicar os patriarcas, quando peregrinavam na Terra Prometida (Gên. 23:4), para indicar os israelitas, escravizados no Egito (Gên. 15:13; Êxo. 22:21), para indicar os levitas que habitavam entre seus compatriotas israelitas (Deu. 18:6; Juí. 17:7), ou para indicar um efraimita que esteve morando em Gibeá (Juí. 19:16), além de indicar os estrangeiros que vinham residir por algum tempo na terra de Israel. Em Israel, os peregrinos gozavam de muitos privilégios, uma posição sem igual nos primeiros sistemas legais, geralmente adversos aos estrangeiros. Visto que um peregrino sofria por causa de certas desvantagens naturais, a legislação mosaica protegia-o (Lev. 19:33 ss; Deu. 10:18). De fato, os peregrinos foram favorecidos desde o começo. Uma «multidão mista» saiu do Egito juntamente com os filhos de Israel; e, após a conquista da Terra Prometida, os israelitas e outros povos da região viveram lado a lado no mesmo território. Os livros históricos da Bíblia mencionam repetidamente os estrangeiros e os peregrinos. Nos dias de Salomão havia muitos deles, provavelmente remanescentes de tribos gentílicas conquistadas (I Reis 9:20 ss). Contrariamente ao costume judaico atual, que diz que o filho de uma mulher judia é um judeu, mas não o filho de um homem judeu (conforme a opinião dos rabinos, embora não seja esse o parecer de todos os judeus), o filho de um *ger* e de uma judia era considerado *ger*. Ver Lev. 24:10-22. Isso mostra que os rabinos não estão seguindo o precedente bíblico mais antigo, e, sim, um costume que se estabeleceu por ocasião da volta dos judeus do exílio babilônico, porquanto muitos judeus tinham se casado no exílio com mulheres estrangeiras, e os filhos desses casamentos mistos criaram problemas na comunidade israelita.

Legalmente, um *ger* tinha muitos privilégios. Os israelitas não deveriam oprimi-lo (Êxo. 22:21; 23:9; Lev. 19:33,34). Pelo contrário, deveriam amá-lo (Deu. 10:19). Os rabiscos das vinhas e dos campos plantados deveriam ser deixados para os peregrinos em Israel (Lev. 19:10; 23:22; Deu. 24:19-21). Havia provisões para proteger os peregrinos, nas cidades de refúgio (Núm. 35:15; Jos. 20:9). Embora as provisões legais considerassem um *ger* como uma pessoa pobre, alguns deles, segundo todas as aparências, tornavam-se abastados em Israel (Lev. 25:47 ss. e Deu. 28:43). Quanto ao aspecto religioso, havia privilégios iguais tanto para os israelitas quanto para os peregrinos entre eles. Assim, os peregrinos podiam e deviam descansar no sábado (Êxo. 20:10; 23:12), regozijando-se nas festas das semanas e dos tabernáculos (Deu. 16), observando o dia da expiação (Lev. 16:29), e não comendo fermento quando da festa dos pães asmos (Êxo. 12:19). Não podiam os peregrinos ser compelidos a participar da páscoa, mas, se eles se circuncidassem, podiam participar dessa festividade (Êxo. 12:48). Os peregrinos não podiam comer sangue, enquanto os israelitas se encontrassem vagueando pelo deserto (Lev. 17:10-12), e, durante esse mesmo período, embora não depois, eles foram proibidos de comer animais que tivessem morrido por si mesmos (Lev. 17:15 e Deu. 14:21), sob a pena de ficarem imundos cerimonialmente até o anoitecer. Interessante é a observação de que os peregrinos podiam oferecer sacrifícios (Lev. 17:8; 22:18; Núm. 15:14), estando sujeitos às mesmas regras que os israelitas nativos, se cometessem pecados involuntários (Lev. 15:22-31); e também precisavam passar pelos ritos de purificação, se entrassem em contato físico com algum cadáver (Lev. 19:10-13).

2. *Toshab* é palavra hebraica que, em alguns casos, parece ter sido usada como sinônimo de *ger*. Entretanto, seu uso limitou-se ao Pentateuco, com apenas três exceções (I Reis 17:1; I Crô. 29:15 e Sal. 39:12).

3. O *estrangeiro* (em hebraico, *nokri*) era palavra reservada para indicar alguém que tivesse nascido no estrangeiro e que, usualmente, vivesse fora do território de Israel. Um *estrangeiro* não usufruía de direitos legais em Israel (Deu. 15:3; 23:30). Essa palavra, pois, denotava basicamente a diferença entre os israelitas e os não-israelitas (Isa. 61:5; Jer. 5:19; 30:8). Salomão chegou a ser censurado porquanto amou a «muitas mulheres estrangeiras» (I Reis 11:1). Os estrangeiros não podiam participar da festa da páscoa (Êxo. 12:43); mas podiam oferecer sacrifícios ao Deus de Israel, em Jerusalém, a capital religiosa (Lev. 22:25). A lei mosaica vedava aos estrangeiros o direito de receberem algum cargo de governança em Israel (Deu. 17:15). Posteriormente, porém, foi encorajada a adoração a Deus à distância, se os estrangeiros assim quisessem fazê-lo (I Reis 8:41,43; Isa. 2:2 ss; 56:3,6 ss). O caso de Naamã, um general sírio,

mostra-nos que um estrangeiro podia adorar ao Deus de Israel no estrangeiro (II Reis 5:17). A existência de bairros ocupados por estrangeiros, em Israel, é algo que pode ser inferido de trechos como I Reis 9:20,21,24 e I Crônicas 22:2.

Nos primeiros estágios da história de Israel, casamentos com pessoas estrangeiras eram comuns, embora o costume não fosse aprovado com prazer (Gên. 24:3; 27:46; Núm. 12:1; Juí. 14:3). Moisés determinou que o sumo sacerdote de Israel se casasse com uma virgem dentre o seu próprio povo (Lev. 21:14). Esdras e Neemias iniciaram uma vigorosa campanha contra os casamentos mistos entre homens judeus e mulheres estrangeiras (Esd. 10 e Nee. 13:23-31). Nas civilizações da antiguidade, um «estrangeiro» e um «inimigo» eram, praticamente, a mesma coisa. Talvez a legislação mosaica, tão branda e favorável para com os «peregrinos», tivesse por propósito suavizar essa aversão aos estrangeiros, em Israel.

4. O sentido exato de zar, «estrangeiro», precisa ser determinado pelo contexto. Essa é uma palavra hebraica que aparece por sessenta e cinco vezes, desde Êxo. 29:33 até Oba. 11. Com freqüência, refere-se a povos hostis estrangeiros, formando contraste com Israel (Isa. 1:7; Eze. 7:21; Osé. 7:9; 8:7; Joel 3:17 e Oba. 11). Em outros contextos, refere-se a «estrangeiro» em um outro sentido, como os não-aaronitas (Núm. 16:40; Heb. 17:5), ou aos não-levitas (Núm. 1:51), ou, então, a alguém que não era membro de alguma família bem definida (Deu. 25:5). Quando era contrastada com os sacerdotes significava «leigo» (Lev. 22:10-13), e quando contrastada com o que era santo, significava «profano» (Êxo. 30:9).

Quando chegamos ao Novo Testamento, vemos que o termo «estrangeiro» já não se aplica mais aos não-judeus, porquanto havia desaparecido a nacionalidade judaica, bem como a base política do povo de Deus. No Novo Testamento, todos os crentes são estrangeiros neste mundo (ver Fil. 3:20; I Ped. 2:11). No entanto, através de Jesus Cristo, todos os estrangeiros e peregrinos podem tornar-se membros com todos os direitos da casa de Deus, visto que o muro de separação, entre judeus e gentios, foi derrubado por meio de sua cruz (Efé. 2:11-19).

O conceito da fraternidade da humanidade remida, em torno de Cristo é um passo que ultrapassa em muito às mais arrojadas concepções de igualdade e solidariedade humana entre os israelitas. De fato, se no cristianismo não há mais a mínima diferença racial e cultural entre os homens, quando se encontram em Cristo, de acordo com a legislação mosaica houve grupos étnicos que jamais puderam fazer parte da comunidade israelita. Ver Deu. 23:2-9, onde a participação na assembléia fica vedada aos bastardos, aos amonitas e aos moabitas, embora essa proibição não pesasse nem sobre os edomitas e nem sobre os egípcios.

PERÉIA

Esboço:
1. A Palavra e as Referências Bíblicas
2. Sua Área Geográfica
3. Divisões da Mishnah; Informes Históricos
4. Jesus na Peréia

1. A Palavra e as Referências Bíblicas

O nome Peréia deriva-se do grego, «do outro lado». Está em foco a área da Transjordânia, na Palestina. A Septuaginta diz apenas *peran tou Iordanou*, «do outro lado do Jordão». Essa expressão foi usada por Josefo e outros escritores a fim de descrever tanto a Peréia política quanto as terras da margem esquerda do Jordão, em geral. O trecho de João 1:28 diz-nos que Jesus foi batizado «doutro lado do Jordão». O termo «Peréia» nunca é usado na Bíblia, embora o distrito desse nome seja referido como «do outro lado do Jordão».

2. Sua Área Geográfica

Está em pauta um distrito da Transjordânia, que corresponde em termos gerais à antiga *Gileade* (vide). O nome Peréia só começou a ser usado após o exílio babilônico, denotando uma área a leste do rio Jordão, com cerca de dezesseis quilômetros de largura, e estendendo-se desde algum ponto entre os rios Jaboque e Iarmuque, ao norte, até o rio Arnom, ao sul. Essencialmente, era a subida de mil metros de altitude que acompanhava o Jordão a certa distância. Sua fronteira ocidental, na realidade, era formada por esse rio. Ali havia certo número de cidades, situadas em uma altitude regular. Contava com um regime de chuvas regular e era recoberta por florestas, em suas porções mais elevadas. As áreas de nível intermediário eram cultivadas com oliveiras e videiras, e também com algum trigo; e havia ali algumas terras de pasto. Quando as tribos de Gade e Rúben (ver Núm. 32:1-5) investigaram a região, perderam o interesse em cruzar o rio Jordão para o outro lado, e estabeleceram-se ali. Mas, estando no lado oriental (e menos protegido) de Israel, ficaram sujeitas aos freqüentes ataques de povos hostis. O trecho de I Macabeus 5:9-54 narra como Judas Macabeu salvou uma minoria de judeus que ali residia. Alexandre Janeu conquistou a área e forçou os habitantes pagãos a aceitarem a fé judaica e o seu governo; e conforme as coisas sucederam, ele faleceu em Ragaba, em 76 A.C. Nos dias de Jesus, Herodes Ántipas (4 A.C. — 39 D.C.) controlava a Peréia inteira, tendo reconstruído Betaramfta, que é a mesma Bete-Arã de Jos. 13:27. Mas deu-lhe o novo nome de *Julias*, conforme nos adianta Josefo (*Anti.* 18.2.1).

3. Divisões da Mishnah; Informes Históricos

Esse documento hebreu fornece-nos três áreas gerais da Palestina: a Judéia, a Transjordânia e a Galiléia (*Baba Bathra* 3.2; *Ketuboth* 13:10). Mui provavelmente, *Decápolis* fazia parte da Peréia, embora Josefo pareça ter excluído aquela porção da fronteira norte daquela área. De acordo com ele, ficava ao sul de Pela, uma cidade para onde os judeus cristãos fugiram quando os romanos invadiram a Palestina. A fronteira sul da Peréia era Maquero (onde Herodes mandara decapitar a João Batista). Ver Josefo (*Anti.* 18.5,2). Herodes Agripa II, durante o tempo do imperador Nero, governava a Peréia. Atualmente, a Peréia está incluída no reino hasemita da Jordânia; mas desde há muito que o nome Peréia caiu em desuso.

4. Jesus na Peréia

Embora o nome Peréia não figure nas páginas do Novo Testamento, certos lugares pertencentes àquela área são mencionados em relação ao ministério de Cristo. Conseqüentemente, os eruditos falam sobre o ministério de Jesus na Peréia. Jesus deixou a Galiléia e partiu para a Peréia (ver Mat. 19:1; Mar. 10:1). Esse período terminou com o incidente da unção de Jesus por Maria, em Betânia, que já ficava na Judéia (ver Mat. 26:6 ss). Os trechos bíblicos que abordam essa fase do ministério de Jesus mencionam lugares da Transjordânia que então não faziam parte da Peréia, razão pela qual a expressão «ministério na Peréia» não é exata. Viajando de Nazaré a Jerusalém, Jesus naturalmente atravessou aquela região. Os trechos de

PERES — PERFEIÇÃO

Mat. 4:25 e Mar. 3:8 falam sobre as grandes multidões que vinham da Peréia buscar cura no Senhor Jesus.

PERES
Essa palavra deriva-se do aramaico, **peras**, «dividir». O escrito em aramaico que apareceu misteriosamente na caiadura da parede, repreendendo a Belsazar (ver Dan. 5:25), dizendo *Mene, Mene, Tequel Ufarsim* (vide), incluía a raiz *peras*, no termo *Ufarsim*, pois *peras* é a forma singular da mesma. O «u» de Ufarsim é apenas a conjunção «e». A mensagem assim transmitida dizia, pois, que o reino de Belsazar seria *dividido* e dado aos medos e persas.

PEREZ
Palavra que vem de uma raiz hebraica que significa «separar». Esse era o nome de um dos dois filhos de Maquir, da tribo de Manassés, que era seu avô (I Crô. 7:16). Perez viveu em torno de 1650 A.C.

PEREZ-UZÁ
Esse nome significa «brecha» ou «ferimento» (de Uzá). E também veio a tornar-se o nome de um lugar que também era conhecido como Nacom (II Sam. 6:6) e também «eira de Quidom» (I Crô. 13:9). Foi ali que morreu *Uzá* (vide), ao ser ferido pelo Senhor por haver ousado estender a mão para não deixar a arca cair.

A grande questão é por que isso lhe sucedeu; e o artigo a respeito de Uzá procura sondar o assunto. Davi ficou muito abalado diante do acontecido, e deu ao local o seu nome novo, Perez-Uzá, porquanto ali Uzá fora ferido. O local exato é desconhecido atualmente, embora ficasse entre Jerusalém e Quriate-Jearim.

PEREZEUS (FEREZEUS)
As traduções variam entre estes dois nomes.

Esse povo antigo é mencionado somente no Antigo Testamento. Ver Gên. 13:7; Êxo. 33:2; 34:11; Deu. 7:1; 20:17; Jos. 3:10; 12:8; 17:15; Juí. 1:4,5; 3:5; I Reis 8:2; II Crô. 8:7; Esd. 9:1 e Nee. 9:8. Esse era o nome de um dos povos cujas terras os israelitas conquistaram sob a liderança de Josué, embora alguns eruditos creiam que o nome indique a população mais antiga da Palestina, sem designar qualquer nação em particular, pelo que seria um termo coletivo. Seja como for, esse nome não aparece na tabela das nações, no décimo capítulo de Gênesis. Parece que essa palavra significa apenas «aldeões», pelo que, desde o começo, tinha um sentido bem amplo.

Algumas vezes, cananeus e ferezeus são nomes usados para abranger todos os povos que habitavam na Palestina, antes da invasão hebréia; nesse caso, quase certamente o termo ferezeus é um termo coletivo para indicar todos aqueles que não eram considerados cananeus. Ver Gên. 13:7. Outros pensam que o termo era aplicado essencialmente aos amorreus. Também é possível que, coletivamente falando, os povos semitas ocidentais fossem os cananeus, e que os povos semitas orientais fossem os ferezeus. Minhas fontes informativas dão conta que dados culturais, lingüísticos e históricos dão apoio a essa teoria de dualidade. Os ferezeus não são mencionados juntamente com os hititas, com os filisteus e com os jônios (descendentes de Javã), o que parece indicar que eles eram semitas, e não indo-europeus. E os ferezeus são mencionados junto com os amorreus, o que subentende que eles ocupavam uma área geográfica ainda mais ocidental. Além disso, as designações não são precisas no que tange ao ponto de vista étnico, tendendo por designar povos de *área* específica, e não de raças específicas. Ver Êxo. 3:8,17 quanto à menção dos ferezeus com os amorreus. Eles também são mencionados em conjunção com os refains, em Gên. 15:20, o que parece situá-los na área a oeste do rio Jordão. Parece que eles ocupavam territórios a oeste do rio Jordão e ao norte do mar Morto, na região montanhosa entre Bete-Seã (Beisã) e Bezeque (Khirbet Ibziq). Foram os homens da tribo de Manassés que, finalmente, vieram a possuir a maior parte dessa região.

A primeira menção aos ferezeus ocorre em Gên. 13:7, como um povo associado aos cananeus; então eles entraram em contacto com Abraão (ver Gên. 34:40). Judá ocupou parte do território deles, conforme se aprende em Juí. 1:4,5. Os ferezeus continuaram convivendo perto dos israelitas até os tempos de Salomão, o qual os sujeitou ao pagamento de tributo (I Reis 9:20). Os trechos de Deu. 3:5 e I Sam. 6:16 parecem indicar que eles habitavam em cidades e aldeias sem muralhas, pois a própria palavra, ferezeus, significa «habitantes de aldeias sem muros», como palavra cognata de *paruz*, usada na Mishna para indicar um habitante de uma *aldeia* sem muros. A palavra árabe que significa *lugar baixo*, entre colinas (onde surgiam essas vilas), parece ser um termo cognato.

PEREZITAS (PEREZ)
Esses adjetivos vêm do termo hebraico que significa «irromper», «espalhar-se». Perez foi o nome de um dos gêmeos referidos em I Crô. 27:3 e Nee. 11:4,6. Seu irmão chamava-se Zerá. Os dois eram filhos de Judá e sua própria nora, Tamar, que enganou seu sogro e manteve relações sexuais com ele (Gên. 38:29; I Crô. 2:4). Perez foi assim chamado por ter sido o primeiro a «irromper» do ventre materno (ver Gên. 38:29). Com o tempo, ele tornou-se pai de Hezrom e Hamul (Gên. 46:12; Núm. 26:21), cujos descendentes são chamados «perezitas» no Antigo Testamento. A linha messiânica passa por Perez e por Hezrom, conforme se aprende em Mat. 1:3 e Luc. 3:33. O trecho de Rute 4:12 refere-se a esse homem, tendo em vista a passagem de Gên. 38. Ambos os relatos aludem ao casamento levirato (vide). Desse modo foram garantidas as promessas de grande prosperidade e de muitas terras possuídas, feitas por Deus a Abraão (Gên. 13:14-17). A família de Perez tornou-se numerosa, como exemplo do cumprimento dessa promessa divina. Seus descendentes eram notáveis nos tempos de Davi (ver I Crô. 11:11; 27:2,3). Um remanescente que sobreviveu ao cativeiro babilônico retornou para fixar residência em Jerusalém (Nee. 11:4-6).

PERFECIONISMO   Ver **Perfeito, Perfeccionismo**.

PERFEIÇÃO   Ver também **Perfeito, Perfeccionismo**.

A fim de que apresentemos todo homem perfeito em Cristo, Col. 1:28. Isso pode ser comparado com o trecho de Efé. 4:12 e *ss*, que fala acerca do fato de que o exercício dos dons espirituais, nas igrejas locais, tem a finalidade de obter a perfeição dos crentes, perfeição essa que é definida como tornar-se «homem

PERFEIÇÃO — PERFEIÇÃO ESPIRITUAL

perfeito» (ver Col. 1:23), em que o crente passa a possuir a «medida da estatura da plenitude de Cristo».
Referências e idéias. *A perfeição:*
1. A perfeição é de Deus (ver Sal. 18:32 e 138:8). 2. Todos os santos possuem a perfeição inerente, em Cristo (ver I Cor. 2:6; Fil. 3:15 e Col. 2:10). 3. A perfeição de Deus é o padrão da nossa (ver Mat. 5:48). 4. A perfeição implica em total devoção (ver Mat. 19:21).
É uma interpretação má e errônea reduzir a idéia da *perfeição*, exposta nas páginas do N.T., à mera «maturidade» espiritual. O alvo colimado é muito mais elevado do que isso, porquanto é a perfeição absoluta; e, apesar de não poder ser alcançada nesta vida, senão imperfeitamente, no entanto, é o nosso grande alvo. E no que consiste a nossa perfeição em Cristo? Vejamos os pontos abaixo:
1. Consiste em possuirmos toda a plenitude de Cristo (ver Col. 1:23).
2. Consiste em possuirmos toda a «plenitude de Deus» (ver Efé. 3:19).
3. Consiste em sermos santos como o é Deus Pai (ver Mat. 5:48).
4. Consiste em virmos a participar da imagem de Cristo, de sua natureza, em seus aspectos moral e metafísico (ver Rom. 8:29 e II Cor. 3:18).
5. Consiste em participarmos da própria divindade (ver II Ped. 1:4). Toda a atividade cristã visa esse elevadíssimo alvo.

Uma Oração:
«Ó Deus, a quem ouso chamar de Pai, ajuda-me, primeiro a 'ver': a ver a estatura incomensurável de Cristo, a ver que ele deseja supremamente viver em mim e me transformar, para que eu seja como ele mesmo é, para que, na realidade, ele seja meu Irmão mais velho.
Ó Cristo exaltado, a quem ouso chamar de Irmão, ajuda-me a 'ser', a começar a ser, desde agora, aquilo que tu mesmo és, — que a minha natureza seja espiritualizada como a tua, para que conserve essa elevada visão do 'ser'. até que o suspiro final liberte a minha alma para que suba para Ti.
Ó Espírito divino, agente dessa graça, ajuda-me a não desanimar diante dos homens, os quais têm uma visão inferior à minha acerca do Filho, ou da filiação que ele compartilha com os homens. Se porventura disserem-me: 'Tu te apropias demasiadamente para ti mesmo', ajuda-me na alma, para que responda: 'Por tempo demais tenho-me apropriado de pouco demais; não honrarei a Cristo se esforçar-me por um alvo que fica aquém daquele que ele designou para mim'. Esse pensamento divino eu nunca teria imaginado ser capaz de ter: veio-me por revelação, no mistério do Cristo em nós residente. Coisas mais elevadas, coisas mais nobres — essas são as que têm atraído os meus olhos». (Russell N. Champlin)
Ver **Perfeição Espiritual e Vitória Espiritual: Estágios da Inquirição Espiritual.**

PERFEIÇÃO, GRAUS DE
Esse é um dos argumentos tradicionais em favor da existência de Deus. Também é conhecido por *argumento axiológico*, ou seja, baseado na idéia de valores. A existência de valores em graus variados implica na necessidade de postularmos o *Valor Absoluto*, fonte e sustentáculo de todos os valores. *Valor Absoluto* é um outro nome dado a Deus. Ver dois artigos separados, intitulados *Cinco Argumentos de Tomás de Aquino em Favor da Existência de Deus* e *Argumento Axiológico.*

PERFEIÇÃO, PRINCÍPIO DA
A filosofia de Leibnitz, com a sua Grande Mônada que programaria as mônadas inferiores de que todas as coisas são compostas, não deixava espaço para qualquer genuíno *Problema do Mal* (vide). Por causa dessa programação divina foi que ele declarou que Deus criou «o melhor de todos os mundos possíveis», onde há um máximo de perfeição, com um mínimo de deficiência. Doutra sorte, Deus não seria um bom programador.

PERFEIÇÃO ESPIRITUAL
I. Pelo Conhecimento
Nenhum crente individual e nem a igreja, coletivamente, atingiram ainda a unidade que a fé pode produzir, quando então estaremos em total união com tudo quanto Cristo é e tem. Paulo não reivindicava haver atingido a perfeição (ver Fil. 3:12-14). Há *uma só fé* (ver o quinto versículo), sendo essa uma das formas unificadoras fundamentais do sistema cristão. Essa fé salvadora, essa «entrega de alma» a Cristo, finalmente resultará em total entrega a Cristo, por parte de todos os crentes. Disso é que fluirá a plena unidade e tudo quanto está prometido no caminho das bênçãos espirituais e celestes (ver Efé. 1:3). (Ver o artigo sobre a *Fé*).
Pleno conhecimento do Filho de Deus, Efé. 4:13. As palavras *pleno conhecimento*, traduzem um único vocábulo grego, *epignosis*; mas, visto que essa palavra é uma forma intensificada (com um prefixo preposicional), é tradução correta dizer como temos aqui. Quem recebe tal conhecimento, conhece experimentalmente o Filho de Deus. Quanto a isso, consideremos os pontos abaixo:
1. Essa palavra indica conhecimento intelectual, mas não somente isso.
2. Também significa o *conhecimento experimental* da alma, mediante a «comunhão» com o Filho de Deus, em sua natureza essencial e em suas manifestações. Paulo via Cristo como uma personalidade transcendental que, em sua grandiosidade, só pode vir a ser conhecido por métodos espirituais. E assim conhecido ele passa a transformar os homens, para que estes assumam sua natureza e suas riquezas. É por isso que Paulo declarou, em Fil. 3:10: «para o conhecer e o poder da sua ressurreição e a comunhão dos seus sofrimentos, conformando-me com ele na sua morte...»
3. Esse conhecimento, pois, é de natureza «mística», conforme diz a teologia paulina do princípio ao fim. Em outras palavras, tal conhecimento nos chega através da «iluminação e transformação» operadas pelo Espírito Santo, (comparar isso com Efé. 1:18) onde Paulo ora para que os crentes tenham seus olhos do entendimento «iluminados», a fim de que possam «conhecer» a esperança da nossa vocação, as riquezas da glória de herança nos santos; e assim «conheceremos» seu grande poder, que foi exercido em Cristo, e que será exercido em nós. (Ver Efé. 1:19). Conhecer e experimentar tais coisas, portanto, faz parte do que significa «conhecer» a Cristo.
A revelação, além disso, leva-nos a *conhecer ao próprio Deus*, conforme aprendemos no décimo sétimo versículo deste mesmo capítulo. O tema da segunda oração de Paulo, neste livro, é que possamos «conhecer» o «amor de Cristo», e nesse amor se encerra o «conhecimento de tudo quanto o amor de Cristo está fazendo por nós e em nós». Pois, nas páginas do N.T., conhecer é amar, pois o «conhecimento-amor» é a *gnosis* neotestamentária, em

PERFEIÇÃO NA FILOSOFIA

contraste com os conceitos dos gnósticos. Sim, o amor é a real *gnosis* cristã, por ser essa a fonte originária de todas as bênçãos espirituais.

Do Filho de Deus, Efé. 4:13. Essa expressão, está ligada tanto à «fé» como ao «conhecimento». Trata-se da «fé em Cristo» e do «conhecimento de Cristo».

II. Finalidade

A perfeita varonilidade, Efé. 4:13. Variações dessa expressão são «homem perfeito», «varonilidade madura». Paulo fala de um corpo humano que cresce desde a infância até atingir a idade adulta, a maturidade. Espiritualmente falando, a «criança», que é a igreja, mediante o «desenvolvimento espiritual», haverá finalmente de tornar-se homem maduro. (Isso pode ser comparado com o «novo homem» de Efé. 2:15). Porém, «plenamente desenvolvido» ou «maduro», neste caso, no presente contexto, deve também significar «perfeito», ou seja, «homem sem qualquer deficiência ou defeito», porquanto nada menos do que isso concorda com o próprio texto, ao mesmo tempo que o vocábulo grego «teleios» naturalmente tem esse significado, ainda que não tenha necessariamente tal sentido, podendo indicar apenas «maduro», em contraste com «infantil», quando aplicado a seres humanos.

No versículo seguinte, Paulo menciona os *nepioi* («crianças»), palavra grega essa que com freqüência indica «infantes» bem pequenos, que ainda não sabem falar. Os crentes imaturos são como tais crianças, quanto ao desenvolvimento espiritual. Porém, o propósito dos dons espirituais, na igreja e em seu programa geral de edificação (ver o décimo segundo versículo), é produzir a maturidade e a perfeição no seio da igreja; e nessa unidade perfeita é que se cumpre o mistério da vontade de Deus, no tocante à igreja (ver Efé. 1:10 e 3:3).

A igreja inteira, e não meros crentes individuais, é que está em pauta aqui, embora seja verdade que aquilo que sucede à igreja inteira necessariamente sucede a todos os seus membros. Cada crente será um exemplar do que Cristo é, porquanto somos *Cristo em formação*. O singular usado neste caso, o «homem» que chegou à «perfeita varonilidade», assinala a total unidade que se busca concretizar e que, fatalmente, será atingida. Portanto, toda e qualquer desunião, conforme vemos hoje em dia à face da terra, no seio da própria igreja evangélica, com suas numerosíssimas denominações, onde igrejas locais competem entre si em mau sentido onde crentes se destroçam uns aos outros, tudo isso é uma negação prática da unidade da igreja, sinal de imaturidade espiritual, por que ainda somos infantes, espiritualmente falando.

Para chegarmos à unidade, é inútil continuarmos a reduzir o cristianismo ao seu estado mais ínfimo, com o que todos possam concordar e ficar unidos. Pelo contrário, precisamos, todos nós, crescer em Cristo, atingir a maturidade espiritual. Somente assim seremos unidos em Cristo, alicerçados no «máximo» e não no «mínimo» do cristianismo. O movimento ecumênico da igreja de hoje em dia procura unir os cristãos sobre bases «mínimas»; e por isso fica automaticamente condenado pelo conceito de unidade encontrado nesta passagem.

A medida da estatura da plenitude de Cristo, Efé. 4:13. Isso reitera, em outras palavras, o conceito da perfeição com que se inicia o presente versículo. A obtenção da *perfeição*, na realidade, consiste em assumirmos a total medida da plenitude de Cristo. Essa expressão também define o que deve ser o «homem perfeito» (que Paulo acabara de mencionar). Ninguém poderá ser «perfeito» enquanto não for tudo quanto Cristo é. Trata-se de elevada doutrina, que nos ensina profunda verdade. Essa elevação, entretanto, está oculta da moderna igreja evangélica, que não pode se elevar acima de pensamentos como ficarmos livres do pecado. Porém, estarmos sem pecado não nos torna perfeitos. Pois os anjos, que não caíram, são impecáveis, mas nem por isso participam da perfeição de Deus Pai e de Deus Filho. O evangelho, porém, expõe ante os homens essas perfeições, que transcendem infinitamente a mera impecabilidade que muitos vêem aqui.

III. A Natureza da Perfeição

1. Em sua manifestação terrena, a perfeição aparece como maturidade espiritual, como elevado grau de santidade, de parceria com o poder espiritual e utilidade nas mãos de Deus no que diz respeito tanto a nós, quanto à igreja. Recebemos poder a fim de servirmos e cumprirmos nossas respectivas missões.

2. Porém, nas dimensões celestiais, começaremos dotados da mesma natureza que Cristo (ver I João 3:2), e assim participantes de sua plenitude e atributos (ver Col. 2:10).

3. Por semelhante modo, pertencem-nos a natureza e os atributos do Pai (ver Efé. 3:19).

4. Na qualidade de seres tão exaltados, ainda assim a nossa perfeição será apenas «relativa», pois só Deus é perfeito. Mas iremos passando de um estágio de glória para outro, perenemente aumentando a nossa perfeição, sempre nos aproximando, mas nunca atingindo plenamente as perfeições divinas. Portanto, a glorificação será um processo interminável. A impecabilidade será apenas seu início. Também iremos avançando no campo das virtudes positivas de Deus, em seus atributos, e na participação de sua forma de vida.

Qual será o tempo da maturidade? Paulo não frisa aqui nenhum ponto no tempo, presente ou futuro, para atingirmos esse alvo da perfeição. Mas a eternidade futura será o terreno da busca contínua e bem-sucedida. De fato, sendo Deus infinito, e visto que estamos crescendo segundo a sua plenitude, passaremos a eternidade nessa inquirição, crescendo sempre na direção da perfeição, o que é o propósito da vida: tudo vem de Deus; tudo volta para Deus. Ver **Vitória Espiritual: Estágios da Inquirição Espiritual**.

PERFEIÇÃO NA FILOSOFIA

Ver o artigo geral sobre a **Perfeição**, que aborda certo número de aspectos dessa questão, do ponto de vista bíblico e do ponto de vista teológico. O assunto também tem parecido importante para os filósofos, o que é demonstrado pelo presente artigo.

O termo latino *perfectio* significa «perfeição». A forma verbal repousa sobre *per*, «através», e *facere*, «fazer», com o sentido de ter sido feito completamente, estar perfeito. No caso de pessoas e de coisas, isso aplica-se com justeza ao caso de Deus, no tocante às suas obras, embora não no tocante à essência de seu ser. Na filosofia, o termo *perfeição* aplica-se principalmente a Deus; e, em sentido derivado, ao homem.

Idéias de Vários Filósofos:

1. *Xenófanes* referia-se a Deus como imutável, dotado de propriedades como onipresença e onipotência. Sua filosofia não podia entender um Deus mutável.

2. *Platão* falava sobre as *Idéias* (ver sobre os *Universais*) como imutáveis, desligadas do tempo, perfeitas. As coisas deste mundo dos *Particulares*

PERFEIÇÃO NA FILOSOFIA

(vide), ou seja, o nosso mundo físico, são o contrário disso, meras imitações daquilo que é imutável e perfeito. Em seu diálogo, *Leis*, ele chegou a substituir o termo *Idéias* pelo termo *Deus*. E isso, provavelmente, representava uma antiga forma de monoteísmo, completa com várias descrições judaico-cristãs.

3. *Aristóteles*. Para ele, a perfeição se encontrava no *Movedor Inabalável*, o seu conceito de Deus como uma força cósmica. Deus seria uma força (um ser) de Forma Pura e de Ato Puro, onde todas as potencialidades têm cumprimento. Isso distinguiria Deus de todos os outros seres, que ainda estão em processo de concretização, o que significa que têm deficiências. Todos os demais seres seriam um misto de concretização e potencialidade. A perfeição de Deus, porém, implicaria na imutabilidade.

4. *Jesus Cristo*, apesar de não podermos considerá-lo um filósofo, ainda assim precisa ser levado em conta neste verbete, visto que as suas idéias revestem-se de vasta importância filosófica. Cristo achava em Deus todas as perfeições, e também fazia de Deus o alvo de toda busca pela perfeição (ver Mat. 5:48). O artigo chamado *Perfeição* aborda as idéias teológicas sobre a perfeição. O *perfeccionismo* que tem maculado o cristianismo também é descrito naquele artigo. Ver também o artigo *Perfeição Espiritual*.

5. *Anselmo*. Seu conceito ontológico depende do conceito da perfeição divina. Ver sobre o *Argumento Ontológico*. Somente um Deus que realmente existe pode ser chamado perfeito. Portanto, o conceito da perfeição precisa incluir a idéia de existência. Deus é Aquele que é melhor ser do que não ser, e nisso ele atinge e exprime a perfeição, em cada categoria. Apesar desse tipo de argumentação parecer estar baseado somente na razão, podendo assim ser uma invenção intelectual, que não reflete a verdade, torna-se claro, nos escritos de Anselmo, que ele estava dependendo de revelações e experiências místicas como base de sua teoria. Ademais, naturalmente ele pressupunha que a razão humana encontra infinitude na mente divina, ou seja, é capaz de criar tais proposições que correspondam à realidade dos fatos.

6. *Tomás de Aquino* empregou uma forma do que agora é chamado de *Argumento Axiológico* (vide), alicerçado sobre o conceito de que *graus* de perfeição requerem o pensamento de que deve haver um *grau máximo* de perfeição. Quando chegamos a esse grau máximo, encontramos Deus, que é a fonte e o padrão de todas as perfeições. Deus é a concretização de toda perfeição. Todas as demais coisas têm algum grau de concretização; mas consistem, principalmente, em potencialidade. O termo grego *áxios* (valioso) veio a ser usado para referir-se a todos os valores éticos, estéticos e metafísicos.

7. *Leibnitz* definia Deus como a somatória de todas as perfeições. Ele chegou a essa definição separando entre si todas as propriedades individuais de Deus. Todas elas são perfeitas em si mesmas; e, consideradas conjuntamente, acrescentam ao *Ens Realissimum* (o mais real e mais perfeito dos Seres, a fonte de todas as outras perfeições). Ele é a grande Mônada que trouxe à existência todas as outras mônadas, de que todas as coisas estão constituídas, e que foram programadas por ele.

8. *Ferguson* fazia da perfeição o alvo de toda vida individual e coletiva; e o critério de todas as considerações de certo ou errado seria a perfeição. Ele procurou unificar todas as teorias éticas com base no critério da perfeição. *Cousin*, por sua vez, pensava que esse critério é superior a todos os demais critérios, como o prazer, o benevolência, a utilidade, etc.

9. *Herbart* julgava que o conceito da perfeição é uma das cinco relações básicas da vontade, ou seja, daquilo que constitui a vontade. O homem deseja chegar à perfeição. As outras quatro qualidades da vontade são: a harmonia, a benevolência, a lei e a eqüidade. Como no caso de todos os filósofos aqui mencionados, ver o artigo separado acerca dele, quanto a maiores detalhes.

10. *Fechner*, em oposição a muitos outros pensadores, defendia a idéia de uma perfeição crescente, a qual, obviamente, não é a perfeição em sentido absoluto. Ele acreditava que Deus pode ultrapassar a si mesmo, embora nenhum outro ser seja capaz de ultrapassar a Deus. Isso posto, as perfeições de Deus iriam sempre aumentando. Essa idéia, como é claro, fala sobre um Deus finito, que vai avançando para uma expressão mais perfeita. Alguns poucos teólogos cristãos vêm advogando a idéia de um Deus finito, com base no problema do mal. Assim, há coisas erradas, neste mundo, porque Deus, apesar de ser muito grande, não era grande o bastante para impedir completamente a presença do mal. Assim também pensam os mórmons, que idealizam um Deus que continua sendo finito, embora imenso.

11. *T.H. Green* referia-se à perfeição humana em termos de organização social objetiva, com suas lutas e realizações. A auto-realização é o alvo de cada indivíduo, e a perfeição humana (individual e coletiva) é o alvo da própria sociedade. Faz parte do dever do Estado prover condições adequadas para que todos possam atingir esse alvo. Em conseqüência, em sua filosofia, os direitos do indivíduo estão acima dos direitos do Estado.

12. *Hartshorne* tinha um conceito curioso da perfeição, algo parecido com o de Fechner, mas com uma leve distorção. Ele usava a palavra *surrelativo* (que, provavelmente, não se acha nos dicionários), a fim de descrever seu ponto de vista. Essa palavra vem do latim, *sur*, «além», e *relativus*, do latim posterior, com base no termo latino clássico *relatus*, «relativo». Assim, a palavra «surrelativo» indica algo que «vai além do relativo». Deus, pois, não seria absoluto, mas relativo, podendo ultrapassar a si mesmo. Em um dado momento, Deus é o Máximo Absoluto presente. Mas, na verdade, um absoluto nunca é realmente atingido enquanto Deus não se ultrapassa a si mesmo, criando um novo máximo. Deus é capaz de ultrapassar a si mesmo. Isso posto, ele apresenta a perfeição em qualquer dado momento, mas pode melhorar a sua própria perfeição; e, em conseqüência, ele seria um Deus *surrelativo*.

13. O *positivismo* (vide) ensina que todos os termos da linguagem humana resultam da experiência humana, podendo ser postos a serviço da descrição dos conceitos metafísicos. De fato, esses conceitos não podem ser investigados, pelo que são *destituídos de sentido*, segundo os termos humanos. Portanto, é inútil falar sobre um termo tão amplo quanto «perfeição», como se pudéssemos saber que qualquer coisa é perfeita. Além disso, a filosofia da linguagem tem-nos ensinado que qualquer termo absoluto, como o *omnis* de onipotente, de onisciente, etc., na realidade é um termo negativo. Chegamos a um certo ponto, em uma descrição, e então, quando não mais

PERFEITO, PERFECCIONISMO

podemos avançar, ocultamos o vácuo em nosso conhecimento por meio de um *omni*. Outrossim, até aquele ponto podemos apresentar uma descrição que depende da experiência e da linguagem humanas. Porém, como poderíamos descrever algo divino com tais elementos?

As pessoas com inclinações religiosas respondem a essas objeções, dizendo que, apesar de ser verdade, mediante uma análise filosófica, que são negativos os grandes termos que tentam descrever a Deus, por outra parte, ainda assim podemos *sentir* a grandiosidade de Deus, indicando esse sentimento (posto que não a compreensão intelectual) por meio de um *omni* ou de algum outro vocábulo de significação profunda. Há verdade por detrás desses sentimentos, e não precisamos sacrificar essa verdade, a despeito de nossos fracos meios de investigação. Ademais, há experiências humanas bastante incomuns, conforme se vê no *misticismo* (vide); e essas experiências levam-nos para além do baixo teto que o positivismo impõe sobre as nossas cabeças. Quanto a uma ilustração disso, ver os artigos sobre *Satya Sai Baba* e sobre as *Experiências Perto da Morte*. A experiência humana é mais rica, mais completa e mais significativa do que os filósofos positivistas imaginam, pelo que essa experiência pode ser invocada em defesa dos conceitos religiosos, por mais imperfeitos que os mesmos possam ser. Ninguém precisa da perfeição para sentir a *grandiosidade* de algo. Essa grandiosidade está disseminada por toda a existência. A soma total da vida é realmente estarrecedora em sua grandiosidade, e talvez não seja um exagero usar o vocábulo «perfeito» para descrever a Fonte do tremendo espetáculo que podemos observar dia após dia.

PERFEITO, PERFECCIONISMO

Esboço:
1. Usos Legítimos do Termo
2. Um Uso Errôneo do Termo
3. A Perfeição Divina
4. Usos Bíblicos da Palavra Perfeição
5. As Perfeições de Cristo
6. Sumário de Idéias
7. Perfeição na Filosofia

1. Usos Legítimos do Termo

Em nossa gradual transformação à imagem e natureza de Cristo, esforçamo-nos (e, finalmente, atingiremos) por alcançar um significativo grau de perfeição. A perfeição absoluta, entretanto, pertence exclusivamente a Deus. A mera impecabilidade jamais é considerada perfeição. Em nossa transformação à imagem do Filho de Deus, vamos recebendo mais e mais da natureza e dos atributos divinos (ver II Ped. 1:4), embora em um sentido secundário, finito. Mas, visto como isso faz parte da *glorificação* (vide), será uma transformação crescente, cada vez mais profunda e abrangente. O finito, pois, ir-se-á aproximando cada vez mais do Infinito. Ver o artigo *Transformação Segundo a Imagem de Cristo;* e também *Perfeição Espiritual.*

2. Um Uso Errôneo do Termo

Contra as claras indicações de I João 1:10, alguns cristãos supõem que ainda presos a este corpo mortal, os crentes podem atingir o estado de perfeição impecável. O primeiro erro nessa idéia consiste em não reconhecer a natureza radical e toda-permeadora do próprio pecado. E muitos rebaixam a definição do pecado, para que se torne possível ao homem atingir a chamada perfeição. O segundo erro aí envolvido consiste em supor que meramente estar isento de pecado já é a perfeição. Esse ponto de vista, pois, olvida-se que a verdadeira perfeição deve incluir, obrigatoriamente, a participação positiva nos atributos infinitos de Deus. Apesar de já estarmos compartilhando em pequena escala nesses atributos, visto que estamos sendo transformados segundo a imagem e natureza do Filho de Deus (ver Rom. 8:29), jamais chegaremos (agora ou na eternidade) a compartilhar desses atributos em sentido infinito. Assim sendo, jamais poderemos considerar-nos absolutamente perfeitos, mesmo já estando no estado de glorificação, lá nos céus. Quanto a maiores explicações sobre a questão, ver o artigo sobre o *Pecado*, em sua sexta seção, *Perfeição Impecável?*

O Perfeccionismo Escatológico. Esse é o termo empregado pelos teólogos ao que acabamos de dizer. Uma total realização humana, a perfeição moral (impecabilidade) e a participação positiva nos atributos positivos de Deus (o que poderá ser algo fantástico e crescente eternamente, embora nunca absoluto), são bênçãos prometidas para a eternidade futura, embora não para esta vida, em qualquer sentido que poderíamos chamar de *perfeito*. Não há exemplos vivos de perfeccionismo neste lado da existência, embora algumas pessoas espiritualmente notáveis tenham subido acima da multidão geral dos cristãos. Na fé cristã, a perfeição, em seu sentido absoluto (ver o terceiro ponto, **Perfeição Divina**), é atribuída única e exclusivamente a Deus.

O Peregrino. O verdadeiro crente acha-se na estrada que leva à perfeição; mas essa estrada chega até às eras distantes da eternidade futura. Assim sendo, o crente é um peregrino, tanto nesta quanto na outra vida. Isso é verdade porque o homem é um ser pertencente ao outro mundo, e o crente vai avançando de glória em glória (ver II Cor. 3:18).

Os Advogados do Perfeccionismo Atual. Alguns *místicos* cristãos, em seu entusiasmo gerado por elevadas experiências espirituais, têm usado a linguagem do perfeccionismo; mas os místicos não se preocupam muito com meras palavras, pelo que a linguagem deles não precisa indicar que defendem o dogma do perfeccionismo. Por outro lado, é possível que alguns deles realmente defendam essa posição. Porém, isso reflete um exagerado entusiasmo quanto às próprias experiências. Os *moralistas*, por sua vez, entusiasmam-se quanto às suas realizações espirituais, e algumas vezes caem na tentação de usar erroneamente a palavra «perfeito». Orígenes, ao incorporar as idéias e a linguagem dos místicos neoplatônicos, ocasionalmente falou como se ele fosse um perfeccionista. O monasticismo católico romano, em seu misticismo, produziu alguns exemplos dessa maneira de falar. Alguns anabatistas e seitas espiritualistas têm pensado ser possível a perfeição impecável. Naturalmente, eles viam com olhos baços a profunda depravação do homem, não tendo idéias tão claras a respeito quanto os reformadores protestantes. Os metodistas, os menonitas, os quacres e várias denominações pentecostais têm dado continuação ao perfeccionismo histórico.

Mas, apesar desse *ideal* ser nobre, é preciso que um homem defenda uma teologia bem superficial para que possa considerar-se *perfeito*, ou mesmo *impecável*, o que já fica aquém da perfeição. Alguns estudiosos liberais, inclinados para o misticismo, também têm adotado uma postura perfeccionista. Mas ninguém acredita nas reivindicações dos perfeccionistas, senão eles mesmos. Pessoalmente, conheci somente duas

PERFEITO, PERFECCIONISMO

pessoas que se diziam possuidoras da perfeição impecável. Uma delas era um alcoólatra que, naturalmente, falava desvairado, sob a influência da bebida. E a outra era um pregador pentecostal, que se declarava perfeito. A esposa dele e outras pessoas íntimas e amigos sabiam que não era assim; mas ele conseguia continuar iludindo-se. Isso não quer dizer que ele não fosse uma boa pessoa. Ele o era. Mas o uso do adjetivo «perfeito», que ele aplicava a si mesmo, era arrogante ao extremo.

Sem Desculpas. Apesar de ser impossível defender o perfeccionismo, também é impossível para o crente defender uma atitude lassa acerca da inquirição moral e espiritual. Essa inquirição precisa ser coerente, persistente, guiada na direção de nobres realizações. Somente assim poderemos ser considerados autênticos discípulos de Cristo. Mas o crente abandonou a atitude de denunciador.

3. A Perfeição Divina

Ver o artigo geral intitulado **Atributos de Deus**. A palavra «perfeição» vem do latim, *per*, «através», e *facere*, «fazer», dando a idéia de algo completamente feito, perfeitamente feito. No caso de Deus, o sentido original do vocábulo não diz respeito a algo por Ele atingido, exceto na teologia mórmon; pois, conforme ensinam os mórmons, Deus, mediante seus esforços, veio a tornar-se perfeito, deixando o bom exemplo para os seus filhos. De fato, para os mórmons, Deus, na qualidade de um ser finito (e não infinito), com os seus próprios problemas, também não possuiria a perfeição absoluta. Porém, dentro da corrente principal do judaísmo e do cristianismo, o Deus infinito é naturalmente perfeito. Ele possui todos os seus atributos no sentido mais elevado possível. Isso posto, Deus é perfeito tanto em sua natureza quanto em seus atributos, sendo o *Ens Realissimum* (o Ser final, o absolutamente real e perfeito), dotado de atributos que correspondem à essência de sua natureza. Em Deus, acham-se presentes todos os valores reais e possíveis, e não apenas em potência. Deus é o manancial de todos os valores e de todas as perfeições, como também o preservador dos mesmos. Qualquer outro ser será, forçosamente, apenas um fragmento minúsculo disso, e não a totalidade, ainda que possa ir avançando na direção daquele padrão final que é Deus. Assim sendo, é ridículo pensar que qualquer criatura, angelical ou humana, possa ser perfeita.

Além disso, existe a *perfeição dinâmica*, de acordo com a qual Deus é concebido por nós como Quem vai progredindo em suas obras e expressões, se não mesmo em sua natureza básica. Mudanças naquilo que é perfeito são possíveis em termos de expressão. O termo *perfeição estática* pode ser aplicado à natureza básica .perfeita de Deus; mas também pode ser aplicado a um Deus em quem não há mudanças, estagnado. O primeiro sentido é razoável; o segundo é errôneo. Naturalmente, quando falamos sobre Deus estamos falando sobre o *Mysterium Tremendum* (vide), e a linguagem humana deve ser tida como débil e meramente simbólica, capaz de comunicar alguma coisa, mas não muito. O perfeito estático é imutável, independente, simples, sem extensões, absoluto no conhecimento e na bondade; os atributos tradicionais da série *omnis* (onipotente, onisciente, onipresente, onibondoso, etc.). Mas, o perfeito dinâmico é mutável, mediante adições de sua realidade e de suas obras, embora seja independente, porque o próprio Deus assim se faz, em relação às suas obras, à criação e às criaturas.

Sumário. O perfeito é superior ao não-perfeito. Deus é aquilo que é melhor ser do que não ser. Essa perfeição aplica-se à ausência de qualidades negativas em Deus; mas também à possessão, no mais elevado grau, das qualidades positivas que, naturalmente, fazem parte de um Ser Perfeito. A perfeição também envolve a capacidade e o esforço de enriquecer aqueles seres e aquelas coisas que Lhe são inferiores. Nas obras de Deus, há um processo de auto-enriquecimento. Assim, quando o amor de Deus opera, e uma alma é salva, tanto aquela alma quanto o próprio Deus são enriquecidos. Grande mistério!

Trechos Bíblicos que Falam Sobre as Perfeições de Deus. O trecho de Mat. 5:48 alude diretamente a essas perfeições. E a significação desse versículo também envolve a necessidade de todo sério discípulo de Cristo buscar obter essa perfeição. O versículo não determina uma imposição cronológica à questão, mas apenas a apresenta como um ideal de todo remido. Esse ideal chegará a concretizar-se, em grande escala, por ocasião da glorificação, mas não de forma absoluta. Pois na eternidade continuaremos crescendo, rumo à perfeição. A lei do Senhor (Sal. 19:7), o caminho de Deus (Sal. 18:30) e as admiráveis obras de Deus (Jó 37:6), são chamados perfeitos na Bíblia. E o homem, bem como seu caminhar espiritual, também é chamado perfeito, posto que em sentido relativo, comparativo, e não em sentido absoluto e teológico. Assim é que Noé foi chamado «perfeito» (Gên. 6:9), e Jó foi chamado «íntegro» (Jó 1:1). Os corações dos homens, por semelhante modo, podem ser chamados perfeitos (I Reis 11:4; 15:14), embora essas não sejam declarações para serem entendidas em sentido absoluto. Os homens podem ser espiritualmente «maduros» (ver Fil. 3:12,15), e algumas traduções dizem ali *perfeitos*, mas essas traduções não servem de texto de prova para qualquer coisa que vá além da possibilidade de uma elevada realização espiritual.

4. Usos Bíblicos da Palavra Perfeição

Acima demos alguns exemplos. Perfeito, no sentido de maturidade, de algo completo e são é usado em Jó 1:1,8; 2:3; Sal. 18:30; 37:37; 64:6; I Reis 8:61; 11:4; 15:3; II Reis 20:3; I Crô. 12:28; 28:9; II Sam. 22:21; passagens essas que aludem tanto à perfeição divina quanto à perfeição humana.

No Novo Testamento, o caminho de Deus é chamado de «perfeito» (ver Atos 18:26), como também o próprio Deus (ver Mat. 5:48). A função da disciplina espiritual é o aperfeiçoamento do crente (Tia. 1:4), como também se dá com certo aspecto do amor cristão (I João 4:18). Pessoas são chamadas (relativamente) perfeitas em Mat. 19:21; Efé. 4:13; Fil. 3:15; Col. 1:28; 4:12 e Tia. 3:2. Nessas passagens, as palavras em questão podem ser traduzidas por «maduro», «completo».

5. As Perfeições de Cristo

Como membro da **Trindade** (vide) e sendo ele o *Logos* (vide), Cristo Jesus possui o atributo divino da perfeição. Ver também o *Eu Sou* de Jesus. Em sua *encarnação* (vide), ele autolimitou-se, e, embora impecável (ver sobre a *Impecabilidade de Jesus*), ele *foi aperfeiçoado* mediante as coisas que sofreu. Ver Heb. 2:10. Cristo sofreu as tentações comuns aos homens e esteve envolvido em fraquezas humanas, mas venceu; e assim tornou-se não somente o Caminho, mas também o Pioneiro do caminho (ver

PERFEIÇÃO — PERFUME

Heb. 2:10). E, uma vez *aperfeiçoado*, tornou-se a fonte da eterna salvação para todos quantos Lhe obedecem. Ver Heb. 5:10. Cristo tomou sobre si mesmo o nosso estado de humilhação, com todas as suas condições, para que pudesse compartilhar de sua natureza e de seus atributos conosco, os remidos.

6. Sumário de Idéias

a. Toda perfeição encontra-se em Deus (Sal. 18:32; 138:8).

b. Todos os santos são considerados perfeitos em Cristo (I Cor. 2:6; Fil. 3:15).

·c. A perfeição divina é o padrão para toda e qualquer outra perfeição (Mat. 5:48).

d. A perfeição envolve um elevado grau de devoção ao Senhor (Mat. 19:21).

e. Também subentende santidade e pureza (Tia. 3:3).

f. Todos os santos devem fixar os olhos nesse alvo (Gên. 17:1; Deu. 18:13).

g. Os santos devem seguir a perfeição (Pro. 4:18; Fil. 3:12).

h. Os ministros do Senhor devem encorajar os crentes à perfeição (Efé. 4:12; Col. 1:28).

i. As exortações devem incluir a idéia da perfeição (II Cor. 7:1; 13:11).

j. A perfeição não pode ser obtida neste mundo (II Crô. 6:36; Sal. 119:96; I João 1:10).

l. A Palavra de Deus é perfeita, e seu desígnio é encaminhar-nos na direção da perfeição (II Tim. 3:16,17).

m. Devemos orar pedindo a perfeição (Heb. 13:20,21; I Ped. 5:10).

n. A Igreja haverá de atingir a perfeição (João 17:23; Efé. 4:13).

o. A perfeição é bendita (Sal. 37:37; Pro. 2:21).

7. Perfeição na Filosofia

Ver o artigo separado com esse título.

PERFUME

Esboço:
1. A Palavra
2. Ingredientes e Manufatura dos Perfumes
3. Usos Literais
4. Usos Metafóricos

1. A Palavra

Esse termo vem do latim, **per**, «através», e **fumus**, «fumaça», ou seja, «através da fumaça». Isso refere-se ao fato de que o incenso perfumado era antigamente aplicado como uma fumaça, que disseminava suas agradáveis fragrâncias. Atualmente, os perfumes via de regra são um líquido volátil qualquer, que tem a propriedade de emitir facilmente as fragrâncias nele impregnadas. Naturalmente, a palavra também é usada para indicar flores que são dotadas de fragrância agradável. A palavra hebraica *ketoreth* refere-se ao ato de fumigar (ver Êxo. 30:35,37; Pro. 27:9). A primeira dessas duas referências alude ao incenso preparado pelos perfumistas; mas a referência do livro de Provérbios fala sobre os perfumes regulares. A raiz dessa palavra hebraica significa «aspergir». O particípio é usado para indicar a profissão dos perfumistas. O trecho de Isa. 57:9 traz a palavra hebraica *raqquach*, que significa «coisa sentida pelo olfato», ou seja, um «perfume». No grego, no Novo Testamento, a palavra não aparece, mas podemos supor que vários dos *ungüentos* ali mencionados (vide), serviam como perfumes.

2. Ingredientes e Manufatura dos Perfumes

Várias substâncias vegetais eram usadas no fabrico de perfumes, como o aloés, o sândalo, o bálsamo, o boélio, o cálamo, a giesta, a mirra, o nardo, a cássia, o cinamomo e outros, que eram itens de comércio, envolvendo regiões não somente como a Palestina, mas também a Arábia, a Índia, a Pérsia, o Ceilão e muitos outros lugares. Ver Gên. 37:25; I Reis 10:10 e Eze. 27:22, quanto a indicações acerca desse comércio. Além desses elementos eram empregadas as essências de várias flores, várias cascas de árvore e raízes. O azeite de oliveira era comumente usado como base (ver I Reis 10:10; Eze. 27:22). Ungüentos perfumados eram um artigo de luxo (Amós 6:6), e os tesouros antigos incluíam perfumes e ungüentos.

Os ingredientes usados, incluindo óleos e resinas especialmente preparados, faziam parte importante do comércio fenício. Ungüentos e perfumes eram importados por Israel em vasos de *alabastro* (vide). Plínio (*Hist. Nat.* 13:2) comentou sobre os ungüentos de grande preço e o comércio com os mesmos. A preparação de ungüentos e perfumes exigiu o surgimento de uma classe profissional, no hebraico os *raqachim*, mencionados, por exemplo, em Êxo. 30:25,35; 37:29 e Ecl. 10:1. Tão fortes e bem preservados eram alguns ungüentos e perfumes que podiam manter suas fragrâncias por centenas de anos. Vasos de alabastro feitos no Egito, atualmente guardados em museus ao redor do mundo, ainda preservam suas fragrâncias. O «santo óleo da unção», preparado nos dias do Antigo Testamento era composto por duas partes de mirra, duas partes de cássia, uma parte de cinamomo e uma parte de cálamo, e como base era usado o azeite de oliveira (ver Êxo. 30:35,37). O uso desse tipo de perfume era vedado para indivíduos particulares (ver Êxo. 30:32,33). Grandes quantidades desse ungüento perfumado eram preparadas, de tal modo que cerca de dez kg de ingredientes sólidos eram misturados com cerca de trinta e oito litros de azeite de oliveira, o que serve para dar-nos uma idéia da concentração da mistura. Certos filhos de sacerdotes eram designados para trabalhar como boticários, segundo se vê em I Crô. 9:30.

Os ingredientes básicos eram algumas vezes pulverizados a fim de serem guardados, e então eram liquefeitos na base apropriada, o que é refletido em Can. 3:6. Mas o próprio pó podia ser usado sem mistura alguma. O material seco era guardado em sacas e outros recipientes; mas, quando liquefeitos, havia frascos e vasos de alabastro para essa finalidade.

O clima muito quente dos países do Oriente Próximo e Médio favorecia o uso de perfumes e ungüentos. Além de disfarçar maus odores, há algo nos perfumes que reanima o espírito. Além disso, certas fragrâncias acabam associadas a determinados indivíduos ou situações, e isso lhes empresta um valor subjetivo. Os ungüentos, como é claro, tinham também o uso prático de tratar a pele ressecada (ou mesmo queimada).

Referências Bíblicas a Ingredientes Específicos dos Perfumistas. Sândalo (II Crô. 2:8; 9:10); madeira de sândalo. (I Reis 10:11,12); incenso (Êxo. 30:34-36; Lev. 2:1,2,15); gálbano (Êxo. 30:34); mirra (Êxo. 30:23; Sal. 45:8; Pro. 7:17; Can. 1:13; Mat. 2:11;

João 19:39); onicha (Êxo. 30:34); açafrão (Can. 4:14); nardo (Can. 1:12; 4:13,14); estoraque (Êxo. 30:34).

3. Usos Literais

Talvez o uso mais óbvio dos perfumes seja aquele ocupado hoje em dia pelos desodorantes, mascarando odores corporais, exacerbados pelo tórrido clima do Oriente Próximo e Médio. Os trechos de Luc. 7:38 e João 12:3 indicam esse tipo de uso, pois perfumes e ungüentos eram aplicados aos pés, uma vez lavados, o que veio a tornar-se um item importante da hospitalidade oriental. O ato de ungir é mencionado envolvendo as mãos e o corpo inteiro (aparentemente), após o banho (Can. 5:5; Rute 3:3). Festas e ritos religiosos estavam envolvidos com perfumes e ungüentos (Sal. 45:8; 133:2; Can. 4:11). Leitos e colchões eram perfumados (Pro. 7:17), como também sepulcros (II Crô. 16:14). E, naturalmente, cadáveres recentes (João 19:29). Ver sobre o uso litúrgico do *Incenso*. Quando da chegada de algum hóspede, incenso e ungüentos eram usados na hospitalidade comum. — Quando uma personagem real ausentava-se do palácio, seus atendentes esparziam incenso perfumado em redor dele e perante ele (Can. 3:6). Mas, em tempos de lamentação pelos mortos, não eram usados perfumes (ver Isa. 3:24).

4. Usos Metafóricos

O trecho de II Cor. 2:14 usa o perfume como um símbolo de nosso conhecimento de Cristo. Esse é um perfume de que todos precisamos mais e mais! O auto-sacrifício de Cristo foi uma oferta fragrante a Deus, que somos exortados a imitar (ver Efé. 5:2). De modo geral, um perfume serve de símbolo daquilo que é agradável, romântico, convidativo.

PERFUMISTA

Aparece com essa forma em Êxo. 30:25 e 37:39, e com a forma de «perfumador», em Ecl. 10:1. Era homem que sabia compor ungüentos e perfumes em geral (ver Nee. 3:8). Algumas vezes eram mulheres que se encarregavam desse trabalho (ver I Sam. 8:13). Originalmente, em Israel, o óleo para as unções era preparado por Bezalel (ver Êxo. 31:11). Mais tarde, provavelmente era preparado por um dos sacerdotes. Os antigos perfumistas também preparavam ervas medicinais, pois suas funções incluíam algo de farmácia, uma prática generalizada no mundo antigo. Um tablete de argila, desenterrado em Nipur, na baixa Babilônia, entre o Tigre e o Eufrates, fornece uma fórmula para um ungüento de bálsamo prescrito para um metalúrgico que viveu séculos antes de Abraão e que sofreu queimaduras. Os perfumistas também preparavam especiarias para os sepultamentos (ver II Crô. 16:14). (UN)

PERGAMINHO

Ver sobre **Escrita**.

PÉRGAMO

Ver Apo. 2:12 ss.

Esta palavra estava relacionada a *purgos*, isto é, «torre» ou «castelo», ou seja, «fortificada». Pérgamo era a «cidadela» de Tróia. E, de fato, nos escritos clássicos, tal palavra era usada para indicar a «cidadela» ou «fortaleza» de qualquer cidade. Sua suposta significação de «casada» não é apoiada nos dicionários. É verdade que aquela igreja entrou em matrimônio com o mundo, quando ficou sob o favor imperial, mas tal significado não é ilustrado no nome da cidade.

Pérgamo era uma cidade da província romana da Ásia, nos dias neotestamentários, na parte ocidental do que agora é a Turquia Asiática. Fora a antiga capital de Atalo, a cidade-estado doada ao império romano, em 133 A.C. Geograficamente, ocupava importante posição, próxima do extremo marítimo do largo vale do rio Caico. Também tinha boa importância comercial e política, além de sua importância religiosa. Existia ali uma antiga forma de adoração ao diabo. Também era a sede de um antigo culto de mágicas babilônicas, e tornou-se importantíssimo centro da propagação do «culto ao imperador», que era apenas outra forma de religião falsa, usada pelas forças satânicas. Tornou-se a sede de quatro dos maiores cultos pagãos, a saber, de Zeus, de Atena, de Dionísio e de Asclépio. Também se estabeleceu ali o culto dos Magos, de origem babilônica. O sacerdote desse culto era de *Pontifex Maximus* ou então de «Principal Construtor da Ponte», e sua suposta tarefa era preencher o vácuo entre o homem e os poderes superiores, os quais se tornavam objetos de adoração. Os habitantes de Pérgamo eram chamados de «principais guardiães do templo» da Ásia.

Quando o «culto ao imperador» cresceu em importância, dentro do império romano, Pérgamo se tornou um de seus centros principais, embora outros falsos cultos ali nunca tivessem fenecido completamente. A alusão que temos ao «trono de Satanás», mui provavelmente, diz respeito a esse culto (ver Apo. 2:13). Satanás impulsionava homens a adorarem um mero homem; esse era o seu «ardil», naqueles tempos.

Política e economicamente a cidade florescia, tendo sido chamada por Plínio de «a mais ilustre de todas as cidades da Ásia». Todas as principais estradas da Ásia ocidental convergiam para ali. Fabricava ungüentos, vasos e pergaminho (que assumiu seu nome dessa cidade). Esse tipo de «papel» (feito de peles de animais) chegou a ser chamado «charta pergamena», por ser fabricado em Pérgamo, de onde era distribuído. Não foi a cidade que derivou seu nome desse tipo de papel; deu-se exatamente o contrário.

Em 29 A.C. foi dedicado um templo a Augusto em Roma, por parte do sínodo provincial (ver Tácito, *Anais* iv.37), e isso «oficializou» o culto ao imperador em Pérgamo, — que naquele tempo, era a principal cidade da província da «Ásia». Um segundo templo foi ali edificado, em honra a Trajano, e ainda um terceiro, em honra a Severo. Desse modo, a adoração religiosa pagã ali se centralizou e consolidou. Por detrás da cidade havia uma colina em forma cônica, com cerca de trezentos metros de altura, a qual, desde tempos antigos, vivia recoberta de templos e altares pagãos, o que fazia significativo contraste com o «monte de Deus», referido em Isa. 14:13 e Eze. 28:14,16. Este último foi chamado também de «trono de Deus» (ver I Enoque 25:3). O culto ao imperador criou ali um «trono de Satanás», talvez havendo nisso alusão à colina acima descrita. O grande e idólatra culto ao imperador incorporava em si mesmo todo o paganismo que tornou Pérgamo famosa, embora não houvesse eliminado totalmente todas as outras formas. E a igreja cristã, que se recusava a participar desse «culto», automaticamente foi tachada de «traidora», tendo de sofrer as conseqüências de sua recusa.

Hoje em dia não resta mais glória à antiqüíssima cidade. Uma pequena aldeia, de nome Bergama, ocupa o seu lugar, na planície abaixo do local da antiga Pérgamo.

PÉRGAMO — PÉRGAMO, CARTA

A Igreja em Pérgamo

A *paganização* da igreja de Pérgamo (historicamente, nos fins do primeiro século, e no segundo e terceiro séculos, especialmente mediante o gnosticismo libertino, e, profeticamente, na época de Constantino, quando a igreja ficou sob o favor imperial) exigiu que a mesma recebesse um severo julgamento. Isso salienta o «imperativo moral» do evangelho. A santificação é necessária à «salvação» (ver II Tes. 2:13), e não meramente para a «comunhão com o Senhor». É falso o evangelho que não envolve exigências morais, ou que as subestima.

«Nessa igreja de Pérgamo, muita coisa havia que precisava de cirurgia moral. Era mister alguma amputação e execução morais, para que tudo fosse corrigido — a separação de coisas que não se harmonizavam entre si, bem como a destruição de males que se tinham instaurado e estavam atuando de forma desfavorável...A exibição do cutelo prefigurava a separação e a dissecação morais, no que não se poderia poupar qualquer erro, devendo morrer tudo quanto fosse estranho e prejudicial à igreja...Uma das razões por que tantas pessoas evitam e odeiam à verdade de Deus é que ela os fere, despertando os açoites da consciência e destruindo totalmente as suas esperanças. E essa forma de ferimento agora descerá sobre aquela igreja». (Seiss, em Apo. 2:12).

PÉRGAMO, ALTAR DE

Ver o artigo geral sobre **Pérgamo**. A carta dirigida à igreja cristã em Pérgamo, preservada em Apo. 2:12 ss, inclui uma referência a um altar, que era um dos mais famosos do mundo antigo. Esse altar ficava em uma colina que dominava a cidade. Esse altar foi descrito na antiguidade pelo viajante grego Pausânio. Em 1871, esse altar foi descoberto e transportado para a Alemanha, e atualmente está no Museu de Berlim Oriental. Era uma pequena versão daquele que se tornou o altar mais elaborado de Victor Emanuel, rei da Itália, posto em Roma. Uma pequena escadaria conduz ao imenso altar de Perge. A derrota de um exército gaulês, cerca de dois séculos antes de sua construção, serviu de inspiração à ereção desse antigo altar. Bandos de assaltantes celtas costumavam vergastar a região (e deram seu nome à Galácia); mas os habitantes de Pérgamo tiveram a energia suficiente para resistir a eles; e então o feito foi comemorado por meio desse altar. Seu friso representa os deuses do Olimpo, combatendo gigantes; e musculosos guerreiros, dotados de caudas de serpentes, adornam o mesmo. Esse altar foi dedicado a Zeus, onde também ele é chamado de *salvador*. Parece claro que os habitantes do lugar pensavam ter recebido sua ajuda divina naquela vitória contra os gauleses.

No livro de Apocalipse, esse altar é chamado de «o trono de Satanás» (2:13), como representante do paganismo em suas muitas formas. Os arqueólogos ficaram boquiabertos diante do fato de que uma figura gigantesca, muito estragada, em mármore, foi achada em um depósito de sucata, na oficina do conselho da cidade de Londres, na Inglaterra. E então descobriu-se que fazia parte do famoso friso do altar de Pérgamo. O conde de Arundel, dois séculos antes, havia levado o fragmento para a Inglaterra, e o mesmo acabou virando sucata. Como a glória de Zeus fora degradada!

Várias interpretações do trono, mencionado em Apocalipse 2:13:

1. A colina por detrás da cidade, seria um trono, com seus templos e altares pagãos. Esse cômoro faria contraste com o monte de Deus (ver Isa. 1:14; Eze. 28:14,16).
2. O altar dedicado a Zeus Soter (Salvador), que descrevemos acima.
3. Vários templos, ou algum templo pagão específico, cujo culto era ofensivo aos cristãos primitivos, especialmente por promover o culto ao imperador romano, em tais lugares.
4. A própria cidade de Perge, tão repleta de sinais do paganismo.
5. A adoração a Esculápio, cujo símbolo era uma serpente.
6. A adoração idólatra que havia em Pérgamo, em sentido coletivo.

Significação Espiritual. Pelo menos fica claro que a alusão, em Apocalipse 2:13, é à fanática adoração pagã que havia em Pérgamo. Satanás havia conseguido controlar de tal modo os seus habitantes, que a cidade podia ser considerada o trono do diabo.

O *gnosticismo* (vide), em suas primeiras formas, pode estar em foco. O gnosticismo foi uma antiga heresia que chegou a ameaçar a pureza do cristianismo antigo. Essa salada de elementos judaicos, pagãos e cristãos conferia a Satanás uma sólida base de operações em Pérgamo, e até sobre a própria igreja local. Posteriormente, o gnosticismo conseguiu sobrepujar ali a adoração ao imperador, como o problema mais difícil com que se defrontava a Igreja cristã. Vários livros do Novo Testamento (como o Apocalipse, Colossenses, Judas e as epístolas de João) fazem ressoar esse combate contra o gnosticismo primitivo.

PÉRGAMO, CARTA (EPÍSTOLA) A

Ver o artigo separado sobre as **Sete Cartas** (do Apocalipse), que fornece uma descrição geral sobre aquelas cartas, uma das quais dirigida a Pérgamo. Os capítulos segundo e terceiro do Apocalipse contêm essas cartas, como uma espécie de introdução geral ao livro.

Mensagens Específicas

Quanto ao desenvolvimento detalhado de certos pontos, ver os artigos separados intitulados *Pérgamo*, *Trono de* (Apo. 2:13); *Nicolaítas* (Apo. 2:14; provavelmente uma seita gnóstica que perturbava a Igreja cristã daquele lugar. Ver também sobre o *Gnosticismo*. Além disso, temos a questão da grande promessa divina àquela igreja local, alusiva a como cada crente individual é ímpar, agora e na eternidade. Ver o artigo sobre esse tema, chamado *Novo Nome e Pedra Branca*, com base em Apo. 2:17. Ver também sobre *Ántipas*, um notável mártir cristão do período apostólico, associado àquela cidade. Também deve ser levada em conta a doutrina de Balaão (vs. 14). Ver sobre *Balaão*, quinto ponto, onde são discutidos os usos metafóricos de seu nome, nas páginas da Bíblia. Ver o quarto ponto desse mesmo artigo, quanto à *doutrina* e ao *caminho* de Balaão. Nesses vários simbolismos destacam-se os ensinos e as práticas corruptoras do paganismo (incluindo o gnosticismo). Porém, aos vencedores (vs. 17), é oferecida uma das mais notáveis promessas das sete cartas do Apocalipse, acerca do maná escondido e da pedra branca (vs. 17). Dentre a corrupção reinante, pode emergir um indivíduo extraordinário, um instrumento especial do bem, destinado a uma elevada missão.

PÉRGAMO, ESCOLA DE

Temos aí uma escola do **neoplatonismo** (vide), do século IV A.C., fundada por Edésio da Capadócia, que havia estudado aos pés de *Jâmblico* (vide). Esse grupo contava com certos membros famosos, como o imperador *Juliano*, o apóstata (vide), além de *Salústio*, o neoplatônico (vide).

PERGE

Esse era o nome de uma cidade às margens do rio Cestro, navegável até àquele ponto, na antiguidade. Ficava no distrito da *Panfília* (vide), e era a capital do mesmo. Estava a onze quilômetros da desembocadura do Cestro. Foi ali que Marcos desertou de Paulo (ver sobre *Marcos, Falha de*). O lugar foi visitado pelo apóstolo dos gentios quando de sua primeira viagem missionária (ver Atos 13:13,14). Era centro da adoração a Ártemis (Diana), cujo templo ficava em uma colina, fora da cidade. Paulo chegou ali em maio, quando os passos não estavam impedidos pela neve. O local era quente, e muitos de seus habitantes, quando possível, passavam algum tempo nas colinas da Pisídia, durante o verão, porque estas recebiam chuvas abundantes, e havia neve durante o inverno.

Os arqueólogos investigaram a região, e um relatório foi publicado pelo *Turk Akkeloji Dergesi*, em 1º de agosto de 1958 (págs. 14-16). Moedas ali encontradas traziam a efígie de Diana como caçadora. Perge é uma das cidades mais bem preservadas a ter qualquer coisa com as viagens missionárias de Paulo. Restam muitas ruínas de edifícios e ruas. Ao pé da acrópole há ruínas de um teatro que tinha capacidade para mais de dez mil pessoas, além de um estádio. Também restam muitos banhos e sepulcros. Tal como a maioria das cidades daquelas costas marítimas, infestadas por piratas, essa ficava em uma pequena ilha e era servida por um porto fluvial, Ataléia, cidade fundada no século II A.C., para servir Perge de porto. Tal porto tem permanecido até os tempos modernos, embora tenha atravessado muitas camadas de civilização, ao passo que Perge está reduzida a escombros.

Não foi ainda identificado o local do antigo templo de Diana, mas foram desenterrados quatro templos cristãos em ruínas, dois do século IV D.C. e dois do período da Idade Média. O único bispado moderno da região fica em Atalia, a antiga Ataléia, porto de Perge, mencionado acima. Data do século XI D.C.

Alguns Informes Históricos. Pouco se sabe sobre Perge, quanto a seus tempos mais primitivos. Mas seu nome sugere que foi iniciada como colônia grega, nas costas da Panfília. Seja como for, os fundadores da cidade pertenciam a alguma cultura da era do Bronze, e Ártemis fazia parte da mesma. O local ficou famoso como centro de veneração a essa deusa. Porém, pouco se sabe acerca da cidade durante os tempos da hegemonia persa na Ásia Menor, embora saibamos que Alexandre, o Grande, passou pela mesma ao menos por duas vezes. Era em Perge que os monarcas selêucidas, da Síria, controlavam a região. Então chegaram os romanos, no século II A.C. Em 188 A.C., havia ali uma forte guarnição síria, que foi o que os romanos encontraram, quando entraram na área. Ao que parece, a cidade gozou de um período de independência, e suas moedas indicam e inscrições confirmam um contínuo predomínio romano ali, desde então.

Os turcos modernos chamam a localidade de *Eski-Kalesi*. Naturalmente, Perge arruinada faz parte da Turquia moderna.

PERICORESE

Palavra derivada do grego, *perikopé*, «algo cortado de», aplicada a uma seção de um livro, de uma história, de uma pequena peça literária, mas mais comumente de uma parte de uma obra maior, como a própria palavra deixa perceber. A primeira vez em que ouvi essa palavra ser usada foi quando meu professor e amigo, o Dr. Jacob Geerlings (a quem dediquei o *Novo Testamento Interpretado, In Memoriam*), quis falar de uma narrativa dos evangelhos com problemas textuais especiais. Uma utilização comum desse vocábulo se dá em referência aos *lecionários* (vide), de onde eram selecionados trechos para serem lidos a cada domingo e dias feriados. Essa prática parece ter começado no século V D.C., e o seu propósito principal era a apresentação sistemática das Escrituras diante do povo. A maioria das pessoas não sabia ler, e poucas pessoas tinham manuscritos bíblicos, do Antigo ou do Novo Testamentos. Assim, o contacto de uma pessoa com as Sagradas Escrituras limitava-se ao que a Igreja podia fornecer, em suas leituras coletivas. As igrejas Católica Romana, Ortodoxa Oriental e Anglicana continuam essas leituras sistemáticas, mas as igrejas protestantes e evangélicas há muito as descontinuaram. Essas leituras também tinham o propósito de prover lições bíblicas adequadas, correspondentes ao calendário eclesiástico, segundo o qual são celebrados os principais eventos históricos do cristianismo.

PERÍODO INTERTESTAMENTAL

Acontecimentos e Condições do Mundo ao Tempo de Jesus

Esboço:
1. O Período Intertestamental
2. Pérsia
3. Os Ptolomeus e os Selêucidas
4. Os Macabeus e a Independência
5. Intromissão Romana
6. Descobrimentos Arqueológicos que Ilustram esses Anos
7. A Palestina ao Tempo de Jesus
   a. Pano de Fundo
   b. Antípatre
   c. Herodes o Grande
   d. Os Vários Herodes do Novo Testamento
   e. O Nacionalismo Judaico
   f. Revolta e Destruição de Jerusalém
8. O Mundo Greco-Romano
   a. Pano de Fundo
   b. Moralidade
   c. Filosofia
   d. Religião
9. *Bibliografia*
10. Diagramas:
    a. Israel, Pérsia, Egito e Síria (Pérsia durante o período intertestamental)

PERÍODO INTERTESTAMENTAL

b. Os Selêucidas
c. Os Hasmoneanos
d. Os Herodes
e. Acontecimentos durante os tempos neotestamentários: Roma, Palestina, o Novo Testamento

1. O Período Intertestamental

As condições gerais desse período podem ser relembradas sabendo-se que houve quatro períodos distintos em que esses quatrocentos anos podem ser divididos: 1. o período persa, 430-322 A.C.; 2. o período grego, 321-167 A.C.; 3. o período da independência, 167-63 A.C.; e 4. o período romano, 63 A.C. até Jesus Cristo.

2. Pérsia

Israel caiu sob o controle persa. A Pérsia foi a grande potência mundial durante cerca de duzentos anos, e foi mais ou menos na metade desse período que Israel seguiu para o cativeiro. Nomes como Artaxerxes I, Xerxes II, Dario II e Artaxerxes II, são nomes familiares entre nós, como reis persas que governaram durante esse tempo. Neemias reconstruiu Jerusalém durante o governo de Artaxerxes I. Usualmente os persas eram clementes, e tanto a autoridade civil como a autoridade religiosa foram restabelecidas em Israel durante esse período. O império persa caiu sob Dario III, em cerca de 331 A.C.

3. O Ptolomeus e os Selêucidas

Com a queda da Pérsia, o equilíbrio do poder mundial passou da Ásia para o Ocidente, para a potência crescente dos gregos. Quase todos estão bem familiarizados com o nome de Alexandre o Grande que, com a idade de vinte anos, assumiu o comando do exército macedônio e, em um período extremamente breve, reduziu aos seus pés todas as demais potências, tendo varrido o Egito, a Assíria, a Babilônia e a Pérsia.

Alexandre conquistou a Palestina em cerca de 332 A.C., poupou a cidade de Jerusalém e disseminou a língua e a cultura gregas por toda a parte. Marchas forçadas e bebidas imoderadas arrebataram-lhe a vida quando contava apenas trinta e três anos de idade, estando ele na Babilônia, no ano de 323 A.C. Quando de seu falecimento, morreu também a idéia de um governo universal, e, em cumprimento da profecia de Daniel (Dan. 11:4,5), o seu reino foi dividido. O império foi repartido entre os quatro generais de Alexandre. As duas porções orientais ficaram com generais separados — a Síria ficou com Seleuco, e o Egito, com Ptolomeu. Dessa maneira vieram à existência os ptolomeus (reis gregos do Egito) e os selêucidas (reis gregos da Síria). Outros domínios foram estabelecidos em resultado da morte de Alexandre; mas só esses dois têm alguma significação na história bíblica, em relação ao período entre os Testamentos. A princípio, a Palestina ficou debaixo do controle sírio, mas não muito depois passou para o controle egípcio. Assim permaneceram as coisas durante cerca de cem anos, até 198 A.C. Durante esse período os judeus estiveram dispersos, e Alexandria serviu de importante centro político e cultural, o que propiciou meios do V.T. ser traduzido para o grego, tradução essa que tomou o nome de *Septuaginta*, representada também pelo símbolo LXX (que significa «70» em latim), por causa da tradição que foi completada em 70 anos, por setenta e dois tradutores judeus da Palestina. Sob os «ptolomeus», os judeus prosperaram, e até exigiram importante centro religioso em Alexandria.

Entretanto, em 198 A.C., Antíoco o Grande reconquistou a Palestina, e esta voltou ao controle dos «selêucidas». Em 175-164 A.C., os judeus foram severamente perseguidos por Antíoco Epifânio, que estava resolvido a exterminá-los, juntamente com sua religião. Esse é o «pequeno chifre» de Daniel 7:9, descrito nessa passagem profética. No ano de 168 A.C., Antíoco Epifânio profanou o templo de Jerusalém, oferecendo uma porca sobre o altar. Tornou-se o tipo vívido do ainda futuro anticristo, que, semelhantemente, atacará e procurará destruir qualquer verdadeiro testemunho de Deus. Antíoco Epifânio cometeu muitas outras atrocidades contra os judeus, incluindo a tentativa de destruir todos os mss das Escrituras. Seus excessos é que provocaram a revolta dos Macabeus, o que resultou, finalmente, num período de independência dos israelitas.

4. Os Macabeus e a Independência

O período de independência israelita também é conhecido como período macabeu, ou hasmoneano. (O nome de família dos Macabeus era «Hasmom»). Matatias, um sacerdote, tinha cinco filhos, de nome Judas, Jônatas, Simão, João e Eleazar. Judas foi guerreiro de habilidade extraordinária, tendo reunido as forças necessárias para a libertação dos judeus. Em 165 A.C., Judas purificou e reconsagrou o templo, e esse acontecimento passou a ser comemorado pela festa da Dedicação. Um período de cem anos de independência seguiu-se a partir daí. Porém, essa liberdade terminou em 63 A.C., quando os romanos conquistaram a Palestina.

5. Intromissão Romana

Em 63 A.C., os romanos, comandados por Pompeu, tomaram a Palestina. Antípatre, um idumeu (isto é, edomita, descendente de Esaú), foi nomeado governador da Judéia. Esta incluía as regiões da Galiléia, Samaria, Judéia, Traconite e Peréia (algumas vezes intituladas, coletivamente, de «Judéia»). Essas divisões haviam sido estabelecidas ainda durante o período sírio, mas permaneceram durante a maior parte do tempo do período romano, que o seguiu. Com Antípatre é que começou o governo dos Herodes, tão bem conhecidos nos evangelhos. Herodes o Grande era filho de Antípatre. (Ver o artigo separado sobre os *Herodes*). Os herodianos eram o partido político que favorecia a linhagem dos Herodes, como artifício para evitar o governo romano direto. Muitos consideravam a sucessão dos Herodes como o «Messias». No tempo do governo de Herodes o Grande é que nasceu Jesus. Foi no tempo do governo do tetrarca Herodes (também chamado Ântipas, um dos filhos mais novos de Herodes o Grande, Luc. 3:19) que Jesus morreu e ressuscitou.

6. Descobrimentos Arqueológicos que Ilustram Esses Anos

As descobertas arqueológicas têm servido para adicionar informações ao nosso cabedal de conhecimentos sobre aqueles tempos, além das informações que temos podido recolher nas fontes escritas. Muitos têm dito, e com freqüência, que o livro de Daniel está em conflito com a História, ao afirmar que Belsazar era o rei da Babilônia ao tempo da queda dessa cidade. Existem documentos históricos que indicam que Nabonido foi o último rei da Babilônia, e que não foi morto pelos conquistadores, e, sim, que lhe foi dada uma pensão para viver. Porém, pelos meados do século XIX foram descobertos alguns tabletes de argila, na região da antiga Babilônia, juntamente com seu pai. Evidentemente, Nabonido passava grande parte de seu tempo na Arábia, tendo nomeado Belsazar à posição de monarca reinante, por causa de sua ausência habitual. Outras descobertas, como a

Ptolomeu IV, em Mármore. — Cortesia, Museum of Fine Arts, Boston

Moedas de prata dos sucessores de Alexandre

1. Demétrio Poliorcete 2. Seleuco I 3. Antioco I
4. Antioco II 5. Filetaero 6. Ptolomeu I
7. Ptolomeu II Filadelfo e Arsinoe (ouro) 8. Arsinoe II 9. Ptolomeu II Filadelfo e Arsinoe (ouro) — Cortesia, Museum of Fine Arts, Boston

PERÍODO INTERTESTAMENTAL

dos papiros de Elefantina (assim chamados devido a uma ilha desse nome, localizada no rio Nilo, acerca de 940 quilômetros ao sul do Cairo), confirmaram certo número de detalhes contidos nos livros de Esdras e Neemias, tais como a menção de Sambalate e o governo de Artaxerxes I, coincidentes com certos acontecimentos descritos em livros bíblicos, mormente à volta de Neemias para reedificar Jerusalém. Provas arqueológicas também foram descobertas quanto à família de Tobias. Perto da atual Amã, foram descobertos os túmulos dessa família.

Com os *sucessores de Artaxerxes I* (465-423 A.C.) é que se iniciou o período intertestamentário. A Palestina se tornou parte da quinta satrapia (ou província) persa, cuja capital era Damasco ou Samaria.

Existem abundantes achados arqueológicos que ilustram as conquistas de Alexandre. Foi descoberto um mosaico que ilustra a destruição dos exércitos de Dario III, por Alexandre o Grande. Tal mosaico foi encontrado nas escavações em Pompéia, efetuadas em 1831. O cerco de Tiro, pelas tropas de Alexandre, cumpriu, nos mínimos detalhes, as profecias de Ezequiel (capítulo vigésimo sexto). As pedras e a madeira da cidade foram realmente lançadas à beira-mar, quando Alexandre as usou para formar um molhe que atingisse a ilha onde estava edificada a cidade, cerca de oitocentos metros distante da praia, e que os habitantes da cidade continental tinham construído, depois de terem fugido daquela cidade. *Josefo* relata-nos que Alexandre visitou Jerusalém; mas essa informação só é consubstanciada pelo Talmude dos judeus, nada se sabendo quanto à autenticidade da história.

Muitas moedas e vasos de barro, desenterrados, têm fornecido evidências sobre o governo dos — Ptolomeus do Egito — sobre a Palestina. Túmulos belamente pintados, com inscrições gregas, foram descobertos em Marissa, ao norte de Beth Gubrin (Eleuterópolis), na estrada de Gaza, pertencentes à segunda metade do século III A.C. Numerosas moedas dos reis Selêucidas, incluindo Antíoco Epifânio (175-164 A.C.), têm sido descobertas em diversas cidades da Síria e da Palestina.

Durante o tempo das lutas de independência dos *Macabeus*, os dois grandes partidos do judaísmo — os fariseus e os saduceus — vieram à existência. Os fariseus apoiavam ardorosamente o movimento de independência, e tiveram início admirável, exaltando a lei de Deus, aguardando o Messias e esperando a ressurreição. Os saduceus, por outro lado, acolhiam a cultura helênica, interessando-se mais pelas vantagens materiais. Sem dúvida não eram ortodoxos nas questões religiosas, e por isso mesmo eram desprezados pelos fariseus. O ódio que surgiu entre esses dois grupos terminou por afundar o reino hasmoneano. Os essênios também se desenvolveram como um grupo distinto entre os judeus, nesse período. Os manuscritos do Mar Morto dão muita informação valiosa sobre eles. Ver os artigos separados sobre os *Fariseus* e os *Essênios*. Na cidade de Gezer, foi desenterrada uma das fortalezas de Simão Macabeu. Muitos outros remanescentes foram encontrados, tais como moedas, cerâmicas, e, no caso da cidade de Marissa, uma gravura helenística típica, ilustrando a vida e a cultura da Palestina durante esse período. Foram encontradas moedas que trazem o título de «rei», estampado tanto em grego como em hebraico, referentes aos reis hasmoneanos.

Também há abundantes achados arqueológicos que ilustram o governo da linhagem dos *Herodes*, durante o qual Cristo viveu e morreu. Herodes o Grande foi destacado edificador, e algumas de suas estruturas têm sido desenterradas. Cerca de dez quilômetros ao sul de Belém foi identificado o «herodium». Era uma espécie de castelo forte, uma magnificente estrutura, evidentemente com a finalidade de servir de memorial perpétuo dos Herodes. Porém, Herodes o Grande é mais bem lembrado devido à matança dos inocentes, sendo o seu mais apropriado memorial. Herodes também erigiu o templo de Jerusalém, posteriormente destruído pelos romanos. Esse templo foi iniciado em cerca de 19 A.C., e chegava aos estágios finais durante o ministério de Jesus. Restos de um templo construído por Herodes, em Samaria, também podem ser vistos até hoje. (Ver a nota, em Luc. 2:41, no NTI, quanto a outras estruturas de Herodes).

7. A Palestina ao Tempo de Jesus
a. Pano de Fundo

Os excessos de — Antíoco Epifânio — em sua tentativa de destruir a religião judaica, conduziram à oposição unida por parte de todo o Israel. Os Macabeus (assim chamados por causa da alcunha de Judas, embora o nome da família fosse «hasmon»), foram os líderes do momento que os israelitas precisavam. Judas Macabeu centralizou todas as atividades judaicas ao redor da capital, Jerusalém, dando assim algum terreno comum ao povo, embora grandes seções do país, especialmente na Galiléia e na Peréia, permanecessem essencialmente sob controle estrangeiro. Essas áreas tinham culturas não-judaicas que datavam de séculos, e as populações judaicas que ali havia eram esparsas. Os hasmoneanos obtiveram domínio quase total depois da revolta contra Antíoco Epifânio, e Hircano, Aristóbulo e Alexandre Janeu oficiaram como sumos sacerdotes ungidos, sempre de armas ao alcance da mão, para defenderem sua independência e domínio há pouco conquistados.

Mas *esses tempos bons* não poderiam durar muito, e, como sempre, começaram a multiplicar-se os abusos nos círculos políticos. Gradualmente, uma oposição profunda se foi formando entre o povo, contra a casa real. Isso começou a aparecer desde os anos de João Hircano. (Ver o gráfico que se segue, nesta seção, que dá a lista dos reinados dos Hasmoneanos e suas datas aproximadas). A história revela-nos que Alexandre Janeu foi um governante sangüinário. Durante esse tempo, rebentou uma guerra civil que encharcou Jerusalém em sangue durante cinco anos. Após o falecimento de Janeu, sua viúva, Alexandra, mediante grande astúcia, evitou ainda maior derramamento de sangue, e isso ela fez concedendo maior autoridade aos súditos não-reais e aumentando o poder do concílio de Jerusalém, além de ter introduzido nesse concílio os «escribas», os quais aos olhos do povo, eram considerados líderes mais dignos que os membros da linhagem real, cujos sacerdotes, em geral, eram menos educados e menos cultos. A morte de Alexandra, entretanto, foi o sinal para novas lutas pelo poder no seio da dinastia dos hasmoneanos. Seus dois filhos, Aristóbulo e Hircano se opunham amargamente um ao outro. Aristóbulo era uma cópia fiel de seu pai, amante da guerra, e embora Hircano hesitasse em combater e fosse incompetente, contava com o apoio do astuto Antípatre (pai de Herodes o Grande). Antípatre fora antes conselheiro de Alexandre Janeu.

Finalmente Hircano, auxiliado por um bando de árabes nabateus, assediou o seu irmão em Jerusalém. Roma já criara província forte na Síria (dos remanescentes do reino selêucida), mas jamais interferira muito em Jerusalém. Porém, intensificando-se a guerra civil ali, finalmente Roma resolveu intervir, e com essa intervenção dissipou-se a

PERÍODO INTERTESTAMENTAL

independência israelita uma vez mais. Pompeu, o general romano, entrou em Jerusalém no ano de 63 A.C. Israel perdeu seus territórios extrajudaicos; as cidades gregas da costa marítima e ao longo do vale do Jordão foram libertadas das mãos dos odiados judeus. A Samaria e a Galiléia foram reunidas à recém-formada província da Síria. Muitos saudaram essa intervenção romana como ótima medida, posto que muitos já estavam exaustos com a luta pelo poder no seio da dinastia hasmoneana. Flávio Josefo apresenta a lista de muitas «cidades libertadas», tais como Gaza, Azoto, Jope, Jamnia, A Torre de Estrato, Dora (todas na costa marítima). No interior havia Samaria, Citópolis, Hipos, Gadara, Pela, Dion e, sem dúvida alguma, muitas outras. Novas cidades do outro lado do Jordão se uniram a Citópolis como uma espécie de aliança comercial, a «aliança de dez cidades», e que popularmente veio a ser conhecida como *Decápolis*. Dessa maneira, o minúsculo estado judeu retornou à posição política em que estivera cem anos antes, desnudo de terras e de sua independência. De maneira geral, todavia, Pompeu não modificou as formas de governo local, e os seus sucessores seguiram essa orientação. E por isso, sob muitos aspectos, a vida sob os romanos era preferível à vida sob os hasmoneanos. Alguns chegaram a aclamar esses acontecimentos como a aurora da independência, mas os judeus, de maneira geral, não compartilhavam desse entusiasmo. João Hircano, que fora deixado temporariamente no poder, finalmente perdeu o que lhe restava, e seus antigos territórios tornaram-se parte da província da Síria.

b. Antípatre

As condições não demorariam a alterar-se. Durante o espaço de dez anos (63-53 A.C.), enquanto os acontecimentos acima descritos estavam ocorrendo, Antípatre, ex-conselheiro de Alexandre Janeu, mais tarde campeão de Janeu, preferia ficar em segundo plano, ao mesmo tempo que cultivava o favor dos romanos. — Por algum tempo, João Hircano ocupou a posição de «etnarca», principalmente por causa da influência favorável de Antípatre ante os romanos. Mais ou menos por esse tempo, a própria Roma experimentou terrível guerra civil, que começou quando César atravessou o Rubicon e terminou finalmente com a vitória de Otávio (mais tarde intitulado Augusto), em Ácio. Todos esses acontecimentos, que tiveram lugar entre 49 e 31 A.C., tiveram seus reflexos na Palestina. Antípatre, mediante cálculos inteligentes, sempre conseguiu ficar ao lado vitorioso na luta pelo poder entre os romanos. Transferia sua lealdade à medida que as condições o exigiam, de Pompeu para César, então para Filipe, daí para Antônio; e, depois de Ácio, para Otávio. Tudo isso foi largamente recompensado pelos romanos. César aboliu a quíntupla divisão em que a Palestina fora dividida. Hircano ficou com uma seção unida (etnarca) que consistia da Judéia unida, tendo recebido posição senatorial conferida por Roma. Antípatre, por seus vários serviços, recebera a cidadania romana tão cobiçada e, temporariamente, tornou-se primeiro ministro de João Hircano. As reivindicações de Aristóbulo e de Antígono, seu pai, haviam sido totalmente ignoradas. Jerusalém tornou-se, uma vez mais, a capital nominal da região.

c. Herodes o Grande

Herodes, o hábil e astuto filho de Antípatre, durante esse período, mostrou ser um valioso aliado dos oficiais romanos no Oriente. Foi nomeado governador militar de toda a fronteira do sul da Síria (Coele-Síria), pelo governador romano dessa província. A morte de Antípatre, permitiu que Herodes obtivesse a ascendência sobre Jerusalém, e o pequeno estado judeu que circundava a cidade ficou em suas mãos. Imediatamente Herodes sofreu a oposição da linhagem dos hasmoneanos, que, naturalmente, viam nele o seu maior obstáculo à possível restauração da liberdade. Antígono encabeçava essa oposição, e, ao intensificar-se a mesma, os romanos resolveram intervir, a fim de preservar e consolidar os seus interesses na Palestina. Para tanto, Herodes foi nomeado «rei dos judeus». A princípio o título parecia vazio, mas não demorou a Herodes torná-lo válido. No espaço de três anos já obtivera completo controle, e Antígono foi executado. Herodes foi monarca autêntico, mas jamais se esqueceu de que usava a coroa por permissão dos romanos. Nesse ínterim, a vitória de Otávio sobre Antônio e Cleópatra trouxe um período de paz e tranqüilidades relativas.

Augusto (Otávio), através de uma série de medidas sábias, obteve autoridade completa sobre o império romano, que assim, ainda mais completamente do que antes, se modificou de uma democracia para uma monarquia. Foram nomeados governadores diretamente responsáveis a ele. Mas por toda a parte, conforme era a norma romana, esses governadores tinham a liberdade de agir de conformidade com as circunstâncias. Augusto preferia nomear líderes «locais» do que enviar governadores romanos para governarem as províncias. Ora, Herodes era um desses homens, aos olhos de Otávio. Durante o reinado de Herodes, que se prolongou por quarenta anos, distrito após distrito das áreas ao redor, foi sendo adicionado ao seu reino. Sob o governo de Herodes, «Israel» recuperou as fronteiras aproximadas que Alexandre Janeu conquistara e consolidara, em resultado de sua revolta contra os Selêucidas.

Esse período, considerado em linhas gerais, se caracterizou pela prosperidade generalizada, a despeito da tirania geralmente intensa, criada pelos diversos governantes. Augusto encontrou Roma construída de tijolos e a deixou erigida de mármore. Herodes foi grande edificador, e, entre outras coisas, construiu o templo, ginásios, anfiteatros, aquedutos e novas cidades, incluindo Samaria, que há muito tempo jazia em ruínas. A fim de prover um porto para a costa tão inóspita, Herodes construiu Cesaréia Estratones, que foi erigida no antigo sítio da Torre de Estrato. Não demorou para essa cidade tornar-se uma das principais da Palestina. Mas, a principal realização de Herodes foi o templo. Este tornou-se motivo de um refrão: «Quem ainda não viu o templo de Herodes, ainda não viu o que é belo». Herodes também realizou outras coisas. Em certos pontos, mostrou ser uma miniatura de Augusto. A terra sob seu governo desfrutou de paz, ainda que temporariamente apenas, e ele muito se esforçou por eliminar o banditismo. Em períodos de escassez era provido trigo gratuitamente, além de vestes para os pobres. Os impostos, entretanto, eram altíssimos, trinta e três por cento em 20 A.C., e vinte e cinco por cento seis anos mais tarde. O governo de Herodes, apesar de ter alguns pontos favoráveis, foi assinalado por muitas atrocidades, violências e homicídios, e ele nunca gozou de popularidade entre as massas, a despeito dos esforços do partido político denominado «os herodianos», que dava preferência a ele, e não ao governo direto de Roma.

O falecimento de Herodes (4 A.C.), provocou grandes e duradouras modificações nos acontecimentos políticos de Israel. Seu reino foi dividido em três porções, administradas por três de seus muitos filhos. Filipe ficou com os distritos ao norte e a leste da Galiléia. A Galiléia e a Peréia ficaram com Ántipas.

PERÍODO INTERTESTAMENTAL

Arquelau recebeu a seção sul do reino anterior de seu pai, isto é, a Judéia, a Samaria e a Iduméia. Ântipas e Filipe governaram durante muitos anos, tendo permanecido no poder até bem depois da crucificação de Jesus. Assim, pois, enquanto Jesus permaneceu na Galiléia ou viajava pelas terras do sul, além do Jordão, percorria os domínios de Ântipas. Quando Jesus viajou à Cesaréia de Filipe (conforme está registrado nos evangelhos de Mateus e Marcos), entrou no território e na capital de Filipe. É óbvio que o povo o favorecia, porquanto continuou no poder até seu falecimento em 34 D.C. Ântipas ainda governou por mais tempo (cinco anos mais), — mas caiu no desagrado, mediante as manipulações de seu sobrinho, Agripa; e por ter caído no desagrado do imperador (Gaio), foi finalmente banido. Esse Herodes é mais bem lembrado como o assassino de João Batista.

Arquelau não se saiu tão bem quanto os outros. Não demorou a surgirem distúrbios em seus territórios. Era homem violento, tal como fora seu pai, Herodes o Grande, pelo que logo caiu no desagrado do povo em geral. Em 6 D.C. foi acusado de desgoverno, e foi convocado a Roma por Augusto. O resultado é que foi retirado do governo e banido. Sua província, daí por diante, ficou sob o controle direto de Roma, por intermédio de «procuradores», isto é, governadores nomeados pelo governo central do império. Copônio foi o primeiro desses procuradores.

d. Os Vários Herodes do Novo Testamento

Os Herodes do N.T. são aqui descritos com mais amplos pormenores.

1. *Herodes o Grande:* governante dos judeus de 40 a 4 A.C. Nasceu por volta de 73 A.C. Era descendente de idumeus (isto é, edomitas), povo conquistado e trazido para o judaísmo por João Hircano, por volta de 130 A.C. Assim sendo, os Herodes, ainda que não fossem judeus por nascimento, eram-no pelo menos por religião. Mas essa religião eles usavam como veículo para fomento de seu governo secular, isto é, visavam tão-somente aos seus próprios interesses. Herodes, o Grande, foi nomeado procurador da Judéia em cerca de 47 A.C. Pouco depois a Galiléia também ficou sob o seu controle. Após o assassinato de César, desfrutou ele da boa vontade de Antônio. O título de Herodes, o Grande, «Rei dos Judeus», foi-lhe conferido por Antônio e Otávio. Faziam-lhe oposição os descendentes dos Macabeus (cujo verdadeiro nome de família era Hasmom, pelo que eram chamados de hasmoneanos). Essa família controlava Israel antes do domínio romano e ressentia-se muito do governo exercido por Herodes. Todavia, ele se casou com Mariamne, membro dessa família hasmoneana, por ser neta de um ex-sumo sacerdote, Hircano II. Mas essa medida não eliminou as suspeitas dos principais sobreviventes dos hasmoneanos. Por isso mesmo, Herodes foi assassinando um por um deles, incluindo a própria Mariamne, bem como dois filhos que tivera com ela. Essa foi apenas uma dentre as muitas matanças efetuadas por Herodes o Grande. Foi esse mesmo Herodes que matou as criancinhas inocentes de *Belém* (ver Mat. 2). Pouco antes de sua morte ordenou a execução de seu filho, Antípatre, e providenciou para que após a sua morte todos os seus nobres fossem mortos, a fim de que não houvesse falta de lamentadores ao ensejo de seu falecimento. Morreu de uma enfermidade fatal do estômago e dos intestinos.

Por toda a parte o seu nome se tornou conhecido por suas copiosas atividades como construtor. Essas atividades foram realizadas não só dentro dos seus domínios, mas até mesmo em cidades estrangeiras (por exemplo, Atenas). Em seus próprios territórios ele reconstruiu a cidade de Samaria (dando-lhe o nome de Sebaste, em honra ao imperador). Reedificou a torre de Estrato, na costa do mar Mediterrâneo, e construiu ali um porto artificial, chamando-o de Cesaréia. Mas o seu maior empreendimento como edificador foi a ereção do magnificente templo de Jerusalém, que foi construído para ultrapassar o de Salomão, o que conseguiu em diversas particularidades. Esse templo substituiu o templo que fora construído após o cativeiro babilônico, embora os judeus considerassem-nos idênticos. Somos informados, nas páginas da história, de que essa construção teve o intuito de pacificar os judeus, indignados ante as suas traições e o assassínio de muitos líderes, incluindo sacerdotes. Entretanto, os judeus jamais puderam esquecer o desaparecimento criminoso da família hasmoneana, às mãos de Herodes o Grande.

2. *Arquelau,* chamado «Herodes o Etnarca», em suas moedas. Herodes, o Grande, doou o seu reino a três de seus filhos — a Judéia e a Samaria a Arquelau (Mat. 2:22); a Galiléia e a Peréia a Ântipas; e os territórios do nordeste a Filipe (Luc. 3:1). Augusto ratificou essas doações. Arquelau era o filho mais velho de Herodes por sua esposa samaritana, Maltace. O programa de construções iniciado por Herodes o Grande foi continuado por Arquelau, mas parece que a grande ambição de Arquelau era ultrapassar a seu pai em crueldade e iniqüidade. Seu governo, finalmente, tornou-se intolerável, e uma embaixada enviada da Judéia e de Samaria obteve a remoção de Arquelau do governo. Foi nessa altura dos acontecimentos que a Judéia se tornou uma província romana, passando a ser governada por procuradores nomeados pelo imperador.

3. *Herodes,* o Tetrarca (ver Luc. 3:19 e ¤:7). Também era chamado Ântipas. Era um dos filhos mais novos de Herodes, por Maltace. Os distritos da Galiléia e da Peréia eram o seu território. É lembrado, nos evangelhos, como aquele que prendeu, encarcerou e executou a João Batista, e também como aquele que teve breve encontro com Jesus, quando do julgamento deste (Luc. 23:7). Também foi grande construtor. Edificou a cidade de Tibério. Divorciou-se de sua esposa (filha do rei nabateu, Aretas IV), a fim de se casar com Herodias, esposa de seu meio-irmão, Herodes Filipe, e foi por causa disso que João Batista o acusou. Essa ação, finalmente, foi a causa de sua queda, porquanto Aretas usou desse argumento como desculpa (provavelmente válida aos seus próprios olhos) para fazer guerra contra Herodes, o Tetrarca, tendo-o vencido de maneira decisiva. Esse Herodes terminou os seus dias no exílio.

4. *Herodes Agripa,* chamado de Herodes, o rei, em Atos 12:1. Era filho de Aristóbulo, neto de Herodes o Grande. Era sobrinho de Herodes o Tetrarca e irmão de Herodias. Após a execução de seu pai, em 7 A.C., foi levado a Roma. Deixou aquela cidade por ter incorrido em grandes dívidas, e subseqüentemente foi favorecido por Ântipas. Por ter ofendido o imperador Tibério, foi encarcerado; mas depois da morte de Tibério, ganhou novamente a liberdade. Posteriormente recebeu os territórios ao nordeste da Palestina, como governante; e quando Ântipas (seu tio) foi banido, também ficou encarregado da Galiléia e da Peréia. O imperador Cláudio aumentou mais ainda os seus territórios, acrescentando a Judéia e a Samaria, pelo que Agripa governou, finalmente, um território que era quase idêntico ao que fora controlado por seu avô, Herodes, o Grande. Procurou obter o favor dos judeus, e aparentemente conseguiu muito êxito nessa tentativa. Assediou os apóstolos, provavelmente por

PERÍODO INTERTESTAMENTAL

essa mesma razão. Matou Tiago, o irmão de João. (Ver Atos 12:2). A sua morte, súbita e horrível, é registrada por Lucas em Atos 12:23, sendo atribuída a um julgamento divino. Seu filho único, também chamado Agripa, veio a governar todos os territórios dominados por seu pai. Suas duas filhas, Berenice (Atos 25:13) e Drusila (Atos 24:24), foram outras duas sobreviventes dessa família.

5. *Agripa*, filho de Herodes Agripa. Ainda era jovem demais para assumir o governo quando do falecimento de seu pai. Mais tarde recebeu o título de rei, conferido pelo imperador Cláudio, e passou a governar as porções norte e nordeste da Palestina. Tempos depois, Nero aumentou os seus territórios. De 48 a 66 D.C. foi-lhe outorgada a autoridade de nomear os sumos sacerdotes dos judeus. Procurou diligentemente evitar a guerra entre os judeus e os romanos, mas falhou (66 D.C.). Permaneceu leal a Roma. É conhecido, nas páginas do N.T., por causa de seu encontro com o apóstolo Paulo, encontro esse registrado em Atos 25:13 — 26:32. O trecho de Atos 26:28 diz que Agripa proferiu estas palavras: «Por pouco me persuades a me fazer cristão». Mas, embora alguns prefiram a tradução mais ou menos como: «Com pouca persuasão tentas fazer-me um cristão!» (ASV); ou: «Estás muito apressado em persuadir-me a tornar-me um cristão!» (GD e WM), é evidente que Agripa disse essas palavras em tom jocoso, e não seriamente. Morreu sem filhos, em cerca de 100 D.C.

Os herodianos eram o partido político que favorecia a família dos Herodes, preferindo o seu governo ao domínio romano direto (ver o artigo sobre os *Herodianos*).

e. *O Nacionalismo Judaico*

As alterações políticas e econômicas resultantes do governo romano mais direto, causaram uma oposição ainda mais intensa por parte dos judeus, o que levou à revolta encabeçada por *Judas o Galileu* (ver Atos 5:37). A Galiléia, sua terra, não foi diretamente envolvida nessa revolta. O próprio Judas foi morto no processo da revolta. Também parece que ele estivera envolvido em uma revolta sem êxito, efetuada cerca de dez anos antes. Após essa experiência, Roma apertou ainda mais o seu domínio sobre Israel. Essa revolta, embora tivesse sido facilmente derrotada pelas tropas romanas, teve importante efeito nos desenvolvimentos históricos posteriores. Alguns acreditam que o partido político radical chamado de «os zelotes», se originou nessa ocasião; mas a história mostra que tal movimento é anterior a essa revolta. Não obstante, a revolta serviu para consolidar a oposição a Roma. O lema da organização dos zelotes passou a ser: «A espada, sem nada poupar; e não há rei senão *Yahweh*». Outra figura, chamada Hezequias, também liderou uma revolução abortiva, e foi destruída por Herodes Ântipas. Além dessas revoltas, houve outros levantes de menor monta, dirigidos por essa organização política extremista. Josefo jamais usa o termo «zelote» para designar esse grupo, pelo que também não se tem certeza de que esse tenha sido o seu verdadeiro nome, embora alguns eruditos continuem a retê-lo.

Nos anos que seguiram, de maneira geral, os partidos nacionalistas de Israel não tiveram a capacidade de sacudir a nação em uma revolta de escala geral, pelo menos enquanto as condições permaneceram suportáveis pelo povo em geral. As condições se agravaram na Palestina quando Gaio (neto-sobrinho de Tibério) passou a governar em Roma, após o falecimento de Tibério (37 D.C.). Gaio resolveu colocar a sua própria estátua no templo de Jerusalém. Ao governador da Síria é que deveria ter sido atribuído o crédito de impedir tal coisa, porque a tentativa de Gaio causou uma indignação geral, e esta teria sido muito mais generalizada se tivesse sido realidade. Mas o povo deu o crédito a *Agripa* (neto de Herodes, o Grande). Agripa fora nomeado chefe da tetrarquia de Filipe, em 34 D.C., após a morte deste. Ao seu território foi acrescentada uma considerável porção de outras áreas (incluindo da Judéia), e uma vez mais Israel teve uma semelhança de rei. Agripa também tinha sangue judeu, porque sua avó era a princesa hasmoneana Mariamne, a desgraçada esposa de Herodes, o Grande.

Subseqüentes governadores (procuradores), geralmente governaram áreas maiores que a de Pilatos, e também foram antagônicos ao povo judaico. Por conseguinte, durante um período de cerca de vinte anos, aproximadamente, as tensões foram aumentando. Durante esse tempo, os missionários cristãos evangelizavam por toda a parte, enfrentando a oposição tanto dos judeus como dos romanos. O desastre como que pairava no ar e a profecia de Jesus, sobre a destruição de Jerusalém, deve ter sido o tópico das conversas entre as famílias cristãs. De fato, qualquer um que quisesse interpretar os acontecimentos, por essa altura poderia ver quão facilmente a predição feita por Jesus se cumpriria.

f. *Revolta e Destruição de Jerusalém*

Finalmente, em 66 D.C., a tempestade que se vinha concentrando e que ameaçava por tanto tempo, irrompeu de súbito. Por cem anos os romanos haviam dominado a Palestina, mas a mão de ferro usara uma luva de veludo. Em 66 D.C., entretanto, os romanos tiraram a luva de veludo. A rebelião cada vez mais intensa provou, aos olhos de Roma, que sua política de relativa tolerância na Palestina fora um equívoco. Durante quatro anos a ira de Roma se fez sentir. Jerusalém caiu finalmente, e vastas áreas, por toda a Palestina, foram destruídas. E essa destruição foi tão completa que a arqueologia não tem sido capaz de identificar, sem qualquer sombra de dúvida, nenhuma das sinagogas que havia em Israel no século I de nossa era. Grandes números de judeus foram crucificados em Jerusalém, até não poder mais se encontrar madeira para continuar fabricando — cruzes. O belo templo construído por Herodes foi arrasado pedra por pedra, cumprindo assim a predição de Jesus, que reverberou clara e altissonante: «em verdade vos digo que não ficará aqui pedra sobre pedra, que não seja derrubada» (Mat. 24:2).

Os Cristãos, lembrando-se da advertência de Jesus, para que fugissem ante a destruição, fugiram para Pela ao saberem que a dianteira dos exércitos romanos não estava longe. Por causa dessa fuga, seus companheiros judeus não-cristãos jamais os perdoaram. Os terríveis clamores dos judeus que haviam crucificado a Jesus, exclamando: «Caia sobre nós o seu sangue, e sobre nossos filhos!» (Mat. 27:25); e: «Não temos rei, senão César» (João 19:15), devem ter ressoado aos ouvidos de muitos, durante aqueles dias horrendos. Jerusalém caiu, o sinédrio foi extinto, e Roma passou a governar suprema sobre a terra de Israel.

Acerca dos anos seguintes (antes do imperador Adriano) temos escassa informação; mas não há que duvidar que, durante esse tempo, as chamas da revolta se foram novamente ativando gradualmente. Como que fazer as chamas arderem ainda com mais intensidade, Adriano (imperador romano de 117 a 138 D.C.) resolveu erigir um novo templo dedicado a «Zeus Capitolino», no antigo local do templo de Jerusalém. Os romanos tornaram a questão ainda pior quando também descontinuaram a

PERÍODO INTERTESTAMENTAL

circuncisão, o que, entretanto, em realidade era apenas parte de uma proibição geral (por decreto imperial) contra a mutilação física, que visava especialmente a prática da castração, prática de diversos cultos orientais. Foi nessa época que surgiu um grande patriota, de nome Bar Cocheba, que chegou a fazer reivindicações messiânicas. De maneira quase incrível, essa reivindicação foi largamente aceita, até mesmo pelos eruditos rabinos judeus, como **Akiba**. Ele patrocinou a causa do novo messias, e realmente fez campanhas em seu favor, em viagens por toda a Palestina. Nos dias dos Macabeus, os *hasideanos* (ou «piedosos») já haviam reunido forças suficientes para consolidarem planos de independência; e uma vez mais houve esperanças de uma Palestina libertada. As multidões julgavam que as coisas divinas estavam em jogo, e é sabido que não existe zelo mais profundo do que o zelo religioso, nem violência como a violência religiosa.

Naturalmente, a revolta fracassou. E dessa vez os romanos realmente perderam a paciência. No local onde ficava Jerusalém, foi construída uma cidade romana, de nome Aelia Capitolina, e os judeus foram proibidos de ao menos entrarem na cidade. Alguns anos mais tarde, essa severidade foi relaxada, permitindo que entrassem na cidade uma vez por ano, a fim de que chorassem ante o chamado muro das lamentações.

Estava reservado a *Constantino* (imperador romano em 310 D.C., e que se tornou nominalmente cristão) restaurar Jerusalém aos religiosos, como lugar de adoração. Ele também restaurou o antigo nome de «Jerusalém» à cidade.

Quanto a outros detalhes, concernentes às condições religiosas, sociais e políticas da Palestina, durante o tempo de Jesus, o leitor deveria ver os artigos sobre: os *Sacerdotes*, os *Escribas*, os *Fariseus*, os *Saduceus*, os *Herodianos*, o *Sinédrio*, os *Essênios*, as *Sinagogas*, os *Publicanos*, e os *Samaritanos*. No fim desta seção, vários gráficos são apresentados a fim de esboçar os acontecimentos do período intertestamental, e também desde Herodes até a destruição de Jerusalém, tais como a «Cronologia do período Intertestamental», «Os Selêucidas», «Os Hasmoneanos», «Os Herodes» e acontecimentos durante o período do N.T., que é um esboço comparativo dos acontecimentos ocorridos em Roma e na Palestina, paralelamente a ocorrências especificamente mencionadas no N.T.

8. O Mundo Greco-Romano

A fim de caracterizar as condições do mundo greco-romano, ao tempo de Jesus Cristo, observaremos de passagem os seguintes pontos: pano de fundo, moralidade, filosofia e religião. Todos esses fatores formam importantes considerações acerca do estudo do levantamento e desenvolvimento do cristianismo. O cristianismo não se originou e nem se desenvolveu num vazio, e o estudo das condições e circunstâncias então reinantes sempre servirá de ajuda na compreensão dos elementos de qualquer instituição, movimento social ou sociedade religiosa.

a. *Pano de Fundo*

As páginas anteriores, nesta seção, oferecem breves descrições acerca das condições políticas e sociais dos diversos períodos de tempo que antecederam o ministério de Jesus, tais como o domínio persa (430-332 A.C.), o período grego (331-167 A.C.), o período de independência sob os Macabeus (167-63 A.C.), a interferência dos romanos desde 63 A.C. até à destruição final de Jerusalém, ao tempo do imperador Adriano (132 D.C.). O período que antecedeu de perto ao surgimento do cristianismo é freqüentemente intitulado de era helenística, porque os gregos (*helenos*, no idioma grego), mediante as conquistas de Alexandre, «helenizaram» o mundo então conhecido e fizeram o mundo dessa época ser caracterizado pelo pensamento helênico, especialmente nas áreas da filosofia e da cultura literária. Sabemos que, naqueles dias, até mesmo muitos autores romanos escreveram no idioma grego e, a despeito da perda do poder político, a cultura grega continuava muito apreciada e buscada, e muitas famílias romanas das classes mais abastadas tinham professores gregos, filósofos e eruditos na literatura grega, especialmente quanto aos escritos de Homero. Os romanos não foram inovadores em quase coisa alguma, especialmente no tocante aos aspectos culturais dos estudos e empreendimentos humanos, pelo que também os elementos da cultura grega eram tomados de empréstimo e cultivados entre os romanos. O período helenístico é ordinariamente considerado como o tempo que vai da morte de Alexandre, o Grande, até à fundação do império romano por Augusto (323-30 A.C.). Nos séculos anteriores, a cultura da Grécia esteve em desenvolvimento e atingiu notável grau de maturidade. Os acontecimentos políticos e militares, especialmente aqueles provocados por Alexandre, fizeram essa cultura expandir-se para muito além das fronteiras gregas, atingindo, realmente, todo o mundo civilizado então conhecido. O «idioma grego» tornou-se universal e pelos estudos da arqueologia, sabe-se que era falado em todas as capitais do mundo, incluindo a própria Jerusalém.

Politicamente falando, essa era foi assinalada pelo declínio dos estados mais antigos e anteriormente poderosos, e pelas culturas da antiguidade. As civilizações da Mesopotâmia e do Egito já tinham tido a sua oportunidade e há muito que estavam no processo de declínio e decadência. — Poderíamos dizer a mesma coisa quanto à própria Palestina, e até mesmo a Grécia. Os dias de Davi e Salomão jamais retornaram, e a história de Israel passou a ser caracterizada pelo domínio estrangeiro e pelas revoltas contra essa dominação. Os estados gregos primeiramente desfrutaram de um período de dependência aos seus conquistadores, e então penetraram em sua longa noite de obscuridade. Ao desmembrar-se o mundo antigo, somente o lato poder de Roma deu ao mesmo certa aparência de unidade. Esse poder em realidade fundia e dividia elementos em uma nova síntese. Alguns acreditam que o império romano, que foi a culminação da evolução política da antiguidade, foi o mais forte e iluminado governo do mundo antigo. Pelo menos pode-se observar que a *cultura helenista* ensinara ao mundo algo acerca da importância do indivíduo, a despeito do fato de que a escravidão e outras formas de degradação social, ainda prevaleciam por toda a parte. Estava reservado a Jesus Cristo ensinar realmente ao mundo essa lição; mas é uma lição que a humanidade continua se esforçando por aprender como convém. A filosofia ensinara aos homens que se interessassem pelos seus destinos pessoais, pelo poder do pensamento e pela dignidade do conhecimento.

Alexandre foi capaz de realizar seus prodígios militares parcialmente porque os gregos já haviam colonizado muitas áreas além-fronteiras. Ocuparam Creta, a maior parte de Chipre, as ilhas do mar Egeu, as praias da Ásia Menor até considerável profundidade, além de grandes áreas ao longo das margens do mar Negro, as costas da Líbia e da Cirenaica, na

PERÍODO INTERTESTAMENTAL

África. Além de suas colônias, os gregos mantinham postos comerciais avançados até lugares tão distantes como o delta do rio Nilo. No Ocidente haviam penetrado no sul da Itália e haviam adquirido uma porção substancial da Sicília, da Sardenha, da Córsega, e haviam estabelecido colônias até mesmo no sul da Gália e na Espanha. Todas essas áreas jamais se tornaram *alvo* de qualquer sistema político unificado, mas a propagação da cultura e da influência gregas se tornou possível por meio dessas áreas colonizadas. A erudição grega se tornou uma espécie de laço comum entre todas elas. Peregrinos vinham à Grécia, provenientes de muitas partes do mundo, a fim de admirarem a arte e a arquitetura gregas, e a fim de aprenderem mais da língua e do espírito dos gregos. Por conseguinte, o mundo estava pronto para Alexandre, pois o que ele fez essencialmente, foi propagar o poder político e militar dos gregos, onde a cultura grega já havia preparado o caminho. Alexandre primeiramente firmou-se em sua própria terra, e então penetrou rapidamente em muitas outras áreas, derrotando Dario III em Isso, nas planícies da Cilícia, em 333 A.C. Então dirigiu-se para o sul, tendo penetrado na Síria e destruído a cidade de Tiro, aliada da Pérsia. Dessa forma ele exterminou a supremacia marítima dos fenícios que, durante muitos séculos, haviam sido os comerciantes e os marinheiros do Oriente Próximo, sendo os únicos verdadeiros rivais dos gregos nos mares daquela época.

Quando os habitantes, de Jerusalém receberam a notícia da sorte de Tiro, imediatamente entraram em entendimentos com Alexandre. Alexandre aceitou a lealdade dos judeus, e deixou a cidade essencialmente intocável. Em seguida, Alexandre conquistou o Egito. Mas isso foi feito sem luta, porque os egípcios regozijaram-se em ser liberados da influência e do controle dos persas. Pouco tempo mais tarde, Alexandre estabeleceu a cidade que traz seu nome até o dia de hoje, perto da boca do Nilo chamada Roseta. Após ter desfechado o golpe final contra o império persa já extremamente combalido, em Arbela, no norte da Mesopotâmia, em 331 A.C., Alexandre invadiu a Índia. Ali obteve vitórias militares, mas foi fisicamente exaurido. Voltou à Babilônia somente para morrer ali subitamente em 321 A.C.

Um dos *sonhos* de Alexandre era o de estabelecer um governo e um povo universais. Ele mesmo e dez mil de seus soldados casaram-se com mulheres asiáticas, lançando, com isso, os símbolos do universalismo. De certa maneira, Alexandre criou realmente certo universalismo, que consistia na cultura grega, incluindo suas influências nas áreas da «filosofia», das «artes» e da «língua». Ele esperava que o mundo unido pudesse levar avante os ideais gregos. E foi assim que, com Alexandre o Grande, o poder do mundo mudou da Ásia para a Europa. Chegara o fim da supremacia asiática. Sem ter consciência disso, Alexandre preparou o caminho para acontecimentos ainda de maior envergadura, a saber, o levantamento da religião verdadeiramente universal, o cristianismo. O idioma grego tornou-se o veículo da propagação universal do cristianismo, e os ideais gregos ajudaram no desenvolvimento de uma fraternidade universal, onde, todos quantos se acham «em Cristo», não conhecem distinções entre «judeus e gregos».

A morte de Alexandre, todavia, interrompeu suas visões e ambições, e as lutas pelo mando, que se seguiram entre os seus generais e outros oficiais, tiveram início. O reino de Alexandre foi dividido entre os seus generais. Os detalhes acerca disso podem ser vistos nesta seção nos seus primeiros parágrafos. Mais ou menos por esse tempo, o poder romano começou a ser sentido em áreas diversas, largamente separadas entre si. As legiões romanas combateram contra os macedônios e os derrotaram em Cinoscéfale, e os gregos receberam as legiões romanas com entusiasmo. As relações entre os gregos e os romanos, porém, nem sempre foram muito boas, porque descobrimos que cinqüenta anos mais tarde (em 146 A.C.), os romanos destruíram a cidade de Corinto e venderam grande parte de sua população à escravidão. No entanto, essa cidade foi reedificada por Júlio César, e mais uma vez prosperou. Na porção oriental, a área pertencente aos Selêucidas, Roma foi obtendo controle gradual, até que Pompeu, o Grande, conquistou a região e a anexou ao império romano, em 64 A.C. No ano de 63 A.C., Pompeu conquistou a Palestina, a fim de estabelecer a ordem, porquanto rebentara a guerra civil por causa das ambições de dois irmãos hasmoneanos, Hircano e Aristóbulo. Pelo tempo em que os romanos conquistaram a Palestina, já haviam consolidado o seu poder na Síria e em outros lugares.

Foi preciso longo tempo para que Roma chegasse à maturidade. Quando a Grécia já chegara ao seu zênite, os romanos ainda levavam uma existência tribal. A monarquia primitiva do povo romano foi derrubada em cerca de 500 A.C., tendo sido substituída por uma república vigorosa, que perdurou até 30 A.C. Foi então que Augusto formou o império romano. Durante o tempo de Alexandre, os romanos unificaram a Itália, unificação essa que se completou por volta de 264 A.C. (ao tempo da primeira guerra púnica). Se Alexandre tivesse continuado vivo, provavelmente teria invadido essas áreas, mas o seu falecimento permitiu a continuação desses desenvolvimentos. Quando Roma conseguiu subjugar completamente Cartago, 146 A.C., já era senhora suprema do Ocidente. Então começou o processo da conquista de áreas ao norte e ao oriente. Grande parte das terras continentais da Grécia caiu nas mãos dos romanos, bem como passaram a controlar porções da Ásia Menor. Dessa forma, os rivais mais próximos estavam tão distantes como o Egito e a Síria. Nos séculos que se seguiram, esses territórios foram gradualmente tornando-se parte do império romano em expansão. Conforme já explicamos, em 63 A.C., a Síria e a Palestina haviam sido subjugadas. A conquista da Gália, por Júlio César, completou-se em cerca de 49 A.C. Júlio Cesar tornou-se um herói, e o único rival sério de Pompeu. Mas eis que assassinos o prostraram na câmara do senado, em março de 44 A.C. Os seus homicidas temiam o fim da república e o princípio da ditadura; e esses temores eram justificados. Mas a morte de Júlio César praticamente não alterou o rumo dos acontecimentos.

César havia nomeado seu herdeiro Otávio, que tinha então dezoito anos de idade e era neto da irmã de César. Marco Antônio, que estivera associado a César, nas cruzadas militares na Gália, procurou ignorar esse testamento e procurou obter, pessoalmente, o poder. Mas Otávio já era muito astuto, apesar da juventude e mediante habilidosas manipulações, fizera-se nomear general; e subseqüentemente, com seu exército, entrou em Roma e forçou o senado a nomeá-lo cônsul.

Desenvolveram-se rivalidades por toda a parte e a fim de enfrentar a crise, Otávio (posteriormente intitulado Augusto) formou um «triunvirato» com seus rivais, Antônio e Lépido, de cujo auxílio precisava a fim de derrotar a Bruto e Cássio, os dois líderes do assassinato de Júlio César. Na batalha que houve em *Filipos*, em 42 A.C., as forças de Bruto e Cássio, que representavam a causa republicana, foram derrota-

PERÍODO INTERTESTAMENTAL

das. Bruto e Cássio se suicidaram. Então os triúnviros dividiram os despojos. Antônio recebeu a Gália e as províncias orientais; a África ficou com Lépido; e a Itália e a Espanha ficaram em mãos de Otávio. Mas Lépido em breve se retirou, entregando a África a Otávio. A Gália também não demorou a ficar em suas mãos. Entrementes, Antônio separou-se de sua esposa, que, infelizmente para ele, era irmã de Otávio, por se ter apaixonado por Cleópatra. Também se lançou em grandiosas movimentações de tropas e campanhas militares, pelo Oriente, exigindo maior número de soldados por parte de Otávio. Isso Otávio recusou-se a fazer, e em breve se reacenderam as antigas rivalidades. Os dois rivais se enfrentaram armados em Ácio, em 31 A.C. Antônio contava com o apoio de sua amada rainha egípcia, e da grande flotilha de navios egípcios; mas pouco depois do início da batalha, ela fugiu. Antônio se suicidou. Por mais estranho que isso pareça, Cleópatra procurou atrair Otávio com seus encantos. Mas, tendo falhado na tentativa, também cometeu suicídio. Em seguida, Otávio anexou o Egito e o transformou em província imperial.

A república estava definitivamente morta (por volta de 30 A.C.). Mas, sendo oficialmente apenas um cônsul, Otávio não pôs a coroa na cabeça. Manteve as formas externas da democracia, mas foi esmagando lentamente a sua essência, dentro das engrenagens do governo. Tornou-se tribuno, general, «pai da pátria» e «príncipe», mas não era oficialmente intitulado rei ou imperador. O seu reino, entretanto, era perfeitamente real, e foi caracterizado pela paz e pela prosperidade material. O seu governo só terminou em 14 D.C., com sua morte. Encontrou Roma construída de tijolos, e a deixou construída de mármore. Muitos sentiam gratidão genuína pelo que ele fizera, porquanto lembravam-se ou sabiam da era de violência e derramamento de sangue que antecedera à sua subida ao poder.

Abaixo examinamos algumas das condições sociais do tempo que caracterizava o mundo em que Jesus viveu.

b. *Moralidade*

As Escrituras, tanto do Antigo como do Novo Testamentos, em termos latos, fazem referência à moralidade do mundo antigo como corrupta. Qualquer sociedade caracterizada pela idolatria, *dificilmente* poderia ser aquilatada de outro modo pelos escritores sagrados. Passagens como o primeiro capítulo da epístola aos Romanos descrevem, com pormenores, alguns aspectos da decadência moral dos antigos. Nas Escrituras, a base da verdadeira moralidade é considerada como a verdadeira lealdade a Deus. Faltando esta, profetas e apóstolos jamais se deixariam impressionar por demonstrações externas de moralidade, sem importar tais manifestações. Os museus modernos atestam quão generalizada era a idolatria. Do Egito têm vindo pássaros, cães, touros, crocodilos, abelhas e outras coisas mumificadas, que eram objetos de adoração. Com a possível exceção do zoroastrismo da Pérsia, todas as culturas antigas se caracterizavam por tais conceitos de divindade.

Paulo considera a depravação sexual como resultado dos conceitos errôneos sobre Deus e também como resultado da rejeição da revelação que é dada a todos, a da natureza da pessoa de Deus nas maravilhas da natureza. O livro de Apocalipse concorda com a melancólica descrição de Paulo e com os escritores da igreja primitiva, tais como Inácio, Justino, Ireneu, Tertuliano, Clemente de Alexandria e Orígenes, que não falam com grande variação acerca dessa questão. Os escritores cristãos, a começar por Paulo, ficavam especialmente chocados ante a depravação homossexual que era chamada «paiderastia» (literalmente, «amor aos meninos»). Platão, em seu diálogo intitulado «Symposium», indica que esse vício era bem conhecido em seus dias, e que não era considerado pervertido pela maioria das pessoas. Por essa razão é que tal pecado é geralmente conhecido por pecado «grego». Alguns escritos antigos parecem idolatrar o amor entre pessoas do mesmo sexo, como, por exemplo, *Sapho*, a antiga e bem conhecida poetisa grega; e alguns chegam a pensar que Platão também se entregava a tais práticas. Porém, aquele que conhece as raízes da filosofia platônica, com sua ênfase sobre a supressão dos prazeres «carnais» e sua elevação dos aspectos mentais e espirituais dos homens, dificilmente poderá aceitar tal suposição.

Há muitos indícios, nos escritos antigos, que então prevalecia a lassidão sexual, o que é demonstrado pelo fato de que as experiências sexuais antes do casamento não eram ordinariamente consideradas más, por muitos filósofos gregos e romanos. O adultério, todavia, era fortemente combatido, especialmente por filósofos como Platão e Aristóteles e, evidentemente, por Sócrates, conforme este é exposto nos escritos de Platão, posto que o próprio Sócrates nada deixou escrito.

Sabe-se que, nas cidades antigas, nos cultos pagãos, o sexo desempenhava papel preponderante, e que muitas sacerdotisas eram pouco mais que prostitutas templárias. Os poderes da procriação eram, dessa maneira, adorados através de meios simbólicos, e o sexo se tornou o grande símbolo dessa adoração. É importante observar, nessa conexão, que os pagãos tinham deuses cujos adoradores consideravam-nos sexualmente desviados, o que transparece até mesmo nas tradições gerais estampadas na literatura antiga. Seria muito difícil que os adoradores de tais deuses tivessem a convicção de que era necessário viver vidas mais puras que esses deuses.

A prostituição era uma instituição e uma **profissão** perfeitamente reconhecida nas culturas antigas, e o V.T. indica que isso sucedeu até mesmo entre os antigos judeus. Nosso vocábulo, «fornicação», se deriva da palavra latina «fornix», que significa «arco» ou «cúpula». Na Roma antiga, os lupanares funcionavam em lugares subterrâneos. Daí também, patrocinar um lupanar era «fornicar» («fornicare»). As jovens escravas é que eram vítimas desse deboche. Lê-se que muitas famílias antigas vendiam meninas não-desejadas a esse tipo de escravidão. Justino, em sua *Primeira Apologia* (capítulo XXVII) ataca decididamente essa prática; e por seus escritos ficamos sabendo que a prostituição masculina também era tão prevalente quanto a feminina, e que meninos e meninas eram vendidos, ainda na infância ou meninice, a fim de serem criados desse modo. Tal como nas sociedades modernas, isso conduziu a muitos acontecimentos brutais e horrendos, porquanto os escravos não eram senhores de seus próprios corpos, e muitos eram torturados e mortos por sadistas. A prostituição organizada era ajudada pela religião organizada, conforme foi indicado no parágrafo anterior. Os *ritos de fertilidade*, ligados às prostitutas do templo, ou separadas das mesmas, sancionavam — com sua autoridade religiosa — as perversões da sensualidade. Lemos que essas práticas continuam perfeitamente vivas no culto de Siva, — até os nossos próprios tempos. Estrabão («Geografia», VIII.6.20) conta-nos que o templo de Afrodite, em Corinto, tinha mil escravas sagradas ou prostitutas templárias. Essa prática era também comercial, e Corinto era um centro popular de

233

PERÍODO INTERTESTAMENTAL

turismo e comércio, parcialmente por causa dessa instituição.

A **escravidão** também era uma tremenda mácula no código moral dos antigos. Era prática comum condenar prisioneiros de guerra ou povos conquistados à escravidão. Assim, foi possível, em uma única venda, entregar nada menos de cinqüenta mil pessoas à servidão. Flávio Josefo nos diz (*Guerras dos Judeus*, VI.9.3) que Tito, após ter conquistado Jerusalém, em 70 D.C., escravizou a noventa e sete mil judeus. Além dessas práticas, havia negociantes profissionais de escravos. De fato, tudo isso perfazia um gigantesco comércio. Os escravos eram freqüentemente mais cultos que os seus captores, pois descobrimos que alguns eram médicos, filósofos, mestres e artistas. O bem conhecido filósofo estóico, Epicteto, antes fora escravo. Seu proprietário chegou a reconhecer suas habilidades, libertou-o e educou-o; mas poucos eram tão afortunados quanto ele. Mas lê-se, como nos escritos de Sêneca, sobre um senhor qualquer que, ocasionalmente, dava liberdade aos seus escravos, voluntariamente. Infelizmente, o cristianismo não atacou frontalmente essa instituição, e as epístolas de Paulo refletem a presença de escravos nas casas cristãs. Paulo admoestou os escravos crentes a obedecerem aos seus senhores, como um dever cristão; mas também exigiu tratamento humano aos escravos, por parte dos senhores crentes, frisando que, «em Cristo», não há «escravo nem livre». (Ver Gál. 3:28). Outrossim, ele e outros escritores do N.T. enfatizaram o *amor*, como princípio orientador em todas as coisas, e foi essa ênfase que gradualmente esmigalhou a instituição da escravatura. Alguns tradutores consideram que a passagem de I Tim. 1:10 é um ataque contra a servidão, especialmente contra os negociantes de escravos; e, se isso é verdade, então pelo menos temos esse ensino direto contra tal prática. A tradução de Williams (em inglês) alista, entre as coisas condenadas pelo apóstolo Paulo, «homens que fazem de outros homens seus escravos». Isso é uma referência definida à *escravidão*; mas o sentido da palavra não é aceito concordemente por todos os tradutores. A tradução de Almeida Atualizada, tem «raptores de homens». A tradução da Imprensa Batista tem «roubadores de homens», e a Almeida, edição revista, também tem essa tradução. (Ver as notas sobre este versículo no NTI). Houve vários escritores antigos que condenaram a crueldade dessa prática. Epicteto (*Discursos* I.13.1-3) dizia que o homem e seu escravo são irmãos, filhos do mesmo Deus. Cícero e Plínio, o Jovem, eram conhecidos pelo tratamento humano que davam aos seus escravos. O imperador Adriano procurou eliminar parte da crueldade e proibiu a morte de qualquer escravo sem a permissão de um magistrado. Não foi senão em 428 D.C., entretanto, que foram baixadas leis que proibiam a prostituição de escravos. Os escravos também eram vítimas freqüentes da crucificação, e esse tipo de execução, a princípio, se limitava exclusivamente a eles. Gradualmente, entretanto, passou a ser usado contra os criminosos políticos e os tipos vis de rebeldes, na sociedade.

Talvez a crucificação seja uma boa medida para indicar a extensão da crueldade que persistia no mundo antigo. Lemos que durante o cerco de Jerusalém, no ano de 66 — 70 D.C., Tito crucificou nada menos de quinhentos judeus diariamente, do lado de fora dos muros da cidade, de onde os cadáveres podiam ser vistos. (Josefo, *Guerra dos Judeus*, II.5.2; V.6,5; V.11.1). Estava destinado a Constantino, o imperador romano nominalmente cristão (depois de 300 D.C.), abolir essa prática.

Outras formas de violência organizada e oficial maculavam a imagem de Roma. Criminosos em grande número eram postos a se combaterem entre si, como *gladiadores* nas arenas, e isso servia de forma de diversão pública. Josefo conta (*Guerras dos Judeus*, VII.2,1) que tal esporte era apreciado por comunidades na Palestina e na Síria, e não somente em Roma. Outras modalidades de violência pública, empregadas como esportes, consistiam em lançar pessoas aos animais ferozes ou em fazer os cativos de guerra se digladiarem entre si. Em um desses espetáculos, preparado por Tito no dia do aniversário de Domiciano, dois mil e quinhentos cativos foram mortos assim. (Ver «Guerras dos Judeus», VII.3.1). Outros esportes públicos favoritos eram os combates forçados entre animais ferozes, ou a matança de animais. E nessas matanças, as vítimas preferidas pareciam ser os elefantes.

Os cristãos eram perseguidos e mortos das maneiras mencionadas acima. Ser queimado na fogueira tornou-se um método de execução, mas provavelmente após o tempo em que foi escrito o N.T. (Ver notas no NTI sobre I Cor. 13:3). *Tácito* (Anais XV.44), o famoso historiador romano, diz-nos que durante o reinado de Nero, os cristãos eram mortos vestindo-os em peles de animais e lançando cães ferozes contra eles. Muitos outros foram crucificados, muitos combateram contra animais ferozes. Nero usava os seus próprios jardins particulares para esses espetáculos. As cartas de Inácio, bispo de Antioquia (115 D.C.) revelam que ele esperava tal tipo de morte a caminho de Roma, a fim de responder às acusações feitas contra ele. Policarpo, bispo de Esmirna, morreu queimado na fogueira, em cerca de 155 D.C.

A sociedade do mundo antigo, naturalmente, tinha também seu lado melhor, especialmente nas realizações da arte, da literatura, da filosofia e nas instituições da lei romana. Os gregos foram os pioneiros de alguma arte dramática e em formas literárias, tendo-as aperfeiçoado a um grau que não foi igualado nem mesmo pelas noções modernas. A filosofia do mundo ocidental ainda repousa em cheio sobre os alicerces gregos. As leis de muitas nações ainda repousam sobre os fundamentos lançados pelos romanos. O *estoicismo* desenvolveu a idéia da fraternidade universal e da doutrina da dignidade do homem. O cristianismo, isto é, os escritos fundamentais do cristianismo, desenvolveram e expandiram esses temas. Todos quantos lêem *Sêneca* (o filósofo estóico romano) e Paulo reconhecem a grande similaridade de idéias e de sua expressão entre os dois. Paulo foi criado em um centro de estoicismo romano, a cidade de Tarso, e essa influência pode ser vista em seus escritos. Nem tudo quanto saíra da pena dos filósofos ou de outros elementos dignos da sociedade antiga foi rejeitado pelos apóstolos, e por que haveria de sê-lo, quando parte de suas idéias estava de pleno acordo com os conceitos básicos hebreus e cristãos. Algo do estilo dos escritos de Paulo, particularmente como se vê nas epístolas aos — Gálatas e aos Romanos, reflete o método de ensino e escrita das escolas filosóficas. E por que não seriam refletidas essas coisas, se elas são boas e dignas? Nem Paulo e nem qualquer dos outros escritores do N.T. se desenvolveu em um vácuo, — e as características pessoais de qualquer homem resultam, parcialmente, de seus anos formativos.

c. *Filosofia*

Caracterizar a filosofia antiga, juntamente com as adaptações e modificações sofridas na sociedade romana, não é tarefa fácil. É muito mais fácil

PERÍODO INTERTESTAMENTAL

observar quais as *influências* filosóficas sobre o cristianismo do que oferecer um esboço lato da filosofia em geral. Portanto, esta pequena seção procura mencionar apenas a maioria das questões básicas. Os grandes filósofos sistemáticos foram Platão e Aristóteles, e deles é que vêm as idéias metafísicas básicas da filosofia antiga. Sócrates foi o mestre de Platão, e Platão foi o mestre de Aristóteles. Aristóteles era mestre particular de Alexandre o Grande. Platão desenvolveu aquilo que se chama de *dualismo*. Ele estabeleceu grande diferença entre a durabilidade e a importância da natureza essencial do mundo superior das formas ou idéias e o mundo inferior das particularidades (de que o nosso mundo consiste). O nosso mundo seria meramente uma imitação daquele mundo superior, e o «demiurgo» criou o nosso mundo usando como modelo o mundo superior de existência eterna. O cristianismo ensina a mesma espécie de dualismo, e em termos que não diferem grandemente daqueles que foram usados por Platão (embora o sentido tencionado possa ser diferente). Isto não deve nos surpreender, sendo que alguns dos primitivos pais da igreja, que formularam a terminologia e a expressão da teologia cristã foram filósofos neoplatônicos, a saber, Justino, Orígenes, Clemente de Alexandria, e outros. O «platonismo» assumiu uma forma religiosa intitulada neoplatonismo, e os pais da igreja foram influenciados por esse desenvolvimento. Para Platão, o conhecimento é aquele conhecimento daquele mundo superior de «formas», tal como o conhecimento, para os cristãos, deve ser essencialmente o conhecimento de Deus e da alma. Na busca pelo conhecimento, Platão frisou a razão, a intuição e o misticismo, e não a experiência dos sentidos (isto é, a percepção dos sentidos), e o cristianismo concorda plenamente com essa avaliação. Platão não tentou formular uma — *teologia*, mas é óbvio que ele rejeitou as noções antropomórficas e politeístas de seus contemporâneos. Ensinou algumas proposições fortemente teológicas, como, por exemplo, a imortalidade da alma, em favor do que ele formulou argumentos baseados na razão e na intuição, que jamais puderam ser melhorados pelos pensadores modernos.

Platão ensinava uma tripartida personalidade humana: corpo (vegetal), mente (ânimo), com o que entendia, essencialmente, a parte emotiva do homem, e alma (que seria a parte mais elevada e eterna do homem). A boa conduta se caracterizaria pelo domínio da alma através da razão, que resulta na subjugação do corpo e suas paixões. Dessa maneira, Platão enfatizava a alma acima do corpo e ensinava a eternidade da mesma, a qual, segundo a sua doutrina, tem uma afinidade especial com o mundo superior das idéias. Outros sistemas éticos antigos tinham outras idéias, entretanto. O epicurismo ensinava que o prazer é o alvo da vida, mas enfatizava sempre os prazeres mentais. O hedonismo também salientava os prazeres, mas os prazeres físicos, carnais. O estoicismo pensava que todas as emoções eram más, e por isso destacava a necessidade do despreendimento, isto é, a apatia. Sócrates ensinava a necessidade de conhecimento para que houvesse a correta conduta ética, crendo, talvez ingenuamente, que o homem que sabe o que é realmente melhor para ele não agirá contrariamente aos seus melhores interesses. O *cinismo* ensinava que não existem valores éticos ou humanos reais, e que a independência deve ser o alvo do homem, isto é, independência da sociedade e de todos os seus julgamentos de valores. Os romanos nada criaram de novo na filosofia, incluindo os princípios éticos. A única filosofia original, escrita em latim, foi a de Agostinho,

no seu tratado sobre o tempo. O restante da filosofia romana é a mera reestruturação da filosofia grega, com pontos de vista especialmente ecléticos.

Quanto à ética, os filósofos romanos geralmente combinavam o que consideram ser — o melhor — em todos os sistemas, mas — especialmente — elementos epicúreos e estóicos. É possível que o estoicismo modificado fosse a idéia mais dominante, estando ligado a nomes como Sêneca, Cícero, Epicteto e Marco Aurélio. O estoicismo romano abandonou a «apatia» como o alvo da vida e ensinava a «disciplina», a «moderação», o «autocontrole», a «obediência». Essa forma de estoicismo (que não era realmente estoicismo, segundo as definições dos gregos) se adaptou muito melhor ao robusto espírito romano do que a variedade mais antiga. É justamente essa forma de estoicismo que transparece ocasionalmente em Paulo, especialmente em seus escritos éticos e sobre a conduta do crente.

Aristóteles exerceu pequena influência entre os primitivos cristãos e os pais da Igreja cristã. Porém, a sua doutrina de «substância» e de «causa primária» tornou-se um importante fator na formação da filosofia medieval de Tomás de Aquino. Essa filosofia veio a tornar-se o alicerce do pensamento filosófico da igreja Católica Romana. De conformidade com o pensamento aristotélico, cada objeto se compõe de substância e atributos. Um dos aspectos de seu ensino sobre a substância indica que esta é metafísica e está fora do alcance dos sentidos, e que os atributos (coisas de natureza não-essencial a um objeto) podem alterar-se sem que se altere a essência de qualquer coisa. A doutrina da *transubstanciação* tem sua base nesse pensamento, pois acredita-se que o pão e o vinho podem ser alterados quanto à sua substância, isto é, de pão e vinho no corpo e no sangue de Jesus, sem que haja qualquer modificação nos seus atributos. Assim sendo, os testes científicos podem não determinar qualquer transformação no vinho e no pão, embora a sua «substância» se tenha modificado; e a substância não está sujeita a testes científicos. Aristóteles ensinava que tudo se compõe de matéria em movimento, e que o movimento é causado pela «causa primária», que é o único que permanece imóvel, mas que move tudo ao seu redor ao «ser amado». Tomás de Aquino desenvolveu essa idéia como prova da existência de Deus, salientando que todos os movimentos devem ter uma causa, e mostrando ainda que somente Deus pode ser essa causa.

Além das influências do pensamento filosófico antigo sobre o cristianismo, conforme são mencionadas nos parágrafos anteriores, podemos alistar de passagem, algumas outras: formas de educação, a prática e os métodos exegéticos, formas retóricas, etc. *Os discursos públicos* tiveram seus paralelos, nas comunidades cristãs, nos cultos públicos, especialmente no estilo do sermão, nas primeiras assembléias cristãs. As escolas filosóficas tiveram influência na formação da teologia sistemática cristã, especialmente após 150 D.C., através de ministros filósofos-teólogos como Justino, Orígenes e Clemente de Alexandria, os quais sistematizaram a teologia e freqüentemente se utilizaram da terminologia filosófica nesse processo. Esse tipo de atividade aumentou e floresceu nos tempos medievais, no chamado «escolasticismo», quando a filosofia e a teologia tornaram-se, na prática, uma só disciplina. (Quanto ao completo tratamento desses acontecimentos, ver a obra «The Influence of Greek Ideas on Christianity», por Edwin Hatch, New York: Harper and Brothers).

d. *Religião*

PERÍODO INTERTESTAMENTAL

Zeus e outros deuses: É necessário que uma literatura tão estilisticamente elevada como a Ilíada de Homero tivesse se baseado em diversos séculos de desenvolvimento, antes que tão elevada grandiosidade pudesse ser conseguida. Homero (século IX A.C.) ao escrever sua bela composição (sem dúvida tirando proveito de muitas fontes literárias; e é provável que uma parte da *Ilíada* não tenha sido escrita por ele, mas tenha sido adicionada posteriormente) preservou para nós uma grande herança de pensamento. Poucos ou mesmo nenhum escritor se tem igualado ao estilo simples, mas elevado e estranhamente belo de Homero. As suas obras são a «Bíblia» da Grécia antiga. A despeito de sua beleza literária, que é um fato indisputável, o conceito de um deus ou deuses, que ali aparece, nos deixa desolados. Cronos, pai de Zeus, furtara o seu poder de Urano, seu pai, e de Rea. Era um canibal vitorioso, que devorava os seus filhos assim que nasciam. Mas Zeus foi escondido por sua mãe, e uma pedra foi provida em lugar de Zeus, para que Cronos a engolisse, embrulhada em panos, como disfarce. Zeus foi muito astuto, e, ao chegar à maturidade, foi capaz de derrotar seu vingativo pai, tornando-se um rei universal e todo-poderoso, que mantinha o seu governo mediante o uso de relâmpagos, e não mediante a influência da bondade e sua aplicação. Zeus teria amado pelo menos seis esposas, duas delas foram suas irmãs, e não resistia a uma viagem ocasional à terra para caçar alguma mulher especialmente bela, ainda que terrena. Essas idéias, relacionadas aos deuses antigos, não eram incomuns; cria-se mesmo que muitos homens eram filhos de deuses e de mulheres humanas ou vice-versa. Tais filhos eram ocasionalmente chamados *heróis*, sendo usualmente homens capazes de grandes feitos.

Zeus, originalmente — senhor único — do universo, dividiu o seu governo com dois irmãos seus, Poseidon, que tomou conta dos oceanos, e Hades, que se apossou do submundo. Zeus permaneceu nos céus, e por isso passou a ser especialmente associado às tempestades, às trovoadas e a outras manifestações atmosféricas que tanto aterrorizavam os antigos. A organização real dos muitos deuses gregos não era diferente demais da sociedade feudal. Algumas vezes os súditos de Zeus, por também serem divinos, tornavam-se extremamente rebeldes, e então era mister todo o poder de Zeus para acalmar a tempestade, e às vezes só o poderoso relâmpago era capaz disso. O seu poder sempre estava sujeito a revisão e a possíveis modificações, porquanto Cronos, Urano e Rea, antes dele, tinham caído.

Em geral, **a moral dos deuses** era muito semelhante à dos homens que os tinham imaginado. Estavam sujeitos aos mesmos afetos, ódios, contendas, violências e paixões, e, a julgar pelos padrões terrenos, cometiam os mesmos pecados que seus criadores. É fácil de se ver, portanto, quão pouco valor ético tinha tal pano de fundo a oferecer a qualquer cultura. Naturalmente, muitos gregos rejeitavam tais deuses antropomórficos; mas até mesmo nos tempos de Sócrates a rejeição aos deuses equivalia a traição. E na «Apologia» de Platão vê-se que uma das acusações feitas contra Sócrates foi a de «ateísmo». (Mas essa acusação não parece ter podido consubstanciar-se).

Em torno do âmago central dos ensinos acerca dos deuses, desenvolveram-se diversos cultos de natureza especializada. Na Acrópole (principal colina de Atenas) foi construído o grande Partenon, em honra a Atena, que veio a ser a principal deidade daquela cidade. Isso tornou-se símbolo da unidade e do poderio da cidade.

O deus *Hades* era grandemente estimado (sendo irmão de Zeus), e templos foram edificados em sua honra; porém esse culto nunca se tornou influência poderosa na Grécia. De conformidade com a mitologia grega, quando da morte, a «alma» ou «sombra» da pessoa era levada por Hermes para o submundo, onde Hades exercia seu domínio. Carom, o barqueiro, fazia as almas atravessarem o rio Estix, mas somente quando elas pagavam determinada quantia com uma moeda. Muitos gregos eram sepultados com uma moeda na boca, para cuidar dessa despesa. No submundo (posteriormente chamado hades por causa do deus desse nome) as almas levariam uma espécie de existência sombria, sem consciência verdadeira, mas nebulosa. Essa idéia foi-se alterando paulatinamente, entretanto, para a de uma existência real, se não mesmo feliz.

Os mistérios eleusianos (ritos de natureza religiosa praticados em Elêusis, na costa do sul da Ática) estavam vinculados ao deus Hades, e esse culto se tornou extremamente popular. Baseava-se no ciclo das estações, com ênfase especial sobre os ciclos alternados de morte e vida, de primavera e inverno. *Demétria* era uma das deusas especiais desse culto, e a ela era atribuída a guarda dos campos férteis. Core ou Persefone, sua filha, seria o espírito protetor da vegetação, enquanto que Plutão ou Hades era o deus dos mortos, que a cada outono trazia morte a todas as coisas vivas. Muitos santuários foram edificados em honra a Demétria, e Hades era ao mesmo tempo temido e odiado, talvez por muitos. Os aderentes desse culto, evidentemente, esperavam que, através da ação benéfica de Demétria, pudessem ter uma vida futura, após a morte, caracterizada pela felicidade e pela prosperidade. O ensinamento central dizia respeito à história de uma deusa que morrera e ressuscitara dos mortos, e os iniciados nesse culto criam que, mediante identificação com essa deusa, também pudessem conquistar a morte e o submundo, rompendo assim as cadeias escravizadoras da imortalidade. É óbvia a similaridade dessa idéia com a morte e a ressurreição de Cristo; mas todas as tentativas que têm procurado demonstrar que a doutrina cristã da ressurreição se tenha originado, pelo menos parcialmente, nesse culto, têm falhado e têm sido rejeitadas pela grande maioria dos eruditos modernos. Certamente, o pensamento hebreu, ao tempo de Jesus, não era menos orientado na direção da ressurreição do que esses cultos, e se o cristianismo porventura tivesse de tomar de empréstimo alguma idéia, não teria de fazê-lo dos mistérios eleusianos. Não obstante, a verdade ilustrada é importantíssima, sem importar onde ela se encontre.

O culto de **Dioniso** — também era chamado **Baco**. Baco era, primariamente, o deus do vinho. Dioniso, tal como Persefone, morreu e ressuscitou, e estava associado aos festivais do inverno e da primavera. Os seus cultistas criam que beber vinho ao ponto de chegar a certo êxtase, provocado pelo ingestão do vinho e pela dança, fazia com que o seu espírito entrasse neles. Gradualmente essas práticas se transformaram em orgias sexuais. **O culto de Dioniso** passou a ser identificado com esse tipo de moral degradada.

O culto de Apolo — Apolo era o deus que punia, e as suas flechas tiravam a vida de muitos homens. Entretanto, teria funções muito mais amplas, porquanto era reputado o ajudador da humanidade, o pai da medicina, o inspirador dos poetas, dos videntes e dos adivinhos. Assim é que muitos monumentos, templos e santuários lhe foram construídos, e as multidões criam que sua influência profética poderia

PERÍODO INTERTESTAMENTAL

ser experimentada, e muitos profetizavam em seu nome. Um de seus oráculos famosos era o de Delfos, e muitas ações eram determinadas por declarações proferidas dali.

Asclépio, filho de Apolo, era considerado o médico divino. Asclépio teria gerado dois filhos, que eram pintados como curadores, nos tempos de Homero. E também teria gerado uma filha, Higéia, deusa da saúde. Havia um santuário dedicado a Asclépio, em Atenas, entre o teatro e a Acrópole, e que Paulo deve ter visto ao visitar essa cidade. Em realidade, os santuários a ele consagrados eram numerosos por toda a Grécia. Os santuários dedicados a Asclépio eram, para os gregos, o que os hospitais são para nós; mas também não eram muito diferentes dos santuários modernos da Igreja Católica Romana, e muitas curas milagrosas eram efetuadas ali, segundo se noticiava.

De modo geral, no mundo pagão antigo, pode-se observar que cada terra, país e território, tinha seus próprios cultos e seus deuses nacionais. Entretanto, devido à helenização produzida pela cultura grega, e porque a cultura grega predominara sobre as demais, o mundo antigo, quanto às suas crenças religiosas, usava as idéias gregas como elemento sintetizador. Deuses antigos tinham seus nomes alterados para as designações gregas. Nesse processo, novas dimensões eram acrescentadas aos conceitos gregos antigos. Os elementos se misturavam, e não era desconhecido o fato de que os devotos de um culto, geralmente, também eram devotos de outros. A Ásia Menor tinha um culto similar ao de Elêusis, centralizado em torno de *Cibele*, a terra-mãe, e de *Atis*, seu amante, o espírito da vegetação que morria anualmente no outono, e que se levantava dos mortos na primavera. Lê-se que muitos ritos bárbaros acompanhavam esse culto, e que os sacerdotes realmente decepavam os seus órgãos genitais e os lançavam no altar de Cibele, enquanto rodopiavam em uma dança frenética. Em outro rito, um devoto se deitava por debaixo de um touro, — que era morto, julgando-se que o sangue do touro limparia os pecados do devoto, e que assim este renasceria para a eternidade.

Mitra era o deus dos soldados. Esse deus foi adorado a princípio pelos antigos arianos, que, subseqüentemente, levaram seu culto à Índia. Dali o culto chegou à Ásia Menor. Após o ano de 67 A.C., depois que os piratas das costas da Cilícia foram derrotados, Pompeu levou alguns dos cativos a Roma, e eles espalharam o culto de Mitra ali também, pois alguns desses cativos eram aderentes desse culto. A adoração a esse deus se propagou entre as tropas romanas. No mundo romano, Mitra era identificado com o deus-sol. O rito central consistia no abate de um touro e da ingestão de seu sangue. Dizia-se, igualmente, que Mitra morria no inverno e ressuscitava na primavera. Os seguidores do culto de Mitra observavam o nascimento de Mitra a 25 de dezembro. Quando o cristianismo foi obtendo a ascendência sobre esse rival (que durante algum tempo foi o principal rival do cristianismo, em Roma), o antigo costume e ritos foram sendo modificados em celebração do nascimento de Cristo, e é justamente nesse dia que o chamado Natal continua sendo celebrado na maioria da cristandade, até hoje.

O culto de Ísis. Era um desenvolvimento de uma religião egípcia, a qual, partindo de sua fortaleza no Egito, se foi espalhando por todo o mundo mediterrâneo. Sua teologia, tal como no caso de alguns outros que já foram mencionados, se baseava na mudança das estações do ano. Ísis e seu filho, Horos, eram a original madona e seu filho do mundo helenístico. Ísis era a terra-mãe; Osíris era seu marido irmão, e era cultuado como espírito protetor da vegetação. Osíris tinha um irmão, Sete, que era reputado como deus mau, e que por isso mesmo representava o espírito do mal no mundo. Sete matou Osíris e ocultou o seu corpo. Mas Ísis, auxiliada por outras divindades, encontrou o corpo de Osíris e o fez reviver. Portanto, esse culto também girava em torno de um símbolo de morte e ressurreição, que a princípio provavelmente estava relacionado aos ciclos das estações, mas que gradualmente se tornou questão de convicção religiosa pessoal, fomentando a esperança da imortalidade pessoal. *Os Ptolomeus*, uma dinastia grega que governou o Egito após o falecimento de Alexandre, o Grande, parecem ter propagado esse culto em volta do mundo mediterrâneo. Osíris foi absorvido pelo conceito do deus grego Serápis (palavra formada de Osíris e Ápis). Uma inscrição dedicada a Serápis ainda pode ser vista entalhada no pilar direito da porta de Sião, no muro sul de Jerusalém. Foi posto ali por um porta-estandarte da terceira legião de Cirene, em cerca de 115 D.C. Muitas moedas cunhadas após o começo do segundo século também trazem a imagem de Serápis, o Osíris helenizado.

Religião romana. Pode-se caracterizar a religião romana mais ou menos nos mesmos termos com que falamos sobre a filosofia romana. Em Roma e nas áreas ao redor, houve um período paralelo às crenças politeístas dos gregos, e praticamente as mesmas idéias se desenvolveram. Em fase da propagação da cultura grega, designações romanas foram identificadas com deuses gregos, até o ponto de ser difícil encontrar qualquer diferença. Assim sendo, Zeus e Júpiter tornaram-se nomes intercambiáveis para o mesmo deus. Afrodite e Vênus foram identificadas, como também Poseidom e Netuno, Hefaisto e Vulcano, Demétria e Ceres, além de muitos outros. Roma tinha crenças religiosas separadas, e também festividades religiosas distintas, e atribuía aos seus imperadores certa forma de divindade. Daí a religião passou a ser identificada com o patriotismo, e o *culto ao imperador* foi, principalmente, a tentativa de preservar o patriotismo. Por causa disso se originaram as perseguições movidas por alguns imperadores, como Nero e Domiciano, que se adoravam como deuses e que exigiam essa adoração por parte dos outros.

9. **Bibliografia:** AM CLA(1940) CM EN ID SAM TC Z

10. **Diagramas.** Ver a seguir:

PERÍODO INTERTESTAMENTAL

10. *DIAGRAMAS:*

   a. ISRAEI PÉRSIA EGITO SÍRIA

ISRAEL

Data:	
538	Zorobabel Sheshbazaar; alguns voltaram a Jerusalém.
537	O começo da reconstrução do templo
	Interrupção da construção do templo
520	A construção recomeçada
516	O templo é completado (3 de Adar, 10 de março)
458	Ezra vai a Jerusalém
445-433	O Templo de Neemias em Jerusalém

IMPÉRIO PERSA:

539-540	Ciro
530-522	Cambises
522-486	Dario I
486-465	Xerxes I (Assuero)
464-423	Artaxerxes I
423-404	Dario II Nothus
404-359	Artaxerxes II Mnemon
359-337	Artaxerxes III Ochus
338-335	Arses
336-331	Dario III Codomanus
331-323	Alexandre de Macedônia

ISRAEL

324	Israel sob o domínio da Síria
282	Ptolomeu I Soter
320	A Judéia torna-se parte do império de Ptolomeu, anexada por Ptolomeu I
198	A Palestina torna-se parte do império sírio, permanecendo até os Macabeus
167-40	Os Macabeus (hasmoneanos) A libertação de Israel Matatias, o pai, inspirou a revolta
166-161	Judas Macabeu
160-143	Jonatan Macabeu
143-135	Simão Macabeu
135-104	João Hircano I
104-103	Aristóbolo I
103-76	Alexandre Jannaeus
76-67	Rainha Salomé Alexandra e Hircano II
67-40	Hircano II e Aristóbolo II
63	Pompeu estabelece o protetorado romano; Israel é dominado
40	Herodes o Grande apontado como *rei dos judeus*
37-4	Governo de Herodes

EGITO

323	Ptolomeu I Soter
285-246	Ptolomeu II, Philadelphus
246-222	Ptolomeu III, Euergetes
222-205	Ptolomeu IV, Philopater
204-180	Ptolomeu V, Epiphanes

SÍRIA

312-281	Seleuco, I Nicator
281-261	Antíoco, I Soter
261-246	Antíoco, II Theos
246-225	Seleuco II
225-223	Seleuco III Soter
223-187	Antíoco III, O Grande
187-175	Seleuco IV
175-163	Antíoco IV Epiphanes
163-162	Antíoco V
162-150	Demétrio I
139-129	Antíoco VII Sidetes

PERÍODO INTERTESTAMENTAL

b. *OS REIS SELÊUCIDAS*

Os Números Indicam A Ordem Do Reinado De Cada Um

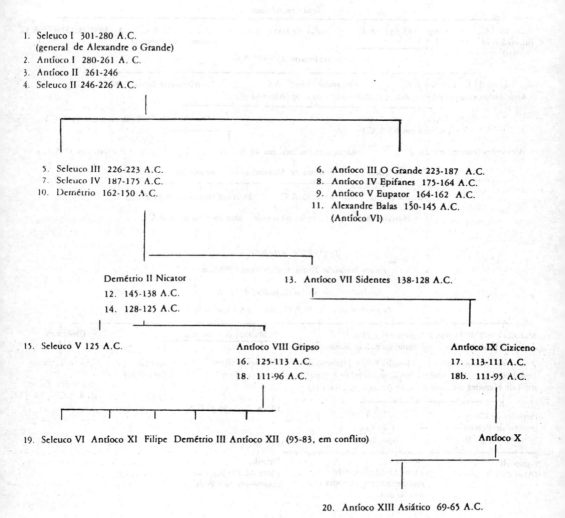

A palavra *Seleucidae* (plural) vem do nome de Seleuco Nicator, general de Alexandre, o Grande (312 A.C.). Esse general, depois da morte de Alexandre, começou a dinastia que governou a maior parte da Ásia Menor, Síria, Pérsia e Báctria (312-64 A.C.).

PERÍODO INTERTESTAMENTAL

c. OS HASMONEANOS

Os números indicam a ordem do reinado de cada um.

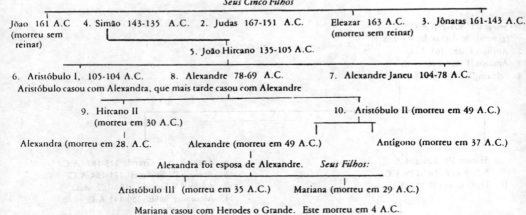

Mariana casou com Herodes o Grande. Este morreu em 4 A.C.

d. OS HERODIANOS

Foram Incluídas Todas As Referências Bíblicas

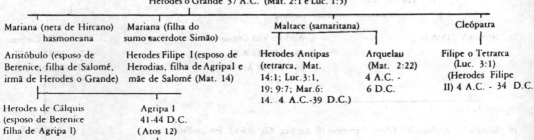

HISTÓRIA JUDAICA DE 63 A. C. A 70 D. C.

1. Início do domínio romano: 63 A.C.-4 A.C. Poder *indireto*, luta entre Roma e os hasmoneanos.
2. Poder *indireto*, governo de Herodes (sujeito a Roma): 40 A.C.-44 D.C.
3. Judéia, Samaria, Iduméia (que constituíam a província romana da Judéia) governada por *procuradores romanos*: 6 D.C.-41 D.C.
4. Palestina inteira governada por Agripa: 41 D.C.-44 D.C.
5. Palestina inteira governada diretamente *por Roma*, até à destruição de Jerusalém: 44 D.C.-70 D.C.

PERÍODO INTERTESTAMENTAL

e. ACONTECIMENTOS DURANTE OS TEMPOS DO NOVO TESTAMENTO

ROMA	PALESTINA	NOVO TESTAMENTO
Primeiro Triunvirato: Júlio César, Pompeu, Crássio 60 A.C.	Conquista de Jerusalém por Pompeu, 63 A.C. João Hyrcanus II, 63-40 A.C.	
Segundo Triunvirato: Otávio, Lepidus, Antonio, 43 A.C.		
Augusto (Otávio), 31 A.C. - 14 D.C.	Herodes o Grande recebeu o poder e reinou (37-4 A.C.)	
		Jesus nasceu, primavera de 4 D.C. João Batista, quase ao mesmo tempo.

	ITUREA, Trachonitis, Palestina do Norte	GALILÉIA	JUDÉIA	
				Censo sob Quirino ou Cirênio. Fuga de Jesus para o Egito, morte de Herodes 4 A.C. Volta de Jesus à Palestina
	Filipe, 4 A.C. 34 D.C.	Herodes Antipas 4 A.C - 39 D.C.	Arquelau, 4 A.C. - 6 D.C.	
				Nascimento de João, o apóstolo (2? D.C.)
Nascimento de Sêneca (3? D.C.)			Vários procuradores 6-41 D.C. (Pilatos 26-36)	Nascimento de Paulo, o apóstolo (5 D.C.)
			Morte de Hillel, queda de Arquelau, Judéia feita província romana (6 D.C.)	
		Insurreição de Judas da Galiléia (7 D.C.)		A primeira visita de Jesus ao templo, 9 D.C. (Luc. 2:41)
Morte de Augusto, Reinado de Tibério, 14-37 D.C.		Edificação de Tiberíades por Antipas (18 D.C.)		Morte de José (20? D.C.)
Morte de Livy e Ovídio, 18 D.C.				
				Batismo de Jesus, começo de seu ministério (28 D.C.)
				Ministério de Jesus (28 D.C.)
	Agripa I 37-44 D.C.	Agripa I 39-44 D.C.	Agripa I 41-44 D.C.	Crucificação 31 D.C. Conversão de Paulo 32 D.C.
Calígula, 37-41 D.C. Cláudio, 41-51 D.C. Nero, 54-58 D.C. Galva, OTO, Vitélio, 68 D.C. Vespasiano 69-79 D.C.	Agripa II 53-93 D.C.	Agripa II 54-93 D.C.	Procuradores 44-66. (Félix 52-60; Festus 61-62)	Paulo perante Festus 61 D.C.
		Primeira revolta dos judeus 66 D.C. Queda da Jerusalém 70 DC.		Paulo em Roma, 62 D.C.

PERIPATÉTICO — PERNA

PERIPATÉTICO

Essa palavra vem do grego, **peripatós**, que significa tanto um passeio a pé, à sombra do arvoredo, quanto o diálogo que pode ocorrer durante tal caminhada.

Alguns estudiosos pensam que isso deriva-se do costume de Aristóteles de caminhar e conversar com seus alunos, razão também pela qual sua escola recebeu a alcunha de *peripatética*. Em um sentido lasso, o termo veio a indicar qualquer seguidor das idéias de Aristóteles, e não meramente a sua escola formal, que era assim chamada. O nome alternativo para essa escola era *liceu* (vide), que ao que parece aludia à localização onde se desenvolveu essa escola. Algumas pessoas não acreditam que Aristóteles caminhava enquanto apresentava suas preleções, pelo que também sugerem que o real sentido daquela palavra é que sua escola ficava em um local onde o caminho contava com um arvoredo que lhe dava sombra, e que a calçada ou coisa semelhante fazia parte do campus dessa escola.

PERITO ENCANTADOR

A palavra hebraica assim traduzida, **lachash**, e que ocorre por cinco vezes no Antigo Testamento, tem o sentido original de «silvar». Sem dúvida esse termo alude a encantamentos por meio de sussurros. Todavia algumas traduções pensam que está em foco a idéia de «eloqüência»; mas os estudiosos duvidam muito de que essas traduções estejam com a razão.

PERIZEUS

Ver sobre **Perezeus (Ferezeus)**.

PERIZIM (MONTE)

Essa palavra, «perizim», significa «monte». Isa. 28:21 menciona o lugar em conexão com a ira de Deus. A ira do Senhor voltar-se-ia contra os escarnecedores que havia em Jerusalém. O lugar talvez seja o mesmo Baal-Perizim referido em II Sam. 5:20 e I Crô. 14:11.

PERJÚRIO

Ver sobre **Mentira** e **Juramento**.

PERMANECER

Assim é traduzido o vocábulo grego **meno**. Traduz nada menos de dezesseis termos hebraicos, a maioria dos quais com alguma referência local, como «permanecer vivo» ou «ficar» em algum lugar ou época.

Meno é usado por cerca de 118 vezes no N.T., quase sempre com os significados acima. Torna-se uma palavra importante quando usada espiritualmente. João 15:4 supre o exemplo do ramo que *permanece* na videira, aludindo a união mística (espiritual) entre os crentes e Cristo, de onde deriva sua vida espiritual. Sem essa permanência não há vida ou fruto espiritual (João 15:5). Vemos nisso uma dependência absoluta, mas generosa, porque dela flui a vida. João continua no tema em I João 2:5. Paulo utiliza a expressão «em Cristo» (misticismo cristão) para exprimir a mesma idéia. Quanto a notas completas sobre esses conceitos, ver o NTI em João 15:4-5 e I Cor. 1:4. Em suas epístolas, Paulo usa a expressão «em Cristo» por mais de 160 vezes, indicando como o crente participa da comunhão mística com Cristo, o que inclui a participação em Sua forma de vida. Quanto a esse conceito, ver o NTI, em Rom. 8:29. Ver também Efé. 3:19 quanto à participação do crente na «plenitude de Deus», uma idéia paralela. (B NTI)

PERNA

A palavra hebraica plural **keraayim** significa os membros inferiores, ou, mais especificamente, as canelas (Êxo. 12:9; 29:17; Lev. 1:9,13; 4:11). A palavra hebraica *shoq* indica a perna, considerada dos joelhos para baixo, embora também aponte para a perna inteira (ver Deu. 28:35; Sal. 147:10; Pro. 26:7). Essa mesma palavra também pode significar «coxa» (ver Isa. 47:2; Juí. 15:8). E o termo hebraico *regel* significa «pé» (I Sam. 7:6), a parte mais inferior da perna. Algumas versões dizem «desnuda a perna», em Isa. 47:2. Corretamente, porém, nossa versão portuguesa traduz esse trecho como «ergue a cauda da tua vestidura». Está em foco a palavra hebraica *shobel*, que significa exatamente isso a «cauda das vestes» femininas, embora também possa indicar, em outros trechos uma correntinha ornamental, posta em torno do tornozelo.

O termo grego *skélos* ocorre somente em João 19:31 ss, onde há menção à questão de terem sido quebradas as pernas das vítimas da crucificação.

1. *Usos*. A palavra hebraica *keraayim* ocorre, principalmente, em passagens que dizem respeito aos ritos e sacrifícios. No entanto, em Amós 3:12, indica as pernas traseiras dos gafanhotos, que eram permitidas como alimento. Apesar do termo hebraico *regel* significar «pé», em I Sam. 17:6 refere-se às pernas do gigante Golias. *Shoq* é vocábulo hebraico que, no tocante aos ritos e sacrifícios, significa a parte superior da perna, ou «coxa». Outras vezes, é traduzido por «ombro», em algumas versões (mas por «coxa», em nossa versão portuguesa; ver Êxo. 29:22,27; Lev. 7:32-34; 8:25,26). O trecho de João 19:31-33 merece nossa consideração. O fato de que as pernas do Senhor Jesus não foram quebradas, quando os soldados quebraram as pernas dos dois ladrões também crucificados, mostra-nos que ele já havia morrido. Portanto, a teoria de uma ressurreição de quem apenas caíra em estado de coma, mas que então reviveria, é contradita e demonstrada como fruto da incredulidade.

2. *Usos Metafóricos*:

Várias porções do corpo são usadas em expressões metafóricas, parcialmente por causa do desconhecimento sobre a anatomia e fisiologia do corpo humano. Os hebreus e outros povos orientais atribuíam ao coração as emoções (como sede da inteligência e das emoções), ao passo que os rins seriam a sede das paixões, da dor e do prazer (ver Sal. 37:4; Pro. 23:16). Os intestinos eram associados à compaixão (Gên. 43:30; Jer. 31:20; I João 3:17); e o fígado, à depressão (Lam. 2:11). Especificamente acerca das pernas, temos os seguintes usos metafóricos:

a. *Força*. O cavalo é forte; e as pernas de um homem também são fortes (ver Sal. 147:10).

b. As *pernas de ferro*, da estátua de Nabucodonosor, revestem-se de um significado profético, ou seja, as divisões oriental e ocidental do Império Romano. E, no caso dos artelhos, há ligação com as dez nações que se tornarão o instrumento usado pelo anticristo em sua campanha de conquista mundial. Ver Dan. 2:33.

c. *Uma parábola dita por um tolo*, e, portanto, destituída de sentido, assemelha-se às pernas tortas de um aleijado. (Ver Pro. 26:7).

PÉROLA — PÉROLA DE GRANDE PREÇO

d. *As pernas de Jesus*, que não foram quebradas (João 19:31-33), indicam que, pelo poder de Deus, ele foi livrado dos maus desígnios dos homens. Foi de pernas inteiras que ele morreu como nossa expiação. A fratura provocada nas pernas dos crucificados aparentemente apressavam a morte deles, mediante embolia cardíaca ou cerebral.

PÉROLA

Essa palavra é mencionada, em algumas traduções (como a nossa versão portuguesa), no Antigo Testamento, somente em Jó 28:18 (no hebraico, *gabish*, «cristal»). Mas o Novo Testamento a exibe por nove vezes (no grego, *margarítes*): Mat. 7:6; 13:45,46; I Tim. 2:9; Apo. 17:4; 18:12,16; 21:21. Estritamente falando, a pérola não é uma pedra preciosa, embora sempre seja associada às pedras preciosas em seu uso e em suas referências. Uma outra palavra hebraica, *peninim*, «rubis», que sempre aparece no plural, também é traduzida por pérolas, em algumas traduções, em Pro. 3:16; 8:11; 20:15; 31:10 e Lam. 4:7 (mas, nesse caso, as traduções já variam mais). A passagem de Lam. 4:7 refere-se a algo róseo ou ruivo, pelo que a pérola fica excluída (nossa versão portuguesa diz ali «corais»). Há corais róseos e vermelhos. *Peninim* significa, literalmente, «interiores», pelo que alguns estudiosos têm pensado que há ali alusão à produção da pérola, no interior da ostra; mas também pode estar em foco a cor da carne humana. A forma singular desse termo, *peninah*, é usada como nome da esposa de Elcana (I Sam. 1:2,4). Naturalmente, a palavra grega, *margarites*, tem sido adaptada para um nome pessoal feminino. Os povos árabes usam essa palavra para indicar a pérola, tal como os gregos o faziam.

A pérola é formada como uma excrescência anormal no interior da ostra de algumas espécies de moluscos. O material da pérola usualmente é composto de carbonato de cálcio, e, raramente, de calcita (também chamada carbonato de cálcio), juntamente com uma substância orgânica chamada conquiolim. Quase todas as pérolas usadas no comércio são produzidas pelas chamadas «ostras de pérola», comumente achadas nas praias marítimas da Índia e do Pacífico Sul. O comércio moderno, tem produzido fazendas de pérolas, pelo que a localização geográfica hoje em dia já não é um fator tão importante para essa indústria como costumava ser antigamente. Antigos lugares de colheita de pérolas encontravam-se principalmente no mar Vermelho e no golfo Pérsico; mas no mar Vermelho já não se colhem pérolas hoje em dia. O Ceilão e as costas da Austrália são hoje muito mais produtivos, como também o Japão.

A pérola é produzida em virtude de um problema. Quando algum grão de areia ou parasita perturba o animal, dentro de sua concha, a ostra secreta uma substância para encerrar o corpo estranho, e obter conforto. Assim, a pérola é a única «pedra preciosa» produzida por um processo vivo, e a única que provém do mar. A secreção que encobre a irritação da ostra chama-se madrepérola.

Usos Metafóricos:

1. Um problema cria uma pérola. A escola dos problemas é árdua, mas pode produzir muitas jóias morais e espirituais.
2. Uma pérola de formato perfeito e sem manchas simboliza a perfeição e a preciosidade.
3. Declarações sábias ou coletâneas de tais declarações são representadas pela pérola. A pérola de grande preço, sobre a qual se lê em Mat. 13:45,46 é um dos mistérios do reino, dentro dos ensinamentos de Cristo. Ao que parece, aponta para o evangelho ou para a mensagem de vida de Jesus, com seus resultados espirituais, e que um homem busca quando impelido por uma séria inquirição espiritual. Quando um indivíduo encontra essa pérola, vende tudo a fim de poder adquiri-la, tão grande é o seu valor. Ver o artigo separado intitulado *Pérola de Grande Preço*, onde damos abundantes detalhes sobre esse emblema.
4. Um dos livros sagrados do mormonismo é chamado de *Pérola de Grande Preço*.
5. Nos sonhos e nas visões, a pérola pode simbolizar qualquer coisa de alto valor; um tesouro buscado; uma elevada aspiração; ou a personalidade inteira, bem formada, como que composta por várias camadas, incluindo a mente, as emoções e todas as expressões do ser.
6. Os portões de pérola (ver Apo. 21:21) aludem às perfeições e à beleza da Nova Jerusalém, a Igreja glorificada.

PÉROLA DE GRANDE PREÇO

Parábola da Pérola de Grande Preço (Mat. 13:45,46). Ver sobre *Pérola*.

Os que comerciavam com esse produto viajavam até o golfo Pérsico ou mesmo à Índia, para obter o mesmo. Geralmente era homem de grande diligência, que queria ter sucesso no seu empreendimento. Apo. 18:12 mostra que as pérolas eram um artigo popular de comércio na época. «Tesouro! o evangelho é um tesouro, e Cristo, sua alegria suprema. O seu segredo transforma as nossas vidas. Naturalmente, o homem deu tudo quanto tinha para comprar aquele campo abençoado dos céus, e, como é óbvio, um homem deve dar 'tudo por tudo' quando encontra a Cristo... A parábola da pérola preciosa—é narrativa gêmea com a do que achou um tesouro no campo. Mas há diferenças significativas. O *herói* da outra parábola presumivelmente era um homem pobre; o comerciante desta história é presumivelmente rico, talvez um bom conhecedor de pérolas. Talvez tenha viajado até o golfo Pérsico, ou mesmo à Índia, em busca de gemas. Já o lavrador não esperava encontrar coisa alguma, ao passo que o comerciante andava à cata de uma jóia excelente. Contudo, a verdade focalizada na história é a mesma—o reino é o bem supremo». (Buttrick, em Mat. 13:45,46). Naturalmente, o *tesouro* é tudo quanto Jesus Cristo nos dá, como na nossa transformação em sua imagem, para compartilharmos de sua natureza, ou seja, virmos a compartilhar de sua divindade (ver II Ped. 1:4). (Ver sobre *Plenitude de Deus*). Esse é o evangelho real, pois aquilo que Cristo nos dá excede infinitamente ao mero perdão de pecados e a futura mudança de endereço para os céus.

A **parábola da Pérola de Grande Preço**, encontra-se somente em Mateus baseada na fonte **M**. Ver sobre o **Problema Sinóptico** — que examina a questão das fontes informativas destes evangelhos. Esta parábola ilustra o indivíduo que encontra o reino dos céus, como algo de grande valor, como resultado de uma busca diligente, em contraste com a parábola do tesouro escondido, que alude à descoberta acidental do reino. O homem que é personagem desta parábola aparece como competente crítico de valores, perito conhecedor de pérolas. A busca desse homem era resoluta, decisiva, judiciosa, incessante, guiada por princípios diligentes e pela experiência. No tempo de Jesus as pérolas tinham grande valor, comparativamente mais do que na atualidade, porquanto, no mercado de jóias, tinha mais valor do que as esmeraldas, as safiras e outras pedras preciosas. As

PÉROLA — PERPÉTUA VIRGINDADE

pérolas eram usadas para *decorar as vestes* dos ricaços. Lemos que uma das razões que o imperador Cláudio deu para invadir a Inglaterra foi o desejo de fomentar ali um novo mercado de pérolas. O povo para quem Jesus falou certamente conhecia bem o fato de que muitos negociantes buscavam pérolas de grande valor, e tanto mais porque a Palestina ficava à beira do mar Mediterrâneo. Devido à associação das pérolas com o mar, os pescadores e o povo que moravam à beira-mar devem ter sentido o impacto desta parábola. Aqui vemos o quadro de um homem que sempre encontrava pérolas de pequeno valor, mas que continuou em sua busca por uma pérola soberba, singular, de grande preço. Finalmente, a sua busca o guiou àquela pérola raríssima. Por conhecê-las bem, reconheceu imediatamente que aquela pérola era não somente grande, mas também dotada de formação perfeita, sem falhas. O seu desejo de possuí-la foi tão intenso que vendeu tudo quanto tinha, todas as riquezas que havia amealhado durante toda a sua vida, a fim de comprar aquela pérola extraordinária. Essa pérola—simboliza—Cristo e seu reino. Contudo, há diversas interpretações sobre o símbolo da pérola, como: 1. a salvação eterna; uma interpretação tão ampla que deve conter elementos verdadeiros. 2. Jesus Cristo. 3. A comunhão com Deus. 4. A Igreja, de acordo com a opinião de alguns, os quais dizem, igualmente, que Cristo é aquele que busca a pérola e a adquire. A pérola é uma unidade formada não mecanicamente, mas sim, organicamente, mediante a secreção da ostra, como a Igreja (ver Atos 2:41, 47; 5:14; 11:24; Efé. 2:21; Col. 2:19).

Segundo essa última interpretação, Cristo, a troco do altíssimo preço deu seu sangue, adquiriu a pérola de grande preço. A despeito do fato de que essa interpretação contém diversos elementos que podem ser ilustrados pelas condições da parábola, é melhor interpretar (como também no caso da parábola do tesouro escondido) que o homem é o pecador diligente, e que a pérola é o *reino de Deus*. A idéia do reino, naturalmente, inclui o valor da pessoa de Cristo, a sua mensagem, a salvação proporcionada por ele e a comunhão com o Pai. A idéia central, portanto, é que todas as demais coisas, quando contrastadas com a posse do reino dos céus, têm pouquíssimo valor, e que há certas pessoas que buscam esse reino, e então ao acharem-no, dão-lhe grande valor que se dispõem a sacrificar a tudo a fim de se apossarem dele. Paulo ilustra esse tipo de pessoa mediante o seu próprio testemunho: «Sim, deveras considero tudo como perda, por causa da sublimidade do conhecimento de Cristo Jesus, meu Senhor, por amor do qual perdi — todas as coisas — e as considero como refugo, para ganhar a Cristo...» (Fil. 3:8). Tal como na parábola do tesouro escondido, questões como aquela que diz que «nenhum homem busca a Deus», e que tentam provar que o homem dessa parábola não pode ser um pecador, são considerações impróprias que apenas obscurecem o sentido indicado por Jesus. Na experiência humana, o pecador sempre acha o que busca, e de fato, há passagens bíblicas que indicam justamente essa possibilidade ou responsabilidade. O impulso do Espírito se faz presente em todos os lugares, e leva os homens a buscar o caminho de Deus. Todavia, não são todos que se importam em buscar a pérola de grande preço, e nem todos estão dispostos a pagar o alto preço necessário para a obtenção dessa pérola.

PERPÉTUA VIRGINDADE DE MARIA

Ver os artigos separados sobre *Marias do Novo Testamento; Maria, Culto a; Mariolatria* e *Mariologia* (*Maria, a Bendita Virgem*).

Uma causa psicológica por detrás da crença na perpétua virgindade de Maria foi o sentimento de admiração, por parte de cristãos antigos, ante o nascimento virginal de Jesus. Ver sobre *Nascimento Virginal*. Muitos cristãos sentiam que seria algo contrário à vontade de Deus que um vaso tão especialmente escolhido tivesse outros filhos, depois de Jesus. Isso explica como surgiu a doutrina da perpétua virgindade de Maria. Ver o artigo sobre a *Família de Jesus*, quanto a evidências históricas contra essa pia mas errônea doutrina.

Seja como for, as tradições em prol da perpétua virgindade de Maria são bem antigas, defendidas até mesmo por alguns dos primeiros pais da Igreja. Um dos raciocínios teológicos daqueles antigos cristãos é que não seria razoável que Maria tivesse concebido em pecado seus outros filhos, como é a maneira normal da procriação humana. Isso lhes parecia uma degradação da pessoa de Maria. O papa Sirício escreveu para Anísio, em 392 D.C.: «O Senhor Jesus não teria escolhido nascer de uma virgem se tivesse julgado que ela (Maria) seria tão incontinente ao ponto de macular o lugar do nascimento do corpo do Senhor, o lar do Rei eterno, com a semente do intercurso humano». Mas, apesar de termos de respeitar esse sentimento, também temos de reconhecer que é errado fazer da sexualidade humana algo sujo ou maligno, dentro do contexto do casamento. Naturalmente, também é verdade e tradicional que qualquer casal, durante o ato sexual, tenha pensamentos de adultério. Alguns chegam a pensar que esse é o ensino de Sal. 51:5, e não a doutrina do pecado original, conforme essa passagem é usualmente usada como texto de prova. Isso posto, conforme o papa Sirício sugeriu, durante o contacto sexual com José, Maria teria tido pensamentos adúlteros! E teólogos e homens bem-intencionados, com base em uma razão distorcida, embora não com bases históricas e bíblicas, querem poupá-la de tais pensamentos! A doutrina católica romana, todavia, apesar de ensinar a Imaculada Conceição tanto de Maria quanto de Jesus, não chama Maria de impecável, porquanto essa doutrina também admite que ela era pecadora, que precisava do Salvador como todas as pessoas dele precisam. Destarte, pode ser questionado por que razão alguns querem salvá-la de *um* certo pecado, por meio de um dogma inventado, ao mesmo tempo em que admitem que ela era apenas uma pecadora quanto a *outros* pecados. Vemos que o Papa Sirício afirmou que Maria seria *incontinente* (embora fosse uma mulher casada), se tivesse tido outros filhos, por meio do modo normal da procriação humana, uma afirmação claramente antibíblica (Heb. 13:4) e irracional.

Mas, seja como for, vários concílios manifestaram-se a respeito, tendo ensinado a perpétua virgindade de Maria. O concílio de Trento (1545-1563) declarou enfaticamente: «Se alguém disser que o estado de casado é preferível ao estado de virgindade ou celibato, e que não é melhor ou mais santo permanecer na virgindade ou no celibato do que estar casado, que esse alguém seja anátema». Se isso fosse mesmo verdade, então Maria, a mãe de Jesus, estava debaixo da obrigação moral de permanecer virgem. Muitos psicólogos, porém, têm observado como os líderes do catolicismo romano (em seus corações, ao que tudo indica) vêem algo de pecaminoso, errado e sujo no sexo, mesmo dentro do contexto do matrimônio, uma atitude que certamente tem sido um fator importante na formulação de certos dogmas romanistas sobre o sexo e o casamento, incluindo essa questão da participação potencial de Maria no estado comum de casada.

PERRY, RALPH BARTON

Suas datas foram 1876-1957. Ele foi um filósofo norte-americano, educado em Harvard, onde também ensinou por muitos anos.

Idéias:

1. O *Transe Egocêntrico* era uma expressão usada por ele mostrar como uma pessoa, embora tendo aparente percepção sensória dos objetos externos (sendo eles reais, inteiramente à parte dos pensamentos dessa pessoa acerca dos mesmos), não pode escapar do transe de conhecê-los *somente* através daquilo que lhe dizem seus pensamentos e seus raciocínios. Ninguém pode *captar* um objeto exterior somente através da percepção de seus sentidos, sem envolver no processo os seus pensamentos a respeito. Os idealistas tiram proveito dessa situação a fim de supor, exageradamente, que o pensamento é a única coisa real, negando assim a realidade de qualquer coisa à parte da mente. Ver sobre o *Idealismo*. Por sua vez, o *realismo* (vide) afirma a realidade dos objetos externos que nos ferem os sentidos, sem importar se são conhecidos ou percebidos pela mente ou pela percepção dos sentidos. Perry, pois, contribuiu para o movimento denominado novo realismo (ver sobre o *Novo Realismo*).

2. *Definição de Valor*. Qualquer coisa reveste-se de valor, uma vez que os homens interessem-se pela mesma, e sem importar qual o interesse deles. Assim sendo, o conflito sobre o que é um valor pode ser evitado, pois aquilo que os homens sentem ser interessante, dotado de alguma vantagem, reveste-se de valor para eles. E esse foco do interesse pode ser algum prazer, utilidade, a justiça, etc. O problema da ética consiste em harmonizar os nossos interesses que contribuem para uma maior abrangência de valores. Esse é o *summum bonum* da ética da filosofia de Perry.

3. *Campos de Valores*. Perry distinguia oito desses campos: a moralidade; as artes; a ciência; a religião; a economia; a política; a lei; os costumes. Todas essas dimensões, consideradas juntamente, constituiriam uma variegada *axiologia*.

Escritos: The New Realism; Present Philosophical Tendencies; General Theory of Value; The Thought and Character of William James; Realms of Value.

PERSEFONE

De acordo com o mitos gregos, esse era o nome da filha de Zeus e da deusa Demeter. Ela tornou-se proeminente nos mitos gregos e em sua antiga religião pagã. Teria sido raptada por Hades, para tornar-se sua esposa e rainha do mundo inferior, mundo esse que, finalmente, tomou o nome daquele deus, «hades».

Persefone, ainda de acordo com a mitologia, tinha permissão de passar duas terças partes de cada ano com sua mãe; mas, na terça parte final ela tinha de ficar com Hades, no hades. A fim de aplacar a ira de sua mãe, por ela haver sido raptada, Zeus enviou Hermes para trazer Persefone de volta. Mas, visto que ela havia comido uma parte de uma romã infernal, que lhe havia sido dada por Hades (e também por haver-se tornado esposa dele), Persefone só podia ficar com sua mãe por duas terças partes do ano, no mundo dos vivos. Uma contradição é que, juntamente com Demeter, Persefone era considerada virgem, ajudando a fertilizar a terra. Porém, quando estava no hades, era a espantosa Mãe da Morte, como também das forças do mal.

A importância desse mito é que era uma característica central dos mistérios eleusianos. Ver sobre *Religiões Misteriosas* (*dos Mistérios*). Esse mito foi uma das fontes das idéias gnósticas, uma potência religiosa dos primeiros séculos do cristianismo que muito combateu ao cristianismo.

PERSEGUIÇÃO

Ver os artigos separados intitulados *Tribulação* e *Tribulação e Perseguição, Valor de*. Esses artigos, mormente o último, apresentam uma visão geral das atitudes bíblicas para com esse problema.

Esboço:

I. Definição e Comentários Gerais
II. No Antigo Testamento
III. No Novo Testamento
IV. Alguns Informes Históricos
V. Razões das Perseguições
VI. Valores das Perseguições
VII. Referências e Idéias

I. Definição e Comentários Gerais

A palavra perseguição vem do latim, *per*, «através», e *sequi*, «seguir», que dá a idéia de algo que nos segue opressivamente, correndo atrás de nós, alguma severa ou sistemática opressão. O original latino fala, por assim dizer, sobre o caçador que segue após a sua vítima, com a intenção de prejudicá-la ou matá-la. A perseguição geralmente é uma tentativa constante, e, por muitas vezes, sistemática, para eliminar ou prejudicar ao indivíduo perseguido. Pode empregar ou não meios violentos. A perseguição pode ser mental. Pode envolver o ostracismo social. E quando os costumes sociais assim o permitem, a perseguição pode tornar-se violenta. As pessoas religiosas são fanáticas quando se trata de perseguir seus semelhantes com opiniões diferentes. Uma das grandes desgraças da história religiosa é o quanta vergonhosa e cruel perseguição as pessoas religiosas têm promovido. Os judeus perseguiram os cristãos; os cristãos perseguiram os judeus; os romanos perseguiram a ambos; a antiga Igreja cristã perseguiu a pequenos grupos dissidentes; pequenos grupos dissidentes perseguiram a Igreja principal; católicos têm perseguido protestantes; protestantes têm perseguido católicos; ambos têm perseguido pequenas seitas dissidentes; católicos romanos chegaram a perseguir a seus próprios membros, durante a *Inquisição* (vide); e a mesma coisa tem sucedido entre os protestantes. O relato assim prossegue, e a perversão humana, caiada como se fosse santidade e justa indignação, tem garantido que violências das mais variadas formas continuem sendo usadas na tentativa de fazer todos amoldarem-se a algum padrão «oficial», da corrente religiosa principal. Doutras vezes, a perseguição envolve jogo de poder ou medidas econômicas, que nada têm a ver com as doutrinas defendidas ou combatidas. Entretanto, a forma mais comum de perseguição ocorre na tentativa de forçar algum consenso de opinião. Por essa razão, sempre foi uma

PERSEGUIÇÃO

verdade que aqueles que procuram expor *novas idéias*, no campo científico, filosófico ou religioso, sempre foram perseguidos.

«O mais minúsculo átomo de verdade representa o labor amargo e a agonia de alguém; para cada porção ponderável da verdade, há a sepultura de algum corajoso desbravador da verdade, em algum monturo isolado, e uma alma torrando no inferno» (H.L. Mencken).

«A verdade, esmagada por terra, levantar-se-á de Novo;
Os anos eternos de Deus lhe pertencem;
Mas o erro, ferido, agoniza de dor,
E morre entre os seus adoradores»
(William Cullen Bryant).

«Deus oferece a cada mente a escolha entre a verdade e o repouso. Escolha o que você quiser—pois nunca poderá ficar com ambas as alternativas» (Ralph Waldo Emerson).

Os *pioneiros*, em qualquer campo em que possam ser achados, são tradicionalmente perseguidos. As idéias antigas fenecem lentamente, sem importar quão erradas ou parciais elas possam ser. O herege de hoje é o santo de amanhã. Todos os grandes inovadores do pensamento têm sido perseguidos. Novas ortodoxias desenvolvem-se ao redor deles, até que terminam sendo reverenciados. Mas os advogados das novas ortodoxias perseguem a outros, incluindo aqueles que conseguem aprimorar as novas ortodoxias. E assim progride o avanço, agora e sempre. A arrogância e o exclusivismo são os genitores da perseguição.

Ver o artigo sobre *Sofrimento, Necessidade de*. Este artigo fala sobre os *benefícios* do sofrimento.

Perseguição e Traição

1. Um dos mais estranhos fenômenos que podem ser observados neste mundo, é como as pessoas religiosas podem se transformar em perseguidores devastadores, e, portanto, — obreiros da iniqüidade. Como é que os homens conseguem reconciliar a violência com o interesse e a expressão religiosa?

2. Foi por motivos assim que certos judeus promoveram o assassinato de Paulo. E não foi aquela a primeira tentativa. De algum modo, aqueles homens se convenceram acerca da «retidão» de seus atos. Eis como pessoas religiosas podem laborar em erros tão grandes!

3. A verdade é mais estranha que a ficção: vemos em Atos 19:35 *ss*, e 23:12 *ss*, um pagão que saiu em defesa de Paulo! Um pagão frustrou os planos traiçoeiros dos líderes religiosos da comunidade!

4. Todos quantos viverem piedosamente, terão de esperar por perseguições (ver II Tim. 3:12).

5. Essas perseguições se originam no fato de que os homens são ignorantes quanto a Deus e quanto a Cristo (ver João 16:3).

6. Trata-se de um zelo equivocado e maligno (ver Atos 13:50 e 26:9-11).

7. Os crentes perseguidos não são esquecidos por Deus (ver II Cor. 4:9).

Pagando a Dívida da Perseguição

1. Paulo fora um grande perseguidor antes da sua conversão. E assim sucedeu que, depois, ele passou a ser o grande perseguido. O livro inteiro de Atos demonstra o fato. Ele mesmo demonstrou para nós que existe uma lei da colheita segundo a semeadura, que ninguém pode debilitar ou anular. (Ver Gál.

6:7,8). Embora um homem possa ser perdoado e seus pecados não cheguem assim a prejudicar-lhe a alma, contudo, suas más ações voltarão a encontrá-lo. Talvez não gostemos desse princípio, mas ele continua em operação no mundo atual. Na eternidade, tal princípio opera de modo perfeito e corrige todas as contas correntes.

2. Esse princípio não nos deveria desencorajar, porquanto sabemos que a justiça finalmente prevalecerá; e nisso nos consolamos. Esse princípio, pelo contrário, deveria nos inspirar às ações justas. Obteremos o que tivermos dado, e isso é objetivamente declarado no que diz respeito ao julgamento dos crentes. Ver o artigo detalhado sobre o *Julgamento dos Crentes* e II Cor. 5:10.

II. No Antigo Testamento

Jesus acusou, pois, líderes religiosos de seus dias (que eram os defensores da ortodoxia da época) de serem os verdadeiros filhos de seus antepassados, que haviam perseguido e morto aos profetas (ver Mat. 23:37). Paradoxalmente, Jerusalém, o reverenciado centro de judaísmo, também foi um dos principais focos da perseguição e da matança. Os estimados santos e profetas de tempos anteriores, cada qual em sua própria época, tinham sido odiados por pessoas que se diziam religiosas e espirituais. Essa triste história nunca deixa de repetir-se, quando surge oportunidade para tanto.

1. *Abel*. Pode-se considerá-lo o primeiro dos santos de Deus a ser perseguido. Sem dúvida, houve motivos religiosos por detrás daquilo que lhe sucedeu. Ver Gên. 4:5-8.

2. *José* foi perseguido por seus próprios irmãos, principalmente por motivo de inveja e ciúmes. Mas Deus, finalmente, fez tudo redundar em bem.

3. *Os israelitas* foram perseguidos pelos egípcios (ver Êxo 1:10 *ss*), mormente por razões econômicas, e então porque o número crescente de israelitas chegou a representar uma ameaça para o comércio escravagista do Egito.

4. *Os profetas*, como Elias e Jeremias, sofreram perseguições às mãos do seu próprio povo, porquanto denunciaram pecados de vários tipos, e também porque pareciam ser ameaças às instituições políticas vigentes. Jeremias chegou a ser acusado de ensinamentos falsos. Ver I Reis 19:1-18; Jer. 26.

III. No Novo Testamento

1. *Os comentários de Jesus* às perseguições formam um vergonhoso aspecto da história do povo de Israel (ver Mat. 5:12; 23:37; Luc. 11:51).

2. *Estêvão* foi o primeiro mártir cristão. E os agentes da perseguição foram os membros do Sinédrio, o mais alto corpo religioso e judicial de Israel (ver Atos 7:52).

3. *Os justos de qualquer época* são alvos da perseguição movida por indivíduos injustos (ver Heb. 11:38; I João 3:12).

4. *Jesus predisse* que os seus seguidores sofreriam muitas perseguições e aflições (ver Mat. 5:11,44; Luc. 11:48; 21:12; Mar. 4:17; João 15:20).

5. *Os sofrimentos e a morte de Jesus* são conspícuos exemplos, nas páginas do Novo Testamento, com bases religiosas e políticas. Ver João 10:24 *ss*, 19:12 *ss*, como exemplos de trechos neotestamentários que falam sobre a questão. Tanto os judeus quanto os romanos tiveram participação ativa na perseguição contra Jesus. Jesus parecia ameaçador aos olhos dos

PERSEGUIÇÃO

religiosos judeus; e também era uma alegada ameaça contra o poder político de Roma.

6. *Os primeiros discípulos de Jesus* (incluindo os apóstolos) foram perseguidos e mortos (ver Atos 3 e 4; 6 e 7; 12).

7. *Paulo* foi um caso especial (ver Atos 9:1-9; Fil. 3:6; I Cor. 15:32; II Cor. 11:23 *ss*). Ele foi perseguido pelos judeus, mas também por quem se dizia cristão, conforme se vê em boa porção do décimo primeiro capítulo de II Coríntios.

8. *A igreja em Esmirna* tipifica a Igreja cristã antiga, que começou a ser oficialmente perseguida pelo império romano. Ver Apo. 2:9. O vs. 13 desse mesmo capítulo provavelmente refere-se ao culto ao imperador (os imperadores romanos chegaram a ser adorados como deuses), e aqueles que não quisessem participar dessa forma de culto eram perseguidos.

9. *As perseguições dos gnósticos* contra a corrente principal da Igreja apostólica são evidentes na história, tendo sido mencionadas em III João 9 *ss*.

IV. Alguns Informes Históricos

1. *Durante e Após a Era Apostólica*. Dez imperadores romanos estiveram envolvidos nas perseguições contra o cristianismo, um período de terror que se prolongou até os dias de Constantino, já no começo do século IV D.C. *Nero* (vide) foi o principal perseguidor imperial da Igreja, ainda no tempo dos apóstolos. Foi ele o responsável pelo martírio de Pedro e de Paulo. A princípio, as autoridades romanas hesitaram, em situações locais. Os missionários cristãos chegaram mesmo a ser protegidos. Porém, as hostilidades logo rebentaram, e quando a Igreja cristã estabeleceu-se firmemente, nos fins do século I D.C., Roma era uma resoluta perseguidora dos cristãos. O relato de Lucas-Atos foi escrito em parte com o intuito de convencer as autoridades romanas a aceitar o cristianismo (conforme tinham sido forçadas a aceitar o judaísmo) como uma fé religiosa legítima, e não como uma traição contra o Estado. Porém, esse propósito de Lucas não teve bom êxito, tendo-se seguido vários séculos de perseguições e matanças contra os cristãos. Nero foi quem deu o exemplo, acusando falsamente aos cristãos de terem incendiado a cidade de Roma (em 64 D.C.). Em uma falsa retaliação, conforme o historiador romano Tácito informa-nos, muitos cristãos foram torturados ou mesmo mortos.

2. *Outros Notáveis Perseguidores Romanos*. Esses incluíram Domiciano (81-96 D.C.) e Trajano (98-117 D.C.). Plínio, o Moço, informa-nos acerca dessa questão. Ele fora enviado como governador da Bitínia. Aprisionou e executou a muitos cristãos, e as suas cartas ao imperador falam coisas horríveis. Trajano replicou que os cristãos que se recusassem a desistir de sua fé deveriam ser executados. Mas que aqueles que abandonassem sua fé deveriam ser liberados. Mas, de acordo com as instruções do imperador, Plínio não deveria caçar aos cristãos e nem receber acusações anônimas contra eles. Essa instrução dada por Trajano estabeleceu o padrão para as ações dos romanos contra os cristãos por cerca de um século.

3. *Dez Imperadores Romanos Perseguidores. Sumário*. Esses imperadores foram Nero, Domiciano, Trajano, Marco Aurélio, Severo, Maximino, Décio, Valeriano, Aurélio e Diocleciano. Diocleciano, o último deles, reinou de 284 a 305 D.C. Mas quando Constantino converteu-se ao cristianismo, mediante uma visão, as perseguições contra os cristãos cessaram, no começo do século IV D.C. Constantino governou entre 272 e 337 D.C. Juliano, o Apóstata (governou entre 361—363 D.C.) renovou as perseguições, mas em muito menor escala, demitindo cristãos de seus postos oficiais, e proibindo-os de ensinar os clássicos. Esse imperador tentou restaurar o paganismo e restabelecer a autoridade do imperador, segundo as tradições antigas; mas os resultados de seus esforços não perduraram após a sua morte.

4. *A Igreja Sobe ao Poder, e Persegue a Outros*. Esse é um dos piores absurdos da história do cristianismo. Depois que a Igreja cristã obtivera poder político e prestígio social, passando a proclamar-se como o próprio portão para o céu, tornaram-se muito importantes padrões estritos de doutrina. Aqueles que não aderiam a esses padrões bitolados eram maltratados. A crença ortodoxa e ser membro da Igreja oficial era motivo de segurança física; mas estar fora dessa Igreja oficial era perigoso. A primeira extensa perseguição que a Igreja oficial promoveu foi aquela contra os *donatistas* (vide). Isso teve lugar no Norte da África, no começo do século V D.C. Agostinho (infelizmente!) esteve envolvido pesadamente nisso, estabelecendo padrões de crença e métodos de coerção. Passou a ser anunciado o absurdo de que o amor cristão algumas vezes precisa ser duro, forçando as pessoas a crerem no que devem crer. Mas, ver o ensino de Jesus Cristo, em Luc. 9:55. É o espírito satânico que persegue e prejudica. Jesus *repreendeu* aos Seus discípulos por quererem perseguir; mas a Igreja de séculos depois achou por bem reverter essa decisão do Senhor. Que então essa Igreja tenha podido chamar de «amor» a seus atos de violência é uma clara demonstração de arrogância e estupidez. As idéias e atitudes de Agostinho exerceram grande influência sobre a Igreja antiga; e podemos ter a certeza de que a *inquisição* (vide) foi parcialmente inspirada por ele. A inquisição, que chegou a ter um efeito devastador, até mesmo no Brasil, transformou-se em um monstro sangüinário, repelente acima de qualquer descrição. A Igreja Ocidental tem tido, dentro de sua estrutura, muitos movimentos heréticos, e cada um desses movimentos teve de pagar um elevado preço, sofrendo sob as perseguições. Assim, para exemplificar, os *cátaros* (ou albigenses) sofreram uma oposição especialmente virulenta (séculos XI a XIII D.C.).

5. *A Reforma Protestante*. A Igreja Católica Romana opôs-se à Reforma Protestante com fogo e destruição. Mas também é evidente que sempre que os líderes protestantes obtinham o poder, seguiam o mesmo vergonhoso exemplo, no caso daqueles que dissentiam em suas próprias fileiras. Lutero, Calvino e Zwínglio acreditavam na pena de morte para a heresia. Se o leitor estiver interessado em provas históricas dos atos de terror de João Calvino, poderá consultar o artigo separado acerca dele. Lemos acerca da execução de *Serveto* (vide) na fogueira; mas o fato é que Calvino matou mais de cinqüenta pessoas, e baniu ou encarcerou a inúmeras outras, meramente por não concordarem com os padrões de doutrina em que ele acreditava. Todavia, a Reforma Protestante contribuiu para a liberdade, porquanto dispersou a concentração de poder que, por tanto tempo, havia residido em um único corpo religioso.

6. *A Perseguição Nunca Morreu*. Temos lido o que tem sucedido no Irã, nas décadas de 1970 a 1980. Os

PERSEGUIÇÃO

líderes religiosos muitas vezes tornam-se matadores de sua própria gente. A fé Bahai tem sofrido especialmente por ter sido fundada por um profeta que surgiu após Maomé (de nome *Baha Ullah*, vide), que os documentos oficiais do islamismo diziam não poder acontecer. Portanto, podemo-nos congratular diante do fato de que não mais matamos, embora ouçamos, aqui e acolá, sobre algum ato de violência praticado por cristãos contra alguma pessoa ou grupo, igualmente cristãos. Porém, agora essas coisas são atos isolados, e não oficialmente sancionados pelas autoridades eclesiásticas. Não obstante, a perseguição prossegue, posto que sob formas mais sutis, como o isolamento e o assassinato de caráter. Os hereges, atualmente, simplesmente afastam-se, por não se sentirem bem acolhidos. E, ocasionalmente, ouve-se a respeito de algum caso de exclusão ou tentativa de exclusão, no intuito de libertar alguma igreja de um membro que está dando trabalho aos líderes.

V. Razões das Perseguições

1. *Ensinos blasfemos*, que ameaçam a unidade de algum grupo religioso. Talvez essa fosse a principal razão pela qual o judaísmo perseguiu aos cristãos primitivos. Pois, de acordo com os padrões judaicos, a doutrina cristã de Cristo (e da Trindade) parecia uma blasfêmia. A doutrina paulina da justificação pela fé era encarada como um golpe traiçoeiro contra as tradições de Moisés. Importa notarmos aqui que uma antiga ortodoxia pode ser substituída por uma nova ortodoxia, embora o período de transição de uma para outra contemple algum período de violências. As idéias antigas só morrem completamente quando desaparece a geração que as defendiam. Mas aqueles que crescem juntamente com as novas idéias, aceitam-nas sem qualquer trauma. Ver o artigo sobre a *Ortodoxia*.

2. *Fatores políticos e econômicos* algumas vezes estão envolvidos. As novas idéias ameaçam o poder político dominante, e grupos de interesses econômicos. A perseguição da Igreja cristã por parte de Roma, teve bases tanto religiosas quanto políticas. Suas crenças foram consideradas subversivas para a estrutura religiosa do Estado, e também como potencialmente perigosas, politicamente falando. Um novo poder, como o cristianismo, facilmente poderia destroçar antigos padrões sociais.

3. *A Ameaça ao Status Quo*. Até mesmo cientistas perseguem a outros cientistas que sugerem idéias que ameaçam ao *status quo*. Os estudiosos liberais também sentem-se ameaçados pelas mudanças, para nada dizermos sobre os eruditos conservadores. Todos os pioneiros, em quaisquer campos, são sempre suspeitos. Porém, quando aquilo que eles ensinam torna-se uma nova ortodoxia, então seus seguidores passam a perseguir aos dissidentes. Há algo de basicamente errado com as pessoas e com a maneira delas pensarem.

4. *A Inveja*. Com razão chamamos esse sentimento distorcido de *monstro*, que ergue sua horrível cabeçorra. Qualquer pessoa que faça qualquer coisa que chame a atenção de outras pessoas, sofrerá oposição por motivo de inveja. José passou a ser perseguido por seus irmãos essencialmente porque se estava elevando acima dos outros (mediante a projeção de seus sonhos, que ele pensava que algum dia tornar-se-iam uma realidade, o que acabou sucedendo). Além disso, ele era favorecido por seu pai, um outro fator provocador da inveja. Mas Deus estava presente, controlando tudo, e seus planos a longo prazo incluíam o drama da servidão de Israel no Egito, o êxodo, e a formação final do povo de Israel como uma nação. Falamos também acerca de ciúmes profissionais. Os membros de uma determinada profissão podem sentir ciúmes de outros membros, resultando daí formas de perseguição.

5. *O Temor*. Tememos às coisas que nos são estranhas e diferentes. — Apreciamos o que temos e não queremos que qualquer coisa ameaçadora apareça. Os cristãos perseguem verbalmente aos cientistas cujas descobertas ameaçam certos pontos da fé religiosa. O caso de *Galileu* (vide) tornou-se notório, pelo que deveria ser conhecido por todos os cristãos. Os teólogos recusavam-se a espiar por meio de seu telescópio. Eles não queriam saber de qualquer coisa que pudesse abalar o pensamento e a autoridade deles. Foi mister a passagem de séculos a fim de que a Igreja reconhecesse a verdade anunciada por Galileu, e para «perdoá-lo». Imagine o leitor!

«A verdade, esmagada por terra, levantar-se-á de novo;
Os anos eternos de Deus lhe pertencem;
Mas o erro, ferido, agoniza de dor,
E morre entre os seus adoradores»
 (W.C. Bryant).

O erro morre, mas algumas vezes os funerais precisam de alguns séculos para terem lugar.

6. *A Novidade é Rejeitada; Conforto Mental*. Uma coisa não é necessariamente verdadeira somente porque pessoas morrem por ela. O antigo não é necessariamente bom por haver enfrentado o teste do tempo. Quando as pessoas são forçadas a escolher entre o conforto mental e a verdade, quase sempre escolhem a primeira alternativa. O conforto mental com freqüência é o critério da escolha entre idéias alternativas, e não a verdade. As coisas antigas conferem-nos um certo conforto mental. Mas as coisas novas perturbam essa tranqüilidade. Porém, aqueles que se aferram à tranqüilidade mental, nunca conseguem avançar terreno.

7. *A Necessidade de Aceitação*. Certas pessoas dão mais importância à verdade do que ao desejo íntimo de garantir a sua aceitação por parte de outras pessoas; mas o número dessas pessoas é pequeno. A maioria das pessoas é motivada pelo desejo de serem aceitas por outras. Uma pessoa que não faça disso o seu alvo na vida, torna-se um estranho; e os estranhos, naturalmente, atraem as piadas e os empurrões de outros. A aceitação é um poderoso fator, que procura manter o *status quo*. Aqueles que questionam o todo-poderoso princípio da aceitação por parte do próximo, estão atraindo tempestades.

8. *A Arrogância e a Pervertida Natureza Humana*. Consideremos a arrogância das ortodoxias. As perseguições são promovidas pela natureza carnal, pervertida, pecaminosa das pessoas. E isso se torna especialmente repelente porque disfarça-se com as pseudovestes da «defesa da fé», como se estivesse expressando o «amor cristão».

9. *A vontade de Deus* pode incluí-las, pelos seguintes motivos:

 a. Como um meio de nossa purificação.

 b. Como um meio de treinamento. Somos «exercitados» através das tribulações, e assim desenvolvemos forças espirituais.

 c. Como parte de nossa missão, a qual talvez requeira essas adversidades.

10. *Um toque celestial*. Quando sofremos, chegamos a anelar pela nossa pátria celeste, pois aprendemos a temporalidade deste mundo, e até mesmo que suas vantagens não podem ser possuídas sem conflitos e

PERSEGUIÇÃO — PERSÉPOLIS

tristezas. (Ver Rom. 8:18 e ss).

11. A hostilidade do mundo. É impossível alguém possuir qualquer grau de santidade e não sofrer oposição por parte de um mundo hostil. (Ver II Tes. 3:12). Existe a «ofensa da cruz», I Cor. 1:23.

12. A união com Cristo. A missão remidora de Cristo, necessariamente, incluiu muitos sofrimentos. Ora, nós participamos de seus sofrimentos, em razão de nossa união espiritual com ele (ver Col. 1:24). A missão de Cristo — trazer os homens de volta a Deus — é compartilhada por nós, e essa missão requer grande dose de sofrimento e sacrifício. Portanto, passamos por certo sofrimento na tentativa de cumprir nossas respectivas missões.

Não há adversários que eu enfrento?
Não devo fazer cessar o dilúvio?
Este mundo vil é amigo da graça,
Que me ajude a avançar para Deus?
(Isaac Watts)

VI. Valores das Perseguições
Ver o artigo, **Tribulações como Benefícios**.

VII. Referências e Idéias
Cristo foi perseguido (Sal. 69:26; João 5:16).
Cristo se submeteu voluntariamente à mesma (Isa. 50:6).
Cristo foi paciente sob a mesma (Isa. 53:7).
Os santos podem esperar por ela (Mar. 10:30; Luc. 21:12; João 15:20).
Os santos sofrem perseguição, por amor a Deus (Jer. 15:15).
Dos santos, é contra Cristo (Zac. 2:8 com Atos 9:4,5).
Todos os que querem viver piedosamente em Cristo, padecerão perseguições (II Tim. 3:12).

Origina-se:
Na ignorância de Deus e de Cristo (João 16:3).
No ódio contra Deus e Cristo (João 15:20,24).
No ódio contra o evangelho (Mat. 13:21).
No orgulho (Sal. 10:2).
No zelo mal colocado (Atos 13:50; 26:9-11).
É incompatível com o espírito do evangelho (Mat. 26:52).
Por natureza, os homens são inclinados à perseguição (Gál. 4:29).
Os pregadores do evangelho estão sujeitos à mesma (Gál. 5:11).
Algumas vezes leva à morte física (Atos 22:4).
Deus não se esquece de seus santos perseguidos (II Cor. 4:9).
Deus livra da perseguição (Dan. 3:25,28; II Cor. 1:10; II Tim. 3:11).
Não pode nos separar de Cristo (Rom. 8:35).
Meios legítimos podem ser usados para escaparmos da mesma (Mat. 2:13; 10:23; 12:14,15).

Os Santos perseguidos deveriam:
Entregar-se a Deus (I Ped. 4:19).
Mostrar paciência (I Cor. 4:12).
Regozijar-se (Mat. 5:12; I Ped. 4:13).
Glorificar a Deus (I Ped. 4:16).
Orar, pedindo livramento (Sal. 7:1; 119:86).
Orar pelos perseguidores (Mat. 5:44).
Devolver bênçãos em lugar da perseguição (Rom. 12:14).
A esperança da bem-aventurança futura nos sustenta sob a mesma (I Cor. 15:19,32; Heb. 10:34,35).
Bem-aventurança para quem a suporta, por causa de Cristo (Mat. 5:10; Luc. 6:22).
Oremos pelos que a padecem (II Tes. 3:2).
Os hipócritas não a toleram (Mar. 4:17).
Os falsos mestres evitam-na (Gál. 6:12).

Os ímpios:
Tendem a ser perseguidores (Sal. 10:2; 69:26).
São perseguidores ativos (Sal. 143:3; Lam. 4:19).
Encorajam-se mutuamente na perseguição (Sal. 71:11).
Regozijam-se no seu sucesso (Sal. 13:4; Apo. 11:10).
Punição contra os perseguidores (Sal. 7:13; II Tes. 1:6).
Ilustrado em Mat. 21:33-39.

PERSÉPOLIS

Contração de **Persai Polis**, palavras gregas que significam «cidade persa». A cidade não é mencionada no cânon Palestino, mas aparece na história sobre Antíoco Epifânio. Era residência real do antigo império persa (acamenida), localizada perto da confluência do rio Ciro, atualmente chamado no Cur, cerca de oitenta quilômetros a sudoeste da antiga Pasargada, e cerca de sessenta e quatro quilômetros a nordeste de Siraz, na estrada moderna entre Isfaã e Siraz. A cidade foi edificada por Dario (520-485 A.C.), e a partir de 519 A.C. foi uma das principais residências reais persas. Dario adornou o lugar com muitas edificações e obras públicas. Contava com um gigantesco terraço, construído perto de uma colina natural. O piso do terraço foi parcialmente escavado e parcialmente elevado com maciços blocos de pedra, seguros no lugar por ganchos de ferro firmados com chumbo. Operários vindos de Susã participaram da construção, pelo que as decorações são similares àquelas que se vêem em outras construções do período acamenida. O local foi fortificado de modo a poder oferecer resistência aos ataques inimigos. As construções ali prolongaram-se até depois do reinado de Xerxes (486-465 A.C.). O complexo do palácio foi construído sobre uma subida rochosa natural, equipada com uma plataforma (segundo foi mencionado acima), e com um elaborado sistema de drenagem. Ao redor, foi construída uma fortificação, para efeito de proteção. O terraço dispunha de uma gigantesca escadaria, pela qual dez homens podiam subir, lado a lado, ao mesmo tempo. Atualmente, nesse terraço há as ruínas de um gigantesco portal construído por Xerxes, como também o famoso Salão de Audiências; uma sala do trono, onde também havia um museu; um harém; e diversos edifícios. Uma tríplice muralha de defesa foi construída em derredor desse complexo, embora a arqueologia ainda não tenha conseguido descobrir quaisquer vestígios da mesma. A cerca de seis quilômetros e meio para noroeste, fica o túmulo de Dario, levantado sobre uma colina de pedra calcária.

Após a vitória grega em Guagamel, em 331 A.C., Alexandre, o Grande, atacou Persépolis. Ele saqueou o tesouro e incendiou o complexo palaciano, um estúpido ato de destruição, semelhante a tantos outros que tem havido nas guerras, antigas e modernas. Naturalmente, Alexandre ansiava por demonstrar assim o seu poder. Apesar de nunca ter recuperado a sua antiga glória, o local reteve alguma importância até o século I A.C. Os imperadores sassânidas fizeram de Persépolis a sua cidade real, em cerca de 200 D.C., o que prosseguiu até à conquista árabe, em 632 D.C.

Escavações foram iniciadas e completadas ali sob os auspícios do Instituto Oriental da Universidade de Chicago, dos Estados Unidos da América do Norte, a

PERSEU — PERSEVERANÇA FINAL

começar em 1931. As ruínas do palácio são atualmente chamadas Takht-i Jamshid, isto é, «trono de Jamshid». Esse Jamshid foi um lendário rei iraniano.

PERSEU

Esse homem é mencionado em I Macabeus 8:1,5. Ele era filho de Filipe III, da Macedônia, tendo subido ao trono macedônico em 178 A.C. Ele foi o último monarca da Macedônia. O general romano, Emílio Paulo, derrotou-o em 168 A.C. Perseu morreu no cativeiro em Roma, e a Macedônia, desde então, tornou-se uma província romana. O livro de I Macabeus narra que Judas Macabeu ouviu dizer o que os romanos tinham feito a Perseu, e isso inspirou-o a tentar firmar um pacto com os romanos, a interesse dos judeus, como medida de proteção.

PERSEVERANÇA

No grego, *upomoné*, «perseverança», «resistência», «constância». Essa palavra ocorre por trinta e uma vezes: Luc. 8:15; 21:19; Rom. 2:7; 5:3,4; 8:25; 15:4,5; II Cor. 1:6; 6:4; 12:12; Col. 1:11; I Tes. 1:3; II Tes. 1:4; 3:5; I Tim. 6:11; II Tim. 3:10; Tito 2:2; Heb. 10:36; 12:1; Tia. 1:3,4; 5:11; II Ped. 1:6; Apo. 1:9; 2:2,3,19; 3:10; 13:10; 14:12.

Esse vocábulo grego denota a resistência paciente, sob circunstâncias adversas, com base na idéia de alguém que leva aos ombros uma carga pesada, mas da qual não desiste. Sugere a disposição para continuar, em face da esperança de algum galardão ou prêmio que fora prometido.

O Novo Testamento usa dois sinônimos, no original grego, a saber: a. *Steréoma*, «firmeza», que figura apenas em Col. 2:5. b. *Sterigmós*, «firmeza», que aparece somente em II Ped. 3:17.

Os teólogos falam sobre a *perseverança dos santos*, um sinônimo de *segurança eterna do crente* (vide). Sob este título, temos provido um artigo completo. O termo «perseverança» não aparece na Bíblia, mas deriva-se da idéia dos estudiosos eruditos, que dizem que os verdadeiros crentes *perseveram* em sua fé, sem importar as circunstâncias e tentações. Contra essa idéia, os arminianos supõem que o verdadeiro crente pode desviar-se do estado de graça, e têm seus textos de prova preferidos para mostrar isso. Mas os calvinistas também têm os seus textos de prova, em apoio à sua posição. De fato, o Novo Testamento provê textos de prova genuínos em prol de ambas essas posições. Isso significa que essa doutrina envolve um *paradoxo* (vide), ou melhor, é um subparadoxo, embutido no paradoxo maior, que envolve as doutrinas do *Determinismo* (vide) e do *Livre-Arbítrio*. Ver também os artigos intitulados *Predestinação* e *Eleição*. Todos esses artigos abordam detalhes e examinam os textos de prova dessa controvérsia. A minha própria crença é que ambas as posições são verdadeiras, com um reparo: a segurança do crente é absoluta, ao passo que o desvio é relativo. Creio que um crente verdadeiro pode, realmente, cair da graça. Entretanto, a promessa da segurança permanece firme. Isso significa que o crente será trazido de volta à graça e à salvação, ou antes de sua morte física, ou já nos mundos espirituais, posteriormente. Não vejo necessidade para fazer da morte física uma barreira cronológica para a restauração de uma alma. Talvez um obstinado ex-crente fique vagueando por longo tempo, mesmo depois de sua morte biológica. Mas a promessa de eterna salvação, dada em Cristo, finalmente cumprir-se-á no seu caso—pressupondo-se que aquela pessoa tenha verdadeiramente confiado no Salvador. Assim sendo, seu desvio é relativo às circunstâncias, aos atos e ao desenvolvimento espirituais de sua vida desincorporada. Em algum ponto, ao longo do caminho, mais cedo ou mais tarde, tal pessoa será restaurada.

Para mim é apenas um argumento fabricado dizer que o crente que se desviou do Senhor nunca foi um crente verdadeiro. A experiência humana mostra que essa doutrina é uma inverdade. Outrossim, isso envolve aquilo que se chama em inglês «to beg the question» (tomar uma questão como já provada), que indica que a pessoa já sabe a resposta buscada, apegando-se à mesma, sem importar as evidências em contrário. Estas são pervertidas de modo a não prejudicar a posição assumida. Assim, quando alguém «begs the question», não está argumentando e nem debatendo; tão-somente está procurando tirar o poder das objeções à sua posição, a qual é adredemente considerada como indisputável.

Esse é um daqueles casos teológicos que não podem ser solucionados mediante apelos a textos de prova, visto que bons textos de prova podem ser encontrados em favor de ambas as posições. Além disso, certos teólogos não gostam de admitir paradoxos, porquanto isso os deixa sem uma teologia fixa, e há mentes que não podem suportar problemas sem solução. Mas, assim fazendo, eles reduzem a teologia a uma mera *humano*logia, que não tem problemas. Porém, essa é uma maneira superficial de manusear a *teo*logia, na qual naturalmente, devido à sua profundeza, envolve muitos mistérios, dificuldades e dilemas. Somente Deus realmente conhece a teologia. Todos nós continuamos a ser meros estudiosos de teologia.

A *perseverança dos santos* é o último dos *Cinco Pontos do Calvinismo* (vide), formulados pelo sínodo de Dort, em 1619, embora já existissem, antes que não de maneira formal, desde alguns séculos antes. A Confissão de Fé de Westminster, no seu capítulo dezoito, apresenta essa doutrina em termos enfáticos.

Eu disse acima que é «tomar uma questão como já provada» afirmar que um crente verdadeiro não pode desviar-se do Senhor. Porém, também é «tomar uma questão como já provada» declarar que tal crente não pode ser trazido de volta à graça, ou supor que ele não possa ser restaurado ao bom caminho além da morte biológica. O trecho de I Ped. 4:6 mostra que o julgamento divino é remedial, podendo atingir, em seus efeitos, até mesmo almas encerradas no hades (ver I Ped. 3:18-4:6). Ver o artigo geral sobre a *Descida de Cristo ao Hades*; e ver também sobre a *Restauração*.

PERSEVERANÇA FINAL

Essa é uma doutrina característica do calvinismo, e também um de seus cinco grandes pontos, que diz que os eleitos (ou regenerados), a despeito de seus pecados e falhas, finalmente haverão de perseverar na graça, chegando à completa salvação. Visto que os eleitos foram escolhidos sem qualquer consideração aos seus méritos pessoais, e, sim, por intermédio do mérito de Cristo, a eleição deles é absolutamente certa, pelo que *haverão de* perseverar até à salvação final. Essa doutrina está alicerçada sobre passagens como o oitavo capítulo da epístola aos Romanos, ou como o trecho de II Timóteo 1:12. Ver os artigos *Calvinismo* e *Cinco Pontos do Calvinismo*. Também provemos um artigo detalhado sobre a *Segurança Eterna do Crente*, onde são abordadas todas as questões pertinentes, incluindo os pontos favoráveis e contrários, acerca da matéria toda.

••• ••• •••

PÉRSIA

PÉRSIA

Esboço:
I. Geografia
II. Os Persas e Informes Históricos
III. Aspectos Culturais; Religião Persa
IV. A Pérsia e a Bíblia
V. A Pérsia e o Cristianismo
VI. A Arqueologia e a Pérsia
VII. Mapa da Pérsia

Ver o artigo separado intitulado *Média (Medos)*, que fornece informações adicionais que deveriam ser lidas juntamente com o presente artigo.

I. Geografia

O império persa cobria uma grande porção da parte sudoeste da Ásia, estendendo-se desde o rio Indo às margens orientais do mar Mediterrâneo. Esse império foi fundado por Ciro, o Grande, no século VI A.C., e foi destruído por Alexandre, o Grande, em 331 A.C.

O seu nome nativo original, *Parsa* (ou Pérsia) descrevia a terra natal dos persas, na porção maior e ocidental do planalto do Irã, que começava às margens do rio Indo e daí para o Ocidente. *Irã* era uma outra designação nativa desse território. Esse nome foi oficialmente restaurado em 1935, pelo governo persa. Esse nome significa «terra dos arianos». Em foco está o povo de língua ariana, que entrou naquele planalto em cerca de 1500 A.C. Os amadai ou medos, e os habitantes da terra de Parusa, a oeste do lago Urmia, ou seja, os *persas*, foram as duas tribos arianas que ficaram em proeminência sobre as demais populações.

A Pérsia é uma terra de extremos climáticos e geográficos. Fica na porção sudoeste da Ásia. Suas fronteiras atuais são: ao norte, a União Soviética e o mar Cáspio; ao sul, o golfo Pérsico, o estreito de Hormuz e o golfo de Omã. A oeste, o Iraque e a Turquia; e a leste o Afganistão e o Paquistão Ocidental. Sua área total é de pouco mais de 1.600.000 km(2). Dispõe de 2.575 km de costas marítimas.

Áreas Geográficas. Quatro áreas geográficas distintas podem ser observadas na Pérsia: 1. Um planalto triangular, cujo lado mais extenso corre de noroeste para sueste, por quase mil e trezentos quilômetros, e que se prolonga até o centro desse território. Esse planalto eleva-se até cerca de 1.220 m de altitude, circundado por várias serras montanhosas. 2. As cadeias montanhosas do Zagros e do Elbruz. 3. O deserto que é dividido por montes e por alguns vales férteis. A maior parte desse território é rochosa e seca, um ermo com muitas áreas de sais alcalinos. 4. A planície do Cuzistão, que é a menor das quatro áreas. Essa planície é plana e estéril, e jaz na extremidade norte do golfo Pérsico, entre a desembocadura dos rios Tigre-Eufrates e as montanhas do Zagros. É nesta última região que o Irã dispõe de suas vastas reservas petrolíferas, cujos produtos são exportados em navios, através do porto marítimo de Abadã. Somente nas costas marítimas baixas, ao sul do mar Cáspio há vegetação abundante. Mas o desflorestamento começou há muitos séculos atrás, e as chuvas não são abundantes, o que dá peso à declaração que diz que o Irã tem mais petróleo do que água. Ver o mapa sob a seção VII.

II. Os Persas e Informes Históricos
A. Povo Pré-Persas

Sem dúvida é verdade que povos pré-indo-europeus devem ter habitado nas regiões que mais tarde tornaram-se conhecidas como a Pérsia. A arqueologia tem descoberto evidências a começar pela Idade da Pedra. Quase todas as evidências arqueológicas relacionam-se a povos que entraram na região nos fins do segundo milênio A.C. Indo-europeus persas, que viviam em regime nômade, provavelmente entraram ali vindos do sul da Rússia moderna, armando o palco para o que mais tarde veio a tornar-se a Pérsia. Escavações arqueológicas sistemáticas começaram na Pérsia, no século XIX, embora não de maneira continuada, senão após a Segunda Guerra Mundial. Povos neolíticos, aparentemente vindos da Índia e da Mesopotâmia, fizeram parte da história primitiva do território, retrocedendo até o século VI A.C. Povos paleolíticos ocupavam os sopés dos montes Zagros, e a cultura deles foi-se espraiando até o oeste do Irã. Povos mesolíticos, que sobreviviam do que podiam conseguir no momento, viviam ao sul das praias do mar Cáspio. Cerâmica ali desenterrada parece apontar para duas principais rotas migratórias e inovações culturais: uma de oeste para leste, vinda da área do vale do rio Tigre; e outra das áreas do Jarmo e do Hassuna, no Iraque, porquanto evidências disso têm sido encontradas no Irã, em Sarabe, Ali Kosh, Haaji, Firuz e Hotu. Essas evidências pertencem, claramente, aos tempos neolíticos, isto é, sexto milênio A.C.

Sete Culturas. As coisas no Irã vão-se complicando à medida que vão sendo estudadas. Nada menos de sete pré-culturas iranianas têm sido identificadas: as de Susa; Giyan; Sialk; Hissar (talvez derivada da anterior); Hotu-yarim Tepe; Bakun; Khurab-Bampur (similar à de Susa D, que aparecem depois); e Geoy. A tendência das evidências sobre o homem antigo é fazer as datas irem retrocedendo cada vez mais, de tal modo que se pode falar em culturas com 40 mil ou mesmo 50 mil anos antes de nós, acerca das quais dispomos agora de consideráveis evidências, e que alguns até pensam ser bastante conservadoras. Quanto a evidências recentes, incluindo o Brasil, que falam em civilizações com pelo menos quarenta mil anos de antiguidade, ver o artigo *Língua*, seção IV. *A Origem das Línguas*, em seus últimos parágrafos.

Em cerca de 3000 A.C., os elamitas estiveram em proeminência, e quase tudo quanto se sabe sobre a história pré-persa do Irã, diz respeito aos elamitas. Eles utilizavam-se de uma escrita que era somente deles, mas que posteriormente cedeu lugar ante o sumero-acádico. Eles davam à sua terra o nome de *Haltamti*, «a terra de Deus», e são mencionados em conexão com o rei sumério Enmebaragesi. Ele governou em cerca de 2700 A.C. A história lendária do rei-herói Gilgamés apresenta-o como quem chegou a ir além do Elão, em suas aventuras conquistadoras. Sua lenda tem muitos paralelos no relato bíblico do dilúvio, pelo que, em algum ponto, houve alguma fonte informativa comum para ambos os relatos.

Aí por volta de 2600 A.C., um rei elamita desconhecido derrubou a cidade-estado de Ur e transportou seu monarca para sua capital, em Awan. Lutas entre os elamitas e os sumérios tornaram-se freqüentes, e a maré do poder ia e vinha entre os dois contendores. Em cerca de 2200 A.C., um governante semítico, Narã-Sim, fez um tratado com Kutik-In-Shushinak, governador de Susã, e, então, houve tempos de paz. Mas ambos acabaram caindo diante dos invasores guti, em cerca de 2211 A.C. Todavia, posteriormente, uma outra dinastia elamita apareceu, dotada de um sistema religioso que chegou a influenciar, posteriormente, o panteão persa. Em seguida, surgiram em cena novos reis, que se intitulavam «reis de Ansã e Susã». Nessa região, o bronze começou a ser moldado em cerca de 2000 A.C. 'O centro da cultura elamita que ali começou, chamava-se Malamir; então seu centro de gravidade

PÉRSIA

passou para Liyan. Então, a cultura elamita foi perturbada por outros povos semitas invasores. Ao mesmo tempo, a cultura mesopotâmica estava fraquejando. A dinastia cassita da Babilônia tentou ampliar até ali a sua autoridade, mas isso foi impedido pelo governante elamita de nome Shutruk-nahunte, que conseguiu derrotar aos cassitas. Seus filhos mantiveram a posição tomada por seu pai, e vários deuses elamitas acabaram tomando o lugar dos tradicionais deuses da Babilônia, o que serviu de sinal de alteração cultural e religiosa. Foi por essa altura dos acontecimentos que houve a era áurea da cultura elamita. Porém, não demorou muito para a mesma desintegrar-se. O rei Nabucodonosor, da Babilônia, surgiu como um novo poder, que fez a maré virar em seu favor. Isso sucedeu entre 1124 e 1104 A.C., e daí por diante o Elão caiu na obscuridade. Quanto a maiores detalhes, ver o artigo separado *Elão, Elamitas*.

B. Os Medos e os Persas

Ver o artigo separado intitulado **Média (Medos)**, que inclui a pré-história e a história desse povo, bem como referências bíblicas ao mesmo. O que se segue no presente artigo é bastante breve, portanto. Os medos e os persas eram povos irmãos, que acabaram aparecendo associados na história.

1. *Ciro I*. Deixando a pré-história para o artigo acima referido, chegamos a Ciro I. Acaemenes, que é reputado o fundador da dinastia, provavelmente reinou por volta de 680 A.C. Seu neto, Ciro I, fez oposição a Assurbanipal, da Assíria, mas não teve forças para manter a sua independência. Ciro II, neto de Ciro I, é considerado pelos historiadores como o verdadeiro fundador do império persa. Começou a exercer poder, aproximadamente, em 559 A.C. Um de seus primeiros atos consistiu em consolidar a sua autoridade, derrotando e executando a Astíages, o medo, e conquistando o seu território. Isso resultou no império conjunto dos medos e persas. Ciro foi uma espécie de senhor feudal, cuja capital até então fora Ecbatana. Daí por diante, Ciro foi crescendo rapidamente em forças e no alcance de sua autoridade. Sua supremacia foi estabelecida, embora os medos continuassem sendo poderosos. Ele conquistou Creoso, da Lídia (547 A.C.), parte do noroeste da Índia; atacou a Babilônia, em 540 A.C., e ali triunfou, no ano seguinte. Isso provocou tremenda mudança no poder mundial. Ciro voltou a Susã, mas seu filho, Cambises, permaneceu na Babilônia, para cuidar das coisas ali. Os territórios conquistados foram divididos em áreas chamadas satrapias, cada qual com um governador, ou sátrapa, sempre um persa ou um medo, embora governantes locais recebessem posições subordinadas, o que fazia com que o sistema funcionasse melhor.

A Bíblia refere-se aos medos e persas como os povos dominantes (ver Est. 1:19; Dan. 5:28). Ciro foi um líder humanitário (ver Isa. 45:1-4). Ele devolveu os preciosos vasos que haviam sido retirados do templo de Jerusalém, por Nabucodonosor (ver Esd. 1:7 ss). Também deu sua autorização real para a reconstrução do templo dos judeus, bem como permissão a estes para retornarem à sua terra (ver Esd. 1:1-4). Seu edito a respeito não tem sido confirmado pela arqueologia que tem escavado na Babilônia, mas um memorandum foi encontrado em Ecbatana, onde Ciro havia residido por algum tempo, o que confirma a informação que nos é dada no Antigo Testamento sobre essa questão.

Ciro estabeleceu sua capital em Pasargada, na terra de Parsa. Foi encontrada ali uma inscrição, em seu arruinado palácio, com os seguintes dizeres: «Eu, Ciro, o rei, o acamenida». Ciro foi morto em batalha, em 530 A.C. Seu cadáver foi sepultado em um túmulo até hoje existente. Plutarco (46-120 D.C.) informa-nos que a inscrição completa sobre seu túmulo dizia como segue: «Ó homem, quem quer que sejas, e de onde quer que venhas, pois sei que virás; eu sou Ciro, e eu conquistei para os persas o império deles. Portanto, não me negues a pouca terra que cobre o meu corpo».

2. *Cambises II*. Em 530 A.C., o reino passou para as mãos de Cambises II, filho de Ciro. Antes de tudo, ele precisou cuidar de revoluções intestinas, às quais dominou. Para tanto, precisou matar seu próprio irmão, Esmerdis. Partindo daí, ele atacou o Egito, algo que Ciro II tivera o desejo de fazer, mas não tivera tempo para tanto. Cambises obteve sucesso em sua campanha egípcia; mas, durante sua ausência, um nobre mágico, Gaumata, afirmou ser Esmerdis, e conseguiu apossar-se do trono. Ao que tudo indica, Cambises acabou cometendo suicídio, o que indica que sua estrela apagou-se prematuramente. E estouraram revoltas na Babilônia, na Média e em outros lugares.

3. *Dario I, o Grande* (522-486 A.C.). O império medo-persa estava-se esfacelando em várias direções; mas Dario I conseguiu consolidar o seu poder, obtendo assim unidade e estabilidade. Seu êxito no abafamento das rebeliões ficou registrado na famosa rocha de Behistum, que até hoje pode ser vista, em uma antiga rota de caravanas, que ia de Ecbatana à Babilônia. Essa inscrição provou o meio para o deciframento da escrita acádica cuneiforme, tal como a pedra de Rosetta provou a mesma coisa quanto à linguagem que antigamente se falava às margens do rio Nilo. Foi esse Dario, juntamente com seu sucessor, Xerxes, que o pai da História, Heródoto, o grego, tornou tão conhecido. A tentativa deles de conquistarem os gregos do Peloponeso foi algo de gigantesco; mas terminou em desastre, e desde então os estudiosos do grego clássico lêem as obras de Heródoto como uma das obras requeridas. Essa pequena região grega quase que foi a única região do antigo mundo conhecido a ficar fora do império grego. Se o Peloponeso tivesse sido conquistado, o domínio persa teria sido universal; e, sem dúvida, isso serviu de grande motivação para os ataques de Dario e Xerxes. Seja como for, nos dias desses dois monarcas persas, o império persa cresceu até ficar com cerca de 4.700 km no eixo mais longo, e com uma largura que variava entre 800 km e 2.400 km — um grande império, em qualquer época. Ocupava cerca de 5.200.000 km(2), cerca de 61% da área do Brasil. Quando Judá foi conquistado, isso representou um minúsculo acréscimo ao gigantesco território.

4. *Xerxes* (486-465 A.C.). Este era filho de Dario. Ao que parece, é o mesmo Assuero referido no livro bíblico de Ester. Ester tornou-se uma de suas rainhas, aí pelo sétimo ano de seu governo. Há em tudo isso um conflito histórico que não foi ainda solucionado, e que descrevemos detalhadamente no artigo sobre *Ester*. Até onde vão os registros históricos, Amestris é que era rainha de Xerxes. Porém, aqueles reis antigos tinham várias esposas e concubinas, e Ester pode ter sido uma delas, obscura o bastante na história persa para nem ao menos ser mencionada na história secular. Todavia, na história dos judeus, ela foi uma heroína, pelo que seu relato mereceu ser contado em um dos livros da Bíblia. Em questões assim, tudo depende de como alguém olha para os acontecimentos, e quais são os interesses desse alguém. O argumento do silêncio nunca é definitivo; e isso parece ser o máximo que pode ser dito quanto ao caso. Seja como for, Xerxes perdeu na guerra contra os gregos.

PÉRSIA

A vitória destes começou na grande vitória grega de Maratona (480 A.C.), que até hoje faz os mestres e alunos dos clássicos gregos vibrarem de emoção (estando eles muito preconcebidos em favor dos gregos, naturalmente). Heródoto informa-nos que após ter sido o perdedor nessa batalha, diante dos gregos, Xerxes começou a dar mais atenção ao seu harém (9, pár. 108), e podemos supor que Ester foi uma das beneficiadas com essa mudança de conduta do monarca persa.

5. *Artaxerxes I Longimano* (465-423 A.C.). Ele foi o próximo monarca persa, depois de Xerxes. Foi ele quem, no sétimo ano de seu reinado, comissionou Esdras a retornar a Jerusalém, conferindo-lhe muitos privilégios e poderes, para que pudesse cumprir com sucesso a sua missão de restabelecer os judeus em Jerusalém, após o término do cativeiro babilônico. Ver Esd. 7:1 ss. Aí pelo décimo terceiro ano de seu governo (445 A.C.), ele deu permissão a Neemias para assumir as rédeas do governo civil em Jerusalém (ver Nee. 2:1-8). Os papiros Elefantinos, descobertos em 1903, na ilha de Elefantina, na primeira catarata do Egito, têm podido lançar luzes sobre esse período de Artaxerxes e Neemias. Entretanto, talvez a Bíblia esteja se referindo a Artaxerxes II. Seja como for, Esdras tornou-se uma espécie de Secretário de Estado dos negócios imperiais em Judá, nos dias de Artaxerxes. Mas esse monarca, além de seu relacionamento especial com os judeus, precisou enfrentar questões negativas, sobretudo uma rebelião no Egito (cerca de 460-454 A.C.), além de outras vicissitudes que lhe perturbaram o governo.

6. *Reis Posteriores*: Dario II (423-404 A.C.); Artaxerxes II (404-359 A.C.); Artaxerxes III (359-338 A.C.); Arses (338-335 A.C.) e Dario III (335-331 A.C.). Todos esses reis governaram durante tempos perturbados e de desintegração do império medo-persa. Alexandre, o Grande, estava destinado a pôr fim súbito ao império persa, que vinha declinando rapidamente, tendo estabelecido, em lugar do mesmo, o poder grego universal. No tocante aos judeus, nenhum registro resta que esclareça seu relacionamento com a Pérsia, após os tempos de Artaxerxes II. O império persa foi engolfado pelas forças de Alexandre, o Grande, (em 331 A.C.), e os judeus simplesmente foram forçados a transferir a sua lealdade a essa outra potência estrangeira. A área inteira da Média-Pérsia foi helenizada. A língua, a literatura, a arte e a religião gregas espalharam-se por toda parte, dominando o mundo então civilizado. Um pouco mais tarde, surgiu em cena o poder romano, e houve outra grande mudança no equilíbrio mundial de forças, preparando o mundo para a primeira vinda de Cristo.

7. *A Era Sassânida*. Esse período histórico foi uma espécie de retorno da cultura indo-européia, o renascimento do *masdeísmo* (vide), o último segmento do *zoroastrismo* (vide), o culto seguido pelos reis acamenidas. O nome dessa *era* vem de Susã, o avô de Ardasir I, o primeiro monarca sassânida. Essa foi a última dinastia nacional da Pérsia (226-651 D.C.). Um dos reis dessa dinastia, Bahram, foi aquele que enviou o profeta Man (fundador do *maniqueísmo*; vide), aos magos; mas estes executaram o enviado, em 273 D.C. No tempo dos monarcas sassânidas tornou-se predominante o *mitraísmo* (vide). O maniqueísmo propagou-se pelo Turquestão e pela Armênia, e cristãos persas foram perseguidos, mesmo depois que Constantino, imperador romano, oficializou o cristianismo. Sapor, o Grande, viu o levantamento e a queda de nove imperadores romanos; e tão grande era o seu poder que ele viveu em paz com os romanos, como um igual. Porém, por ocasião de sua morte, começou o declínio desse império. Invasores estrangeiros encarregaram-se de debilitá-lo. Os cristãos da região viram-se envolvidos na controvérsia ariana (ver sobre o *Arianismo*). O uso do texto *Pahlavi* (vide), tornou-se a pedra fundamental do moderno idioma persa. Surgiu em cena um novo poder religioso, o *islamismo*, e não demorou aquela região do mundo tornar-se islamita.

8. *Período Islâmico* (*Medieval*). Os muçulmanos apossaram-se da Pérsia e o transformaram em um *califado*. Contendas e facções serviram para o estabelecimento de uma seita islâmica distinta na Pérsia, chamada *shia*. Eles eram especuladores e filósofos, e injetaram elementos maniqueístas no islamismo persa. Nos séculos VII a IX D.C., a ciência, a medicina e a literatura persa levaram ao seu ponto culminante o conhecimento islâmico da época. Porém, em 819 D.C., terminou a dominação árabe, e o território foi dividido em unidades políticas menores. Em 1258, os mongóis saquearam Bagdá e se espalharam por todo o Irã. Governaram o país durante dois séculos e meio. Nos meados do século XVIII, os turcos, os mongóis e os russos interferiram nos negócios persas, produzindo assim muitas modificações.

9. *A Era Moderna*. Os turcos foram derrotados por ocasião da Primeira Grande Guerra, e isso pôs fim à aliança feudal dos governantes islâmicos naquela região do mundo. O nacionalismo renasceu em 1925, com a instalação de Reza Xá Pahlavi; mas o islamismo continuou sendo a força religiosa quase toda-poderosa do Irã.

III. Aspectos Culturais; Religião Persa

O idioma persa, de origem indo-européia, era originalmente escrito em uma escrita cuneiforme, que contava com cinqüenta e um sinais silábicos simples, e exemplos dessa escrita têm sido encontrados no tablete de ouro de Ariaramnes, usado em cerca de 650 A.C. Isso posto, esse povo teve a sua contribuição para a linguagem escrita (ver sobre *Escrita*). Registros reais e da corte usavam o idioma aramaico, como nas comunicações em que Esdras esteve envolvido.

Podemos depreender algo das riquezas de uma corte persa mediante a leitura do livro bíblico de Ester; e a arqueologia tem confirmado o ponto. Certo número de baixos-relevos em pedras representa o rei e seus cortesãos ou celebra vitórias militares. A arte em pedras esculpidas chegou ao ponto de ser uma técnica refinada na Pérsia. Os tesouros *Oxus* (atualmente quase inteiramente guardados no Museu Britânico) mostram a habilidade dos ourives e joalheiros persas. No período posterior da Pérsia a arte e a cultura gregas influenciaram os modelos persas tradicionais. Mas a grandeza da arte, da literatura e da ciência persas deixaram uma marca permanente sobre a história cultural do mundo inteiro. Têxteis, peças de cerâmica e jóias persas eram altamente valorizadas na Europa, na época da *renascença* (vide). Na medicina, os persas entraram com sua notável contribuição. O período de dominação árabe na Pérsia foi especialmente produtivo nos campos das ciências, da matemática e da filosofia. Foi o matemático Omar Khayam quem escreveu o imortal poema *Rubaiyat*.

A *arte persa* distingue-se por suas linhas nítidas e por seu acabamento com alto polimento. Um efeito tridimensional era conseguido, fazendo contraste com a arte estritamente bidimensional dos assírios. Relevos monumentais levaram essa forma de arte ao seu estado mais avançado. Representações naturais de figuras humanas, de animais e de todas as espécies de objetos, foram conseguidas pelos persas. Frisos

PÉRSIA

com muitos padrões complicados, onde figuravam imagens de homens e de animais foram produzidos. Os persas eram habilidosos no uso de metais, que também foram usados em seus objetos de arte. Pinturas miniaturas tornaram-se uma especialidade persa no período islâmico. Livros bem adornados e iluminados vieram a tornar-se uma parte notável no desenvolvimento da arte persa.

Obras de arte refletiam o pendor dos persas pelos jardins. Palácios e residências dos ricaços eram construídos com jardins internos, e excelentes representações dos mesmos sobreviveram até nós em obras de arte.

A Religião Persa. Assuntos religiosos sempre foram um elemento preponderante na literatura, na arte e em muitos aspectos da cultura persa. Os persas antigos reverenciavam divindades representantes da natureza, da fertilidade e dos poderes celestes. A tribo dos *magos* compunha-se, principalmente, de sacerdotes, e exerciam grande autoridade. No século VI A.C., Zoroastro foi o maior dos profetas persas, e a sua influência jamais desapareceu. Ver o artigo intitulado *Zoroastrismo*. Ele proclamou elevados ideais morais e religiosos, alicerçados sobre o conceito básico que diz: «Faze o bem e aborrece ao mal». Zoroastro concebeu um bem demarcado *dualismo* (vide): por uma parte haveria o deus bom, Ahura-mazda; mas, por outra parte, havia o opositor, o poder maligno da maldade consumada. Dario I adotou os credo essencial de Zoroastro; e mesmo quando o islamismo invadiu a Pérsia, não conseguiu eliminar de todo o zoroastrismo. Quase certamente, por igual modo, angelologias e demonologias elaboradas, adotadas pelo judaísmo posterior e até pelo cristianismo, têm por base histórica conceitos da religião persa. Em todos os períodos da história persa, os líderes religiosos têm exercido uma enorme influência—basta que consideremos o Irã atual, com os seus ayatolahs! Estudiosos maniqueanos, arianos e islâmicos caíram todos diante do feitiço do antigo misticismo iraniano, com sua filosofia meditativa. O sistema maniqueísta, com seus aspectos filosóficos e místicos, completo com uma elabora cosmologia, também era um fator de atração.

Quando o islamismo entrou na cultura persa, separou-se em três seitas: os sia, os sufi e os dirdausi (estes últimos notoriamente fatalistas e deterministas). O filósofo religioso *Al-Ghazali* (vide), influenciou a filosofia islâmica, judaica e cristã.

IV. A Pérsia e a Bíblia

Ao longo deste artigo, temos dado informações quanto a esse particular, razão pela qual aqui temos apenas um sumário.

Indiretamente, Ciro I, ao opor-se a Assurbanipal, da Assíria, teve algo a ver com a história de Israel, visto que a Assíria foi o poder que levou para o cativeiro as dez tribos do norte, Israel. Ver sobre o *Cativeiro Assírio*. Esse cativeiro teve lugar em 722 A.C. A Assíria foi sendo lentamente superada pela Babilônia; e então foi a vez desta ser ultrapassada pela Média-Pérsia. Israel (a nação do norte) perdeu-se irreparavelmente, visto que não houve retorno dos seus cativos. Mas Judá (o reino do norte) prosseguiu, o que significa que o povo de Israel, pelo menos em parte, continuou a ser uma porção menor do quadro histórico que envolveu as nações, durante algum tempo mais. Quando Ciro II conquistou a Babilônia, em 539 A.C., isso armou o palco para a volta de Judá do *cativeiro babilônico* (vide). Ciro devolveu aos judeus os preciosos vasos que Nabucodonosor havia levado para a Babilônia (ver Esd. 1:7 *ss*). Além disso, proveu as disposições legais para o retorno dos judeus a Jerusalém, para a reconstrução do templo, das muralhas da cidade, etc. Sesbazar foi nomeado governador de Judá (Esd. 1:1-4), mas Esdras e Neemias receberam ampla autoridade para efetuar a restauração necessária. O governador «dalém do rio» (a região a oeste do rio Eufrates), aparentemente sem ter tido conhecimento do decreto de Ciro, tentou adiar a obra; mas Ciro confirmou a ordem que dera, e os judeus obteram a sua solução de continuidade em seu trabalho reconstrutivo. Os livros de Esdras e Neemias oferecem detalhes sobre a história dos judeus, nesse tempo.

Dario, e então seu sucessor, Xerxes I (487-465 A.C.), subiram ao trono da Pérsia. Este último foi o marido de Ester, razão pela qual o livro de Ester fornece-nos o ponto de vista judaico da história da época. Podemos imaginar que ela fazia parte do harém de Dario. A história secular nem a menciona, motivo que tem levado alguns a pensar que o livro de Ester é uma mera novela religiosa, duvidando eles que o livro reflita um relato genuíno. Ver o artigo sobre o livro *Ester*, quanto a uma discussão a respeito.

Os tempos de Esdras ampliaram-se até o reinado de Artaxerxes (465-424 A.C.), na Pérsia. Esdras atuou como uma espécie de Secretário de Estado para Negócios Judaicos (ver Esd. 7:12). O copeiro-mor desse monarca persa era Neemias, que, finalmente, viu-se pesadamente envolvido na reconstrução de Jerusalém, pois contava com o apoio e o encorajamento da autoridade real. E, com o tempo, Neemias foi nomeado governador de Judá (ver Nee. 8:9).

Quando Alexandre, o Grande, fez a hegemonia passar para as mãos dos gregos, a lealdade dos judeus simplesmente foi transferida para outra das grandes potências mundiais. Seus sucessores na Síria, os monarcas selêucidas, foram finalmente derrotados pelos patriotas levíticos, os Macabeus, e Judá pôde desfrutar, desse modo, de um período de independência. Mas esse período terminou diante da interferência romana, antes mesmo da eclosão do cristianismo.

V. A Pérsia e o Cristianismo

Os persas como tal não são mencionados, nas páginas do Novo Testamento; porém, associados a povos irmãos, como os medos, os partas e os elamitas, estiveram presentes por ocasião do Pentecoste, segundo se vê no segundo capítulo do livro de Atos. Portanto, desde o começo, pessoas de descendência persa estiveram vinculadas ao cristianismo. A *Pártia* era um distrito a sueste do mar Cáspio, que fizera parte do império persa, conquistado por Alexandre, o Grande. Esse foi um dos distritos para onde os israelitas tinham sido deportados quando do exílio assírio, onde os descendentes deles continuaram a falar o aramaico e a observar as formas religiosas judaicas. Os partas que estiveram em Jerusalém no dia de Pentecoste (ver Atos 2:9), talvez fossem descendentes de israelitas (provavelmente com convertidos dentre os nativos). E assim a Igreja cristã, desde o início, absorveu uma certa porcentagem de descendentes de cativos da deportação assíria de Israel.

O primeiro grande baluarte cristão na Pérsia foi a cidade de Edessa. Houve, segundo se pensa, uma correspondência entre o príncipe de Edessa e o apóstolo Judas Tadeu (Judas, irmão de Tiago), embora, mui provavelmente, isso envolva apenas uma ficção, sobre a qual Eusébio tomara conhecimento. O missionário e patriarca nestoriano, Mar Aba, foi perseguido por seus contemporâneos zoroastrianos. Nestor viveu por volta de 400 D.C. Ele foi um dos patriarcas de Constantinopla (428-431 D.C.). Os islamitas expulsaram da Pérsia os missionários sírios.

PÉRSIA

Pequenos grupos de cristãos foram então suprimidos mediante uma aberta perseguição, que se prolongou por séculos. Os perseguidos eram quase todos cristãos nestorianos e armênios. Muitos deles fugiram para outros países, assim diminuindo o número de cristãos na Pérsia. Missões evangélicas modernas na Pérsia tiveram começo quando o missionário inglês, Henry Martyn foi para ali enviado (1781-1812). Ele traduziu parte da Bíblia para o idioma persa. O bahaísmo começou em Irã em 1884; embora tenha sofrido sempre uma severa perseguição. Baha Ullah foi um profeta persa que afirmava ser sucessor de Maomé, o que o islamismo afirma não ser possível, pois o islamismo é uma fé estagnada, que pensa que o profeta final, enviado por Deus, foi o Maomé! Com o surgimento da ortodoxia islâmica, o pouco que ainda restava de cristianismo no Irã tem sofrido horrendas provações e privações.

VI. A Arqueologia e a Pérsia

Arqueólogos do Instituto Oriental da Universidade de Chicago, nos Estados Unidos da América do Norte, têm escavado a antiga capital persa, *Persépolis*, a respeito da qual apresentamos um artigo separado, que inclui descobertas feitas ali por aqueles pesquisadores. Esse material não é repetido aqui.

Tanto Ecbatana quanto Susã, importantes cidades da antiga Pérsia, têm sido intensamente exploradas pelos arqueólogos. De Ecbatana bem pouca coisa restou, mas foi descoberta uma inscrição na qual Artaxerxes II Mnemom (404-359 A.C.) celebrava a construção do palácio real. Essa cidade foi uma antiga capital da Pérsia, e um centro especial de atividades culturais, conforme afirmam os relatos veterotestamentários, e que o Antigo Testamento chama de Susã. Ver Nee. 1:1; Dan. 8:2; Est. 1:2. Atualmente, o local chama-se Shush. Escavações ali feitas têm desenterrado um magnificente palácio real, que começou a ser construído por Dario I, tendo então sido ampliado e embelezado por reis que o sucederam. Belos tijolos esmaltados decoravam várias porções do palácio. Touros alados e grifos, bem como os famosos lanceiros da guarda-real, foram representados em relevo. Isso posto, a arqueologia tem confirmado a reputação persa de ter tido uma arte, uma literatura, uma arquitetura e uma ciência magníficas, algo sobre o que temos discutido na terceira seção deste artigo.

Bibliografia. AM BN CN CN(1948) E ID LLO ND S UN Z ZAE

VII. Mapa da Pérsia

CORTESIA ZONDERVAN PUB. HOUSE

PÉRSIDE — PERSONALIDADE

PÉRSIDE

Esse foi o nome de uma mulher crente à qual Paulo saudou. Ela era membro da igreja cristã de Roma (ou talvez de alguma cidade da Ásia Menor, se o atual capítulo dezesseis da epístola aos Romanos foi uma pequena epístola, enviada àquela área, que acabou sendo adicionada à epístola aos Romanos; quanto a esse problema, ver o artigo sobre *Romanos*, em sua oitava seção, *Integridade da Epístola*). Seja como for, o nome está obviamente relacionado à Pérsia, talvez alusivo à sua ascendência persa. Ela era estimada pelo apóstolo dos gentios, que reconheceu ser ela uma esforçada no favor do evangelho, dotada de profundo interesse pela fé cristã. Juntamente com várias outras mulheres crentes, ela é alvo de comentários favoráveis da parte do apóstolo. Apesar de nada mais sabermos acerca de Pérside, podemos ver como as mulheres exerceram um importantíssimo papel no soerguimento do cristianismo primitivo.

PERSONA

Esse foi um termo usado por **Jung** (vide) para aludir a como uma pessoa apresenta-se diante de seus semelhantes (ou mesmo diante de si mesma). É como se o indivíduo usasse uma *máscara* que usa em público, — sem nunca mostrar como ele é, realmente.

PERSONALIDADE COLETIVA

Essa expressão refere-se à comum expressão e sentimento familiar, ou de um clã, tribo ou nação, quando há laços de sangue ou vínculos sociais bem definidos. Também refere-se à solidariedade criada por uma história e um destino comuns. A idéia é importante na teologia, quando aplicada ao conceito de aliança do Antigo Testamento, bem como à nação de Israel, como veículo da mensagem divina. Os conceitos neotestamentários da Igreja, da comunhão dos santos, e mesmo da idéia geral da redenção, estão envolvidos nessa questão da personalidade coletiva. No quinto capítulo da epístola aos Romanos, Paulo refere-se ao homem individual como parte do Homem, encabeçado por Adão e por Cristo, os cabeças federais da raça humana terrestre e da raça humana celeste. Aquilo que acontece à coletividade, acontece também a cada membro da mesma. Ademais, a redenção envolve o *corpo* de Cristo, e não meros indivíduos isolados. Outro tanto está envolvido na doutrina da *restauração* (que vide), a qual haverá de unificar, no tempo certo, todas as famílias de Deus, homens remidos e anjos bons (Efé. 1:10).

PERSONALIDADE DE DEUS, A

Ver sobre *Pessoa, Deus Como Uma*. Ver também sobre *Personalismo* e *Personificação*.

PERSONALIDADE MÚLTIPLA

Esboço:
1. Descrição Geral
2. Fatos Notáveis sobre a Personalidade Múltipla
3. Possessões Demoníacas e Personalidade Múltipla
4. O Ajudador do Eu Interior
5. Causas Presumíveis

1. Descrição Geral

Esse assunto, embora seja mais uma preocupação da psicologia, tem profundas implicações metafísicas e teológicas. A expressão indica que, dentro de um único indivíduo (e, algumas vezes, dentro de um único corpo físico), pode haver duas ou mais personalidades distintas, que convivem. De outras vezes, quando alguma dessas personalidades assume o controle, a consciência do indivíduo olvida-se inteiramente das outras personalidades. Essa personalidade é realmente diferente das outras. Mas, após algum tempo, alguma outra das personalidades passa a assumir o controle, e o indivíduo torna-se diferente do que até recentemente era. Em certos casos, o indivíduo tem consciência da existência das outras personalidades, sopitadas, quando uma outra está no controle. Em casos extremos (havendo disso alguns poucos registros documentados), as personalidades falam idiomas diferentes, e até parecem ter idades diferentes. Alguns pesquisadores vêem nisso meros casos de possessão demoníaca; mas outros percebem nesse estranho fenômeno uma possível demonstração da *reencarnação* (vide). O raciocínio desses últimos estudiosos é que o «eu» alternativo na realidade é o retorno da memória de uma personalidade anterior, que, algumas vezes, poderia impor-se novamente.

2. Fatos Notáveis Sobre a Personalidade Múltipla

O poder da mente sobre o corpo físico é, realmente, imenso. A International Society for the Study of Multiple Personality e a Rush-Presbyterian-St. Luke's Medical Center, de Chicago, nos Estados Unidos da América do Norte, organizaram uma conferência sobre o assunto, em 1985, em Chicago, quando duzentos documentos foram submetidos a exame. Desses estudos, emergiram os seguintes fatos:

a. Quando uma das personalidades é dominante, o indivíduo pode ser destro; mas, predominando outra das personalidades, o indivíduo pode tornar-se canhoto.

b. Os traçados do encefalograma de diferentes personalidades variam, conforme esta ou aquela personalidade assume o controle. Atores e atrizes que têm a capacidade de representar diferentes papéis, não são capazes de modificar seus encefalogramas, que permanecem os mesmos, sem importar quais papéis teatrais estejam sendo representados.

c. Uma personalidade pode ter diferentes alergias de outra personalidade, apesar do fato de que um único corpo esteja sendo controlado.

d. Uma personalidade pode usar óculos para compensar por uma deficiência ocular qualquer, ao passo que outra personalidade pode ter visão perfeita, apesar do fato de que o par de olhos continua o mesmo.

e. Uma personalidade pode sofrer de epilepsia, mas outra não.

f. Uma personalidade pode sofrer de cegueira para cores, mas outra não.

g. Em certo caso, uma pessoa estudada sofrera um envenenamento por chumbo; mas, tendo havido troca de personalidades, o problema desapareceu.

h. No caso de diabete, várias personalidades têm diferentes graus de necessidade de insulina, embora, ao que pareça, nenhuma das personalidades seja inteiramente livre da necessidade de insulina.

i. Em alguns casos raros, embora reais, há modificações culturais e de linguagem, conforme diferentes personalidades assumem o controle do indivíduo. Esses casos, entretanto, têm sido anunciados por diferentes pesquisadores, e não pelos mesmos investigadores dos casos anteriores.

O que se evidencia, em todos esses casos, é o extraordinário poder da mente sobre o corpo físico, sem importar se a mente está sendo expressa por este

PERSONALIDADE — PERSONALISMO

ou aquele fragmento de personalidade, ou se diferentes mentes estão ocupando um mesmo corpo físico ao mesmo tempo.

3. Possessões Demoníacas e Personalidade Múltipla

O Dr. M. Scott Peck, um dos líderes do movimento que visa integrar a psicologia e a espiritualidade, e que é famoso psiquiatra e cirurgião, tem tratado de muitos casos de possessão múltipla. Em alguns casos, segundo ele opina, uma personalidade distinta pode refletir algum ser espiritual separado. Ele tem podido obter verdadeiras dissociações de poderes malignos que não pertencem, realmente, ao indivíduo vitimado, embora tais poderes já tenham podido controlar a pessoa em alto grau. Com base em seus muitos anos de experiência, ele calcula que, em noventa e cinco por cento dos casos, não há verdadeira possessão demoníaca, não há qualquer traço da presença de algum espírito estranho. Mas, em cerca de cinco por cento dos casos, ele tem descoberto a presença de espíritos malignos ou estranhos, envolvidos nos casos de possessão múltipla. Ele também tem tido dramáticas confrontações com poderes demoníacos, e com base nesta experiência recomenda que nenhuma pessoa tente enfrentar sozinha tais situações. Nesses casos, ele trabalha com a ajuda de uma equipe, e tem sido capaz de obter alguns notáveis exorcismos. Ver o artigo detalhado sobre *Possessão Demoníaca*.

4. O Ajudador do Eu Interior

Um outro interessante aspecto desse fenômeno é o chamado «ajudador do eu interior». Ao que tudo indica, temos aí a entidade ou pessoa real do ser, que se mostra interessada em ajudar o psiquiatra a integrar uma personalidade dividida. Alguns pesquisadores declaram que esse «eu» interior (o indivíduo ou entidade real) tem consciência de outras vidas terrenas pelas quais já passou, nas quais manifestou diferentes personalidades. E esse detalhe tem sido utilizado como uma das sugeridas provas da *reencarnação* (vide). Apesar desse fator não ser uma constante em todas as pesquisas, tal elemento merece maiores investigações. Seja como for, usualmente há uma espécie de «âmago de personalidade», isto é, uma personalidade principal à qual se atrelam personalidades secundárias. Um tratamento bem orientado visa a reintegração da personalidade em redor daquele âmago. Verdadeiras personalidades secundárias podem mostrar-se bastante independentes, mas usualmente não são radical ou abertamente malignas. Todavia, podem ser agressivas ou de caráter dúbio, mas não são propositalmente destrutivas para o ser. Já as personalidades estranhas (espíritos malignos) são francamente más e destrutivas.

5. Causas Presumíveis

Geralmente, algum trauma leva o indivíduo a defrontar o mundo munido de uma personalidade diferente, que ele pensa ter uma melhor oportunidade. Além disso, algum incidente, na vida de uma pessoa, pode ser tão profundamente chocante que chegue a «nocautear» aquela pessoa, numa espécie de mini-morte. Daí emerge alguma outra personalidade, o que faz o indivíduo esquecer-se da personalidade anterior, com suas circunstâncias insuportáveis. Em outras palavras, os traumas são capazes de estilhaçar uma pessoa em diversas personalidades. E talvez o sentimento de revolta (mesmo sem algum trauma profundo) possa conseguir idêntico resultado. Ou o senso de aventura, em indivíduos instáveis e insatisfeitos, possa levá-lo a aventurar-se a ser uma pessoa diferente. Acrescentemos a isso as causas patológicas, ainda pouco entendidas pela ciência, como defeitos no cérebro, desequilíbrios hormonais,

etc. E, finalmente, devemos considerar a causa possível das possessões demoníacas, ainda que em uma bem menor porcentagem de casos (ver sobre *Possessão Demoníaca*); e, conforme alguns crêem, alguns possíveis casos de reencarnação.

Conforme sucede no caso de tantas outras coisas, no presente caso defrontamo-nos com profundos mistérios, que envolvem os seres humanos. Talvez uma pessoa, afinal de contas, consista em muitas pessoas, provenientes do passado; e, assim, no futuro, talvez haja toda uma família de personalidades, e não apenas um indivíduo. Seja como for, parece indiscutível que mais de uma mente pode ocupar um corpo humano ao mesmo tempo, ou, então, que uma única mente, assumindo diferentes modos de expressão, é capaz de afetar profundamente o corpo físico. E uma mente diferente algumas vezes pode indicar um corpo diferente, ainda que esse corpo, aos nossos olhos, pareça continuar o mesmo.

PERSONALISMO

Esboço:
I. Definições
II. Informes Históricos
III. Idéias de Filósofos Específicos
IV. Tipos de Personalismo
V. Promoção de Suas Idéias Principais
VI. Influência do Personalismo Sobre a Teologia

I. Definições

A idéia filosófica fundamental envolvida no personalismo é que *o conceito de pessoa* deve ser a preocupação final daqueles que buscam a verdade. Quanto a definições léxicas do termo «pessoa», ver o artigo separado chamado *Pessoa*. Na filosofia, o personalismo é aquele sistema ou sistemas que encontra nas pessoas as únicas realidades dominantes ou metafísicas, bem como os únicos valores intrínsecos e dignos de investigação. Por *pessoa*, entende-se «uma substância individual, de natureza racional».

II. Informes Históricos

Schleiermacher, em sua obra **Reden** (1799) foi o primeiro a empregar esse vocábulo. John Grote (1865) empregou-o em seu sistema filosófico. Foi termo usado para fazer oposição tanto ao *panteísmo* (vide) quanto ao *materialismo* (vide). Schleiermacher e Feuerbach (1841) usaram-no em favor da idéia teológica que diz que Deus é uma Pessoa. Ver sobre *Pessoa, Deus como uma*. Walt Whitman, em seu ensaio, *Personalismo* (1869), divulgou muito esse termo, a partir do que muitos outros passaram a usá-lo. Vários neo-escolásticos (Maritain, Mounier) chamaram-se «personalistas». Os filósofos que mais influenciaram os conceitos do personalismo foram Platão, Aristóteles, Plotino, Agostinho, Tomás de Aquino, Berkeley, Leibnitz, Emanuel Kant, Fichte, Hegel, Schleiermacher, Lotze e Eucken, acerca dos quais tenho escrito artigos individuais.

III. Idéias de Filósofos Específicos

1. *Bronson Alcott* fazia de Deus a Pessoa Última e a Realidade Última, de quem todas as demais coisas dependem. A vontade dele manifestar-se-ia em uma contínua criação e sustentação.

2. *Renouvier* dividia os filósofos em duas classes gerais: os personalistas e os impersonalistas. A natureza humana seria a base geral da qual todas as demais coisas dependem. Os impersonalistas acham seu princípio final no mundo exterior.

3. *Bowne* promoveu um idealismo pessoal, por meio do qual o espírito era enfatizado como dotado de

qualidades pessoais, e onde aparecia como o princípio final.

4. *F.C.S. Schiller* começou sua carreira como um humanista e pragmatista, mas, nos seus últimos anos de vida, frisava os princípios do personalismo.

5. *Wilhelm Stern* chamava sua filosofia de *Personalismo Crítico*, porque ele não aplicava seu sistema à metafísica, mas somente a importância que a pessoa desempenha na psicologia e na epistemologia.

6. *Brightman* aplicava a idéia à filosofia da religião, descrevendo por meio dele um Deus pessoal e finito. Ele concebia a pessoa do homem como fundamental, e não dava espaço à soberania de Deus, para obscurecer o livre-arbítrio humano, o que, para ele, seria uma óbvia violação da pessoa humana, à qual Deus criara à sua própria imagem. O problema do mal, pois, era por ele explicado à base da idéia de que Deus é finito, não tendo podido impedir que o mal penetrasse na existência. Deus estaria trabalhando sobre esse problema, e não apenas o homem.

7. *Maritain* e outros neo-escolásticos afirmavam a existência de várias formas de personalismo: Deus como uma pessoa, e o homem como uma pessoa permanente, que não pode ser reduzida a fatores naturais. Ele chamava sua filosofia de *Personalismo Cristão*.

8. *Mounier* foi um personalista católico romano, uma espécie de humanista cristão que acreditava que o alvo mais importante do homem é o enriquecimento de si mesmo e de sua comunidade (envolvendo o enriquecimento mútuo), e não a conquista da natureza, que tomava um lugar secundário em sua hierarquia de valores.

9. *A.C. Knudson* fez uma campanha em favor do personalismo, publicando um jornal intitulado *The Personalist*; e também publicou um livro cujo título era *The Philosophy of Personalism*.

IV. Tipos de Personalismo

1. Ateu humanista (McTaggart); 2. Psicológico neutro (Stern); 3. Relativista (Renouvier); 4. Absolutístico (E. Caird; A.E. Taylor; J. Royce); 5. Teísta (Browne, W.R. Sorley); 6. Pampsiquista (J. Ward; C. Hartshorne; D.H. Parker); 7. Dualista (G. Harkness; Maritain; Tillich e os neo-escolásticos).

V. Promoção de Suas Idéias Principais

1. Deus como uma pessoa; 2. humanismo, onde a pessoa humana é a questão cêntrica; 3. psicologia autopsicologia, Gestalt); 4. lógica (coerência da personalidade total como critério da verdade); 5. epistemologia (atividades da mente na obtenção do conhecimento; dualismo de idéia e de objeto); 6. metafísica (ou universo é uma sociedade de pessoas, e não, primariamente, de objetos inanimados e de forças cósmicas, impessoais).

VI. Influência do Personalismo Sobre a Teologia

1. Deus como uma pessoa, e não como uma força cósmica; 2. o valor primário da pessoa humana; 3. o poder e a relevância de Cristo, como um ser pessoal diante dos homens como pessoas: Cristo é a figura central do interesse humano; 4. a ética, envolvendo responsabilidades humanas, bem como a importância e caráter ímpar das pessoas; a necessidade do enriquecimento pessoal, e, partindo daí, o enriquecimento mútuo das pessoas; 5. várias visões sobre a pessoa de Deus, desde um Ser onipotente, absoluto, até um Ser finito, dependendo da ênfase; 6. experiências religiosas, incluindo o misticismo, em termos de importância e expressão pessoal; 7. os personalistas usualmente frisam a importância do livre-arbítrio, uma necessidade básica para cada pessoa, em contraste com as idéias de predestinação e determinismo, que diminuem as pessoas em seu próprio conceito e até reduzem-nas a meros autômatos.

PERSONIFICAÇÃO

Essa palavra equivale a «fazer-se uma pessoa». O *animismo* (vide) atribui aos objetos inanimados a consciência; e alguns filósofos têm pensado que há alguma verdade nesse conceito, negando a idéia da *matéria morta*. Assim diz a filosofia chamada *helozoísmo* (vide), como também certos conceitos orientais e pensadores modernos, como Leibnitz. Todavia, isso não quer dizer que a matéria animada possa ser considerada uma pessoa no sentido convencional, mas somente que ela é dotada de propriedades que as pessoas também manifestam. Não obstante, o animismo faz de meros objetos virtuais pessoas. Objetos sagrados (em certas formas de idolatria) também eram dotados de personalidade, como a Aserá, ou poste-ídolo dos cananeus, adotado pelos israelitas (ver Deu. 16:21). Além disso, há aquela idéia epônima ancestral segundo a qual cidades, nações, tribos, poderes, etc., transformam-se em virtuais pessoas. Naturalmente, o povo de Israel, em seu denso antropomorfismo, fazia de Deus uma pessoa, em termos humanos, embora fosse concebido como um Ser dotado dessas qualidades em elevadíssimo grau. Acresça-se a isso que alguns objetos inanimados também são dotados por alguns de características pessoais, embora somente como uma expressão poética. Assim, árvores batem palmas (ver Isa. 55:12); a morte, como uma pessoa, acaba derrotada (ver Osé. 13:14); a fábula de Jotão (ver Juí. 9); a sabedoria personificada (ver Pro. 9:1, bem como a literatura de sabedoria do judaísmo, em geral). O Logos no Novo Testamento, é personalizado em Jesus Cristo, quando de sua encarnação (ver João 1:14). As personificações envolvem os mesmos problemas associados à questão da concepção de Deus como uma Pessoa. Ver o artigo intitulado *Pessoa, Deus Como uma*.

PERSPECTIVISMO

Essa é a idéia que diz que o mundo pode ser interpretado segundo vários ângulos ou perspectivas, cada qual com seus valores especiais e suas crenças. Não haveria qualquer critério autoritário e independente para determinar em que algum dado sistema é mais correto que outro qualquer. Os diferentes sistemas podem refletir diferentes pólos de uma mesma verdade. Ver os artigos intitulados *Polaridade* e *Paradoxo*.

Uma pessoa aproxima-se mais da verdade quando a vê segundo diferentes perspectivas, mesmo quando essas perspectivas parecem contraditórias. O vocábulo «perspectivismo» foi ampliado para abranger o estudo da linguagem, o que, por si mesmo, é uma perspectiva; e isso levantou a questão se realmente é possível uma tradução exata de um idioma para outro, ou se isso é impossível.

PERUDA

No hebraico, «dividido», «separado». Peruda foi um dos servos de Salomão, cujos descendentes voltaram da Babilônia, terminado o cativeiro babilônico (Esd. 1:55). Em Nee. 7:57, esse mesmo nome é grafado com a variante *Perida*. Eles voltaram em companhia de Zorobabel. Isso ocorreu por volta de 536 A.C.

PESADO — PESOS E MEDIDAS

PESADO

Embora várias palavras hebraicas sejam assim traduzidas no Antigo Testamento, a que é mais importante é *kabed*, que ocorre por vinte vezes com o sentido de pesado ou difícil. Por exemplo: Núm. 11:14; I Sam. 4:18; 5:6,11; Nee. 5:18; Jó 33:7; Sal. 32:4; 38:4; Isa. 6:10; 24:20; 50:1; Lam. 3:7.

No grego, temos o verbo *bareomai* e o adjetivo *barús*. a. O verbo ocorre por seis vezes: Mat. 26:43; Luc. 9:32; 21:34; II Cor. 1:8; 5:4 e I Tim. 5:16. b. O adjetivo aparece por seis vezes, também: Mat. 23:4,23; Atos 20:29; 25:7; II Cor. 10:10 e I João 5:3. Além disso, temos o advérbio *baréos*, «pesadamente», que figura por duas vezes: Mat. 13:15 (citando Isa. 6:10) e Atos 28:27, e o substantivo *báros*, «peso», que é usado por seis vezes: Mat. 20:12; Atos 15:28; II Cor. 4:17; Gál. 6:2; I Tes. 2:6; Apo. 2:24.

Essas palavras, com freqüência, referem-se, simbolicamente, a algum tipo de tristeza. Assim, um filho sábio alegra a seu pai, mas um filho insensato deixa pesado o coração de sua mãe (Pro. 10:1). O coração de uma pessoa fica pesado com preocupação, por causa das dificuldades que tem de enfrentar, ao passo que uma boa palavra torna a pessoa feliz (Pro. 12:25). Os espíritos tristes, que têm de enfrentar dificuldades, cargas pesadas, tornam-se leves e dispostos ao louvor, ao tomarem conhecimento da mensagem do evangelho (Isa. 61:3). A lamentação e a tristeza são referidas com palavras que indicam alguma espécie de peso. Ver I Ped. 1:6; Fil. 2:26.

O julgamento divino é chamado de «pesado» (ver I Sam. 5:6). Os governantes civis oprimem aos cidadãos com medidas pesadas, incluindo impostos, que os sobrecarregam (Nee. 5:18; I Reis 12:4). As notícias más são pesadas para quem as recebe (I Reis 14:6). A ridícula ira humana é pesada (I Reis 21:14). Quando uma pessoa está sonolenta, seus olhos ficam pesados (Mat. 26:43). Os ouvidos pesados recusam-se a dar ouvidos e a receber a instrução (Isa. 6:10). O espírito de Jesus sentia-se pesado, quando estava sendo injustamente julgado: «...e, levando consigo a Pedro e aos dois filhos de Zebedeu, começou (Jesus) a entristecer-se e a angustiar-se» (Mat. 26:37). Entretanto, nessa passagem é usada uma outra palavra grega, *ademonéo*, «estar deprimido».

Nos sonhos e nas visões, pesados objetos falam sobre dificuldades, obstáculos e dilemas sem solução. Também podem simbolizar incapacidade física ou fraqueza orgânica.

PESCA

Ver o artigo geral sobre **Peixe, Pesca**.

PESCOÇO

Temos a considerar, neste verbete, três vocábulos hebraicos e um grego. A Bíblia quase sempre usa esse termo em algum sentido metafórico.

1. No hebraico, *'orep*, que indica o pescoço ou a nuca, embora também possa ter o sentido de costas, como quando se diz que alguém volta as costas para o inimigo, a fim de fugir (ver Êxo. 23:27). E essa mesma palavra hebraica é empregada para indicar expressões como «dura cerviz» ou paralelos, as quais, metaforicamente falando, referem-se à atitude de rebeldia e contumácia (ver Deu. 31:27; II Reis 17:14; Isa. 48:4). A resolução de persistir no mal, apesar de toda orientação divina em contrário, é a idéia básica dessa metáfora. O trecho de Isa. 48:4 chega ao ponto de chamar o pescoço de «tendão de ferro». É provável que a idéia tenha surgido da observação de certos animais que, uma vez postos sob a canga, enrijecem os músculos e rebelam-se contra seus donos. Com freqüência lê-se que o pescoço suporta um jugo ou carga (ver Gên. 27:40; Deu. 28:28; Jer. 27:2,8; 30:8; Atos 15:10).

2. No hebraico, *garon*, a parte frontal do pescoço, a garganta (ver Isa. 3:16; Eze. 16:11; Sal. 5:9; Jer. 2:26), ou, então, a voz (Isa. 58:1).

3. No hebraico, *sawsa'r*, «pescoço». Geralmente usado em um sentido metafórico, para indicar «servidão» (ver Gên. 27:40; Jer. 30:8), embora também possa indicar o pescoço que exibe um colar (ver Gên. 41:42), ou o pescoço que alguém abraça (ver Gên. 33:4), ou o pescoço premido pelo pé de um vencedor (ver Jos. 10:24).

4. No grego, *tráchelos*, «pescoço». Daí é que nos vem a palavra portuguesa *traquéia*. É o pescoço que alguém abraça (ver Luc. 15:20), ou que fica sob jugo (ver Atos 15:10). Paulo usou essa palavra para indicar uma possível decapitação (ver Rom. 16:4). O trecho de Heb. 5:13 usa o particípio perfeito de um verbo, em associação com o substantivo *tráchelos*, a fim de indicar «exposto» à vista de Deus, que nos julga e avalia.

PÉS DESNUDOS

A expressão aparece em Jeremais 2:25, como indicação de lamentação (ver também Isa. 20:2-4 e II Sam. 15:30, onde aparece a tradução «descalço»). Em qualquer grande calamidade ou tristeza, era costumeiro tirar os ornamentos e os calçados. Além disso, os antigos estavam acostumados a tirar os sapatos quando adentravam em algum lugar que era considerado sagrado (ver Êxo. 3:5). Andar continuamente de pés desnudos era um sinal de grande pobreza. (S)

PESHITTA

Ver sobre **Versões e Manuscritos da Bíblia**.

PESOS E MEDIDAS

1. Matemática Pobre

Comentários Introdutórios

Em face da falta de precisão matemática entre os hebreus, cuja principal contribuição ao campo do conhecimento humano nunca foi de natureza científica, e, sim, religiosa, não é de admirar que a metrologia bíblica (a determinação de distâncias, capacidades e pesos) esteja muito longe de ser uma ciência exata. De fato, é impossível encontrar-se na Bíblia um sistema metrológico coerente. Mas, como poderia mesmo ser diferente disso, se somente já nos fins do século XVIII, quando foi estabelecido o sistema métrico decimal, é que começou a haver no mundo a uniformização da arte de aferição de pesos, distâncias e capacidades? Estabeleceu-se um convênio internacional, procurando pôr fim àquela babel metrológica, e muitos países aderiram, como é o caso do Brasil. Não obstante, há países importantes no mundo que ainda não se adaptaram ao sistema. E isso exige que se façam continuamente conversões nunca precisas, resultando, na maioria das vezes, em dízimas periódicas.

Como prova disso, basta que nos lembramos, para exemplificar, da medida inglesa e norte-americana das polegadas e pés. A polegada vale 2,54 cm, o que significa que praticamente nunca se pode fazer conversões precisas do metro para o pé (que vale 2,54 x 12 = 30,48 *cm* !). A jarda inglesa não fica atrás,

PESOS E MEDIDAS

porquanto o seu valor é de 0,914 m! A milha equivale a 1609,31 m, enquanto que o nó, ou milha marítima tem o valor de 1855 m! Então, quando se fala em pés quadrados ou pés cúbicos, em braças, em alqueires, em onças, em grãos, em tonelada curta, em tonelada longa, e outras dezenas e dezenas de diferentes padrões de medição que existem em pleno fim do último quartel do século XX, começa-se a fazer uma idéia do problema que constitui, para os estudiosos bíblicos, determinar o que significam os padrões de medida existentes nas Escrituras.

2. Falta de Uniformidade

Em razão de tanta falta de uniformidade, todas as evidências bíblicas acerca dessas antigas medições são insuficientes e ambíguas. A coisa chegava a um extremo de confusão tal que, nos tempos bíblicos, as medidas variavam de valor de região para região, e até mesmo de cidade para cidade. A principal medida de comprimento dos tempos veterotestamentários não foge à regra. O côvado, de acordo com os estudiosos, tem sido calculado entre, aproximadamente, 45,5 cm e 55,88 cm, dependendo se estamos pensando no côvado normalmente usado em Israel ou no côvado egípcio, do país vizinho a Israel. E essa imprecisão torna-se definitivamente irremediável quando nos lembramos que o côvado era a medida que ia da ponta do cotovelo do braço dobrado até à ponta do dedo médio da mão espalmada. Vale dizer, tudo dependia da estatura e das dimensões do braço de cada indivíduo! As medidas antigas eram assim, imprecisas!

3. Desenvolvimento do Comércio

Com o desenvolvimento do comércio, ultrapassando o nível do simples escambo, tornou-se necessário o desenvolvimento de algum tipo de sistema que determinasse melhor a quantidade e o volume das mercadorias envolvidas. As medições mais primitivas, sem dúvida, estavam relacionadas a objetos bem conhecidos, como o número de grãos de cereal ou de ovos de alguma ave qualquer; e as medidas de comprimento, geralmente, estavam baseadas em medições de certas partes do corpo humano (como já vimos no caso do côvado), como o dedo, a largura da mão, o palmo, etc. Mais modernamente, encontramos a repetição dessas dificuldades, sem que os homens tivessem acertado com um padrão uniforme. Assim, a medida inglesa chamada pé foi baseada no comprimento do pé de certo rei inglês, provavelmente de grande estatura! Não admira, pois, que as distâncias bíblicas estivessem relacionadas a questões tipicamente humanas, como a distância que uma pessoa poderia caminhar em um dia, a distância que podia ser atingida por uma flecha atirada com o arco, etc. E as medidas de peso quase sempre estavam ligadas a pedras!

4. Medidas Inexatas e Desonestas

Se houvesse uma Sunab em Israel, os fiscais ficariam loucos em pouco tempo, se porventura quisessem fazer questão do que hoje denominamos de gramas ou mililitros. Portanto, deve-se pensar muito mais em medições gerais, sejam elas de comprimento, de capacidade ou de peso, porquanto havia imposições bíblicas a esse respeito, controlando e procurando moralizar todos esses sistemas metrológicos da nação de Israel. Assim, lemos, só para exemplificar, em Levítico 19:35,36: «Não cometereis injustiça no juízo, nem na vara, nem no peso, nem na medida. Balanças justas, pesos justos, efa justo, e him justo tereis...» (ver também Deu. 25:13-16; Pro. 11:1, 20:10). Esses sistemas de aferição criados pelos hebreus, embora nada uniformes, como já vimos, estavam alicerçados sobre os padrões das civilizações mais antigas do antigo Oriente Médio (entre os egípcios, cananeus e mesopotâmicos), que já existiam muito antes do sistema hebreu, e, um pouco mais tarde, persa, grego e romano. Em Israel, os levitas estavam oficialmente encarregados pela responsabilidade de «...toda sorte de peso e medida» (I Crô. 23:29).

A literatura posterior de Israel também manifestou preocupação com essa espinhosa questão. Assim, o Talmude (codificado somente após a destruição de Jerusalém, que ocorreu em 70 D.C.) contém regulamentos estritos a respeito do mundo dos negócios e acerca da honestidade quanto às medições. As informações que ora dispomos acerca da antiga metrologia da nação de Israel chegaram até nós provenientes das mais diversas fontes, como a própria Bíblia, o Talmude, o tratado de Epifânio sobre pesos e medidas (publicado em 392 A.C.), os escritos de Heródoto, os escritos de Josefo, e até mesmo as evidências descobertas pelos arqueólogos na Palestina e nas nações circundantes. Portanto, essa recuperação sobre a metrologia antiga constitui um verdadeiro feito da investigação dos estudiosos.

Esboço:
I. Medidas de Comprimento
   A. Côvado
   B. Cana
   C. Palmo
   D. Largura da Mão
   E. Dedo
   F. Gomede
   G. Unidades Greco-romanas
   H. Distâncias entre Pontos
II. Medidas de Área
   A. Egípcias
   B. Mesopotâmicas
   C. Israelitas
   D. Romanas
III. Medidas de Capacidade
   A. Líquidos, no Antigo Testamento
   B. Secos, no Antigo Testamento
   C. Medidas no Novo Testamento
IV. Medidas de Peso
   A. Talento
   B. Mina
   C. Siclo
   D. Gera
   E. Beca
   F. Netsefe
   G. Pim
   H. Arrátel
   I. Quesita
   J. Peres
   L. Pesos no Novo Testamento
V. As Balanças
VI. Conclusão

I. Medidas de Comprimento

A. *Côvado.* No hebraico, *am:nah*; no grego, *pêchus*; no latim, *cubitus*. Essa era a principal unidade de medida de comprimento usada na Bíblia. Conforme já dissemos, o sistema de medidas lineares dos hebreus estava baseado sobre o sistema egípcio. E, já que o côvado era o comprimento do antebraço e da mão espalmada, não havia um côvado padronizado. Esse côvado «natural» é chamado, em Deuteronômio 3:11, de «côvado comum». Nas Escrituras Sagradas foi usado para indicar, por exemplo, a altura de um homem (I Sam. 17:4), a profundeza das águas (Gên. 7:20), e distâncias aproximadas (João 21:8). Todavia, uma unidade mais precisa seria

PESOS E MEDIDAS

exigida no trabalho de construção e engenharia, como foram os casos da arca da aliança (Gên. 6:15,16), do tabernáculo (Êxo. 26—27), do templo e seus móveis (I Reis 6:7; Eze. 40—43), e das muralhas de Jerusalém (Nee. 3:13). Havia côvados mais longos e mais curtos, tal como na Babilônia e no Egito. Na Mesopotâmia, o côvado de Corsabade era apenas quatro quintos do comprimento do côvado «real», ou seja, tinha apenas 40,24 cm. Os dois côvados egípcios mediam, respectivamente, 52,45 cm e 44,7 cm. O trecho de Ezequiel 40.5, especifica um certo côvado que tinha «um côvado e um palmo», ou seja, com sete palmos, e não com seis. A inscrição existente no túnel de Siloé oferece-nos uma evidência objetiva quanto ao comprimento do côvado, em Israel, porquanto afirma que o túnel tinha mil e duzentos côvados de comprimento. Quando o túnel é medido atualmente, mostra que tinha 533,1 m, resultando isso em um côvado de 44,4246 cm. Se a inscrição no túnel de Siloé alude a mil e duzentos côvados exatos, sem nenhuma fração, então (levando em conta que o palmo—ver mais abaixo—era a metade do côvado) a real estatura do gigante Golias, segundo se vê em I Sam. 17:4, que era de seis côvados e um palmo, era de 2,88876 m. Porém, tudo está na dependência da precisão dos côvados do túnel de Siloé. Em pés e polegadas, isso dá 9' 5 1/2''(nove pés, cinco polegadas e meio). Outros cálculos, entretanto, baseados em um côvado mais curto, falam em exatamente nove pés de altura para Golias (2,745 m), o que serve para mostrar a dificuldade de se chegar a um cálculo exato!

Confirmações adicionais de um côvado com, aproximadamente, 44,5 cm, derivam-se de cálculos alicerçados nas dimensões dos côvados do «mar de fundição» do templo de Salomão (I Reis 7:23-26; II Crô. 4:2-5), de mistura com sua capacidade, calculada em batos (vide, mais abaixo). Há uma tradição, impossível de ser averiguada, entretanto, que afirma que os rabinos conservavam côvados padrões no templo de Jerusalém. Medições em côvados são empregadas continuamente nas páginas do Antigo Testamento, como nas dimensões da arca de Noé (Gên. 6:15), do tabernáculo e seus móveis (Êxo. 25-27), das dimensões do leito de Ogue, o gigantesco rei de Basã (Deu. 3:11), da estatura de Golias (I Sam. 17:4), do templo de Salomão e seus móveis (I Reis 6:2—7:38), da altura da forca ou mastro de empalação erigido por Hamã (Est. 5:14 e 7:9), das dimensões da cidade, do templo e do território, nas visões de Ezequiel (Eze. 40:5—43:17), da imagem de ouro, erigida a mando de Nabucodonosor, na planície de Dura (Dan. 3:1), e, finalmente, do rolo volante, dentro da visão de Zacarias (Zac. 5:2).

B. *Cana*. No hebraico, *qaneh*. É palavra usada nas descrições de Ezequiel sobre o templo (Eze. 40:3, etc.). No Novo Testamento aparece como a palavra grega *kálamos*, que nossa versão portuguesa traduz por «vara», em Apo. 21:15. A «cana» ou «vara» era muito mais um instrumento de medir do que mesmo um padrão de medida. O «cordel» de Amós 7:17 e Zac. 2:1, bem como o «cordel de linho», de Eze. 40:3, também eram instrumentos de medição, e não unidades de medida. É realmente notável o número de ruínas de grandes edificações públicas antigas que podem ser medidas, em termos de números redondos de côvados, com cerca de 44,5 cm (mais exatamente, 44,46 cm), ou em canas com seis côvados exatos. Por conseguinte, a cana teria, exatamente, 266,76 cm. Assim, um certo palácio de Megido, na quarta **camada de escavações arqueológicas, teria, declaradamente** cinquenta côvados em quadrado, ou seja, 22,23 m. A plataforma da cidadela de Laquis tinha doze canas em quadrado (32,01 m); e a base da torre do portão, em Tell en-Nasbeh, tinha 13,338 m, ou cinco canas, em quadrado.

C. *Palmo*. No hebraico, *zereth*. Era a distância entre a ponta do polegar e a ponta do dedo mínimo da mão espalmada e os dedos separados. Era considerado exatamente a metade do côvado comum e, portanto, 22,23 cm (ver Êxo. 28:16; I Sam. 17:4). A estola sacerdotal (Êxo. 28:16) e o peitoral (Êxo. 39:9) tinham um palmo em quadrado. A altura de Golias era de seis côvados e um palmo (I Sam. 17:4).

D. *Largura da Mão*. No hebraico, *tephach* (I Reis 7:26; II Crô. 4:5; Sal. 39:5) e *tophach* (Êxo. 25:25; 37:12; Eze. 40:5,43; 43:13). Era considerada como um sexto do côvado comum (ou seja, 7,41 cm), ou um sétimo do côvado real. Ver Êxo. 22:25; I Reis 7:26; II Crô. 4:5; Sal. 39:5; Eze. 40:5.

E. *Dedo*. No hebraico, *etsba*. Era a menor subdivisão do côvado, ou seja, uma quarta parte da *largura da mão*, o que equivalia a 1,8525 cm. Ocorre somente no trecho de Jeremias 52:21, onde se lê: «...e a grossura era de quatro dedos...» Isso daria uma espessura de pouco menos de 7,5 cm para as paredes de bronze de cada coluna do templo de Salomão. Todavia, no Talmude é uma medida que figura com freqüência.

F. *Gomede*, transliteração do termo hebraico *gomed*. Aparece somente em Juízes 3:16, onde nossa versão portuguesa traduz essa palavra, erroneamente, por «côvado». Visto que Eúde usou um «punhal», e não uma «espada», então esse punhal não pode ter sido de um côvado (44,46 cm). A Septuaginta vem em nosso socorro, pois ali a tradução é *spthithamês*, «palmo». A Vulgata Latina concorda com isso, pois diz *palmae manus* (palma da mão). Todavia, há estudiosos modernos que pensam estar em pauta um «côvado curto».

Com base no côvado padrão de 44,46 cm, as medidas lineares do Antigo Testamento poderiam ser sumariadas conforme se vê abaixo:

Côvado Comum

1 cana	seis côvados	266,76 cm
1 côvado	seis larguras da mão	44,46 cm
1 largura da mão	quatro dedos	7,41 cm
1 dedo		1,8525 cm

Côvado de Ezequiel

1 cana	seis côvados	311,22 cm
1 côvado	seis larguras da mão	51,87 cm

G. *Unidades Greco-romanas*. Naturalmente, essas unidades, quando aparecem na Bíblia, fazem-no somente no Novo Testamento. São as seguintes:

1. *Côvado*. No grego *pêchus*; que aparece por quatro vezes: Mat. 6:27; Luc. 12:25; João 21:8 e Apo. 21:17. Provavelmente tinha 44,4246 cm. Isso porque os romanos consideravam que o seu côvado equivalia a um pé e meio romano, que era de 29,6164 cm.

2. *Braça*. No grego, *orguiá* (Atos 27:28). A braça era medida usada para aquilatar a profundidade da água. Os estudiosos calculam a braça em 1,85 m.

3. *Estádio*. No grego, *stádion*. Era uma medida tipicamente romana, para medir grandes distâncias, com quatrocentos côvados, ou seja, 177,7 m, ou o equivalente a um oitavo de milha romana (Luc. 24:13; João 6:19; Apo. 14:20).

4. *Milha Romana*. No grego, *mílio* (Mat. 5:41). Com oito estádios, a milha romana das províncias ocidentais equivalia a 1421,58 m. No entanto, nas províncias orientais do império romano era usada uma milha levemente maior, que equivalia acerca de

PESOS E MEDIDAS

uma quarta parte da medida persa *parasang*. Visto que se calcula o *parasang*, em 6249,92 m, essa milha romana oriental teria 1560,73 m.

H. *Distância Entre Pontos*. As distâncias de viagens e as distâncias entre dois pontos são expressas nos termos mais imprecisos, na Bíblia, em comparação com aquilo que os homens modernos estão acostumados. Assim, o «passo» (no hebraico, *pesa*) é mencionado apenas por uma vez, dentro de uma frase metafórica: «...apenas há um passo entre mim e a morte» (I Sam. 20:3). As distâncias cobertas nas viagens não eram aquilatadas em termos nem de quilômetros e nem de horas, mas tão vagamente quanto «um dia de viagem» (Núm. 11:31; I Reis 19:4; Jon. 3:4; Luc. 2:44), ou três dias de viagem (Gên. 30:36; Êxo. 3:18; Núm. 10:33; Jon. 3:3), ou sete dias de viagem (Gên. 31:23; II Reis 3:9). Nos trechos de Gênesis 35:16 e II Reis 5:19, a distância percorrida foi expressa como «extensão de território» (em algumas traduções), indicando «pequena distância» (conforme também diz nossa versão portuguesa). Tem-se calculado que, sob condições ordinárias, uma pessoa acostumada a andar poderia cobrir entre trinta e dois e quarenta quilômetros a cada dia, caminhando a pé. Uma viagem de um sábado (no grego, *odós sabbátou*) era a distância entre o monte das Oliveiras e Jerusalém (Atos 1:12). De conformidade com Josefo, essa distância era de seis estádios, ou seja, ligeiramente mais que um quilômetro (ver acima, *Estádio*, sob **Unidades Greco-romanas**).

Havia uma regra rabínica, derivada do trecho de Números 35:5, que determinava que a distância permitida para viagens em dia de sábado era ligeiramente superior ao que hoje se considera um quilômetro. A passagem de Êxodo 16:29 proíbe uma pessoa de deixar o seu «lugar» no sétimo dia. O trecho de Josué 3:4 registra que a distância entre a arca e o povo hebreu era de dois mil côvados, aproximadamente 890 m. E, visto que alguns iam até diante da arca, a fim de adorar ao Senhor em dia de sábado, alguns estudiosos têm pensado que a viagem de um dia de sábado equivalia a essa distância. Mas também havia outras distâncias, indicadas nas Escrituras, como a distância de um tiro de flecha (Gên. 21:16) ou de um sulco na terra (I Sam. 14:14; Sal. 129:3), indicações essas muito precárias quanto à distância que isso significava.

Duas medidas gregas de distância entre dois pontos encontram-se nos livros dos Macabeus e, portanto, nos livros apócrifos do Antigo Testamento. Betsur ficaria, mais ou menos, a cinco *schoinoi* distante de Jerusalém (II Macabeus 11:5). Ora, o *schoinos* era uma antiga medida egípcia, equivalente acerca de seis quilômetros. Isso significa que Betsur ficava cerca de trinta quilômetros de Jerusalém. O *estádio* também é mencionado por diversas vezes nos livros apócrifos do Antigo Testamento (ver II Macabeus 12:9,10,16,17, 29). Como já vimos, o estádio equivale a 177,7 m, um oitavo da milha romana.

II. Medidas de Área

É incrível que um costume antigo, muito generalizado, de determinar áreas territoriais, fosse o uso do que um boi com arado fosse capaz de arar durante o período de um dia; outro padrão muito comum era a quantidade de semente que se fazia mister para semear uma dada área. Como vemos, padrões em nada precisos!

A. *Egípcias*. O côvado (no egípcio, *mh*), era usado no Egito para a determinação de áreas. Um terreno com um côvado de largura e cem côvados de comprimento era considerado como um terreno com um côvado de área! E uma área com cem desses côvados era chamado um *st't*, mais ou menos equivalente ao que hoje em dia seriam 2700 m(3)! Estranhíssimas as medidas de área entre os egípcios antigos!

B. *Mesopotâmicas*. Na Babilônia e na Assíria, a terra era medida, quanto à sua área, em termos do que um par de bois pudesse arar no espaço de um dia. Essa área era definida como aquilo que, hoje em dia, diríamos ser de cerca de 1600 m(2). E ali a terra também era medida de acordo com a quantidade de grãos para semeá-la. Assim, nos escritos deles encontramos expressões como um *imeru* de terra. Devido a tão grande indefinição, as áreas medidas variavam conforme as localidades e o tempo a que nos estejamos reportando!

C. *Israelitas*. No hebraico não existe qualquer termo usado especificamente para indicar áreas de terra. Todavia, são dados os comprimentos dos lados de um retângulo, ou de um quadrado, ou, então, o diâmetro e a circunferência de áreas circulares (ver I Reis 6:2,3; 7:23; II Crô. 4:1,2; Eze. 40:47,49; 41:2,4, etc.). Além disso, a *jeira* (no hebraico, *tsemed*; ver Isa. 5:10), que no hebraico tem o sentido de «vareta» ou «jugo», representava a área de terra que um par de bois era capaz de arar durante um dia (ver I Sam. 14:14 e Isa. 5:10). Entre os israelitas também havia o método de medição da áreas de terra de acordo com a quantidade de sementes necessária para semeá-las (ver Lev. 27:16; I Reis 18:32). Assim, Elias cavou uma trincheira, em redor do altar, no monte Carmelo, suficiente para conter duas «medidas» de sementes (no hebraico, *seahs*, I Reis 18:32). Ora, é dificílimo determinar quais as dimensões dessa trincheira!

A passagem de **Levítico 27:16** não parece referir-se ao valor de um campo cujo preço era de cinqüenta siclos por ômer de cevada, para que pudesse ser semeado, porquanto essa interpretação significaria que uma vasta área poderia ser adquirida por um preço ridiculamente baixo. Antes, o mais provável é que aquele versículo se refere ao grão a ser colhido, pelo que seria uma estimativa do valor do campo, e não uma alusão à sua área. Diz ali a nossa versão portuguesa: «Se alguém dedicar ao Senhor parte do campo da sua herança, então a tua avaliação será segundo a semente necessária para o semear: um ômer pleno de cevada será avaliado por cinqüenta siclos de prata». Por sua vez, o trecho de Números 35:4,5 descreve as dimensões das terras de pastagens das cidades levíticas. O quarto versículo estipula que as terras que se estenderiam das muralhas da cidade para fora seriam de mil côvados ao redor; mas o quinto versículo, descrevendo uma área quadrada, menciona lados de dois mil côvados. Se isso fosse interpretado literalmente, então não haveria nenhum espaço reservado para a cidade, no meio da área quadrada. A solução do problema é que os dois mil côvados do quinto versículo representam a divisão frontal da profundidade especificada de mil côvados. E isso, por sua vez, significa que os dois mil côvados quadrados não eram a área das terras de pastagens, e, sim, um quadrado que engolfava a cidade, compondo a divisão frontal das áreas de pasto, em cada um dos quatro lados da cidade. Com base em informes extraídos da *Mishnah* (vide), os estudiosos têm calculado a *seah* (em nossa versão portuguesa, «medida»; ver I Reis 18:32) como equivalente a 784 m(2). E, se seguirmos a mesma proporção, um ômer corresponderia a 23.520 m(2).

D. *Romanas*. No idioma latino, a palavra *jugum* (jugo, par) era empregada a fim de descrever a área que um par, ou junta de bois era capaz de arar em um dia. Posteriormente, essa área foi definida como um

PESOS E MEDIDAS

jugerum de cerca de cinco oitavas partes de um acre moderno. Tem sido calculado que seriam necessárias três inteiros e três quintos de *seahs* para semear um *jugerum* de terras, no período greco-romano, isto é, cerca de 700 m(2). E o sulco romano (em latim, *actus*) tinha o equivalente a 36,6 m em linha reta; e a terra era medida de acordo com essa medida em quadrado.

III. Medidas de Capacidade

Da mesma maneira que as medidas de comprimento, côvado, palmo e dedo derivaram-se de várias partes do corpo humano, assim também as antigas unidades de capacidade eram, originalmente, bastante indeterminadas, e suas designações geralmente eram extraídas de termos, usualmente, usados no lar ou no comércio, como aqueles nomes tremendamente imprecisos de «taça cheia d'água» (Juí. 6:38; ver Amós 6:6) ou «mão cheia» (segundo algumas traduções; em nossa versão portuguesa «encher as mãos»; I Reis 20:10). Termos um tanto mais bem definidos são: o *hômer*, derivado da idéia de «carga de um jumento»; o *him*, que é um vaso; o *ômer*, que já aponta para um feixe; e o *efa*, que indica um cesto.

No antigo Egito, a medida padrão de capacidade chamava *hkt*, que os estudiosos calculam como o equivalente a 5,03 litros. Essa medida era usada para medir cereais ou metais. O *him*, ou jarra (no egípcio *hnw*), que já representava uma décima parte dessa capacidade, era indicado para medir certos líquidos, como a cerveja, o leite e o mel, além de servir de medida para secos. Portanto, valia, em termos redondos, meio litro.

Todavia, na Mesopotâmia havia grande variedade de medidas de capacidade, a julgar pelos inúmeros nomes dessas medidas, conforme se encontram nos textos sumérios, assírios, neobabilônicos e nuzianos. Ali, a medida padrão de capacidade, com toda a probabilidade, era o *qa*, equivalente à *sila* dos sumérios. Quanto a essas medidas já não há tanta certeza, pois os eruditos têm-nas calculado entre 1,004 litros e 1,34 litros. Outra medida padrão de capacidade era o *sutu*, de dez *qas*, que poderíamos calcular até a um máximo de 13,4 litros. E também o *imeru* (que significa «jumento», pois representava a carga usualmente transportada por esse animal), mais ou menos o equivalente a um máximo de 134 litros. Esse termo acha-se nos textos nuzianos e assírios do império médio.

Não dispomos de evidências suficientes para determinar as unidades cananéias de capacidade, embora muitos acreditem que deveriam parecer-se muito com as do sistema mesopotâmico. Sabemos, todavia, que o *hmr* (hômer) era uma unidade para secos, o que também acontecia à *lth* (leteque). O *lg* (logue) era outra dessas medidas de capacidade, que tem sido encontrada na literatura ugarítica.

Quanto às medidas de capacidade, usadas entre os hebreus, elas nunca foram padronizadas, havendo até mesmo o fenômeno de diferentes designações serem usadas para indicar a mesma unidade, em alguns casos. Também eram nomes usados para indicar medidas para líquidos e para secos, mais ou menos como se faz hoje com o moderno litro. Já entre os romanos, as medidas de capacidade chamavam-se *quartario*, *sextarius*, *congius*, *urna* e *ânfora*.

Quando passamos a examinar a Bíblia, no tocante a medidas de capacidade, então poderemos dividi-las como segue:

A. Líquidos, no Antigo Testamento

1. *Bato*. No hebraico, *bath*. No grego, *bátos* (somente em Luc. 16:6, onde nossa versão portuguesa diz «cado»). Essa era a medida padrão dos hebreus para líquidos. Visto que, no hebraico, essa palavra equivale a *filha*, fica sugerida a idéia de que sua capacidade era aquela que as jovens geralmente transportavam das fontes para casa (cf. Gên. 24:15). Alguns crêem que tinha a mesma capacidade do efa (ver Eze. 45:11,14), ambos os quais teriam uma décima parte do hômer, embora isso não signifique que o hômer fosse usado para medir líquidos. O bato é mencionado, no Antigo Testamento, em múltiplos de até vinte mil (I Reis 7:26,38; II Crô. 2:10; 4:5). Essa medida era usada para medir água (I Reis 7:27,38; II Crô. 4:5), vinho (II Crô. 2:10; Isa. 5:10) e azeite (II Crô. 2:10; Eze. 45:14). Era uma medida justa (Eze. 45:10). Sua capacidade tem sido calculada equivalente a 18,9 litros, com base na capacidade estimada de jarras quebradas, pertencentes ao século VIII A.C., encontradas em Tell ed-Duweir (Laquis) e Tell en-Nasbeh (com a inscrição «bato real»), e também em Tell Beit Mirsim, assinaladas «bato». No entanto, a cerâmica dos tempos greco-romanos revelam um bato como o equivalente a 21,5 litros. Os cálculos feitos no tocante à capacidade do «mar de fundição», do templo de Salomão (I Reis 7:23-26,38), todavia, apóiam mais o cálculo que fala em 18,9 litros. No entanto, outros estudiosos têm chegado a falar em um bato com a capacidade de 22,70 litros. Os cálculos são difíceis!

2. *Him*. No hebraico, *hin*, media uma sexta parte de um bato. Um sexto de um him, por sua vez, é considerado como o mínimo do que um homem precisava para beber de água, diariamente (Eze. 4:11). Portanto, essa quantidade mínima de água, consumida por um homem seria o equivalente a 0,525 litro. O *him* é, usualmente, mencionado em contextos que falam sobre ritos e cerimônias, no tocante a oferendas de vinho e azeite, tanto em números redondos (Êxo. 30:24; Eze. 45:24; 46:7,11) quanto em números fracionários (Núm. 15:9; 28:14—meio *him*; Núm. 15:6,7; Eze. 46:14—um terço de *him*; e Êxo. 29:40; Lev. 23:13; Núm. 15:4,5; 28:5,7—um quarto de *him*).

3. *Logue*. No hebraico, *log*. No ugarítico, *lg*; no cóptico, *lok*. Essa era a menor de todas as medidas para líquidos, equivalente a um doze avos de him. É mencionado somente em Levítico 14:10-24, para indicar a quantidade de azeite que se deveria usar no rito da purificação dos leprosos. Portanto, seria o equivalente a 0,2625 litro. A tradução da Septuaginta usa o termo grego *kotúle*; e a Vulgata Latina diz *sextarius*. No Talmude calcula-se o logue como a quantidade de água deslocada por seis ovos de galinha, que alguns estudiosos têm calculado como 0,432 litro, em média, embora outros, conforme vimos, pensam em uma quantidade bem menor do que isso.

Medidas de Líquidos, no Antigo Testamento

Hômer (coro)	dez batos	189 litros
Bato	seis hins	18,9 litros
Him	doze logues	3,15 litros
Logue		0,2625 litros

B. Secos, no Antigo Testamento

1. *Hômer*. No hebraico, *chomer*. Essa era a medida padrão para secos, entre os hebreus. No entanto, também era chamado de *coro*, devido à assimilação de dois sistemas diferentes, formando um só. Essa palavra vem de um termo hebraico que significa «carga de um jumento». Os cálculos dos especialistas variam muito, quanto a essa medida, oscilando desde cerca de 134 litros, passando por 230 litros, e, mais antigamente, chegando até 387,64 litros! Sabe-se somente que era equivalente ao *coro*, e que continha

PESOS E MEDIDAS

dez batos ou efas (ver Eze. 45:11-14). Esse dado permite-nos fazer um cálculo melhor, conferindo-lhe a capacidade de 189 litros. O hômer era usado para medidas regularmente grandes, nas páginas do Antigo Testamento. Servia de medida grande para cereais (Eze. 45:13; Osé. 3:2). Um hômer de cevada valia cinqüenta siclos de prata (Lev. 27:16). Como uma exceção, foi medida usada para medir as codornizes que os israelitas apanharam no deserto. Essas aves chegaram a cobrir o solo a uma profundidade de dois côvados, por um dia de marcha em torno do acampamento de Israel. Como eles ficaram recolhendo essas aves o dia inteiro e a noite inteira, bem como o dia seguinte, «...o que menos colheu teve dez ômeres» (Núm. 11:32). Se um hômer equivalia a 189 litros, então isso daria o equivalente a 1890 litros de codornizes, o que nos dá uma idéia da glutonaria dos israelitas, naquela oportunidade. Lemos em Isaías 5:10: «...e um ômer cheio de semente não dará mais do que um efa». Ora, o efa era a décima parte do hômer. Isso exprime uma maldição imposta às terras arráveis, por causa dos pecados dos israelitas.

2. *Coro.* No hebraico, *kor.* Ver, por exemplo, Eze. 45:14. Era uma medida de capacidade igual ao ômer. Era uma medida grande para cereais (ver I Reis 4:22; 5:11; II Crô. 2:10). Era uma medida para secos, embora o trecho de Ezequiel 45:14 dê a impressão de que era uma medida para líquidos, como o azeite. Tal como o hômer, continha dez batos. Uma pedra de coloração ferrugem, com meio hômer de peso, usada há cerca de três mil anos passados, em Jerusalém, foi encontrada pelos arqueólogos.

3. *Leteque.* No hebraico, *lethek.* Essa palavra ocorre exclusivamente em Oséias 3:2, no trecho onde se lê: «Comprei-a, pois, para mim por quinze peças de prata, e um ômer e meio de cevada». Corresponde à palavra «ômer», em nossa versão portuguesa, o que é um erro. O fenício Áquila, Símaco, Teodócio e a Vulgata Latina interpretam essa palavra como «meio coro». Nesse caso, equivaleria a 94,5 litros. Todavia, alguns estudiosos permitem-se duvidar dessa avaliação daqueles antigos escritores.

4. *Efa.* No hebraico, *ephah.* No egípcio, *'pt.* Era uma medida para secos, e usada por muitas vezes no Antigo Testamento (ver Deu. 25:14; Pro. 20:10; Miq. 6:10). Equivalia a uma décima parte do hômer (ver Eze. 45:11), pelo que teria 18,9 litros. No entanto, no trecho de Zacarias 5:5-11, o efa que aquele profeta viu em visão denota um espaçoso receptáculo com tampa, suficientemente grande para conter uma mulher de nome «Iniqüidade». Essa efa tinha de ser bem maior que o efa comum, para poder conter uma pessoa em seu interior. O efa comum é mencionado por nada menos de trinta e seis vezes no Antigo Testamento, conforme se vê, por exemplo, em Êxo. 16:36; Lev. 5:11; 6:20; 14:10,21; 19:36; Núm. 5:15; 28:5; Deu. 25:14; Juí. 6:19; Rute 2:17; I Sam. 1:24; Isa. 5:10; Eze. 45:10; Amós 8:5, etc.

O efa precisava ser uma medida justa, exata (Lev. 19:36; Deu. 25:15); não podia ser pequeno demais (Amós 8:5; Miq. 6:10). Os israelitas não podiam usar dois efas diferentes, um grande e outro pequeno (Deu. 25:14; Pro. 20:10). Também são mencionadas frações de um efa, como em Eze. 45:13; 46:14—um dezesseis avos de efa; Lev. 5:11; 6:20; Núm. 5:15; 28:5—uma décima parte de um efa. Era empregado para medir farinha de trigo, cereais, cevada, grãos tostados, mas jamais líquidos. No caso de líquidos, o equivalente era o *bato* (vide).

5. *Seah.* No Antigo Testamento, essa palavra hebraica figura por nove vezes: Gên. 18:6; I Sam. 25:18; I Reis 18:32; II Reis 7:1,16,18. Por falta de um termo português correspondente, nossa versão portuguesa traduz essa palavra por «medida». É muito difícil determinar a sua capacidade, embora alguns estudiosos tenham calculado sua capacidade como o equivalente a 12,93 litros. *Erubin,* do Talmude babilônico diz que a *seah do deserto* equivalia ao volume de 144 ovos de galinha, ao passo que a *seah de Jerusalém* seria igual a 173 ovos de galinha, ou seja, um sexto maior que a seah do deserto. E a seah de Seforis (uma medida sagrada, usada em cerimônias religiosas) equivaleria a 207 ovos de galinha.

6. *Ômer.* No hebraico, *omer;* no grego, *gómor,* que aparece na Septuaginta. Não se deve confundir essa medida com o hômer, embora, na grafia portuguesa, as duas palavras sejam escritas da mesma maneira. Entretanto, essa palavra hebraica só aparece no relato sobre o recolhimento de maná (ver Êxo. 16:13-36). Representava a ração de um dia, para cada indivíduo. Por isso mesmo, no sexto dia da semana, dois ômeres precisavam ser recolhidos, para serem consumidos na sexta-feira e no sábado. E um ômer de maná deveria ser guardado como memorial (Êxo. 16:32-34). Em Êxodo 16:36 é identificado como equivalente a uma décima parte de um efa, o que fazia do ômer uma medida igual ao *issaron* ou «décima parte», conforme se lê em Êxodo 29:40. Nesse caso, equivalia a 1,89 litro.

7. *Issaron.* Provavelmente era apenas um outro nome para o ômer, porquanto valia uma décima parte de um efa. Em nossa versão portuguesa, além de outras, aparece apenas como «a décima parte», em Êxo. 29:40, além de aparecer como medida para cereais, nos textos litúrgicos (Êxodo 29:40; Lev. 14:10,21 etc.). Nossa versão portuguesa diz nesses versículos do livro de Levítico, «dízima de um efa».

8. *Cabe.* No hebraico, *kab,* um termo que figura exclusivamente em II Reis 6:25, embora nossa versão portuguesa prefira não usar a palavra, dizendo: «...um pouco de esterco de pombas...», quando deveria dizer «...um cabe de esterco de pombas...» Na verdade, no original hebraico o texto está um tanto corrupto, sendo compreensível que várias traduções e versões prefiram evitar diretamente a palavra. Josefo (*Anti.* 9.4,4) considerava que um quarto de um cabe equivalia a um *sextarius* (no grego, *kséstes*). Alguns calculam o cabe como um dezoito avos do efa. Isso seria equivalente a 1,05 litro.

9. *Mão-Cheia.* Em adição às medidas para secos, mais bem definidas, conforme vimos acima, no Antigo Testamento também encontramos freqüentes expressões como: «mãos-cheias de cinza» (Êxo. 9:8), «um punhado da flor de farinha» (Lev. 2:2), «um punhado como porção memorial» (Luc. 5:12), «um punhado de farinha» (Reis 17:12), «punhados de cevada» (Eze. 13:19). De fato, no hebraico há nada menos de sete vocábulos ou expressões que as traduções e versões geralmente traduzem por «punhado», «mão-cheia», «porção», etc.

Medidas para Secos, do A.T.

Hômer (Coro)	189 litros	dez efas
Leteque (1/2 hômer)	94,5 litros	cinco efas
Efa (1/10 do hômer)	18,9 litros	10 seahs
Seah (1/3 do efa)	6,3 litros	3 1/3 ômers
Ômer (1/10 do efa)	1,89 litro	1 4/5 cabe
Cabe (1/8 do efa)	1,05 litro	

••• ••• •••

PESOS E MEDIDAS

C. Medidas no Novo Testamento

Dentre todas as medidas para líquidos, que damos acima, somente o bato pode ser encontrado no Novo Testamento (Luc. 16:6, «cados», segundo a nossa versão portuguesa). E de todas as medidas acima, para secos, somente duas também figuram no Novo Testamento. Essas duas medidas são a *seah* (no grego, *sáton*, que a nossa versão portuguesa traduz por «medida»—Mat. 13:33) e o *coro* (no grego, *kóros*, que a nossa versão portuguesa traduz acertadamente por «coro»—Luc. 16:7). O *sáton* era uma medida de capacidade mui comumente usada por todo o império romano. Equivalia a 10,91 litros, ou seja, quase a metade de um efa dos hebreus. Os hebreus, entretanto, usavam três medidas diferentes com o mesmo nome, *seah*, e isso complica bastante o quadro. Outras medidas encontradiças no Novo Testamento são as seguintes:

1. *Choiniks*, que nossa versão portuguesa traduz por «medida» (ver Apo. 6:6), era uma medida grega para secos, com a capacidade de, aproximadamente, 1,1 litro.

2. *Chestes*. No grego, *kséstes*; no latim, *sextarius*. Esse era o nome de um vaso doméstico, cuja capacidade equivalia, mais ou menos, a 0,642 litro. Ver Marcos 7:4, onde a nossa versão portuguesa diz «vasos».

3. *Metretas*. No grego, *metretês*. Era uma medida de capacidade para líquidos, equivalente a cerca de 39 litros. A Septuaginta mostra-se insegura a respeito, pois traduz várias medidas hebraicas por *metreta*, o que é impossível. Josefo, entretanto, disse que a *metreta* era equivalente ao bato (ver *Anti.* 3.8,3; 8.2,9). Ora, se o bato (ver acima) equivalia a 18,9 litros, como poderia equivaler à metreta, que tinha 39 litros? Com base nas descobertas arqueológicas, porém, sabe-se agora que havia metretas com várias capacidades, o que explica a discrepância. Uma jarra encontrada entre as ruínas de Qumran tem permitido que os arqueólogos calculassem a metreta em 45,4236 litros; sem dúvida uma metreta grande. Mais uma vez, vê-se a falta de uniformidade total entre as medidas antigas, sobretudo entre os hebreus. Ver João 2:6, exclusivamente.

4. *Módio*. No grego, *módios*; no latim, *modius*. Era uma medida para secos, equivalente acerca de 8,49 litros. Nossa versão portuguesa a traduz por «alqueire», em Mar. 4:21 e Luc. 11:33. Ninguém acendia uma lamparina para então cobri-la com uma dessas medidas, emborcada, como é óbvio. A medida «módio», usada em Jerusalém, nos tempos helenistas e romanos, era equivalente ao *modius* itálico.

5. *Libra*. No grego, *lítra*; no latim, *libra*. Com o equivalente a 0,3548 litro, a *libra* era usada tanto como um peso quanto como uma medida de capacidade. Essa foi a quantidade de ungüento que Maria usou para ungir os pés do Senhor Jesus (João 12:3). Nicodemos, por sua vez, trouxe uma mistura de mirra e aloés com o peso de cem libras (35,48 kg), a fim de ungir com a mesma o corpo de Jesus (João 19:39).

IV. Medidas de Peso

As evidências arqueológicas são muito mais abundantes no caso de medidas de peso do que no caso de medidas de comprimento, área e capacidade. Um grande número de pesos, com a forma de pedras inscritas e não-inscritas, representando um siclo ou suas frações, tem sido encontrado na Palestina. O fato de que a maioria dos antigos pesos, usados entre os hebreus, que têm sido encontrados pelos arqueólogos, consistia em pedra dura reflete-se na palavra geral que a Bíblia usa a fim de indicar peso, no Antigo Testamento, isto é, «pedra» (no hebraico, *eben*). Até os nossos próprios dias os aldeões usam pedras achadas no campo como pesos. Eles selecionam algumas pedras que sejam aproximadamente do peso que eles desejam. Um outro vocábulo que algumas vezes era usado para indicar um peso era *eben-kis*, «surrão de pedra», o que indica que o transporte de pesos, em uma sacola ou surrão era um costume bem estabelecido na antiga nação de Israel (Pro. 16:11; Miq. 6:11).

No período inicial da história de Israel, o dinheiro não era usado como padrão de valores para trocas e o comércio em geral. E isso porque as moedas só foram introduzidas entre os israelitas já durante o período persa, quando a monarquia era coisa do passado em Israel. Portanto, antes disso, as transações eram feitas mediante a prática do escambo (a troca de mercadorias entre si, como a de uma ovelha por certa quantidade de cereal, ou por um dado peso em ouro ou prata). Assim sendo, a despeito de tão abundantes informações que os arqueólogos têm conseguido recolher em suas pesquisas, nenhum sistema definido de pesos jamais foi encontrado em todo o antigo Oriente Próximo e Médio. Havia uma grande variação nos pesos usados porque havia sistemas independentes, que variavam de região para região, sem falarmos no fato de que também havia variações de conformidade com as mercadorias oferecidas à venda. Os padrões de peso, entre os hebreus eram tão inexatos que essa variedade de que estamos falando existia até mesmo no caso de pesos com a mesma inscrição, ou seja, marcados como se tivessem um mesmo valor de peso.

Conhece-se a unidade básica de pesos no antigo Egito, que era o *deben*. Esse padrão, entretanto, segundo as descobertas arqueológicas o têm demonstrado, variava desde cerca de 13,43 g até cerca de 19 g. Mas, como o Antigo Testamento nunca menciona quaisquer dos pesos egípcios, não nos damos ao trabalho de catalogá-los aqui para o leitor. Importa-nos muito mais o sistema de pesos que havia entre os hebreus.

O sistema hebreu de pesos derivava-se do sistema cananeu, que, por sua vez, tinha sido recebido dos babilônios. A palavra hebraica para peso é *shakal*, de onde também se deriva o termo siclo. O siclo era a unidade básica de peso entre todos os antigos povos semitas. No acádico chamava-se *siqlu*. Os pesos assírios e babilônios não se ajustavam a um padrão, mas antes, variaram muitíssimo com a passagem dos séculos—até mesmo uma mudança de governantes podia resultar na modificação dos padrões de peso, ao sabor do capricho dos mandantes. Interessante é que os pesos usados na Mesopotâmia estavam alicerçados sobre uma base sexagesimal (múltiplos de sessenta ou fração). Em comparação com isso, os egípcios pareceriam mais modernos para nós, pois o seu sistema era decimal. O sistema babilônico deixou, contudo, sinais até mesmo na civilização moderna, pois o sistema de dividir a hora em sessenta minutos, e o minuto em sessenta segundos deriva-se daquele sistema sexagesimal babilônico. Outros valores babilônicos de peso eram a mina (no acádico, *manu*; no hebraico *maneh*), o talento (no acádico *biltu*) e a gera (no acádico, *giru*). Isso posto, o sistema babilônico pode ser facilmente representado desta maneira: um talento = 60 minas; uma mina = 60 siclos; um siclo = 24 geras. Os mesopotâmicos também tinham pesos chamados «reais», sempre o dobro do comum. Assim, um talento real valia cento e vinte minas, etc. Um siclo de ouro valia dez siclos de prata. De acordo com o sistema mesopotâmico mais comumente empregado, o siclo pesava 8,4 gramas.

PESOS E MEDIDAS

Alguns dos pesos assírios eram moldados na forma de leões de metal, com a boca aberta e cauda levantada, com um símbolo impresso ao lado, que mostrava qual era o valor daquele peso. A fim de que essas figuras de leões se aproximassem o mais possível do peso ali determinado, pedacinhos de metal eram tirados ou preenchidos na forma oca do peso. Assim, um leão de bronze, com o peso marcado de dois terços de mina, foi encontrado no palácio de Salmaneser, rei de Assur. E um peso de trinta minas, com o formato de um pato, esculpido em basalto negro, foi encontrado no palácio de Eriba-Marduque II (688—680 A.C.—foi o seu reinado). Uma antiga pedra babilônica, com as palavras inscritas «verdadeiro peso de meia mina», com o peso real de 244,8 gramas, foi encontrada. Isso daria à mina o peso de 489,6 gramas. Uma outra dessas pedras, inscrita «verdadeiro peso de uma mina», ao ser aferida, entretanto, resultou em 978,3 gramas. Como é óbvio, essas duas pedras representavam a mina leve e a mina pesada, que havia na antiguidade.

Conforme já deixamos claro, o sistema dos hebreus derivava-se do sistema cananeu, que, por sua parte, derivara seu sistema da Mesopotâmia. Isso posto, os sistemas metrológicos nessas duas regiões do mundo, a grosso modo, eram idênticos, excetuando que a mina cananéia continha cinqüenta siclos, e não sessenta. Assim também em Israel, antes dos dias do profeta Ezequiel, conforme evidências, havia uma mina de cinqüenta siclos. Alguns dos textos ugaríticos determinam pesos de acordo com siclos «pesados». Além disso, em Ugarite, o talento tinha apenas três mil siclos, e não três mil e seiscentos. Certa coleção de pesos, de Ugarite, que aparecem em certos textos, indica um siclo leve de 9,5 gramas, além de alusões a um siclo *pesado*, com exatamente o dobro desse valor, isto é, 19 gramas. Outros textos ugaríticos, encontrados em Ras Shamra referem-se ao *kkr* (o talento dos hebreus) e ao *tkl* (o siclo dos hebreus).

O sistema hebreu de computação de pesos seguia o sistema decimal, e não o sistema babilônico sexagesimal. A unidade básica era o siclo; e os seus múltiplos eram a mina e o talento. A mina aparece mencionada nas páginas do Antigo Testamento apenas com muita raridade (ver I Reis 10:17; Nee. 7:71). Há uma certa confirmação de que as unidades assírias e hebréias eram idênticas, pelo menos em algumas instâncias. Diz a passagem de II Reis 18:14: «Então o rei da Assíria impôs a Ezequias, rei de Judá, trezentos talentos de prata e trinta talentos de ouro». Nos anais de Senaqueribe, rei da Assíria, a respeito do mesmo incidente, é indicada a mesma quantidade de ouro, embora a quantidade de prata apareça como oitocentos talentos, e não trezentos; e a similaridade entre os dois relatos é bastante interessante. Os pesos gregos chamavam-se estáter, mina e talento. Já os pesos romanos denominavam-se dracma, siclo, mina e talento, em ordem crescente, isto é, cada vez mais valiosa.

A. *Talento*. No hebraico, *kikkar*, porquanto esse peso deriva o seu nome do fato de que se trata de um peso em forma circular. Era a mais valiosa das unidades, e entre os babilônios tinha o nome de *biltu*. O talento dos babilônios tinha o peso de 30,13 kg, estando dividido em sessenta minas de 0,5021 quilo cada. Nossa palavra portuguesa, *talento*, vem do latim, tendo partido do grego *tálanton*, que significa «peso». Com freqüência, é mencionado nos livros históricos do Antigo Testamento, mas raramente no Pentateuco (ver Êxo. 25:39; 37:24; 38:24-29). De acordo com o trecho de Êxodo 38:25,26, a taxa do santuário, de uma beca (ou meio siclo), por cabeça, paga por 603.550 homens, atingiu cem talentos, mil setecentos e setenta e cinco siclos, o que deixa claro que cada talento estava dividido então em três mil siclos. Isso pode significar tanto que havia sessenta minas de cinqüenta siclos, como que havia cinqüenta minas de sessenta ciclos. Um peso de dois talentos, encontrado em escavações, em Lagase, e que, atualmente, se encontra no Museu Britânico, em Londres, Inglaterra, apresenta um peso de cerca de 30,3 kg por talento. E pesos de uma mina, provenientes de vários períodos históricos, até o império neobabilônico, mostram que o peso do talento foi mantido em oscilação, durante muitos séculos, entre 28,38 kg e 30,27 kg. É muito provável que esse mesmo talento fosse o padrão tanto na Síria quanto na Palestina.

B. *Mina*. No hebraico, *maneh*. Aparece apenas mui raramente no Antigo Testamento (ver I Reis 10:17; Esd. 2:69; Nee. 7:70; Eze. 45:12; cf. Dan. 5:25). De acordo com o sistema babilônico, estas eram as relações: um talento = sessenta minas; uma mina = sessenta siclos. Em Ugarite, porém, há provas de que havia uma mina de cinqüenta siclos. O trecho de Ezequiel 45:12, define a mina como equivalente a sessenta siclos. O trecho, no original hebraico, agora traduzido, diria: «...a mina será para vinte siclos, e vinte e cinco siclos e quinze siclos», resultando em uma mina de sessenta siclos, tal e qual no caso da mina babilônica. Aquela maneira de contar, no trecho de Ezequiel que citamos, é incomum, sugerindo que havia pesos de quinze, de vinte e de vinte e cinco siclos, e que este último era uma mina de cinqüenta siclos, tal e qual havia em Ugarite. Também há evidências de que na Israel pré-exílica o padrão comercial era o talento, assim dividido: um talento = cinqüenta minas = dois mil e quinhentos siclos. No trecho de Êxodo 21:32, uma multa de trinta siclos foi imposta, no mesmo caso em que o famoso código de Hamurabi impunha meia mina. A mina antiga, mui provavelmente, pesava entre 550 e 600 gramas. Mas, de acordo com o sistema que transparece no livro de Ezequiel, a mina já aparece com o peso de cem gramas. Isso posto, as flutuações de peso, entre uma época e outra, são tão grandes que desafiam toda a nossa tentativa de estabelecer um valor preciso para a mina.

C. *Siclo*. No hebraico, *shakal*, que significa «pesar». Esse era o peso básico, usado nas antigas metrologias dos povos semíticos. Todavia, é mister adiantar, logo de saída, que não havia peso uniforme para o siclo, na antiguidade. Até mesmo pesos inscritos com os mesmos sinais não tinham os mesmos pesos entre si, porquanto havia pesos leves e pesados, comuns e reais. Vários especialistas têm calculado o valor do siclo como equivalente, em gramas, entre 11,3 e 11,47. O trecho de Ezequiel 45:12 afirma que o siclo pesava vinte geras, e que a mina era igual a sessenta siclos.

O Antigo Testamento refere-se a frações do siclo. Assim, meio siclo (Êxo. 30:13), um terço de siclo (Nee. 10:32), um quarto de siclo (I Sam. 9:8). E o trecho de Ezequiel 45:12 parece redefinir a mina como se contivesse sessenta siclos. Abraão pagou pelo campo de Macpela «quatrocentos siclos de prata, moeda corrente entre os mercadores» (Gên. 23:16). É possível que essa expressão tenha sido usada para distinguir esse peso do «siclo do santuário», de vinte geras (cf. Êxo. 30:13). É possível que essa distinção explique por que motivo Neemias (ver Nee. 10:32) disse que a taxa do templo era de um terço de siclo, ao passo que, no Pentateuco, isso aparece como uma beca ou meio siclo (ver Êxo. 38:26).

PESOS E MEDIDAS

O peso anual dos cabelos aparados de Absalão, que alguns estudiosos têm calculado em mil e oitocentos gramas, refere-se ao siclo pelo padrão do «peso real» (II Sam. 14:26). Essa referência evidencia o fato de que, até mesmo em tempos tão remotos quanto os dias de Davi, já havia um padrão oficial, com o qual qualquer peso poderia ser confrontado. Ao estabelecer um padrão assim, Davi estava tão-somente copiando a prática de outros monarcas do passado.

Uma cópia de um peso de pedra de uma mina, preparada a mando de Nabucodonosor (605—562 A.C.), foi confirmada como estando de acordo com o padrão estabelecido por Sulgi, rei de Ur (cerca de 2000 A.C.). E um grande peso, não-marcado, proveniente de Tell Beit Mirsim, provavelmente igual ao peso de oito minas, dá ao siclo um peso de 11,41 gramas. A beca é o único peso cujo nome aparece tanto no Antigo Testamento quanto em pesos recuperados pela arqueologia. A beca equivalia a meio siclo (ver Êxo. 38:26). Sete pedras com a inscrição *bq'* foram encontradas. O peso delas varia entre 5,9 gramas e 6,65 gramas, dando uma média de 6,04 gramas. Cinco outros pesos com inscrição, dentro das mesmas variações, fazem com que o peso da beca seja de 6,02 gramas. Isso significa que podemos fazer uma média, com base nesses dados, e dizer que o siclo valia 12,02 gramas. Isso posto, parece que o símbolo que se assemelha a um oito com a parte superior decepada (ჯ), que tem sido encontrado em pesos de cerca de doze gramas é um emblema antigo para indicar o siclo. No entanto, alguns estudiosos postulam que esse cálculo está por demais exagerado, visto que o peso encontrado em Tell Beit Mirsim, acima mencionado, empresta ao siclo um valor de 11,41 gramas; e o peso médio de outros dezessete pesos desses, com a marca do siclo, é de 11,53 gramas. Várias teorias têm sido propostas como explicação para o símbolo do siclo, o oito com a parte superior cortada, mas nenhuma dessas tentativas é satisfatória. Alguns têm sugerido que esse emblema teve origem egípcia, outros pensam em uma origem babilônica ou persa.

O chamado «siclo do santuário» (Êxo. 30:13,24; 38:24-26; Lev. 5:15; Núm. 3:47, etc.) seria igual ao valor de vinte geras. Algumas traduções dão essa mesma expressão como «siclo sagrado». Algumas autoridades no assunto pensam que seu valor era diferente do siclo ordinário. Talvez aluda a um peso padrão, guardado no recinto do tabernáculo e do templo, embora isso não nos seja informado pela própria Bíblia.

Outros pesos antigos têm sido achados, contribuindo mais ainda para a confusão reinante na determinação do valor do siclo, visto que tais pesos sugerem um sistema com um siclo de peso levemente superior, ou seja, de cerca de 13 gramas; e alguns especialistas pensam que esse tipo de peso era usado para pesar certos tipos de mercadorias. Assim, sabe-se que em Ugarite duas palavras eram empregadas para indicar o siclo, isto é, *tql* e *kbd*, e que o siclo «pesado» era usado para pesar linho tingido de púrpura. Um peso, encontrado em el-Jib Pritchard, com 51,58 gramas, e assinalado «quatro siclos», faz o siclo ter um peso de 12,89 gramas, o que é confirmado por um outro peso marcado «cinco». Assim sendo, essas e outras descobertas arqueológicas semelhantes, não nos permitem determinar o peso exato do siclo, na antiguidade. As variações encontradas, conforme mostramos nos exemplos dados acima, podem ser atribuídas a vários fatores, como a tendência para depreciar padrões com a passagem do tempo, estabelecendo assim um novo valor para o siclo, mediante decreto oficial, sem falarmos no uso de pesos diferentes para pesar diferentes mercadorias, a influência de sistemas metrológicos estrangeiros, e variações ocasionais, devido ao manuseio descuidado na preparação e conservação dos pesos envolvidos. Todavia, parece que as evidências mostram que quanto maior o peso, menor era a unidade do siclo ali contida. Um sumário diria o seguinte: havia três valores padrão para o siclo: a. o siclo do templo, ou *nsp*, com cerca de dez gramas, que acabou depreciado para cerca de 9,8 gramas; b. o siclo ordinário, de cerca de 11,7 gramas, que chegou a ser depreciado para cerca de 11,4 gramas; e, c. o siclo pesado de cerca de 13 gramas.

D. *Gera*. Esse peso era uma vigésima parte do siclo (ver Êxo. 30:13; Lev. 27:25; Núm. 3:47; Eze. 45:12). É muito provável que essa palavra, de origem babilônica, passando pelo hebraico, venha de uma palavra que significa «grão». De conformidade com o sistema babilônico cada siclo valia vinte e quatro geras, e não vinte. Assim, um peso equivalente a 2,49 gramas, proveniente de Sebastiyeh, inscrito com *hms*, provavelmente representando cinco geras, foi encontrado pelos arqueólogos. E um outro peso, encontrado no mesmo local, trazia a inscrição «um quarto de *nsp*, meio *sql*». Essa inscrição, pois, tende a confirmar a teoria de que o *nsp* corresponde ao siclo de vinte geras de Ezequiel. A gera tem sido calculada como equivalente a cerca de 0,571 gramas.

E. *Beca*. A *beqa* dos hebreus vem de um verbo que significa «separar», «dividir». Tem sido traduzido por «meio siclo», em Gênesis 24:22, com base no que se lê em Êxodo 38:26, «isto é, meio siclo, segundo o siclo do santuário». A beca é o único peso antigo que é mencionado tanto no Antigo Testamento como também tem o seu nome inscrito em pesos recuperados pelos arqueólogos. Além disso, é o único peso cuja relação com o siclo é dada na Bíblia, conforme se vê nesse trecho de Êxodo 38:26. Ao que parece, a beca era o mais antigo padrão de peso do Egito, tendo sido encontrado em lugares pré-históricos do período amartiano. No Egito era o peso geralmente usado para a avaliação do ouro. Sete pesos de pedra, inscritos *bq'*, — foram achados pela arqueologia, variando o seu peso entre 5,8 e 6,65 gramas, com uma média de 6,04 gramas. Cinco outros pesos com inscrição também devem ter sido becas, dando um peso médio de 6,02 gramas. Isso é um tanto superior a outros cálculos, que parecem sugerir um peso médio de 5,712 gramas para a beca.

F. *Netsefe*. Esse não é um peso mencionado nas páginas da Bíblia. Por causa de sua similaridade com a palavra árabe *nusf*, «metade», nome tanto de uma moeda quanto de uma medida, alguns estudiosos têm conjecturado que a netsefe era a metade de alguma coisa. Esse era um peso que também aparecia dividido em frações. Assim, um peso em forma de fuso, que agora se encontra no museu Ashmoleano, de Oxford, na Inglaterra, traz a inscrição «um quarto de netsefe». Pesa 2,54 gramas, o que corresponderia a 10,16 gramas para o netsefe. A netsefe, como já dissemos, era a metade de alguma coisa, mas não pode ter sido a metade do siclo usado entre os hebreus. Dentro do sistema ugarítico, a *nsp*, segundo se tem aventado, seria o siclo «leve», equivalente a metade do siclo «pesado». E também tem sido sugerido que esses pesos de netsefe, encontrados na Palestina, teriam sido perdidos ali por negociantes cananeus.

G. *Pim*. O pim é mencionado em uma única passagem bíblica. Durante séculos, porém, essa passagem parecia incompreensível para os tradutores,

PESOS E MEDIDAS

até que se descobriu um peso com esse nome. A passagem é I Samuel 13:21, onde se lê: «...e não se podia nem aguçar uma aguilhada», segundo a nossa versão portuguesa. Entretanto, com aquela descoberta arqueológica, tem sido possível dar uma tradução mais exata, conforme se vê, por exemplo, na Revised Standard Version, em inglês, onde se lê (aqui vertido para o português): «...cobrava-se um pim para amolar os arados e os machados». É possível que o pim represente duas terças partes de um siclo, ou seja, 7,8 gramas, se tomarmos como base o siclo ordinário, de 11,7 gramas. De fato, sete pesos, trazendo a inscrição *pim*, variam entre 7,18 gramas e 8,59 gramas, com uma média de 7,762 gramas, bastante aproximada do cálculo que fizemos linhas acima. Essa palavra pode ser de origem estrangeira, pelo que não se sabe o seu sentido em hebraico, embora tivesse sido absorvido esse nome dentro do sistema de pesos usado pelos antigo hebreus.

H. *Arrátel*. Essa palavra encontra-se em nossa Bíblia portuguesa como tradução do termo hebraico *maneh*; e no Novo Testamento, aparece no original grego como *mnã*. Ver I Reis 10:17; Esd. 2:69; Nee. 7:71,72; e também: Luc. 19:13-25. E, por igual modo, aparece em I Macabeus 14:24; 15:18. Ver também sobre *Mina*, mais acima.

I. *Quesita*. No hebraico, *qesitah*. Esse vocábulo hebraico aparece por duas vezes somente, em Gên. 33:19 e Jó 42:11; cf. também Jos. 24:32. Nossa versão portuguesa traduz essa palavra por «peças de dinheiro», na primeira dessas referências; em Jó 42:11, nossa versão portuguesa prefere nem falar em outra coisa, senão em «dinheiro». Josué 24:32, segundo nossa versão portuguesa, também fala em «peças de prata». Não se sabe qual o valor da quesita. Talvez a Septuaginta nos ajude, porquanto ali a palavra é traduzida por «cordeiro», em Gên. 33:19, e por «cordeira», em Jos. 24:32 e em Jó 42:11. Talvez se trate de um peso de metal com o formato de um cordeiro, ou, então, com a quantidade de prata suficiente para se comprar um desses animais. Mais do que isso, não tem sido possível deslindar, quanto a esse antigo peso mencionado no Antigo Testamento.

J. *Peres*. Esse é outro termo que, provavelmente, deva ser incluído na relação de pesos que são mencionados apenas por uma vez em todo o Antigo Testamento (ver Dan. 5:25,28, no aramaico). No acádico é *peres*, no plural, *parsin*. Nessa passagem de Daniel aparece juntamente com a mina e com o siclo.

Com base no siclo ordinário de 11,7 gramas, poderíamos atribuir os seguintes valores para os pesos no Antigo Testamento:

Tabela de Pesos do Antigo Testamento

Um talento (de três mil siclos)	35,10 kg
Uma mina (de cinqüenta siclos)	0,585 kg
Um siclo	11,7 g
Um pim (2/3 de siclo)	7,8 g
Uma beca (meio siclo)	5,85 g
Uma gera (1/20 do siclo)	0,585 g

L. *Pesos no Novo Testamento*. Nas páginas do Novo Testamento há bem poucas alusões a pesos. O talento (no grego, *tálanton*) (ver Mat. 18:24; 25:15,16,20,22. 23,25,28) refere-se, nessas passagens a certa soma em dinheiro, e não a pesos; e somente em Apo. 16:21 é que há alusão a um peso. Lemos ali: «...desabou do céu sobre os homens grande saraivada, com pedras que pesavam cerca de um talento...» Pedras de 35 kg! Sem dúvida, uma chuva de meteoritos. A mina (no grego, *mnã*; ver Luc. 19:13-25), como é patente, refere-se, igualmente, a uma soma em dinheiro, e não a um peso. Somente a libra, que no grego é *lítra*, refere-se a um peso (ver João 12:3 e 19:39). Conforme já vimos em III.5, *Libra*, tem sido calculado esse peso como o equivalente a 0,3548 litro ou quilograma. Todavia, ajuntamos aqui que alguns estudiosos pensam que a libra seria equivalente à libra romana, em cujo caso teria 0,327 litro ou quilograma.

V. As Balanças

Essa palavra, no hebraico, *moznayim* (sempre no plural), ocorre por dezesseis vezes: Lev. 19:36; Jó 6:2; 31:6; Sal. 62:9; Pro. 11:1; 16:11; 20:23; Isa. 40:12,15; Jer. 32:10; Eze. 5:1; 45:10; Dan. 5:27; Osé. 12:7; Amós 8:5; Miq. 6:11. E também *peles*, somente em Isa. 40:12. No grego, *zugós* (Apo. 6:5).

Para que fossem úteis, os pesos precisavam ser usados em balanças, geralmente com dois pratos equilibrados, conforme se vê até hoje em dia.

Os alimentos eram medidos muito mais por volume, ao passo que os metais, sim, eram aquilatados por peso. Os itens pequenos eram pesados em balanças de dois pratos. Essas balanças ou eram apoiadas sobre uma haste vertical, central, ou então eram penduradas por uma corda. O desenho não diferia praticamente em nada das modernas balanças de dois pratos. A balança graduada, com base no princípio do nivelamento, só veio a aparecer já no século IV A.C., pelo que não era conhecida nos dias do Antigo Testamento. Havia uma classe oficial dos especialistas em pesagens, muito conceituados e influentes nos dias antigos. Esses oficiais já eram atuantes desde os dias do antigo império egípcio. O rei Burraburiá, de Caraduniase, escreveu uma carta ao rei do Egito, Faraó Amenhotepe IV, queixando-se que as vinte minas de ouro que lhe haviam sido enviadas por aquele Faraó não se equiparavam aos padrões, quando testadas na fornalha. Como se vê, o ludíbrio nos negócios não é um apanágio dos negociantes modernos! Cenas do Livro dos Mortos, dos egípcios, mostram os corações dos mortos sendo pesados em balanças, diante do deus Osíris. E uma figura similar, embora com outra conotação, é empregada no trecho de Daniel 5:27, quando apareceu um escrito misterioso na parede do salão de banquete de Belsazar: «Tequel: Pesado foste na balança, e achado em falta». Isso dá a entender que, de acordo com os padrões da justiça divina, Belsazar fora rejeitado por Deus.

Os esforços no sentido de estabelecer pesos e medidas honestos são antiquíssimos. O código legal de Ur-Namur, fundador da III Dinastia de Ur (cerca de 2050 A.C.), continha pesos e medidas oficiais, na tentativa de desencorajar a desonestidade nos negócios. E um antigo hino sumério, dedicado à deusa Nanse, contém uma passagem denunciando os malfeitores, os quais «substituem peso grande por um pequeno, e uma medida normal por uma medida pequena». Como é apenas natural, no Antigo Testamento também há grande ênfase sobre a necessidade do emprego de medidas e pesos justos e honestos, dando a entender que era mister proibir medidas abusivas comuns, nesse campo da atividade humana. As leis levíticas requeriam que se fizessem transações honestas (ver Lev. 19:35,36). O profeta Ezequiel também exaltou a importância dos pesos e das medidas justos. «Tereis balanças justas, efa justo e bato justo» (Eze. 45:10). Ver os trechos de Jó 31:6 e Provérbios 16:11. Amós também denunciou a utilização de balanças enganosas (ver Amós 8:5,6). A passagem de Deuteronômio 25:13 também calca sobre essa questão: «Na tua bolsa não terás pesos diversos, um grande e um pequeno». Além disso, uma bênção divina foi prometida àqueles que usassem de pesos e medidas corretos: «Terás peso integral e justo, efa integral e justo: para que se prolonguem os teus dias na terra que te dá o Senhor teu Deus» (Deu. 25:15). ·Vale dizer, o ladrão, que usa de balança enganosa e de sofismas e desonestidades nos negócios, geralmente morre cedo! Outras passagens que denunciam a prática, muito comum, de balanças alteradas, são as seguintes: Pro. 11:1; 20:23; Osé. 12:7 e Miq. 6:11.

O Talmude contém regulamentos estritos a respeito das atividades comerciais, conforme se percebe na seguinte citação: «Um lojista deveria limpar suas medidas duas vezes por semana, seus pesos uma vez por semana, a sua balança após cada pesagem» (B. B. vs. 10). Como parte integrante de sua mensagem profética, Ezequiel recebeu ordens para dividir seus cabelos em três porções iguais, com o auxílio de uma balança (ver Eze. 5:1). Menção simbólica a balanças encontra-se em trechos como Jó 6:2; Sal. 62:9 e Daniel 5:27. Jó solicitou que a sua vida fosse aquilatada em uma balança justa (ver Jó 31:6). E, no Novo Testamento é enfatizado não somente que usemos de medidas justas, mas até de medidas generosas, dentro daquelas palavras do Senhor Jesus: «...dai, e dar-se-vos-á; boa medida, recalcada, sacudida, transbordante, generosamente vos darão; porque com a medida com que tiverdes medido vos medirão também» (Luc. 6:38).

VI. Conclusão

Com base no estudo que aqui encerramos, pode-se notar que não havia padrões de pesos e medidas suficientemente fixos, nos dias bíblicos, que nos capacitem a determinar equivalentes métricos exatos. Diferentes países contavam com diferentes padrões, e até mesmo regiões diversas, em um mesmo país, contavam com diferentes padrões. E isso variava também de época para época. Com freqüência, havia dois padrões em vigência, ao mesmo tempo, o comum e o real, o leve e o pesado. As pesquisas arqueológicas nos fornecem informações suficientes apenas para determinarmos valores aproximados. E não se pense que isso se restringe aos tempos bíblicos, refletidos no teor das Sagradas Escrituras. A Enciclopédia Britânica, em seu verbete *Weights and Measures* («Pesos e Medidas») dá-nos a informação de que os estudiosos têm podido encontrar, no mundo, nada menos de trezentos e oitenta e seis diferentes padrões que envolvem medições de comprimento, peso, capacidade e área. Diante disso, até que a confusão que se reflete na Bíblia parece muito modesta!

PESSIMISMO

Essa palavra vem do latim **pessimum**, «pior», superlativo de *malum*, «mau». Popularmente, esse termo indica a disposição de assumir uma visão tristonha da vida, uma atitude oposta do *otimismo*, uma visão esperançosa das coisas. A sua definição filosófico-teológica é mais radical. Nesses campos, o ponto de vista é que a própria existência constitui um mal, e que seria até melhor que o homem não tivesse vindo à existência. Naturalmente, nesses campos há níveis diversos de pessimismo. Uma variedade intermediária é que as coisas são más, mas não tão más que seria melhor que nem existisse a vida. As pessoas podem tolerar certas coisas bastante más, e ainda assim não desejarem a morte.

Schopenhauer (vide) introduzíu o termo «pessimismo» na filosofia. Para ele, o mal é algo real, persistente, duradouro, e, finalmente, predominará, apesar de algumas coisas boas que possam acontecer ao longo do caminho. O bem, por outra parte, seria fraco, transitório e ilusório. A vida não seria digna de ser vivida, afinal de contas, porque termina na tragédia. Schopenhauer acreditava na reencarnação, mas pensava que isso só serve para continuar a miséria. O deus dele era uma Idéia absurda e irracional, que somente quer continuar existindo, e fazendo outras coisas existirem, mas sem nenhum propósito. O caos prevalece; a condenação predomina; esse deus é insano, e quer continuar existindo em meio à miséria, com grande empenho. Schopenhauer via esperança na possibilidade de que esse deus algum dia desejará que todas as coisas cessem de existir; e então haverá descanso.

No mundo dos pessimistas, todos os ideais finalmente vêem-se frustrados. A felicidade seria algo transitório e ilusório; o bem não prevalece, afinal; e beleza jamais poderá vencer a feiúra; a cultura e o progresso são meros fraudes. O mal, e não o bem, é o verdadeiro poder que governa este mundo.

O Cristianismo e o Pessimismo. A teologia ocidental (a da Igreja Católica Romana e de seus filhos desviados, protestantes e evangélicos) caracteriza-se por uma escatologia extremamente pessimista. Ela ensina, antes de tudo, que os homens só podem encontrar a salvação em um único período de vida terrena, e que a morte física assinala o fim da oportunidade de salvação; e então ensina que a grande maioria dos homens, que obviamente não encontrou a salvação nesse tempo absurdamente breve, está perdida para sempre; e então, havendo perdido tal oportunidade, as almas queimarão para sempre nas chamas do inferno, nos mais excruciantes sofrimentos que se pode imaginar. Mas a teologia oriental apresenta um quadro mais esperançoso, contradizendo a teologia ocidental. A Igreja Ortodoxa Oriental e a Comunidade Anglicana têm uma visão mais otimista da salvação, afirmando que a oportunidade de salvação não termina quando da morte biológica (ver I Ped. 4:6). Cristo tem-se ocupado de uma missão tridimensional (na terra, no hades, e nos céus); e essa missão obteria um sucesso marcante. A minha própria opinião a respeito é bastante otimista, afirmando que Deus redimirá os eleitos e também restaurará os não-eleitos. Ver o artigo *Restauração*, no que tange a uma declaração sobre esse ponto de vista. Ver também sobre o *Mistério da Vontade de Deus* e sobre a *Descida de Cristo ao Hades*, que abordam essa visão mais otimista da existência humana. Homens pensantes certamente reconhecerão que a teologia ocidental promove uma visão pessimista do destino da humanidade (excetuando para um número ridiculamente pequeno), o que virtualmente anula o amor de Deus (Deus amou o mundo; mas isso não teria feito grande diferença, afinal). Cristo também fez completa expiação (ver I João 2:2); mas isso também não fez grande diferença, em última análise. Homens sensíveis, pois, sentir-se-ão infelizes ante esse alegado fracasso de Deus. Os calvinistas chegam a dizer que Deus falhou propositalmente, distorcendo os versículos que falam sobre o amor de Deus, que eles aplicam somente ao grupo dos eleitos, e não ao mundo de todos os homens. Essa é uma teologia simplesmente absurda, sem importar quem a esteja ensinando.

PESSOA

Essa palavra portuguesa vem do latim, **persona**, que corresponde ao vocábulo grego *prósopon*, «rosto». A referência original era à *máscara* usada pelos atores no palco. Jung, em sua palavra, *persona*, reteve esse sentido primitivo, referindo-se àquilo que um indivíduo representa ser, uma «máscara» que usa em público, parte da atuação teatral em que está envolvida. A pessoa real é outra questão. O termo grego veio a significar «fisionomia». Finalmente, porém, esse termo adquiriu o sentido de ser humano individual. Esse é o uso comum na linguagem moderna que essa palavra retém.

Idéias dos Filósofos a Respeito:

1. *Epicteto* e outros pensadores estóicos usavam a palavra para indicar um indivíduo, como um ser dotado de uma tarefa e de um propósito especiais na existência, que lhe teriam sido atribuídos pelo Logos, a Razão Universal.

2. Na *lei romana*, essa palavra era usada para indicar o indivíduo que tinha direitos e deveres.

3. No *cristianismo*, o termo adquiriu grande importância nas doutrinas de *Cristo* e da *Trindade* (vide; ambas). Há uma única substância divina; mas há três hipóstases ou pessoas, em uma única substância.

4. Em *Cristo*, há a mesma essência (phúsis) divina, a mesma possuída pelo Pai e pelo Espírito Santo. Isso unifica-os em um único Ser. Mas ele (o Logos, que se chamou Jesus Cristo em sua encarnação) é uma pessoa ou hipóstase distinta. Outrossim, a natureza de Cristo (a sua pessoa) tem um aspecto divino e outro humano. Portanto, em Cristo combinaram-se duas naturezas, em uma única pessoa. Ver o artigo *Cristologia*.

5. Para *Boethius*, uma «pessoa» era uma substância individual de natureza racional. Ele retinha a identificação de pessoa com hipóstase.

6. *John Locke* identificava a pessoa com a autoconsciência e com a memória. De acordo com essa definição, uma pessoa pode deixar de existir, contanto que a memória ou a auto-identidade sejam anuladas. Segundo esse ponto de vista, é possível que a substância humana sobreviva além da pessoa ou indivíduo, considerado em sua materialidade. Na *reencarnação* (vide), por exemplo, de acordo com essa idéia, uma única alma pode tornar-se várias pessoas, ao longo de sua existência. A mesma coisa poderia acontecer a um indivíduo, em um único período de vida na carne, se perturbações psíquicas viessem a anular a sua pessoa. Um caso radical de tal fenômeno chama-se *Personalidade Múltipla* (vide), quando um homem pode ser várias pessoas no decurso de sua vida. Há um detalhado verbete sobre esse fenômeno, nesta enciclopédia.

7. *Fichte* supunha que postulamos o *eu* e o *não-eu*; e isso entenderia que a pessoa e a não-pessoa são poderes da mente humana (ver o artigo *Idealismo*). Assim sendo, uma pessoa seria a construção do processo e do fato da autoconsciência.

8. *Scheler* definia a pessoa como a unidade do ser concreto de alguém. Uma pessoa faria um conceito de si mesma com base no seu conhecimento metafísico.

9. *F.C.S. Schiller* identificava a pessoa com o lado espiritual e intencional da natureza humana, e não com uma entidade, natural ou espiritual. Isso fazia com que esse termo aludisse às *funções*, e não à substância.

10. *Whitehead* dizia que o homem compõe uma ordeira sociedade pessoal. Outros elementos existiriam como o que é orgânico e o que é inorgânico.

11. *Sartre* pensava na pessoa como uma invenção que identificava a cada indivíduo, e julgava que é errado pensar que cada pessoa tem qualquer realidade permanente.

12. *Jacques Lacan* dizia que uma pessoa é *um assunto que vai passando*.

13. No *cristianismo*, a pessoa é permanente, pois esse termo é ali comumente usado como sinônimo da alma individual. Essa pessoa é ímpar, dotada de uma missão ímpar, ou mesmo de várias missões, mas que perfazem uma única missão. Quanto a esse conceito ver o artigo sobre *Novo Nome e Pedra Branca*.

14. *Deus como uma Pessoa*. Ver o artigo separado intitulado *Pessoa, Deus como uma*.

15. A *natureza da pessoa* consiste na consideração daquilo que um indivíduo é. Ver o artigo geral sobre *Homem*. Ele é material (ver sobre o *Materialismo*)? Ele é apenas espiritual (ver sobre o *Idealismo*)? Ele é material e espiritual ao mesmo tempo (ver sobre o *Dualismo*)? O homem é um ser triúno, ou é constituído de quatro elementos ou mais? Ver os artigos intitulados *Sobre-ser*; *Dicotomia — Tricotomia*; *Alma*; e, especialmente, *Natureza Humana*.

16. *Identidade Pessoal*. Os filósofos e os teólogos discutem sobre de quantas maneiras um indivíduo pode falar sobre si mesmo como uma pessoa, agora e continuamente. A discussão acima, com suas várias idéias acerca do que está envolvido no termo «pessoa», aborda esse problema.

PESSOA, DEUS COMO UMA

Deus será uma força cósmica? Deus é composto pela natureza inteira (panteísmo)? Deus é uma pessoa, em qualquer sentido, conforme conhecemos e definimos as pessoas? Até que ponto podemos aplicar corretamente aquilo que sabemos sobre as pessoas ao *Mysterium Tremendum* que é Deus? Essas aplicações porventura apenas nos afundam mais ainda no lamaçal do antropomorfismo? Consideremos os pontos abaixo:

1. *As Religiões Primitivas*. Coisa alguma é mais comum, nas religiões primitivas, do que a idealização de deuses como pessoas, dotadas de características humanas comuns. Xenófanes queixou-se dizendo que se os babuínos tivessem deuses, esses deuses certamente seriam apenas superbabuínos. — Nas religiões primitivas, os deuses eram amantes e destruidores; eram nobres e enganadores; eram dotados de propósito e eram caóticos, tal e qual são os seres humanos. A tendência da fé religiosa é ir limpando aos poucos o conceito de Deus. E também tenta destacar as qualidades transcendentais da divindade e diminuir as atribuições antropomórficas.

2. *A Antiga Fé dos Hebreus*. No livro de Gênesis, encontramos Deus andando pelo jardim do Éden, falando com Adão como um amigo. Temos aí o real misticismo. No livro de Êxodo, vemos Moisés entrevendo Deus pelas costas, como se ele tivesse algum formato humano e pudesse ser visto por quem tivesse a oportunidade e a coragem para vê-lo. Mas, à medida que avança o relato do Antigo Testamento, Deus vai-se tornando mais e mais transcendental. Ele continuava enviando mensagens aos homens, mas não mais se mostrava tão acessível. O trecho de João 1:18 diz que ninguém, realmente, viu a Deus *em qualquer tempo*. I Timóteo 6:16 é passagem que diz que Deus habita em «luz inacessível». Isso é um detalhe mais apreciado pelos teólogos modernos, que objetam à natureza intensamente antropomórfica de certos trechos do Antigo Testamento. Ademais, os teólogos usam o termo *teofania* para aludir às manifestações de Deus, afirmando por um lado que podemos saber de Deus é aquilo que ele resolve revelar-nos, mas que a sua verdadeira natureza permanece insondável e desconhecida para nós. Isso posto, a busca por Deus é eterna. Nunca chegará o tempo em que saberemos categorizar a Deus, quanto à sua natureza básica e verdadeira, embora essa tentativa faça parte de nossa inquirição eterna, mesmo lá nos céus.

PESSOA — PESTILÊNCIA

3. *Uma Pessoa*. Seja como for, sabemos que a Bíblia fala sobre Deus em termos pessoais, atribuindo-lhe características humanas comuns, levadas a uma potência máxima. O artigo chamado *Atributos de Deus* ilustra detalhadamente essa atividade. Permanece em dúvida, porém, quanto dessa tentativa de descrição pode, realmente, ser aplicada ao Deus Supremo, e quanto não passa de uma fraca tentativa de dizer algo significativo a respeito de Deus. Assim, falamos sobre as perfeições divinas nas áreas da inteligência, do poder, das qualidades morais—como a bondade e o amor. Mas Deus também aparece como um Ser que se ira, uma emoção humana negativa; e muitas pessoas enfatizam esse lado acima de tudo.

4. *Via Negativa; Via Positiva* (*Via Eminentiae*). A *via negativa* procura dizer-nos o que Deus é ao dizer o que ele não é. Essa forma de descrição não nos deixa esquecer que a linguagem humana é inadequada para dizer muita coisa acerca da verdadeira natureza de Deus, embora suas obras possam ser melhor descritas por nós. A *via positiva*, por sua vez, toma os atributos e características humanos e eleva o grau dos mesmos até à potência do *omnis*. O homem sabe algo; Deus sabe tudo (Ele é onisciente). O homem tem algum poder; Deus tudo pode (ele é onipotente, etc.). Esse método positivo também é chamado *via eminentiae*, «caminho da eminência». Porém, o quanto esses métodos são capazes de transmitir é algo que permanece na dúvida. Temos exposto artigos separados sobre cada uma dessas *vias*.

As evidências óbvias que observamos todos os dias indicam que Deus é um ser altamente *poderoso* e *inteligente*, características essas que *implicam* que ele é uma *pessoa*, embora além de qualquer definição humana atual.

5. *O Existencialismo*. Os teólogos dessa escola de pensamento concebem Deus como o mistério eterno, jamais desvendado. Deus é o alvo contínuo de buscas e pesquisas, que sempre mostrarão ser imperfeitas. Deus é verdadeiramente transcendental, embora suas manifestações possam ser observadas por nós. A atribuição de características humanas (pessoais) a Deus é algo precário, para dizer-se o mínimo. Sem dúvida o *antropomorfismo* fracassa (ver o artigo com esse nome).

6. *Até Onde Vão as Evidências?* À parte das referências bíblicas, dispomos das evidências dadas pela natureza. Ali vemos os reflexos de grande poder e inteligência. Daí concluímos que é legítimo pressupor que Deus é dotado de poder e inteligência, e essas são características próprias de uma personalidade. Entretanto, isso ainda não nos permite pensar em Deus como uma pessoa, no mesmo sentido que conferimos aos nossos semelhantes; e também não podemos transferir para Deus os atributos de personalidade. Essas evidências naturais conferem-nos algum conhecimento; mas isso ainda não soluciona os grandes mistérios que cercam a pessoa de Deus.

7. *O Mysterium Tremendum*. Ver o artigo separado com esse título. Algumas vezes é mais sábio dizer pouca coisa do que tentar entrar em pormenores. Quando falamos acerca de Deus, certamente sentimo-nos limitados em nosso conhecimento e em nossa experiência. Pensamos em Deus como uma Pessoa, e há evidências a favor dessa idéia. Mas esse conhecimento é apenas um princípio, que não consegue encontrar solução para o *Mysterium Tremendum* que é Deus. Mas, pelo menos, é verdade que a revelação de Deus nos é conferida de maneira pessoal, e que Deus se torna pessoal para nós, mormente na pessoa de Jesus Cristo, o Logos encarnado.

PESSOA DE CRISTO
Ver sobre **Cristologia**.

PESTILÊNCIA

No hebraico, **deber**; no grego, **loimós**. A palavra hebraica significa, primariamente, «destruição». O Antigo Testamento usa esse termo hebraico por cerca de cinqüenta vezes, apontando para coisas como a fome, animais ferozes, enfermidades, destruições, etc. As pragas do Egito foram pragas notáveis, que envolviam um propósito divino (ver Êxo. 5:3), e os termos são freqüentemente usados em conexão com os juízos divinos contra o pecado. Ver Lev. 26:25, nessa conexão.

Nos dias em que não havia antibióticos e nem cuidados médicos significativos, a pestilência era um espantalho dos povos. Ver a oração de Salomão por Israel, nessa conexão, em I Reis 8:37. O Salmo de Proteção (91) promete a proteção divina acerca da pestilência, apresentando os anjos como protetores (vss. 10,11). Lembro-me que nos dias de minha juventude, antes do aparecimento da vacina contra a poliomielite, quando chegava o tempo de algum surto dessa doença, minha mãe socorria-se do Salmo 91, como proteção. Continuam havendo várias enfermidades contra as quais dispomos de pouca proteção, e confiamos na vontade de Deus, em combinação com nosso destino, como proteção. Essa circunstância ilustra nossa dependência da providência de Deus, ao mesmo tempo em que exibe a fraqueza humana, algo sobre o que os homens até relutam em pensar. Uma das promessas do paraíso é que todas as enfermidades serão ali coisa do passado (ver Apo. 21:4; 22:2).

Jeremias e Ezequiel enfatizaram o aspecto de juízo divino das enfermidades. Israel e Judá teriam de ser atingidas por pragas, em face da desobediência. Os cativeiros também eram ameaças; e houve tanto o exílio quanto as pragas. Jesus declarou que os últimos dias se caracterizariam por grandes pragas, algo que estamos começando a ver de uma maneira temível. Basta pensarmos na AIDS. Ver Mat. 24:7; Luc. 21:11. Justamente quando a ciência pensou que estava avançada na sua luta contra as enfermidades, tendo aprendido a controlar muitas bactérias, eis que apareceram vários vírus, de modo súbito e misterioso. Provavelmente mutações estão envolvidas nesse fenômeno, combinadas com condições favoráveis ao contágio de grande número de pessoas.

Algumas pessoas religiosas exageram a questão, atribuindo à atividade dos demônios todas as enfermidades. A *demonologia* (vide) tem provas absolutas de que espíritos malignos podem causar e realmente causam enfermidades. A mente também pode fazer uma pessoa doente ou saudável. Mas é ridículo pensar que todas as enfermidades têm apenas uma dessas causas. No entanto, esse é um fator que não pode ser ignorado. Os estudos feitos mostram que até enfermidades como o câncer podem ter forças espirituais malignas por detrás, para nada dizermos a respeito de desordens nervosas e doenças psicossomáticas.

Os juízos divinos incluem desastres naturais, a guerra, a fome, a pestilência—armas que Deus usa contra as perversões dos homens (ver II Sam. 24:15). Por outra parte, é ridícula a afirmação de que «um bom crente não pode apanhar câncer», conforme se ouvia dizer, há algumas décadas atrás. As enfermidades têm muitas causas, e podem ter razões que vão além da teoria simplista que diz: «o mal causa as enfermidades».

Até nessa questão encontramos mistérios. Uma

enfermidade pode atuar como medida disciplinadora. No caso de Jó, por exemplo, é claro que ele não estava enfermo por causa de algum pecado que tivesse cometido, embora fosse um pecador. Mas a causa de sua enfermidade jazia nos misteriosos conselhos da vontade de Deus. No entanto, a imortalidade haverá de curar todas as enfermidades. Ver o artigo separado sobre o *Problema do Mal*, que aborda a questão de por que razão o homem sofre.

PETITES PERCEPTIONS

Expressão francesa que significa «pequenas percepções». Leibnitz acreditava que uma pessoa está constantemente registrando percepções e conceitos, abaixo do limiar da consciência. E aplicou esse nome àquelas formas de percepção. Quanto mais aprendemos sobre a psicologia e os poderes da mente e do cérebro, mais essa idéia vai sendo confirmada.

PETITIO PRINCIPII

Expressão latina que significa «tomar uma questão como provada», dentro da linguagem da argumentação. O alegado debatedor não quer debater coisa nenhuma, pois já sabe a conclusão a que deseja chegar. Nenhum argumento é capaz de convencê-lo. Ele toma como questão adredemente provada o que vai debater, e já sabe todas as respostas; assim sendo, ele não estará debatendo. Meramente busca maneiras de demonstrar o que quer. Qualquer contrademonstração será automaticamente rejeitada. Aquele que assim age supõe que suas premissas são verídicas, e que suas idéias não precisam ser investigadas. Tudo levaria fatalmente à conclusão a que ele já chegou.

PETOR

Um nome assírio-babilônico para essa cidade era *Pitru*, nome que também lhe fora dado pelos hititas. Os assírios chamavam-na de *Ana-ashur-utir-asbat*, que significa «estabeleci-a novamente para Assur». Em conexão com o Antigo Testamento, a localidade é conhecida como terra do falso profeta Balaão, filho de Beor. Ver Núm. 22:5 e Deu. 23:4.

Esse nome locativo aparece na lista do conquistador egípcio Tusmose III, do século XV A.C. Ficava localizada essa cidade na margem ocidental do rio Eufrates, a poucos quilômetros ao sul de Carquemis.

PETRA

Transliteração da palavra grega que significa «rocha». Esse foi o nome de uma antiga cidade (atualmente em ruínas), localizada no território de Edom, perto de Arabá. Seu nome aramaico era *Rekem*, mas os hebreus chamavam-na *Sela*. Primariamente, trata-se de uma cidade nabatéia em ruínas, na terra de Edom, ao norte da Arábia, na porção oriental da Arábia Petréia, o que lhe deu o seu nome grego.

Tinha grande importância como centro comercial e posto de caravanas, quando estas viajavam partindo da Síria ou da Arábia, até o século IV D.C. Cerca de um século mais tarde, Petra desapareceu dos anais da história humana; e somente em 1812 o antigo local foi redescoberto, quando Burckhardt o descobriu por acaso na wadi Musa. Fica em um estreito vale que é cercado, por todos os lados, por elevados picos. A área mais baixa assim formada tem cerca de 1600 m de comprimento por cerca da metade disso em largura. Nas paredes perpendiculares dos rochedos há impressionantes figuras esculpidas, que são as fachadas muito ornamentadas de templos e túmulos. Quando se entra ali, há aposentos escavados que, na realidade, são cavernas, sem qualquer tentativa de ornamentação. Essas estruturas pertencem, quase todas, ao período dos nabateus. Também há outras ruínas de interesse, que já pertencem à arquitetura grega posterior, incluindo uma grande residência, um anfiteatro, um convento, uma cidadela e um palácio. Os romanos edificaram ali estradas pavimentadas, banhos, vários edifícios públicos e o teatro que se acabou de mencionar.

Essa cidade foi capturada por Amazias, rei de Judá, no século IX A.C. As referências bíblicas ao lugar são Juí. 1:36; II Reis 14:7; Isa. 16:1 e 42:11 (nas quais a cidade é chamada *Sela*). Quando os romanos apossaram-se da cidade, tomando-a dos nabateus, tornaram-na capital romana da província de Arábia Petréia. Durante a era cristã, foi estabelecido ali um bispado cristão.

Petra fora uma capital edomita, uma capital do reino nabateu, e então a capital de uma província romana, o que demonstra sua importância histórica. Foi uma fortaleza notável, e também um lugar de culto pagão.

Os Arqueólogos e suas Escavações. As ruínas de Petra foram escavadas por W.F. Albright e outros, em cooperação com a expedição Melchett, em 1934. Foi então examinado o chamado *Lugar Alto de Conway*, juntamente com vários outros pontos de interesse. George Robinson, em seu livro (*Sarcophagus of Ancient Civilization*) fornece-nos interessantes descrições e estudos sobre o lugar alto de Petra.

A mais recente informação sobre a localidade está contida na literatura escrita por Howard C. Hammond Jr., em seu artigo intitulado «Petra», que apareceu no *The Biblical Archaeologist* xxiii, 1 (1960), págs. 29-32; como também em outras publicações mais recentes. O Dr. Hammond é um professor de antropologia da Universidade de Utah, nos Estados Unidos da América do Norte, e foi professor de um de meus filhos que se formou como Bacharel em Artes, em Antropologia, naquela instituição. Em 1987, visitamos o escritório do Dr. Hammond, e ele nos mostrou vários artefatos, tendo-nos explicado os métodos de datar objetos (acerca de cujos métodos pouco consegui entender). Esse meu filho, Darrell, que foi aluno do Dr. Hammond, preparou o índice da presente enciclopédia, além de mapas, ilustrações e trabalho de arte para sua ornamentação.

PETRARCA (FRANCESCO PETRARCA)

Suas datas foram 1304-1374. Ele nasceu em Arezzo, na Itália; mas residiu em Avignon, na França. Estudou direito em Bolonha. Foi sacerdote católico romano, ortodoxo em sua doutrina, amigo íntimo de *Boccaccio* (vide). Tornou-se importante figura na renascença italiana, pelo que exerceu uma duradoura influência sobre a maneira como muitas pessoas pensam. Foi poeta, retórico, erudito e eclesiástico. Tem sido chamado de *pioneiro* da Renascença na Itália. Além dessas atividades, também destacou-se em missões diplomáticas, incluindo uma ao imperador Carlos IV.

Idéias:

1. Ele era representante de um significativo *humanismo* (vide). A sua mente ia buscar subsídios nos clássicos gregos e romanos, como alicerce de seu humanismo. Ele promovia o estudo dos clássicos como algo digno de nossa atenção, ou como fonte de

Petra

Petra — Cortesia, Levant Photo Service

Templo de Ed-Deir, altos de Petra
Cortesía, Levant Photo Service

nossa erudição e de nossas atitudes.

2. Apreciava muito o autodidatismo, mediante estudos independentes; e a sua mente curiosa guiava-o ao conhecimento acerca de muitos campos do saber. As suas idéias filosóficas foram muito influenciadas pelos antigos estóicos e por Cícero.

3. Ele muito apreciava a beleza natural, o que é ilustrado em seu trabalho intitulado «Carta sobre a Ascensão do Monte Ventoux».

4. Ele atuou como uma espécie de figura de transição entre a Idade Média e a Renascença, com os olhos fixos nos clássicos antigos e com uma antevisão da nova era que estava então raiando.

Escritos. Sobre a Vida Solitária; Sobre o Conflito Secreto de Minhas Preocupações; Sobre os Remédios de Deus e da Má Sorte; Sobre a Própria Ignorância e Muitas Outras.

PETUEL

No hebraico, «engrandecido por Deus (El)». Esse foi o nome do pai do profeta Joel, conforme Joel 1:1 nos informa. Ele viveu no século VIII A.C.

PEULETAI

No hebraico, «trabalhador». Nome de um levita, oitavo filho de Obede-Edom, que servia como porteiro do santuário, nos dias de Davi (ver I Crô. 26:5). Viveu em cerca de 1020 A.C.

PI (CODEX PETROPOLITANUS)

Esse é o nome de um importante manuscrito do antigo grupo bizantino, aparentado de *Codex Alexandrinus*, e que veio a tornar-se o cabeça de uma família com mais de cem membros (a maior família conhecida de manuscritos). Seu título é *Codex Petropolitanus*. Contém os quatro evangelhos com perdas relativamente pequenas (faltam-lhe setenta e sete versículos de Mateus e de João), e data do século IX D.C. Silva Lake restaurou o arquétipo da Família Pi em Marcos, como sua tese de doutoramento. E eu restaurei o arquétipo quanto ao evangelho de Mateus, como minha tese de doutoramento. E o Dr. Jacob Geerlings, meu amigo e professor, restaurou-o quanto aos evangelhos de Lucas e João. Esse arquétipo representa um antigo texto bizantino de cerca do século IV D.C., um tanto inferior ao *Codex Alexandrinus*, mas bem superior aos manuscritos que foram finalmente usados para compilar o *Textus Receptus* (vide).

Um dos resultados desses estudos é que eles proveram uma espécie de história da transição do texto bizantino desde o século IV ao século XIV. E isso demonstrou que esse texto contém muitos acréscimos, pois, com a passagem do tempo foi adquirindo textos espúrios que finalmente terminaram fazendo parte do Textus Receptus, e, daí, infelizmente, para os primeiros manuscritos impressos do Novo Testamento (dos quais o Textus Receptus foi o pioneiro). Em certo sentido, a história da crítica textual é a tentativa de desvencilhar o texto do Novo Testamento grego do acúmulo de variantes que ele foi adquirindo com a passagem do tempo, devolvendo-lhe a pureza textual dos tempos pré-bizantinos. Essa tarefa vem sendo realizada com magnífico sucesso, especialmente com a ajuda da descoberta de muitos papiros. Ver o artigo intitulado *Manuscritos da Bíblia, Manuscritos do Novo Testamento*, onde são dadas informações gerais, juntamente com a teoria textual da restauração.

O *Codex Petropolitanus* é atualmente preservado na Biblioteca Pública de Leningrado, na União Soviética.

PI-BESETE

No hebraico, «casa de Bastete», um termo derivado de *Bubastis*, uma deusa que os gregos identificavam com Ártemis. Sua forma cóptica é *Pascht*. A Septuaginta diz *Boubastos*.

Pi-Besete era a capital da décima oitava província do Baixo Egito. E foi a capital do Egito na XXII Dinastia. A cidade estava situada no canal real que levava a Suez, não muito longe de sua junção com o braço Pelúsico do rio Nilo. Tem sido identificada com o moderno Tell Basteh, no ramo Tanítico do Nilo, perto da moderna Zagazigue. Durante séculos foi uma importante cidade na história do Egito. Dois dos construtores de pirâmides, Quéopes e Quefren, deixaram ali restos, como também Pepi I, da VI Dinastia. Também há algumas relíquias pertencentes às Dinastias XII, XVIII e XIX. Sisaque levou Pi-Besete ao seu ponto culminante, quando então só perdia em importância para Tebas. Sisaque foi um Faraó da XXII Dinastia.

O nome original da cidade era Baste, derivado da deusa Bastete, usualmente pintada como uma mulher com cabeça de gata ou leoa. Ela era uma divindade secundária, embora continuasse importante para muita gente. Quando os assírios saquearam Tebas, Pi-Besete e suas formas religiosas viram aumentada a sua importância, o que talvez tinha sido uma das circunstâncias que atraíram as denúncias do profeta Ezequiel (30:17).

Os persas destruíram a cidade, arrasando suas muralhas (*Diod. Sic.* 16:51). Heródoto descreveu seu templo principal como uma das maravilhas do Egito, em seu tempo (*Hist.* 2.138).

PICARETAS

No hebraico, *chartis* (ver II Sam. 12:31 e I Crô. 20:3). O hebraico indica algum aguçado instrumento de ferro de algum formato. Davi forçou os amonitas, a quem derrotara, a trabalharem com serras, picaretas e machados. Algumas traduções dão aqui a idéia de torturas por meio de tais instrumentos; mas a linguagem parece simplesmente apontar para trabalhos forçados, mediante a utilização desses instrumentos. Era costumeiro, na antiguidade, reduzir os inimigos vencidos a escravos, quando, porventura, escapavam da matança que aniquilava aos varões (embora com freqüência deixasse as mulheres capturadas para serem usadas como esposas secundárias e concubinas).

PICHE

Ver sobre **Betume**.

PICO DELLA MIRANDOLA

Ele também atendia pelo nome de Giovanni Della Mirandola. Suas datas foram 1463-1494. Nasceu em Mirandola, na Itália. Estudou em Bolonha. Tornou-se filósofo, erudito e estudioso importante da *Cabala* (vide). De fato, ele foi o primeiro erudito cristão a estudar a sério aquele documento do misticismo judaico. Ele era considerado ortodoxo quanto à fé religiosa; mas sua proposta disputa sobre novecentas questões teológicas e filosóficas foi interditada pelo papa governante, em 1486. De modo geral, sua argumentação, quanto a essas questões, dava apoio à

PICO — PIEDADE, PIEDOSO

posição da *unidade do conhecimento* e da validade de uma ampla gama de fontes informativas, desde a filosofia grega às religiões misteriosas, à cabala, ao zoroastrismo, etc. Em outras palavras, Pico acreditava que o Logos mostra-se ativo em muitos lugares, e que faríamos bem em conhecer e avaliar a muitas coisas. Contudo, isso assusta às pessoas, e usualmente não recebe o apoio das autoridades da igreja organizada. Por isso, a Igreja Católica Romana proibiu as suas disputas. Mas ele escreveu uma defesa de suas teses, na qual se mostrou habilíssimo e eloqüente. Sua oração sobre o homem é uma eloqüente exposição da responsabilidade e da dignidade humanas.

Entretanto, quanto mais poderosamente Pico falava e escrevia, mais atiçava ele as chamas da oposição. Teve, pois, de enfrentar certos eventos sérios em sua vida, quase todos desagradáveis. Ele procurava submeter-se à autoridade da Igreja Católica Romana, mas não conseguia fazê-lo de todo o coração. Sua mente continuava encontrando toda espécie de coisas brilhantes para dizer, sobre o que a Igreja não estava disposta a ouvir. Ele queria defender todas as suas novecentas teses; porém, é mais fácil condenar do que debater. Ninguém aventurava-se a opor-se a ele; mas começaram a chamá-lo de herege. O papa Inocente VIII chegou mesmo a proibir a leitura de seus escritos, pelo que ele se retirou para a França. Surpreendentemente, Alexandre VI absolveu-o. A mente de Pico continuou operando, pelo que se devotou à literatura bíblica, à cabala, aos estudos sobre o misticismo. E os frutos desses estudos foram publicados em uma obra chamada *Heptaplus*. Ele procurou mostrar como as doutrinas de Platão repousavam, pelo menos parcialmente, sobre os ensinos de Moisés. Também continuou a estudar a filosofia e publicou um tratado intitulado *De entre et Uno*, no qual procurou unir as opiniões de Platão e Aristóteles.

Pico Volta-se para a Caridade. Pico era homem rico; mas, quanto mais vivia, mais se convencia de que é melhor ser rico no espírito, e não materialmente. Assim sendo, ele deu início a um plano mediante o qual doaria toda a sua fortuna e tornar-se-ia um pregador itinerante. Mas a morte transtornou os seus planos, e seus herdeiros ficaram com todo o seu dinheiro.

Idéias e Contribuições:

1. *A necessidade de estudar*, de inquirir abertamente, de investigar, de examinar e de aceitar idéias culturais de valor, mesmo quando fora das tradições do estudioso. Ele defendia o direito de aprender e aceitava discernimentos legítimos quanto às noções, à parte da tradição cristã.

2. *A unidade da verdade*, com base do que se destacava a sua aceitação da idéia platônica da forma da Verdade Universal, da qual todas as verdades participam e são fragmentos ou imitações.

3. *A religião como superior à filosofia*, embora as duas disciplinas de maneira nenhuma sejam contraditórias. Ele encarava a filosofia como dotada de uma função preparatória, que ajuda as pessoas a entenderem e aceitarem a verdade religiosa.

4. *A autodeterminação como atributo essencial do homem*. O homem é um ser criativo, criado à imagem de Deus, digno de respeito, dotado de livre-arbítrio. Ele argumentava que o homem é dotado de uma radical liberdade de escolha, que certos teólogos amorteceram mediante um uso exagerado de textos de prova bíblicos. O poder do ser humano é tão ímpar que ele ocupa uma posição privilegiada no universo, sendo, na realidade, um microcosmo do macrocosmo.

Ver o artigo separado sobre *Microcosmo*.

5. *Rejeição da astrologia*. Tão forte era a confiança de Pico nas habilidades inerentes e na natureza digna do homem que ele rejeitava a idéia de que forças externas, como as estrelas, pudessem exercer qualquer efeito sobre ele. Ele punha o destino humano fora do alcance das estrelas.

6. *Deus existe por Si Mesmo*. Em contraste, o homem tem um «ser derivado», o que é outra maneira de falar sobre a vida necessária e sobre a vida dependente. Ele afirmava que Platão e Aristóteles receberam discernimento quanto a essa verdade.

Pico foi um notável humanista italiano, cujas idéias deveriam ser ouvidas para proveito geral. Sócrates contentava-se em ser conduzido a qualquer lugar pela verdade, certo de que da verdade não pode proceder qualquer dano. Mas as tradições com freqüência provêm uma maneira dos homens esconderem-se da verdade. A curto prazo, as tradições sempre prevalecem; mas o tempo está ao lado da verdade.

A verdade, esmagada até à terra, haverá de ressuscitar;
Pertencem-lhe os anos eternos de Deus;
Mas o erro, ferido, agoniza em dores,
E morre entre os seus adoradores»
(William Cullen Bryant).

Pico era amigo e admirador de *Savonarola* (vide). E seu biógrafo foi um seu sobrinho, Giovanni Francesco Pico Della Mirandola. Pico faleceu em Florença, Itália, com apenas trinta e um anos de idade!

PIEDADE, PIEDOSO

Ver o artigo separado sobre a **Santidade**.
Esboço:
I. Caracterização Geral e Termos Empregados
II. Atitudes dos Piedosos para com os Homens
III. Atitudes dos Piedosos para com Deus
IV. A Piedade Hipócrita

I. Caracterização Geral e Termos Empregados

Ver sobre *Pietismo*. A palavra portuguesa, piedade, vem do latim *pius*, que indica «aquele que cumpre o seu dever». Mas a piedade, em sua definição moderna, envolve mais do que isso. No Novo Testamento, o termo grego *eusébeia*, «bom temor», é a base desse conceito. Essa é uma palavra que figura por quinze vezes: Atos 3:12; I Tim. 2:2; 3:16; 4:7,8; 6:3,5,6,11; II Tim. 3:5; Tito 1:1; II Ped. 1:3,6,7; 3:1. O adjetivo, *eusebés*, ocorre por três vezes: Atos 10:2,7; II Ped. 2:9. O verbo, *eusebéo*, aparece por duas vezes: Atos 17:23; I Tim. 5:4. E o advérbio, *eusebôs*, por duas vezes também: II Tim. 3:12; Tito 2:12.

A piedade indica aquele santo temor a Deus que é acompanhado pela santificação e pela consagração ou devoção. Os piedosos são assinalados por um espírito de reverência e pela retidão pessoal, porquanto temem desagradar ao Senhor.

Uma verdadeira piedade é simplesmente impossível onde impera uma importância exagerada dada aos credos, com detrimento da experiência religiosa e da fé pessoal. *Ser* é algo essencial à piedade, muito mais do que teologia e teorias religiosas. Não deve e não pode a piedade ser confundida com o pieguismo, com o fanatismo religioso. No entanto, é fácil a piedade degenerar para essas imitações baratas, conforme se vê claramente em muitos grupos pentecostais, embora não com exclusividade. A comunhão com Deus era a ênfase do movimento pietista.

PIEDADE, PIEDOSO — PIETISMO

A pessoa piedosa é alguém cheia de reverência e de amor a Deus, e que, em sua vida, faz com que seus pensamentos, seus motivos e seus atos concordem com os princípios espirituais. Tal pessoa mostra-se ativa no desenvolvimento de sua espiritualidade, mediante a oração, a meditação, o treinamento intelectual sobre as questões espirituais (mediante a leitura de livros bons e o estudo), a prática da lei do amor e das boas obras, a santificação e as experiências místicas — por meio de cujas coisas buscamos a presença do Senhor. Ver o artigo separado sobre o *Desenvolvimento Espiritual, Meios do.* A pessoa piedosa é também aquela que, gradativamente, vai participando da imagem e da natureza de Cristo, mediante sucessivos estágios de transformação (ver II Cor. 3:18 e Rom. 8:29). Ver também o artigo detalhado sobre a *Transformação Segundo a Imagem de Cristo.*

Em Salmos 4:3; 12:1 e 32:6, o homem piedoso é aquele que é *gentil* (conforme é indicado no original hebraico). Nenhuma pessoa é boa se não estiver exprimindo o amor de Deus a outras pessoas, mediante atos de gentileza. Tal pessoa é alguém que busca a descendência prometida, segundo diz Malaquias 2:15. Também é uma pessoa pia e reverente (no grego, *eusebes*, II Ped. 2:9). Também é pessoa devota, Atos 10:2 (no grego, *eusebes*). Suas atitudes são sinceras, procedentes de Deus (II Cor. 1:12). Ela age de uma maneira digna de Deus (*áksios tou theou*) (III João 6). Tal pessoa vive e age de conformidade com Deus (*katá théon*) (II Cor. 7:9-11).

O principal termo para piedade, no Novo Testamento, é *eusebeia* (e seus cognatos). Pode indicar dever religioso, piedade pessoal e santidade. A raiz verbal é *sebo*, «adorar», «honrar», «sentir respeito religioso», «ter temor», «dar grande valor a». O prefixo grego *eu*, em *eusebeia*, identifica a idéia. A forma verbal, *eusebeo*, é usada somente por duas vezes no Novo Testamento, em Atos 17:23 e I Tim. 5:4. O adjetivo, *eusebés*, é empregado por quatro vezes: Atos 10:2,7; 22:12; II Ped. 2:9, e tem o sentido de «piedoso». O advérbio *eusebôs*, «piedosamente», também é usado por duas vezes: II Tim. 3:12 e Tito 2:12. O substantivo, *eusebeia*, é utilizado por quinze vezes, sendo traduzido ora por «piedade», ora por «santidade». Ver Atos 3:12; I Tim. 2:2; 3:16; 4:7,8; 6:3,5,6,11; II Tim. 3:5; Tito 1:1; II Ped. 1:3,6,7; 3:11. O equivalente latino dessa palavra grega é *pietas*.

II. Atitudes dos Piedosos para com os Homens

O evangelho ensina-nos que as nossas atitudes para com os homens devem concordar com aquelas atitudes que professamos ter para com Deus. Ninguém pode amar a Deus e odiar o seu irmão (ver I João 4:20). O trecho de I Tim. 5:4 diz *eusebeia* no contexto da preocupação que devemos ter para com os nossos familiares, do que resulta provermos para as suas necessidades. Todos os homens são nossos irmãos; e essa atitude deveria prevalecer no caso de todos os homens. Esse é o nosso dever religioso. Um dos modos de nos desenvolvermos espiritualmente consiste na atitude de agir e viver de acordo com a lei do amor. O amor é a prova mesma da nossa espiritualidade (I João 4:7 ss).

III. Atitudes dos Piedosos para com Deus

O centurião Cornélio era um homem **piedoso**. Ele tinha grande respeito por Deus, em todas as coisas espirituais (no grego, ele era *eusebés*). Aquele que professa ter fé religiosa, deve agir de acordo com essa fé, porquanto Deus é o seu padrão e inspiração. Isso envolve, naturalmente, o cultivo das virtudes do Espírito Santo por meio do Espírito Santo, conforme se vê em Gálatas 5:22,23. Destarte, a piedade envolve mais do que a profissão religiosa e o interesse pelas coisas religiosas. Deve envolver a união mística com Deus, no nível da alma, para que seja algo real e poderoso. Isso envolve todos os aspectos do ministério do Espírito de Deus.

IV. A Piedade Hipócrita

Muitos pensam que todas as pessoas religiosas são hipócritas. Naturalmente, isso é verdade, até certo ponto, em todos os casos. Para que alguém seja hipócrita, nesse sentido, precisa estar buscando alguma vereda mais alta, que nunca atinge plenamente. A pessoa sempre apresenta suas realizações como se fossem superiores àquilo que realmente são. Todas as pessoas se exibem como se fossem melhores do que realmente são, pelo que todas as pessoas religiosas são parcialmente hipócritas. Isso nos deveria manter humildes; pois, sem importar o quanto já tenhamos avançado na vereda espiritual, todos nós ainda temos de caminhar muito mais. Outrossim, é inútil criticar outras pessoas por causa de suas falhas, porquanto todos nós também falhamos em muitas coisas. Além disso, há aquelas pessoas que são completas hipócritas, as quais se professam possuidoras de uma elevada espiritualidade, enquanto que não têm espiritualidade nenhuma (II Tim. 3:5). Esses têm apenas a forma externa da religião, mas nenhuma vitalidade e poder.

PIERSON, ALLARD

Suas datas foram 1831-1896. Incluímos este verbete com o propósito de ilustrar a cegueira e a estupidez do ceticismo. Durante algum tempo, Pierson foi um pastor protestante, mas que não acreditava no sobrenatural. Por isso, abandonou o pastorado e começou a ensinar teologia na Universidade de Heidelberg; mas depois direcionou os seus interesses para a estética e a literatura, na Universidade de Amsterdã, na Holanda. Foi estudante e erudito brilhante, embora tenha sido apanhado pelas trevas do ceticismo. Terminou em um total agnosticismo, e, juntamente com A.D. Loman e W.C. vanManen, chegou a crer que Jesus e Paulo nunca existiram, afinal, mas foram meras invenções das tradições da Igreja. Uma das tendências das pessoas é desenvolverem-se de modo provincial, dependendo de seus meios ambientes e de sua limitada educação. Naturalmente, todos os homens, até certo ponto, são provinciais. Isso é algo impossível de ser evitado. Por outra parte, há muitas e grandes coisas neste mundo que, quando conhecidas, salvam-nos do ceticismo. Até em nossos próprios dias, não faltam evidências que provam o miraculoso. Ver o meu artigo sobre *Satya Sai Baba.*

PIETISMO

Esboço:
1. Definição
2. Informes Históricos
3. Ênfases Principais
4. Vícios do Pietismo
5. Descendentes Religiosos do Pietismo

1. *Definição*

A base latina dessa palavra portuguesa é *pius*, «aquele que cumpre os seus deveres»; mas a palavra alude a uma reverência especial diante de Deus e ao desenvolvimento de qualidades espirituais como o temor a Deus, a santidade e a devoção. No grego temos *sébomai*, «ser piedoso», «ser reverente». Ver o artigo *Piedade.* Essas coisas são enfatizadas em lugar do ritualismo e das formalidades do culto. A ênfase do pietismo recai sobre as experiências religiosas, incluindo o misticismo, em vez dos ritos, sacramentos e da religiosidade.

2. *Informes Históricos*

Como um movimento organizado, o pietismo teve início entre os luteranos da Alemanha, nos fins do século XVII, associado principalmente a Philipp Jakob Spener, acerca de quem damos um artigo separado. A corrente principal do luteranismo tornara-se rígida em suas doutrinas e morta no sacramentalismo. Outrossim, o calvinismo caiu no legalismo dogmático. Spener cria que a ênfase original da Reforma Protestante, sobre a conversão pessoal, a santificação e a experiência religiosa tinha-se perdido essencialmente, o que justifica o seu protesto e o movimento que daí resultou. Ele servia como pastor em Frankfurt-am-Main, mas a sua mensagem não tardou a espalhar-se por toda a Alemanha, e daí para outros países. O mais notável discípulo de Spener foi August Hermann Franke. Ele foi um bem-sucedido professor e obreiro cristão. Tinha organizado escolas para os pobres, um orfanato, uma casa publicadora e outras obras de caridade; e, segundo a história informa-nos, era combatido por ministros e teólogos invejosos.

João Wesley e o metodismo primitivo podem ser classificados como um movimento pietista. De fato, historicamente falando, o metodismo foi muito influenciado pelo pietismo alemão. O metodismo trouxe de volta à Igreja a necessidade de uma experiência religiosa pessoal, e foi mui significativa a sua ênfase sobre as experiências místicas. A Igreja morávia, organizada pelo enteado de Spener, o *conde von Zinzendorf* (vide), adotou muitos princípios pietistas.

3. *Ênfases Principais*

A necessidade de experiências religiosas pessoais; o valor do misticismo; a necessidade de uma conversão que realmente mudasse a vida do indivíduo, e uma santificação que continuasse esse processo; um desprezo relativo aos credos; a retidão pessoal; a necessidade de renunciar ao mundo e suas atrações; a fraternidade universal dos crentes; o calor emocional na religião cristã.

4. *Vícios do Pietismo*

Um teatro religioso, ou seja, as pessoas transformam-se em atores, procurando ser mais piedosas, entusiasmadas e dotadas de mais profundas experiências religiosas do que outras pessoas; uma religiosidade que gera mais calor emocional do que iluminação; fanatismo; ascetismo, e separação desnecessária de outros cristãos, considerados dotados de espiritualidade inferior, ou mesmo como se nem fossem cristãos autênticos. Por causa desses vícios, o termo *pietismo* assumiu uma conotação negativa, passando a ser aplicado a fanáticos e a sonhadores religiosos. Também houve uma pronunciada ênfase antiintelectual, desnecessária, o que causou forte desequilíbrio no movimento. Ver sobre o *Antiintelectualismo*.

5. *Descendentes Religiosos do Pietismo*

O metodismo, os menonitas, os dunkers (batistas alemães), os schwenkfelders e os morávios devem todos alguma coisa ao pietismo. A Igreja Reformada Holandesa também teve líderes cujos discípulos salientaram esse conceito, o que também sucedeu ao luteranismo norte-americano. A Igreja Reformada Alemã da América do Norte exerceu uma influência pietista sobre o povo reformado alemão naquele continente. Os Irmãos Unidos em Cristo e a Igreja Evangélica foram denominações que incorporaram (em sua história inicial pelo menos) tendências pietistas. Talvez possamos dizer que a maioria das igrejas pentecostais da atualidade retêm tanto as virtudes quanto os vícios desse movimento.

PI-HAIROTE

O significado original dessa palavra parece ser «Casa da (deusa) Herete», com base nas consoantes *Hrt*. Todavia, outros estudiosos pensam em «casa do prado». E a etimologia popular fez disso «casa dos camelos». Está em vista um lugar nas proximidades do mar Vermelho, segundo se vê em Êxo. 13:18, localizado perto de Baal-Zefom (Êxo. 14:2,9). Foi ali que o Faraó e seu exército sofreram uma derrota miraculosa. Esse foi o lugar onde Israel acampou, depois que os israelitas acabaram sua terceira marcha partindo de Ramessés, entre Migdol e o mar Vermelho. O lugar não tem sido identificado acima de qualquer disputa, visto que isso depende muito de como o contexto é interpretado. Tem sido sugerida a localidade de *Pere Abel*, nos alagadiços de Jeneffeh, no final do passo entre a montanha e o lago Amargoso. O mar de Canas (que aparece como mar Vermelho, em nossa versão portuguesa), tem sido identificado com o lago Sirbonis; e, se essa identificação está certa, então Pi-Hairote seria perto do mar Mediterrâneo, às margens do lago Sirbonis. Mas, se o hebreus ficaram um pouco mais para o sul, a fim de evitar território pertencente aos filisteus (ver Êxo. 13:17), então Pi-Hairote ficaria um pouco mais ao norte do moderno local do canal de Suez. Entretanto, poucos eruditos defendem essa opinião. Outra sugestão é que esse lugar pode ter sido perto do moderno Tell Defneh, a Dafne dos tempos clássicos, a Tapanes dos egípcios, na hipótese que Baal-Zefom seja Tapanes. Mas esse ponto de vista também é inconclusivo, porquanto Baal-Zefom não era uma divindade adorada em uma única localidade. Um número maior de eruditos defende essa opinião, ainda que também haja advogados das outras posições.

PILÃO

No hebraico, **eli**, aparece somente em Pro. 27:22, em todo o Antigo Testamento. Em foco está um instrumento de mão, arredondado, geralmente feito de madeira ou de pedra, que nossa versão portuguesa chama de «mão de gral», e que, na verdade, é a «mão do pilão». Era no pilão que várias substâncias eram maceradas ou moídas. Esse ato tornou-se um símbolo de juízos esmagadores ou de acontecimentos opressivos. Mas, assim como esse instrumento também pode ser usado no preparo de medicamentos e de substâncias úteis, assim também os juízos divinos são remediais em sua natureza, e não meramente retributivos.

PILAR

Ver sobre *Coluna* (artigo geral); *Coluna no Apocalipse; Colunas da Terra* e *Colunas de Fogo e de Nuvem*.

PILAR (ESTACA)

No hebraico, **yathed**. Ver Êxo. 27:19; 35:18; 38:20,31; 39:40; Núm. 3:37; 4:32; Juí. 16:14; Eze. 15:3. Estão em pauta as estacas de cobre que eram enfiadas no solo para esticar as cordas do tabernáculo. Mas havia estacas ou pinos feitos de todo tipo de material, como madeira, metal, etc. Algumas traduções dizem «pinos», em vez de «estacas». Também eram usados pinos nos teares, para esticar o tecido que estava sendo fabricado (segundo se vê na referência do livro de Juízes). E a referência em Ezequiel aponta para algum tipo de gancho onde alguma coisa fosse pendurada (nossa versão portuguesa também diz «estaca»).

PILAR(ES) DE FOGO E DE NUVEM
Ver sobre *Colunas de Fogo e de Nuvem*.

PILATOS, PÔNCIO
Esboço:
1. O Nome
2. Posição na História
3. Alguns Detalhes Históricos
4. Em Relação a Jesus
5. Avaliações Cristãs
6. Filo e Outras Informações Posteriores

1. *O Nome*
A forma latina de seu nome é *Pilatus*, cujo significado é incerto, embora alguns pensem no possível sentido de «armado com dardo». Mas também pode haver uma alusão ao *pilus*, uma capa de feltro, emblema de um escravo liberto. *Pôncio*, por sua vez, pode estar associado ao vocábulo «ponte», ou então a «quinto» (seria ele um quinto filho?). Na verdade, por que ele foi assim chamado permanece um mistério. Se Pilatos deve ser associado à idéia de «dardo», então é perfeitamente possível que ele pertencesse a uma família militar romana. Um construtor de pontes é alguém que resolve problemas, pelo que alguns têm pensado que um *diplomata* poderia ser chamado assim. Por essa razão, ou o próprio Pilatos ou alguém de sua família, pode ter sido chamado por esse nome devido a esse motivo.

2. *Posição na História*
Pilatos foi procurador romano da Judéia, de Samaria e de parte da Iduméia entre 26 e 36 D.C. Os historiadores só falam sobre ele em conexão com seu trabalho na Palestina e com sua relação com Jesus, o Cristo. Com base nessa circunstância, pouco se sabe a respeito dele, excetuando essa pequena fase de sua vida. Ele teve a má sorte de ser o procurador romano que condenou Jesus à morte. Destarte, ele perdeu uma tremenda oportunidade de fazer justiça, porque agiu de modo pragmático e egoísta. Ele teve um grande movimento em suas mãos e poderia ter sido um herói; porém, não foi um homem bastante grande para a ocasião, apesar da ajuda do extraordinário sonho de sua esposa.

3. *Alguns Detalhes Históricos*
À parte de seu trato com Jesus, podemos respigar alguns poucos fatos acerca de Pilatos, da parte de vários autores, como Josefo, Filo de Alexandria e Eusébio. Ele foi o responsável pela paz na pequena área que governava, e precisou enfrentar muitas dificuldades, em face das contínuas agitações criadas pelos judeus. Não obstante, ele agradava aos seus superiores, procurando impor a adoração aos pendões ou águias romanas, como se fossem deuses, embora os judeus jamais se sujeitassem a isso, razão pela qual Pilatos retirou esses pendões. Pilatos residia em Cesaréia, no palácio de Herodes. Mas, ao tempo da páscoa (cerca de 29 D.C.), ele tinha ido a Jerusalém, sem dúvida alguma temendo que houvesse agitações populares naquela ocasião festiva. De fato, houve dificuldades. Jesus estava ali, acusado pelos judeus. O relato dos evangelhos apresenta Pilatos como um tipo débil, que procurou fazer o que estava ao seu alcance para livrar a Jesus da morte. Mas, não tendo nervos para enfrentar aos líderes judeus, finalmente preferiu agradar a estes, cujos corações só desejavam sangue, ainda que reconhecesse a inocência de Jesus. Ver Mat. 27:18.

Finalmente, porém, Pilatos foi demitido de seu ofício, após um massacre de samaritanos, que estavam ocupados em uma inocente missão religiosa. Não se sabe, porém, como Pilatos terminou os seus dias.

4. *Em Relação a Jesus*
Governador Pilatos, Mat. 27:2. *Pontius*, aparece nos mss ACEFGHKMSUVX, Gamma, Delta, Fam Pi, e nas traduções AC,F e KJ. Esse nome é omitido pelos mss mais antigos, como Aleph, B,L e pela maioria das versões siríacas, bem como por todas as traduções, excetuando AC, F e KJ. O evangelho original de Mateus não continha essa palavra, que foi acrescentada à base de outras passagens, neste ponto. Pela história antiga compreendemos que o sinédrio não tinha a autoridade de executar quem quer que fosse. Não obstante, seus membros tinham meios de forçar essa punição capital por parte dos romanos; e os judeus devem ter-se livrado de muitos «hereges» e outros adversários religiosos, apresentando alguma acusação contra eles, que levasse os romanos a estender a mão e executá-los. Pilatos tinha a autoridade de impor a pena capital, autoridade essa que lhe era conferida por Roma.

Jesus fora amarrado antes de ser conduzido à presença de Pilatos, embora essa informação não nos seja dada pelo evangelho de Mateus. É provável que durante o inquérito diante de Caifás as algemas tivessem sido removidas. Mas que, quando Jesus foi levado à presença de Pilatos, as cordas tivessem sido repostas. Pilatos era um péssimo juiz para opinar sobre um caso como aquele; pois era um inadequado representante de Roma, conforme nos mostra a história da época, o que é descrito nas notas do NTI em Mat. 27:11. Era um *pragmatista egoísta*. Para ele, a «justiça» era determinada de acordo com o que fosse expediente no momento. Não esperava a orientação de Deus, e nem se aconselhava com quaisquer conselheiros. Só se interessava em continuar em seu ofício, e dispôs-se a sacrificar a vida de Jesus, porque isso agradaria aos judeus, porquanto já tivera muitas dificuldades com eles, por outros motivos. De fato, nos anos que se seguiram, encontrou ainda maior dificuldade para controlá-los. Pilatos era o «procurador» desse território — a Judéia. A residência comum dos procuradores ficava em Cesaréia, à beira-mar; mas durante o período da páscoa, ordinariamente residiam em Jerusalém, juntamente com um destacamento militar, a fim de preservar a ordem durante as festividades.

Um procurador era um oficial da classe **eqüestre**, encarregado de alguma das províncias imperiais menores, e que ficava em seu ofício durante o tempo que o quisesse o imperador. Não sabemos com certeza se Pilatos estava sujeito ao legado da Síria, ou se era diretamente responsável diante do imperador. Houve ocasião em que Pilatos teve dificuldades com seus súditos judeus, por ter feito entrar tropas romanas em Jerusalém sem remover as suas insígnias (o medalhão com a efígie do imperador), o que era considerado uma idolatria pelos judeus. De outra feita ele se apossou de fundos do templo a fim de construir um aqueduto. Isso causou tremendo furor entre os judeus. Sua brutalidade, ao esmagar uma pequena insurreição em Samaria, é que o levou à queda. (Ver Josefo, *Antiq*. XVIII.3.1,2; 4.1,2).

A nomeação para governar a Judéia, sem dúvida, era considerada uma *tarefa pequena* pelos romanos.

PILATOS, PÔNCIO — PILOTO

Pilatos tinha pouca autoridade, e escudado nela, cometeu o maior de todos os crimes da história. Shakespeare (*Measure for Measure*, ato II, cena 2) descreveu o seu tipo: «Homem, muito orgulhoso, revestido em pequena e breve autoridade. Mas ignorante daquilo que tinha mais certeza».

5. Avaliações Cristãs

Algumas obras apócrifas e pseudepígrafas apresentam Pilatos sob melhores luzes do que o fazem os evangelhos canônicos, do Novo Testamento. Assim, para exemplificar, o *Evangelho de Pedro* (vide) procura exonerá-lo, ao mesmo tempo em que põe toda a culpa sobre Herodes e os judeus. A Igreja Abissínia ficou bem impressionada com esse material espúrio, e em alguns lugares do Oriente Pilatos é até elogiado, havendo um dia festivo em honra a ele. A *Igreja Copta* (vide) observa o 25 de junho como dia que celebra a Pilatos; e ali ele é considerado santo e mártir. Mas, à parte desses exageros e avaliações anti-históricas, Pilatos é mencionado no Credo dos Apóstolos, onde simplesmente podemos ler que Jesus foi «crucificado sob Pôncio Pilatos». O livro *Acta Pilati*, em latim, assevera que sua esposa veio a tornar-se cristã. E há um dia festivo, que a honra na Igreja Grega e na Igreja Abissínia.

6. Filo e Outras Informações Posteriores

Filo não foi capaz de achar qualquer coisa boa para dizer sobre Pilatos, (em *De Virtutibus et Legatione ad Gaium*, 38), descrevendo-o como homem rígido, brutal e teimoso, iracundo, desprezador, dado a aceitar subornos e a subornar, homem violento e ultrajante, envolvido em assassínios que nunca foram julgados, embora tudo isso pareça um exagero com finalidades políticas. O Novo Testamento, por sua vez, assinala-o como um pragmático de espinha mole, um cético, um homem que perdeu uma notável oportunidade, devido à sua acomodação política.

Vitélio, governador da Síria, depôs Pilatos e com muita razão, ordenando-lhe apresentar-se em Roma, a fim de responder a acusações. Isso pôs fim a seu período de dez anos como procurador. Tibério faleceu a 16 de março de 37 D.C., antes que Pilatos chegasse a Roma. E, ao que parece, por causa desse importante acontecimento, o acontecimento menor de submeter Pilatos a julgamento nunca foi levado a efeito. As tradições dizem que ele foi banido para Viena, na Gália, onde, finalmente, teria cometido suicídio; mas os historiadores não têm certeza quanto ao valor dessa informação. Eusébio (*Hist.* 2.7) reiterou essa informação, embora não disponhamos de meios para julgá-la. O livro *Acta Pilati* (ver sobre *Pilatos, Atos de*) ao que parece tem pouco valor histórico.

PILATOS, ATOS DE

O **Evangelho de Nicodemos** (vide) consiste em duas partes: Atos de Pilatos e Descida de Cristo ao Hades. Essa última porção, ao que parece, é uma adição posterior. Parece ser uma obra cristã pseudepígrafa (vide), composta aí pelos meados do século IV D.C. O que tenho a dizer a respeito está contido no artigo acima referido.

PILATOS, ESPOSA DE

A história secular informa-nos de que a esposa de Pilatos chamava-se Cláudia Prócula. O trecho de Mateus 27:19 diz que ela teve um sonho em que advertia seu marido acerca da inocência de Jesus, instruindo-o a não ter nada a ver com Ele. Porém, Pilatos não deu ouvidos à sua esposa. Às vezes, nossas esposas estão com a razão, e precisamos dar-lhes ouvidos. Pilatos não se mostrou à altura da ocasião. Ver o artigo geral sobre os *Sonhos*, que mostra que os sonhos podem ser importantíssimos como meios de instrução e iluminação. Mas os intérpretes cristãos não têm concordado sobre a fonte do sonho dela. Orígenes, Crisóstomo e Agostinho atribuíram-no a Deus; Inácio, Bede, Bernardo e Heliand atribuíram-no ao diabo. E outros, como Wette e Mayer, falam sobre a naturalidade dos sonhos e o poder dos mesmos para revelar coisas significativas. Kapstock oferece-nos uma curiosa interpretação, dizendo que foi Sócrates quem apareceu a Cláudia Prócula, porquanto ele e Jesus sofreram julgamentos injustos e distorcidos. Mas é ainda mais curioso que foi essa mulher pagã a única a levantar-se para defender a Jesus naquela sua hora crítica. Foi uma mulher pagã que levantou o único «grito em prol da justiça». Por causa desse seu ato de coragem, e com base em tradições posteriores, as igrejas grega e abissínia declararam que ela se tornara cristã, considerando-a santa e atribuindo-lhe um dia de festa. Não dispomos de meios para ajuizar a exatidão das tradições que inspiraram tais opiniões.

PILDAS

Embora alguns estudiosos digam que esse nome tem sentido desconhecido, outros sugerem «chama». Ele era um dos oito filhos de Naor, irmão de Abraão. Sua mãe era Milca, esposa e sobrinha de Naor. Ver Gên. 22:22. Pildas viveu em torno de 2080 A.C. Talvez seu nome seja cognato da palavra que significa «ferro», talvez com o significado de «força» quando atribuída a pessoas.

PILHA

No hebraico, «fatia». Esse foi o nome de um líder do povo que retornou a Jerusalém, terminado o cativeiro babilônico, e que assinou o pacto encabeçado por Neemias, em cerca de 445 A.C. Ver Nee. 10:24.

PILOTO

No hebraico, **chobel**. Ver Eze. 27:8,27-29. Ver o artigo *Barcos* (*Navios*). Os usos figurados incluem aquele de Eze. 28:8, onde estão em foco os líderes da cidade de Tiro. Um piloto aparece também como um líder espiritual. Este co-autor e tradutor, de certa feita, teve a visão de um timão de ouro, obra de arte de grande valor, dotado de um maquinismo oculto à base, que fazia o timão girar para a esquerda e então para a direita, com um leve ruído de catraca. Estudando o Novo Testamento grego, encontrei o termo *kubérnesis*, «pilotagem» (ver I Cor. 12:28), como um dos dons espirituais. E vários comentadores opinam tratar-se do dom dado aos pastores.

Um belo hino cristão emprega a figura de Jesus como o Piloto da nossa vida espiritual:

«Guia, Cristo, minha nau
Sobre o revoltoso mar;
Tão enfurecido e mau,
Quer fazê-la naufragar.
Vem, Jesus, oh! vem guiar,
Minha nau vem pilotar!»
(Edward Hopper).

Alfred Lord Tennyson determinou que o seu poema «Cruzando a Barra», sempre fosse posto em último lugar, em qualquer coletânea que publicasse os seus versos. A última estrofe fala sobre Jesus como o Piloto da vida. Tennyson esperava encontrar-se com ele, pessoalmente, um dia:

«Pois embora, para além dos limites
Do tempo e do espaço
O dilúvio me leve para longe;
Quero ver o Piloto, face a face,
Quando eu cruzar a barra».

PILPUL

No hebraico, «especiaria»; figuradamente, «debater». Esse termo hebraico vem da raiz *pilpel*. No tocante ao método dialético do Talmude, essa palavra indicava a unidade da lei, mediante a solução de problemas e contradições.

PILTAI

No hebraico, «Yahweh liberta». Nome de um representante da casa sacerdotal de Moadias, nos tempos de Jeoaquim. Ao que parece, ele foi um dos sacerdotes que voltaram do cativeiro babilônico, em companhia de Zorobabel, a fim de residir em Jerusalém (ver Nee. 12:17). Isso aconteceu em cerca de 536 A.C.

PIM

Ver sobre **Pesos e Medidas**.

PINÁCULO

No grego, **pterúgion**. Esse vocábulo aparece somente por duas vezes no Novo Testamento: Mat. 4:5 e Luc. 4:9. O pináculo era o ponto mais alto do templo de Jerusalém, onde Satanás colocou Jesus, quando este era submetido à tentação que envolvia uma tentativa de suicídio (em potencial), ainda que, de acordo com Sal. 91:11,12 (trecho que foi citado na oportunidade), os anjos tomariam para a seus cuidados, se ele tivesse chegado a precipitar-se dali. Jesus argumentou que tal ato seria uma tentação desnecessária e insensata contra Deus, sem qualquer proveito espiritual.

Não se conhece onde ficava o pináculo do templo, ainda que os dois pontos mais comumente sugeridos pelos intérpretes sejam a esquina suleste, que dava frente para o vale do Cedrom, ou, então, alguma porção do telhado do templo. A palavra grega indica «asa pequena»; e a New English Bible dá como tradução «saliência mais alta», à guisa de interpretação. O grego original inclui o artigo definido, «o», pelo que estaria em vista algum detalhe específico do templo, embora não se saiba qual. A esquina suleste do templo era formada por um muro externo que se elevava a cerca de 60 m do nível do terreno, um trecho da construção que tem sido parcialmente escavado pelos arqueólogos. Alguns estudiosos supõem estar em vista algum tipo de parapeito que a lei requeria no telhado de todo edifício proeminente.

PÍNDARO

Um poeta lírico de Tebas, Grécia. Nasceu em Quinoscéfale, perto de Tebas, em cerca de 522 A.C. Faleceu em Argos, em cerca de 443 A.C. Ele é uma figura importante na história da religião, em face de algumas de suas idéias. Traços dessas crenças encontram-se em seus hinos, canções e panegíricos, que ele escreveu em honra a divindades e a seres humanos. Seus escritos também celebravam as festas religiosas, os jogos atléticos e vários heróis. Parece que os mistérios órficos exerceram alguma influência sobre os seus escritos. Em suas crenças, ele promovia a idéia de que a alma humana procede dos deuses; que ela possui nobres poderes inerentes (como a doutrina cristã da «imagem de Deus»). Ele acreditava que os homens podem viver vidas nobres e desenvolver suas capacidades espirituais. Ele esteve entre os primeiros a tentar unificar as ordens espirituais dos deuses com as dos homens, provendo assim um pronunciado *teísmo* (vide). Sua influência foi fortemente sentida em tempos posteriores, nos campos da religião e da filosofia.

PINHO, PINHEIRO

Essa espécie vegetal só é mencionada no Antigo Testamento:
1. *Tidhar*, «pinheiro», Isa. 41:19; 60:13.
2. *Ets shemen*, «árvore oleosa», Nee. 8:15.

Apesar da Bíblia não mencionar o pinheiro após o livro de Neemias, Josefo diz-nos que o pinheiro era originário da Criméia, no mar Negro; e que Hirão, supridor de madeira a Salomão, transportava-os dali, em seus navios. Mas alguns estudiosos argumentam que as referências bíblicas não são ao pinheiro, mas a outras árvores, como o cipreste, o junipeiro, etc. O trecho de Nee. 8:15 provavelmente indica a espécie cujo nome científico é *Eleagnus angustifolia*, uma árvore decídua com ramos espinhentos que, quando jovem, é recoberta com escamas prateadas e folhas do mesmo tom. Essa árvore produz um fruto comestível de pequeno tamanho. Algumas traduções, porém, dizem ali «oliveira». Nossa versão portuguesa diz «zambujeiros», em Nee. 8:15. Não obstante, na Palestina existe um pinheiro verdadeiro, chamado pinheiro de Jerusalém, ou pinheiro de Alepo (o *Pinus halepensis*), com certa variedade de tipos. Esses pinheiros continuam medrando nas proximidades do mar Mediterrâneo, onde é muito seco para a maioria das árvores.

PINO

No hebraico, **yathed**. Essa palavra ocorre por vinte e quatro vezes, com o sentido de «prego», «pino», «estaca» ou coisa semelhante. Com o sentido de «pino», ver Êxo. 27:19; 35:18; 38:20,31; 39:40; Núm. 3:37; 4:32; Juí. 16:14 e Eze. 15:3. Algumas versões dizem «tear», em Juízes 16:14, mas os estudiosos dizem que é preferível a tradução «pino», conforme vemos em nossa versão portuguesa.

Ver sobre **Trancar (Cadeado, Fechadura, Pino)**.

PINOM

No hebraico, «perplexidade». Esse era o nome do chefe de um clã de Edom (Gên. 36:41; I Crô. 1:52), que viveu em torno de 1440 A.C. O nome locativo *Punom*, que se refere a um centro idumeu de mineração de cobre, provavelmente vem da mesma raiz.

PINTAR, PINTURA

No hebraico, **puk**, «corante». Essa é a principal palavra hebraica para indicar material de pintura, usada por três vezes no Antigo Testamento: Isa. 54:11; I Crô. 29:2; Jer. 4:30. Outra palavra é *kachal*, «pintar», «colorir», empregada somente em Eze. 23:40. A arqueologia tem demonstrado ricamente essa atividade, mas referências bíblicas são escassas, como acabamos de ver.

Esboço:
1. Referências Bíblicas

PINTAR, PINTURA

2. Pintura Entre Várias Culturas
3. A Pintura como Atividade Estética

1. Referências Bíblicas

Um corante negro era usado para dar a impressão de olhos maiores, um truque próprio da vaidade feminina (ver II Reis 9:30; Jer. 4:30; Eze. 23:40). O trecho de Jer. 22:14 alude à pintura de casas com vermelhão. O termo acádico correspondente era *sarsaru*, *sarsere*, uma pasta vermelha. A passagem de Eze. 23:14 menciona desenhos ou pinturas feitos em uma parede, mediante o uso desse mesmo material. O pigmento para esse material era extraído do sulfeto de mercúrio, de cor vermelha, ou do óxido de chumbo, da mesma cor. A arqueologia tem descoberto que essa cor era usada na cerâmica. Ver os artigos *Oleiro*, *Olaria* e *Cerâmica*, que incluem muitas referências bíblicas. Ver também *Artes e Ofícios*, 4.a., quanto a notas específicas sobre os negócios de olaria. Os ídolos (que também podiam ser desenhados ou pintados, além de esculpidos) eram coloridos (ver Sabedoria de Salomão 13:14; Eze. 23:14). Apesar de que todas as culturas cultivavam a pintura (ver o segundo ponto, abaixo), os judeus não o faziam. Provavelmente, os israelitas sentiam que fazê-lo seria uma violação do mandamento que proíbe o fabrico de imagens. Uma exceção parece ter sido desenhos em caixões mortuários, em sepulcros e túmulos.

No hebraico, *pintura* ou *pedras brilhantes*. A palavra indica um elemento duro, semelhante ao chumbo. Parece referir-se à pintura para os olhos (ver II Reis 9:30 e Jer. 4:30), e portanto, uma espécie de substância com brilho, usada no engaste de pedras preciosas (ver I Crô. 29:2 e Isa. 54:11). Algumas versões falam em «antimônio», em todas essas passagens, mas nossa versão portuguesa prefere traduzir o original hebraico de várias maneiras, nunca usando o termo «antimônio». A referência em Isaías mostra que a substância era usada para intensificar a beleza das pedras usadas em edificações, ao passo que em I Crô. 29:2 é a substância mencionada entre as pedras preciosas que Davi havia acumulado, para uso na construção do templo de Jerusalém. (Z)

2. Pintura Entre Várias Culturas

a. *Na Palestina*. A escassa atividade dessa natureza, que tinha lugar em Israel, mencionada nas Escrituras, foi referida no primeiro ponto, acima. Porém, antes da chegada dos hebreus ali, a pintura tinha sido uma importante atividade religiosa e artística. Os arqueólogos têm encontrado na Palestina desenhos e pinturas que remontam ao quarto milênio A.C. Quase sempre esses desenhos ou pinturas acham-se em cavernas ou sepulcros. Antigas pinturas vieram à luz em Jericó, como também em certas áreas do Egito e da Mesopotâmia. As residências dos abastados eram decoradas com pinturas e desenhos. Pinturas notáveis foram encontradas nas paredes interiores de cavernas, próximas da cidade helenista de Marisa (Beit Jibrin). Essas pinturas pertencem ao século III A.C.

b. *No Egito*. Os egípcios eram um povo inclinado às artes e ofícios, e sua cultura era muito mais avançada que a de Israel. A vida após-túmulo era um importante tema, explorado pelas pinturas e desenhos egípcios, em cavernas, sepulcros, esquifes de múmias, túmulos, etc. Além disso, temas favoritos na pintura eram formas humanas e da vida animal, além de desenhos geométricos, figuras de plantas, etc. Toda sorte de evento social tem sido encontrada representada nessas pinturas, como festividades, ritos religiosos, conquistas militares, vida citadina e vida rural. Museus ao redor do mundo têm preservado uma vívida demonstração dessas antigas pinturas egípcias.

c. *Na Mesopotâmia*. Dessa região não nos chegaram muitas evidências acerca desse tipo de atividade artística; mas isso não por causa de inatividade, e, sim, devido às dilapidações do tempo. Grandes palácios de tijolos, decorados com pintura, não têm resistido ao desgaste do tempo e das intempéries. Quase toda a pintura que chegou até nós, vinda da Mesopotâmia, circunscreve-se a objetos de cerâmica. Mas as telhas esmaltadas, encontradas nos muros de monumentos como o do portão de Istar, na Babilônia, construído em cerca de 570 A.C., constitui um esplêndido exemplo da arte de pintura dos babilônios.

d. *Em Creta*. Cnossos, na ilha de Creta, contava com impressionantes pinturas afresco, que os arqueólogos trouxeram ao conhecimento público. A arte mais antiga dessa natureza que ali existe nos vem de cerca de 1900 A.C. Havia pintura nas paredes dos sepulcros e nos sarcófagos. Entre os afrescos, os mais famosos são aqueles chamados *Saffron Gatherer* e *Toreodor and His Horse*. Em Creta, por semelhante modo, vasos e jarras, murais e pinturas em palácios e nas casas dos mais ricos, eram obras realmente artísticas. Ornamentos em cerâmica eram notáveis por suas representações da vida marinha e floral. Várias outras atividades da vida diária foram também ilustradas, como a caça a animais selvagens, cenas de batalhas, ritos religiosos, etc. As pinturas cretenses (ou egéias) até hoje são consideradas entre as mais excelentes da história da arte.

e. *Na Grécia*. Naturalmente, a arte cretense também é arte grega. Mas Creta é uma ilha. No continente, a pintura grega também era uma atividade artística que demonstrava grande técnica. Ficamos boquiabertos pela arte da pintura em objetos de cerâmica. É provável que a habilidade dos gregos do continente tenha sido derivada de Creta. Cenas murais de palácios, edifícios públicos e residências retratam figuras da vida diária, humanas, vegetais e animais, além de atividades sociais, cenas bélicas e ritos religiosos. Um outro importante tema era o mitológico, com os deuses e suas atividades. As principais obras literárias gregas, como a Ilíada e a Odisséia, proveram temas para muitas pinturas. Os heróis homéricos, como Ajax e Aquiles, sobrevivem na arte antiga, preservada em muitos museus modernos. No museu do Vaticano há uma pintura, feita em um vaso para armazenamento, que representa Ajax e Aquiles. A antiga Grécia produziu muitos pintores famosos, entre os quais poderíamos relacionar Douris, Eufrônio, Eutímides, Macrom e Polignoto. A este último Plínio, o Velho, elogiou devido à expressividade de suas composições. Apolodoro (século V A.C.) fez o primeiro estudo sistemático dos efeitos da luz e das sombras, na pintura. Seu contemporâneo, Zêuxis, pintou uvas de uma maneira tão realista que as aves vinham bicá-las. Filóxeno fez uma pintura da batalha entre Alexandre e Dario que o mundo da arte nunca deixou de admirar.

f. *Em Roma*. A pintura de afrescos era popular na cultura romana da época de Cristo. A arqueologia tem conseguido preservar bons espécimes dessa pintura. As escavações feitas em Pompéia, na Vila dos Mistérios, têm encontrado pinturas que representam ritos cúlticos. Entretanto, esse tipo de arte era comum por toda a civilização romana. Numerosas pinturas murais têm sido encontradas em casas escavadas em Pompéia e em Herculano. Essas cidades, como é sabido, tinham ficado sepultadas sob as lavas da erupção do monte Vesúvio, em 79 D.C. Um mosaico representando a batalha entre Alexandre e Dario foi encontrado em uma das casas de Pompéia. Os romanos usavam muito os mosaicos, feitos com inúmeros cubos de mármore e vidro, mantidos no lugar por uma espécie de cimento. Esses mosaicos têm sido achados tanto em pisos quanto em paredes. Uma famosa obra de arte, atualmente no museu do Vaticano, é chamada Paisagens da Odisséia. Essa paisagem pinta cenas no mais vívido realismo.

3. A Pintura como Atividade Estética

O termo *estética* vem do grego *aísthesis*, «sensação». Na filosofia, essa palavra refere-se à teoria da arte em geral. O que um artista procura expressar? Qual a natureza de sua atividade? No artigo *Arte*, segundo ponto, *Teorias Principais da Estética*, são apresentadas as muitas teorias sobre o significado das belas-artes.

PIO Ver **Pios (Papas)**.

PIOLHO

Em algumas traduções (como na nossa versão portuguesa), «piolhos» é a tradução da palavra hebraica *kinnam*, referindo-se à terceira praga do Egito (Êxo. 8:16 *ss*; Sal. 105:31). Está em pauta alguma espécie de parasita que se multiplica rapidamente, e que, então, — ataca homens e animais. Os intérpretes, contudo, não concordam com a identidade desse parasita, embora as sugestões sejam o piolho, o carrapato, a pulga, a mosca de areia e o mosquito. A raiz hebraica parece estar associada às idéias de «fixar» ou «agarrar-se», e isso favorece a identificação ou do «piolho» ou do «carrapato». Entretanto, visto estar em pauta um inseto egípcio, a palavra pode ser de origem egípcia, cujo significado perdeu-se para nós. Muitas variedades de mosquitos sempre foram comuns e abundantes no Egito, pelo que poderiam estar em pauta. Consideremos sobre alguns insetos, que podem estar em vista nessa terceira praga do Egito:

1. *Piolho*. Esses insetos existiam e existem em níveis epidêmicos, em todo o Oriente Próximo e Médio. Os islamitas rapam as cabeças e tomam outras medidas heróicas para escapar dessa praga. É possível que os sacerdotes egípcios rapassem a cabeça em sua luta contra os piolhos. Os piolhos são insetos destituídos de asas, embora saibam saltar muito bem. Vivem exclusivamente de chupar o sangue de suas vítimas. Corpos mortos de piolhos têm sido encontrados até nas múmias do Egito. São transmissores de enfermidades sérias, como a febre tifóide. Cada espécie de piolho prefere um hospedeiro diferente, embora alguns deles possam chupar o sangue de vários animais. Os piolhos multiplicam-se no próprio hospedeiro, e as descrições concernentes à terceira praga do Egito não se ajustam a essa circunstância.

2. *Carrapato*. Esses insetos estão relacionados às aranhas. Têm quatro pares de pernas, mas não asas. Alimentam-se exclusivamente de sangue. Para conseguir alimentar-se, enterram as cabeças na pele de suas vítimas. Enchem-se de sangue, até se tornarem uma grande bola de sangue. Quando se cansam disso (o que leva mais tempo do que deveria levar), desprendem-se da vítima, caem no chão, esconderem-se abaixo da superfície do solo e depostiam inúmeros ovos. Uma vez que nasça, o carrapato consegue sobreviver, no côco de terra ou de areia, por nada menos de um ano. Ali ficam escondidos, esperando que passe alguma vítima. E então começa de novo o terrível ciclo. Também podem transmitir enfermidades sérias, de bactérias e outros microorganismos.

3. *Mosquito*. Esses insetos costumam reunir-se em grande número em torno de certos líquidos e de certas frutas. São extremamente irritantes para os seres humanos. Nos alagadiços do Egito havia mosquitos em números inacreditáveis. A palavra portuguesa «mosquito» é bastante· ampla em sua aplicação, podendo indicar uma grande gama de minúsculas moscas de duas asas. Os mosquitos depositam os seus ovos sobre a água ou em lugares úmidos. Quando chega a hora certa, eles saem de seus ovos formando nuvens explosivas.

4. *Pernilongo*. Esse é o inseto mais perigoso do mundo, e, talvez, também o mais numeroso de todos. Há espécies de pernilongos que vivem em todas as regiões do globo terrestre, exceto nos pólos.

Quase todos os habitantes do mundo já foram picados, pelo menos uma vez na vida, por algum pernilongo. Eles transmitem certo número de doenças seriíssimas, como a febre amarela, a malária, a dengue, a elefantíase, etc. Este tradutor e co-autor quando vivia na Amazônia (até os 27 anos de idade), foi infectado por nada menos de quatro vezes pela malária, transmitida pelo pernilongo, que na Amazônia brasileira, tem o nome local de «carapanã». Peguei malária em Manaus, Faro e Belém do Pará! Vi casos horríveis de elefantíase em Belém do Pará, e, em abril de 1986, quando estive no Rio de Janeiro com minha esposa, peguei dengue; — ela também. Doía-me o corpo inteiro, com febre alta e muito mal-estar. Fiquei de cama praticamente por três semanas. Minha esposa sofreu ainda mais. E descobrimos apenas uma ferroada de pernilongo em cada um de nós!

Assim que os pernilongos saem de seus ovos, começam a procurar suas vítimas. Somente as fêmeas da espécie têm o aparelho bucal capaz de chupar sangue, pois precisam dessa substância não para se alimentarem, mas para chocarem seus ovos.

Algumas pessoas pensam que esses pequenos insetos não são capazes de raciocinar. Mas este autor tem visto tais insetos procurarem algum buraco no meu mosquiteiro, procurando entrar onde eu me achava protegido deles. Mesmo que os pernilongos não possam ver suas vítimas, no escuro, podem sentir muito bem o odor de seus corpos. E assim, vendo ou cheirando, são quase invencíveis. Os ovos dos pernilongos não amadurecem todos ao mesmo tempo. Por isso é que, de vez em quando, surge uma nova nuvem letal deles, exigindo um combate quase constante contra eles, por parte dos homens!

5. *Pulga*. Esse inseto é tão poderoso que pode saltar (proporcionalmente ao seu tamanho) tanto quanto um edifício de treze andares (se tivesse o tamanho de um homem). A pulga consiste quase inteiramente de pernas, e sua capacidade de propulsão é quase inacreditável. A pulga chupa sangue, e é tão difícil de apanhar, que a pessoa pode levar cinqüenta ferroadas antes de ao menos ver a pulga! E, quando a pessoa a vê, ainda assim tem grandes dificuldades para apanhá-la. E só pode ser esmagada sob grande pressão. A pulga é o inseto transmissor de várias doenças sérias, incluindo a temível peste bubônica. Davi comparou-se a uma pulga, perante o magnificente e poderoso rei Saul, que o caçava e perseguia por toda parte. Ver I Sam. 24:15. Existem nada menos de cerca de onze mil espécies diferentes de pulgas. A fim de comentar adequadamente sobre esse inseto pestífero, precisei escrever um artigo separado sobre o assunto. Ver o artigo intitulado *Pulga*. A maneira como a natureza equipou a pulga não é nenhuma brincadeira!

••• ••• •••

PIONEIRO, JESUS COMO
I. Autor (Pioneiro)
Heb. 2:10: *Porque convinha que aquele, para quem são todas as coisas, e por meio de quem tudo existe, em trazendo muitos filhos à glória, aperfeiçoasse pelos sofrimentos o autor (pioneiro) da salvação deles.*

No grego temos *archegos*, que é combinação de duas palavras, isto é, «começar» e «liderar», ou seja, aquele que lidera em uma série. Um *líder encabeçador*. Essa palavra também é usada nos trechos de Atos 3:15; 5:31 e Heb. 12:2. Tal palavra também significa «líder», «alguém que começa algo», embora também fosse empregada no sentido de «originador», «fundador». O contexto admite ambas as idéias; «alguém que começa, como o primeiro em uma série», o «autor» ou *originador* da salvação. Cristo é tanto o *autor* da salvação, como também, por ser homem, é o «primeiro de uma série» de homens que atravessam a barreira da mortalidade para a imortalidade. Portanto, ele é o Pioneiro do caminho, o qual não somente é o Caminho, mas também lidera os homens no caminho, ou seja, é o seu *Líder*. É provável que o autor sagrado tivesse tencionado dar a entender ambas essas idéias, ao usar o termo. Essas idéias não são contraditórias, pois, por ser o *Pioneiro*, ele é também o *Autor*. Ele não somente produz a salvação com sua expiação e ressurreição, mas também lidera os homens, através do seu exemplo, na inquirição espiritual, a fim de que eles possam obter o alvo colimado.

II. Jesus, o Pioneiro do Caminho
1. Muito se ouve falar de Jesus como o **Caminho** (ver João 14:6); e assim deveria ser, pois isso expressa uma verdade. Porém, não nos olvidemos de que ele é, igualmente, o Pioneiro do caminho (ver Heb. 2:10), tendo desenvolvido a sua espiritualidade como homem e tendo mostrado aos homens como lhes compete avançar.

2. Jesus foi «espiritualizado» como homem. Ele foi «aperfeiçoado» e **«aprendeu por aquilo que sofreu»**, Heb. 2:10; 5:7-10. Tais expressões confundem e até mesmo envergonham a certos intérpretes, que enfatizam de tal maneira a divindade de Cristo, que perdem de vista o sentido de sua humanidade.

3. Essas duas verdades, a sua divindade e a sua humanidade, não deveriam ser postas em oposição uma à outra, como que a se anularem mutuamente. Pelo contrário, devemos acreditar nos dois conceitos, e devemos derivar benefícios de ambos. Ele era humano e sofreu o que sofremos. Desenvolveu-se espiritualmente como homem. Portanto, sigamos os seus passos. E era divino, e agora está glorificado no mais elevado céu. A sua glória é a nossa, e, portanto sigamo-lo até à mão direita de Deus.

4. Heb. 5:8 mostra-nos que Jesus teve de *aprender* muita coisa da parte do Pai, em sua humanidade. Ele aprendeu a obedecer (rejeitando o mal e praticando o bem, diante de tentações reais). Positivamente, ele aprendeu a desenvolver as virtudes espirituais do Pai. Também aprendeu a completar os requisitos de sua missão terrena. E, por haver completado com bom êxito essa missão, foi exaltado acima de seus companheiros (ver Heb. 1:9).

É fácil confiarmos em Deus quando todas as coisas estão direitas e nos são vantajosas. Mas é difícil nos ocuparmos da inquirição espiritual quando chega a tragédia e a adversidade. Contudo, o sofrimento tem uma qualidade especial que nos confere certo desenvolvimento espiritual, contanto que, pela fé, sejamos vencedores, entregando-nos confiantemente nas mãos de Deus.

III. As Escrituras Falam: Heb. 5:8
Aprendeu. Jesus, na qualidade de homem, ficou sujeito ao *processo de aprendizado*, no tocante às realidades espirituais; e é nesse aprendizado que *nós* recebemos muitas instruções para seguir o *caminho.* O autor toma uma posição bem distante da do «docetismo», que pensava que a humanidade de Cristo era irreal, porque seria apenas aparente. Mas, se essa humanidade foi real, se ele realmente participava de nossa natureza humana, não nos podemos admirar do fato de que, na qualidade de homem, ele teve de «aprender a obediência». Foi porque ele atingiu tão elevada obediência, em sua experiência encarnada, que Deus o exaltou acima de seus «companheiros», conforme nos é ensinado em Heb. 1:9. Quando aprendemos a agir conforme ele agiu, desenvolvemo-nos espiritualmente, à sua semelhança. Finalmente, todos teremos de aprender as lições que ele aprendeu, sendo obedientes tal e qual ele foi. E dessa maneira é que haveremos de compartilhar de sua glorificação (ver Rom. 8:29,30). Mas isso não ocorrerá enquanto não permitirmos que o Espírito de Deus nos transforme, tal como transformou a pessoa de Jesus de Nazaré. Mas cada passo de volta a Deus é dado em meio a agonia de alma, porquanto nos temos afastado uma distância enorme para longe de Deus.

Obediência. O fato de que Cristo teve de «aprender a obediência» subentende que ele tinha verdadeira opção à sua frente — poderia ter desobedecido. A admiração consiste não no fato de que Jesus não podia desobedecer e, sim, no fato de que ele poderia ter desobedecido, mas nunca o fez porque tinha um desenvolvimento espiritual *altíssimo* e estava além do alcance do pecado e da desobediência. Ele nos mostrou que a vitória total é possível *para os homens*. Precisamos participar dessa vitória antes de desfrutar da comunidade de natureza, dentro da *filiação.* Ver Heb. 2:10 *ss.*

IV. Pelas Coisas que Sofreu
No sétimo versículo de Hebreus 5, os «sofrimentos» de Cristo, evidentemente, visam limitar-se à sua paixão, ao Getsêmani e à cruz. Mas aqui a alusão é mais ampla, porquanto, sem dúvida, Cristo «aprendeu» através de toda a sua experiência encarnada, e não meramente devido a uma parte da mesma. Esse sofrimento envolveu o treinamento para o sumo sacerdócio; e sem dúvida, esse é um dos pontos mencionados pelo autor sagrado, pois na qualidade de Sumo Sacerdote, Cristo tinha a necessidade de simpatizar com as debilidades e sofrimentos de seu povo. (Ver Heb. 4:14-16).

Os intérpretes que limitam a questão de seu *aprendizado da obediência* somente ao aspecto frisado no parágrafo acima, supondo que ele não «precisava» aprender, porque também não teria qualquer «inclinação» para a desobediência, defendem idéias de acordo com a teologia que expõe um «Cristo docético», segundo a qual Jesus seria humano apenas na aparência, porquanto o Verbo, acidentalmente ou não, teria vindo habitar em um corpo humano físico e mortal. O trecho de Luc. 2:52 mostra-nos que Jesus «crescia em sabedoria». Na qualidade de homem, pois, ele não era «todo-sábio». A passagem de Mar. 13:32 mostra-nos que, como ele, (na sua humanidade e encarnação) realmente não «sabia» todas as coisas. Quando se «esvaziou» de seus atributos divinos (ver as notas expositivas em Fil. 2:7 no NTI a respeito dessa questão), deixou de lado seus poderes de total conhecimento. Mas isso fazia parte integrante da encarnação. De outra sorte, não poderia ter-se identificado verdadeiramente conosco. Por conseguinte, sua vida não teria qualquer significado para nós. Mas, na realidade, tanto a sua morte como a sua vida foi tudo em nosso favor. A vida de Cristo o qualificou para o sumo sacerdócio, conferindo-nos a *orientação* suprema sobre como devemos inquirir por Deus e como devemos ser levados à perfeição.

Mais adiante, em Heb. 12:5 e *ss*, o autor sagrado haverá de nos mostrar que todos os filhos de Deus terão de passar por dolorosa disciplina, se tiverem de ser bem-sucedidos em sua missão encarnada, descobrindo a pessoa de Deus no final da estrada. Jesus passou pelo caminho que devemos palmilhar, e obteve sucesso; portanto, o êxito é possível, pois ele obteve a vitória como qualquer homem deve fazê-lo, limitando-se à nossa humilde condição.

«...com base nisso aprendemos não a esperarmos ficar isentos de sofrimentos, devido à nossa filiação; e nem a concluirmos que não somos filhos, somente porque sofremos; e que as aflições são instrutivas, pois através delas obtemos experiência» (John Gill, em Heb. 8:5).

Feliz aquele que em modesta lida,
Isento da ambição e da miséria,
No regaço do amor e da virtude,
A vida passa. Mais feliz ainda
Se, das turbas ruidosas afastado,
À sombra do carvalho, entre os que adora,
Sente a existência deslizar tranqüila,
Como as águas serenas do ribeiro,
Que as herdades pacíficas lhe banha
Mas, que digo! Nem esses infindos males,
Comuns a todos, seu viver não poupam.
(Soares de Passos, Portugal)

V. Trabalho do Pioneiro

Cristo é o **Pioneiro** por meio da fé (Heb. 12:2), por meio do exemplo moral e da dedicação espiritual, qualidades essas que os remidos precisam ter, se quiserem se aproximar de Deus e correr bem na carreira espiritual.

Salvação, o que envolve não meramente o perdão dos pecados, mas igualmente o sermos tudo quanto Cristo é e possuir tudo quanto ele possui. Também está envolvida a perfeição e a participação na natureza divina (ver Efé. 3:19 e II Ped. 1:4).

Filhos à glória. Isso define a salvação. Poderíamos sumariar a salvação através da palavra «filiação», contanto que entendamos perfeitamente o que isso significa. Indica a real participação na própria natureza do Filho de Deus, pois ele é nosso Irmão mais Velho; seu Pai é também nosso Pai, e nós somos «um», segundo nos diz o décimo primeiro versículo. O Pai transmite a seus filhos a sua própria natureza; e eles possuem a natureza do Filho, o Deus homem, para que venham a compartilhar de toda a sua plenitude. A «glória» mencionada subentende a majestade da natureza divina, seus atributos e perfeições. Os remidos são conduzidos à sua glória, a mesma glorificação possuída por Cristo, (ver Rom. 8:30). Devido ao pecado, o homem ficou muito aquém dessa glória (ver Rom. 3:23), mas, em Cristo, readquirem-na plenamente.

Cristo é o «forte nadador que leva a corda até à beira da praia e assim não somente garante a sua própria posição, mas também acode a todos quantos o queiram seguir». (Dods, *in loc.*). Este versículo pode ser comparado com o trecho de Rom. 8:29, onde a «filiação» também é a nota-chave do conceito de salvação. Notemos que a criação se dá «através de Deus Pai», tal como a mesma preposição (no original grego, «dia») é usada acerca de Cristo, em Heb. 1:2.

PIOS (PAPAS)

Esse título aplica-se a doze papas diferentes, cujas histórias são brevemente descritas abaixo:

1. *Pio I* (bispo de Roma; santo e papa). Faleceu em cerca de 157 D.C. Foi ocupante do bispado aproximadamente entre 140 e 155 D.C. Justino Mártir ensinava em Roma, nesse tempo. Na época, também estiveram ativos os mestres gnósticos Valentino, Cerdo e Márcion. O fragmento Muratoriano fornece-nos a curiosa informação de que um irmão desse bispo de Roma foi o autor do livro *Pastor de Hermas* (vide). Excetuando essas pequenas informações, nada mais se sabe a respeito de Pio I.

2. *Pio II* (Enea Silvio de *Piccolomini*). Suas datas foram 1405-1464. Ele nasceu em Siena, na Itália. Seu pontificado foi de 1458 a 1464. Era descendente de uma família nobre, mas empobrecida; foi um notável autor e erudito. Fez-se presente ao concílio de Basiléia, na Suíça. Por algum tempo deu apoio ao antipapa Félix V, mas acabou transferindo a sua lealdade para o papa Eugênio IV. Foi laureado como poeta pelo imperador Frederico III. Foi utilizado em missões diplomáticas. Sua carreira foi mundana e dissoluta. Mas, em 1444 teve uma experiência religiosa que transformou a sua vida. Foi ordenado padre; tornou-se mais tarde bispo de Trieste e de Siena; foi eleito cardeal em 1456, por Calixto III. E tornou-se o sucessor deste, a 19 de agosto de 1458.

Como tantos outros papas de antes do surgimento das democracias, Pio II esteve envolvido em lutas políticas. Seu maior desejo era livrar a Europa da dominação turca. Com essa finalidade, promoveu uma cruzada, que resultou em nada. Suas forças chegaram até Ancona, ainda na Itália, onde Pio II veio a falecer. Sendo ainda papa, deu prosseguimento à sua carreira literária, tendo escrito diversos livros, incluindo uma autobiografia (a única escrita por um papa). Ele é lembrado como o papa que canonizou Santa Catarina.

3. *Pio III* (Francesco Todeshini de'Piccolomini). Suas datas foram 1439-1503. Nasceu em Siena, na Itália. Pontificou apenas por vinte e seis dias, a começar por 22 de setembro de 1503. Era sobrinho de Pio II. Foi educado por seu tio. Foi arcebispo de Siena e depois cardeal-diácono. Foi enviado como legado papal à Alemanha. Era homem de habilidade e dotado de elevado caráter moral, e mostrava-se muito ascético. Não teve tempo de fazer qualquer coisa como papa, em face de sua morte inesperada.

4. *Pio IV* (Giovanni Angelo Medici). Suas datas foram 1499-1563. Nasceu em Milão, na Itália. Reinou como papa entre 1559 e 1565. Estudou direito e filosofia em Pávia e Bolonha, tornou-se advogado. Com vinte e oito anos de idade, tornou-se padre. Recebeu encargos da parte dos papas Clemente VII e Paulo III. Foi feito cardeal. Foi eleito papa por aclamação unânime, como sucessor de Paulo IV. Conseguiu reverter algumas das loucuras e brutalidades da *Inquisição* (vide), que Paulo IV havia promovido com tanto entusiasmo. Soltou ao cardeal Giovanni Marone e outros, que haviam sido encarcerados. Porém, no mais foi um homem duro, que permitiu a execução do cardeal Carlo Caraffa e de seu irmão. Reconvocou o concílio de Trento; e, em 1564, confirmou seus decretos com a sua bula *Benedictus Deus*. Foi ele o promotor do *Credo de Pio IV*, com o qual os oficiais eclesiásticos são forçados a concordar até os dias de hoje. Embelezou a cidade de Roma; encorajou as artes; promoveu a publicação de literatura; fundou a primeira oficina impressora pontifical.

PIOS (PAPAS)

5. *Pio V* (Michele Ghislieri). Suas datas foram 1504-1572. Reinou como papa entre 1566 e 1572. Era de família nobre, mas empobrecida. Foi educado por frades dominicanos. Foi ordenado sacerdote naquela ordem. Ensinava teologia e filosofia. Ocupou vários cargos eclesiásticos. Foi bispo de Sutri e de Nepi. Em seguida, foi nomeado cardeal. Foi um importante inquisitor, religioso mas austero. Era asceta. Homem de estrita moralidade e que impunha a disciplina. Impunha pesadas penas contra a heresia. Perseguiu aos huguenotes da França; excomungou Isabel I, da Inglaterra, e ajudou na causa de Maria Stuart. Derrotou aos turcos, em batalha. Revisou a liturgia católica romana. Reafirmou a supremacia da Santa Sé sobre os poderes civis. Foi beatificado em 1672 e canonizado em 1712. E foi o último papa a receber tal honraria, até hoje.

6. *Pio VI* (Giovanni Angelo Braschi). Suas datas foram 1717-1799. Nasceu em Casena, na Itália. Seu reinado pontifical foi de 1775 a 1799. Serviu ao cardeal Ruffo e ao papa Benedito XIV. Foi secretário papal e cônego de São Pedro. Foi tesoureiro da Igreja Católica Romana nos dias de Clemente XIII. Foi eleito papa a 15 de fevereiro de 1775. Teve de enfrentar as mudanças de pensamento e de atitude, produzidas pelo *iluminismo* (vide). Enfrentou diversos poderes civis, que procuravam debilitar o poder da Igreja de Roma. Rejeitou a constituição clerical iniciada na França, após a Revolução Francesa. Muitos padres, que tinham permanecido fiéis ao papado, foram banidos da França. Napoleão Bonaparte retaliou, atacando estados papais; e Pio VI foi finalmente forçado a entregar cinco desses estados. Mas o papa soltou todos os prisioneiros políticos; pagou indenizações; abriu os portos papais aos navios franceses; desistiu de obras de arte e de manuscritos de grande valor. As tropas francesas ocuparam a cidade de Roma, e foi proclamada ali uma república. Mas o papa recusou-se a aceitar a situação e foi removido de Roma à força, tendo sido levado para a França. Ali, adoeceu e faleceu. Pio VI foi sepultado em Valence, em 1802. Seus restos mortais foram levados a Roma, e foram sepultados na catedral de São Pedro. Foi ele quem organizou a primeira diocese católica romana dos Estados Unidos da América, livrando aquele país de sua dependência eclesiástica à Inglaterra, no campo do catolicismo romano. John Carrol tornou-se o primeiro bispo americano, com diocese em Baltimore, estado de Maryland.

7. *Pio VII* (Luigi Barnaba Chiaramonti). Suas datas foram 1740-1823. Nasceu em Cesena, Itália. Governou como papa entre 1800 e 1823, durante a era napoleônica. Foi educado em escolas para nobres. Ingressou na ordem dos beneditinos. Foi abade do mosteiro de São Calixto e bispo de Tivole e Ímola. Foi nomeado cardeal em 1785. Ao tornar-se papa, designou o habilidoso cardeal Eercole Consalvi como secretário papal, uma medida sábia para o sucesso de seu pontificado. Começou o seu reinado no exílio em Veneza, que então estava sob o domínio austríaco. Voltou a Roma em julho de 1800, menos de um ano após o começo de seu pontificado. Obteve êxito ao conseguir certa medida de paz com os franceses, mormente na Concordata de 1801. Porém, quando o papa recusou-se a reconhecer a José Bonaparte como rei de Nápoles, Napoleão tomou novamente Roma, removeu o papa para a França e assenhoreou-se dos estados papais, fazendo do papa um prisioneiro. Consalvi foi capaz de restaurar os estados papais, além de haver prestado outros relevantes serviços. Napoleão caiu e Pio VII generosamente deu asilo aos seus familiares, pedindo leniência para o imperador, em seu cativeiro. Pio VII reorganizou muitos aspectos da Igreja; restaurou a ordem dos jesuítas; promoveu a Congregação da Propaganda, mas condenou a obra das sociedades bíblicas. Passar-se-iam ainda mais de cento e cinqüenta anos antes que a Igreja de Roma permitisse que seus membros estudassem a Bíblia. Durante seu tempo, Roma tornou-se abrigo de escultores e artistas, alguns deles famosos, pelo que as artes floresceram ali. O papa reabriu vários colégios ingleses, escoceses e alemães em Roma, e promoveu a educação. Seu fiel secretário, Consalvi, que tanto havia feito para suavizar o caminho do papa e para acalmar as coisas em tempos difíceis, faleceu menos de um ano depois.

8. *Pio VIII* (Francesco Xaverio Castiglone). Suas datas foram 1761-1830. Pontificou entre 1828 e 1830. Nasceu em Cingoli, na Itália. Foi educado em colégios jesuítas. Estudou lei canônica em Bolonha e Roma; foi bispo de Monalto e Cesena. Foi nomeado cardeal. Uma vez eleito papa, governou como tal apenas por vinte meses. Em seus dias, foi passado o Ato de Emancipação Católica, na Inglaterra e na França (após a revolução), os Orleãs subiram ao poder, e com relutância foram reconhecidos por Pio VIII. Sua carta, *Litteris altero abhinc* exigia que só poderia haver a bênção papal aos casamentos se uma educação católica romana fosse provida para os filhos.

9. *Pio IX* (Giovanni Maria Mastai-Ferretti). Suas datas foram 1792-1878. Nasceu em Senigallia, Itália. Reinou como papa entre 1846-1878. Educou-se em Volterra e Roma. Serviu como auditor sob a legação papal no Chile. Tornou-se o primeiro papa a ter trabalhado na América Latina. Foi arcebispo de Espoleto, bispo de Ímola, cardeal. Foi eleito papa, mas acabou perdendo os estados papais. Foi ele quem declarou a doutrina da *Imaculada Conceição* (vide), o ensino que diz que Maria foi concebida sem a mácula do pecado original. Durante o concílio do Vaticano (1869-1870), definiu a doutrina da infalibilidade papal e reafirmou o primado da sé de Roma. Em sua *Quanta Cura*, condenou a oitenta proposições teológicas e filosóficas. Erigiu muitas novas dioceses; fundou muitas escolas e salas de leitura. Encorajou congressos científicos; centralizou o governo eclesiástico. Era homem de encanto pessoal e de bom humor; no entanto, sua educação era um tanto deficiente, e ele não compreendia os problemas intelectuais de sua época. Isso levou-o a decretar um número exagerado de condenações. Foi um teólogo superficial. Leão XIII (seu sucessor) conseguiu corrigir, até certo ponto, esse desequilíbrio. Não obstante, ele conseguiu fomentar a vida espiritual da Igreja. Governou por trinta e dois anos, mais tempo do que qualquer outro papa até hoje.

10. *Pio X* (Giuseppe Melhiorre Sarto). Suas datas foram 1835-1914. Nasceu em Riese, na Itália. Governou como papa entre 1903 e 1914. Foi ordenado padre em 1858. Foi capelão de Tombolo. Fez trabalho pastoral em Salazano. Foi cônego da catedral de Treviso. Foi bispo de Mântua, patriarca de Veneza, cardeal. Era homem simples e devoto. Opunha-se à pompa e ao cerimonial. Tinha um nobre alvo espiritual, o que transparece em seu *motu proprio*, que declarava que o seu alvo, como papa, era «renovar todas as coisas em Cristo». Promoveu a fé em sua luta contra o modernismo (ver o artigo *Liberalismo*). Ele expediu dois decretos contra esse movimento: *Lamentabili* e *Lista de Erros*. Em seguida houve o seu *Pascendi* e o *Motu proprio* para reforçar sua oposição. Foi requerido um juramento contra o modernismo, por parte de todas as autoridades (a regra continua em vigor; mas com freqüência é quebrada ou ignorada); o modernismo prometia

PIOS (PAPAS) — PIRÂMIDE

modernizar a Igreja, mas o papa via o modernismo como uma ameaça ao bem-estar e mesmo à existência da Igreja. Aqueles que o conheceram testificam sobre a santidade pessoal de Pio X. Ele procurava manter a comunhão com Deus. Era chamado de *il sancto*. Afirmou ele: «Nasci pobre; tenho vivido na pobreza; morrerei pobre». Ficou muito abalado no espírito quando irrompeu a Primeira Grande Guerra. Em 1923, foi iniciado um processo tendente à sua canonização, o que foi finalizado pelo papa Pio XII, a 29 de maio de 1954. Seu dia é 20 de agosto.

11. *Pio XI* (Achille Ambrogio Damiano Ratti). Suas datas foram 1857-1939. Nasceu em Desio, na Itália. Pontificou entre 1922 e 1939. Foi consagrado padre em 1879. Obteve três doutorados, em filosofia, teologia e lei canônica, na Universidade Gregoriana, em Roma. Foi professor do Seminário Diocesano de Milão; foi bibliotecário da Ambrosiana, em Milão; foi prefeito dessa biblioteca e encarregado de documentos e literatura; foi pro-prefeito da Biblioteca do Vaticano, e então prefeito da mesma. Foi diplomata; núncio, arcebispo de Lepanto. Foi enviado como diplomata pelo papa. Foi arcebispo de Milão; cardeal; foi eleito papa e começou a pontificar sob o lema: «A paz de Cristo no reino de Cristo». O seu propósito era instilar nas pessoas o espírito de Cristo, na visão pessoal delas e no relacionamento com outras pessoas. Foi incansável obreiro, cujas realizações incluíram: muitas encíclicas sobre importantes assuntos; a promoção da educação cristã; a regulamentação do casamento e a vida doméstica cristãos. Condenou os meios artificiais de controle de natalidade; promoveu missões domésticas e estrangeiras. Erigiu muitos colégios e instituições de ensino; promoveu a consagração pessoal entre os prelados; fundou uma comissão especial para a codificação da Igreja Oriental, manifestada na fundação de uma comissão especial para a codificação da lei canônica oriental. Fundou o Instituto de Arqueologia Cristã; promoveu as artes; promoveu a educação superior e possibilitou a muitos que se bacharelassem. Defendeu a Igreja contra o comunismo ateu, contra o fascismo e contra o nazismo. Proveu moradias para os pobres e para os refugiados. Subsidiou os necessitados da Europa central, terminada a Primeira Grande Guerra. Beatificou e canonizou a várias pessoas, incluindo mártires ingleses, como João Fisher e Tomás More, ou mártires canandense-americanos, como Isaque Jogues e seus companheiros.

Pio XI tem sido considerado um dos maiores papas de todos os tempos, tendo vivido de modo impoluto, dotado de educação de alto nível, simpático, dotado de uma visão universal, sem qualquer vestígio de preconceito racial. Expediu trinta e uma encíclicas; canonizou a trinta pessoas e promoveu causas de redução de perseguição religiosa.

12. *Pio XII* (Eugênio Maria Giuseppe Giovanni Pacelli). Suas datas foram 1876-1958. Ele nasceu em Roma, Itália. Pontificou de 1939 a 1958. Pertencia a uma família nobre, com vários papas. Estudou direito; seu irmão mediou problemas entre o papa Pio XI e Benito Mussolini, mas Eugênio voltou-se para o sacerdócio. Foi ordenado padre em 1899. Estudou diplomacia na Academia Pontifícia. Ali, tornou-se professor de lei canônica. Ocupou vários cargos eclesiásticos importantes. Foi núncio enviado a Munique, na Alemanha. Foi arcebispo de Sadis; efetuou missões diplomáticas. Procurou ser mediador entre os poderes centrais e os aliados, durante a Primeira Grande Guerra. Mudou-se para Berlim, como o primeiro núncio acreditado diante da república alemã. Tornou-se cardeal e foi reconvocado a Roma, por Pio XI. Foi nomeado secretário papal de Estado. Ajudou a cristãos perseguidos na Rússia, no México, na Espanha e na Alemanha. Foi escolhido papa. Por ocasião de sua coroação, Joseph P. Kennedy (pai do falecido presidente John Kennedy) representou o presidente norte-americano Roosevelt.

Uma vez papa, Pio XII viajou muito em missões de misericórdia e diplomacia. Procurou aliviar os sofrimentos daqueles que tinham sido prejudicados pela guerra. Denunciou as perseguições e matanças dos nazistas na Polônia, na Bélgica e em outros países. Durante a guerra ele não nomeou qualquer outro cardeal; mas, terminada a Segunda Guerra Mundial, designou trinta e dois cardeais (1946), aos quais adicionou outros vinte e quatro, em 1953, fazendo o número de cardeais voltar a ser de setenta.

Pio XII era homem de brilhante intelecto, com uma gama universal de interesses. Foi forçado a contemplar violentas perseguições contra o catolicismo romano na Polônia, na Hungria, na China, na Rússia e na Iugoslávia; e fez o quanto pôde para aliviar a situação. Seus atos incluíram a revisão das leis que governam a eucaristia; a simplificação das rubricas do breviário e do missário romanista; e restauração da vigília e das missas noturnas do período pascal. Deixou, igualmente, um bom número de escritos, correspondência, discursos, livros, quarenta encíclicas (chamadas *Sertum laetitiae*), estudos nas Escrituras, obras sobre liturgia. Fez da assunção da Virgem um dogma da Igreja. Seu *Humani generis* proveu definições e descrições doutrinárias. Ele canonizou Pio X, Maria Goretti e Frances Xavier Cabrini, juntamente com algumas poucas outras pessoas. O seu pontificado foi notável e aumentou o prestígio do papado pelo mundo todo.

PIR

Esse termo é usado na Índia para indicar um mestre islamita, da mesma maneira que *guru* (vide) indica um mestre hindu. O *pir* é um guia especial, interessado pela pesquisa mística, dentro do contexto do islamismo.

PIRÂMIDE

A palavra egípcia para esse tipo de construção era *pi-mar*, uma referência ao seu formato. No latim era *pyramis(idis)*; e, no grego, *puramis(idos)*. Uma pirâmide pode ser chamada de triangular, retangular ou quadrada, dependendo do formato de sua base. A partir de sua base, a pirâmide é uma forma arquitetural triangular. As pirâmides egípcias eram, na realidade, túmulos elaborados, construídos para os monarcas egípcios e para algumas poucas outras pessoas de grande importância naquele país.

As mais antigas pirâmides elevavam-se em degraus, como a de Djoser, da terceira dinastia. Somente depois dessa época começaram a ser construídas as verdadeiras pirâmides, na quarta dinastia egípcia. As pirâmides dos Faraós Quéopes, Quefren e Miquerinos são bem conhecidas dos turistas. Há pirâmides de degraus que muito se assemelham a escadarias, o que talvez representasse a ascensão da alma. Visto que as pirâmides imitavam a pedra sagrada *benben* do deus-sol, Rá, em Heliópolis, podemos supor com bastante razão que as pirâmides foram erigidas em honra àquele deus, sem dúvida como uma súplica em favor da segurança e progresso da alma do indivíduo cujo cadáver jazia no interior da pirâmide. Essas construções eram como rampas que subiam ao céu, similares aos raios solares que desciam do espaço.

O propósito prático das pirâmides era o de servir de

PIRÂMIDE — PIRKE ABOTH

memoriais dos indivíduos ali sepultados. Acompanhavam-nas templos fúnebres e nunca serviam como armazéns, depósitos, etc.

Até o ano de 1988, haviam sido descobertas oitenta e cinco pirâmides no Egito. Em abril de 1988, o governo egípcio anunciou a descoberta de duas pirâmides, sepultadas nas areias do deserto de Saara, cerca de quarenta quilômetros do Cairo. Uma expedição arqueológica francesa foi a responsável pela descoberta. As duas novas pirâmides são comparativamente pequenas, — em relação às gigantescas pirâmides que já eram conhecidas. Parece que foram construídas para abrigar os corpos de rainhas, e datam dos tempos do Faraó Pepi I, da sexta dinastia egípcia, que reinou em cerca de 2420 - 2280 A.C. Pepi I foi um importante Faraó, e o descobrimento dessas pirâmides é significativo, porquanto certamente ajudará os historiadores a entenderem melhor a época dele. Os estudiosos opinam que as oitenta e cinco pirâmides até agora descobertas no Egito provavelmente representam apenas quarenta por cento do total, pelo que novas pirâmides parece que serão desenterradas, à medida que tiver prosseguimento o trabalho da pá dos sapadores. Ainda não se sabe exatamente para quem foram construídas as duas pirâmides recém-descobertas. Aparentemente, uma delas destinava-se à rainha Ipute, mãe do Faraó; e a outra, a uma de suas mulheres.

Como os egípcios erguiam os imensos blocos de pedra das pirâmides? Durante muito tempo isso tem sido um problema para os que se interessam pelo assunto. Porventura os sacerdotes egípcios sentavam-se ao redor dos blocos e então diziam «Om», para levantá-los? Alguns têm chegado a pensar nisso; mas deve haver alguma explicação melhor. John Cunningham, em *Science News*, propôs uma nova solução. Ele afirma que os egípcios usavam longas, finas e flexíveis varas, paralelas a intervalos umas das outras, sob a superfície inteira de um bloco. Uma das varas era levantada por vez, e uma cunha era posta debaixo da mesma, de tal modo que apenas uma pequena parcela do peso total era erguida, em série. Alavancas rígidas não teriam dado certo, porque cada uma delas teria de suportar uma porcentagem excessiva do peso total. A fim de demonstrar a viabilidade de sua teoria, ele usou uma carga de 1200 kg utilizando-se de doze varas de carvalho, cada uma com apenas 4,5 cm de altura e de largura, e com 4,30 m de comprimento. E também salientou que as antigas gravuras egípcias comumente retratam cargas sendo transportadas com a ajuda de varas, e os museus, ao redor do mundo, dispõem de exemplos dessas gravuras. Porém, nas descobertas arqueológicas, no Egito, raramente têm sido encontradas alavancas.

PIRÃO

O trecho de Jos. 10:3-37 informa-nos que quando Josué e os israelitas invadiram a Palestina, houve resistência da parte de cinco reis, que foram então derrotados em Gibeom. Um desses reis era **Pirão**, nome que significa «selvagem» ou «itinerante». Ele era o monarca de Jarmute, uma cidade-estado a sudoeste de Jerusalém. Pirão perdeu a vida no episódio. Ele viveu em torno de 1450 A.C.

PIRATARIA

Originalmente, essa palavra aplicava-se à atividade marítima ilegal em que muitos se apossavam, à força, de bens alheios, em pleno mar ou em suas praias. Atualmente, porém, o termo tem larga aplicação, como: 1. um uso não-autorizado de obras e artigos patenteados ou com direitos autorais; 2. o uso excessivo de idéias na ciência ou nas publicações, sem o devido crédito a quem de direito; 3. o furto nos negócios e na indústria, mormente de idéias ou invenções, ou a cópia dos mesmos, sem a devida permissão; 4. o uso de material não-publicado, que então é publicado sob um novo nome, sem o devido crédito ao autor original; 5. o uso de medicamentos, invenções ou artigos patenteados, sem o devido crédito ao criador ou sem pagamento de taxas; 6. em nossos dias, uma forma comum de pirataria é a cópia de livros registros e fitas gravadas, por meio de xérox ou duplicação eletrônica, sem permissão e sem pagamento por direitos para tanto.

Todas as formas de pirataria são manifestações de desonestidade.

PIRATONI (PIRATONITAS)

Essa palavra é transliteração do termo hebraico que significa «altura», «cume». Esse foi o nome de uma cidade no monte dos amalequitas, dentro do território de Efraim. Foi fortificada por Baquides (ver I Macabeus 9:50). No Antigo Testamento, Abdom, o juiz, e Benaia, um oficial militar, são chamados «piratonitas», conforme se vê em Juí. 12:13-15; II Sam. 23:30; I Crô. 27:14. Alguns estudiosos não crêem que as pessoas referidas no Antigo Testamento tenham sido as mesmas que aquelas da referência de I Macabeus. Uma outra grafia, *Piratom*, aparece como o nome da cidade. Robinson identificou Piratoni (de I Macabeus) com a terra natal do juiz efraimita Abdom, filho de Hilel, e com Benaia. Esse lugar corresponde ao local de Fer'ata, a onze quilômetros a sudoeste de Siquém, mas permanecem algumas dúvidas a respeito.

PIRKE ABOTH

1. *Significado do Título*. No hebraico, esse nome significa «Capítulos dos Pais». Pirke Aboth é uma coletânea de declarações de sábios hebreus. Algumas vezes, a coletânea é simplesmente chamada de *Aboth*, «os pais».

2. *Período Coberto*. Essa coletânea incorpora afirmações que vêm desde o século III A.C. até o século III D.C.

3. *Editoração*. Nenhum homem isolado esteve envolvido nesse trabalho de editoração, visto que aquelas declarações representam um longo período de tempo, tendo sido compiladas pelos esforços de vários compiladores. Alguns eruditos têm procurado arranjar essas declarações de acordo com a cronologia. Uma volumosa seleção de declarações de respeitados rabinos foi incorporada à obra.

4. *Inspiração*. A principal inspiração dessa obra parece ter sido sentida após a volta dos exilados na Babilônia, em busca de orientação sobre questões éticas e religiosas. Além das explícitas declarações das Escrituras, foi mister tomar consciência da interpretação das mesmas, por meio dos rabinos, e de comentários feitos por homens piedosos, que forneceram informações e orientações.

5. *Desenvolvimento e Organização*. Essa coletânea foi crescendo no decurso de sucessivas gerações. Mas o volume de material estava ficando tão grande que o rabino Akiba (falecido em cerca de 135 D.C.) tentou pôr o mesmo em ordem. E o rabino Meir deu prosseguimento a essa organização de material.

6. *Incorporação na Mishnah*. Foi o rabino Judá

PIRKE ABOTH — PISAR E EIRA

(falecido em 219 D.C.) quem incluiu na Mishnah a coletânea inteira do *Pirke Aboth*. Ali, tornou-se um tipo bastante distintivo de literatura, em comparação com o resto. A Mishnah é uma instrução essencialmente moral (no hebraico, *haláquica*), ao passo que o *Pirke Aboth* alista os pais envolvidos na produção da Mishnah, algumas de suas declarações, além de também envolver declarações *não-haláquicas* como instruções acerca de danos e ofensas.

7. *Conteúdo*. Em sua forma presente, o *Pirke Aboth* tem seis capítulos. O primeiro deles alista sessenta pais israelitas, cujos escritos e declarações constituem a Mishnah. O primeiro capítulo mostra como as tradições foram transmitidas de Moisés até à destruição de Jerusalém, em 68-70 D.C. O segundo capítulo dá prosseguimento à lei dos pais e provê maiores informações sobre a transmissão das tradições. Os capítulos terceiro e quarto provêem ainda mais tradições. O quinto capítulo provê muitas máximas. O sexto capítulo foi uma adição posterior à massa de material, e contém material similar, a maior parte atribuída ao rabino Meir, autor-editor.

8. *Importância na Idade Média*. Sinagogas e escolas usavam esse material em seus estudos, e também em leituras nos cultos religiosos. A obra é essencialmente ética, e não-teológica, embora, como é óbvio, seja difícil separar as duas coisas de maneira clara. Os assuntos principais são o amor e a justiça de Deus, bem como o julgamento.

9. *Manuscritos*. Esse material está preservado em cerca de cento e setenta manuscritos, que datam de diversos séculos. Alguns desses manuscritos contêm outras porções da Mishnah, mas há manuscritos que contêm apenas o *Pirke Aboth*. A Biblioteca da Universidade de Cambridge é a que contém o manuscrito mais importante, que contém a Mishnah inteira e que data do século XIV D.C. O sexto capítulo do *Pirke Aboth*, entretanto, não faz parte do documento.

Bibliografia. HER TAY Z

PIRRO

No grego, «vermelho-fogo». Esse era o nome do pai de Sópatro (ver Atos 20:4). O *Textus Receptus* (vide) omite o seu nome. Não se sabe dizer se Pirro também era cristão, ou se o nome foi adicionado meramente para distinguir seu filho, Sópatro, de outros homens do mesmo nome. O fato é que o nome é apoiado por uma impressionante relação de manuscritos neotestamentários, como P(74), Aleph, A B D e Psi 33; além de versões latinas, siríacas e outras, sem falar em um bom grupo de manuscritos minúsculos. Porém, é omitido em manuscritos gregos como P 049 056 0142, e muitos manuscritos minúsculos de tradições posteriores. Quase não há dúvidas de que faz parte autêntica do texto original.

PIRRO DE ÉLIS

Ele foi um filósofo grego, nascido em Élis. Suas datas aproximadas foram 360 - 270 A.C. Sofreu a influência de Demócrito, talvez por meio de Anaxarco e da dialética megariana. Não obstante, desenvolveu sua própria escola de ceticismo. A posição assim criada é conhecida como *pirronismo*, dando a entender uma variedade extrema de ceticismo, de acordo com o qual coisa alguma pode ser afirmada com confiança ou autoridade.

Um interessante comentário sobre a sua vida foi feito por *Diógenes Laércio* (vide), que deixou escrito que ele acompanhou Alexandre, o Grande, à Índia, onde conheceu ginosofistas indianos (praticantes do nudismo), cujo estilo de vida ascético, ele imitou mais tarde na vida.

Idéias:

1. É impossível conhecermos a natureza de qualquer coisa em qualquer grau de certeza. De fato, a palavra «certeza» não tem qualquer significação. Qualquer afirmação pode ser contradita por outra, e toda tese tem sua antítese. E quem poderia dizer qual argumento é o melhor, ou mesmo se algum argumento tem sentido?

2. Nenhuma asserção tem mais validade que outra asserção qualquer, e a própria idéia de validade é um conceito que nada nos esclarece. Isso posto, a única coisa que podemos praticar seria a *epoche*, «suspensão de juízo». E nossa expectativa não é capaz de prever qualquer tempo em que esse processo poderá vir a ser interrompido. Não podemos expressar com decência nem mesmo as nossas dúvidas, quanto menos as nossas crenças!

3. A melhor coisa a fazer é manter a *aphasía*, «silêncio não-comprometido». Uma convenção de filósofos seria um lugar muito tranqüilo se essa regra fosse seguida. Qualquer debate é ridículo.

4. No campo da ética e na conduta da vida diária, a regra a ser seguida deveria ser a *ataraksía*, a serenidade e a tranqüilidade imperturbáveis.

PIRRONISMO

Essa é uma posição filosófica de extremado *ceticismo* (vide), promovida por *Pirro de Élis* (vide).

PISAR A EIRA

No hebraico, **goren**, «pisar a eira». Esse termo hebraico ocorre por dezenove vezes no Antigo Testamento: Gên. 50:10; Núm. 15:20; 18:27,30; Rute 3:2; I Sam. 23:1; II Sam. 6:6; 24:16,18,21,24; I Crô. 13:9; 21:15,18,21,22,28; II Crô. 3:1 e Jer. 51:33. No grego, *aloáo*, verbo que ocorre por três vezes: I Cor. 9:9 (citando Deu. 25:4); 9:10 e I Tim. 5:18.

Pisar a eira deve ser distinguido do ato de bater com vara, conforme se fazia ao endro e ao cominho, como se vê, por exemplo, em Isaías 28:27,28. — A fim de ocultar-se dos midianitas, Gideão apelou para bater no trigo com uma vara (ver Juí. 6:11), no lagar, e não na eira. Os instrumentos agrícolas usados na eira eram os trilhos, as pás, as relhas de arado, os forcados, os machados, etc. Os trilhos (ver Isa. 41:15; Amós 1:3) eram feitos de madeira pesada, munidos na parte inferior com pedras aguçadas, pedaços de cerâmica ou dentes de ferro. Os carros eram dotados de rodas munidas de pontas (ver Isa. 28:27,28). Bancos com encostos eram feitos no alto, para os condutores. Os trilhos eram puxados por parelhas de bois, de burros ou de cavalos, e circundavam a pilha de cereal, amontoada no centro da eira. Homens e mulheres guiavam as parelhas, enquanto outras pessoas, usando forcados, lançavam feixes de cereal colhido, no caminho dos trilhos, para que o cereal fosse separado da palha. A «pá» (Luc. 3:17) era empregada para lançar para o ar o material trilhado, a fim de separar o cereal da palha, mediante a ação do vento.

Era costume a família inteira acampar perto da eira, por ocasião da colheita, a fim de todos participarem do trabalho. Os profetas usaram figuradamente o ato de pisar na eira, para indicar períodos de castigo judicial, enviados por Deus (Jer. 51:33; Dan. 2:35; Miq. 4:12; Mat. 3:12). Uma eira cheia, por sua vez, representava a plenitude da bênção de Deus (Joel 2:24): «As eiras se encherão de trigo, e os lagares transbordarão de vinho e de óleo».

PISCINA DE HESBOM

Um açude, reservatório ou laguna, talvez usado para a criação de peixes, mencionado em Cantares 7:4. Há traduções que dizem algo parecido com «laguna de pesca» ou «laguna de peixe». No original hebraico não há qualquer sugestão à idéia de peixe ou pesca. A palavra por detrás do termo português «piscina», que aparece em nossa versão portuguesa, é *berekah*, «bênção», «açude», «piscina», a qual é empregada por outras dezesseis vezes, sempre com o sentido de «açude» ou sinônimo.

Alguns estudiosos pensam que tais açudes eram construídos a fim de criar peixes. Sabemos que a prática existia na Mesopotâmia, no Egito e na Assíria, e que os romanos chegaram a ser especialistas nesse tipo de indústria. Contudo, faltam-nos evidências comprobatórias de que Israel envolveu-se muito nesse tipo de atividade. Ver o artigo geral sobre *Peixe, Pesca*, em sua terceira seção, intitulada *Comercialização*.

PISGA

1. *A Identificação Tentativa da Localização.* Esse nome significa «pico», «cume», «ponta». Ver o artigo separado sobre o *Monte Nebo*, que alguns identificam com o Pisga, ou, pelo menos, supõem que ambos fazem parte da mesma área geral e estavam intimamente ligados entre si. Mas outros eruditos pensam que o Pisga ficava ligeiramente a noroeste do monte Nebo. O Pisga é chamado de «cume de Pisga» em Núm. 21:20 e Deu. 3:27. Ali começa o rude território da serra de Abarim, no Jordão, que pertencia à antiga nação de Moabe, que beira a extremidade nordeste do mar Morto, perto de Jericó (ver Deu. 34:1). A maioria dos peritos pensa que o Jebel en-Neba seja o monte Nebo antigo, e que o Ras es-Siyaghah seja o Pisga. Esses dois picos são ligados um ao outro por uma sela. O cume de Pisga dá frente para o vale do Jordão. Dali, em dias claros, pode ser visto até mesmo o monte Hermom, à distância. O monte Nebo é o ponto culminante da cadeia de Abarim, com 806 m de altura. Todavia, a identidade do cume de Pisga permanece em dúvida, devido ao fato de que nem todo o território que Moisés teria visto dali pode ser visto, realmente. Por essa razão, os intérpretes falam em uma visão mística, e não em uma visão física de Moisés, naquela oportunidade.

2. *Referências Bíblicas.* O termo Pisga nunca ocorre isoladamente. Há combinações como «cume de Pisga» (Núm. 21:20; 23:14; Deu. 3:27; 34:1); «faldas de Pisga» (Deu. 3:17; 4:49; Jos. 12:3; 13:20).

3. *Acontecimentos em Pisga.* A primeira vez em que esse nome aparece na Bíblia é em conexão com as vagueações de Israel pelo deserto, após o êxodo. Eles chegaram ao «vale que está no campo de Moabe, no cume de Pisga, que olha para o deserto» (Núm. 21:20). Foi do alto desse monte que Moisés contemplou a Terra Prometida (Núm. 21:20; 23:14; Deu. 3:27; 34:1). Foi nesse monte que Balaão ofereceu sacrifícios; o que nos dá margem a pensar que um dos lugares altos de Moabe era esse monte (Núm. 23:14). Posteriormente, o Pisga tornou-se parte do território da tribo de Rúben (ver Jos. 13:15-20).

4. *Uso Metafórico.* Por causa da experiência ali tida por Moisés, esse monte veio a simbolizar o lugar de onde, ou a condição com base na qual, uma pessoa pode contemplar a Terra Prometida (a vida após-túmulo), chegado o seu tempo de partir deste mundo. O hino evangélico, em inglês, «Sweet Hour of Prayer» faz alusão ao mesmo.

PISÍDIA

Essa região aparece na Bíblia somente em Atos 13:14 e 14:24. Ela ficava em um tabuleiro da Ásia Menor, limitada a leste e a norte pela Licaônia, ao sul pela Panfília, e ao norte e oeste pela província da Ásia. Os «...perigos de salteadores... perigos no deserto...», referidos por Paulo em II Cor. 11:26, talvez tivessem em vista esse local, que, com freqüência, servia de esconderijo a salteadores das tribos montanheses, entregues ao banditismo. Mas, finalmente, os romanos impuseram a ordem naquela área e várias cidades prósperas ali se desenvolveram, e que contavam com um bom número de congregações cristãs. Esse distrito ficava na extremidade ocidental da cadeia do Tauro, e as tribos ali existentes eram tão desregradas que desafiaram os esforços dos persas e de seus sucessores helênicos para subjugá-las. Os monarcas selêucidas (vide) é que fundaram a Antioquia mencionada em Atos 13:14. Esta deve ser distinguida da Antioquia da Síria (ver o artigo a respeito), onde também os discípulos de Cristo, pela primeira vez, foram chamados pelo nome de *cristãos* (ver Atos 11:19). A Pisídia fazia parte do reino da *Galácia* (vide), doado por Antônio a Amintas, em 36 A.C. Finalmente, Sulpício Quirínio impôs alguma forma de ordem à região, incorporando-a à província da Galácia. Esse período de paz trouxe prosperidade ao distrito. No século II D.C., desenvolveram-se ali diversas cidades e aldeias prósperas, e várias igrejas cristãs estabeleceram-se na área.

Antioquia da Pisídia (vide) era uma cidade montanhosa, erigida numa altitude de cerca de 1200 metros. Mas, na verdade, ela não se achava na Pisídia e, sim, na Frígia, embora ficasse próxima da fronteira com a Pisídia, o que explica a sua designação.

Em 74 D.C., Vespasiano vinculou uma considerável porção da Pisídia à Panfília (vide). Por esse tempo, o poder dos romanos havia conseguido controlar, pelo menos em parte, os desassossegados nativos. O cristianismo não conseguiu penetrar fundo ali senão após a conversão de Constantino. Nos dias de Paulo, os romanos mantinham o controle militar sobre a Pisídia no elevado tabuleiro de Antioquia da Pisídia, uma área servida por um sistema de estradas. E isso veio, afinal, a facilitar a propagação do evangelho na região.

PISOM

Ver o artigo geral sobre **Éden**. No hebraico, **pisom** significa «canal», «correnteza cheia». Esse é o nome de um dos quatro rios que atravessavam o Éden. As descrições não correspondem aos fatos geográficos atuais, o que tem provocado toda espécie de especulação e tentativa de alterar a narrativa para ajustar-se à geografia moderna. Os dois únicos rios sobre os quais não há dúvida alguma são o Tigre e o Eufrates. Mas há dificuldades insuperáveis quanto aos outros dois rios, o Pisom e o Giom.

Eusébio afirmou, juntamente com Jerônimo, que o Pisom é o rio Ganges; mas outros falam no Nilo. Ainda outros opinam pelo *Fasis*. Mas, se o jardim do Éden tiver de ser localizado perto da desembocadura do rio Eufrates, então o Pisom poderia ser o rio *Jaabe*,

PISPA — PITÁGORAS

que deságua no Tigre perto de Curná. São inúteis, porém, as tentativas de ajuste com a geografia moderna; e se esses quatro rios são todos rios *grandes*, então teremos de pensar em uma linguagem poética, sem precisão histórica; ou, então, que dois grandes rios desapareceram, embora antes existentes ' na região. Os eruditos liberais preferem a primeira dessas alternativas; e os conservadores, a segunda. Os céticos, por sua vez, pensam que o relato inteiro é mera fabricação poética, e não história autêntica, não sentindo assim qualquer necessidade em associar a história à geografia. Supondo-se que o Pisom não era um rio, mas um canal ligado ao rio Tigre, então poderíamos pensar no canal Palacotos, próximo da antiga cidade suméria de Eridu, não muito longe de Ur, cidade natal de Abraão. O artigo chamado *Éden* fornece outros detalhes a respeito. Ver Gên. 12:10-14 quanto a referências bíblicas.

PISPA

No hebraico, «dispersão». Esse foi o nome do segundo filho de Jeter, da tribo de Aser (I Crô. 7:38). Ele viveu em cerca de 1500 A.C.

PISTÁCIA, CASTANHAS

No hebraico, **botnim**, que aparece somente em Gên. 43:11 (onde nossa versão portuguesa diz «pistácia», um tipo de castanha); e *egoz*, que também só figura por uma vez em toda a Bíblia, em Can. 6:11 (onde nossa versão portuguesa diz «nogueiras», visto que noz também é uma espécie de castanha).

Na primeira dessas passagens do Antigo Testamento, Jacó envia um presente a José (seu filho), que era então governador de todo o Egito. Naturalmente, Jacó não sabia que José estava vivo e ocupava aquela exaltada posição. Os intérpretes modernos pensam que a espécie de castanha envolvida era a *Pistacia Vera*, a «pistácia». Assemelha-se ao sumagre e pertence a essa família botânica geral Tem uma casca fina, e a própria castanha assemelha-se a uma amêndoa, embora menor, e com o gosto de uma castanha européia, a noz.

Em Can. 6:11, há menção à nogueira, «árvore que produz as nozes».

A pistácia cresce nas áreas rochosas da Palestina e da Síria. Sua árvore pode atingir uma altura de cerca de dez metros. Suas folhas são sedosas; a castanha é verde-amarelada, e usualmente é comida crua, embora possa ser frita, quando então é condimentada com sal e pimenta.

Alguns estudiosos pensam que a castanha ali mencionada é a amêndoa, cujo nome científico é *Amydalus Communis*, e que também era uma castanha comum na Palestina, embora não fosse cultivada no Egito. O candeeiro de ouro, no templo, tinha como ornamentação desenhos com essa castanha. A amendoeira é uma árvore que chega aos doze metros de altura. Sua folhagem é fragrante, e a árvore produz uma boa sombra.

Em Gên. 30:37, nossa versão portuguesa fala na aveleira (no original hebraico, *luz*, «avelã»). O nome científico dessa espécie é *Corylus avellana*. A cidade de Luz, mencionada em Gên. 28:19 e Josué 16:2, provavelmente era assim chamada por causa dos bosques de aveleiras ali existentes.

PISTIS SOPHIA

Um Espírito e um Livro. Essas são palavras gregas que significam, respectivamente, «fé» e «sabedoria». Os gnósticos dispunham de um elaborado sistema de *aeons* angelicais, que seriam poderes intermediários entre o Deus transcendental e a sua criação. Um desses espíritos chamar-se-ia *Pistis Sophia*. Também há composições literárias com esse nome, provavelmente escritas originalmente em grego, mas que chegaram até nós em uma versão em cóptico (século IV D.C.), intitulada *Codex Askewanus*. Tem quatro capítulos, o último dos quais é uma adição posterior.

Conteúdo do Livro. Supostamente, após a sua ressurreição, Jesus continuou instruindo aos seus discípulos por um espaço de doze anos, na terra. Em seguida, Jesus teria subido através de esferas de aeons em uma luz brilhante; e isso pôs fim a esse alegado ministério de Cristo. Um detalhe relacionado a esse material é a história de Pistis Sophia. Ela desejava subir pela escadaria da glorificação, mas caiu e precisou ser redimida. Jesus teria dito a Maria Madalena e a outros como isso teria sido feito. Alguns eruditos pensam que essa história é uma parábola concernente à redenção da humanidade, e que Pistis Sophia representa, coletivamente, a humanidade.

Caráter. A obra é gnóstica em suas idéias e em sua apresentação. Encontramos ali os familiares *aeons* e *mistérios*, bem como empréstimos feitos à literatura judaica, cristã e pagã. Há menção ao nascimento de Jesus, mas não aos seus sofrimentos, o que é típico da atitude do *docetismo*. Talvez esse material esteja ligado aos manuscritos de *Nag Hammadi* (vide), embora não haja certeza quanto a isso.

PITÁGORAS DE SAMOS

Foi um filósofo grego, místico notório em sua época. Fugiu de sua ilha nativa, Samos, a fim de escapar da tirania de Polícrates. Estabeleceu-se então em Crótona, uma colônia grega do sul da bota italiana. Quando Platão era jovem, Pitágoras já era uma figura legendária e misteriosa. Ao que parece, foi o fundador de uma seita religiosa. Assim, poderíamos considerá-lo um guru, embora também pai da moderna ciência natural. Ensinava a doutrina da transmigração das almas, bem como o parentesco de todas as coisas entre si. É dito que, de certa feita, ele foi visto em duas cidades ao mesmo tempo, pelo que ele foi um antigo projetor da psique. Ver sobre *Projeção da Psique* e sobre *Sathya Sai Baba*, este último, um místico moderno que tem sido visto em mais de um lugar ao mesmo tempo.

A fé religiosa ensinada por Pitágoras incluía iniciação e cerimônias secretas, vestes estritas e grande senso de responsabilidade, vegetarianismo (embora fosse proibida a ingestão de feijão!), a subida através de vários graus na escala da espiritualidade e na prática da fé, a comunhão de bens por toda a comunidade. Essa escola foi destruída por indignados cidadãos, quando surgiram os sentimentos democráticos, no século V A.C. Os pitagoreanos, entretanto, espalharam-se por muitos lugares diferentes, fundando colônias.

A natureza secreta da matemática. Pitágoras percebia valores numéricos em todas as coisas, a começar pela música aplicada. Talvez ele tenha descoberto o teorema geométrico que ainda traz o seu nome, bem como seu corolário, a incomensurabilidade dos lados e a diagonal do quadrado. Porém, é menos provável que ele tenha inventado os ensinos da *música das esferas* (vide).

Idéias:

1. A alma humana é eterna, insensível ao tempo, auto-existente, imutável, embora sujeita, a intervalos,

a reencarnações. O corpo físico atua como prisão, por algum tempo, quando então são aprendidas certas lições necessárias. A plena memória das experiências de reencarnações passadas é retida pela alma, embora isso não envolva, necessariamente, a consciência da alma, uma vez novamente aprisionada em um corpo físico, embora tudo fique registrado em seu inconsciente.

2. O propósito da vida é obter um relacionamento com o Ser divino. A crença em Deus é necessária em todos os aspectos da sociedade humana, desde o político até o ético, e deve servir de base de todas as constituições legais e direitos humanos.

3. Os homens podem ser classificados, em termos gerais, em três tipos: os amantes da sabedoria; os amantes do sucesso; os amantes dos prazeres. A primeira dessas categorias é formada por indivíduos superiores, que se encaminham para a salvação da alma.

4. A purificação ética deveria ser buscada como meio para a alma escapar do ciclo das reencarnações, a fim de que possa vir a unir-se com o Ser divino.

5. A terra é um globo, localizado no centro do universo.

6. A grande descoberta científica de Pitágoras foi como a matemática relaciona-se com o mundo físico, e como os números explicam tudo. Ele ilustrava isso com a matemática e com a música. Ele acreditava que, de alguma maneira, a matemática pode explicar a natureza, e ensinava misticamente que os números, de alguma forma, são a própria essência da realidade.

7. Ele alistava muitos pontos opostos, que servem de meios para explicarmos as coisas, como par e ímpar; o um e os muitos; o calor e o frio; o macho e a fêmea; a direita e a esquerda; o reto e o curvo; a luz e as trevas; o bem e o mal; o quadrado e o oblongo. Ele pensava que esses opostos podem explicar muitas coisas na natureza, como se isso fosse uma espécie de princípio fundamental que tem aplicação a inúmeras coisas.

8. Há pontos limitados e não-limitados nos opostos. Assim, o espaço seria ilimitado, mas a unidade seria limitada. O limitado seria um ponto; o um é um ponto; o dois é uma linha; o três é um plano; o quatro é um sólido. Os números explicariam tudo. A súmula dos números críticos é o dez. Esse, pois, é o número perfeito. (Meditemos sobre o sistema decimal!)

9. O não-limitado, quando limitado no cosmos, é o fogo central, em redor do qual giram todas as coisas. Haveria dez esferas girando no universo, visto que a perfeição celeste requer o número perfeito, dez. Afastando-nos desse fogo central, encontraríamos os planetas, as estrelas fixas, o nosso sol, etc., e todos esses corpos celestes refletindo a luz do fogo central. Os intervalos entre os planetas assemelhar-se-iam aos intervalos das composições musicais. Daí se derivaria a **Música das Esferas** (vide); mas essa música é por demais sutil para ser ouvida pelos ouvidos humanos, excetuando em ocasiões especiais e por pessoas especiais.

10. Pitágoras aplicava os números até mesmo aos valores éticos. Assim, o número oito representaria o amor; o sete, a saúde. É difícil entender como ele chegou a vários dos símbolos de seus números. Talvez ele pensasse que a intuição, ou alguma forma de iluminação mística, estivesse envolvida.

11. A *tétrade* da década:

Essa figura tornou-se objeto de contemplação e veneração religiosas, contendo o número dez em um triângulo com cinco pontos em cada lado. Isso fazia parte de um juramento obrigatório dos pitagoreanos: «...por ele que deu à nossa geração a tétrade que contém a fonte e a raiz da natureza eterna». Naturalmente, foram coisas assim que inspiraram a *Numerologia* (vide), como também outras especulações acerca da importância dos números.

12. O conceito de número de Pitágoras muito influenciou a Platão. Como é óbvio, dessa maneira de pensar foi que surgiu a teoria atômica, uma ciência moderna que tem comprovado a importância do conceito básico pitagoreano, apesar de haver ali erros e excessos.

PITAGOREANISMO

Ver o artigo sobre **Pitágoras**. Pitagoreanismo é o nome do movimento filosófico-científico iniciado por Pitágoras. Sua principal característica era a aplicação dos números a todas as coisas, supremamente ilustrada na astronomia. Porém, o termo também aplica-se à escola filosófica por ele fundada, como escola religiosa e ética, com todo o seu misticismo e seus rituais. Isso posto, Pitágoras exerceu uma dupla influência: uma influência religiosa e uma influência científica. Isso pode ser percebido no diálogo de Platão chamado *República*. Teve prosseguimento na numerologia de Nostradamus e nos diálogos científicos de Galileu. Este último deixou escrito: «O livro da natureza foi escrito em linguagem matemática».

A influência exercida por Pitágoras passou para Platão, e daí para o neoplatonismo. Deus aparece ali como o divino Um. Naturalmente, a *astrologia* (vide) também alicerçou-se sobre idéias de Pitágoras. *Nicômaco de Gerasa* (vide) escreveu um tratado sobre os números, o que foi usado nas escolas durante mais de dez séculos. Ele ensinava que cs números existem na Mente de Deus desde toda a eternidade. *Numênio* e *Plotino* (ver os artigos separados sobre eles) também muito devem a Pitágoras.

PITOM

Essa palavra vem do egípcio antigo, com o sentido de «mansão de Atom», sendo esse Atom uma divindade egípcia. Pitom foi uma cidade do Egito, mencionada apenas em Êxo. 1:11 em todo o registro bíblico. Mas, a partir do século XIII A.C., tornou-se um nome próprio egípcio bastante comum. Durante parte de sua história, Pitom foi uma cidade-armazém. É patente que os israelitas edificaram-na (ou, pelo menos, reconstruíram-na ou embelezaram-na), juntamente com Ramessés. Pitom ficava localizada na porção nordeste do Egito, no território de Gósen, embora sua localização exata permaneça um mistério. Ficava a sudoeste de Sucote, e tem sido tentativamente identificada com Tell er-Rebabah, embora outros prefiram o Tell es-Maskhuta.

A raiz desse nome parece ser *Pi-Tum*, que significa «casa de Atom», uma divindade solar dos egípcios. A arqueologia tem recuperado evidências acerca de sua utilização como cidade-armazém. Alguns estudiosos pensam que Ramsés III (1290-1224 A.C.) construiu a cidade; mas, descobertas arqueológicas recentes mostram que ele tão-somente a reconstruiu e adornou. Os israelitas, escravizados no Egito, viveram obviamente muito antes disso e devem ter trabalhado na cidade mais antiga de Zoã-Avaris, que já existia antes mesmo da expulsão dos hicsos do Egito (cerca de 1570 A.C.).

Pi-Atum ou *Per-Atum* é o equivalente egípcio de Pitom. A segunda dessas formas foi usada em uma inscrição de um oficial de Osorcom II, em sua estátua, encontrada em Tell es-Maskhuta, o que parece identificar aquele lugar com a antiga cidade de Pitom. Mas outros arqueólogos têm advogado o sítio de Tjeku-Succoth como a área da antiga Pitom. Tjeku parece ter sido o nome ordinário da cidade, enquanto que Per-Atum seria seu nome religioso. Uma inscrição latina, que diz *Locus Eropolis, Ero Castra*, parece sugerir o termo clássico de *Heroonpolis*, que se refere ao mesmo lugar. Mas há outras provas arqueológicas que apontam para Tell er-Rotab (ou er-Retabeh), onde têm sido achados monumentos de Ramsés II e vestígios do templo de Atom. Esse lugar fica um pouco mais para oeste, e provavelmente deve ser associado à Gósen do Antigo Testamento, onde os hebreus foram viver, tendo chegado da Palestina. Isso posto, a Pitom de Êxo. 1:11 pode ser ou Sucote em Tell er-Maskhuta, ou o Tell er-Rotab, cerca de catorze quilômetros mais para oeste. Assim, a área geral parece clara, mas não a localização exata.

PITOM (PESSOA)

Esse nome próprio, com grafia diferente, no hebraico, de *Pitom* como cidade, (vide), indica o filho mais velho de Mica. Ele era neto de Jônatas, filho de Saul (I Crô. 8:35 e 9:41). Viveu depois de 1000 A.C.

PITONISA

O texto grego de Atos 16:16 refere-se a uma jovem que era possessa de um «espírito adivinhador», onde a palavra usada no original é *puthóna*, «adivinha». Todavia, alguns manuscritos têm, nessa passagem, a forma grega *puthónos*. A alusão é à serpente mitológica, *Pitom*. *Pitonisa*, pois, era o nome que a princípio era dado às sacerdotisas de Apolo, em Delfos, e, posteriormente, às adivinhas em geral; era esse um nome derivado de uma referência à serpente mediante a qual esse deus era simbolizado. *Pitom* (como substantivo próprio), dentro da mitologia grega, era o nome da serpente que guardava Delfos.

De conformidade com as lendas homéricas (iii.300 ss), Apolo desceu do Olimpo a fim de selecionar um local para o seu santuário, o lugar onde deveria ser adorado, e onde se deveria localizar o seu oráculo. Ele escolheu o lado sul do monte Parnaso, mas encontrou-o guardado por uma gigantesca e temível serpente. Entretanto, matou a serpente com uma flecha e deixou que a serpente *apodrecesse* (no grego, *puthein*). Daí é que se originou o nome da serpente, *Pitom* (apodrecimento). Pitom tornou-se o nome do local onde tudo isso teria acontecido, e o adjetivo «pitano», aplicado a Apolo, refere-se a ele. O nome *pitom*, ato contínuo, veio a indicar as *adivinhações*, ou, por extensão, o «demônio profetizador», isto é, alguma espécie de espírito maligno ou deus que pode falar por meio de algum ser humano, a fim de predizer o futuro ou dar outras informações consideradas importantes. Apolo era o deus da profecia, pelo que era natural que o seu nome e a serpente a ele vinculada viessem a ser associados às tentativas das pessoas predizerem o futuro. E o que, segundo a tradição grega, fazia parte da atuação dessa divindade pagã, tornou-se, dentro da interpretação cristã, o trabalho de espíritos familiares ou adivinhadores, ou seja, uma atuação inspirada por forças demoníacas. Ver o artigo *Demônio* (*Demonologia*).

••• ••• •••

PK

Essas letras são a abreviação de **psychokinesis**, na literatura que aborda os fenômenos psíquicos. Ver os artigos intitulados *Psicocinésia* e *Parapsicologia*.

PLÁGIO

Essa palavra vem do grego **plágios**, «oblíquo», «traiçoeiro». Ver sobre *Pirataria*. O plágio consiste em usar as idéias, os escritos, etc., de outrem, como se eles fossem próprios, sem dar o devido crédito ao seu verdadeiro autor. No latim, *plagiarius* significa «raptor». Os Dez Mandamentos da lei mosaica contêm preceitos éticos que podem ser aplicados a esse tipo de atividade: contra o furto; contra a mentira; contra a cobiça. Esses preceitos condenam os motivos que levam as pessoas a plagiar. Este termo latino, veio a ser especificamente aplicado a furtos literários. Naturalmente, qualquer escrito haverá de incluir idéias alheias, visto que pouquíssimos autores têm a dizer grande coisa que lhes seja original. Além disso, existe um grande fundo de conhecimento comum, de onde todos os estudiosos fazem empréstimos, quando escrevem um livro, um artigo, um ensaio, etc. Breves citações são permissíveis, por essa razão, sem a necessidade de direitos adquiridos; e rearranjos de materiais que contenham, essencialmente, os pensamentos de outras pessoas, devem ser identificados de algum modo que lhes dê o devido crédito. Mas, se esse termo latino veio a ter aplicação específica no campo da literatura, também aplica-se a outras atividades, como as artísticas e as científicas. Podemos relembrar quão comum se tornou a «pirataria» das fitas gravadas, dos discos fonográficos e dos livros, mediante processos de duplicação. Tudo isso é plágio. Nas obras escritas, as bibliografias no fim dos artigos dizem-nos que idéias alheias foram usadas ou citadas, sem o emprego de citações diretas.

PLANEJAMENTO FAMILIAR

Ver os artigos **Contraceptivos** e **Controle de Natalidade**.

PLANETIZAÇÃO

Esse termo, de cunhagem recente, significa a ocupação de outros planetas do sistema solar, além de nossa própria terra, por seres humanos; ou, finalmente, até a ocupação de outros lugares no espaço. No presente, somente a lua está ao alcance do homem com esse propósito; mas, à medida que a ciência for avançando, é perfeitamente possível que isso seja feito em lugares verdadeiramente remotos do universo.

Alguns opinam que essa atividade é errada, devido ao fato de que Deus pôs o homem *sobre a terra*. Mas há aqueles que pensam que o mandato divino, em Gên. 1:28, no sentido de que o homem deveria buscar obter conhecimento e domínio, deve incluir a exploração do espaço. É estúpido tentar encontrar textos de prova bíblicos em favor dessa atividade; e se os homens haverão de ocupar-se ou não de tal tarefa, tudo depende dos benefícios que poderão provir daí para a humanidade. Alguns objetam aos programas espaciais devido ao seu custo astronômico (sem trocadilhos), ao passo que a pobreza e a fome permanecem sem solução para muitos milhões de criaturas humanas. Não obstante, aqueles que defendem tais explorações espaciais dizem que grandes vantagens econômicas poderão sobrevir à humanidade, mediante tal atividade. Alguns místicos, por sua vez, afirmam que a exploração do espaço, incluindo a planetização, faz parte do destino humano, pelo que seria uma atividade moralmente correta. O uso do espaço para propósitos bélicos e para a destruição em massa, sem dúvida faz parte da perversidade humana. Esse ponto não requer discussão ou demonstração.

PLANÍCIE

1. *As Palavras e Definições*

Há seis palavras hebraicas envolvidas, e, talvez, uma sétima. No grego, encontramos uma expressão que merece consideração.

As palavras hebraicas são: a. *Elon*, «lugar plano». Ver Gên. 12:6; 13:18; 14:13; 18:1; Deu. 11:30; Juí. 4:11; 9:6,37; I Sam. 10:3. b. *Biqah*, «vale aberto», ou seja, uma expansão plana, sobretudo um terreno plano entre montanhas, como a planície de Sinear (Gên. 11:2) ou o vale de Megido (II Crô. 35:22; Zac. 12:11). Essa palavra também pode indicar apenas um «vale» (Nee. 6:2; Isa. 40:4). Ocorre por um total de vinte e uma vezes. Além dessas referências, ver também Eze. 3:22, 23; 8:4; 37:1,2; Amós 1:5; Dan. 3:1; Deu. 8:7; 11:11; 34:3; Sal. 104:8; Isa. 41:18; 63:14; Jos. 11:8,17; 12:7. c. *Kikkar*, «círculo»; com o sentido de «planície» aparece por treze vezes: Gên. 3:10-12; 19:17,25,28,29; Deu. 34:3; II Sam. 18:23; I Reis 7:46; II Crô. 4:17; Nee. 3:22; 12:28. Devemos pensar, nesse caso, em uma região que formava um círculo ou meio-círculo, em redor de outra área, como aquela em redor da porção sul do mar Morto (na primeira dessas referências). Mas também pode estar em foco uma planície elevada ou planalto, segundo se vê em Deu. 3:10. Israel era chamado de povo das montanhas, por outros povos, e o Deus de Israel, de Deus das montanhas, visto que, com freqüência, as terras baixas estavam em disputa, e os israelitas não eram seus firmes possuidores (ver I Reis 20:23). Os inimigos ocupavam as planícies; e os israelitas refugiavam-se nas montanhas. d. *Mishor*, «planície», «lugar nivelado». Esse termo figura por dezesseis vezes: Deu. 3:10; 4:43; Jos. 13:9,16,17,21; 20:8; I Reis 20:23,25; II Crô. 26:10; Sal. 26:12; 27:11; Jer. 21:13; 48:8,21; Zac. 4:7. Nem sempre devemos pensar em uma planície, pois também pode estar em pauta um planalto, segundo se vê em Deu. 3:10. e. *Arabah*, «deserto», «lugar obscuro». Com um claro sentido de «planície», essa palavra aparece por quarenta e duas vezes, desde Núm. 22:1 até Jer. 52:7,8. Como um lugar específico, a Arabah também era conhecida como planície de Moabe (Núm. 22:1) ou planície de Jericó (Jos. 5:10). Está sempre em vista o vale formado por uma falha tectônica, nos lugares onde seu fundo ficava seco e estéril, ao sul do lago da Galiléia, até o golfo de Áqaba. O que existe ali é uma espécie de fundo de vale plano. f. *Shephelah*, «afundado». Esse termo aparece por dezenove vezes em todo o Antigo Testamento. Exemplificamos com I Crô. 27:28; II Crô. 9:27; Jer. 17:26; Oba. 19; Zac. 7:7. A área era constituída por colinas baixas entre as montanhas da Judéia e a planície (autêntica) costeira. Ver o artigo separado intitulado *Shephelah*.

2. *As Cidades da Planície*

Ver o artigo separado chamado *Cidades da Campina*.

3. *Usos Figurados*

Uma planície simboliza um lugar seguro e destituído de obstáculos (Sal. 26:4), como também a vereda dos justos, que é fácil e segura de ser seguida (Sal. 27:11).

PLANÍCIE, CIDADES DA

Ver sobre **Cidades da Campina**.

PLANTA(S)

Ver **Flora**, e cada planta separadamente.

PLATAFORMA DE CAMBRIDGE

Trata-se do modelo de governo eclesiástico adotado na Nova Inglaterra, a partir do sínodo de 1648, aprovado pelo Tribunal Geral do estado de Massachusetts, em 1651, e recomendado às igrejas como modelo a ser seguido. Faz lembrar os padrões do congregacionalismo (que vide), em Massachusetts, durante todo o período colonial, e, no estado de Connecticut, até a Plataforma de Saybrook (que vide), que foi adotada em 1708. O documento consiste de dezessete capítulos, e é um sumário do melhor pensamento do congregacionalismo da Nova Inglaterra. Declara abertamente os princípios permanentes desse sistema: o pacto como base das igrejas locais, a autonomia de cada congregação, embora cada igreja esteja vinculada a outras igrejas, mediante a necessidade de companheirismo e conselho. Adotam as Escrituras como sua única autoridade espiritual. (E)

PLÁTANO

No hebraico, **armom**. Ver Gên. 30:37 e Eze. 31:8. Há uma verdadeira árvore de planície na Palestina, cujo nome científico é **Platanus orientalis**. Essa espécie pode ser achada especialmente nos sopés do monte Líbano. Produz cachos de flores, formando bolas arredondadas, em torno de uma haste comum. Essa árvore é de grande porte e faz muita sombra, além de ser muito valorizada. O trecho de Eclesiástico 24:14 fala sobre ela metaforicamente, como símbolo de grande estatura. Pode atingir ligeiramente mais de 50 m de altura, com um tronco bem grosso, isso em torno do monte Líbano. Nas planícies mais ao sul, embora a árvore não cresça tanto, ainda assim é uma espécie impressionante.

A madeira do plátano é muito usada no fabrico de móveis, porquanto pode adquirir um acabamento lustroso. As folhas, com três e cinco lobos, com alguns dentes, algumas vezes chegam a 25 cm de comprimento, e mais ou menos com a mesma largura. O fruto, de formato globular, fica pendurado em ramículos.

A família do plátano está distribuída pelo mundo inteiro, e espécies fósseis têm sido encontradas até os tempos cenozóicos. O plátano é abundante ao longo de todos os cursos de água da Síria e da Mesopotâmia. O cedro do Líbano é posto em comparação com o plátano (ver Eze. 31:8), por causa de sua imensa altura. *Armon*, nome hebraico do plátano, significa «liso» ou «nu», que se deriva do fato de que a árvore perde a sua casca externa.

PLATÃO

Esboço:
 I. Informes Históricos
 II. Teoria do Conhecimento
 III. Metafísica
 IV. Política
 V. Ética
 VI. Estética

PLATÃO

••• •••

Platão — 428-348 A.C.

Platão era o aluno mais célebre de Sócrates e o professor do gênio, Aristóteles, a quem ele chamava de *O Intelecto*.

••• ••• •••

PLATÃO

••• ••• •••

Platão, provavelmente, era o filósofo mais brilhante de todos os tempos. Talvez seja a verdade o que Emerson falou: «Platão é filosofia e filosofia é Platão». Em pensamentos religiosos (que controlam conceitos básicos da filosofia dele), Platão representava o melhor da religião grega, e antecipou alguns dos grandes conceitos do cristianismo.

•••

Platão fundou a *Academia*, a primeira universidade da história humana. Esta escola ensinava todos os ramos do conhecimento do tempo.
Cícero nos informa que Platão morreu de súbito, e facilmente, numa festa de casamento de um amigo, aos 80 anos de idade. Segundo sua informação, Platão trabalhava e escrevia até o fim sem a debilitação de doenças. O Senhor, *concede-nos tal graça*.

•••

Quer seremos melhores e mais corajosos e menos impotentes, se pensamos que devemos procurar o conhecimento, do que teríamos sido, se tivéssemos aceitado a fantasia de que não há maneira de conhecer, e que é inútil lutar para saber o que agora não sabemos — é um tema para o qual estou pronto para combater em palavras e trabalhos — ao máximo do meu poder.
(Platão)

••• ••• •••

PLATÃO

VII. Ciência Natural
VIII. Platonismo

I. Informes Históricos

No grego, Platão parece estar relacionado a **platus**, «largo». Não se sabe por qual motivo ele era assim chamado, embora muitos opinem que isso se devia a alguma característica física dele, talvez um rosto largo, um nariz achatado, ou coisa parecida. Suas datas aproximadas são 428-347 A.C. Platão nasceu em Atenas.

Platão foi um dos mais brilhantes filósofos e autores de todos os tempos, cuja influência tem sido enorme, na filosofia e na teologia. Era filho de Áriston e Perictione, e ambos pertenciam a famílias atenienses tradicionais. Platão descendia de *Sólon* (vide). Seu pai faleceu quando ele ainda era jovem, e seu padrasto, Pirilampo, era elemento ativo na política e na vida social de Atenas. Ele recebeu uma boa e completa educação. —Foi contemporâneo de Górgias e de Protágoras (ao qual ouviu conferenciando). Seu primeiro mestre foi Crátilo. Platão foi o maior estudante de Sócrates e, por sua vez, foi o mestre de Aristóteles. Isócrates e Xenócrates também foram contemporâneos seus. Com a idade de vinte anos, Platão tornou-se um ardoroso discípulo de Sócrates. Este último, porém, foi executado em 399 A.C.

Platão iniciou a sua própria academia quando atingiu os quarenta anos de idade. Aristóteles estava com trinta e sete anos de idade quando Platão morreu, tendo pertencido à academia deste pelo espaço de vinte anos. Naqueles dias, as universidades não tinham cursos rápidos, como hoje em dia têm, e um estudante geralmente era também um discípulo, pelo que a relação mestre-aluno prolongava-se por muitos e muitos anos, na maioria dos casos. Não havia formatura formal, e a erudição era uma ocupação pessoal, e não apenas algo que alguém seguia a fim de tornar-se um profissional para poder ganhar a vida, segundo se verifica em nossos próprios dias.

O interesse primário de Platão era a política. Após a morte de Sócrates (o que desiludiu para sempre a fé de Platão na democracia ateniense), Platão deixou Atenas, passou algum tempo viajando e, ao que parece, tencionava usar Siracusa como uma espécie de centro de uma experiência na qual ele buscaria fundar um sistema político em um estado perfeito. Há uma história (que pode ser apenas lendária) de que a sua visita à Siracusa terminou sendo ele aprisionado, vendido à escravidão, até que, finalmente, foi libertado por um amigo. Seja como for, ele retornou a Atenas em 388 A.C., e foi então que ele fundou a sua famosa academia (que teve longa duração). Ver o artigo separado intitulado *Academia de Platão*. Essa foi a primeira verdadeira universidade, que oferecia boa variedade de cursos de estudo, incluindo toda a ciência que se conhecia na época.

De Volta a Siracusa. A primeira visita de Platão a Siracusa fora em visita a Díon, o cunhado do tirano Dionísio. Quando este último morreu, Platão foi convidado a voltar, a fim de supervisionar a educação de Dionísio II. Isso Platão fez, mas não permaneceu ali por longo tempo. Voltou a Siracusa, porém, pela terceira vez (em 361 A.C.), aparentemente na esperança de obter aprovação para a formação de uma federação de cidades-estado gregas para opor-se a Cartago, mas não obteve bom êxito na tentativa. Platão ficou desapontado em suas aventuras no campo da política e em seu relacionamento com os políticos. Imaginem! Ele continuou a filosofar sobre esse campo, mas sua academia ocupou-se em uma larga variedade de atividades e interesses.

Aristóteles, o mais brilhante estudante de Platão, entrou em sua academia em 367 A.C., e veio a tornar-se o maior cientista da época (posição essa que manteve durante séculos). Platão chamava-o de «o intelecto». Aristóteles, contudo, não concordava com todas as doutrinas de seu mestre, tomando uma postura mais científica que a de seu mestre. Dizia ele: «Platão é meu amigo; mas a verdade é uma amiga ainda maior». Pelo menos é curioso que esses dois representavam grandes linhas divisórias do pensamento filosófico. Por essa razão, alguém comentou: «Todo filósofo é discípulo ou de Platão ou de Aristóteles», querendo dizer com isso que, seguindo Platão, os filósofos sentem maior atração pelo raciocínio, pela intuição e pelas experiências místicas, por uma religião-filosófica e pelo idealismo; ao passo que, seguindo Aristóteles, outros filósofos preferem a pesquisa empírica e científica.

O oráculo de Delfos havia recomendado Sócrates a «fazer música», o que ele interpretou como «tornar-se um filósofo», visto que, conforme ele mesmo dizia, «a filosofia é a mais bela música de todas». Devemo-nos lembrar que o tipo de filosofia que Platão ensinava era a melhor religião da época, por ser muito mais nobre que as expressões da religião grega, com seu politeísmo e sua idolatria. Lembremo-nos que até então os povos gentílicos ainda não haviam recebido qualquer revelação divina em forma de Escrituras Sagradas, segundo se vê a partir do Novo Testamento. Por isso mesmo, não foi por acidente que os pais gregos da Igreja encontravam nas idéias de Platão uma maneira filosófica de expressar certas idéias cristãs. Alguns estudiosos têm mesmo pensado que houve algum contacto de Platão com o judaísmo, e que alguns dos conceitos de Platão eram idéias mosaicas retrabalhadas; porém, não há qualquer evidência em prol dessa posição.

Influência de Platão. Alguém já disse: «Platão é filosofia», e isso não é um exagero muito grande. Até certo ponto, ele desenvolveu as seis disciplinas fundamentais da *filosofia* (vide), a saber: a gnosiologia, a metafísica, a política, a lógica, a estética e a ética. Naturalmente, a filosofia moderna é estudada em suas três divisões principais: a lógica, a ética e a metafísica. O presente artigo fornece algumas noções sobre todos esses seis ramos da filosofia, conforme eles são vistos através dos olhos de Platão. Mas também devemos pensar sobre a influência de Platão sobre a religião em geral, no *neoplatonismo* (vide) e na Igreja Cristã, por meio de vários dos mais antigos dos pais da Igreja, como Justino Mártir, Irineu, Clemente de Alexandria, Orígenes e Agostinho. Não é exagero referirmo-nos a Sócrates, Platão e Aristóteles como os *Três Grandes* da filosofia antiga. Ver sobre o *Platonismo*, seção quarta, quanto a uma detalhada declaração sobre a influência de Platão sobre a filosofia e a religião.

A Fé de Platão. Disse ele: «Que deveríamos ser melhores e mais corajosos e menos incapazes, se pensarmos que devemos inquirir algo, em vez de nos darmos licença de fantasiar que não há como saber das coisas e nem utilidade em procurar saber aquilo que não sabemos—esse é um tema acerca do qual estou preparado a lutar, em palavra e em ações, até onde vão as minhas forças».

A Morte de Platão. Platão viveu uma vida longa e cheia. Somos informados de que ele estava em companhia de seus amigos, a fim de discutir e desenvolver um outro diálogo. Subitamente ele se foi, aparentemente sem qualquer sofrimento. Platão faleceu com a idade de oitenta anos. E seu sobrinho, Espeusipo (um biólogo), tornou-se o proprietário e o diretor da academia de Platão. Mas essa academia

PLATÃO

prosseguiu funcionando até 529 D.C.!

A Aventura de Platão. Platão não encetou grandes viagens, e nem houve muitos acontecimentos chocantes em sua vida. Porém, a mente de bem poucos homens tem feito viagens mentais e espirituais como a mente dele. Além de sua intelectualidade, podemos reconhecer sua profunda piedade. A riqueza de seus ensinos e de suas expressões só pode ser devidamente apreciada por aqueles que dedicam tempo à leitura dos seus diálogos. Nenhuma descrição, como aquela que damos abaixo, pode substituir a leitura dos diálogos de Platão. Em certo sentido, Platão foi o Moisés da antiga cultura grega. Os pais gregos da Igreja acreditavam que a lei de Moisés preparou os israelitas para receberem ao Messias, Jesus de Nazaré, e que a melhor porção da filosofia grega, particularmente as idéias de Platão, serviu de mestre-escola para conduzir os gentios aos pés de Cristo. Seja como for, nutro a opinião de que é impossível que um homem como Platão tivesse perdido as suas idéias.

II. Teoria do Conhecimento

1. **A Ênfase de Platão.** Ele estava convencido de que a *percepção dos sentidos* afasta-nos do verdadeiro conhecimento, longe de levar-nos ao mesmo. Tenho ilustrado isso no artigo intitulado *Metáfora da Caverna de Platão*. Ele cria que a percepção física é apenas a percepção de um mundo de imitações (o mundo dos *particulares*, que corresponde ao nosso mundo físico). A verdadeira realidade consiste no mundo das Idéias ou Formas (o que descrevo sob a terceira seção, abaixo). Subindo pela escadaria epistemológica, Platão chegava em seguida à *razão*, a qual, segundo ele pensava, é capaz de dar-nos algum conhecimento válido, como no campo da ética. Porém, acima da razão encontramos a *intuição*, capaz de captar algum conhecimento que nem a percepção dos sentidos e nem a razão são capazes de fazê-lo. Porém, o modo mais elevado de conhecimento é o *misticismo* (vide), segundo o qual poderíamos contemplar diretamente as Idéias. Naturalmente, segundo Platão, somente a morte pode livrar a alma de sua prisão — o corpo material —, permitindo que a *mente* venha a tomar conhecimento das verdades realmente profundas.

2. **A mente**, sendo similar e derivada das Idéias (ou Universais), é a verdadeira realidade e a fonte real do conhecimento, e não os cinco sentidos físicos, que apenas distorcem a realidade. A alma humana faz parte da razão pura, a *Nous*.

3. **O conhecimento** depende de uma inquirição muita ampla, mas tudo está envolvido na inquirição espiritual do homem e na ética. A coisa mais elevada a ser buscada é a *bondade*, o Universal que a tudo governa. O mundo verdadeiro é imutável, conforme Parmênides ensinava. Esse mundo verdadeiro (dos Universais) não está sujeito aos sentidos físicos, devendo ser buscado por meio da razão, da intuição e das experiências místicas.

4. **A Linha Dividida** duplamente:

CONHECIMENTO	Razão. Intuição e Experiências místicas	Idéias (Universais) conhecidas dessas maneiras
	Processos Lógicos e Matemáticos; Hipóteses	Entidades ou idéias matemáticas e semi-abstratas são conhecidas dessas maneiras
OPINIÃO	A percepção dá-nos crenças, tanto parciais, quanto equivocadas	Os objetos individuais (os particulares) são imitações das Idéias (Universais), e são conhecidos pela percepção dos sentidos.
	Imaginação	Imagens de aparências. O conhecimento imaginado através dos sentidos, sem qualquer investigação.

Explicações

a. Leia-se de baixo para cima. Deve-se começar pela opinião (no grego, *doxa*), e daí passar para o conhecimento (no grego, *epistemé*). O investigador começa pela percepção dos sentidos e termina nas experiências místicas, mediante a contemplação das Idéias, deixando para trás as meras cópias ou imitações das Idéias, captadas pelos sentidos.

b. *A percepção dos sentidos* é o meio da imaginação, a qual é a forma mais básica e menos digna de confiança de conhecimento. A imaginação sofisticada chega a tornar-se opinião; mas mesmo nesse nível, são obtidas apenas imitações das idéias. A percepção dos sentidos continua a ser o manancial dessa área do conhecimento.

c. *A razão* e a sua manipulação participam do conhecimento no outro lado da principal linha divisória (linha dupla). Esse é o *terceiro passo* ascendente. Encontramos aí o conhecimento matemático, lógico e científico. O método dialético é empregado como auxiliar, nessa inquirição.

d. *O Quarto Passo Ascendente*. Acima da razão e da intuição acham-se as experiências místicas, incluindo a própria contemplação das Idéias (Universais). Nesse ponto, cessam as imitações e a alma passa a conhecer diretamente as Idéias. A alma, eterna e derivada dos Universais, tem esse conhecimento embutido em si mesma; mas, mediante exercícios, a dialética e a contemplação, ela pode «relembrar» aquilo de que já tem conhecimento subconsciente. A *reminiscência*, pois, é uma importante doutrina platônica no tocante à teoria do conhecimento. O conhecimento completo só pode chegar até à alma quando esta deixa o nosso mundo dos particulares (o mundo físico), porquanto aqui as percepções físicas servem de obstáculo ao conhecimento. Ademais, o tipo de realidade em que aqui vivemos é uma realidade secundária, que apenas imita a verdadeira realidade. Somente o espírito puro pode conhecer o espírito puro.

e. *Observação sobre o Terceiro Passo*. Esse terceiro passo, que provavelmente é onde se registram os processos matemáticos, Platão tomou por empréstimo dos ensinos de Pitágoras. Ali a realidade seria dotada das propriedades próprias dos números. A ciência tem demonstrado a validade desse conceito, embora

PLATÃO

sem o envolvimento na metafísica. Os números concebidos por Platão não eram meros átomos. Antes, envolviam realidades metafísicas de onde os particulares obtêm seus números mediante a imitação. Platão fazia do estudo da matemática um importante empreendimento em sua academia, e não apenas por amor à própria matemática, e, sim, porque esse estudo disciplina a mente, em face de suas implicações metafísicas. É nesse passo que também devemos situar a lógica. Novamente, a lógica não deve ser estudada somente por causa de seus próprios méritos, mas por ser uma grande ajuda na obtenção do conhecimento, conforme se vê no processo dialético empregado por Sócrates em seus diálogos—um estilo que também foi adotado por Platão.

5. *Em sua estética* (como em seu diálogo *Simpósio*), Platão postulou que o processo ascendente do conhecimento é energizado por *eros* (amor), mediante o qual passamos de um grau de beleza para o próximo e, finalmente, encontramos Deus, *a Idéia do Belo*, onde estão contidas todas as idéias de beleza.

6. *Em sua ética* (como na maioria de seus diálogos), a *Bondade* é o principal universal, pelo que toda busca pelo conhecimento de algum modo está envolvida em princípios éticos. Não sabemos das coisas meramente pelo prazer de sabê-las. Sabemos das coisas a fim de nos aprimorarmos: sabemos a fim de conhecer *o Bem*. Os diálogos de Platão, *República* e *Filebo*, dão-nos um quadro sobre a ascensão do conhecimento, mediante o impulso emprestado pelo Bem.

7. *A verdade absoluta*, em Platão, talvez deva ser vista como a interpenetração do *Um*, da *Beleza* e da *Bondade*, que seriam aspectos do Absoluto e que são tratados em diferentes diálogos platônicos. Seja como for, em seu diálogo intitulado *Leis*, a palavra grega *theós*, «Deus», substitui as *Idéias*, e Deus torna-se ali o universal todo-abrangente. Temos ali uma espécie de monoteísmo, embora, provavelmente, Platão não estivesse pensando em termos de um Deus pessoal, segundo se vê na tradição hebreu-cristã.

8. *Deus*, por conseguinte, é o alvo de todo o conhecimento, bem como o depósito absoluto do conhecimento. Todo conhecimento resume-se na busca por Deus. Presumivelmente, a obtenção do conhecimento é uma realização espiritual, visto envolver questões básicas como o *Um*, a *Bondade* e a *Beleza*. As *experiências perto da morte* (vide) concordam em fazer-se do Amor e do Conhecimento as grandes pedras fundamentais da existência humana, como as principais coisas que deveríamos cultivar. Não está em foco o conhecimento simplesmente para conhecermos as coisas, mas devemos procurar saber a fim de nos tornarmos melhores. O *Um* de Parmênides é o *Absoluto* de Platão. E esse Absoluto incorpora todos os universais, especialmente aqueles três maiores: a Bondade, a Verdade e a Beleza.

9. *As idéias são inatas* (ver sobre *Idéias Inatas*), porquanto a alma já tinha conhecimento das Idéias e havia contemplado as mesmas, tendo todo o conhecimento armazenado na mente. Todo conhecimento, portanto, seria uma *reminiscência*. Ver o artigo separado intitulado *Anamnesis*.

10. *O choque do nascimento* apaga o conhecimento inato possuído pelos homens. Um homem reencarna-se «como se» estivesse nascendo pela primeira vez. Nenhum ser humano pode levar sobre seus ombros, para a eternidade, todo o conhecimento; e assim, por um ato de misericórdia, o nascimento envolve o olvido daquilo que a alma aprendeu em suas viagens celestiais e em suas muitas reencarnações. As almas que renascem neste mundo têm que atravessar as correntezas do esquecimento. Portanto, elas voltam «como se» aquele fosse o seu primeiro nascimento. No entanto, usando expressões de Jung, todo esse conhecimento permanece na mente inconsciente, podendo ser parcialmente recuperado através da dialética (raciocínio), da intuição e das experiências místicas.

11. *Platão condenava os sofistas*, em face do fato de que dependiam da percepção dos sentidos, com seu resultante *ceticismo* (vide). Platão tinha a certeza de que podemos saber das coisas, e que o esforço nesse sentido pode produzir os efeitos desejados. O mundo percebido pelos sentidos encontra-se em um fluxo segundo as idéias de Heráclito. Todavia, este mundo físico não é o mundo verdadeiro. O mundo verdadeiro é imutável, absoluto, perfeito e eterno. Ver sobre *Metafísica*, terceira seção.

III. Metafísica

1. *Diagrama dos Universais.* No artigo sobre a *Ética*, em sua quinta seção, *A Ética de Platão*, sexto ponto, oferecemos um diagrama que ilustra a metafísica e a gnosiologia de Platão, no que diz respeito à sua ética. Isso aparece no volume II, pág. 560, e serve de base para a compreensão das noções de Platão sobre **Universais (Formas)**, vide, que formam a sua idéia metafísica central.

2. *Sumário de Elementos na Metafísica de Platão*. a. Platão concordava com os sofistas de que o conhecimento da natureza verdadeira das coisas é impossível através dos sentidos físicos. b. Contra os sofistas, a despeito disso, o conhecimento metafísico é *possível* por meio da razão, da intuição e do misticismo. c. Há uma *afinidade* da mente humana com a natureza espiritual do universo (conforme Sócrates havia dito). d. O *real* é imutável e eterno (segundo Parmênides declarou). e. A verdadeira natureza é *pluralista* (conforme os atomistas insistiram). f. *O dualismo*: existem tanto a mente quanto a matéria (conforme Anaxágoras ensinava). g. Os *Universais* (ou *Idéias*) formam uma hierarquia de entidades e valores. São perfeitos e absolutos, mas irradiam-se da *Bondade*, o Universal supremo. h. Entre o mundo das Idéias e o mundo dos particulares (o nosso mundo físico) há uma barreira de mortalidade. O mundo dos particulares é apenas uma imitação do mundo das Idéias. Os particulares são cópias da realidade e possuem uma realidade verdadeira, posto que inferior. Defendendo esse ponto de vista, pois, Platão era um dualista, e não um idealista absoluto.

3. *Características das Idéias* (ou *Universais*). As Idéias são divinas, absolutas, perfeitas, infensas à passagem do tempo, infensas ao espaço, imutáveis, eternas, racionais, imateriais. Podem ser conhecidas através da razão, da intuição e das experiências místicas, como na contemplação. Esses seriam os arquétipos que foram usados pelo *Demiurgo* (vide), quando este criou o mundo dos particulares. As próprias idéias seriam as *Noúmena*, coisas relacionadas à *Nous*, «a mente». As idéias são imateriais.

4. *Características dos Particulares*. Estes são limitados, imperfeitos, temporais, espaciais, materiais e mutáveis. Podem ser conhecidos através da percepção dos sentidos. São reais, embora em menor grau que as *Formas* (*Idéias* ou *Universais*). São constituídos de acordo com o padrão provido pelas Idéias. O mundo dos particulares é o nosso mundo físico, um lugar de ilusão e imitação, e não o mundo da realidade e da verdade que procuramos. Os particulares estão vinculados aos *fenômenos*, coisas relacionadas à percepção dos sentidos, ou seja, coisas materiais.

PLATÃO

5. *O Dualismo*. Visto que Platão não ensinava que somente a mente é real, segue-se que ele era um dualista, apesar do fato de que ele atribuía ao mundo físico uma realidade secundária. Ver o artigo detalhado sobre o *Dualismo*.

6. *O Um* do *Hilozoísmo* (vide) e de *Parmênides* (vide) pode ser equiparado à *Bondade* de Platão (a Forma mais elevada) ou à *Beleza* (a forma superior no seu diálogo *Simpósio*).

7. *O Deus Único*. No diálogo platônico, *Leis*, o termo grego *theós* (Deus) substitui o vocábulo *Idéias*. Encontramos aí certa forma de monoteísmo. As Idéias, em face disso, tornam-se atributos de Deus, em vez de entidades distintas, embora ainda não devamos pensar em termos de um Deus pessoal, dentro do contexto dos escritos de Platão.

8. *O Homem Como um Ser Bidimensional*, isto é, participante do mundo das Idéias e do mundo dos particulares. A alma do homem é imaterial, embora o seu corpo seja material. O corpo físico seria o sepulcro ou prisão da alma. O conhecimento e o amor libertam o indivíduo do mundo dos particulares, fazendo-o começar a retornar aos mundos eternos. Porém, seriam necessárias muitas reencarnações para que o indivíduo aprenda as lições necessárias e obtenha o progresso moral e espiritual necessário a fim de recuperar os mundos eternos. Contudo, o homem que tiver posto seriamente o seu pé na vereda espiritual, não haverá de falhar, finalmente.

9. *A Alma do Homem* origina-se no mundo das Idéias, pelo que ela é uma fagulha de Deus. A alma é eterna, embora a individualização tenha tomado lugar dentro do tempo. A alma, tal como as formas, é auto-existente, ou seja, é dotada de uma vida necessária e independente. O mundo universal é a pátria da alma, sendo também o mundo na direção do qual a alma esforça-se por avançar. A alma caiu em degradação, aparentemente porque alguma corrupção interna desenvolveu-se, e também por ter tido curiosidade acerca deste mundo de materialidade, resolvida a experimentá-lo. E a experiência foi desastrosa. A alma ficou cativa neste mundo, e somente através da purificação e do progresso espiritual e moral ela é capaz de livrar-se deste mundo material. A unidade com Deus é o alvo buscado pelo homem. Ver a *Ética de Platão*, segundo volume, págs. 559-562, quanto a uma completa descrição sobre as idéias de Platão a esse respeito, incluindo a luta do homem por avançar.

10. *O Demiurgo*. De acordo com a filosofia de Platão, esse foi o poder que criou o mundo dos particulares, em consonância com o modelo do mundo das *Idéias*. O Demiurgo ocupa, a grosso modo, a posição do *Logos*, no cristianismo. Ver sobre o *Demiurgo*.

11. *A Mente*. Essa seria a verdadeira realidade, e tudo deve sua forma e essência a esse princípio permanente das coisas. A alma humana faz parte da razão pura (*Nous*). Em parte seria espiritual, em suas porções mais nobres, mas seria parcialmente material, devido aos seus apetites e paixões inferiores, derivados do corpo físico. A alma racional veio residir no corpo físico. Nas reencarnações, a alma vai e volta, até que atinge libertação, por meio do desenvolvimento espiritual e moral.

12. *O Mundo em Fluxo de Heráclito*, no mundo dos particulares. Parmênides, em sua idéia do *Um*, combinava poderes e entidades do mundo das Idéias.

13. *A Essencia das Coisas* consistiria em suas formas necessárias (as categorias de Aristóteles), a forma geral por meio da qual concebemos as coisas.

14. *A Realidade como Idéia*. As Idéias, ou arquétipos, são inumeráveis e constituem o cosmos racional, o mundo bem organizado e eterno. O universo é um sistema lógico de idéias, uma unidade orgânica e espiritual, governada por propósitos ideais, tudo derivado da *Idéia do Bem*. Portanto, o universo é um todo racional e moral, uma unidade que combina inúmeros elementos. A percepção dos sentidos não consegue apreender esse mundo; mas essa apreensão vem pela razão, pela intuição e pelas experiências místicas, conforme se verifica na contemplação, ainda que isso se faça de maneira apenas parcial, por enquanto. E somente quando a alma vê-se liberta do corpo físico é que a grandiosidade do mundo superior pode ser devidamente apreciada. Ver o artigo geral chamado *Idealismo*.

15. *Realismo Radical*. Visto que Platão vinculava a realidade ao seu mundo das Idéias, o seu conceito é chamado *realismo radical*. Os universais realmente existiriam como entidades espirituais. Quanto a uma declaração mais completa a esse respeito, ver o artigo separado sobre os *Universais*.

IV. Política

Platão iniciou a sua carreira filosófica intensamente interessado pela política. Passou por várias experiências adversas, que o desiludiram; mas ele conservou pelo menos um interesse acadêmico sobre a questão, até o fim da vida.

1. *As noções políticas de Platão* são permeadas por um elevado senso moral. A *política*, para ele, é a conduta ideal do Estado, tal como a *ética* é a conduta ideal do indivíduo. Muitas das idéias políticas de Platão derivavam-se de suas idéias sobre a ética.

2. A política busca o *bem maior* da sociedade humana. As virtudes obrigatórias em qualquer bom Estado são: a virtude, a coragem, o autocontrole e a justiça.

3. *A vida social* existe a fim de aperfeiçoar os indivíduos.

4. *As leis* são necessárias, porquanto os homens não são racionais e nem virtuosos. As leis devem ter em vista o verdadeiro bem do ser humano, e não a satisfação de seus desejos desenfreados.

5. *Classes da Sociedade*.

a. Os *filósofos* deveriam ser a classe governante, e deveriam receber treinamento político durante um longo período de tempo. Dessa classe emergiria o homem mais sábio e mais justo de todos, o Rei-Filósofo. Ele seria o homem mais justo e direito, e não meramente o mais poderoso. Destacar-se-ia dentre a massa, após certo período de tempo, mediante vários testes que o distinguiriam dos demais homens. Os filósofos deveriam ser a *classe racional*, e deveriam ser aptos governantes, que tivessem por alvo a verdadeira justiça. Dentro dessa porção mais elevada da sociedade, imperaria uma forma pura de comunismo. Platão concebia um comunismo elitista que abarcasse um pequeno e seleto grupo de pessoas. Ele não pensava que esse princípio pudesse ser aplicado às massas, que são irracionais e continuam cativas das vicissitudes dos sentidos e das paixões vis. Ademais, ele não pensava que o princípio democrático pudesse jamais ser atingido em um estado ideal. Ele chamava a democracia de «caos feliz, durante algum tempo». No homem individual, essa classe corresponde à *razão* humana. O princípio racional é que deve governar o indivíduo e à sociedade. A *sabedoria* seria a principal virtude dessa classe.

b. *Os guerreiros*. Uma coletividade precisa contar com soldados e policiais, para sua proteção, por mais indesejável que seja essa questão. Essa segunda classe corresponderia ao «elemento espiritual» do indivíduo.

PLATÃO

Essa parte espiritualizada corresponde à *vontade*, nos indivíduos. A vontade sairia em defesa da boa ordem, e a manteria. Essa parte espiritualizada seria aliada da razão, tal como sucede no caso do indivíduo, onde a vontade auxilia a razão em seus empreendimentos. O *comportamento corajoso* seria a principal virtude dessa segunda classe.

    c. *Os trabalhadores* (cidadãos comuns). Entre esses poderíamos alistar os agricultores, os artesãos, os comerciantes e os produtores de toda variedade. Cada indivíduo teria uma tarefa que contribuiria para o bem da totalidade. Essa terceira classe representaria os apetites inferiores do indivíduo. A principal virtude dessa classe deveria ser a *obediência*, porquanto tais homens raramente são sábios e racionais. E também não se mostram muito corajosos em relação à honestidade e à justiça. A obediência precisa manifestar-se sob a forma de autocontrole e temperança.

Quando cada classe estivesse preenchendo as suas funções, e exibindo suas principais virtudes necessárias, então a coletividade operaria suavemente, como uma unidade. Nela haveria equilíbrio. Da mesma maneira que cada indivíduo precisa possuir as virtudes acima mencionadas, assim também a sociedade, como um todo, deve possuí-las. Assim sendo, a ética estaria à base da política. Quando assim não sucede, instala-se o caos, pois tal sociedade estará enferma.

Platão, em seu diálogo *República*, apresenta esse ponto de vista do Estado e de sua conduta ideal. O diálogo *Leis*, escrito mais tarde, modificou algumas dessas idéias, enfatizando mais o princípio da liberdade da vontade, ou seja, a noção da liberdade na sociedade, impulsionada pela vontade moral. A legislação, pois, apresentaria uma segunda melhor alternativa, e não o Estado ideal. A *lei* deve governar suprema, e a obediência deve ser prestada por todos. Aqueles que governam devem ter subido aos postos de mando mediante uma série de testes e distinções, e não totalmente por algum movimento das massas ou através do astucioso jogo político.

6. *As leis importantes* (conforme aquelas descritas no diálogo *Leis*), deveriam ser tidas como supremas, e a obediência precisaria ser imposta. Todas as leis devem visar ao bem dos cidadãos. Os governantes devem ser homens treinados, justos e sábios. A riqueza material deve ser moderada; a propriedade privada precisa ser respeitada; deveria haver ministros da justiça, da legislação e da educação. A educação reveste-se, para Platão, de notável importância, e às mulheres deveriam ser dados direitos e oportunidades iguais, sendo elas educadas da mesma maneira que os homens. (Esse conceito era revolucionário, nos dias de Platão). As principais disciplinas da educação deveriam ser: a música, a ginástica, a matemática e a filosofia. A política, como uma ciência, deveria ser salientada. A censura tornar-se-ia necessária, e o ateísmo deveria ser punido como um crime. A escravidão seria aceitável; o nacionalismo deveria ser desencorajado; as viagens para fora do Estado de cada um deveriam ser restringidas.

Alguns intérpretes têm comentado sobre a natureza inconveniente de algumas dessas idéias de Platão. É possível que, com a passagem dos anos, Platão tenha sofrido da rigidez comum ao envelhecimento do cérebro. Seja como for, algumas de suas idéias são excelentes, mas outras não se ajustam bem à grandeza da mente dele. Naturalmente, todos os homens, pelo menos em parte, são produtos de sua própria época, embora também possam transcendê-la.

V. Ética

Esse assunto já foi suficientemente tratado no artigo geral sobre a *Ética*. Ver especialmente sua quinta seção, *A Ética de Platão*, vol. II, págs. 559-562.

VI. Estética

1. *As Idéias*. Entre as noções de Platão a respeito da estética, estão aquelas que abordam as questões das belas-artes. A estética de Platão tem por base essa teoria. Todos os particulares apenas imitam os universais. Isso posto, qualquer obra de arte imita um ou mais universais.

2. *O universal que permeia* a estética é a beleza. No seu diálogo, *Simpósio*, Platão dá posição suprema a esse universal, pelo que Deus seria a Beleza Suprema, e toda obra de arte, em algum sentido, deve esforçar-se por atingir esse ideal.

3. *A arte* não consegue, porém, chegar muito perto da Beleza, porquanto, na realidade, é apenas uma imitação de uma imitação. Um homem pinta o retrato de uma linda mulher; mas, como é óbvio, seu trabalho de arte, sem importar quão artístico, não será tão belo quanto o modelo vivo. Todavia, a beleza da mulher é apenas um minúsculo reflexo da beleza da Idéia Suprema do belo. Assim sendo, uma obra de arte fica bastante distante do Ideal.

4. *Podemos conhecer o sentido* de uma obra de arte mais através do intelecto, da intuição ou da contemplação, do que através da produção real da mesma. Sócrates queixava-se de que quase qualquer pessoa pode apresentar uma melhor interpretação da poesia do que os próprios poetas, visto que as pessoas falam intuitivamente. O Rei-Filósofo concebido por Platão, dotado de toda a sua sabedoria, seria b supremo intérprete das artes, porquanto ele estaria mais próximo da Realidade. Assim sendo, ele poderia promover uma censura que livrasse as pessoas de uma arte má.

5. *Um poeta*, ao escrever sobre a imortalidade, estaria produzindo uma espécie de imitação de uma idéia sua, que ele possuiria através da razão, da intuição ou da contemplação; mas seu poema poderia somente dar indícios da grandiosidade desse assunto. Não obstante, não estaria ausente o discernimento do poeta, porquanto existe uma Realidade que o poeta é capaz de sentir.

6. *As artes* imitam, essencialmente, a natureza, a qual está sujeita à nossa percepção; mas a própria natureza é apenas uma *imitação* da Supernatureza, o mundo das *Idéias*.

7. *As artes estimulam* o intelecto e a intuição humanos, levando os homens a receber vislumbres da Realidade superior. A música, a dança, a declamação, a poesia, a escultura, a pintura, etc., expressam a apreciação natural do homem pela harmonia, pelo ritmo e pela beleza; mas essas coisas são apenas imitações da beleza, da harmonia de proporções e do ritmo das Esferas Celestes.

8. *A arte é uma espécie de adivinhação* daquilo que é o mundo universal e eterno, refletido em nosso mundo dos particulares, embora não possa, realmente, incorporá-lo. A arte é uma espécie de eco da eternidade.

9. *A arte pode ensinar lições* espirituais e morais em sua obra imitativa. Mas coube a Aristóteles fazer a arte descer novamente à terra, ao ensinar que a arte consiste, essencialmente, em prazer, embora essa definição não fosse aceitável para Platão.

VII. Ciência Natural

1. Embora a academia de Platão estivesse pesadamente envolvida nas ciências naturais (seu sobrinho, *Espeusipo*, vide, que era biólogo, tomou o lugar do tio, por ocasião do falecimento deste), o

PLATÃO — PLATONISMO

próprio Platão não se interessava muito pela ciência, por si mesma. Ele chamava suas idéias sobre a questão de «opiniões prováveis».

2. *A ciência de Platão* estava entremeada com noções *metafísicas*. Quase tudo quanto ele tinha a dizer sobre o assunto está encerrado em seu diálogo *Timeu*. A categoria do Ser é representado pelo Deus eterno, que está em comunhão com as formas universais. Podemos pressupor, com base nisso, que ele não estava falando em termos de um Deus pessoal. A categoria do Tornar-se é representada pela Alma do Mundo, um iniciador automovido de todas as transformações. Ele chamava isso de «imagem impulsionadora da eternidade», uma bela definição que aparece no escrito *Timeu*. Com o tempo, todas as coisas exibem sua contraparte na eternidade, recebendo vida por meio dessas contrapartes. A Alma do Mundo, por si só, não transpõe o grande abismo entre os particulares e os universais. Para tanto, Platão sentiu necessidade de postular o *Demiurgo* (vide), uma espécie de conceito do Logos, que aparece no Novo Testamento.

3. *Os Números*. Platão entendia a realidade dos números em todas as coisas, o que tem sido amplamente ilustrado pela teoria atômica. Esse conceito ele tomou por empréstimo dos pitagoreanos, para então dar-lhe sua própria torção. As *Idéias* estariam envolvidas em números, e os próprios números refletiriam os Números celestes.

4. *O Receptáculo*. O mundo material seria uma espécie de receptáculo das funções e da realidade das Idéias, uma matriz dentro do espaço-tempo, que as recebe e é moldada por elas.

5. *Os Processos na Natureza*. Deus teria criado o mundo material a partir de elementos já existentes no mundo das Idéias, ou seja, de elementos preexistentes, utilizando as Idéias como base de operação, ou como *modelos*. O espaço, pois, foi definido por Platão como «o receptáculo comum do tornar-se», o lugar onde as coisas estão sujeitas a alteração e desenvolvimento, o que se localiza, como é óbvio, no mundo dos particulares.

6. *A ciência de Platão* fala em três níveis de estudos: a. A *astronomia*, que é a ciência que explica o plano cósmico total. Nossa ignorância, quanto a isso, é profunda, e falamos somente em termos de probabilidades. b. A *física*, a *biologia*, etc., estudam os objetos físicos individuais. c. A *medicina* e a *psicologia* estudam os organismos vivos, especialmente o organismo humano.

7. *O Problema do Mal*. Naturalmente, esse assunto faz parte da ética. Mas, visto que a própria criação está tão densamente envolvida nisso, é legítima aqui uma palavra a respeito. O Deus concebido por Platão não era onipotente, ou, pelo menos, não impunha a sua vontade de modo absoluto. O mal é uma realidade presente. Partículas elementares comportam-se mecanicamente, e as coisas podem sair erradas. A vontade humana pode perverter-se, e, com freqüência, perverte-se. Os elementos do mundo dos particulares conduzem-se de forma egoísta, sem considerar os propósitos mais amplos e mais nobres das Idéias éticas. A liberdade é uma realidade, e isso com freqüência contribui para as pessoas desviarem-se da linha reta.

8. *Aristóteles*. Ele foi um dos maiores cientistas de todos os tempos. Durante vinte anos, foi estudante de Platão. Isso demonstra que a academia de Platão dava grande valor às ciências naturais. Mas os próprios escritos de Platão demonstram que, pessoalmente, ele não se interessava muito por assuntos científicos.

VIII. Platonismo

Tenho preparado um artigo separado chamado *Platonismo*, que oferece algum material histórico acerca de Platão, e sobre como a sua filosofia influenciou os pensamentos dos homens nos séculos que a ele se seguiram. Outrossim, esse artigo contém informações adicionais sobre a própria filosofia de Platão, servindo assim de suplemento do presente artigo.

Escritos. Existem trinta e cinco *Diálogos* de Platão, treze *Cartas* e *Definições*. Nem todo esse material é considerado autêntico, embora a maior parte o seja. Alisto abaixo os diálogos que são tidos como genuinamente platônicos:

1. *Os diálogos éticos*, escritos sob a influência de Sócrates: *Apologia; Hípias Menor; Cármides; Laques; Lísis; Eutifro; Críto; Protágoras*.

2. Diálogos mais éticos, um avanço quanto a outros aspectos da filosofia; Platão foi além de Sócrates: *Fedro; Górgias; Meno; Entidemo; Teoteto; Sofista; Político; Parmênides; Crátilo*.

3. Obras finais de Platão: *Simpósio; Fedo; Filebo; República; Timeu; Crítias; Leis*.

Esses vinte e quatro *diálogos* fizeram de Platão um dos mais notáveis autores e pensadores da história humana. Somente aqueles que lêem e estudam esses diálogos podem apreciar essa declaração. Acredita-se que nenhum de seus diálogos autênticos perdeu-se.

Bibliografia. AM BE DP E EP MM P PS

PLATÃO, ACADEMIA DE
Ver sobre **Academia de Platão**.

PLATONISMO

Esboço:
 I. Definições Gerais
 II. Estágios da Filosofia de Platão
 III. Idéias Principais de Platão
 IV. Estágios do Desenvolvimento Histórico do Platonismo

I. Definições Gerais

Platonismo é o nome que se dá à filosofia geral de Platão, especialmente em sua doutrina das *Idéias*, como o mais distintivo elemento dessa filosofia, embora também inclua qualquer elemento específico de sua filosofia, ou sua filosofia emprestada a outrem, utilizada e incorporada nos escritos de filósofos e teólogos posteriores.

«A filosofia de Platão e os sistemas posteriores, influenciados por ele. O platonismo alicerça-se sobre a dialética de Sócrates, como método de inquirição; sua principal característica é que os objetos do pensamento (idéias, formas, *noumena*) são eternamente reais, em oposição aos objetos transitórios e relativamente irreais da percepção dos sentidos (*phenómena*). O homem pode obter conhecimento (*epistemé*) das Idéias, mas só pode atingir opiniões (*doxa*) acerca dos fenômenos... O alvo da vida é o conhecimento da verdade e o controle dos indivíduos e da sociedade pela razão, embora Platão também manifestasse pendores místicos. O platonismo tem exercido grande influência sobre o pensamento cristão» (E).

II. Estágios da Filosofia de Platão

1. *Período Socrático*. Platão foi poderosamente influenciado por seu mestre, Sócrates, pelo que abordava principalmente questões éticas. Cabem dentro desse período vários diálogos: *Apologia*;

PLATONISMO

Hípias Menor; Carmides; Luques; Lísis; Eutifro; Crito e Protágoras. Durante esse período, além das questões éticas, Platão produziu severas críticas contra as idéias e os métodos dos sofistas; também desenvolveu a *dialética* (vide), ou o uso do diálogo; e foi emergindo a sua crença nos *Universais* (vide). A posição de Sócrates parece ter sido o *conceitualismo*, ao passo que a opinião final de Platão veio a ser o *realismo radical*. Esses conceitos são explicados no artigo sobre os *Universais*. Antes disso, achamos em Platão a ênfase religiosa. Platão sofria a influência do orfismo, para não dizer que Sócrates era homem de oração, que acreditava na orientação divina e algumas vezes entrava em transe, buscando soluções para os seus problemas éticos. E também somos informados de que Platão era pessoa devota.

2. *A Independência de Platão*. Sócrates havia feito algumas afirmações sobre questões metafísicas, embora não fosse, ele mesmo, um metafísico. Mas Platão tornou-se um porta-voz importantíssimo de certas crenças metafísicas. Mas a sua filosofia tornou-se universal, porquanto explorava todos os seis ramos tradicionais da filosofia: a gnosiologia, a metafísica, a ética, a lógica, a estética e a política. Contudo, coube a seu estudante, Aristóteles, desenvolver a lógica dedutiva de maneira formal. A esse período expansivo pertencem os seguintes diálogos: *Fedro; Górgias; Meno; Entidemo; Teocteto; Sofista; Político; Parmênides; Crátilo*.

3. *Declarações Finais*. Os anos finais da vida de Platão foram dedicados à preparação dos diálogos seguintes: *Simpósio; Fedo; Filebo; República; Timeu; Críticas* e *Leis*. Certas idéias avançadas dele diziam respeito à natureza da beleza; provas da existência da alma e sua sobrevivência diante da morte; teorias políticas.

III. Idéias Principais de Platão

Ante um pensador universal como foi Platão, é difícil distinguir-se algumas poucas idéias e então dizer: «Isto exprime Platão». Ofereço um detalhado artigo sobre Platão, onde aparece a essência de sua doutrina a respeito do conhecimento, da metafísica, da política, da ética, da estética e da ciência natural. Platão usou de vários mitos a fim de ilustrar o seu pensamento. Ver, para exemplificar, *A Metáfora da Caverna de Platão*. Pode-se comparar esse método de ensino com as parábolas de Jesus.

Alguns Pontos Platônicos Distintivos:

1. No campo da *psicologia*, Platão desenvolveu um significativo pronunciamento racional em favor da imortalidade da alma (no diálogo *Fedo*), que nunca foi ultrapassado. Em *Fedo*, a alma humana aparece com duas porções distintas: a razão e os apetites, o que explica a sua luta moral, vacilando entre o bem e o mal.

2. No terreno da *política*, Platão desenvolveu o importante conceito de que a piedade faz parte da justiça, e que o principal governante de qualquer lugar também deve ser o mais justo, e não apenas o mais poderoso. Somente um indivíduo realmente espiritual pode ser um bom governante. Após o Rei-Filósofo, aparecem os nobres, os quais devem ser espiritualmente nobres, e não apenas dotados da falsa nobreza das riquezas materiais. Platão promovia certa forma de *aristocracia*, o governo dos «melhores». Mas isso ele definia em termos de verdadeira nobreza e sabedoria, e não em termos de poder, através do dinheiro ou da força militar, o que usualmente caracteriza a aristocracia das nações. Ele fornece-nos detalhes em seus diálogos *República* e *Leis*. Para a elite governante, Platão concebia um comunismo puro, em que seus membros compartilhassem de todas as coisas entre si, em amor e harmonia. Mas ele não pensava que as massas populares, com seus apetites desenfreados e sua irracionalidade, pudessem ser capazes dessa forma de governo.

3. No âmbito da *gnosiologia*, Platão desconsiderava a percepção dos sentidos. Por outra parte, falava em termos favoráveis sobre a razão, melhor ainda sobre a intuição, e exaltava supremamente a contemplação, nas experiências místicas, como a melhor maneira de obtermos conhecimento das coisas.

4. *As Idéias (Formas, Universais)*. A mais distintiva doutrina platônica era a das *Idéias*, as entidades eternas e espirituais do Mundo celeste, de acordo com as quais o mundo dos particulares (o nosso mundo físico) foi moldado. Essas *Idéias* estão organizadas segundo certa hierarquia, dentro da qual o *Bem* é o elemento superior, que controla a todos os demais. As coisas físicas, por sua vez, são meras imitações desses arquétipos.

5. *A Filosofia da Religião*. Platão sofreu a influência do *Orfismo* (vide); ele era homem devoto. Criticava as divindades imorais do politeísmo grego, e nem ao menos poupou aos escritos de Homero, que os gregos tinham como a sua Bíblia, o seu Livro Sagrado. Seu diálogo, *Eutifro*, foi o primeiro livro a ser composto a apresentar, especificamente, uma filosofia da religião. A alma ocupava posição central na filosofia de Platão, e ele reconhecia a necessidade que a alma tem de purificação e salvação. O *Bem* platônico era o *Deus* de Platão, ainda que no seu diálogo, *Simpósio*, a *Beleza* seja o principal universal. No diálogo *Leis*, Platão chegou bem perto do monoteísmo, tendo chamado genericamente as *Idéias* de «Deus» (no grego, *theós*). Porém, não podemos ter certeza de que ele falava em termos de um Deus pessoal, à maneira judaico-cristã. Todavia, uma de minhas fontes assegura que Platão chegou ao conceito de um Deus pessoal. Nesse caso, as *Idéias* já aparecem ali como atributos de Deus. Deus é referido como Pai, Construtor, Criador, Planejador e Arquiteto, embora não tivesse criado as coisas do nada, conforme se tornou comum pensar na tradição cristã. Antes, Deus teria organizado tudo a partir do caos. O mundo físico teria sido feito pelo *Demiurgo* (vide), equivalente platônico do Logos da antiga filosofia grega, e então do cristianismo (ver João 1:1-14).

O marcante dualismo de Platão parece fazer de Deus um Ser finito. O tipo de dualismo platônico exerceu um profundo efeito sobre o pensamento cristão. A filosofia de Platão proveu um modo de expressão da teologia cristã que foi muito utilizado pelos primeiros pais da Igreja. Hegel observou que a filosofia de Platão ensinou-nos «quão próxima de Deus está a razão humana, e quão verdadeiramente está unida à Razão divina». Isso prové um ponto de vista filosófico acerca de como o homem pode ter comunhão com Deus e com a realidade transcendental. A descrição platônica do drama sagrado da alma tem inspirado a muitas mentes, antigas e modernas.

A Reunião com o Ser Divino. «...na imortalidade platônica há mais do que uma interminável repetição de mortes e renascimentos. Para Platão, o correto destino consiste em recuperar seu direito de primogenitura de *reunião* com o eterno do qual é *parente*, e do qual, de alguma maneira, ela se separara. Esse destino ela poderá cumprir renunciando repetidamente ao mundo dos sentidos e refugiando-se no inteligível e perene, até que, finalmente, se tenha purificado suficientemente da escória desta terra. E então, chegado o momento de sua liberação, a alma escapa à roda da reencarnação, saindo inteiramente do círculo do tempo, deixando de ser

PLATONISMO

duradoura e unindo-se ao eterno. Em sua discussão sobre o amor no *Simpósio*, ele nos fez familiarizar com... essa imortalidade mística, incessante, separada do tempo, sobrepessoal» (MM).

IV. Estágios do Desenvolvimento Histórico do Platonismo

1. A época do próprio Platão (até 347 A.C.).
2. *A Antiga Academia* (347-247 A.C.). *Espeusipo* (vide) substituiu a Platão e enfatizou os elementos pitagoreanos e éticos do platonismo. Apesar de Aristóteles ter sido o maior dos estudantes de Platão, suas idéias eram por demais diferentes das de Platão para ele ser considerado um platônico.
3. *A Academia Média* (247-129 A.C.). É inacreditável, mas a academia fundada por Platão caiu no ceticismo. Arcesilau (315-241 A.C.) recomendava a suspensão de todo julgamento; e Carnéades (213-129 A.C.) fazia das probabilidades seu guia na vida. Esses líderes não produziram qualquer literatura conhecida.
4. *A Terceira e a Quarta Academias,* até 529 D.C. Ver sobre *Academia de Platão.*
5. *O Neoplatonismo.* Apresentei um detalhado artigo sobre esse assunto. Pode-se dizer que o tempo da predominância do platonismo foi entre 250 e 529 D.C., embora nem por isso tais idéias tenham deixado de exercer poderosa influência desde então. Amônio Saccas (vide; 175-242 D.C.) é considerado o fundador desse sistema. *Plotino* (vide) foi um significativo aplicador do platonismo. Suas datas foram 203-279 D.C. O neoplatonismo era uma espécie de adaptação religiosa de idéias platônicas, enfatizando o misticismo, o dualismo, as emanações, o drama sagrado da alma, a purificação, o retorno da alma à união com Deus. O pecado original, em termos gerais, consiste na união da alma com a materialidade; e a redenção da alma consiste em sua separação final da matéria. Pode-se dizer que Orígenes incorporou em sua teologia elementos do neoplatonismo; e Agostinho fez outro tanto, mesmo porque, durante algum tempo, foi um filósofo neoplatônico. Os pais gregos da Igreja foram muito influenciados pelas idéias platônicas, tendo usado a filosofia de Platão como veículo de expressão da teologia cristã. Para eles, a alma obtém sua redenção ao encontrar união com Deus, e não meramente quando abandona este mundo físico e fixa residência nas dimensões celestiais.
6. *O Platonismo Alexandrino.* Filo de Alexandria (20 A.C.-50 D.C.) foi um destacado filósofo-teólogo judeu neoplatônico. Ver o artigo separado sobre ele. Ele explicava Moisés através dos olhos de Platão. Os pais gregos de Alexandria, isto é, Clemente (falecido em 220 D.C.) e Orígenes (cerca de 185-253 D.C.), estiveram muito envolvidos no pensamento platônico, tornando-o um veículo de expressão de sua teologia. Outro tanto se deu com Boethius, de Roma (470-525 D.C.).
7. *O Platonismo Durante a Idade Média.* A influência de Platão continuou crescendo, até cerca de 1200 D.C., quando, através de Tomás de Aquino, começou a influência de Aristóteles sobre a teologia cristã, de maneira marcante. *João Scotus* (vide) foi uma importante personagem quanto a esse desenvolvimento. Também podemos mencionar *Erigena* (vide), que viveu aproximadamente de 800 a 877 D.C., e *Anselmo* (vide), que viveu entre 1033 e 1109 D.C. A *Escola de Chartres* era de orientação platônica. Os intelectuais da Idade Média andaram muito ocupados na discussão sobre os *Universais* (vide), e o realismo radical de Platão, como é apenas natural, ocupou um papel proeminente nessa discussão. Os frades franciscanos perpetuaram as idéias de Platão e de Agostinho.
8. *A filosofia islâmica* foi significativamente influenciada tanto por Platão quanto por Aristóteles, onde o neoplatonismo desempenha um importantíssimo papel.
9. *Durante a Renascença,* — Nicolau de Cusa e Petrarca, como também a Academia de Florença procuraram transferir a academia de Platão para a Itália. Esse reavivamento foi ajudado pelas filosofias de Pleto, Ficino e Pico Della Mirandola.
10. *O platonismo de Cambridge* foi uma importante versão britânica dessa filosofia. Nomes associados à mesma são Ralph Cudworth (1617-1688), Henry More (1614-1687) e Benjamim Whichcote (1609-1683). Ver o artigo separado intitulado *Platonistas de Cambridge.*
11. *A filosofia moderna* continua sentindo a influência de Platão. Apesar do *Tomismo* (vide) estar filosoficamente baseado principalmente em Aristóteles, ainda assim há forte e óbvia influência platônica sobre os ensinos dessa escola. Ademais, podemos citar R.B. Perry, G. Santayana e Whitehead, que adotaram várias idéias platônicas. W.R. Inge foi um dos principais líderes modernos neoplatônicos. Whitehead achava que a influência de Platão é tão grande que chegou a dizer, em essência: «A filosofia ocidental é uma série de notas-de-rodapé aposta a Platão». Sua doutrina dos «objetos eternos» era uma variante das *Idéias* de Platão. Ferrier, porém, exagerou, ao dizer que «...toda verdade filosófica é Platão corretamente interpretado; e todo erro filosófico é Platão mal - entendido». Ante tais avaliações, devemos observar que certas teorias científicas, que reconhecem a dualidade da realidade, são bastante platônicas em sua perspectiva. Um conspícuo exemplo disso é aquele que emerge da chamada fotografia Kirliana, com seu estudo da aura humana e dos campos de energia que circundam o corpo humano e todos os objetos vivos da natureza. Esses campos de vida aparentemente controlam o código genético e fazem os organismos físicos serem o que são. Ver o artigo separado sobre *Aura Humana (Campo de Vida),* quanto a completa explicação a respeito. Temos aí uma adaptação do conceito platônico das *Idéias,* e de como elas são duplicadas no nosso mundo físico. O conceito das religiões orientais, que dizem que o homem é um complexo de energias vitais—corpo físico, vitalidade, alma e superego—é similar à noção platônica do complexo humano. O *superego* aparece ali como uma espécie de *Idéia* platônica.

Os tradicionais atributos de Deus, segundo o cristianismo, são virtualmente idênticos às **Idéias** superiores, dentro do sistema platônico das Formas. Apesar de ser um exagero dizer, conforme disse Cícero: «Eu prefiro estar errado, ao lado de Platão, do que certo», deve-se admitir que a influência de Platão tem sido muito profunda, e que deverá continuar a sê-lo ainda por muito tempo. Por certo, ele tinha mais a dizer sobre a alma do que o antigo judaísmo. Assim sendo, quanto a essa importante questão, ele nos forneceu maior verdade do que o Antigo Testamento.

A atitude de Platão acerca da *teoria do conhecimento*, onde ele nos fornece a hierarquia formada pela percepção dos sentidos, razão, intuição e experiências místicas, é crescentemente válida, pelo que o cristianismo e as religiões em geral apegam-se a essa idéia. Platão apresentou um ponto de vista sobre o conhecimento que, devido à sua habilidade e à defesa que ele ali faz do conhecimento, tem sido útil para os filósofos e os teólogos através dos séculos.

No campo da *ética,* a insistência de Platão de que o

PLATONISTAS — PLENITUDE

prazer não é o alvo da vida, mas que as grandes virtudes que refletem a justiça, a bondade e a verdade são as coisas que deveriam governar a nossa inquirição espiritual, tem sido uma constante da fé religiosa. O fato de que ele fazia da inquirição filosófica uma busca pelo Eterno mui naturalmente tem inspirado as mentes religiosas. Sua doutrina da reunião da alma humana com o Ser divino, como o alvo da existência humana, é o grande tema do misticismo, tanto oriental quanto ocidental, aparecendo até mesmo em importantes passagens neotestamentárias que ensinam que haveremos de compartilhar da natureza e da imagem de Cristo (ver Rom. 8:29; II Cor. 3:18 e Col. 2:10), e, por conseguinte, da própria natureza divina (ver II Ped. 1:4). A metafísica que transparece na epístola aos Hebreus é definidamente platônica, o que pude comentar em meu artigo sobre aquele livro do Novo Testamento, em sua seção sexta, ponto quarto.

PLATONISTAS DE CAMBRIDGE

Eles formavam um grupo de eruditos éticos, sob a liderança de Cudworth (que vide), com sede na Universidade de Cambridge, durante o século XVII. O movimento tinha por finalidade promover a filosofia tradicional da era humanista. Surgiu devido ao antagonismo a Hobbes (que vide), o qual advogava uma teoria mecânica da ética. Os platonistas de Cambridge procuravam refutar essa teoria com uma renovada ênfase sobre a teleologia. Nomes associados ao movimento são Henry More, John Norris, Samuel Clarke, William Wollanston, Richard Cumberland.

Princípios Principais. Além daquilo que já mencionamos, eles salientavam a relação entre a fé e a razão, a distinção final entre o que é certo e o que é errado, o papel do misticismo na experiência do indivíduo, as evidências racionais em prol da existência de Deus. Essa filosofia era uma forma de puritanismo e de neoplatonismo. (E EP)

PLÊIADES (e OUTRAS CONSTELAÇÕES); SETE-ESTRELO)

Essa é uma constelação mencionada em Jó 9:9; 38:31 e Amós 5:8. Trata-se de um compacto conjunto de sete estrelas em Tauros, localizado cerca de trezento anos-luz do sol. Essa constelação pode ser vista durante a primavera, imediatamente antes do alvorecer. A declaração popular acrca de suas «doces influências» teve origem no fato de ser visível durante a primavera, daí ter-se pensado que ela exerce influência sobre as condições do tempo. Em contraste, o Órion, devido à sua proeminência no outono, seria a influência que acabaria trazendo o inverno e suas dificuldades.

O trecho bíblico de Jó 38:31 envolve uma mensagem obscura: «Ou poderás tu atar as cadeias do Sete-estrelo, ou soltar os laços do Órion?»

Alguns estudiosos supõem que os antigos pensavam que essas duas constelações estavam ligadas entre si pela nebulosidade que as circunda, ou que elas exerciam alguma espécie de atração mútua. Daí vem a idéia de «atar as cadeias», que encontramos nessa citação, embora outras traduções falem nas «doces influências» a que já nos referimos. Seja como for, Deus é quem faz essas constelações surgirem no horizonte, e ninguém pode atá-las ou fazê-las parar na influência que porventura tenham—essa parece ser a idéia envolvida naquela citação. A constelação do Órion anuncia o inverno, que faz parar a produção, impedindo os homens de continuarem em suas atividades; e coisa alguma é capaz de fazer parar esse processo natural. A mensagem geral, pois, parece ser que a providência divina ordenou os acontecimentos da natureza, não estando estes sujeitos a alterações por parte dos homens e suas maquinações.

Outras Constelações Mencionadas na Bíblia:

1. *Arcturo*. Demos um artigo separado e detalhado a respeito.

2. *Signos do Zodíaco*. Ver Jó 38:32. Algumas traduções falam em *Mazarote*. O sentido da passagem, no hebraico, é obscuro. Mas essa constelação é mencionada juntamente com a Ursa. A tradução «signos do Zodíaco» está baseada no fato de que o aramaico, *mazzaloth*, significa «estrelas circundantes», equivalente a «signos do Zodíaco». Jó foi desafiado a guiar essas estrelas, conforme Deus faz, o que salienta a impotência e a ignorância do homem, quando posto em confronto com o Deus Todo-Poderoso.

3. *Recâmaras do Sul*. Ver Jó 9:9. A referência, nesse caso, também é obscura. Parece estar em foco as constelações que aparecem acima do horizonte, quando alguém viaja para o sul, ao longo da rota comercial, dirigindo-se à Arábia. Quanto a essa questão, comentou John Gill, em Jó 9:9: «As estrelas do hemisfério sul, em torno da Antártida ou pólo sul. São aqui chamadas de *recâmaras*, conforme Aben Ezra observou, por estarem ocultas e não aparecerem aos olhos de quem reside no outro hemisfério, como se elas estivessem em uma recâmara. Ora, a criação delas é corretamente atribuída a Deus, o qual fez todas as estrelas (ver Gên. 1:16), embora o texto presente possa considerar que a continuação da existência delas depende Daquele que as criou, que as chama por nome, que faz surgir todo o seu exército, que as dirige em seu curso, que as mantém em suas órbitas e que preserva a influência delas».

4. *Outras Referências*. Os «perversos», referidos em Jó 38:15, talvez seja uma alusão às estrelas-cão (Cão Maior e Cão Menor). E «o braço levantado», que aparece naquele mesmo versículo, pode ser uma alusão à Linha do Navegador, que consiste nas estrelas Sírius, Prócion e Gemini. A referência, contudo, é obscura, e talvez não haja nenhum real conhecimento astronômico envolvido.

PLENITUDE

Sumário dos Tipos de Plenitude:

1. A plenitude de Cristo (João 1:16). Essa idéia indica os recursos inesgotáveis de sua graça, onde lemos — graça sobre graça — isto é, um amplo suprimento para os seus escolhidos.

2. A plenitude de Cristo, em Efésios 4:13, fala sobre a maturidade espiritual que os crentes podem obter, ou seja, os atributos e as virtudes de Cristo, com base na participação em sua própria natureza (ver Rom. 8:29). Vamos sendo transformados na imagem de Cristo, e assim vamos também participando na natureza divina (II Ped. 1:4), por meio do poder do Espírito, passando de um estágio de glória para outro (II Cor. 3:18).

3. A plenitude de Deus (ver Efésios 3:19), ou seja, a plena realização do plano de Deus, nas vidas dos verdadeiros crentes, por intermédio de Cristo. Trata-se da mesma verdade descrita no segundo ponto, acima, com um título diferente.

4. A plenitude de Deus que reside em Cristo. Os mestres gnósticos imaginavam que a natureza e os atributos de Deus estariam distribuídos pelo *pleroma*

PLENITUDE — PLENITUDE (PLEROMA)

das manifestações angelicais. Porém, Paulo ensinou que toda essa plenitude reside exclusiva e inteiramente na pessoa de Jesus Cristo. A mesma coisa é declarada em Colossenses 2:9. Está em foco a perfeita e plena divindade de Cristo, juntamente com todos os atributos divinos.

5. Essa mesma plenitude também haverá de manifestar-se nos crentes (ver Colossenses 2:10), porquanto, assim como o Pai a deu ao Filho, o Filho agora a dá aos filhos de Deus. Essa é a mais espantosa e profunda declaração do evangelho, no que tange aos escolhidos. O mesmo ensino aparece sob o segundo ponto, acima, embora expresso de outra forma.

6. A Igreja é a plenitude de Cristo (Efé. 1:23), da mesma forma que o corpo está unido à cabeça, a fim de formarem uma entidade completa, onde a cabeça domina e dirige o todo. Cristo enche a todas as coisas. O seu poder domina a tudo, e ele representa tudo para todas as entidades e seres. Ao mesmo tempo, somos a sua plenitude, isto é, um dos meios mediante os quais ele preenche a tudo, tal como os membros do corpo cumprem aquilo que a cabeça lhes ordena fazer, para benefício mútuo e para benefício uns dos outros. Tudo isso está envolvido na questão da restauração geral, referida em Efésios 1:9,10. Essa restauração é a essência do mistério da vontade de Deus. Ver o artigo separado sobre a *Plenitude dos Tempos*, e sobre a *Restauração*. O trecho de Efésios 1:23 tem paralelo em Efésios 3:10: a multiforme sabedoria de Deus, que se manifesta aos elevados poderes angelicais, por meio da Igreja. Na eternidade futura, a Igreja expressará, para a criação em geral, a sabedoria, o poder e as realizações de Cristo, ou seja, será um agente da unidade, por via da restauração, que constituirá a vontade de Deus. A julgar por esses versículos, opinamos que uma das grandes tarefas da Igreja, nos ciclos do estado eterno, será a ministração das graças e propósitos de Cristo ao resto da criação. E isso constituirá uma obra restauradora, com a finalidade de produzir uma unidade absoluta, em redor de Cristo, envolvendo *todas as coisas*. É lamentável que tantas denominações evangélicas, ao aderirem a uma rígida posição acerca do julgamento final, tenham perdido de vista esse glorioso ensinamento bíblico. O mistério da vontade de Deus ultrapassa à doutrina de um julgamento pessimista. Ver o artigo separado sobre o *Julgamento*.

7. A *pleroma* (plenitude) *no gnosticismo*. Os gnósticos tinham idéias variegadas. Podemos ilustrar esse fato com o valentinianismo. De acordo com esse sistema, a *pleroma* falava sobre as emanações de Deus, completas com os atributos divinos. Os gnósticos referiam-se às ordens angelicais, quando falavam em pleroma. Entre essas ordens haveria trinta *aeons*, que seriam os maiores poderes que teriam emanado de Deus. Isso corresponde, a grosso modo, às idéias ou *universais* (vide) de Platão. Todas as coisas existentes na terra seriam apenas cópias desses universais, pelo que seriam defeituosas, temporais e imitativas. No valentinianismo, a Palavra procede da *pleroma*, que seria seu lugar de repouso. Em Jesus, os poderes e atributos da pleroma ter-se-iam manifestado, de tal modo que ele se teria tornado «a perfeita beleza e estrela da pleroma» (Irineu, *Heresias* 1:14,2). A doutrina de Paulo, na epístola aos Colossenses, é que Cristo, que é o Logos, é a essência do *PLEROMA* e, de fato, é a própria *pleroma*. Isso elimina a idéia das emanações de *aeons*, até onde diz respeito à soteriologia, embora não negue a existência de muitas ordens de seres angelicais, o que é especificamente ensinado pelo apóstolo Paulo, em outros lugares, como Efésios 1:21, para exemplificar.

8. *Usos não-teológicos da pleroma*. No trecho de Mateus 9:6, a forma verbal é empregada para referir-se ao *preenchimento* de uma rasgadura, com um remendo; em Marcos 6:43 há alusão aos pedaços restantes de alimentos, após a miraculosa multiplicação de pães e peixes para a multidão. O conteúdo da terra forma a sua plenitude (Sal. 24:1). A somatória de todos os judeus e gentios crentes forma uma plenitude (Rom. 11:12). O amor é o cumprimento ou realização da lei (Rom. 13:10).

PLENITUDE (PLEROMA) DE DEUS
Descrições da Plenitude de Deus

1. É a natureza divina com todos os seus atributos. Os gnósticos espalharam a *pleroma* através dos muitos mediadores angelicais e fizeram o Cristo-Espírito participar em parte desta plenitude.

2. Essa plenitude não está dividida em partículas, entre as muitas ordens angelicais. Concentra-se na pessoa do *Logos*, chamado Cristo na sua encarnação. Ver Col. 1:19 e 2:9.

3. Mas (grandioso pensamento!) também reside em nós, em Cristo, Col. 2:10 e Efé. 3:19. Ver também Efé. 1:23.

4. A participação do Filho nessa plenitude é infinita. A participação dos filhos de Deus é finita; mas irá aumentando sempre, porquanto a glorificação é um processo eterno. Posto existir uma infinitude, com a qual seremos repletos, então também deve haver um infinito processo de enchimento. E posto que o alvo da salvação é infinito, então o progresso para esse alvo também deve ser infinito.

Segundo os sistemas do estoicismo e do neoplatonismo (bem como do gnosticismo), a essência divina se emanava mais ou menos como os raios solares emanam do sol. Acrescentavam que à proporção que tais raios se afastavam do centro, iam progressivamente se debilitando em seu resplendor, até que, a uma distância suficiente de Deus, imperavam as trevas. Porém, de acordo com o sistema cristão, revelado no N.T., a essência divina se manifesta em sua mais *completa plenitude* na pessoa de Cristo, o «Logos».

Ora, essa mesma plenitude é outorgada aos homens por meio do ministério do «Logos». Isso ocorre, a princípio, na forma de uma revelação acerca da natureza de seu ser, isto é, os homens são iluminados quanto à grandeza de Cristo, e nele passam a perceber o alvo da criação inteira.

PLENITUDE (PLEROMA) DE DEUS, CRISTO COMO
Ver Col. 2:9.

Como Cristo Pode ser a «Pleroma» de Deus?

1. Paulo tomou emprestada essa palavra dos gnósticos, embora lhe tenha dado um sentido todo seu. Para Paulo, Cristo possui a natureza divina inteira, com todos os seus atributos e manifestações: tudo concentrado «em uma pessoa». O que os gnósticos distribuíam entre tantas e tantas ordens de seres, o apóstolo atribuía exclusivamente a Cristo.

2. Isso significa que, «em sua pessoa única», Cristo é maior que as muitíssimas supostas emanações de ordens angelicais. Outrossim, ele tem maior poder e glória que todas as emanações **conjuntamente. Ele é a** «pleroma inteiro».

3. Tal uso, naturalmente, importa em poderosíssima declaração sobre a *Divindade de Cristo* (ver as notas a respeito em Heb. 1:3 no NTI). Equivale a

PLENITUDE — PLENITUDE (PLEROMA)

doutrina do *Logos*, em João 1:1.

4. Col. 2:10 ensina a doutrina prodigiosa de que, «*em Cristo*» (por motivo de nossa união espiritual com ele), os crentes também participarão desse «pleroma», da natureza divina e de todos os seus atributos.

Habita corporalmente, Col. 2:9. A primeira dessas duas palavras, no original grego, é *katoileo*, que significa «habitar permanentemente», «estabelecer residência», em contraste com *paroikeo*, «residir temporariamente». Trata-se da mesma palavra usada em Col. 1:19, que fala sobre a «plenitude de Deus», que em Cristo habita.

Corporalmente. No grego temos *somatikos*, isto é, «de modo corpóreo», «pertencente ao corpo». Esse uso cria certas dificuldades, pois não devemos imaginar que um corpo literal e físico seja capaz de ser a residência de todas as perfeições da natureza divina, porquanto isso seria uma contradição em termos, já que o espiritual dificilmente se identifica com o que é corporal.

O contexto descreve a glória do Cristo atualmente glorificado, em contraste com a posição inferior que os gnósticos lhe atribuíam, como se ele fosse apenas um dentre muitos «aeons». Notemos aqui o tempo presente: toda a plenitude divina «está habitando» em Cristo, pelo que dificilmente está em vista a encarnação. Abaixo expomos as principais interpretações de Col. 2:9.

1. Alguns estudiosos pensam que a «encarnação» é aqui focalizada. Mas isso é quase impossível, do ponto de vista doutrinário, pois o próprio Paulo, em Fil. 2:7, aludindo à encarnação, via Cristo como *esvaziado* dos atributos divinos. Ainda que compreendêssemos (e isso corretamente) que isso não indica a «natureza», mas antes, suas manifestações (a manifestação dos atributos divinos), continuaria difícil perceber como, na encarnação, Cristo poderia ser visto como possuidor de toda a plenitude de Deus. De fato, fazia parte do plano divino que, na encarnação, essa *plenitude* fosse despida. Teria sido impossível para Cristo viver entre os homens, se porventura tivesse retido a plenitude de Deus. A encarnação, pois, foi a desistência temporária dessa plenitude, o que, neste texto, significa os «atributos» divinos e sua manifestação, com base na natureza divina.

2. Alguns pais da igreja pensavam que o termo significa «genuinamente», em oposição a «simbolicamente», sem qualquer alusão ao corpo físico; e isso é um uso legítimo do vocábulo. Em Cristo habita, *realmente*, a plenitude divina, em contraste com os «aeons», que eram tidos como possuidores de partículas da mesma, embora todos juntos, exibissem tal plenitude.

3. Essa palavra também indica que, em Cristo, «em um só lugar, totalmente», em um «todo orgânico» (conforme diz Peake, *in loc.*), habita a plenitude, *como que formando um só corpo*. Nada de meras partículas da plenitude a habitarem em Cristo, conforme pensavam os gnósticos. As muitas «partículas» dos atributos divinos, pelos gnósticos eram distribuídas entre as «stoicheia», ou ordens de seres angelicais.

4. Há quem pense que isso alude ao modo atual da existência do Logos divino, em seu «corpo celeste», o qual, naturalmente, não se compõe de matéria, mas é antes uma forma de energia que pertence à natureza espiritual, própria para os lugares celestiais. (Ver I Cor. 15:20,35,40 quanto ao que sabemos sobre esse corpo e sobre o que se tem conjecturado a seu respeito. Ver Fil. 3:21 e as notas expositivas ali existentes no NTI sobre o «corpo da glória» de Cristo). Esse é um sentido possível, que alguns estudiosos preferem.

5. Também há aqueles que pensam que a alusão ao «corpo» aponta para a igreja. Nesse corpo, ele tem a plenitude de Deus. Mas essa idéia é obviamente falsa, porquanto é a grandeza de Cristo que está em pauta, independentemente de tudo o mais. Em Col. 2:10, entretanto, a igreja entra em cena. Então ela é vista como possuidora, igualmente dessa «plenitude de Deus», devido à sua associação com Cristo. No entanto, essa é uma doutrina extremamente rara nos púlpitos das igrejas evangélicas.

Antes da encarnação, a plenitude habitava em Cristo, em forma não-corpórea; mas também veio a habitar nele, em «forma corpórea», embora isso não aluda a qualquer coisa física. Diz-se que os crentes estão destinados a habitar na glória, da mesma maneira, cheios de «toda a plenitude de Deus» (ver Efé. 3:19), tal como sucede no caso de Cristo.

As interpretações de números três e quatro são as mais prováveis; não são contraditórias. Ambas aludem à sua «glorificação», e ambas dizem que a «pleroma» ou plenitude de Deus habita em Cristo. A terceira meramente afirma que o termo «corporalmente» não alude a seu «corpo celeste», mas somente ao fato de que se acha «em um único ser», manifestando-se em «um único lugar». Não se acha ela dispersa entre uma sucessão quase interminável de seres sombrios, chamados «aeons». Tudo está localizado em uma única pessoa. Talvez o texto não tencione fazer diferença entre o Cristo pré-encarnado e o Cristo pós-encarnado. Na qualidade de Verbo eterno, a cada lado da eternidade, ele possui a «plenitude». Somente Cristo, portanto, é objeto digno de nossa adoração. Somente ele é o alvo de nossa busca espiritual.

Santos em adoração postam-se em torno dele,
E tronos e poderes caem à sua frente;
E Deus rebrilha gracioso, através do homem,
Distribuindo doces glórias a todos.
(Isaac Watts)

«Que tremendo contraste com as tradições humanas e com os rudimentos do mundo» (Meyer, *in loc.*).

«Que contraste com as agências espirituais, concebidas como intermediárias entre Deus e os homens, em cada uma delas a plenitude divina se dividia e a glória divina se esmiuçava, em proporção à posição distanciada de Deus, em sucessivas emanações». (Vincent, *in loc.*).

Senhor de todo ser, entronizado no alto,
Tua glória procede do sol e das estrelas,
Centro e alma de toda a esfera,
Mas de cada coração amante, quão próximo!
(Oliver Wendell Holmes).

Da Divindade. No grego temos o vocábulo *theotes*, «deidade», «divindade», «natureza divina». A própria *essência* da divindade está em foco, segundo o mostrará a consulta em qualquer bom léxico. Essa palavra fala sobre o «estado do ser divino»; mas, vinculado à «plenitude», deve incluir também a idéia da «manifestação» de todos os atributos e perfeições divinos. Cristo é o guardião de toda a natureza divina e seus atributos; não participa meramente de algum fragmento da mesma, conforme dizia a idéia gnóstica dos «aeons», entre os quais eles classificavam também o Cristo.

PLENITUDE (PLEROMA) DE DEUS, PARTICIPAÇÃO DO HOMEM NA

Sejais tomados de toda a plenitude de Deus, Col.

PLENITUDE — DOS GENTIOS

2:10. As palavras «de Deus», podem assumir vários significados, a saber:

1. A plenitude que vem da parte de Deus, em que o Senhor aparece como fonte originária (genitivo de origem, no grego).

2. Mais provavelmente ainda, a plenitude que «pertence» à pessoa de Deus (genitivo de possessão). Esta segunda possibilidade está de acordo com o grande evangelho paulino, embora a outra idéia também expresse uma verdade.

«Plenitude», grego, *pleroma*, para significar a natureza divina com seus atributos. A filosofia religiosa do tempo de Paulo usou este termo para indicar a totalidade das muitas ordens angelicais, cada uma delas participando (esta filosofia imaginou) em partículas da natureza divina. Col. 2:9, ousadamente, declara que Cristo tem toda a pleroma. Col. 2:10, ousadamente, declara que os irmãos dele, recebem a mesma. Isto os eleva muito além dos mais altos poderes angelicais em natureza e atributos. A expressão, neste versículo, tem grande alcance, mostrando-se realmente audaz. Existe um destino tremendamente elevado para a alma humana redimida, que será elevada muito acima dos anjos mais exaltados, porquanto receberá a própria plenitude de Cristo. (Ver Efé. 1:23). E isso levará a alma remida a compartilhar perfeitamente da imagem de Cristo (ver Rom. 8:29), bem como a própria natureza e as perfeições de Deus Pai (ver II Ped. 1:4), o que nos tornará participantes da própria natureza divina. E essa expressão não deve ser sujeita a limitações, conforme aquelas que enumeramos abaixo:

1. Alguns pensam que essa plenitude será concedida em consonância com a capacidade daquele que a receber. Admitimos de pronto que, por enquanto, não podemos receber tal plenitude; não obstante, o alvo final é a perfeição absoluta, a participação na própria natureza divina, porquanto a própria eternidade nos servirá de oportunidade para crescermos até atingirmos todas as perfeições de Deus. Isso pode ter começo agora, terá prosseguimento na eternidade — pois Deus é infinito e não tem fim. O alvo do evangelho, portanto, é absolutamente ilimitado.

2. A participação na natureza divina pelos irmãos de Cristo é finita, enquanto a participação do Pai e do Filho é infinita. A participação dos irmãos é, portanto, secundária em «extensão», mas não diferente em «tipo». A própria eternidade será envolvida no aumento contínuo da glória dos santos. Sendo que existe uma infinidade com a qual devemos ser enchidos, deve existir também uma infinidade de enchimento.

Por conseguinte, o ensino bíblico que aqui encontramos é que a própria plenitude das perfeições divinas, alicerçadas na natureza divina, será outorgada aos remidos, àqueles que se aproximam de Deus por intermédio de Cristo. A própria vida «independente» e «necessária» de Deus (ver João 5:26,27 e 6:57) lhes será dada, e isso de maneira absoluta. No dizer de Crisóstomo, isso é «A súmula das perfeições divinas».

«*Para sermos cheios, tal como Deus é cheio*». (Alford, Olshausen, Ellicott, Eadie). «A diferença entre Deus e os santos não será a qualidade, e, sim, o grau e a extensão» (Abbott, em Col. 2:10). Contudo, o efeito da eternidade será ir diminuindo sempre a «extensão», porquanto, na verdade, os remidos tornar-se-ão participantes da própria «natureza divina» (ver II Ped. 1:4), uma vez que serão transformados, da maneira mais literal possível, na exaltadíssima imagem de Cristo (ver Rom. 8:29), posto que passarão de um estágio de glória para outro, mediante a operação íntima do Espírito Santo, segundo se lê em II Cor. 3:18.

Portanto, é um erro restringirmos o sentido desta passagem, como se tudo quanto ela quisesse dizer é que recebemos os «dons do Espírito», como se esses fossem instrumentos que nos conferem a plenitude de Deus, de maneira secundária, ou meramente como se estivesse em foco a «presença da graça», como representativa dessa plenitude. Por semelhante modo, esta passagem não pode ser interpretada de maneira «panteísta», porquanto por todas as páginas do N.T., a glória futura também haverá de preservar o crente individual, sem jamais absorvê-lo no grande Espírito divino. (Ver as notas expositivas sobre Apo. 2:17 no NTI, acerca do «caráter sem-par de cada crente individual»).

Cristo Jesus possui a *plenitude da deidade*, e compartilha dessa plenitude com os seus remidos, conforme o trecho de Col. 2:9,10 nos mostra. É «nele» que também ficamos cheios (ver o décimo versículo dessa passagem). Isso expressa idéia idêntica da que encontramos em Efé. 1:23, onde se lê que somos a plenitude daquele que preenche a tudo em todos.

Precisamos ouvir muito mais do evangelho positivo de progresso segundo a imagem de Cristo. Não basta a mensagem de perdão dos pecados. É verdade que essa mensagem é necessária, mas isso representa apenas o primeiro degrau. Posso ser livre do pecado, mas isso ainda não significa que eu tenha grande participação nas qualidades morais positivas de Deus, as quais nos são conferidas por meio da atividade do Espírito Santo, nos termos de Gál. 5:22,23.

«Estar cheio de Deus é algo grandioso; estar cheio da 'plenitude' de Deus é algo ainda maior. Estar cheio de 'toda' a plenitude de Deus é algo que nos deixa atônitos os sentidos, confundindo-nos o entendimento». (Adam Clarke, em Col. 2:10).

Oh! imensidade a que chamo de 'eu',
Minha alma, engrandecida por Deus és tu.
A pequenez do mundo, a miséria e o pecado
Por longo tempo ocultaram isso de minha visão.
Mas agora vejo, a transformação em sua imagem
É o que a Bíblia indica por novo nascimento.
Essa grande verdade está oculta daqueles que
Aspiram apenas habitar em algum lugar celeste,
Quando o destino da alma é ter essas riquezas,
Ser o que Ele é, pela graça;
Ser o que Ele é, divindade compartilhada,
Verdade dominante, fato admirável,
O caminho por Ele preparado.

(Russell Champlin)

PLENITUDE DOS GENTIOS

Ver Rom. 11:25

Esse endurecimento ou cegueira haveria de dar ao evangelho sua oportunidade histórica para ser oferecida aos povos gentílicos; e a pregação do evangelho entre os gentios mostrar-se-ia eficaz, cumprindo o plano divino acerca deles, mediante o chamamento da igreja cristã. É interessante que essa expressão tem merecido certa variedade de interpretações, conforme a lista abaixo:

1. Seria o *complemento dos gentios*, ou seja, que certo número de gentios haveria de ser acrescentado ao número total dos remidos, o que serviria para «complementar» ou completar o número dos remidos em Israel. Wordsworth (*in loc.*) fala sobre «o número completo da tripulação do navio», isto é, da igreja, considerada como «arca da salvação», o que poderia

PLENITUDE — DOS TEMPOS

significar o acréscimo de um número suficiente de elementos gentílicos aos judeus já salvos, a fim de completar o número total que comporá a igreja cristã. Isso faz parte da verdade total, mas não é a verdade específica que Paulo salienta aqui.

2. Outros estudiosos pensam que se trata da *grande maioria* dos gentios, que seriam conduzidos aos pés de Cristo. Isso se harmoniza bem com a interpretação literal das palavras, mas não parece ajustar-se bem à teologia paulina comum. Paulo mantinha a esperança de uma grande e universal melhoria da posição do homem perante Deus, através de Cristo, conforme se vê no segundo capítulo da epístola aos Filipenses e no primeiro e quarto caps. da epístola aos Efésios. Mas ele não faz disso a redenção dos eleitos, sobre o que esse versículo certamente fala.

3. Alguns eruditos chegam ao extremo de fazer disso a salvação total, universal, de todos os gentios, da mesma forma que somos informados de que «todo o Israel» será salvo. Tais eruditos dão ares de universalismo decisivo a esta passagem. Isso importaria em uma tremenda doutrina, se porventura fosse o ensino aqui exarado (tal como aparece nas obras espúrias do Evangelho de Nicodemos, do Testamento de Abraão e de outras obras cristãs primitivas). Porém, essa opinião também labora contra a teologia paulina ordinária, embora seja possível como interpretação das palavras que figuram neste texto.

4. Outros sábios preferem vincular isso aos «eleitos», aos conhecidos de antemão, os predestinados, os gentios justificados em Cristo (conforme se vê no oitavo cap. de Romanos), bem como ao *número completo* que formará o corpo místico de Cristo, a igreja. Quando esse número completo (que é conhecido exclusivamente por Deus) tiver sido chamado do mundo, então haverá a plenitude dos gentios.

5. Uma pequena variação dessa quarta posição diz que haverá o número total de salvos, dentro do plano de Deus para a igreja cristã gentílica, embora sem dar qualquer ênfase especial a um certo número.

6. Ainda outros intérpretes falam sobre o *tempo completo*, durante o qual Deus estará tratando direta e especificamente com os gentios.

7. Finalmente, ainda um outro grupo de intérpretes acredita que essa expressão indica, meramente, «a totalidade dinâmica e orgânica do mundo pagão», ou seja, a «salvação entre a totalidade das nações gentílicas», vistas como nações, e não como indivíduos.

A comparação de Rom. 11:12 com Rom. 11:25, que vê os judeus como nação, talvez empreste alguma força à última dessas sete diferentes interpretações; mas as de número quatro e cinco parecem ser as mais exatas. O plano divino sobre os gentios será necessariamente executado em sua inteireza, e as exigências exatas desse plano de redenção serão todas satisfeitas. Quando tudo isso se cumprir devidamente, haverá a *plenitude dos gentios*. Em outras palavras, o plano divino, concretizado entre as nações gentílicas, no chamamento da igreja cristã. Parece ser esse o pensamento requerido pelo texto. Não podemos divorciar isso, porém, das idéias paulinas expostas no oitavo capítulo da epístola aos Romanos, ou seja, os conceitos de conhecimento prévio, predestinação, eleição, justificação e glorificação da igreja gentílica. Esse plano, em sua total realização, será a «plenitude dos gentios».

Haja entrado. Essas palavras indicam a *conversão* e não meramente o «tempo» determinado para os gentios. A conversão se completará, envolvendo todas as nações gentílicas que reconhecerão a missão messiânica de Cristo Jesus. Essas palavras significam que os «gentios» entrarão no «reino de Deus», o que só pode ser efetuado por meio da verdadeira conversão. (Conforme aprendemos em João 3:3). Alguns estudiosos crêem que o reinado pessoal do Messias assinalará o fim desse período especial da entrada dos gentios. Tais palavras, na opinião **deles, assumem**, portanto, um sentido *escatológico*, o que talvez esteja correto. Assim também interpretaram Sanday e Headlam, quando comentaram essa expressão: «...usada quase tecnicamente, para indicar a entrada no reino da glória ou vida divina (comparar com Mat. 7:21; 18:8; Mar. 9:43-47), pelo que também veio a ser utilizada absolutamente no mesmo sentido (ver Mat. 7:13; 23:13 e Luc. 13:24)».

O apóstolo Paulo mostra que os povos gentílicos, por conseguinte, estão inclusos no plano divino, e que os presentes privilégios espirituais deles não dependiam de qualquer mérito que tivessem em si mesmos. Por conseguinte, não havia razão para serem orgulhosos ou jactanciosos. Outrossim, Deus ainda não havia terminado sua obra em Israel, embora os crentes gentios tivessem aprendido a desprezar aos israelitas. Ora, se Deus não despreza os israelitas, e ainda haverá de redimi-los, nenhum homem pode ter a presunção de desprezá-los.

Incidentalmente, Rom. 11:25 ensina-nos que haverá uma conversão *generalizada* de israelitas somente *no fim* da presente dispensação.

PLENITUDE DOS TEMPOS

Essa expressão é usada em Efésios 1:10, a fim de designar ciclos de tempo antes do estado eterno. Cada um desses ciclos contribuiria para produzir a dispensação final, ou seja, a ordem social, ontológica e governamental da eternidade. Lemos aqui sobre a «dispensação da plenitude dos tempos», ou seja, a dispensação que resultará, finalmente, dos tempos ou ciclos. Portanto, a expressão refere-se a distintos períodos ou ciclos de tempo, nos quais Deus trata de alguma maneira específica com os homens.

Alguns estudiosos pensam que esses ciclos ou dispensações são sete: consciência, sacrifício, governo humano, promessa, lei, graça, e eternidade. Porém, apesar de elementos de tais períodos estarem envolvidos, dificilmente há possibilidades de Paulo ter falado especificamente em tais termos. Não obstante, devemos incluir na questão aqueles grandes períodos do desenvolvimento espiritual, como a promessa feita a Abraão, a época da lei mosaica, o nosso tempo da graça divina em Cristo, o milênio vindouro, etc.

A primeira e a segunda vindas de Cristo também devem estar relacionadas aos *tempos* e às operações realizadas em cada um deles. Por conseguinte, «a plenitude dos tempos» será o resultado de todos os tempos anteriores, a grande conclusão a que estamos sendo levados pela progressão dos ciclos. Trata-se dos mesmos «tempos ou épocas» que foram determinadas pelo Pai (ver Atos 1:7). Uma nova ordem de coisas resultará desses tempos, a saber, o estado eterno. De acordo com o texto de Efésios 1:9,10, isso dará lugar a uma *restauração geral*, de todas as coisas. Ver o artigo separado sobre a *Restauração*. O texto afirma que isso envolve o *mistério da vontade de Deus*, um ensino que Paulo estava oferecendo naquele preciso momento. Paulo estava dizendo que ele revelava algo sobre a vontade de Deus, no tocante ao destino final da humanidade, que antes disso era desconhecido. É inútil tentar ajustar isso às antigas idéias sobre o julgamento divino. Se assim fizermos, perderemos de vista a mensagem dessa nova revelação, que afirma o que Deus fará pelos homens, de modo geral, através da missão de Cristo — algo que, antes, disso, seria inconcebível.

Ficamos, pois, sabendo que a missão de Cristo afeta a todos os homens, ou para remir (aos escolhidos), ou para restaurar (aos demais). Nisso são combinados os discernimentos do calvinismo e do arminianismo. O calvinismo declara que a missão de Cristo não pode falhar; no entanto, corrompe o conceito ao aplicar essa missão somente aos eleitos. O arminianismo percebe que a missão de Cristo é potencialmente universal, mas corrompe o conceito, não percebendo que o propósito predestinador de Deus está por detrás de tudo. Portanto, essa missão não é universal apenas potencialmente, mas universal na realidade. Desse modo, a revelação de Paulo ultrapassa a ambos os sistemas, embora ambos os sistemas continuem a promover suas respectivas compreensões parciais da questão.

No trecho de Gálatas 4:4 temos uma expressão similar, «a plenitude do tempo», mas no singular. Provavelmente, tudo quanto esse texto indica é que, «no momento exato», o Filho de Deus foi enviado em Sua missão terrena, messiânica.

PLEROMA
Ver diversos artigos sob o título de **Plenitude**.

PLETHO, GIORGIUS GEMISTUS
Suas datas foram 1355-1440. Foi essencialmente através de seus esforços que Platão chegou a exercer influência sobre a Renascença italiana. Pletho fundou uma escola neoplatônica, na qual Cosimo de Medici e o cardeal Bessarion tinham interesses.

Pletho nasceu em Constantinopla e foi educado em Adrianópolis. Viveu quase toda a sua vida em Mistra. Ajudou a fundar a Academia Florentina, moldada de acordo com a *Academia de Platão* (vide). Sendo ele um filósofo neoplatônico, frisava a doutrina das emanações. Ele supunha que a matéria pode ter resultado de uma criação direta, mas insistia que a alma emanou das *Idéias* (vide), e que ela teve sua origem no *Um*.

PLÍNIO, O MOÇO
Ele foi assim chamado por ser o contemporâneo mais jovem de Plínio, o Velho, que era seu tio. Suas datas foram 62 D.C. até algum tempo antes de 114 D.C. Ficou órfão quando menino, e então foi adotado por seu tio. Mudou-se para a cidade de Roma, onde estudou direito. Adquiriu uma lucrativa prática advocatícia. Ocupou postos políticos secundários. Tornou-se governador da província da Bitínia e do Ponto, na Ásia Menor (cerca de 112 D.C.). Nesses lugares, perseguiu aos cristãos.

A fama de Plínio, o Moço, depende muito mais de suas produções literárias do que de qualquer outro fator. Ele escreveu *Epistulae* (Cartas), em dez volumes, totalizando trezentas e setenta delas. Os livros I-IX foram dirigidos a amigos, tendo sido escritos no período entre 97 e 109 D.C. O livro X envolve a correspondência que ele manteve com o imperador Trajano, referindo-se quase sempre aos problemas de seu governo. Nesse livro, na carta nº 96, Plínio o Moço, fala sobre como tratava aos cristãos. E é precisamente essa literatura que se reveste de maior interesse para os historiadores eclesiásticos. Plínio queixa-se ali que os templos pagãos estavam vazios, porquanto tanta gente se voltara para o cristianismo. Ele chamou o cristianismo de excessiva mas inofensiva superstição. Chegou a examinar pessoas sob tortura, fazendo-as dizerem tudo quanto ele desejava saber. Desse modo, ficou sabendo que os cristãos costumavam reunir-se antes do amanhecer, entoavam um hino a Deus e a um homem chamado Cristo, comprometiam-se a não cometer iniquidades, participavam de uma refeição em comum. Nada tendo achado nos cristãos que incorresse em culpa, suspendeu a condenação contra eles. O imperador Trajano elogiou o ato de Plínio, sem forçá-lo a agir de outro modo. Também aconselhou-o a procurar suspeitos, mas sem receber acusações anônimas. Todavia, qualquer cristão condenado (por haver praticado algum ato ilegal) deveria ser punido, a menos que negasse ser cristão e autenticasse essa negação prestando o devido culto aos deuses romanos.

As cartas de Plínio, o Moço, foram escritas em excelente estilo literário, cheias de encanto, muito informativas quanto às condições de vida da época, e bastante artísticas.

Além da carta que fala acerca dos cristãos, há outras que se revestem de especial importância, como aquela que fala sobre a sua vila Laurentina (livro II, carta nº 17), aquela que fala sobre os estudos constantes de seu tio (livro II, carta nº 5), e aquela sobre a erupção do monte Vesúvio (livro VI, cartas nºs 16 e 20).

PLOTINO
Ver o artigo geral sobre o **Neoplatonismo**, que nos dá o esboço histórico e o conjunto de idéias que cerca a pessoa de Plotino. Ver também o artigo intitulado *Platonismo*.

1. Informes Históricos
Plotino nasceu em cerca de 205 D.C. e morreu em 270 D.C. Estudou em Alexandria, no Egito. Tornou-se discípulo de *Amônio Saccas* (vide). Permaneceu como tal pelo espaço de onze anos. Em 243 D.C., reuniu-se a uma expedição ao Oriente, sob a direção do imperador Gordiano Pio. Ele resolveu fazer parte dessa expedição porque queria ter a oportunidade de estudar as filosofias orientais (persa e indiana). Porém, Gordiano foi assassinado na Mesopotâmia, e Plotino somente com muita dificuldade conseguiu escapar para Antioquia da Síria. Dali partiu para Roma. Ali chegando, começou a ensinar filosofia; e, mais tarde, ocupou-se na produção literária. Após a sua morte, seus estudantes coligiram os seus escritos; e Porfírio tornou-se o seu biógrafo. Plotino foi autor de seis conjuntos de nove tratados cada, que vieram a ser conhecidos como as *Eneadas*, nome derivado do número «nove», no grego. Os escritos de Plotino, pois, chegaram até nós dessa maneira.

Plotino exerceu considerável influência em Roma, quando ali ensinava; e até o imperador Públio Licínio Inácio Galieno e sua esposa muito o admiravam. Na verdade, Plotino foi mais do que um mestre. Ele tornou-se o guia espiritual de muita gente, e os historiadores falam de sua generosidade, suprindo às necessidades de muitas pessoas, segundo surgia a oportunidade. Sua casa vivia repleta de órfãos; ele cuidava deles legalmente, e provia para as necessidades básicas deles, bem como de sua educação. Sua escola de filosofia atraía muitos discípulos, entre os quais importantes homens de Estado, como senadores e outros oficiais do governo.

2. Idéias de Plotino
As principais influências filosóficas que formaram

PLOTINO — PLURALISMO

o alicerce da filosofia de Plotino foram Platão, Aristóteles e o estoicismo. Alguns de seus importantes conceitos filosóficos são alistados abaixo:

a. A alma está cativa dentro do mundo espaço-temporal dos sentidos, e está procurando livrar-se do mesmo. A alma esteve antes envolvida na Unidade primária, e a restauração a essa unidade é o verdadeiro alvo da existência. Parte de sua filosofia abordava como pode ter lugar essa separação e fragmentação. E outra parte, abordava como isso pode ser revertido.

b. O *Um* é a essência divina não-diferenciada. Tudo derivou-se desse *Um*, mediante o processo da *emanação* (vide). Essa emanação é lógica e espiritual, e não temporal. O *Um* original teria agido por meio de efulgência, e outras coisas foram assim individualizadas. Mas, como é óbvio, na emanação, nada viria à existência partindo do nada. Naturalmente, temos aqui um tipo de *panteísmo* (vide).

c. A emanação inicial foi a *Nous* ou *Inteligência*, a *Substância Mental*. Plotino igualava a *Nous* às *Idéias* (vide) de Platão. E a *Nous* teria dado multiplicidade ao *Um*; a *Nous*, além disso, existiria por meio das virtudes, da vontade e do poder do *Um*.

d. A segunda emanação do *Um* seria a *Alma do Mundo*. Essa é a vida e a inteligência ativa que existe na contemplação da *Nous*. Esse poder é o equivalente aproximado do *Demiurgo* de Platão (vide). Explicaria a existência da criação inferior, imitação (através de emanações) das *Idéias* (*Nous*). Temos aí o mundo temporal-espacial que é conhecido através da percepção dos sentidos. De fato, o mundo do espaço-tempo é, por assim dizer, parte da Alma do Mundo—o seu corpo. O tempo seria apenas o registro de como a Alma do Mundo procura incorporar, no mundo material, a plenitude do Ser eterno e infinito.

e. O estágio final da emanação do *Um* é o mundo material; e essa emanação está tão distante do *Um* e é um reflexo tão imperfeito do mesmo que pode ser considerado como virtualmente não-existente. Platão falava em termos do Real (as idéias) e do menos real (o mundo físico).

f. O mal é um concomitante natural e necessário da materialidade. Isso posto, só poderíamos escapar do mal pondo fim à nossa vinculação com a matéria, razão pela qual a alma humana deveria interessar-se por essa inquirição e libertação.

g. O homem combina em si mesmo os elementos da materialidade e da imaterialidade, pelo que é um ser em guerra contra si mesmo. Ele anela pela união com o *Um*, mas acha-se obstaculizado e degradado por causa de seu corpo físico.

h. A *contemplação* (por meio das experiências místicas) é o *modus operandi* da libertação do ser humano, pois dessa maneira a sua alma pode atingir uma união preliminar com o *Um*.

i. A liberação é o alvo do homem, embora não se deva esperar que o homem possa atingir esse alvo em um único período de vida terrena. A reencarnação, pois, para Plotino, era uma necessidade da experiência humana.

j. Todas as realizações e buscas humanas de algum modo estariam associadas ao desejo de ser o indivíduo restaurado à unidade com o *Um*, a fim de que este se torne tudo para todos. Apreciamos os objetos belos por vermos o *Um* e a Sua beleza nesses objetos. Anelamos pela bondade, porque nela pressentimos algo pertencente ao *Um*. Oculta-se aí, implícito, o argumento axiológico em defesa da existência de Deus, como também os argumentos baseados nos valores, na ética e na estética. Ver o artigo sobre o *Argumento Axiológico*.

1. *A teoria da identidade da verdade.* O processo da obtenção de conhecimentos deve ser, ao mesmo tempo, um processo de identificação. Se não houver identidade, nenhuma verdade estará sendo obtida. Aquilo que a verdade afirma, isso também ela deve *ser*. A verdade consiste em experimentar e participar, e não meramente em tomarmos conhecimento dos fatos. Quando experimentamos um objeto, é então que passamos a conhecê-lo. E assim, quando entramos em comunhão com o *Um*, identificando-nos com ele, então passamos a conhecer a verdade, conforme ela *é*.

m. *O problema do mal e a teodicéia.* Plotino dava muita atenção a esse problema. Ver o artigo detalhado intitulado *Problema do Mal*. É muito difícil explicar a origem do mal, seja em qual sistema for, pelo que muitas teorias têm sido aventadas. A explicação dada por Plotino parece ser que a emanação da materialidade está tão distante do *Um* que, virtualmente, não existe, incorporando aquilo que chamamos de «mal». Ele chegou bem perto, portanto, de dar a resposta gnóstica de que o mal consiste na própria materialidade, e que a matéria não tem remissão. Nesse caso, temos em Plotino um *dualismo* prático. E ele adicionava a isso que a perfeição do Todo requer a imperfeição das partes que constituem o Todo. Mas rejeitava a idéia de algum criador maligno dos mundos físicos. Ele minimizava a natureza do mal, afirmando que o mesmo só existe para os homens maus, não exercendo qualquer efeito negativo sobre a alma que já se aproxima do *Um*. Além disso, em comunhão com alguns filósofos, ele supunha que chamar algo de mau é, na realidade, perder de vista o Todo, o *Um*, no qual não há qualquer mal, e o qual deve incorporar suas partes constitutivas, incluindo o mundo físico. Assim sendo, ele chegou bem perto de dizer que não há tal coisa como o mal, em última análise. O mal seria apenas a ausência do bem, da mesma forma que as trevas são apenas a ausência de luz.

n. A *providência* permeia a tudo e precisa realizar a sua obra. Essa providência, porém, seria impessoal, e não atuação de um Deus pessoal. Coincidiria com o universo natural e operaria através de tudo quanto existe e de tudo quanto acontece. A própria morte é boa para o homem bom, visto que permite que ele continue em sua busca por restauração ao *Um*, sem o empecilho do corpo físico.

PLURALISMO

Esboço:
1. O Pluralismo Metafísico
2. O Pluralismo como uma Teoria de Valor

1. *O Pluralismo Metafísico*

Quando é usado como expressão filosófica, o «pluralismo metafísico» fala da idéia de que a existência compõe-se de muitas essências e elementos, e que elas não podem ser reduzidas a uma única substância ou realidade. O *pluralismo* insiste que há pelo menos três ou mais substâncias verdadeiras e distintas ou tipos de realidade. O *monismo* aceita somente uma verdadeira essência, embora possa haver uma pluralidade de expressões desse único elemento. Com freqüência, no monismo, essas manifestações são consideradas ilusórias ou menos reais. Por sua parte, o *dualismo* é a crença de que existem duas essências básicas de realidade. Nesta enciclopédia há artigos separados quanto a esses dois termos. Leibnitz falava acerca de muitas mônadas autocontidas, o que mostra que ele era um pluralista nesse sentido. Mas, visto que ele acreditava que tudo participa de uma única essência, nesse outro sentido ele era um monista. A doutrina do atomismo lógico, segundo ela foi desenvolvida por Bertrand Russell, é uma doutrina inteiramente pluralista. Ver o artigo separado sobre *Bertrand Russell*.

O cristianismo é normalmente pluralista, pois refere-se à essência divina como *única*; então alude aos seres não-materiais, que podem representar mais de uma categoria de ser (embora esse ponto seja disputado); e também fala sobre a materialidade, ainda uma outra dimensão da existência. Em contraste com isso, o panteísmo é monista. Anaxágoras era um pluralista confirmado, porquanto concebia um grande número de substâncias qualitativamente diferentes. Empédocles, todavia, limitava o número dessas substâncias a quatro: a terra, o ar, o fogo e a água. Herbart postulou certa multiplicidade de «realidades», que sintetizam e, dessa maneira, formam o nosso mundo.

2. *O Pluralismo Como Uma Teoria de Valor*

Esse ponto de vista pode ser aplicado à ética, à estética e à política. Temos aí a idéia de que não pode haver *uma única* fonte ou princípio do bem. O homem operaria melhor quando leva em consideração e se utiliza de valores variegados, cada qual com sua contribuição particular, embora não sejam donos de tudo. A soberania nunca deveria ser deixada nas mãos de uma única igreja ou de um único partido político. Pois daí resulta, inevitavelmente, a ditadura de alguns poucos, a arrogância, o desequilíbrio, e muitas desvantagens finais. É uma ingenuidade pensar que uma única igreja ou partido político, ou um único conjunto de idéias ou valores éticos e estéticos possam ser os donos da verdade. Assim como nenhum indivíduo isolado pode ser o protótipo da verdade, assim também nenhuma instituição isolada pode afirmar ser a síntese de todo o bem.

PLUTARCO DE ATENAS

Suas datas foram, aproximadamente, 350-433 D.C. Ele foi o primeiro líder da Escola de Atenas quando essa academia platônica passou a seguir o neoplatonismo. Plutarco misturava idéias platônicas e aristotélicas. Ele pensava que a comunhão com Deus pode ser promovida através de ritos teúrgicos. Esses ritos consistem em cerimônias mágicas, com base na crença que os espíritos podem ajudar e influenciar nessa busca. Plutarco escreveu um comentário sobre o livro de Aristóteles, *Sobre a Alma*. Ver os artigos gerais intitulados *Neoplatonismo* e *Academia de Platão*.

PLUTARCO DE QUERONÉIA

Suas datas aproximadas foram 45-125 D.C. Ele foi um filósofo e um literato grego. Nasceu em Queronéia, na Boécia. Era filósofo platônico. Estudou na Academia de Platão, em Atenas; mas, voltando a sua terra, estabeleceu a sua própria escola. Sabe-se que ele permaneceu em Roma por certo tempo, onde ensinou a filosofia por meio de preleções. Há uma tradição que diz que ele foi tutor de Adriano, o imperador romano, e que foi nomeado por ele como procurador da Grécia. Também foi um dos líderes da religião misteriosa de Apolo Pitiano. Seus ensinamentos incluíam a típica purificação da alma a fim de que a mesma pudesse retornar aos mundos eternos e encontrar sua unidade com a divindade. Dentre os seus escritos, o que ficou melhor conhecido chama-se *Vidas Paralelas*, no qual ele descreveu as vidas de quarenta e seis homens proeminentes, gregos e romanos, formando pares. E quatro outras personagens são descritas sem esse processo de emparelhamento. Plutarco de Queronéia também escreveu sobre questões morais, formando uma coletânea conhecida por *Moralia*. Esses ensaios versam sobre assuntos como seus títulos indicam: *Sobre a Virtude e o Vício; Sobre o Progresso na Virtude; Sobre a Educação das Crianças; Sobre a Restrição na Ira; Sobre a Tranqüilidade da Alma; Sobre a Falsa Modéstia; Sobre a Distinção Entre um Lisonjeador e um Amigo; Sobre Como Evitar Dívidas; Sobre as Virtudes Femininas;* etc.

Sua obra, *Vidas*, inclui descrições acerca de homens como Alexandre, o Grande, Temístocles, Péricles, Aristides, Sula, César, Cícero e Catão, o Moço. Essas descrições seguem, mais ou menos, a ordem cronológica. Embora não seja um livro produzido por um gênio, tem provido muito material útil para os historiadores e os filósofos.

PLYMOUTH, IRMÃOS

Essa pequena denominação evangélica, que se recusa ser considerada uma denominação, surgiu na Inglaterra, no século XIX, como uma espécie de protesto contra a comunidade anglicana. Além de algumas diferenças doutrinárias, eles objetavam a uma comunhão muita próxima entre a Igreja e o Estado, requeriam uma liderança plural, davam pouca importância ao estudo teológico formal e acreditavam em um ensino espontâneo (sem estudos prévios) na igreja, presumivelmente sob a liderança do Espírito Santo. O nome do grupo derivou-se do fato de que seu número maior vinha da cidade de Plymouth, no sul das ilhas Britânicas. Seu líder mais notório foi John Nelson Darby. O movimento espalhou-se para outros países da Europa e da América do Norte, por meio das emigrações. Sua frouxa organização e sua acentuada postura calvinista destruíram qualquer real esforço missionário, pelo que essa «denominação» permaneceu pequena, contando com menos de trinta mil membros, e mesmo assim atualmente divididos em nada menos de seis grupos diferentes.

Embora eles se digam avessos aos credos, e reivindiquem seguir somente as Sagradas Escrituras, na verdade defendem fortes posições credais. Rejeitam a noção que vem da Reforma Protestante de que a lei, embora não seja uma medida justificadora, serve de regra de vida diária. Também rejeitam qualquer ministério formal, pois todos os irmãos seriam iguais. Qualquer irmão pode falar durante o culto, contanto que esteja em comunhão com a igreja local. Observam a comunhão fechada (participação na Ceia do Senhor somente por parte dos membros da igreja local). Às mulheres é vedado o uso da palavra na igreja. Visto que os sermões são extemporâneos, a tendência é que os vários irmãos que falam apresentam apenas sermonetes, com freqüência bastante superficiais, dependendo das habilidades nativas de cada um. Ignoram as indicações neotestamentárias da hierarquia ministerial, rejeitando tanto a sucessão apostólica quanto o ofício de bispos. Mas, faltando-lhes organização e autoridade forte, seu alcance missionário é deficiente, segundo já dissemos. E apesar de não se reputarem uma denominação cristã, na realidade formam uma denominação bem fechada e exclusivista.

Em favor do grupo, entretanto, pode-se dizer que levam muito a sério o estudo bíblico e a vida cristã. Durante meus dias de juventude, a influência deles, nos Estados Unidos da América do Norte, fugia à proporção de seu pequeno número. Os próprios batistas, na época a que me refiro, sentiam-se em desconforto diante de seu ministério de «um homem», por causa da ênfase, nos círculos evangélicos, impulsionada pelos Irmãos de Plymouth, sobre um ministério plural. Essa «necessidade» era tão sentida que influenciou vários outros grupos evangélicos a seguir a mesma regra, conforme se vê hoje em dia. De fato, parece que isso concorda com a prática da Igreja primitiva. Ver, por exemplo, «...bem como, em cada cidade, constituísses *presbíteros*, conforme te prescrevi» (Tito 1:5). (O itálico é nosso).

PNEUMA

Qualquer pessoa que dedique tempo a examinar um léxico grego ficará admirada diante do grande número de significações que esse vocábulo grego pode assumir. Naturalmente, no campo da teologia, o termo também tem adquirido vários sentidos. Basicamente, a palavra significa «respiração» ou «vida», embora também indique a porção espiritual do homem, em contraste com o seu corpo físico. Além disso, essa palavra alude à espiritualidade de Deus. Diz João 4:24: «Deus é espírito» (no grego, *pneuma o theós*).

1. *Na Filosofia Estóica e Epicurista*
Ali, o termo grego *pneuma* indicava a energia criadora, ígnea, a força vital da natureza e então do homem. No estoicismo, pensava-se que essa força fosse divina, e que no homem constitui uma fagulha divina.

2. *Exemplos no Grego Koiné e no Novo Testamento*
a. Sopro; vento; respiração. Filo (*Ep. Arist.*), Josefo (Anti. 2:343,349), I Clem. 36:3 e Heb. 1:7. Em todas essas passagens, os anjos são chamados «ventos».
b. O espírito é o elemento que transmite vida ao corpo físico, segundo se vê em escritos como os de Ésquilo (comumente), Políbio (31:10,4), Eur. *Hec.* 571; Luc. 8:55 e Apo. 13:15. Nesta última passagem, um espírito anima a imagem da besta, e a faz falar.
c. A porção imaterial do complexo de energias do ser humano, segundo se vê em Josefo, *Anti.* 1.34; I Cor. 5:3-5; II Cor. 7:1; Fil. 1:27; Col. 2:5. Quando é assim usada, a palavra *pneuma* torna-se sinônimo de *psuché*.
d. É a fonte e a sede do discernimento, dos sentimentos e da vontade, conforme se lê em Sir. 9:9; I Clemente 18:17; 52:4; João 11:33; 13:21; Atos 17:16; 19:21; Rom. 8:16.
e. Um estado espiritualizado da mente, uma disposição santa e devota (Gál. 6:1; I Ped. 3:4).
f. Deus considerado como um espírito (João 4:24); espíritos bons e maus (anjos e demônios), conforme aprende-se em Enoque 15:4-6,8,10; Josefo (*Anti.* 4.108); Heb. 12:9. Ocorrem muitas referências aos demônios, considerados como espíritos, nos evangelhos sinópticos: Mat. 12:43; Mar. 1:23; 3:30; 9:25; Luc. 8:28; 9:42. Ver também Atos 16:18.
g. Os homens também são vistos como espíritos, em Fil. 3:3; Col. 2:5; Heb. 12:9,23; I Ped. 3:19; 4:6. Está então em pauta a natureza espiritual do homem, o homem em sua essência.
h. O Espírito Santo de Deus. Ver Mat. 1:18,20; 3:11; 12:32; Luc. 1:5; 3:16; Atos 1:2,5,8,16; 4:8; 10:38,44; 11:15,16; 21:11; 28:25; Rom. 5:5; I Cor. 2:13; I Ped. 1:12; Jud. 20. Ele também é chamado «Espírito de Deus» em Mat. 3:16; 12:28; Rom. 8:9,14; I Cor. 2:11; 3:16; 7:40; I João 4:2.

3. *Comparações Entre Pneuma e Psuché*
No Novo Testamento, *psuché* usualmente é traduzida como «alma», aludindo à porção imaterial do homem. Nesse caso, trata-se de um simples sinônimo de *pneuma*. Ver Mat. 10:28; 11:29; 12:18; Heb. 4:12, que abordam o problema da *dicotomia-tricotomia* (vide), onde também parece haver certa distinção entre a «alma» e o «espírito». Nesse caso, os teólogos geralmente dizem que a alma alude aos sentimentos, às emoções, ao intelecto e à vontade do homem, ao ponto que o espírito seria aquela parte imaterial que retorna a Deus. Há estudos que indicam que a alma, a porção imaterial do homem, que em grego é a *psuché*, está sujeita ao superego, o verdadeiro «eu» do homem, tal como o corpo físico está sujeito à alma. O superego também é chamado *sobre-ser*.

Essa dimensão maior do homem pode ser confrontada com o conceito do anjo guardião; mas, no caso que estamos examinando, o anjo guardião é o verdadeiro homem, o sobre-ser, o eu superior, o verdadeiro ser de cada indivíduo; ao passo que a alma, embora também imaterial, seria apenas um fragmento desse «eu» superior. Discuto sobre esses conceitos no artigo sobre o problema dicotomia-tricotomia, conforme já dissemos. Ver também o artigo sobre o *Sobre-ser*, quanto a maiores informações a respeito.

Quase todas as passagens bíblicas atinentes, entretanto, ignoram qualquer distinção entre o *pneuma* e a psuché, quando aludem à porção imaterial do homem. Ver Apo. 6:9, onde está em foco a porção imaterial do homem, a alma, já no céu. É evidente que essas entidades com igual propriedade poderiam ser chamadas de *pneumata* (forma plural de *pneuma*). Ver o artigo intitulado *Humanidade* (*Natureza Humana*) quanto a uma explicação sobre o complexo de energias de que se compõe o ser humano. Há pelo menos quatro níveis nessa complexidade: o corpo físico, a vitalidade (energia semimaterial), a alma e o sobre-ser. Dentro desse contexto de complexidade, é legítimo falarmos sobre a alma como uma entidade distinta, quando comparada com o sobre-ser (o qual poderíamos chamar de «espírito»). Todavia, a terminologia bíblica não é adequada para estabelecer as distinções que atualmente estão sendo feitas através dos estudos místicos e científicos. Dentro da terminologia bíblica, *pneuma* e *psuché* usualmente aparecem como sinônimos.

Formas Adjetivadas

O adjetivo grego **pneumatikós** indica «de maneira espiritual», «no espírito», «de maneira divina», idéias essas que concordam com a idéia básica do termo grego **pneuma**. Fazendo contraste com isso, o adjetivo **psuchikós** pode significar «físico», «não-espiritual», embora tenha raiz em **psuché**, a porção imaterial do ser humano. Esse adjetivo enfatiza a vida deste «mundo natural».

PNEUMATOLOGIA

Ver o artigo sobre *Pneuma*, a palavra grega envolvida nessa questão. A *pneumatologia* é um ramo da metafísica que procura dar informação sobre os seres espirituais, como Deus, os anjos e a alma humana. Mas algumas vezes esse termo é utilizado no senso restrito da hierarquia de seres espirituais não-humanos.

PÓ

Há duas palavras hebraicas e duas palavras gregas envolvidas, a saber:

1. *Aphar*, «pó». Palavra hebraica usada por cerca de cento e sete vezes como em Gên. 2:7; 3:14,19; 13:16; Êxo. 8:16,17; Lev. 14:41; Deu. 9:21; Jos. 7:6; Jó. 2:12; 4:19; 5:6; Sal. 7:5; 18:42; Pro. 8:26; Isa. 2:10; 25:12; Lam. 2:10; Eze. 24:7; Dan. 12:2; Zac.

PO — POBRE, POBREZA

9:3.

2. *Abaq*, «poeira fina». Palavra hebraica utilizada por seis vezes: Isa. 5:24; 29:5; Eze. 26:10; Naum 1:3; Êxo. 9:9; Deu. 28:24.

3. *Koniortós*, «pó», «poeira». Termo grego que aparece por cinco vezes: Mat. 10:14; Luc. 9:5; 10:11; Atos 13:51; 22:23.

4. *Choós*, «barro», «terra». Palavra grega que figura por duas vezes: Mar. 6:11 e Apo. 18:19.

O pó consiste em terra fina e solta, ressecada pela falta de umidade. O pó é agitado pelo vento, de tal forma que há tempestades de poeira. Um dos castigos divinos contra o rebelde povo de Israel foi enviar tempestades de poeira, ao invés de chuvas (Deu. 28:24).

Sentidos Simbólicos. 1. O luto ou a contrição são simbolizados pelo ato de pôr pó sobre a cabeça, geralmente misturado com cinzas (Jos. 7:6; Miq. 1:10; Jó 42:6, etc.). 2. Ultraje ou protesto podem ser expressos lançando pó no ar (Atos 22:23), o que Paulo testemunhou como um protesto dos judeus incrédulos contra ele. 3. Sacudir o pó dos pés significa rejeitar àqueles que se mostram obstinados contra a mensagem do evangelho (Mat. 10:14; Luc. 10:5). 4. Sacudir-se do pó significa recuperar-se após um período de lamentações (Isa. 52:2). 5. Lamber a poeira dos pés de outrem é o máximo da humilhação e da sujeição (Sal. 72:9; Isa. 49:23). 6. Suspirar pelo pó da terra sobre a cabeça dos pobres é desejar a completa destruição deles (Amós 2:7). 7. Comer pó, como no caso da serpente, indica que Satanás assediará os iníquos, e que eles sentir-se-ão miseráveis por estarem servindo-o (Gên. 3:14; Isa. 65:25). 8. Um símbolo do sepulcro, por razões bem óbvias (Gên. 3:19; Jó 7:21; Ecl. 12:7). 9. O homem é poeira e cinzas, porquanto seus corpos mortais estão sujeitos ao retorno a esses elementos (Gên. 18:27); razão pela qual os mortos são chamados «pó» (Sal. 30:9). 10. O povo de Israel foi comparado ao «pó da terra» devido ao seu grande número (Gên. 13:16), pois o pó é composto de inúmeras partículas que compõem o todo. 11. No dizer de Jó 5:6, a «aflição não vem do pó», porquanto tem uma causa, e não surge do nada ou sem qualquer razão. 12. Naum diz que as nuvens são o pó levantado pelos pés do Senhor (Naum 1:3).

POBRE, POBREZA

Esboço:
1. Caracterização Geral
2. Definições
3. No Antigo Testamento
4. No Novo Testamento
5. Usos Figurados

1. Caracterização Geral

A **pobreza** é um dos mais persistentes e vexatórios problemas da humanidade. Por muitas vezes, instaura-se por culpa do próprio indivíduo, que se entrega à inatividade; mas, outras vezes, é imposta às pessoas pela força das circunstâncias, pela falta de educação e pela ignorância acerca de como a pessoa deve tirar proveito das oportunidades. Jesus mencionou a proverbial persistência da pobreza (Mat. 26:11). Os sociólogos reconhecem a necessidade de dar-se aos pobres os meios e o conhecimento necessários para eles escaparem de sua pobreza, e não meramente suprir suas necessidades gratuitamente. As experiências nos projetos de casas populares têm demonstrado que é preciso arrancar a favela do coração dos favelados, antes de remover com eficácia os favelados de suas favelas. Pois novos distritos residenciais não demoram a transformar-se em favelas, quando para ali vão residir favelados.

Talvez a educação seja o maior instrumento necessário para libertar as pessoas da pobreza. Porém, uma boa alimentação é importantíssima, desde o começo da vida do bebê, pois a inteligência nativa vê-se prejudicada ou diminuída por uma dieta pobre, mormente durante o período da primeira infância. A fé religiosa também pode ser um fator, visto que, inspirada por motivos superiores, uma pessoa pode receber um efeito positivo em sua vida, resolvendo vencer e prosperar na vida. Quanto a seu lado negativo, somos informados que grande parte da pobreza, na Espanha e na Índia tem sido promovida pela ênfase exagerada sobre os valores religiosos e místicos, em detrimento das necessidades materiais.

A chamada *ética protestante*, que diz que o trabalho árduo é uma *virtude* e a pessoa deve ser trabalhadora, não meramente para adquirir riquezas materiais, mas também como um exercício espiritual, certamente exerceu grande influência sobre a prosperidade que tem havido na Inglaterra e nos Estados Unidos da América. Em contraste com isso, em alguns lugares, o trabalho (especialmente aquele de natureza manual) é desprezado como se houvesse no mesmo algum opróbrio.

2. Definições

A **pobreza** é uma categoria ou situação econômica na qual as pessoas são incapazes de obter (e de possuir) os meios de sustento, por seus próprios esforços, evitando assim passar necessidade. Quem é verdadeiramente pobre precisa depender de outras pessoas ou instituições, como agências de caridade, religiosas e seculares, a fim de receberem o seu sustento. Por sua vez, a *pobreza ordinária* alude àquela condição em que uma pessoa ganha apenas o suficiente para sobreviver, sem qualquer ajuda externa, embora não tenha o bastante para os confortos comuns e as vantagens desfrutadas por outras classes. Essa categoria de pessoas pobres geralmente ressente-se de uma boa educação, não podendo viajar ou nem desfrutar de qualquer tipo de luxo. Por outra parte, os *criticamente empobrecidos* são aqueles que dependem inteiramente de outras pessoas, para sua simples sobrevivência. Entre essas classes, a mortalidade infantil é extremamente alta, e a expectação da duração de vida, entre os adultos, é muito baixa. Assim sendo, em um sentido bem real, tais pessoas não estão nem ao menos *sobrevivendo*, como o resto da população. A terceira categoria dos pobres são os *destituídos*. Esses são aqueles em condições econômicas desesperadoras, como as crianças abandonadas, que mendigam pelas ruas, ou adultos com famílias que moram debaixo das pontes, invadem edifícios e cujo nível de vida assemelha-se à dos animais irracionais. A segunda e a terceira categorias chamam a atenção (embora inadequada) das agências de caridade e dos programas de socorro dos governos.

3. No Antigo Testamento

O trecho de Deu. 15:11 alerta-nos para o fato de que a pobreza era uma constante na vida do povo de Israel, desde o princípio. Os elementos dessa questão da pobreza, referida no Antigo Testamento, são os seguintes:

a. A passagem de Sal. 112:1-3 dá a impressão de que a prosperidade quanto às coisas materiais era apanágio do homem piedoso, e que a pobreza caracterizava ao homem maligno. Deu. 28:1-14 mostra-nos que Deus abençoa materialmente ao homem.

POBRE, POBREZA

b. Por outra parte, sempre foi um problema espinhoso deslindar por que as riquezas geralmente são controladas por homens maus, o que é o lado oposto da mesma moeda. Ver Sal. 73:12-14. Naturalmente, Deus promete julgar a tais homens; mas, enquanto não vier esse juízo, o quebra-cabeça permanecerá de pé. No entanto, em tempos opressivos, homens piedosos são reduzidos à pobreza, e, nesse caso, o adjetivo «pobre» torna-se um virtual sinônimo de «piedoso» (ver Sal. 14:5,6).

c. As verdadeiras riquezas, que são de natureza espiritual, são encontradas em Yahweh; e o favor do Senhor deve ser buscado até mais do que qualquer quantidade de ouro (ver Sal. 73:16-28).

d. Geralmente a pobreza ou a riqueza são simplesmente atribuídas à vontade soberana de Deus, como se tais condições fizessem parte do destino necessário do ser humano (ver I Sam. 2:7). Na verdade, é provável que nisso haja algum fundo de verdade, mas tal conceito não deve ser enfatizado em detrimento da indústria e do desejo do progredir materialmente.

e. A opressão contra os pobres é condenada na lei e nos profetas. Ver Sal. 72:14; Isa. 3:15; Amós 2:6.

f. Contribuições caridosas aos pobres haverão de receber sua recompensa, da parte do céu (ver Sal. 41:1; Pro. 14:21). Essa questão sempre foi muito enfatizada no judaísmo, e daí transferida para o cristianismo primitivo. Não obstante os pobres sempre foram objetos de piedade, de compaixão, e não de admiração.

g. A *legislação mosaica* incluía um bom número de provisões em favor dos pobres: várias provisões para os destituídos (Êxo. 23:11; Lev. 14:21; 19:10); o favoritismo era proibido com bases econômicas (Lev. 19:15); um escravo tinha de ser libertado no seu sétimo ano de serviço (Êxo. 21:1 ss); um peça de vestuário, tomada como penhor, tinha de ser devolvida ao pôr-do-sol (Êxo. 22:26 e ss); os salários tinham que ser pagos diariamente aos trabalhadores (Lev. 19:13); os implementos essenciais à vida diária não podiam ser arrebatados dos trabalhadores (Deu. 24:6,12 ss); a provisão básica de alimentos devia ser garantida (Deu. 24:19-22); a igualdade espiritual entre ricos e pobres sempre foi considerada a condição ideal (Pro. 22:2).

4. No Novo Testamento

No Novo Testamento encontramos uma espécie de modificação nas atitudes diante das questões econômicas em geral e da pobreza em particular. Ali o estado abençoado por Deus parece envolver a adversidade, e não a abundância material, porquanto os primeiros discípulos de Jesus foram homens perseguidos, e, naturalmente, empobrecidos.

a. «Bem-aventurados vós os pobres...» é a declaração simples de Luc. 6:20. O evangelho é anunciado aos pobres (Luc. 4:18). Mateus, contudo, qualifica essa pobreza, dizendo: «Bem-aventurados os humildes (pobres) de espírito...» (Mat. 5:3), o que é uma óbvia interpretação da declaração original de Jesus, a qual foi mais originalmente preservada por Lucas. Todavia, estaríamos equivocados se pensássemos que Jesus via qualquer bem-aventurança na pobreza, em si mesma. Antes, visto que o seu evangelho parecia ser mais eficaz entre as classes pobres, embora não tão eficaz entre as classes mais abastadas, tornaram-se termos paralelos «pobre» e «espiritualmente bem-aventurado».

b. Jesus reconheceu o caráter permanente da pobreza entre os povos do mundo (ver Mat. 26:11; Mar. 14:7; comparar com Deu. 15:11), embora isso não signifique que ele fosse indiferente para com os sofrimentos causados pela pobreza material.

c. A vida espiritual é viável mesmo em meio à pobreza (Mar. 12:42 ss; Tia. 2:2-5); mas Paulo interessava-se em que os crentes trabalhassem e tivessem o suficiente, de modo a não encontrarem obstáculos em sua atuação cristã, o que ele exemplificou com os seus esforços pessoais (ver II Cor. 9:8). O próprio apóstolo dos gentios sabia o que era desfrutar de abundância e o que era sofrer privações, e continuava atuando no evangelho sob ambas essas condições (ver Fil. 4:12).

d. Os cristãos primitivos foram ensinados a não se sentirem imunes à pobreza (Rom. 15:26; Gál. 2:10).

e. Os crentes deveriam ajudar aos pobres (Mat. 19:21; II Cor. 8:2 ss; I João 3:17 ss).

f. Aqueles que ajudam meramente de palavra, mas não em ação, são hipócritas (Tia. 2:15 ss). Viver segundo a lei do amor é a grande prova da espiritualidade, e um aspecto disso é a ajuda prestada aos pobres. Ver I João 4:7,8; II Cor. 8:2 ss.

g. O favoritismo no seio da Igreja, com base na prosperidade econômica, é proibido aos crentes (Tia. 2:5-9).

h. O ofício eclesiástico dos *diáconos* (vide) veio à existência devido à pobreza entre a classe das viúvas (Atos 6:1-7).

i. A Igreja primitiva, em Jerusalém, experimentou o comunismo (partilha dos bens materiais em comum), embora sobre bases voluntárias. Aqueles que quisessem participar da experiência podiam fazê-lo, e aqueles que preferiam manter suas propriedades privadas, e não quisessem participar, não eram forçados a fazê-lo. Essa experiência foi ocasionada por uma extrema pobreza causada pela perseguição, que envolvia somente os crentes e não era nenhuma decisão nacional de estabelecer uma forma diferente de governo (Atos 4:34 ss). Essa experiência foi eficaz dentro das circunstâncias particulares do momento mas não se tornou um padrão a ser seguido pela Igreja em geral, como também a história deixa claro.

j. A abundância material pode ser prejudicial à fé religiosa e destrutiva da piedade, conforme afirmaram tanto Jesus (ver Mat. 19:24) e Tiago (Tia. 5:1 ss). O texto da epístola de Tiago deixa claro que os ricos, que assim sendo, têm poder, tornam-se abusivos, injustos, arrogantes, negligentes espiritualmente, participando de prazeres pecaminosos destrutivos.

1. A raiz de todas as formas de mal é o amor ao dinheiro (I Tim. 6:10). Mas alguém já alterou essa declaração para a que segue: «A falta de dinheiro é a raiz de toda espécie de males». Isso também exprime uma verdade, em certos casos.

5. Usos Figurados

a. A verdadeira pobreza (humildade) de espírito caracteriza os membros do reino de Deus (Mat. 5:3). Devemos entender aí a simplicidade espiritual, em contraste com a arrogância que geralmente caracteriza às pessoas ricas e ímpias. Os humildes de espírito, contudo, são espiritual e moralmente ricos.

b. Também há uma vida espiritual empobrecida, que com freqüência caracteriza aos ricos que estão na Igreja, e que não têm qualquer necessidade de coisas materiais (Apo. 2:9; 3:17).

c. Em sua encarnação, o *Logos* de Deus tornou-se pobre, a fim de que pudéssemos enriquecer espiritualmente (II Cor. 8:9; Fil. 2:5 ss).

d. A expressão «os ricos e os pobres» significa «todos», ou seja, todas as classes que compõem a sociedade humana (ver Sal. 49:2; Pro. 22:2; Apo. 13:16).

POBREZA
Ver sobre **Pobre, Pobreza**.

POBREZA EVANGÉLICA
Dentro da Igreja Católica Romana, a pobreza é um voto necessário em algumas de suas ordens religiosas. Tal voto não faz parte do evangelicalismo, embora alguns evangélicos pratiquem uma forma voluntária de pobreza, como parte de sua renúncia ao mundo. A vida de Jesus e seus discípulos serve de exemplo primário de tal tipo de renúncia, sem falar em ordens específicas, dadas a pessoas específicas, como aquela achada em Mat. 19:21 ss, onde Jesus diz ao jovem rico que venda tudo quanto tem para então segui-Lo no discipulado cristão. Cristo prometeu àquele homem um «tesouro no céu». E alguns crentes têm aceito isso como um ideal a ser seguido por todos os cristãos, e não meramente uma ordem baixada a algum indivíduo em particular. A maioria dos evangélicos, entretanto, tem rejeitado essa interpretação restrita. A religião organizada é criticada por suas riquezas materiais e por seu exagerado interesse em templos cada vez maiores e mais ornamentados. A Igreja Católica Romana é criticada por suas imensas propriedades e por sua pompa. Algumas pessoas acreditam, com base no quinto capítulo da epístola de Tiago, e com base na declaração de que a salvação de um homem rico é mais difícil do que passar um camelo pelo buraco de uma agulha (ver Mat. 19:24), que qualquer riqueza material é incompatível com o discipulado cristão sério. Mas, contra essa idéia sobre a necessidade da pobreza material para que o crente sirva bem a Deus, temos a declaração de Paulo: «Deus pode fazer-vos abundar em toda graça, a fim de que, tendo sempre, em tudo, ampla suficiência, super-abundeis em toda boa obra» (II Cor. 9:8).

A prática de certas boas obras requer a possessão de dinheiro e Paulo orou no sentido de que os crentes de Corinto tivessem abundância material. Um exame do contexto daquela passagem citada mostra que o dinheiro está ali em foco, visto que Paulo estava falando no sustento financeiro dos ministros do evangelho. Aqueles que sustentam a outros serão divinamente sustentados, e a idéia em pauta é a da abundância material. É bom dar em abundância, e então receber em abundância. É verdade que o *amor ao dinheiro* é raiz de todos os males (ver I Tim. 6:10); mas outros pensam que a *falta de dinheiro* também é uma dessas raízes. Na verdade, há obstáculos tanto no amor ao dinheiro quanto na falta de dinheiro. É verdade que o dinheiro pode corromper. No entanto, o homem espiritual deve ser capaz de manusear seu dinheiro, sem qualquer prejuízo pessoal. É um prazer dispor de bens materiais em suficiência para se ser generoso para com o próximo. Porém, o homem religioso que só trabalha para elevar seu nível de vida, ou que arranca dinheiro de outras pessoas com essa finalidade de ter uma polpuda conta bancária ou possuir casas e outros bens, definidamente não se está mostrando homem muito espiritual. O ideal grego da *moderação em tudo* aplica-se aqui.

POÇO
Visto que o regime de chuvas, na Palestina, concentra-se quase inteiramente durante os meses de inverno, a água torna-se um artigo difícil de ser achado durante grande parte de cada ano. As fontes naturais de água são as fontes, os rios, os riachos e o mar da Galiléia. E as fontes artificiais são os poços e as cisternas. Todavia, estas últimas constituíram um problema enquanto não se descobriu como forrar interiormente as mesmas, tornando-as estanques, o que só aconteceu pouco antes da saída de Israel do Egito, sob a liderança de Moisés.

O vocábulo mais usual para indicar uma fonte que jorra do chão é *ain*, «olho». E a palavra para indicar um poço que precisa ser cavado até atingir a tábua subterrânea de água, ou seja, o nível em que as águas freáticas permanecem estáveis, é *beer*. Essa palavra, muitas vezes traduzida em nossa versão portuguesa e outras por «poço», ocorre por trinta e seis vezes, segundo se vê, para exemplificar, em Gên. 16:14; 21:19,25,30; 24:11,20; 20:2,3,8; Êxo. 2:15; Núm. 20:17; 21:16-18,22; II Sam. 17:18,19,21; Pro. 5:15; Hab. 4:15. E a palavra que indica *cisterna* ou «açude» é *bor*, que ocorre por quinze vezes com esse sentido, pois também significa «buraco» e «prisão». Ver Deu. 6:11; I Sam. 19:22; II Sam. 3:26; 23:15,16; I Crô. 11:17,18; II Crô. 26:10; Nee. 9:25, para exemplificar. Contudo, visto que esses termos hebraicos são intercambiáveis entre si, é aconselhável que o leitor examine com cuidado o contexto de cada passagem, para obter o sentido exato.

O vocábulo grego usual para indicar qualquer fonte que proveja um contínuo fluxo de água é *pegé* (ver Tia. 3:11). E aquilo que modernamente chamamos de poço, uma perfuração artificial no solo, até se chegar abaixo do nível das águas freáticas, é *phréar* (ver João 4:11). Mas, novamente, esses dois termos gregos por muitas vezes podem ser usados como sinônimos.

A possessão de poços era algo tão importante na antiguidade que havia até mesmo conflitos armados e desavenças por causa deles. E essas diferenças, por muitas vezes, só podiam ser resolvidas por alguma aliança ou acordo, como o que se deu entre Abraão e Abimeleque (ver Gên. 21:25 ss).

Essa grande valorização dos poços devia-se, pelo menos parcialmente, ao grande trabalho despendido na escavação dos mesmos. Grupos rivais, por isso mesmo, muitas vezes preferiam lutar por causa de um poço do que cavar um outro poço. Note-se que, em Deuteronômio 6:11, os poços são arrolados entre outros itens de grande valor econômico, juntamente com os vinhedos e os bosques de oliveiras, plantações essas de crescimento lento e dispendioso. O valor dos poços também pode ser percebido no fato de que eram dados a eles nomes específicos (ver Gên. 26:20-22). As cidades, por muitas vezes, tomavam nome com base em algum poço famoso que houvesse nas proximidades, como foi o caso de Berseba.

Os poços também desempenhavam um papel estratégico preponderante quando havia guerras de invasão. Os exércitos antigos geralmente só guerreavam durante os meses de verão, porquanto então poderiam os soldados sobreviver alimentando-se das plantações saqueadas de seus adversários. Todavia, também era durante os meses de verão em que a água rareava mais por todo o Oriente Próximo e Médio. Por essa razão, os defensores das cidades e das regiões invadidas costumavam tapar as bocas de seus poços com pedras, para então porem uma camada espessa de terra, a fim de que os soldados inimigos não pudessem encontrar esses poços. Foi por essa razão que Ezequias, rei de Judá, mandou escavar o túnel de Siloé, que trazia água daquele poço até o interior da cidade de Jerusalém, a fim de que pudesse resistir melhor ao assédio das tropas assírias. E quando alguém queria tirar uma vingança especial contra um inimigo, então destruía os seus poços, conforme se vê em II Reis 3:25: «Arrasaram as cidades, e cada um lançou a sua pedra em todos os bons campos, e os entulharam, e tamparam todas as fontes de águas...»
Ver também o artigo intitulado *Cisterna*.

POÇO — PODER

POÇOS ANTIGOS

Descoberta Arqueológica. Localidade. Leito do mar Mediterrâneo, ao longo das costas do monte Carmelo, entre Haifa e Dor. Uma estrutura de pedra e madeira, de um antigo poço no leito do mar, em um local que já foi terra seca. Foi descoberto em 1985. Trata-se de um dos mais antigos poços jamais localizado. Fica situado acerca de 300 m da atual linha da praia. Objetos encontrados nas vizinhanças, como cabanas de pedra, ossos de ovelhas e peles de cabras, além de vários instrumentos, indicam um período neolítico posterior ou calcolítico anterior, 4500 A.C. ou mesmo antes. Restos de carvalhos mostram que a ocupação estava no meio de carvalhais. O fato de que não crescem carvalhos perto do mar, por causa da atmosfera salgada, a qual eles não resistem, mostra que a área antigamente era terra firme, e que a linha da praia foi consideravelmente alterada. Ver sobre **Cisternas** e **Poço (Lagoa)**.

POÇO (LAGOA)

1. *Palavras Bíblicas Envolvidas*

Os termos bíblicos correspondentes indicam ou uma lagoa (no hebraico, *agam*, ver Isa. 14:23; 35:7); bênção ou prosperidade material (no hebraico, *berakah*, Sal. 84:6); um ajuntamento de águas (heb. *mikweh*, ver Gên. 1:10; Êxo. 7:19); um lugar de mergulhar (no grego, *kilumbethra*, ver João 5:2,4,7; 9:7,11).

2. *Importância da Preservação de Água Potável*

Ver o artigo separado chamado *Cisterna*. Lugares onde a chuva é escassa, o calor é intenso, e há desertos nas proximidades, dependem da preservação artificial de água, ou de alguns poucos mananciais ali existentes. O trecho de Isa. 14:23 provavelmente refere-se a algum açude artificial, um tipo de reservatório. A conservação das águas pluviais era crucial na Palestina. A precipitação de chuva, em Jerusalém, atinge somente cerca de 63 cm por ano, e isso mesmo limitado a um período de cinqüenta a sessenta dias a cada ano. No resto do tempo, a preservação da água é uma importante questão nacional. Túneis e valados eram feitos. As disputas por causa de pequenos suprimentos de água eram comuns (ver Gên. 26:15-22; Êxo. 2:16 ss).

3. *Reservatórios Mencionados na Bíblia*

a. *O aqueduto de Ezequias* (II Reis 20:20). Essa foi uma grande bacia aberta a mando do rei Ezequias, na cidade de Jerusalém, e que era alimentada por algum curso de água. O trecho de II Crô. 32:30 mostra-nos que Ezequias canalizou essas águas desde Giom até o interior da cidade, utilizando-se de canal subterrâneo para essa finalidade. Os árabes chamam essa construção de Birket el-Hammam; e esse canal aparentemente entrava pela porção noroeste da moderna Jerusalém, não muito longe do portão de Jaffa.

b. *O aqueduto do açude superior; o aqueduto do açude inferior*. O açude superior é mencionado em Isa. 7:3; 36:2; II Reis 18:17. Ficava situado perto do campo do lavandeiro, fora da cidade. E o açude inferior é mencionado em Isa. 22:9. Ambos esses açudes eram supridos de água pela fonte do Giom, que era uma fonte intermitente e que constituía o suprimento de água mais antigo de Jerusalém, situado no vale do Cedrom, imediatamente abaixo da colina oriental chamada Ofel. Ver o artigo separado sobre *Giom*. A arqueologia tem desenterrado outros reservatórios de águas artificiais, naquela área geral.

c. *O açude velho* (Isa. 22:11), ficava localizado não distante da muralha dupla, perto dos jardins reais (II Reis 25:4; Jer. 39:4), provavelmente na porção suleste da cidade, perto da fonte de Siloam, ou Hasselá (Nee. 3:15).

d. *O açude do rei* (Nee. 2:14). Tem sido identificado com a fonte da Virgem, a leste de Ofel. Talvez fosse o açude também chamado de Salomão.

e. *O tanque de Betesda* (vide), provavelmente localizado no canto nordeste da cidade, perto da porta das Ovelhas (João 5:2).

f. *O açude de Gibeom* (II Sam. 2:8-17). Era uma espécie de poço escavado para armazenar água. Foi construído no início da Idade do Ferro. Uma escadaria descia até o nível da água. O açude tinha um total de quase 11 m de profundidade. Posteriormente, foi escavado um túnel que levava água de um mancancial fora das muralhas da cidade até o seu interior. Ver o artigo geral sobre *Gibeom*, quanto a maiores detalhes.

g. *O tanque de Siloé* (também chamado de «águas de Siloé»). Ver Isa. 8:6; Nee. 3:15; 12:37; João 9:7. Josefo, o historiador judeu, mencionou com freqüência esse tanque, localizado na extremidade do vale dos fabricantes de queijo, ou vale Tiropeano (ver *Guerras* 5:4,1). Ficava fora das muralhas de Jerusalém (*Guerras* 5:9,4). Sua descrição sugere o atual *Birkhet Silwan*, que ficava no lado oposto do vale do Cedrom. Foi a esse tanque que Jesus mandou o homem lavar-se, a fim de recuperar sua vida. O tanque de Siloé era alimentado por um canal que foi escavado na rocha sólida pelo espaço de quase 520 m, começando na fonte da Virgem (ver sobre *Enrogel*). Quanto a maiores detalhes, ver o artigo intitulado *Siloé*.

4. *Simbolismo nos Sonhos e nas Visões*

Um poço, lagoa, açude, tanque, etc., ao refletir a imagem de algum objeto, pode ser emblema da *mente inconsciente*. Em suas profundezas estão ocultos todos os tipos de coisas misteriosas e inesperadas. Reflexos à superfície da água falam sobre o que o sonhador está procurando descobrir sobre si mesmo, sobre seu destino, suas necessidades, suas perversões, etc.

POÇO DE JACÓ

Ver **Jacó, Poço de**.

POÇO DO AQUEDUTO (AÇUDE DE HASSELÁ)

Ver Nee. 3:15. Algumas traduções dizem nesse trecho «açude de Hasselá». Está em pauta um reservatório, existente em Jerusalém, perto da Porta da Fonte, que talvez fosse idêntico ao «açude do rei» (Nee. 2:14), ou mesmo ao «açude inferior», mencionado em Isa. 22:9. Alguns identificam-no com o poço de Siloé; mas parece ter sido um reservatório distinto, dentro do complexo do sistema de fornecimento de água, construído para atender às necessidades em Jerusalém. A fonte de Giom era de onde manavam, principalmente, essas águas.

PODER

Esboço:
I. Definições
II. Agentes Poderosos na Bíblia
III. Poderes Malignos
IV. O Poder do Evangelho: A Missão Tridimensional de Cristo

PODER

I. Definições

A base da palavra portuguesa «poder» é o latim, *posse*, «ser capaz». O poder consiste na capacidade de agir; é potência (vide); é uma virtude mediante a qual uma pessoa ou uma coisa pode tornar algo uma realidade. Poder é capacidade em potencial; é força ativa em operação; é o direito de ser ou de fazer alguma coisa; é qualquer forma de energia. Na física, o poder é a taxa com que a energia é convertida ou transferida em trabalho. Biblicamente falando, Deus é o Ser Todo-Poderoso (onipotente), sendo ele a fonte originária de todos os outros estados e atos de poder.

Palavras Bíblicas Envolvidas:

No hebraico: 1. *koach*, «ser firme», «agir vigorosamente», «produzir». Essa palavra figura por cento e vinte e uma vezes, de Gên. 31:6 a Zac. 4:6. Esse termo é usado em todos os tipos de conexão, divina e humana. 2. *Oz*, «força», «dureza», «segurança», «majestade». Esse vocábulo ocorre por noventa e quatro vezes, conforme exemplificamos em Lev. 26:19; Esd. 8:22; Sal. 59:16; 62:11; 63:2; 66:3; 78:26; 90:11; 150:1; Eze. 30:6; Hab. 3:4. Também é palavra usada para indicar qualquer tipo de poder. 3. *Geburah*, «valor», «poder», «força», «domínio»; usada por sessenta e uma vezes, conforme se vê, por exemplo, em Deu. 3:24; Juí. 5:31; I Reis 15:23; II Reis 10:34; I Crô. 29:12,30; Est. 10:2; Isa. 11:2; Jer. 9:23; 10:6; Eze. 32:29,30; Dan. 2:20,23; Miq. 3:3; 7:16. Um bom número de outras palavras hebraicas também aparece, mas elas são, essencialmente, sinônimos dessas três palavras hebraicas.

No grego: 1. *dúnamis*, «poder», indicando obras poderosas (milagres). Daí é que vem o termo moderno «dinamite». É vocábulo usado por cento e vinte vezes no Novo Testamento, desde Mat. 6:13 até Apo. 19:1. Os verbos *dúnamai* e *dunamóo* também são muito comuns, sobretudo o primeiro deles. 2. *Eksousía*, «poder», «autoridade», «direito». Essa palavra ocorre por cento e três vezes no Novo Testamento, de Mat. 7:29 e Apo. 22:14. A forma verbal *eksousiázo* ocorre por quatro vezes, em Luc. 22:25; I Cor. 6:12; 7:4. Também pode ser traduzida com o sentido de «jurisdição» e até «liberdade». 3. *Krátos*, «poder», «domínio», «força». Vocábulo que foi usado por doze vezes no Novo Testamento: Luc. 1:51; Atos 19:20; Efé. 1:19; 6:10; Col. 1:11; I Tim. 6:16; Heb. 2:14; I Ped. 4:11; 5:11; Jud. 25; Apo. 1:6; 5:13. As formas verbais *kratéo* e *krataióo* também são bastante freqüentes. A idéia básica de *dúnamis* é «força»; de *eksousía* é «direito», «legalidade»; e de *krátos* é «superioridade». O adjetivo *krátistos*, «nobre», «excelente», «ilustre», deriva-se desse último vocábulo (ver Luc. 1:3; Atos 23:26; 24:3; 26:25).

II. Agentes Poderosos na Bíblia

1. *Deus*. Ele é chamado na Bíblia de *o Todo-Poderoso*. O trecho de I Crô. 29:11,12, é uma das mais destacadas entre as passagens que assim chamam Deus. Lemos ali: «Tua, Senhor, é a grandeza, o poder, a honra, a vitória e a majestade...» O mundo foi feito mediante o poder de Deus (ver Jer. 51:15). O povo de Israel foi tirado do Egito pelo poder do Senhor (ver Êxo. 32:11). Os servos especiais de Deus vêem grandes obras poderosas através do poder divino (ver Dan. 3:27; 6:27). Deus tem o poder de vida e de morte (ver Sal. 49:15; 79:11; 89:48). A esperança da ressurreição do corpo depende do poder de Deus (ver Fil. 3:21). Ver também os artigos sobre *Deus* e *Atributos de Deus*. O poder de Deus é imenso (Sal. 79:11); é forte (Sal. 89:13); é glorioso (Isa. 63:12); é eterno (Rom. 9:21); é soberano (Rom. 9:21); é eficaz (Isa. 43:13); é irresistível (Deu. 32:39); é incomparável (Êxo. 15:11; Ecl. 3:11). O poder de Deus pode tudo (Mat. 19:26).

2. *Cristo, o Logos*, foi o poder responsável pela criação (João 1:1-3; Col. 1:16); e é o responsável pela sustentação da criação (Col. 1:17). Nele reside, igualmente, o poder da encarnação (João 1:14), mediante o qual a vida espiritual manifesta-se aos homens. O poder do Espírito de Deus atuava poderosamente em Jesus Cristo, para cumprimento de sua missão terrena especial (Luc. 4:14). Esse poder mostrou-se eficaz em sua vida (Luc. 4:36; 6:19; 8:46; 10:13; Atos 2:22). Cristo tinha o poder de dar a sua vida e de retomá-la (João 10:18). Haverá tremenda manifestação do poder de Cristo, por ocasião de sua *parousia* (vide; ver Mat. 24:30; 26:64). Cristo outorgou aos seus discípulos o poder de darem continuidade à sua missão (Mat. 28:18).

3. *Os Discípulos de Cristo São Agentes de seu Poder*. Ver Luc 2:49; Atos 1:8; Efé. 3:20; Fil. 3:10; II Tes. 1:11. Por essa razão, as orações deles são poderosas (Tia. 5:16). A passagem de João 14:12 diz que os que crerem em Cristo serão capazes de realizar obras ainda maiores que o próprio Jesus realizou, se tiverem nele a fé suficiente.

4. *O Poder do Espírito Santo*, que é o alter ego de Cristo, atua para dar um contínuo sucesso à missão de Cristo. Ver Atos 1:8. O trecho de João 14:12 também deixa isso entendido, visto que os discípulos só poderiam fazer obras maiores que as de Jesus, se ele fosse para o Pai, indicando que assim ele enviaria a eles o seu Espírito Santo. Ver o artigo geral sobre o *Espírito Santo*, no tocante a completas notas sobre essa questão. Ver Luc. 4:14; Mat. 12:28; Sal. 104:30.

5. *A Igreja*. A comunidade dos salvos é o agente do Espírito Santo na propalação da mensagem de Cristo e do poder do evangelho. *Poder* pode ser um dom de Deus (ver I Cor. 14:3), que alguns crentes possuem, o que, provavelmente, indica a capacidade de realizar grandes obras e milagres. Também é preciso poder para que o crente compreenda as profundas realidades da fé, o que é um ideal acenado para todos os crentes (ver Efé. 3:18,19). Algumas igrejas locais têm pouco poder material (ver Apo. 3:8); mas, se dependerem do poder de Cristo e de seu Espírito, poderão ser eficazes na sua missão.

6. *Poderes para Governar*. Antes de tudo, devemos pensar no poder de Deus governar todas as coisas (ver I Crô. 29:11,12; II Crô. 25:8). O poder de Deus manifesta-se por detrás dos governos humanos, que atuam como seus agentes, em um certo sentido (ver Rom. 13:1-7).

7. *Anjos e Poderes*. O trecho de Efé. 1:21 deixa entendido que existem poderes angelicais de muitos níveis, talvez até havendo diferentes espécies de seres espirituais. Estão todos sujeitos ao poder do Logos, e são seus agentes. Ver Col. 1:16.

A palavra «poder» (singular) ou «poderes» (plural) refere-se a alguma ordem angelical de elevado naipe, ou, então, é usada como termo genérico para várias ordens angelicais muito poderosas, embora menos poderosas que outras ordens, como o são os *principados*. Ver Efé. 1:21. Este último termo também é usado para indicar poderes angelicais malignos (ver Col. 2:15; Efé. 6:12; Rom. 8:39).

III. Poderes Malignos

1. *O poder do pecado* é uma realidade que escraviza aos homens, conforme o sétimo capítulo da epístola aos Romanos ilustra longamente. Mas o evangelho tem o poder de quebrar esse domínio, o que se vê no oitavo capítulo daquela mesma epístola. Tanto judeus quanto gregos estão sob o poder do pecado (ver Rom. 3:9). O trecho bíblico de Rom. 1:18-3:20 aborda esse problema, em sua inteireza. Aqueles que praticam o pecado são escravos do pecado (João 8:34).

PODER — PODER DE DEUS

2. *Satanás* é o principal poder maligno, e a Bíblia apresenta-o como uma espécie de comandante das forças da malignidade. O poder de Satanás é limitado por Deus (Jó 1:12; 2:6), apesar do que ele é muito poderoso, encabeçando um vasto exército do mal (ver Efé. 2:2; 6:12). Porém, sua queda final é certa (Luc. 10:18). Ver os artigos chamados *Satanás* e *Diabo*.

3. *Anjos caídos, poderes e demônios* fazem parte do reino das trevas, reino esse que tem o poder de influenciar os homens e de votá-los à perdição. O trecho de II Ped. 2:11 refere-se ao poder desses seres malignos. O mundo inteiro está debaixo do poder deles, excetuando-se somente os lavados no sangue de Cristo (ver I João 5:19). Esses seres são numerosíssimos (Efé. 6:12). Não obstante, esses *poderes* não têm forças para separar-nos do amor de Cristo (ver Rom. 8:38). A existência desses seres provoca um conflito de dimensões cósmicas (ver Efé. 6:12). O reino das trevas é contrastado com o reino da luz (Col. 1:13). O *dualismo* (vide) ensina que o reino da luz e o reino das trevas estão em luta um contra o outro, e que há esperança que esses dois reinos, finalmente, separar-se-ão inteiramente. Porém, dentro desse sistema, não há qualquer expectativa de que o reino das trevas possa vir a ser derrotado. A Bíblia Sagrada, por outro lado, é dualista somente em parte. Ela projeta a vitória do mundo da luz sobre o mundo das trevas, e não apenas uma separação final entre esses dois reinos. Os últimos capítulos do livro de Apocalipse refletem essa certeza. O trecho de Col. 2:15 refere-se ao triunfo garantido por Cristo sobre as forças do mal, segundo também se aprende em Rom. 8:38 *ss*. Ver os artigos separados *Demônio, Demonologia* e *Possessão Demoníaca*.

IV. O Poder do Evangelho: A Missão Tridimensional de Cristo.

A salvação dos homens depende da eficácia de um poderoso evangelho (ver Rom. 1:16). A missão tridimensional de Cristo (sobre a terra, no hades e nos céus) torna universalmente eficaz esse evangelho. O evangelho resulta na *redenção* (vide) dos eleitos e na *restauração* (vide) dos perdidos. Coisa alguma está fora do alcance do evangelho, e uma atitude pessimista no tocante ao resultado final da missão tridimensional de Cristo é reflexo de uma teologia má. O evangelho de Cristo fala sobre o poder de Cristo salvar ou restaurar, até mesmo dentro do reino das trevas, com resultados positivos (ver I Ped. 4:6). Ver o artigo intitulado *Descida de Cristo ao Hades*.

PODER DE CRISTO

Na qualidade de Filho de Deus, tem o poder de Deus (João 5:17-19; 10:28-30; Mat. 8:27).
Na qualidade de homem, esse poder lhe vem do Pai (Atos 10:38).

Descrito como:
Supremo (Efé. 1:20,21; I Ped. 3:22).
Sem limites (Mat. 28:18).
Sobre toda a carne (João 17:2).
Sobre todas as coisas (João 3:35; Efé. 1:22).
Glorioso (II Tes. 1:9).
Eterno (I Tim. 6:16).
É capaz de subjugar a tudo (Fil. 3:21).

Exibido:
Na criação (João 1:3,10; Col. 1:16).
Na sustentação de tudo (Col. 1:17; Heb. 1:3).
Na salvação (Isa. 63:1; Heb. 7:25).
No seu ensino (Mat. 7:28,29; Luc. 4:32).
Nos seus milagres (Mat. 8:27; Luc. 5:17).
Na capacidade que deu a outros de realizarem milagres (Mat. 10:1; Mar. 16:17,18; Luc. 10:17).
No perdão dos pecados (Mat. 9:6; Atos 5:31).
Na doação da vida espiritual (João 5:21,25,26).
Na doação da vida eterna (João 17:2).
Na ressurreição de mortos (João 5:28,29).
No ter-se soerguido da morte (João 2:19-21; 10:18).
No fato de que venceu o mundo (João 16:33).
No fato de que venceu Satanás (Col. 2:15; Heb. 2:14).
No fato de que destruiu as obras de Satanás (I João 3:8).

Guardados Pelo Poder de Cristo

1. Na qualidade de Filho de Deus, ele tem o poder de guardar-nos (ver Mat. 28:20).
2. Seu poder é supremo (ver Efé. 1:20,21).
3. Ele está acima de todas as coisas, agora e para sempre (ver João 17:2, Efé. 1:19 e *ss*).
4. Seu poder é exibido na concessão da salvação (ver Heb. 7:25), e no fato de que ele sustenta a todas as coisas (ver Col. 1:17).
5. Ele venceu o mundo, e nele também haveremos fatalmente de vencer (ver João 16:33).
6. Coisa alguma pode existir, agora e para sempre, capaz de contradizer ou destruir esse poder; portanto, a nossa segurança é absoluta, conforme nos ensina o trecho presente.

PODER DE DEUS — O EVANGELHO
Ver I Cor. 1:24.

Poder, no grego é *dúnamis*, que significa «força», «energia», «habilidade», «poder», mas que normalmente se refere a algum agente de poder ou força, capaz de realizar um determinado trabalho. Nosso vocábulo «dinamite» se deriva desse termo grego; e isso ilustra a natureza da palavra. Essa palavra era usada para indicar «milagres» e «maravilhas», isto é, «feitos», que requerem poder extraordinário e sobre-humano. (Ver Mat. 7:22; 11:20,23 e 13:54). Nos trechos de Atos 3:12 e 4:7, essa palavra é empregada para indicar o poder que Pedro usou a fim de curar o aleijado. Em Atos 1:8, *o poder* referido é o do Espírito Santo, que seria dado aos crentes primitivos no dia de Pentecoste.

Dentre todas as formas de poder, o poder de Deus é o pináculo e o sumário; e todo o poder de praticarmos o bem é conferido por Deus. É mister o maior de todos os poderes, para a realização da redenção, da restauração, da transformação, da salvação humanas, e também para governar o mundo.

O evangelho é o poder de Deus. A pregação da cruz tem resultados muito maiores do que é possível para a sabedoria humana; pois o evangelho pode salvar uma alma eterna, o que certamente é a obra mais elevada que a mente humana pode conceber, quando se compreende, realmente, quão vasta obra é a salvação. Pois não é coisa de pouca monta vir um pecador remido a compartilhar de tudo quanto Cristo é e **possui, tornando-se seu co-herdeiro e participante de sua natureza divina**, de modo a tornar-se um ser **superior** aos próprios anjos. Somente o poder de Deus, atuando por intermédio do Espírito Santo, é que pode transformar os homens dessa maneira.

Não é diminuto o poder que nos salva da condenação devido ao pecado e à ilusão humana; mas isso é apenas o começo do poder que opera através do evangelho de Cristo. Daí é que procede a completa transformação dos remidos segundo a imagem de Cristo, em que os homens mortais vão sendo transformados em seres divinos e imortais, participantes da vida necessária e independente do

PODER — PODERES DO MUNDO

próprio Deus, em meio a uma santidade perfeita. Ver os trechos de Mat. 5:48; João 5:25 e 6:57. Ora, a sabedoria humana não pode nem aprender e nem concretizar qualquer dessas realidades espirituais. Mas Deus pode torná-las experiências nossas, através do evangelho de Cristo. (Ver o trecho de Rom. 1:16 quanto ao conceito do evangelho como o «poder de Deus»).

«O evangelho não é produto da sabedoria humana. Em sua inquirição pelo sentido da vida e por Deus, a mente humana jamais poderia ter concebido a verdade. Se, por um lado, a filosofia humana, em seu nível mais elevado, é um impulso na direção de Deus, então, a filosofia de Deus, é um impulso na direção do homem. Através de Jesus Cristo, e este crucificado, um novo conceito do poder e da sabedoria de Deus invadiu o mundo qual dilúvio». (John Short, *in loc.*).

«Existe uma palavra, uma eloqüência, que é a mais poderosa de todas, a eloqüência da cruz». (Stanley, *in loc.*).

«Aquilo que para o mundo, parece uma 'debilidade' nos planos de Deus (ver I Cor. 1:25) e em sua maneira de exposição, por parte de seu apóstolo (ver I Cor. 2:3), na realidade é seu 'poder', o poder que nos confere a salvação. E aquilo que parece 'insensatez', por causa da insuficiência da 'sabedoria das palavras' humanas (ver I Cor. 1:17), na realidade é a mais alta 'sabedoria de Deus'. (Faucett, *in loc.*).

Um Pouco de Aprendizado

Aprender só um pouco é algo muito perigoso;
Sorve fundo, ou não proves da fonte da sabedoria;
Ali, goles pequenos intoxicam o cérebro
E beber profundamente nos torna de novo sérios.

Não é aos olhos, ou aos lábios que achamos belos,
Mas é ao conjunto, o resultado total de tudo.
Assim, ao contemplarmos alguma cúpula bem-feita
(O mundo se admira, e até mesmo tu, ó Roma!),
Nenhuma porção isolada igualmente surpreende,
Tudo chega unido ante os olhos admirados;
Nenhuma altura desmedida, largura ou comprimento;
Mas o todo é, ao mesmo tempo, ousado e regular.

(Alexander Pope)

PODERES

Ver o artigo **Poder**, II.7 e III.3. Essa palavra é usada ou de maneira genérica, referindo-se a várias ordens de espíritos angelicais bons ou maus, ou então visa indicar alguma ordem específica de seres, ou ambas as ordens. Os ensinamentos bíblicos mostram que o conflito entre o bem e o mal nunca é uma mera questão pessoal. Antes, extrapola as dimensões espirituais para a nossa própria dimensão material, envolvendo o homem nesse conflito cósmico, e não sendo alguma luta meramente terrena e individual.

Ver Rom. 8:38.

A palavra *poderes*, evidentemente, indica os anjos de nível um tanto inferior do que aquele mantido pelos «principados». Existem poderes angelicais de natureza boa e de natureza má. Os «poderes», neste caso, não são os tiranos terrenos e os inimigos guerreiros, como alguns têm interpretado essa palavra, embora os remidos sejam protegidos, por semelhante modo, desses outros poderes terrenos.

Alguns intérpretes pensam que esses «poderes» inferiores são envolvidos em todas as formas de manipulação de Satanás, nas artes da mágica negra, na feitiçaria, nas manifestações próprias do espiritismo, etc. É provável que ao menos uma parte dessas manifestações seja controlada pelo poder satânico, através da agência desses poderes espirituais inferiores, que são pervertidos. Aquelas manifestações, entretanto, também podem se derivar de espíritos humanos partidos deste mundo, em estágio de pouco desenvolvimento, se é verdade que o mundo «intermediário» existe, pois do mesmo há muitas evidências nesse sentido.

Os «demônios» podem ser de ordem *humana* ou *angelical*, conforme se ensinava na teologia judaica, na filosofia grega e nos escritos mitológicos. E essa posição foi comumente aceita pela igreja cristã em geral, até o século V de nossa era, conforme também continuam pensando certos eruditos da igreja cristã. Alguns estudos parapsicológicos parecem confirmar esse ponto de vista. Ver o artigo sobre os *Demônios*, em sua origem, natureza e manifestações. Lange, o principal dos intérpretes luteranos, sustentava que os demônios são espíritos angelicais pervertidos como espíritos humanos de indivíduos falecidos, e há evidências modernas que parecem comprovar esse ponto de vista.

O apóstolo Paulo conclui, por conseguinte, que o mundo invisível e sobrenatural, embora seja uma realidade *temível*, que só pode ser manuseada com extrema cautela, não pode prejudicar finalmente o crente, porquanto o amor de Cristo não o permitiria.

Nem a esfera terrena (a vida e a morte) e nem a esfera etérea ou sobrenatural, a esfera extraterrena, podem produzir qualquer prejuízo espiritual permanente para os remidos.

A Ousadia

1. As palavras de Paulo, no oitavo capítulo de Romanos, acerca da segurança dos crentes, encorajam-nos a uma atitude de ousadia e confiança. A provisão divina é grande; o alvo está garantido.

2. Nossa ousadia vem através da fé em Cristo (ver Efé. 3:12 e Heb. 10:19).

3. Essa ousadia é produzida pela fé em Deus (ver Atos 4:19), devido ao temor a Deus (ver Atos 5:29), e através da fidelidade a ele demonstrada (ver I Tim. 3:13).

4. Essa ousadia é tão profunda que poderá ser retida até mesmo no dia do julgamento (ver I João 4:17).

5. Se nos falta tal segurança, cumpre-nos orar para que possamos adquiri-la (ver Efé. 6:19,20).

6. Ela pode ser retida, mesmo diante da mais amarga oposição (ver I Tes. 2:2).

7. Os ministros do evangelho deveriam exibir ousadia na pregação (ver Fil. 1:14), e na reprovação ao pecado (ver Isa. 58:1).

8. Paulo serviu de grande exemplo dessa ousadia (ver Atos 9:27,29 e 19:8).

PODERES DO MUNDO (ERA) VINDOURO

Essa expressão aparece em Heb. 6:5. Provavelmente trata-se de uma expressão bem geral, referindo-se a todas as variedades de poderes, de seres e de coisas, que governarão a eternidade futura. Ou talvez estejam em foco poderes e forças espirituais sobrenaturais, ou dons espirituais, que pertencem à era ou dispensação do Novo Pacto, do qual Jesus Cristo é o Mediador. Comparar com Heb. 9:15. O que é certo é que esses poderes haverão de produzir uma tremenda transformação espiritual nos crentes, levando-os a terem um tipo inteiramente diferente de existência. O trecho de Heb. 6:5 diz que certas pessoas já experimentaram, em um sentido preliminar, os poderes do mundo vindouro, mas que, mesmo assim, podem chegar a desviar-se. Em minha

POESIA — POETA, POESIA

estimativa, crentes verdadeiros estão ali em evidência, e não meramente quase-crentes. Isso levanta a questão da «segurança dos crentes». Ver o artigo detalhado sobre *Segurança Eterna do Crente*. A exposição que provi no NTI (Novo Testamento Interpretado), sobre o sexto capítulo da epístola aos Hebreus (que é motivo de lamentação para algumas pessoas), aborda todas as interpretações que circundam essa passagem de Hebreus. Minha posição sobre o problema da segurança do crente é que um crente verdadeiro pode cair; mas, se é que ele é membro do corpo místico de Cristo, então será trazido de volta ao redil, porquanto isso é uma promessa bíblica. Esse «trazer de volta» pode suceder antes ou depois da morte biológica do indivíduo, visto que tal promessa não está limitada por qualquer condição temporal.

POESIA
Ver sobre **Poeta, Poesia**.

POESIA E TEOLOGIA
Ver sobre **Poeta, Poesia**, seção quarta.

POESIA NO ANTIGO TESTAMENTO
Ver sobre Poeta, Poesia, seção segunda.

POESIA NO NOVO TESTAMENTO
Ver sobre **Poeta, Poesia**, seção terceira.

POETA, POESIA
Esboço:
 I. Definições e Descrições
 II. A Poesia no Antigo Testamento
 III. A Poesia no Novo Testamento
 IV. A Poesia e a Teologia

I. Definições e Descrições
No grego, devemos considerar o termo **poietés**, «fazedor», «realizador». No sentido literário, um poeta é alguém que exprime as suas idéias mediante imagens verbais, metáforas e outros artifícios literários. Um poeta prima pela brevidade de expressão, em conjunção com expressões claras e eloqüência. Os melhores poetas são indivíduos criativos, que são capazes de manipular a linguagem de maneira reveladora.

Sócrates falava sobre a inspiração poética, mas não ficava impressionado diante das explicações racionais dos poetas, porquanto supunha que o homem dotado de grande acuidade intelectual ou intuitiva com freqüência pode fornecer melhores explicações para as coisas do que os poetas.

A poesia tem sido comumente usada como expressão tanto secular quanto religiosa. Na cultura grega, os escritos formais, tanto filosóficos quanto históricos, eram grafados em forma poética, porquanto o sentimento geral era que os escritos importantes só podiam ser corretamente expressos dessa maneira. Levou tempo até que a pessoa começasse a ser usada nos escritos filosóficos e históricos. A poesia ocupa um importante papel no Antigo Testamento; mas só ocasionalmente vem à tona nas páginas do Novo Testamento. A poesia tem feito uma contribuição significativa para a teologia, dentro e fora do contexto hebreu-cristão, conforme demonstro na seção quarta deste artigo. A palavra «poeta» aparece na Bíblia somente em Atos 17:28, onde o apóstolo Paulo cita um trecho de Arato de Mísia: «Porque dele também somos geração». Com base nessa linha poética, Paulo salientou o absurdo da idolatria.

Segundo se verifica com qualquer palavra de sentido muito amplo, não há nenhuma definição isolada e boa para a poesia, embora esta seja uma boa tentativa: «(A poesia) é um discurso emocional e imaginativo em forma métrica—ou seja, a representação de experiências ou idéias que envolvem significação emocional, em uma linguagem caracterizada pela imaginação e pelos sons rítmicos. Pelo lado da imaginação concreta, a arte da poesia está bastante ligada com as artes da pintura e da escultura, embora diferindo dessas porque está melhor adaptada à representação de continuidade e movimento e também por poder fazer uso de idéias puramente abstratas, bem como de imagens verbais. E pelo lado do som rítmico, está intimamente relacionada à música, embora diferindo desta em sua capacidade de representar tanto idéias concretas quanto idéias abstratas com alguma exatidão. Quando o assunto é encarado objetivamente pelo poeta, a poesia pode ser *narrativa* ou *descritiva*, quando subjetivamente, a poesia pode ser *lírica*. A *poesia dramática* combina esses dois pontos de vista: ela é objetiva para o poeta, mas apresenta a matéria subjetivamente, através de personalidades imaginárias. Visto que a poesia pode tratar tanto de assuntos gerais como de assuntos concretos, também há um tipo de poesia que poderia ser apropriadamente chamado de poesia *expositiva* ou *didática*, mas essa, por causa de seu pequeno uso de valores emocionais e de expressões imaginativas, existe por assim dizer, fazendo fronteiras com a prosa». (AM)

Até onde vão os registros, a poesia é a mais primitiva das antigas artes literárias. O poeta grego, Homero, do século IX A.C., surpreende-nos com seus versos de estranha beleza e de arranjo tão artístico, apesar do fato de que ele viveu em uma época de semibarbárie. O espírito amortecedor que há no homem de algum modo não foi capaz de amortecer a expressão poética. Outro tanto pode ser dito quanto à poesia do rei Davi (1000 A.C.), cuja arte literária nos é tão surpreendente quanto a sua vida caracterizada pela violência.

II. A Poesia no Antigo Testamento
1. *Artifícios Poéticos:*

a. *Linguagem figurada*. Essa é uma importante característica do cântico de Moisés (Êxo. 15:1 ss), do cântico de Débora (Juí. 5:1 ss), de certas porções do livro de Jó (38:28 ss; 41:1 ss), e também freqüente no livro de Salmos. Os poetas eram manipuladores da linguagem figurada, e um bom poeta tem uma imaginação fértil, que se manifesta sob a forma de expressões verbais coloridas. «O próprio idioma hebraico é ressonante, rítmico e musical, até mesmo na prosa. O seu vocabulário é vívido. Abunda em figuras de linguagem como aliterações, personificações, hipérboles, metáforas, símiles, metonímia e assonância. A diferença entre a prosa e a poesia dos hebreus nem sempre é fácil de determinar. Na poesia, os ritmos são confinados dentro de certos limites, ao passo que na prosa esses ritmos são absolutamente livres» (UN).

b. *Paralelismo*. Esse artifício opera de mais de uma maneira: por *sinônimos*, com a repetição de idéias similares (Sal. 49:1; todo o Sal. 104); *paralelismo sintético*, quando uma segunda linha é adicionada à primeira, como uma espécie de reiteração da mesma declaração, mas com uma expressão levemente diferente (Sal. 55:6); *paralelismo antitético*, quando a segunda linha apresenta um contraste com a idéia

POETA, POESIA

expressa na primeira (Sal. 1:6); *paralelismo climático*, quando a segunda linha amplia a idéia contida na primeira (Sal. 55:12,13); *paralelismo binósfico*, em que a primeira linha é seguida por diferentes tipos de paralelismos.

Algumas Ilustrações:
Por Sinonímia:
Sal. 59:1
1ª linha — «Livra-me, Deus meu, dos meus inimigos;
2ª linha — «põe-me acima do alcance dos meus adversários».
Paralelismo Antitético:
Sal. 1:6
1ª linha — «Pois o Senhor conhece o caminho dos justos,
2ª linha — «mas o caminho dos ímpios perecerá».
Paralelismo Binósfico:
Sal. 45:1
1ª linha — «De boas palavras transborda o meu coração:
2ª linha — «Ao Rei consagro o que compus:
3ª linha — «a minha língua é como a pena de habilidoso escritor».
Paralelismo Sintético:
Sal. 55:6
1ª linha — «Quem me dera asas como de pomba!
2ª linha — «voaria, e acharia pouso».

c. *Ritmo*. Essa é uma terceira característica da poesia hebréia. Os hebreus não desenvolveram o ritmo ao ponto em que o fizeram os gregos, embora seja um artifício que tem seu desempenho na poesia dos hebreus. Os hebreus não contavam sílabas, como o faziam os gregos. Os eruditos têm sido capazes de detectar um certo ritmo na acentuação das palavras, mas não no número das sílabas. A métrica lírica, entre os hebreus, teria dois mais dois; a poesia épica ou didática, teria três mais três; e a lamentação teria três mais dois, conforme se vê para exemplificar, no livro de Lamentações. Cumpre-nos notar, porém, que os hebreus não dispunham de regras rígidas sobre essa questão, e que nem se deve pensar em emendar textos para moldá-los a essas acentuações. Dentro dessa questão rítmica, a poesia hebréia caracteriza-se mais pelo ritmo de um espírito que se eleva, e não por algum artifício literário especial.

d. *O uso da música*. Sabe-se que a poesia grega tinha por finalidade ser entoada. Isso só é verdadeiro em parte, no caso da poesia dos hebreus. Certamente muitos dos salmos foram musicados. Davi desenvolveu a música a ser usada nos ritos do templo. Trechos escriturísticos como o de Sal. 137:3 mostram que a música (e, presumivelmente, a poesia) não se limitava à expressão religiosa dos israelitas. Pouca poesia não-religiosa nos chegou da parte dos antigos hebreus, porém o trecho de Núm. 21:17,18 refere-se ao «cântico do poço», que parece ser uma espécie de coro, empregado pelos cavadores de poços para se encorajarem enquanto ocupados em um trabalho árduo como esse. Provavelmente outras ocupações pesadas também contavam com cânticos similares, como nas atividades da sega (ver Isa. 9:3), da vindima (ver Isa. 16:10), além de haver cânticos usados em ocasiões especiais (ver Gên. 31:27), festas de casamento (Jer. 7:34), elegias (II Sam. 1:19-27), lamentações (II Sam. 18:33). E as passagens de Êxo. 15:20; Isa. 23:16; I Crô. 25:6 mostram que eram usados instrumentos musicais nessas oportunidades. Sem dúvida, eram peças poéticas declamadas com o auxílio da música. A maior coletânea de poemas hebreus que se conhece é o livro de Salmos; mas há indicações que a cultura hebréia contava com muita poesia, de natureza tanto religiosa quanto secular. Os livros poéticos do Antigo Testamento são Jó, Salmos, Provérbios, Eclesiastes e Cantares de Salomão.

III. A Poesia no Novo Testamento

O Novo Testamento não dispõe de nenhum livro ou de larga porção de algum livro de natureza poética. Apesar disso, considerando seu volume limitado, há bastante poesia no mesmo.

1. *Citações*. O livro veterotestamentário mais citado no Novo Testamento é o livro de Salmos. Com base nessa circunstância, uma boa parcela de poesia foi incorporada assim pelos autores do Novo Testamento. Todavia, também são citados ali poetas não-hebreus. O trecho de Atos 17:22-31 dá-nos o sermão de Paulo no Areópago. O vs. 28 dessa passagem provê uma citação de três poetas gentios, a saber: Epimênides de Creta («Pois nele vivemos, e nos movemos e existimos»), Arato da Cilícia e Cleantes, o estóico («Porque dele também somos geração»). E Paulo, em Tito 1:12 também citou Epimênides («Cretenses, sempre mentirosos, feras terríveis, ventres preguiçosos»). Visto que Epimênides era cretense, teria ele dito a verdade nesse caso! Os filósofos têm-se divertido diante dessa indagação. O trecho de I Cor. 15:33 emprega uma máxima de Menandro («As más conversações corrompem os bons costumes»). Essas citações sugerem que Paulo recebeu uma educação liberal. As evidências em favor disso também dependem do fato de que muitas de suas declarações encontram paralelo em dizeres de filósofos estóicos. A cidade de Tarso era centro de cultura estóica. Fatos como esses laboram contra o *antiintelectualismo* (vide), tão popular entre certos crentes.

2. *Fragmentos de Hinos Antigos*. Os intérpretes julgam poder descobrir porções de antigos hinos cristãos no prólogo do evangelho de João; em Efé. 5:14,19; em I Tim. 3:16; em II Tim. 2:11-13; em Col. 1:13-20; em II Cor. 5:14-18 e em Fil. 2:5-11. Mui provavelmente, essas eram peças de poesia cristã musicadas, cujo intuito era exprimir importantes idéias e sentimentos cristãos. Refletem tanto a poesia hebréia quanto a lírica grega, conforme também já seria de esperar. Ver o artigo geral chamado *Hino* (*Hinologia*) quanto a detalhes sobre essa questão.

3. *Nos Escritos de Lucas*. Visto que Lucas foi homem de considerável habilidade literária, é apenas natural que ele tenha incluído poesia em suas composições. No evangelho de Lucas há oito passagens poéticas: 1:14-17,33-35,46-55, 68-79; 2:14, 29-32,34,35. As poesias mais bem conhecidas e mais utilizadas, dentro do evangelho de Lucas, são: o *Magnificat* (1.46-55); o *Benedictus* (1.68-79); o *Gloria in Excelsis* (2.14) e o *Nunc Dimittis* (2.29-31). O Antigo Testamento foi empregado quanto a quase todo esse material, e o estilo é tipicamente hebreu.

4. *Seleções Miscelâneas*. O prólogo de João (1:1-18) é definidamente poético, podendo representar, pelo menos parcialmente, algum antigo hino cristão; várias declarações do Senhor Jesus são poéticas, como as bem-aventuranças (Mat. 5:3-12) e outras partes do Sermão da Montanha (6:25-34). Os trechos de Mat. 11:28-30 e 23:37-39 soam como poesia segundo o estilo hebreu. O trecho de João 14:1-7 também é poético. Paulo tornou-se um poeta ao escrever passagens como Rom. 8:35-38; 11:33-36; I Cor. 13 (o hino ao amor); I Cor. 15:51-57. Além disso, há lances nitidamente poéticos em Heb. 11:32-38 e Jud. 24,25. A versão inglesa de King James, com sua incomum beleza e cadência, conseguiu até melhorar algumas dessas passagens!

No Novo Testamento observa-se o emprego de

paronomásia e de aliteração. Exemplos disso são Luc. 21:11 (no grego, *loimoi, limoi*); Rom. 1:29 (no grego, *phthonou, phonou*); Atos 17:25 (no grego, *zoen, pnoen*); Heb. 5:8 (no grego, *emathen, epathen*); Rom. 12:3 (no grego, *huperpronein, phronein*); Mat. 16:18 (*Petros, petra*); File. 10 e 20 (*Onesimus, onaimen*). Há um jogo de palavras, em Atos 8:30 (no grego, *ginoskeis, anaginoskeis*), que pode ter ocorrido por acidente.

5. *O Livro de Apocalipse*. Nenhum outro livro do Novo Testamento é tão poético quanto esse, do começo ao fim. Depende pesadamente da literatura apocalíptica dos hebreus (incluindo os livros pseudepígrafos) e do Antigo Testamento. Notáveis passagens poéticas são os hinos ou cânticos exaltados que se acham nas seguintes passagens do Apocalipse: 4:8,11; 5:9,10,12,13; 7:15-17; 11:17-19; 15:3,4 (o cântico de Moisés e do Cordeiro); 18:2,8,14-24 (a condenação de Babilônia); 19:6,8. John Milton chamou o Apocalipse de João de «um coro de sete aleluias e sinfonias de harpas»; e Handel musicou alguns deles em sua imortal composição, *O Messias*. Uma de minhas fontes informativas queixa-se de que grande parte dessa linguagem imaginativa não é interpretada no próprio Apocalipse, dando a entender que as metáforas poéticas obscureceram o entendimento dessas porções, e sugerindo que a chave disso provavelmente existiu na antiguidade. Porém, se o autor dessa fonte informativa tivesse lido os livros apocalípticos e pseudepígrafos do Antigo Testamento, teria descoberto ali quase todos esses símbolos e as explicações dos mesmos. O restante deriva-se diretamente do Antigo Testamento.

IV. A Poesia e a Teologia

A poesia tem contribuído para a teologia, não somente dentro da tradição hebreu-cristã, mas também em outras culturas. As obras de Homero (a Bíblia dos gregos) foram escritas em um excelente estilo poético, com uma força de expressão jamais igualada em qualquer outra literatura. As escrituras hindus, o *Bhagavadgita* (vide) contém notáveis passagens poéticas. E há obras modernas que têm levado avante a expressão poética, emprestando poder à teologia. Entre essas obras modernas poderíamos citar a *Divina Comédia* (de Dante); a *Tempestade*, o *Paraíso Perdido*, o *Paraíso Recuperado* (de Milton); *Fausto* (de Goethe); e vários poemas de Tennyson, como o *Memoriam*. Outros poetas metafísicos foram Robert Burns, John G. Whittier, John Donne e Browning. De modo não infreqüente, as mais notáveis composições poéticas têm reinvindicado inspiração. Os grandes temas de Deus, Cristo, as perfeições e a missão de Cristo, o amor de Deus, e a alma e sua imortalidade têm sido fontes naturais de inspiração poética.

Muitos hinos são apenas grandes poemas musicados; sendo assim, é correto dizermos que a hinologia, em geral, serve de meio de expressão teológica. Alguns estudiosos têm até exagerado nisso, afirmando que a hinologia é um ramo da teologia. A eficácia da hinologia vê-se diante do fato de que não instrui meramente a mente. Mas também anima e inspira ao espírito. Um bom hino inspira nobreza, tal como a música corrupta inspira a corrupção. Ver os artigos intitulados *Música* e *Hino* (*Hinologia*).

POLARIDADE, PRINCÍPIO DA

Esboço:
I. Definições
II. Idéias dos Filósofos sobre a Polaridade
III. Algumas Aplicações Teológicas
IV. A Teologia Dialética; Pares Polares

I. Definições

Alguns filósofos também usam a designação «conceitos polares».

Algumas vezes, só podemos chegar a compreender alguma idéia após considerarmos seu pólo oposto ou contrário. Opostos como imanência e transcendência, livre-arbítrio e determinismo, pluralidade e unidade, o ideal e o real só podem ser inteligíveis em termos de um estudo global, que inclua ambos os pólos dessas questões. O princípio da polaridade informa-nos, desde o começo, que o estudo dos pólos de alguma idéia mui naturalmente põe-nos frente a frente com questões misteriosas. É um absurdo tentar retirar o elemento misterioso de nosso conhecimento das coisas, especialmente no caso do conhecimento teológico, e isso através da ignorância ou da perversão de algum dos pólos, com a exagerada ênfase sobre um único pólo de um par de verdades. A **polaridade** é a qualidade de «ter pólos», isto é, os dois lados de uma questão. Naturalmente, não nos podemos esquecer que algumas questões têm mais de dois lados, podendo ser até multifacetadas. Não obstante isso, o princípio da polaridade ensina-nos que precisamos considerar *todos* os ângulos de um problema qualquer, e não apenas dois desses lados, naqueles casos onde houver mais de dois lados envolvidos.

II. Idéias dos Filósofos sobre a Polaridade

1. *Nicolau de Cusa* (vide) declarou que o próprio Deus é o principal exemplo de ser ou assunto que deve ser considerado da perspectiva da polaridade. Deus é, ao mesmo tempo, imanente e transcendente; ele é amoroso e severo; ele é ilimitado, mas autolimita-se.

2. *Fichte* (vide), *Hegel* (vide), *Marx* (vide), além de muitos outros filósofos têm pensado que a questão da polaridade deve ser resolvida por meio de uma síntese. Entretanto, a experiência ensina-nos que nunca há uma síntese final, pois esta torna-se, de imediato, em uma nova tese. Não há tal coisa como um fim em tudo isso. Todos os fins tornam-se meios para reiniciar o processo.

3. *Schelling* (vide) supunha que Deus tem em si mesmo, de modo inerente e necessário, o princípio da polaridade, que se manifesta de diferentes maneiras. Eis a razão pela qual nunca podemos chegar a uma conclusão final acerca da natureza e das obras de Deus, o qual permanece acima do nosso entendimento. Todas as descrições que podemos oferecer sobre Deus são parciais e inadequadas, e todas maculadas pelo erro. Deus é o *Mysterium Tremendum* (vide).

4. *Morris Cohen* (vide) por certo tinha razão ao asseverar que muitas análises requerem que se levem em conta duas idéias opostas, e que a eliminação de qualquer uma delas produz uma avaliação inadequada e errônea, quanto a muitas questões.

III. Algumas Aplicações Teológicas

O material acima sugere várias aplicações teológicas do princípio da polaridade. Esse problema é vital para a ciência, para a filosofia e para a teologia, razão pela qual achamos importantes figuras defendendo um pólo ou outro de muitos problemas. Podemos exemplificar com a questão do determinismo versus livre-arbítrio—não há, no momento, qualquer maneira adequada de reconciliar essas duas facetas de um problema maior ainda, o plano de Deus. Contudo, sabemos que ambos esses princípios são necessários e verdadeiros. Esses são pólos de alguma verdade única, transcendental, que ainda não é clara para nós. Muitos cristãos, defendendo uma teologia infantil, têm enfatizado um pólo ou outro dessa questão, e denominações cristãs inteiras têm-se dividido por causa da questão. É tradicional, entre os estudantes de teologia, causarem muitas dores de

POLARIDADE

cabeça uns aos outros, por causa desse problema; e também é tradicional que seus mestres aticem mais ainda a fogueira, defendendo um lado ou outro da questão. Em casos como o desse problema, o procedimento correto a ser seguido é ensinar ambas as verdades, a fim de derivar das mesmas o benefício dali advindo, sem qualquer tentativa de reconciliação. Ambos os lados têm muito a ensinar-nos. O erro consiste em anular qualquer um dos pólos, a fim de obter o conforto mental. Se cairmos nesse erro, acabaremos ensinando uma *humano*logia, e não a *teologia*. É forçoso admitir que várias idéias terminam em um *paradoxo* (vide). Na verdade, ter uma teologia sem paradoxos é ser um sistema teológico infantil, sem a devida profundidade.

1. O propósito da teologia não é obter *consolo mental* por meio de algum sistema sem problemas. Aqueles que se sentem perfeitamente à vontade às voltas com o mundo das idéias, e não encontram quaisquer mistérios que não possam resolver, são apenas *iniciantes*.

2. *O Problema de Deus*. Deus é imanente e transcendente; ele é infinito, mas torna-se finito quando se autolimita; ele é todo-poderoso, e, no entanto, o mal prevalece neste mundo (ver sobre o *Problema do Mal*). Todos os *omnis* que aplicamos a Deus, terminam em paradoxos. Pergunte-se a qualquer teólogo a respeito da natureza básica de Deus, ele não terá muita coisa a dizer. O vocábulo «espírito» ainda não recebeu qualquer boa definição simples, a não ser esta: um espírito é imaterial. No entanto, nem ao menos sabemos ainda no que consiste o átomo. Quando afirmamos que Deus é Espírito Absoluto, temos dito algo, mas não muito. Manifestar-se de maneira diferente disso tão-somente manifesta uma teologia ingênua e preliminar.

3. *O Problema do Deus-Homem*. Costumamos falar sobre as duas naturezas do Logos, o qual se encarnou como o Cristo. Podemos descrever ambas essas naturezas, mas não há como afirmar o modo como ambas essas naturezas—a divina e a humana—podem residir em um único ser. Somente aqueles que são filosoficamente ingênuos não reconhecem essas coisas. Os eruditos liberais sacrificam a natureza divina de Cristo, reduzindo-o a um mero homem, porquanto não podem tolerar paradoxos (e assim eliminam o pólo da divindade de Cristo). Os antigos gnósticos e docéticos sacrificavam a natureza humana de Cristo, fazendo dele um ser meramente divino (embora de um tipo inferior de divindade), por não poderem tolerar paradoxos (e assim eliminavam o pólo da humanidade de Cristo). Muitos evangélicos, embora não sejam docetistas em seu dogma oficial, nem por isso deixam de ser docéticos em uma aplicação prática. Esses evangélicos exaltam de tal maneira a natureza divina de Cristo (à qual são atribuídas todos os seus atos) que bem poderíamos perguntar que elemento humano restava nele. Nesse caso, como pôde ele morrer? Nenhuma *Cristologia* decente (vide) pode subsistir se não reconhecermos o princípio da polaridade. E, além disso, devemos reconhecer que os pólos envolvidos não podem ser reconciliados entre si através de nosso presente nível de entendimento. Ver dois artigos afins, *Humanidade de Cristo* e *Divindade de Cristo*.

4. *O Problema do Homem*. No mínimo, o homem é um ser duplo: material e imaterial. No entanto o *Problema Corpo-Mente* (vide), que procura mostrar-nos como esses dois lados do homem podem interagir em um único ser, aponta para profundos mistérios. Nosso conhecimento não tem contribuído muito para desfazer os mistérios que circundam o ser humano; e quanto menos os mistérios que envolvem a pessoa de Deus! As evidências indicam que o homem é composto, pelo menos, de quatro elementos básicos: o corpo físico; a vitalidade semifísica; a alma espiritual; e o sobre-ser, que é a porção verdadeiramente transcendental do homem. Ver os artigos separados sobre *Humanidade* (*Natureza Humana*) e *Sobre-ser*. O princípio da polaridade ensina-nos a ser pacientes com problemas complexos e a não falarmos alto demais sobre coisas que quase desconhecemos inteiramente.

5. *A Ira e a Graça Divinas*. Alguns teólogos alistam esse duo entre os paradoxos ou pares que, de fato, constituem uma única verdade, para nós um tanto obscura. Pessoalmente, creio que temos algum discernimento quanto à questão. O juízo é o amor em operação, e não, na verdade, o contrário do amor. O julgamento divino é remedial (ver I Ped. 4:6), estando alicerçado sobre o amor de Deus, que procura corrigir os homens. Todos os juízos divinos envolvem um elemento de restauração. Consideremos o julgamento da cruz de Cristo. Esse juízo foi remedial do começo ao fim. E o julgamento dos perdidos também será remedial, procurando tornar uma realidade a *Restauração* (vide). Em outras palavras, o julgamento final será um dos elementos que, unido a outros, chegará àquele propósito. Contudo, para alguns teólogos cristãos, a ira e a graça divina continuam sendo uma polaridade.

6. *O Tempo e a Eternidade*. A ciência moderna sabe mais sobre o tempo do que antigamente. Platão pensava que a dimensão do tempo-espaço veio a existir mediante a intrusão das Idéias no mundo físico, e que esses elementos são características deste mundo inferior, embora sem qualquer aplicação ao mundo das Idéias. Albert Einstein demonstrou que o tempo não é constante, mas varia na velocidade de sua passagem. As religiões orientais têm opinado que o tempo é apenas uma ilusão, e não parte da verdadeira Realidade de todas as coisas. O tempo é onde ocorrem as modificações; mas a eternidade é imutável. Ou, pelo menos, é nesses termos que falam teólogos e filósofos. Alguns seres vivem fora do tempo; e outros vivem dentro do tempo. O eterno penetra em nossa dimensão física, como no caso da alma humana, que é eterna. Grandes mistérios circundam todas essas coisas.

Martinho Lutero defendia a existência de «verdades duplas», contra os estudiosos da Sorbonne, que opinavam ao contrário. Em outras palavras, ele pensava que existem paradoxos reais. Alguns dos chamados paradoxos podem ser solucionados pelo estudo e pela extensão da experiência humana.

7. *A Matéria e o Espírito*. Temos evidências em favor da existência de ambas essas coisas, as quais, de algum modo, podem coexistir dentro da mesma dimensão, e, no caso do ser humano, em um único ser vivo. Porém, não temos nenhuma boa explicação quanto a como isso pode ser verdade; e assim resta-nos refletir sobre a polaridade envolvida na existência, conforme a conhecemos. Meu artigo sobre o *Problema Corpo-Mente* procura expor algumas idéias sobre como os dois elementos interagem; mas a verdade é que pouquíssimo se tem descoberto, até agora, sobre a verdadeira natureza tanto da matéria quanto do espírito.

8. *O Problema do Mutável e do Imutável*. Esse era um problema básico da filosofia grega original. As mudanças estavam vinculadas à idéia de fluxo (como nos escritos de Heráclito), e alguns materialistas supunham que essa é a única realidade. Mas outros pensadores, como Parmênides, encontravam a realidade somente no Eterno, que ele declarava ser imutável. Em seguida, ele dizia que o fluxo e as

mudanças são ilusórias, sem qualquer realidade. Platão postulava um mundo de Idéias imutáveis e eternas, atribuindo fluxo e temporalidade ao mundo dos particulares (nosso mundo físico), chamando-o de «menos real». Aristóteles via a eternidade e a imutabilidade em seu Movedor Inabalável, embora visse mudanças e desintegração nas demais realidades.

Uma Útil Citação. «Por causa da diversidade e complexidade da realidade e por causa das limitações da finita e pecaminosa razão humana, os melhores esforços do homem por conhecer a realidade levam-no somente a perceber verdades razoáveis (ou aparentemente razoáveis), mas *irreconciliáveis*. Em tais casos, o homem pode estar *mais perto da verdade* quando defende *ambos os lados* de qualquer questão paradoxal, e não quando desiste de um dos lados, em favor do outro» (B, os itálicos são meus).

IV. A Teologia Dialética; Pares Polares
Karl Barth e sua escola rejeitavam a abordagem teológica clássica da obtenção do conhecimento de Deus. Esse método clássico tem três aspectos: 1. *Via afirmativa*. Conhecemos a Deus encontrando evidências de sua natureza na sua criação, como no caso do homem. Em seguida, expandimos o que ali achamos, e dizemos: «Deus é assim». Inevitavelmente, isso nos envolve no *antropomorfismo* (vide). Esse método também é chamado de *via positiva* ou de *via eminentiae*. 2. Em segundo lugar, temos a *via negativa* ou *via negationis*, o método negativo. Deus «não» é como o homem é. Deus é inefável, e os antropomorfismos somente afastam-nos para longe da verdade, e não nos aproximam dela. Por isso, procuremos conhecer a Deus mediante experiências místicas, quando então a alma sente como Deus é, embora não seja capaz de descrevê-lo intelectualmente. Ver o artigo separado sobre esse assunto, quanto a maiores detalhes. Algumas religiões orientais concordam com esse método, afirmando que a única declaração verídica real acerca de Deus é: «Ele não é isto». Não há que duvidar que temos aí um exagero; mas, pelo menos, a *via negativa* instrui-nos a ser cuidadosos sobre pensarmos que temos muito a dizer sobre o *Mysterium Tremendum*, pois quase nada sabemos dizer a respeito. Faríamos melhor em falar sobre as obras de Deus, mais abertas às nossas investigações. 3. A *via eminentiae*. Esse método é um sinônimo da *via afirmativa* ou *positiva*, embora enfatizando as máximas sobre o que o homem é, ao procurar descobrir o que Deus é. Assim, do poder humano subimos para a idéia do Deus todo-poderoso; do conhecimento humano passamos para a onisciência divina, etc. As características humanas só são verdadeiras quanto a Deus se forem elevadas à potência máxima, o que explica o título desse terceiro método.

Essa abordagem é negada por Karl Barth e sua escola, como já dissemos. Em lugar da mesma, eles preferem a *via dialética*. Nisso temos simplesmente declaração e contradeclaração, o «sim» e o «não» dos paradoxos, onde são aceitos, mediante a fé, os *pares polares*. E isso é tudo o que precisamos. Isso posto, aceitamos como verdades a ira e a graça divinas, o tempo e a eternidade, o livre-arbítrio humano e o determinismo divino (além de outros pares polares similares), sem sentir a necessidade de fornecer explicações racionais sobre como ambos os aspectos desses pares podem ser verdadeiros ao mesmo tempo. É impossível identificarmos a verdade divina com um conjunto de proposições dogmáticas. A Palavra de Deus é mais ampla do que qualquer sistema dogmático. A Palavra de Deus não pode ser reduzida a uma teologia escrita!

POLEGAR

No hebraico, *bohen*, «polegar»; também, *bohen yad*, «polegar da mão». A palavra isolada aparece por sete vezes: Êxo. 29:20; Lev. 8:23,24; 14:14,17,25,28. E a expressão *bohen yad* é utilizada por duas vezes: Jer. 1:6,7.

O polegar constitui um dos mais versáteis dedos da mão. Sua ligação direta ao pulso permite e facilita a sua rotação a uma posição em que sua ponta fica diretamente oposta às pontas dos outros quatro dedos da mão. A experiência demonstra que a perda do polegar deixa a mão severamente aleijada e limitada. De conformidade com as modernas leis trabalhistas, a perda do polegar recebe uma compensação bem mais alta do que a perda de qualquer dos outros dedos da mão. — As modernas técnicas cirúrgicas têm-se esforçado por substituir um polegar perdido por algum outro dedo da mão, ou mesmo por algum artelho, com ligações similares às de um polegar verdadeiro. E, nisso, os cirurgiões têm conseguido uma razoável medida de sucesso.

É digno de nota que há proeminência especial aos polegares dos filhos de Aarão, em conexão com sua consagração ao ministério sacerdotal do tabernáculo, porquanto a consagração desses ministros envolvia seu corpo inteiro, mas, especialmente, aquelas porções do corpo mais úteis ao serviço (ver Lev. 8:23,24).

POLÊMICA

Essa palavra portuguesa vem do termo grego *polemikós*, «aguerrido». Sua definição básica é «pertinente à controvérsia, às disputas». No contexto da teologia cristã, a *polêmica* refere-se a disputas havidas entre cristãos, acerca de questões controvertidas, difíceis, nebulosas. Nesse sentido, essa palavra pode ser usada em contraste com o vocábulo *apologética*, cujo intuito é prover subsídios para os incrédulos meditarem, demonstrando a verdade cristã, tanto para os incrédulos quanto para os crentes.

A *polêmica* é útil quando dela nos ocupamos no correto espírito cristão, com a idéia de instruir e receber instrução. Infelizmente, porém, a polêmica freqüentemente degenera apenas naquilo que a palavra grega sugere, «conflito», com sua esteira de separação e destruição da unidade entre os crentes.

POLIANDRIA

Ver o artigo geral sobre o **Matrimônio**, quanto às várias formas de casamento que prevalecem entre os seres humanos. A transliteração do grego dessa palavra é *poli*, «muitos», e *anér* (*andrós*), «homem». Esse termo fala da situação marital em que uma mulher tem vários maridos, usualmente irmãos. O mundo não tem exposto muitos exemplos desse costume. O exemplo mais notável são os todas, da Índia. Ali a prática era acompanhada pelo infanticídio de crianças do sexo feminino, pois nasciam muito menos meninos que meninas. A causa principal da poliandria, ali, era a pobreza. É que um homem só não dispunha de meios para sustentar uma mulher.

As mesmas objeções morais que se aplicam à poliandria têm aplicação à *poligamia* (vide). Nos montes do Tibete, a forma de poliandria prevalente era a de um irmão mais velho que compartilhava de sua esposa com os irmãos mais novos dele. Mas, se qualquer dos irmãos resolvesse mudar-se para outra região, perdia os seus direitos maritais. Portanto, no caso, os homens é que tomavam as decisões, e não a

POLIANDRIA — POLICARPO

mulher. — E o irmão mais velho geralmente tinha direitos maritais maiores do que seus irmãos mais jovens. Na prática, a mulher usualmente podia opinar quanto à freqüência dos contactos sexuais, além de outros direitos.

Os naiares de Cochim, ilha de Malabar e Travancore, praticam certa forma de poliandria não-fraternal. Em outras palavras, uma mulher pode ter mais de um marido, e esses maridos não têm de ser, necessariamente, irmãos. Nesse caso, a palavra cabível é a liberalidade. Entre aquelas tribos, as mulheres gozam de excessiva liberdade quanto a terem maridos e amantes. Como é óbvio, nos casos de poliandria, a paternidade nunca se torna importante; pois quem poderia dizer, na esmagadora maioria dos casos, quem é o pai específico de alguma criança? Algumas vezes, é adotada a paternidade artificial, isto é, o irmão mais velho é reconhecido como o pai do primeiro filho; o segundo irmão, do segundo filho, e assim por diante, sem qualquer consideração para com as razões biológicas.

Vantagens. Extensas propriedades são assim mantidas intactas. Há uma espécie de vida comunitária que requer a partilha dos recursos materiais. Cada pessoa que faz parte do grupo marital dispõe de privilégios e responsabilidades. É possível que algumas mulheres considerem a poliandria uma espécie de vantagem sexual, embora essa seja minha opinião, e não o que dizem minhas fontes informativas.

Além dos *todas* e de certas tribos do Tibete, a poliandria tem existido igualmente na Sibéria da Rússia, em algumas sociedades africanas, e entre certos ameríndios do norte e do sul. Também tem sido encontrada nas ilhas Canárias, e em algumas poucas ilhas do Pacífico Sul e nas ilhas Marshall.

POLICARPO

Policarpo (cujo nome significa **muito fruto**), o discípulo pessoal do apóstolo João, homem muito consagrado, foi o «principal pastor» da igreja de Esmirna, bem como o principal instrumento do poder de Cristo (parcialmente mediado pelo anjo guardião da igreja). A história de seu martírio é narrada por Eusébio, em sua *História Eclesiástica* iv.15 e em *Mart. Polyc.*, caps. 12 e 13, págs. 1037 e 1042. Foi levado à arena, lugar dos jogos olímpicos, um dos maiores teatros abertos da Ásia Menor, parte de cuja construção permanece de pé até hoje. Foi-lhe ordenado que se retratasse e que abandonasse a Cristo, dando sua lealdade ao imperador romano, como se fora um deus. Foi-lhe ordenado que dissesse: «Fora com os ateus», isto é, com os cristãos. Isso ele fez, mas fazendo um gesto largo com a mão, indicando a população hostil das arquibancadas, composta de pagãos. Foi-lhe ordenado que jurasse pelo «gênio» de César, confessando assim a divindade do imperador. Isso ele se recusou a fazer. Foi ameaçado de ser morto pelas feras, mas não demonstrou qualquer temor. Foi resolvido que o queimariam na fogueira. O procônsul se opôs a tais providências, mas sem resultado. Alegremente, muitos trouxeram madeira para fazer a fogueira. Quando lhe foi dito que se retratasse, ele zombou do fogo que tinham feito, e relembrou seus algozes do fogo muito mais terrível das chamas do juízo eterno, que os ímpios terão de sofrer. Então disseram: «Esse é o mestre da Ásia, o pai dos cristãos, aquele que derruba por terra os nossos deuses e que tem ensinado a muitos a não sacrificarem e nem adorarem». Ante às ameaças deles, que instavam para que amaldiçoasse a Cristo, respondeu: «Por oitenta e seis anos tenho sido servo de Cristo, e ele nunca me fez mal algum. Como posso blasfemar de meu rei, que me salvou?» Ato contínuo, foi preparada para ele a fogueira; mas, segundo se diz, o fogo fez um arco ao seu redor, ficando ele intocado no meio das chamas. Alguém que estava próximo, entretanto, matou-o com um golpe de sua adaga.

Policarpo, que nasceu em 69 D.C., morreu em 159 D.C. Para nós ele representa a igreja dos mártires, a constância cristã sob as mais severas perseguições. Policarpo foi martirizado em meio a uma coragem invencível, e foi recompensado com a coroa da vida, por aquele que também tivera morte horrível, mas que triunfara em sua ressurreição, Jesus, o Senhor. O único escrito que resta de Policarpo é sua epístola aos Filipenses. Também há uma carta de Inácio a Policarpo, que foi uma das sete cartas que Inácio escreveu, estando a caminho de Roma e do martírio.

POLICARPO, EPÍSTOLA DE

1. *Autor*

A epístola de Policarpo é a única epístola que restou desse antigo pai da Igreja, que foi bispo de Esmirna e discípulo do apóstolo João. Temos provido um artigo separado sobre ele. Eusébio, o grande historiador eclesiástico do passado, e Irineu, ambos tecem considerações sobre ele.

2. *Atividade Literária*

Eusébio e Irineu informam-nos que Policarpo escreveu várias cartas (ver Euséb. *Hist.* 5:20,8). Alguns estudiosos têm proposto a teoria de que a chamada epístola aos Filipenses, atribuída tradicionalmente a Policarpo, na verdade é uma carta composta, algo similar à correspondência de Paulo com os coríntios. Policarpo estava longe de ser um literato, pois não se distinguia por uma educação esmerada e nem era um teólogo. Assim sendo, já era de se esperar que suas atividades como escritor não fossem muito extensas.

3. *Pano de Fundo Histórico*

Policarpo nasceu em uma família cristã, e foi seguidor de Cristo durante muitos decênios. Foi um discípulo do apóstolo João. Foi amigo e mestre de Irineu, e conheceu a Inácio. Este último esteve durante algum tempo em Esmirna, quando Policarpo já estava aprisionado, e foi encorajado por ele. Dali, Inácio foi para Roma. A carta de Policarpo aos Filipenses foi escrita em cerca de 110 D.C., no ano em que Inácio de Antioquia foi martirizado em Roma. Ver o artigo separado sobre *Inácio*.

4. *Conteúdo da Epístola*

A carta de Policarpo aos Filipenses usa continuamente o Novo Testamento, especialmente as epístolas de Paulo, o que mostra a condição canônica não-oficial mas já real das mesmas. Naturalmente, o cânon neotestamentário da época consistia nas epístolas de Paulo e nos quatro evangelhos. Ver sobre o *Cânon*. É significativo que nessa epístola de Policarpo haja treze alusões às epístolas pastorais paulinas, e isso mostra que mesmo então, aquelas obras atualmente denominadas deuteropaulinas tinham grande prestígio no começo do século II D.C. O trecho de Efé. 4:26 é citado ali como «Escritura». O evangelho de Mateus, o relato Lucas-Atos, a epístola aos Hebreus e I Pedro também são escritos utilizados. Embora o próprio Policarpo fosse bispo, ou seja, pastor de uma igreja local, seu poder e influência dificilmente confinavam-se a uma única congregação local, e os oficiais eclesiásticos ali mencionados são somente os presbíteros (ou anciãos, outro título para os pastores) e os diáconos. Muitos pensam que um presbítero (ou ancião) podia ser ou o pastor de uma igreja local, ou um «supervisor» (bispo) de uma região com várias igrejas locais. Por isso mesmo, então eram intercambiáveis os títulos de «pastor», «bispo» e «presbítero». Em outras palavras, esses títulos apenas destacavam facetas de uma única posição eclesiástica, embora isso não queira dizer que alguns anciãos não funcionassem como supervisores de áreas inteiras. Certamente que Timóteo e Tito eram mais do que pastores de igrejas locais isoladas. Somente nos séculos que se seguiram, esses títulos foram desmembrados, cada qual indicando alguma função eclesiástica diferente, havendo atualmente não pequena confusão a respeito.

Essa epístola de Policarpo dá grande peso às boas obras e à uma vida cristã piedosa. Embora o estado romano fosse hostil ao cristianismo, essa epístola destaca os mandamentos paulino e petrino para os crentes obedecerem aos governantes civis e até orarem em favor deles. As doutrinas frisadas acerca de Jesus são as seguintes: Jesus Cristo verdadeiramente veio em carne (contra o docetismo); e ele realmente morreu e ressuscitou (insistência primitiva da doutrina apostólica, e que não pode ser abandonada por todo verdadeiro crente).

5. *Manuscritos*

O apoio aos manuscritos da epístola de Policarpo é adequado, embora não muito forte. Todos os manuscritos gregos que chegaram até nós são defeituosos, terminando em 9:2. Mas vários manuscritos latinos suprem-nos o resto do texto da epístola, excetuando seu décimo terceiro capítulo. Isso é citado por Eusébio. Há algumas citações na versão siríaca dessa epístola, mas não manuscritos.

Bibliografia. CY GR LIG LO

POLICARPO, MARTÍRIO DE

1. *Assunto e Pano de Fundo Histórico*

Policarpo, bispo de Esmirna, é o grande personagem desse livro, especificando o seu martírio, naquela cidade, durante as perseguições movidas contra os cristãos na época do imperador Marco Aurélio. Policarpo tinha sido discípulo do apóstolo João; foi amigo e mestre de Ireneu, e conheceu pessoalmente Inácio de Antioquia, que acabou também sendo martirizado. Ver amplas informações sobre ele no artigo intitulado *Policarpo*. O martírio de Policarpo teve lugar em 155 D.C., na cidade de Esmirna, a atual Ismir da Turquia moderna.

2. *Caráter da Obra*

O *Martírio de Policarpo* descreve o martírio desse antiqüíssimo vulto cristão. Trata-se de uma carta enviada pela igreja cristã de Esmirna à igreja em Filomélio. Policarpo tinha sido bispo de Esmirna pelo espaço de cinqüenta anos, e o seu martírio ceifou uma vida plena de realizações. Filomélio, por sua parte, era uma pequena cidade da Pisídia, localizada próxima à fronteira com a Frígia, e cerca de quatrocentos quilômetros a leste de Esmirna. Ambas as localidades, como é claro, estavam localizadas no que é hoje a Turquia asiática. A narrativa do martírio de Policarpo foi feita por um homem chamado Márcio (segundo somos informados em 20.1 dessa narrativa), o qual não deve ser confundido com o famoso mestre gnóstico do mesmo nome. É óbvia a genuinidade da narrativa, embora pareça que algum material lendário ou apócrifo tenha sido adicionado.

3. *Conteúdo*

Antes de tudo, há uma saudação. Aparecem então vinte seções ou capítulos. Duas porções adicionais foram depois apostas: uma com o propósito de fornecer a data da narrativa, e a outra relatando que um certo Gaio copiou o manuscrito com base em material pertencente a Ireneu, que Sócrates (ou Isócrates) fez outra cópia em Corinto, e que Piônio copiou a sua obra. Cálculos feitos a partir desse livro parecem situar a morte de Policarpo a 22 de fevereiro de 156 D.C., o que não concorda com a informação dada por Eusébio, que situa o martírio de Policarpo em 167 D.C. E a maioria dos estudiosos pensa que Eusébio estava mal informado a esse respeito, por não ter consciência do material contido no vigésimo capítulo desse livro.

Ireneu salienta que Policarpo foi escolhido para seu ofício de bispo pelos apóstolos, que o tinham conhecido ainda menino (*Her*. 3.3,4). Ele menciona a visita feita por Policarpo a Roma, acerca da disputa da data certa da celebração da páscoa.

Talvez a porção mais significativa desse livro seja o fato de que ela nos informa sobre as obras e as atitudes dos cristãos que tiveram de enfrentar o martírio no começo do segundo século da era cristã. Um desses cristãos, de nome Germânico, sofreu uma morte heróica; mas um outro, chamado Quinto, apostatou. Este era menos corajoso do que pensava. Denunciou-se como cristão, diante das autoridades, em um momento impetuoso; mas, chegada a hora de enfrentar a morte, perdeu a coragem. Esse incidente foi usado como aviso, feito aos cristãos em geral, para que não se autodenunciassem. Que a natureza seguisse o seu próprio curso.

Policarpo, a exemplo de Jesus, escondera-se para evitar maiores dificuldades. Porém, foi finalmente encontrado, em uma fazenda. No seu momento de crise, orou durante duas horas, em voz alta, por vários indivíduos, e pela Igreja de Cristo espalhada pelo mundo. Quando o procônsul romano convocou-o a fim de retratar-se e abjurar a Cristo, ele replicou: «Por oitenta e seis anos tenho-O servido, e ele nunca me fez nenhum mal. Como posso agora blasfemar do meu Rei, que me salvou?» Em vista disso, foi queimado vivo na fogueira. É nesse ponto do relato que talvez topemos com elementos apócrifos, que dizem como as chamas dançaram ao redor dele, sem atingi-lo, e que foi mister que o carrasco o executasse à espada; e então o seu sangue extinguiu as chamas.

Deveras interessantes são os pressupostos trinitarianos que aparecem no décimo quarto capítulo desse livro, além de outros lugares do mesmo. Também figura ali a idéia de que os mortos bem-aventurados tornam-se imediatamente anjos (uma espécie de recompensa dada aos mártires), segundo se vê nos capítulos dois e três dessa obra.

4. *Manuscritos*

Existem vários manuscritos gregos; há também citações nas obras de Eusébio; há um manuscrito latino, com algumas omissões, o que fortalece a idéia de que algumas interpolações acabaram sendo acrescentadas ao texto grego original. Um óbvio elemento apócrifo, no texto grego, é aquele que diz que quando Policarpo foi ferido no lado de seu corpo com a espada do carrasco, saiu do ferimento uma pomba! A imaginação popular não hesita em corromper até às mais solenes narrativas. Porém, apesar desses toques apócrifos, não há que duvidar que o relato é autêntico.

Bibliografia. CY GR LIG LO

POLIGAMIA

Esboço:
1. Definições

POLIGAMIA

2. Sociedades Polígamas
3. A Moderna Cena Religiosa Mundial
4. A Moralidade e a Poligamia; Noções Bíblicas

1. Definições

Ver o artigo geral sobre o *Matrimônio*, onde são discutidas as várias formas de casamento. Ver também sobre *Monogamia*, que informa sobre um ponto que faz parte integral do presente tema, especialmente no que diz respeito a como a monogamia é rara entre as espécies de animais irracionais no mundo. O termo *poligamia* vem do grego *poli*, «muitos», e *gámos*, «festa de casamento». Esse vocábulo refere-se, estritamente, aos casamentos plurais, ou nos casos em que um homem tem muitas mulheres (também chamado *poliginia*, «muitas mulheres»), ou nos casos em que uma mulher tem muitos maridos (ou seja, a *poliandria*, «muitos homens»). O primeiro desses casos, a poliginia, é o termo mais certo para quando um homem tem muitas mulheres; mas, de acordo com o uso popular, geralmente é usada a palavra poligamia para essa situação, e as pessoas usualmente usam o termo incluindo a idéia da poliandria. A *Encyclopedia Americana* envia o leitor a examinar o verbete *Poliginia*, sob o título *Poligamia*, o que está verbalmente correto, embora isso vá de encontro ao conhecimento e à compreensão comuns das palavras.

2. Sociedades Polígamas

Embora as sociedades ocidentais sejam legalmente monógamas, ainda assim, há muita poligamia, através da instituição semilegalizada do concubinato (A Constituinte Brasileira, de 1988, — legalizou o concubinato), sem falarmos nas «amantes», secretas ou francas. Mas, quanto às sociedades que reconhecem, legal e religiosamente, a instituição da poligamia, somos informados que as mulheres envolvidas dirigem seus ciúmes não na direção de questões sexuais, mas na direção da posição social de cada uma, do número de filhos, dos favores recebidos do marido, da predominância social de umas sobre as outras, etc. Também somos informados, por quem deveria saber o que está dizendo, que as sociedades onde a poligamia há muito está arraigada, que elas preferem essa forma de casamento, e isso não só da parte dos homens, mas até da parte das mulheres. É que uma co-esposa provê companheirismo e ajuda no trabalho doméstico. Acresça-se a isso que, nessas sociedades, o número de esposas de um homem corresponde, a grosso modo, à sua prosperidade financeira, o que significa que uma família polígama tem mais prestígio social e financeiro que uma família monógama, pois esta última pode estar seguindo esse regime meramente porque o chefe da família não é tão abastado assim, podendo sustentar somente uma mulher. Além disso, os casamentos polígamos suprem a força de trabalho que faz uma família tornar-se mais próspera que as famílias monógamas. Os historiadores dizem que os índios norte-americanos blackfoot passaram de uma sociedade bastante empobrecida para uma sociedade afluente por razão de sua poligamia. As várias mulheres de um homem eram treinadas a cuidar dos couros de búfalo e de outros animais. Enquanto o marido caçava, as mulheres é que preparavam as peles. Quanto mais esposas tivesse um homem em sua tenda, mais prósperos tornavam-se todos os membros da família!

A *poliginia* é comum em alguns países africanos, sendo a prática oficial dos muçulmanos. A sabedoria prática de Maomé dificilmente pode ser posta em dúvida. Em primeiro lugar, ele casou-se com uma rica viúva, pelo que teve tempo de seguir suas idéias religiosas sem o empecilho de ter de trabalhar para sustentar-se. Em segundo lugar, quando ela morreu, ele fez da poligamia a prática oficial e divinamente sancionada.

Nos países da antiguidade, a prática da poliginia era quase universal. O Antigo Testamento deixa isso claro, até com respeito à antiga sociedade dos hebreus. Esse também era um costume que prevalecia no Egito e na Arábia. — Até os próprios tempos modernos, também era prática comum na China e na Irlanda. Na China e no Japão dos nossos dias, a poligamia ainda persiste, sob a forma de um concubinato socialmente aprovado. Os casais aí se formam já com o entendimento que ambos os cônjuges podem dar suas escapadas sexuais. Durante a Reforma Protestante, houve um notável caso de sanção. Martinho Lutero aprovou o casamento bígamo de Filipe de Hesse. Mas isso causou unicamente perturbações e contendas entre os protestantes.

Além das riquezas materiais adquiridas, conforme foi dito acima, há uma outra vantagem do casamento polígamo—é absorvido o excesso de mulheres sobre os homens, que se verifica em muitas sociedades, tornando-as esposas plurais. Doutra sorte, elas continuariam, quando muito, a ser amantes, ou a terem uma vida caracterizada pela permissividade.

3. A Moderna Cena Religiosa Mundial

O mais conspícuo exemplo de poligamia, na cena mundial, é o *islamismo*. A cada homem são permitidas quatro esposas, contanto que cada qual seja tratada igualitariamente pelo esposo. Esse ideal parece impossível de ser cumprido, mas os bons islamitas continuam tentando. O *mormonismo*, no começo de sua história, também praticava a poligamia. Seu grande líder, Brigham Young, segundo se noticia, teve mais de trinta mulheres. No entanto, ele parece ter preferido uma delas, com a qual passava a maior parte de seu tempo. É preciso dizer a verdade que a porcentagem de casos de poligamia, entre os mórmons, nunca foi muito grande. Ademais, havia regras estritas regulamentando a questão como algo espiritual (um aspecto da fé religiosa deles), e não somente por razões pessoais ou econômicas. A doutrina mórmon ensina que Deus tem muitas esposas, e que as almas humanas são produtos da procriação divina. Assim, os homens que seguirem esse divino exemplo estão-se tornando deuses, e precisam de muitas esposas para a formação do núcleo de seus futuros reinos celestes, seguindo o modelo deixado pelo Pai Celeste. A poligamia foi uma prática franqueada no território que agora é o estado norte-americano de Utah, de 1843 a 1890. Mas então o congresso norte-americano passou leis drásticas contra a prática, a qual foi constitucionalmente aceita pelo estado de Utah. — Espiritualmente falando, porém, a poligamia ainda existe no mormonismo, na «selagem» de esposas a homens, para a vida após-túmulo. Ocasionalmente, descobre-se a poligamia física entre os mórmons, especialmente entre aqueles que vivem em áreas mais remotas do estado de Utah. Os mórmons que ainda praticam esses casamentos plurais são chamados por eles de «fundamentalistas», porquanto consideram a poligamia um aspecto importante da fé mórmon. Entretanto, embora eu tenha vivido por vinte e quatro anos completos no estado de Utah, nunca conheci ali uma única família polígama; mas havia rumores, ou algum artigo que era publicado, sobre os *fundamentalistas* mórmons.

4. A Moralidade e a Poligamia; Noções Bíblicas

Aqueles que manipulam a seu talento os textos de

prova bíblicos supõem que a passagem de Gên. 2:18 ss indica que a ordem original e correta era a monogamia, e que, posteriormente, a poligamia foi permitida e até mesmo encorajada, tendo-se tornado a forma dominante de casamento. Abraão, pai do judaísmo, e todos os seus filhos, foram polígamos. O trecho de Deu. 21:15 ss regulamenta a prática. E, apesar do judaísmo pós-exílico ser predominantemente monógamo, nem por isso a prática da poligamia foi oficialmente abandonada. Nos dias de Jesus, ainda havia a poligamia em Israel, e o divórcio era tão fácil que casamentos plurais, em sucessão, tornaram-se extremamente comuns. Jesus ressaltou o ideal original da monogamia, e isso passou para outras porções do Novo Testamento. Ver Mat. 19:3-9; Mar. 10:1—12; I Cor. 6:16; 7:1,2; Efé. 5:22-33; I Tim. 3:2. Dos diáconos (e outros líderes) da Igreja esperava-se a monogamia (conforme fica demonstrado na passagem de I Timóteo), mas a poligamia nunca foi condenada em termos finais e oficiais, mesmo no Novo Testamento.

POLITARCA

Apesar de certos detalhes da narrativa lucana de Lucas-Atos não terem sido ainda confirmados pelos arqueólogos, a tendência sempre foi que quanto mais descobertas são feitas, tanto mais exato mostra-se ser Lucas. Um caso em questão é o uso que ele faz do termo *politarca* (no grego, *politárches*), em Atos 17:6 e 8, referindo aos magistrados civis de Tessalônica. Apesar de alguns eruditos do passado chegaram a levantar dúvidas quanto ao acerto desse uso, julgando que Lucas o teria inventado, agora contamos com dezessete exemplos desse título, em diversas inscrições (de acordo com o *American Journal of Theology*, de julho de 1892, págs. 598-632). O Museu Britânico atualmente abriga uma dessas inscrições, retirada de um arco arquitetônico de Salônica. Uma lista de nomes ali existentes corresponde a alguns dos nomes dados como membros da igreja cristã de Tessalônica, e o próprio termo «politarca» parece ter sido usado principalmente na Macedônia. Esse vocábulo significa «dirigente da cidade», pelo que está em foco algum cargo público que corresponde mais ou menos aos atuais prefeitos.

POLITEÍSMO

Essa palavra vem do grego, **poli**, «muitos», e **theós**, «deus», ou seja, a crença de que existem muitos deuses. Isso contrasta com o *monoteísmo*, a crença na existência de um único Deus, e com o *henoteísmo*, a crença de que apesar de existirem muitos deuses, somos responsáveis diante de um só Deus. Dois artigos devem ser consultados nesta enciclopédia, em relação ao *politeísmo*. Ver sobre *Deus*, especialmente sua terceira seção, *Conceitos de Deus*, ponto primeiro, *Politeísmo*. Ver também sobre *Deuses Falsos*. Naturalmente, o politeísmo tem predominado entre as religiões do mundo. Só as três grandes fés: a do judaísmo, a do cristianismo e a do islamismo têm adotado uma forte posição monoteísta. Contudo, os judeus e os maometanos vêem o conceito trinitariano cristão como uma forma velada de monoteísmo. Dentro do cristianismo moderno, os mórmons defendem um politeísmo teórico. De acordo com o mormonismo, na verdade existiriam muitos deuses; mas, na prática, eles promovem um triteísmo: haveria três deuses com os quais temos algo a tratar, o Pai, o Filho e o Espírito Santo, que seriam pessoas separadas e deuses distintos uns dos outros, e não meras *hipóstases* (vide) de uma única essência divina.

O segundo artigo acima referido, *Deuses Falsos*, dá uma boa descrição das formas que a idolatria e o politeísmo assumiam na antiguidade. Uma forma de politeísmo que prevalece entre os cristãos é a elevação de falsos valores, como o dinheiro, a fama, as ambições pessoais, etc., a uma desmedida importância, como se fossem divindades. Desse modo, até mesmo os indivíduos mais piedosos às vezes escorregam e caem na idolatria e em um politeísmo prático, embora, na teoria, eles permaneçam monoteístas. Ver o artigo separado, *Idolatria*, que é uma inevitável associação do politeísmo.

POLÍTICA

Ver o artigo sobre a **Filosofia Política**.

PÓLOS, MUDANÇA DOS

Alguns investigadores estão certos de que grandes desastres têm sucedido no decorrer dos milênios de idade do globo terrestre. Uma constante nesses cataclismos (uma média de um desastre a cada oito mil anos) é a mudança de posições dos pólos norte e sul. Isso pode explicar grandes e súbitas mudanças climáticas. Assim, para exemplificar, têm sido encontrados grandes quadrúpedes congelados no Alasca, ainda com alimentos não-digeridos em seus estômagos. Outrossim, o fenômeno explicaria como as atuais regiões árticas já foram tropicais, com uma fauna nitidamente tropical, ainda que, atualmente, esses animais não possam sobreviver ali.

Alguns estudiosos crêem que os relatos sobre Adão, e Noé assinalam, respectivamente, a penúltima e a última dessas mudanças de pólos terrestres. E a cronologia bíblica corresponde, a grosso modo, com as datas dessas imensas convulsões. Ambos os relatos, pois, falariam sobre novos começos, e não sobre princípios absolutos. E talvez também tenham existido raças humanas pré-adâmicas, sobre as quais a Bíblia nada nos informa.

As evidências indicam que essas mudanças de pólo têm ocorrido por muitas vezes, talvez nada menos de quatrocentas vezes, desde a formação da terra. E isso significa que tem havido grandes ciclos terrenos de imensa duração, e que a nossa história é apenas a história da raça humanóide mais recente, e não da raça humana inteira. Ademais, a nossa história, excetuando alguma descoberta ocasional, que nos leva a tempos mais remotos, é quase toda ela bem recente. Quanto a maiores explicações sobre essa questão, ver o artigo intitulado *Dilúvio*, em sua segunda seção, onde damos algumas evidências acerca desse fenômeno. Ver também o artigo *Antediluvianos*, especialmente em seu quinto ponto.

As Mudanças dos Pólos e as Profecias. Vários místicos modernos estão predizendo, para a nossa época, uma outra mudança nos pólos a qual (biblicamente falando) fará parte da Grande Tribulação, e será o golpe definitivo contra a raça humana, que chegou a um estado tão baixo de corrupção que não haverá recuperação, a menos que haja algum acontecimento radical como esse. As mudanças dos pólos sempre rearranjam os continentes, e, naturalmente, são acompanhadas por gigantescas inundações (como o dilúvio de Noé), como também por terremotos incrivelmente poderosos. Essas mudanças polares assinalam o fim de ciclos antigos e o começo de novos ciclos.

••• ••• •••

POLUIÇÃO — POLUIÇÃO AMBIENTAL

POLUIÇÃO

Esboço:
1. As Palavras e suas Definições
2. No Antigo Testamento
3. No Novo Testamento
4. A Questão Ambiental

1. As Palavras e suas Definições

Essa palavra vem do latim, *pollutus*, particípio passado do verbo *polluere*, que significa «tornar sujo». Os sinônimos são «abusar», «contaminar», «corromper», «violar», «macular». As palavras hebraicas traduzidas por «poluir» (ou por algum sinônimo) têm o sentido básico de «traspassar», «contaminar», «sujar», «tornar comum», quase sempre dizendo respeito às poluições morais e cerimoniais.

As três palavras gregas assim traduzidas são: a. *alísgema*, «polução», «contaminação» (Atos 15:20); b. *míasma*, «polução moral» (em suas várias formas, como verbo, substantivo, etc., João 18:28; Tito 1:15; Heb. 12:15; Jud. 8; II Ped. 2:10,20). A forma verbal é *miaíno*.

2. No Antigo Testamento

Uma mulher, durante o seu período menstrual, era considerada cerimonialmente imunda, ou seja, durante esse período ela não podia participar dos ritos normais da fé judaica (ver Eze. 22:10). Outras coisas que podiam tornar o indivíduo cerimonialmente impuro era fazer um altar de pedras lavras (Êxo. 20:25), tocar em um cadáver (Núm. 9:6; 19:14), ingerir a carne de vários animais considerados imundos (Lev. 11), desconsiderar as regras atinentes ao matrimônio (Lev. 18:6 ss), comer coisas contaminadas pela idolatria (Atos 15:20,29), fazer oferendas com animais aleijados ou imperfeitos, ou com motivos errôneos (Mal. 1:7-9). Então, naturalmente, com ou sem a palavra, o envolvimento em qualquer tipo de pecado ou iniquidade era considerado poluidor, sem falarmos em qualquer violação da legislação mosaica. A questão do pecado é muito ampla no Antigo Testamento, visto que a fé dos hebreus visava mais a questão moral, e não a metafísica. Ver os artigos separados chamados *Limpo e Imundo*; *Imundície* e *Pecado*.

3. No Novo Testamento

A passagem de Atos 15:20,29 usa o termo em conexão com o concílio de Jerusalém e o problema do legalismo. Os gentios deveriam observar que porcentagem da lei mosaica? Uma coisa era certa: os gentios convertidos precisavam evitar as poluições naturalmente associadas à idolatria e à impureza moral. O trecho de João 18:28 menciona a preocupação dos judeus com a impureza cerimonial, conforme também o faz o trecho de Mar. 7:4 ss. A passagem de Tito 1:15 menciona a extraordinária poluição das mentes dos indivíduos ímpios. As consciências deles estão corrompidas, e eles chegam a distorcer aquelas coisas que, por si mesmas, não são impuras. Para eles, coisa alguma é pura. Provavelmente estão em pauta os mestres gnósticos. Ver sobre o *Gnosticismo*. A amargura dos crentes uns contra os outros corrompe a comunhão na Igreja cristã. Essas atitudes tendem por fazer pessoas irreligiosas tornarem-se elementos prejudiciais na Igreja, quando conseguem introduzir-se nela (ver Heb. 12:15,16). O texto de Jud. 8 aparentemente é uma referência à obra contaminadora dos gnósticos. II Ped. 2:20 adverte-nos que as pessoas que haviam escapado das poluções do mundo, podem voltar a cair nelas, tornando-se a situação delas pior do que antes. Mui provavelmente estavam em foco os gnósticos; mas a advertência é geral, e não deve ser eliminada por nós mediante uma falsa interpretação. O décimo quarto capítulo da epístola aos Romanos aborda as questões cerimoniais que, aos olhos dos judeus, eram consideradas corruptoras, mas não aos olhos dos cristãos, exceto quando algum irmão chega a tropeçar, devido à liberdade excessiva e impensada de outro crente.

4. A Questão Ambiental

Em nossos dias, os ecologistas têm salientado quão errado, moralmente falando, é abusar da natureza. E, com a passagem do tempo, suas advertências mostram estar com toda a razão. A destruição da atmosfera está causando um calor excessivo; esse calor está produzindo secas em áreas antes bem regadas pela chuva. Assim, as colheitas estão falhando, e a fome está se alastrando. Rios poluídos são origem de enfermidades e de morte. A destruição da Floresta Amazônica mudará o clima do mundo inteiro. Quanto a um maior desenvolvimento desse tema, ver o artigo *Poluição Ambiental*.

POLUIÇÃO AMBIENTAL

I. Causas da Poluição
II. O Labor da Ecologia
III. O Respeito pela Natureza
IV. Implicações Morais e Teológicas

A *ecologia* é aquela divisão da biologia que trata das relações entre os organismos e seus meios ambientes, envolvendo também as populações humanas e suas relações recíprocas em termos de ambiente físico, distribuição espacial e características culturais. A palavra ecologia vem do grego *oíkos*, «casa», e *logia*, «estudo». Em outras palavras, «o estudo do ambiente». Atualmente, o assunto da ecologia tornou-se uma questão moral crítica, talvez envolvendo a própria sobrevivência da humanidade.

I. Causas da Poluição

1. *A produção e o uso de energia* desde há muito vem sendo uma das principais causas da poluição ambiental. Quase todos os combustíveis poluem. O hidrogênio é uma exceção, mas a tecnologia relativa ao hidrogênio ainda é primitiva. A energia solar também não é poluente; mas, novamente, temos aí uma tecnologia incipiente. A energia atômica, a princípio, prometia solucionar o problema energético; mas, não demorou muito tempo para sucederem grandes acidentes envolvendo as usinas atômicas. Todavia, esse campo ainda oferece promessas de uma energia ilimitada, e finalmente poderá tornar-se não-poluente e segura, havendo maior progresso na ciência. E é a nossa geração que está a braços com esses graves problemas.

2. *A explosão populacional* naturalmente tem aumentado de forma espetacular a poluição ambiental. Os homens contaminam os rios e fontes de água; espalham lixo por toda parte; poluem os alimentos com seus aditivos; poluem a atmosfera com a fumaça dos escapamentos de seus veículos. Quanto mais aumenta o número de pessoas no mundo, pior fica a poluição. Os próprios oceanos, que antes eram considerados ilimitados, estão repletos de lixo e detritos industriais.

3. *A afluência*. O chamado alto padrão de vida faz as pessoas tornarem-se descuidadas. Há um desperdício tremendo de energia; os receptáculos de plástico de inúmeros produtos não são destruídos com o tempo e nem são usados novamente. Nos Estados Unidos da América do Norte, a poluição ambiental tem custado mais de dez vezes a taxa do produto nacional bruto. O critério da conveniência governa a produção de produtos que não podem ser reciclados.

4. *Os aditivos agrícolas* para o solo e os inseticidas com freqüência têm mostrado ser prejudiciais, ou mesmo mortíferos. No entanto, certos produtos proibidos por lei em alguns países circulam livremente em outros.

5. *A desconsideração ignorante e proposital* pelo equilíbrio da natureza, conforme se dá na incrível destruição da Floresta Amazônica, continua a semear a ruína no seio da natureza.

II. O Labor da Ecologia

Há pessoas que se especializaram na área da ecologia, e que estão produzindo literatura e fazendo propaganda que mostram a seriedade dos abusos cometidos contra a natureza. Na maioria dos países industrializados, a legislação visa à proteção da natureza; mas, com freqüência, na prática, essa legislação não é observada. Porém, não é fácil cancelar o desejo de vantagens a curto prazo, mesmo quando elas envolvem prejuízos ao meio ambiente. Muitas pessoas que, em sua vida privada são morais, não aplicam isso à natureza e aos seus recursos. «Uma grande porção dos verdadeiros custos de produtividade não aparece, e os custos ocultos usualmente são custos sociais. A distribuição mundial e o uso persistente do DDT, para exemplificar, têm feito o sentido da palavra *vizinho* abranger a *comunidade mundial* inteira, e até mesmo as *gerações seguintes*. Ademais, as questões ecológicas e econômicas se justapõem, e temos de escolher entre a poluição e o uso das coisas». (H)

III. O Respeito pela Natureza

Existem crimes contra Deus e contra o homem. Mas também existem crimes contra a natureza. O que fazemos com a natureza deve ser influenciado pela nossa moralidade pessoal. Não deveria haver padrões duplos dentro dessa questão. A natureza é o sistema de sobrevivência do homem. Na porção ocidental dos Estados Unidos da América, nos séculos passados, os homens aniquilaram os grandes rebanhos de búfalos e de outros animais, dos quais os índios dependiam para sua sobrevivência. E os civilizados faziam isso por pura esportividade, para ver se tinham boa pontaria com seus rifles e pistolas. O resultado foi que as imensas manadas de búfalos, que antes existiam naquela região do país, foram tão drasticamente reduzidas que o búfalo andou perto de extinguir-se. E, em nossos próprios dias, pelo vasto mundo, os homens continuam a dilapidar a vegetação e a fauna. Quanto a essa questão, São Francisco de Assis tem uma lição a ensinar-nos. É o santo patrono da natureza e tem recebido o respeito dos ecologistas modernos. Ele falava sobre a autonomia de todas as porções da natureza; e somos informados que os animais e os pássaros reuniam-se espontaneamente em redor dele, sem demonstrar o menor temor. Além dele, São Benedito ensinava que os monges devem aprender a cuidar devidamente da terra. Por outra parte, nossa própria consciência deveria instruir-nos, e não meramente alguns poucos santos e cientistas.

IV. Implicações Morais e Teológicas

1. *Deus como Criador.* A natureza é obra das mãos de Deus. O respeito por Deus requer o respeito por aquilo que ele criou. Um ponto significativo acerca da lei de Moisés era a sua preocupação em regulamentar todos os aspectos da vida humana, incluindo o relacionamento do homem com a terra e com a fauna. O ano sabático (ver Êxo. 23:10) é um exemplo óbvio. O interesse de Deus por todas as formas de vida transparece claramente no Salmo 104; e mais ainda nas afirmações de Jesus como aquela de que nenhum passarinho cai sem que o Pai o saiba (ver Mat. 10:29). O relato do dilúvio informa-nos que Deus fez provisões para a sobrevivência dos animais, e não somente do homem.

2. *O Homem como Mordomo.* O primeiro capítulo de Gênesis deixa claro que o homem foi posto no jardim do Éden como um mordomo. Costumamos falar sobre a mordomia espiritual. Essa é uma doutrina importante. — A mordomia do homem deveria incluir o interesse pela natureza. Ela envolve mais do que a gerência apropriada dos talentos e do dinheiro.

3. *O Erro Envolvido na Destruição.* Se é errado destruir a vida humana, também é um erro destruir outras formas de vida, exceto com o propósito necessário da alimentação. As religiões orientais têm a ensinar-nos certas lições, apesar do fato de que glorificamos à nossa própria fé às expensas da fé alheia. Um importante elemento disso é o respeito dos orientais pela vida. Há piadas que zombam dessa atitude, dizendo que não devemos matar uma vaca porque pode ser a nossa avó (envolvendo a transmigração de almas). Porém, a verdadeira razão dessa proibição oriental é o respeito pela vida, em todas as suas formas. É possível que os orientais tenham exagerado quanto a isso; mas os ocidentais exageram quanto ao outro lado da questão.

PÓLUX

Ver sobre *Dióscuros*.

POMAR

No hebraico, **pardes**, uma palavra tomada por empréstimo do persa. Nesse último idioma significa «recinto murado». Mas estão em foco pomares de árvores frutíferas, especialmente de romãs, que eram muito comuns nas terras bíblicas. Ver Ecl. 2:5. Algumas traduções dizem «parques». Em Can. 4:13 a palavra aparece no singular, «pomar».

POMBA

No hebraico, **yonah**, palavra usada por trinta e uma vezes, como em Gên. 8:8-12; Sal. 55:6; Can. 1:15; Isa. 38:14; Jer. 48:28. Naum 2:7. No Novo Testamento, *peristerá*, palavra usada por dez vezes: Mat. 3:16; 10:16; 21:12; Mar. 1:10; 11:15; Luc. 2:24 (citando Lev. 12:8); 3:22; João 1:32; 2:14,15. Ver o artigo geral *Aves da Bíblia*.

Na Palestina atual há, pelo menos, seis espécies dessa ave, e, desde a década de 1950, com a extensão das áreas plantadas, elas se têm multiplicado extraordinariamente. As pombas são totalmente vegetarianas, comendo sementes, frutas e verduras. A pomba da rocha é a espécie ancestral de todas as atuais espécies, achando-se espalhada pela Europa, Ásia e Norte da África. Ela faz seu ninho em penhascos e saliências naturais, da mesma maneira que os pombos modernos gostam das saliências dos edifícios das cidades. Mas também fazem ninhos nas árvores, ou em buracos de lugares rochosos. A arqueologia tem demonstrado que essa ave vem sendo domesticada comumente desde os tempos mais remotos. Já desde 2500 A.C., era usada no Egito como alimento. É possível que a sua domesticação tenha começado para as pombas servirem de alimento.

Em Israel, a pomba era a única ave que podia ser oferecida nos sacrifícios. Eram usadas pelos pobres, que não podiam arcar com as despesas do sacrifício de um carneiro ou de um boi. Nos tempos neotestamentários, sabemos que os indivíduos que vendiam pombas para os sacrifícios sentavam-se em redor do recinto do templo (Mat. 21:12). Quanto a alusões ao sacrifício dessas aves, no Antigo Testamento, ver Gên. 15:9; Lev. 5:7. O trecho de Lucas 2:24 revela que Maria e José sacrificaram um par dessas aves, de acordo com a lei mosaica que requeria isso, quando do nascimento de uma criança (ver Lev. 12:8).

Usos Metafóricos. 1. Um símbolo de vindoura reconciliação com Deus (Gên. 8:8,10). 2. Um símbolo de gentileza, ternura e devoção (Can. 1:15; 2:14). 3. Um símbolo do Espírito Santo (Mat. 3:1; João 1:32). 4. Um símbolo de timidez (Osé. 11:11). 5. Símbolo da não-resistência (Mat. 10:16). 6. Símbolo da ingenuidade e tolice naturais, que levam ao dano próprio (Osé. 7:11). 7. Um símbolo de uma atitude inofensiva (Mat. 10:16). 8. Um símbolo de lamento e desespero, provavelmente devido ao som que as pombas fazem (Isa. 38:14; Naum 2:7). De fato, a palavra hebraica *yonah*, «pomba», vem de uma raiz que fala sobre o som lamentoso dessa ave. Esse era o nome hebraico do profeta Jonas. (ARNO S)

POMBAS, ESTERCO DE

As pessoas, na antiguidade, em seu desespero, realmente comiam esterco de pombas? Às vezes, nas ruas, os cães comem esterco de cavalo. Em muitos lugares, o esterco seco é usado como combustível. Cheira muito mal quando queimado, mas é econômico. Mas as pessoas, alguma vezes, chegaram a comer esterco? Ver II Reis 6:25. Abaixo damos explicações sobre isso.

1. Em II Reis 6:25, está em vista uma planta que produzia cachos muito parecidos, em seu formato, com esterco de pombas. Esse nome, «esterco de pombas» é dado à espécie vegetal *Ornithogalum umbellatum*. Para comer esses bulbos, é mister cozê-los ou assá-los. Um dos nomes atuais dessa planta é «estrela de Belém». Supõe-se que esse bulbo era conhecido na Palestina ao tempo do cativeiro assírio, embora não haja provas de que já tinha o nome que, mais tarde, lhe foi dado. Quando assado, o bulbo é adocicado. Suas flores brancas formam um pecíolo em forma de estrela.

2. Uma outra explicação é que o alimento referido naquele texto era adubado com esterco de pombas, em seu cultivo, pelo que era chamado por esse nome. Mas essa explicação é fantasiosa, sem qualquer base em evidências.

3. Muitos intérpretes insistem em uma interpretação literal, conforme também a LXX traduz o trecho. Eles supõem que as pessoas, durante o sítio lançado por exércitos estrangeiros, estando com fome, realmente ingeriam esterco de pombas. Somos informados de que um exército inglês, em 1316, enfrentou uma escassez similar de alimentos, e os soldados acabaram ingerindo esterco de pombas. Naturalmente, o esterco tem algum valor alimentar, por mais que nos revolte o estômago. Escritores judeus informam-nos de que o esterco de pombas era usado como combustível, o que dá algum apoio à referência literal do trecho bíblico que estamos comentando. Outros, porém, pensam que o que sucedia era que sementes não digeridas e fragmentos de alimentos eram cuidadosamente retirados do esterco (e lavados, segundo esperamos!), e então eram comidos. Não há como obter certeza quanto à questão, embora isso nos seja indiferente, a não ser que ficamos a meditar sobre os famintos de Samaria. A lição moral do incidente é clara, seja como for. O pecado os havia reduzido a uma situação realmente miserável.

PÔNCIO, PILATOS

Ver sobre **Pilatos, Pôncio**.

PONTES

Nas Escrituras não há nenhuma menção a pontes, embora as mesmas existissem, especialmente na região da Transjordânia, onde havia os rios principais da Palestina. Há menção a uma ponte militar, em II Macabeus 12:13, que Judas Macabeu tencionava construir, para facilitar suas operações militares. O reino de Gesur, referido nos livros de II Samuel e I Crônicas, tinha um nome que significava «terra de pontes». Ficava em Basã, a nordeste do mar da Galiléia; e a alusão às «comportas», em Naum 2:6, talvez seja uma alusão a pontes, conforme é indicado por uma paráfrase em caldaico. Mas, a maioria dos eruditos prefere mesmo a idéia de «comportas», para controle das enchentes. (S)

PONTIFICAL

Esse adjetivo vem do latim, **pontifex: pons facere**, isto é, «fazedor de pontes». A idéia é a de um homem ou função eclesiástica que faz pontes entre Deus e o homem, ou que atua como mediação. O termo é aplicado a objetos, a funções, a instituições (escolas) e a indivíduos. Dentro da Igreja Católica Romana aplica-se, supremamente, ao papa, em seu ofício intermediário de vigário (substituto) de Cristo. Dentro da lei romana pagã, os *pontífices* eram os formadores do concílio supremo do imperador, que tinham a responsabilidade de regulamentar todas as questões e cultos religiosos. Quando Roma pagã foi substituída por Roma cristã, o papa assumiu o título de *Pontifex Supremus* ou *Pontifex Maximus*. E o termo *pontifex* também é comumente usado para referir-se a algum membro de uma elevada ordem religiosa. Um *pontífice*, pois, pode ser um papa ou um bispo. O verbo *pontificar* significa realizar o trabalho de um pontífice. Popularmente é uma maneira enfática ou dogmática de indicar os atos de quem possui grande autoridade.

PONTIFICAL, MISSA

Ver o artigo intitulado **Pontifical**. A missa pontifical é aquela celebrada pelo papa, por um bispo ou por algum prelado que tenha certos direitos, como bispo, embora sem nunca haver sido consagrado como tal. Essa missa representa a mais antiga celebração litúrgica da *eucaristia* (vide). Em distinção a essa missa, destaca-se a missa dos catecúmenos, onde o bispo ajudava, embora não diante do altar. Antes, o bispo ficava em um trono.

As cerimônias da missa pontifical são regulamentadas pelo *Ceremoniale Episcoporum*. Os elementos incluem o investimento no trono; o ósculo no *Livro dos Evangelhos*, no começo da missa; a recitação do *Intróito* (vide), além de outras lições e rezas, até à repetição do *Credo*, no trono; a lavagem das mãos, diante do ofertório; a recitação de parte do primeiro capítulo do evangelho de João. Isso tem lugar quando o celebrante deixa o altar. Há a participação de certo número de ministros; clérigos inferiores; assistentes presbíteros; um diácono e um subdiácono; e dois mestres-de-cerimônias.

PONTIFICÁLIA

Ver a palavra **Pontifical**, quanto a significados verbais. *Pontificália* é uma palavra litúrgica, canônica

PONTO — PORCA

e oficial, definida no cânon n° 337, apontando para as funções episcopais empregadas por ocasião da Alta Missa Pontifical, durante a concessão de Grandes Ordens, da celebração das Vésperas Solenes, e de outras importantes ocasiões. No sentido mais lato, essa palavra indica todos os direitos e privilégios episcopais, as vestes litúrgicas que são prescritas pelo *Ceremoniale Episcoporum*. Essas vestes incluem as meias, as luvas, a tunicela, a dalmática, a jaqueta com capuz, a capa, a magna, e, mais antigamente, o peitoral racional, a mitra, o bastão com a cruz, o anel, a cruz peitoral e o pálio. Os cardeais desfrutam do privilégio de usar a *pontificália*. Os abades, os prefeitos apostólicos e os protonotários podem usar a *pontificália*, embora em um sentido restrito. Os abades podem usá-la a fim de conferirem ordens menores.

PONTO

No grego «mar». Nome de um território da Ásia Menor (atual Turquia), que tinha como uma de suas fronteiras o mar Negro. Estendia-se ao longo desse mar, razão por que foi chamado *Ponto*, «mar». Essa região ficava entre os rios Halis e Calquis. Para o interior, estendia-se até à Capadócia. O seu terreno em geral é muito acidentado, formado por uma série de cadeias montanhosas que correm paralelas às planícies costeiras. Em seus lados leste e sul, o país era montanhoso, mas grandes e férteis planícies, drenadas pelo sistema do rio Iris, ampliavam-se até às costas. Os gregos começaram a estabelecer-se ali bem cedo; e a área continha as cidades de Amiso, Ceraso, Cotiora e Trapezus. Mais para o interior havia as cidades de Amasia (a capital), Coma e Zela. Ariobarzanes II recusou-se a pagar tributo aos persas, que dominavam a região, e conseguiu obter para a região um estado de independência. Mitrídates I ou II transferiu voluntariamente esse território para a suserania de Alexandre, o Grande. Quando Alexandre desapareceu, a região caiu sob o poder de Antígono I. Seu sucessor, Mitrídates III (302-266 A.C.), expandiu um tanto a área do território. Foi no tempo de Mitrídates IV (chamado de o Grande) que o poder romano chegou à área. Pompeu foi o general romano envolvido nisso, e a porção ocidental do Ponto foi anexada à Bitínia, como parte do império romano; e outra parte tornou-se formadora do território da Galácia. No século I D.C., o Ponto tornou-se uma província romana.

Na antiguidade, o mar Negro era conhecido como *Ponto Euxino*. Os trechos de Atos 2:9 e 18:2 informam-nos que ali havia uma colônia judaica. O trecho de I Ped. 1:1 mostra-nos que o cristianismo chegou a esse território, embora não disponhamos de quaisquer detalhes a respeito. O aspecto mais importante da história do Ponto, como um poder militar significativo, diz respeito aos tempos do rei Mitrídates, entre cerca de 337 A.C e cerca de 63 A.C.

POPPER, KARL

Nasceu em 1902. Quando este artigo foi escrito (setembro de 1988), ele continuava vivo. Popper é um filósofo da ciência nascido em Viena, na Áustria. Educou-se na Universidade de Viena. Ensinou na Nova Zelândia e na Escola de Economia de Londres, na Inglaterra. Desenvolveu certos aspectos do método empírico, com sua ênfase sobre a falsificação, e não meramente sobre a verificação.

Idéias:

1. *O surgimento das idéias científicas*. Popper supõe que as idéias científicas vêm à tona em *saltos imaginativos*, com base no largo fundamento das atividades e do conhecimento humanos, incluindo a pseudociência, os preconceitos da vida diária, a filosofia, etc., e não meramente dos estudos científicos formais.

2. Apesar do método padrão de verificação, através de muitas experiências controladas, continuar importante, ele enfatizava o princípio da *falsificação*. Devemos buscar falsificar uma hipótese mediante exemplos negativos. Uma falsificação bem colocada pode eliminar rapidamente uma hipótese, que quiçá tenha sido apoiada por muitas experiências positivas. Quando não aparecem instâncias negativas, então podemos começar a ter confiança em uma hipótese.

3. A ciência é necessariamente *incompleta*, potencial e provisória. A probabilidade atribui propensão a algumas idéias. Deveríamos cuidar em não estabelecer limites, pois as evidências nunca podem ser totalmente colhidas.

4. *No campo da política*, ele negava a viabilidade filosófica de todos os totalitarismos, preferindo defender o *pluralismo* (vide). A engenharia social será sempre uma necessidade, devendo ser aplicada de várias maneiras e em diferentes oportunidades. É impossível partir de um grande plano-piloto que centralize a autoridade, na esperança de ser estabelecido um governo eficaz.

5. *Na sociologia*, ele argumenta contra a interpretação holista ou orgânica da sociedade. Para ele, as conjunturas sociais não são entidades físicas, mas apenas proposições teóricas. Os fenômenos sociais devem ser analisados em termos de indivíduos, suas ações e seus relacionamentos com seus semelhantes.

6. *A mente e o seu cérebro*. Popper encontra-se entre aquele crescente grupo de cientistas que acredita que a mente é maior que o cérebro, e que fenômenos que podemos observar subentendem a existência da alma, acima do corpo. O livro de autoria dele, «The Mind and Its Brain» («A Mente e seu Cérebro»), enfatiza essa abordagem.

Escritos: Logic of Scientific Discovery; The Open Society and Its Enemies; The Poverty of Historicism; Conjectures and Refutations; The Mind and its Brain.

POPULAÇÃO, CONTROLE DA

Ver sobre **Controle de Natalidade**.

POQUERETE-HAZEBAIM

No hebraico, «prendedor de gazelas». Esse era o nome de uma família que servira em Israel durante o reinado de Salomão. Um remanescente deles retornou à Palestina, terminado o cativeiro babilônico. Eles fixaram residência em Jerusalém. São mencionados em Esd. 2:57; Nee. 7:9 e I Esdras 5:34.

PORATA

Esse nome próprio vem de uma palavra persa que significa «liberal», «generoso». Esse foi o nome do quarto dos filhos de Hamã, o qual, juntamente com seus filhos, foi executado pelos judeus, depois que os israelitas tinham escapado por pouco do extermínio, devido aos planos do maldoso Hamã. Ver Est. 9:8 e seu contexto. Isso sucedeu em cerca de 509 A.C.

PORCA

Ver o artigo sobre **Porco**.

PÓRCIO — PORFÍRIO

PÓRCIO
Ver sobre **Festo, Pórcio**.

PORCO
No hebraico, **chazir**, palavra que ocorre por sete vezes: Lev. 11:7; Deu. 14:8; Pro. 11:22; Isa. 65:4; 66:3,17 e Sal. 80:13. No grego, *choîros*, vocábulo que é usado por doze vezes: Mat. 7:6; 8:30-32; Mar. 5:11-13,16; Luc. 8:32,33 e 15:15,16.

O javali do Velho Mundo e o porco do mato das florestas equatoriais e tropicais da América do Sul, são considerados os ancestrais do porco doméstico. Na Europa e no oeste asiático surgiu a espécie *Sus scrofa*, enquanto que na China surgiu o *Sus vittatus*. É difícil dizer quando a domesticação desse animal tão útil teve lugar, o que foi ainda mais complicado pelas muitas correntes humanas migratórias, quando os homens levavam em sua companhia os seus animais domesticados a milhares de quilômetros de distância, entre eles o porco. Porém, tem-se convencionado de que o porco foi domesticado pelo homem desde o período neolítico, quando o homem começou a viver não mais como um nômade. Os porcos eram deixados em relativa liberdade, dentro de grandes cercados, no interior dos quais podiam encontrar seu próprio alimento, arrancando raízes e fuçando por toda a parte. O terreno não tardava a tornar-se lugar próprio para plantio, facilitando assim as atividades agrícolas. Há indícios de que em torno de 2500 A.C. os porcos eram domesticados em regiões que hoje são a Grécia, a Hungria, o Egito e a Mesopotâmia.

Até hoje o porco é um animal doméstico de grande utilidade na alimentação humana. Não há animal que possa transformar os vegetais em carne comestível com tanta eficácia quanto o porco, além de sua carne ser muito rica em riboflavina, ou vitamina B(6). Sempre houve alguma surpresa, da parte dos estudiosos, diante da proibição levítica da ingestão da carne de porco, por parte dos israelitas. Entretanto, as modernas pesquisas sobre as enfermidades humanas têm lançado muita luz sobre a questão. Se sua carne não for devidamente preparada e cozida, ela pode tornar-se o veículo potencial de várias doenças perigosas para o homem, a mais importante das quais é a tricnose, causada por um verme que, a certo estágio, desenvolve-se nos músculos do porco, e que progride para seu segundo estágio somente quando ingerido pelo homem, ou por algum outro hospedeiro vivo. Nesse segundo estágio, o verme invade vários tecidos do corpo humano, causando intensas dores, e até mesmo a morte. Um cozimento perfeito nem sempre era possível na antiguidade, pelo que a proibição total era a melhor norma para a época. Além disso, visto que o porco vive nas proximidades das habitações humanas, facilmente pode ingerir material infectado por várias formas de germes patogênicos, transmitindo tal infecção aos que consomem sua carne.

Como vimos acima, o porco não é mencionado por muitas vezes no Antigo Testamento. Nem mesmo era possível haver muita menção a um animal cuja criação era vedada aos israelitas, porquanto ele só tem utilidade prática como alimento. A transgressão de tal proibição é condenada severamente, conforme se vê em Isaías 65:4 e 66:3. Para os judeus, comer carne de porco era equivalente a tornar-se um apóstata (ver II Macabeus 6:18 e 7:1). Todavia, vários outros povos antigos não consumiam carne de porco, provavelmente por motivos de tabus religiosos. Na época da dominação greco-romana a criação de porcos tornou-se mais comum, mesmo em Israel. O Novo Testamento menciona uma numerosa vara de porcos (Mar. 5:11), embora isso tivesse sucedido na Decápolis, cujos habitantes eram quase todos helenistas. Os demais judeus desprezavam a criação de porcos. Isso explica por que motivo, na parábola do filho pródigo, este só conseguiu achar emprego para cuidar de porcos (Luc. 15:15). Ele chegara ao degrau mais inferior da desgraça humana. A conversão começou quando ele abandonou os porcos.

Uma outra parábola de Jesus, envolve porcos. Essa parábola, mais uma máxima, diz: «Não deis aos cães o que é santo, nem lanceis ante os porcos as vossas pérolas, para que não as pisem com os pés, e, voltando-se, vos dilacerem» (Mat. 7:6). A idéia é que há pessoas indignas de ouvir sobre as excelências do evangelho e do companheirismo com o Senhor. Elas não têm sensibilidade para tanto. Antes, sendo brutais como os porcos, acabarão se enfurecendo diante das maravilhas espirituais que nos encantam, e tentarão nos ferir.

Referindo-se àqueles que chegaram a tomar conhecimento do evangelho de Jesus Cristo, mas que se deixaram novamente envolver nas corrupções do mundo, diz o apóstolo Pedro: «Com eles aconteceu o que diz certo adágio verdadeiro: O cão voltou ao seu próprio vômito; e: a porca lavada voltou a revolver-se no lamaçal» (II Ped. 2:22). Isso aponta para os que não se converteram realmente, mas apenas reformaram-se exteriormente. Mais cedo ou mais tarde, voltam ao seu próprio elemento. O cão e a porca representam o mesmo tipo de indivíduo, o crente fingido, nunca regenerado pelo Espírito, que só sabe seguir seus impulsos primários e pecaminosos.

••• ••• •••

PORFÍRIO
Seu nome original era **Malco**. Ele foi um erudito grego e filósofo neoplatônico. Nasceu em Tiro (daí foi chamado de *Tírio*) de Batanéia, a Basã do Antigo Testamento, uma cidade da Síria. Isso explica por que ele também é alcunhado de *Bataneotes*. Ele nasceu em cerca de 233 D.C., e morreu em Roma em cerca de 304 D.C.

Longino foi um de seus mestres, que lhe deu o apodo de *Porfírio*, «vestido de púrpura», provavelmente uma referência às vestes próprias de um filósofo. Porfírio foi aluno do famoso pai da Igreja oriental, Orígenes; e então de Apolônio e de Longino, em Atenas, na Grécia. Quando estava com trinta anos de idade, foi a Roma estudar sob a supervisão de *Plotino* (vide). A princípio, ele resistiu aos ensinos de Plotino; mas, gradualmente, foi absorvendo as opiniões de seu mestre, embora com algumas modificações e elaborações. Tornou-se o editor literário e publicador das obras de Plotino. Foi ele quem compilou as *Eneadas* (vide) de Plotino. Mas Porfírio também foi autor de muitos livros de sua própria pena. Seu principal objetivo, nessa literatura, era a preparação da alma para a reunião com o *Um* divino. Ele também escreveu um livro contra os cristãos, que o imperador Teodósio II mandou queimar, em 435 D.C.

Idéias:

1. *A Árvore das Espécies*, descrita em seu livro *Isagoge*, aborda essa questão. Transcrevemos aqui essa «árvore»:

PORFÍRIO — PORNOGRAFIA
A Árvore de Porfírio

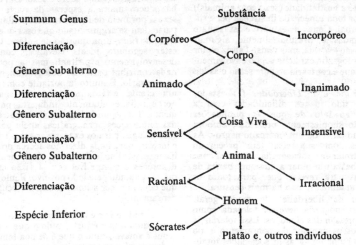

A ilustração de Porfírio faz o ser derivar-se do *Um* divino, o *Summum Genus*, descendo daí à manifestação da espécie inferior, onde encontramos os indivíduos. Ele ensinava que está acima da capacidade humana de conhecer se gênero e espécie são entidades subsistentes (reais) ou se são meros conceitos. Mas, como é óbvio, temos aí um tipo de descrição das *emanações* (vide) do *Um*: as formas assumidas pelo *Um* mediante as quais ele se expressa. Notemos ainda que, na espécie inferior, chegamos ao lugar onde indivíduos formam a espécie. Boethio transferiu essas idéias para a literatura latina, e dali os conceitos propagaram-se pela filosofia da Idade Média.

2. *O Problema do Mal*. O mestre de Porfírio, Plotino, pensava que o mal é uma propriedade inerente à matéria. Assim sendo, onde houver matéria, aí haverá também o erro e o caos. Mas Porfírio discordava dessa avaliação, preferindo pensar que o mal é uma espécie de falta de controle do princípio inteligível. Esse controle tornar-se-ia possível para o homem através da meditação e da purificação ascética. Naturalmente, essas medidas não eliminariam o mal natural, ou seja, aquelas coisas que estão erradas na própria natureza, como as enfermidades, as tragédias e a morte devido a «causas naturais». Contudo, a alma humana poderia ascender à união com o *Um* através da eliminação do mal, pelo que, afinal de contas, o caos existente na natureza não serve de empecilho definitivo, embora, no momento, seja um vexame.

3. *A Ascensão da Alma*. Um leque de virtudes ajuda-nos nessa subida. As virtudes mais primárias e fundamentais são aquelas de natureza civil e política. Essas virtudes foram postuladas como substitutas da apatia do estoicismo. A santidade pessoal mostra-se eficaz, guindando a alma até à *Nous* (o princípio racional do mundo das Idéias, se quisermos usar a terminologia de Platão). No nível final dessa ascensão com a *Nous*, o princípio divino, torna-se possível a reintegração da alma ao *Um* divino.

4. *Teurgia*. Essa palavra aponta para o uso de ritos, cerimônias e artes mágicas para controlar os deuses. Enquanto Porfírio não conheceu Plotino, ele acreditava na utilidade dessas coisas como ajuda da ascensão da alma, e costumava rogar a ajuda das divindades. Mas acabou aceitando a opinião de Plotino, seu mestre, que esse não é o caminho a ser seguido; e, então, passou a salientar a purificação e as virtudes acima nomeadas. Ver o artigo separado intitulado *Problema do Mal*.

PORNOGRAFIA

Essa palavra portuguesa vem do grego **pórne**, «prostituta», + **graphein**, «escrever». A referência primária é a obras escritas sobre prostitutas, embora seja palavra largamente usada para indicar publicações, filmes e fotografias cuja mensagem básica são questões sexuais lúdicas, com a exploração da imagem do corpo feminino para propósitos sensuais. A pornografia, pois, pode consistir em arte, em filmes, em fotografias ou em literatura licenciosa. Originalmente, a palavra era usada para indicar alguma descrição das prostitutas e o relacionamento delas para com a saúde pública. Porém, de uns tempos para cá, seu uso se tornou mais especializado. Ver o artigo separado sobre a *Prostituição*.

1. *Excitação Sexual*. Como é bem conhecido, a excitação sexual do varão pode tornar-se muito forte somente pela vista, fato esse que tem sido explorado a um ponto em que vastas indústrias de publicações, fotografias e filmes têm sido organizadas para alimentar esse apetite. Costumava-se pensar que a mulher não se deixava arrebatar muito por tais coisas; mas, aqueles que se ocupam com a indústria pornográfica têm ficado surpresos diante da receptividade desse tipo de coisa entre as mulheres. Assim, as «revistas para homens» já são tradicionais; mas as «revistas para mulheres», que mostram homens despidos, são uma criação pornográfica bastante recente. A revista *Play-Girl* é uma delas; e os publicadores admiram-se do quanto essa revista é vendida. Naturalmente, é verdade que os homossexuais masculinos são os principais compradores dessas exibições da nudez masculina, mas há muitas donas-de-casa que ocultam tais revistas sob o travesseiro ou em suas gavetas de armário.

2. *Classificações da Pornografia*. O tipo mais «inocente» de pornografia é a chamada «suave», com exibição de nudez humana, mas sem retratar o ato

sexual propriamente dito. A pornografia atrevida, porém, exibe o ato sexual não somente entre seres humanos, mas até a bestialidade (sexo com animais), acompanhado por toda espécie de ilustração pervertida e descrição verbal. Cenas de estupro e assassinato são ali demonstradas; e, presumivelmente, algumas dessas cenas não são teatrais, mas reais. Talvez o pior aspecto dessa pornografia explícita seja o envolvimento de crianças, o que é contrário ao bom senso e às leis de toda ordem.

3. *A Pornografia e a Liberdade*. Os estados totalitários têm tido menos dificuldades com a questão devido ao fato de que as publicações pornográficas são simplesmente proibidas, embora elas existam como parte de um «mercado negro». As sociedades livres, por sua vez, têm procurado censurar e controlar a pornografia, embora não eliminá-la. Mas basta um olhar a qualquer banca de jornais e revistas para revelar que, para todos os efeitos práticos, atualmente não há mais censura.

Os advogados da liberdade, de modo geral, afirmam que a pornografia deve ser tolerada como parte da livre expressão dos cidadãos. Essa tolerância amplia-se a todos os campos do pensamento e do empreendimento humanos. Mas as sociedades totalitárias que proíbem a pornografia também proíbem a livre expressão religiosa. Ali, uma pessoa pode ser detida na rua, se estiver distribuindo literatura religiosa; e, na Albânia, até a publicação da Bíblia é proibida. Isso posto, muitos opinam que a liberdade é melhor, ainda que daí resultem abusos. Nesse último caso, fica ao encargo da espiritualidade de cada indivíduo estabelecer um fator regulador. É óbvio que a pornografia é prejudicial para o ser humano, porquanto avilta o sexo, que deve ser mantido em santidade por todos aqueles que temem ao Senhor. Mas precisamos reconhecer que há outras coisas prejudiciais, resultantes da liberdade de expressão; e essa liberdade não pode ser sacrificada. Assim, parece que a indústria pornográfica é algo que veio para ficar, nos países livres. A sociedade em geral é mundana, secular, e quer mesmo consumir coisas desse jaez. Quanto a cada crente, que evite a pornografia como uma praga. Deus haverá de julgar aos imorais (ver Heb. 13:4).

4. *A Pornografia e seus Malefícios*. Ocasionalmente, ouve-se falar em um assalto sexual ou estupro com morte, realizado por maníacos sexuais inspirados por alguma revista ou filme pornográfico. Os psiquiatras costumam salientar que os maníacos encontram sua inspiração não obrigatoriamente nesse tipo de pornografia, e que as pessoas normais usualmente não praticam tais violências devido a alguma excitação visual. Nos Estados Unidos da América, o ex-presidente Lyndon Johnson fez um estudo de dois anos sobre a questão pornográfica, e chegou à conclusão de que ela não é prejudicial à moral, recomendando que todas as leis antipornográficas fossem repelidas. Mas o presidente Nixon repudiou a conclusão, e recusou-se a seguir suas sugestões quanto a provisões legais. Naquele país do norte, a regra básica da legislação escrita é que o material pornográfico deve ter algum valor social remidor (se isso é possível), não visando apenas à excitação sexual. Porém, essa legislação não está sendo observada ali. Na verdade, não há coisa alguma que justifique ou redima a pornografia. A pornografia glorifica práticas sexuais erradas, não tendo qualquer valor didático autêntico. Os únicos que tachariam a pornografia de um «bem» são os seus exploradores: os vendedores—pois com ela ganham dinheiro!

5. *A Pornografia e o Cristão*. Por uma parte, tem-se argumentado que a maioria dos crentes adultos são heterossexuais praticantes, e que, na verdade, não têm muito a aprender sobre o sexo. Daí concluem que há poucos males a esperar da parte da excitação sexual por meio de livros, revistas e filmes. Por outra parte, tem-se argumentado que essa questão envolve, *antes de tudo*, uma questão de ênfase. O crente deve estar seguindo ideais elevados, conducentes ao desenvolvimento espiritual; mas a pornografia em nada contribui para esse desenvolvimento, mas bem ao contrário. É muito importante como e com o quê um crente está alimentando a sua mente. A pornografia é altamente indigesta para a pureza mental. Em segundo lugar, é óbvio que a maior parte das publicações pornográficas apela para as perversões sexuais, para os exageros, para o adultério, para o incesto, para nada dizermos acerca do homossexualismo masculino e feminino. Ora, nenhuma dessas distorções é compatível com a visão cristã da vida diária. Falando pelo lado positivo, Paulo mostra-nos o que deve merecer a nossa atenção e ocupar os nossos pensamentos:

«...tudo o que é verdadeiro, tudo o que é respeitável, tudo o que é justo, tudo o que é *puro*, tudo o que é amável, tudo o que é de boa fama, se alguma virtude há e se algum louvor existe, seja isso o que ocupe o vosso pensamento» (Fil. 4:8; o itálico é nosso).

PORTA

Há sete palavras hebraicas e três gregas envolvidas neste verbete:

1. *Dal*, «porta», palavra hebraica que ocorre somente por uma vez, em Sal. 141:3.

2. *Dalah*, «porta», palavra hebraica que aparece também só por uma vez, em Isa. 26:20.

3. *Deleth*, «porta», a palavra hebraica mais comum desse sentido, que é usada por oitenta e sete vezes, como se vê em Gên. 19:6,9,10; Êxo. 21:6; Deu. 15:17; Jos. 2:19; Juí. 3:23; I Sam. 3:15; II Sam. 13:17; I Reis 7:50; II Reis 4:4; I Crô. 22:3; II Crô. 3:7; Nee. 3:1; Jó 3:10; Sal. 78:23; Pro. 26:14; Ecl. 12:4; Can. 8:9; Isa. 26:20; Eze. 41:23; Zac. 11:1; Mal. 1:10.

4. *Saph*, «limiar», «verga da porta». Palavra hebraica que ocorre por vinte e seis vezes. Por exemplo: II Reis 12:9; II Crô. 23:4; Est. 2:21; Isa. 6:4; Jer. 35:4; Eze. 41:16.

5. *Pethach*, «entrada da porta». Palavra hebraica que aparece por cento e sessenta e quatro vezes, como, por exemplo, em Gên. 4:7; Êxo. 12:22,23; Lev. 1:3,5; 19:21; Núm. 3:25; 27:2; Deu. 22:21; Jos. 19:51; Juí. 4:20; I Sam. 2:22; I Reis 6:8,33; II Reis 4:15; I Crô. 9:21; Nee. 3:20,21; Jó. 31:9,34; Sal. 24:7,9; Pro. 5:8; Eze. 8:3,7,8,14,16; 47:1; Osé. 2:15; Miq. 7:5.

6. *Shaar*, «portão». Palavra hebraica usada por mais de trezentas e sessenta vezes, como em Gên. 19:1; Êxo. 20:10; Deu. 5:14; Jos. 2:5,7; I Sam. 4:18; II Sam. 3:27; I Reis 22:20; I Crô. 9:18,23; 26:13,16.

7. *Tera*, «portão». Palavra aramaica usada por duas vezes, uma com o sentido de *portão* e a outra com o sentido de *boca*, em Dan. 2:49 e 3:26 (nossa versão portuguesa a traduz como «porta», também neste último caso).

8. *Thúra*, «porta». Palavra grega usada por trinta e sete vezes, de Mat. 6:6 a Apo. 4:1.

9. *Púle*, «folha de portão duplo». Palavra grega usada por nove vezes: Mat. 7:13,14; 16:18; Luc. 7:12; Atos 3:19; 9:24; 12:10; 16:13 e Heb. 13:12.

10. *Pulón*, «portão», «portal». Palavra grega empregada por dezesseis vezes: Mat. 27:71; Luc. 16:20; Atos 10:17; 12:13,14; Apo. 21:12,13,15,21,15; 22:14.

PORTA — PORTA, JESUS COMO

A arqueologia e as referências literárias têm ilustrado amplamente a natureza das portas antigas, as quais variavam segundo o tipo de estrutura a que serviam, os materiais envolvidos e as posses do construtor. Assim, a porta de uma tenda consistia apenas em um pedaço de pano, ou em uma pele de animal, que cobria a entrada da mesma. A maioria das portas era feita de madeira. Nas residências dos ricos, a porta de madeira podia ser coberta de metal, o que também ocorria no caso das portas das cidades e dos quartéis. Havia portas feitas de pedra, ou inteiramente de metal. Não havia dobradiças como as que conhecemos atualmente; no lugar de dobradiças havia pivôs que eram ajustados em soquetes, na parte de baixo e na parte de cima da porta. Também havia portais com portas dobradiças (Isa. 45:2; Sal. 107:16). Como medida de segurança, havia trancas de metal ou de madeira (II Sam. 13:17). Também havia fechaduras e chaves (Juí. 3:23). Os portais tinham três partes; o limiar, as ombreiras, aos lados, e a verga, ou peça horizontal, do alto da porta. Os ricos mandavam fazer portas muito ornamentadas. Nos lares de judeus piedosos, havia sentenças bíblicas inscritas nas ombreiras (Deu. 11:20). Talvez eles pensassem que isso fosse uma influência protetora sobre a casa, ante forças negativas naturais ou sobrenaturais. Os pagãos também tomavam essas medidas protetoras com inscrições, que julgavam ser poderosas com essa finalidade.

Usos Metafóricos:

1. Cristo é a porta ou portão do aprisco, o meio de entrada para a vida eterna (João 10:9).
2. Os preguiçosos são como portas que giram em seus gonzos, parecendo estar fazendo alguma coisa, mas, na realidade, nada fazem (Provérbios 26:14).
3. Cada indivíduo tem uma porta espiritual de entrada, a saber, seu coração e sua vontade; e Cristo bate nessa porta, pedindo admissão, a fim de controlar aquela vida (Apo. 3:20; Sal. 24:7,9). A própria Igreja, bem como as igrejas locais, também têm essas portas, mesmo porque nem todas as igrejas cristãs haviam permitido a Cristo controlar sua vida comunal. Esse é o sentido original da passagem de Apo. 3:20.
4. A *porta da fé*, aberta diante dos gentios, era o acesso que lhes fora aberto, para poderem participar do evangelho e seus propósitos (Atos 14:27).
5. A porta ou a oportunidade de servir é um meio dado por Deus para a propagação das boas novas cristãs (I Cor. 16:9; II Cor. 2:12; Apo. 3:8).
6. Similar a essa é a porta à palavra, que é aberta diante dos pregadores, a fim de que eles possam propalar o evangelho (Col. 4:3).
7. Há a porta do ministério, o ofício no qual o crente entra quando é chamado para algum serviço cristão especial (João 10:1,2).
8. Estar à porta ou perto da porta significa que resta pouco tempo antes da ocorrência de alguma coisa (Mat. 24:33; Tia. 5:9). O Novo Testamento refere-se assim à *parousia* (que vide), e ao julgamento divino que então se seguirá.
9. A porta de esperança de Acor pode dar a entender que, apesar das tribulações e do julgamento, a misericórdia não se afastaria. Talvez haja nisso uma promessa de conversão, afinal, para os gentios. Ver Osé. 2:5; João 10.

PORTA (FORMOSA)

Essa era uma porta do templo de Herodes, mencionada somente em Atos 3:2,10. Provavelmente, a alusão é à entrada do templo de Herodes, famosa por suas portas coríntias, de bronze. Era a única porta oriental que dava acesso ao átrio dos gentios, para quem vinha do átrio das mulheres. Josefo (*Guerras* 5:5,3) descreve a magnificência da mesma. A identificação dessa porta com o Portão Oriental, do **vale do Cedrom**, através da muralha externa e do pórtico de Salomão, e daí para o átrio dos gentios, é incorreta.

O Novo Testamento narra a história de um homem aleijado, que costumava ser deixado perto da Porta Formosa, a fim de pedir esmolas. Foi ali que o homem foi curado por Pedro e João, em nome de Jesus. Essa porta era tão maciça e pesada que eram necessários vinte homens para abri-la ou fechá-la, se podemos confiar no testemunho de Josefo. Essa porta também era denominada *Susã* porque, acima dela, havia uma gravura da capital persa, Susã, isto é, *Cidade dos Lírios*. O termo hebraico *shushan*, «lírio», era considerado um símbolo de beleza. Alguns estudiosos não acreditam que podemos ter a certeza da identificação e da localização dessa porta, e ofereço uma discussão sobre a questão, no NTI, em Atos 3:2. Ver também sobre a *Porta Oriental*.

PORTA, JESUS COMO

A porta e seu simbolismo: João 10:1 e ss.

1. Atravessar a porta envolve segurança. As portas dos apriscos eram reforçadas e podiam resistir aos ataques.
2. A porta alude a certa seleção. Somente as verdadeiras ovelhas podem entrar. Ver Efé. 1:3 sobre a «eleição».
3. A porta fala de exclusividade. Nisso encontramos certa polêmica. Os judeus rejeitaram a Cristo, e portanto ficaram excluídos. Não mereciam entrar pela porta.
4. A porta simboliza comunhão, pois do lado de dentro da entrada, o Pastor cuida de suas ovelhas. Comparar Apo. 3:20.
5. A salvação é retratada nessa porta. (Ver Heb. 1:3 no NTI quanto a notas atinentes a isso).
6. A porta fala da abundância da provisão divina. No ambiente fechado, por detrás da porta, nada falta às ovelhas. Ver João 10:10.
7. A porta lembra rejeição. O número dos eleitos será pequeno (Mat. 7:13,14). Todavia, existirá também uma *Restauração* (vide) que trará benefícios da missão de Cristo a todos os homens. Ver Efé. 1:9,10.

Já nos tempos de Jesus havia alguns poucos pertencentes a essa categoria — que faziam profissão de fé em Cristo, mas não eram verdadeiros cristãos, porque sua fé era superficial, e não autêntica. Porém, aqui estão em foco principalmente aqueles que rejeitaram a Cristo, que chamavam Jesus de endemoninhado, pecador e samaritano. No entanto, tais afirmavam ser pastores do rebanho de Deus. Jesus, por conseguinte, salientou que não existem verdadeiros pastores entre os que rejeitam a Cristo, como se eles pudessem, ao mesmo tempo, exercer autoridade espiritual sobre as ovelhas de Deus. Isso seria uma contradição.

Dessa maneira, é reivindicada autoridade para a missão de Cristo, porquanto todas as leis e ordenanças do A.T. eram meros *símbolos do Messias*, de uma maneira ou de outra; e aqueles que realmente obedeciam aos escritos de Moisés, eram também discípulos realizados ou em potencial de Cristo. O vs. 9 informa-nos definidamente que entrar no aprisco equivale a participar da salvação, e em seguida, como

PORTA — PORTA DA GUARDA

é natural, participar da vida abundante que se segue, o que, na realidade, faz parte integrante da salvação, posto que a salvação, no seu sentido mais completo, inclui até mesmo a glorificação, e a glorificação inclui a participação na natureza divina (ver II Ped. 1:4), mediante a transformação na própria imagem de Cristo, moral e metafisicamente.

«A repentina alteração no simbolismo do pastor para a porta, seria mais fácil de entender se pensássemos no pastor oriental que costuma *postar-se na estreita entrada* do aprisco, a fim de impedir a entrada de intrusos. Porém, o sentido desse simbolismo aponta para uma situação ainda futura, quando os subpastores haverão de derivar a sua autoridade para cuidar do rebanho, da parte do Pastor e Bispo de nossas almas (ver I Ped. 2:25). Primeiramente, é mister que sejam salvos por meio deles. Então, investidos dessa comissão, recebem a autoridade de guiar o rebanho e de descobrir pasto rico e abundante para as ovelhas. A fraseologia faz-nos lembrar do trecho de Núm. 27:16,17. Diferentemente dos intrusos, que evitam a porta, os verdadeiros subpastores são ouvidos pelas ovelhas, porque, tal como o grande pastor e bispo, os subpastores são isentos da atitude de interesse próprio e cobiça, e só buscam a vida em sua plenitude, para aqueles que estão sob os seus cuidados». (Wilbert F. Howard, *in loc*). (Ver o artigo sobre a *Vida Eterna* e sobre os benefícios conferidos a quem entra no aprisco, em João 3:15. Quanto à exclusividade de Cristo, como administrador da salvação, ver também João 14:6).

Dentro da *polêmica cristã*, essa exclusividade de Jesus Cristo, na questão da salvação, serve de advertência para com o incrédulo povo de Israel, bem como de consolo para a pequena comunidade cristã, a fim de que esta se firmasse, como representante que é a verdade de Deus.

PORTA ABERTA

Apo. 3:8: **Tenho posto diante de ti uma porta aberta.** A porta aberta do presente texto, profeticamente falando, refere-se a era missionária da igreja, que começou nos fins do século XVIII e que chega até os nossos próprios dias. John Gill, escreveu pouco antes do começo dessa era, considerava a sua própria época como era da igreja de Sardes. Predisse ele que a era da igreja de Filadélfia seria uma espécie de reino espiritual de Cristo, com a renovação do amor e do evangelismo. Por isso, conjecturou ele: «Essa porta aberta talvez ofereça uma oportunidade incomum para a pregação do evangelho; uma grande liberdade mental de seus pregadores e grande atenção por parte dos ouvintes, cujos corações serão abertos para observar, receber e abraçar ao evangelho; além de grande colheita de almas para Cristo e suas igrejas. Haverá pregação abundante e freqüente da Palavra, com grande sucesso — o que não poderá ser tolhido por qualquer criatura». É significativo que foi da própria denominação de Gill, a denominação dos «Batistas Primitivos», da Inglaterra, que saiu Adoniram Judson (1788 — 1850), que se tornou o pai das missões modernas. Ele traduziu a Bíblia para o birmanês e preparou um dicionário daquele idioma, atividades que se têm tornado comuns através de toda a nossa era missionária. Muitos dos primeiros missionários sofreram oposição na igreja, sendo-lhes dito que estavam lançando suas pérolas aos porcos, porque pregavam aos *pagãos*. Isso mostra a que posição inferior caíra o evangelismo, na igreja da Idade Média, e na igreja da Reforma, ou igreja de Sardes. É verdade que os lugares «civilizados» receberam muitos pregadores. O próprio Calvino supriu dois mil e quinhentos pregadores para as igrejas reformadas. No entanto, não havia qualquer evangelismo dos pagãos, das terras «não-cristãs».

Outras idéias sobre a porta aberta:

1. Estaria em foco o próprio Cristo, a entrada para os lugares celestiais.

2. Outros pensam no «caminho» para os céus e para o reino, ao qual os discípulos falsos não têm acesso (ver Apo. 3:9), o que apontaria para a Nova Jerusalém.

3. Há quem pense na entrada para a alegria do Senhor, mediante a fidelidade.

4. Seria a capacidade de conhecer e interpretar corretamente as Escrituras.

5. Pelo contrário, conforme é comentado acima, temos aqui a «porta paulina» de serviço, uma grande oportunidade de serviço missionário. A história tem comprovado que essa é a interpretação correta. (Ver I Cor. 16:9; II Cor. 2:12; Col. 4:3 e Atos 14:27, quanto a passagens paralelas).

Lembremo-nos dos Judsons, dos Wesleys, dos Whitfields, dos Spurgeons, dos Careys, dos Livingstones da presente era. Mas, à medida que nos aproximarmos da era da igreja de Laodicéia, iremos entrando em um declínio, não tanto de trabalho efetuado, mas de eficácia e da piedade verdadeira, que deveria ser o resultado do evangelismo, se Cristo é nosso Senhor, tanto quanto nosso Salvador.

Ó Sião, apressa-te, cumprindo tua elevada missão
Anunciando ao mundo inteiro que Deus é Luz;
Que aquele que criou todas as nações não quer
Que nenhuma alma pereça, perdida nas sombras
   da noite.

(Mary A. Thomson)

PORTA ANTIGA

Ver sobre **Porta Velha**.

PORTA DA GUARDA

Ver Nee. 3:31. A palavra hebraica correspondente é *Miphkad*, que algumas traduções deixam ficar como um nome próprio. Essa palavra hebraica parece significar «assembléia», e alguns estudiosos pensam estar em foco uma casa freqüentada por oficiais; mas outros julgam que ali se reuniam os membros do *Sinédrio* (vide), pelo menos em algumas de suas reuniões.

Essa porta ficava na seção nordeste das muralhas de Jerusalém, e foi reconstruída por Neemias. Todavia, a sua localização exata, em relação ao resto da estrutura, é desconhecida atualmente.

PORTA DA GUARDA (MIPHKAD)

A palavra hebraica **miphkad** significa «recenseamento». Esse era o nome de um dos portões das muralhas de Jerusalém. Nossa versão portuguesa traduz esse nome por Porta da Guarda, em Nee. 3:31. Ficava localizada defronte da residência dos servos do templo e dos mercadores, entre a «entrada dos cavalos» (ver I Crô. 23:15) e o ângulo da muralha antiga, perto da Porta das Ovelhas (Nee. 3:32). Talvez por ter sido identificada, por alguns estudiosos, como a Porta da Guarda, que aparece em Nee. 12:39, nossa versão portuguesa assim tenha traduzido seu nome hebraico, *Miphkad*. Porém, outros estudiosos têm identificado esse portão com a «porta superior de Benjamim» (ver Jer. 20:2). Se essa última opinião é a

PORTA — PORTA ENTRE DOIS MUROS

correta, então a porta de Miphkad ficava localizada no extremo ocidental de uma ponte; mas a maioria dos estudiosos duvida dessa identificação.

No trecho de Eze. 43:21, a palavra hebraica *miphkad* é usada em um sentido bem diferente, referindo-se ao «lugar determinado» (em nossa versão portuguesa, «lugar da casa para isso designado»), onde eram queimadas as ofertas pelo pecado.

PORTA DAS ÁGUAS

No hebraico, *shaar mayim*, «porta das águas». Esse era um dos portões de Jerusalém, restaurado por Neemias. Ficava no lado oriental do monte Sião, defronte da fonte de Giom (Nee. 3:26), ou, então, um pouco mais para o norte, como quem ia na direção do templo (cf. Nee. 12:37). Uma praça que havia, contígua à porta das Águas, foi um lugar público onde Esdras leu o livro da lei, e também onde foram levantadas cabanas para serem usadas durante a festa dos tabernáculos, em 444 A.C. (ver Nee. 8:1,3,16).

PORTA DAS OVELHAS

No Antigo Testamento, essa porta é mencionada em Neemias 3:1,32; 12:39. Porém, nesta última referência, nossa versão portuguesa diz «Porta do Gado». No Novo Testamento, essa expressão aparece em João 5:2.

Essa era a entrada mais oriental do lado norte das muralhas da antiga cidade de Jerusalém (Nee. 12:39 e João 5:2).

A Porta das Ovelhas assinalava o fim no circuito das muralhas, conforme elas foram reconstruídas em 444 A.C., de acordo com o registro histórico de Neemias 3:1,32. Quase cinco séculos mais tarde, Jesus Cristo curou o homem que estivera paralítico durante trinta e oito anos e que geralmente era deixado nas proximidades do tanque de Betesda, onde havia cinco pavilhões (João 5:2-9). Isso, por sua vez, confirma a localização da Porta das Ovelhas, visto que os relatórios preparados por peregrinos, desde o século IV D.C., o mapa em mosaico de Madeba, do século V D.C. e modernas escavações dos grandes tanques duplos perto da Igreja de Santa Ana, da Igreja Católica, conjugam-se para confirmar a localização nordeste do tanque de Betesda (vide) e, por conseguinte, da Porta das Ovelhas.

PORTA DO OLEIRO

Essa porta é mencionada somente em Jeremias 19:2. Era um portão chamado, em hebraico, *arsith*, no lado sul das muralhas de Jerusalém, antes do exílio babilônio. Dava acesso direto ao vale de Hinom e provavelmente, é a mesma porta que, em outros trechos da Bíblia é chamada de Porta do Monturo (Nee. 2:13; 3:14 e 12:31) (que vide). Esse nome foi aplicado devido à circunstância que havia uma casa e um campo de um oleiro nas proximidades; podemos nós presumir que por ali havia muitos cacos de cerâmica. Era através dessa porta que o lixo da cidade de Jerusalém era levado para fora. Daí o seu nome no livro de Neemias.

PORTA DO PEIXE

Um dos portões das muralhas de Jerusalém era assim chamado. Ver II Crô. 33:14; Nee. 3:3 e 12:39. Provavelmente, isso devia-se ao fato de que negociantes de peixes traziam seus produtos, frescos, salgados ou secos, através daquele portão, a fim de serem comercializados. Lê-se que Manassés construiu a muralha externa de Jerusalém desde a parte oeste de Giom até à entrada da Porta do Peixe, segundo informa-nos aquele texto de II Crônicas. E quando Neemias reconstruiu as muralhas de Jerusalém, a Porta do Peixe foi construída pelos filhos de Manassés (Nee. 3:3). O trecho de Sofonias 1:10 ajunta que essa porta estava ligada à Cidade Baixa, um bairro da cidade de Jerusalém. A maioria dos estudiosos pensa que a Porta do Peixe ficava na muralha noroeste. Mas há alguns que a identificam com a chamada Porta de Efraim. O mais provável é que esse nome se tenha derivado de um mercado de peixe que houvesse nas proximidades, pelo que seria o portão naturalmente escolhido (por ser o mais próximo), por onde tal produto era trazido de fora para a cidade.

PORTA DO VALE

Esse portão de Jerusalém é mencionado em II Crô. 26:9; Nee. 2:13,15 e 3:13. Azarias (Uzias) edificou torres nos portões do Vale e da Esquina, conforme se aprende na primeira dessas referências. A Porta do Vale é novamente mencionada em conexão com as muralhas reconstruídas por Neemias. Foi nessa porta da cidade que Neemias iniciou a sua inspeção noturna. Ele saiu por esse portão, dirigindo-se para o sul; caminhou em redor do poço de Siloé, e então partiu para o norte, passando pela Porta da Fonte. Então retornou à Porta do Vale. É evidente que esse portão da cidade ficava em seu lado oeste, defronte do vale Tiropoeano.

PORTA DOS CAVALOS

Esse era uma porta existente nas muralhas de Jerusalém, localizada na extremidade ocidental da ponte que conduzia do monte Sião ao templo de Jerusalém (Nee. 3:28 e Jer. 31:40). Esse nome pode ter surgido por causa do fato dos *cavalos* dedicados ao sol (II Reis 23:11) serem conduzidos através desse portão, com propósitos idólatras, segundo se vê em II Crônicas 23:15.

Essa porta ficava na esquina suleste da área do templo, defronte do palácio (Jer. 31:40). Atalia foi morta nas proximidades (II Reis 11:15). Neemias restaurou essa porta, terminado o cativeiro babilônico, quando as muralhas e o templo foram reconstruídos (Nee. 3:28). Ver o artigo geral sobre *Cavalos*.

PORTA ENTRE OS DOIS MUROS

Ver II Reis 25:4; Jer. 39:4 e 52:7. Essas referências aludem ao cerco de Jerusalém por parte das tropas de Nabucodonosor, em 587 A.C. Zedequias e seu exército fugiram para a direção leste, à noite, através do portão assim descrito, e dirigiram-se ao vale do rio Jordão. A localização desse portão ficava perto do «jardim do rei». O trecho de Nee. 3:15 revela-nos que esse logradouro ficava perto do poço de Siloé. Sabemos que esse poço ficava no extremo sul de Jerusalém. Isso posto, estamos tratando de uma localização entre duas muralhas, a muralha externa e a muralha interna de Jerusalém. Alguns estudiosos pensam que se trata da mesma Porta da Fonte, referida em Neemias (2:14). Temos apresentado um artigo separado sobre esse Portão. Ver Nee. 2:14; 3:15 e 12:37. Esse era um dos portões da cidade de Jerusalém, na seção suleste das muralhas, restaurada após o retorno dos judeus exilados da Babilônia.

••• ••• •••

PORTA FORMOSA — PORTÃO

PORTA FORMOSA
Ver **Porta (Formosa)**.

PORTA NOVA
Uma das portas do templo de Jerusalém é assim chamada, em Jer. 26:10. Entretanto, não se sabe onde ela ficava, ou se era chamada por algum outro nome.

PORTA VELHA
A referência é um tanto obscura. Pode estar em foco um portão da «cidade antiga» ou da «muralha antiga». Ver Nee. 3:6 e 12:39. Nesta última referência, essa porta é mencionada entre diversas outras. Foi reconstruída por Neemias, ou como equivalente àquela porta, ou um pouco mais para oeste, tendo sido assim chamada devido à proximidade de ambas. Seja como for, parece que essa entrada da cidade ficava na esquina noroeste ou próxima da mesma, nas muralhas restauradas de Jerusalém.

PORTÃO
Esboço:
I. Caracterização Geral
II. O Portão como Local de Reuniões
III. Coisas Feitas Fora do Portão
IV. Estrutura e Materiais Usados nos Portões
V. Fortificações dos Portões
VI. Nomes de Vários Lugares de Portões
VII. Usos Figurados

I. Caracterização Geral
As populações antigas eram pequenas. Com freqüência, uma cidade era uma unidade em si mesma, frouxamente ligada com outras cidades com habitantes da mesma raça. Visto que os tempos eram violentos e o transporte era difícil, as cidades eram pequenos estados, fortalezas autossuficientes, porquanto não podiam esperar ajuda externa quando eram atacadas. Portanto, as muralhas eram uma importante parte da defesa de uma cidade. Ver o artigo separado sobre *Forte, Fortificação*. A maioria dos habitantes vivia dentro das muralhas; mas, para trabalharem nos campos e nas indústrias da época, precisavam sair fora das muralhas. Isso fazia com que os portões de uma cidade fossem um aspecto importante na vida de todos os cidadãos. Esses portões também precisavam ser fortificados e bem guardados, geralmente com torres postas em pontos estratégicos, de onde era possível observar a aproximação de visitantes e de inimigos em potencial. Um portão era a entrada de um palácio, de um acampamento ou um templo, mas, especialmente, de uma cidade. O portão de uma cidade era um lugar comum de encontros sociais, sendo um lugar geralmente escolhido para esse mister. Normalmente, era nos portões das cidades que as pessoas reuniam-se para conversar, para discutir sobre negócios, para trocar mercadorias. Os anciãos de uma cidade reuniam-se perto do portão principal da cidade a fim de administrarem justiça e dirigirem os negócios da cidade. A lei mosaica determinava que os filhos rebeldes fossem trazidos para diante dos portões da cidade onde residiam, a fim de serem julgados pelos anciãos (ver Deu. 21:19). Aquele que fosse culpado de homicídio involuntário tinha a oportunidade de expor o seu caso perante os anciãos, no portão de alguma das cidades de refúgio (vide), conforme se lê em Josué 20:4. Boaz aconselhou-se com os anciãos, no portão da cidade, a respeito da propriedade de Rute (ver Rute 4:1).

II. O Portão como Local de Reuniões
Ver os seguintes trechos bíblicos que refletem esse costume: Gên. 19:1; 23:10; 34:20; II Sam. 15:2; Nee. 8:1 e Sal. 69:12. Os negócios efetuados junto aos portões das cidades tanto eram formais quanto eram informais. Já vimos, no primeiro ponto, acima, algumas dessas questões. As decisões legais eram tomadas ali, como nos casos de disputas por causa de propriedades, crimes cometidos, etc. Os profetas também costumavam fazer suas predições às portas das cidades (ver I Reis 22:10). Os sacerdotes também tiravam proveito desse lugar estratégico a fim de darem suas instruções ao povo (II Reis 7:1; Nee. 8:1,3; Jer. 17:19,20; 36:10). A primeira transação legal registrada na Bíblia foi efetuada diante do portão da cidade de Hebrom, a saber, a compra do terreno com a caverna de Macpela, que se tornou lugar de sepultamento da família patriarcal (Gên. 23:10,18). Perto desse mesmo portão, em tempos posteriores, veio a organizar-se o mercado da cidade (II Reis 7:1). Pessoas ociosas também se reuniam diante dos portões das cidades a fim de passarem o tempo (ver Sal. 69:12).

III. Coisas Feitas Fora do Portão
Os criminosos condenados à morte, eram punidos fora dos portões da cidade, a fim de que esta não ficasse poluída. Ver I Reis 22:10 e Atos 7:58. Esculturas assírias representam a execução por empalação, fora das muralhas das cidades. Os sepultamentos eram efetuados sempre fora dos portões das cidades (Luc. 7:12; Heb. 13:12). Temos nisso uma certa lição espiritual. Jesus sofreu, morreu e foi sepultado fora dos portões da cidade, visto que não podia ser espiritualmente identificado com a apóstata nação de Israel. E nós tomamos posição juntamente com ele, fora da comunidade dos ímpios. Isso resulta em nossa santificação.

IV. Estrutura e Materiais Usados nos Portões
Usualmente, os portões tinham duas folhas (ver Isa. 45:1), e eram feitos dos mais diferentes materiais, como madeira recoberta de pregos, madeira recoberta de folhas de metal (cobre, ferro, etc.), (I Reis 4:13; Sal. 107:16; Isa. 45:2; Atos 12:10). Um portão feito apenas de madeira estaria sujeito a incêndio. Alguns portões antigos eram feitos de metal puro. Também havia portões feitos de uma única laje de pedra. Eram fortalecidos com trancas e fechaduras de bronze, de ferro ou de madeira (ver Deu. 3:5; I Sam. 23:7; I Reis 4:13; II Crô. 8:5; Sal. 147:13). As chaves dos portões antigos tinham nada menos de sessenta centímetros de comprimento (ver Isa. 22:22). Há monumentos babilônicos que mostram portões feitos de bronze. A cidade de Babilônia tinha cem portões de bronze, o que talvez indique portões feitos de madeira, recobertos de chapas de bronze. Jerusalém tinha seis portões com folhas de ferro. Hesíodo (*Theog.* 732) menciona portões de ferro, conforme também o fazem Vergílio (*Aen.* 1.482) e Ovídio (*Metam.* 7,125). No Alto Egito, foi encontrado um portão de granito com o nome inscrito de Alexandre, o Grande. Portas que conduziam a diversas câmaras mortuárias dos túmulos dos reis do Egito eram feitas de pedra esculpida, de modo a se assemelharem a painéis. Essas portas eram altamente trabalhadas e decoradas. Elas giravam sobre gonzos. Naquele tempo ainda não eram conhecidas as modernas dobradiças.

V. Fortificações dos Portões
Antes de tudo, os portões das cidades eram recobertos de grossas folhas de material metálico, fechados com gigantescas trancas e fechaduras. Além

PORTÃO — PORTAS DO INFERNO

disso, eram flanqueados por torres com pequenas câmaras embutidas, de onde soldados armados podiam despejar dardos sobre qualquer inimigo que se aproximasse, o que mantinha uma certa medida de proteção. Havia torres que eram fortins, onde certo número de homens podia fazer chover dardos e flechas sobre os inimigos. Trincheiras e fossos eram, com freqüência, cavados em redor das muralhas e cheios de água. Algumas cidades contavam com pontes levadiças, que davam acesso aos portões, mas que podiam ser elevadas, quando necessário. Barricadas, fora e dentro das cidades, com freqüência, faziam parte das áreas em volta dos portões das cidades. Algumas vezes, eram construídos dois portões, um depois do outro, com torres de defesa em ambos os lados (ver II Sam. 18:24,33). Quanto a trancas e fechaduras feitas de bronze ou de ferro, ver os trechos de Deu. 3:5; I Sam. 23:7; I Reis 14:13; II Crô. 8:5; Jer. 49:31; Sal. 147:13. A questão de vigias postas nos portões de uma cidade é mencionada em passagens como Juí. 18:16; II Reis 7:3 e Nee. 13:22.

VI. Nomes de Vários Lugares de Portões

Visto que os portões serviam como lugares de reuniões, com freqüência, eram identificados por nomes específicos. Assim, somente em Jerusalém havia a Porta das Ovelhas, a Porta do Peixe, a Porta Formosa do templo, etc. Ver Jer. 27:13; Nee. 3:1; Atos 3:2,10, para exemplificar. O templo visto em visão por Ezequiel tinha dois portões, um voltado para o norte e o outro voltado para o leste. Ver Eze. 44:1,2. As residências de cidadãos abastados, os túmulos (Mat. 27:60), as prisões (Atos 12:10; 16:27), as cavernas (I Reis 19:13), os acampamentos (Êxo. 23:26,27; Heb. 13:12) tinham portões. Os acampamentos militares dos romanos usualmente tinham quatro portões. De acordo com Vergílio (*Aen.* 9.734), o acampamento dos troianos também tinha portões.

VII. Usos Figurados

1. Um portão pode servir para referir-se à cidade propriamente dita (Gên. 22:17; Juí. 16:3; Deu. 7:12; Sal. 87:2).

2. Os portões de bronze ou de ferro representam força e proteção (Sal. 147:13).

3. Podemos chamar de portões aos impedimentos difíceis de ultrapassar (Sal. 107:15,16).

4. Os portões da morte e do hades representam aqueles estados e condições (Jó 38:17; Sal. 9:14). O trecho de Mat. 16:19 alude a essas forças infernais, que haveriam de tentar destruir a Igreja. Alguns escritores judeus imaginaram tolamente que o próprio hades teria portões literais. Vergílio (*Aen.* 6:126) fala sobre esses portões do inferno, provavelmente simbólicos e poéticos em sua natureza.

5. Existem aqueles portões de forças malignas que excluem o crente da comunhão com este mundo pagão (Heb. 13:12).

6. Os portões da justiça (Sal. 118:19), provavelmente, referem-se aos portões do templo de Jerusalém.

7. *Nos sonhos e nas visões*, um portão pode indicar uma oportunidade, ou indica a ausência de oportunidade, se o portão aparecer trancado. A abertura de um portão pode indicar a abertura da mente ou da consciência, a fim de serem descobertos os segredos ou as informações valiosas ali contidos. Os portões dos jardins podem indicar acesso ao paraíso, ou então, a algo grandemente desejado. Também há na Bíblia os portões do céu. Os estudos no campo dos sonhos demonstram que as pessoas sonham com portões, pouco antes de morrerem. Assim o espírito antecipa a entrada para uma nova fase da existência.

PORTÃO ORIENTAL

Esse portão tem sido identificado, por muitos eruditos, com a Porta Formosa. Ver o artigo sobre **Porta (Formosa)**. Passou a chamar-se Porta do Rei, depois que os judeus voltaram do exílio (I Crô. 9:17). Um porteiro especial foi designado para essa porta, desde os dias de Ezequias (I Crô. 31:44). A Porta da Água também era chamada de Portão Oriental, nos dias de Neemias (12:37). Visto que o templo de Herodes foi construído somente muito depois, estamos tratando com uma estrutura diferente, embora a Porta Oriental e a Porta Formosa, provavelmente, ocupassem mais ou menos a mesma posição. A Porta Oriental é um detalhe importante dentro da visão de Ezequiel. Os querubins que lhe deram a visão ter-se-iam posicionado ali (Eze. 10:19). Também foi ali que Ezequiel foi capaz de identificar os vinte e cinco homens culpados de dar maus conselhos em Jerusalém (Eze. 11:1,2). Dentro dessa visão, essa foi a primeira porta a ser medida (Eze. 40:1-16). Ali ele viu a glória de Deus entrar no templo, glória essa que então encheria pelo lugar inteiro (Eze. 43:1-4). Ali, o «príncipe» (vide) haverá de oferecer seus holocaustos e suas ofertas pacíficas. O Portão Oriental haverá de se abrir para dar-lhe passagem e, quando o seu serviço terminar, haverá de fechar-se novamente (Eze. 46:12). Conforme muitos eruditos pensam, o «príncipe» referido no livro de Ezequiel é uma predição simbólica sobre o Messias.

PORTAS DO INFERNO

Ver Mat. 16:18.

A melhor tradução dessas palavras seria aquela registrada pela tradução IB: «...e as portas do hades não prevalecerão contra ela...», onde se lê «hades» em vez de «inferno». Ver o artigo sobre o *inferno*. O «hades» era o nome que os antigos gregos davam ao deus que tinha autoridade sobre o mundo dos mortos. A LXX usa essa palavra ao traduzir o termo hebraico *sheol*, termo este que, usualmente, se refere ao lugar dos mortos, que, às vezes, é usado em textos que implicam aquele lugar, mas que outras vezes é usado sem qualquer explicação; e outras vezes o termo «sheol» também se refere ao sepulcro ou à morte em geral. No grego clássico, «hades» era um lugar que continha tanto os homens bons como os maus, embora fosse dividido em compartimentos para abrigar as diversas qualidades de homens. O «tártaro», no pensamento dos gregos antigos, era um lugar escuro (abismo) que ficava no seio da terra, e que servia de prisão a Cronos, deus destronado, e aos titãs derrotados. Depois, por desenvolvimento da idéia, o sentido da palavra se modificou, passando a significar um lugar de julgamento dos ímpios, onde tais pessoas sofriam dores e tormentos sem-fim e sem esperança. Essa palavra aparece, no *N.T.*, somente em II Ped. 2:4.

Com relação à palavra *hades*, o N.T. adotou a tradução da LXX, porque é impossível provar que a palavra se refere somente ao lugar de julgamento dos ímpios. Tanto o rico como Lázaro foram para o «hades» (ver Luc. 16). Cristo também esteve no «hades» (Atos 2:27,31). O Senhor Jesus usou o termo «geena» ao referir-se ao lugar de julgamento e sofrimento finais dos ímpios. Ver o artigo separado sobre *Geena*.

Portas do inferno ou melhor, *portas do hades*, era uma expressão oriental para indicar a corte, o trono, o poder e a dignidade do reino do mundo inferior. No

PORTAS DO INFERNO — PORTEIRO

N.T. (como aqui neste texto), indica o poder da morte. A idéia principal é que a igreja nunca será destruída por qualquer poder, e nem mesmo pela morte ou pelo resultado da morte, e nem pelo reino do mal. A igreja é eterna; a morte, ou qualquer outro poder oculto e perverso, jamais poderá ser vitorioso sobre ela. *Reino de Satanás* é uma interpretação que os intérpretes em geral não aceitam, embora a promessa de Cristo, naturalmente, tenha incluído a idéia de que Satanás e seus agentes (seu reino) jamais poderão vencer a igreja edificada sobre a rocha. As portas do hades abrem-se para devorar a humanidade inteira, e fazem-no com êxito; mas Cristo e sua igreja vencerão esse poderoso inimigo. Esse reino da morte será abolido por Cristo (ver as seguintes passagens: Is. 25:8; I Cor. 15:15 e Efé. 1:19,20). Esse trecho implica, naturalmente, na luta contra o reino do mal, mas ensina, principalmente, a vitória sobre a morte, com todas as suas implicações. Há bons intérpretes, porém, como Erasmo, Calvino e outros, que interpretam o trecho como a vitória final sobre Satanás. A vitória sobre a morte, realmente, deve incluir essa idéia, pelo menos por implicação. Essa expressão, «porta do hades», é comum na literatura judaica (fora do V.T.), mas também se encontra em Is. 28:10 e em Sabedoria de Salomão 16:13. Na passagem de Apo. 6:8 o símbolo da morte é mais personificado, pois a «morte» é apresentada montada em um cavalo e seguida pelo «hades». Mas, finalmente, ambos são derrotados.

PORTEIRO

No hebraico, **shoer**, palavra usada por trinta e sete vezes, como em I Crô. 15:23,24; II Sam. 18:26; II Reis 7:10,11; II Crô. 8:14; 35:15; Esd. 2:42; Nee. 7:1,45,73; 13:5. No grego, *thurorós*, palavra usada por quatro vezes: Mar. 13:34; João 10:3; 18:16,17.

Em Salmos 84:10 lemos sobre alguém que ficava à porta, o que talvez indique um esmoler, ou então alguém que passava por uma casa e olhava pela porta, para dentro da mesma. Em I Crônicas 15:23,24, a alusão é àqueles que guardavam a arca da aliança, postados à porta, a fim de impedirem qualquer acontecimento indesejável no tabernáculo. Havia o costume de nomear pessoas para guardar as portas das casas. Algumas vezes, eram mulheres que se ocupavam desse mister (João 18:16; Atos 12:13). Também havia quem guardasse as portas de palácios e edifícios públicos (I Sam. 2:22; estando ali em foco algumas mulheres). À entrada dos currais de ovelhas, alguém ficava tomando conta, para proteger o rebanho contra intrusos ou feras (João 10:3). Havia uma encarregada da porta do pátio da casa do sumo sacerdote, na noite em que Jesus foi julgado (João 18:16,17). O trecho de Salmos 84:10 diz que é melhor ser um humilde porteiro na Casa do Senhor do que ter qualquer tipo de vida que ocupa os ímpios. Os portões das cidades muradas também tinham os seus vigias.

João 10:3: *A este o porteiro abre; e as ovelhas ouvem a sua voz; e ele chama pelo nome as suas ovelhas, e as conduz para fora.*

No entanto, a explicação dada pelo Senhor Jesus não nos fornece qualquer idéia acerca de que símbolo temos aqui. A porta do aprisco geralmente era pesada e fortificada, a fim de que pudesse resistir aos ataques externos. Ao lado da mesma se postava o porteiro. O porteiro só podia abrir a porta para pessoas devidamente autorizadas. O porteiro ficava de vigia, durante a noite, do lado de dentro do aprisco, e, ao raiar da manhã, abria a porta ao pastor, quando este chegasse. *As interpretações acerca dessa particularidade são as seguintes:*

1. O porteiro seria *João Batista* ou outros ministros da Palavra, revestidos de autoridade na igreja cristã, que em alguns casos atuam como subpastores. Naturalmente, neste caso, João Batista seria pintado em seu ofício de precursor de Cristo. Essa interpretação, entretanto, a despeito de encerrar certa verdade, não é muito provável neste caso.

2. O porteiro seriam *os anjos*, o ministério dos anjos, que prepara o caminho para Cristo, trabalhando entre os homens de maneiras seletivas. Novamente temos neste caso alguma verdade, mas o mais provável é que não seja a verdade tencionada nesta passagem bíblica.

3. O porteiro seria o *próprio Jesus Cristo*, que, nesse caso, seria tanto a porta como o pastor e o porteiro. (Assim pensavam Agostinho, Cirilo, e outros pais da igreja). Essa interpretação não é impossível, mas é possível que haja outra interpretação preferível.

4. O porteiro seria *Deus Pai* (fazer a comparação com João 6:44,45; ver igualmente Atos 14:27, onde Deus é visto a abrir a porta da fé aos gentios; e os trechos de II Cor. 2:12 e Col. 4:3 também contêm a idéia do Pai a abrir a porta do serviço e do ministério). Essa é uma interpretação muito possível; porém, a interpretação mais provável de todas é a seguinte.

5. O porteiro é o *Espírito Santo*. (Ver Atos 13:2; ver também João 16:13, onde é dito que o Espírito é quem nos conduz a toda a verdade). Visto que não possuímos qualquer declaração de Jesus, identificando essa figura simbólica do «porteiro», não podemos asseverar dogmaticamente quem está aqui em foco, sem deixar nenhuma dúvida. (Ver o artigo acerca da *trindade*, onde há uma discussão sobre o Espírito Santo).

6. Alguns intérpretes são do parecer que o porteiro seria Pedro (provavelmente fazendo analogia com o décimo sexto capítulo do evangelho de Mateus), mas essa interpretação é altamente improvável neste ponto.

As ovelhas ouvem a sua voz. Elas «ouvem e dão atenção...» (Robertson, *in loc.*). Essas palavras de Jesus subentendem que reina familiaridade entre o pastor e as ovelhas, uma familiaridade especial — as ovelhas estão tão acostumadas com a intimidade do pastor que o reconhecem só pelo timbre da voz, podendo distinguir a sua voz de todos os outros, incluindo dos falsos pastores. Aqui são implicadas a *conversão*, a *regeneração* e a *fé* (ver os artigos separados). Ora, conhecendo o verdadeiro pastor com tanta intimidade, as ovelhas o seguem e obedecem. Assim, pois, os crentes obedecem ao evangelho em sua integridade, que é justamente a idéia proeminente da discipulado cristão, no N.T., como prova, fruto necessário e expressão da conversão. (Ver João 3:36 e as notas ali existentes no NTI acerca da «obediência» ao evangelho). Jesus ensinou essa verdade de outra maneira também, ao dizer: «Se me amais, guardareis os meus mandamentos» (João 14:15). E igualmente: «Vós sois meus amigos, se fazeis o que eu vos mando» (João 15:14).

Falando acerca da *voz* do pastor, John Gill (*in loc.*) observa: «...a qual é a voz do amor, da graça e da misericórdia; a qual proclama a paz, o perdão, a liberdade, a vida, a retidão e a salvação; a qual revivifica a alma, atraindo, deleitando, refrigerando e consolando; essa voz do povo de Cristo é levado a ouvir, não apenas externamente, mas também internamente, a ponto de compreendê-la, deleitando-se nela e distinguindo-a de qualquer outra voz».

••• ••• •••

PÓRTICO — PORTO

PÓRTICO

Precisamos considerar aqui quatro palavras diferentes:

1. No hebraico, *'ulam*, um tipo de vestíbulo ou sala de entrada de um edifício. Ocorre por trinta e quatro vezes no Antigo Testamento, de I Reis 6:3 a Joel 2:17. Uma passagem clara é Eze. 40:7,48. Havia tais entradas, abertas e ladeadas por colunas (I Reis 7:6). Essa mesma palavra hebraica é aplicada ao vestíbulo do templo construído por Salomão (I Reis 6 e Joel 2:17). Mas a expressão «pórtico do Senhor» parece ser aplicada ao templo inteiro (ver II Crô.15:8 e 29:17). O templo de Salomão incluía um pórtico com pilares, à entrada do mesmo, além de outro, diante do trono de julgamento, segundo se vê em I Reis 6. Alguns eruditos supõem que o conjunto foi copiado da *bit halani* dos sírios que era um conjunto de salas com um pórtico, onde se chegava por meio de um lance de escadas e que conduzia a uma sala de audiências. Além disso, havia várias outras salas com uma escadaria, que levava ou a um andar superior, ou ao teto plano.

2. *Misderom*. Esse vocábulo indica uma espécie de câmara-varanda (ver Juí. 3:23). Era um vestíbulo que dava entrada a uma sala avarandada do templo de Jerusalém. Era aberto na parte da frente e nos lados, embora capaz de ser fechado por meio de cortinas ou toldos. Talvez fosse um corredor ou colunata, que ligava as salas principais do edifício. «Parte da colunata de uma estrutura de segundo piso, que formava os aposentos de verão do palácio de Eglon, talvez com uma balaustrada» (Z).

3. No grego, *pulón*, «portão», «portal». Ocorre por dezoito vezes no Novo Testamento: Mat. 26:71; Luc. 16:20; Atos 10:17; 12:13,14; 14:13; Apo. 21:12,13,15, 21,25; 22:14. Era uma espécie de passagem que dava da rua ao primeiro átrio da casa. Era nessa área, e não dentro da casa propriamente dita, que o proprietário vinha saudar a seus visitantes e convidados. Em Mar. 14:68, nossa versão portuguesa diz «alpendre». Pedro retrocedeu para ali, ao ser acusado pela criada de ser alguém ligado a Jesus.

4. No grego, *stoá*, «um pórtico» ou «colunata», como aquele que é chamado «pórtico de Salomão». Esse termo figura por quatro vezes: João 5:2; 10:23; Atos 3:11 e 5:12. A primeira dessas referências fala sobre o cego que Jesus curou, à beira do tanque de Betesda. Era uma colunata coberta, sendo, na verdade, um caminho coberto com cerca de 15m de largura, com suas fileiras de colunas com cerca de 7,60 m de altura cada, localizado ao longo do lado oriental do átrio dos gentios. Josefo (Anti. 15.11) descreve esse lugar e outros pórticos ou claustros de sua época.

PÓRTICO DE SALOMÃO

No grego, é *Stoá Solomôntos* ou é *Stoá toũ Solomonos*. Esse era o nome de uma colunata coberta, existente no templo de Herodes (vide), na Jerusalém da época do Novo Testamento.

Esse pórtico é mencionado em três lugares do Novo Testamento: João 10:23; Atos 3:11 e 5:12. — O lugar ficava no lado oriental do átrio externo do templo de Jerusalém, sobre uma maciça muralha de retenção construída por Herodes, muralha essa visível até hoje em sua quase totalidade, como as camadas mais inferiores da atual muralha que cerca a área do templo. Dava frente para o vale do Cedrom. Talvez o pórtico tenha sido chamado «de Salomão» por causa de uma tradição no sentido de que, de certa feita, Salomão mandara construir uma muralha semelhante, no lado oriental das muralhas e um santuário (Josefo, *Guerras* 5:5,1; cf. *Anti.* 8,3,9).

O Senhor Jesus caminhou e ensinou naquele lugar (João 10:23); e, a julgar pelos trechos de Atos 3:11 e 5:12, os seus discípulos ali costumavam ministrar ao povo, reunindo-se e ensinando.

PORTO

No grego é **limén**, «começo», uma palavra que, literalmente, significa «porto», mas que, metaforicamente, significa «refúgio» ou «retiro», isto é, «lugar seguro». Esse vocábulo aparece no Novo Testamento por três vezes: Atos 27:8 e 12, onde se lê sobre a cidade de Bons Portos (vide). Essa era uma cidade portuária da ilha de Creta. Um porto é uma enseada parcialmente fechada e protegida, que provê uma proteção natural para as embarcações, por causa das tempestades e ondas fortes. Os portos naturais algumas vezes são melhorados por estruturas feitas pelo homem, **como quebra-mares**, que diminuem o baque das ondas, antes delas chegarem à praia. Algumas vezes, há portos construídos de forma inteiramente artificial, como aqueles que atualmente existem em Le Havre, na França, Matarani, no Peru, e Buffalo, em Nova Iorque, Estados Unidos da América do Norte. Portos naturais modernos incluem aqueles de Nova Iorque, de Boston, de São Francisco (nos Estados Unidos da América do Norte), do Rio de Janeiro (no Brasil), de Hong Kong (na China) e de Sydney (na Austrália). Os portos podem ser postos em muitos usos, mas, principalmente, são de natureza comercial ou militar. Os portos comerciais são equipados com as estruturas necessárias, a fim de receberem e exportarem cargas, o que requer muitas máquinas, docas, desembarcadouros, armazéns, etc.

Praticamente todos os portos antigos sobre os quais lemos nas páginas da história ficavam no mar Mediterrâneo. Alguns desses portos eram parcialmente artificiais, com maciças obras feitas de pedra, algumas das quais duraram por séculos. A história também informa-nos que no Mediterrâneo havia portos em uso desde cerca de 3500 A.C. Tiro e Sidom encontravam-se entre os primeiros desses portos. Esses portos foram construídos pelos fenícios. Por volta de 700 A.C., os colonos fenícios tinham-se espalhado por todas as praias do mar Mediterrâneo. Eles tinham portos nas ilhas da Sicília, da Sardenha, e também nas costas do norte da África e da Espanha. Cartago foi um famoso porto na antiguidade. Alexandre, o Grande, foi o fundador do porto de Alexandria, o que foi possível mediante a construção de um molhe e de uma barragem, estendendo-se até à ilha de Faros, e incorporando a proteção que a ilha já fornecia. Essa barragem foi uma das maiores realizações da engenharia, com 1280 metros de comprimento e 183 metros de largura. Continha mais de um milhão e meio de metros cúbicos de material. Para tanto foi mister uma quantidade impressionante de trabalho manual.

Os gregos fizeram vários portos de formato circular, como aquele do Pireu, cerca de dez quilômetros de Atenas. Esse porto foi destruído pelos romanos, em 86 A.C. A Itália não provia portos naturais, pelo que os romanos tiveram de construir portos artificiais, em Porto (que servia Roma), Ânzio e Terracina. Após o declínio de Roma, entretanto, não mais foram construídos portos artificiais. Essa atividade só veio a ser renovada no século XVIII. Quando então surgiram vários portos artificiais ao redor do mundo. Um dos portos artificiais mais interessantes do mundo é o de Manaus, estado do

PÓS AROMÁTICOS — POSITIVISMO

Amazonas, Brasil. É um dos dois únicos portos flutuantes do mundo. O outro fica na Austrália. Apesar de ficar a mais de mil e quatrocentos quilômetros da beiramar, é considerado um porto de mar, visto que pode receber embarcações de grande calado. As águas do rio Negro, que banham a cidade, entre o nível máximo e o nível mínimo do rio, chegam a registrar uma diferença de quinze metros. Mas, visto que o porto é flutuante, os navios sempre aportam como se não houvesse qualquer desnível na superfície do rio.

PÓS AROMÁTICOS

No hebraico, **abaqah**, «pó pulverizado» (Can. 3:6). Essa palavra é usada para aludir a pós aromáticos. Várias substâncias naturalmente agradáveis ao olfato eram pulverizadas. E o pó assim obtido era usado para perfumar objetos, como os leitos. No caso em foco, a liteira de Salomão é que era perfumada. Talvez esteja em foco algum tipo de incenso, em forma de pó, que era queimado e que assim exalava um odor perfumado.

POSEIDON

Talvez a divindade chamada por esse nome fosse um deus «da casa e do lar», visto que seu nome vem de um palavra grega que significa «entrada de uma casa», no latim, *portus*. Com a evolução das idéias a respeito, ele passou a ser considerado o deus do mar e de todos os líquidos. Nos escritos de Homero aparece como irmão de Zeus; e nos de Hesíodo, como o «irmão mais velho» de Zeus. Foi adotado na mitologia latina com o nome de Netuno, filho de Cronos e Rea, e irmão de Júpiter. Ver os artigos gerais chamados *Idolatria* e *Deuses Falsos*.

A melhor expressão de fé religiosa entre os gregos achava-se na filosofia de Platão, e não nas religiões pagãs formais da Grécia. Na Odisséia, Poseidon nomeou-se inimigo de Odisseu, causando-lhe muitos dissabores. Mas outras divindades fizeram intervenção, e Odisseu acabou vencendo no fim.

POSITIVISMO, POSITIVISMO LÓGICO

1. Definição Geral e Descrição

O positivismo lógico é uma forma de ceticismo (vide), que limita a filosofia ao método científico empírico. Rejeita todas as proposições metafísicas como «destituídas de significação», porquanto não cabem no terreno da percepção humana. O ateísmo (vide), portanto, incorreu em erro, tanto quanto o *teísmo* (vide), porque, não menos que este, pretende fazer uma declaração de conhecimento sobre algo que nos é impossível conhecer. Até mesmo o conhecimento *científico*, segundo o positivismo lógico, não passa de um conhecimento segundo níveis de probabilidade, ou seja, *inferência lógica*. Embora chamado «positivismo», na verdade é um negativismo.

2. O Alvo Desse Sistema

Os criadores do positivismo lógico desejavam *purificar* a filosofia, extraindo da mesma todos os elementos metafísicos. Isso seria obtido fazendo-se da lógica, com base na percepção dos sentidos, a única verdadeira fonte daquilo a que chamamos de conhecimento. Esperava-se que o método funcionasse muito bem, a lógica da ciência, que, por assim dizer, tornara-se a nova divindade. Os homens haviam perdido qualquer fé no conhecimento através da razão pura, da intuição e do misticismo, e queriam tomar medidas *positivas*, recolocando a ciência no trono.

3. Origem e Nome

As raízes do positivismo lógico acham-se no ceticismo. Mas foi mister que surgisse a ciência moderna, a fim de determinar o tipo de ceticismo que deveria ser empregado. O desenvolvimento do sistema foi conseguido por Saint-Simon, e, então, mais explicitamente, por Augusto Comte (vide), no século XIX. Na França, as influências iniciais em prol dessa filosofia vieram da parte de Francis Bacon, bem como da escola empírica britânica. Hume foi outra importante figura no desenvolvimento histórico desse sistema. A palavra *positivo* vem da noção de que esses filósofos estavam dando algo de positivo e significativo ao mundo, em busca de um conhecimento válido, limpando o caminho supostamente atravancado pelas pretensões das especulações metafísicas. Na verdade, os mentores do positivismo lógico exibiam hostilidade à religião e à metafísica.

O positivismo lógico, como algo resultando do positivismo, consistia em idéias que caracterizavam o Círculo de Viena, nas décadas de 1920 e 1930. Tomava impulso na tradição empírica, nas idéias de Hume, do positivismo, de Russell e de Wittgenstein. Uma de suas principais tarefas era mostrar como certas proposições, que não se baseiam nos sentidos, no empirismo, na matemática e na experimentação científica, realmente, não se revestem de valor cognitivo, embora possam exprimir verdades independentemente disso. Mas a verdade, nesse sentido possível, não nos interessa, visto que estamos limitados às nossas investigações científicas como a única verdadeira maneira de obter aquilo que chamamos de conhecimento. Quando muito, as pseudoproposições da metafísica, da ética e da estética poderiam ter permissão de funcionar como expressões de atitudes emocionais, como «slogans», e não como declarações de fato. Somente aquelas proposições sujeitas à verificação mediante a ciência empírica revestir-se-iam de «significado». Apesar de outras proposições poderem exprimir verdades («a alma existe», por exemplo), elas estão fora de nossa capacidade de investigação, pelo que não deveríamos investigá-las, visto que tal esforço seria inútil.

4. Uma Religião Substituta

Surgiram exageros. Presumivelmente, qualquer conhecimento humano *genuíno* só pode ser obtido segundo métodos humanos, e com propósitos humanos. A filosofia deveria abandonar todas as reivindicações de conhecimento que não estejam solidamente assentadas sobre a ciência. À ciência caberia a tarefa de fazer as perguntas e fornecer as respostas. Visto que os filósofos sabem que a percepção dos sentidos, mesmo com a ajuda de instrumentos, só pode produzir um nível de probabilidade, e não a certeza, então esse sistema caiu no abismo do ceticismo. Além disso, os primeiros positivistas mostraram-se por demais otimistas quanto ao escopo e ao poder da ciência. Comte chegou ao ponto de formar sociedades positivistas que quase funcionavam como Igrejas. O positivismo, pois, tornou-se uma espécie de religião. A humanidade passou a ser adorada, em lugar de Deus, o que significa que o positivismo lógico tornou-se outra forma de idolatria.

Na Grã-Bretanha, Jeremias Bentham, James Mill e John Stuart evitaram as reivindicações e práticas mais extravagantes do positivismo, mas incorporaram muito desse sistema em suas próprias filosofias. J.S. Mill, entretanto, rejeitou o empirismo extremamente radical do positivismo. Herbert Spencer (vide) ligou o pensamento positivista à teoria da evolução (vide). O positivismo apresentou-se ao mundo como algo

POSITIVISMO — POSSESSÃO

prático, revestido de grande bom senso, sem as impurezas religiosas e metafísicas. Mas a ciência, em seu avanço, está ultrapassando desse ponto de vista radical. A prova da existência e sobrevivência da alma diante da morte física está prestes a emergir da ciência, e não da religião ou da filosofia. Ver o artigo *Experiências Perto da Morte* quanto a um exemplo sobre como os cientistas estão procurando solução para esse problema. Ver também o artigo intitulado *Abordagem Científica à Crença na Alma e em Sua Sobrevivência Ante a Morte Biológica*.

5. *Realizações e Críticas*

Aquilo que tem promovido a ciência tem feito avançar o conhecimento e tem ajudado aos homens, apesar de exageros e de uma exagerada confiança na ciência. Como é óbvio, o positivismo tem feito sua contribuição. Por outra parte, várias coisas deveriam ser destacadas como aspectos negativos. Apresentamos nossa crítica sobre o positivismo no artigo sobre **Carnap, Rudolf**, sob o título, **Crítica**.

6. **Nomes Importantes neste Sistema**

a. *Saint-Simon* (vide). Foi ele quem cunhou o termo, aplicando os princípios do positivismo a quase todos os empreendimentos humanos, como a filosofia, a política, a educação e a religião, usando aquele conceito como base de suas propostas reformas.

b. *Augusto Comte* (vide). Popularizou os termos «positivismo», e «filosofia positivista». A sua principal noção era que as sociedades prosseguem naturalmente, passando por diversos estágios, ascendendo a alguma melhor expressão. Conforme ele, os principais estágios seriam o teológico, o metafísico e o científico.

c. *Schelling* (vide). Usou o termo «filosofia positiva», que aplicava ao desenvolvimento final de sua própria filosofia, em contraste com os estágios anteriores da mesma. Nesse estágio final ele reconhecia valor filosófico nas experiências religiosas e na mitologia.

d. *Tain* e *Littre* (vide). Levaram avante o positivismo de Comte na segunda metade do século XIX.

e. *Vaihinger* (vide). Chegou a usar a expressão «positivismo idealista». Mas, ao fazê-lo, não falava sobre a filosofia do positivismo. Antes, referia-se assim ao *fictionalismo*, a doutrina de que entidades fictícias, posto que imaginárias, são úteis como fontes de conhecimento nos campos da matemática, das ciências em geral, da filosofia, da lei e da religião.

f. *Petzoldt* (vide). Ele salientava a «experiência funcional» como base do conhecimento, tendo denominado sua idéia de «positivismo relativista».

g. *O círculo de Viena dos positivistas lógicos* (vide). Esse grupo foi o mais poderoso exponente da filosofia do positivismo. Seus principais representantes foram Schlick e Carnap, acerca dos quais tenho apresentado artigos separados.

h. *Ayer* (vide). Entre os filósofos britânicos, talvez ele tenha sido o mais importante advogado dos pontos de vista do positivismo.

i. *Kelson* (vide). Aplicou os princípios do positivismo ao direito.

j. *Bergmann* (vide). No começo de sua carreira foi um positivista. Posteriormente, afastou-se dessa escola de pensamento, desagradado diante do alegado fato de que todos os positivistas são ou materialistas ou fenomenalistas, filosofias essas por demais estreitas para o gosto dele.

PÓS-MILENISMO (PÓS-MILENARISMO)

Ver o artigo sobre o **Milênio**, especificamente o seu sexto ponto, onde são examinados os vários pontos de vista a respeito do milênio. Esse ponto de vista pós-milenar diz que, realmente, haverá uma futura era áurea, mas que ela será decorrente dos esforços da Igreja mediante a pregação do evangelho, o qual, mui gradualmente, converterá tantas pessoas que as coisas, neste mundo, tenderão a ir melhorando cada vez mais. Os judeus converter-se-iam. Após o milênio, haverá alguns breves mas terríveis conflitos entre as forças do bem e as forças do mal, haverá a ressurreição geral, de todos os homens e o juízo final fará o seu trabalho. Para muitos, o milênio será um período de salvação e de conversões, pelo que essa era áurea fará as coisas melhorarem ainda muito mais. Porém duas guerras mundiais (1914-1918 e 1938-1945) quase destruíram completamente esse ponto de vista róseo. Mas a idéia prossegue, hoje em dia, essencialmente em obras literárias, e então em alguma denominação ou sistema religioso. Alguns poucos sonhadores ainda não desapareceram.

Fazendo contraste, os pré-milenistas acreditam que somente uma grande intervenção divina, mediante a segunda vinda de Cristo, poderá trazer o milênio. E essa era áurea, ainda segundo o mesmo ponto de vista, será imediatamente precedida pelo período mais conturbado de toda a história da humanidade, a Grande Tribulação.

POSSE

É tradução do hebraico, onde significa «aquilo que é lançado». Indica uma partilha ou propriedade, distribuída por meio de lançamento de sorte. O termo ocorre por oito vezes em alusão à divisão da Palestina em porções distribuídas entre as tribos de Israel. (Ver Jos. 11:22 - 17:2; Eze. 48:10-13). O povo de Israel atribuía essa partilha à escolha divina (ver Jos. 22:19), e não a quaisquer considerações humanas. Assim como Deus escolheu Israel, assim também determinou que Israel habitaria na terra (ver Êxo. 19:5; Sal. 16:5; 73:26). A promessa geral feita a Abraão, dizia: «A terra é tua». Promessas específicas foram feitas às tribos isoladas: «Esta porção é tua». (Ver Núm. 26:53 e 33:54). Então, cada família recebeu sua porção específica, salvaguardada pelas leis da herança. Levi não recebeu qualquer porção de terra, visto que a herança deles era o serviço prestado ao Senhor (ver Núm. 18:20; Deu. 10:9). Não foram alteradas essas partilhas. Nenhum terreno podia ser vendido permanentemente (ver Lev. 25:23), e as propriedades alienadas tinham de ser eventualmente devolvidas à família proprietária (vs. 25). No *ano de jubileu* (ver o artigo a respeito), todas as terras revertiam aos seus donos anteriores (ver Núm. 25:8-10). Mesmo quando não houvesse herdeiros, as terras continuavam pertencendo às famílias designadas (ver Núm. 27:8-11 e 36:7-9).

Símbolo espiritual. A herança do Senhor está salvaguardada e não pode ser perdida. Inclui uma herança (ver Rom. 8:17), e envolve a possessão da pátria celestial (ver Fil. 3:20 e Heb. 11:10). (PED Z)

POSSESSÃO

Ver os artigos **Possessão Demoníaca** e **Demônio, Demonologia**.

POSSESSÃO DEMONÍACA

Esboço:
1. A Possessão Demoníaca e a Personalidade Dupla
2. As Enfermidades e a Possessão Demoníaca

POSSESSÃO DEMONÍACA

3. A Influência da Possessão Demoníaca Sobre os Religiosos
4. Alguns Sinais e Características da Possessão Demoníaca
5. Níveis de Influência e de Possessão Demoníaca
6. Reações dos Demônios Sob Ataque a Seus Domínios
7. Resultados Finais do Conflito

1. A Possessão Demoníaca e a Personalidade Dupla

Ver o artigo geral **Demônio, Demonologia**, em sua quinta seção. Neste ponto, adiciono material de interesse, outorgando detalhes que vão além daqueles oferecidos no artigo referido. Também preparei um artigo distinto com o título de *Personalidade Múltipla*, pelo que reitero aqui apenas alguns pontos, e acrescento outros. O Dr. Scott Peck é um psiquiatra e cirurgião bem conhecido que se tem interessado de modo especial pelas questões de múltipla personalidade. Ele afirma claramente que esse fenômeno, algumas vezes, envolve algum ser espiritual estranho, um espírito possuidor. Usualmente, ele pensa estarem envolvidos fragmentos da própria personalidade do indivíduo. Mas, em cerca de cinco por cento dos casos, ele conseguiu apanhar algum «grande peixe», um intruso, maligno e hostil, que invadira a vítima possuída. Usualmente, as personalidades distintas que controlam uma única vida humana são lascas derivadas da psique do próprio indivíduo, por causa de algum trauma, de instabilidade, ou, às vezes, através do espírito de aventura de pessoas instáveis, que assim tornam-se uma suposta entidade separada, quando elas querem ser alguma pessoa diferente ou querem fazer algo diferente. Todavia, talvez a causa principal seja algum trauma. Essas coisas são explicadas detalhadamente no artigo referido.

O Dr. Eliezer Cerqueira Mendes é um cirurgião brasileiro aposentado, que atualmente encabeça uma comunidade terapêutica nos subúrbios da cidade de São Paulo, estado de São Paulo. Ele tem organizado quatro outros centros da mesma natureza em outras cidades brasileiras. A especialidade dele são casos de epilepsia, esquizofrenia e possessão múltipla. No tocante às causas da possessão múltipla, ele acredita que, além dos traumas, vidas passadas de um indivíduo podem vir à tona, manifestando-se sob a forma de egos separados, em que a pessoa reverte à pessoa que foi em algum tempo no passado distante. Outrossim, ele crê que os estados mentais de vidas passadas de outras pessoas podem tornar-se uma espécie de pseudo-entidade invasora, criando-se assim uma personalidade separada. Verdadeiras manifestações de vidas passadas podem ser classificadas, a grosso modo, em quatro categorias: 1. personalidades essencialmente motivadas por emoções; 2. motivadas pelos instintos; 3. motivadas por interesses intelectuais; 4. motivadas por interesses espirituais. Isso corresponderia às categorias postuladas por Jung de sentimentos, sensações, pensamentos e intuições.

Mais freqüentemente do que o faz o Dr. Peck, o Dr. Mendes supõe que a personalidade invasora, na verdade, é um espírito invasor estranho. O Dr. Mendes, igualmente, tem descoberto que muitos casos de epilepsia podem ser curados mediante o exorcismo, e não por drogas deprimentes. A crença dele, com base em longos anos de prática, é que o problema da possessão demoníaca é muito maior e mais freqüente do que geralmente se supõe.

Um Caso Historiado:

Sônia era uma jovem de 18 anos, natural da cidade de Salvador, estado da Bahia. O problema que a levou a consultar-se com o Dr. Mendes era sua total incapacidade de manter relacionamento duradouro com pessoas do sexo oposto, em combinação com um elevado grau de promiscuidade sexual. A terapia, pois, desvendou diversas personalidades. A personalidade dominante era a própria Sônia, com todos os seus problemas. Ocasionalmente, ela falava francês fluentemente, um idioma que nunca havia estudado. Isso era habilidade de uma outra personalidade, chamada Violeta. Violeta era apenas uma prostituta, que gostaria que Sônia arredasse caminho, porque, em sua opinião, Sônia era por demais conservadora, sexualmente falando. Algumas vezes, quando Sônia estava namorando com algum rapaz, Violeta passava a predominar e lutava com o rapaz; mas Sônia não guardava nenhuma recordação da briga. Ou, então, podia emergir Sara, uma dona-de-casa judia. Sara não era adversária de Sônia, era o aspecto emocional estável e sensato, provendo uma maturidade que Sônia, a pessoa dominante, não possuía. Finalmente, podia aparecer E Chen, uma personalidade masculina chinesa, bastante interessante e madura. Era a parte espiritual de Sônia, possuidora de sabedoria e espiritualidade. Presumivelmente, ele também tinha associações com Sara (supondo-se que essa personalidade era, de fato, Sônia, em uma vida anterior). A manifestação de Chen, seja como for, era sempre boa, espiritualmente falando.

Sara teria sido morta durante a inquisição espanhola, por ter-se recusado a renunciar à sua fé judaica. Quando Sara era dominante, os pulsos de Sônia exibiam marcas de correntes; e também apareciam marcas de queimaduras em seu corpo, marcas essas que geralmente desapareciam após quarenta e oito horas. Uma curiosidade desse caso era que Sônia, quando criança, podia «ver» essas outras entidades, vez por outra, embora sua mãe ralhasse com ela devido à sua fértil imaginação.

O Dr. Mendes trabalhou com Sônia durante dezoito meses, e conseguiu integrar aquelas várias pessoas em uma só, extraindo os pontos positivos de cada uma delas para tornar Sônia uma pessoa melhor. Declarou ele que se houvesse um autêntico caso de possessão demoníaca, ou um «espírito obsessivo»—isto é, se uma ou mais de suas personalidades tivesse sido uma entidade separada, maligna, que a controlasse parte do tempo—então, ele não teria podido integrar Sônia mediante a psicoterapia em tão pouco tempo. Isso teria requerido o exorcismo.

Em muitos outros casos, porém, o Dr. Mendes tem descoberto verdadeiras possessões demoníacas. Aqueles que não acreditam na reencarnação, ainda assim acreditam que essas «fantasias» podem ser úteis para propósitos terapêuticos. Se um paciente crê na teoria, sem importar se o médico acredita nela ou não, a integração pode ser mais fácil, mediante o reconhecimento que a pessoa dominante faz à avessa às outras personalidades, podendo até valer-se delas com propósitos úteis. A crença é algo poderoso, algumas vezes, mesmo quando não há qualquer realidade por detrás de tal crença. Mas pessoas como o Dr. Mendes, nesse caso, estão convencidas de que a mera crença nem sempre é o fator principal, pois haveria vidas passadas reais que conseguiriam irromper no presente, provocando assim divisões de personalidade, ou fragmentos de personalidades. A atitude sensata diante de toda essa questão é permitir que os cientistas continuem fazendo suas experiências e terapias. Assim, algum dia, talvez disponhamos dos meios para saber quanto disso não passa de fantasia e «papel teatral», e quanto está alicerçado sobre a verdade dos fatos. Ver o meu artigo sobre a *Reencarnação*.

2. As Enfermidades e a Possessão Demoníaca

POSSESSÃO DEMONÍACA

As religiões primitivas supunham que os demônios são a principal, ou mesmo a única causa, das enfermidades. O judaísmo do período intermediário (entre o Antigo e o Novo Testamentos) concordava com essa avaliação. E então o Novo Testamento reteve essa crença, embora sem afirmar que todas as enfermidades têm essa causa. Os cientistas, em sua maior parte, têm abandonado a idéia. Porém, à medida que mais evidências vão sendo colhidas, mais convencidos vamos ficando de que certas enfermidades são causadas pela influência ou pelo poder dos demônios. O artigo intitulado *Demônio, Demonologia* aborda essa questão.

O Dr. Edson de Queiroz, médico, ginecologista e cirurgião concorda que há doenças causadas pela influência demoníaca. Uma de suas pacientes tinha um horrível tumor no rosto. Mediante clarividência, o Dr. Queiroz pôde perceber um espírito maligno influenciador, que estava drenando energias da paciente e promovendo o câncer. O exorcismo rendeu efeitos dramáticos. Após um único dia, o tumor havia diminuído visivelmente de volume, e as antigas energias dela estavam retornando.

A medicina atual reconhece a suprema importância da influência dos processos mentais do indivíduo sobre as enfermidades. Porém, é evidente que a *força mental*, responsável por enfermidades diversas, pode ser um espírito maligno. No caso em foco, acima, uma enfermidade física era o problema. Por detrás, havia uma enfermidade mental, podendo-se supor que poderes espirituais malignos podem fazer sentir os seus efeitos em tais casos. Qual a porcentagem desses casos, é algo muito difícil de dizer, com nosso atual conhecimento sobre essas coisas.

Meu artigo sobre *Personalidade Múltipla* demonstra a incrível capacidade da mente influenciar o corpo, sem importar se a mente é a do próprio indivíduo (da pessoa dominante) ou de um fragmento (ou personalidade secundária) ou de um espírito invasor. A medicina psicossomática ensina-nos a mesma coisa. Portanto, admitir a realidade dos espíritos demoníacos equivale praticamente a dizer que eles podem afetar adversamente o corpo humano. Presume-se que a mente humana, talvez ainda com maior facilidade, pode ser tão afetada por essas coisas que o resultado pode ser problemas psíquicos ou mesmo a insanidade. Historicamente, em muitas religiões, esses fatos sempre fizeram parte de seus pressupostos.

3. A Influência da Possessão Demoníaca Sobre os Religiosos

Wesley W. Craig, médico, obreiro social, clínico licenciado, membro do Departamento de Obras Sociais da Universidade Brigham Young, tem tido muita experiência no campo do aconselhamento. Ele usa a hipnose para descobrir as zonas profundas da psique, e, nesse processo, tem encontrado espíritos estranhos, e não apenas alter egos, estados alterados de ego, ou personalidades múltiplas. Mas o surpreendente em suas pesquisas é a porcentagem de casos de influência ou possessão demoníaca entre pessoas de tendências religiosas. Naturalmente, as pessoas que o consultam são pessoas perturbadas, pelo que a porcentagem de casos, em seu consultório, é maior do que entre a população em geral. Contudo, pessoas religiosas sinceras não parecem estar livres dessa praga.

As notícias que ouvimos sobre as práticas de algumas igrejas evangélicas carismáticas indicam que o demonismo opera ali, ao menos ocasionalmente. É curioso que é exatamente essa gente que tem problemas óbvios com demônios. As pessoas que abrem suas psiques para qualquer tipo de poder que esteja pairando nas imediações, naturalmente terá maiores dificuldades com os espíritos malignos do que os membros de igrejas evangélicas tradicionais, que não põem em prática atitudes que as abrem para os espíritos. Contudo, é causa preocupante que poderes estranhos possam operar e realmente operam em qualquer igreja local que se intitule cristã. Isso deveria alertar-nos para o fato de que pouco sabemos, e que nos deveríamos interessar mais pelo *discernimento de espíritos*. Alguns intérpretes pensam que essa expressão (ver I Cor. 12:10), bem como aquela outra que se vê em I João 4:1, «provai os espíritos», são referências diretas ao fato de que os espíritos malignos afetam as pessoas religiosas, e que é mister uma sabedoria especial para podermos distinguir o falso do verdadeiro.

As Línguas. Encontramos aqui um outro fenômeno curioso. Todos sabem que as línguas estão intimamente associadas ao movimento carismático. E também sabemos que as línguas estão intimamente associadas ao espiritismo. Mais do que isso, estão associadas à possessão demoníaca. De fato, um dos sinais de possessão demoníaca é que a vítima pode falar em outras línguas. A Igreja Católica Romana, a fim de tentar o exorcismo, requer a presença de certos sinais que indiquem que está havendo uma influência ou possessão demoníaca real, e não apenas algum problema psíquico ou orgânico. E *um* dos sinais é que, algumas vezes, o «demônio» manifesta-se em línguas. A história do filme *O Exorcista* deixou isso claro. O espírito ali envolvido manifestava-se dessa maneira.

Talvez seja importante observar, nessa conexão, que pelo menos algumas vezes, a «língua» falada era *inglês ao contrário*. Quando fitas gravadas eram passadas normalmente, soavam como gravações de um idioma estrangeiro; mas, ao serem postas no gravador ao contrário, a linguagem era apenas inglês, que estava sendo usado como veículo das mais terríveis obscenidades e blasfêmias. Seria uma experiência interessante que aqueles que têm fitas gravadas em línguas toquem-nas ao contrário, para verificar o que sai daí. Minha impressão é que coisas surpreendentes e interessantes podem resultar daí. Conheci um homem que, após ouvir várias pessoas falarem em «línguas», em uma igreja evangélica dos Estados Unidos da América do Norte, observou: «Para mim, parece apenas inglês ao contrário». Talvez ele estivesse com razão!

Tudo quanto tenho dito até este ponto, neste artigo, não põe em dúvida qualquer dom espiritual autêntico, referido na Bíblia, conforme esses dons são exercidos por crentes carismáticos e outros. Não obstante, penso que nos podemos equivocar mais facilmente do que pensamos. E assim, no movimento carismático pode haver muito engodo demoníaco, que ali vai prosseguindo sem ser detectado. Faço a seguinte pergunta: Por que razão tanta gente fala em línguas, atribuídas a um dom do Espírito Santo, mas o mesmo Espírito não inspira a interpretação de línguas, senão com extrema raridade? A resposta não será que os agentes de muitas dessas manifestações não as querem ver interpretadas, porque isso demonstraria serem efeito de forças malignas? Ver os artigos intitulados *Movimento Carismático* e *Línguas*.

4. Alguns Sinais e Características da Possessão Demoníaca

a. Fenômenos Psíquicos. Os espíritos que estejam influenciando ou possuindo uma pessoa, podem torná-la um indivíduo psíquico. Isso é tradicionalmente verdadeiro. Ver o caso mencionado em Atos

POSSESSÃO DEMONÍACA

16:16 ss. Naturalmente, o próprio ser humano é um espírito, e, como é óbvio, possui poderes psíquicos. Assim sendo, a habilidade psíquica pode ser algo absolutamente humano. De fato, os estudos sobre os sonhos demonstram que todas as pessoas são psíquicas quando dormem, recebendo informações sobre todos os eventos de alguma importância que as esperam no seu futuro e que tenham a ver com elas. Além disso, no estado de privação dos sentidos, a telepatia flui com grande facilidade entre uma mente humana e outra. Tem ficado demonstrado, sem a menor sombra de dúvida, que uma pessoa é capaz de influenciar o conteúdo dos sonhos de outra, mediante a telepatia. Além disso, seria impossível a uma pessoa ao menos movimentar um dedo a não ser que a sua mente tivesse algum modo de manipular o corpo físico, através da psicocinesia. Nesse ponto, vemo-nos envolvidos no *Problema Corpo-Mente* (vide). Ver o artigo geral sobre a *Parapsicologia*, quanto a uma demonstração da naturalidade dos fenômenos psíquicos. As seções nona e décima daquele artigo são especialmente instrutivas. Não obstante, um demônio, por ser uma entidade espiritual, mui definidamente pode provocar fenômenos psíquicos nas pessoas por ele influenciadas. Provavelmente, parte do ministério angelical consiste na influência que exercem sobre as mentes humanas (incluindo inspiração e orientação), por parte de espíritos bondosos que ajudam aos seres humanos. Os fenômenos psíquicos, por si mesmos, são naturais e neutros, embora forças espirituais malignas possam imiscuir-se. Ver o artigo sobre os *Sonhos*.

b. *Enfermidades*. Enfermidades de natureza física e mental, que não reagem diante do tratamento tradicional, talvez sejam causadas por forças demoníacas. Ver a segunda seção do presente artigo.

c. *Personalidade Múltipla*. Esse possível sinal de influência ou possessão demoníaca tem sido discutido no primeiro ponto deste verbete, e com maiores detalhes no artigo especificamente escrito sobre esse assunto.

d. *Crenças Errôneas*, como aquelas promovidas pelos gnósticos (ver sobre o *Gnosticismo*) podem ter como causa o demonismo. Ver I João 4:1 ss e I Tim. 4:1 ss. A principal corrupção do gnosticismo era a negação do fato de que Cristo viera em carne (ver sobre o *Docetismo*). Em outras palavras, estava sob ataque a doutrina vital da *Encarnação* (vide). Um outro erro gnóstico era a suposição de que a corrupção moral não somente é legítima, mas até pode ser um fator positivo, visto que tenderia por destruir o corpo (uma coisa material, onde o mal reside), assim liberando o espírito (que os gnósticos julgavam não poder ser maculado pelo pecado).

e. *Agitação Interior*. As pessoas influenciadas ou possuídas por demônios não desfrutam de paz. Antes, são assediadas por ansiedades, algumas delas absurdas, e outras exageradas.

f. *Falta de Controle Sobre os Vícios*. As pessoas ficam absolutamente escravas dos seus vícios, quando influenciadas ou possuídas por espíritos malignos. Pessoalmente, creio que essa questão das drogas está misturada à influência demoníaca.

g. *Perversões Sexuais*. Todo ser humano já é fraco nessa área, e um espírito maligno influenciador pode agravar o problema. Não tenho dúvidas de que esse moderno surto de homossexualidade tem inspiração demoníaca, pelo menos em parte. Meu médico segredou-me que o homem homossexual comum, na cidade de São Paulo, tem pelo menos seis contatos homossexuais *por dia*, em média. Isso não é uma mera preferência sexual, mas é uma profunda perversão, demoniacamente instigada. Crendo no designio que há em todas as coisas, estou convencido de que a AIDS é uma das respostas da natureza contra a profunda depravação de certos indivíduos. É admirável ver quantas boas famílias cristãs têm sido atacadas por esse mal do homossexualismo.

h. *Malignidades de Toda Sorte*. Grandes crimes têm sido inspirados por casos de possessão demoníaca. Aqueles que trabalham com pessoas possuídas podem distinguir claramente entre a pessoa possuída e a entidade possuidora. Em algumas instâncias, a pessoa possuída é até sincera e religiosa. Mas, em algum ponto, devido a causas conhecidas ou desconhecidas, ela se abriu para a influência demoníaca. Ao mesmo tempo, a própria pessoa pode não ser maligna. De fato, há casos em que pessoas endemoninhadas fazem esforços heróicos e impressionantes para se libertarem do mal. Mas, visto que outra entidade as controla, tais pessoas tornam-se forças pervertidas e más. Algumas vezes, tais pessoas rejubilam-se diante do sofrimento de seus semelhantes, podendo cometer os crimes mais hediondos somente para sentirem *algum prazer*. E outras ficam chocadas com o que puderam fazer, uma vez que readquirem o controle próprio, após um ataque demoníaco. Assim sucedia no caso de um estuprador assassino. De certa feita, após ter estuprado e morto a uma mulher, ele escreveu em um espelho que havia no aposento onde a cena tinha acontecido: «Pelo amor de Deus, façam-me parar!» Não há que duvidar que muitos criminosos são possuídos por demônios, tendo-se transformado em completos títeres de Satanás.

i. *Atitudes e Atos Anti-sociais*. Algumas vezes, o indivíduo não passa de um sentimento hostil e amargo contra todos; mas, outras vezes, ele irrompe em atos violentos e anti-sociais. Mas tais atos são glorificados, como se estivessem visando a alguma boa causa, como uma revolução política, que envolva crimes de sangue. O terrorismo, mui provavelmente, está sendo promovido por pessoas possuídas por demônios, e não somente pelo fanatismo político.

j. *O Ódio*. Esse amargo sentimento, que se manifesta de tantas maneiras diferentes, é a força que, neste mundo, atua como adversária do amor. O amor é o cumprimento da lei de Deus (ver Rom. 13:10). No caso de pessoas influenciadas ou possuídas por demônios, o ódio é uma atitude constante e óbvia. Mas o ódio pode disfarçar-se de tal maneira que chegue a parecer algo louvável, a serviço de alguma alegada nobre causa, como nas perseguições religiosas, que derramam sangue inocente em uma suposta defesa de fé. Wesley Craig, alicerçado sobre a sua vasta experiência com a questão das possessões demoníacas, tem enfatizado fortemente o fator ódio. Ele afirma que quando um cliente seu consegue controlar o ódio, então é que o espírito maligno já foi forçado a assumir um estado dormente. Mas, quando o ódio foge do controle, então é que aquele espírito sente-se livre para manifestar-se abertamente. Assim como o amor é a prova da espiritualidade (I João 4:7 e ss), assim também o ódio é prova de alguma influência ou possessão demoníaca. Há tanto ódio em certos círculos religiosos que uma denominação é, virtualmente, um campo armado em conflito contra outra denominação. Pode-se questionar quanta espiritualidade há ali.

l. *Espíritos que Atacam e se Retiram*. Há alguma evidência em favor da assertiva que certos espíritos malignos atacam a uma pessoa, para em seguida retirarem-se. Tais espíritos têm livre acesso àquela pessoa, mas não se importam em permanecer com ela

POSSESSÃO DEMONÍACA

em todos os momentos. Isso posto, os sintomas tornam-se variáveis, ou mesmo desaparecem inteiramente, dependendo do capricho do espírito possuidor. Outrossim, um espírito aparentemente pode deixar uma pessoa para incorporar-se em outra, sendo o agente possuidor de mais de uma pessoa ao mesmo tempo.

m. *Espíritos Malignos Difíceis.* Há espíritos malignos quase impossíveis de serem expelidos. No caso de *O Exorcista*, o homem (não a jovem, conforme aparece no filme) não podia ser libertado, sem importar as tentativas feitas nesse sentido. Mas, finalmente, de acordo com o que o próprio homem disse, o anjo Gabriel levantou-se e disse: «Sai!» e isso pôs fim imediato ao caso. As evidências indicam que até mesmo exorcismos bem-sucedidos não são necessariamente permanentes. Em alguns casos, o espírito possuidor volta. E a reentrada pode ser feita sem que a vítima tome conhecimento do fato.

n. *Variedade de Espíritos Possuidores; o Exorcismo.* As evidências mostram que há muitas formas ou espécies de possessão demoníaca. Quase certamente, segundo a Igreja histórica sempre ensinou, alguns demônios são apenas espíritos humanos desincorporados. Alguns demônios são malignos, mas outros são apenas «almas perdidas» que procuram continuar sua existência em algum outro corpo físico. Alguns espíritos possuidores aparentemente são espíritos de baixo nível, inferiores até mesmo ao espírito humano, espíritos elementares de algum tipo. Esses espíritos são mais inconvenientes do que mesmo abertamente malignos. São, por assim dizer, os símios do mundo espiritual. Porém, outros espíritos possuidores pertencem à ordem dos anjos caídos, sem a menor sombra de dúvida. E esses é que resistem às tentativas de exorcismo. Aqueles espíritos secundários não são difíceis de afastar, comparativamente falando; e psiquiatras, obreiros sociais e pessoas religiosas de todas as denominações obtêm sucesso com eles. As fronteiras denominacionais nada têm a ver com a capacidade de expulsão dos demônios. Pessoas boas, de todas as denominações cristãs, e até de fés não-cristãs, obtêm sucesso no exorcismo desse tipo. Os exorcistas usualmente precisam ser possuidores de uma boa espiritualidade fundamental, não concordando necessariamente com algum credo ou religião específica. Além disso, o exorcismo praticado em grupos com freqüência é útil, e, algumas vezes, até mesmo necessário.

o. *Comportamento Ameaçador.* Quando um médico ou crente põe o dedo sobre um demônio, com o fim de expeli-lo, o demônio pode ameaçar ao paciente, ao médico ou crente, ou aos familiares destes. Um exorcista pode ver-se ameaçado pelos demônios. Nesse caso, a espiritualidade básica é a chave da proteção. Mas também é útil convidar outras pessoas para ajudarem com suas orações. Precisamos orar, pedindo proteção, primeiramente para nós mesmos, e então para nossos familiares e amigos, especialmente quando faz parte de nossa missão tratar com espíritos malignos. Meu irmão carnal, que foi missionário evangélico primeiramente no Zaire, e atualmente no Suriname, tem tido muitos encontros com espíritos malignos. Um de seus filhos quase foi morto em um acidente de automóvel. Até hoje, o rapaz não se lembra como tudo aconteceu. Escrevi a meu irmão que ele deveria orar diariamente, pedindo proteção para ele mesmo e seus familiares, visto que constantemente ele tem de enfrentar poderes primitivos. Wesley Craig ilustrou esse mesmo fator. Ele também tem-se sentido fisicamente atacado, após ocupar-se em exorcismos, e tem tomado consciência do fato de que seus familiares têm corrido perigo, em face dessa atividade. E declarou que embora esse tipo de trabalho seja muito arrebatador, também é muito perigoso.

p. *Limites Impostos aos Espíritos.* Os espíritos malignos precisam obedecer a certas regras básicas, que lhes são impostas, sem dúvida alguma, pela vontade divina, e não pelo reino do mal. Os demônios têm que falar com o exorcista. Não podem furtar-se a isso. Precisam responder às suas perguntas. Por motivo de uma lei espiritual, estão sujeitos ao exorcismo, e um homem espiritual pode expelir o demônio. Não podem os demônios ignorar o homem espiritual, recusando-se a falar com ele. Estão sujeitos ao poder dele, se a sua espiritualidade for genuína. O bem é um poder maior que o mal, e pode sair-se vencedor; mas essa vitória não é conferida de forma barata e sem esforço. Precisamos estar vivendo a nossa espiritualidade, e não apenas ficar falando sobre ela.

q. *Contorções faciais típicas* podem identificar uma pessoa como possuída por um demônio. As tentativas de imitação dessas expressões fisionômicas, por parte de pessoas normais, não logram êxito.

r. *Vozes.* Um sinal comum de influência demoníaca são as vozes interiores. Se a pessoa exerce controle sobre essas vozes, podendo ignorá-las, sem pôr em prática o que elas mandam, então haverá somente uma influência, e não uma possessão demoníaca. Mas, quando as vozes começam a ditar o que a pessoa deve fazer, e ela põe em prática tais ordens, então já estará havendo possessão.

s. *A melancolia* é um estado mental comum provocado pela influência demoníaca.

5. Níveis de Influência e de Possessão Demoníaca

a. *Nível Oculto.* A influência demoníaca pode ser tão sutil que só pode ser descoberta pela terapia apropriada. E então, descobre-se que certos problemas têm origem em alguma influência externa, e não meramente na própria perversidade ou fraqueza humanas.

b. *Nível Sutil e Sugestivo.* Surgem aí algumas indicações de alguma influência externa, mas não o bastante para ela tornar-se óbvia. O espírito exerce algum poder sobre a pessoa, mas ainda não a controla.

c. *Nível Semi-Evidente.* Um poder suficiente é exercido pelo espírito maligno para sugerir alguma força estranha em ação. O terapeuta suspeita disso, e acaba descobrindo estar com a razão ao pesquisar.

d. *Nível Evidente.* A força maligna está definidamente no controle, mostrando-se abertamente hostil, arrogante e má. Essa categoria atinge sua profundidade mais agravada quando a pessoa possuída torna-se, ela mesma, maligna, incorporada no reino das trevas como um de seus agentes.

6. Reações dos Demônios Sob Ataque a seus Domínios

Ao que tudo indica, certos demônios de baixa categoria, que influenciam ou possuem as pessoas, não são tidos em alta conta pelos poderes malignos governantes. O reino do mal pode tolerar pequenas derrotas, sem grande reação. Parece que isso não é encarado como algo muito sério pelos poderes malignos superiores—como quando um espírito de baixa qualidade perde o controle sobre uma pessoa de pouca influência. Porém, se o terapeuta ou exorcista continua em seus ataques, e começa a obter muitas vitórias sobre os demônios menores, então terá de enfrentar hostilidades. Uma forma dessa reação é que algum espírito de maior poder pode ser enviado para possuir a mesma vítima, ou então o terapeuta é pessoalmente atacado. E esse ataque pode ser mental, físico, por meio de acidentes ou reversões da «sorte». Há uma escalada de poder na hostilidade contra algum terapeuta bem-sucedido. A questão central em jogo parece ser o *domínio* e a *supremacia*. É como se o exército da malignidade estivesse recrutando soldados, e esses fossem de um baixo escalão, a princípio. Algumas perdas podem ser toleradas pelo império das trevas. Porém, quando alguém ataca aquele exército demais ou com demasiada freqüência, esse alguém é destacado a fim de ser atacado. O reino da malignidade interessa-se em reunir quantas pessoas forem possíveis. Sem dúvida, são convocados muitos espíritos não-humanos, nessa batalha. O espírito humano não é o único objeto de interesse nessa luta.

7. Resultados Finais do Conflito

Obviamente, há um **sistema** e uma **hierarquia** envolvidos nessa questão das possessões demoníacas. As possessões demoníacas que atacam indivíduos não são incidentes isolados, mas fazem parte de um plano e esforço maiores. As entidades possuidoras fazem parte de um sistema unificado, dirigido pelo maioral dos demônios, Satanás, um espírito de quase inconcebíveis poderes, que ficaram distorcidos quando de sua revolta contra Deus.

O *dualismo* (vide) tem algo a ver com tudo isso. Há dois grandes sistemas espirituais opostos, que se entrechocam em batalha pelas almas dos homens. O dualismo ensina que esses dois sistemas opostos são inerentes à própria existência. Enroscam-se em luta e podem ser separados, mas continuarão para sempre. O cristianismo admite um dualismo apenas temporário, porquanto concebe não apenas uma *separação* final entre o reino do bem e o reino do mal, mas uma completa *vitória* do primeiro sobre o segundo. Essa vitória precisa envolver tanto a *redenção* (vide) quanto a *restauração* (vide), segundo a minha estimativa. Coisa alguma está fora do poder de Cristo, e esse poder nunca é meramente teórico.

A teologia ocidental pessimista argumenta que o reino do mal, afinal, obterá uma vitória, se é que o número de almas salvas e de almas perdidas significa alguma coisa. Em contraste com isso, os cristãos orientais esperam uma grandiosa e vasta obra do Espírito a ser concretizada através da missão tridimensional de Cristo (na terra, no hades e nos céus), incluindo aquilo que ainda será realizado para *depois* da morte física dos homens. Essa obra garantirá que toda a atuação dos demônios tornar-se-á, finalmente, fútil. A provisão universal da missão de Cristo é que garantirá esse resultado. É digno de nota que a missão de Cristo ao hades levou a batalha até o reino das trevas propriamente dito, com o resultado que os homens, embora julgados na carne, afinal vivem no espírito conforme Deus vive (I Ped. 4:6). Ver o artigo intitulado *Descida de Cristo ao Hades*. O artigo chamado *Demônio, Demonologia*, em geral, especialmente em sua quinta seção, adiciona material ao assunto em pauta. Aquele artigo contém os ensinamentos bíblicos sobre a questão, além de outros detalhes.

Conclusão: Autenticidade do Fenômeno

Essa questão tem atraído a zombaria e o ridículo da parte de alguns estudiosos modernos. Aqueles que pregam doutrinas modernistas na igreja, dizem que a idéia antiga é que os demônios provocavam enfermidades e loucura, mas que atualmente se sabe que tais espíritos não existem, pelo que, tais casos, seriam tipos de enfermidades psíquicas. Os que assim dizem apresentam, como parte das provas que oferecem, a observação de que hoje em dia não ocorrem mais esses casos.

Contra tais idéias aduzimos as seguintes observações:

1. O N.T. *ensina inequivocamente* que os espíritos imundos são reais, e não imaginários. Pelo N.T., jamais compreenderíamos por que tais espíritos não haveriam de existir. Além dos muitos textos nos evangelhos que ensinam sua existência, há o trecho de Efé. 6:12, que diz: «Porque a nossa luta não é contra o sangue e a carne, e, sim, contra os principados e potestades, contra os dominadores deste mundo tenebroso, contra as forças espirituais do mal, nas regiões celestes». Ver Efé. 6:12, e o artigo sobre *Demônio, Demonologia*.

2. O N.T., contudo, não ensina que *todas* as doenças e casos de loucura resultam da influência ou possessão por parte dos demônios. O trecho de Mat. 8:2,6,16 indica diversas fontes das enfermidades. Uma delas é a influência exercida pelos demônios.

3. *Não é verdade* que o fenômeno não ocorra atualmente. Em diversos lugares do mundo, os missionários narram casos que não diferem dos que são encontrados no N.T. Provavelmente, em muitos países onde a fé cristã não é generalizada, ainda ocorrem casos que são chamados por diversos nomes psíquicos. Mas a mudança de designação não altera a origem da enfermidade e sim, apenas oculta a sua causa. Aqui, uma vez mais, afirmamos que nem todos os casos de insanidade mental têm origem na possessão demoníaca, mas também não há razões para negar-se o fato de que às vezes, a possessão demoníaca causa alguns tipos de loucura.

4. Talvez o fenômeno se multiplicasse e evidenciasse mais nos dias em que Jesus esteve entre os homens, simplesmente por causa da *oposição* à sua presença. Então foi muito intensificada a luta entre as forças do bem e do mal.

5. É insensatez dizer que não se pode crer em nada *que não se possa ver*, isto é, os anjos, os demônios, Deus, etc., porquanto qualquer estudante sabe que os sentidos humanos são débeis e inexatos, sendo muito provável que não tenhamos percepção sensorial da maior parte das realidades do universo. A princípio os cientistas negaram o fenômeno dos meteoritos, porque, diziam eles, sabemos que não existem pedras no ar. Os cientistas também negaram o fato de que os gérmens podem causar enfermidades por meio do ar ou das vestes, mas hoje em dia todos sabem que eles estavam equivocados. Até mesmo coisas das mais simples e corriqueiras hoje em dia, já foram negadas pela ciência humana. Precisamos lembrar que os cientistas do século XXI provavelmente dirão que a nossa ciência, a do século XX, sofria de uma espécie de provincianismo. Talvez se obtenham, no futuro, provas da existência dos espíritos, tanto bons como maus. No futuro, quiçá se obtenham provas sobre a imortalidade da alma, como também da natureza espiritual do homem.

6. As pesquisas psíquicas recentes parecem *confirmar*, desde agora, a existência do mundo dos espíritos, tanto bons como maus. Nota-se, com interesse, que muitas pessoas que não são religiosas mas que estão envolvidas nos estudos psíquicos, acreditam na existência dos espíritos, porque essa hipótese, por si só, explica várias formas de fenômenos. Hoje ainda se considera uma crença religiosa a crença na existência dos espíritos; mas amanhã talvez a ciência confirme essa crença, e isso apenas fará parte do conhecimento que se vai adquirindo em ritmo cada vez mais veloz sobre a natureza do grande universo no qual nos encontramos.

Por que se reputa científica a idéia de que estamos

POSSIBILIDADE — POSTE-ÍDOLO

sós no universo? Não estamos sós. Mas, visto não haver informação exata, no N.T., sobre a origem dos demônios, é impossível afirmar-se a natureza exata da possessão demoníaca. Josefo (de Belo Jud. VII.6,3) pensava que os demônios eram os espíritos dos homens maus, que depois da morte voltariam a este mundo, e essa idéia era comum entre os antigos, incluindo os gregos. Também foi idéia de alguns dos pais da igreja, como Justino (cerca de 150 D.C.) e Atenágoras. Tertuliano foi o primeiro a mudar de idéia na igreja, aceitando que os demônios são anjos caídos, e não espíritos humanos. Finalmente, Crisóstomo (407 D.C.) rejeitou a idéia de que os demônios são espíritos humanos, e a igreja aceitou que os demônios são outros espíritos, talvez pertencentes à ordem dos anjos. Mas até hoje existem estudiosos que acreditam que pelo menos *alguns* demônios possam ser espíritos humanos. Lange, por exemplo, acreditava que talvez os demônios fossem espíritos de pessoas que já morreram, e que agora fazem parte da ordem dos anjos caídos.

POSSIBILIDADE

Essa palavra deriva-se do latim, **potis**, «capaz» e **esse**, «ser», isto é, «aquilo que pode ser», embora não seja necessário e nem certo. Esse termo veio a revestir-se de importância na filosofia, sendo usado em contraste com a idéia de *atualidade* (aquilo que *é*) e com a idéia de *necessidade* (aquilo que tem de ser ou deverá suceder no futuro). Um outro termo de interesse é *contingente* (aquilo que é dependente e não necessário em si mesmo, ou como existência ou como acontecimento). A possibilidade é uma idéia similar. Quase toda a discussão a respeito da *possibilidade*, na filosofia, cabe dentro do estudo sobre a lógica, o que está fora do interesse desta enciclopédia. As coisas que nos interessam aqui são as seguintes:

1. Pode-se dizer acerca de qualquer coisa que ela é meramente possível? ou todas as coisas são destinadas e necessárias, conforme diz o *determinismo* (vide)? Para aquele sistema, as coisas podem ser meramente prováveis ou possíveis, mas isso seria assim meramente por causa de nossa falta de maiores informações.

2. Porém, onde predomina o *livre-arbítrio*, então o que é possível torna-se um importante assunto. Há acontecimentos contingentes que podem ocorrer ou não. Dentro desse sistema, existem potencialidades genuínas que talvez não sejam mais do que isso.

3. As possibilidades *absolutas* (ou intrínsecas) são aquelas que são meramente lógicas. As possibilidades *relativas* (ou extrínsecas) são aquelas que devem ter alguma causa para que venham a ser uma realidade.

4. *Aristóteles* falava sobre ambos esses tipos, embora usando termos diferentes. A possibilidade *real* é aquela que se deriva da potencialidade de qualquer substância vir a auto-realizar-se. As possibilidades *contingentes*, por sua vez, são aquelas que podem ou não desdobrar-se, tudo dependendo de condições exteriores.

5. O *determinismo megariano* argumentava que o passado não pode deixar de ser o que foi. Isso seria uma impossibilidade. O futuro seria apenas um passado que ainda não se concretizou, pelo que também seria algo fixo, sendo impossível que venha a ser diferente do que será. Dentro desse sistema, o possível e o atual são identificados, e as distinções de tempo não exercem qualquer efeito sobre a maneira de pensar dos homens.

6. *Em Platão*, as *Idéias* (Universais, Formas) podem ser imitadas e concretizadas nos particulares (o mundo físico), e isso dá espaço à potencialidade e à possibilidade, por meio da imitação. Entretanto, a filosofia platônica em geral não fazia disso um determinismo. Haveria possibilidades atualizadas e não-atualizadas.

7. *Na Idade Média* eram distinguidas três formas de possibilidade: 1. *eminente*, o que era atribuído, eminentemente, à essência divina; 2. *virtual*, virtualmente na potência divina; 3. *formal*, abrangendo formalmente tanto a compreensão divina quanto a compreensão humana. Na compreensão divina, a existência das possibilidades é algo *primário*; na compreensão humana, essa existência é algo *secundário*.

8. Para *Leibnitz*, o campo da possibilidade é mais amplo que o campo da atualidade. Contudo, o nosso seria o melhor mundo possível, pelo que a Grande Mônada teria feito suas escolhas, e todas as possibilidades ou potencialidades seriam concretizadas nas mônadas menores, de que todas as coisas se compõem.

9. *Whitehead* afirmava que a possibilidade é mais lata que a atualidade. Porém, com o processo do tempo, possibilidades relevantes e reais acabam tornando-se idênticas.

POSSIDÔNIO

Suas datas foram cerca de 135-50 A.C. Foi um filósofo grego, nascido em Apaméia, na Síria. Foi um filósofo estóico da escola média e pupilo de *Panaécio* (vide). Fundou a sua própria escola de filosofia em Rodes. Mesclava idéias de Platão, Aristóteles e do estoicismo. Um de seus pontos de vista é que o homem é um microcosmo do macrocosmo. Ver o artigo separado intitulado *Macrocosmo*. Ele foi um polímata, mas dispomos apenas de fragmentos dos seus escritos. Dava grande importância à ciência, e não apenas à filosofia, e produziu estudos sobre meteorologia, geografia e história. Ele salientava o princípio da unidade da natureza. A sua filosofia, entre muitos eruditos modernos, é encarada como uma espécie de primórdios do *neoplatonismo* (vide).

POSTE-ÍDOLO

As traduções manuseiam de maneiras diferentes esse nome. Algumas dão *bosque*; mas outras, com maior razão, aplicam a palavra à deusa Aserá ou ao culto à mesma. A Septuaginta diz *bosque* ou *árvore*, na tentativa de traduzir o termo hebraico. Os autores da Mishna explicam a palavra como referência a uma árvore que era adorada. Talvez isso explique a seleção dos revisores da Bíblia portuguesa, em nossa versão, «poste-ídolo». No Antigo Testamento transparecem as seguintes idéias: Era um ídolo feito de madeira (Jos. 6:26); era levantado do solo (I Reis 14:23); podia ser cortado (Êxo. 34:13); podia ser derrubado (Miq. 5:14); destruído (II Crô. 34:4); associado a lugares elevados (II Crô. 17:6); juntamente com imagens (II Crô. 34:4). A *imagem* de Aserá é mencionada em I Reis 15:13 e II Reis 21:7. Isso nos leva a crer que a referência é a ídolos de madeira que representavam Aserá, e que se tornou uma parte integrante desse culto levantar uma árvore ou poste. Aserá era uma deusa cananéia, que aparecia como a Senhora do Mar na literatura de Shamra, no século XIV A.C. No trecho de Juízes 3:7 essa deusa é associada a Baal.

Informações extrabíblicas. Nos textos de Ugarite, ela é a deusa do mar, consorte de El, progenitora de vários deuses, inclusive Baal. Os tabletes de Tell el-Amarna preservam os nomes Abdi-Ashirti (verve de asherah), e alguns textos acadianos mencionam Ashratu.

POSTES — POTENCIALIDADE

Conexões bíblicas. Com a era patriarcal, com o êxodo (ver Êxo. 34:13) e com Israel e Judá, durante a era do reino dividido (ver II Reis 21:3,7; 23:4). A ascendência dessa deusa influenciou Israel, que criou seus lugares altos, imitando os cananeus, e especificamente, incorporando o culto dela (ver I Reis 14:23; II Reis 17:10; Isa. 17:8 e Jer. 17:2). (ALB RE)

POSTES

No hebraico, **tsiyyun**, «sinal de estrada». Essa palavra hebraica é utilizada por três vezes: Jer. 31:21; Eze. 39:15 e II Reis 23:17. Muitos desses sinais de beira de estrada eram sepulcros monumentais, razão pela qual essa palavra hebraica é traduzida por «monumento» em II Reis 23:17. A tradução *poste*, em Jer. 31:21 não passa de uma interpretação. No antigo Israel, os sinais de estrada não tinham o formato de um poste. Portanto, devemos antes pensar em algum montão de pedras, desordenadas, ou em alguma construção ereta, como, por exemplo, uma pirâmide ou um túmulo.

POST HOC ERGO PROPTER HOC

No latim, «após isto, portanto, por causa disto». Trata-se de uma falácia comum da maneira de pensar dos seres humanos, que é estudada formalmente na lógica, embora também seja comumente usada na conversação diária. Um evento é concebido como tendo sido causado por outro (ou por uma série de circunstâncias), porque se origina no anterior, embora apenas na aparência. A mera seqüência de eventos não significa que um deles tenha sido causado pelo anterior. Essa falácia também é chamada de «causa falsa». Ver o artigo geral sobre as *Falácias*. Um exemplo disso seria o seguinte: «São Paulo conta com maior número de igrejas do que qualquer outra cidade do Brasil. No entanto, há maior número de crimes em São Paulo do que em qualquer outra cidade brasileira. Assim, para eliminar o crime, alguém propôs eliminar as igrejas! Outra dessas falácias é aquela dos antigos chineses que pensavam que os eclipses do sol ocorrem quando algum gigantesco dragão tentava engoli-lo. Assim, no início de algum eclipse solar, os chineses iniciavam danças cerimoniais especificamente designadas para impedir que o tal dragão conseguisse o seu propósito. Eles dançavam então como loucos; — e o sol emergia do eclipse, sem ter sido devorado! E isso parecia dar a entender que as danças dos chineses tinham sido eficazes. As relações de causa precisam ser estabelecidas mediante a experimentação, e não através da mera *ordem* cronológica dos acontecimentos, ou de acontecimentos aparentemente relacionados entre si, quando, na realidade, trata-se de fenômenos desconexos uns dos outros.

POSTULANTE

Trata-se de uma solicitação de admissão a alguma ordem religiosa, o que seria antecedido por um período preliminar de prova. Dentro da comunidade anglicana, essa palavra refere-se a um pedido de admissão à ordenação ao ministério.

POSTULAR

Esse verbo vem do latim, **postulatium**, «pedido», «solicitação», «reivindicação». Na filosofia, o termo é usado para referir-se a certo tipo de proposição. O postulado é a proposição apresentada como se fosse verdadeira, embora sem a necessária investigação para comprovar se a mesma é, de fato, veraz. O postulado também pode ser uma suposição logicamente necessária, não sujeita a prova, como quando alguém postula Deus à base do argumento moral. «Deus deve existir, a fim de garantir a justiça». «Deve haver a alma e sua existência eterna, a fim de que a justiça apropriada possa ser, finalmente, administrada». Nesses casos, a existência de Deus e da alma é pressuposta sobre bases lógicas, e não por razões empíricas, ou com a finalidade de prover um sistema completo e razoável, sem a necessidade de qualquer investigação empírica quanto a todas as proposições. Usado desse modo, um *postulado* é uma proposição racional, onde a *proposição*, estritamente falando, está firmada sobre algum fato comprovado, ou, potencialmente, com base na experimentação. Os postulados racionais não são expostos como axiomáticos, mas com freqüência como logicamente necessários, tendo em vista a construção de um sistema racional.

1. *Aristóteles* pensava que os postulados são premissas primárias, incapazes de serem demonstradas em si mesmas. Todo conhecimento começa por certos postulados indemonstráveis. Há algumas perguntas que não podem ser formuladas com propriedade.

2. *Euclides* fez com que certas afirmações geométricas se pareçam com postulados. Para ele, os postulados nem são demonstráveis e nem são auto-evidentes, mas existem entre as premissas primárias de demonstração.

3. *Wolff* dispunha de uma ampla definição para esse vocábulo, fazendo-o referir-se às proposições que não são demonstráveis, que são práticas (servindo a algum bom propósito) e que são particulares (não generalizadas).

4. *Emanuel Kant* usou esse termo em relação à sua *razão prática*. Essa área do pensamento fornece postulados como a crença na existência de Deus, da alma, na imortalidade, na liberdade e na moralidade. Em contraste com isso, as *proposições* pertencem ao terreno das demonstrações empíricas. Os postulados são fornecidos pela razão, pela intuição e pelas experiências místicas. As proposições têm por base o *empirismo* (vide).

5. *Lotze* usava a palavra «postulado» a fim de aludir a pressupostos absolutamente necessários, que formam a base do nosso conhecimento, em qualquer sistema de idéias que esteja em discussão. Ele contrastava o postulado com a *hipótese*, a qual já é de natureza conjectural.

6. *Fichte*. Postular uma proposição é propor uma proposição. A palavra era importante para Fichte, que supunha que o «ego» postula tanto a si mesmo quanto ao «não-eu». Encontramos aí o princípio racional em operação, um conceito central no Idealismo, acerca de como chegamos a tomar conhecimento das coisas.

POTENCIALIDADE (POTENTIA)

Potentia é uma palavra latina que vem de **potens**, «ser poderoso». Essa palavra dá a idéia de «ter uma capacidade», que pode vir a concretizar-se. Por detrás do vocábulo latino, temos a palavra grega, *dúnamis*, «poder». Temos aí a idéia de uma força que pode fazer coisas meramente em potencial tornarem-se reais. Seria um poder ativo residente em todas as substâncias.

1. *Vários Termos*. Há uma potencialidade lógica e uma potencialidade real. A primeira reside na mente, como algo possível. A segunda é uma força ativa. A

potencialidade real, por sua vez, pode ser dividida em ativa e passiva. Os filósofos dizem que a potencialidade real ativa é o processo que leva à concretização da potência. E a potencialidade real passiva refere-se à *disposição*, ou condição necessária para que algo receba uma determinação de qualquer espécie. A bolota que está em processo de tornar-se um carvalho ilustra a potencialidade real ativa. A cera que pode receber a impressão de um selo ilustra a potencialidade real passiva.

2. Para *Leibnitz*, a potencialidade ativa deve ser identificada com a força. O presente está prenhe do futuro, e, com o tempo, chega a ser o futuro.

3. Para *Schelling*, essa força é chamada *potenzen*, e tudo quanto acontece, em todos os níveis da existência, está envolvido nisso. Essa é a força ativa de todas as coisas.

4. *Whitehead* fazia da potencialidade a origem da continuidade, acreditando que a atualidade é atômica em sua natureza.

5. A *possibilidade* (vide) é aquilo que é meramente concebível, ou é não-repugnante para uma idéia. Mas a potencialidade é aquilo que é possível, mais a matéria bruta para sua concretização e mais o poder interno que a faz vir a ser o que deve. A possibilidade intrínseca é apenas uma concepção mental, mas a potencialidade já faz parte de alguma coisa, existindo na ordem real das coisas e mostrando-se ativa na direção de alguma concretização específica.

POTÉOLI

Aproximadamente duzentos e noventa quilômetros separavam Régio de Potéoli. Com ventos favoráveis, a viagem podia ser feita em cerca de vinte e seis horas. Potéoli ficava cerca de treze quilômetros a noroeste de Neápolis (modernamente chamada Nápoles), nas costas ocidentais da península italiana, que era uma das principais cidades portuárias da capital, porto onde os navios alexandrinos, carregados de cereais, normalmente atracavam, quando a caminho de Roma. Na viagem entre Régio e Roma, a cidade de Potéoli ficava a mais da metade do caminho, costa acima. A cidade moderna de Potéoli é chamada Puzzuoli. A antiga cidade de Potéoli foi fundada no século VI A.C., tendo caído nas mãos dos romanos em 338 A.C. Originalmente fora uma colônia samnita, de Cumae. Tornou-se importante arsenal e porto comercial. Foi sede do primeiro *augusteum*, ou seja, templo dedicado ao culto do imperador, o que constituía um dos mais fortes elementos da oposição ao cristianismo, e isso durante diversos séculos. Alguns remanescentes antigos existem até hoje, principalmente o antiqüíssimo molhe, onde o apóstolo Paulo, pela primeira vez, pisou em solo italiano, e o anfiteatro. Dezesseis colunas pertencentes ao antigo porto, que faziam parte desse molhe, permanecem de pé até hoje. Originalmente, esse molhe contava com vinte e cinco dessas colunas, tendo sido construído como proteção para o porto da cidade. — Uma descrição sobre essa cidade, conforme ela existia nos tempos de Paulo, pode ser vista nos escritos de Sêneca (ver *Epístola* xxvii).

POTIFAR

Esse nome, **Potifar** (ver Gên. 39:1—20), é a forma contraída de *Potífera* (vide), apelativo que, no egípcio, significa «aquele a quem Rá (o deus-sol) deu». Potifar era um oficial militar do Faraó. Os irmãos de José, filho de Jacó, tinham-no vendido para ser escravo. E José terminou ficando na casa de Potifar, sem dúvida por haver sido adquirido por ele. Ali, José mostrou ser jovem dotado de honestidade, habilidade e ambição para melhorar. Foi assim que Potifar acabou fazendo dele o mordomo de sua casa, entregando-lhe grandes responsabilidades. Porém, a esposa de Potifar voltou os olhos para aquele notável jovem, e em várias oportunidades tentou seduzi-lo sexualmente. Mas José, sendo jovem temente a Deus, resistiu às tentativas dela. Desprezada, ela acusou-o de tentar fazer exatamente o que ela havia tentado. Parece que Potifar acreditou nela; ou, então, pelo menos, querendo manter a tranqüilidade doméstica, lançou José na prisão. A história é narrada no capítulo trinta e nove de Gênesis. Isso aconteceu por volta de 1890 A.C. E nada mais é dito acerca de Potifar, nas Escrituras Sagradas.

Na prisão, o carcereiro também reconheceu o valor de José, e terminou por entregar-lhe responsabilidades (ver Gên. 40:3,4). Alguns intérpretes pensam que esse carcereiro era o mesmo Potifar, mas a maioria dos eruditos rejeita a idéia.

POTÍFERA

Ver sobre **Potifar**, quanto à explicação do sentido desse nome. Esse homem era um sacerdote egípcio em On (Heliópolis). Uma de suas filhas, de nome Asenate, veio a tornar-se a esposa de José. Ver Gên. 41:45-50; 46:20. Isso ocorreu em cerca de 1870 A.C. Heliópolis era um centro, se não mesmo *o* centro da adoração a Rá, o deus-sol. Não há registros arqueológicos do nome *Potífera* antes do século X A.C., mas isso não é motivo para duvidarmos da autenticidade do relato do livro de Gênesis.

O casamento de José com Asenate demonstra que não havia qualquer regra inflexível contra o casamento de israelitas com estrangeiros, conforme, posteriormente, chegou a ser proibido pela legislação mosaica. Não nos esqueçamos de que o próprio Moisés não hesitou em casar-se com Zípora, filha de um sacerdote dos midianitas. Outro fato instrutivo sobre a questão foi que José, dotado com poderes psíquicos, e homem muito religioso, naturalmente sentia certa afinidade com um sacerdote da religião egípcia, mesmo que não compartilhasse das práticas idólatras desse sacerdote. Deve ter havido alguma amizade ali, pois dificilmente José teria podido conhecer a filha dele o suficiente para casar-se com ela. Poder-se-ia argumentar que tal casamento foi arranjado, e não cultivado por namoro. Mas, seja como for, estou percebendo no incidente uma lição de *tolerância* (vide), o que não é a mesma coisa que participação.

POUPA

Ver Lev. 11:19 e Deu. 14:18. Esse é um pássaro mencionado exclusivamente nessas duas passagens, mas cuja identificação é incerta. Na Palestina havia cerca de trinta aves que ou invernavam ali ou passavam por ali em arribação, e, é provável que uma dessas aves esteja em pauta. A opinião mais provável parece ser aquela cujo nome científico é *Upupa epops*, que passava o verão na Palestina, mas que buscava regiões mais quentes no inverno. A cabeça dessa ave, com freqüência, aparece nos monumentos egípcios. Seja como for, essa espécie atualmente é livremente consumida, mas o contexto onde ela é mencionada no Antigo Testamento mostra que se tratava de uma ave imunda, isto é, que não podia ser usada para consumo humano. Ver os artigos gerais sobre *Alimentos* e *Limpo e Imundo*.

••• ••• •••

POVO DE DEUS — PRADO

POVO DE DEUS

Essa expressão tem vários sentidos. Pode indicar Israel, quando posta em contraste com as nações gentílicas; ou pode apontar para a Igreja cristã, em contraste com os que se mantêm na incredulidade. No seu sentido mais amplo, pode significar todos os homens que fazem parte daqueles que pertencem a Deus, em virtude da criação e em virtude de seu amor. No seu sentido mais estrito, é empregada para designar alguma seita ou denominação específica, que é assim (arrogantemente) separada das outras como se fosse melhor, ou como se fosse o único verdadeiro povo de Deus. O segundo concílio do Vaticano (*Lumen Gentium*, caps. 1 e 2) usou o termo para referir-se a Israel, à Igreja e a todos quantos fazem parte, naturalmente, da criação de Deus. O termo *povo* com freqüência refere-se coletivamente a Israel, nas Sagradas Escrituras (ver Êxo. 1:9; 3:7; 5:1; 8:1; 15:3; Lev. 4:3; Núm. 5:21; 11:1; Jos. 1:2,6, etc.). Naturalmente, a mesma expressão é usada para indicar outras nações. A expressão «povo de Deus» é ocasionalmente usada, conforme se demonstra pelas seguintes referências: Deu. 27:9; Eze. 36:20; II Reis 11:17. Mais comum ainda é o uso da forma adjetiva possessiva, «meu povo» ou «seu povo», em alusão ao povo de Deus. Ver I Reis 8:30; 14:7; II Crô. 32:17; 35:3.

No *Novo Testamento*, os crentes tornaram-se, por assim dizer, os sucessores da antiga nação hebréia, como «o povo de Deus». Ver essa doutrina em trechos como Atos 3:25; Rom. 1:7; 4:16 ss; 9:6,27; I Cor. 1:21; II Cor. 6:6; Gál. 3:17; 4:24; Efé. 1:18; I Ped. 2:9; Apo. 1:6; 2:9; 7:4 ss; 13:7. Um paralelo desse uso é aquele dos «filhos de Deus», onde obtemos a mais profunda compreensão sobre o que está envolvido na salvação, ou seja, a *filiação*. Ver Rom. 8:15. Ver também o artigo separado intitulado *Filhos de Deus*.

O Ato Salvatício de Deus. Deus escolheu todo um povo, e não meramente indivíduos. Portanto, a salvação também tem um aspecto coletivo, e não apenas individual. Todo um *corpo* místico está sendo salvo, e não meramente membros individuais desse corpo. Provavelmente, parte da futura glorificação será a comunidade de consciências, o que significa que o povo remido terá uma consciência comum, e não apenas consciências individualizadas. Isso aproxima-se da realidade da *onisciência*, que somente Deus possui em sua totalidade. Também faz parte desse conceito a idéia de *unidade*, em consonância com *o mistério da vontade de Deus* (vide; Efé. 1:9,10). Como é óbvio, essa unidade também envolverá os restaurados, os não-eleitos. Ver o artigo *Restauração*. Nesse sentido, está em foco a comunidade inteira dos homens, quando os remidos e os restaurados formarão, finalmente, um único povo de Deus!

Limitações. Naturalmente, as várias denominações cristãs têm limitado esse conceito. Praticamente cada denominação vê em si mesma o povo especial de Deus. Na Igreja Católica Romana, para exemplificar, para que alguém seja considerado partícipe do *corpo de Cristo*, do povo de Deus, é mister que seja batizado pela autoridade dessa igreja. Outras denominações cristãs impõem outros tipos de limitação, sendo incrível quão pequena pode ficar a Igreja de Cristo, segundo a mentalidade de certas pessoas. A arrogância está à base dessa maneira de pensar. Mas, assim como Deus pode ser concebido como pequeno, assim também, inevitavelmente, a denominação que assim concebe é pequena. Por efeito de criação, todos os seres humanos fazem parte do povo de Deus. Em virtude do amor de Deus, todas as pessoas formam o povo de Deus. Mediante o ato salvatício de Cristo, todas as pessoas fazem parte do povo de Deus; por força da eleição divina, algumas pessoas formam uma unidade especializada dentro do povo de Deus; por força da restauração, todos os homens virão a fazer parte da unidade que, finalmente, caracterizará o povo de Deus. Isso corresponde ao que deveríamos esperar da parte do amor de Deus e do poder da missão tridimensional de Cristo: na terra; no hades e nos céus.

POVO DO SENHOR

A expressão hebraica **Am Ha' Arez** significa «povo da terra», o que a Septuaginta traduziu por *o laós tes gês*, «o povo da terra». De modo geral, essa expressão era usada para indicar qualquer povo que ocupasse uma localidade específica. Cada terra tinha o seu próprio povo ('*am*), como os egípcios (Gên. 42:6), os cananeus (Núm. 13:28), os hititas (Gên. 23:7), etc. Essa expressão, porém, acabou sendo usada para indicar Israel em um sentido especial, como o povo que conquistou a Terra Prometida. A expressão tem várias conotações, como o corpo dirigente de Israel, aqueles que exercem autoridade sobre a terra, ou os proprietários aldeões, que ocupavam a terra. Eram o âmago do povo de Israel, que possuía e defendia a terra, que impunha reformas religiosas (ver II Reis 11:13-18; 21:24), que estavam sujeitos aos abusos praticados por potências estrangeiras invasoras (ver II Reis 23:35; 25:18-21). A propriedade privada ou coletiva da terra (através da autoridade dos clãs) era uma das principais características do povo da terra. Talvez o principal significado dessa expressão seja «cidadania responsável». Após o cativeiro babilônico, os povos misturaram-se, e não mais houve um povo da terra no mesmo sentido, embora a restauração gradual de Israel tenha revertido isso, até certo ponto.

Quando os fariseus se tornaram a classe religiosa dominante, e tentaram impor a vontade deles às massas, algumas vezes usaram essa expressão em sentido pejorativo, como se as massas populares estivessem abaixo deles, incapazes de atingir os elevados padrões dos fariseus. O trecho de João 7:49 reflete essa atitude, havendo referências à mesma idéia na *Mishna* (vide). Um tipo de atitude hostil desenvolveu-se contra as massas, e é certo que parte do sucesso do cristianismo primitivo foi que os cristãos não toleravam tal atitude. O amor de Deus foi visto em uma perspectiva mais lata por essa fé, conforme a história tem demonstrado a sobejo. Infelizmente, o exclusivismo de vários tipos, incluindo aquele herdado através da idéia da eleição (vide), sem qualquer *restauração* (vide), promove os preconceitos exclusivistas antigos do judaísmo. Ver o artigo sobre o *Povo de Deus*, quanto a outras idéias relativas ao tema do presente artigo.

PRADO (CARRIÇAL)

A palavra hebraica assim traduzida indica áreas pantanosas, com vegetação própria do terreno. Todavia, há traduções que dizem «prado», em um trecho como Gên. 41:2,18, onde nossa versão portuguesa diz «carriçal». A palavra hebraica correspondente é *achu*. Prados não são comuns na quente e seca Palestina. Os chamados prados (no hebraico, *mahareh*) de Gibeá são um erro de tradução (ver Juí. 20:33, onde nossa versão também diz, erroneamente, «vizinhanças de Geba»). A tradução correta é «do oeste de Geba».

Todavia, há prados recobertos de grama em certos lugares da Galiléia e do Líbano, onde as chuvas se

PRAEDICAMENTO — PRAGA

fazem abundantes em certas estações do ano. O vocábulo hebraico *abel* indica esse tipo de terreno, conforme se vê, em nomes combinados, como Abel-Meolá (ver Juí. 7:22), cuja tradução certa, e não apenas transliteração, seria «prado da dança». Em Jó 40:21, algumas traduções traduzem a palavra hebraica *qaneh* por «prado», mas erroneamente, pois está em foco a *cana*, uma planta. Nossa versão portuguesa aproximava-se, ao dizer «canavial».

PRAEDICAMENTA

Essa é a palavra latina que significa «categorias». Durante a Idade Média, referia-se às dez categorias de Aristóteles. Ver sobre *Aristóteles* II.3, onde são alistadas as suas categorias.

PRAGA

Ver também o artigo **Pragas do Egito**. Uma palavra hebraica comum empregada para indicar uma praga é *nega*, «golpe» (ver Lev. 13 e 14). Uma palavra cognata é *makkah*, «ferimento», «espancamento» (ver Lev. 26:21; Núm. 11:33; Deu. 28:29; I Sam. 4:8; Jer. 19:8). Também há o vocábulo *deber*, «pestilência», «praga», que vem de uma raiz que significa «destruição» (Jer. 14:12; Eze. 6:11). A grande epidemia que matou a setenta mil pessoas em Israel, quando Davi foi castigado por seu orgulho, ao fazer o recenseamento do povo (ver II Sam. 24:5), foi indicada por essa palavra. Por sua vez, *maggepa* é termo hebraico que quer dizer «praga» ou «ferimento» (ver Êxo. 9:14; Zac. 14:12). E *negep* quer dizer «tropeço» ou «praga» (ver Êxo. 12:13; Jos. 23:17).

No Novo Testamento encontramos três vocábulos gregos envolvidos:

1. *Mástiks*, «açoite», mas que se refere aos açoites das pragas (ver Mar. 3:10; 5:29,34; Luc. 7:21; Atos 22:24; Heb. 11:36). Também era palavra comumente usada para indicar alguma doença.

2. *Loimós*, «praga», «peste» (ver Luc. 21:11; Atos 24:5). Josefo usou esse termo em *Guerras dos Judeus* (6:9,3). Esse vocábulo é freqüentemente associado à idéia de fome, visto que muitas pragas de enfermidades acompanham a escassez de alimentos.

3. *Plege*, «praga», «golpe» (ver Luc. 10:31; 12:48; Atos 16:23,33; II Cor. 6:5; 11:23; Apo. 9:18,20; 11:6; 12:3,12,14; 15:1,6,8; 16:9,21; 18:4,8; 21:9; 22:18). Ver ainda sobre *Fome*, quanto a um outro tipo de praga.

A Teologia da Praga. A leitura das referências dadas acima mostrará que, com freqüência, se não sempre, as pragas indicavam o desprazer de Deus com o povo. De mistura com isso temos a demonologia. Ver os artigos separados sobre *Demônio* (*Demonologia*) e *Possessão Demoníaca*. Embora haja grandes exageros, as pesquisas modernas confirmam que tanto enfermidades físicas quanto mentais podem ser causadas por poderes espirituais malignos. E apesar da questão dos juízos divinos poder ser exagerada pelos homens também é verdade que, algumas vezes, Deus julga a humanidade com pragas ou enfermidades. Não obstante, nem toda enfermidade é causada pelo pecado. Há vezes em que a questão tem tons didáticos, segundo grandes místicos nos afiançam. Mas também pode haver o resultado natural do caos, da desorganização, o que é uma realidade desagradável, embora isso não seja um fator dominante na vida humana. Também há coisas más que sucedem aparentemente sem causa. Paulo, no oitavo capítulo da epístola aos Romanos, mostra-nos que esse caos leva os homens a buscarem a Deus, pelo que até a confusão pode ter um bom propósito, se for acolhida de forma correta. A criação ficou sujeita à *futilidade* como medida disciplinadora (ver Rom. 8:20). Há uma servidão à decadência que, finalmente, será revertida.

Antropomorfismos. Alguns intérpretes crêem que Deus realmente fica irado, conforme ficam os homens. O Deus iracundo, pois, mataria por meio de pragas e outros instrumentos, como os terremotos, etc. Mas outros objetam a esse tipo de linguagem, quando aplicada a Deus, pensando que tal linguagem é um crasso antropomorfismo. Seja como for, a realidade permanece de pé. Os pecados, individuais e coletivos, podem resultar em enfermidades e pragas, sem importar se Deus sente ou não emoções, à semelhança dos homens. Ver o artigo separado sobre o *Antropomorfismo*.

PRAGA DE GAFANHOTOS

Esboço:
1. Espécies de Gafanhotos e Sua Descrição
2. Palavras Bíblicas para Gafanhoto
3. O Gafanhoto como uma Praga
4. Usos Figurados do Gafanhoto

1. Espécies de Gafanhotos e sua Descrição

A principal palavra hebraica é *arbeh*. Nos tempos bíblicos eram conhecidas várias espécies de gafanhotos, como o *Aedipoda migratoris* e o *Acridium peregrinum*. A primeira também é chamada pelo nome de *Locusta migratoria*. Outros nomes desse tipo de inseto, atualmente existente (e, provavelmente, que também atacavam a Palestina), são o *Schistocerca gregaria* e o *Dociostaurus maroccanus*. O termo científico, *orthoptera*, aplicado a esses insetos, significa «asas retas». E o termo *acridium* vem da palavra grega *akrís*, «gafanhoto». Esse vocábulo grego tem relação com a palavra grega para «pico», «cume», talvez, referindo-se à formação das pernas dos gafanhotos, que se projetam para cima, quando ele está pousado. A palavra latina *gryllus*, ao que tudo indica, está relacionada ao zumbido que eles fazem. O termo grego *grulízo*, «grunhir», é uma palavra relacionada.

Os órgãos produtores do zumbido dos gafanhotos encontram-se nas pernas traseiras e nas beiras das asas frontais. O som é produzido quando o animal raspa uma dessas partes contra a outra. O gafanhoto possui antenas curtas, corpo alongado, pernas longas e poderosas, com as coxas grossas e ovipositores curtos. Por ocasião das pragas, os gafanhotos chegam a escurecer a luz solar com o seu número imenso. Enquanto os adultos alçam vôo, os filhotes ficam devorando toda a verdura ao seu alcance, no solo; e estes últimos, quando crescem, também alçam vôo. A fêmea do gafanhoto deposita seus ovos formando uma massa de forma oval, usualmente, em algum buraco feito no chão. Esses ovos são muito resistentes, capazes de tolerar condições muita adversas. O nascimento dos filhotes depende muito da umidade; mas os ovos podem ser postos em terreno muito seco, e ainda assim sobreviverem por mais de três anos. Mas, assim que chega a umidade, no espaço de dez dias, os ovos são chocados, e há uma produção de gafanhotos em números alarmantes. Os gafanhotos jovens parecem-se muito com os gafanhotos adultos, mas só adquirem asas aos cinco ou seis meses de idade. No entanto, mesmo sem asas, são muito vorazes, pelo que, em bem pouco tempo, depois que saem de seus ovos, os gafanhotos já são intensamente destruidores.

É difícil dizer quantas espécies de gafanhotos

PRAGA — PRAGAS DO EGITO

existem; mas talvez vários milhares de espécies diferentes seja um bom cálculo. Os intérpretes rabínicos diziam ter conseguido alistar oitocentas espécies diferentes.

2. Palavras Bíblicas para Gafanhoto

Há nove palavras hebraicas para indicar esse inseto, e também uma palavra grega. No entanto, as palavras hebraicas não indicam diferentes espécies, e, sim, descrevem coisas que podem ser ditas sobre o gafanhoto. O termo hebraico mais comum, *'arbeh*, está ligado à raiz que significa «multiplicar». É vocábulo usado para indicar o inseto, por vinte e quatro vezes (ver Êxo. 10:4,12-14,19; Lev. 11:22; Deu. 28:38; I Reis 8:37; II Crô. 6:28; Sal. 78:46; 105:34; 109:23; Pro. 30:27; Joel 1:4; 2:25; Naum 3:15,17; Juí. 6:5; 7:12; Jó 39:20; Jer. 46:23). Essa é a palavra que foi usada para indicar a praga de gafanhotos do Egito, que foi a oitava dentre as dez que fustigaram os egípcios. Em Lev. 11:22, esse termo indica, uma dentre quatro espécies diferentes.

Outra palavra hebraica que também aparece em Lev. 11:22 é *solam*, «calvo», porque a cabeça do gafanhoto dá a impressão de calvície. Nossa versão portuguesa traduz essa palavra por «locusta».

Hargol, «saltador», ao que parece é outra espécie de gafanhoto, e não algum besouro, conforme dizem algumas versões, também em Lev. 11:22. Nossa versão portuguesa diz «gafanhoto devorador».

Chaqab é outra palavra hebraica para esse inseto, que também figura em Lev. 11:22, onde lemos, em nossa versão portuguesa, «gafanhoto». Essa palavra derivava-se de um verbo que significa «ocultar». É possível que esse nome se deva ao fato de que quando bilhões de gafanhotos alçam vôo ao mesmo tempo, chegam a ocultar a luz do sol enquanto estão passando.

O trecho de Joel 1:4 tem três palavras hebraicas, que talvez indiquem estágios no desenvolvimento do gafanhoto. A primeira dessas palavras é *gazam*, que significa «cortador», conforme também se vê em nossa versão portuguesa, «gafanhoto cortador». Essa palavra refere-se à devastação que uma praga de gafanhotos causa às plantações e árvores frutíferas. A segunda palavra é *arbeh*, sobre a qual já pudemos comentar. E a terceira palavra é *yeleq*, que vem de «lamber», um nome que indica a voracidade desse inseto.

A palavra hebraica *tselatsal* aparece somente em Deu. 28:42. Significa «redemoinho», «rodopio», indicando o turbilhão provocado pela imensa quantidade de gafanhotos, quando levantam vôo.

Finalmente, no hebraico, temos a palavra *gob*, «enxame», que aparece somente em Naum 3:17.

Assim sendo, há cerca de vinte e quatro referências diretas ao gafanhoto, nas páginas do Antigo Testamento, sem falarmos naquelas alusões de caráter duvidoso ou disputado.

A palavra grega *akrís*, «gafanhoto», é usada por quatro vezes no Novo Testamento: Mat. 3:4; Mar. 1:6; Apo. 9:3,7. As duas primeiras referências mostram que era permissível a ingestão desse inseto pelo homem, porquanto João Batista se alimentava de gafanhotos e mel silvestre. É verdade que alguns têm sugerido que se trataria de alguma planta, chamada «alimento de João Batista»; mas quase todos os intérpretes rejeitam essa especulação. O trecho de Lev. 11:21 contém a permissão para que se coma esse inseto.

3. O Gafanhoto Como uma Praga

Imaginemos os ovos do gafanhoto já depositados em buracos, no solo, em números prodigiosos. O tempo está seco, e nada sucede com os ovos. Ninguém suspeita de coisa alguma. Então chega alguma umidade e, dentro de dez dias, tem começo uma praga de gafanhotos. Mais seis meses, e a praga levanta vôo. Os gafanhotos, voando, cobrem um vasto território. Novos ovos são depositados, e o ciclo se repete. As pragas de gafanhotos são um dos juízos divinos contra os pecados humanos, juntamente com os terremotos e outros desastres naturais.

John Walsh, em *Science*, de 3 de outubro de 1986, fornece-nos algumas incríveis informações sobre as pragas de gafanhotos. Via de regra, os gafanhotos vivem sem causar demasiada destruição. Também não percorrem grandes distâncias sob condições normais. Porém, quando seu número aumenta, resultando uma superpopulação, produzem um hormônio que altera toda a aparência física deles e toda a sua conduta. Quando isso sucede, então *a praga* está prestes a rebentar. A superpopulação ocorre quando os gafanhotos ainda não têm asas. Aí passam a consumir mais oxigênio, e sua taxa metabólica aumenta muito. Suas cores modificam-se e suas proporções corporais aumentam. Além disso, tornam-se muito mais ativos. Quanto mais chuva cair, mais ovos serão chocados; a chuva aumenta a relva e a verdura, e isso é mais alimento ainda para os gafanhotos. As poças que se formam no chão contêm cerca de cem ovos cada. Quando os gafanhotos emergem de seus ovos, logo há um enxame de pequenos gafanhotos agitando-se no solo. Cada gafanhoto pesa cerca de 3,5 gramas, comendo o seu próprio peso a cada dia. Uma dessas nuvens de gafanhotos pode conter um bilhão de insetos, e quando há uma praga das grandes, pode haver nada menos de cem nuvens dessas. Portanto, isso resulta em 100.000.000.000 de gafanhotos!

Os gafanhotos têm uma incrível capacidade de sobrevivência. Algumas vezes, um enxame desses pousa sobre uma montanha coberta de neve. Eles podem ficar ali durante semanas, para então alçarem vôo outra vez. E podem, em um único dia, percorrer 320 km. Em uma única migração, podem cobrir dez vezes essa distância. Podem até mesmo pousar no oceano e permanecer flutuando, pousando uns por sobre os outros. E, quando estão descansados, levantam vôo da superfície do mar. Podem levantar vôo da superfície do mar, do solo e das montanhas recobertas de neve. O dano que eles podem causar à lavoura tem inspirado e deprimido as mentes dos homens, desde os tempos mais remotos. E ainda não ouvimos tudo o que eles são capazes de fazer, apesar de todo o nosso avanço científico.

4. Usos Figurados do Gafanhoto

a. *Grandes números*, como os exércitos dos assírios. Naturalmente, temos aqui, igualmente, o *poder destruidor* de tais números. Ver Isa. 33:4,5; Núm. 3:15,17.

b. Os *julgamentos divinos* usam as forças da natureza, ou literalmente, como no caso das pragas de gafanhotos, ou mediante algum outro poder, simbolizados pelos gafanhotos. Ver Apo. 9:7. Nessa passagem do Apocalipse, provavelmente, estão em foco poderes demoníacos. Ver também Joel 1:1,6,7; 2:2-9.

PRAGAS DO EGITO

Esboço:

I. Fundo Histórico
II. Pragas Específicas
III. Implicações Teológicas
IV. Outras Interpretações; Críticas

PRAGAS DO EGITO

I. Fundo Histórico

Ver o artigo geral sobre **Praga**. Com freqüência, as pragas eram vistas como calamidades inflingidas por Deus às pessoas, em resultado da iniqüidade delas. O artigo *Praga* oferece amplas evidências quanto a isso. Era apenas natural que as calamidades que sobrevieram ao Egito, quando Israel esteve ali escravizado e queria partir, sem receber permissão dos egípcios, fossem vistas como visitações divinas. E, de fato, o caráter extraordinário dessas pragas, numa seqüência nunca antes verificada, testifica sobre isso. Moisés e Aarão foram os porta-vozes de *Yahweh*. Eles exigiram a soltura do povo de Israel, a fim de que o propósito divino acerca de seu povo avançasse e chegasse ao seu alvo. Podemos dizer, pois, que essas pragas foram desagradáveis, mas *persuadiram*. Ademais, havia nelas o propósito de exaltar o nome do Senhor, às expensas da vil idolatria que predominava no Egito. As pragas serviam de confirmações da autoridade de Moisés e de Aarão. O Faraó, pois, foi forçado a tomá-las a sério, e, finalmente, cedeu às exigências deles. Isso não teria sido possível sem os sofrimentos experimentados pelos egípcios. Por outro lado, Israel já vinha sofrendo há muito às mãos dos egípcios, e a retribuição estava madura. O Faraó era um indivíduo duro. Ele se imaginava o porta-voz das divindades que adorava; e dispunha de seus mágicos com as suas mágicas. Além disso, não respeitava a Israel. Ele pensava que a sua *medicina* era mais poderosa que a medicina de Moisés e Aarão. E resolveu que entraria em competição com eles. E mesmo quando já estava muito derrotado, apegou-se à esperança de sair-se vencedor. Somente diante da morte de todos os primogênitos do Egito foi que o Faraó deu-se por vencido. O nono capítulo de Romanos apresenta Deus como Aquele que endureceu ao coração do Faraó, a fim de que este não cedesse de pronto, a fim de que pudesse haver uma *plena demonstração* do poder e supremacia de *Yahweh*. Alguns teólogos sentem dificuldades diante desse fato, e comento sobre a questão na quarta seção deste verbete.

Na época, o poder egípcio era mais forte no delta do Nilo. O trecho de Sal. 78:43 parece indicar esse tipo de situação, ao mencionar o «campo de Zoã». Essa cidade era localizada na margem oriental do ramo tanítico do rio Nilo. Ver o artigo separado sobre o Delta. As condições da primeira e da segunda pragas naturalmente ocorreram em um lugar onde havia muita água, riachos e lagos, o que era típico no baixo Egito.

Não se sabe ao certo por quanto tempo perduraram as pragas do Egito. Provavelmente, as estações do ano foram favoráveis à manifestação das mesmas, pelo que deve ter havido a passagem de um ano, ou mesmo mais.

Houve dez *prodígios* nessas pragas, coletivamente chamados «julgamento» (ver Êxo. 7:4), e também «sinais» e «maravilhas» (Êxo. 7:3). Essas pragas foram a reação da justiça de Deus contra a iniqüidade e a obstinação. Mui provavelmente, combinavam os fenômenos naturais com a intervenção divina, intervenção esta que servia de elemento controlador. As primeiras nove pragas demonstraram o controle que Deus exerce sobre a ordem natural (a criação); mas a décima praga foi por demais específica para ser atribuída a qualquer coisa que fosse natural.

«Hort salientou que as nove primeiras pragas formaram uma seqüência lógica e ligada, a começar com uma inundação anormalmente *elevada* do rio Nilo, que ocorreu nos meses usuais de julho e agosto, em que a série de pragas terminou aproximadamente em março (heb. *abib*). No Egito, uma cheia grande demais era tão desastrosa como uma cheia insuficiente» (ND).

II. Pragas Específicas

1. *Água Transformada em Sangue* (Êxo. 7:14-25).

Moisés recebeu ordem para estender sua vara por sobre o rio Nilo, para que suas águas se transformassem em sangue, o que resultou na morte da vida aquática, além do que suas águas não eram mais potáveis. Alguns intérpretes pensam aqui em termos literais (conforme o texto espera que o façamos). Mas outros imaginam que o termo «sangue» indica alguma espécie de poluição «cor de sangue». Uma inundação particularmente severa poderia ter trazido lama e barro. A menos que o autor sagrado tenha criado uma história, se esse «sangue» não era biológico, deveria haver algum poluente bacteriológico. Se essa praga esteve associada a uma das cheias do Nilo, então pode ter ocorrido em julho-agosto ou outubro-novembro. Pode ter trazido barro vermelho das bacias do rio Nilo e do Atbara, o que explicaria a coloração, mas não os poluentes necessários para causar os danos. Outros intérpretes pensam que a cor foi causada por plantas criptogâmicas e infusórias, um fenômeno natural, apenas intensificado pelo juízo divino. O trecho de Joel 2:31 fala sobre a lua avermelhada como sangue, e, naturalmente, pensamos nisso como um colorido, e não em sangue verdadeiro. A maioria dos intérpretes, pois, pensa que temos aí uma maneira aceitável de interpretar esse milagre do sétimo capítulo do Êxodo. O rio ficou poluído, de águas mortíferas, avermelhadas como sangue. Milênios após o ocorrido, agora é extremamente difícil examinar o caso e dizer exatamente o que sucedeu. Os egípcios foram forçados a cavar poços em busca de água potável, pois pelo menos durante um período de tempo, suas águas estavam envenenadas.

2. *Rãs* (Êxo. 8:1—14)

As rãs multiplicaram-se aos milhões. Provavelmente foi uma praga das minúsculas rãs do Nilo, que os egípcios chamam de *dolfa*. Os pequenos batráquios disseminaram-se por toda parte, durante sete dias. Quando as rãs morreram em massa, seus corpos decompostos tornaram-se uma ameaça à saúde e eram muito ofensivos ao olfato. E é possível que as rãs tenham morrido devido a alguma doença, o que teria servido para aumentar o perigo. As rãs eram como uma praga de formigas. Elas infestavam os leitos, os utensílios domésticos, os fogões, as amassadeiras e saltavam e se grudavam nas pessoas. Os mágicos egípcios, porém, imitaram com sucesso o milagre, conforme tinham feito no caso do primeiro prodígio (de resultado não-estipulado). O texto bíblico parece querer que entendamos que algum poder oculto, maligno, foi manipulado por aqueles mágicos, embora não haja qualquer indicação do poder manipulado. Mas Moisés e Aarão foram solicitados a livrar o Egito da praga das rãs, o que o Faraó reconheceu como algo vindo da parte de Yahweh. De fato, as rãs eram tão desagradáveis que o Faraó chegou a concordar com a saída do povo de Israel do Egito; mas o rei retrocedeu em sua decisão, assim que as rãs desapareceram.

A rã era o animal que representava o deus Hekt, e era um dos animais adorados em alguns lugares. Isso posto, essa segunda praga deve ter sido desconcertante para os egípcios, que pensavam na rã como um animal que requeria respeito.

3. *Piolhos* (Êxo. 8:16-19)

A tradução portuguesa «piolhos» dificilmente corresponde ao intuito do texto sagrado. Antes, devemos pensar em «mosquitos». A inundação do Nilo favoreceria uma incomum proliferação de mosquitos.

PRAGAS DO EGITO

Na verdade, essa é a mais constante e perigosa das pragas da humanidade. De fato, é difícil passarmos um dia sem recebermos ao menos uma ferroada de mosquito. O mosquito é o inimigo mais perigoso do homem, transmissor de várias enfermidades, e sempre presente. Seus ovos não amadurecem todos ao mesmo tempo, mas são programados a chocar gradualmente, um óbvio truque da natureza com vistas à preservação da espécie. As únicas regiões do mundo isentas de mosquitos são a Ártica e a Antártica, absolutamente congeladas. E mesmo nas áreas subárticas, o mosquito consegue sobreviver, incomodando a todos os demais seres vivos. Somente as fêmeas do mosquito sugam o sangue, o qual é necessário para sua reprodução. E elas também se deliciam com o sangue. Os machos da espécie sugam o néctar das plantas. Alguns intérpretes acreditam que o inseto em pauta era alguma espécie de mosquito da areia ou alguma espécie de pulga. Segundo o texto bíblico ajunta essa praga foi iniciada quando Aarão bateu no pó da terra, que então se transformou em uma incrível massa de insetos. Porém, há quem pense que temos aí uma linguagem simbólica. Os mágicos do Egito não conseguiram duplicar o milagre. E podemos pensar que foi o poder divino que restringiu o poder demoníaco que atuava por detrás das mágicas dos egípcios.

4. *Moscas* (Êxo. 8:20-32)

Em foco provavelmente está algum tipo de mosca ferroadora dos alagadiços e não a mosca doméstica comum que conhecemos. Mas mesmo estas últimas, em grande número, poderiam ser perigosas e incômodas. A etimologia da palavra envolvida não identifica o inseto. Mas o número fantástico das moscas torna óbvio que estava em operação algum poder divino incomum. O Faraó queria que Moisés e Aarão efetuassem ritos e oferecessem sacrifícios que o isentassem de permitir a saída dos escravizados israelitas do Egito. E o Faraó prometeu dar liberdade aos israelitas se o Egito fosse livrado daquela praga; mas, assim que esta começou a amainar, novamente o monarca egípcio mudou de opinião.

5. *Pestilência nos Animais* (Êxo. 9:1-7)

Está em pauta alguma enfermidade nos animais domésticos, embora a mesma não seja definida com precisão. Talvez esteja em pauta algum tipo de infecção, resultando em condições de saúde extremamente adversas no gado, ou que talvez até tenha antecedido a outras pragas. É possível que algum inseto tenha propalado a doença entre os animais. Os animais dos israelitas, porém foram poupados por razões que desconhecemos. Mas devemos imaginar que houve alguma intervenção divina em favor do gado de Israel. Alguns estudiosos pensam que o gado dos egípcios estava solto nos campos, ao passo que o gado dos israelitas estava confinado em estrebarias, o que teria protegido o mesmo das enfermidades apanhadas ao ar livre. Mas, embora o Faraó tivesse podido verificar o fato de que somente o gado dos egípcios havia sido afetado e morrera (ao passo que nada disso sucedera ao gado dos israelitas), ele permaneceu de coração endurecido.

6. *Úlceras* (Êxo. 9:8-12)

Essas úlceras mui provavelmente eram causadas por picadas de insetos, que permitiam que bactérias como estreptococus e estafilococus penetrassem sob a proteção da pele. A mosca cujo nome científico é *Stomoxys calcitrans* multiplica-se na matéria em decomposição, e poderia ser a principal transmissora. Essas úlceras (ao que parece) afetavam principalmente as mãos e os pés (ver Êxo. 9:11). Os mágicos do Egito também foram afetados por essa praga, pelo que não tentaram duplicá-la com suas mágicas. A etimologia da palavra hebraica envolvida sugere o irrompimento de pústulas, ou pelo menos de inchaço com pus. Alguns eruditos pensam estar em foco a peste bubônica, mas essa não se ajusta ao contexto. As pessoas eram atormentadas por essa praga, mas não eram mortas em grandes números.

7. *Saraiva* (Êxo. 9:17-35)

A saraiva (em nossa versão portuguesa, «chuva de pedras») é um instrumento comum dos juízos divinos. Ver Êxo. 9:18; Isa. 28:2; Ageu 2:17. Há quem pense, igualmente, que devemos pensar aqui não na saraiva, e, sim, no «granizo». Mas, tanto a saraiva quanto o granizo (quando este é pesado é demorado) podem ser muito destrutivos. O texto sagrado diz «mui grave chuva de pedras», como os egípcios nunca tinham visto qualquer coisa parecida. Essa chuva destruiu tudo, as plantações, os animais, e até seres humanos que não se abrigaram. Mas, na terra de Gósen, onde estavam os israelitas, nada disso sucedeu. A saraiva foi acompanhada por tremenda borrasca elétrica. Isso poderia ajustar-se a condições comuns no Egito, durante o mês de fevereiro. O Faraó confessou que havia pecado, por manter suas atitudes rigorosas. O linho e a cevada, que já tinham florido, foram destruídos; mas não o trigo e o centeio, que «ainda não haviam nascido». Moisés, a pedido do Faraó, fez essa praga cessar, embora sabendo que o Faraó ainda não humilhara o seu coração diante de Deus.

8. *Gafanhotos* (Êxo. 10:1-20)

Ver o artigo separado intitulado *Praga de Gafanhotos*, quanto a uma completa descrição do poder destruidor desse inseto. Certas condições climáticas fazem esses insetos modificarem-se fisicamente e multiplicarem-se em números astronômicos. A raiz hebraica desse vocábulo para «gafanhoto» significa «enxame». No Egito, pragas de gafanhotos eram uma constante, conforme também se sabe através de várias fontes literárias. O texto menciona um vento que soprou durante um dia e uma noite, e que trouxera os gafanhotos. Poderíamos interpretar que esse vento foi divinamente enviado. Além disso, o número dos gafanhotos foi tão grande que os próprios egípcios perceberam haver nessa praga um dedo do sobrenatural. O Faraó ficou desesperado, e mandou chamar Moisés e Aarão às pressas a fim de que orassem a Yahweh para que a praga cessasse. E então, veio um forte vento ocidental que levou para longe os gafanhotos. Ainda assim, o Faraó não permitiu que os israelitas saíssem do Egito. É que o Senhor havia endurecido o coração do Faraó (Êxo. 10:1), a fim de que Deus tivesse a oportunidade de exibir os seus sinais e as suas maravilhas. Alguns intérpretes assumem uma posição calvinista extremada aqui, vendo somente o lado divino da questão (Deus endureceu o coração do Faraó, e este foi apenas um títere nas mãos de Deus); mas outros afirmam que Deus endureceu um coração que já estava endurecido pela desobediência, desde o momento em que resistira a Moisés e a Aarão, antes mesmo da primeira praga. Seja como for, o fato é que o Faraó sofreu uma cegueira judicial, a princípio cultivada por sua própria desobediência e incredulidade, e então, confirmada pela vontade divina. Esta interpretação é mais racional; a primeira interpretação é duvidosa, mesmo porque também lemos que o Faraó endureceu o seu próprio coração. Lemos no vs. 34: «...Faraó... endureceu o seu coração, ele e os seus oficiais».

9. *Trevas* (Êxo. 10:21-29)

As trevas encobriram o Egito inteiro, excetuando a terra de Gósen (vs. 23), onde Israel habitava. As trevas foram totais, absolutas. Um homem não podia

PRAGAS DO EGITO

ver a um seu semelhante que estivesse na sua frente. Alguns intérpretes entendem que houve nisso um acontecimento sobrenatural, talvez único até hoje, em toda a história da humanidade. Mas outros pensam que algum forte vento provocou uma tempestade de poeira. Porém, também devemos pensar na chamada «poeira cósmica», que poderia ter bloqueado toda luz solar e das estrelas, no espaço sideral, durante algum tempo. E o fato de que a terra de Gósen não sofreu esse tipo de desastre é considerado por alguns como um toque mítico, para conferir ao incidente uma aura de mistério e milagre. Mas ainda outros supõem que esse detalhe confirma a natureza miraculosa dessas trevas, visto que nenhuma outra explicação pode informar-nos por que razão uma porção tão pequena do Egito—a terra de Gósen—desfrutava de iluminação natural, enquanto o resto permanecia sob trevas espessas. Naturalmente, o escritor sagrado queria que entendêssemos ter havido uma intervenção divina miraculosa. O Faraó resolveu que seria aceitável uma saída parcial do Egito, por parte dos israelitas. As pessoas poderiam ir, mas não o seu gado. Moisés rejeitou esse plano econômico do monarca, e o Faraó ficou tão irado que disse a Moisés para partir e não voltar, sob ameaça de morte. Moisés sabia que o Faraó não mais veria o seu rosto, mas não do modo como o Faraó pensava (ver Êxo. 10:29). É que a praga final seria um golpe definitivo, depois do qual não haveria mais a necessidade da mediação de Moisés.

10. *A Morte dos Primogênitos* (Êxo. 11:1-12:36)

As calamidades sofridas até então tinham sido tão severas que o Egito jazia virtualmente arruinado. Ao término da oitava praga, a dos gafanhotos, os servos do Faraó lhe haviam dito: «Acaso não sabes ainda que o Egito está arruinado?» (10:7). Porém, nenhuma das pragas anteriores foi capaz de comparar-se à da morte dos primogênitos dos homens e dos animais. O anjo da morte passou por todo o Egito. Mas o povo de Israel foi protegido mediante a instituição da *páscoa* (vide), com seu sangue aspergido. A morte sobreveio à meia-noite. O fato de que morreram somente os primogênitos, tanto dos homens quanto dos animais, serviu de prova de que o acontecido era a mão de Deus. Um grande clamor de desespero ouviu-se por todo o Egito; e Moisés e seu povo não somente tiveram permissão de partir, mas também foram exortados a fazê-lo, de modo insistente. Acresça-se a isso que a Israel foram dados suprimentos abundantes para que pudessem partir, e isso por parte dos próprios egípcios.

III. Implicações Teológicas

1. *O Teísmo* (vide). Deus existe e está interessado em sua criação; ele faz intervenção; ele recompensa ou castiga, em contraste com o conceito deísta de Deus, de acordo com o qual Deus seria apenas transcendental e divorciado de sua criação, não fazendo intervenção, não galardoando e nem punindo, e tendo deixado a sua criação entregue aos caprichos das forças naturais. Ver sobre o *Deísmo*.

2. *A possibilidade do miraculoso* é um elemento importante na vida humana. Ver o artigo geral intitulado *Milagres*. Quanto a um operador atual de atos miraculosos, ver sobre *Satya Sai Baba*.

3. *O erro* da idolatria e da crença religiosa distorcida. Houve em todo o incidente das pragas do Egito um conflito entre Deus e as divindades Egípcias.

4. *A estupidez da rebeldia*, em face de avassaladores sinais e maravilhas, o que nos faz lembrar de Jesus e seu ministério, quando ele teve de enfrentar amarga oposição, a despeito de suas portentosas obras.

5. *A Predestinação e a Perdição*. A história das pragas do Egito foi tomada por Paulo, no nono capítulo de Romanos, a fim de ilustrar a soberania e a inexorável vontade de Deus, capaz de amaldiçoar e destruir, se ele assim o quiser. Ver Rom. 9:17,18. Essa passagem, bem como todo o nono capítulo de Romanos, tem recebido diferentes interpretações. A mais radical delas (mas aquela que o apóstolo, provavelmente, tencionava) é a que diz que, de fato, Deus manuseia os homens como peões, endurecendo-lhes os corações e tornando-os vasos de ira. Essa impiedosa vontade de Deus chega mesmo a dividir famílias, fazendo Jacó ser amado e Esaú ser odiado (ver Rom. 9:13). E isso foi decidido sem importar o que um e outro viesse a praticar de «bem» ou de «mal» (vs. 11). Isso posto, tudo depende de Deus, e o homem nada representa. Esse texto (paralelamente a outros) tem sido enfatizado por alguns intérpretes unipolares, que convenientemente ignoram aqueles outros textos neotestamentários que falam sobre o amor universal de Deus, sobre o intuito universal do evangelho e sobre a capacidade universal dos homens escolherem entre o bem e o mal. Os artigos chamados *Determinismo; Predestinação* e *Livre-Arbítrio* abordam todas as implicações envolvidas nesse problema. Ver também os artigos intitulados *Paradoxo* e *Polaridade*. Minha própria opinião é que a doutrina do *determinismo*, isoladamente, sem o concurso de seu pólo de amor divino e do livre-arbítrio humano, constitui uma doutrina má, destrutiva e imoral. Pois pretende dar solução ao paradoxo inerente à questão do determinismo versus livre-arbítrio humano, perfazendo uma *humano*logia, em vez de uma *teo*logia. Por outro lado, de nada adianta distorcer o nono capítulo de Romanos para que o mesmo diga o que ele não diz. Alguns intérpretes dizem, simplesmente, que o mesmo é uma peça má de teologia e recusam-se a examiná-lo. Pessoalmente, apesar de admitir a natureza paradoxal desse problema (o qual existe na filosofia e na ciência, e não meramente na teologia), lanço meu voto em favor do amor de Deus e o universal poder da expiação realizada por Cristo (ver I João 2:2), bem como da missão tridimensional de Cristo (na terra, no hades, no céu). Afinal de contas, nisso consiste a mensagem do evangelho, as boas-novas celestes para o homem. O resto do que tenho a dizer pode ser lido nos artigos mencionados acima.

6. *O Poder do Sangue de Cristo*. Uma das principais mensagens teológicas envolvidas no relato das pragas do Egito é a da expiação pelo sangue, que protegeu os israelitas do anjo da morte. Isso é um emblema do sangue de Cristo, o qual nos livra da morte espiritual. Cristo tornou-se a nossa Páscoa (ver I Cor. 5:7). Ver os artigos *Expiação* e *Expiação pelo Sangue*.

7. *A Teologia dos Tipos*. O relato sobre as pragas do Egito, especialmente em seu desfecho, mostra-nos como Deus opera entre os homens. No Antigo Testamento, isso é feito de maneira preliminar e típica. E a epístola aos Hebreus demonstra que, em Cristo, essas coisas tiveram uma grande e universal aplicação.

8. *A controvérsia conservadora-liberal* entra no problema da interpretação desses episódios históricos, o que é tratado na quarta seção deste artigo.

9. *Os Pactos*. O texto ilustra como Yahweh honrou o pacto estabelecido com Abraão, garantindo a identidade e a continuidade da nação de Israel—os descendentes de Abraão—que deveria ser o veículo da mensagem divina, culminando no aparecimento do Messias. A *libertação* de Israel fazia parte do plano divino, e tinha que ocorrer.

IV. Outras Interpretações; Críticas

PRAGAS DO EGITO — PRAGMATISMO

Com a palavra «outras» indico aquelas interpretações que procuram explicar, por meios naturais, as pragas do Egito, furtando-lhes seus elementos miraculosos ou suas causas miraculosas. Naturalmente, muitos estudiosos liberais, bem como os céticos, dizem que esse fator miraculoso foi inventado, para dar maior dramaticidade aos relatos bíblicos. Creio que é um erro ver aqui apenas um elemento miraculoso. Mas também é errado negar que os milagres podem acontecer e realmente acontecem. O artigo sobre os *Milagres* aborda detalhadamente essa questão. Alguns intérpretes, procurando promover a idéia da invenção (talvez com base em *algum* fato), chegam a opinar que o relato das pragas do Egito tem base em várias fontes informativas, destacando-se nisso a teoria do *J.E.D.P.(S.)*. Ver o artigo cujo nome é essa abreviação, quanto à teoria das múltiplas fontes informativas do Pentateuco. De acordo com isso, as pragas são divididas entre as fontes como *J* (pragas 1, 3, 4, 5, 7, 8 e 10); *E* (partes das pragas 1, 7 e 8, toda a praga 9 e partes da praga 10); *S* (partes das pragas 1 e 2, todas as pragas 3 e 6, e partes da praga 10). Desse modo, o relato é visto como uma tradição que se foi desenvolvendo, e não um relato histórico de uma série de acontecimentos vinculados entre si. Durante a Renascença e o período da Reforma Protestante, esse relato era chamado de uma lenda crua e brutal. No século XIX, a alta crítica desmembrou o relato, conforme acabamos de mostrar. E o resultado disso foi um relato tão fragmentado que é impossível defendê-lo. E alguns intérpretes complicam ainda mais a questão, pensando haver encontrado causas extraterrestres. Assim, I. Velikovsky propôs alguma catástrofe natural de origem astronômica, aplicando isso à divisão das águas do mar Vermelho e à nuvem de fumaça que emanou do monte Sinai, bem como às próprias pragas do Egito. O livro de autoria dele, *Worlds in Collision* está recheado dessas explicações cósmicas que resultaram em alterações no globo e outros eventos, as quais podem ser respeitadas, mas não aceitas sem investigação e meditação. Sem dúvida, algumas grandes transformações terrestres têm tido causas cosmológicas, mas será preciso um maior estudo para verificar se isso tem aplicação ao relato das pragas do Egito e acontecimentos subseqüentes.

Imitações Egípcias. Para muitos estudiosos liberais e céticos, o fato de que os mágicos egípcios foram capazes de duplicar algumas das pragas serve apenas para provar a natureza lendária do relato como um todo. Por outro lado, alguns eruditos conservadores encontram nisso o poder de forças demoníacas, que pode imitar os milagres de Deus, produzindo assim milagres reais, embora malignos. Não há que negar que isso pode suceder. Mas permanece questão aberta se isso tem aplicação às pragas do Egito.

PRAGMATISMO

Esboço:
I. Definições e Caracterização Geral
II. Teoria da Verdade
III. A Ética
IV. Importantes Filósofos Ligados ao Pragmatismo
V. Objeções Religiosas ao Pragmatismo

Os filósofos mencionados no corpo deste artigo mereceram descrições separadas nos verbetes escritos a respeito deles. Muitos detalhes aparecem ali que suplementam este artigo. Ver o artigo separado sobre o *Utilitarismo*, que serviu de importante influência histórica sobre o *Pragmatismo*.

I. Definições e Caracterização Geral

O termo **pragmatismo** deriva-se do termo grego *prágma*, «coisa», «fato», «matéria». Sua forma verbal é *prassein*, «realizar». O pragmatismo ensina que pensamentos, idéias e ações só têm valor em termos de conseqüências *práticas*. Dentro desse sistema filosófico, não há nenhum conjunto fixo teórico de valores. Antes, todos os valores são testados quanto às suas conseqüências práticas. As idéias devem ter «valor monetário». Qualquer idéia é considerada inútil, a menos que tenha o poder de atuar sobre as coisas ou de modificá-las. Aquilo que é «prático» prova o seu próprio valor; mas, se for deixado como uma teoria, será meramente uma curiosidade. A verdade não é fixa e nem imutável. Pelo contrário, a verdade é determinada por aquilo que é prático e funcional. As conseqüências práticas são o teste da veracidade de qualquer idéia. Usualmente, o pragmatismo é relativista. A minha verdade não é, necessariamente, a verdade de outrem; o que funciona no meu caso, não é o que funciona, necessariamente, no caso de outrem. O pragmatismo, pois, é *utilitarista*.

O *pragmatismo*, como um sistema filosófico, tem sido uma contribuição norte-americana para a filosofia, o que ocorreu nos fins do século XIX e no século XX. Mas, conforme disse William James, um dos principais expositores desse sistema: «(O pragmatismo) é um novo nome para certas maneiras antigas de pensar. Essa palavra tornou-se uma espécie de termo generalizado para referir-se a várias teorias sobre significação, verdade, conhecimento, método intelectual e ética. Comum a todas essas teorias é a ênfase sobre o caráter evolutivo e mutável da realidade, a incerteza do conhecimento teórico e a relevância do conhecimento em situações práticas, a necessidade de submeter a teste idéias e atos, mediante aquilo que eles produzem, a natureza instrumental das idéias. Os homens agem a fim de encontrar soluções para situações problemáticas e as soluções assim encontradas podem ser chamadas de «verdade»; mas nenhuma chamada verdade é algo rígido e eterno. Os filósofos pragmáticos minimizam a distinção entre o pensamento e a prática. O próprio ato de pensar é um modo de realizar, e pensar bem é realizar bem».

O termo «pragmatismo» aparentemente foi cunhado dentro do mundo filosófico em um artigo escrito por C.S. Peirce, em 1878, que definia o significado de um conceito qualquer em termos de suas conseqüências. Isso armou o palco para uma ampla esfera de atividades, de natureza religiosa, científica e ética, mantendo aquele conceito fundamental como sua base mais importante. Na quarta seção deste verbete, e em artigos separados sobre os principais filósofos pragmáticos, demonstro como esse conceito básico encontrou muitas aplicações.

A principal declaração pragmática de Peirce foi a seguinte: «Consideremos quais *efeitos* (que concebivelmente teriam conseqüências *práticas*) concebemos ser o objeto de nossa concepção. A somatória dessas conseqüências constituirá o significado inteiro daquele conceito». William James, F.C.S. Schiller e John Dewey desdobraram o pragmatismo em várias teorias da verdade, embora retendo o conceito básico. Em seu livro sobre o *Pragmatismo*, James declarou: «As idéias mostram ser verdadeiras somente até onde nos ajudam a entrar em relações satisfatórias com outros aspectos da nossa experiência». Peirce, entretanto, não se sentia feliz diante de todas as ramificações que a sua idéia foi forçada a entrar, por parte de outros filósofos, pelo que começou a denominar a sua idéia de *pragmaticismo*, que pensava ser uma palavra tão feia que ninguém haveria de querer furtá-la, para dar-lhe outro significado. Mas

PRAGMATISMO

muitas pessoas religiosas não apreciam a postura relativista desse sistema. E Bertrand Russell, apesar de ser até um ateu, chamou esse sistema de «obscurantista».

Não obstante, o pragmatismo exerceu um tremendo impacto sobre a filosofia, e tem sido considerado como a grande contribuição isolada dos filósofos norte-americanos ao pensamento filosófico. Naturalmente, o pragmatismo depende de certas idéias éticas e epistemológicas dos antigos sofistas, como também do empirismo, do relativismo e do método científico e das idéias de evolução.

A influência do pragmatismo, sobre o pensamento teológico protestante, foi profundamente sentida entre os círculos liberais. A chamada *escola de Chicago*, liderada por John Dewey, tentou expressar a fé cristã em termos da filosofia pragmática e empírica. — Um de meus professores havia sido estudante de Dewey, pelo que cheguei a ouvir pessoalmente essa forma de pragmatismo quase de sua fonte. O pragmatismo exerceu grande poder sobre o sistema educacional norte-americano, durante muito tempo, e isso influenciou, indiretamente, as escolas evangélicas. O grande lema era ali «experimentação»; e, em seguida, «instrumentalismo». Para o pragmatismo não há conseqüências fixas e finais. Todas as conseqüências tornam-se instrumentos para novos começos. O aparecimento da neo-ortodoxia tendeu por entravar a influência do pragmatismo sobre o pensamento e a vida protestantes. Naturalmente, as igrejas evangélicas fundamentalistas opuseram-se ao pragmatismo desde o seu início.

II. Teoria da Verdade

Forneci uma detalhada descrição a esse respeito no artigo *Conhecimento e a Fé Religiosa, O*, seção II. *Teorias da Verdade: Critérios*, ponto décimo primeiro, *Pragmatismo*. A essência da idéia pragmática sobre a verdade, ou seu critério para avaliar a verdade, é o «valor monetário» prático que essa idéia tenha. Uma idéia funciona bem? Contribui com algo? Com o que ela contribui? Mas, se alguma idéia é meramente teórica, não é considerada válida como verdade. Somente as idéias que funcionam é que são verdadeiras. As idéias que produzem conseqüências desejáveis são idéias *verdadeiras*. O valor de verdade de qualquer idéia está nas contribuições práticas da mesma. Essa maneira de pensar acabou sendo aplicada à fé religiosa. Em um dos extremos, alguns filósofos pragmáticos não podiam perceber grande valor de verdade nas idéias religiosas, pelo que tendiam por ser evolucionistas e humanistas. Mas, no outro extremo, William James tinha a certeza de que as idéias sobre Deus e a alma são valiosas e exercem notável influência sobre os homens, produzindo muitos resultados. Para ele, o sistema pragmático fica empobrecido, sem o concurso dessas idéias. As idéias são verdadeiras quando provêm *soluções práticas* para os problemas, sem importar se esses problemas são de natureza científica, ética ou religiosa.

«Peirce, o fundador do pragmatismo, definia a verdade como um conjunto de crenças que é defendido pela comunidade de inquiridores, a longo prazo—após uma série indefinidamente longa de inquirições. A contraparte objetiva dessas crenças seria a *realidade*. A verdade, pois, é o resultado da inquirição» (P). Essa citação destaca o método empírico (científico) de testar e estabelecer a verdade. À idéia empírica é acrescentada a idéia prática. Essa inquirição precisa produzir resultados práticos. Dewey enfatizou o problema mostrando qual o alvo dessa inquirição. Ver o artigo separado *Verdade, Teorias da*.

III. A Ética

As bases da ética pragmática são a evolução, o humanismo, o positivismo e a sociologia moderna.

1. *A ênfase sobre o homem*, e não sobre teorias acerca de Deus, e como Deus deu ao homem a sua ética, é própria do pragmatismo. Naturalmente, existem cristãos pragmáticos; e essa declaração não se aplica a eles. Porém, até mesmo eles mantêm um forte ponto de vista humanista da ética. É seguro dizer que a maioria dos pragmáticos compõe-se de homens ateus, deístas e agnósticos. William James, pois, foi uma notável exceção.

2. *As idéias inatas* não fazem parte desse sistema. Para os filósofos pragmáticos, as idéias nos chegam por meio da experiência, e o valor de verdade das idéias é descoberto mediante a inquirição e a contínua experimentação. Somente a experiência humana pode fornecer-nos a ética humana. A conduta humana ideal é descoberta para cada indivíduo mediante experimentações pessoais e coletivas. Os pensadores pragmáticos egoístas acreditam em um valor ético para cada indivíduo, o que os relativistas também afirmam. Os pragmáticos comunais crêem que a experiência humana é suficientemente comum de indivíduo para indivíduo, de tal maneira que pode haver valores éticos coletivos, e não meramente individuais.

3. *A Evolução*. Aquilo que mostra ser bom, mediante o processo evolutivo, corresponde à verdade. A utilidade consiste no que é bom, quando testado e provado. As idéias éticas válidas dos homens são um subproduto do processo evolutivo, e não um dom de Deus, que os homens aceitem como final e perfeito. Não existiria tal coisa como um ponto final. Cada ponto terminal torna-se um meio para dar início a outra coisa qualquer. As idéias éticas dos homens estão sempre em estado de fluxo e desenvolvimento. Diferentes sociedades precisam de diferentes soluções. Uma geração não pode viver conforme a ética de outra geração.

4. *O Positivismo*. A maioria dos pensadores pragmáticos concorda com os positivistas, os quais abandonaram qualquer busca pela verdade absoluta e perfeita. Isso posto, a verdade é definida por eles em termos de utilidade e practicalibilidade, qualidades que emergiriam da experimentação. Isso é verdade até no que concerne às idéias éticas. Os *universais* (vide) não seriam entidades metafísicas, mas apenas termos da linguagem humana, que descrevem experiências comuns (*nominalismo*). Universais éticos são estabelecidos mediante o desenvolvimento de idéias, obtido através de experimentação.

5. *O Estado de Fluxo*. Não se pode esperar, de acordo com o pragmatismo, que a verdade de hoje seja a verdade de amanhã, da mesma forma que não pode o homem moderno viver segundo a verdade do homem da antiguidade. Cumpre-nos abandonar questões finais, e continuar a explorar as possibilidades, que poderão melhorar nossas idéias e nossos atos. O desenvolvimento evolucionário do homem é uma prova da necessidade de uma ética em estado de fluxo. O homem estaria em um estado de fluxo; e a ética também. Os termos «bom» e «mau» são palavras que, por si mesmas, descrevem o que temos descoberto, o que tem mostrado ser benéfico ou prejudicial. Com a passagem do tempo, à medida que esse fluxo prossegue, esses vocábulos poderão adquirir sentidos e valores diferentes.

IV. Importantes Filósofos Ligados ao Pragmatismo

1. *Charles Sanders Peirce* (vide) adaptou o termo «pragmatismo» com base em idéias de Emanuel Kant. Kant havia feito a distinção entre a *razão prática*

PRAGMATISMO

(vide) e a *razão crítica* (vide). As teorias de Peirce, pois, foram desenvolvidas com base nas sugestões de Kant. Ele desenvolveu a *máxima pragmática* que mencionei na primeira seção, quarto parágrafo, deste artigo. Ver também *Peirce, Idéias*, primeiro item.

2. *William James* (vide) foi quem ampliou ainda mais essa máxima, conferindo-lhe a seguinte formulação: «O significado de qualquer proposição sempre pode ser reduzido a alguma conseqüência particular em nossa futura experiência prática, sem importar se passiva ou ativa». Ele utilizava essa idéia básica nos campos da ética, do pensamento religioso, da verdade e da significação. Assim, ele conferiu aos pragmáticos uma expressão mais lata, incluindo as questões religiosas e as experiências místicas, coisas essas explicadas no meu artigo acerca dele.

3. *Royce* (vide) falou sobre o *pragmatismo absoluto*, uma expressão usada por ele para designar o seu sistema filosófico geral, já nos últimos anos de sua vida. Sua filosofia concentrava a atenção sobre como uma pessoa pode passar do caráter finito e fragmentar da experiência ordinária para uma plenitude infinita e bem ordenada da experiência, e assim chegar a conhecer a Deus, ou seja, o Absoluto. Um tipo de practicabilismo está envolvido nisso. À experiência humana fragmentar confere-se assim uma unidade e uma significação, na pessoa de Deus. O que é temporal subentende o que é eterno, e é no eterno que achamos o bem final.

4. *Giovanni Papini* (vide) manifestava-se em favor da tolerância, de acordo com a qual os filósofos poderiam defender teorias em conflito, mas todas as quais deveriam satisfazer ao critério usado pelo pragmatismo.

5. *Le Roy* (vide) aplicou a máxima pragmática tanto à ciência quanto à religião.

6. *F.C.S. Schiller* (vide) aplicou a espécie de pragmatismo de William James à filosofia inglesa, embora sua variedade seja mais relativista do que a de James. A verdade e a realidade seriam, pelo menos em parte, construções da mente humana, e não entidades absolutas.

7. *G.H. Mead* (vide) aplicou os ideais pragmáticos aos presentes contextos biológicos e sociais.

8. *John Dewey* (vide) procurou fazer uma reconstituição da filosofia, e acreditava que o pragmatismo oferece-nos a chave para tanto. Ele frisava o *instrumentalismo*, dizendo que a verdade é *garantida pela sua afirmabilidade*. Todos os fins seriam instrumentos para novos começos. A inquirição seria básica em todos os atos, instituições e idéias dos homens. Dewey exerceu poderosa influência sobre a esfera da educação, e enfatizou que há um processo mútuo de aprendizado que gravita entre o professor e seus alunos. A liberdade é necessária para que o ser humano funcione bem, e a democracia é o sistema político que melhor promove essa liberdade.

9. *C. I. Lewis* (vide) desenvolveu um sistema ao qual chamou de *pragmatismo conceitualista*. De acordo com sua explicação, a mente supre as categorias, os conceitos e os princípios que são então experimentados de maneira organizada na vida diária. A polaridade valor-desvalor da experiência humana é um modo de experiência.

10. *Ernest Nagel* (vide) criou uma espécie de naturalismo pragmático alicerçado, essencialmente, sobre as idéias de Peirce e de Dewey. Ele acreditava que a inquirição humana é autocorretiva.

V. Objeções Religiosas ao Pragmatismo

O estudioso que ler as obras de William James encontrará ali muita coisa valiosa a ser aplicada à fé religiosa. A experiência religiosa também é uma experiência válida, e as experiências místicas são o alicerce de todas as fés religiosas. Ver sobre o *Misticismo*. William James muito trabalhou nesse assunto, em seu livro *Varieties of Religious Experience*. Ele tem ali muito a dizer em favor da existência da alma, útil para o pensamento religioso. No campo da *ética*, deve-se admitir que muitas questões são práticas, e precisam ser solucionadas dentro da arena da experiência humana, e não com base em regras fixas de algum sistema de pensamento.

Pelo lado negativo, a ética relativista do pragmatismo é rejeitada, porque não reconhece o valor da revelação e dos livros sagrados. Naturalmente, o pragmatismo ateu, agnóstico e positivista é ali retratado como perversões da verdade, e não como melhores abordagens à verdade. As pessoas religiosas reconhecem o valor da experiência humana a fim de ensinar e definir a verdade; mas também crêem que há outros meios válidos, a começar pela revelação, mas também incluindo a razão e a intuição, especialmente quando estas são guiadas pelo Espírito de Deus. A maioria das pessoas religiosas não acredita que as questões éticas possam ser solucionadas meramente por indivíduos isolados. Os problemas quase sempre são de ordem coletiva, e existem princípios éticos que transcendem ao indivíduo. Algumas definições nos são fornecidas pela revelação divina, e não precisam ser testadas pela experiência humana. E, apesar de que, em muitos casos, possamos afirmar que a minha verdade é minha, e que a tua verdade é tua, quando não estão em foco princípios éticos vitais, por outro lado há casos em que tanto eu quanto tu precisamos moldar-nos à verdade divinamente revelada. Assim sendo, Dewey dizia que a sociedade é que testa a verdade, e não o indivíduo isolado; mas, acima da sociedade humana, também poderíamos apelar para os valores espirituais. As almas humanas têm valores que são permanentes e coerentes, e não transitórios. É aquilo que os homens talvez chamem de «bom», pode não ser «bom», em última análise. Deve haver um critério superior para a verdade do que meramente aquilo que é prático. Isto posto, a forma de pragmatismo que ignora a experiência religiosa e os valores espirituais ignora um aspecto importantíssimo da experiência humana. Ora, os livros sagrados estão fundamentados sobre a *experiência mística*.

Muitos pensadores pragmáticos têm dado um valor exagerado ao *behaviorismo* (vide). Mas o homem é mais do que um animal que esteja aprendendo a viver com outros animais, que esteja exercendo seus instintos e esteja sendo moldado pelo condicionamento de seu meio ambiente. Existem grandes verdades espirituais que em coisa alguma são afetadas pela experimentação humana. Meditemos sobre as verdades da imortalidade da alma, e do Deus diante de quem a alma terá de prestar contas; dos *milagres* (vide), que têm por base princípios superiores àqueles concebidos pelo espírito utilitarista. Tentar investigar a verdade exclusivamente através de meios empíricos, limitados à experiência *humana*, é abordar a verdade de uma maneira muito parcial. Pois há grandes e profundas verdades que não foram inventadas pelo homem, mas que são acessíveis para o homem, se não as buscarmos apenas pelo ângulo prático. A revelação divina, a razão, a intuição e as experiências místicas podem fornecer-nos muitas verdades que são ignoradas pelo pragmatismo e seus critérios limitados. Em outras palavras, apesar de sua utilidade quanto a certas questões, o pragmatismo é um sistema provincial, com limitações auto-impostas.

Bibliografia. Ver as obras de cada filósofo acima mencionado. Esses livros estão alistados sob o título

Escritos. Obras de referência úteis que esclarecem facetas do pragmatismo são AM E EP F H MM P.

PRAIA

No hebraico, há três palavras envolvidas que nos convém examinar, e, no grego, três, a saber:

1. *Choph*, «praia». Esse termo hebraico ocorre por sete vezes, conforme vemos em Juí. 5:17; Jer. 47:7; Jos. 9:1; Eze. 25:16.

2. *Qatseh*, «fim», «extremidade». Palavra hebraica usada apenas por uma vez com o sentido de «costa marítima», em Jos. 15:2.

3. *Saphah*, «lábio», «beirada». Vocábulo hebraico empregado por seis vezes com o sentido de «praia», a saber: Gên. 22:17; Êxo. 14:30; Jos. 11:4; I Sam. 13:5; I Reis 4:29 e 9:26.

4. *Aigialós*, «praia». Palavra grega empregada por seis vezes: Mat. 13:2,48; João 21:4; Atos 21:5; 27:39,40.

5. *Cheílos*, «areia». Palavra grega que aparece por sete vezes: Mat. 15:8 (citando Isa. 29:13); Mar. 7:6; Rom. 3:13 (citando Sal. 140:4); I Cor. 14:21 (citando Isa. 28:11); Heb. 11:12; 13:15; I Ped. 3:10 (citando Sal. 34:14).

6. *Prosormízo*, «puxar para a praia». Palavra grega usada exclusivamente em Mar. 6:53.

As praias do mar desempenham um papel bastante insignificante na narrativa bíblica, excetuando dentro do contexto da símile familiar para os leitores da Bíblia: «...muito povo, em multidão, como a areia que está na praia do mar» (Jos. 11:4), ou expressão paralela. Os israelitas nunca foram um povo voltado para as atividades do mar, de tal modo que até mesmo as suas costas marítimas do Mediterrâneo quase nunca foram bem controladas por eles. Ver sobre *Mar* e *Mar Grande*. Em conseqüência disso, para os israelitas o mar permanecia um elemento estranho e hostil. Nas páginas do Novo Testamento, as referências razoavelmente freqüentes ao mar dizem respeito ao mar da Galiléia, visto que tão grande parcela do seu sustento era extraída dali. Em torno do mar da Galiléia desenvolveu-se uma ativa indústria pesqueira que, nos tempos neotestamentários, exportava o pescado até para a capital do império romano. No círculo quase contínuo de cidades e aldeias, em redor desse mar interior que, na realidade, era apenas um lago, na época do Novo Testamento não somente a pesca, mas igualmente toda a espécie de meio de transporte (como no caso do trigo que era transportado por meio de embarcações de um lado para outro do lago) formava a base dos empregos remunerados. Em conseqüência disso, pode-se dizer que Jesus escolheu a região mais ativa e populosa do território para servir de seu púlpito, quando resolveu pregar nas cidades em torno do mar da Galiléia, como um dos centros do seu ministério. E, sem dúvida alguma, as marcas deixadas pelas passadas de Jesus, ficaram impressas nas areias da praia do mar da Galiléia, entre tantas outras daquela região.

PRANTO

Ver o artigo sobre *Lamentação*.

PRATA

No hebraico, **keseph**. Essa palavra era usada com o sentido de prata, propriamente dita, ou com o sentido de dinheiro. Com o sentido de «prata» aparece por duzentas e oitenta e sete vezes, desde Gên. 13:2 até Mal. 3:3, o que significa que é palavra bastante comum no Antigo Testamento. Isso sem falar nas cento e quinze vezes que ela aparece com aquele outro sentido. No grego, *árguros*, palavra que é usada por quatro vezes no Novo Testamento: Mat. 10:9; Atos 17:29; Tia. 5:3 e Apo. 18:12. As palavras cognatas *argúreos*, «prateado», e *argúrion*, «moeda de prata», ocorrem por mais vinte e quatro vezes, no total.

A prata é um dos metais preciosos. Tem cor branca, é dúctil e tão maleável que pode ser reduzida a folhas tão finas quanto 0,00025 mm. Sua densidade é 10,5 e funde-se a 961 graus centígrados. Dá boas ligas com outros metais, como o ouro, o cobre, o níquel e o zinco. O ouro nativo apresenta um teor de entre 10 e 15 por cento de prata. O metal chamado electro, usado em muitas moedas antigas, era a liga natural com o ouro, com 15 a 45 por cento de prata. No Egito, essa liga era chamada *asem*. A estrutura dos cristais de prata assemelha-se às dos cristais do ouro (vide) e do cobre (vide), um entrelaçado de cubos. As dimensões das células cúbicas básicas da prata e do ouro, formadas por quatro átomos, são quase idênticas, e, por causa disso, a prata substitui o ouro, e vice-versa, com cem por cento de eficácia.

Em face de sua comparativa escassez, cor branca, grande lustre (a prata é o mais lustroso de todos os metais), resistência à oxidação atmosférica e maleabilidade, a prata tem sido usada, desde a antiguidade, no fabrico de artigos de luxo e valor, como, para exemplificar, ornamentos (ver I Crô. 18:10; Atos 19:24), jóias e moedas (ver Lev. 5:15; Mat. 26:15). A prata mais antiga, provavelmente, provinha do norte da Síria (o estado arameu de Zobá, I Sam. 14:47), bem como de certas regiões da Ásia Menor. Visto que não havia prata no território da Palestina, Israel a importava de Társis (I Reis 10:22; Jer. 10:9 e Eze. 27:12). Para os judeus, não era tão rara quanto o ouro (II Reis 15:19,20). Na corte de Salomão, o ouro era tão abundante, de modo que todas as taças do seu palácio eram feitas desse metal mais nobre, que ali nada havia feito de prata, porquanto, na época daquele monarca judeu, no dizer de I Reis 10:21, «não se dava a ela estimação nenhuma».

No Egito conhecia-se a prata, embora ali fosse muito rara. Menes, que fundou a primeira dinastia do antigo Egito (cerca de 3100 A.C.) estabeleceu o valor da prata como um quarto do valor do ouro. Conhecem-se ornamentos caldeus feitos de prata, provenientes de cerca de 2850 A.C. Parte das riquezas materiais de Abraão consistia em peças de prata (Gên. 13:2). Em Tiro, cidade fenícia, havia prata em grande abundância (Zac. 9:3). É provável que, por volta de 800 A.C., todas as nações entre o Nilo e o Indus usassem tanto o ouro quanto a prata como dinheiro. Os registros dos romanos nos mostram que antes de ser usado o termo *argentum* para indicar a prata, a prata era chamada *luna* e seu símbolo era uma lua em quarto crescente. Os alquimistas da Idade Média usavam esse mesmo símbolo e denominavam a prata de luna ou de ártemis, este último nome com base na grande deusa pagã da Ásia (cf. Atos 19:10,22,26,27).

A prata era utilizada na confecção de adornos (Gên. 24:53; Êxo. 3:22), utensílios diversos, como pratos ou colheres, e até mesmo ídolos (Isa. 2:20; Atos 19:24).

Estranhamente, a prata nativa ocorre com bem maior raridade do que o ouro nativo, mas encontra-se largamente distribuída em pequenas quantidades. Grande parte da produção mundial de prata provém da mineração do chumbo, como a galena, ou de sulfetos de cobre e zinco, os quais contêm pequena porcentagem de prata. Todavia, a prata pode ser extraída de seus minérios mediante certo número de processos metalúrgicos simples, entre o quais aquele chamado *copelação*, que remonta aos tempos dos babilônios antigos, e que até hoje é usado. Esse processo é interessante para nós, pois explica a formação da «escória» da prata, referida em Eze. 22:18. O minério de prata era fundido juntamente com chumbo ou minérios de chumbo, em uma fornalha simples. A liga daí resultante—prata-chumbo—era então fundida em um forno poroso de cinzas de ossos. O chumbo oxidava-se em contato com o oxigênio do ar, formando uma camada do óxido de chumbo derretido. Quaisquer outras impurezas metálicas também se oxidavam e se dissolviam no óxido de chumbo, que era então removido como uma fina camada à superfície do metal fundido. Somente a prata, juntamente com algum ouro ou platina presentes, permanecia no cadinho, sem a presença de qualquer outro metal (cf. Isa. 1:22). Ver sobre o artigo *Metais e Metalurgia*.

A prata cria uma camada escura devido à ação do ácido sulfúrico ou de compostos sulfurosos na atmosfera, depositando uma camada de sulfeto de prata à superfície dos objetos feitos desse metal. Esse efeito pode ser verificado especialmente nas cidades pesadamente industrializadas, como São Paulo, capital do estado do mesmo nome. Talvez por esse motivo os habitantes do Rio de Janeiro, que é relativamente pouco industrializado, apreciem tanto o uso de adornos de prata, o que já não sucede na cidade de São Paulo. Mas talvez o motivo seja outro, a saber, o medo dos assaltantes e descuidistas, chamados «trombadinhas» ou «trombadões», dependendo de serem eles menores de idade ou adultos. Já nos tempos bíblicos, a prata não perdia tão facilmente o seu lustro e nem enegrecia, a menos se estivesse em lugares onde houvesse minérios de sulfetos. Ver também sobre *Moedas*.

PRATA BATIDA

No hebraico, é uma expressão que indica «espalhar em chapas». Desde há muito que os homens reconhecem a maleabilidade da prata. Os fenícios exportavam chapas finas de prata batidas a martelo (Jer. 10:9). Um uso comum da prata era o servir de incrustações nos ídolos (Is. 30:22) e recobrir peças de uso caseiro, conforme se vê também nos móveis do tabernáculo (Êxo. 38:17). Até mesmo certas peças de cerâmica eram recobertas com uma fina camada de prata (Pro. 26:23). (FOR)

PRATA, CORDA (FIO) DE Ver **Fio de Prata**.

PRATO

Três palavras hebraicas e duas palavras gregas estão envolvidas neste verbete. Vários tipos de pratos são mencionados nas Escrituras, e nem sempre há certeza sobre o tipo exato em foco. A arqueologia tem iluminado bastante essa questão. Alguns pratos eram bastante crus, essencialmente feitos de argila não trabalhada. Outros eram autênticas obras de arte, altamente coloridos, principalmente nos tons verde, azul e amarelo. Também havia pratos feitos de vários metais, principalmente de cobre.

1. *Sephel*, «baixo». Palavra hebraica que provavelmente alude a um prato ou panela rasa. Aparece somente por duas vezes: Juí. 5:25 e 6:38. Na primeira referência temos um prato para conter manteiga ou coalhada; na segunda referência talvez uma taça para água.

2. *Tsallachath*, «colo», um prato ou algum outro receptáculo para receber uma libação (II Reis 21:13). Em Pro. 19:24 e 26:15, algumas versões traduzem, erroneamente, por «seio». Melhor é fazer como faz nossa versão portuguesa, que também traduz essa palavra por «prato».

3. *Qearah*, «prato», «pires». Palavra hebraica que ocorre por três vezes com esse sentido: Êxo. 25:29; 37:16; Núm. 4:7. Essa palavra hebraica significa «fundo», pelo que poderíamos imaginar algo parecido com um de nossos pratos fundos. Os pratos de ouro do tabernáculo tinham esse nome, no hebraico.

4. *Trublíon*, «prato», «terrina». Termo grego que aparece somente em Mat. 26:23 e Mar. 14:20. Aparece na narrativa sobre a última Ceia, onde Jesus e os seus discípulos molhavam o pão no molho.

5. *Pínaks*, palavra grega que se refere, metaforicamente, ao prato raso cujo lado externo os fariseus mantinham limpo, ao passo que no interior havia muita sujeira. O vocábulo grego ocorre por cinco vezes: Mat. 14:8,11; Mar. 6:25,28; Luc. 11:39. É neste último versículo que Jesus acusa os fariseus de hipocrisia.

Os antigos egípcios e israelitas tinham o interessante mas anti-higiênico costume de usarem um *único* prato para servir os alimentos, em cujo prato, posto sobre uma mesa, todos os participantes da refeição metiam o seu pão, para absorver o molho. Essa prática era considerada sinal de hospitalidade e de amizade. As pessoas não usavam talheres, mas apanhavam os alimentos com os dedos. O pão era usado como colher. Ficar com um pedaço escolhido, quando se era um convidado, era receber um cumprimento e um sinal de amizade. Ver João 13:25-27; Mat. 16:23.

Na antiguidade, muitos pratos tinham forma oval, e eram mais rasos do que os atuais, como também maiores. Podemos supor que o prato sobre o qual foi entregue a cabeça de João Batista era especial, de ouro ou de prata, algo adequado para a circunstância festiva e solene da ocasião. Os pratos eram feitos de metal, cerâmica e madeira.

O Senhor Jesus usou a palavra «prato» de modo figurado, quando falou sobre a hipocrisia que inclui a corrupção interior oculta, com aparência externa de piedade, de tal modo que o copo ou prato pode parecer limpo, mas, ao ser examinado com cuidado, contém toda espécie de corrupção. Ver Mat. 23:25,26; Luc. 11:39.

PRAXE

No grego, **éthos**, «hábio», «costume», «praxe». Essa é a palavra raiz por detrás de *ética* (que vede). A palavra grega tem sido transliterada para algumas línguas modernas, embora não para o português, a fim de referir-se aos *valores* costumeiros de uma sociedade ou grupo social. Assim, fala-se na *praxe puritana*, que enfatizava o trabalho árduo como uma virtude. A **praxe norte-americana** consiste em admirar o avanço tecnológico. A *praxe ocidental*, pós-renascença, é o respeito pelo individualismo. A *praxe do capitalismo* insiste sobre o direito à propriedade privada e à iniciativa pessoal, entre outras coisas. E a *praxe cristã* é a ética que gira em torno do princípio do amor.

PRAXIOLOGIA

Ver sobre *Kotarbinski*, quarto ponto.

••• ••• •••

PRAZER

PRAZER
Esboço:
1. Considerações Bíblicas
2. Definições Amplas e Truques Filosóficos
3. A Alegria de Quem Serve a Jesus
4. O Prazer nas Funções Bem-Sucedidas

1. Considerações Bíblicas

Os termos hebraicos traduzidos por «prazer» têm raízes que indicam as idéias de «boa vontade», «intenção» e «prazer» (mental ou físico). Ver Nee. 9:37; Sal. 51:18; 111:2; Ecl. 5:4; 12:1; Isa. 58:3. Uma outra palavra hebraica, que significa «propósito» ou «vontade», aparece em Êxo. 10:10; Isa. 44:28; 46:10; 48:14 e 53:10.

O termo grego *eudokía*, «boa vontade», «bom propósito», algumas vezes é traduzido por prazer. Ver Mat. 11:26; Luc. 2:14; 10:21; Rom. 10:1; Efé. 1:5,9; Fil. 1:15; 2:13; II Tes. 1:11. A sua forma verbal, *eudokéo*, figura por vinte e uma vezes: Mat. 3:17; 12:18 (citando Isa. 42:1); 17:5; Mar. 1:11; Luc. 3:22; 12:32; Rom. 15:26,27; I Cor. 1:21; 10:5; II Cor. 5:8; 12:10; Gál. 1:15; Col. 1:19; I Tes. 2:8; 3:1; II Tes. 2:12; Heb. 10:6 (citando Sal. 40:7); 10:8,32 (citando Hab. 2:4); II Ped. 1:17. Mas a palavra grega comumente traduzida por «prazer», no Novo Testamento, é *edoné*. Ver Luc. 8:14; Tito 3:3; Tia. 4:1,3; II Ped. 2:13. É daí que se deriva nosso adjetivo «hedonista», que indica alguém cujo alvo na vida é o *prazer*. Temos apresentado um detalhado artigo sobre o *Hedonismo*, que expõe os vários pontos de vista filosóficos sobre os valores ou desvantagens dos prazeres, bem como o modo em que essa palavra aparece usada nos sistemas filosóficos. Nas referências bíblicas que acabamos de dar, na maioria dos casos estão em foco os prazeres pecaminosos, que guerreiam contra o bem da alma, o que já é uma forma de morte. Mas esses prazeres pecaminosos também aparecem no Novo Testamento grego como *spataláo* (I Tim. 5:6; Tia. 5:5), ou como *trufáo*, (Tia. 5:5). O primeiro desses verbos significa «viver sensualmente»; e o segundo, «viver indulgentemente», «viver em orgias».

2. Definições Amplas e Truques Filosóficos

Tal como qualquer outra palavra de rico significado, o termo «prazer» pode receber certo número de definições, indicando tanto aquilo que é bom quanto aquilo que é mau. Se estivermos falando sobre as alegrias da vida após-túmulo, sobre a ausência de sofrimentos, sobre as enfermidades ou sobre as alegrias que temos no Senhor, então estaremos falando sobre prazeres desejáveis. Mas, se estivermos aludindo às coisas deste mundo que dão prazer aos homens carnais e impedem a inquirição da alma (ver I João 2:15-17), então já estaremos falando a respeito de prazeres pecaminosos e daninhos. Mas, mediante um truque filosófico, podemos emprestar à palavra «prazer» uma definição tão ampla que podemos fazer dos prazeres o alvo mesmo da vida neste mundo. Um exemplo tradicional disso consiste em salvar a vida de outrem, somente para perder a própria vida. Presumivelmente, esse ato seria um «prazer». Digamos, para exemplificar, que o leitor veja uma criança que está se afogando. O leitor não sabe nadar, pelo que um cálculo rápido lhe diz que não são muito boas as chances dele salvar à criança e a si mesmo. De acordo com essa teoria, o leitor estará fazendo uma rápida «avaliação de prazer». Se não fizer a tentativa de salvar a criança, sentirá depois muito remorso, pela perda da pequena vida. Mas o leitor também julga que seria menos doloroso perder a própria vida do que ficar com remorso pelo resto da vida, além de ter de passar por um covarde. E assim, o leitor prefere o «prazer» de fazer a tentativa, com o risco da própria vida. Porém, o que sucede em um caso assim é que a pessoa pesou as «alternativas dolorosas», e não suas «alternativas prazerosas». Isso envolve um truque filosófico, distorcendo o significado usual das palavras, a fim de que «dor» venha a significar «prazer».

3. A Alegria de Quem Serve a Jesus

Se estivermos falando sobre a vida diária, então teremos de reconhecer que o prazer é um de seus principais fatores. Na verdade, há pessoas que vivem para sentir *prazer* e evitar a *dor*. A essas pessoas dá-se o nome de «hedonistas». Usualmente, os hedonistas fazem dos prazeres físicos o alvo da vida. Epicuro tentou convencer os homens que os verdadeiros prazeres são de natureza mental; mas os hedonistas autênticos não pensam dessa forma.

A pessoa religiosa busca prazer, embora fazendo-o na fé religiosa, no serviço caridoso, na generosidade, etc. Uma vida transformada é o maior de todos os prazeres. Podemos imaginar que Pedro e Paulo sentiam prazer em ser encarcerados, não pela experiência em si, mas porque tão duras experiências podem fazer parte da inquirição espiritual, à qual muitos homens de Deus têm dado um valor supremo.

4. O Prazer nas Funções Bem-Sucedidas

Aristóteles não dava tanta importância aos prazeres que fizesse deles o alvo próprio de sua vida. Antes, esse alvo ele achava na realização de funções ou tarefas para as quais o indivíduo está preparado, preenchendo assim o devido lugar que lhe cabe na sociedade. Afirmava ele que esse cumprimento das próprias funções é o mais elevado prazer na vida. A experiência comprova a correção geral desse ponto de vista. Spinoza pensava, por sua vez, que o prazer é aquele sentimento que obtemos quando passamos de uma perfeição menor para uma perfeição maior. Em outras palavras, há prazer no aperfeiçoamento pessoal, onde cada estágio nesse aperfeiçoamento confere um bem-estar específico. Por outra parte, Freud pensava que os homens devam viver segundo o «princípio do prazer», como algo essencial à experiência humana.

O resto que tenho a dizer sobre este assunto aparece no detalhado artigo chamado *Hedonismo*.

Essa é uma palavra que tem implicações éticas. Está ligada às idéias de prazer, satisfação e bemestar. No sentido físico, falamos em prazer através dos sentidos físicos, embora também exista aprazimento que envolve a mente e o espírito. Diz certo hino evangélico: «Há alegria no serviço a Jesus»; e a Confissão de Westminster diz que podemos desfrutar de Deus para sempre. Em sua forma mais crassa, porém, o aprazimento consiste no simples *hedonismo* (que vide) de acordo com o qual os homens supõem que a única finalidade da vida é a obtenção de prazeres, usualmente interpretados como prazeres físicos. Quanto a seu lado positivo, o aprazimento na vida é considerado pelos psicólogos como parte de uma personalidade bem integrada. A alegria espontânea é sinal de boa saúde mental. Há muitos fatores que permitem o indivíduo a desfrutar da vida. Em primeiro lugar, a verdade é que o homem precisa de aprazimento físico. Um asceta geralmente não é pessoa muito alegre. O aprazimento físico sempre será legítimo se for mantido dentro de seus limites próprios, se não for exaltado ao ponto de tornar-se o grande alvo da vida. A medicina psicossomática tem demonstrado que uma pessoa que aprecia a vida normalmente, de maneira física, é uma pessoa mais saudável que outras. Mas, além dessa satisfação geral diante da vida, há aquele prazer vinculado às realizações pessoais, ao trabalho bem-feito, à busca por alvos dignos, entre os quais, naturalmente, está a realização espiritual. Em Cristo, pois, temos confiança na vitória final sobre a morte, pelo que a vida nos parece digna de continuar. E isso confere alegria autêntica. Por isso mesmo, quando estamos em meio a tristezas e aflições, não nos lamentamos, conforme fazem outras pessoas, que não têm tal esperança.

Alguns filósofos e teólogos insistem que o bem é a sua própria recompensa e isso é parcialmente assim, porque a prática do bem, mesmo que não venham recompensas imediatas, nos infunde satisfação. Por outra parte, a prática do mal envolve a sua própria tristeza conseqüente, a despeito das vantagens momentâneas que uma pessoa possa obter com essa prática. O ódio e a maldade, *por si mesmos*, aleijam a alegria da vida, a despeito das risadas dos ímpios. Até mesmo as provações da vida podem ser motivos de alegria, se sofrermos por amor a Cristo e ao progresso espiritual. Ver Tia. 1:2,3; I Ped. 1:6-9; Fil. 2:17; Mat. 5:12. O aprazimento está relacionado à alegria, e a *alegria* é um dos cultivos do Espírito (Gál. 5:22). Isso significa que nosso maior aprazimento nos é dado quando o Espírito de Deus opera em nós e através de nós, visando o nosso próprio bem e tornando-nos instrumentos benéficos para outras pessoas. Ver o artigo sobre *Meios do Desenvolvimento Espiritual*.

PRÉ-ADÂMICOS

Ver os artigos gerais *Antediluvianos; Criação* e *Adão*, onde são oferecidos estudos que incluem a idéia de que houve raças pré-adâmicas de homens, que não são antecipadas e nem descritas no relato bíblico sobre o homem. Evidências avassaladoras acerca da imensa antiguidade do globo terrestre e de raças de seres humanos, que antecedem em muito aos seis ou sete mil anos de cronologia bíblica, têm dado margem a especulações. Entre essas a apresentação de alguns fatos que favorecem fortemente a noção de que a raça adâmica não foi a primeira raça humana na terra, mas apenas o começo de tempos relativamente modernos. Certo calvinista francês (em 1655) antecipou esse pensamento (embora sem evidências científicas), que ele descreveu em um livro onde asseverava que Adão foi o progenitor somente dos judeus, ao passo que os gentios descendiam de habitantes anteriores da terra. De conformidade com esse ponto de vista, o trecho de Gên. 1:26 *ss*, descreve a criação dos antepassados dos gentios, no sexto dia da criação, ao passo que Gên. 2:7 fornece informações sobre a criação de Adão, após o sétimo dia da criação. E ele achava apoio para a sua idéia, no Novo Testamento, em Rom. 5:12-14. Posteriormente, porém, ele renunciou a essas noções e tornou-se católico romano. Assim passou para a história essa curiosa exposição, mas a tese de raças pré-adâmicas tem crescido em importância, devido a descobertas científicas que, na atualidade, como os muitos métodos modernos de descobrir a antiguidade de objetos (não apenas o método do carbono 14), têm feito essa idéia tornar-se necessária, a menos que consideremos o relato sobre Adão um mito antigo, sem qualquer base histórica. Ver também sobre o *Dilúvio de Noé*, primeira seção, *Mudanças dos Pólos*, que fornece informações adicionais sobre o assunto. A segunda seção desse mesmo artigo fornece maiores evidências sobre as muitas mudanças de pólos pelos quais, ao que tudo indica, a terra já passou.

••• ••• •••

PRECOGNIÇÃO (CONHECIMENTO PRÉVIO)

Esboço:
I. Definição e Tipos de Precognição
II. Relação para com a Predestinação
III. A Precognição e a Profecia
IV. A Precognição na Bíblia
V. Algumas Considerações Filosóficas a Respeito
VI. A Precognição e a Parapsicologia

I. Definição e Tipos de Precognição

No grego, **prógnosis**, «conhecimento prévio». Palavra usada por duas vezes: Atos 2:23; I Ped. 1:2. O verbo correspondente, *proginósko*, aparece por cinco vezes: Atos 26:5; Rom. 8:29; 11:2; I Ped. 1:20; II Ped. 3:17.

Conhecer de antemão é saber de algo antes que a coisa aconteça. Em outras palavras, é tomar conhecimento de algo que ainda sucederá, embora ainda esteja no futuro. Essa presciência pode ser absoluta: a coisa prevista *terá de* ocorrer; ou então pode ser relativa: a coisa prevista poderá ocorrer ou não, embora haja alguma potencialidade para a sua ocorrência. Ver os artigos separados sobre *Parapsicologia; Determinismo; Livre-Arbítrio* e *Atributos de Deus*. Há vários tipos desse fenômeno, a saber:

1. *Precognição Natural*. Um certo evento está programado a ter lugar e há causas em operação, que haverão de fazê-lo acontecer. Tomando consciência das causas em operação, um indivíduo poderá saber que o evento causado é inevitável, ou, pelo menos, provável. Para exemplificar: um geólogo pode predizer um terremoto ou uma erupção vulcânica, por perceber certos sinais típicos na natureza. Posso prever que terei de ir ao dentista, dentro de algum tempo, porque observo que um dente meu está começando a cariar. E assim por diante.

2. *O Computador Cerebral*. A mente inconsciente sempre tem consciência de determinados acontecimentos que estão prestes a ocorrer. A mente calcula como se fosse um computador, com base em causas que atuam no presente. A mente consciente talvez não tome consciência desses cálculos; mas acaba tomando consciência das informações através de sonhos ou de experiências intuitivas. Parece que certas profecias nada passam senão dessa função. Pode parecer algo misterioso, mas é algo perfeitamente natural. Os estudos feitos sobre os sonhos mostram que todas as pessoas têm esse tipo de consciência sobre acontecimentos futuros.

3. *Precognição Telepática e Clarividente*. Podemos apanhar, de outras mentes, certas intenções e causas em formação, por meios telepáticos, — e assim podemos tomar conhecimento de algo que, provavelmente, terá lugar. Somos capazes de pressentir eventos naturais, como um terremoto, ou que certas coisas poderão provocar um incêndio, ou que uma represa está prestes a romper-se, através da *clarividência* (vide). Isso não envolve qualquer comunicação entre as mentes e, sim, entre a mente e objetos naturais, por meios reais, embora ainda pouco compreendidos. Os clarividentes obtêm algum sucesso na predição de desastres naturais. Esse tipo de precognição é relativo, embora real. Em outras palavras, nem todos os eventos assim preditos acabam acontecendo, embora haja uma certa porcentagem de acertos que mostra que há algo em operação. Usualmente, esses meios são apenas naturais, embora atuem de modo misterioso.

4. *A Mente Universal*. A mente humana é capaz de penetrar na esfera da mente universal (vide), obtendo lampejos sobre os acontecimentos futuros. Os acontecimentos assim previstos usualmente são

PRECOGNIÇÃO

fixados, embora haja exceções.

5. *O Poder da Mente*. A mente humana é uma entidade misteriosa e maravilhosa, que envolve muito mais do que o cérebro físico. O homem, como ser espiritual que é, é um ser cognoscível, é um intelecto, criado segundo a imagem do Grande Intelecto, Deus. Por ser esse tipo de ser, o homem é dotado de precognição, como parte de sua condição humana. Podemos supor que um ser espiritual do nível dos anjos não tem dificuldades para ter conhecimento prévio de muitos acontecimentos, embora, naturalmente, não de todos os acontecimentos. Não há razão para supormos que o homem, por ser um ente espiritual, também não tenha essa capacidade, que isso não faça parte de suas capacidades naturais, sem necessidade de haver inspirações divinas ou demoníacas para que elas se manifestem.

6. *Conceitos de Tempo*. É possível que o futuro, em algum sentido, não seja futuro. Se eu estivesse em um avião voando alto, poderia olhar ao redor e ver coisas distantes do ponto bem abaixo do aparelho. No entanto, o que eu visse, embora distante desse ponto central de referência, continuaria sendo parte da paisagem. Portanto, o que é distante na verdade é apenas parte de um *eterno agora*. Nesse sentido, as distinções entre o passado, o presente e o futuro ficam borradas. Na estrada da vida, por algum meio misterioso (como aqueles ventilados acima), posso tomar consciência do que jaz mais à frente. Mas essa tomada de consciência pertence a um eterno agora, no sentido mais estrito, e não a alguma situação em que o presente e o futuro são distintos um do outro. Ainda precisamos aprender muita coisa sobre o que está envolvido no *tempo*. Quando aprendermos sobre certas coisas, talvez compreendamos melhor o que é a precognição.

7. *O Conceito dos Ciclos*. Todas as coisas que acontecem, já aconteceram; e as coisas que estão acontecendo, haverão de acontecer de novo. A mente é capaz de penetrar em ciclos que se repetem (cósmicos ou pessoais) e assim pode prever acontecimentos, *através da analogia*.

8. *A Presciência Divina, Determinada*. Deus prevê que certas coisas acontecerão porquanto já predeterminou que elas acontecerão.

9. *A Presciência Divina, Não-Determinada*. Deus prevê que algumas coisas acontecerão, embora também perceba que ele não será a causa das mesmas, o que significa que *outras causas* lhes darão origem, como coisas que os próprios homens produzem, mediante o exercício de seu livre-arbítrio.

10. *A Influência Demoníaca*. É possível que certos fenômenos de precognição, entre os homens, tenham sua origem na *influência demoníaca*, visto que os demônios, por serem entes espirituais, têm algum conhecimento dos eventos futuros. Porém, pensar que toda precognição humana é demoníaca, o que equivale a dizer que o homem, naturalmente, não possui tal habilidade, é ridículo e contrário às evidências. Ver o artigo sobre a *Parapsicologia*.

II. Relação Para com a Predestinação

Alguns teólogos e filósofos têm pensado que se Deus prevê qualquer coisa que deve acontecer, então as coisas não podem ocorrer livremente, ou seja, sem alguma causa divina. De acordo com essa posição, a precognição seria o equivalente à preordenação das coisas. Agostinho livrou o mundo dessa maneira de pensar ao afirmar que Deus prevê que o homem agirá livremente, através de sua própria qualidade do livre arbítrio. Visto que Deus prevê esses livres atos humanos, então é que eles, realmente, devem existir.

Esse raciocínio nos mostra que existem as chamadas *causas secundárias*, pois nem tudo é causado por Deus. Quando o homem causa alguma coisa, mediante o exercício de sua livre vontade, então é que Deus previu tal ato, embora não tenha causado o mesmo ato. Por outro lado, Deus prevê algumas coisas, sendo ele mesmo a causa primária das mesmas. Ele sabe que certas coisas sucederão, porque ele mesmo as determinou de antemão. Os pensadores calvinistas destacam muito esse ponto; mas os arminianos dão muito peso às causas humanas, previstas por Deus. Ambas as doutrinas são verdadeiras, não se excluindo uma a outra, e nem são contraditórias. No entanto, quando os homens insistem em ter uma teologia unilateral, que não leve em conta tanto a predestinação divina quanto o livre arbítrio humano, então vêem apenas um aspecto da verdade, como alguém que insistisse em dizer que uma das moedas só tem a cara, mas não a coroa, ou vice-versa. Ver os artigos separados sobre o *Determinismo* e o *Livre-Arbítrio*, quanto a explicações mais completas acerca dessas difíceis questões, sobre as quais há tantos debates teológicos.

III. A Precognição e a Profecia

A profecia (vide) é uma realidade, embora seja uma manifestação relativa. Certas coisas previstas terão de suceder, por terem sido divinamente ordenadas. Outras coisas podem tomar lugar ou não, porquanto não são acontecimentos predeterminados. Assim, há causas secundárias que entram em cena; e também há o *caos*, pois algumas coisas sucedem sem qualquer causa absoluta. Ver o artigo sobre o *Acaso*. A profecia, pois, pode prever muitos, mas não todos os acontecimentos. Um dos pontos mais problemáticos é a seqüência do tempo. Até mesmo os profetas do Antigo Testamento, em certo sentido, estavam equivocados, porquanto predisseram o estabelecimento do reino de Deus para imediatamente depois do retorno dos cativos judeus da Babilônia. Sem também, no livro de Apocalipse, o autor sagrado parece contemplar o fim quase imediato do império romano, quando, de fato, o mesmo continuou por diversos séculos após a sua morte. Sua predição de que haveria sete reis, e então um oitavo que surgiria dentre os sete (que seria o anticristo), ao mesmo tempo em que o sexto estava então governando, quando ele escreveu sua predição (ver Apo. 17:10,11), na verdade estava equivocada, consistindo em um mal cálculo cronológico. Os intérpretes que insistem que essas coisas não podem acontecer na profecia bíblica, fazem com que os *reis* em questão sejam *reinos*. Mas isso envolve uma *eisegese* (vide), e não uma autêntica exegese.

Os modernos místicos, mesmo quando bons, têm uma margem de erro entre vinte e cinco e trinta por cento. Supomos que o diabo sabe melhor do que isso. E isso por sua vez, mostra-nos que não há razão para a suposição de que essa gente, sua maioria, opere através da influência demoníaca. A profecia faz parte natural da natureza humana. Os profetas bíblicos, sob a influência do Espírito de Deus, geralmente acertam no centro do alvo. Porém, tudo quanto passa pela mente humana envolve alguma margem de erro. Talvez seja isso que Paulo queria dizer, quando afirmou: «...porque em parte conhecemos, e em parte profetizamos» (I Cor. 13:9).

IV. A Precognição na Bíblia

Em primeiro lugar, há uma presciência divina que se encontra por detrás da profecia, o que comentamos no parágrafo anterior. Não há razão alguma para pormos em dúvida a exatidão geral da profecia bíblica. Oferecemos um artigo separado sobre a

PRECOGNIÇÃO — PRECURSOR

questão e procuramos mostrar o que foi predito para a nossa própria época em geral. Ver o artigo intitulado *Profecia: Tradição da, e a Nossa Época*.

A *onisciência* é um atributo de Deus. Ver o artigo sobre os *Atributos de Deus*. Naturalmente, a onisciência divina inclui a precognição. A Bíblia ensina que coisa alguma está oculta do conhecimento de Deus. Ver Jó 28:23,24; 37:16; Sal. 44:21; 139:1-4; Isa. 46:9,10; 48:2,3,5; Jer. 1:5; I Cor. 2:10.

Precognição, Fé e Salvação. Começam os problemas com o conhecimento prévio quando relacionamos a questão à fé humana, o veículo da salvação. Os trechos de I Pedro 1:2 e Romanos 8:29 são popularmente interpretados como se a *fé humana* fosse prevista por Deus, e então que, com base nessa fé, ele escolheu alguns para a salvação. Porém, quando lemos os versículos em pauta, descobrimos que as *pessoas* é que foram conhecidas de antemão, e não a fé dessas pessoas. Esses textos são similares ao que diz Amós 3:2: «De todas as famílias da terra somente a vós outros vos escolhi...» O povo escolhido ou conhecido de antemão é o povo amado por Deus. Desse modo, a palavra grega traduzida por «de antemão conheceu» não envolve o conhecimento que Deus teria de que certas pessoas exerceriam fé e, sim, que Deus conheceu essas pessoas de antemão, tendo-as amado antes mesmo de virem à existência. Notemos, igualmente, o trecho de I Pedro 1:20, que diz sobre Cristo o mesmo que é dito sobre os eleitos. Cristo foi *conhecido* antes da fundação do mundo, ou seja, foi considerado alvo do favor especial de Deus. O termo grego *prógnosis*, apesar de significar, estritamente falando, o mero conhecimento prévio sobre alguma coisa, na Bíblia envolve mais do que isso, visto que as pessoas que foram *conhecidas de antemão* são um povo especial para Deus, e isso nada tem a ver com conhecer apenas que tais pessoas viriam a exercer fé.

Por outra parte, não podemos determinar a relação entre a fé e a salvação somente com base no uso que a Bíblia faz da palavra *precognição*, ou qualquer de seus sinônimos. Por todas as suas páginas, a Bíblia apela aos homens para que se arrependam e creiam; e eles devem ser capazes de fazer isso, pois, de outra sorte, não poderiam ser moralmente responsabilizados se não quisessem arrepender-se e crer. Apesar da fé ser um *dom* de Deus (o que fica implícito em Efé. 2:8, embora não seja diretamente afirmado), todos os homens podem exercer fé, porquanto esse é um dom geral do Espírito de Deus, que pode ser cultivado ou anulado, dependendo do exercício do livre-arbítrio de cada indivíduo. Entramos nos detalhes da questão, ventilando os muitos *prós* e *contras*, em dois artigos diferentes: *Determinismo* e *Livre - Arbítrio*. Ver também sobre a *Eleição*.

V. Algumas Considerações Filosóficas a Respeito

1. O *tomismo* (vide) assevera que Deus conhece os nossos atos futuros, embora sejam livres, porquanto ele conhece os acontecimentos, não através das suas condições, nos eventos anteriores, mas diretamente, *neles mesmos*. Deus é o centro do círculo cósmico, eqüidistante a todos os seus pontos, e o tempo é inteiramente irrelevante para o conhecimento de Deus sobre as coisas.

2. O *scotismo* (vide) rejeita esse ponto de vista, declarando que Deus conhece o futuro porque suas condições determinadoras se encontram em sua vontade. Isso elimina qualquer conceito de liberdade humana, e concorda com o número oito do primeiro ponto, acima.

3. *Ockham* afirmava que o futuro (filosoficamente falando) é mais ou menos intermediário e livre. Em outras palavras, ninguém, nem mesmo Deus, seria capaz de predizê-lo perfeitamente. No entanto, no tocante à revelação, ele precisou rejeitar essa opinião, deixando-nos com um paradoxo e um mistério, no tocante à questão.

4. Os *socínios* (vide) estribavam-se sobre a posição filosófica de Ockham e, por isso mesmo, pensavam em um Deus finito, tentando mostrar que as Escrituras não ensinam tal coisa. Ver o artigo sobre *Finito*, em seu terceiro ponto, *O Deus Finito*.

5. *Agostinho* defendia o livre-arbítrio, ao mesmo tempo em que aceitava uma completa presciência divina, supondo que Deus prevê que o homem agirá *livremente*, ou seja, o homem deve agir desse modo. Deus, pois, não é a única causa. Deus pode prever coisas que acontecem por causa de *outras* causas.

6. O *paradoxo* (vide) ocorre quando não sabemos como Deus pode prever todas as coisas, ao mesmo tempo em que elas não são necessariamente determinadas. Tal ensino parece contradizer a si mesmo.

7. O princípio de *polaridade* (vide). Quando consideramos problemas difíceis, precisamos levar em conta ambos os lados da questão. Nosso relacionamento com Deus tem dois lados, o de Deus e o nosso. Se, por uma parte, a precognição divina parece tornar inevitáveis os eventos previstos, por outro lado, alguns deles ainda assim podem acontecer livremente. Esses são os dois lados da questão, e precisamos levar em conta os mesmos, se quisermos conhecer a verdade da questão. Se nos apegarmos somente a um dos pólos da questão, talvez isso nos deixe satisfeitos e em conforto mental, mas apenas meio informados.

VI. A Precognição e a Parapsicologia

Uma das capacidades humanas que está sendo investigada pela emergente ciência da *parapsicologia* (vide) é a capacidade natural que o homem tem de prever o futuro. Efetivamente, o mais comum acontecimento psíquico é o sonho precognitivo. Ver o artigo geral sobre os *Sonhos*. O autor deste artigo não tem isto apenas alguns, mas muitos desses sonhos. E os estudos acerca dos sonhos mostram a universalidade do fenômeno. As experiências intuitivas, durante as horas despertas, também fornecem-nos a compreensão prévia sobre o futuro. É inútil dizer que todos esses fenômenos são provocados pelos demônios. Se os demônios são a causa da precognição humana simples, então todos os seres humanos são possuídos pelos demônios. Quanto a detalhes sobre como a *precognição* faz parte do campo mais amplo da *parapsicologia*, ver o artigo sobre esse assunto. (AM B C E NTI Z)

PRECONCEITO

Ver o artigo intitulado **Discriminação**.

PRECURSOR

No grego, **pródromos**, um vocábulo que ocorre somente por uma vez em todo o Novo Testamento: Heb. 6:20. Esse termo indica alguém que é enviado adiante de outrem, a fim de cumprir alguma espécie de missão, iniciada pelo precursor e completada pelo outro. Assim, um diplomata que prepara o caminho para um visitante real ou presidencial é um precursor. Um profeta que aparece antes de alguma grande figura, à qual anuncia, em seu propósito e intuito espiritual, ou a fim de preparar as pessoas para receberem a sua mensagem com maior compreensão, é um precursor.

Precursores nas Escrituras:

PRECURSOR — PREDESTINAÇÃO

1. *Todos os profetas verdadeiros* preparam os homens para a habitação do Espírito e para a mensagem de Deus, nas almas dos homens.

2. *Cristo* é o grande precursor dos remidos, os quais haverão de residir nos mundos celestiais. Cristo cumpriu a sua missão na terra, e foi para aquelas habitações celestes antes deles. O trecho de Hebreus 6:20 chama-O claramente de «precursor», e esse, como já dissemos, é o único uso claro da palavra grega, em todo o Novo Testamento. Entretanto, a passagem de João 14:2 *ss*, além de vários outros textos bíblicos, fornecem-nos a essência da missão de Cristo.

3. *João Batista* foi o precursor de Jesus Cristo. Mat. 3.

4. O *falso profeta* será o precursor do anticristo (Apo. 13:11 *ss*). O falso profeta será a besta «saída da terra», ao passo que o anticristo será a besta «saída do mar». Ver também os artigos sobre *Falso Profeta* e *Anticristo*.

Qualificações de um Precursor:
1. Propósitos similares aos da pessoa anunciada pelo precursor (Mat. 3).
2. *Autorização* (Mal. 3:1; 4:5), a par com predições, no sentido bíblico, conforme se deu no caso de João Batista.
3. Transmissão de uma *missão divina*, com uma mensagem definida (Mal. 4:6; Luc. 1:76-79).
4. A realização de uma *missão preliminar* (Mat. 3:1-17).
5. A *íntima identificação* com a pessoa representada pelo precursor (João 1:19-24).

Um precursor pode ser uma pessoa, mas também um acontecimento, como no caso daqueles eventos que serão os precursores da *parousia* (vide).

PRECURSOR, JESUS COMO
Ver Heb. 6:20.

No grego é usado o vocábulo *prodromos*, isto é, o «ir adiante», mas que é usado pessoalmente para falar de quem «entrou adiante». A idéia é de alguém que é «pioneiro no caminho», que se torna o líder que outros devem seguir, e que devem atingir o mesmo «destino», como alguém que foi à frente. Essa palavra é usada somente aqui, em todo o N.T. Esse vocábulo é usado nos escritos clássicos para indicar «escoteiro», alguém que espia a terra e a prepara para a chegada das tropas. Posto que Jesus entrou no Santo dos Santos, então até ali deverão chegar também os seus remidos. Encontramos a mesma idéia em Heb. 10:19. Vários intérpretes acreditam que os céus são pintados como arquétipo do templo terreno. Tem muitos compartimentos, — como o templo terreno tinha o átrio dos gentios, o átrio das mulheres, o Lugar Santo e o Santo dos Santos. Isso equivale, em significado, aos «lugares celestiais» mencionados por Paulo, comentados no NTI em Efé. 1:3. Ver também as «muitas mansões» aludidas por Jesus, e comentadas em João 14:2, no NTI. Os antigos nunca concebiam um «céu» só, uma única «habitação espiritual», e, sim, muitas esferas ou reinos espirituais. Ora, Jesus, na posição de nosso precursor, entrou no «mais alto céu», a saber, no Santo dos Santos. Ali ele aguarda por nós. Isso não significa que o mero ato da morte nos conduzirá até ali. Antes, penetramos nos «lugares celestiais», na grande casa de Deus, sobre a qual Cristo governa como Filho. Mediante o processo de glorificação é que finalmente, entraremos na própria presença de Deus, porquanto quem não estiver perfeito, não poderá entrar ali. Contudo, todos os remidos poderão estar no seu «templo», e assim estarem «com Cristo». A eternidade definirá para nós esses detalhes. Notemos Heb. 9:23,24 quanto ao fato de que, na epístola aos Hebreus, o templo terreno aparece como símbolo do templo celestial. Jesus, por causa de sua grandeza, não poderia mesmo ocupar algum lugar inferior ou secundário. Entrou diretamente no Santo dos Santos. Assim também o faremos, quando da glorificação, o que significa, finalmente, a participação nas perfeições e atributos de Cristo, baseada essa participação em sua própria natureza. Mas essa glorificação é gradual, sendo, de fato, o avanço da alma para a recepção de «toda a plenitude de Deus», conforme encontramos em Efé. 3:19. Visto que há uma infinitude de plenitude, assim também há uma *infinitude de enchimento*. Deus é infinito, e por toda a eternidade chegaremos a compartilhar, em grau cada vez mais alto, de suas perfeições e atributos, e isso porque somos seus filhos verdadeiros. Cristo nos outorgou o «modelo» de como essa participação tem lugar.

Novidade do conceito do precursor. O povo de Israel nunca recebeu permissão de entrar no Santo dos Santos. O próprio sumo sacerdote dos hebreus só penetrava ali uma vez por ano, mas jamais como meio de preparar o povo para tal entrada. O sumo sacerdote do A.T. era apenas «representante» do povo, que obtinha para eles o favor divino. Cristo, como nosso sumo sacerdote, tem a função diferente de preparar o caminho para seu povo entrar onde ele entrou. Isso é algo que nunca foi antecipado pelo sistema levítico.

Tornado sumo sacerdote. Consideremos os pontos seguintes: 1. por nomeação de Deus (ver Heb. 5:4); 2. por causa do fato de ter-se completado com êxito a sua missão terrena (ver Heb. 1:9 e 4:10); 3. porque, em sua missão terrena, ao identificar-se com os homens, ele aprendeu a sentir e a conhecer suas fraquezas, de tal modo a poder mostrar-se simpático para com eles e interceder eficazmente em seu favor (ver Heb. 4:15); 4. porque ele ofereceu o sacrifício perfeito (ver Heb. 5:1,3 e 9:23); 5. porque suas promessas são melhores, oferecendo-nos um pacto melhor que o da dispensação do A.T. (ver Heb. 8:6).

PREDESTINAÇÃO
Ver o artigo sobre *Determinismo* (*Predestinação*).

PREDESTINAÇÃO (e Livre-Arbítrio)
Este artigo tem somente o intuito de suplementar outros artigos, apresentados sob títulos separados. Quanto a informações completas sobre questões relativas à predestinação, à eleição e ao livre-arbítrio ver os seguintes verbetes: *Determinismo*, *Eleição* e *Livre-Arbítrio*.

Alguns fatores adicionais a serem considerados:

Esboço:
 I. Textos de Prova
 II. Fatores Interpretativos
 III. Fatores Filosóficos
 IV. Fatores Psicológicos
 V. Uma Possível Reconciliação
 VI. O que é Promovido pela Predestinação?

I. Textos de prova
«...Deus, nosso Salvador, o qual deseja que todos os homens sejam salvos e cheguem ao pleno conhecimento da verdade... Cristo Jesus, homem, o qual a si mesmo se deu em resgate por todos...» (I Tim. 2:3-6).

1. Deus é Salvador — I Timóteo 2:3.

PREDESTINAÇÃO

2. Esse Salvador deseja que todos os homens sejam salvos — I Timóteo 2:4.

3. Cristo, ao cumprir a vontade do Pai, fez expiação por todos os homens — I Timóteo 2:6.

4. O pano de fundo histórico do texto requer a plena aceitação da universalidade ali ensinada. O livro foi escrito contra certa heresia gnóstica que promovia atitudes exclusivistas. Os pensadores gnósticos classificavam os homens como segue:

a. *Os hílicos*: A palavra vem do grego e significa «materialista». De acordo com os gnósticos, os indivíduos hílicos são aqueles totalmente envolvidos com as questões materiais, ao ponto de nunca poderem livrar-se de si mesmos. Tais pessoas *não podem ser salvas*, porquanto são completamente dominadas pelo princípio da materialidade. Esses indivíduos haverão de perecer na conflagração final que porá fim ao próprio princípio da materialidade.

b. *Os psíquicos*: O termo grego significa «espiritual»; mas os gnósticos usavam-no para referir-se a uma espiritualidade secundária, que pode almejar a uma glória apenas secundária. Os psíquicos não podem aspirar à glória dos verdadeiramente espirituais e iniciados, os quais virão a participar da natureza divina. Os gnósticos supunham que os profetas do Antigo Testamento e um número limitado de outros, haveriam de obter essa glória secundária.

c. *Os pneumáticos*: A palavra grega significa «espiritual» em sentido pleno, e os gnósticos usavam-na para indicar os eleitos, os verdadeiramente espirituais, que seriam eles mesmos. Conforme ensinavam, somente tais indivíduos seriam capazes de obter a salvação no sentido mais completo e elevado; o número de pneumáticos seria extremamente pequeno. Segundo pensavam os gnósticos, o número dos *psíquicos* pode ser maior; mas a grande maioria dos homens compõe-se dos *hílicos*. Esses não podem ser remidos, pelo que a mensagem espiritual não se aplicaria aos tais.

Paralelos óbvios com o Calvinismo:

1. Somente um pequeno número de pessoas pode ser salvo.

2. Esse pequeno grupo compõe-se exatamente daqueles que anelam por ensinar que eles são os eleitos, a saber, os calvinistas confirmados e mais alguns outros poucos.

3. O evangelho consiste em boas novas *somente* para esse grupo exclusivo, embora consista em más novas para o resto, formado pela grande maioria dos homens.

Mas, o ensino de I Timóteo 2:3-6 é contrário ao *exclusivismo*, em qualquer de suas variações. Vejamos:

1. Antes de tudo, observemos que essa passagem foi especificamente escrita contra qualquer exclusivismo. Portanto, dividir Deus e dizer que seus decretos dizem respeito a diferentes categorias e representam diferentes graus de interesse divino é algo contrário ao texto. Deus, como Salvador, e Cristo, sendo o autor da expiação *universal*, garantem que Deus deseja que *todos* os homens venham a ser salvos. Isso concorda plenamente com a missão de Cristo e não somente é sugerido por essa missão. Aqueles intérpretes que afirmam que os decretos de Deus foram baixados em graus variados, de tal modo que ele *realmente* deseja algo, pelo que também cumpre esse desejo, mas que quer outras coisas menos, — pelo que as deixa sem **cumprimento, promovem aquele exclusivismo que é combatido pelo texto.**

2. Deus é retratado como *Salvador*, nesse texto, especificamente a fim de negar qualquer doutrina que afirme que nem todos os homens podem ser salvos.

3. Se Deus é Salvador, disso conclui-se que *todos* os homens podem ser salvos. Deus não deseja meramente que isso suceda, sem envidar qualquer esforço nesse sentido.

4. A fim de executar o intuito universal do Pai, o Filho fez uma expiação universal (vs. 6). Isso significa que, em contraste com o exclusivismo dos gnósticos, todos os homens, de fato, podem ser salvos. A provisão é *adequada* para essa finalidade, e tem precisamente esse *intuito*.

«...e ele é a propiciação pelos nossos pecados e não somente pelos nossos próprios, mas ainda pelos do mundo inteiro» (I João 2:2).

É impossível torcer esse versículo de forma a torná-lo harmônico com qualquer forma de exclusivismo. Tal impossibilidade, de qualquer ponto de vista sensato, é demonstrado pelo pano de fundo histórico do versículo. Novamente, a heresia gnóstica está em foco. Os gnósticos diziam que o batismo de Jesus foi o instante, dentro do tempo, em que o *aeon* ou anjo ou espírito celeste desceu sobre ele. E esse teria sido o poder impulsionador que, subseqüentemente, cumpriu o propósito da missão salvatícia de Cristo. Todavia, eles negavam totalmente a realidade da expiação. Essa é a razão pela qual o trecho de I João 5:6 afirma que o Filho de Deus veio através da água *e* do sangue e não somente através da água. A missão de Cristo dependeu tanto da água (seu batismo e unção pelo Espírito) quanto do sangue (sua obra expiatória). Isso posto, os gnósticos negavam o valor da expiação de Cristo como um princípio, bem como seu alegado objetivo universal, a saber, *todos os homens*.

Portanto, João diz ali que a expiação realmente vale para os *nossos pecados*, mas também para os pecados do *mundo inteiro*. Isso concorda com o que diz Paulo, em I Timóteo 2:6. Cristo deu-se a si mesmo como resgate «por todos». Ambos esses versículos argumentam contra o exclusivismo dos gnósticos e contra qualquer forma de exclusivismo, como é o caso do calvinismo extremado. Foram escritos especificamente para denunciar a interpretação exclusivista do evangelho. Ver o artigo separado sobre o *Gnosticismo*.

II. Fatores interpretativos

1. O nono capítulo da epístola aos Romanos contradiz a passagem que acabamos de comentar. Ela ensina tanto a eleição absoluta e incondicional quanto a reprovação ativa. Se tivéssemos de depender somente de textos de prova, a fim de entender a verdade, e se contássemos somente com *esse* trecho de Romanos, teríamos de ser calvinistas radicais. É inútil tentar interpretar esse trecho de Romanos de outro modo. E o método de textos de prova não é o único que nos permite obter conhecimento da verdade.

2. A existência de uma passagem como o nono capítulo de Romanos, no Novo Testamento, é requerida pelas inadequações de certos aspectos da teologia judaica. O Novo Testamento arrastou para si muito do pensamento judaico e do Antigo Testamento, embora também ultrapasse a um e a outro. Ora, a teologia judaica era fraca quanto às *causas secundárias*. Isso pode ser ilustrado por uma história extraída do Talmude. Certo dia, um rabino viu um homem muito feio e aleijado. Chegou mesmo a rir-se, porque o homem era uma daquelas piadas da natureza. Mas o aleijado reagiu com estas palavras: «Deus foi quem me fez assim». Isso foi devastador para o rabino, que começou a pedir perdão pelo que havia feito. Não entrou na cabeça do rabino que Deus não era, necessariamente, responsável pela condição daquele

PREDESTINAÇÃO

homem. Segundo a sua teologia, Deus era a *única* causa de tudo. Mas, se o Senhor é a única causa de tudo, então ele também é a causa direta do mal. O trecho de Romanos 9:14 reconhece essa conseqüência, embora não tente dar uma resposta adequada. O vs. 19 do mesmo capítulo aproxima-se de novo dessa conseqüência, mas, novamente, não lhe dá resposta. O fato, porém, é que quando fazemos de Deus a única causa, negligenciando as causas secundárias, não há como escapar do corolário necessário de que Deus é a causa primária do mal. A resposta dada em Romanos é a mesma que foi dada por aquele aleijado: «Deus fez as coisas dessa maneira e ninguém tem o direito de objetar». Ver Romanos 9:20-22. Porém, o que essa resposta não reconhece é que estamos tratando com um pouco de teologia inadequada, que é corrigida em outros trechos do Novo Testamento (como naqueles versículos de I Timóteo e de I João).

Torna-se patente, pois, que o objetivo do nono capítulo de Romanos não é dar resposta ao próprio Deus, mas apenas objetar a uma teologia um tanto inadequada acerca de Deus. Vários versículos do Novo Testamento afirmam a *necessidade* dessa objeção.

3. Além daqueles versículos que salientam a teologia inadequada do nono capítulo de Romanos (e de versículos paralelos), devemos notar que há aqueles trechos do Novo Testamento que emprestam ao evangelho uma universalidade que fora anulada totalmente pelo exclusivismo da teologia anterior. Temos a narrativa da descida de Cristo ao hades, a fim de pregar o evangelho aos mortos desobedientes (I Ped. 3:18-4:6), com o resultado de que aqueles que são julgados conforme devem ser julgados os homens na carne, contudo possam viver de acordo com Deus, no espírito (I Ped. 4:6). O trecho de Efésios 4:8-10 mostra-nos que a descida de Cristo ao hades e sua subseqüente ascensão até os céus, teve o mesmo propósito: «fazer Cristo tornar-se tudo para todos, isto é, «encher todas as coisas». Essa doutrina não é antecipada na teologia do nono capítulo de Romanos, e pertence a uma teologia progressiva, mais amadurecida, que vê além do exclusivismo próprio do antigo judaísmo.

4. Tal como confessamos que o Novo Testamento ultrapassa à teologia do Antigo Testamento, por igual modo devemos confessar que trechos do Novo Testamento ultrapassam a outros trechos, quanto à profundeza teológica, porquanto a revelação bíblica é progressiva e que são os dogmas humanos que deixam estagnada a teologia e não o propósito de Deus. Quando Paulo disse: «Eis que vos digo um mistério», isso equivalia a dizer: «Eis um ponto teológico que ultrapassa a tudo quanto foi ensinado até este ponto». Se não fosse assim, ele não poderia ter falado em *mistério*. Observemos que a passagem de Efésios 1:9,10 contém o mistério da vontade de Deus; o fato de que, em algum distante futuro, ele unirá todas as coisas em torno de Cristo. Isso não pode indicar apenas que ele haveria de unificar judeus e gentios, na Igreja cristã, porquanto isso já vinha sendo anunciado desde o Antigo Testamento e Paulo não teria dito que isso é um mistério. Um mistério, de acordo com a Bíblia, é algum *segredo* divino que acabou de ser revelado.

III. Fatores filosóficos

1. Ao manusearmos as verdades espirituais, precisamos manter em mente a possibilidade de que dois lados de uma mesma verdade podem parecer contraditórios. Nesse caso, estaremos tratando com um *paradoxo*, isto é, um parecer que, aparentemente, é autocontraditório, devido ao fato de que nem todos os detalhes envolvidos foram esclarecidos. Assim, falamos sobre a divindade e a humanidade de Cristo, mas não temos meios para dizer *como* ambas essas naturezas podem conviver em uma mesma pessoa. O livre-arbítrio e a predestinação também podem ser explicados desse modo. Essas duas idéias, por assim dizer, são os pólos extremos de uma verdade maior que, por enquanto, ultrapassam à nossa capacidade de explicar. Por igual modo, Deus usa o livre-arbítrio humano sem destruí-lo, embora não sabemos dizer *como*.

2. *Polaridade*. Os antigos explicavam de modo muito inadequado a natureza do mundo. Suas idéias eram parciais e seus mapas eram desastrosos, mas eles pensavam que sabiam muita coisa. As grandes verdades, tal como o próprio mundo, têm *dois pólos*, os quais, segundo nos parece, são contraditórios um com o outro. Se explicarmos a natureza do mundo físico, mas fizermos alusão a somente um dos pólos, tal explicação, por mais verdadeira que seja, até onde vai, será apenas parcial. Há dois pólos na doutrina da predestinação e do livre-arbítrio. Precisamos levar em conta a predestinação, como o lado divino, porquanto o homem caiu demais para poder socorrer-se a si mesmo. Precisamos do livre-arbítrio, porque o homem não é trazido de volta a Deus como um autômato. Um autômato não é responsável pelos seus atos, porquanto foi adredemente programado. Um homem programado nem seria um homem. A *mortalidade* depende da realidade do livre-arbítrio humano.

3. *A manipulação de textos de prova*. É legítimo usar textos de prova extraídos da Bíblia. Porém, a busca pela verdade deve ir além dessa prática. Em primeiro lugar, todos os textos de prova estão sujeitos à interpretação, a qual pode ser distorcida. Em segundo lugar, a Bíblia não nos fornece uma teologia sistemática, completa e absoluta. Os dogmas humanos é que dizem isso. A Bíblia não afirma isso a seu próprio respeito. Portanto, há outras fontes da verdade, que é tão vasta quanto o próprio Deus. Nenhum livro ou biblioteca pode conter toda a verdade de Deus. Minha única ortodoxia é a verdade. A insistência sobre o uso de textos de prova, como a única maneira de se chegar à verdade, deixa-nos presos à necessidade de interpretarmos tudo quanto lemos na Bíblia. Cada texto de prova, se isolado do resto da Bíblia, é respondido por algum texto de prova contrário, se também for usado isoladamente. Para exemplificar, — o nono capítulo de Romanos é oposto ao segundo capítulo de I Timóteo. Se não ultrapassarmos ao sistema de debates que só emprega textos de prova, ficaremos sempre com uma teologia inadequada (conforme se dá com os versículos acima aludidos, em I Timóteo e I João), e também nunca traremos novas luzes a qualquer problema.

4. *Eisegese*. Todos os proponentes de teologias sistemáticas praticam a *eisegese*. Em outras palavras, incluem nos textos elementos que não fazem parte genuína desses textos. Desse modo, são capazes de manter um sistema teológico fechado. Isso fazem *a qualquer custo*, mesmo que envolva a desonestidade na interpretação das Escrituras. Tanto os calvinistas quanto os arminianos têm-se tornado culpados dessa prática, porquanto o Novo Testamento é mais amplo do que qualquer desses dois sistemas.

IV. Fatores psicológicos

1. A maioria das pessoas interpreta de acordo com os fatores psicológicos já existentes. O *conforto mental* (a necessidade de evitar questões difíceis) é um desses fatores. Os calvinistas radicais sentem o desastre inerente em uma missão de Cristo que falhou, se, verdadeiramente, Deus amou a todos os homens e fez

PREDESTINAÇÃO — PREDICÁVEL

provisão para uma expiação universal. Essa provisão seria inútil se, de fato, o Senhor tivesse de salvar apenas a alguns poucos, deixando o resto condenado. Assim, os calvinistas radicais obtêm conforto mental promovendo uma teologia que diz, virtualmente: «A missão de Cristo não falhou porque nunca teve um objetivo universal».

2. Porém, a busca por esse conforto mental cria um corolário que é contrário ao evangelho. Os homens devem ficar, necessariamente, insensíveis diante dos condenados. Os arminianos procuram interessar-se mais pelos perdidos e conseguem o intento afirmando o *intuito* universal do evangelho. Os universalistas, que se preocupam principalmente com o bemestar dos homens, fazem a predestinação apoiar o propósito salvatício universal e assim fazem com que, no fim, todos os seres humanos terminem salvos. Esse tipo de teologia busca apenas conforto mental. Todos nós extrapolamos para a Bíblia, por causa de fatores psicológicos, aquilo que desejamos ver ali. Todos nós, pois, tornamo-nos culpados de *eisegese*.

V. Uma possível reconciliação

Essa reconciliação consiste na **minha** eisegese e no meu conforto mental!

A predestinação absoluta poderia exprimir uma verdade se, correspondendo a isso, tivéssemos a provisão da morte de Cristo em favor dos perdidos, capaz de conferir-lhes uma glória secundária, isto é, inferior àquela dos eleitos. Somente então a missão de Cristo seria bem-sucedida em sentido absoluto, embora em dois graus diferentes. Essa idéia me dá conforto mental, pois resolve uma questão que fica sem solução, de acordo com o sistema calvinista ou arminiano. Ademais, essa idéia evita o exagero dos universalistas, que pensam que todos os homens serão salvos, afinal de contas. E também estabelece, conforme deve ser, a diferença entre os eleitos e os não eleitos, embora faça a missão de Cristo beneficiar a todos os seres humanos. Essa abordagem pode incluir uma exegese genuína, porquanto o mistério da vontade de Deus parece exigir alguma conclusão. Ver a minha exposição sobre a questão, no *Novo Testamento Interpretado*, em Efésios 1:9,10. Nesta enciclopédia vou um pouco além do que digo naquela exposição, onde declarei que se os perdidos sofrerão uma *perda infinita*, sem importar quais outras vantagens eles venham a obter, então isso degrada ao Redentor-Restaurador. Na verdade, não se pode falar em degradação, quando se trata de *qualquer* realização de Cristo, em sua missão a este mundo. Lamento que declarações assim tenham entrado em meu comentário. Minha maneira de pensar, pois, evoluiu para melhor, o que aqui exponho.

VI. O que é promovido pela predestinação?

Os calvinistas extremados têm deixado de reconhecer que o homem é um poderoso ser *criativo* e que, apesar da queda, ocupa uma posição não muito inferior à dos anjos. É lamentável que eles tenham posto o poder predestinador de Deus à base da condenação, seguindo a inadequada teologia do judaísmo e que chega a entrar no Novo Testamento em alguns lugares. E os arminianos caem no erro de anular, por meio de sua *eisegese*, a atividade predestinadora de Deus para a salvação. E os universalistas exageram ao remover a distinção bíblica entre os eleitos e os não-eleitos. Pelo menos, estes últimos têm visto que isso redunda em um *bem* e não em um mal, embora não corresponda ao ensino bíblico. Quanto a nós, faríamos bem em reconhecer o poder predestinador de Deus por detrás da salvação, promovendo tudo quanto é bom para o homem, tudo quanto contribua para o bemestar e a harmonia. Não há que duvidar que o propósito restaurador da vontade de Deus, contido em um mistério, consiste em amor e bondade. *Que dizer, pois, acerca do julgamento final?* Só podemos dizer que o próprio juízo divino é um *meio* para a restauração, ou seja, um dedo da amorosa mão de Deus. Desse modo, até a ira de Deus faz parte desse amor, realizando algo de construtivo. Não se trata de um fator separado e contrário. Lembremo-nos do princípio da *polaridade*. O amor e a ira de Deus parecem verdades opostas, mas são apenas pólos de uma mesma verdade. Essa verdade envolve boas novas para os homens. Mediante a *exegese* de I Pedro 4:6, podemos atingir a idéia de que o próprio julgamento divino é um meio para se chegar à restauração final.

Um Humanismo Cristão. Um certo amigo meu, professor em um seminário evangélico, descreveu essa teologia como um *humanismo cristão*. Esse título também me satisfaz. Diz a mesma coisa que o trecho de João 3:16: «Porque Deus amou ao mundo de tal maneira que deu o seu Filho unigênito...» Aquilo que potencialmente é o melhor em mim, aquilo que é mais digno de ser promovido, é exatamente aquilo que é promovido pelo poder predestinador de Deus. A preocupação mais íntima desse poder predestinador é a nossa transformação segundo a imagem do Filho (Rom. 8:29), sendo essa a essência mesma da salvação. Através dessa transformação, nos intermináveis ciclos da eternidade, poderei vir a participar da natureza divina (II Ped. 1:4; Col. 2:10), mediante o poder transformador do Espírito de Deus (II Cor. 3:18).

PREDICADO

Usada como um substantivo, essa palavra significa aquilo que é asseverado acerca de um assunto qualquer, ou um termo que indica alguma propriedade. Na metafísica, indica um atributo qualquer de uma substância. Verbalmente, *predicar* indica o ato mediante o qual se atribui alguma qualidade a alguma coisa.

PREDIÇÃO

Há duas palavras gregas envolvidas neste verbete:

1. *Proeīpon*, «dizer de antemão». Palavra que é usada por duas vezes: Atos 2:31 e Gál. 3:8.

2. *Prolégo*, «falar de antemão». Termo usado por três vezes: II Cor. 13:2; Gál. 5:21 e I Tes. 3:4.

A palavra pode apontar para alguma *profecia* (vide), ou meramente alguma informação dada antes do tempo. Um profeta falava acerca do futuro ou em suas advertências ou em suas promessas. Suas palavras, porém, tinham o intuito de ter uma aplicação em um uso contemporâneo. Todavia, a profecia não visa à satisfação de nossa curiosidade e, sim, para nos instruir. Algumas vezes, uma profecia ajuda-nos a dar o passo seguinte, porquanto ela nos permite ver o alvo distante. Escrevi um livro sobre profecia que talvez interesse ao leitor: *Profecias para o Nosso Tempo: Quarenta Anos Finais da Terra*, publicado por Nova Época, São Paulo. Damos um sumário para os eventos esperados para o futuro próximo, no artigo intitulado *Profecia: Tradição da, e a Nossa Época*.

PREDICÁVEL

À base dessa palavra está o termo latim **praedicare**, «proclamar», «afirmar». O que é *predicável* é aquilo que pode ser afirmado sobre qualquer coisa, como as

PREEMINÊNCIA — PREEXISTÊNCIA

descrições acerca de uma espécie, as categorias filosóficas, etc. Para Aristóteles, os predicáveis eram tipos de relações que podem descrever algum termo universal, como gênero, espécie, diferença específica, propriedade e acidente contingente. Nessa conexão, ele não usou especificamente o termo «espécie». Mas *Porfírio* (vide) trouxe a questão à tona, em sua discussão na obra *Árvore* (o que é ilustrado no artigo acerca dele). Para ele, os predicáveis são em número de cinco, conforme se disse acima.

O uso dos predicáveis serve tanto para descrever quanto para limitar um assunto qualquer. Se Aristóteles quisesse definir um *círculo*, com os seus quatro predicáveis, teria digo algo parecido com isto: 1. É um plano curvo, cada ponto extremo do qual é eqüidistante de um ponto central; 2. seu formato é tal que o ângulo no segmento que subentende um diâmetro é um ângulo reto; 3. é um plano curvo; 4. pode ter um diâmetro específico, com 10 cm, que o distingue de outros círculos.

PREEMINÊNCIA

Essa palavra vem do latim, *prae*, «antes», e *eminere*, «destacar-se», indicando assim alguma pessoa ou coisa que é distinguida de todas as pessoas e coisas devido à sua natureza superior, aos seus atributos ou à sua importância. Usualmente, esse termo incorpora a idéia de governo, porquanto aquilo que tem preeminência também governa outras coisas. No terreno teológico, esse termo é aplicado a Deus e a Cristo, ou então à Trindade, seres divinos que se mostram preeminentes em honra e em poder, além de ocuparem o primeiro lugar na escala do ser.

O *gnosticismo* (vide) forçou os apóstolos de Cristo e os cristãos que se seguiram a se manifestarem enfaticamente acerca da preeminência de Cristo. Os gnósticos concebiam um vasto exército de seres angelicais, arranjados em uma hierarquia de poder e glória, e Cristo não ocuparia, necessariamente, o primeiro lugar. Trechos bíblicos que ensinam a preeminência de Cristo, são: Col. 1:15-18; João 1:1-19; Heb. 1:3, 20-23; 4:15,16. — A preeminência de Cristo resulta de sua posição como Criador e Redentor.

PRÉ-EXÍLIO, PÓS-EXÍLIO

Essas duas palavras indicam uma maneira genérica de dividir a história do reino de Judá de acordo com o tempo que houve antes e depois de 586 A.C., o ano em que o povo de Judá foi levado para o cativeiro na Babilônia. Setenta anos depois, um remanescente voltou a Jerusalém, a fim de dar prosseguimento ali à vida nacional. O período pré-exílico inclui as fases pré-histórica, patriarcal, mosaica, dos juízes e monárquica. O período pós-exílico armou o palco para a cultura helenista do judaísmo, quando o reino do norte (Israel) não mais existia, e quando o que restou do mesmo já havia sido incorporado em Judá, que então se tornara o único Israel que havia. Esse período estendeu-se até à próxima grande deportação, que teve lugar no tempo de Adriano, imperador romano. Dali até aos nossos próprios dias, Israel tem estado no exílio. O moderno movimento restaurador (sionismo) conseguiu levar novamente o povo judeu a organizar-se como uma nação, com seu próprio território e governo. Conforme já seria de esperar, praticamente nenhum judeu moderno pode traçar a sua linhagem de volta, excetuando aqueles que descendem diretamente de Judá, pois a distinção entre as chamadas dez tribos perdidas tornou-se impossível. Assim sendo, os termos pré-exílio e pós-exílio não se aplicam ao reino do norte, Israel, e ao cativeiro assírio, visto que não houve história pós-exílica do reino do norte das dez tribos. Ver os artigos gerais sobre *Cativeiros* (Assírio e Babilônico).

PREEXISTÊNCIA DA ALMA

Tenho apresentado um estudo completo sobre as idéias atinentes à origem da alma, no artigo intitulado *Alma*, primeira seção (criacionismo; traducionismo; fulguração; eternidade; preexistência; emanação). A própria Bíblia não diz muita coisa que nos permita deduzir quando a alma humana começou. De acordo com alguns estudiosos, a declaração, em Gên. 2:7 de que Deus soprou no homem o sopro da vida, não se refere à alma, visto que essa doutrina só veio a fazer parte do pensamento hebreu na época dos salmos e dos profetas. A lei de Moisés nunca apela à vida após-túmulo, nem como lugar de castigo em potencial para os perdidos, e nem como lugar de recompensa para os retos. Isso posto, na história da criação, não encontramos qualquer declaração sobre a origem da alma. Mas o trecho de Gên. 2:7 tem sido «cristianizado» em apoio ao criacionismo. Porém, mesmo que a alma humana tenha vindo à existência mediante um ato especial de criação, naquela ocasião, isso não significa que as almas *subseqüentes* também estejam vindo à existência devido a um ato especial divino de criação, por ocasião da concepção ou nascimento.

A doutrina da preexistência da alma é comum no budismo, no hinduísmo, em várias religiões egípcias e na filosofia grega (pitagoreanos, vários filósofos socráticos, nos escritos de Platão e do neoplatonismo). O judaísmo helenista adotou essa idéia, pelo que muitos judeus a têm defendido, especialmente aqueles das tradições místicas, como os cabalistas. Os pais alexandrinos da Igreja cristã (Pantaeno, Clemente e Orígenes), como também muitos da Igreja oriental, têm advogado essa noção. Tal ensino aparece com freqüência no Talmude. Essa doutrina tinha ampla circulação nos círculos cristãos até o tempo do Sínodo de Constantinopla (533 D.C.), que a rejeitou. Aqueles que acreditam na *reencarnação* (vide) naturalmente optam por ela; mas os pais alexandrinos da Igreja a aceitavam sem essa idéia paralela. Atualmente, os mórmons ensinam essa doutrina, embora esse grupo não acredite na reencarnação, excetuando em casos especialíssimos. Alguns trechos bíblicos são apresentados em defesa da idéia, como Pro. 8:22-31, mas alguns aplicam essas passagens exclusivamente ao Logos pré-encarnado, a Sabedoria de Deus. O trecho de Jer. 1:5 é um versículo mais forte, visto que ali, como é óbvio, a pessoa em foco é o profeta humano: «Antes que eu te formasse no ventre materno, eu te conheci, e antes que saísses da madre, te consagrei e te constituí profeta às nações».

Porém, aqueles que não querem ver nesse trecho a preexistência da alma asseveram que temos aí apenas uma declaração do conhecimento prévio de Deus, e não que a alma de Jeremias tivesse existido antes de seu nascimento. Mas, contra essa interpretação alguns tem aduzido, em *primeiro lugar*, que a simples leitura da passagem não indica qualquer coisa como a precognição divina; e, em *segundo lugar*, que a teologia judaica posterior, mediante idéias tomadas por empréstimo, favoreceu as idéias da preexistência da alma e da reencarnação. A teologia judaica posterior dizia que Jeremias era a reencarnação de Moisés, ensinando que os principais profetas são encarregados de mais de uma missão terrena, através de várias reencarnações. O trecho de Ecl. 1:9-11 talvez indique a idéia da preexistência da alma.

PREEXISTÊNCIA — PREGAÇÃO

No Novo Testamento, encontramos o relato sobre João Batista, cheio do Espírito Santo desde antes de seu nascimento, como também uma informação sobre o apóstolo Paulo, que foi chamado para sua elevada missão desde o ventre materno. Ver Luc. 1:15 e Gál. 1:15. Argumenta-se que as escolhas divinas nunca podem ser vistas como arbitrárias, e que se esses dois homens tiveram elevadas missões, as quais lhes foram atribuídas antes de se converterem, dentro da experiência humana, então eles devem ter tido existências anteriores, onde obtiveram elevada posição espiritual. Nesse caso, eram irmãos do Grande Irmão, Cristo, e todos foram preexistentes. Ora, se isso sucedeu a esses dois homens, então é lógico supormos que muitos, se não mesmo todos os homens, compartilham dessa mesma condição de preexistência.

Acresça-se a isso que há alguma evidência científica quanto à preexistência da alma nos campos de vida que circundam os fetos, um poder, uma energia, ou, talvez, um ser que prepara o feto para seu uso, através do controle do código genético. Ver o artigo sobre a *Aura Humana (Campo de Vida)*.

Teologicamente falando, é difícil sustentar o *criacionismo*, a idéia que diz que Deus cria novas almas «ex nihilo» (do nada), a cada concepção ou nascimento. Além de fazer Deus tornar-se ridiculamente ocupado nesse empreendimento (o que parece antieconômico), pode-se perguntar como é que cada indivíduo nasce pecador, se Deus cria uma alma nova de cada vez. Deus criaria almas pecaminosas? Como poderíamos ensinar o criacionismo e a doutrina do pecado original ao mesmo tempo? Certamente Deus não cria pecadores.

Para alguns, a solução para esse problema é o *traducionismo*. Temos aí a idéia que tanto o homem quanto a mulher, sendo ambos seres físicos e espirituais, mediante a procriação produzem filhos que são entidades físicas e espirituais. Em outras palavras, não somente o corpo físico, mas também a alma, seria produzida pelos pais. Todavia, essa idéia é apenas uma suposição, uma suposição racional *ad hoc*. Tal idéia teria sido inventada «para esse caso», a fim de explicar como almas humanas já nascem pecadoras, aliviando assim Deus de uma tarefa de criar almas a cada minuto do dia. Considerando-se todos os fatores, a idéia da preexistência é a que cria menor número de problemas. Assim sendo, apesar da maioria dos teólogos defender o criacionismo, não é contra o bom senso defender a idéia da preexistência. Mas, sem importar qual idéia advoguemos, ver-nos-emos envolvidos em profundos mistérios. É bom admitirmos que não sabemos muita coisa, e que teremos de continuar investigando, a fim de conhecer a verdade acerca de algumas importantes questões. O resto que tenho a dizer sobre esse assunto, acha-se no artigo sobre a *Alma*, conforme mencionei acima.

PREEXISTÊNCIA DE CRISTO

Ver o artigo geral sobre a *Cristologia* e também sobre a *Preexistência da Alma*.

O conceito da preexistência de Cristo é essencial a qualquer sã doutrina cristológica. A Bíblia, profética e dogmaticamente, salienta esse ensinamento. Alguns estudiosos vêem o ensino da Trindade já no primeiro nome hebraico que o Antigo Testamento confere a Deus, *Elohim*. Esse vocábulo está no plural, embora outros insistam que se trata apenas do plural de majestade, não indicando, assim, verdadeira pluralidade. De maior peso é o argumento fundamental sobre Gên. 2:26, que diz: «Façamos o homem à nossa imagem, conforme à nossa semelhança...», onde o verbo *façamos* e o adjetivo possessivo *nossa*, indicam pluralidade. E isso é reforçado em Gên. 3:22, onde Deus diz: «Eis que o homem é como um de nós, sabendo o bem e o mal...», e onde devemos destacar as palavras «um de nós». E, quando chegamos ao Novo Testamento, o primeiro capítulo de João mostra definidamente a preexistência do *Logos* (vide), como um corolário necessário do ensino de sua deidade e poder como Criador. Isso significa que Cristo não pertence à ordem criada; pelo contrário, ele é o criador. Acresça-se a isso que o Logos «encarnou-se» (ver João 1:14), subentende a idéia de sua preexistência. Ver o artigo sobre a *Encarnação de Cristo*.

O trecho de Miq. 5:2 é um texto de prova veterotestamentário da preexistência do Messias. Aquele que nasceria em Belém tinha suas origens «desde os tempos antigos, desde os dias da eternidade». E em Isa. 9:6, o *Filho* é chamado de «Pai da Eternidade». Essa é uma declaração dogmática e profética acerca da deidade e da preexistência do *Logos* (o Filho, o Cristo). O próprio Jesus ensinou a sua preexistência, segundo se lê em João 8:58: «Antes que Abraão existisse, eu sou». Ver o artigo separado sobre o *Eu Sou de Jesus*, que tem como paralelo o *Eu Sou de Deus* (sobre o que também preparei um artigo).

A oração sumo sacerdotal de Jesus também afirma enfaticamente a preexistência do Filho e sua comunhão com o Pai «antes que houvesse mundo» (João 17:5,24). O trecho de Heb. 7:3 manifesta-se sobre o sumo sacerdócio de Cristo, equiparando-o ao de Melquisedeque que «não teve princípio de dias», além de ser «sem pai, sem mãe, sem genealogia». O título de Cristo «o Alfa e o Ômega» (sobre o qual escrevi um artigo) afirma a sua preexistência e preeminência. A passagem de Col. 1:17 assevera que Cristo é «antes de todas as cousas», declaração que deve ser entendida em sentido temporal e também em sentido de preeminência. E todas as afirmações bíblicas acerca de como o Logos é o Criador, naturalmente envolvem a idéia de sua preexistência. Ver João 1:1-3 e Col. 1:16. Outro tanto com respeito às declarações acerca de sua deidade . Ver o artigo intitulado *Divindade de Cristo*.

PREFEITO APOSTÓLICO

Na ausência de um bispo, de acordo com certos segmentos da cristandade, um homem pode assumir, com esse título, muitos deveres de um bispo. Tal homem pode ocupar-se em atividades missionárias, funcionando, de modo geral como um bispo, até que seja nomeado um bispo residente.

PREGAÇÃO EXEGÉTICA

Essa é uma forma de pregação em que a *exegese* (que vede) de algum texto bíblico é a base daquilo que é dito. É feita a tentativa de trazer à superfície os elementos históricos, lingüísticos, morais, literários e teológicos do texto; e então se fazem aplicações do mesmo às circunstâncias atuais. Em seu pior aspecto, esse tipo de pregação torna-se por demais pesado e enfadonho, sendo mais adaptado para a sala de aula do que para o público em geral. Em seu melhor aspecto, o método pode ser uma rica fonte de informações para sermões substanciais, de tal maneira que estes ensinem, e não somente entretam. Todos os sermões podem tirar proveito desse método, embora a sua preparação seja trabalhosa. Os

PREGAÇÃO — PREGAR, PREGAÇÃO

pregadores preguiçosos evitam esse tipo de pregação porquanto dá muito trabalho ao pregador.

PREGAÇÃO EXPOSITIVA

Um pregador pode usar muitos métodos e modos de pregação. Cada um desses métodos tem suas próprias vantagens e desvantagens. A *pregação expositiva* é a apresentação oral de informes obtidos e arranjados exegeticamente. Usualmente, esse modo de pregação ou ensino cobre todo um livro da Bíblia, ou uma boa parcela de um livro da Bíblia, a fim de dar aos ouvintes uma idéia geral sobre aquele bloco de material bíblico. Esse tipo de pregação pode ser contrastado com o *sermão tópico*, segundo o qual o pregador escolhe algum assunto e então desenvolve a sua mensagem, explicando como esse tópico é explanado em várias passagens da Bíblia, ou nas diversas experiências da Bíblia. A pregação por tópicos é mais fácil de ser preparada, exigindo menos estudos; e, por essa razão, é aquela mais comumente usada. Todavia, tende à superficialidade, como se alguém estivesse contando uma história. Por outro lado, a pregação expositiva, a menos que seja feita por um pregador capaz e experiente, assume mais o aspecto de uma lição para uma sala de aula, e não tanto o aspecto de um discurso diante de um auditório público. Também pode tornar-se enfadonha e pedante. Não obstante, os crentes precisam mais desse tipo de pregação expositiva, a qual pode tornar-se interessante quando feita mediante bons métodos de apresentação, com base em um estudo sólido. É o tipo de sermão que melhor se presta para as interpretações exatas, inclusive com exame das línguas originais, quanto a vocábulos-chaves.

PREGAR, PREGAÇÃO

Esboço:
1. Palavras Empregadas
2. Importância da Pregação e do Ensino
3. A Kérugma do Novo Testamento: Seu Conteúdo
4. O Caráter Divino da Pregação
5. A Pregação e o Ensino são Funções Distintas
6. Transição da Pregação Apostólica para a Pastoral
7. A Pregação no Seio da Igreja
8. A Pregação como uma Arte

1. Palavras Empregadas

No Novo Testamento há um total de quatro palavras usadas para indicar a «pregação», indicando as idéias de «dizer as boas novas», «pregar», «ensinar», «proclamar», «mestre», «pregador», etc.:

1. *Euangelizesthai*, «anunciar as boas novas». Esse verbo é usado por cinquenta e cinco vezes, conforme exemplificamos em seguida: Mat. 11:5; Luc. 4:18; Atos 5:42; 8:4,12; 15:35; Rom. 1:15; 10:15; I Cor. 15:1,2; II Cor. 11:7; Gál. 1:8,9; Efé. 2:17; I Tes. 3:6; Heb. 4:6; I Ped. 1:12; 4:6; Apo. 14:6. A forma nominal, *euaggélion*, «boa nova», é usada por quase cento e cinquenta vezes. Como exemplos ver Mat. 4:23; 9:35; Mar. 1:1,14; Atos 15:7; Rom. 1:1,9; I Cor. 4:14; 9:12; II Cor. 11:4,7; Gál. 1:6,7; Efé. 1:13; Col. 1:5,23; I Tes. 1:5; I Tim. 1:11; I Ped. 4:17; Apo. 14:6.

2. *Kataggéllein*, «proclamar», «pregar», «proclamar as boas novas». Essa forma verbal é usada por dezoito vezes no Novo Testamento: Atos 3:24; 4:2; 13:5,38; 15:36; 16:17,21; 17:3,13,23; 26:23; Rom. 1:8; I Cor. 2:1; 9:14; 11:26; Fil. 1:17,18; Col. 1:28. A forma nominal, *kataggeleús*, «pregador», «proclamador», ocorre por apenas uma vez, em Atos 17:18.

3. *Kerússein*, «anunciar», «proclamar». Esse verbo é usado por sessenta e uma vezes, que exemplificamos com Mat. 3:1; 4:17,23; Mar. 1:4,7; 16:15,20; Luc. 3:3; Atos 8:5; 9:20; Rom. 2:21; 10:8; Gál. 2:2; Fil. 1:15; I Tes. 2:9; I Tim. 3:16; I Ped. 3:19. A *kérugma* é a «coisa pregada» a «mensagem do evangelho». Essa palavra é usada por oito vezes no Novo Testamento: Mat. 12:41; Luc. 11:32; Rom. 16:25; I Cor. 1:21; 2:4; 15:14; II Tim. 4:17; Tito 1:3. Essa palavra indica a pregação apostólica, que é a mensagem central e o fundamento do Novo Testamento.

4. *Didaché*, «ensino». Essa palavra aparece por trinta vezes no Novo Testamento, referindo-se à doutrina de Jesus e de seus apóstolos: Mat. 7:28; 16:12; 22:33; Mar. 1:22,27; 4:2; 11:18; 12:38; Luc. 4:32; João 7:16,17; 18:19; Atos 2:42; 5:28; 13:12; 17:19; Rom. 6:17; 16:17; I Cor. 14:6,26; II Tim. 4:2; Tito 1:9; Heb. 6:2; 13:9; II João 9,10; Apo. 2:14,15,24. O adjetivo *didáskalos*, «mestre», um título dado a Jesus, e então aos mestres em geral, é usado por cinquenta e oito vezes, que exemplificamos com Mat. 8:19; 9:11; Mar. 10:17,20; Luc. 7:40; 20:21; João 1:38; 8:4; 20:16; Rom. 2:20; I Cor. 12:28,29; Efé. 4:11; I Tim. 2:7; Heb. 5:12; Tia. 3:1. *Didásko*, o verbo, «ensinar», é utilizado por noventa e sete vezes. Exemplificamos com Mat. 4:23; 13:54; Mar. 6:2,6; João 6:59; Atos 1:1; 4:2; 5:21; Rom. 2:21; I Cor. 4:17; Gál. 1:12; Efé. 4:21; Col. 1:27; 3:16; I Tim. 2:12; Heb. 5:12; I João 2:27; Apo. 2:14,20. Ver os artigos separados *Ensino* e *Ensinos de Jesus*.

2. Importância da Pregação e do Ensino

Temos enfatizado essa importância no artigo intitulado *Ensino*. A grande abundância de referências ao ensino e à pregação demonstra o papel primordial dessas funções, no Novo Testamento. O texto de I Cor. 1:18,21 mostra-nos que, no conceito dos gregos incrédulos, a pregação era uma «tolice». Eles preferiam a sabedoria filosófica. Porém, através da pregação do evangelho é que a salvação é outorgada aos homens. O trecho de Rom. 10:14,15 mostra que o *pregador* é uma figura necessária dentro do *modus operandi* de Deus, para anunciar a mensagem de Deus aos homens. O próprio Senhor Jesus deixou-nos o exemplo, tendo sido ele o supremo pregador, não somente à face da terra, mas também no hades (ver I Ped. 3:19 e 4:6).

3. A Kérugma do Novo Testamento: Seu Conteúdo

Por *kérugma* entende-se a mensagem cristã e seu conteúdo geral. Compõe-se dos seguintes elementos: a. A época do cumprimento veio na pessoa de Jesus Cristo, um dia predito pelos profetas, e, portanto, antecipado no Antigo Testamento (ver Atos 2:16; 3:18,24). b. O cumprimento teve lugar na vida, na morte e na ressurreição de Jesus, que deu evidências abundantes de seu messiado e de sua autoridade. Ver o artigo separado sobre *Profecias Messiânicas Cumpridas em Jesus*. c. Em face do cumprimento de sua missão, Jesus, o Cristo, foi exaltado nos céus (ver Atos 2:33-36; 3:13; 4:11). d. Há uma *universalidade* que faz parte dessa pregação que não se aplica somente à esfera terrena. Cristo pregou até mesmo no hades (I Ped. 3:19; 4:6), e ele prossegue os seus labores nos céus (ver Rom. 8:34; João 14:2,3; I João 2:1). Assim sendo, Cristo tem tido e continua tendo uma missão tridimensional, com o propósito de que, finalmente, todas as coisas encontrem nele a grande unidade (ver Efé. 1:9,10), assim conforme o *Mistério da Vontade de Deus* (vide). Desse modo, ele tornar-se-á *tudo para todos* (Efé. 4:10). Tanto a descida de Cristo ao hades quanto a sua subida (e, portanto, seu ministério nos céus) estão relacionados a esse glorioso propósito, conforme deixa claro o contexto do quarto capítulo da epístola aos Efésios. e.

PREGAR, PREGAÇÃO — PREGO

A futura era messiânica atingirá um ponto de fruição mais plena quando tiver lugar a *parousia* (vide) (Atos 3:21). f. A *kérugma* requer reação favorável da parte dos homens, começando pelo arrependimento, e levando a uma completa dedicação à mensagem cristã e à vida cristã. Ver Atos 2:38; Rom. 12:1,2. g. A *kérugma* é constituída por atos e se centraliza em torno de uma Pessoa, Jesus Cristo. É altamente ética e vitalmente espiritual.

4. O Caráter Divino da Pregação

A *kérugma* é eficaz por causa do ministério do Espírito Santo. Isso posto, essa pregação não se assemelha a outras proclamações, por boas e dignas que elas sejam, porquanto ela é inspirada pelo Espírito de Deus e é um veículo da graça divina. O evangelho é o poder de Deus para a salvação de todos quantos confiam (ver Rom. 1:16). O evangelho oferece-nos novidade de vida (I Cor. 1:18 *ss*; Efé. 2:1 *ss*). Ela é assinalada por uma divina compulsão (Luc. 4:43; Atos 4:20). Paulo não podia mostrar-se negligente para com a sua missão de pregador (ver I Cor. 9:16); dons especiais do Espírito fazem da pregação e do ensino cristãos atividades vitais e eficazes (ver I Cor. 12:4-11,28,29; Efé. 4:11).

5. A Pregação e o Ensino são Funções Distintas

E isso com um grande propósito, embora nem sempre sejam funções claramente distinguidas no texto bíblico. A diferença entre essas duas funções é muito mais uma questão de estilo do que de conteúdo. Ver Mat. 4:23. Jesus ocupou-se tanto na pregação quanto no ensino. Sua pregação é salientada em Mar. 1:29 e Luc. 4:44. E seu ensino é enfatizado em Luc. 4:15. No entanto, esses dois verbos podem ser usados de modo intercambiável (ver Mar. 1:14,15,21,38,39). A função apostólica incluía ambas as modalidades (ver Atos 5:42; 28:31; Col. 1:28). A igreja cristã não pode viver somente da pregação; ela também precisa ensinar. A pregação precisa incluir a proclamação do inteiro conselho de Deus (ver Atos 20:20,27; II Tim. 4:2), e a Grande Comissão inclui a necessidade de ensinar (ver Mat. 28:20).

6. Transição da Pregação Apostólica para a Pastoral

As chamadas epístolas pastorais (I e II Timóteo e Tito) descrevem a transição da pregação apostólica para a pregação pastoral, o que envolve o ensino cristão. Outros cristãos receberam altas responsabilidades, e o ministério apostólico teve prosseguimento por meio de delegados. A pregação e o ensino tornaram-se deveres e privilégios sagrados (ver I Tim. 4:13,14; II Tim. 2:15; 3:14-16; 4:1-5). A sucessão de homens fiéis garante a continuação desse ministério (ver II Tim. 2:2). Alguns estudiosos, antigos e modernos, vêem aí uma base escriturística para a idéia da *Sucessão Apostólica* (vide).

7. Pregação no Seio da Igreja

Os apóstolos seguiram o exemplo de Jesus, e homens fiéis continuaram o processo. O sermão missionário, nos tempos cristãos primitivos, era o elemento primordial no culto cristão. A pregação formal, incluindo a oratória, também foi uma característica muito antiga. Muito disso era feito à imitação dos retóricos greco-romanos. Sem dúvida, os filósofos de Corinto estiveram envolvidos nessa forma de pregação (Apolo, provavelmente, era tido como herói dessa classe; ver I Cor. 3:4). E é provável que alguns deles lançassem no ridículo àquele discurso «desprezível», que geralmente se ouvia nas sinagogas, o que era um material embotado e sem brilho para os retóricos (ver I Cor. 10:10). Dentro da história da Igreja, a pregação eloqüente atingiu seus pontos culminantes com Crisóstomo (cujo nome significa «boca de ouro») e com Agostinho. Orígenes assinalou a transição da homilia hortatória para o sermão expositivo, de acordo com o qual (para consternação de alguns), começou a ser usado o método alegórico. Ver sobre *Alegoria*, especialmente seu quarto ponto. Agostinho também se valeu desse método, e daí propagou-se pela Igreja ocidental.

Houve alguns grandes pregadores bíblicos na Igreja Católica Romana, antes da Reforma Protestante, embora o sacramentalismo e a liturgia tendessem por obscurecer a missão de pregação e ensino da Igreja. A *Reforma Protestante* (vide) foi um momento de retorno à pregação e ao ensino bíblicos, e grandes multidões começaram novamente a reunir-se para testemunhar o espetáculo, desde há muito abafado. João Wesley foi um talentoso pregador, e toda uma nova denominação desenvolveu-se em torno dele e de seu irmão, e isso parcialmente tendo por base esse tipo de comunicação. Em nossos próprios dias, a pregação liberal concentra demais de sua atenção e de seu tempo à política e aos problemas sociais. Entre os fundamentalistas, — um número demasiadamente grande de sermões dedica-se a atacar ao liberalismo, ao comunismo e aos males sociais, havendo pouquíssima pregação e ensino que sejam realmente bíblicos. Um outro mal é a mania pela psicologia popular, que tem provido a base para muitos sermões sem nenhum conteúdo bíblico. Uma outra debilidade entre os fundamentalistas e os evangélicos é a ênfase exclusiva sobre o evangelismo, pelo que, em muitas igrejas, somente mensagens de salvação são ouvidas, com pouquíssima exposição sobre outros ensinos que fazem parte da Bíblia. Por causa disso, uma certa superficialidade doutrinária tem atingido a Igreja, em todas as denominações. Além disso, preciso fazer aqui uma pausa a fim de criticar o «evangelho» que está sendo pregado, e que deixa de lado grandes dimensões da mensagem cristã, a saber, a missão tridimensional de Cristo (na terra, no hades e no céu), apresentando assim um ponto de vista pessimista daquilo que a prédica cristã haverá, finalmente, de realizar. Ver o artigo separado sobre *Missão Universal do Logos* (*Cristo*). Ver também sobre o *Mistério da Vontade de Deus*, quanto a uma dimensão da mensagem cristã que não está sendo anunciada pela Igreja ocidental (a Igreja Católica Romana e suas fragmentações evangélicas e protestantes). Mas a Igreja oriental tem tido uma visão melhor das verdadeiras dimensões da mensagem cristã.

8. A Pregação como uma Arte

Ver o artigo separado e detalhado chamado *Homilética* (*Homilia*). Ver também o artigo *Hermenêutica*, a ciência da interpretação, que muito tem a ver com a pregação e o ensino cristãos.

PREGO

Precisamos considerar, neste verbete, três palavras hebraicas e uma grega.

1. No hebraico, *yathed*, uma cunha de madeira. Todavia, esse mesmo vocábulo é usado para indicar pregos feitos de outros materiais. Ver Eze. 15:3; Isa. 22:25. As peças usadas para firmar uma corda de uma tenda também eram assim chamadas. Foi uma dessas peças de madeira que Jael utilizou para matar a Sísera (ver Juí. 4:21,22).

2. No hebraico, *masmer*, um prego ordinário ou ornamental. Ver I Crô. 22:23; II Crô. 3:9. Pregos de ferro foram usados como pivôs das portas do templo. O trecho de I Crô. 22:3 mostra que essas peças eram de ferro, o que chegava a constituir, então, um luxo,

pois o ferro era raro e caro. Ver também II Crô. 3:9, que fala sobre pregos ornamentais, feitos de ouro, usados no templo de Jerusalém. Os pregos comuns usados pelos carpinteiros também recebiam esse nome, no hebraico.

3. No hebraico, *sipporen*, palavra usada para indicar tanto uma unha humana (ver Deu. 21:12) como a ponta de um estilete ou um alfinete metálico (ver Jer. 17:1). Em Dan. 4:33 e 7:19 é usado o seu paralelo aramaico, *tephar*, onde alude às garras de aves ou de mamíferos.

4. No grego, *elos*, que indica os cravos de ferro que foram usados quando da crucificação do Senhor Jesus (João 20:25; Col. 2:14). Os arqueólogos têm podido encontrar um grande número desses cravos, alguns dos quais pertencentes ao século I D.C.

Usos Figurados. Os líderes nacionais de Israel eram chamados de «estacas de tenda» (ver Zac. 10:4), porquanto conferiam estabilidade à nação. Eliaquim foi comparado com uma estaca fincada em lugar firme (ver Isa. 22:25). Ele conferia estabilidade à sua família inteira, mas quando ele caiu, arrastou-os consigo. As palavras ditas pelos sábios são comparadas a pregos bem fincados, aos ouvidos daqueles que lhes dão atenção (Ecl. 12:11). E isso porque causam impressões profundas e duradouras nas mentes dos homens. Algo similar foi dito quanto às palavras de Sócrates, isto é, que elas pareciam espinhos nas mentes dos seus ouvintes. E há um provérbio oriental que faz um prego simbolizar uma donzela pobre que se casou com um homem rico, firmando-se assim em uma casa. Talvez uma idéia assim esteja por detrás de textos como os de Esd. 9:8 e Isa. 22:23-25.

PREGUIÇA Ver também **Preguiçoso.**

O fato de que muito daquilo que fazemos ou *gostaríamos de fazer* é pecaminoso, é consternador para a maioria das pessoas. A situação é conforme alguém disse: «Tudo do que gosto ou engorda ou é imoral». Para aumentar ainda mais a nossa consternação, aprendemos que existem os pecados de *omissão*. Se deixarmos de fazer certas coisas, que fazem parte de nossa obrigação, estaremos pecando por inatividade. Além disso, existem aqueles pecados que não são pecaminosos por si mesmos, mas que se tornam errados se, ao praticá-los, ofendermos a algum irmão na fé (ver Rom. 14). E, acima de todas essas categorias, é pecaminoso *nada fazer*. Por esse motivo, alguém observou: «A pessoa é condenada se fizer, e é condenada se não fizer». E a isso, alguém acrescentou uma péssima teologia, ao asseverar: «Então, vamos fazer!»

A Preguiça. A preguiça consiste na indisposição para fazer qualquer esforço, na indolência, no ócio. A pessoa preguiçosa é um dos casos humanos mais lamentáveis que existem. Ela não se deixa inspirar por qualquer idéia; ameaças de nada adiantam para torná-la ativa. O preguiçoso não se envolve em qualquer ocupação, e olvida-se de qualquer propósito na vida. Com freqüência, o preguiçoso é apenas um parasita que pensa que outros precisam sustentá-lo. Ele se queixa quando suas acomodações não são de primeira classe, e critica a outros de egoísta quando não é servido como pensa que deveria ser. Quando algum trabalho precisa ser feito, ele se ausenta naquele dia. Mas, quando há qualquer festa e há alimentos gostosos em abundância, o preguiçoso está sempre presente.

Algumas pessoas preguiçosas são forçadas a trabalhar, ou pela simples pressão social, ou, então, por grave necessidade econômica. O indivíduo preguiçoso chega tarde ao trabalho; sai cedo de seu emprego; faz longas interrupções somente para tomar o cafezinho; entrega-se muito à maledicência; goza os feriados um dia antes e um dia depois dos mesmos; acaba adoecendo de tanto comer, mas fica bom miraculosamente, quando alguém fala em levá-lo a passeio; pensa que a terra é um lugar de lazer e prazer; pensa que o céu é um lugar fácil de ser obtido, porque sempre poderá aplicar o seu famoso «jeitinho». Alguns preguiçosos chegam a escrever livros. Os artigos que anunciam esses livros dizem algo como: «O senhor Fulano ou Sicrano trabalhou durante trinta e cinco anos nesse livro, que será publicado no ano que vem». Então, descobre-se que o tal livro tem apenas cento e vinte páginas! Algumas pessoas preguiçosas também escrevem teses universitárias. Ouvi acerca de uma tese dessas, que precisou de seis anos para ser escrita. Os preguiçosos acabam criando feridas nas costas, de tanto ficarem deitados na cama, de papo para o ar. Se chegarem a andar um quilômetro, dizem que ficaram com os pés em carne viva. Seus olhos ardem, se tiverem de ler mais de dez páginas. Ficam com dor de cabeça por quase qualquer razão, especialmente se chegou a hora de irem para o trabalho; mas, miraculosamente, pouco depois estão inteiramente recuperados. Em qualquer lugar onde haja pessoas trabalhando, não é difícil identificar os preguiçosos. Eles costumam ficar juntos nos parapeitos das janelas, passando o tempo a olhar para fora, como se fossem aves que estão esperando somente que a porta da gaiola se abra, a fim de escaparem voando. E, quando têm que fazer algum trabalho, fazem o mínimo possível, a fim de castigarem seus patrões, que não lhes pagam conforme eles pensam que merecem.

É com extrema raridade que a preguiça se torna uma vantagem. Conta-se a piada de um homem realmente preguiçoso. Ela diz assim: Um homem que fazia uma viagem a pé, parou em um lugar a fim de pedir informações. Viu um homem deitado debaixo de uma árvore. Aproximou-se dele e perguntou em que direção deveria seguir, para chegar onde queria. O homem debaixo da árvore nem se levantou, mas apenas apontou na direção geral a ser tomada com o dedão de um pé. O viajante comentou: Esse é o ato mais preguiçoso que já vi. Se alguém puder fazer algo ainda com maior preguiça, darei ao tal uma nota de mil cruzados! O homem que jazia no chão respondeu: Basta que você me role no chão e ponha a nota de mil cruzados em meu bolso».

Conheci um homem com terrível tendência para a preguiça. Quando alguém lhe perguntou o *motivo* para isso, ele replicou: «Meu pai trabalhou muito na vida, e eu já nasci cansado».

O indivíduo preguiçoso nem se inspira por nada e nem inspira a outros. Paulo mostrava-se definidamente avesso à preguiça. Disse ele: «Se alguém não quer trabalhar, também não coma» (II Tes. 3:10). Muitas pessoas têm dito coisas espirituosas sobre a preguiça e sobre as pessoas preguiçosas:

«O ócio é apenas o refúgio das mentes fracas, o feriado dos insensatos» (Lord Chesterfield).

«Ausência de ocupação não é descanso; uma mente sem nada para fazer é uma mente inquieta» (William Cowper).

«Não há lugar para o ocioso na civilização. Nenhum de nós tem qualquer direito à preguiça» (Henry Ford).

«A preguiça avança tão devagar que a pobreza não demora a alcançá-la» (Benjamim Franklin).

«De todas as nossas faltas, aquela da qual nos desculpamos mais facilmente é a preguiça» (François de La Rochefoucauld).

PREGUIÇOSO — PRÉ-MILENISMO

«Satanás acaba encontrando alguma coisa maléfica para as mãos ociosas fazerem» (Isaque Watts).

«Nada fazer é a coisa mais difícil do mundo...» (Oscar Wilde).

«Um homem sem ambição é como uma mulher sem beleza» (Frank Harris).

«Vai ter com a formiga, ó preguiçoso, considera os seus caminhos, e sê sábio» (Pro. 6:6).

Ver o artigo intitulado *Ócio e Trabalho*, *Dignidade e Ética do*.

PREGUIÇOSO Ver também **Preguiça**.

No hebraico, temos a considerar uma palavra, e duas palavras no grego, a saber:

1. *Atsel*, palavra hebraica que aparece por catorze vezes, como, por exemplo, em Pro. 6:6; 6:9; 10:26; 13:4; 20:4; 26:16; Juí. 18:9.

2. *Oknerós*, «preguiçoso», «displicente», principalmente no sentido de não odececer aos mandamentos de Deus ou ao seu chamamento. Esse termo grego aparece por três vezes: Mat. 25:26; Rom. 12:11 e Fil. 3:1.

3. *Nothrós*, «preguiçoso». Esse vocábulo grego aparece por apenas duas vezes: Heb. 5:11 e 6:12.

1. Nos Provérbios

O livro de Provérbios, que é o livro bíblico que mais alusões faz ao defeito da preguiça, ou indolência, descreve o preguiçoso como indivíduo que gosta de dormir. O preguiçoso não cuida de suas propriedades, nem de suas plantações, pelo que também está sujeito a padecer fome, ao passo que o diligente ou trabalhador prospera e tem tudo em abundância. Ver Pro. 6:6,9; 13:4; 15:9; 24:30; 26:13-16. A condição da preguiça é tão lamentável que um preguiçoso, mesmo que tivesse alimentos, não levaria a comida até à boca (Pro. 19:24). Vive descobrindo desculpas esfarrapadas para nada fazer, como aquele que diz que há um leão solto nas ruas, o que o impede de ir ao trabalho (Pro. 22:13). Essa indolência, todavia, para o preguiçoso parece ser grande demonstração de sabedoria (26:16), como se ele estivesse se poupando do desgaste físico. Prefere as fantasias do que o trabalho, que é sempre cansativo e difícil (Pro. 13:4; 21:25). Por essa razão, o preguiçoso não somente arruina a si mesmo, mas também causa prejuízos a quem ele tiver de prestar algum serviço (Pro. 10:26).

2. Contrastado com a Indústria

A preguiça do preguiçoso é contrastada com a indústria da mulher virtuosa (31:27), um contraste que se destaca muito mais porque o preguiçoso é do sexo masculino, e a mulher virtuosa é do sexo feminino. Essa mulher virtuosa é abençoada não somente porque enriquece, mas também por causa da oportunidade que o seu trabalho lhe confere de cuidar dos mais pobres (Pro. 31:20), além do que ela vê o seu marido tornar-se um dos líderes da comunidade onde vive o casal (Pro. 31:23). O trabalho conjunto, do marido e da mulher, pois, produz ótimos resultados, não somente na forma de abundância material maior, mas também na forma de um maior prestígio social. O que mais importa, entretanto, é que a mulher virtuosa, trabalhadeira, recebe louvores da parte do Senhor (Pro. 31:30).

3. É um Pecado

A preguiça não é apenas um dentre uma grande variedade de pecados, mas também é uma atitude que prejudica os próprios deveres do indivíduo para com Deus e para com o próximo. O preguiçoso oferece a Deus e aos seus deveres pessoais uma espécie de resistência passiva, mesmo que ele não se torne destrutivo; mas essa passividade muitas vezes é tão prejudicial como as ações dos destruidores, embora a incúria redunde em perda em ritmo mais lento, por falta de cuidados.

4. Nas Palavras de Jesus

A parábola de Jesus sobre os talentos reitera o tema do temor insensato como a própria raiz da preguiça e do ócio (Mat. 25:25,26), além de salientar o temor ao Senhor como a fonte originária da diligência, deixando claro que será por ocasião da segunda vinda do Senhor, quando ele vier julgar aos homens (cf. o «dia da colheita», tantas vezes referido no livro de Provérbios) que o emprego diligente dos dons de Deus serão recompensados, ao mesmo tempo em que os preguiçosos serão punidos.

5. Nas Palavras de Paulo

O apóstolo dos gentios frisou a necessidade de servirmos a Deus em proporção aos dons e às habilidades que ele nos outorgou (Rom. 12:3-8), de tal modo que não devemos ser preguiçosos, mas antes, devemos ser impelidos a uma febricitante atividade, por meio do Espírito de Deus (Rom. 12:11). Portanto, o preguiçoso está resistindo ao Espírito Santo! Por semelhante modo, a epístola aos Hebreus enfatiza que não devemos retroceder, depois de termos participado do Espírito, mas antes, cumpre-nos prosseguir a caminhada, e isso, conforme diz o escritor sagrado: «...para que não vos torneis indolentes, mas imitadores daquele que, pela fé e pela longanimidade, herdam as promessas» (Heb. 6:12). Conforme se pode deduzir desse e de outros trechos bíblicos, a preguiça não envolve somente as atividades humanas corriqueiras, mas existe também tal coisa como a preguiça espiritual, a pior forma de preguiça, porquanto importa em perda eterna e irremediável.

PRELADO, PRELAZIA

Esse termo vem do latim **praelautus** cuja raiz verbal é **praeferre**, «estabelecer», indicando assim um oficial eclesiástico graduado. A palavra *prelazia*, por sua vez, refere-se àquele tipo de governo eclesiástico cujo controle é exercido pelos bispos, arcebispos, metropolitas e patriarcas. Dentro do catolicismo romano há vários outros ofícios que compõem o quadro geral, como abades, probostes, núncios e prefeitos apostólicos. Dentro da comunhão anglicana, bispos e arcebispos são chamados prelados. Prelazia é, algumas vezes, usada como sinônimo de episcopado.

PRÉ-MILENISMO (PRÉ-MILENARISMO)

Ver o artigo sobre **Milênio**, mormente em seu sexto ponto, onde são examinados os vários pontos de vista sobre o milênio. O pré-milenismo é a asserção de que haverá uma futura era *áurea*, mas que para tanto será mister o aparecimento pessoal de Cristo (ver sobre *Parousia*), o qual inaugurará o milênio. Um milenismo exagerado é chamado *quiliasmo*, termo derivado de *chilia*, palavra grega que significa «mil», ao passo que *milênio* vem diretamente do latim. O quiliasmo ensina que serão restaurados os antigos ritos e sacrifícios levíticos, e que Davi retornará a fim de reinar sobre Israel.

O pré-milenismo predominou dentro do pensamento escatológico da Igreja, até surgirem em cena os teólogos alexandrinos (século III D.C.). Orígenes e Clemente sugeriram um ensino simbólico ou alegórico acerca dos mil anos referidos em Apo. 20:4. Uma Igreja exausta, que havia esperado ardorosamente, mas em vão, pelo imediato retorno de Cristo (séculos I e II D.C.), deixou-se influenciar facilmente por essa perda de coragem, e abandonou a posição pré-milenar. A princípio, o amilenismo (que diz que não haverá qualquer milênio) foi considerado uma heresia; mas, gradualmente, foi sendo aceito, especialmente através da influência de Agostinho, já no século IV D.C. Agostinho rejeitava o pré-milenismo, tachando-o de literal e carnal demais, e espiritualizou o conceito. O amilenismo tornou-se a posição geralmente adotada pela Igreja Católica Romana, e chegou mesmo a ser defendida pela maior parte dos reformadores protestantes.

O pré-milenismo voltou a ser aceito nos dias posteriores à Reforma Protestante, de tal maneira que, atualmente, é uma doutrina comum entre os protestantes e os evangélicos, sem que isso signifique que tenha desaparecido a posição do amilenismo. O milênio acabou vinculado aos ensinos sobre o reino de Deus, e assim pôde ser defendido por meio de muitos textos bíblicos de prova, embora apenas o trecho neotestamentário de Apo. 20:4 mostre a duração específica do período, que é previsto em vários trechos do Antigo Testamento. O artigo intitulado *Milênio* demonstra que o milenismo e o amilenismo têm precedentes na teologia judaica helenista, pelo que não há nada de novo quanto a ambas as idéias. O resto do que tenho a dizer sobre o assunto, incluindo muitas referências bíblicas, aparece no meu artigo chamado *Milênio*.

PREMISSAS

Essa palavra portuguesa vem do latim, **praemissus**, «enviado antes». Esse vocábulo é tradução da palavra grega *prótasis*, «posto antes». A premissa é usada formalmente na lógica a fim de indicar aquelas declarações de onde podemos deduzir conclusões. Aristóteles distinguia entre a premissa maior e a premissa menor, das quais a conclusão é extraída.

À parte de seu uso formal na lógica, uma premissa é uma proposição que é apresentada, provada, suposta ou subentendida, que serve de base de um argumento ou como uma conclusão de um argumento que fora declarado.

PRÊMIO Ver **Galardão** e **Coroas**.

PREPARAÇÃO, DIA DE Ver **Dia de Preparação**.

PREPÚCIO

A dobra de pele solta que encobre a glande do pênis masculino. Essa dobra de pele era removida quando da operação da *circuncisão* (vide), deixando a glande descoberta. Visto que a circuncisão simbolizava a purificação, o prepúcio simbolizava a corrupção. Por esse motivo é que achamos na Bíblia expressões como: «Circuncidai, pois, o vosso coração, e não mais endureçais a vossa cerviz» (Deu. 10:16). «Circuncidai-vos para o Senhor, circuncidai o vosso coração, ó homens de Judá e moradores de Jerusalém...» (Jer. 4:4). Expressões assim apontam para as corrupções humanas e para o seu estado pagão. Visto que a circuncisão era sinal do pacto abraâmico, o prepúcio era sinal daqueles que não faziam parte desse pacto. Algumas vezes, o prepúcio era tirado como um troféu de gentios mortos, que eram inimigos de Israel, mais ou menos da mesma maneira que os indígenas norteamericanos tiravam os escalpos de suas vítimas (I Sam. 18:25; II Sam. 3:14). A ciência médica moderna tem demonstrado que a circuncisão é uma excelente medida higiênica, capaz de impedir infecções tanto no homem quanto na mulher, e até mesmo o câncer do pênis. A mesma coisa, todavia, pode ser conseguida mediante uma lavagem diária com sabão desinfetante.

PRESA, DESPOJO

No hebraico, **baz**, «presa», palavra usada por vinte e cinco vezes. Por exemplo: Jer. 49:32; Núm. 14:3,31; Eze. 7:21; 38:12,13. Um termo cognato é *malqoach*, «saque», palavra usada por oito vezes. Por exemplo: Núm. 31:32. E ainda um terceiro termo cognato é *meshissah*, «despojo», palavra usada por seis vezes. Por exemplo: Hab. 2:7; Sof. 1:13. Nossa versão portuguesa, secundando várias outras traduções estrangeiras, não se mostra coerente na tradução dessas três palavras, as quais têm sentidos específicos. Assim, *presa* é aquilo que pode ser útil ao captor; *saque* inclui tudo quanto pode ser consumido, satisfazendo o apetite; e *despojo* é tudo quanto serve para designar o triunfo obtido.

A primeira referência bíblica a presa e despojo encontra-se em Núm. 31:27, onde também se vê que Moisés cuidou para que as coisas tomadas do inimigo fossem distribuídas eqüitativamente entre todo o Israel. Essa prática foi seguida por Josué, após a conquista da terra (Deu. 2:35; Jos.8:2), bem como por Davi (I Sam. 30:24). Ver também Jer. 49:32; Naum 3:1 e Hab. 2:7. Somos informados, em Números 31:25-47, que a presa consistia até mesmo de mulheres virgens, além de gado vacum, ovino, asinino, etc. Metade da presa foi dada ao Senhor, entregue aos levitas. Da outra metade, uma parte de cada cinquenta foi entregue aos levitas que cuidavam do tabernáculo do Senhor.

No Novo Testamento encontramos duas palavras gregas que nos chamam a atenção, quanto a essa idéia: *Diarpázo*, «arrebatar totalmente»; e *sulagogéo*, «levar como despojo». A primeira delas figura por três vezes (Mat. 12:29; Mar. 3:27), e a nossa versão portuguesa a traduz por «roubar» e «saquear». E a segunda delas é uma *hapax legomena* (que vide), figurando apenas em Col. 2:8, onde Paulo a usa metaforicamente, para indicar o engodo com que os falsos mestres «enredam» suas vítimas crédulas. As vítimas desses falsos mestres servem-lhes, pois, de prova de triunfo. Que Deus nos guarde de servir de despojo para esses sofistas!

PRESBITERIANA, IGREJA

Ver sobre **Igreja Presbiteriana**.

PRESBITERIANO

Ver **Igreja Presbiteriana**.

PRESBITÉRIO

Ver sobre **Presbítero** e sobre **Governo Eclesiástico**. O presbitério é o corpo eclesiástico governante da *Igreja Presbiteriana* (vide). Cada presbitério é ali constituído pelos *anciãos mestres* (um clero ordenado) e pelos *anciãos dirigentes* (leigos). Cada um desses presbitérios exerce autoridade sobre uma área ou distrito da Igreja em geral. O voto do presbitério decide sobre questões importantes no tocante ao distrito e às igrejas locais dentro daquele distrito. O governo presbiteriano deve ser distinguido da *prelazia* (vide) e do *governo democrático* (ou independente), como uma das principais formas de governo eclesiástico. Dentro do vocabulário da Igreja Católica Romana, o presbitério é a residência de um padre.

PRESBÍTERO

Palavra portuguesa que é transliteração do termo grego *presbúteros*, «ancião», «velho». Na Igreja primitiva esse título era usado de modo intercambiável com outros dois, «bispo» e «pastor». Todavia, isso não quer dizer que não houvesse anciãos dirigentes que tinham autoridade sobre territórios, e não meramente sobre congregações locais. Os apóstolos foram os primeiros anciãos que dirigiram territórios, que também podiam ser chamados bispos («supervisores»). Com o tempo, houve anciãos como Timóteo e Tito, que certamente exerciam autoridade sobre áreas, e não apenas sobre igrejas locais. Isso explica por que aqueles três termos—presbítero (ou ancião), bispo (ou supervisor) e pastor, eram usados de modo intercambiável (cada um deles enfocando alguma faceta do ministério pastoral). Atualmente concebe-se que cada pastor é dirigente de uma igreja local, mas isso não se verifica no próprio Novo Testamento, e nem pode ser demonstrado pela história eclesiástica antiga, como as citações dos pais da Igreja do século II D.C.

Mas, com a passagem do tempo, esses três termos começaram a receber significados especiais, e passaram a ser distinguidos uns dos outros. Hoje temos uma situação em que ou um presbítero é um padre, ou, então, ocupa um cargo indefinido, em certas igrejas evangélicas, que não chega a equiparar-se com a autoridade de um pastor. Na Igreja Presbiteriana, trata-se de um clérigo ordenado (um ancião que ensina) ou um leigo (um ancião que governa). O conjunto dos presbíteros, naquele grupo protestante, forma o corpo governante da igreja. Esse é um tipo de governo eclesiástico conhecido como *presbiteriano*, ou seja, o governo dos «anciãos». Ali não impera a democracia, mas uma oligarquia, isto é, o governo de poucos.

No começo, não havia diferença entre um presbítero e um bispo (eram apenas títulos diferentes para um mesmo ofício). Mas depois um presbítero podia desempenhar o papel de um bispo, se lhe fosse dada autoridade (temporária) para tanto. Assim, os presbíteros podiam batizar e administrar a Ceia do Senhor. Os presbíteros prestavam contas ao bispo, e estavam sob a sua autoridade. Não obstante, os presbíteros ajudavam no governo das igrejas como uma espécie de senado ou concílio, sob autoridade episcopal. E, com a passagem do tempo, o ofício de presbítero tomou a feição do ofício de um padre. Por essa razão, a segunda das ordens maiores das igrejas católica romana, anglicana e ortodoxa oriental é descendente direta dos antigos presbíteros. E embora, após o século II D.C., os presbíteros não tivessem o direito de ordenar a outros, era a opinião de João Wesley que, originalmente, essa fora uma de suas funções, até mesmo nos tempos neotestamentários. Por esse motivo, os presbíteros metodistas eram criados mediante a imposição de mãos de outros presbíteros.

Nos grupos evangélicos de governo eclesiástico democrático, como os batistas e outros, a palavra «pastor» envolve todos os demais títulos. Ali os pastores também são os bispos (ou supervisores) e os presbíteros (ou anciãos). Por outra parte, o governo eclesiástico democrático, como é praticado nesses grupos, também não corresponde exatamente ao que se vê no Novo Testamento. Pois, em vez de haver uma pluralidade de pastores (ou presbíteros ou bispos), dirigindo a congregação e decidindo sobre questões importantes, que requerem maturidade espiritual, a congregação (composta de crentes experientes e inexperientes) é consultada, e tudo é decidido por voto da maioria, um método inteiramente estranho ao que se vê no Novo Testamento. Questões corriqueiras, segundo esse sistema democrático, podem ser resolvidas pelo pastor, sem necessidade de decisão por voto; mas, quando se trata de questões mais importantes, como a compra ou venda de propriedades, o recebimento ou exclusão de membros, etc., tudo já se decide por voto da maioria. Ademais, o próprio pastor é eleito dentre certo número de candidatos ao ofício, uma prática que não tem qualquer antecedente no Novo Testamento. Timóteo e Tito consagraram anciãos, que foram postos sob igrejas locais; e as instruções dadas nas epístolas a eles dirigidas fazem-nos entender que os consagrados tinham sido homens que já se haviam distinguido como líderes, contando com a aprovação geral da congregação, embora sem a aprovação formal através de qualquer tipo de votação. O voto democrático que se pratica hoje em dia em certas igrejas evangélicas, com base em regras escritas, definidamente é desconhecido no próprio Novo Testamento, e foi concebido quando foi eliminada a hierarquia que então comandava as igrejas. Se, nesses grupos e em outros, houvesse uma orientação mais clara do Espírito, não teria sido difícil determinar a vontade do Senhor, quanto à liderança. Mas, faltando essa orientação, apelou-se para um esquema baseado nas regras parlamentares. Ver o artigo geral intitulado *Governo Eclesiástico*.

PRESCIÊNCIA

Ver sobre **Precognição** (**Conhecimento Prévio**).

PRESCIÊNCIA DE DEUS

I. Porquanto aos que de antemão conheceu.

Ver Rom. 8:29. Temos aqui alusão à «presciência de Deus». Esse conhecimento anterior não indica mera presciência acerca da fé ou da escolha humana. Essa declaração não diz que aqueles que foram conhecidos por Deus de antemão haveriam de exercer fé, ou que aqueles que foram predestinados vieram a Cristo por sua livre escolha. Os intérpretes é que têm insuflado essas idéias neste versículo, mas na realidade, não é isso que é ensinado aqui. Não pode haver dúvidas de que Deus vê, com antecedência, quais seres humanos haverão de exercer fé ou não. Isso é uma verdade, mas não é a verdade aqui declarada e contemplada. Pois os *próprios crentes* é que são «conhecidos de antemão», e não a fé deles. O uso dessa expressão é similar àquilo que se lê em Amós 3:2: «De todas as famílias da terra somente a vós outros vos escolhi...» Não há aqui, por conseguinte, qualquer pensamento acerca de uma fé prevista, exercida pelo livre-arbítrio humano, embora isso também seja uma verdade, mas não expressa na presente passagem. Antes, está em foco um «povo conhecido de antemão».

A idéia aqui transmitida para nós indica uma espécie de amor preordenado, de familiaridade anterior, de preocupação e interesse por certos indivíduos da parte de Deus. O trecho de I Ped. 1:2 pode ser similarmente interpretado, porque ali, por semelhante modo, não há qualquer declaração no sentido de que Deus prevê aqueles que haveriam de crer, tendo escolhido os mesmos, embora muitos intérpretes tenham forçado essa significação sobre esse trecho petrino, por igual modo. É mister observarmos que, em I Ped. 1:20 essa mesma expressão é utilizada para indicar a pessoa de Cristo. Ali vemos que Cristo também foi «conhecido de antemão», e não se pode conceber que isso significa que Deus meramente previu que Jesus Cristo faria isto ou aquilo. Esse

PRESCIÊNCIA DE DEUS

versículo declara especificamente que esse «conhecimento anterior» ocorreu antes da fundação do mundo. Por conseguinte, Cristo foi «favorecido», ou teve «intimidade» com o Pai; e todos os eleitos, em Cristo, são similarmente «conhecidos de antemão». A tradução inglesa de Williams, diz nesse ponto: «Pois aqueles em quem fixou de antemão o seu coração, assinalou como seus» (aqui vertida para o português). Williams deixou uma nota de rodapé, dizendo que esse era o uso comum da palavra grega traduzida aqui por «conhecer de antemão», segundo a tradução da Septuaginta (tradução do A.T. hebraico para o grego, que ficou pronta cerca de duzentos anos antes da era cristã). Esse conhecimento anterior, portanto, é uma espécie de amor previamente determinado, a força que provoca a eleição para a salvação.

Kelly (*in loc.*) observa: «É importante notarmos que o apóstolo (Paulo) não alude aqui a algum conhecimento anterior passivo ou vazio, como se isso quisesse dizer que Deus meramente viu de antemão que alguns seriam isto ou aquilo, fariam isto ou aquilo, ou creriam. O conhecimento prévio de Deus envolve pessoas, e não a conduta das mesmas; não importa o 'que', e, sim, a 'quem' ele conheceu de antemão».

II. A idéia de conhecimento prévio não é usada aqui em nenhum dos dois sentidos abaixo:

1. Não é simples previsão da fé que seria exercida por alguns.

2. Também não é o conhecimento de que certos indivíduos *persistiriam* nessa fé, os quais, por conseguinte, chegam à plena fruição de sua salvação.

Pelo contrário, está mais em vista o *conhecimento amoroso* ou «preocupação» e «familiaridade» para com os entes amados, isto é, aqueles que seriam amados por Deus. «Conhecer de antemão», portanto, pode referir-se ao propósito «interno» de Deus, que vem a ser externamente exercido em sua eleição e predestinação divinas.

«Aqueles de quem Deus tomou conhecimento desde a eternidade (ver Efé. 1:4) ...também ordenou de antemão que fossem conformados segundo a imagem de seu Filho. Essa conformidade à imagem de Cristo é o último estágio da salvação, tal como o *conhecimento anterior* é o primeiro estágio. Essa imagem tem um sentido não meramente espiritual, mas também escatológico. O Filho de Deus é o Senhor que apareceu a Paulo, próximo de Damasco — ser conformado à sua imagem e participar da sua glória, bem como de sua santidade. O evangelho paulino é lamentavelmente distorcido quando isso é esquecido». (James Denny, *in loc.*).

«...é provável que o *conhecimento prévio* que Deus tem de seu próprio povo indica a sua 'peculiar e graciosa complacência neles', ao passo que a sua 'predestinação' ou 'preordenação' dos mesmos significa o seu 'propósito' fixo que disso se deriva, de 'salvá-los e chamá-los com santa vocação' (ver II Tim. 1:9)». (Brown, *in loc.*).

«De acordo com a doutrina paulina, existe uma 'predestinação dos santos', no sentido apropriado das palavras: isto é, não que Deus conhece de antemão que eles haverão de ser santos, por decisão própria e, sim, que ele mesmo criou neles essa decisão». (Oishausen, *in loc.*).

«Isso (a presciência) diz respeito ao amor eterno de Deus em favor de seu próprio povo, o deleite que ele sente neles, a sua aprovação a eles; nesse sentido é que Deus os conheceu, tendo-os conhecido de antemão desde a eternidade, tendo-os amado afetuosamente, sentindo um infinito deleite e prazer neles; e esse é o alicerce da predestinação e eleição deles, de sua conformação com Cristo, de sua chamada, justificação e glorificação...» (John Gill, *in loc.*).

III. Eleitos segundo a presciência de Deus Pai

Ver Efé. 1:1,2 e I Ped. 1:2. Aqueles que não podem incorporar em sua teologia e mentalidade a idéia de que Deus escolhe a alguns e deixa de lado a outros, como se isso fosse algo contrário ao bom senso e à justiça, se têm agarrado a esta simples expressão, como se ela quisesse dizer: «Aqueles a quem Deus previu que creriam, a esses ele elegeu». Naturalmente, não é isso o que indica o original grego, e nem sua tradução. Não há aqui qualquer indício de «fé prevista». Antes, foram previstas as «pessoas», aqueles que anteriormente foram conhecidos por Deus, por serem amados por ele. Notemos que, I Ped. 1:20, Cristo também é considerado como «conhecido de antemão»; e certamente, nesse caso, não pode haver pensamento de fé prevista. (Comparar com Amós 3:2, que diz: «De todas as famílias da terra somente a vós outros vos conheci, portanto eu vos punirei por todas as vossas iniqüidades»). Portanto, esse termo tem a idéia de cuidado anterior, de favor previamente conferido a alguém, e não do mero conhecimento de como os homens corresponderiam ao evangelho. Notemos ainda, em Rom. 8:29, que o povo conhecido de antemão também é o povo predestinado. Ali, por igual modo, não há nenhuma idéia de «fé prevista». A tradução inglesa de Williams, aqui vertida para o português, diz: «Aqueles em quem ele pôs seu coração de antemão» (em lugar de «conheceu antes»); e esse, sem dúvida, é o sentido da frase. (Ver as notas expositivas em Rom. 8:29 no NTI, onde há um estudo mais completo dessa idéia, inerente ao conhecimento prévio de alguém por parte de Deus).

Isso não quer dizer, como é claro, que o homem não tenha genuíno livre-arbítrio. Esse também é um ensino essencial do evangelho; mas é um outro lado da questão, não abordado no presente texto. Porém, sempre se evidencia no esquema inteiro da salvação. O arrependimento, a fé, a conversão, a santificação — tudo tem seu lado divino e seu lado humano. O Espírito de Deus inspira a todos. Sem Deus, ninguém poderia existir, e nem alguém poderia se aproximar de Deus, pois o homem está irrevogavelmente decaído, sem a «ajuda divina». Contudo, no arrependimento, um homem pode corresponder por sua própria vontade; pela fé, ele deve exercer sua vontade, a fim de que creia; na santificação, deve aceitar o poder transformador do Espírito. Todos esses aspectos do *caminho* para Deus, embora constituam um único caminho em Cristo, têm dois lados, duas pistas. A salvação não consiste apenas na pista divina; também consiste na pista humana. Envolve o que Deus faz pelo homem, mas também envolve o que o homem faz, em reação favorável a Deus. Toda a experiência humana comprova isso. Não possuímos nenhuma maneira excelente de reconciliar essas «duas pistas de uma única estrada»; mas para cada um desses aspectos há provas bíblicas abundantes, demonstradas na experiência humana. Assim é que Deus elege, predestina; mas o homem deve corresponder. Todos são potencialmente eleitos de um modo que não sabemos explicar logicamente. No entanto, a verdade transcende à lógica humana. Chamamos de paradoxo ao ensino da eleição e do livre-arbítrio humano, ou seja, uma verdade que é aparentemente autocontraditória. Mas a contradição existe apenas na compreensão humana, e não na própria verdade.

Assim sendo, erramos quando supomos que a opinião calvinista ou a opinião arminiana estão

PRESCRITIVISMO — PRESENÇA

plenamente corretas ou totalmente errôneas. Ambas essas posições apresentam certa verdade; mas ambas são míopes, não podendo ver o outro lado respectivo. Não se deve pensar que a verdade pode ser reduzida a um único sistema teológico, ou que um sistema de pensamento possa conter toda a verdade, e nada senão a verdade.

Ver o artigo sobre *Livre-arbítrio*.

PRESCRITIVISMO

Essa palavra, cunhada por R.M. Hare, para contrastá-la com o *descritivismo*, vem do latim, *prae*, «antes», e *scribere*, «escrever». É termo usado com o sentido de asseverar algo como válido, de estabelecer como uma diretiva. Hare ensinava que juízos morais devem ser dados como normas de nossas ações, e não meramente como descrições de idéias e alternativas. Se um julgamento moral for prescritivo, então aqueles que o aceitam deveriam agir de conformidade com o mesmo. Dizer a uma pessoa o que ela deve fazer é a função primária das afirmações morais.

PRESENÇA DE DEUS

Esboço:
1. Declaração Introdutória
2. As Teofanias
3. Manifestações Formalizadas
4. O Ensino da Imanência
5. O Teísmo e o Deísmo
6. A Presença de Deus no Novo Testamento
7. O Misticismo

1. Declaração Introdutória

A expressão «presença de Deus» reveste-se de interesse, nesta enciclopédia, em relação ao freqüente ensino bíblico acerca da disponibilidade da «presença do Senhor». O trecho de João 1:18 ensina enfaticamente que ninguém jamais viu a Deus. O trecho de I Tim. 1:16 diz que Deus habita em «luz inacessível». A passagem de Col. 1:15 diz que Deus é o *invisível*, mas que pode ser conhecido através do Filho, Jesus Cristo, que é a sua imagem. E I Tim. 1:17 também alude a Deus como o *invisível*, o que é reiterado em Heb. 11:27. E devemos entender esse adjetivo, «invisível», como dando a entender mais do que não ser capaz de ser visto pelo sentido físico da visão. Pois também significa que, espiritualmente falando, Deus está oculto e é desconhecido pelos homens, cujo nível de conhecimento e de experiência espiritual não lhes permite ver a Deus nem espiritual e nem fisicamente. Não obstante tudo isso, os místicos falam em experimentar a presença de Deus; e, efetivamente, a Bíblia contém muitas declarações que concordam com essa apreciação.

2. As Teofanias

Podemos supor que quase todas as revelações veterotestamentárias da presença divina deram-se mediante teofanias, ou seja, qualquer tipo de manifestação da presença divina que salienta o poder e a glória de Deus, embora sem a visibilidade de seu ser natural. Um ser angelical, uma visão, um sonho, etc., podem ser modos do Ser divino revelar a sua presença, sem que seja vista a sua essência, porquanto, para o homem, isso é simplesmente impossível. Mas um ser humano pode perceber algo que representa a divindade. A «shakinah» era uma espécie de revelação resplandecente de Deus, em feérica exibição luminosa. No Antigo Testamento encontramos o relato sobre Adão e Eva, que andavam em companhia de Deus e conversavam com ele. A história de Moisés e a sarça ardente é outro desses episódios. Novamente, vemos Moisés e a teofania no monte Sinai. Ou então pensemos em Elias, no monte Horebe. No Novo Testamento, Paulo teve uma visão do Cristo ressurrecto na estrada para Damasco. Jesus apareceu transfigurado a três de seus discípulos. E Ananias, um obscuro discípulo judeu, teve uma visão com Cristo, que lhe apareceu e conversou com ele (ver Atos 9:10 *ss*). Apesar de termos de permitir espaço para as expressões antropomórficas, não imaginando que Deus tenha formato humano em qualquer sentido, ainda assim não há razão alguma para negarmos as reais manifestações da presença de Deus, que podem assumir muitas formas.

3. Manifestações Formalizadas

Entre essas devemos incluir as manifestações divinas como fogo que cai do céu, como se fosse um altar especial, como se deu com Elias. A arca da aliança, primeiro no tabernáculo e então no templo, o próprio tabernáculo, e depois o templo, especialmente o Santo dos Santos, onde a presença divina ocasionalmente manifestava-se, eram outras tantas manifestações da presença de Deus. Também devemos incluir o trabalho do sumo sacerdote, que incluía visões, sonhos, adivinhações, oráculos, e, mais especificamente ainda, o uso dos misteriosos *Urim e Tumim* (vide). Os intérpretes rabínicos imaginavam tolamente que mesmo após a destruição do templo de Jerusalém, a presença divina vagueava por toda aquela área. Além disso, entre eles, a presença divina era associada ao ensino da lei, de tal modo que se ao menos duas pessoas se reunissem a fim de discutir sobre a lei, o Espírito de Deus far-se-ia presente com elas (*Pirke Aboth*, 3.2).

4. O Ensino da Imanência

É patente que a cultura hebréia esperava que Deus se manifestasse entre o seu povo, fazendo-se presente entre eles sob as mais variadas circunstâncias. Essa cultura era saturada com crenças místicas, comum às teologias altamente teístas. Ver sobre o *Teísmo*.

5. O Teísmo e o Deísmo

O *teísmo* (vide) ensina que Deus não somente criou, mas também está vital e continuamente interessado por sua criação, sempre presente para recompensar ou julgar. O deísmo (vide), por sua vez, ensina que embora tenha havido alguma força (ou pessoa) criadora, essa força ou pessoa deixou que as leis naturais governassem as coisas, de tal modo que não há qualquer comunhão direta entre Deus e os homens. Deus não galardoaria e nem castigaria, mas as leis naturais é que fazem ambas essas coisas.

6. A Presença de Deus no Novo Testamento

A idéia essencial do Antigo Testamento é transferida para o Novo Testamento e a comunidade remida. No Novo Testamento, é Jesus Cristo que se faz presente, sempre que duas pessoas se reúnem em seu nome (ver Mat. 18:20). O mesmo Espírito que se fazia presente com os santos do Antigo Testamento, faz-se agora presente com a comunidade dos salvos. Ele é agora o alter ego de Cristo (ver o artigo intitulado *Paracleto*). O *Logos* (chamado Jesus Cristo, em sua encarnação) tornou-se o revelador do Deus invisível (ver João 1:18). O Novo Testamento narra várias manifestações e visitações divinas, por meio do Anjo do Senhor ou por algum outro meio, como os sonhos e as visões. Ver Mat. 1:20 *ss*; Atos 7:55; 9:1 *ss*. A promessa da presença do Espírito Santo e do poder por ele conferido é registrada como cumprimento de uma profecia de Joel, no Antigo Testamento (ver Atos 2:17 *ss*). Em I Cor. 12-14, essa presença é descrita em detalhes quanto às funções e poderes que tal presença deveria engendrar entre os remidos. Uma das grandes promessas escatológicas é que a presença de Deus estará com os homens, de forma toda especial, durante a era da eternidade futura (ver Apo. 21:3,8). Para o povo remido, o céu lhes é prometido como um lugar ou um estado no qual eles desfrutarão continuamente da presença de Deus (João 14:1-6; 17:21-24).

7. O Misticismo

O misticismo (vide), e que descrevi com detalhes em um artigo separado, tem, como um de seus conceitos fundamentais, a idéia de que a Presença de Deus pode e deve ser experimentada, transcendendo a qualquer poder medianeiro, como a razão ou a percepção dos sentidos. O misticismo é o nosso mais poderoso meio de desenvolvimento espiritual, algo de que precisamos urgentemente.

PRESENÇA REAL

Essa idéia faz parte da doutrina católica romana que diz que Jesus Cristo, corporalmente e em outros sentidos, faz-se presente na hóstia da missa. Essa idéia contrasta com a interpretação de outros grupos cristãos, como os batistas, somente para exemplificar, que diz que os elementos da Ceia do Senhor não sofrem modificação alguma, visto que o pão e o vinho são meros símbolos memoriais (e não sacramentos). A doutrina da *presença real*, desenvolvida pela Igreja Católica Romana, também é conhecida como *transubstanciação* (vide). Em alguns segmentos do luteranismo, esse desenvolvimento terminou cristalizando-se no dogma da *consubstanciação* (vide).

A Igreja Ortodoxa Oriental nunca definiu com exatidão o modo da presença, mas refere-se a essa presença como algo real, garantido por algum tipo de *metabolismo*. A comunidade anglicana também não definiu *como* a presença real de Cristo pode manifestar-se na eucaristia, mas afirma isso como se fosse um fato. No entanto, seus teólogos apressam-se por adicionar que essa presença é *espiritual*, e não física. E certos grupos evangélicos chegam bem perto da posição anglicana, quando falam sobre como Cristo comunga com aqueles que se reúnem em seu nome, porquanto concebem que essa comunhão verifica-se mormente durante a celebração da Ceia do Senhor.

Historicamente, o ponto de vista católico romano da questão tem sido expresso de duas maneiras: *praesentia realis*, «presença real», e *preasentia rei*, «presença da coisa», referindo-se ao corpo e ao sangue de Cristo. A primeira maneira está prenhe de idéias que dizem que a «presença real» significa que Jesus se faz presente em corpo, alma, sangue e divindade, e isso como Deus e como homem. Isso distingue a eucaristia dos demais sacramentos, que possuiriam matéria, forma, intenção, ministração e benefício, mas não o *res sacramenti* (que é o corpo e o sangue de Cristo).

PRESENTE

Os filósofos divertem-se com o conceito do tempo, o que, naturalmente, inclui uma discussão acerca do presente, no que ele se relaciona com o passado e com o futuro.

1. *Uma Definição Simples*. Popularmente (e também em algumas filosofias), o presente é o tempo que é agora, e que se divide naquilo que foi e naquilo que será (ou seja, o passado e o futuro). A maioria dos filósofos tem defendido esse ponto de vista calcado sobre o bom senso. Desde Aristóteles até Newton, o momento presente sempre foi considerado objetivamente real, como parte do tempo, que consiste em uma série de eventos que se vão descortinando com o tempo.

2. Alguns filósofos e teólogos têm contrastado a *eternidade* com o *tempo*, asseverando, corretamente, que há uma esfera onde o nosso conceito de tempo não tem sentido. Mas a maioria, mesmo afirmando isso, tem mantido a crença em uma seqüência de eventos. O tratamento de Agostinho sobre a eternidade (uma esfera onde não haveria o tempo) antecipou a teoria moderna da relatividade; mas Agostinho estava apenas emprestando uma idéia de Platão, cujo mundo das *Idéias* (*Universais*; vide) é uma esfera de existência onde o tempo não tem qualquer aplicação. O tempo faz parte das condições deste mundo dos particulares, o nosso mundo físico.

3. *Leibniz* e *Whitehead* fizeram o tempo ser relativo ao arcabouço de referência de algum observador (ou consciência), sendo capaz de ser refreado em sua velocidade, ou mesmo cancelado pela velocidade da luz.

4. *William James* deu um tipo de definição psicológica do presente e da percepção do tempo, ao asseverar que o presente de uma pessoa é uma espécie de tomada de consciência em que estão contidos o presente e elementos tanto do passado quanto do futuro.

5. *Mead* afirmava que o presente pode alterar o passado, primeiramente por ser uma espécie de fruição do passado; e, em segundo lugar, presumivelmente, por meio de interpretação, que faz o passado parecer diferente do que realmente foi. As histórias oficiais dos povos distorcem o passado devido ao desejo de glorificação própria, quando então o presente torna-se uma espécie de fruição ideal (não-real) de um passado que foi arranjado, pelo menos parcialmente, de um modo diferente daquilo que realmente sucedeu. O presente, como é óbvio, determina o futuro, excetuando quando há uma intervenção divina ou então se estabelece o caos.

6. *As religiões orientais* encaram todo o conceito do tempo como ilusório. Há uma espécie de eterno «agora», que não sofre a passagem do tempo. Nós criamos o passado, o presente e o futuro por imposições artificiais da consciência. Experimentamos artificialmente esses estados que não fazem parte da *realidade*. Platão julgava que, neste mundo material, todas as coisas se mantêm em um presente não-irreal, mas menos real do que se dá nas condições que imperam na eternidade, o mundo das *Idéias* (vide).

PRESIDENTE

Algumas traduções (como a nossa versão portuguesa) usam esse vocábulo para traduzir o termo aramaico *sarekim* (ver Dan. 6:2-4,6,7). Esse termo é ali usado para indicar os governadores nomeados pelo rei da Pérsia para governarem as cento e cinqüenta satrapias do império persa.

Daniel foi chamado ali de «presidente» em face da autoridade que lhe fora conferida. Por causa da oposição e inveja de outros líderes foi que Daniel terminou sendo lançado na cova dos leões.

PRÉ-SOCRÁTICOS

Ver o artigo geral sobre **Filosofia**, seção quarta, onde são discutidos os períodos históricos desse ramo do conhecimento. O primeiro ponto daquela seção aborda, especificamente, os filósofos pré-socráticos. Isso abrangeu os séculos VII a V A.C. Importantes figuras desse período foram Tales, Parmênides, Zeno, Alcmaeon, Anaxágoras, Anaximandro, Demócrito, Diógenes de Apolônia, Empédocles, Eurito, Heráclito, Leucipo, Melissus, Filolau, Pitágoras e Xenófanes.

PRESSÁGIO (AGOURO)

Quanto a informações sobre essa e questões semelhantes, ver o artigo sobre *Adivinhação*. Um agouro é um objeto ou um acontecimento que presumivelmente prefigura algo que sucederá, usualmente de natureza negativa, ainda que alguns possam ser positivos. Tais sinais podem ser vistos nas ações e acontecimentos da natureza, dos animais, dos pássaros, das estrelas, das ocorrências celestes de qualquer espécie, ou das coincidências estranhas. Há muitos tipos de agouros entre os povos. Quase todo ser humano quer receber alguma espécie de indicação do que o futuro reserva, e os agouros provêm veículos que satisfazem (ou procuram satisfazer) esses desejos. Até bons crentes pensam poder perceber agouros nas coisas e acontecimentos, embora pensem que Deus esteja por detrás de tais manifestações. Além das coisas acima mencionadas, alguns agouros têm lugar através de sonhos e visões, bem como de variegadas formas de misticismo. (E)

PRESSUPOSIÇÃO

Essa é uma palavra importante dentro do vocabulário da filosofia. As verdades fundamentais são pressupostas sem qualquer prova empírica, porquanto o conhecimento começa à base dessas verdades fundamentais. Todas as filosofias e religiões contam com certas idéias pressupostas, sobre as quais as outras idéias são erguidas, produzindo-se assim um sistema. De fato, a metafísica tem sido considerada por alguns pensadores como o estudo das pressuposições básicas.

É comum pressupormos a existência sem a necessidade de prová-la mediante intrincados argumentos filosóficos. Os argumentos acerca desse assunto tendem por levar alguns filósofos ao ceticismo; ou então o solipsismo (a idéia de que a única coisa realmente existente é o próprio «eu») pode ser o resultado de tais esforços. Alguns pressupostos envolvem verdades contingentes, e não necessárias, e são defendidas tentativamente, a fim de emprestar força a algum argumento. Essas pressuposições, naturalmente, envolvem supostas verdades contingentes, e não verdades que podem ser comprovadas.

PRESSUPOSTO ESTRATONICIANO

Essa expressão está alicerçada sobre o nome do filósofo *Estrato de Lampsaco* (vide). Ele foi o cabeça do Liceu, depois de Aristóteles. E esforçou-se por derrotar o princípio teológico deste último. O pressuposto estratoniciano é a assertiva que diz que faz parte da responsabilidade daquele que postula Deus ou os deuses, ou então forças divinas ou cósmicas *fora* do universo, dar provas de sua proposição.

Os *Cinco Caminhos* de Tomás de Aquino foram formulados a fim de derrubar a idéia de Estrato de Lampsaco, com o fim de prover o tipo de prova que mostra que a teleologia e o princípio de causa são proposições necessárias em qualquer filosofia corretamente formulada. Em outras palavras, Tomás de Aquino (e, naturalmente, outros antes dele) tomaram o desafio de Estrato e tentaram prover provas de princípios fora do universo, que são reputados responsáveis pelo mesmo e seus modos de operação.

PRESUNÇÃO (TOMAR A QUESTÃO COMO RESOLVIDA)

O vocábulo *presunção* significa que alguém tem certeza de que a sua posição em uma disputa é correta, pelo que ela não requer qualquer modificação mediante a discussão que se processa. Portanto, esse alguém na verdade não busca uma resposta, porquanto pensa que já chegou à resposta correta. Toma como questão resolvida que a posição por ele mantida não pode ser alterada por qualquer discussão. Em conseqüência, a pessoa presume que nenhuma disputa ou investigação é necessária; e só entra no debate a fim de convencer seu oponente do acerto de sua posição.

PRETAS

Esse é um termo hindu que equivale, a grosso modo, ao nosso *fantasma* (vide). Na Índia, uma crença popular diz que os espíritos dos mortos, não tendo ainda entrado no seu descanso, e nem tendo ainda um destino fixo, podem assombrar casas e cemitérios, etc. Há evidências que mostram que tais entidades realmente existem; mas, o mais provável (pelo menos em alguns casos) é que se trate de meros fragmentos de personalidades humanas, ou seja, aquilo que chamamos de *vitalidade*, não sendo entidades humanas reais. Meu artigo sobre os *Fantasmas* aborda essa questão.

PRETOR

Esse era o título de um elevado magistrado da antiga Roma, tanto durante a república como durante o principado. Ele estava investido de funções judiciais nos julgamentos civis (*jurisdictio*), e brandia um poder de comando (*imperium*) no sentido mais lato do termo. Dentro da hierarquia oficial, a patente imediatamente superior era a dos cônsules. A pretoria foi introduzida em 367 A.C., e aí por volta de 337 A.C., plebeus começaram a ser admitidos ao ofício.

Gradualmente, o ofício foi-se expandindo, e a jurisdição do mesmo acabou dividida entre os pretores *urbanos* (que julgavam aos cidadãos romanos) e os pretores *peregrinos* (que julgavam aos cidadãos não-romanos). Os pretores foram importantes inovadores da lei. Seus deveres, finalmente, vieram a incluir o controle sobre a administração das províncias. Um pretor, ao ser nomeado para o seu ofício, expedia os seus *editos*, os quais proviam precedentes para regimes sucessivos, mantendo a lei romana sempre atualizada e flexível.

PRETORIANA, GUARDA

A guarda pretoriana nunca é mencionada no Novo Testamento, embora a palavra grega *praitórion*, em Fil. 1:13; talvez aluda a essa força armada (o que explica a tradução que aparece em nossa versão portuguesa, «guarda pretoriana»). Naturalmente, os prisioneiros políticos eram mantidos sob vigilância de uma guarda, mesmo quando estivessem sob prisão domiciliar.

Originalmente, um *pretor* (vide) era um alto magistrado romano. Com a passagem do tempo, esse ofício passou a ser chamado ofício dos *cônsules*. Porém, a forma adjetivada continuou a ser usada em vários contextos, como a *cohors praetoria*, «guarda pretoriana», que formava a guarda pessoal de um general. Mais tarde ainda, desenvolveu-se a Guarda Pretoriana do Império, formada originalmente por nove coortes, e que foi constituída por Augusto, em 27

A.C. Essa era uma espécie de *corpo de elite*, que provia uma proteção especial e uma força ostensiva, a fim de ajudar a manter a boa ordem.

Esse grupo tornou-se tão poderoso que chegou a derrubar e levantar imperadores. Os membros da guarda pretoriana recebiam um salário três vezes maior que o soldo dos soldados ordinários, além de benefícios extras especiais. Calígula aumentou a guarda pretoriana para doze coortes; e Vitélio (em 69 D.C.), para dezesseis. Domiciano, entretanto, reduziu esse número para dez coortes. Constantino desativou a instituição em 312 D.C. Uma coorte usualmente consistia em quinhentos soldados. Os militares desse grupo seleto serviam somente durante dezesseis anos; e então recebiam uma aposentadoria especial.

PRETÓRIO

Essa palavra é uma transliteração do termo grego *praitórion* (ver Mar. 15:16). A palavra é de origem latina, e significa, primariamente, «relativa ao pretor». Ver o artigo chamado *Pretor*. No sentido mais amplo, um *praetor* era alguém que «ia à frente» o que mostra que vários tipos de oficiais podiam receber esse título. Sinônimos são «chefe», «líder», «comandante», etc. Em um sentido formal, o *praetor* era uma espécie de «chefe» especial, conforme expliquei naquele artigo. Por sua vez, originalmente o *praetorium* era a residência de um pretor, ou, então, o palácio de algum oficial de alta categoria. Mais tarde, «pretório» veio a significar a «tenda de um general», ou o seu «quartel-general». Ali eram levadas a efeito funções importantes do exército romano. No acampamento militar, era do pretório que manavam as ordens.

No Novo Testamento há várias referências onde esse vocábulo aparece. Ver Mat. 27:27; Fil. 1:13; João 18:28,33; 19:9 e Atos 23:35. As traduções traduzem essa palavra de diversas maneiras, como «palácio», «sala de julgamento», etc. Nossa versão portuguesa apenas a translitera, «pretório». Em nossa versão portuguesa, a «guarda pretoriana» (Fil. 1:13) provavelmente indica o quartel da guarda imperial, que havia sido edificado por Tibério. Os próprios membros dessa corporação eram conhecidos, coletivamente, por «guarda pretoriana». Ver sobre *Pretoriana, Guarda*. Além disso, a palavra *pretório* pode referir-se a um grupo de pessoas, e não apenas aos lugares onde residiam e de onde exerciam seu poder. «O *pretório* é a totalidade daquele corpo de pessoas ligadas à corte imperial suprema, que se assentavam para julgar. No caso em foco (Fil. 1:13), está em vista o prefeito ou ambos os prefeitos da guarda pretoriana, representantes do imperador, em sua capacidade de fonte de onde manava a justiça, juntamente com os assessores e elevados oficiais do tribunal» (Ramsey, *St. Paul, The Traveller*, pág. 357).

Destacamentos de *praetoriani* eram enviados às províncias. Na cidade de Roma, eles estavam encarregados de vigiar os prisioneiros importantes, sob custódia imperial. No tocante ao julgamento de Jesus Cristo, a palavra talvez indique a residência oficial do governador, em Jerusalém, ou parte dessa residência. Também pode aludir à sede do procurador, ao palácio de Herodes, ou à torre de Antônia, que ficava contígua ao átrio exterior do templo de Jerusalém. Não há como investigar qual a referência exata. É mesmo possível que as diferentes referências ao pretório, no Novo Testamento, designem locais diversos. O uso da palavra, em Atos 23:35, porém, refere-se ao palácio de Herodes, em Cesaréia.

PREVISIBILIDADE

Ver os artigos separados intitulados *Precognição* (*Conhecimento Prévio*); *Profecia, Tradição da* e a *Nossa Época; Profecia, Profeta e o Dom da Profecia; Profecias Messiânicas Cumpridas em Jesus; Sonhos* e *Parapsicologia*, em sua terceira seção.

A capacidade do homem prever o futuro tem sido adequadamente comprovada, tanto espiritualmente quanto através das investigações científicas. O espírito humano pode ser usado pelo Espírito de Deus a fim de prever coisas; um espírito maligno (além de espíritos de outros tipos) pode fazer a mesma coisa. Mas o próprio homem, visto ser ele um ser espiritual, é dotado de poderes de conhecimento prévio, exercitando esses poderes a cada noite, em seus sonhos, quando essa capacidade está perenemente em operação. Essa é uma previsibilidade alicerçada sobre as probabilidades, as quais, por sua vez, estão baseadas em fatos ou condições já existentes. Costumamos dizer: «Isto, provavelmente, sucederá», porque calculamos tal coisa com base em nossas presentes condições. A mente subconsciente pode refinar esse processo e então produzir coisas surpreendentes, embora sem prever, realmente, os acontecimentos. Porém, a previsibilidade envolve muito mais do que o poder de computação do cérebro. Prever o futuro é uma capacidade inerente ao homem, meramente por ser ele um ser humano. Sem dúvida, esse e outros grandes poderes existem no homem por haver sido ele criado à imagem de Deus, e porque ele compartilha, até certo ponto, dos atributos divinos. O artigo sobre a *Parapsicologia* procura demonstrar a naturalidade dos fenômenos psíquicos.

— Apesar desses poderes talvez serem impostos a nós — do exterior —, por parte de seres angelicais ou demoníacos, na verdade tais poderes já fazem parte do que o homem é em si mesmo. Os poderes psíquicos são espiritual e moralmente neutros, embora possamos canalizá-los para finalidades boas ou más.

Na filosofia, a *previsibilidade* é distinguida da predestinação ou do determinismo, visto que esses termos implicam a inevitabilidade dos acontecimentos, ou da parte de alguma força cósmica, ou da parte de Deus. Mas, meramente porque um acontecimento futuro é previsível, isso não significa que já tenha sido determinado de modo absoluto. Além disso, algo previsível não quer dizer que as suas causas sejam conhecidas e sejam absolutas. Naturalmente, existe uma previsibilidade determinística, sendo essa apenas outra maneira de falar sobre aqueles eventos futuros que são determinados de modo absoluto, sem importar qual força esteja envolvida em sua realização.

PRICE, H.H.

Nasceu em 1899, na Inglaterra. Minhas fontes informativas não falam sobre sua morte. Foi um filósofo inglês cuja principal obra escrita tem o título de *Perception*. Portanto, foi para o campo da percepção, no terreno do conhecimento, que ele contribuiu principalmente. Educou-se em Oxford e Cambridge, e ensinou em Oxford de 1935 a 1959.

Idéias:

1. Russell tinha razão ao dizer que os objetos de nossa percepção dos sentidos são *informes dos sentidos*, e não os objetos reais. Não obstante, Price argumentava que a percepção tem algumas das propriedades de objetos reais, ao passo que outros objetos, como é óbvio, permanecem acima da

percepção de nossos sentidos, e se fazem apenas parcialmente presentes para nós, através da experiência dos sentidos. Por isso, Price, algumas vezes, tem sido reputado um fenomenalista (aqueles que opinam que as coisas materiais são apenas informes dos sentidos). A bem da verdade, porém, ele pensava que as coisas materiais têm poderes de causa, além da capacidade que têm de provocar impressões em nossos sentidos.

2. Os informes dos sentidos podem distorcer os objetos, ou nossos sentidos podem dar-nos informes distorcidos. As variações dos sentidos levam as nossas mentes a terem uma percepção ou idéia acerca dos objetos. Pensamos nos objetos como se fossem tridimensionais; e isso, naturalmente, é uma conveniência. Mas esse tridimensionalismo é apenas uma parte da verdade. Os objetos são muito mais do que isso, embora nossos sentidos simplifiquem-nos para que tenham um simples padrão tridimensional.

3. Qualquer descrição sobre um objeto envolve-nos em um conjunto de associações dentro do qual os objetos são agrupados e entendidos como partícipes de propriedades similares.

4. Conceitos não são objetos, e podem ser empregados sem qualquer alusão aos objetos físicos, e sem referir-se a eles como «objetos da mente». Nossas mentes empregam símbolos, e nossas mentes podem extrapolar desses símbolos, indo além das mesmos, devido a seus poderes inventivos e criativos.

Escritos: Perception; Hume's Theory of the External World; Thinking and Experience.

PRICE, RICHARD

Suas datas foram 1723-1791. Sua importância como filósofo foi ganha com seus estudos sobre a ética. Nasceu em Tynton, país de Gales. Foi um ministro dissidente. Ocupou pastorados na área de Londres. Começou a escrever sobre questões políticas e financeiras. Nesse campo, manifestou-se em favor da independência norte-americana.

Idéias:

1. Ele advogava uma espécie de **idéias inatas**, dentro da teoria moral, acreditando que certo e errado são simples idéias que se derivam de nossa compreensão. Elas não podem ser reduzidas ainda mais, e não estão sujeitas à análise empírica, o que, se possível, serviria somente para enfraquecê-las. A reflexão é um exercício útil no descobrimento dessas idéias.

2. As idéias morais não são arbitrárias. São necessariamente derivadas, e isso da intuição, mediante reflexão sobre as condições e os atos humanos. A aprovação moral inclui um ato e um entendimento, além de emoções básicas do coração que nos dizem o que é certo e o que é errado.

3. O alvo da vida moral é a felicidade, porque somente o que é verdadeiramente bom pode ser, finalmente, verdadeiramente feliz. Em última análise, a felicidade depende da retidão.

4. A base real da moralidade é a realidade de Deus e sua atuação. Deus criou-nos de certo modo; ele nos deu as nossas emoções; ele nos deu a nossa intuição. Isso posto, a moralidade tem raízes no teísmo. A moralidade não é uma mera questão humana. Outrossim, Deus conferiu ao homem livre-arbítrio e autodeterminação, e, paralelamente a isso, — a responsabilidade para corresponder aos imperativos divinos da maneira correta.

5. O homem essencial é a alma, que é imaterial e forma uma unidade divinamente arranjada, a qual também confere ao homem suas potencialidades e sua responsabilidade.

Escritos: Review of the Principal Questions in Morals, Observations on the American Revolution; Materialism and Philosophical Necessity.

PRIMA FACIE, DEVERES

No latim, **prima facie** significa, «primeiro aparecimento». Na filosofia, essa expressão relaciona-se a evidências que dêem apoio a qualquer caso. Aquelas evidências que aparecem em primeiro lugar talvez pareçam estabelecer um fato, enquanto não surgem outras evidências que refutem as primeiras. No campo da ética, o termo sugere que o dever de uma pessoa é aquele que ela sente (ou intui) em primeiro lugar. Presumivelmente, essa intuição fornece uma certa ordem aos deveres, que seriam arranjados por ordem de importância. No entanto, isso pode ser alterado, sob reflexão posterior. A responsabilidade de um indivíduo, a qualquer momento, é diante de seus deveres *prima facie*, relacionados ao momento presente.

PRIMALIDADES

Na filosofia de Tomasso Campanella, destaca-se a doutrina que diz que todas as coisas possuem, embora em diferentes graus, as «primalidades» do conhecimento, do poder e do amor. Seriam os princípios mais fundamentais de todas as coisas. O amor de Deus e o desejo de união com Deus estão infundidos em todas as coisas.

PRIMEIRA CAUSA

Também chamada **causa primária**. Para efeito de nossa melhor compreensão, dividimos a questão em «causa linear» e «causa vertical».

1. *Causa Linear*. As causas prosseguem ao longo de uma *linha*, dentro do tempo. Uma causa provoca certa coisa que, por sua vez, é causa de outra. Poderíamos ir retrocedendo de causa em causa, *ad infinitum*, dentro desse processo, ou então poderíamos dar um salto até à *Primeira Causa*, que os filósofos e teólogos identificam com Deus. Para eles, parece mais fácil e lógico supor a existência de uma causa primária do que toda uma infinita série de causas e efeitos. Todavia, há pensadores que pensam que uma série infinita é tão possível quanto uma causa primária. Os filósofos positivistas pensam que é impossível qualquer investigação quanto a essas coisas, pelo que opinam que qualquer resposta dada a essa questão não tem sentido, e em nada contribui, senão dar aos investigadores um falso senso de terem descoberto alguma coisa.

2. *Causa Vertical*. A razão pela qual o meu corpo está vivo é que no mesmo há condições internas que sustentam a sua vida biológica. Porém, causas externas também se fazem necessárias para tanto, como a atmosfera certa, com o correto suprimento de oxigênio e uma temperatura que meu mecanismo físico possa suportar. Para que isso se verifique, há de haver as condições próprias no sistema solar, sem falarmos nas condições do universo inteiro, tudo contribuindo para que as condições certas neste mundo sustentem vivos os organismos físicos. Além dessas causas imediatas e necessárias, temos a Idéia ou Causa Primária, que é Deus, que arranjou e organizou todas essas causas. E, visto que posso falar em passar de uma causa imediata e presente, para alguma outra causa, *como se* estivesse ascendendo para causas superiores, até chegar à Causa Final, por

isso mesmo uso o termo *vertical*, para indicar esse processo. Tudo quanto isso indica é que devem existir causas presentes, imediatas e interdependentes, capazes de sustentar qualquer forma de vida, física ou imaterial. E deve-se postular Deus como a Idéia ou Causa que sustenta todas as coisas, ou seja, a causa primária, que dá origem a todas as outras causas e efeitos.

3. *O Argumento Cosmológico*. Um dos importantes argumentos filosóficos e teológicos em prol da existência de Deus baseia-se no conceito da *Primeira Causa*. Ver sobre o *Argumento Cosmológico*. E, visto que o desígnio forçosamente está envolvido em qualquer noção de causas, também devemos considerar o *Argumento Teleológico* (que vede).

4. *A Primeira Causa Não Tem Causa*. Para que haja uma Primeira Causa absoluta, que cause a cessação da série de causas, precisamos postular que essa Causa Primária é autocausada, ou então que não tem causa. E essa Causa Primária também deve estar envolvida na existência eterna, o que, para nós, constitui um outro grande mistério.

5. *Grandeza da Primeira Causa*. Deve-se postular que a Causa Primária de tudo deve ser realmente abrangente. Podemos asseverar que a criação exibe, pelo menos, dois dos atributos de Deus: inteligência e poder. Portanto, **dentro da doutrina da Primeira Causa**, encontramos alguma noção sobre os atributos divinos. Ver o artigo geral sobre *Causa*. Ver também os *Cinco Argumentos de Tomás de Aquino*.

PRIMEIRA FILOSOFIA

Para Aristóteles, essa expressão significa o *estudo do ser*. E aos estudos que ele fez em seguida, ele chamou de *física* e de *metafísica* (após o que é físico). Visto que os assuntos tratados nesse livro dizem respeito àquilo que atualmente chamamos de *metafísica*, esse termo veio a significar (como uma de suas definições), aqueles estudos que investigam a natureza das coisas imateriais. A metafísica, em combinação com a teologia, veio a ser intitulada de *Primeira Filosofia*. Ver sobre a *Metafísica*.

PRIMEIRAS CADEIRAS

Duas palavras gregas estão envolvidas:

1. *Protokathedría*, que aparece em Mat. 23:6; Mar. 12:39; Luc. 11:43 e 20:46.

2. *Protoklisía*, que figura em Mat. 23:6; Mar. 12:39; Luc. 14:7,8; 20:46.

Ambas essas palavras gregas referem-se aos principais assentos nas sinagogas ou aos lugares principais em um banquete. A primeira diz respeito à sinagoga, e a segunda aos lugares de honra nos banquetes. Parece que, nas sinagogas, havia uma espécie de banco circular em redor da arca, e de frente para a congregação. Esse era o lugar que os judeus gostavam de ocupar, em sua ostentação.

PRIMEIRO DIA DA SEMANA

Ver sobre o **Domingo**.

PRIMEIRO E ÚLTIMO, TÍTULOS DE CRISTO

Eu sou o primeiro e o último, Apo. 1:17. Isso equivale às palavras, «Eu sou o Alfa e o Ômega», que são aplicadas a Deus Pai, no oitavo versículo, mas também ao Filho de Deus, em Apo. 21:6. (Quanto a essa expressão exata, ver também Apo. 2:8 e 22:13). Cristo é a fonte de toda a vida e bemestar. É, por igual modo, o «alvo» de toda a existência, em quem, finalmente, se achará todo o bemestar. O trecho de Col. 1:16 ensina-nos a mesma verdade — a criação foi feita «em Cristo» (ele é seu arquétipo), «por Cristo» (ele é o seu agente), e «para Cristo» (ele é o seu alvo). O primeiro capítulo da epístola aos Efésios ensina-nos essa verdade, sob a roupagem do «mistério da vontade de Deus».

Todas as coisas (que no grego, literalmente, é «o todo»), nos céus, na terra e debaixo da terra (o mundo inferior) finalmente haverão de encontrar-se com Cristo em tudo. Tudo haverá de ser restaurado a ele, em um grau que esteja de acordo com o seu agrado; nada pode escapar de seu poder restaurador. Finalmente, tudo lhe prestará feliz lealdade. Isso não destruirá o **caráter ímpar dos eleitos**, porquanto eles virão a compartilhar da própria vida e natureza de Deus, bem como dos seus atributos e de sua glória. Entretanto, finalmente, todos virão a conhecer e experimentar a Cristo, como «tudo para todos» (ver Efé. 1:23). Ver o artigo sobre a *Descida de Cristo ao Hades* e também o artigo sobre a *Ira de Deus*.

Notemos que aquilo que é dito acerca de Deus Pai (o Alfa e o Ômega) o alvo de toda a existência (ver Apo. 1:8 e I Cor. 8:6), é dito aqui acerca de Cristo Jesus, como também em Apo. 21:6 e Col. 1:16. Isso prova de sua dignidade, porque nenhuma pessoa não-divina poderia receber elogios tão prodigiosos como esses. Ele é o Filho de Deus, não sendo diferente de Deus Pai, quanto à glória e ao poder.

De acordo com a linguagem *aristotélica*, Cristo é: 1. A causa *material*. Nele reside o «potencial» de cada ser, de cada destino. Ele é o «estofo» do qual se eleva todo o bem-estar. 2. Ele é a causa *formal*, isto é, ele é o «arquétipo» do que se derivam todas as coisas, mediante quem as coisas têm um «plano» que pode ser desenvolvido, mediante o qual os remidos podem chegar a compartilhar da sua natureza e bem-estar. 3. Ele é a causa *eficiente*, isto é, a «causa impulsionadora», a «energia eficaz» que produz a operação de glória. 4. Ele é, igualmente, a causa *final*, isto é, o Ser em quem todas as coisas encontram sua *realização*. O trecho de Col. 1:16 diz tudo isso em termos menos elaborados.

«Estou começando a perceber que posso e devo crer em Deus, mas estou simplesmente assustado. Tenho ficado acostumado a uma vida sem Deus, até certo ponto. Se eu admitir a mim mesmo que ele é real, então sei que terei de fazer algo sobre isso, e sinto que toda a minha vida será transformada. E procuro evitar essas alterações possíveis, mas por mim desconhecidas». (Um jovem, que escrevia para Herbert Gray).

A *lição da vida*. A vida inteira tem por fito ensinar a lição que o ser de Cristo é «o primeiro e o último». Ele é a fonte originária de tudo; e ele é o alvo de tudo. Todos os seres, finalmente, serão levados a essa concretização, mental e na realidade da vida.

«Eu sou o primeiro e o último. Primeiro por criação, último por retribuição. Primeiro, porque antes de mim nenhum Deus se formara; último, porque após mim não haverá outro. Primeiro, porque todas as coisas procedem de mim; último, porque todas as coisas são para mim; de mim procede o começo, até mim chega o fim. Primeiro, porque sou a causa da origem; último, porque sou o Juiz e o fim». (Ricardo de São Vítor).

No A.T. há palavras proferidas por Deus, semelhantes a estas proferidas por Cristo: «...ditas para consolar a seu povo e remover seus temores»

PRIMEIRO — PRIMEIROS

(John Gill, *in loc.*). (Ver Isa. 41:4; 44:6 e 48:12). Assim também as palavras de Cristo consolam à sua igreja que sofre, repleta de mártires; porque visto que ele «deu vida» (por ser o primeiro), com a mesma certeza vencerá a morte e o sofrimento, dando vida eterna (por ser ele o último).

PRIMEIRO IMPULSIONADOR

Esse é o **Impulsionador Inabalável** de Aristóteles, o princípio de todo movimento, desenvolvimento e modificação. Esse Primeiro Impulsionador é concebido como a origem de todo o movimento. A necessidade da postulação de uma causa para o movimento conferiu a Tomás de Aquino um de seus cinco argumentos para procurar demonstrar a existência de Deus. Ver o artigo sobre os *Cinco Argumentos de Tomás de Aquino*.

Fatos a Serem Observados:

1. O movimento envolvido não é o mero movimento físico, de um lugar para outro. Antes, tal idéia envolve toda espécie de movimento, transformação e modificação, como o crescimento biológico, ou o princípio do próprio crescimento, e o movimento dos átomos, dentro da matéria animada e inanimada. Além disso, o conceito inteiro de *causa*, que requer desenvolvimento, está envolvido nessa noção.

2. O Impulsionador Inabalável não se move e nem muda, mas faz todas as outras coisas moverem-se, *por ser amado*. Supõe-se que Aristóteles, ao assim afirmar, estava usando uma expressão poética para indicar alguma força cósmica misteriosa e pouco compreendida pelos homens. Os crentes, quando usam esse argumento, não estão pensando na imobilidade de Deus, mas somente no fato de que ele *não muda*. Deus é o Impulsionador Inabalável, ao passo que outros seres, embora possam impulsionar, são causados por Deus.

Deus, como a causa do movimento, é o iniciador da própria existência da matéria, bem como o *sustentador* da mesma. As duas coisas básicas à existência física são a matéria e o movimento, ou melhor, a matéria em movimento, incluindo-se nisso até a própria teoria atômica. Explicamos a existência da matéria afirmando que Deus foi a Primeira Causa, que a criou. Ver sobre *Causa Primária*. Referimo-nos a Deus como o *Primeiro Impulsionador* quando levamos em conta tudo quanto está envolvido no movimento, no crescimento, no desenvolvimento e na capacidade de sustentar aquilo que, no princípio, foi posto em movimento. Portanto, Deus é a inteligência que se interpõe entre as ações das partículas atômicas e o crescimento biológico de todas as variedades. Para Aristóteles, o movimento era inerente à matéria eterna; para Tomás de Aquino, o movimento foi imposto, por ocasião da criação, pelo Impulsionador (Deus), que existe fora da criação. Os deístas imaginam um mundo no qual o Impulsionador deu corda, como se fosse um relógio, e então deixou-o a funcionar por si mesmo. Os teístas, por sua vez, supõem que um contínuo movimento e desenvolvimento requerem uma contínua intervenção divina. Para eles, a causa não é um acontecimento isolado, no início da criação; antes, é uma necessidade contínua. O trecho de Colossenses 1:17 parece ter algo assim em vista, ao declarar que o Logos (Cristo) é o poder que mantém unido o universo inteiro, que o sustenta.

PRIMEIROS SERÃO ÚLTIMOS; ÚLTIMOS SERÃO PRIMEIROS

Mat. 20:16: *Assim os últimos serão primeiros, e os primeiros serão últimos*.

A mesma declaração (*logos*) se encontra em Mat. 19:30, mas a ordem das palavras é ligeiramente diferente entre as duas passagens. Uma completa explanação de todos os sentidos possíveis desse *logos* se encontra em Mat. 19:30 no NTI, que o leitor deve examinar. É verdade que a obra do indivíduo não depende inteiramente do tempo que ele despende na mesma, pois a qualidade do serviço também se reveste de grande importância. Jer. Berak, *ii*.5c, entre os escritos rabínicos, diz: «Assim também o rabino Bun bar Chija, em vinte e oito anos, realizou mais do que muitos eruditos estudiosos em cem anos». O sentido dessa declaração, neste contexto da parábola, não é que o galardão será igual para todos os «servos», quer entrem cedo, quer entrem tarde no serviço cristão. De fato, o tom da parábola inteira é contrário à igualdade, e favorece mais a desigualdade. O ponto que Jesus deixou claro é que aquilo que os homens podem considerar como base para ocupar o «primeiro» lugar ou a melhor recompensa, não expressa, necessariamente, o que Deus reputa como base de «primeiro» ou de «último» lugar. Segundo o ponto de vista humano, os que entraram por último no trabalho, mui naturalmente seriam os últimos quanto às recompensas; no entanto, tornaram-se os «primeiros», pois seu galardão foi comparativamente maior do que o período de tempo em que trabalharam nos faria acreditar. Em termos gerais, e mediante o uso desse dito familiar, Jesus adverte-nos de que os *galardões*, quer envolvam a *vida eterna*, a *salvação* ou diversos graus de glória ou punição, poderão ser dispensados de uma maneira extremamente diferente daquela que esperaríamos. Em todas essas condições (vida eterna, salvação, graus de glória ou punição, etc.) haverá muitos «primeiros» que serão «últimos», e muitos «últimos» que serão «primeiros».

Interpretações Diversas

1. Alguns pensam que a referência feita por Jesus não foi à recompensa individual e, sim, para as *nações ou povos*. Ensinam esses intérpretes que Jesus aludiu aos «gentios», que seriam os «primeiros», e aos «judeus», que seriam os «últimos». Embora essa interpretação encerre uma verdade possível, de conformidade com as idéias do cristianismo, face ao fato de que os judeus rejeitaram o seu próprio Messias, a aplicação é claramente individual, conforme o texto demonstra — o jovem rico era um indivíduo. Foi como indivíduo que ele recusou ser discípulo de Jesus. Os doze também eram indivíduos e foi como indivíduos que aceitaram o sacrifício próprio do discipulado cristão. Esses casos também nos fornecem ilustrações acerca do princípio aqui ensinado por Jesus. É provável que, à vista das autoridades religiosas da época, o jovem rico merecesse mais recompensas do que os doze. De fato, essas autoridades teriam dito que os doze eram hereges e que só mereciam as penas do inferno, mas que o jovem rico, como membro respeitado em sua comunidade, merecia uma grande recompensa. À vista do Senhor Jesus, entretanto, isso constituiria erro crasso; e certamente, em casos semelhantes, os primeiros serão últimos, e os últimos serão primeiros.

2. Outros pensam que esse *logos* expressa duas opiniões opostas — a dos homens e a de Deus. Os «primeiros», na opinião dos *homens*, são os «últimos» na opinião de *Deus*. Essa idéia talvez seja razoável, mas supõe que o pensamento humano sempre deve ser contrário ao de Deus.

3. Outros interpretam que as duas opiniões opostas se referem às opiniões do século presente em contraste às opiniões que prevalecerão no século vindouro.

PRIMEIROS — PRIMÍCIAS

Provavelmente, essa idéia é *razoável* em parte. É claro que as opiniões que prevalecem agora podem ser reputadas erradas pela revelação do julgamento próprio ao século vindouro. Contudo, não é mister que *limitemos* a interpretação a essa idéia. Jesus falou de modo geral sobre valores de serviço, mas provavelmente incluiu a idéia de que alguma recompensa não procede diretamente do mérito do serviço e, sim, da graça de Deus, que se baseia em considerações que são da alçada exclusiva do Senhor. Mas, de modo geral, essa interpretação parece ter alguma razão.

4. A interpretação de outros é que o ensino também pode incluir a idéia centralizada na parábola que se segue, que o tempo da chamada (ou seja, a duração do serviço) não garante uma recompensa maior. Os trabalhadores que foram convocados mais tarde receberam a mesma recompensa dos que foram chamados no princípio do dia. Portanto, é possível que a intensidade do serviço seja mais importante do que a duração do serviço.

5. Considerando o caso do jovem rico, alguns intérpretes têm ensinado que a interpretação do trecho deve incluir a idéia de que este *logos* de Jesus também inclui as considerações de salvação e regeneração. O jovem rico era um dos «primeiros» à vista de muitos; entretanto, de acordo com a aquilatação dos céus, sem dúvida figurava entre os «últimos». Nem ao menos era discípulo de Jesus ou do reino, e jamais se converteu. Por conseguinte, esse *logos* deve ter uma ampla aplicação. Talvez indique o caráter da recompensa entre os crentes, ou pode indicar o caráter da ação do Juiz Supremo, em sua aplicação a todas as suas criaturas. Portanto, quer esteja em vista a recompensa ao serviço prestado pelos crentes, quer esteja em vista o juízo geral de todos os homens, o princípio ilustrado pelas palavras, «muitos primeiros serão últimos; e últimos primeiros», será finalmente demonstrado. Sabemos que essa é uma verdade, sem importar se Mat. 20:16 a ensina ou não.

Mat. 20:16 indica que às vezes supomos que este mundo é um mero reflexo do mundo real. A luz dos céus haverá de lançar luz sobre o caráter, o mérito, os motivos e o valor do nosso serviço. Judas Iscariotes, provavelmente, operou milagres na companhia dos doze apóstolos, mas finalmente se perdeu devido à sua ambição e *desonestidade*. Porém, sua alma nunca se converteu. O ladrão na cruz, ao lado de Jesus, andou neste mundo erradamente, mas ao morrer foi para o paraíso. Nisso podemos contemplar a graça e a glória de Deus. No serviço cristão talvez aqueles que aqui são os primeiros nos dons, serão os últimos na consagração desses dons. O jovem rico, sendo homem de importância, porquanto era líder e autoridade religiosa em sua comunidade, abandonou tudo em troca das riquezas. André, porém, sendo homem pouco conhecido e que a ninguém liderava, na presença de Jesus Cristo encontrou a oportunidade de obter uma grande recompensa. O êxito no serviço cristão não é, «ipso facto», garantia de recompensa futura. Alguns dirão, quando da prestação final de contas, que fizeram grandes serviços em favor do reino (como cristãos), mas Jesus lhes dirá explicitamente: «Nunca vos conheci. Apartai-vos de mim, os que praticais a iniqüidade» (Mat. 7:22). É provável que esses obreiros de grandes obras tenham iludido a muitos, e talvez até a si mesmos; mas em vista de terem sido dos «primeiros», em última análise serão dos «últimos». Buttrick assevera (*in loc.*): «Quantos heróis serão descobertos quando do julgamento! Agora mesmo há muitas reversões de veredictos humanos. Aqui e agora os humildes por muitas vezes têm suas heranças espoliadas; mas, na existência vindoura, todas as desigualdades terrenas serão niveladas. Cristo é a divulgação de Deus acerca do caráter do julgamento final...»

A passagem de Luc. 13:30 contém esse *logos* de Jesus, mas em um contexto diferente. Os vss. 29 e 30 dizem: «Muitos virão do Oriente e do Ocidente, do Norte e do Sul, e tomarão lugares à mesa no reino de Deus. Contudo, há últimos que virão a ser primeiros, e primeiros que serão últimos». O vs 28 desse mesmo capítulo de Lucas se refere a indivíduos «lançados fora», pelo que também este «logos» certamente alude à salvação e à regeneração. É indicada aqui a «posição metafísica» de cada um, isto é, a posição de cada indivíduo no estado eterno, no reino de Deus, na *regeneração*. (Ver os vs. 28 desse capítulo). No estado eterno, quando do julgamento, muitos dos «primeiros», segundo a ordem deste mundo, serão «últimos», na ordem do reino celeste de Deus. Bruce apresenta um sumário das significações possíveis deste *logos* (*in loc.*): «Este aforismo admite *muitas aplicações:* Existem não somente muitas variedades sob cada categoria (de significação), mas, igualmente, muitas categorias, como por exemplo: primeiro neste mundo, último no reino de Deus (exemplificado pelo jovem rico e os doze); primeiro quanto ao 'tempo', último quanto ao poder e à fama (exemplificado pelos doze e por Paulo); primeiro em privilégio, último na fé cristã (exemplificado nos judeus e nos gentios); primeiro em zelo e sacrifício pessoal, último na qualidade do serviço, devido às influências profanas de motivos vis (falsa piedade, legalismo ou piedade evangélica falsa). Esse aforismo é adaptado a um uso freqüente, em diversas conexões, e poderia ter sido utilizado pelo Senhor Jesus em ocasiões diversas».

O emprego dessa citação no evangelho de Lucas confirma essa idéia. No décimo terceiro capítulo de Lucas, onde aparece esse *logos* de Jesus, o autor desse evangelho vincula o *logos* com o texto que se refere à *porta estreita* e ao fato de que «Nem todo o que me diz: Senhor, Senhor! entrará no reino dos céus...», que aparece em Mat. 7:21. «Então direis: Comíamos e bebíamos na tua presença, e ensinavas em nossas ruas». No paralelo de Mateus encontramos uma explicação mais completa. Essas mesmas pessoas dizem: «...não temos nós profetizado em teu nome, e em teu nome não expelimos demônios, e em teu nome não **fizemos muitos milagres»?** (Mat. 7:22). Tanto Mateus como Lucas registram a mesma resposta dada por Jesus: «Nunca vos conheci...» — Mateus: «Não sei donde vós sois...» — Lucas. Jesus: «Nunca vos conheci...» — Mateus. Ambos registram: «Apartai-vos de mim, vós todos os que praticais iniqüidades». Neste texto, por conseguinte, encontramos uma claríssima aplicação do *logos* de Jesus — Há últimos que virão a ser primeiros; e primeiros que serão últimos.

PRIMÍCIAS

Esboço:

I. Caracterização Geral
II. Coisas Específicas Envolvidas nas Oferendas
III. Oferendas e Cerimônias Envolvidas nas Primícias
IV. Usos Figurados

I. Caracterização Geral

Há duas palavras hebraicas principais envolvidas, e uma palavra grega, a saber:

1. *Bikkur*, «primeiro fruto». Termo hebraico que aparece por dezoito vezes, conforme se vê, por exemplo, em Êxo. 23:16,19; 34:22,26; Lev. 2:14;

PRIMÍCIAS — PRIMÍCIAS DO ESPÍRITO

23:17,20; Núm. 28:26; II Reis 4:42; Nee. 10:35; Eze. 44:30.

2. *Reshith*, «primeiro», «principal». Vocábulo hebraico usado por cinqüenta vezes no Antigo Testamento, das quais por doze vezes tem o sentido de «primícias», a saber: Lev. 2:12; 23:10; Núm. 18:12; Deu. 18:4; 26:10; II Crô. 31:5; Nee. 10:37; 12:44; Pro. 3:9; Jer. 2:3; Eze. 20:40 e 48:14.

3. *Aparché*, «primeiros frutos», palavra grega utilizada por nove vezes: — Rom. 8:23; 11:16; 16:5; I Cor. 15:20,23; 16:15; II Tes. 2:13; Tia. 1:18 e Apo. 14:4.

Os preceitos levíticos acerca dessa questão tinham o propósito de relembrar os homens sobre todas as coisas boas que lhes são dadas como presentes ou dádivas, devolvendo-lhe algo em preito de gratidão. Essa era uma prática boa e saudável. Aquele que nos confere todas as coisas deveria ser reconhecido nas vidas daqueles que são os beneficiários. As primícias, pois, eram ofertas de vários tipos. Eram oferecidas aos sacerdotes, como representantes do povo. Uma certa porção das primícias era sacrificada e a outra parte era usada pelos sacerdotes, que se ocupavam dos deveres religiosos e não produziam alimentos para si mesmos. Por isso lemos em Êxo. 23:16,19: «Guardarás a festa da sega dos primeiros frutos do teu trabalho, que houveres semeado no campo, e a festa da colheita... As primícias dos frutos da tua terra trarás à casa do Senhor teu Deus...» Essa era uma das três festividades religiosas principais a serem observadas por todo o povo de Israel. Ver Lev. 23:9-14 quanto a detalhes adicionais sobre a questão. Ao que parece, essa festa começou a ser negligenciada após os dias de Salomão; mas foi revivida por Ezequias (II Crô. 31:5; Nee. 10:34,37; 12:44). Em um período de apostasia, em Israel, Eliseu sobreviveu em face do pão feito com as primícias, bem como através da miraculosa multiplicação da farinha de trigo (II Reis 4:42-44).

Israel não foi a única nação antiga a ter tais costumes. As cerimônias das primícias provavelmente originaram-se como um método tribal de proteger o suprimento de alimentos, além de ser uma maneira de agradecer aos deuses ou espíritos, pela ajuda que prestam no sustento das pessoas. Ofertas eram feitas aos deuses, em diversas cerimônias, como também os sacerdotes que representavam esses deuses. Em algumas culturas, os antepassados já falecidos supostamente ajudavam a suprir as necessidades da tribo ou da família e a eles eram apresentados presentes na forma de primícias. Nos lugares onde o peixe e a carne eram o alimento principal, as oferendas eram dadas em forma dos primeiros peixes apanhados e dos primeiros filhotes do rebanho. Sacrifícios humanos, em outras culturas, faziam parte das oferendas em primícias. Santuários, lugares santos, templos e outras instalações de cultos religiosos com freqüência eram sustentados pelas oferendas de vários tipos.

II. Coisas Específicas nas Oferendas *Oferendas*

1. Homens e animais (ver sobre *Primogênitos*), Êxo. 13:2.

2. A produção agrícola (Êxo. 22:29).

3. O produto do labor humano, como a farinha de trigo, o azeite, o vinho, os cereais em geral, o gado criado (Êxo. 34:18,22; Lev. 23:16-20; II Crô. 31:5).

III. Oferendas e Cerimônias Envolvidas nas Primícias

As primícias de todas as sortes eram levadas a Jerusalém em meio a grande pompa e cerimônia. Todo o povo de um dado distrito reunia-se em um dia marcado, em alguma cidade, em alguma praça ou rua. Quando chegavam ao templo de Jerusalém, aqueles que ofereciam os produtos recitavam o trecho de Deu. 26:3-10. Daquele momento em diante, os produtos tornavam-se propriedade da classe sacerdotal. Os que tinham trazido as primícias ficavam na cidade durante a noite, e só voltavam a seus lugares de origem no dia seguinte. Nem todas as pessoas tinham a obrigação de fazer a viagem. Aqueles que cuidavam das árvores, das plantações, dos rebanhos, etc., mas que não eram proprietários dos mesmos, não participavam do cortejo. Aqueles que viviam na Transjordânia, visto que, estritamente falando, não pertenciam ao território que manava leite e mel, não precisavam apresentar-se (Deu. 26:10-15). Os prosélitos também traziam suas ofertas, mas não recitavam as Escrituras, visto que não eram descendentes «dos pais» de Israel. Além disso, servos, escravos e mulheres não tinham permissão de recitar as Escrituras, visto que não eram proprietários de terras (Deu. 26:10). Quanto a trechos bíblicos que se referem a esse costume, ver Deu. 26:2-11; Sal. 122:1,2; Sal. 150; Lev. 19:23 *ss*; 23:15,20; Núm. 18:12; II Crô. 31:5.

IV. Usos Figurados

1. Os patriarcas hebreus foram as primícias da nação judaica (Rom. 11:16).

2. Os hebreus foram as primícias do cultivo de Deus entre a humanidade, o seu povo peculiar, antes dos povos gentílicos terem sido reunidos a Silo (Jer. 2:3).

3. As primícias do Espírito são as suas bênçãos e provisões espirituais, que produzem a *filiação* e, em conseqüência, *salvação* (Rom. 8:23).

4. Os convertidos à fé cristã são as primícias de uma grande companhia de remidos, que representam a colheita espiritual (Rom. 16:5; I Cor. 16:15).

5. Os cento e quarenta e quatro mil, referidos em Apocalipse 14:1-5, são primícias especiais dos remidos, em tempos de grande provação.

6. O próprio Jesus Cristo é as primícias da ressurreição, garantindo a ressurreição de todos os remidos, por ocasião da segunda vinda de Cristo ou *parousia* (I Cor. 15:20,23).

PRIMÍCIAS DO ESPÍRITO

Ver Rom. 8:23.

Essas palavras podem ser melhor compreendidas se desdobrarmos o que nelas está incluso, a saber:

1. Certamente elas apontam de volta ao dia de Pentecostes e a tudo quanto isso deixa implicado para a igreja cristã.

2. A atual presença habitadora do Espírito Santo (segundo vemos em Rom. 8:9).

3. Os *dons* do Espírito Santo, que são veículos da expressão cristã (ver o décimo segundo capítulo desta epístola aos Romanos).

4. A regeneração e a santificação progressiva do Espírito, que alça o sistema da graça divina acima do sistema da lei, e mostra-nos que só através da graça divina é que a regeneração poderia ter lugar, assim realizando o que a lei mosaica não podia cumprir (ver os capítulos sexto e oitavo desta epístola aos Romanos).

5. Por conseguinte, temos assim uma «adoção» de filhos; embora essa ainda não tenha atingido o ponto da total fruição. Essa *fruição* espera pela redenção do corpo, o que, no vocabulário de Paulo, indica a *ressurreição* (ver o artigo separado). Os crentes, por enquanto, precisam carregar consigo ainda os seus corpos mortais não-redimidos, os quais são usados, com extrema facilidade, pelo pecado, e não pela

PRIMÍCIAS — PRIMOGÊNITO

justiça, conforme também nos esclarece o sexto capítulo desta epístola. E a adoção completa só ocorrerá quando nosso corpo for igualmente remido, não deixando oportunidade alguma para a operação do duplo princípio do pecado-morte.

O major D.W.Whittle declarou: «A dificuldade que há com a maioria dos crentes é que eles não estão dispostos a *gemer*! Não se dispõem a enfrentar constantemente o fato de que estamos 'em um tabernáculo', o nosso corpo terreno, no qual gememos, sentindo-nos sobrecarregados; para que assim possam anelar pela vinda de Cristo, que lhes redimirá os corpos. A maioria dos crentes se cansa e anela pela morte, pela perda do corpo, o que não faz parte integrante da esperança cristã. Ou então, a fim de sentirem satisfação, voltam-se para algumas coisas próprias deste mundo pobre, miserável e moribundo. Ou ainda procuram 'erradicar' o pecado de seus corpos».

Adoção. Ver o artigo a respeito.

No presente versículo, a adoção dos «filhos de Deus» é vista no que diz respeito à sua fruição, ou seja, na redenção do corpo, o que levará a personalidade humana inteira, corpo espiritual, mente e alma para receber a influência do Espírito que expurgará, finalmente, tudo quanto pertence à natureza do «velho homem». Ora, premidos pelo corpo mortal que carregamos, e que tão facilmente se presta a servir de instrumento do pecado, ante as mais leves tentações, nós gememos e sofremos dores de parto, sabendo que esse conflito só chegará ao término quando o Espírito Santo ressuscitar o nosso corpo, já remido e espiritualizado.

PRIMITIVISMO

Os historiadores e os filósofos costumam ponderar sobre o que se sabe ou o que se imagina acerca dos estados primitivos do homem e da sociedade; e daí extraem várias conclusões. Rousseau (vide) não acreditava que a vida primitiva fosse pior do que a moderna, mas supunha que o ideal seria uma simples vida comunal, entre os dois extremos. O *marxismo* imagina ingenuamente que os selvagens primitivos viviam em uma espécie de unidade comunal bem-aventurada, pelo que teriam algo para ensinar-nos sobre como devemos viver. E certos filósofos, como *Lévy-Bruhl*, têm pensado que o homem primitivo atuava em um nível pré-lógico, e que esse elemento continua fortemente atuante entre os homens modernos.

Muitos pensadores têm imaginado que a civilização só tem trazido degradação e corrupção, e que as sociedades primitivas eram melhores que as atuais. Porém, isso é uma fantasia, não concordando com aquilo que a arqueologia revela. Todas as sociedades primitivas tinham sua boa parcela de degeneração. Ao que parece, a maioria das pessoas supõe que a civilização tem feito algo para melhorar as condições de vida dos homens. Parece que um maior conhecimento das coisas tem melhorado certos aspectos da conduta e da maneira de pensar dos homens, embora não tenha sido obtida qualquer coisa parecida com uma regeneração da humanidade. O que parece seguro é que a fé religiosa tem progredido quanto ao seu conteúdo e aos seus conceitos, com a passagem dos séculos. Uma série de revelações divinas tem-se encarregado disso.

PRIMO

De acordo com o uso moderno da palavra, os primos são os filhos e as filhas de algum tio ou tia. Todavia, na linguagem moderna, o termo também é usado para indicar um parentesco devido a ascendentes comuns, ou até mesmo em expressões como: «Os tupis e seus primos guaranis».

A língua hebréia não tinha uma palavra específica para indicar esse grau de parentesco, pelo que os hebreus usavam circunlocuções como: «filho do irmão de teu pai». Mais freqüentemente, era usada a palavra que significa «parente», embora essa deixe de especificar o grau e a natureza do parentesco. No caso dos direitos e heranças, havia certos privilégios dos primos, segundo se vê em Núm. 36:11 e Jer. 32:7-12. Nos tempos do Antigo Testamento, com freqüência os primos casavam-se com suas primas, o que não era proibido pelas leis levíticas sobre o casamento. No Novo Testamento, a palavra grega *suggenis*, que algumas versões traduzem por «primo», pode significar somente «parente». No grego clássico, essa palavra significa «relacionado com». Tal palavra também pode significar «compatriota» ou «concidadão». Em algumas traduções, Barnabé é chamado *primo* de Marcos, em Col. 4:10 (conforme se vê em nossa versão portuguesa). Ali, o termo grego usado é *anepsiós*, «primo». Portanto, equivocam-se as traduções que dizem ali «sobrinho». Jesus e João Batista, aparentemente, eram primos de segundo grau (Luc. 1:36); mas a palavra grega ali usada, *suggenis*, é indefinida, impossibilitando a determinação do parentesco exato que havia entre eles.

PRIMOGÊNITO

Esboço:
 I. Considerações Humanas
 II. Considerações Animais
 III. O Termo «Primogênito» Aplicado a Cristo
 IV. Usos Figurados

I. Considerações Humanas

A palavra hebraica correspondente, *bekor*, que tem algumas formas variantes, como *bekirah* e *bakar*, vem de uma raiz que significa «irromper», uma alusão ao processo do nascimento, ocorre por cerca de cento e vinte vezes no Antigo Testamento, com suas variantes, desde Gên. 4:4 até Zac. 12:10. No grego temos uma única palavra, *protótokos*, empregada no Novo Testamento por oito vezes, em Luc. 2:7; Rom. 8:29; Col. 1:15,18; Heb. 1:6; 11:28; 12:23; Apo. 1:5. E o substantivo, *prototókia*, aparece por uma vez, em Heb. 12:16. A derivação desse vocábulo grego é importante, sobretudo quando aplicado a Jesus. Procede de duas outras palavras gregas, *prótos*, «primeiro», e *tíkto*, «dar à luz». Essas palavras, no hebraico ou no grego, eram usadas a respeito de seres humanos ou de animais.

Em Israel. Um filho primogênito do sexo masculino, em todas as famílias de Israel, bem como o primogênito de todos os seus animais, eram consagrados ao Senhor, em comemoração ao juízo com que Deus castigou os primogênitos do Egito. Ver Êxo. 13:2. Várias provisões da legislação judaica conferiam privilégios especiais aos filhos primogênitos:

1. Um primogênito recebia uma dupla porção da herança, — ou das propriedades do pai da família (Deu. 21:17). Isso constituía o seu direito de primogenitura. Contudo, esse direito podia ser transferido. Ver Gên. 21:15-17; 25:31,32.

2. O filho mais velho oficiava como sacerdote da família, na ausência do pai, ou quando o pai falecia.

PRIMOGÊNITO

Posteriormente, essa função sacerdotal foi transferida para os homens da tribo de Levi, formando-se assim um sacerdócio formal. Ver Núm. 3:12-18; 8:18. Em resultado, os primogênitos das outras onze tribos de Israel eram redimidos, sendo apresentados ao Senhor quando tinham um mês de idade, pagando uma soma que não excedia a cinco ciclos (Núm. 18:16). Esse dinheiro da redenção era entregue a Aarão e seus filhos, como compensação pelos primogênitos, que pertenciam ao Senhor (Núm. 3:40 ss). Mesmo assim, todos os filhos primogênitos eram apresentados de modo especial ao Senhor e, presumivelmente, tinham elevados deveres a cumprir (Luc. 2:22), mesmo quando o Senhor Jesus já estava na terra. Essa quantia indicava que tal pessoa não era obrigada a servir como sacerdote, compensando pelos serviços que ela poderia prestar, mas não prestaria. Contudo, reiteramos que a cerimônia vinculada à questão também relembrava o fato de que os primogênitos de Israel haviam sido poupados, ao passo que os primogênitos dos egípcios pereceram todos na décima praga do Egito. Quando um menino primogênito tinha treze anos de idade, jejuava no dia anterior à Páscoa, em comemoração ao fato de que os primogênitos do povo de Israel haviam sido poupados no Egito.

II. Considerações Animais

Os primogênitos de todos os animais limpos eram usados em sacrifício ou holocausto ao Senhor (Êxo. 13:2). E os primogênitos dos animais imundos (que não podiam ser servidos como alimento) podiam ser remidos com a adição de uma quinta parte de seu valor, conforme os sacerdotes determinassem (Lev. 27:13). De outra sorte, teriam de ser vendidos, trocados ou destruídos (Êxo. 13:13; Lev. 27:27). Supõe-se que os cães nunca eram redimidos (Deu. 23:18). No entanto, quando uma pessoa devotasse qualquer coisa ao Senhor, tal coisa não podia ser redimida e nem usada para benefício pessoal.

III. O Termo «Primogênito» Aplicado a Cristo

No Novo Testamento, a palavra portuguesa «primogênito» é aplicada principalmente a Jesus Cristo. Trata-se de um título messiânico, sugerido desde Salmos 89:27: «Fá-lo-ei, por isso, meu primogênito, o mais elevado entre os reis da terra». Há vários sentidos em que Cristo é o «primogênito», teologicamente falando, a saber:

1. *Cristo como Primogênito de Toda a Criação.* Esse ensino figura em Colossenses 1:15. Os antigos arianos agarravam-se a esse ensino, dizendo assim que Cristo era apenas um ser criado, posto que a primeira de todas as criações de Deus. Isso já havia sido dito, de certo modo, pelos mestres gnósticos. E até hoje é a posição de alguns, como, por exemplo, as Testemunhas de Jeová. Se o resto do Novo Testamento não nos brindasse com quaisquer definições cristológicas, então a palavra «primogênito» teria de significar exatamente isso. Porém, visto que a Bíblia também ensina que Cristo é o Logos eterno (João 1:1,2), temos de buscar algum outro sentido. Assim, aprendemos que Cristo é o «primogênito» por ser o primeiro a pertencer à espécie humana espiritual, o protótipo de todos os remidos, cuja imagem será neles impressa, com perfeição, quando da ressurreição e glorificação dos santos. Além disso, Cristo é o primeiro em termos do tempo, visto que ele existiu antes de todos, desde a eternidade, o que não requer a idéia de começo. Agregue-se a isso a idéia de que Cristo é o primeiro em poder, proeminência e autoridade, dentro da família divina, o que, novamente, não subentende qualquer idéia de começo. Outrossim, Cristo é o primeiro de uma grande série de filhos espirituais de Deus. Ele é o Filho de Deus por excelência e nós somos os filhos de Deus. Nesse sentido, ele é o primeiro no senso de preexistência, ao passo que nós outros vamos surgindo no decurso do tempo. Essas são as idéias que devemos ter, quando lemos sobre Cristo como «primogênito da criação», e não que ele foi o primeiro Ser criado. Jesus não faz parte da criação, pois ele é o próprio Criador: «Todas as cousas foram feitas por intermédio dele, e sem ele nada do que foi feito se fez» (João 1:3).

2. *Cristo é o Primogênito Dentre os Mortos.* Ver Colossenses 1:18 e Apocalipse 1:15. Esse ensino não indica que Cristo foi o primeiro a ressuscitar da morte biológica, pois muitos outros ressuscitaram antes dele, e ele mesmo ressuscitou a muitos, nos dias de seu ministério terreno. Mas significa que ele foi o primeiro a experimentar à morte e então voltar à vida com uma nova modalidade de vida, revestido de imortalidade em seu próprio corpo. Na qualidade de Logos eterno, Jesus Cristo já era plena divindade; mas, quando de sua ressurreição, o seu próprio corpo humano foi divinizado, isto é, veio a participar da natureza divina. Os filhos de Deus, remidos pelo sangue de Cristo, haverão de receber essa nova natureza, essa imortalidade no corpo, quando da ressurreição dos santos, no último dia. Isso incluirá a participação na própria natureza divina, como verdadeiros filhos de Deus que eles já são, mas não no corpo, por enquanto. Ver II Ped. 1:4; Col. 2:10; Rom. 8:29 e II Cor. 3:18. Esse ensino tem paralelo na idéia bíblica de que Cristo é «as primícias dos que dormem» (I Cor. 15:20). As primícias eram os primeiros frutos que amadureciam na colheita. Só mais tarde era feita a colheita por inteiro. Cristo já foi colhido; no tempo certo, haveremos de ser colhidos também. No Apocalipse, entre outros símbolos, esse fato aparece como a ceifa. «Olhei, e eis uma nuvem branca, e sentado sobre a nuvem um semelhante a filho de homem, tendo na cabeça uma coroa de ouro, e na mão uma foice afiada... E aquele que estava sentado sobre a nuvem passou a sua foice sobre a terra, e a terra foi ceifada» (Apo. 14:14-16).

3. *Cristo é o Primogênito Entre Muitos Irmãos.* Essa é uma maneira mais direta de afirmar o que já foi dito no segundo ponto, acima. Cristo é o Irmão mais velho, dentro da família divina. Essa família, quando inteiramente recolhida no céu, consistirá de filhos ressurrectos e imortais de Deus. Aos crentes é conferida a condição de filhos, ou seja, herdeiros. Destarte eles fazem parte da grande assembléia celestial dos filhos de Deus. Ver Heb. 12:23 e Rom. 8:14 ss.

4. *Jesus Era o Filho Primogênito de Maria.* Isso ocorreu mediante um milagre único de Deus, que os teólogos chamam de partenogênese (que vede), (ver Mat. 1:25; Luc. 2:7). Foi assim que teve começo o ministério encarnado do Filho de Deus.

IV. Usos Figurados

1. O termo **primogênito** denota também aquilo que é supremamente excelente, capaz de prestar serviço especial a Deus. Isso pode ser aplicado especialmente à pessoa de Jesus Cristo, conforme vimos no terceiro ponto, acima. Mas também é uma idéia implícita na doutrina geral dos primogênitos, no tocante a homens e a animais.

2. Os «primogênitos dos pobres» são aqueles que são extremamente carentes, devido à sua extrema pobreza (Isa. 14:30).

3. O «primogênito da morte», referido em Jó 18:13, é a própria morte, que é atormentadora, miserável e maldita. E as enfermidades são consideradas filhas da morte.

PRIMOGÊNITO — PRINCIPADOS

PRIMOGÊNITO, CRISTO COMO O
Ver o artigo geral sobre **Primogênito**, seção III.

PRIMOGÊNITO, JESUS COMO
I. *Segundo Col. 1:15: o qual é imagem do Deus invisível, o primogênito de toda a criação.*

De acordo com Justino Mártir, aponta para a divindade de Cristo, em contraste com a sua humanidade (ver *Trifo*, cap. 84). Tertuliano (c. Praxeam. 7) refere-se à igualdade entre o Filho e o Pai, por decreto divino, utilizando-se desta passagem. Ele é tanto o «primogênito» como é o «unigênito». Isso pode ser comparado com o que diz Teófilo, bispo de Antioquia (*contra Márcion*, v.19), do segundo século de nossa era, que usou esta passagem ao defender a tese que, antes de haver qualquer criação, Deus Pai tinha a Palavra como seu conselheiro; e quando a idéia da criação foi concebida, então a Palavra foi «gerada» (por decreto divino), na qualidade de «primogênito».

Novaciano (de *Trin*. cap. 16), do terceiro século de nossa era, ao referir-se à Col. 1:15, diz que Cristo é o *unigênito* por ser *divino*; porque na qualidade de *Verbo Divino*, em relação ao Pai, era o unigênito, mas que a criação subseqüente de outros seres fez dele o «primogênito». Portanto, esse é um título que indica posição, e não começo no tempo, embora essa «relação» com o mundo tenha começado dentro do tempo. Porém, o que é dito acerca da relação, não pode ser aplicado ao seu ser essencial, que não teve princípio. Hilário (de *Trin*. viii.50) fazia esse termo aplicar-se à «eternidade» de Cristo, como uma afirmação da mesma. Atanásio e alguns outros dos primeiros pais da igreja, aludiam à condescendência de Cristo ao usar o vocábulo *primogênito*, mediante o que ele se tornara o mais velho entre muitos irmãos (ver Rom. 8:29), como se isso se referisse à criação nova ou espiritual. (Ver *Arota*. ii.c.*Ariar*, pág. 419, §62). Como homem, Cristo é o primeiro que foi elevado para que participasse da divindade; mas muitos outros — os remidos, se seguirão a ele (ver Col. 2:10; Efé. 3:19 e II Ped. 1:4).

Este versículo breve e, aparentemente simples, tem provocado muita e diversificada literatura, na qual algumas idéias em conflito são expressas. Pelo menos é evidente que a grandeza e a proeminência de Cristo são aqui salientadas.

II. *Primogênito dos mortos em Col. 1:18 e Apo. 1:5*

Em Col. 1:18, Cristo como o primogênito expressa a décima das onze superioridades de Cristo alistadas no contexto. Paulo enfatizou essas superioridades contra doutrinas gnósticas que diminuíram a posição de Cristo na economia divina. Em Col. 1:18, a nova criação está especificamente em foco. Cristo morreu como homem, mas a ressurreição lhe restaurou uma vida nova, superior, imortal, a própria espécie de vida que Deus tem. Mediante a ressurreição, pois, tornou-se o primeiro homem imortal de Deus, o Deus-homem. Assim sendo, ele é as «primícias» da grande colheita, em que muitos outros receberão a mesma natureza. Cristo é o «primogênito» de todos quantos nasceram dentro dessa vida eterna, dessa natureza celestial. A ressurreição, por assim dizer, foi sua mãe, o poder que lhe deu essa vida. E a nossa ressurreição também será nossa mãe, outorgando-nos a mesma vida e destino que ele tem. O fato de que Cristo é o *primogênito* subentende que se seguirão mais nascimentos dessa mesma sorte, e disso é que consiste a mensagem da redenção. Paulo mostra que a vida só pode ser antecipada em Cristo, e não em algum poder angelical, no que se vê que Cristo é superior aos *aeons*. No dizer de Veare (*in loc.*), «...a sua ressurreição inaugura uma nova vida para o homem, uma vida que passou pela morte mas emergiu vitoriosa, a vida eterna».

Como aplicação local, visto que o livro de Apocalipse foi escrito à igreja cristã, quando esta sofria perseguição, numa época em que houve muitos mártires, esse título dado a Cristo equivale ao que se lê em Apo. 2:10: «Sê fiel até à morte, e dar-te-ei a coroa da vida».

Uma possível metáfora. É possível que a morte seja vista aqui como um «ventre feminino». Dali é que surge uma nova forma de vida. O que parecia ser horrendamente final, tornou-se o novo nascimento, uma nova vida. Na ressurreição, assim sendo, Cristo foi declarado Filho de Deus (ver Rom. 1:4). Seus privilégios, dentro do favor divino, ele compartilha plenamente com outros filhos, que compartilham de sua vida ressurrecta.

Ver o artigo separado sobre *ressurreição*.

PRINCIPADOS
Provavelmente é verdade que a grande hierarquia de anjos, de diferentes poderes e dignidades, tenha sido uma idéia tomada por empréstimo da religião persa, tendo passado daí para o judaísmo helenista, e daí para o cristianismo. Apesar de que essa questão possa ser exagerada, não há razão alguma para duvidarmos da existência de uma grande hierarquia de poderosos seres espirituais, tanto bons quanto maus.

A palavra *principados* vem do termo grego *arché*, «primeiro», tendo o sentido de «governo», «magistratura». Paulo empregou a palavra para indicar elevados poderes demoníacos, investidos de poder. Ver Rom. 8:38; I Cor. 15:24; Efé. 1:21; 3:10; 6:12; Col. 1:16; 2:10,15; Tito 3:1. A posição ocupada por essa palavra, dentro da lista de poderes, parece indicar alguma elevada ordem de poderes angelicais ou demoníacos; porém, não há qualquer certeza quanto a isso. O trecho de Col. 1:16 refere-se ao fato de que esses principados foram criados sob a autoridade do Logos, a quem estão sujeitos e para quem existem. Ver o artigo geral sobre os *Anjos*.

A angelologia ocupava importante posição dentro do sistema do *gnosticismo* (vide), visto que seus *aeons* (ordens de seres angelicais) eram vistos como mediadores entre Deus e os homens, e cuja função era distanciar Deus deste mundo material corrupto. Essa doutrina minimizava a autêntica deidade de Cristo. A refutação de tal doutrina era necessária; e essa é a idéia por detrás de algumas passagens da epístola aos Colossenses que falam sobre a *pleroma* (vide). Ali a deidade acha-se concentrada na pessoa de Cristo, e não em alguma grande hierarquia de espíritos angelicais. Ver Col. 2:9,10. Para os gnósticos, porém, a *pleroma* compunha-se da interminável hierarquia de seres angelicais, que teriam algo da glória divina, em grau descendente.

Esse vocábulo pode ser igualmente usado para indicar anjos bons e maus. (Ver Col. 1:16 e 2:15 quanto aos «anjos bons»; e ver I Cor. 15:24 e Efé. 6:12, quanto aos «anjos maus»). O trecho de Efé. 1:21 parece utilizar-se do termo «principados» de maneira geral, incluindo em uma referência geral tanto os anjos bons como os anjos maus. Alicerçados nas diversas alusões aos «principados», parece-nos que está em foco a ordem mais elevada dos anjos. O judaísmo corrente nos dias de Paulo pensava em muitos agrupamentos e ordens de anjos; e, com base

PRINCIPADOS — PRÍNCIPE

nos escritos desse apóstolo vemos claramente que ele concordava com essas idéias, pelo menos de forma geral, embora não saibamos dizer, com base nesses mesmos escritos, quais os seres angelicais que ele considera maiores ou menores.

Não há dúvida, entretanto, que Paulo diz, em Rom. 8:38, que os seres angelicais, superiores ou inferiores, bons ou maus, não têm capacidade alguma de tocar na vida dos crentes ou armar-lhes obstáculos, jamais podendo desfazer o elevado destino que os remidos têm em Cristo, o que fica garantido pelo seu amor. Tais poderes espirituais, entretanto, ultrapassam em muito à força e resistência de qualquer homem mortal, mas, apesar disso, não podem fazer qualquer dano ao crente. Todavia, o destino dos crentes é que finalmente eles ascendam muito acima dos poderes angelicais, tanto em sua natureza essencial, por estarem transformados segundo a imagem de Cristo, como em seu poder real, porquanto estão destinados a ser a «plenitude daquele que enche tudo em todas as coisas» (ver Efé. 1:23), o qual está infinitamente mais elevado que todos esses poderes, o que significa que o crente assim será igualmente. Além disso, os crentes são «filhos de Deus», os quais estão sendo *conduzidos à glória*, o que não pode ser dito a respeito dos anjos (ver Heb. 2:10). Alguns intérpretes pensam que a palavra «principados», neste caso, indica os magistrados «civis» e «terrenos»; porém, parece mais certo interpretarmos que todas essas três palavras; «anjos», «principados» e «poderes» referem-se a seres não-materiais, sobrenaturais, mais elevados em seu ser essencial que o homem.

PRINCIPAIS DOS JUDEUS

Atos 28:23: *Havendo-lhe eles marcado um dia, muitos foram ter com ele à sua morada, aos quais desde a manhã até a noite explicava com bom testemunho o reino de Deus e procurava persuadi-los acerca de Jesus, tanto pela lei de Moisés como pelos profetas*.

Os *principais dos judeus* voltaram a Paulo, a fim de que houvesse aquela conferência marcada, e provavelmente trouxeram consigo outras pessoas interessadas. A nata da sinagoga judaica da cidade de Roma achava-se presente, e isso deu ao apóstolo Paulo uma excelente oportunidade de pregar a Cristo, a quem ele considerava como a personificação mesma da *esperança de Israel*. Os principais entre os judeus (ver outra referência a eles no décimo sétimo versículo deste capítulo), incluíam as seguintes personalidades:

1. O *chefe* ou presidente da sinagoga, que no grego tinha o título de *archisynagogos*. Esse título é confirmado por diversas evidências arqueológicas e referências literárias. Certa inscrição, encontrada em Cápua, que atualmente se acha no museu Laterano, contém tal vocábulo.

2. Os *archontes*, ou seja, os governantes do povo. É possível que esses fossem assistentes do presidente da sinagoga, embora, em alguns casos, tal termo fosse usado como sinônimo para «presidente da sinagoga», conforme vemos no primeiro ponto, acima. O cemitério dos judeus, em Roma, que ficava a leste da via Ápia, tem fornecido algumas provas arqueológicas sobre esse título.

3. Os *escribas*, que no grego eram chamados *grammateus*. Ver o artigo sobre *Escribas*.

4. Os *gerousiarchai*, ou seja, *diretores* do senado judaico, que era um corpo judicial, e que, em alguns lugares, como em Alexandria, no Egito, tinha o direito de legislar independentemente do sinédrio de Jerusalém.

5. *Os pais* da sinagoga, que provavelmente eram idênticos aos «anciãos», um termo geral que se refere aos anciãos que ocupavam diversas posições de autoridade já descritas.

6. *As mães da sinagoga*, provavelmente análogas às viúvas e diaconisas da primitiva igreja cristã, as quais, entre os judeus, eram chamadas *nomomatheis*, ou seja, «estudantes da lei». De modo geral, as mulheres eram consideradas indignas de aprenderem a lei mosaica, e os fariseus chegavam mesmo a disputar sobre essa questão, afirmando que as mulheres são destituídas de alma. Não obstante, algumas mulheres se distinguiam de tal maneira que era mister dar-lhes algum reconhecimento. (Quanto à posição das mulheres, na antiga sociedade judaica, ver as notas expositivas sobre João 4:27 no NTI). Todavia, na opinião do Dr. A. Edersheim, uma autoridade moderna, universalmente reconhecida, sobre a cultura judaica, que viveu no século passado, os títulos «pai» e «mãe» da sinagoga não implicavam em função alguma, mas eram antes títulos honrosos dados aos membros mais antigos das sinagogas, que continuavam dando bom exemplo às gerações mais jovens. Esses títulos foram encontrados em inscrições que falam de pessoas de idade extremamente avançada, entre os oitenta e os cento e dez anos de idade.

7. Um outro grupo distinguido era o dos *comerciantes ricos*, muitos dos quais exerciam considerável influência sobre as comunidades judaicas, ainda que não de forma oficial, nas sinagogas. (Ver Josefo, *Vida*, cap. 3, que cita um certo «*Aliturius*», que, aparentemente, pertencia a essa categoria. Aliturius exercia influência até mesmo sobre Nero).

PRINCIPAL DA SINAGOGA

No grego, **archsunágogos**. Essa palavra é usada por nove vezes: Mar. 5:22,35,36,38; Luc. 8:49; 13:14; Atos 13:15; 18:8,17. Era o homem que cuidava da parte material e do arranjo dos cultos na sinagoga. O seu equivalente moderno seria presidente da sinagoga.

Diversos homens, que serviam nessa ocupação, são nomeados ou mencionados no Novo Testamento. Jairo, pai da garota de doze anos de idade que foi devolvida à vida pelo Senhor Jesus (ver Mar. 5:22-43; cf. Mat. 9:18-26 e Luc. 8:40-56). Um homem cujo nome não é dado, e que se mostrou indignado ante o fato de que Jesus curara uma mulher aleijada em dia de sábado (ver Luc. 13:10-17). Aqueles que permitiram que Paulo e Barnabé falassem na sinagoga de Antioquia da Pisídia (ver Atos 13:15). Crispo, chefe da sinagoga de Corinto, que veio a confiar em Cristo ante a pregação de Paulo ali (ver Atos 18:8). E Sóstenes, também um dos líderes da sinagoga de Corinto, que foi espancado quando Gálio recusou-se a ouvir as falsas acusações feitas pelos judeus incrédulos contra Paulo (ver Atos 18:17). Muitos acreditam que ele é o mesmo Sóstenes, posteriormente mencionado, em I Coríntios 1:1, pois, com a passagem do tempo, também veio a crer em Cristo, embora as Escrituras não façam qualquer ligação entre os dois.

PRÍNCIPE, PRINCESA

O fato de que nada menos de quinze diferentes palavras hebraicas são assim traduzidas, alerta-nos para a percepção que essas palavras cobrem um campo muito amplo. Quase todos esses vocábulos estão ligados a idéias de liderança, sobre grandes agrupamentos humanos, como uma comunidade ou uma nação. Mas também estão envolvidas idéias de menor alcance, como «líder» ou «capitão».

1. *Algumas Palavras Veterotestamentárias e Seu Uso*, traduzidas por «príncipe» ou «princesa». Os termos *sátrapa* (*khshathrapavan*) e *fratama*, que indicam alguma pessoa destacada, foram tomados por empréstimo do persa. Ver Dan. 3:2. O termo aramaico *'ahasdarpan* é empregado em Dan. 1:3. O acádico *sarru*, «rei», referia-se a algum elevado oficial entre povos não-israelitas (ver Gên. 12:15; 19:11,13; Jer. 25:19). *Sar* é termo usado para indicar o Messias, em Dan. 8:25; mas também anjos guardiães, em Dan. 10:13,21 . O termo hebraico *nasi* é um vocábulo usado para indicar algum líder, chefe ou príncipe, sendo usado para indicar os chefes de Israel (ver Núm. 1:16, 44; 7:2; 10:4; 16:2).

2. *No Novo Testamento*. Temos a considerar ali três termos gregos:

a. *Archegós*, «líder», «autor», «pioneiro». Ver Atos 3:15; 5:31; Heb. 2:10 e 12:2. Em Atos 3:15 e Heb. 2:10, o termo é aplicado à pessoa de Cristo.

b. *Árchon*, «potentado», «autoridade», «príncipe». Esse termo é aplicado a várias pessoas como os líderes dos gentios, Cristo, Satanás e os poderes demoníacos. Ocorre por trinta e seis vezes: Mat. 9:18,23,34; 12:24; 20:25: Mar. 3:22; Luc. 8:41; 11:15; 12:58; 14:1; 18:18; 24:20; 28:13,35; João 3:1; 7:26,48; 12:31,42; 14:30; 16:11; Atos 3:17; 4:5,8,26 (citando Sal. 2:2); 7:27,35; 13:27; 14:5; 16:19; 23:5 (citando Êxo.22:27); Rom. 13:3; I Cor. 2:6,8; Efé. 2:2; Apo. 1:5.

c. *Egemón*, «chefe». Palavra usada por dezenove vezes: Mat. 2:6 (citando Miq. 5:1); 10:18; 27:2,11,14, 15,21,27; 28:14; Mar. 13:9; Luc. 20:20; 21:12; Atos 23:24,26,33; 24:1,10; 26:30; I Ped. 2:14. E o verbo correspondente, *egéomai*, «chefiar», também é bastante freqüente (vinte e oito vezes), aparecendo desde Mat. 2:6 até II Ped. 3:15. Além de aludir à cidade de Belém da Judéia (Mat. 2:6), alude a oficiais romanos de vários níveis e patentes.

PRÍNCIPES (DUQUES)

No hebraico, **alluph**, «líder», «cabeça de mil». Palavra usada por sessenta e oito vezes, e que as traduções traduzem por «capitão», «príncipe», «governador», etc. Em Gên. 36:15-43 temos o trecho que mais emprega esse vocábulo, referindo-se aos chefes tribais de Edom, até os dias de Moisés (Êxo. 15:15). A nossa versão portuguesa usa o termo «príncipe». O sentido real é o de «quiliarca» ou chefe de mil. Há outras palavras que nossa versão portuguesa traduz por «príncipe», como *nagid*, *nadib*, *nasik*, *nasi*, *sar*, etc. no hebraico, e também como *archegós*, *árchon* e *egemón*, no grego. Ver o verbete *Príncipe*.

PRINCÍPIO

Apesar de haver pelo menos cinco palavras hebraicas que têm sido traduzidas como «princípio», «começo» ou sinônimos, interessa-nos aqui a palavra usada em Gênesis 1:1, no hebraico, *reshith*, «princípio», que reaparece em João 1:1 no grego *arché*, «princípio».

Em Gênesis 1:1 temos o começo da criação, por ato de Deus. Teólogos e filósofos têm discutido inutilmente sobre o que Deus estava fazendo antes de seu ato de criação. Alguns deles supõem que a criação é um ato eterno de Deus, ou então que a criação é uma emanação de Deus, pelo que não se poderia determinar nenhum tempo específico quando tiveram começo as coisas que estão fora de Deus. Os mórmons aceitam o antigo ponto de vista dos gregos da eternidade da matéria, fazendo de Deus apenas um Planejador e Organizador, mas não um Criador absoluto. Mas o ponto de vista da Bíblia é que houve tempo em que somente Deus existia, o que é um *grande mistério*. Por exemplo: «Onde estavas tu, quando eu lançava os fundamentos da terra?» (Jó 38:4).

O conceito de criação *ex nihilo* (do nada) dificilmente pode ser correto, pois, do nada, nada pode vir. Antes, a *energia* divina esteve envolvida em alguma forma de transformação de energia em matéria. Essa idéia é claramente descrita em Hebreus 11:3, embora não em termos científicos (ver notas completas a respeito, nessa referência, no NTI). Quanto ao ato de criação, ver também os trechos de Sal. 33:7,9; Amós 4:13; Rom. 4:17; Heb. 11:3; João 1:1 ss.

O termo grego *arché* envolve as idéias de «começo», «princípios elementares», «origem», «primeira causa», «autoridade», etc. No trecho de João 1:1 lemos: «No princípio era o Verbo, e o Verbo estava com Deus e o Verbo era Deus». Isso mostra que o Verbo (no grego, *Logos*, «palavra», «idéia») já estava no princípio com Deus, o que mostra que Ele é coeterno com o Pai. Isso é contrário à idéia gnóstica (atualmente ensinada pelas Testemunhas de Jeová) de que o Logos foi o primeiro ser criado por Deus, ou sua primeira emanação, e que então o Logos criou todas as demais coisas. Ver o artigo sobre o *Logos*. Em Apocalipse 3:14, Cristo é chamado de «...princípio da criação de Deus», onde o vocábulo grego *arché* sem dúvida indica «originador», e não que Cristo foi o primeiro ser criado por Deus. (Ver esse versículo nas notas completas do NTI).

O vocábulo grego, *arché* é novamente usado em I João 1:1, na expressão «O que era desde o princípio...» Muitos eruditos pensam que essa expressão pode apontar para o começo do ministério público de Jesus, o que podemos conceder. Porém, em I João 2:13, lemos: «...conheceis aquele que existe desde o princípio...», onde, novamente, temos uma alusão ao Logos preexistente, cuja origem não pode ser determinada, que sempre existiu, cuja existência remonta a qualquer princípio que se possa nomear. Isso concorda com o que nos diz Isaías 9:6: «Porque um menino nos nasceu, um filho se nos deu; o governo está sobre os seus ombros; e o seu nome será: ...Deus Forte, Pai da Eternidade...»

Em Colossenses 1:18 Jesus aparece como «Ele é o princípio, o primogênito dentre os mortos...» Como «princípio», Cristo é o «originador» de todas as coisas. Diz João quanto a essa idéia: «Todas as cousas foram feitas por intermédio dele, e sem ele nada do que foi feito se fez» (João 1:3). E, como «primogênito dentre os mortos», Cristo foi o primeiro de uma nova categoria de homens, «ressurretos dentre os mortos». Cristo é o pioneiro, o primeiro a ter em seu corpo glorificado a vida independente. Que ele não ficará sozinho torna-se evidente através de I Cor. 15:20,22, 23: «Mas de fato Cristo ressuscitou dentre os mortos, sendo ele as primícias dos que dormem... Porque assim como em Adão todos morrem, assim também todos serão vivificados em Cristo. Cada um, porém, por sua própria ordem: Cristo, as primícias; depois os que são de Cristo, na sua vinda». Aleluia! (Ver sobre a *vida independente*, a vida que Deus tem em si mesmo, a vida não-causada, mas causa de toda vida que há, e que Jesus afirmou possuir: «Porque assim como o Pai tem vida em si mesmo, também concedeu ao Filho ter vida em si mesmo» (João 5:26). (A B K NTI)

PRINCÍPIO

PRINCÍPIO (PRINCÍPIOS)

Essa palavra portuguesa vem do termo latino *principium*, o qual, por sua vez, traduzia o vocábulo grego *arché*, «começo». Assim, significava «ponto inicial», ou então algo que dá início a outras coisas, como um «primeiro princípio», criação ou atos.

1. A antiga filosofia grega buscava um princípio qualquer que pudesse explicar a existência de todas as coisas, ou de modo absoluto ou por derivação. Os quatro elementos básicos—terra, ar, fogo e água—ou então algum elemento indeterminado, eram chamados de primeiros princípios.

2. Aristóteles usou a palavra em um sentido mais lato, referindo-se a ser, geração ou conhecimento. A derivação a partir de algum primeiro princípio dar-se-ia através de um grupo de princípios, leis ou capacidades inerentes à natureza.

3. As leis da lógica e dos princípios filosóficos e teológicos são aquelas supostas verdades e conceitos ou realidades básicas de onde outras coisas se derivam, e das quais dependem. Essas são as «leis do pensamento», ou as leis do próprio ser.

4. A palavra «princípios» também pode ser aplicada àquelas proposições primitivas que expressam verdades presumíveis, e sobre as quais sistemas são edificados. Esses primeiros princípios são tão básicos que não precisam ser sujeitados à investigação. Todo conhecimento partiria deles. As pessoas religiosas usualmente encontram-nos entre as declarações básicas dos livros sagrados que aceitam como inspirados por Deus.

5. *O Princípio Protestante*, desenvolvido dentro da teologia-filosofia de Paul Tillich, é a crença ou regra que diz que é errado absolutizar qualquer coisa humana, a fim de afirmar o que é o Ser divino. De acordo com essa regra—que obviamente milita contra as atividades do antropomorfismo—o ser divino está acima de toda atividade dessa ordem, e permanece sendo o *Mysterium Tremendum* (vide). Os esforços humanos somente reduzem o conceito de Deus a uma *humanologia*, presumindo que Deus pode, realmente, ser entendido pelos processos intelectuais humanos. O Princípio Protestante é aplicável aos escritos bíblicos, quando estes tomam uma postura antropomórfica. Naturalmente, nenhum teólogo deveria presumir dizer-nos como é Deus, destacando como o homem é.

6. *O princípio indeterminado da mecânica quantum* (vide) assevera que a posição e a velocidade das partículas não podem ser precisa e simultaneamente determinadas. Isso sugere que o *indeterminismo* e o livre-arbítrio são verdades autênticas da existência.

7. Dentro do contexto bíblico, os *princípios* são aqueles que governam a nossa fé e a nossa conduta, sendo essencialmente determinados mediante a revelação bíblica. Os grupos protestantes e evangélicos aceitam esses princípios como supremos, não se podendo adicionar aos mesmos as tradições humanas e as decisões de concílios, líderes eclesiásticos e papas. Por sua vez, a Igreja Católica Romana acredita na evolução dos princípios, permitindo-se aceitar princípios de origem extrabíblica. Ver o artigo geral chamado *Autoridade*, que aborda a questão.

PRINCÍPIO DA CRIAÇÃO, CRISTO COMO

O princípio da criação de Deus, Apo. 3:14. Essas palavras podem ser confrontadas com a passagem de Col. 1:18. Naquele versículo, Cristo é chamado de «princípio», como a sua nona superioridade, acima de todos os outros seres, dentre uma lista de doze superioridades. Acerca disso, consideremos ainda os pontos abaixo:

1. Nessa expressão não há qualquer idéia que Cristo foi o «primeiro» dos seres criados. Isso é contrário a toda a cristologia do N.T. Aquele que é o Criador não pode, sob hipótese alguma, fazer parte da criação. O *Logos* (o Cristo) é o Criador (Col. 1:16), distinto de sua criação. Ele é *eterno* (ver João 1:1 e Heb. 7:3), pelo que não teve «começo» dentro do tempo.

2. A palavra grega aqui usada, *arche* (princípio), pode ter a idéia de «originador», ou seja, o «iniciador» da criação divina. Esse é o uso que se acha no evangelho de Nicodemos xviii.12, onde Satanás é chamado de «começo do pecado», o que, sem dúvida, significa o «originador do pecado», ou «iniciador do pecado».

3. Cristo é o *iniciador* tanto da criação física como da criação espiritual, da antiga e da nova ordens. Ele é a fonte originária de toda a vida, física e espiritual e, portanto, é o seu «princípio».

4. Cristo é igualmente a *causa primária*, da qual todas as demais causas dependem. A filosofia grega utiliza o termo *arche* com esse sentido. Em *Jos. C. Apo.* 2,190, Deus é chamado de «arche» ou «primeira causa». A «causa primária» é a «fonte» de toda a criação, de todos os seres, de toda a existência.

5. Espiritualmente falando, Cristo, na qualidade de *Pioneiro* do Caminho (além de ser o próprio «Caminho»), foi o primeiro a mostrar como a «vida espiritual» é transmitida aos homens. Isso significa que ele foi o primeiro homem a possuir tal forma de vida, da qual, então, compartilha com seus remidos. (Ver João 5:25,26 e 6:57 e o artigo *Pioneiro, Jesus como*). Estes conceitos envolvem um sentido escatológico: na nova criação, Cristo produzirá a nova criação, porquanto ele é o primeiro exemplar daquilo que Deus tenciona fazer com os homens.

6. Alguns intérpretes fazem conexão do que aqui é dito com o trecho de Apo. 1:5 (trecho paralelo a Col. 1:18: «...primogênito dentre os mortos...»); e, nesse caso, Cristo é encarado como o primeiro ser da nova criação, que vem à luz mediante a ressurreição.

7. Dentre esses vários significados possíveis, o de número dois é o mais provável. Entretanto, isso não exclui várias das outras idéias. Cristo é o originador absoluto da criação, do que se conclui que ele também é o originador da «criação espiritual».

A lição ensinada aqui é que Cristo é o *Alfa* de toda a criação, sua fonte de vida, **bondade e bem-estar**. Os membros da igreja de Laodicéia ignoravam tudo isso, colocando no lugar dele, como fonte de satisfação, o dinheiro e o próprio *eu*. O trecho de Col. 1:16 ensina que Cristo é o Alfa e o Ômega da criação, a sua causa «primária» e também *final*. Isso, de acordo com a linguagem aristotélica, quer dizer a «fonte» e o «alvo» da criação.

Dentro do contexto da epístola aos Colossenses, Cristo aparece como o «arche», em contraste com os «archai», ou seja, em contraste com os mediadores e poderes angelicais. Somente ele pode servir de mediador entre Deus e nós, ainda que outros «poderes» sejam seus servos, recebendo dele uma autoridade delegada.

PRINCÍPIO DE INCERTEZA

Esse princípio afirma que nem todas as coisas são determinadas, — visto que *algumas delas* podem ocorrer por acaso. Ou então, quando afirmado em sua forma mais radical, esse princípio diz que todas as coisas devem ser vistas como sujeitas ao acaso, que seria a força que governa a vida. Ver os artigos *Caos* e *Acaso*. Nesses artigos ofereço um detalhado exame do

Prisão em Filipos, lugar tradicional
da prisão de Silas e Paulo
Cortesia Levant Photo Service

PRISÃO
Usos Metafóricos

••• ••• •••

O hades é chamado de prisão dos espíritos.
 (I Ped. 3:18-20)
O próprio Cristo esteve ali a fim de libertar cativos, com propósitos salvatícios. Ver detalhes sobre esta doutrina de misericórdia no artigo, *Descida de Cristo ao Hades*.
A servidão ao pecado e a Satanás é chamada de *prisão*. (Isa. 42:7; 61:1).
Nos sonhos e nas visões em que a pessoa se vê em uma prisão, isso alude a circunstâncias tolhedoras ou que servem de armadilha.
Sistemas de teologia, política, filosofia, etc., podem ser prisões da mente.

Nossos estreitos sistemas têm sua época,
Têm sua época, mas logo passam.
São apenas lamparinhas bruxoleantes,
Ao lado de Tua Luz, ó Senhor.

(Russell Norman Champlin)

•••

Fé de nossos pais, que sobrevive
Apesar de masmorras, fogo e espada.
…… …
Nossos pais, detidos em prisões escuras,
Eram livres no coração e na consciência.
 (Frederick W. Faber)

conceito. Ver também sobre *Determinismo* e sobre *Livre-Arbítrio*. A *Mecânica Quantum* (vide) parece fornecer uma base científica para o *indeterminismo*, pelo menos até certo ponto.

PRINCÍPIO DE INDIVIDUALIZAÇÃO

Ver sobre **Indivíduo (Individualização)**.

PRINCÍPIO DE RAZÃO SUFICIENTE

Esse é o nome do ponto de vista que diz que coisa alguma sucede, a menos que haja alguma razão suficiente para determinar porque ela é como é, e não de alguma outra maneira. Esse princípio milita contra o caos e o acaso, e faz parte de qualquer filosofia ou teologia determinista. Além disso, qualquer filosofia que enfatiza a *teleologia* (vide), emprega esse princípio. Esse princípio tornou-se uma espécie de ramo dos argumentos *cosmológico* e *teleológico* (ver os dois artigos). Precisamos de razões suficientes para explicar aquilo que observamos, e, algumas vezes, essas razões têm que transcender ao que é material e mundano. Antes, somos conduzidos a Deus, Causa, Propósito e Desígnio de todas as coisas.

PRINCÍPIO PROTESTANTE

Essa expressão foi cunhada por **Paul Tillich** (vide). Esse princípio proíbe a identificação divina com qualquer criatura. É contra qualquer explanação antropomórfica do Ser divino, sem importar se bíblica, extrabíblica ou dogmática, feita pela Igreja, de qualquer dos ramos cristãos. Os pontos mais profundos da religião e do Ser divino não podem ser expressos através de tais termos, de acordo com o princípio de Tillich. Ver sobre o *Antropomorfismo*.

Ver sobre **Princípio (Princípios)**, quinto ponto.

PRINCÍPIOS REGULADORES

Dentro da filosofia de Kant, os princípios reguladores são quaisquer princípios básicos necessários em qualquer sistema filosófico, embora não sujeitos à comprovação. Entre esses princípios básicos podemos citar Deus, a alma, a liberdade e o assunto geral da imortalidade. Do ponto de vista da ética, esses são princípios necessários, devendo ser postulados, embora nenhuma proposição empírica possa ser apresentada em defesa dos mesmos. Naturalmente, Kant viveu antes da época em que a ciência começou a investigar a existência da alma, pelo que ele não pôde antecipar que, algum dia, ao menos esse assunto tornar-se-ia alvo das investigações científicas. Ver os artigos gerais sobre a *Imortalidade* e sobre a *Alma*. Ver também os artigos intitulados *Parapsicologia* e *Experiências Perto da Morte*. Acresça-se a isso que, em minha opinião, Emanuel Kant não deu crédito suficiente aos argumentos tradicionais em prol da existência de Deus, os quais, embora não servindo de provas empíricas, são suficientemente persuasivos em favor da Idéia Divina. Ver o artigo intitulado *Cinco Caminhos*.

PRINCIPIUM INDIVIDUATIONIS

Esse é o equivalente latino do Princípio de Individualização. Ver sobre *Indivíduo* (*Individualização*).

••• ••• •••

PRIOR

Essa palavra portuguesa vem diretamente do latim, *prior*, «ancião». Esse é título de um superior monástico, quanto a grandeza de sua importância e de jurisdição, conforme a definição da Ordem ou da Congregação. Antes, o termo aplicava-se a um abade, mas posteriormente veio a ser aplicado ao coadjuvante de um abade ou ao superior de um mosteiro independente, sem abadia.. A forma feminina da palavra, prioresa (no latim, *priorissa*) designa a superiora de uma comunidade monástica de mulheres. O ofício de uma prioresa é a contraparte feminina do ofício do prior.

PRISÃO, PRISIONEIROS

Esboço:
1. Palavras Ligadas ao Aprisionamento
2. Aprisionamento no Antigo Testamento
3. Aprisionamento no Novo Testamento
4. Notáveis Prisioneiros Mencionados na Bíblia
5. Usos Figurados

1. Palavras Ligadas ao Aprisionamento

Cadeias (Sal. 149:8; Jer. 40:1,4); aprisionar, prisão e prisioneiro (Gên. 39:20; 40:3; 42:16; Juí. 16:21,26; Jó 3:18; Sal. 68:6; 69:33; Isa. 14:17; 42:7; 49:9; Jer. 37:15; Lam. 3:14; Mat. 27:15 *ss*; Efé. 3:1; Heb. 10:34); pôr uma argola no nariz dos prisioneiros (Eze. 19:4,9); celas do calabouço (Jer. 37:16); tronco (II Crô. 16:10; Jer. 20:2 *ss*); guarda e prisão (Nee. 3:25; 12:39; Jer. 32:2); confinamento, guarda, prisão (Gên. 40:3 **ss**; 41:10; 42:17; Lev. 24:12; Núm. 15:34); masmorra (Isa. 24:22); cativeiro (Sal. 68:18); companheiro de Prisão (Rom. 16:7; Col., 4:10; II Tim. 1:16); acorrentar (Atos 12:6 *ss*, 21:33; Efé. 6:20; II Tim. 1:16; Apo. 20:1 *ss*); abismos (II Ped. 2:4); sentinelas (Atos 12:5,6,16,23; 24:23; 25:4,21); prisão (Mat. 5:25; 14:3; 18:30; 25:36; João 3:24; Atos 5:19; 8:3; 12:4; 16:23; II Cor. 6:5; 11:23; Heb. 11:36; I Ped. 3:19; Apo. 2:10; 20:7); cárcere (Atos 5:23; 12:6,19).

2. Aprisionamento no Antigo Testamento

A lista de vocábulos acima dá-nos alguma noção sobre a natureza do aprisionamento na antiguidade. A primeira menção a essa prática, na Bíblia, envolve José, que foi encarcerado no Egito (Gên. 39:20-23). A palavra hebraica ali usada é *bet-sohar*, que indica algum tipo de *ambiente fechado*. O termo egípcio, *t'rt*, evidenciado desde tão cedo quanto 1900 A.C., indica uma cabine, um lugar fechado. Talvez exista alguma conexão lingüística entre a palavra hebraica e a palavra egípcia. A história informa-nos que as prisões egípcias eram lugares horríveis, e os prisioneiros estavam sujeitos a trabalhos forçados.

Em Judá, eram utilizados lugares fechados como cárceres temporários (ver Jer. 32:3,8,12; 37:21; Nee. 3:27; 12:39). Os piores tipos de prisão eram as cisternas, usadas como uma espécie de masmorra (ver Jer. 37:16,20). Nesses lugares foram encerrados profetas e homens santos, conforme se vê no ponto quarto, abaixo. Reis e guerreiros derrotados eram encarcerados. Quando o povo de Judá foi para o cativeiro, o rei Joaquim e outros nobres foram aprisionados; nesse caso, talvez uma espécie de prisão domiciliar, e não uma prisão pública comum. O trecho de Eze. 19:9 retrata o rei Joaquim sendo levado à Babilônia em uma gaiola, e uma representação, descoberta pela arqueologia, mostra a mesma coisa. Algumas vezes, casas particulares eram usadas como prisões (Jer. 37:15). Em outras nações já existia a instituição das prisões públicas; mas em Judá isso só aconteceu terminado o cativeiro babilônico.

3. Aprisionamento no Novo Testamento

As leis romanas proibiam o encarceramento como uma forma de castigo; mas havia prisões onde ficavam detidas certas pessoas que haveriam de ser levadas a julgamento, para então serem punidas de alguma outra maneira. Uma citação extraída dos escritos do jurista Ulpiano (falecido em 228 D.C.), entretanto, mostra que essa lei nem sempre era observada nas províncias mais marginais do império e que ali um prisioneiro podia ficar mofando por muito tempo, antes de ser julgado. Justiniano I (533 D.C.) deu apoio ao princípio de não se usar cárceres como lugares de castigo, o que foi aceito como uma prática aceitável na maior parte da Europa, até bem dentro da Idade Média. Porém, sabe-se que na Inglaterra o encarceramento era usado como uma forma de castigo pelo menos desde 1200 D.C. Em cerca de 1500 D.C., essa prática já era bastante comum, pelo que as prisões serviam tanto de confinamento como de uma espécie de pena.

O Novo Testamento foi escrito dentro do período romano. Os Herodes usavam prisões, vinculadas à fortaleza que servia de palácio real, conforme se vê em Luc. 3:20 e Atos 12:4,10. A torre de Antônia também era usada como prisão (ver Atos 23:10); e, em Cesaréia, o *pretório* (vide) servia para tal finalidade (ver Atos 23:35). Os prisioneiros mais importantes eram vigiados por soldados, a fim de impedir que escapassem, conforme foi o caso de Paulo, o qual vivia acorrentado a dois guardas, havendo mais dois guardas que se mantinham nas proximidades (ver Atos 12:3-6). Em Filipos, Paulo ficou sob custódia, em uma prisão da cidade, aparentemente em algum tipo de câmara subterrânea, dotada de troncos (ver Atos 16:24). Paulo também esteve encarcerado no castelo de Herodes, em Cesaréia (ver Atos 23:35). Em Roma, ele foi submetido a prisão domiciliar, com o direito de alugar sua própria casa, onde também podia receber visitantes (ver Atos 28:16,20). Podemos imaginar que esse tipo de encarceramento estava de acordo com a legislação romana de não serem usados cárceres públicos como punição, e que Paulo estava sendo mantido em custódia, à espera do seu julgamento diante do tribunal de César.

O *exílio* era uma forma alternativa de castigo, que muitos prisioneiros preferiam alegremente, quando lhes era oferecida a opção.

4. Notáveis Prisioneiros Mencionados na Bíblia

José (Gên. 37:23-38); Sansão (Juí. 16:21); o profeta Miquéias, o rei Oséias de Israel, nação do norte, o rei Jeoaquim, de Judá (I Reis 22:27; II Reis 17:4; 24:15); Jeremias (Jer. 37:15,16; 52:11); João Batista (Mat. 4:12); Paulo (Atos 12:3-6; 16:24; 23:35; 28:16,20). Foi encarcerado que ele escreveu as epístolas aos Efésios, aos Filipenses e aos Colossenses. Após ter sido solto, aparentemente foi novamente aprisionado. Assim, o trecho de Atos 28:16,20 refere-se ao seu aprisionamento em Roma; e os trechos de II Tim. 1:8 e 2:9 referem-se ao seu segundo aprisionamento. Paulo nunca foi libertado desse segundo aprisionamento, e acabou sendo executado. O Senhor Jesus havia predito que os seus discípulos seriam feitos prisioneiros (Luc. 21:12). Pedro foi encarcerado (Atos 4:3), o que também sucedeu a outros apóstolos (Atos 5:18). E, novamente, Pedro foi encarcerado sozinho (Atos 12:3 ss). Foi nessa última ocasião registrada que houve uma libertação miraculosa.

5. Usos Figurados

O hades é chamado de prisão dos espíritos que daqui partiram (ver I Ped. 3:18-20). O próprio Cristo esteve ali a fim de libertar cativos, com propósitos salvatícios, conforme o contexto nos mostra (ver I Ped. 4:6). Essa «viagem à prisão» é uma das grandes esperanças cristãs que adicionaram uma dimensão à missão de Cristo, mediante a qual ele tem uma missão tridimensional (na terra, no hades e nos céus). O abismo no qual Satanás será confinado durante o milênio é chamado de «prisão», em Apo. 20:7. As aflições angustiantes também são denominadas, simbolicamente, de «cárcere», em Sal. 142:7. A servidão ao pecado e a Satanás também é chamada de «prisão» (Isa. 42:7; 49:9; 61:1).

Nos sonhos e nas visões em que a pessoa se vê em uma prisão, isso alude a circunstâncias tolhedoras ou que servem de armadilha. A mentalidade embotada de um indivíduo também lhe serve de prisão. Aqueles que estão aprisionados dentro dos estreitos limites de suas próprias crenças e dogmas são tidos como prisioneiros espirituais, e são dignos de comiseração, como qualquer outro prisioneiro.

Nossos estreitos sistemas têm sua época,
Têm sua época, mas logo passam.
São apenas lamparinas bruxoleantes,
Ao lado de Tua luz, ó Senhor.
   (Russell Champlin)

Ainda nos sonhos e nas visões, o carcereiro pode ser emblema da consciência do próprio sonhador, que restringe seus atos e ameaça com castigos. Os cárceres podem representar as atitudes da sociedade, ou então as atitudes de grupos a que a pessoa pertence, e que restringem seus pensamentos e seus atos.

Fé de nossos pais, que sobrevive,
Apesar de masmorras, fogo e espada;
......
Nossos pais, detidos em prisões escuras,
Eram livres no coração e na consciência.
   (Frederick W. Faber).

PRISCA, PRISCILA
Ver sobre **Áquila e Priscila**.

PRISCILIANISMO

Esse termo vem do nome próprio **Prisciliano**, um teólogo e místico espanhol que promoveu uma doutrina ascética que continha elementos gnósticos e maniqueus. Foi expulso da Igreja cristã em 380 D.C., e foi executado cinco anos mais tarde, a mando do imperador. Todavia, sua doutrina persistiu na Espanha e na Gália até o século VI D.C. Prisciliano era homem bem-educado, de boa família, dotado de uma personalidade magnética; mas, era uma ameaça à unidade cristã. O seu dualismo enfatizava o grande abismo entre o que é divino e o que é mundano, e ele escolheu o ascetismo como maneira de renegar a atos e ambições mundanos. Também foi um primitivo reformador que, com seus atos e suas palavras, deixou indignado um clero abastado. As execuções tiveram o intuito de abafar o movimento por ele iniciado, e Prisciliano e seus companheiros foram os primeiros cristãos a ser executados pela própria Igreja. Isso deu início a uma horrenda prática que envenenou toda a comunidade cristã. Naturalmente, a situação envolvia a interferência do Estado sobre os negócios da Igreja, embora com o apoio da própria Igreja. Desse modo, os hereges podiam ser executados pelo Estado, com a conivência da Igreja. Os homens executados tornaram-se os mártires do movimento. O sínodo de Braga pôs um fim definitivo a essa seita.

••• ••• •••

PRIVAÇÃO — PROBABILIDADE

PRIVAÇÃO

Essa palavra é usada em relação ao *Problema do Mal* (vide). Esse vocábulo indica que o mal não é uma realidade, mas tão-somente a ausência ou privação do bem (no latim, *privatio boni*). Apesar de que podemos explicar certos males desse modo, porque a ausência ou privação do que é bom pode deixar-nos em uma situação adversa, mesmo quando não há nenhum mal declarado, ainda assim, insistir que todo mal é apenas a ausência de bem é ignorar a malignidade que existe neste mundo. A cegueira é a ausência de visão; mas, em si mesma, a cegueira certamente é um mal positivo.

PRIVAÇÃO DAS PERCEPÇÕES DOS SENTIDOS E FENÔMENOS PSÍQUICOS

Ver sobre **Parapsicologia**, seção IX.

PRIVILÉGIO SABATINO

Alguns beatos católicos romanos acreditam que aqueles que se devotarem especialmente à Virgem Maria serão favorecidos, após a morte, podendo ser libertados mais rapidamente do *purgatório* (vide) do que, de outra maneira, poder-se-ia esperar. O nome desse privilégio origina-se do fato de que o sábado é considerado dia de Maria. Um documento católico romano do século XIV, atribuído ao papa João XII, afirma que essa soltura seria realmente imediata, ou seja, no sábado subseqüente à morte de tais devotos, se as almas em questão tivessem cumprido seus deveres devocionais. É verdade que tal documento veio a ser considerado apócrifo, mas a crença geral prossegue nos meios católicos romanos, a qual inclui, naturalmente, a idéia de que os poderes intercessórios de Maria são grandes.

PROBABILIDADE

Esboço:
I. O Termo
II. Idéias dos Filósofos
III. Probabilidade e a Religião

I. O Termo

O termo vem do latim, **probare**, «provar», «aprovar». Essa palavra é tradução do grego *eúlogos*, «algo razoável», «algo sensato». Mas o vocábulo acabou sendo usado para indicar a probabilidade de algum acontecimento, ou então a verdade potencial de alguma proposição, dependendo das evidências existentes em favor ou em contrário.

A indução é de natureza notoriamente provável. Na matemática, a teoria das probabilidades tem-se tornado uma ciência, mas esse aspecto matemático já está fora do escopo desta enciclopédia. Valores numéricos têm sido ali atribuídos às medidas do que é provável. A *Encyclopedia Americana* provê cerca de três páginas completas para descrever essa questão das probabilidades matemáticas.

II. Idéias dos Filósofos

1. Quando a Academia de Platão caiu no ceticismo, surgiu ali a doutrina de que é impossível ser obtida a certeza, e que o ceticismo é a única posição filosófica razoável.

2. *Pirro* (vide) pensava que *todos* os juízos são igualmente suspeitos, mas *Montaigne* (vide) que alguns deles são mais prováveis do que outros.

3. Quando a matemática envolveu a teoria das probabilidades (e, por conseguinte, entrou na filosofia, pois muitos matemáticos também têm sido filósofos), a princípio tinha aplicação aos jogos. Galileu analisou as chances envolvidas no lançamento dos dados, e Pascal e Fermat pesquisaram os princípios das probabilidades em relação aos jogos de azar. Pascal asseverava que a probabilidade que têm de acontecerem dois eventos independentes é produto de suas probabilidades separadas. E a probabilidade que um ou outro de dois eventos mutuamente exclusivos venham a ocorrer é a soma de suas probabilidades separadas.

4. Os nomes de vultos ligados à probabilidade matemática são: Huygens (1657); Johannes Bernoulli (1713); Bayes (1763); Laplace (1800). O Brasil dispõe de muitos matemáticos que têm reduzido a questão a uma arte, procurando ajudar às pessoas a serem premiadas em uma das diversas loterias brasileiras. Mas o quadro é quase impossível, devido às chances fantasticamente fracas.

5. De Morgan aplicou o conceito das probabilidades à lógica formal, afirmando que a probabilidade consiste no grau de crença de uma pessoa racional. As probabilidades devem ser calculadas pelo teorema inverso, começando pelas conseqüências, e daí retrocedendo para as hipóteses.

6. Peirce afirmava que as probabilidades não são uma mensuração de eventos, e, sim, uma taxa entre duas proposições em uma dada classe e todas as proposições daquela classe. Se tal classe for infinita, então será mister que o indivíduo apele para testes que envolvam uma longa sucessão de experimentos, a fim de que se possa calcular uma média.

7. Richard von Mises e Reichenbach entendiam as probabilidades em termos de freqüência de tentativas.

8. Carnap falava em dois tipos de probabilidade: a probabilidade de freqüência e a probabilidade de confirmação. A primeira depende de uma teoria de freqüência, sendo apropriada para os problemas próprios da estatística. A segunda repousa sobre uma teoria de confirmação, sendo apropriada para casos de inferência indutiva, onde alguma hipótese esteja sendo submetida a teste mediante experimentos repetidos.

9. Popper opunha-se à idéia que diz que a probabilidade é o limite de uma freqüência, preferindo argumentar que se trata da atribuição de uma propensão a algum aspecto do mundo natural.

10. Berkeley, afastando-se das aplicações matemáticas, disse que «a probabilidade é um guia da vida». Para aceitar essa noção, precisamos assumir um ponto de vista não-determinístico da vida.

11. No determinismo, não existe tal coisa como a probabilidade, embora ela pareça existir devido à nossa falta de conhecimento e experiência. Mas, dentro da noção da realidade do livre-arbítrio humano, a probabilidade é uma verdade importante. Pode ser verdade, realmente, que as mais tristes palavras que podem ser ditas ou escritas, sejam estas: «Poderia ter sido».

12. O cardeal Newman achava que o termo «provável» podia ser aplicado a todas as instâncias de raciocínio concreto; e também que certos juízos, considerados prováveis, na verdade podem ser certos. Para uma pessoa, uma seqüência de raciocínio pode conter probabilidades, ao mesmo tempo em que uma proposição dita a respeito pode ser certa. Somente um raciocínio abstrato pode ser caracterizado pela certeza.

13. G.E. Moore, ao atacar o ceticismo, que depende tanto das probabilidades, assegurava que é mais provável que exista a mão de alguém do que sejam verazes os princípios em que se alicerça o ceticismo.

PROBABILIDADE — PROBLEMA

III. A Probabilidade e a Religião

1. *O Instinto Religioso Contra as Probabilidades*. A mente religiosa busca o conforto de verdades fáceis, que não requeiram investigação. É por esse motivo que a mente religiosa volta-se contra o método científico, dando a impressão de que a ciência é prejudicial à fé religiosa. Porém, essa é uma maneira de pensar extremamente ridícula. A verdade nada tem a temer da parte da investigação; mas a investigação não demora a desmascarar as supostas verdades. Embora a revelação nos proveja as verdades fundamentais, há muitas outras coisas que precisam ser investigadas. Além disso, a revelação é incompleta e imperfeita, pois coisa alguma que é mediada pela agência humana pode ser perfeita. Não se pense, contudo, que a ciência possa aperfeiçoar a revelação, pois a ciência também é uma investigação humana, sujeita igualmente ao estigma da imperfeição. Por isso a ciência vai abandonando velhas teorias e postulando novas teorias, que também não demoram muito a cair no descrédito, ante o avanço do conhecimento científico. Somente Deus é perfeito. Todas as outras supostas perfeições são formas de idolatria.

2. *A Aposta de Pascal* (vide). Pascal foi um notável matemático que «apostava» que Deus existe. Ora, qualquer aposta depende da questão de taxas de probabilidades. Pascal tinha muitos amigos (muitos dos quais eram céticos), e se sentiam atraídos por enigmas e probabilidades matemáticas. Isso posto, Pascal propôs uma «aposta», dizendo: Se eu apostar que Deus existe, e ele, realmente, existe, então terei ganho a aposta, porque vivo no presente em consonância com essa «proposta divina». Mas, se Deus não existe, afinal de contas, o que significaria que a alma também não existe, então nada terei perdido, porque não haverá consciência para perceber que perdi a aposta. Concluímos, portanto, que o indivíduo deve apostar na existência de Deus, vivendo em conformidade com essa crença. «Viver em conformidade» significa obedecer às regras básicas que o *teísmo* (vide) sugere no tocante às crenças e à conduta diária. O próprio Pascal era homem de fé, e sua «aposta divina» era um jogo que ele jogava com seus amigos. Não obstante, essa aposta não era inútil, e tem algo a ensinar-nos.

3. *O Pragmatismo de William James*. A maioria dos pensadores pragmáticos age em harmonia com o método científico, e suas probabilidades são aplicadas à presente vida material. Mas quase todos eles negam-se a aplicar as taxas de probabilidades às questões metafísicas. William James foi uma exceção. Ele pensava ser prático crer na existência de Deus e da alma, e, pelo menos no tocante à alma, ele opinava que tinha feito experiências sugestivas no campo da psicologia. Ele acreditava que as evidências colhidas apontam, de modo bem definido, a validade do dualismo, ou seja, a combinação de matéria e de imaterialidade que há no ser humano. Contudo, não afirmava possuir provas científicas para tanto. Mas julgava que as taxas de probabilidade quanto a isso são excepcionalmente boas. Por esse motivo, mediante um «salto de fé», ele acreditava na idéia da imortalidade humana. Isso fez com que William James mantivesse um profundo interesse pelo misticismo, a cujo campo do saber ele contribuiu com sua obra famosa, *Variedades da Experiência Religiosa*, a qual se tornou um clássico nesse terreno.

4. *Contribuições Científicas*. Pessoalmente, não creio que se deva temer a ciência. Com a passagem do tempo, teorias erradas finalmente são desmascaradas, e novas teorias vêm ocupar o lugar daquelas. É verdade que a ciência do século XIX fez campanhas contra a fé religiosa; mas o quadro é diferente em nosso próprio tempo. Até mesmo nos países comunistas (teoricamente materialistas) começa a reconhecer-se o valor da fé religiosa, conforme a *mídia* nos informa cada vez mais insistentemente. Na verdade, quanto a certas áreas, a ciência tem-se tornado poderosa aliada da fé religiosa. Quanto a um notável exemplo disso, ver o artigo *Experiências Perto da Morte*. De modo geral, a ciência demonstra a grandiosidade de Deus, tanto no microcosmo do átomo quanto no macrocosmo do incomensurável universo, mas especialmente através das muitas provas em favor da *teleologia* (vide). O desígnio que se pode perceber neste mundo é convincente; e quanto mais a ciência vai descobrindo, mais esse desígnio se evidencia. Ora, essas evidências apontam para a existência de um *Planejador*.

PROBABILIORISMO

Dentro da filosofia moral católica romana, esse termo é usado para afirmar que é um erro agir com base na opinião que favoreça a liberdade de modo contrário à lei, a menos que tal opinião seja, claramente, mais provável.

PROBABILISMO

1. *Na Filosofia*. Essa palavra aponta para a crença que a certeza é inalcançável, pelo que a posição do ceticismo é a única defensável. O *falibilismo* de Peirce é uma doutrina similar. Ver o artigo sobre ele.

2. *Dentro da filosofia moral da Igreja Católica Romana*, essa palavra refere-se àquela crença que diz que nos casos que envolvam questões morais onde não pode ser obtida a certeza quanto a algum curso de ação, o indivíduo pode escolher aquele curso que lhe pareça mais certo. Além disso, a pessoa pode aceitar o conselho de outrem, sobre a mesma base das probabilidades. Nesses casos, torna-se importante atender aos ditames da consciência, e não meramente à racionalidade ou aos conselhos alheios. Essa teoria foi originada pelos jesuítas, no século XVI, e daí foi adotada pela filosofia moral católica romana em geral. Naturalmente, houve abusos; e Pascal, em suas *Lettres Provinciales*, atacou o espírito de lassidão que veio a ser associado a essa opinião. Alfonso Liguori reformulou essa regra, na tentativa de evitar abusos.

PROBLEMA CORPO-MENTE

Esboço:
Introdução:
Caracterização Geral
 I. Materialismo (Monismo)
 II. Idealismo (Monismo; Dualismo; Pluralismo)
 III. Teoria do Duplo Aspecto (Monismo; Dualismo Aparente)
 IV. Paralelismo (Harmonia Preestabelecida)
 V. Ocasionalismo (Dualismo, sem Interação)
 VI. Interacionismo (Dualismo)
 VII. Substancialismo (Dualismo; Natureza Tríplice)
Conclusão
Introdução:

Caracterização Geral

1. **A Luta dos Filósofos com o Problema**. A filosofia tem-nos ensinado que palavras de rico sentido, como *beleza, bondade, verdade, mente, matéria*, e até mesmo palavras corriqueiras como jogo, coração, além de muitas outras, não podem ser adequada e

definitivamente definidas. O melhor que se pode fazer é oferecer uma série de descrições, na esperança de termos afirmado algo de significativo. Assim, podemos afirmar que a matéria é constituída de átomos em movimento; mas a teoria atômica é uma ciência ainda em pleno desenvolvimento. Em conseqüência, as nossas afirmações são sempre parciais.

Excetuando o caso dos céticos radicais e nihilistas, os homens afirmam que eles têm um corpo, e que a vida é mais do que um cortejo de sensações que, mediante a fé animal, identificamos com uma pessoa qualquer. A maioria das religiões, e, provavelmente, a maioria das pessoas, também afirmam que o homem tem alma, ou melhor, que o homem *é* uma alma. Para eles, isso significa que um ser humano é, essencialmente, um ser imaterial, revestido de um corpo físico.

Na filosofia, a *mente*, com freqüência, é usada como sinônimo da alma imaterial, ou, então, é considerada como uma propriedade ou atributo da alma. Os gregos empregavam a palavra *nous* para indicar a Mente divina; e, na metafísica dualista, a mesma palavra era usada para indicar a mente humana, como uma instância da Mente divina. Ao que parece, *Anaxágoras* foi o primeiro filósofo grego a usar o termo *nous*, «mente», para designar uma entidade separada de existência. Porém, a doutrina dele de que o *nous* compõe-se de partículas, as menores e mais puras, dá margem a uma interpretação materialista desse conceito. Antes dele, os filósofos milesianos—Tales, Anaximandro e Anaxímenes, que viveram e ensinaram filosofia em Mileto, o que explica o apodo que lhes foi dado—de acordo com alguns intérpretes, ensinavam o *pampsiquismo*, e não o materialismo. Se isso exprime uma verdade, então, há mente em todas as coisas ou, conforme dizia Tales: «Todas as coisas estão repletas de deuses». Se Tales ensinava o pampsiquismo, então a mente, desde o começo mesmo da filosofia grega, era um ensino vital.

Seja como for, *Platão* distinguia claramente a mente daquilo que é material, e dava à mente lugar superior do que o da matéria, como representante da realidade, visto que os universais (idéias, formas) são entidades mentais e imateriais, e não entidades físicas. No tocante ao homem, a mente é uma função da alma. Durante muitos séculos, o dualismo platônico dominou a filosofia; e os filósofos, incluindo aqueles da Igreja cristã, muito pensavam sobre a alma e a mente, e com freqüência aludiram às funções intelectuais como atributos da alma.

Os *idealistas* modernos geralmente usam o termo «mente» como sinônimo de espírito. Deus é a Mente absoluta; a mente do homem é uma instância dessa mente divina; os eventos físicos são meros epifenômenos ilusórios dos eventos mentais. Para eles, Deus é Intelecto; os homens são intelectos; o espírito é real; e a chamada matéria é apenas uma manifestação da mente. Encontramos aí a posição do *monismo*, que diz: o espírito é a única realidade.

O materialismo também é um monismo, embora a realidade única que ele postule seja a matéria, e todos os eventos mentais seriam meros epifenômenos do cérebro material. O surgimento das ciências naturais produziu o fortalecimento da idéia do monismo, apesar da debilidade dessa teoria como explicação dos eventos mentais. Os cientistas de nossos dias estão lançando ataques contra o materialismo, como teoria inadequada para explicar fenômenos que podem ser observados diariamente. Torna-se necessária uma visão mais ampla do mundo, a fim de explicar aquilo que podemos ver e experimentar. Os estudos no campo da parapsicologia, na opinião de alguns cientistas e filósofos, têm servido para fortalecer o dualismo. Esse assunto não é uma das considerações deste artigo. Antes, concentraremos a atenção sobre as Experiências Perto da Morte. Essa é uma das maneiras possíveis de subentender fortemente o dualismo, embora nenhuma inquirição *científica*, pelo menos por enquanto, disponha de provas para esse conceito.

Reunindo o que foi dito até este ponto, pelo momento concordamos que os homens são seres constituídos de mente e corpo. Nesse caso, nós é que temos criado a tarefa de explicar como esses dois elementos interagem. Essa é a essência do problema corpo-mente, na opinião de muitos filósofos. Os materialistas, por sua vez, pensam que a essência do problema é de natureza neurológica e cerebral, imaginando, em sua teoria reducionista, que todos os eventos mentais podem ser reduzidos a meras funções cerebrais. Para eles, os eventos mentais não envolvem a interação da mente, como uma substância imaterial, com o corpo, uma substância material, mas apenas as estranhas operações do cérebro, operações essas que, algum dia, conforme eles dizem, a ciência estará capacitada a explicar, sem ter de apelar para a complicação de alegadas substâncias imateriais.

2. O Maior dos Problemas do Homem. O maior problema do homem consiste em entender sua própria natureza e identidade, sua própria consciência e autoconsciência. Um homem pode resolver algo inteiramente arbitrário. Posso levantar-me da cadeira e caminhar até à janela, olhando para fora, se eu *quiser* fazê-lo. Uma máquina não pode realizar qualquer ato voluntário, e não pode fazer qualquer coisa, a menos que tenha sido programada para tanto. Uma máquina não tem vontade e nem desejos. Uma máquina não pode ser arbitrária ou dotada de propósito. Apesar dos grandes avanços da ciência no campo da inteligência artificial, ainda não se conseguiu fabricar uma máquina capaz de amar, de ter ódio, de deleitar-se, de admirar-se, de ter reverência. Se o homem não passa de uma máquina sofisticada, de onde lhe vêm essas qualidades tão diferentes das das máquinas? As qualidades humanas parecem ser contrárias a uma visão mecanística de sua natureza. O homem parece ter qualidades que ultrapassam da capacidade do materialismo explicar. Essa é uma das razões pelas quais filósofos e teólogos têm postulado as dimensões não-materiais da natureza humana. E há muitas outras razões que manam da fé religiosa e das especulações filosóficas, que estão fora do escopo do presente artigo.

3. Duas Ilustrações do Problema Corpo-mente. A primeira dessas ilustrações é tomada por empréstimo (1), e a segunda é minha.

a. *O fenômeno da transpiração das mãos.* «...a transpiração, todos sabem, é secretada por minúsculas mas complexas glândulas existentes na pele. Secretam essa substância, não por qualquer ordem mental, mas pela contração de minúsculos músculos não-estriados. Esses minúsculos músculos são compostos de numerosas e pequeníssimas células, onde ocorrem reações químicas da mais incrível complexidade. Crê-se, porém, que a energia requerida para essa atividade deriva-se da oxidação de ácidos graxos, ou, talvez, do aceto-acetato. Sua concentração, seja como for, gera minúsculas mas mensuráveis correntes elétricas. Poderíamos supor que esses músculos são inervados pela mente, o que, mediante alguma misteriosa alquimia, produz as reações químicas no interior das células. Mas, ainda que isso faça sentido, certamente não corresponde à realidade. Os músculos são ativados por hormônios produzidos pela medula

PROBLEMA CORPO-MENTE

adrenal, como reação a impulsos do sistema de nervos automáticos, provavelmente pelos hormônios epinefrina ou norepinefrina, ou, mais provavelmente ainda, no caso em foco, por uma substância similar à epinefrina, produzida em minúsculas quantidades pelas fibras adrenérgicas, isto é, certos neurônios pós-glanglionares do sistema nervoso simpático. Não se sabe qual a origem dessa substância, embora não se possa duvidar que seja uma substância material—de fato, sabe-se qual é a sua fórmula química, e que ela é sintetizada no organismo. Seja como for, não tem ela qualquer origem mental ou extrafísica. Ora, é a atividade dos neurônios do sistema nervoso simpático que leva à produção dessa substância similar à epinefrina, através das fibras adrenérgicas. Também não se entende bem como esses impulsos são propagados através desses neurônios, embora o processo pareça ser como segue: o estímulo de um neurônio aumenta a permeabilidade de sua membrana, causando a difusão de íons de sódio até o interior do próprio neurônio, de tal modo que internamente aquele neurônio fica positivamente carregado, enquanto o exterior fica negativo, com uma corrente elétrica resultante. Tais correntes são facilmente detectadas, podendo até ser precisamente medidas por um fisiologista. As fibras difusas do sistema nervoso simpático aglutinam-se e se concentram em torno de duas correntes de gânglios, arranjadas de ambos os lados da medula espinal.

De forma diferente dos neurônios do sistema nervoso parassimpático, os neurônios do sistema nervoso simpático formam sinapses ou junções perto desses gânglios. O impulso nervoso é transmitido mediante essa divisão de nervos com a ajuda da acetilcolina, uma substância regularmente bem-conhecida que, segundo se crê, é produzida pelas fibrilas terminais dos nervos. As células dos gânglios espinais possuem fibras neurônicas pré-ganglionares, que se originam na medula espinal. Essas fibras acabam reunindo-se, da maneira mais complicada, com o hipotálamo, uma porção muito delicada do cérebro, que está envolvida com as reações emocionais do organismo, bem como com as chamadas homeóstase do organismo, ou seja, o auto-regulamento de seu meio ambiente interno. Como tudo isso opera a fim de obter esse equilíbrio interno, originando aqueles impulsos que produzem diversos efeitos, como a sudorese, o aumento de batimentos cardíacos, e assim por diante, é algo que a ciência ainda não descobriu. Porém, aqueles que sabem algo a respeito desse assunto opinam que haja em tudo isso algum comando mental. O hipotálamo, por sua parte, está intimamente ligado ao córtex e à área subcortical do cérebro, de maneira tal que alterações físicas e químicas, nessas áreas, produzem efeitos físicos dentro do hipotálamo, o qual, por sua vez, mediante uma série de processos físicos, cuja complexidade estamos apenas começando a descobrir, produz efeitos tão remotos como a secreção da transpiração nas palmas das mãos».

«Nos seus traços mais gerais, temos aí a química e a física da transpiração emocional. O que está envolvido é uma enorme cadeia de complexas causas da transpiração física. Mas, para cada aspecto dessa cadeia de causas que podemos compreender, sem dúvida há centenas de outros aspectos que não compreendemos ainda. O ponto importante, entretanto, é que, ao descrevermos aquilo que melhor entendemos, em cada estágio, não há necessidade de introduzir substâncias ou reações mentais ou não-físicas... Sabemos que o resultado final dessa cadeia de processos físicos é a secreção de transpiração nas mãos. Temos algum conhecimento sobre os processos intermediários. Todavia, levanta-se agora a pergunta embaraçosa: Como *começou* uma série tão complexa? Já pudemos notar que o hipotálamo está intimamente ligado às porções cortical e subcortical do cérebro. É de presumir-se, pois, que há alguma modificação no interior dessas porções que provoca, finalmente, a secreção da transpiração. No entanto, o cérebro é um órgão físico, e as únicas modificações de que ele é capaz são modificações físicas, similares àquelas manifestadas por outras porções do corpo. Se, de acordo com isso, a mente atua sobre o corpo a fim de produzir transpiração nas mãos, então é ali, nas porções cortical e subcortical do cérebro que ocorrem aquelas interações» (1).

Observações:

* O serviço que nos foi prestado por esse autor é que ele nos forneceu uma elaborada ilustração do problema corpo-mente.

** Ele é humilde, e admite que estamos abordando uma questão *embaraçosa*: nem mesmo os aspectos físicos da questão são bem compreendidos; e para cada elemento conhecido nessa cadeia de causas, deve haver pelo menos cem outros elementos que desconhecemos.

*** Ele admite que não há resposta científica convincente sobre *como* o primeiro elemento causal ocorre, dando início ao processo no hipotálamo. Os dualistas asseveram que esse elemento causal é um pensamento, um elemento mental. Os materialistas afirmam que é uma percepção física que entra pela visão e é transmitida ao cérebro. Portanto, desde o ponto inicial da questão, permanecem essas opiniões conflitantes.

Antes de avançarmos na exposição do problema, consideremos uma outra ilustração, que deverá ajudar-nos a perceber mais claramente o problema.

b. *Vendo um Leão na Floresta*. Suponhamos que eu estivesse em um ambiente natural na África. Caminhando por uma trilha, eu apreciava a cena tropical. Subitamente, bem defronte de mim, um leão exibe sua formidável cabeça. Ele não parece amistoso. Primeiramente, meus pêlos se eriçam; e, então, aparece suor em minhas mãos. O processo antes descrito ocorre instantaneamente, além daquele outro, que envolve meus cabelos, mas que prefiro não discutir.

Esta história ilustra o problema corpo-mente. Quem não tem treinamento filosófico não percebe qualquer coisa, nesses acontecimentos, que precise ser analisada. O materialista não-sofisticado pensa que o problema, na verdade, é um pseudoproblema. Ele simplesmente explica que uma percepção *física* ativou um processo *físico*, que resultou em um fenômeno *físico*. O dualista, de sua parte, acredita que a mente foi que iniciou aquele cortejo de causas e efeitos. A *idéia* é o verdadeiro gatilho disparador. O argumento persiste.

Modificando a Ilustração:

Estou em um ambiente natural na África. Caminhando por uma trilha, aprecio a cena tropical. Subitamente, bem defronte de mim, um leão exibe sua formidável cabeça. Ele não parece amistoso. Porém, noto que está preso em uma gaiola, que os nativos fizeram com toras fortes de madeira. O leão, assim sendo, não me assusta, e nem as minhas mãos ficam suadas. O não-filósofo continua feliz em sua indiferença. O materialista não-sofisticado explica que o fato de minhas mãos não terem ficado suadas é que a percepção física que ocorreu não é do tipo que causa temor, pelo que nada de novo ocorreu no meu hipotálamo. O dualista afirma que a *idéia* que

PROBLEMA CORPO-MENTE

acompanhou o encontro com o leão não é do tipo que causa temor, e, conseqüentemente, que nada aconteceu. O problema persiste.

Outra Modificação da Ilustração:
Estou em um ambiente natural na África. Caminhando por uma trilha, aprecio a cena tropical. Subitamente, bem defronte de mim, um leão exibe sua formidável cabeça. Ele não parece amistoso. Primeiramente, meus pêlos se eriçam; e, então, aparece suor em minhas mãos. Porém, eu estava somente *sonhando*, e não houve qualquer percepção física de algum leão físico, e, sim, apenas a avaliação mental sobre um leão, em um sonho. Mas, acordando assustado logo em seguida, noto que as minhas mãos estão úmidas de suor. Embora não tivesse havido qualquer experiência física, algo fez exsudar suor de minhas mãos.

Impõe-se então a pergunta: como poderia ter começado o processo, em meu hipotálamo, se não houve qualquer percepção física? Uma percepção apenas *imaginada* poderia dar início ao processo? É óbvio que sim. Porém, uma percepção imaginada é apenas uma *idéia*. Uma mera idéia deu início ao processo? É claro que sim.

Todas as três ilustrações provam a mesma coisa.
Voltemos agora à ilustração original. O dualista, agora parecendo estar vencendo em seu raciocínio, quer mostrar que, na realidade, não houve diferença alguma no que sucedeu, sem importar se aquele leão é real ou apenas me apareceu em um sonho. Assim, se houve o envolvimento de algum leão físico, não foi a percepção física do mesmo que agitou meu hipotálamo. O que fez isso foi a minha *avaliação* sobre o perigo representado pelo leão. Ora, uma *avaliação* é uma *idéia*. Vejo um leão, e, então, o *avalio*. E é esse segundo ato mental, que é um *evento mental*, que agita o cérebro em algum lugar específico. Imaginemos uma criança que tivesse sido ensinada que os leões são animais amistosos, apenas gatinhos grandes. A criança estava me acompanhando no passeio pela floresta. O leão aparece e as minhas mãos ficam suadas. Mas as mãos da criança não ficam. Por quê? Porque a criança avaliou o leão de modo bem diferente de mim. Sua *idéia* não envolveu o elemento do temor, pelo que nada sucedeu em suas mãos.

4. Crença Verdadeira, Justificada, Não-Derrotada.
O materialismo não se sente feliz ante a direção a que nos levou a nossa discussão. Então, ele faz uma certa pergunta: O que é uma *idéia*? O dualista retruca, dizendo que uma idéia é algo imaterial, associado à alma imaterial do homem; um atributo da alma. Mas o materialista persiste em sua indagação, porque o dualista está ficando vago. O dualista fala sobre diferentes formas de energia, algumas delas materiais, e outras imateriais. A ciência tem mostrado que temos algumas descrições daquelas primeiras formas de energia (um tanto ou quanto inexatas), e o misticismo e, talvez, a parapsicologia, têm-nos fornecido algumas descrições não-conclusivas das segundas formas de energia. O materialista persiste em sua pergunta, e o resultado é que o dualista não é capaz de dizer muita coisa sobre a *natureza* da idéia, pelo que, por que motivo deveríamos crer nas idéias como separadas das funções cerebrais? O dualista, em seguida, fornece várias respostas:

a. A experiência humana, no campo do misticismo, tem algum valor, e o misticismo implica no dualismo.

b. A experiência humana, no campo religioso, deve ter algum valor, e a fé religiosa (com suas reivindicações de revelação divina) deve ter algum valor.

c. A parapsicologia apresenta-nos alguma evidência científica em favor do dualismo.

d. Existe algo a que se pode chamar de crença verdadeira, justificada, não-derrotada.

e. As experiências perto da morte parecem destacar a realidade da inteligência extracerebral (os processos mentais prosseguem, mesmo quando o corpo físico está clinicamente morto). Ora, essa posição reflete o dualismo. Um dos propósitos do presente artigo é mostrar que essas experiências favorecem o dualismo. (Os outros argumentos do dualista—a.b. e c.—estão fora do escopo deste artigo). Essas experiências lançam *alguma* luz sobre o antigo problema da relação entre a mente e o corpo físico.

Especificamente, no tocante à crença verdadeira, justificada, não-derrotada, consideremos a seguinte ilustração.

Eu nunca havia crido na existência da alma. Costumava dizer: «Quando morrer, ficarei extinto». Eu já tinha problemas para viver minha vida terrena, e não ansiava por pensar sobre os problemas de uma alegada existência após-túmulo. Então pensei: «Uma vida de cada vez. Se houver outra vida (do que duvido), enfrentarei a mesma, quando ela chegar». Sócrates dizia: «Todos os homens são mortais». Mas eu esperava que os deuses imortais permitissem uma exceção, e eu poderia continuar vivendo interminavelmente. Porém, não foi assim que sucedeu. Chegou o dia da minha morte, e morri. Para minha surpresa, descobri que o *verdadeiro eu* continuava vivo, dotado de memória, consciência, raciocínio... e tudo em nível muito mais elevado. Antes, nada sabia sobre esse novo estado, que chegou a me surpreender. Não sei como descrever o novo estado. Mas, *é real*. Portanto, tenho uma crença verdadeira, justificada, não-derrotada. Justificada, porque continuo vivo; não-derrotada, porque nada pode desprová-la. Verdadeira, porque estou verdadeiramente vivo. Mas, tudo é apenas crença.

As *experiências perto da morte* dão-nos alguma evidência em prol desse tipo de crença. Isso tem muita importância, mesmo que as evidências não sejam de ordem científica. A ciência pode começar por aí. A elaboração de provas para crenças pode começar mais tarde. Além dessa forma de crença, as experiências perto da morte fornecem-nos *algumas* evidências científicas em favor do dualismo, e esse dualismo fala sobre a existência da alma humana e sua sobrevivência diante da morte física.

Nada de novo há com a idéia de que o homem é mais do que o seu corpo físico, e que ele não depende do mesmo para continuar existindo. Nossos credos e dogmas nos têm assegurado isso desde milhares de anos atrás. A novidade consiste nas evidências *científicas*, fidedignas, que nos informam que os teólogos e filósofos estavam certos o tempo todo.

5. Definições e Caracterizações do Problema Corpo-Mente, e como isso se relaciona às experiências perto da morte. «Um dos mais persistentes problemas da história da filosofia, o problema corpo-mente, indaga como se pode entender a relação entre a mente e o corpo. Visto que as descrições do conteúdo mental são bem diferentes das descrições dos processos físicos, a mente e o corpo podem ser considerados ou não *uma* identidade? O problema está tão profundamente arraigado que a discussão a respeito de suas possíveis soluções equivale a uma discussão sobre os sistemas filosóficos»(2).

«O problema corpo-mente, na primeira instância, diz respeito à questão se pode ser feita uma distinção válida entre a mente e o corpo. Se tal distinção puder ser feita, então, também poderemos indagar se, de

PROBLEMA CORPO-MENTE

fato, existem quaisquer coisas às quais podemos aplicar qualquer desses termos, ou ambos esses termos. Finalmente, se existem coisas às quais ambos os termos podem ser aplicados, então, poderemos indagar quais são as relações entre a mente e o corpo»(3).

«Essas experiências, relatadas por Moody, nada mais são do que acometimentos nos lóbulos temporais (do cérebro). Vejo vários pacientes, a cada semana, que descrevem experiências similares durante esses episódios cerebrais. Wilder Penfield descreveu esses fenômenos no começo da década de 1950, usando técnicas de eletroestimulação do cérebro. Isso sucedeu antes que ele, como Moody, tivesse sido envolvido nas sequelas religiosas dessas ocorrências. Penfield fez algumas contribuições muito significativas à neurologia até àquele ponto»(4). (Comunicação pessoal de um professor de neurologia ao Dr. Michael B. Sabom, cujo nome não foi revelado).

O Dr. Sabom ofereceu razões pelas quais as experiências perto da morte não podem ser identificadas com os acometimentos epilépticos, que afetam os lóbulos temporais do cérebro. Em primeiro lugar, ele mostra que tipos de experiências mentais são provocadas por esses ataques epilépticos. Em segundo lugar, ele mostra que tais experiências são diferentes daquelas provocadas pelas experiências perto da morte(5).

O Dr. Wilder Penfield, conhecido por suas contribuições ao campo da neurologia, considerando anos passados de pesquisa nesse terreno, chegou à seguinte conclusão sobre o problema corpo-mente:

«Em minha opinião, após uma vida profissional inteira, passada na tentativa de descobrir como o cérebro explica a mente, foi com surpresa que cheguei a descobrir, durante esse exame final das evidências, que a hipótese dualista (distinção entre a mente e o cérebro) parece a mais razoável das duas explicações possíveis... A mente entra em ação e sai de ação juntamente com o mais elevado mecanismo cerebral, é verdade. Mas a mente possui energia. A forma dessa energia é diferente daquela forma de energia das potencialidades neuronais que percorrem as veredas dos axônios. Neste ponto, devo deixar a questão»(6).

O Dr. Michael B. Sabom, em seus pensamentos finais sobre seu livro acerca das experiências perto da morte(7), afirmou que as evidências indicam a *separação* entre a mente e o corpo, perto da morte. Salienta que seus pacientes estavam próximos do momento da morte, e não necessariamente mortos. Naturalmente, houve casos em que a morte ocorrera, pelo que as pessoas envolvidas estavam clinicamente mortas. Seja como for, a indagação que se impõe vigorosamente é se essa *separação* significa a separação entre a *alma* e o corpo, alma essa que continua a existir após a morte definitiva do corpo. Em caso positivo, conforme Sabom pensa que sucede, então temos a ciência e a fé religiosa frente a frente, sobre uma questão muito crítica. «Morrendo o homem, porventura tornará a viver?» (Jó 14:14). Sabom estava «totalmente perplexo» diante do fato de que muitos de seus pacientes tinham enfrentado condições físicas incompatíveis com a vida biológica, e, no entanto, voltaram à vida ainda com maior energia. E mostrava-se sensível diante dos fatos científicos, obtidos através da pesquisa, que salientam a realidade das experiências perto da morte; mas, mais ainda, ele se identificou com as lágrimas de alegria e tristeza que acompanhám o desdobramento desses misteriosos dramas. Ele se humilhou diante dos mistérios do universo, e citou Albert Einstein, que escreveu, com uma atitude similar:

«Todo aquele que se tem envolvido seriamente nas inquirições da ciência está convencido de que se manifesta um Espírito nas leis do universo—um Espírito vastamente superior ao espírito do homem, em face de cujo Espírito, nós, com nossas modestas capacidades, precisamos sentir-nos humildes»(8).

Sabom, por sua vez, afirmou que é precisamente esse Espírito que, por tantas vezes, foi reconhecido pelos seus pacientes. Muitos deles referiram-se ao poder transformador das experiências perto da morte e às suas óbvias qualidades espirituais, e não meramente à aparente separação entre as porções não-material e material do ser humano. Esse é o Espírito que vem viver naqueles que são tocados por alguma verdade inefável. Tais pacientes quedavam-se admirados diante de algum grandioso segredo, que tinham podido contemplar de modo tão breve, mas que deixara marcas indeléveis em suas mentes.

Portanto, o problema corpo-mente envolve mais do que alguma mera questão acadêmica, pois penetra nas mais profundas questões da própria vida.

6. Uma Ponte que Liga a Ciência e a Fé Religiosa.

Se o homem é uma alma imortal, conforme é ensinado pelo dualismo, e se as evidências científicas dão isso a entender em termos bastante convincentes atualmente, devendo fazê-lo ainda mais definitivamente no futuro, então, quanto a essa questão importante, a ciência e a fé religiosa estão unidas por uma ponte. As experiências perto da morte fazem parte do começo da construção dessa ponte.

7. O Problema Corpo-Mente e Seus Corolários Morais e Espirituais

«...a vida eterna começa aqui na terra, e a alma do homem vive e respira onde ela ama; e o amor, mediante uma fé viva, tem forças suficientes para fazer a alma humana experimentar unidade com Deus—'duas naturezas em um único espírito e amor'... Não acredito que um filósofo possa discutir sobre a imortalidade da alma sem levar em conta as noções complementares que o pensamento religioso acrescenta às verazes mas incompletas respostas que a razão e a filosofia podem fornecer-nos» (Jacques Maritain)(9).

Em seguida, relacionamos as *principais teorias* que dizem respeito ao problema corpo-mente:

I. Materialismo (Monismo)

Corpo

Talvez a mais simples definição do materialismo seja: «O que existe é apenas matéria. O que sucede são os movimentos dos átomos que compõem a matéria». Os dicionários, porém, definem o materialismo como: «A doutrina que diz que os fatos da experiência podem ser todos explicados referindo-nos à realidade, às atividades e às leis das substâncias físicas ou materiais»(10). No entanto, a matéria envolve uma questão de *fé*, visto que a filosofia ainda não foi capaz de definir a *matéria*, e visto que a teoria

PROBLEMA CORPO-MENTE

atômica ainda está em desenvolvimento, sendo uma ciência crescentemente inclusiva. Os cientistas filosoficamente treinados admitem isso. A filosofia intitulada Positivismo Lógico também afirma isso. O materialismo, pois, é aquela fé que assevera que o universo total, incluindo a vida inteira, e os chamados eventos mentais, podem ser reduzidos e explicados em termos de matéria em movimento. A própria consciência é concebida como devida a energias físicas, e não explicada com base em algo imaterial. Visto que um *único* princípio é proposto para explicação de todas as coisas, o materialismo é considerado um *monismo*.

Teoria da Identidade. Essa é a posição que diz que os estados mentais e os estados cerebrais são contingentemente idênticos. Todos os conceitos mentais seriam meros estados do sistema nervoso central. Filósofos cujos nomes estão associados a esse conceito são Herbert Feigl, J.J.C. Smart, U.T. Place, D.M. Armstrong e Richard Rorty. Naturalmente, o materialismo depende dessa racionalização.

Reducionismo. Esse é o nome dado a qualquer processo mediante o qual alguma ciência é reduzida a outra, na suposição de que os termos-chave da primeira podem ser definidos segundo a linguagem da outra. Por exemplo, alguns afirmam que a psicologia pode ser reduzida à fisiologia. No tocante ao problema do corpo-mente, a teoria reducionista diz que todos os chamados eventos mentais podem ser reduzidos a meras funções do cérebro. O materialismo, pois, é um reducionismo.

Epifenomenalismo. Esse é o ensino que diz que a consciência é um mero acessório e acompanhamento dos processos fisiológicos, cuja presença ou ausência não faz qualquer diferença nesses processos, e cuja atividade não pode interferir com os mesmos, influenciando-os nem para melhor e nem para pior (11). De acordo com essa teoria, os eventos mentais são propostos como epifenômenos dos estados cerebrais. O estado mental seria um subproduto da parte física do homem, e não algo independente dessa parte física.

Naturalismo. Para explicar o universo e suas manifestações, não precisaríamos olhar para qualquer origem, continuação ou destino sobrenaturais. O universo é auto-existente, podendo ser explicado somente por si mesmo. A vida e o comportamento humanos podem ser inteiramente explicados mediante a estrutura orgânica e as necessidades características das espécies humana e animal.

Naturalismo Crítico. Não sabemos o suficiente sobre a realidade que nos capacite a afirmar, com dogmática certeza, que não existe qualquer princípio imaterial. Porém, temos a fé de que se tal princípio vier a ser descoberto, fará parte de um universo natural, não havendo qualquer necessidade para apelarmos para algum fator sobrenatural. Se o dualismo vier a ser provado algum dia, espera essa posição que se trate de algum dualismo natural, que não requeira a junção entre tal princípio e as crenças religiosas. A parte imaterial do homem, se é que a mesma existe, poderia ser um produto natural do processo evolutivo, e não um dom dos deuses.

Avaliação e Críticas:

Apresento uma avaliação negativa do materialismo, exibida pelo fato de que meu rosto (acima), não está sorridente. Não tento expor uma crítica detalhada, pois isso está fora do escopo do meu artigo. Porém, sugiro as seguintes críticas:

1. Apesar da ciência haver oferecido muitas descrições sobre a matéria, ainda estamos longe de saber *o que ela é*. Somente uma teoria atômica realmente completa poderia revelar-nos o que está envolvido na matéria. Mas, se não sabemos o que a matéria é (ou deixa de ser), como podemos dizer que todas as coisas são compostas de matéria? Para fazermos tal asserção, teremos de depender de uma fé animal.

2. O epifenomenalismo faz o pensamento tornar-se claramente supérfluo. Não obstante, toda a nossa experiência aponta para a conclusão exatamente contrária. A mente é a construtora de todas as coisas, incluindo a investigação científica. É um absurdo chamar os processos mentais de meros subprodutos dos estados físicos quando fica demonstrado, pela medicina psicossomática que os estados físicos podem ser criados pelos estados mentais. Ou seja, os estados físicos podem resultar dos estados mentais.

3. O materialismo ignora a força que está sendo descoberta pelos estudos parapsicológicos. O materialismo, pois, oferece explicações alternativas, para explicar os eventos mentais, que são inadequados. Uma defesa dessa declaração está fora do escopo deste artigo; mas, em minha opinião, pode ser efetuada com resultados muito favoráveis.

4. O materialismo ignora as evidências dadas pela fé religiosa, pela psicologia, pela moral e, especialmente, pelas experiências místicas. O campo do misticismo é muito vasto e complexo, apresentando muitos problemas que o materialismo simplesmente não pode manusear adequadamente. Outrossim, a maioria dos materialistas mantém-se bastante ignorante sobre esses assuntos, pois, como é patente, estão fora da esfera de seus interesses. Apesar de ser verdade que muitas pessoas religiosas têm a «vontade de crer», o que prejudica seus pontos de vista e também seus poderes analíticos, também é verdade que muitos materialistas têm a «vontade de não crer», o que lhes dá uma visão míope sobre a natureza do mundo.

5. Especificamente, no tocante ao problema corpo-mente, se o materialismo fornece uma boa explicação sobre a cadeia de causas e efeitos físicos, é inadequada a sua explicação de como esse processo tem início. Seu apelo à fé (pois os materialistas costumam dizer que algum dia a ciência explicará esse *como*) revela a vontade deles em crer, por uma parte, acompanhada pela vontade de não crer, por outra parte.

O que foi dito acima, nesses cinco pontos, tem por escopo convencer especialmente quanto às debilidades da teoria do materialismo. Apenas sugere aquilo que pode ser dito sobre a questão, o que, uma vez desenvolvido, pode obter respeitável credibilidade. Mas, uma coisa que este artigo não tenta é mostrar a força contrária ao materialismo, exercida pelas *experiências perto da morte*, o que dá apoio a alguma forma de dualismo.

Os *principais filósofos* que têm ensinado o materialismo são: Leucipo, Demócrito, Epicuro, Lucrécio, Thomas Hobbes, Pierre Gassendi, Jean Meslier, Julian Offray de La Mettrie, Paul Henri D'Holbach, Jacob Moleschott, Ludwig Buchner, Friedrich Albert Lange, Friedrich Engels, Karl Marx (e os filósofos comunistas em geral), Eugene Duhring, Axel Hagerstrom, E.B. Holt, W.P. Montague (que acreditava na possibilidade de uma alma física, atribuindo à própria matéria um aspecto psíquico limitado), J.J.C. Smart, D.M. Armstrong, C.D. Broad (o movimento geral do positivismo lógico tem favorecido o materialismo, embora não o tenha promovido como uma forma de metafísica).

PROBLEMA CORPO-MENTE

II. Idealismo (Monismo; Dualismo; Pluralismo)

Espírito

Idealismo Metafísico. A realidade pertence à natureza da mente, da idéia, do espírito, do não-material. O que chamamos de matéria é ilusório ou é um epifenômeno da idéia. O idealismo *dualista* admite a realidade da matéria, mas, de modo geral, mantém que a idéia, a mente ou o espírito constituem uma realidade superior. O idealismo *pluralista* supõe que há diferentes espécies de realidades imateriais. Deus é espírito; o homem é espírito; mas não pertenceriam à mesma espécie de substância imaterial.

Meu rosto acima, reflete meu desprazer diante do idealismo monista, embora não diante das variedades de idealismo dualista e pluralista.

O idealismo sofisticado aproveita-se dos avanços da ciência acerca dos conceitos de energia, sugerindo que a realidade é uma energia mental, que Deus é a fonte de todas as energias, e que as chamadas coisas materiais são epifenômenos da energia mental, e não forças separadas dessa energia (conforme diz o idealismo monista). Max Planck, físico alemão, pioneiro da teoria da mecânica quantum (ele recebeu o prêmio Nobel de física, em 1918, devido ao seu trabalho nesse campo), afirmava que o mundo assemelha-se mais a uma gigantesca idéia do que a uma complexa máquina. Ele argumentava que as leis da natureza não foram inventadas pelas mentes humanas; pelo contrário, fatores *externos* forçam-nos a reconhecer essas leis. Elas exibem uma ordem mundial *racional*, e não o resultado do acaso mecanista e revelam uma razão onipotente, que dirige todas as coisas(12). Desnecessário é dizer que ele foi criticado por outros físicos, devido a essa sua incursão na metafísica.

Idealismo Epistemológico. O que eu sei sobre a realidade é a idéia que faço da realidade. Um objeto é produto do fato de ser conhecido. Pode existir ou não sem ser conhecido. Isso continua sendo uma questão aberta; mas o que conheço sobre qualquer coisa é a idéia que faço sobre essa coisa. Somente o que é mental pode ser conhecido.

Idealismo Objetivo. A Mente universal (ou Mente divina) existe e garante a existência das outras coisas, mediante os seus processos mentais. As coisas existem independentemente do *meu* conhecimento a respeito delas, mas elas não são independentes da *mente*.

Idealismo Subjetivo. O mundo é a *minha* idéia. Isso é o que eu sei. Sem importar se as coisas existem ou não independentemente de minha mente, essa não é uma pergunta a que eu possa dar resposta. As *categorias mentais* de Kant foram propostas a fim de mostrar que tipo de conteúdo mental a mente força sobre o mundo. Não conhecemos o mundo da maneira como ele é; conhecemos o mundo da maneira que somos. Posso postular um mundo independente de minha mente; especialmente por meio de considerações morais, estéticas e metafísicas. Porém, não terei proposições à parte de minha própria mente.

Idealismo Pluralista. Há várias espécies de mentes, como a alma humana, seres imateriais de vários tipos, e a fonte do ser, Deus, o qual, em sua essência, é diferente dos mundos e dos seres que ele criou. O cristianismo (de acordo com a maioria de seus teólogos) apresenta um idealismo pluralista, mas usualmente admite também a realidade da matéria.

Platão defendia um verdadeiro dualismo (espírito e matéria), porquanto não negava a existência real da matéria. Porém, aludia ao mundo material como *inferior* e temporal, em contraste com o mundo das idéias (formas, universais). O mundo das idéias é eterno, não-material, imutável, as mesmas coisas que o cristianismo diz a respeito de Deus. De fato, em seu diálogo intitulado *Leis*, Platão substituiu as incontáveis idéias por uma só palavra, Deus (no grego, *theós*).

As Religiões Orientais. Essas fés religiosas falam sobre o mundo físico como se fosse uma ilusão. As chamadas coisas físicas nos enganariam, de modo a pensarmos que elas são reais; mas a mente seria a única realidade. Essa idéia também é representante de um idealismo monista.

Ilustração do Sonho. Alguns sonhos são extremamente reais. Neles nós vemos, ouvimos, tocamos, de fato, exercemos todos os nossos sentidos; mas, presumivelmente, as coisas com que sonhamos são apenas imaginárias. Toda realidade, por assim dizer, é um sonho de Deus; e, se ele deixasse de sonhar, todas as coisas cessariam de existir. Podemos transferir essa maneira de pensar para o nosso mundo diário da percepção dos sentidos. Posso dizer que esta cadeira que estou prestes a chutar (a fim de mostrar a independência dela) não faz parte do meu processo mental. Posso ver a cadeira afastar-se de mim, pois acabei de chutá-la. Posso sentir sua solidez; e, naturalmente, penso que ela é independente de minha própria pessoa. Porém, se me puser a examinar o que sucedeu, descobrirei que nada aconteceu que não esteja envolvido em meus processos mentais. A objetividade daquela cadeira, de fato, poderia ser uma ilusão. É assim que falam os idealistas epistemológicos. Mas há outros que criticam isso, afirmando que essa maneira de falar meramente tira vantagem de nosso dilema de conhecimento, que, naturalmente, sempre precisa ser concebido como vinculado ao «pensamento».

O Idealismo e o Problema Corpo-Mente:

Se estamos abordando a questão do idealismo dualista, então também estamos ventilando as mesmas considerações discutidas sob *Interação* número VI, abaixo, Mas, se estamos tratando do idealismo monista, então temos o seguinte a dizer a respeito:

Avaliação e Críticas:

Continuo assumindo minha relativa superficialidade, conforme foi evidenciado quando tratávamos do *materialismo*, visto que não faz parte do propósito deste artigo examinar de modo crítico e profundo o problema corpo-mente, mas tão-somente expor uma declaração geral a respeito, e, então, mostrar como as experiências perto da morte relacionam-se à questão. As experiências perto da morte lançam *alguma* luz sobre o problema do corpo-mente, favorecendo, segundo penso, o dualismo.

1. O idealismo monístico parece contradizer radicalmente a nossa experiência diária com este mundo físico, que as investigações científicas têm

PROBLEMA CORPO-MENTE

evidenciado abundantemente. Essas mesmas evidências ilustram que o mundo é distinto de minha idéia do mundo, ao mesmo tempo em que o bom senso insiste em que o mundo lá fora é real, sem precisar manter qualquer ligação com a minha idéia a seu respeito.

2. Se eu disser que a *Mente Divina* criou todas as coisas, e que elas são apenas ficções de minha imaginação, que elas não são reais em si mesmas, então, parecerá que criei uma proposição metafísica tão avançada que a pus fora de minha própria capacidade de investigação.

3. No tocante ao problema específico do corpo-mente, embora eu diga que a idéia seja tudo, de tal modo que não há interação entre o corpo material e a alma imaterial, não sou capaz de prover uma boa definição de «mente», tal como não posso fazê-lo em relação à *matéria*. E assim, sou forçado a exercer a fé que as qualidades mentais são tais que fazem o corpo e a mente *parecerem* separados um do outro, quando, na realidade, não o são.

4. O idealismo monista depende de uma pesada metafísica, conhecida através da razão, da intuição e do misticismo, mas que aparentemente ignora as evidências colhidas pela percepção dos sentidos físicos.

Os *principais filósofos* que têm ensinado uma forma ou outra de idealismo são: Platão (e os filósofos platônicos e neoplatônicos em geral), a escola idealista alemã (Friedrich Wilhelm Joseph Shelling, Johann Gottlieb Fichte, George Wilhelm Friedrich Hegel, Immanuel Kant, F.H. Bradley, T.H. Green, Bernard Bosanquet, Josiah Royce, George Berkeley, G.H. Howison, Alfred Fouillée, Borden Parker Bowne, William R. Sorley, Hastings Rashdall, Edmund Husserl, August Messer e Giovanni Gentile. Um estudo nos escritos desses filósofos revelará as nuances que eles deram ao idealismo.

III. Teoria do Duplo Aspecto (Monismo; Dualismo Aparente)

Corpo / Espírito

Talvez essa teoria tenha sido inspirada em parte pela dificuldade de explicar como interagem as propostas partes material e imaterial do homem. Porém, nos escritos de Spinoza, a força principal por detrás de sua formulação, sem dúvida alguma, foi o seu *panteísmo*. Qualquer forma de panteísmo precisa asseverar a teoria do duplo aspecto no tocante ao problema do corpo-mente, visto que todas as coisas são Deus, manam de Deus e manifestam Deus. Haveria apenas uma verdadeira essência das coisas. Essa essência, porém, manifesta-se de diferentes modos. O corpo físico é uma de suas manifestações; e a alma é outra. Essas manifestações interagem em um aparente dualismo; mas, de fato, não são entidades metafísicas distintas, e nem são substâncias inerentemente diferentes.

Spinoza. Para ele, o *real* manifesta-se como extensão (*res extensa*), ao que chamamos de matéria. Mas também manifesta-se como mente (*res cogitans*). Logo, o corpo físico e a mente são atributos do real. São *modalidades* de uma *única* energia.

«Se substância-Deus-natureza é algo absolutamente infinito, deveria ser caracterizado por um número infinito de atributos. Spinoza descobriu apenas dois atributos: pensamento e extensão. Contudo, ele supunha que esses dois atributos podem ser aplicados a tudo quanto há na realidade, pelo que, em certo sentido, estão em toda parte»(13).

Não haveria verdadeira interação entre a extensão e o pensamento. E também, não haveria substâncias separadas. Haveria apenas *modos* de manifestação do real. O real (Deus) programou-os para que sejam *paralelos* em todas as coisas, e a interação entre essas duas coisas é apenas aparente. Para cada evento material, haveria um evento mental paralelo; para cada evento mental, haveria um evento físico paralelo. E concordam entre si porque expressam o mesmo real, embora não interajam como substâncias separadas. Esse ponto de vista, como é evidente, leva a um determinismo absoluto. A realidade não poderia ser diferente do que é, visto que todas as coisas estão em Deus e são de Deus, absoluta e imutavelmente.

Uma *pessoa* é uma energia dotada de modos de expressão mental e física; mas esses modos não são inerentemente diferentes um do outro, e nem são independentes.

Uma Possível Teoria Científica do Duplo Aspecto. Podemos abandonar com segurança o panteísmo, embora preservando a idéia do duplo aspecto. Imaginemos que a matéria é tão lata em suas manifestações que inclua aquilo que chamamos de mental e de físico. A alma pode ser atômica, de algum modo, embora ainda não compreendamos de que maneira. Pode ser capaz de uma existência separada, embora atômica, como se dá com a matéria. Ou, então, o átomo não é a base de tudo, embora seja um modo ou manifestação de energia psíquica, energia essa que é mais básica. A energia psíquica, por sua vez, pode ser um modo ou manifestação da Mente divina. Nesse caso teríamos uma cadeia formada pela Mente divina, pela energia psíquica, e por uma concentração de energia psíquica, o átomo. De acordo com a primeira teoria, expressamos o *materialismo*, mas um materialismo tão amplo que inclui aquilo que atualmente chamamos de espírito. De acordo com a segunda teoria, expressamos o idealismo, mas um idealismo tão abrangente que inclui o que agora chamamos de matéria. Seja como for, mente e corpo não seriam fundamentalmente diferentes. Todavia, em consonância com essa teoria, há uma genuína interação, e não uma interação programada, como se vê no panteísmo de Spinoza. Contudo, a interação dar-se-ia entre dois modos da mesma substância.

A Teologia Mórmon:

A doutrina dos mórmons afasta-se dos ensinamentos do cristianismo bíblico quanto a alguns pontos vitais. Filosoficamente, podemos classificar a idéia mórmon da realidade como um materialismo pluralista. Apesar deles crerem que alma e corpo são coisas diferentes, para todos os propósitos práticos, a alma compor-se-ia de *matéria refinada*. «O espírito ocupa espaço, tem localização, e, pelo menos em princípio, não é totalmente diferente da matéria em seu caráter»(14). O que dissemos sobre a alma, também pode ser dito sobre Deus. Ele tem uma localização temporal e espacial, e a sua essência é descrita em termos do que é material, e não em termos do que é imaterial.

PROBLEMA CORPO-MENTE

Sendo essa a posição do mormonismo, no tocante ao problema corpo-mente podemos falar segundo foi dito acima. Ao materialismo é conferida uma definição tão ampla que inclui aquilo que normalmente denominamos de *espírito*. O mormonismo, pois, reflete essa teoria filosófica particular, quanto ao problema corpo-mente.

N.B. — A teoria do duplo aspecto de Spinoza, que é uma teoria panteísta, é um paralelismo. Não admite uma real interação entre supostas essências distintas e separadas. Porém, as demais formas da teoria do duplo aspecto, apesar de insistirem sobre a existência de uma única substância, ainda assim ensinam uma verdadeira interação entre os modos de manifestação dessa substância única. Conseqüentemente, elas envolvem um dualismo prático, mas um monismo teórico.

Avaliação e Críticas:
1. Sua teoria da identidade de todas as coisas em uma só essência, como é claro, não passa de uma especulação metafísica, estando, pelo menos por enquanto, fora de nossos meios de investigação.
2. Sua eliminação da substância não-material pode ser ilusória. Há algumas coisas significativas que podem ser ditas em favor do dualismo.
3. Dentro da tradição filosófica e religiosa, a idéia chamada *unidade da verdade* poderia favorecer a teoria do duplo aspecto. Os homens tendem por dividir e dissecar. Visto que temos aparentes eventos mentais e eventos físicos, falamos em termos de matéria e de espírito. Mas a verdade da questão pode ser uma unidade inerente. Nesse caso, matéria e espírito seriam, na verdade, modos de expressão de uma e a mesma coisa, coisa essa mais básica que seus dois modos. As definições atuais da matéria e do espírito podem tornar-se absolutas, uma vez que o nosso conhecimento progrida até o ponto em que sejamos capazes de definir, com maior precisão, o real. Essa definição pode afastar-se completamente do conceito que o átomo é a base da realidade. Ou poderá demonstrar propriedades inesperadas do átomo, capazes de explicar aquilo que antes se chamava espírito.
4. A filosofia grega começou pela busca da compreensão do *um*, o elemento básico e subjacente que sustentaria todas as coisas. Não podemos ter certeza se Tales de Mileto e os outros filósofos milesianos estavam falando em termos materialistas ou em termos pampsiquistas. No caso da teoria do duplo aspecto, somos deixados com o mesmo dilema. As pesquisas futuras talvez consigam solucionar esse dilema, mostrando-nos que essa abordagem não era a verdadeira vereda.

No meu rosto, desenhei um sorriso débil. Pode haver aí alguma verdade, mas o mais provável é que teremos de esperar por muito tempo para saber se isso condiz com a verdade dos fatos.

IV. Paralelismo (Harmonia Preestabelecida)

Corpo / Espírito

Acabamos de examinar uma forma de paralelismo na teoria panteísta do duplo aspecto, de Spinoza. Leibnitz, em sua doutrina da *mônada*, ofereceu ao mundo filosófico uma outra forma dessa teoria.

A Mônada. Essa palavra vem do vocábulo grego *monas*, «unidade». Pitágoras usou o termo para indicar o primeiro número de uma série, ou seja, o número do qual toda a série se deriva. Giordano Bruno empregou o termo como nome da unidade ontológica irredutível da qual tudo o mais derivar-se-ia. Isso posto, essa palavra pode referir-se a Deus, em um sentido panteísta. De acordo com Leibnitz, a *força* é a essência básica de todas as coisas. Força seria um princípio metafísico. Leibnitz chamava esse princípio de *mônada*. Ela não teria extensão, seria indivisível, simples, fundamental, eterna, auto-existente, auto-sustentadora, imutável, indestrutível. Poderíamos falar em mônadas como átomos; mas Leibnitz não emprestava aos átomos as mesmas propriedades que os cientistas lhes dão, como constitutivos de toda matéria. A grande Mônada, a Força (o Deus de sua teoria), teria criado outras mônadas, não mediante uma criação *ex-nihilo*, e nem por emanação, mas por *fulguração*. Isso significa que de seu Ser fulguraram ou lampejaram todas as outras mônadas. As mônadas secundárias, pois, são fulguradas ou relampejadas, dividindo-se da Mônada divina. A fulguração, como um conceito, parece pairar em algum ponto entre a criação por *fiat* (do nada, mediante a Palavra de Deus) e a criação por emanação(15). O que se torna evidente é que todas as mônadas são divinamente derivadas, mas não foram criadas.

As mônadas existem em número incalculável. Todas elas têm as mesmas características, conforme foi alistado acima; mas diferem em suas *auto-apresentações*. Elas têm tanto *extensão* quanto *pensamento*, mas em graus variegados.

O Homem e as Mônadas. Um homem seria composto de uma combinação de mônadas. Ele teria mônadas intelectuais que se apresentam como mente ou pensamento. Ele teria mônadas materiais que se apresentam como extensão. Essas últimas mônadas seriam *sonolentas*, ao passo que as mônadas intelectuais resplandeceriam de vigor. Outros animais teriam uma combinação inferior de mônadas, algumas ainda mais sonolentas que aquelas do homem, o que explicaria por que motivo o homem é superior a todo o reino animal. A matéria bruta é essencialmente constituída por mônadas que representam extensão. Têm qualidades mentais (pampsiquismo), mas em graus muito baixos, pelo que a matéria mantém-se dormente.

As Mônadas não têm Janelas. Não haveria qualquer interação entre as mônadas. Elas são universos contidos em si mesmos. Não têm janelas e nem portas. Contudo, *parecem* interagir, mas isso já faz parte do trabalho de Deus, a grande Mônada.

Uma Harmonia Preestabelecida. Deus programou todas as mônadas, de tal modo que tudo quanto sucede vem do íntimo, e não da interação externa entre as mônadas. Assim, neste momento, posso pensar que estou olhando para você, e você pode pensar que está olhando para mim. Estamos em um diálogo, e parecemos estar interagindo. Mas isso é apenas uma ilusão. O que realmente está sucedendo é que a minha programação interior é paralela e harmônica à sua programação. Meu mundo interior corresponde ao mundo interior do leitor, mas não há qualquer interação. Outro tanto sucede no caso das supostas interações entre o meu corpo e a minha alma. Tanto o corpo quanto a alma são compostos de

PROBLEMA CORPO-MENTE

mônadas programadas para parecerem que interagem. Mas a verdade é que a programação deles é harmônica, existindo como paralelos, mas não como estados de interação. Pensemos no som gravado em uma fita de cinema. Essa gravação é feita para acompanhar paralelamente as cenas do filme. Ou imaginemos o caso de dois relógios que estejam marcando exatamente o mesmo horário. Não colaboram um com ou outro. Mas funcionam paralelamente, sempre em perfeita harmonia um com o outro. Tiquetaqueiam juntos, dão as horas no mesmo momento, e estão sempre marcando os mesmos segundos, minutos e horas. No entanto, a harmonia que há entre esses dois relógios vem do interior de cada um deles, e não em face de alguma interação.

Avaliação e Críticas:

1. Leibnitz criou uma teoria que tem atraído muita gente, embora pareça ser mais o produto de uma imaginação fértil do que uma verdadeira exposição da realidade. Seja como for, a teoria está fora dos nossos meios de investigação.

2. Essa teoria faz de Deus a *única causa*. Se Deus é a única causa, então, ele é a causa do mal, o que parece fazer a teoria de Leibnitz inaceitável, sobre bases morais. Deus, porventura, programou as mônadas em seu agrupamento comunal para praticarem o mal?

3. Essa teoria reflete um determinismo extremado. A nossa experiência parece ensinar-nos que somos capazes, pelo menos em algumas ocasiões, de fazer escolhas genuínas.

4. Visto que Deus fez aquela programação, então o mundo é «o melhor de todos os mundos possíveis». Mas, considerando todo o caos, a maldade e o sofrimento que aqui aparecem perguntamos por que motivo Deus não fez um mundo melhor. Meu rosto não está sorrindo.

V. Ocasionalismo (Dualismo sem Interação)

Corpo / Espírito

Reagindo contra o dualismo de Descartes (com interação), os ocasionalistas procuraram criar uma teoria que não requeresse qualquer interação entre os elementos mental e físico do homem. Em primeiro lugar, precisamos afirmar que eles consideravam esses elementos reais, pertencentes a substâncias diferentes. Todavia, simplesmente não conseguiam conceber como substâncias de naturezas diversas poderiam reagir entre si. Assim, duas explicações diferentes são dadas à questão, conforme mostramos abaixo. Mas, antes disso, consideremos uma definição básica.

Visto que não conseguiam conceber como duas substâncias diferentes (mental e material) podem encontrar um meio para interagirem, eles abandonaram a idéia da interação, substituindo-a por uma espécie de sistema telefônico celeste. *No momento mesmo em que o corpo é estimulado e precisa comunicar-se com a mente, envia uma mensagem a Deus, e Deus, instantaneamente, transfere essa mensagem para a mente. No momento mesmo em que a mente é estimulada, e precisa comunicar-se com o corpo, envia uma mensagem a Deus, do que resulta a mesma coisa que no caso anterior.* Usando o exemplo que dei sobre encontrar um leão na floresta, ficamos com o seguinte quadro. A mente avalia o perigo representado pelo leão, ao corpo físico, e rapidamente envia uma mensagem a Deus. Deus, fielmente, transfere essa mensagem para os músculos da perna—e eis que saio correndo.

Geulincx de Antuérpia, professor de filosofia e medicina, e Nicolau Malebranche, um filósofo francês, foram os principais exponentes do ocasionalismo. Eles consideravam a matéria como passiva, incapaz de produzir ou interagir com os processos mentais. Existem mentes finitas, que se movimentam em Deus, sendo naturalmente sintonizadas por ele, — e que têm afinidade com a Mente divina. O nosso conhecimento, assim sendo, sempre consiste na participação do conhecimento que Deus tem das coisas. A alma do homem possui liberdade e força, mas todas as operações que digam respeito ao corpo físico, precisam ser mediadas através da Mente divina(16).

Avaliação e Críticas:

1. Se Deus é a única causa, então ele deve ser a causa do mal. Malebranche explicava o mal como resultante da queda do homem no pecado; mas se o pensamento conduz ao pecado (conforme a doutrina padrão afirma), então, esse pensamento e o pecado resultante precisam ser mediados por Deus. Reconhecendo seu dilema, Malebranche asseverou que o mal, quando contemplado universalmente (isto é, do ponto de vista divino, que é o mais elevado e o único correto), deve ser visto como um bem. Em outras palavras, no sentido mais estrito, o mal não existe, ou, então, Deus não se envolveria diretamente em sua perpetuação. O ocasionalismo, pois, é moralmente deficiente, pelo menos do ponto de vista cristão ordinário.

2. O ocasionalismo não é um sistema econômico. Força Deus a envolver-se em todo pensamento e ato humano (e, presumivelmente, animal). É difícil perceber como Deus serviria de sistema telefônico, para receber e transmitir chamadas telefônicas. A teoria é por demais absurda para ser aceita, sendo difícil ver o raciocínio capaz de redimir a teoria dessa tremenda fraqueza.

3. Essa idéia ignora aquilo que parece ser a experiência humana comum. Temos corpos; temos mentes. Estes interagem constantemente, a despeito do fato de que somos incapazes de explicar como isso opera. É melhor tentarmos descobrir aquele *como* (que conta com o apoio de *algumas* evidências e descrições) do que inventar idéias extravagantes, que servem apenas para afastar-nos ainda mais da verdade dos fatos.

4. A eliminação de causas secundárias parece ser uma maneira barata de sair de uma situação embaraçosa que nos poupa da necessidade de fazer investigações frutíferas.

VI. Interacionismo (Dualismo)

Corpo / Espírito

PROBLEMA CORPO-MENTE

O corpo existe. Não é uma ilusão. Participa da matéria, que é uma substância real. A mente também existe. Não é um mero epifenômeno das atividades cerebrais. A mente é real, posto que de um tipo diferente de substância, pois é imaterial. A pessoa humana é inerentemente dualista. A mente atua sobre o corpo, e o corpo atua sobre a mente, apesar das dificuldades que levantamos sobre como e onde essa interação ocorre. A mente usa o cérebro como um instrumento, mas não devemos identificá-la com o cérebro. O corpo físico *limita* a mente, enquanto a mente e o corpo existem formando uma pessoa. Isso pode ser ilustrado por um equipamento elétrico. Os geradores de uma grande hidrelétrica podem produzir uma prodigiosa quantidade de energia elétrica; mas, se eu disponho apenas de uma lâmpada de 40 watts, essa lâmpada só dará luz correspondente a essa energia, a despeito do potencial quase ilimitado por detrás dela. A mente humana, mediada por meio do corpo físico, é reduzida a um mero fragmento de seu potencial. Um cérebro melhor permitirá que a mente funcione muito melhor. Defeitos no cérebro farão a mente entrar em curto-circuito. Assim também o órgão de algum tabernáculo mórmon é um instrumento ponderável, mas a sua grandiosidade só se evidencia quando um instrumentista habilitado toca o mesmo. Por semelhante modo, a mente é um poder capaz de coisas admiráveis; mas se o instrumentista (o cérebro) é inferior, a mente não conseguirá manifestar grande coisa de si mesma.

A mente manifesta-se por meio de experiências místicas quando os homens transcendem a si mesmos mediante poderes que eles não entendem muito bem. A mente humana tem afinidade com a Mente divina; e bastaria essa afinidade para torná-la grande. Jung pensava que a mente humana é um depósito da história inteira da humanidade, podendo sondar esse imenso depósito mediante a intuição e as experiências místicas. Eis por que, segundo alguns pesquisadores, alguns sonhos assemelham-se a sintonizar acidentalmente um aparelho de rádio a uma estação de rádio estrangeira. Tudo faz parte do inconsciente coletivo. Sócrates acreditava na Mente Universal, e pensava que através do raciocínio (como nos diálogos) e através da intuição e das experiências místicas, a mente humana pode sondar a Mente Universal. Platão fazia da mente humana uma instância da Mente Divina, uma espécie de transmissor limitado da mesma. Ele também cria que o corpo, com as percepções dos crassos sentidos, serve de obstáculo ao conhecimento, longe de ser a sede desse conhecimento.

Dualismo Naturalista. Alguns estudiosos crêem que a mente (a alma, a parte imaterial do homem) é produto da evolução, como sua mais significativa realização, até este ponto no tempo. Assim, é até mesmo possível crer na existência da alma, sem crer na existência de Deus. De fato, há ateus que são dualistas. Nesse caso, a alma, apesar de real, e apesar de ser perfeitamente capaz de sobreviver à morte do corpo físico, também é natural. Assim, a alma seria imanente, e não transcendente. Mas, se falarmos no destino da alma, à parte de alguma provisão celeste (comum à maioria das religiões), então, teremos entrado em uma esfera desconhecida, a menos, naturalmente, que postulemos a reencarnação, que, como é óbvio, perpetraria a existência natural e o meio ambiente da alma.

Dualismo Sobrenaturalista. A alma existe por haver sido *criada* por Deus (ou mediante emanação ou fulguração), e a sua associação ao corpo físico envolve propósitos educacionais. Ou, então, conforme Platão ensinava, o corpo é a prisão ou sepulcro da alma. A alma resolveu experimentar a materialidade, e acabou presa à mesma, e agora procura desvencilhar-se da matéria por meio da ascensão moral e espiritual. No conceito cristão, a alma participou da queda no pecado, ou antes (se a alma é preexistente), ou depois de sua associação ao corpo físico. Seja como for, a união com o corpo físico não é o estado ideal, e nem se espera que seja o estado final. Escreveu Paulo, em Filipenses 1:23: «...tendo o desejo de partir (morrer) e estar com Cristo, o que é incomparavelmente melhor».

O Local da Interação. Esse é um dos mais complicados problemas do dualismo. Descartes pensava que o ponto de interação é a glândula pineal, localizada profundamente entre os dois hemisférios do cérebro(17). Outros postulam uma interação na localização de todas as células, ou onde se encontra o sistema glandular como um todo. O psicólogo Benjamim B. Wolman explorou o problema corpo-mente em sua obra *Contemporary Theories and Systems of Psychology* (1960), onde concluiu que apesar de haver uma constante interação corpo-mente, que é um fato observável, por enquanto ninguém sabe como e onde essa interação ocorre.

Dualismo Hindu. Essa fé religiosa tem produzido complexas idéias sobre a interação da mente e do corpo. Uma das versões do *locus* dessa interação é aquela que diz que ela tem lugar em sete centros de energia, chamados *chakras*(18) — («rodas», no sânscrito). Esses centros de energia seriam vórtices de força. As energias espirituais manifestar-se-iam nesses locais, manipulando as energias do corpo físico. Esses sete centros de energia encontram-se: na *raiz* (base da espinha dorsal); no *sacrum* (as áreas das forças vitais do homem); no *plexo solar* (no externo e adjacências); no *coração*; na *garganta*; na *testa* e no *alto da cabeça*. Esse último centro é o mais elevado, e ali é que se daria a consciência da presença de Deus, através da meditação e das experiências místicas. Esses sete vórtices de energia seriam como a escala musical de sete notas. As notas inferiores estão associadas ao corpo e suas necessidades; as notas superiores estão ligadas à intelectualidade e espiritualidade humanas. Uma versão mais simples dessa idéia é que as *chakras* ou vórtices de energia estão localizadas na posição das glândulas, controlando o corpo mediante o sistema glandular como um todo. As energias envolvidas seriam vibrantes e móveis, e a meditação poderia provocar a concentração de energias nas áreas intelectuais e espirituais mais elevadas, assim provendo iluminação ao indivíduo. Mas, quando essas energias concentram-se em torno de suas gônadas (ainda segundo essa idéia), então, o indivíduo permanecerá essencialmente semelhante a um membro qualquer do reino animal. A meditação seria o meio de elevar para níveis mais altos essa concentração de energias.

Em favor desse elaborado sistema, os homens «santos» do Oriente apontam para as experiências místicas que ilustram as suas crenças, e não para evidências científicas, as quais, por enquanto, não existem. Outros salientam a acupuntura como prova, visto que se uma agulha é posta em um lugar, exerce efeito em outro lugar. Isso dever-se-ia, alegadamente, ao fato de que o homem é controlado pelos vórtices de energia, de tal modo que um toque em um ponto pode exercer efeito em outro.

Campos de Vida. O Dr. Harold Saxton Burr, professor de medicina da Universidade de Yale, detectou *campos de vida* em redor do corpo humano, tendo apresentado boas evidências de que as energias

PROBLEMA CORPO-MENTE

vitais do ser humano não terminam em sua pele. Ele usou voltímetros muito sensíveis, e descobriu que esse campo de energias pode ampliar-se até três metros fora do corpo. As radiações são maiores na cabeça, no peito e nas mãos, variando de pessoa para pessoa, aparentemente em harmonia com seus poderes mentais e suas energias vitais. Esse campo eletrodinâmico, de acordo com ele, é um tipo de molde de energia que organiza a matéria e lhe empresta a forma que ela assume. Ele pensava que esse campo é primário, obrigando a matéria a assumir as formas que ela assume, e não que, de alguma maneira, esse campo seja irradiado pela própria matéria. Burr ensinou naquela universidade por quarenta e três anos, e suas pesquisas quanto aos campos de vida foram um aspecto importante de seus interesses, durante aquele tempo. Publicou o livro *Blueprint for Immortality, the Electrical Patterns of Life*, em 1972, além de haver publicado, no espaço de muitos anos, noventa e três artigos sobre os campos de vida, em publicações eruditas(19). Sua teoria central foi apresentada como segue:

«O padrão ou organização de qualquer sistema biológico é estabelecido mediante um complexo campo eletrodinâmico, determinado em parte por seus componentes atômicos físico-químicos, o que, por sua vez, determina parcialmente o comportamento e a orientação daqueles componentes. Esse campo é elétrico, no sentido físico, e mediante suas propriedades, relaciona-se a entidades do sistema biológico em um padrão característico. Em parte, esse padrão resulta da existência daquelas entidades. Esse padrão determina e é determinado por aqueles componentes. Além disso, precisa manter o seu padrão em meio ao fluxo físico-químico. Portanto, precisa regular e controlar as coisas vivas. Precisa ser o mecanismo, a organização e a continuidade, de onde resultam a totalidade do sistema biológico»(20).

Edward Russell asseverou que algumas das descobertas de Burr acerca das extensões do campo de vida merecem a sugestão de que os seres humanos possuem um campo controlador adicional, que pode ser a alma, o tema central de seu livro intitulado *Design for Destiny*, publicado em 1971. Pessoalmente, não vejo aí a alma do homem; mas parece que o campo de vida é um mecanismo controlado pelo intelecto (alma), e através do qual se relaciona ao corpo físico. O feto humano tem o seu próprio campo de vida, sendo possível que esse mecanismo esteja por detrás do controle do código genético, que produz o corpo da criança, segundo passos apropriados, para que tome a forma devida.

A Filosofia do Campo de Vida. Platão falava sobre as formas ou idéias que moldam o nosso mundo, de tal forma que os objetos físicos são imitações das formas. Burr referia-se aos campos de vida como compostos por energias sutis, similares à eletricidade, embora, em essência, não sejam elétricas. Ele acreditava que esses campos são responsáveis pela formação das células, pelo crescimento, pelo reparo dos tecidos e pela continuidade da vida biológica. Se Platão tivesse tido conhecimento disso, provavelmente teria suposto que as formas operam por meio desse tipo de mecanismo.

Avaliação e Críticas:

1. Alguns estudiosos criticam a idéia da interação com base no fato de que ela favorece as noções religiosas, e que, talvez, resultem dos desejos religiosos. Michael Sabom, contrariamente a isso, com base em seus estudos sobre as experiências perto da morte, ficou convencido de que esse é um ponto crucial. De acordo com seu parecer, a questão final, levantada por casos de experiências perto da morte, por ele estudados em sua prática médica, é a evidente validade da doutrina religiosa da alma e sua sobrevivência ante a morte biológica. Ele acredita que essas experiências estejam formando uma ponte que, algum dia, fará ligar entre si a ciência e a fé religiosa(21).

2. Carl Jung, através de seus estudos pela vida inteira acerca dos processos psicológicos humanos, também ficou convencido de que temos caído em muitos erros em nossas avaliações. «Temos tido de aprender, através de um sem-número de erros, que a medicina orgânica mostra-se totalmente impotente no tratamento das neuroses, e que os métodos psíquicos podem curá-las... Foi ao reconhecer esses fatos que a ciência descobriu a *psique*, e temos a obrigação de admitir a sua realidade» (22). — A **medicina psicossomática** parece favorecer a idéia do interacionismo.

3. Sigmund Freud apresentou muitas evidências corroboradoras que mostram que a psique pode afetar seriamente o corpo, conforme se vê nos casos de neurose, hipnose e as descobertas psicoanalíticas em geral(23). — E chegou a crer na realidade dos fenômenos psíquicos por causa de seus estudos nesse campo e no campo dos sonhos(24).

4. *Estudos Neurológicos*. Já pude ilustrar como os estudos sobre a neurologia têm convencido a alguns cientistas sobre a realidade da mente como uma entidade separada do cérebro. Minha citação de Wilder Penfield (seção I, ponto 5) ilustra isso. Sir John Eccles, prêmio Nobel de 1963, reconhecido por seus estudos acerca de como os nervos usam transmissores químicos para enviar mensagens ao cérebro, afirmou sem rebuços que a mente transcende ao cérebro, e afirmou ter descoberto o local exato, na área motora suplementar do cérebro, onde a mente interage com o cérebro. Segundo sua opinião, o comportamento não consiste em alguma descarga *ad hoc* e ao acaso de células cerebrais, e, sim, depende de alguma intenção não-material da mente, que age sobre as células físicas do cérebro, levando-as a disparar. Nisso, ele também via uma confirmação científica do livre-arbítrio, indicando que os homens são responsáveis pelo que fazem. A mente é a construtora(25). A publicação *Science Digest*, de julho de 1982, no artigo intitulado «Scientists in the Search of the Soul», alista os seguintes cientistas como aqueles que estão descobrindo indicações sobre a existência da alma, em suas pesquisas: Sir John Eccles; Sir Karl Popper; Eugene Wigner; Briam Josephson; David Bohm.

N.B. — O propósito dessas afirmações não é provar, em qualquer sentido, que o interacionismo é a verdadeira visão sobre o problema corpo-mente, mas apenas mostrar que existem cientistas respeitáveis que assim pensam. Logo, não podemos eliminar levianamente essa idéia. Meus próprios estudos sobre as experiências perto da morte lançam *alguma* luz sobre a questão, favorável à idéia do interacionismo.

5. As crenças religiosas e as experiências místicas compõem uma parte importante das experiências humanas. Elas favorecem o dualismo corpo-mente, e as evidências fornecidas por elas devem ser levadas em consideração.

6. As *qualidades psicológicas* como a vontade, as idéias morais, os conceitos de desígnio, finalidade e propósito parecem transcender ao que poderíamos esperar das funções das células cerebrais.

7. Os estudos no terreno da parapsicologia, em seus aspectos da telepatia, da clarividência, das curas psíquicas, do retroconhecimento, do pré-conheci-

mento e da psicocinese, parecem favorecer o dualismo.

8. As experiências perto da morte parecem favorecer o interacionismo.

9. As afirmações em contrário incluem aquelas que salientam que se não podemos falar com muita inteligência sobre a matéria, muito menos ainda podemos fazê-lo acerca da *mente* ou *idéia*. O que fazemos é simplesmente transferir os nossos problemas para um passo atrás, encontrando na mente o iniciador misterioso da cadeia de eventos que resulta em algum fenômeno físico. Não obstante, não sabemos como definir a mente. Antes de mais nada, precisamos confessar que nisso tudo há uma profunda verdade. Todavia, dispomos de algumas descrições de como a mente *funciona*, mesmo que não tenhamos qualquer *definição* sobre o que é imaterial. Há evidências em prol da existência independente da mente, a despeito do fato de que não há qualquer descrição metafísica do que seja sua substância ou essência.

10. *O Local da Interação.* Têm sido feitas algumas sugestões a respeito, e talvez haja alguma verdade nessas sugestões. Entretanto, ainda continuamos esperando por uma boa explicação sobre o assunto. Essa dificuldade, contudo, não anula aquilo que já sabemos.

VII. Substancialismo (Dualismo; Natureza Tríplice)

Corpo / Alma (Vitalidade) / Espírito

No contexto do problema corpo-mente, o termo *substancialismo* indica que o espírito (ou alma) do homem é uma *substância transcendental* que não pertence a este mundo material. Teria tido a alma uma existência anterior, em alguma esfera celestial (conforme se vê na teologia da Igreja Ortodoxa Oriental, que acompanha as idéias dos pais gregos da Igreja), ou, então, sem essa condição, pelo menos tem um *destino transcendental.* Em conseqüência, de acordo com esse ponto de vista, o homem, na verdade, é um estrangeiro e peregrino neste mundo, um cidadão da pátria celestial, que cumpre um propósito em um mundo estranho. Nas páginas do Novo Testamento, trechos como Colossenses 1:13 e Hebreus 11:13-16 empregam esse tipo de linguagem. Ademais, a idéia inteira da redenção humana é que a alma, cativa em um mundo de iniqüidade, de trevas, de materialidade e de temporalidade, é libertada, recebendo, então, a cidadania nos mundos eternos da luz.

Substancialismo Dualista (dicotomia). O homem é composto de duas substâncias diferentes: o material (o corpo físico) e a imaterial (espírito-alma). Essa substância imaterial também pode ser expressa como mente-alma ou mente-espírito. A alma pode também ser usada em contraste com o espírito. Nesse caso, a alma refere-se aos atributos intelectuais e emocionais do espírito imaterial. Porém, alma e espírito não devem ser considerados substâncias distintas. O substancialismo dualista pode ser identificado ao interacionismo *se* este último disser que a alma teve e/ou terá um destino transcendental. No entanto, o interacionismo contrasta com o interacionismo naturalista. No substancialismo dualista, o espírito pode ser concebido como um produto da evolução, *se* o mesmo disser que o espírito veio à existência mediante um processo evolutivo, mas devido à vontade de Deus, que teria usado a evolução com esse propósito, e que, subseqüentemente, a alma assim produzida tem um destino transcendental. Porém, não é comum o substancialismo manifestar-se desse modo. No entanto, essa posição é teoricamente possível, sem que o conceito sofra violência.

Substancialismo Platônico; Uma Explicação Tríplice. Platão dividiu a personalidade humana em três segmentos: a *vegetal* (o corpo); a *animada* (aparentemente, um atributo da alma, mediante o qual ela exibe coragem e elevadas qualidades morais); a *racional* (o princípio espiritual que participa da *nous*, a Mente Divina). Ele aludia à *alma* como uma instância da *nous* (palavra grega que significa «mente»), mas que teria em si mesma o princípio eterno da vida, um princípio não-derivado, da mesma maneira que a Mente divina não é derivada. Isso significaria que a alma é eterna, ainda que se veja *individualizada* nas pessoas humanas. Em seus diálogos, intitulados *República* e *Faedo*, Platão salientou a alma como o princípio do *automovimento*, o que nos asseguraria a imortalidade da alma. Em contraste com a alma, a matéria teria movimentos derivados, e, assim, seria temporal. A ênfase sobre o automovimento da alma prossegue em sua obra *Leis*(26). Nesse contexto, o *movimento* é o princípio da vida, e não apenas algum movimento local, entendamos bem. Todas as coisas, pois, estariam envolvidas em movimento. O crescimento físico, por exemplo, seria uma forma de movimento. O processo evolutivo dependeria do movimento. Uma das principais características do átomo seria o movimento. Essa força seria criativa e sustentadora, o próprio princípio da vida.

Em seus ensinos éticos, Platão falava sobre a dupla natureza da alma. Os *apetites* vinculam-na ao que é terreno e vil; mas a *razão* vincula-a a Deus. Os apetites tornam a alma rebelde; a razão, porém, empresta-lhe boa ordem e um avanço ético. A fim de ilustrar o ponto, ele falava na alegoria do cocheiro cujo veículo era puxado por dois cavalos. Um deles era rebelde, sempre escoiceando, não se deixando domar; o outro era um cavalo de raça, bem disciplinado e vigoroso. Ambos os cavalos eram alados, pelo que a carruagem avançava voando. O cavalo rebelde ameaçava constantemente o equilíbrio do vôo, com sua insistência em satisfazer os seus apetites. Mas o outro mantinha o equilíbrio, puxando a carruagem cada vez mais para perto do mundo superior(27).

«A alma humana faz parte da razão pura (*nous*). Mas também é parcialmente espiritual (devido aos seus impulsos mais nobres) e parcialmente material (devido aos seus apetites e paixões inferiores)»(28). Todavia, Platão não deixou claro se essa distinção, dentro da alma, envolve apenas um aspecto ético, ou também um aspecto metafísico. Platão usou tais termos a fim de expressar como a alma está dividida quanto à sua conduta ética e quanto às suas potencialidades, ou ele queria dizer, realmente, que a alma em parte é espiritual e em parte é material, em sua natureza básica ou essencial? Opino em favor desta última possibilidade. Seja como for, nos escritos de Platão encontramos um homem que forma uma *tríada*, nos sentidos prático e ético, ainda que, em sua essência, ele seja dualista.

O Drama Sagrado da Alma, Segundo Platão. A substância «alma» sempre teria existido. A alma teria participação na vida eterna das *Idéias* (formas, universais). Nesse contexto, as *Idéias* não são pensamentos, e, sim, algum tipo de entidades celestes, imateriais, eternas e imutáveis (as coisas que os cristãos atribuem a Deus). Em sua obra, *Leis*, Platão chamou ao conjunto de idéias de *Deus*; e é com base nisso que sabemos que as *Idéias*, na linguagem de Platão, são princípios divinos. A alma humana, não-individualizada, na verdade, seria uma espécie de *idéia*, ou pelo menos, similar às Idéias. Então veio a individualização. A alma seria preexistente. Mas, então, a alma sentiu curiosidade quanto à matéria, e resolveu experimentá-la. E dessa experiência resultou a queda da alma na materialidade. Então, a alma tornou-se prisioneira de um corpo físico, ao qual Platão considerava um sepulcro. Agora, porém, a alma reconhece que essa experiência foi prejudicial, e procura retornar ao mundo da luz. Para isso, a alma precisa ser purificada. Mas a purificação é um processo difícil que requer milhares de anos de reencarnações sucessivas. Platão tomou emprestada essa noção do misticismo órfico, isto é, das religiões orientais. A alma, uma vez adequadamente purificada, retornaria ao seu devido mundo das Idéias divinas. Então, ela é reabsorvida pela vida das Idéias, quando então teria atingido a glória eterna. «Para Platão, o destino da alma consiste em recuperar seu direito de primogenitura, que é reunir-se à eternidade à qual ela pertence, e da qual, de alguma maneira, separou-se. Ela pode chegar a atingir esse destino renunciando repetidamente ao mundo dos sentidos e refugiando-se no que é inteligível e não dependente do tempo, até que, finalmente, tenha-se purificado suficientemente da escória da terra. E então, chegado o momento da libertação, a alma consegue escapar do círculo vicioso da reencarnação, sai totalmente do tempo, deixa de ser perene e une-se com o eterno. Sua discussão sobre o amor, na obra *Simpósio*, nos familiariza com essa imortalidade mística, superpessoal, independente do tempo»(29).

Conforme se pode ver, a alma, para Platão, definidamente é um ser transcendental, pelo que a sua explicação fornece-nos uma forma de *substancialismo*. No tocante ao problema corpo-mente, Platão falava em interacionismo, o que significa que ele acreditava em um dualismo radical, mas o seu interacionismo não é natural, e, sim, transcendental.

Substancialismo Cristão. Essa posição, em sua forma sofisticada, encontra-se na combinação da teologia cristã com a filosofia aristoteliana, feita por Tomás de Aquino. O homem seria um ser triúno, possuidor de corpo, mente e espírito. A alma é transcendental, uma substância espiritual, que sobrevive à morte e penetra nas dimensões celestes, por ocasião da morte biológica. A alma é um *intelecto*, tal como Deus é o grande *Intelecto* (terminologia usada por Aristóteles). Como tal, a alma é espírito puro, sendo imperecível e eterna, não sujeita à dissolução, conforme se dá no caso do corpo físico. Aristóteles falava em uma *razão passiva*, existente na matéria, estando vinculada ao corpo físico. Ela seria a responsável por coisas como a percepção, a imaginação e a memória, mas seria perecível. Porém, ele também falava sobre uma *razão ativa*, que seria criativa, actualidade pura, por meio da qual os conceitos são concebidos. Essa razão ativa existia antes da alma e do corpo, sendo algo imaterial, imperecível e imortal(30). — A alma do homem participa dessa razão ativa como um *intelecto*, mas Aristóteles referia-se a ela como separada do corpo, embora não tivesse certeza de que ela pudesse sobreviver como uma entidade separada, por ocasião da morte do corpo físico. As adaptações cristãs, com base nas idéias de Aristóteles, também eliminam esta dúvida, afirmando a eterna continuação do intelecto que é o homem. O tomismo, naturalmente, tornou-se a filosofia oficial da Igreja Católica Romana.

Substancialismo Evangélico. Um tanto menos sofisticada, filosoficamente falando, é a tricotomia defendida por grupos evangélicos. Uma forma popular da tricotomia, diz como segue:

«...o homem foi feito à imagem e semelhança de Deus. Essa *imagem* encontra-se principalmente na triunidade do homem e em sua natureza moral. O homem é *espírito, alma e corpo* (I Tes. 5:23). O *Espírito* é aquela porção do homem que *conhece* (I Cor. 2:11), tornando-o parte da criação espiritual e dando-lhe a consciência de Deus. A *alma* dá a entender a vida *autoconsciente*, em distinção das plantas, que têm uma vida inconsciente. Nesse sentido, os animais, também têm *alma* (Gên. 1:24). Contudo, a alma humana tem um conteúdo muito mais vasto do que a alma dos animais irracionais. No homem, ela é a sede das emoções, dos desejos e dos afetos (ver Sal. 42:1-6). O *coração*, segundo o uso bíblico, é quase sinônimo de *alma*. Visto que o homem natural, muito caracteristicamente, é o homem *animal* ou *psíquico*, a alma é, com freqüência, usada para indicar o próprio indivíduo (por exemplo, Gên. 12:5). O corpo físico, separado do espírito e da alma, susceptível à morte, não obstante, faz parte integral do homem, conforme fica demonstrado pela ressurreição (ver João 5:28,20; I Cor. 15:47-50; Apo. 20:11-13). O corpo físico é a sede dos sentidos (os meios através dos quais o espírito e a alma têm consciência do mundo), como também da natureza adâmica caída (Rom. 7:23,24)»(31).

Os evangélicos caracterizam-se por sua abordagem bíblica a problemas dessa ordem, sem qualquer mistura com opiniões filosóficas, as quais eles desprezam.

O substancialismo cristão supõe, conforme pode ser notado em todas as suas versões, não meramente a intercomunicação entre o corpo e a mente, no ser humano, mas também uma linha direta de comunicação com Deus, visto que o espírito, naturalmente, tem consciência de Deus. Os místicos cristãos têm enfatizado esse aspecto fortemente, especialmente em sua busca por iluminação.

Explicação da Parapsicologia. No caso das pessoas envolvidas nos estudos parapsicológicos também encontramos a defesa da tricotomia. Ali o corpo é a porção material do homem; o espírito é a parte imaterial, parte essa também chamada alma. A mente, pois, também poderia ser tida como a *vitalidade* do homem, — sendo que é tida como semimaterial, uma espécie de substância intermediária, que age como uma medianeira. Ela age vinculando o corpo e a mente. Essa vitalidade é que explicaria as aparições, que realizam atos mecânicos mas aparentemente destituídos de razão, que não se parecem com os atos de um intelecto (a alma). A vitalidade humana estaria envolvida nas interações de mente e corpo, ou de alma e corpo, mas separando-se dos dois, por ocasião da morte biológica. Muitos pensam que a vitalidade é capaz de sobreviver independente por *algum* tempo, para finalmente dissipar-se. Essa forma de tricotomia, entretanto, não está necessariamente vinculada ao substancialismo,

PROBLEMA CORPO-MENTE

embora possa ter vinculações com o mesmo, se é que a alma (a parte imaterial do homem), envolvida na explicação, for concebida como uma substância transcendental.

Avaliação e Críticas:

1. O que foi dito no tocante ao dualismo e ao interacionismo aplica-se também essencialmente aqui, exceto que, no caso do substancialismo, há uma pesada teologia que apela às religiões sobrenaturais, e não meramente ao raciocínio filosófico e às experiências humanas comuns. A verdade existente no substancialismo depende em grande parte da verdade das religiões dependentes da revelação divina como sua principal fonte de conhecimentos. Isso posto, o misticismo reveste-se de importância capital, quando se trata de consubstanciar as reivindicações do substancialismo. Parte desse misticismo consiste em revelação divina, e parte consiste em experiências místicas humanas.

2. As experiências perto da morte, entretanto, incluem elementos transcendentais, de natureza negativa e de natureza positiva, que se aliam de modo bem definido ao substancialismo. Michael Sabom, conforme já vimos, acredita que essas experiências têm levantado, de modo eloqüente, a questão de qual seja a verdadeira natureza do homem; e parece que a transcendência é uma consideração necessária. Até pode ser verdade, que, a longo prazo, à medida que nosso conhecimento for-se expandindo, a ciência acabe investigando a própria transcendência. E isso haverá de mostrar que a ciência *autolimitou-se* exageradamente em sua abordagem positivista lógica à realidade, onde somente à percepção dos sentidos tem lugar como fonte válida de conhecimentos. Mas talvez, nas experiências perto da morte esteja sendo construída uma ponte entre a ciência e a religião.

3. *A Morte é a Maior de Todas as Farsas*. Isso é o que o substancialismo procura ensinar-nos. O quanto os homens temem a morte! A vida inteira vivem em servidão, por causa desse temor. Eles têm uma ciência que se consagra a adiar ao máximo a morte. Alguns têm até congelado cadáveres humanos, na esperança de que a vida lhes possa ser renovada, algum dia, mediante o reavivamento da vida biológica. Tem sido levantada uma grande indústria que junta dinheiro com base na morte, com seus esquifes, cultos religiosos e cemitérios que custam muito dinheiro. No momento da morte, a fé religiosa estremece. Temos a certeza da sobrevivência da alma; mas, no momento da morte, parece que essa fé religiosa hesita. No entanto, ao que tudo indica, conforme se vê nas evidências colhidas nas experiências perto da morte, a morte é uma amiga, por ser o portão para uma vida superior. De fato, a morte é um nascimento. Se examinarmos seus elementos (conforme os mesmos são revelados através das experiências perto da morte), veremos que esses são bem parecidos com os elementos do nascimento físico. A morte, olhada por esse prisma, é a maior de todas as farsas.

Conclusão:

Este verbete sobre o problema corpo-mente não tem o intuito de ser um estudo completo e em profundidade. Todavia, é suficientemente completo para dar-nos uma noção aceitável sobre o que está envolvido. Feito isso, pode-se ver como as experiências perto da morte projetam luz sobre a questão. Isso pode ser uma valiosa contribuição, visto que o problema corpo-mente tem sido um dos mais vexatórios problemas da filosofia.

«O problema corpo-mente permanece sendo uma fonte de agudo desconforto para os filósofos. Tem havido muitas tentativas para provar que se trata de um *pseudoproblema;* mas nenhuma dessas tentativas tem ficado de pé, diante do exame detido. Tem havido muitas tentativas para encontrar solução, mas, pelo menos por enquanto, nenhuma solução destaca-se como notoriamente superior às outras. E nem parece que novas informações empíricas sejam capazes de fornecer uma solução decisiva, em favor de qualquer teoria. É bem possível que a relação entre a mente e o corpo seja uma relação final, ímpar, que não pode ser devidamente investigada e descrita pelo homem. Nesse caso, a sabedoria filosófica consistiria em desistir da tentativa de compreender a relação entre a mente e o corpo, preferindo outras relações como mais familiares ao homem, e aceitando aquela como uma anomalia»(32).

Acredito, porém, que é cedo demais para os investigadores desistirem de suas investigações. As experiências perto da morte parecem ter algo com o que contribuir. Usualmente, os limites que os homens divisam são os limites de suas próprias mentes, e não limites autênticos. Sempre será cedo demais para desistir.

Bibliografia:

(1) Taylor, Richard, *Metaphysics*, Prentice-Hall, Inc., Englewood Cliffs, N.J. 1963, págs. 17-19.

(2) Reese, W.L., *Dictionary of Philosophy and Religion*, Humanities Press Sussex, Harvester Press, N.J. 1980, pág. 336.

(3) Edwards, Paul, editor-chefe, *The Encyclopedia of Philosophy*, Macmillan Publishing Co., Nova Iorque, 1967, pág. 336.

(4) Sabom, Michael B., *Recollections of Death; A Medical Investigation*, Harper and Row, Nova Iorque, 1982, pág. 329.

(5) Sabom, ibid., págs. 173-174.

(6) Penfield, Wilder, *The Mystery of the Mind*, Princeton University Press, Princeton, Nova Jérsia, 1975, pág. 73.

(7) Sabom, ibid. pág. 186.

(8) Einstein, Albert, *The Human Side,* Helen Dukas e Benesh Hoffmann, editores, Princeton University Press, Princeton, N.J. pág. 33.

(9) Maritain, Jacques, «A Proof of the Immortality of the Soul», *Religious Belief and Philosophical Thought*, Harcourt, Brace and World, Nova Iorque, 1963, pág. 352.

(10) *Funk and Wagnall Standard Dictionary*, Nova Iorque, 1969, s.v.

(11) Fuller, B.A.G., e McMurrin, Sterling M., *A History of Modern Philosophy*, Henry Holt e Co., Nova Iorque, glossário xxxvii.

(12) Edwards, ibid., pág. 313.

(13) Reese, ibid., pág. 546.

(14) McMurrin, Sterling M., *The Philosophical Foundations of Mormon Theology*, University of Utah Press, SLC., 1962, pág. 18.

(15) Fuller, ibid., pág. 115.

(16) Reese, ibid., 328.

(17) Fuller, ibid., pág. 67.

(18) Rendel, Peter, *Introduction to the Chakras*, The Aquarian Press, Wellinborough, Northamptonshire, 1979, págs. 22-26.

(19) Tribbe, Frank G., «The Nature of Non-Material Mind: A Psychical Research Viewpoint», *The Journal of Religion and Psychical Research*, vol. 8, nº 1, 1985, pág. 30.

(20) Tribbe, ibid. pág. 32.

(21) Sabom, ibid., págs. 186-187.

(22) Sahakian, William S., Sahakian, Mabel Lewis,

PROBLEMA DO MAL

Realms of Philosophy, Schenkman, Publishing Co., Cambridge, Massachusetts, 1965, pág. 271, citando o livro de Carl Jung, *Modern Man in Search of a Soul*, Harcourt, Brace and Co., 1933.

(23) Sahakian, ibid., pág. 271.

(24) Jones, Ernest, *The Life and Work of Sigmund Freud*, Basic Books, Nova Iorque, 1957, págs. 385, 389 e 393.

Michel, Howard e Gruenke, Carol, «Did Freud Really Say, 'If I Had My Life to Live over Again, I Should Devote Myself to Psychical Research Rather than Psychoanalysis'?», The Academy of Religion and Psychical Research, Annual Conference, *Proceedings*, 1986, pág. 63.

(25) Eccles, Sir John, *The Understanding of the Brain*, McGraw, Nova Iorque, 1976; *The Human Mystery*, Springer, Verlag, 1979, conforme citado pelo *The Journal of Religion and Psychical Research*, «The Nature of Non-Material Mind», por Frank C. Tribbe, pág. 26.

(26) Reese, ibid., pág. 442.

(27) Platão, *Phaedus*, 246-257.

(28) Bentley, John Edward, *Philosophy, An Outline-History*, Littlefield Adams & Co., N.J., 1962.

(29) Fuller, ibid. pág. 152.

(30) Bentley, ibid. págs. 20,21.

(31) Scofield, C.I., *Scofield Reference Bible*, Oxford University Press, Nova Iorque, sobre Gên. 1:24.

(32) Edwards, ibid., pág. 345.

PROBLEMA DO MAL

Esboço:

I. Definição
II. A Reconciliação de Seis Elementos Aparentemente Irreconciliáveis
III. Duas Distinções
IV. Diversas Soluções Propostas
V. A Resposta do Livro de Jó

I. DEFINIÇÃO

A maldade existe e é maligna. Deus também existe e é todo-bondoso e todo-poderoso. *Como é* que podemos reconciliar estes fatos? Isto é o problema do mal. Sob a seção II, dou uma lista dos elementos que entram em choque e que complicam o problema.

Teodicéia. Esta palavra vem do grego *theos* (Deus) + *dike* (justiça). No uso, ela designa a controvérsia sobre *como* podemos reconciliar a existência do mal com a bondade e onipotência de Deus. Leibnitz usou o termo pela primeira vez em 1710. A *teodicéia* é a «Teoria para justificar a bondade de Deus em vista da existência de maldade no mundo» (MM). Na teodicéia examinamos e justificamos a conduta de Deus no mundo. Esta palavra também designa o ramo da filosofia que trata do ser, das perfeições e do governo de Deus, e da imortalidade da alma. Sendo muita larga, a *teodicéia*, neste sentido, naturalmente trata do problema do mal, especialmente nas discussões sobre conceitos do *governo divino*, mas a primeira definição é aquela que é especificamente envolvida no **problema do mal**. Ver o artigo sobre **Mal**.

II. A Reconciliação de Seis Elementos Aparentemente Irreconciliáveis

a. a onipotência divina
b. a benevolência divina
c. a existência do mal
d. o pronunciamento do julgamento inarredável contra o mal
e. a presciência de Deus que aparentemente força todos os acontecimentos, incluindo os de má natureza, ou que deixa **de impedi-los mesmos**, mediante a aplicação de medidas preventivas.
f. a doutrina bíblica da predestinação

Uma citação de *Epicuro*, que evidentemente põe em foco esse problema: «Ou Deus deseja remover o mal deste mundo, mas não pode fazê-lo; ou ele pode fazê-lo, mas não o quer; ou não tem nem a capacidade e nem a vontade de fazê-lo; ou, finalmente, ele tem tanto a capacidade como a vontade de fazê-lo. Ora, se ele tem a vontade, mas não a capacidade de fazê-lo, então isso mostra fraqueza, o que é contrário à natureza de Deus. Se ele tem a capacidade, mas não a vontade de fazê-lo, então Deus é mau, e isso não é menos contrário à sua natureza. Se ele não tem nem a capacidade e nem a vontade de fazê-lo, então Deus é ao mesmo tempo impotente e mau e, conseqüentemente, não pode ser Deus. Mas se ele tem tanto a capacidade como a vontade de remover o mal do mundo (a única posição coerente com a natureza de Deus), de onde procede o mal (unde malum?), e por que Deus não o impede?»

III. Duas Distinções

Quando falamos do **Mal**, estabelecemos duas distinções, a saber:

1. *O mal moral*, isto é, aquele que se deriva da vontade pervertida do homem, da desumanidade do homem contra os seus semelhantes.

2. *O mal natural*, ou seja, os desastres, os dilúvios, os terremotos, os incêndios, os acidentes, as enfermidades e a morte, que é o maior de todos os males naturais.

Porque esses males existem? Por que Deus permite tais condições, sabendo de antemão que acontecerão, e sendo possuidor do poder de impedi-los? Antes de tudo, por que ele permitiu que o mal entrasse no universo, se Deus é inteiramente bom, e se faz parte de nossa teologia o fato de que Deus tem o poder de governar conforme ele quiser, assim podendo impedir completamente a entrada do mal? E, finalmente, por que Deus permite que essas condições subsistam?

IV. Diversas Soluções Propostas

1. *O ponto de vista natural*. De acordo com essa posição o Deus pessoal, onipotente e benévolo é substituído. Conforme os que assim dizem, tudo quanto existe é apenas a matéria, e tudo quanto acontece é apenas movimento da matéria. Portanto, matéria em movimento é tudo quanto se pode dizer a fim de descrever a existência. Quando se remove Deus do quadro, resta somente o mal; mas esse problema é solucionado no sentido que todo o mal é meramente alguma forma de perversidade ou acontecimento adverso acidental, que atinge coisas inteiramente materiais. Por exemplo, um terremoto seria apenas um reajustamento da crosta terrestre, nada tendo a ver com um Deus que prevê o desastre ameaçador, mas não o impede. Em conseqüência disso, não há nenhuma força inteligente que, por causa desse conhecimento anterior, possa fazer cessar os acontecimentos. Assim, pois, o citado terremoto não é nenhum mal, mas tão-somente uma ocorrência mecânica.

Porém, de conformidade com esse ponto de vista, o homem é reduzido a um ser desamparado. O «existencialismo ateu», que se apega a esse parecer, chega ao extremo de dizer que o homem é uma piada da natureza. Sua existência ocorreu por puro acaso, em mundo caótico. A alma e Deus são apenas suas invenções mentais, na tentativa de impor ordem e esperança a algo que verdadeiramente é destituído de ordem, ou, pelo menos, de ordem moral, e que, certamente, não é acompanhado de esperança

PROBLEMA DO MAL

alguma.

Na realidade, esse ponto de vista somente contribui para agravar o problema do mal, porquanto não oferece para o mesmo nenhuma solução. Na verdade, declara francamente que não há solução para tal problema. Remove o mal somente na aparência, mas, na realidade, aprofunda o desespero causado pela existência do mal.

2. *O ponto de vista deísta*. Segundo essa posição, existe um Deus, que é o criador. Todavia, Deus não se faz presente no mundo, e nem mantém qualquer interesse pelo mesmo. Não galardoa e nem pune às suas criaturas morais, como o homem, e nem orienta as leis naturais que ele pôs em movimento, mas antes, abandonou-as como coisas inteiramente mecânicas, a fim de que governassem sozinhas o universo.

Mas essa posição equivale ao **ateísmo prático**, ao mesmo tempo que, teoricamente, se aferra à idéia da existência de alguma força ou forças superiores. Todavia, de acordo com todas as considerações práticas, esse ponto de vista é idêntico ao primeiro, porquanto, segundo o mesmo, não há nenhum Deus em vinculação com este mundo. E assim, até onde nos diz respeito, tudo quanto existe é apenas a matéria, e tudo quanto acontece é somente movimento. Essa era a idéia que Epicuro fazia da existência de Deus, e, com a passagem dos séculos, muitos têm vindo a aceitar tal conceito, incluindo o famoso e profano filósofo francês, Voltaire. A 1º de novembro de 1775, um terremoto matou cinqüenta mil pessoas em Lisboa, Portugal. Voltaire ficou profundamente amargurado contra Deus, por causa disso, ainda que a sua posição intelectual sobre a questão fosse o «deísmo». Ele descobriu ser possível alguém ficar amargurado contra um Deus cuja existência nega, o qual, de acordo com esse mesmo conceito, não poderia ter qualquer responsabilidade em relação ao que aconteceu.

3. *O ponto de vista do pessimismo*. Os que tomam essa posição afirmam que Deus realmente existe e é onipotente; porém, não é um Deus benévolo. Assim sendo, o mal existe realmente, e até pode ser provocado pelo exercício da vontade de Deus. Esse era o ponto de vista do filósofo alemão Schopenhauer, o qual considerava que a própria existência é um mal, tendo dito: «O maior pecado do homem é que ele nasceu». O ideal seria que todas as coisas cessassem de existir, por uma determinação da vontade universal (que teria loucura pela vida), revertendo essa sua tendência, e levando todas as coisas, inclusive a si mesmo, a desaparecerem da existência.

4. *Voluntarismo cristão*. Tudo o que importa é a vontade de Deus. Se ele salva ou condena é problema dele. Alguma coisa é certa porque ele faz. Ele não faz coisa alguma porque é certa por algum tipo de lei exterior à vontade dele. A miséria que existe no mundo existe pela vontade de Deus e quem pode se queixar? Paulo, em Rom. 9:16, utiliza esta teologia que já existia no judaísmo, mas o resto do NT, inclusive as escrituras de Paulo, ultrapassam este pessimismo. Ver *Reprovação*.

5. *Dualismo*. Ver este assunto. O bem existe; o mal existe. Nunca existiu, e nunca existirá uma reconciliação entre estes dois elementos. Continuam em guerra. O bem vai vencer, afinal, mas só no sentido de efetuar uma separação entre os dois princípios, não no sentido de eliminar o mal. Ou, segundo outros, talvez o mal vença. De qualquer maneira, o problema do mal existe justamente porque existem os dois princípios opostos que nunca serão reconciliados. Estamos no meio do conflito e sofremos as conseqüências. Zoroastrianismo (ver) é uma religião dualista.

6. *Tiquismo*. Esta palavra vem do grego *tuche* que significa *chance*. Este mundo é mesmo um mundo de caos e chance onde as coisas acontecem sem qualquer desígnio. Portanto, é inútil esperar escapar de sofrimentos e tragédias. As dores humanas, as tristezas, as doenças e a morte, afinal, constituem parte do caos geral. Este mundo é um mundo pessimista, e não adianta falar outra coisa.

7. *Tiquismo controlado*. Enquanto o mundo realmente é um lugar como é descrito sob ponto 6, o homem, por força de sua vontade, poder moral e espiritualidade pode impor desígnio sobre este mundo de caos. Ele faz isto quando aprende lições em meio à miséria e quando ele avança a despeito dos sofrimentos. Também, na prática da lei de amor, ele pode anular muitos resultados da maldade que reina neste mundo. Além disto, se ele é uma alma imortal, pouca diferença faz se ele sofre nesta esfera física. Na imortalidade, poderá descobrir bondade, paz e desígnio e assim escapar deste mundo caótico. A imortalidade curará tudo.

8. *O ponto de vista do otimismo*. A despeito de seus muitos problemas, de acordo com os que assim afirmam, o mundo é o melhor dos mundos. Alguns politeístas aceitavam a existência de algum deus ou deuses bons, que não eram, entretanto, todo-poderosos, ou seja, não eram onipotentes; e que, por isso mesmo, eram incapazes de impedir a atuação do mal sobre o mundo. De fato, conforme diziam tais indivíduos, o mal é perfeitamente real, não podendo haver certeza da esperança que o bem prevalecerá por fim.

Esse ponto de vista, infelizmente, tem sido defendido por alguns cristãos, que não aceitam a onipotência absoluta de Deus, mas que acreditam em sua bondade e em seu «grande» poder, mantendo assim a esperança de que ele conseguirá fazer com que o bem, finalmente, prevaleça.

9. *O ponto de vista cristãos;Diversas Idéias*: Seria melhor falarmos em pontos de vista crsitãos; pois nem todos os cristãos estão de acordo sobre o problema do mal. Assim sendo, devemos destacar as seguintes posições cristãs:

a. *Alguns cristãos*, conforme foi mencionado acima, aceitam a realidade do mal, mas limitando o poder de Deus, apesar de manterem a sua bondade. Esses têm a esperança de que o bem conseguirá triunfar, finalmente. O mal não seria proveniente de Deus e, sim, de outros poderes, inteligentes ou meramente mecânicos, conforme se vê na natureza; e Deus nem sempre teria perfeito controle sobre tais poderes.

b. *Teólogos-filósofos* como *Agostinho* e *Tomás de Aquino*, têm procurado solucionar o problema da existência do mal, afirmando que o «mal», como uma entidade positiva, realmente não existe. (Ver *A Cidade de Deus*, de Agostinho, cap. XI). Pelo contrário, o mal seria algo *negativo*, isto é, a ausência do bem, o vácuo, tal como o frio é a ausência do calor, ou como as trevas são a ausência da luz. O mal existiria no próprio homem, posto que no homem há um vácuo da boa influência divina. O mal seria, realmente, o bem, mal orientado, mas não uma entidade positiva, em si mesma. Isso parece explicar algumas formas de mal, de forma adequada, mas não pode explicar muitas de suas formas; e nem as mentes não-filosóficas, ou mesmo filosóficas se satisfazem inteiramente com essa explanação. Após exame, tudo se reduz a um ponto de vista «simplório» sobre a existência do mal. Foi uma posição criada para aliviar Deus de haver criado ou de estar

PROBLEMA DO MAL

permitindo o mal, o que ele poderia ter-se recusado a fazer, sendo um ser todo-poderoso, se porventura assim tivesse querido fazê-lo. Eliminar a existência do mal deste mundo, mediante alguma explicação racionalizadora, *não dá solução* ao problema, mas tãosomente oculta cruamente o mesmo, não passando tudo de um truque filosófico.

c. *Alguns cristãos* têm procurado encontrar soluções parciais, *negando a realidade da presciência de Deus*. Assim sendo, no que diz respeito à entrada do pecado no mundo, e não no tocante à escolha do homem — aceitando ou rejeitando a Cristo — Deus como que eliminou a sua própria presciência, pelo que é incapaz de impedir o mal ou de influenciar os acontecimentos dessa natureza. Mas essa posição faz de Deus menos do que Deus, e não é a posição defendida pelas Escrituras. Soluciona o problema do mal apenas parcialmente, porquanto se pode dizer que o mal é um produto inteiramente da feitura do homem, o qual, por assim dizer, apanhou Deus inteiramente de surpresa. Porém, ao solucionar assim parcialmente, o problema do mal, essa posição cria um problema, relativo ao conceito de Deus, e o resultado disso é dos mais abomináveis para a maioria dos cristãos. Agostinho mui astutamente procurou demonstrar que a «presciência» não exige necessariamente o «determinismo»; mas isso em nada nos ajuda neste ponto, porquanto tudo quanto essa posição afirma é que Deus, desconhecendo o que estava prestes a acontecer, naturalmente não foi capaz de sustar, pelo que também não é o responsável e nem é o autor do mal no mundo.

Ponto de vista do Novo Testamento. Não existe qualquer passagem neotestamentária que se lance à tentativa de dar alguma explicação completa sobre esse problema; por conseguinte, o melhor que se pode fazer é recolher implicações de vários lugares, a saber:

a. Sob hipótese alguma se pode pensar que Deus é o originador do mal; mas para muitos, o próprio fato de que ele permitiu que o mal entrasse no mundo, através da vontade pervertida, angélica ou humana, mostra-nos que deve haver *algo mais importante* para Deus realizar do que meramente impedir que a sua criação ficasse maculada pelo mal.

b. Tanto os seres angelicais como o homem foram feitos dotados de livre-arbítrio, o que significa que têm a potencialidade de se inclinarem para o mal. E essa potencialidade foi que deu margem ao fato. O fato do mal é assim atribuído à «queda», angelical ou humana (ver Gên. 1; Isa. 14:12 e *ss* e Rom. 5:12 e *ss*).

c. Mas o problema surge quando aplicamos a «presciência» de Deus e a sua onipotência, juntamente com a sua benevolência. Deus percebeu que o mal se aproximava, e poderia tê-lo impedido; no entanto, *não o fez*. Por quê? Só podemos responder que existe *algo mais importante* para Deus do que impedir o mal; que deve haver algum alvo mais elevado, que ocupou o lugar mais importante nos pensamentos de Deus. E neste ponto *contradizemos* o antigo filósofo, Epicuro, asseverando que o fato de Deus não ter impedido o mal, não tendo sido o mal uma criação divina, não pode ser tomado como uma demonstração de «malignidade» da parte de Deus.

d. Pelo menos no caso do homem, podemos atribuir uma razão pela qual Deus não impediu o mal. A fim de que o homem seja levado à transformação segundo a imagem de Cristo, é mister que seja um ser *totalmente* livre, porquanto essa é a natureza de Cristo; outrossim, o homem não poderia ser bom obrigatoriamente e, sim, por escolha própria; também teria de aprender a fazer essa escolha voluntariamente, sabendo que o bem é sempre melhor do que o mal. Somente se o homem pertencesse a essa categoria de ser é que poderia vir a ser perfeito, à semelhança de Cristo, tornando-se assim participante da natureza divina (ver Rom. 8:29; Efé. 1:23; II Ped. 1:4). Por conseguinte, a ascensão do homem, para que venha a participar da posição de Cristo, para que chegue à sua plenitude, sendo ele quem preenche a tudo em todos, só poderia tornar-se uma realidade sendo ele um ser inteiramente livre, alguém que já aprendeu, pela dura experiência, que o bem deve ser escolhido por seu próprio valor intrínseco, em vez do mal. Isso explica, pelo menos em parte, por que Deus permitiu a queda do homem, embora não tivesse sido o seu causador. Esse elevado alvo do homem é *mais importante* para Deus do que o de impedir a entrada do mal no mundo.

e. *Por que o mal continua*. O problema que indaga porque Deus permite que o mal prossiga é mais fácil de compreender e de explicar do que o problema de sua origem. Assim, pois, o mal continua existindo no mundo, pelos seguintes motivos: a. para servir de lição objetiva para o homem; b. para servir de punição contra o pecado; c. para servir de testemunha do fato de que praticar o bem é melhor do que praticar o mal; d. para servir de contraste com a verdade e a bondade de Deus, o que mostra aos homens em que consiste a santidade verdadeira, em extensão maior e mais clara do que seria possível, se o homem fosse um autômato, que jamais pudesse experimentar pessoalmente do mal (conforme fica subentendido no terceiro capítulo da epístola aos Romanos). e. Tragédias, desastres, doenças e morte, nos ensinam que somos criaturas dependentes, isto é, devemos depender de Deus para estabilidade, paz, bondade. Só em Deus temos a nossa eternidade.

Através dos resultados do pecado, que inclui o mal tanto moral como natural, porquanto tudo resulta da desordem que o pecado introduziu no universo, Deus ensina aos homens a grande lição que é melhor seguirem a ele do que a Satanás, **porquanto todas as** maçãs do diabo têm vermes ocultos e que, finalmente, o bem deverá ser livremente preferido, devido ao seu próprio valor intrínseco, de modo absoluto, sem qualquer lapso; pois de outra forma, o mal terá continuação. Essas lições são duras, mas necessárias, a fim de que seres inteligentes, como os anjos e os homens, possam tirar verdadeiro proveito da existência. O mal presentemente existente mostra-nos claramente que ele nos conduz a um alvo errado, quais os maléficos resultados do pecado, e que quanto mais intensos são esses resultados do mal, presumivelmente mais clara é a lição recebida. Por meio do mal que há no mundo, Deus é capaz de mostrar-nos quão excessivamente maligna é a natureza do pecado, e essa é a lição de que necessita o universo inteiro.

E isso nos leva a perceber que a alma humana sempre sofre o que merece, devido às suas ações, presentes ou passadas; e que, por outro lado, sempre se beneficia em face daquele bem que tiver praticado, sem importar se isso suceder nesta esfera ou em outras quaisquer.

f. *Textos e problemas*. Algumas passagens bíblicas, como o nono capítulo da epístola aos Romanos, parecem ensinar que Deus predestinou os homens para um curso que não conduz a ele, no caso dos que estão reservados para a perdição; e isso significa que o mal é o curso determinado para essa gente. De alguma maneira a vontade divina age conjuntamente com a vontade humana, produzindo esse curso, o que depreendemos mediante o confronto de certas passagens bíblicas. Devemos ter cuidado aqui para não cair no exagero do hipercalvinismo. O N.T.,

PROBLEMA — PROBLEMA SINÓPTICO

como um todo, é certamente contra esta posição, a despeito de alguns versículos que parecem ensiná-la.

Ora, essa dupla atuação também se verifica no caso da salvação pessoal. A vontade humana se utiliza do livre-arbítrio humano sem destruí-lo, ainda que não saibamos explicar como isso pode suceder. Isso é um paradoxo, isto é, um ensinamento que aparentemente se contradiz. Não temos resposta para tal paradoxo como também não descobrimos solução para como Jesus Cristo pode ser, ao mesmo tempo, divino e humano, ou para como Deus pode ser um e três, ao mesmo tempo. Todo paradoxo, aparentemente, se contradiz; porém, suas partes componentes são apenas outros tantos aspectos da mesma verdade. Porém, como é que isso pode ser, não sabemos dizer.

g. Aquilo que não podemos explicar e para o qual, na realidade, não dispomos de qualquer solução perfeita, como é o caso do problema do mal, ainda assim poderemos aplicar-lhe o princípio da *fé*. Acreditamos que o Juiz de todos tem feito e fará o que é direito, ainda que não compreendamos plenamente como isso tem sucedido. Cremos, outrossim, que o bem é o grande alvo de todo o mal, apesar de não sabermos dizer como isso acontecerá. Essa fé, juntamente com quaisquer explanações que porventura possamos formular, é melhor do que sacrificar a fé na existência e na bondade de Deus, ou do que o enfraquecimento ou a eliminação de qualquer outro de seus atributos, como o seu poder, o seu conhecimento ou a sua benevolência, conforme todos os outros sistemas são forçados a fazer.

h. A missão de Cristo tem efeitos *absolutamente universais*. Efé. 1:9,10,23, e não pode falhar. Isto aprendemos de passagens como Col. 1:16, Efé. 1:23 e I Ped. 3:18—4:6. Estes versículos ensinam um «humanismo cristão», no qual, afinal, Cristo recebe de novo tudo que ele criou, e para o bemestar de tudo e todos. Isto não fará de todos, «eleitos», mas certamente resolverá completamente o problema do mal.

Não podemos chegar ao ponto da blasfêmia que assevera, conforme têm dito alguns: «Se eu fosse Deus, teria criado um mundo melhor», ficando assim subentendido que não existe nenhum Deus criador. E nem podemos ser queixosos, a exemplo do poeta que disse:

Se eu fosse Deus...
......
Se eu fosse Deus...
......
Não haveria mais: o adeus solene,
A vingança, a maldade, o ódio medonho,
E o maior mal, que a todos anteponho,
A sede, a fome da cobiça infrene!
Eu exterminaria a enfermidade,
Todas as dores da senilidade,
......
A criação inteira alteraria,
Porém, se eu fosse Deus...

(Martins Fontes, Santos, 1884-1937).

Pelo contrário, convém que reiteremos as palavras daquele outro poeta, que escreveu:

Oh, podemos ainda confiar que de algum modo o bem
Será o alvo final do mal,
Das dores da natureza, dos pecados da vontade,
Dos defeitos da dúvida, e das manchas de sangue;
Que nada caminha sem alvo
Que nenhuma única vida será destruída;
Ou lançada como refugo no vazio,
Quando Deus completar a pilha.

Que nem um verme é ferido em vão;
Que nem uma mariposa com vão desejo
É lançada em uma chama infrutífera,
Senão para servir ao ganho de outra.

Eis que de coisa alguma sabemos;
Penso tão-somente confiar que o bem sobrevirá
Finalmente — de longe — finalmente, para todos,
E que todo inverno se tornará em primavera.

Assim se descortina o meu sonho: porém, que sou eu?
Um infante a clamar à noite:
Um infante a clamar pedindo luz;
E sem linguagem, mas apenas com um clamor.
(Alfred Lord Tennyson, 1809-1892).

A **Restauração** (vide) anulará o problema do mal.

V. A Resposta do Livro de Jó

Jó é o único livro da Bíblia que aborda especificamente, o problema do mal. Os «amigos» de Jó propuseram a teoria comum de que todo sofrimento pode ser atribuído a anteriores atos malignos da parte do sofredor. Porém, a resposta finalmente dada por Jó foi *a Presença*. Vale dizer, na presença de Deus *sentimos* que tudo vai bem com o mundo, afinal de contas.

PROBLEMA SINÓPTICO

Esboço:
 I. A Palavra «Sinóptico»
 II. Exposição do Problema
 III. Idéias Sobre a Origem dos Evangelhos Sinópticos
   1. Teoria do *não-documento*
   2. Teoria do documento *único*
   3. Teoria dos *dois* documentos
   4. Teoria dos *quatro* documentos
 IV. Marcos, Principal Fonte (*Histórica*) dos Sinópticos
 V. Bibliografia
 VI. Ilustração das Similaridades e Diferenças entre os Evangelhos Sinópticos

I. A Palavra «Sinóptico»

O termo *sinóptico* se deriva do grego *synoptikos*, forma adjetivada de «synopsis», formada de *syn* (com) e *opsis* (vista), o que, aplicado aos evangelhos, veio a significar «vistos de um ponto de vista comum». Isso significa que os três evangelhos chamados «sinópticos» encaram a vida, os ensinamentos e a significação da vida de Jesus do mesmo ponto de vista, em contraste com o ângulo de João, cuja apresentação é bem diferente. Pode reconstituir uma harmonia passável com os evangelhos sinópticos, que registram a vida de Jesus na Galiléia, com algumas viagens laterais a outros lugares. Mas o evangelho de João se limita quase inteiramente ao que Jesus disse e fez na área de Jerusalém, razão por que dificilmente se adapta às narrativas dos evangelhos sinópticos com exatidão. A razão desse ponto de vista comum, conforme agora se reconhece quase universalmente, é que Mateus e Lucas usaram o anterior evangelho de Marcos como seu esboço histórico. Mateus *não segue servilmente* a ordem de eventos da narrativa de Marcos, mas adapta esses eventos em cinco grandes blocos de ensinamentos, o que constitui o âmago de seu evangelho. Esses blocos são os caps. 3—7; 8—10; 11—13; 14—18 e 19—25. A fim de acomodar o esboço histórico de Marcos a seus blocos didáticos, foi mister rearranjar a ordem de alguns dos acontecimentos. Lucas, por outro lado, quase sempre conserva a ordem de acontecimentos exposta por Marcos, mas omite uma seção bastante longa (a maior parte dos caps. 6—8), e

410

PROBLEMA SINÓPTICO

faz duas longas inserções no material de Marcos, que ele recolhera de outras fontes informativas. Grande parte dessas inserções de Lucas **se acha** em Mateus, mas esparsas, e não da forma condensada em um número específico de seções. Mateus e Lucas adicionam à narrativa histórica de Marcos muitos ensinamentos de Jesus, pois o evangelho original continha pouquíssimo desse material. Dispunham de algum material comum, mas também de algum material distinto, pelo que variam não somente de Marcos, mas também um do outro. Devido a essas diferenças (amplamente comentadas em III.4 e V deste artigo), é que temos três evangelhos distintos. Mas, devido às suas similaridades, sobretudo, um esboço histórico em comum, na realidade apresentam um *ponto de vista comum*, no tocante à vida e aos ensinamentos de Jesus, sendo apropriadamente chamados «sinópticos». Outrossim, o material diversificado que há neles não é contraditório, mas antes, suplementar; pelo que até mesmo suas diferenças não diminuem seu caráter «sinóptico».

II. Exposição do Problema

É bem mais **fácil** expor a natureza do **problem** das «fontes informativas dos evangelhos sinópticos» do que *afirmar* qualquer conclusão certa. Desde os primeiros anos, após sua produção, sempre se reconheceu que os três evangelhos, Mateus, Marcos e Lucas, são mui similares em conteúdo e apresentação. Essa semelhança aparece não só no plano geral da narrativa histórica e dos ensinamentos, mas até nos termos escolhidos para expressar essas coisas. É quase impossível evitar a conclusão de que houve um empréstimo de uns aos outros, ou, pelo menos, de fontes informativas comuns. Talvez houve tanto um «empréstimo» direto como o «uso comum» de certas fontes. O «problema sinóptico» alude àquela «dificuldade» que está envolvida na determinação, com qualquer precisão, das relações exatas entre os evangelhos de Mateus, Marcos e Lucas; e isso, naturalmente, envolve a dificuldade de determinar quais foram as «fontes informativas» desses evangelhos.

Pode-se postular certo número de perguntas que incorporam em si mesmas a essência do problema sinóptico:

1. Os evangelhos foram escritos «independentemente» uns dos outros, sem qualquer fonte comum oral e escrita, sendo narrativas somente feitas de memória?

2. Se houve fontes comuns escritas ou orais, de que *natureza* e *quantas* eram elas?

3. Qual dos evangelhos sinópticos é *primário*? E esse evangelho foi usado diretamente como fonte de informação pelos demais evangelistas? Nesse caso, como explicar as diferenças, até mesmo no material usado em comum?

4. Qual foi a *fonte* de material usado pelos evangelhos não-primários, naquilo em que estão de acordo entre si, nas passagens que não figuram em Marcos?

5. Quando um evangelho não-primário tem material peculiar a si mesmo, qual foi sua *fonte informativa*?

6. Quais foram *as fontes* informativas do evangelho primário?

As discussões que se seguem dão resposta a todas essas indagações, embora não na ordem em que elas são feitas aqui. No fim da discussão sobre a «Teoria dos quatro documentos», ponto 4, seção III, são dadas as respostas a essas perguntas, de forma abreviada, e na ordem em que são aqui alistadas.

III. Idéias Sobre a Origem dos Evangelhos Sinópticos

1. *Teoria do não-documento*

Essa é a idéia que diz que os chamados evangelhos sinópticos se desenvolveram independentemente uns dos outros, sem qualquer «fonte comum» na tradição oral ou escrita. Segundo essa posição, supõe-se que os vários autores apenas escreveram o que tinham visto ou ouvido, sem consultarem a qualquer fonte informativa comum.

Essa é uma maneira muito simplória de considerar o problema, que não pode resistir nem mesmo a uma investigação superficial. Todos os estudiosos do Novo Testamento repelem essa idéia, e algumas das razões dessas rejeições são as seguintes:

a. As obras e palavras de Jesus foram vastíssimas (João 20:30 e 21:25). De acordo com a teoria do «não-documento», como se pode explicar por que os três autores dos evangelhos de Mateus, Marcos e Lucas acertaram com o mesmo esboço histórico, já que se tratava apenas de um «esboço»? Por que escolheram os mesmos acontecimentos «representativos», quando poderiam ter selecionado muitos outros? Os evangelhos sinópticos contam com cerca de oitenta e cinco por cento de material em comum, isto é, material registrado pelo menos por dois dentre os três, e a similaridade do material *histórico* ainda é mais notável. Isso jamais poderia ter ocorrido, a menos que houvesse alguma interdependência, ou mediante empréstimo direto, ou mediante a utilização de fontes informativas comuns.

b. Com base na teoria do *não-documento*, é impossível explicar o emprego de palavras e frases idênticas, parágrafos quase idênticos, pelos três evangelhos, ao descreverem um mesmo evento, ou ao relatarem algum ensinamento de Jesus. Se não usaram fontes informativas comuns, poderíamos esperar com razão a mesma história em «geral», ensinamentos expostos mais ou menos da mesma forma, e com algumas expressões em comum; porém, a similaridade, e às vezes a «igualdade» de palavras, frases e narrativas são grandes demais para supormos que as relações entre os evangelhos sinópticos são acidentais. Tomemos, por exemplo, o caso da cura do paralítico (Mar. 2:10; Mat. 9:6 e Luc. 5:24). Jesus, respondendo a seus críticos, diz: «Ora, para que saibais que o Filho do homem tem sobre a terra autoridade para perdoar pecados — disse ao paralítico... Levanta-te...» Todos os três evangelistas concordam, sem qualquer variação, nas palavras exatas da declaração de Jesus, e interrompem todos com o mesmo parêntese um tanto desajeitado, e no mesmo ponto. É impossível supor que todos os três autores poderiam ter produzido isso, incorporando o mesmo parêntese um tanto infeliz, se não compartilharam da mesma fonte em comum, que também trazia a narrativa desse modo, ou a menos que Mateus e Lucas simplesmente estavam usando Marcos como sua fonte informativa. Outro tanto sucede aos vocábulos, até mesmo raros. Em Mar. 9:42 temos a expressão «pedra de moinho» (no grego, literalmente, é «pedra de moinho girada por um asno», o que é expressão extremamente incomum). No entanto, Mat. 18:6 a reproduz. Em Mar. 13:20 temos «Não tivesse o Senhor 'abreviado' aqueles dias...», palavras que literalmente significam «tivesse mutilado», o que é expressão raríssima, pois não é utilizada para outra coisa senão para mutilações físicas. No entanto, no paralelo de Mat. 24:22, o mesmo uso é duplicado. Esses exemplos poderiam ser multiplicados grandemente pela simples comparação das diversas narrati-

PROBLEMA SINÓPTICO

vas.

c. Papias, discípulo de João (apóstolo), nos diz que Marcos não registrou os acontecimentos da vida de Jesus necessariamente na ordem em que sucederam. Sendo fato que a ordem de acontecimentos em Marcos nem sempre reflete os fatos históricos, como pode ser que os autores de Mateus e Lucas registram de modo geral a mesma ordem de acontecimentos? Se porventura escreveram de memória, quase certamente teriam corrigido a ordem dada por Marcos, apresentando ordens diversas para os acontecimentos da vida de Jesus. Outrossim, se tivessem escrito de memória, sem qualquer interdependência, é certo que não teria tanto acordo quanto há no tocante à ordem dos eventos, pois muitos anos se tinham escoado desde sua ocorrência até que foram registrados, permitindo tempo para que lapsos de memória influíssem sobre a ordem dos acontecimentos. (Ver as citações de Papias em Eusébio, História Eclesiástica III. 39.15).

2. Teoria do documento único

Alguns estudiosos supõem que os evangelhos sinópticos tiveram um único documento como fonte informativa, que seus autores usaram em comum. As diferenças surgiram quando cada autor modificou, **apagou ou adicionou** material. Esse «documento» poderia ter sido escrito ou era uma «tradição oral» padronizada de alguma sorte, que serviu de fonte única postulada.

Essa teoria, naturalmente, é rejeitada pela esmagadora maioria dos eruditos, pelas seguintes razões:

a. Embora a teoria do «documento único» seja superior àquela que fora ventilada, não oferece qualquer solução razoável para a inquirição nas naturezas diversas dos três evangelhos sinópticos. Pois resta ainda inquirir sobre o material que foi *adicionado* ao proposto documento único. Pois o que foi adicionado se reveste de natureza significativa. Em outras palavras, o que os evangelhos sinópticos têm em comum pode permitir-nos supor que esses evangelhos não tinham «um único documento» em comum, e essa seria a fonte informativa que lhes emprestou o seu esboço histórico. Porém, essa suposição de modo algum avançaria o nosso conhecimento acerca da fonte informativa comum dos «ensinamentos» apresentados por Mateus e Lucas, que Marcos ou não possuía, ou preferiu não utilizar. Se o documento original incluía os «ensinamentos», então não podemos imaginar por que razão preferiu apagar os mesmos, assim produzindo um evangelho «magro». A fonte informativa dos *ensinamentos* Q, consiste de cerca de duzentos e cinqüenta versículos. Marcos sob hipótese alguma teria deixado de lado tão grande acúmulo de tão excelente material.

b. *Igualmente difíceis* de explicar seria o que se convencionou chamar matérias M e L, ou seja, aquelas narrativas e acontecimentos, juntamente com ensinamentos, que somente Mateus registra (M), ou que somente Lucas registra (L). Dificilmente esse material poderia fazer parte de um «único documento» original, que foi usado por todos os três evangelistas. A matéria é suficientemente extensa para mostrar que devem ter sido usadas fontes informativas reais, pois não podem ter sido produto de mera imaginação ou adorno literário. A fonte informativa M consiste de cerca de 300 versículos (ou seja, uma terça parte da totalidade do volume do evangelho de Mateus), que só Mateus contém. A fonte informativa L equivale a cerca de quarenta por cento do volume total de Lucas, e só ele contém esse material. Essa tão grande adição proporcional dificilmente é devida à imaginação dos autores sagrados, e nem se pode pensar que Marcos omitiu os denominados materiais M e L, se o «único» documento usado por todos eles como fonte, os continha. (A natureza mais exata das supostas fontes adicionais, como Q, M, L, é debatida em III.4, sob o título «Teoria dos Quatro Documentos»; e pormenores às peculiaridades de cada um deles).

c. *O testemunho do prólogo* de Lucas (1:1) é definidamente contrário à teoria do «documento único», pois afirma especificamente que havia muitas fontes, indicando claramente que vários outros também já haviam escrito. Quando alguém «empreende uma narração», usualmente fá-lo em forma escrita, e Lucas diz que muitos já se tinham atarefado em tal atividade. A verdade da questão parece ser que Lucas, pelo menos, se utilizou de muitas fontes informativas, tanto orais quanto escritas.

3. Teoria dos dois documentos

Quase todos os eruditos que estudam tais questões, consideram Marcos como o evangelho original (pelo menos dentre os que conhecemos hoje em dia); e que esse evangelho foi usado como base do esboço histórico de Mateus e Lucas é posição firme de muitos. Na seção IV deste artigo, há provas abundantes em apoio a essa reivindicação. A Marcos, como «fonte histórica», alguns acrescentam Q, a fonte didática, isto é, os «ensinamentos de Jesus» (cerca de 250 versículos), que Mateus e Lucas têm em comum, mas não Marcos. O símbolo Q vem do alemão «quelle», que significa «fonte», e indica especificamente um conjunto de ensinamentos de Jesus.

A fim de ilustrar a teoria dos «dois documentos», apresentamos o diagrama abaixo:

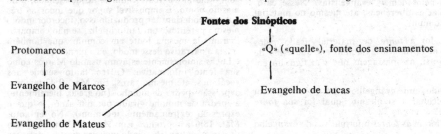

Fontes dos Sinópticos

Protomarcos

Evangelho de Marcos

Evangelho de Mateus

«Q» («quelle»), fonte dos ensinamentos

Evangelho de Lucas

(Quanto a uma explicação das fontes de Marcos — o protomarcos — ver III.4, a «Teoria dos Quatro Documentos»). Supomos que Marcos usou várias fontes orais e escritas, incluindo a tradição preservada na igreja de Roma e as memórias de Pedro. Mateus e Lucas, por sua vez, se utilizaram do evangelho de Marcos, pelo que dispuseram do esboço histórico em geral, além de alguns ensinamentos de Jesus. E a isso

PROBLEMA SINÓPTICO

ambos adicionaram os «ensinamentos» ou Q.

A *idéia da fonte* em «dois documentos», porém, imediatamente ficou sujeita à crítica, pois ainda resta explicar os 40% de material lucano (*L*), bem como 1/3 do material de Mateus (*M*), que não provieram nem de Marcos e nem de *Q*, que são substanciais e obviamente autênticos, — forçando-nos a postular fontes informativas adicionais, provavelmente em forma escrita. Lucas, por exemplo, conta com 16 parábolas que lhe são totalmente peculiares. Ele não teria criado essas histórias sobre Jesus. Podemos meramente crer que Lucas pôde recolher algures essas parábolas de Jesus, e que constituem uma fonte da qual Marcos e Mateus não dispuseram. Por igual modo, Mateus tem 10 parábolas que não se acham nem em Lucas e nem em Marcos, pelo que deve ter tido acesso a documentos ou, pelo menos, a um documento, sobre o qual os outros nunca puseram as mãos, por ignorarem-no totalmente. Além disso, no tocante a algum material usado por Mateus, Lucas tem apenas em forma abreviada e fragmentar. Por exemplo, o Sermão da Montanha. Lucas tem fragmentos do mesmo, dispersos por seu livro. É difícil crer que ele usou a mesma fonte informativa que Mateus usou nesse caso; mas tinha algum material similar e idêntico, embora em menor quantidade, paralelo à fonte informativa usada por Mateus. Lucas registra a parábola do credor com dois devedores (7:41-50), do bom samaritano (10:25-37), do amigo importuno (11:5-10), do rico insensato (12:16-21), da figueira estéril (13:18,19), quatro outras parábolas (14:7-33), da moeda perdida (15:8-10), seis outras parábolas (15:11-18:8), além de sete milagres (4:30; 5:1; 7:11; 13:11; 14:1; 17:11; 22:50), sobre os quais os outros nada dizem. Deve ter havido alguma fonte informativa ou mesmo várias para esse material empregado exclusivamente por Lucas. Além das dez parábolas peculiares a Mateus, há três milagres que somente esse evangelho encerra (9:27; 9:32 e 17:24). Torna-se bem evidente, pois, que houve mais fontes informativas envolvidas na compilação dos evangelhos do que meramente os dois propostos pela teoria dos «Dois Documentos».

4. Teoria dos quatro documentos

Nenhum erudito moderno diria que a teoria dos «quatro documentos» se aproxima da perfeição, e nem que nos dá o quadro mais completo da verdade dos fatos. No entanto, de modo geral, essa teoria nos fornece uma boa maneira de «abordar» o problema, e, como teoria, certamente tem sido mais frutífera que as outras que já foram propostas. É possível que mais fontes informativas estejam envolvidas, e não somente quatro; mas é igualmente possível que muitas coisas declaradas nessa teoria sejam válidas, ainda que não possamos proferir qualquer resposta absoluta no caso do problema das fontes informativas.

Diagrama Ilustrativo da Teoria dos Quatro Documentos

FONTES DOS SINÓPTICOS

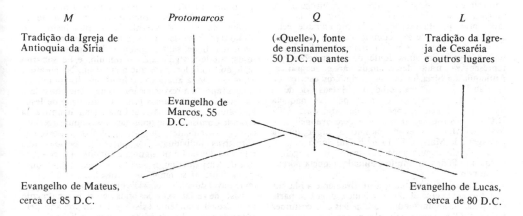

Explicação das Fontes Informativas:

1. O Protomarcos

Ao considerarmos esse tema, abordamos uma série inteiramente nova de problemas e debates. No artigo sobre o evangelho de Marcos, seção 6, a questão é discutida. Aqui, pois, expomos somente conclusões. Certos testemunhos antigos, e especificamente Papias (discípulo de João ou do *presbítero*) vinculados com trechos do próprio evangelho, mostram que uma porção central de Marcos se baseia no testemunho ocular apostólico, a saber, o de Pedro. Mediante outras referências do N.T. (fora do evangelho de Marcos), ficamos sabendo que Marcos e **Pedro foram associados,** pelo que não teria havido problema para Marcos compilar grande parte de seu evangelho através de informações que lhe fossem dadas diretamente por Pedro. Portanto, embora não tenha sido escrito por uma testemunha ocular, o evangelho de Marcos conta com o respaldo da autoridade apostólica. (Ver I Ped. 5:13, onde Marcos é chamado por Pedro de seu «filho»). A maioria dos eruditos crê que por detrás do testemunho de Pedro temos a tradição da igreja de Roma, pois Marcos é o evangelho romano. Cada um dos principais centros cristãos se tornou depósito de certo número de tradições, escritas ou orais, da parte de testemunhas oculares, ou mediante relatos em segunda ou terceira mão. Vários desses centros do cristianismo se tornaram fontes informativas dos evangelistas que escreveram evangelhos canônicos. Além disso, devemos supor que algum material de Marcos proveio de tradições orais e escritas, algumas apostólicas (baseadas em outros apóstolos além de Pedro), e

PROBLEMA SINÓPTICO

outras de testemunhas secundárias, as quais não tinham participado dos próprios acontecimentos, mas conheciam pessoas que haviam participado dos mesmos. Sem dúvida, algumas narrativas sobre a vida de Jesus, e alguns de seus ensinamentos, foram preservados para os evangelhos mediante uma única testemunha, e não mediante uma comunidade eclesiástica. O trecho de Luc. 1:1 indica que muitos já tinham posto em forma escrita a vida de Jesus. É possível, pois, enquanto procuramos reduzir nossos principais testemunhos a supostos «quatro» na realidade tenha havido muito mais que isso. Todavia, com «quatro» se pode classificar, de modo geral, as fontes informativas dos evangelhos sinópticos.

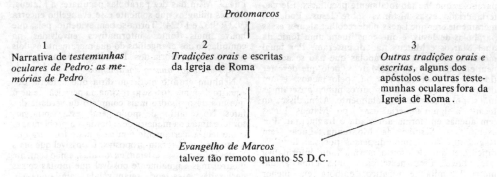

DIAGRAMA DAS FONTES INFORMATIVAS DE MARCOS

Protomarcos

1. Narrativa de *testemunhas oculares de Pedro*: as memórias de Pedro

2. *Tradições orais* e escritas da Igreja de Roma

3. *Outras tradições orais e escritas*, alguns dos apóstolos e outras testemunhas oculares fora da Igreja de Roma.

Evangelho de Marcos talvez tão remoto quanto 55 D.C.

2. M — tradição da Igreja de Antioquia. Muitos crêem que o evangelho de Mateus foi escrito em Antioquia da Síria. Se isso é verdade, então naturalmente o autor sagrado teria se utilizado de material preservado naquela comunidade eclesiástica, tanto oral quanto escrito. Cada comunidade eclesiástica «isolou» certo acúmulo de matéria válida acerca da vida e dos ensinamentos de Jesus, tornando-se assim uma fonte de informações que representava uma determinada área geográfica. Antioquia da Síria foi um dos primeiros centros do cristianismo, e o evangelho de Mateus, desde o começo, foi o evangelho mais popular naquela localidade. Inácio, supervisor de Antioquia (107 D.C.?), mostrou sua preferência pelo evangelho de Mateus. Alguns chegam mesmo a supor que a passagem de Mat. 16:17-19 tenha sido uma adição, feita naquela comunidade, ao texto do evangelho, porquanto Pedro era muito estimado naquela porção do mundo.

M — aquilo que pertence distintivamente a Mateus — representa cerca de 300 versículos, uma boa parte dos quais, de algum modo, trata de leis e de costumes judaicos. Observando isso, alguns eruditos preferem identificar com M a «Judéia» ou mesmo «Jerusalém», e, nesse caso, a igreja de Jerusalém seria a fonte informativa. Alguns, que identificam M com Jerusalém, então identificam Q com Antioquia. Outros identificam M com o partido judaizante extremo de Jerusalém, embora a evidência em torno disso não seja muito convincente.

Material M. Consiste do seguinte: a genealogia (1:1-16); algumas narrativas como as dos magos (2:1-12), várias parábolas, como as que se acham em 13:36-43,44,45,46,47-50; 18:23-35; 20:1-16; 21:28-32; 22:1-14; 25:1-13,31-46. Mateus conta três milagres que os outros não narram: a cura dos dois cegos (9:27); a cura do endemoninhado (9:32); e a moeda na boca do peixe (17:24). Além disso, as questões atinentes ao julgamento, crucificação e ressurreição, embora tomadas largamente por empréstimo de Marcos, aqui e acolá exibem alguns detalhes e narrativas em Mateus, que não figuram em qualquer outra porção. Mateus diz especificamente que o dinheiro oferecido a Judas foi trinta moedas de prata; identifica Judas como traidor, por ocasião da última ceia, o que Marcos não faz; conta a história do sonho da esposa de Pilatos, e fala do terremoto e da ressurreição de santos quando da crucificação de Jesus; alude à vigília ante o túmulo, e ao suborno dado aos soldados, para que mentissem. No entanto, Mateus omite a aparição de Jesus aos discípulos, na Judéia (após sua ressurreição), e não menciona o fato da ascensão, embora nos forneça a aparição de Jesus na Galiléia, além de não dar uma forma distintiva da Grande Comissão. Algumas das coisas aqui sugeridas como provenientes de M, poderiam provir de narrativas individuais, da parte de pessoas não relacionadas de forma alguma à comunidade eclesiástica de Antioquia ou de Jerusalém, ou de onde quer que a fonte M se tenha desenvolvido. Contudo, não pode haver dúvida razoável de que um documento (que consiste de várias tradições orais e escritas, finalmente registradas) realmente existia e foi empregado pelo autor do evangelho de Mateus, uma tradição de que ele dispunha, mas fora do acesso dos demais evangelistas sinópticos.

3. A fonte Q (quelle). Cerca de 250 a 300 versículos são preservados em comum por Mateus e Lucas, os *ensinamentos* de Jesus, que não são registrados por Marcos. Supõe-se, pois, que esse bloco de material veio de uma fonte que aqueles dois autores tiveram, mas que Marcos não conhecia, ou que ignorou (mais provavelmente a primeira possibilidade). Alguns eruditos têm pensado que Q foi o documento a que Papias aludiu como «Oráculos do Senhor», da autoria de Mateus. Aquele documento, entretanto, foi escrito em aramaico, ao passo que o evangelho de Mateus foi todo escrito em grego. Todavia, não é impossível que os «Oráculos do Senhor», escritos por Mateus, sejam uma fonte de Q, ou pelo menos, estejam relacionados a ela. Talvez a

PROBLEMA SINÓPTICO

fonte Q seja uma tradução daqueles oráculos, ou, pelo menos, estivesse baseada nos mesmos. É altamente improvável porém, que os «Oráculos do Senhor» sejam a mesma coisa que o evangelho de Mateus, conforme pensavam vários estudiosos da antiguidade, pois não há nenhuma evidência de que Mateus seja tradução proveniente do aramaico. Seja como for, sem importar quais sejam as relações entre Q e os *Oráculos*, é improvável que Lucas simplesmente tenha copiado informações de Mateus, incluindo apenas esta porção, porquanto se ele contasse com uma cópia do evangelho de Mateus, é quase certo que teria incluído muito mais do mesmo do que o material Q. Pelo contrário, houve uma fonte informativa, como os «Oráculos do Senhor», a qual ambos tiveram acesso. Não existem boas evidências de que Mateus dependeu de Lucas, ou vice-versa; mas a evidência esmagadora é que ambos se estribaram em uma fonte informativa comum, a qual identificamos pela letra Q.

O material Q. Consiste do seguinte: já que essa fonte inclue essencialmente os ensinamentos de Jesus, consiste principalmente de parábolas: Mat. 7:24-47 com Luc. 6:47-49; Mat. 12:43-45 com Luc. 11:24-26; Mat. 13:33 com Luc. 13:20,21; Mat. 18:12-14 com Luc. 15:3-7; Mat. 24:42-44 com Lucas 12:36-40; Mat. 24:45-51 com Luc. 12:42-48; Mat. 25:14-30 com Luc. 19:11-27. Alguns também incluem nessa fonte certas narrativas, como a forma adornada da história da tentação, a narrativa sobre o servo do centurião de Cafarnaum, e algum material concernente a João Batista.

Alguns eruditos têm atacado a própria *existência* de qualquer documento Q, pelo que normalmente a existência do material Mateus-Lucas é explicada com base em duas tradições «justapostas», mas um tanto diversas, tendo Mateus se alicerçado em uma delas, ao passo que Lucas se baseou na outra. Mas outros estudiosos simplesmente supõem um — empréstimo — direto de Mateus a Lucas, ou de Lucas a Mateus. Apesar disso ser possível, é extremamente improvável que Mateus, ao utilizar-se de Lucas, tenha omitido nada menos que dezesseis parábolas e muito outro material, algum dele de cunho histórico. Se Lucas copiou de Mateus, então por que ele omitiu dez parábolas e três milagres, e por que ele não procurou reconciliar suas narrativas do nascimento e sua genealogia ao que Mateus escreveu, ou por que não incorporou em seu evangelho certas narrativas, sobretudo acerca dos incidentes iniciais da vida de Jesus? Parece que se houve qualquer empréstimo direto, Mateus e Lucas seriam muito mais parecidos um com o outro, do mesmo modo que quase a totalidade do evangelho de Marcos foi incorporada por Mateus e Lucas, simplesmente porque Marcos foi verdadeiramente usado como fonte informativa de ambos. Se Mateus de fato tivesse sido uma das fontes informativas de Lucas, teríamos um evangelho lucano bem maior; pois se Lucas achou por bem usar cerca de 60% de Marcos, incorporando em seu evangelho seis grandes blocos de material, é provável que ele não tivesse usado menor proporção do evangelho de Mateus. Nesse caso, ele teria usado bem mais material, e o material comum a Mateus e Lucas certamente ultrapassaria a 250 versículos. Mas as diferenças entre Mateus e Lucas são simplesmente grandes demais para supor-se que houve qualquer «interdependência». O evangelho de Mateus incorpora 600 dos 661 versículos de Marcos; e se o autor de Mateus tivesse usado Lucas como fonte informativa, teria produzido um evangelho bem mais amplo. Por que ele teria usado tanto de Marcos, e comparativamente tão pouco de Lucas?

Por conseguinte, apesar de não podermos *provar* a existência da fonte Q, da mesma maneira irrefutável com que podemos «provar» que Marcos foi usado como fonte tanto de Mateus como de Lucas, esse conceito é o melhor que já foi apresentado para explicar o material comum em Mateus e Lucas, no tocante aos «ensinamentos» de Jesus. Todavia, no presente é impossível fazer qualquer descrição veraz do material Q. E porções daquilo que atribuímos a Q, poderiam pertencer a outra fonte que continha material similar, de tal modo que cada autor sagrado se utilizou de mais de uma fonte, que continha material parecido, embora o produto final tenha resultado similar.

4. Fonte L — tradição da igreja de Cesaréia? Essa suposta fonte informativa representa cerca de 40% do volume de Lucas, e envolve tanto ensinamento quanto narrativa histórica. A tradição antiga associa Lucas a Antioquia, mas isso não quer dizer que ele tenha escrito ali o seu evangelho, como se houvesse se valido das tradições existentes naquela cidade. Alguns supõem que o evangelho de Lucas foi escrito em Roma; mas outros pensam em Éfeso ou Corinto. O fato é que, historicamente falando, não podemos vincular textualmente o evangelho de Lucas a qualquer lugar específico. O livro de Atos mostra-nos que Lucas acompanhou Paulo em muitas de suas viagens missionárias; mas Lucas quase certamente escreveu o seu evangelho após as experiências narradas no livro de Atos, pelo que nenhuma localização geográfica pode ser demarcada como local onde ele escreveu seu livro. Alguns estudiosos vêem evidências, no próprio material lucano, de uma origem palestina, sobretudo no tocante a algumas parábolas. Porém, qualquer material «palestino» com facilidade poderia ter sido preservado na igreja de Cesaréia ou em qualquer outro lugar, tendo sido compilado ali, e não em Jerusalém. De acordo com a tradição antimarcionita, após o falecimento de Paulo, Lucas continuou seu ministério na Beócia, na Grécia, até a idade de 84 anos; e, nesse caso, seu evangelho pode ter sido escrito ali. Contudo, o próprio Lucas nos fala de suas investigações e pesquisas (Luc. 1:1-3), sendo perfeitamente possível que L, seu material distintivo, realmente seja uma *compilação* de achados baseados em tradições derivadas de muitos lugares e de muitas pessoas, algumas das quais seriam narrativas feitas por testemunhas oculares diretas, apostólicas ou não, ao passo que outras seriam narrativas em segunda mão. Com facilidade ele poderia ter interrogado os setenta discípulos, tanto quanto os onze apóstolos originais; e por que motivo duvidaríamos que grande parte de seu material, que outros evangelhos não possuem, se tenha originado de suas extensas pesquisas? Já que Cesaréia foi um dos primeiros centros cristãos, parte da sua fonte informativa L, poderia ter-se alicerçado sobre as tradições daquele lugar.

O material L. Consiste do seguinte: o material distintivamente lucano são as palavras que estão em Luc. 7:36-50; 10:25-37; 11:5-10; 12:16-21; 13:6-9; 14:7-11; 14:16-24; 14:28-30; 14:32-33; 15:7-10; 15:11-32; 16:19-31; 17:7-10; 18:1-8; 18:9-14. Ele registra seis milagres que os demais não fazem: Luc. 5:1; 7:11; 13:11; 14:1; 17:11 e 22:50. A isso precisamos acrescentar os capítulos introdutórios ao evangelho, a genealogia e certas «narrativas sobre o nascimento», bem como uma «longa viagem a Jerusalém» para celebração da última Páscoa (que alguns estudiosos denominam «Documento de Viagem», que tem boa porção de material histórico, além de declarações de Jesus), Luc. 9:51—18:14. A seção de Luc. 6:20—8:3, também não pertence a Marcos; e na

PROBLEMA SINÓPTICO

história da *última semana* da vida terrena de Jesus, encontramos a adição de vários detalhes que não se acham na história de Marcos. Entre tais detalhes temos o «suor como sangue», no jardim do Getsêmani, a declaração que diz: «Pai, perdoa-lhes, porque...», a conversa dos ladrões na cruz, a promessa do paraíso a um deles, a caminhada até Emaús, uma aparição de Jesus em Jerusalém, após a ressurreição, a ascensão, e a volta dos seguidores de Jesus a Jerusalém, a fim de adorarem. Não resta dúvidas de que Lucas seguiu uma tradição diferente, nessas narrativas, em confronto com aquilo que Marcos soube.

Tal como no caso da fonte informativa Q, alguns estudiosos têm duvidado da própria existência de *L*, como fonte isolada, preferindo supor que em seu lugar houve muitas fontes informativas miscelâneas, ou mesmo que Lucas meramente desertou de seu posto de historiador, e *compôs* vários incidentes e parábolas, que figuram somente em seu evangelho, e não nos outros. É bem mais provável, porém, que Lucas fosse homem honesto, capaz de descobrir muitas coisas que outros não descobriram, tendo-os reunido em uma «compilação». A isso chamamos de *L* e não nos sentimos na obrigação de associar esse material a qualquer dada comunidade eclesiástica. A fonte *L* certamente resulta da pesquisa mencionada em Luc. 1:1-3. Apesar de não ter sido alguma «fonte isolada», como pode ter sido o caso de *Q*, não obstante, tratava-se de composição escrita, cuidadosamente preparada por Lucas, que repousava sobre incidentes autênticos da Maravilhosa História.

O leitor poderá observar que nossa explicação sobre a «teoria dos quatro documentos» não se ocupa em seguir simplesmente as linhas que outros eruditos têm sugerido. Em nossas mãos, essa teoria sofreu várias modificações e especulações. Nenhuma teoria *arrumadinha* das fontes dos evangelhos pode ser construída de forma a satisfazer ao menos uma minoria dentre os eruditos. Contudo, de modo cru, a teoria dos «quatro documentos» é a que mais se aproxima da verdade, conforme acreditamos, no tocante às fontes informativas dos evangelhos sinópticos.

Sumário das Respostas às Perguntas Feitas na Seção II Deste Artigo

1. Os evangelhos sinópticos se caracterizam por sua «interdependência». Mateus e Lucas dependeram de Marcos acerca do esboço histórico. É altamente improvável, porém, que Lucas tenha dependido de Mateus, ou Mateus de Lucas.

2. Quase certamente, Mateus e Lucas, em parte dos ensinamentos que expõem, dependeram de uma fonte comum que chamamos de *Q*. Também pode ter havido outras fontes informativas menores e não identificadas, ou pode ter havido fontes múltiplas, que continham material similar, as quais, quando copiadas (cada evangelista copiou de fontes distintas, embora similares), deram a aparência de que dependiam de uma única fonte comum.

3. O evangelho de Marcos certamente *é primário*, tendo sido diretamente usado como fonte informativa por Mateus e Lucas; ou então um protomarcos foi utilizado por eles, o qual não diferia materialmente do evangelho de Marcos. Diferenças nas seções comuns a Marcos podem ser explicadas com base no trabalho «editorial» feito pelos dois outros autores sagrados. Ou então, se foi usado um protomarcos, muitas dessas diferenças (em comparação com o resultante evangelho de Marcos) poderiam já estar contidas naquele documento (ou documentos). (Ver a seção IV quanto a provas sobre a posição primária do evangelho de Marcos, e seu uso como fonte informativa).

4. *A fonte Q*, cuja natureza exata não pode ser definida com as evidências que possuímos no momento, foi a *fonte usada* por Mateus e Lucas, quando os dois estavam em consonância com o material não-pertencente a Marcos.

5. Mateus, um evangelho não-primário, ao usar material peculiar a si mesmo, tinha uma fonte, *M*, que é descrita sob a seção III.4.2. Lucas contou com a fonte *L*, descrita em III.4.4.

6. As fontes do evangelho primário *foram diversas*, como as memórias de Pedro, a tradição da igreja de Roma (para a qual contribuíram muitos participantes), e os relatos de testemunhas oculares, algumas apostólicas, juntamente com relatos em segunda mão, provenientes de outras comunidades ou indivíduos. (Ver sobre o «protomarcos», em III.4.1).

As conclusões da presente investigação são consideradas meras *tentativas*, estando sujeitas a revisão. Contudo, embora de modo algum queiramos ser dogmáticos, cremos que algumas das coisas aqui ditas nos aproximam mais da verdade concernente às fontes informativas dos evangelhos sinópticos, do que poderíamos fazer previamente, antes de qualquer investigação.

IV. Marcos, Principal Fonte (Histórica) dos Sinópticos

Reconhece-se de forma *virtualmente universal*, hoje em dia, em contraste com os séculos anteriores, que o evangelho de Marcos foi o evangelho original (daqueles que foram preservados até nós), e que Mateus e Lucas se utilizaram desse evangelho como alicerce do seu esboço histórico da vida de Jesus. A idéia antiga, popularizada por Agostinho, é que Mateus era o evangelho original, e que o evangelho de Marcos era um sumário do mesmo. Entretanto, grande massa de evidência favorece a idéia da posição primária de Marcos, além de favorecer a suposição de que Marcos foi usado diretamente como fonte informativa de Mateus e Lucas. As evidências acerca disso, são as seguintes:

1. *Dentre* o número total de versículos de Marcos — 661 — nada menos de 600 se acham em Mateus, ou seja, cerca de noventa por cento. Se Mateus não usou Marcos como seu *esboço* histórico, então deve ter usado um protomarcos que diferia mui levemente do resultante evangelho de Marcos.

2. *A narrativa de Mateus* usualmente segue o evangelho de Marcos, embora ele tenha omitido alguns versículos, evidentemente por amor à brevidade; ou então modifica algo aqui e ali, a fim de obter melhor estilo literário. Outras modificações provavelmente se devem à tentativa do autor sagrado de eliminar alguns elementos ásperos, como a aparente aspereza de Jesus para com um leproso (ver Mat. 8:2,3, em comparação com Marcos 3:5 e 10:14). Em Mateus, algumas passagens foram *alteradas* ou *desenvolvidas*, a fim de torná-las mais aplicáveis às condições posteriores da igreja, do que se dava no tempo refletido no evangelho de Marcos, que lhe é anterior. O famoso capítulo dezesseis, com seu «material eclesiástico» (igreja edificada sobre Pedro, disciplina, etc.), certamente é um exemplo do que dizemos.

3. *A narrativa de Mateus* normalmente segue a ordem de acontecimentos que achamos em Marcos, mas ele não hesita em alterar essa ordem, se a mesma se presta melhor a seus propósitos. O autor sagrado que produziu essencialmente um evangelho dos *ensinamentos* de Jesus, arranjou seu material em

cinco blocos, a saber: caps. 3:7; 8—10; 11-13; 14-18 e 19—25. A narrativa histórica se adapta então a esse plano básico; e, por causa disso ele foi forçado a alterar, ocasionalmente a ordem de acontecimentos que figuram no evangelho de Marcos. As «diferenças» entre Mateus e Marcos, pois, podem ser assim esclarecidas, sem qualquer dificuldade maior, no tocante àquela porção dos dois evangelhos que são quase idênticas. Sob III.4 temos explicado as diferenças entre esses dois evangelhos, no tocante àquilo em que Mateus suplementa o evangelho de Marcos.

4. *Lucas se utilizou* de cerca de sessenta por cento do volume total do evangelho de Marcos. Embora tivesse usado menor proporção de Marcos, do que fizera Mateus, é mais exato na transcrição dos informes. *Normalmente*, Lucas preservou a mesma ordem de acontecimentos que Marcos apresenta, a mesma ordem de palavras, com menos omissões do que se vê em Mateus. Lucas usou seis grandes blocos do material de Marcos, além de porções menores. Ele omite somente uma grande seção de Marcos, inteiramente, isto é, Mar. 6:45 — 8:26, que alguns eruditos apodam de «Grande Omissão». As modificações feitas por Lucas, em confronto com Marcos, podem ser atribuídas às tentativas lucanas de melhorar o grego e o estilo de Marcos, omitindo irrelevâncias, suavizando ou idealizando as «imagens» empregadas por Jesus e pelos discípulos, omitindo incidentes incongruentes ou incompreensíveis, como a maldição à figueira (Mar. 11:12-14, 20-22). *Em certo lugar*, o próprio Lucas *confunde* o esboço histórico, ao inserir no plano simples de Marcos o longo «Documento de Viagem», Luc. 9:51 — 18:14, que de modo algum se adapta bem em qualquer harmonia com os evangelhos de Marcos e Mateus, ainda que, sem dúvida alguma, apresentem material autêntico. É provável o fato de que Lucas tenha recolhido maior abundância de material histórico do que Marcos, que o impediu de seguir, estritamente, o esboço histórico de Marcos. — Assim, um tanto desajeitadamente, ele incluiu parte de seu material, interrompendo o esboço deixado por Marcos.

5. *Sucede, pois*, que dos 661 versículos, 600 são *incorporados* por Mateus e Lucas, deixando apenas cinco dúzias que não foram copiadas. Porém, se Marcos meramente condensou Mateus, conforme criam os antigos, é impossível entender por que razão ele deixou fora quase 50%; e mais difícil ainda é entender por que motivo Marcos deixou de lado, quase inteiramente, os ensinamentos de Jesus. Seria isso uma omissão inconcebível e imperdoável. Se Mateus tivesse sido escrito primeiro, não haveria qualquer razão por que Marcos deveria ter sido escrito. Mas podemos entender facilmente por que razão Mateus, ao usar um evangelho «escasso», sentiu-se compelido a acrescentar ensinamentos ao esboço histórico que lhe foi provido. Também acrescentou alguns eventos adicionais, baseados em fontes informativas que estavam à sua disposição, mas não para Marcos, o que explica a existência tanto do material Q quanto M, no evangelho de Mateus. Lucas, por outro lado, devido às suas pesquisas intensas, teve grande acúmulo de material que não esteve ao alcance nem de Mateus e nem de Marcos; e assim, apesar de ter o material Q à sua disposição, em conjunção com Mateus, também adicionou ao esboço de Marcos, o que agora chamamos de fonte informativa L.

6. *Pode-se observar* certa *dependência verbal* de Mateus e Lucas a Marcos, ao empregarem aquele evangelho, o que dificilmente pode ser creditado à mera chance. Essa é outra indicação da posição primária de Marcos, como também do fato de que este foi usado diretamente como fonte informativa dos demais evangelhos sinópticos. (Ver essa dependência verbal ilustrada em III.1.b do presente artigo).

7. *A escassez* de Marcos é prova conclusiva de que este não poderia ter sido escrito sobre o alicerce de Mateus ou Lucas como fonte informativa. Dentre as 41 parábolas registradas nos evangelhos sinópticos, Marcos conta apenas com oito, e apenas uma dessas parábolas é singular a Marcos, ou seja, não é encontrada nem em Mateus e nem em Lucas, ou seja, a semente que medra (ver Mar. 4:26-29). É impossível supor que se Marcos *tivesse tido acesso* a esse material, que teria deixado de lado tanto material, e isso propositalmente. Mateus tem dez parábolas que não figuram nem em Marcos e nem em Lucas; e Lucas tem dezesseis dessas parábolas. Se Marcos tivesse usado ou Mateus ou Lucas como fonte informativa, isso não teria acontecido. Marcos certamente teria incluído algumas daquelas declarações de Jesus. Dentre quarenta milagres ou mais, narrados nos evangelhos sinópticos, Marcos registra vinte, ou seja, cerca da metade, e somente dois milagres narrados por ele não foram duplicados por Mateus e Lucas, a saber, a cura do surdo mudo (Mar. 7:31) e a cura de certo cego (Mar. 8:22). É difícil acreditar que Marcos teria deixado de registrar mais da metade dos milagres, sobre os quais poderia ter escrito se porventura tivesse ante si fontes informativas que as historiassem.

8. *O evangelho de Marcos* nada nos diz acerca do nascimento e do começo da vida terrena de Jesus, e não supre a genealogia. Se ele tivesse ou Mateus ou Lucas para usar como fonte informativa, seria extremamente provável que não houvesse incluído parte daquele material.

V. **Bibliografia:** E EN FIL(1939) IB ID STRE TA TRA

VI. Ilustração das Similaridades e Diferenças entre os Evangelhos Sinópticos

Ver a seguir:

PROBLEMA SINÓPTICO

ILUSTRAÇÃO DAS SIMILARIDADES E DIFERENÇAS ENTRE OS EVANGELHOS SINÓPTICOS

As 41 parábolas dos evangelhos sinópticos, e suas propostas fontes:

FONTES SUPOSTAS	PARÁBOLA	MARCOS	MATEUS	LUCAS
Q	Os dois alicerces		7:24-27	6:47-49
Marcos	Remendo novo em vestes velhas	2:21	9:16	5:36
Marcos	Vinho novo em odres velhos	2:22	9:17	5:37-38
L	Os dois devedores			7:36-50
Q	O espírito imundo		12:43-45	11:24-26
Marcos	O semeador	4:3-20	13:3-23	8:4-15
L	O bom samaritano			10:25-27
Protomarcos	A semente que medra	4:26-29		
L	O amigo importuno			11:5-10
M	O joio		13:36-43	
L	O rico insensato			12:16-21
L	A figueira estéril			13:6-9
Marcos	A semente de mostarda	4:30-32	13:31,32	13:18,19
Q	O fermento		13:33	13:20,21
M	O tesouro escondido		13:34	
M	A pérola de grande preço		13:45-46	
M	A rede de pesca		13:47-50	
L	O conviva importuno			14:7-11
L	A grande ceia			14:16-24
L	A torre			14:28-30
L	O rei em preparativos de guerra			14:31-33
Q	A ovelha perdida		18:12-14	15:3-7
M	O servo sem misericórdia		18:23-35	
L	A moeda perdida			15:8-10
M	Os trabalhadores na vinha		20:1-16	
L	O filho pródigo			15:11-32
L	O mordomo desonesto			16:1-9
L	O rico e Lázaro			16:19-31
L	O lavrador e seu servo			17:7-10
L	A viúva e o juiz iníquo			18:1-8
L	O fariseu e o publicano			18:9-14
M	Os dois filhos		21:28-32	
Marcos	Os lavradores maus	12:1-12	21:33-48	20:9-19
M	A festa de casamento		22:1-14	
Marcos	A figueira florescente	13:28,29	24:32-33	21:29-31
Marcos	Os servos vigilantes	13:34-37		12:35-38
Q	O dono de casa e o ladrão		24:42-44	12:36-40
Q	O mordomo sábio		24:45-51	12:42-48
M	As dez virgens		25:1-13	
Q	Os talentos		25:14-30	19:11-27
M	As ovelhas e os bodes		25:31-37	

1. MILAGRES NUM SÓ EVANGELHO:

OS MILAGRES DE JESUS
milagres narrados em uma só fonte; M, L ou protomarcos

O Milagre e sua Suposta fonte	Mateus	Marcos	Lucas
DERIVADOS DE M:			
A cura dos dois cegos	9:27		
A cura de um endemoninhado	9:32		
A moeda na boca do peixe	17:24		

PROBLEMA SINÓPTICO

Milagres num só evangelho, cont.   Mateus   Marcos   Lucas

DERIVADOS DO *PROTOMARCOS*:
A cura do surdo-mudo   7:31
A cura do cego   8:22

DERIVADO DE *L*:
A pesca maravilhosa   5:1
A ressurreição do filho da viúva   7:11
A cura da mulher enferma   13:11
A cura do hidrópico   14:1
A cura dos dez leprosos   17:11
A cura da orelha decepada de Malco   22:50

Também há vários milagres registrados somente por João, que são dados aqui para satisfazer à curiosidade do leitor, embora não envolvam os evangelhos sinópticos:

Transformação da água em vinho	João 2:1
Cura do filho de um oficial do rei	4:46
Cura de um paralítico	5:1
Cura de um cego de nascença	9:1
Ressurreição de Lázaro	11:43
Pesca maravilhosa	21:1

Milagres narrados em dois evangelhos, derivados de Marcos ou «Q»

2. MILAGRES EM *MARCOS* OU *Q*:
		Mateus	Marcos	Lucas
Marcos:	Cura do endemoninhado de Cafarnaum		1:23	4:33
«Q»:	Cura do filho de um centurião	8:5		7:1
«Q»:	Cura do endemoninhado surdo-mudo	12:22		11:14
Marcos:	Cura da filha da mulher cananéia	15:21	7:24	
Marcos:	Multiplicação de pães para os 4.000	15:32	8:1	
Marcos:	Maldição da figueira	21:18	11:12	

Milagres narrados em três evangelhos, derivados de Marcos

3. MILAGRES DERIVADOS DE *MARCOS*:
	Mateus	Marcos	Lucas
Cura do leproso	8:2	1:40	5:12
Cura da sogra de Pedro	8:14	1:30	4:38
A tempestade acalmada	8:26	4:37	8:22
Cura dos endemoninhados de Gadara	8:28	5:1	8:27
Cura do paralítico	9:2	2:3	5:18
Cura da mulher enferma	9:20	5:25	8:43
Ressurreição da filha de Jairo	9:23	5:38	8:49
Cura do homem de mão mirrada	12:10	3:1	6:6
Jesus anda sobre a água (provavelmente de mais de uma fonte)	14:25	6:48	(em João 6:15)
Cura do jovem endemoninhado	17:14	9:17	9:38
Cura do cego de Jericó	20:30	10:47	18:35

4. ÚNICO MILAGRE NARRADO NOS *QUATRO EVANGELHOS*
Multiplicação dos pães para 5.000
Mateus 14:15; Marc. 6:30; Lucas 9:10 e João 6:

419

PROCEDÊNCIA — PROCISSÃO

PROCEDÊNCIA DO ESPÍRITO SANTO

O Espírito Santo procede somente da parte de Deus Pai? ou tanto de Deus Pai quanto de Deus Filho? A teologia cristã oriental apega-se à primeira dessas posições, enquanto que a teologia cristã ocidental prefere a segunda delas. Essa foi uma importante questão, que acabou provocando o cisma entre Oriente e Ocidente, em 1054 D.C. Ver o detalhado artigo chamado *Filioque*, que descreve essa idéia.

PROCESSO, FILOSOFIA DE

Essa filosofia, que salienta mais a idéia de «tornar-se» do que a idéia de «ser» é chamada de Filosofia de Processo. Heráclito foi um dos principais dos antigos filósofos a manter esse ponto de vista. Uma coisa qualquer nunca é, mas está continuamente tornando-se: *panta rei*, tudo se acha em estado de fluxo. Um moderno filósofo que assim pensa é Whitehead. Outros que também podem ser classificados como tais são aqueles que dependem da tese da tríade formada por tese, antítese e síntese, e que pensam que essa é uma noção fundamental. Ver acerca de *Hegel*. Além desses, John Dewey, que supunha que todos os pontos finais na realidade são apenas meios ou instrumentos de novos começos, precisa ser assim classificado.

PROCESSO, TEOLOGIA DE

Ver sobre **Teologia de Processo**. Ver também o artigo intitulado **Progresso**.

PROCESSOS LEGAIS, ABUSOS DOS

Contra os processos legais entre os crentes, I Cor. 6:1-8

Gradualmente Paulo foi repreendendo os muitos vícios, as práticas condenáveis, os males de toda a sorte, na igreja cristã de Corinto. Já havia condenado o problema das divisões partidárias, a ênfase sobre a sabedoria mundana, a diminuição da importância da palavra da cruz, a veneração aos *heróis* e a degradação de ministros autênticos de Cristo. (Ver os capítulos primeiro a terceiro deste mesmo livro). Também havia mostrado como os verdadeiros devem ser avaliados (ver o quarto capítulo de I Cor.). Por igual modo, havia atacado os baixos padrões morais, tendo destacado especialmente um caso de abuso sexual dos mais abomináveis, dentre tudo o que já se ouvira falar. E exigira ação por parte da igreja cristã de Corinto nesse caso, bem como a exclusão do indivíduo culpado, sua entrega a Satanás, para que o mesmo perdesse a sua vida física.

Mas, a partir deste ponto, Paulo ataca um diferente tipo de abuso, a saber, o de julgar a outros, em sentido legal, na presença de incrédulos, em seus tribunais de justiça. Paulo considerava que a igreja cristã tem a capacidade de efetuar os seus próprios julgamentos, a despeito das questões que porventura fossem encontradas. Essa ação, naturalmente, pressupõe o caso de dois crentes que discordassem e entrassem em conflito por algum motivo, e não os casos em que um crente fosse envolvido em querela com um incrédulo. Não é provável, neste caso, seja como for, que o incrédulo concordasse em ser julgado em um tribunal cristão, eclesiástico. Paulo continuava procurando regulamentar a conduta no seio da igreja, e não entre crentes e incrédulos. Preocupava-se o apóstolo com a ordem correta no seio da igreja cristã, e em que o espírito de Cristo fosse aplicado a todas as suas ações.

Paulo raciocina aqui que se os crentes não devem julgar aos *de fora*, conforme se lê em I Cor. 5:12,13, então não deveriam os de fora ter qualquer coisa a ver com o julgamento de crentes, naqueles casos em que dois crentes, em conflito um com o outro, podem ser julgados pela igreja local. Paulo deixava subentendido que a consciência cristã e a influência do Espírito Santo contribuem para fazer da igreja cristã local um tribunal melhor e mais sábio do que qualquer tribunal secular poderia sê-lo. Mui provavelmente a idéia geral em que esse pensamento se alicerça vem da cultura judaica, pois dentro da sinagoga e do templo havia provisão para todas as formas de julgamento, incluindo os julgamentos de natureza inteiramente secular. O próprio governo romano permitiu aos judeus continuarem essa prática, até que caiu no mais total abuso. Os rabinos costumavam usar o trecho de Êxo. 21:1 a fim de mostrar que era ilegal apresentar uma queixa perante juízes idólatras. Entre os judeus, normalmente, três eram os juízes nomeados para cuidarem de tais casos. (Ver Strack e Billerbeck, *Kommentar zum N.T. aus Talmud und Midrasch*, III, págs. 364-365).

O mais provável é que Paulo não estivesse pensando que a igreja cristã devesse assumir qualquer *posição legal*, a fim de julgar questões dessa natureza, posição essa que fora atribuída à sinagoga judaica por permissão do governo romano. Não obstante, a igreja deveria cuidar de si mesma quanto a essas questões, em que dois de seus membros entrassem em conflito um com o outro. Pois Paulo era da opinião que a sabedoria espiritual deve ser suficiente para cuidar de tais casos, sobretudo em face do fato de que os crentes estão destinados a serem juízes universais (6:2), em sentido escatológico. O terceiro versículo deste mesmo capítulo mostra-nos que tal juízo envolverá até mesmo os *anjos*, acerca de cujo assunto dispomos de informação bem escassa. Mediante a transformação dos remidos segundo a imagem de Cristo, em cujo processo há a formação de sua natureza moral e metafísica, os homens são elevados a uma estatura espiritual muito superior à dos próprios anjos. De fato, assim deverá ser, pois os remidos participarão da própria «natureza divina», no dizer de II Ped. 1:4. Sendo essa a realidade, certamente as pequenas questões que atualmente surgem entre os irmãos na fé podem ser solucionadas sem a ajuda dos incrédulos, os quais, presumivelmente, possuem muito menor sabedoria, ou pelo menos, sabedoria espiritual muito inferior.

Paulo nos permite entender que os crentes devem viver *acima da lei*, já que possuem a lei superior de Cristo para obedecerem. Isso, entretanto, fará dos remidos excelentes súditos, cidadãos exemplares e cumpridores das leis de seus respectivos países. (Ensino esse bem esclarecido no décimo terceiro capítulo da epístola aos Romanos). O crente deve se preocupar com suas responsabilidades espirituais, e não meramente com os seus «direitos». Por essa exata razão é que disse Aristófanes (444—389 A.C.), «*Os sábios, ainda que todas as leis fossem abolidas, levariam o mesmo tipo de vida*».

PROCISSÃO

Uma procissão é um tipo de demonstração pública de crença, ou então celebração de algum acontecimento importante ou ato de fé. As procissões religiosas têm uma longa história. Há evidências de que esses cortejos religiosos já eram comuns na era do Bronze. O propósito original parece ter sido o desejo de transportar objetos sagrados (ou seja, poderes) de

PROCISSÃO — PROCÔNSUL

um lugar para outro. As procissões com ídolos, vasos religiosos ou rituais, tronos e outros objetos e equipamentos faziam parte das religiões do Egito, da Babilônia, da Índia, do Japão, da China, da Grécia e de Roma. Na Grécia, a mais célebre dessas procissões era aquela em que era honrada a deusa Atena, quando uma vestimenta nova lhe era apresentada, por parte de uma pessoa escolhida do Partenon. Outras famosas procissões eram as de Dionísia e Elêusis, quando eram celebrados os mistérios de Demeter. As procissões religiosas eram muito importantes em Roma, sobretudo nos tempos de crise, quando era buscado o favor dos deuses. Essas procissões com freqüência eram ligadas a atos públicos e festividades. Certas evidências indicam que no culto dos hebreus também havia procissões em honra a Yahweh. Trechos veterotestamentários relacionados ao costume podem ser Sal. 24:7-9; 26:6; 47:1-9; 48:12-14, e, especialmente 68:24-35.

O cristianismo antigo, sujeito a perseguições, não teve muita oportunidade para dedicar-se a essa prática. Porém, a começar pelo século IV D.C., as procissões foram-se tornando comuns. Eram então associadas a importantes feriados religiosos, como as festividades em honra aos mártires. A procissão das luzes era uma característica comum, mormente quando da festa da Purificação. O procedimento usual consiste em passar de um santuário ou templo para outro santuário ou templo, de maneira solene, com acompanhamento de hinos. As procissões especiais incluem os funerais e aquelas que saúdam a algum novo bispo ou elevado oficial eclesiástico.

É atrelada grande importância mística às procissões papais, que percorrem as diversas igrejas de Roma, ou então as procissões antes da alta missa, que incluem a congregação inteira naquele ato de veneração. Significados místicos e dramáticos são conferidos às procissões do Domingo de Páscoa e da Candelária, esta última sendo a festa que relembra a apresentação de Cristo no templo, segundo o registro de Luc. 2:22. No Ocidente isso é chamado de Purificação da Bendita Virgem, enquanto que no Oriente chama-se de Encontro com Simeão e Ana. Os rogos são um aspecto importante das procissões da Hóstia, como na procissão de Corpus Christi, ou nas litanias, onde há orações intercessórias solenes.

PROCLO

Suas datas foram 410-485 D.C. Ele nasceu em Constantinopla. Estudou sob a direção de *Olimpiodoro* (vide). Proclo foi um filósofo neoplatônico da escola de Alexandria. Foi discípulo de Siriano, ao qual sucedeu como chefe da escola. Apreciava de tal maneira esse seu mestre que chegou a solicitar ser sepultado no mesmo túmulo que ele.

A filosofia de Proclo era uma tentativa de combinar as filosofias de Aristóteles, Platão, Plotino e Jâmblico. Era homem devoto e religioso, um grande erudito e mestre, — o que foi um dos últimos dentre os pensadores religiosos pagãos importantes do império romano. Escreveu muito. Foi chefe da Academia de Atenas.

Idéias:

1. Ele procurou explicar as emanações parcialmente em termos das categorias aristotélicas, mormente as categorias da identidade, da diferença e do retorno. A categoria da *identidade* referia-se à unidade divina; a da *diferença* dizia respeito à emanação do Um; e a do *retorno* indicaria como todas as coisas procuram voltar ao Um. Desse modo, o universo era por ele encarado como um sistema em que o Um consegue equilibrar suas emanações, para então convocar todas as coisas de volta a si mesmo. Naturalmente, esse ensino da unidade final é uma importante idéia religiosa, que aparece em um número demasiado grande de sistemas, de modo a não poder ser ignorado. O trecho de Efé. 1:9,10 explica que o mistério da vontade de Deus é a *unidade final* de todas as coisas em torno do Logos (chamado Cristo, em sua encarnação). Ver o artigo sobre *Mistério da Vontade de Deus*. Não é provável que o apóstolo Paulo tenha falado em termos menos inclusivos (como se algo fosse excluído, como os perdidos, e ainda assim fosse obtida uma unidade). É impossível obter-se unidade através da exclusão. Visto que o conceito era importante para a filosofia antiga, como a do platonismo e a do estoicismo, não é provável que Paulo tenha sido menos abrangente, sem ter oferecido qualquer explicação de por que teria excluído isto ou aquilo.

2. *As Henadas*. Essa palavra significa «as unidades», com base na palavra grega que significa «um». Essa doutrina faz lembrar as *mônadas* de Leibnitz. Ver sobre as *Mônadas*. O Um contém todas as *henadas* em si mesmo, e seriam, na realidade, parte do Um, como suas emanações. Representam a diversidade dentro da unidade. Cada *henada* é uma espécie de espelho do Um, algo semelhante a um microcosmo do *macrocosmo* (vide). A série do ser seria composta por: Um, Ser, Vida, Inteligência e Alma.

3. *Os Deuses*. O universo estaria repleto de deuses, mas essas divindades seriam apenas emanações e reflexos do Um. Seja como for, temos nessa idéia uma forma de panteísmo. Proclo confiava no poder da *teurgia* (vide) a fim de controlar e utilizar os poderes divinos com propósitos práticos. Ele acreditava que temos aí um poder que transcende à sabedoria humana, um poder que pode ser utilizado de maneira legítima.

4. *A Visão Beatífica*. A alma humana é capaz de entrar em unidade com o Um, e a sua principal preocupação deveria ser um retorno completo, a fim de ser absorvida pela divindade. À alma foi dada uma inteligência especial e superior, capacitando-a a concretizar esse propósito.

5. *Influência de Proclo*. Ele exerceu grande influência, por meio de Dionísio, o pseudo-areopagita, que promovia as suas idéias. Essa influência foi poderosa sobre certos filósofos da Idade Média e até mesmo da Renascença.

Escritos. Elements of Theology; Plato's Theology; Elements of Physics; Ten Doubts Concerning Providence; Concerning Providence and Fate; On the Subsistence of Evil. Além dessas obras, ele proveu *Comentários* sobre as idéias de Platão.

PROCÔNSUL

Essa palavra vem diretamente do latim, **pro consule**, «substituto de um cônsul». Esse era um título dado a governadores provinciais romanos. No começo, o título foi usado para indicar algum oficial que era cônsul, mas então recebeu outro termo de ofício além daquele que já havia exercido, mas dessa vez em uma das províncias romanas. Destarte, ele tornava-se procônsul mediante uma extensão de sua autoridade. Essa obra era a de um governador que dirigia alguma província. Sob os imperadores romanos, o título passou a simplesmente designar os governadores das províncias, sem importar se o indivíduo tivesse sido cônsul ou não. Damos um artigo separado sobre *Cônsul*.

Um ex-cônsul também podia desempenhar os deveres de um cônsul nas campanhas militares, em cujo caso também podia ser chamado de procônsul. Os candidatos ao proconsulado provincial, após terem obtido a aprovação do senado romano, costumeiramente eram escolhidos por meio de sortes, que determinavam quais províncias eles governariam, usualmente pelo espaço de um ano, embora também houvesse termos mais longos do que isso. Um procônsul era investido de autoridade quase suprema sobre as forças militares que houvesse na sua região, sobre o governo em geral e sobre os casos tribunícios civis e criminais. Mas precisava enviar relatório de seu governo a Roma; e, se seu desempenho fosse considerado negativo, era responsabilizado pelo desgoverno causado.

Nas páginas do Novo Testamento são mencionados dois procônsules: Sérgio Paulo (ver Atos 13:7) e Gálio (ver Atos 18:12). Temos provido artigos separados sobre ambas essas personagens.

PRÓCORO

Esse homem é mencionado exclusivamente em Atos 6:5, o que não nos permite fazer qualquer idéia sobre ele, além do que as Escrituras aqui nos informam de que ele foi um dos sete diáconos originalmente selecionados pela igreja de Jerusalém. Todavia, tradicionalmente, Prócoro é o autor do livro *Atos de João*. Porém, trata-se de uma obra *apócrifa* e fabulosa sobre o apóstolo João. É extremamente improvável que tal livro tenha sido escrito por Prócoro, um dos sete diáconos originais da igreja de Jerusalém. Essa tentativa foi feita para que o citado livro se escudasse sobre a autoridade de Prócoro, como suposta testemunha ocular dos labores do apóstolo João. No entanto, pouco ou nada existe capaz de autenticar essa obra. Essa obra apócrifa, «Atos de João» apresenta Prócoro como companheiro desse apóstolo e seu biógrafo. Ver o artigo sobre os *Livros Apócrifos do N.T.* A arte bizantina faz o apóstolo João dedicar o seu evangelho a Prócoro. Há também uma outra tradição que ajunta que Prócoro foi consagrado por Pedro como bispo da Nicomédia. Porém, nenhuma dessas tradições é digna de confiança.

PROCRIAÇÃO

Ver sobre **Sexo**.

PROCURADOR

Essa palavra portuguesa vem do latim, **procurator**, «quem cuida dos interesses alheios». A idéia de procuração aparece no prefixo *pro*. A base da palavra é o termo latino *curare*, «cuidar»; e *cura*, «cuidado», é o elemento básico dessa palavra.

Na antiga Roma, um procurador era alguém que cuidava dos rendimentos imperiais, atuando como coletor de rendas do império, especialmente em alguma das províncias. Em seguida, o termo passou a ser usado, de modo geral, para indicar algum administrador provincial. Um procurador era um agente ou delegado do imperador. Antes da época dos imperadores, o termo tinha diversos usos, como o supervisor e coletor dos rendimentos imperiais, ou como o gerente de uma propriedade, um mordomo, ou qualquer outro tipo de administrador. Sob os imperadores romanos, essa palavra passou a denotar delegados ou governantes que assessoravam em vários serviços e deveres burocráticos, nomeados pelos equites (os romanos da segunda mais elevada classe social). Seus deveres eram essencialmente financeiros. Mas o ofício terminou por ser equivalente ao de um governador ou prefeito, um homem nomeado para dirigir uma área limitada, e não uma província inteira. No Novo Testamento, o vocábulo refere-se ao governador da Judéia.

Três procuradores aparecem no Novo Testamento, a saber: *Pôncio Pilatos* (26-36 D.C.) (ver Mat. 27:2); *Antônio Félix* (52-59 D.C.) (ver Atos 23:24 *ss*); e *Pórcio Festo* (59-62 D.C.) (ver Atos 24:27 *ss*). Damos artigos separados sobre todos os três. Os procuradores da Palestina tinham a difícil tarefa de manter a ordem entre os judeus, pelo que dispunham de tropas ao seu comando. Estavam subordinados à autoridade do legado imperial (no latim, *propraetor*) da Síria, e seu quartel-general ficava em Cesaréia, embora com freqüência se fizessem presentes em Jerusalém. Esses procuradores não obtiveram grande sucesso em sua missão de pacificadores, conforme se evidencia pelo fato de que houve duas notáveis rebeliões judaicas, a primeira em 70 D.C. e a segunda em 132 D.C.

PRÓDICO

Suas datas aproximadas foram 460-399 A.C. Ele foi um filósofo *sofista* (vide). Nasceu em Ceos, uma ilha grega do Mediterrâneo. Pródico é mencionado nos *Diálogos* de Sócrates. Ele se interessava por assuntos de gramática, de religião, de filosofia (especialmente a ética). Era um pensador cético e pessimista. Sua obra sobre a ética foi extremamente cética. Seu mito de Héracles ilustra o ponto. Héracles postara-se em uma encruzilhada, podendo escolher entre a virtude árdua e o vício agradável. E ele preferiu a virtude, o que lhe custou muito trabalho.

Pródico talvez tenha sido o originador do curioso argumento contra o temor da morte, que os filósofos epicuristas empregaram posteriormente. Asseverava ele que a morte não deve ser temida porque, enquanto alguém teme, é que ainda não morreu. Além disso, ele confiava na proposição que diz que quando alguém morre perde todos os sentimentos, porquanto, para ele, a morte seria a cessação da existência.

Escritos. Sobre a Natureza; Sobre a Natureza do Homem; Sobre a Propriedade da Linguagem; Horas (onde aparece o mito acerca de Héracles). Somente fragmentos restam dessas obras.

PRÓ-ESCRAVIDÃO, DOUTRINA DE

É incrível o que as pessoas julgam poder encontrar na Bíblia para defender. James H. Thornwell escreveu um artigo, publicado no *Southern Presbyterian Review* (julho de 1850), argumentando, de forma hábil e detalhada, em favor da sanção bíblica à escravatura. Podemos imaginar os versículos que ele deve ter usado, como aqueles nos quais Paulo encorajou indivíduos a permanecer no estado em que estavam quando se converteram (ver I Cor. 7:21), ou a epístola a Filemom, onde Paulo, naturalmente (em consonância com os costumes da época) encorajou-o a aceitar de volta seu escravo, que havia fugido, com a promessa de que tal fuga não se repetiria. Ver o artigo geral sobre a *Escravidão*. O cristianismo, na qualidade de uma nova fé que estava sob perseguição, não se encontrava em posição de alterar o comércio escravagista, e nem se lançou mesmo à tarefa, pelo que parece haver vários textos bíblicos de prova em favor da escravidão, conforme mostrou o irmão Thornwell. No entanto, é patente que a escravidão representa um grande mal social, a despeito da brilhante defesa dele, e apesar da deficiência do Novo Testamento quanto a esse ponto. Thornwell classificou a servidão, o pecado e as enfermidades como males que se impuseram por causa da maldição divina contra o homem. Então chegou a seu argumento mais notável, o de que apesar da escravidão ser um grande *mal*, não era um *pecado*—algo que não é difícil de entender. Ele comparou a escravidão à pobreza, a qual, apesar de ser um mal, não é um pecado. Mas, naturalmente, ele não mostrou como o pecado, a ganância e muitas outras perversões acham-se à raiz da pobreza. Todavia, ele foi generoso o bastante para admitir que, após a morte, cessam as distinções entre os senhores e os seus escravos, além de ter ensinado que um escravo crente pode ter tantos direitos espirituais e tão grande glória eterna como seu senhor crente. Não demorou muito para que a nação norte-americana se visse a braços com uma renhida e longa guerra para resolver a questão da escravatura. Deus, por sua providência, deu a vitória ao norte, e isso pôs fim à escravatura, naquele país. É entristecedor que o irmão Thornwell tenha sido capaz de defender, de Bíblia aberta na mão, um mal e um pecado tão grande como é o da escravidão. Não admira que muito em breve o processo histórico haveria de tachá-lo de mentiroso.

PROFANO

Esboço:
1. O Termo e suas Definições
2. Profanações Proibidas na Bíblia

1. O Termo e suas Definições
Essa palavra portuguesa vem do latim, *profanus*, que significa, literalmente, «perante» ou «fora do templo», ou seja, aquilo que é *secular* ou corrompido, não-religioso, vulgar, indecente. É o antônimo de «sagrado». Seus sinônimos são «irreligioso», «secular», «sacrílego», «blasfemo», «ímpio», «vulgar».

A palavra hebraica mais comum assim traduzida no Antigo Testamento é *halal*, «livre», «aberto», provavelmente com a idéia de que certas coisas estavam franqueadas a um uso vulgar, desvinculado dos poderes sagrados do templo. No grego, por sua vez, o vocábulo correspondente é *bébelos*, «acessível», «legal de ser pisado». Ver I Tim. 1:9; 4:7; 6:20; II Tim. 2:16; Heb. 12:16. O verbo, *bebelóo*, aparece por duas vezes: Mat. 12:5 e Atos 24:6. Fora do templo, as coisas eram vulgares, podendo ser pisadas por pés comuns. Quando alguém tratava o templo ou a algum recinto sagrado como trataria coisas vulgares, então era considerada sacrílega.

2. Profanações Proibidas na Bíblia
O Antigo Testamento muito tem a dizer a respeito das coisas santas. Distinções bem claras foram ali traçadas entre o sagrado e o profano. O Senhor Jesus ensinou que todos os aspectos da vida humana são santos e consagrados. O homem, uma vez remido, torna-se um templo onde o que é profano não pode entrar (ver I Cor. 3:16 ss). Estamos vivendo em um período caracterizado pela profanação, quando muitas pessoas não mais têm qualquer objeto sagrado e nem mais têm respeito pelos sentimentos e pelas funções religiosas.

No Antigo Testamento, ainda, aparecem mandamentos para que não se profane ao santuário (ver Lev. 19:8; 21:9), ao sábado (Êxo. 31:14), ao nome de Deus (Êxo. 19:22; Mal. 1:12), ao leito conjugal do próprio pai de alguém, através do incesto (Gên. 49:4). Esaú desprezou o seu direito de primogenitura, e assim obteve a reputação de ser uma pessoa profana, que não tinha respeito pelas coisas santas (ver Heb. 12:16). O trecho de Jer. 23:11 mostra que até mesmo profetas e sacerdotes podem tornar-se profanos.

PROFECIA

Esta enciclopédia tem dado toda a atenção a essa questão da profecia. O leitor pode consultar os seguintes artigos distintos: *Dom*, especialmente a terceira seção, *Os Dons Divinos*; *Profecia: Tradição Da, e a Nossa Época*. Esse artigo aborda as profecias sobre o mundo, incluindo as profecias da Bíblia e dos místicos modernos; *Precognição (Conhecimento Prévio)*; *Predição; Profetas Maiores; Profetas Menores; Profetas Falsos; Profecias Messiânicas Cumpridas em Jesus; Profecia, Profetas e o Dom da Profecia; Profetisas; Ofícios de Cristo*, especialmente sua terceira seção.

PROFECIA E CONHECIMENTO

Ver sobre *Profecia, Profetas e o Dom da Profecia*, seção oito. Ver também sobre *Misticismo e Conhecimento e a Fé Religiosa*.

PROFECIA, PROFETAS E O DOM DA PROFECIA

Quanto aos muitos artigos oferecidos nesta enciclopédia sobre o tema das profecias, ver *Profecia*, onde há uma lista desses artigos.

Esboço:
I. Termos e Definições
II. No Antigo Testamento
III. Gráfico dos Profetas do Antigo Testamento
IV. No Novo Testamento: Diversas Interpretações
V. Vossos Filhos e Filhas Profetizarão
VI. Jesus Cristo como Profeta
VII. Profetas Modernos
VIII. Profecia e Conhecimento

I. Termos e Definições

A palavra hebraica para «profeta» é **nabi**, que vem da raiz verbal *naba*. Essa palavra significa «anunciador», «declarador», e, por extensão, aquele que anuncia as mensagens de Deus, freqüentemente recebidas por alguma revelação ou discernimento intuitivo. Ademais, os profetas usavam vários meios de adivinhação e envolviam-se em oráculos. Os termos hebraicos *roeh* e *hozeh* também são usados. Ambos significam «aquele que vê», ou seja, «vidente». Todas as três palavras aparecem em I Crô. 29:29. Os eruditos procuram estabelecer distinções entre elas, mas talvez sejam meros sinônimos, usados para emprestar variedade literária às composições escritas. *Nabi* é termo usado por mais de trezentas vezes no Antigo Testamento. Alguns poucos exemplos são Gên. 20:7; Êxo. 7:1; Núm. 12:6; Deu. 13:1; Juí. 6:8; I Sam. 3:20; II Sam. 7:2; I Reis 1:8; II Reis 3:11; Esd. 5:1; Sal. 74:9; Jer. 1:5; Eze. 2:5; Miq. 2:11. É possível que essa palavra também fosse usada para designar a *missão profética*. Um título comumente aplicado aos profetas era «homem de Deus», que ocorre por cerca de setenta e seis vezes no Antigo Testamento. Cerca de metade dessas ocorrências é usada em referência a Eliseu, e outras quinze dizem respeito a um profeta cujo nome não é dado (I Reis 13). Além disso, a expressão é usada para designar Moisés, Elias, Samuel, Davi e Semaías. Por sua vez, *roeh* figura por doze vezes no Antigo Testamento: I Sam. 9:11,18,19; II Sam. 15:27; I Crô. 9:22; 26:28; 29:29; II Crô. 16:7,10; Isa. 30:10. Sete dessas ocorrências aplicam-se a Samuel. *Hozeh* figura por dezenove vezes: I Crô. 21:9; 25:5; 29:29; II Crô. 9:29; 12:2,15; 19:2; 29:25,30; 33:18,19; 35:15; II Sam. 24:11; II Reis 17:13; Isa. 29:10; Amós 7:12; Miq. 3:7. Ainda outros títulos dados aos profetas são: *Atalaia* (no hebraico, *sophim*): Jer. 6:16; e Eze. 3:17; e *pastor* (no hebraico,

PROFECIA

raah): Zac. 11:5,16.

No Novo Testamento, a palavra comumente usada é *prophétes*, que aparece por cento e quarenta e nove vezes, que exemplificamos com Mat. 1:22; 2:5,16; Mar. 8:28; Luc. 1:70,76; 7:16; João 1:21,23; 3:18,21; Rom. 1:2; 11:3; I Cor. 12:28,29; 14:29,32,37; Efé. 2:20; Tia. 5:10; I Ped. 1:10; II Ped. 2:16; 3:2; Apo.10:7; 11:10. O substantivo *propheteía*, «profecia», é usado por dezenove vezes no Novo Testamento: Mat. 13:14; Rom. 12:6; I Cor. 12:10; 13:2,8; 14:6,22; I Tes. 5:20; I Tim. 1:18; 4:14; II Ped. 1:20,21; Apo. 1:3; 11:6; 19:10; 22:7,10,18,19. Essas palavras derivam-se do grego *pro*, «antes», «em favor de», e *phemi*, «falar», ou seja, «alguém que fala por outrem», e, por extensão, «intérprete», especialmente da vontade de Deus. Tais palavras gregas, naturalmente, estão por detrás do termo português «profeta».

Apesar da idéia de predição do futuro fazer parte inerente do ofício profético, incluindo acontecimentos nacionais, comunais e individuais, o ofício profético envolvia as atividades de exortação, ensino, pastoreio e liderança espiritual em geral. Os profetas eram tidos como representantes de Deus, libertadores e intérpretes da mensagem divina. Eles serviam de elo vital na questão das revelações, bem como veículos do conhecimento espiritual. As revelações por eles recebidas, por ordem do Senhor em alguns casos tornaram-se concretas nos livros que escreveram. Esses livros, por sua vez, foram canonizados, com a passagem do tempo, sendo então aceitos como Escrituras Sagradas. Isso põe-nos frente a frente com o conhecimento através do *misticismo* (vide), do qual a profecia é uma subcategoria. Ver o artigo geral sobre o *Conhecimento e a Fé Religiosa*.

II. No Antigo Testamento

1. No trecho de Núm. 11:29, encontramos a declaração de Moisés em favor da liberdade que deve ser outorgada aos profetas. Ele desejava que todo o povo de Deus se compusesse de profetas. Ele não aprovou a tentativa de censura aos profetas. Com base nisso, podemos deduzir a idéia de que havia muitos que recebiam o dom profético, embora somente os nomes de certos profetas nacionais tenham chegado a tornar-se familiares para nós. Podemos apenas supor que declarações extáticas eram comuns desde a história inicial do povo de Israel. Também houve *videntes* individuais que não eram figuras públicas de nota, mas que eram procurados para solução de problemas pessoais, sendo essa uma das funções secundárias dos profetas. O simples fato de que a palavra «profeta» ocorre por mais de trezentas vezes no Antigo Testamento mostra-nos a importância da função naquele contexto.

2. *Abraão* foi a primeira pessoa a ser chamada de «profeta» na Bíblia (ver Gên. 20:7). E Moisés foi o primeiro profeta nacional de Israel (ver Deu. 18:15-19). Então Moisés tornou-se uma espécie de modelo dos profetas de todos os tempos. Muitos rabinos chegaram a pensar que Jeremias fosse Moisés reencarnado. De acordo com tal tradição, os principais profetas voltariam para cumprir novas missões proféticas. Essa tradição também é exemplificada na doutrina acerca de Elias-João Batista. Observando esses fatos, podemos perceber a grande importância atribuída aos profetas, dentro da cultura hebréia.

3. *Deus é quem prepara os profetas*, conforme aprendemos em Êxo. 3:1-4:17; Isa. 6; Jer. 1:4-19; Eze. 1-3; Osé. 1:2; Amós 7:14,15; Jon. 1:1. Porém, um profeta falso pode ter a ousadia de autonomear-se (ver Jer. 14:14; 23:21).

4. A profecia provê uma espécie de *consciência quanto à natureza da história*. A noção hebréia da história era teísta. Yahweh era o poder que atuava por detrás da história de Israel, a força ativa de suas realizações. E os profetas desempenhavam um importante papel nesse processo. Ver Isa. 45:20-22; Êxo. 2:11 ss; Deu. 24:19-22. A própria lei mosaica foi dada por inspiração profética, cuja legislação governava toda a sociedade israelita, e serviu-lhe de guia na história.

5. *Os Profetas-Estadistas*. Descobrimos que alguns dos principais profetas da história de Israel aconselharam, ajudaram ou mesmo opuseram-se a reis. Com freqüência eram perseguidos e foram martirizados, segundo Cristo frisou (ver Mat. 23:37). Jeremias foi um exemplo conspícuo de profeta perseguido e banido, caluniado de traição, como se fosse partidário da Babilônia opressora.

6. *Os Sumos Sacerdotes como Profetas*. Esperava-se que os sumos sacerdotes de Israel fossem capazes de profetizar. Ver sobre *Sumo Sacerdote*. Eles usavam o *Urim e o Tumim* (vide), que talvez fossem sortes ou pedras preciosas, mediante o que eles entravam em transe, sendo assim capazes de profetizar.

7. *A Ordem Profética*. Esta não foi abandonada à sua própria sorte. Havia toda uma instituição profética. Os profetas e os sacerdotes eram ambos líderes civis e religiosos na cultura dos hebreus. Isso foi oficializado nas posições ocupadas por Moisés e Aarão, e o ideal foi levado avante durante toda a história subseqüente de Israel. Foi feita a Moisés a promessa da perpetuidade do ofício profético em Israel (ver Deu. 18:9,15), que culminaria na pessoa do Messias, o maior de todos os profetas. Houve Moisés; então a sucessão dos profetas; então a fruição do ofício profético na pessoa de Jesus Cristo. Entre os dias de Josué e de Eli «as visões não eram freqüentes» (I Sam. 3:1), o que significa que o ofício profético esteve em baixo nível. Mas esse ofício ressurgiu com os reis-profetas e com o aparecimento das escolas de profetas. Samuel, um levita da família de Coate (ver I Crô. 6:28), produziu um novo irrompimento da função profética e de reformas sociais (I Sam. 9:22). Não foi Samuel quem criou essa ordem, mas foi o instrumento de renovação do seu poder. Quanto às raízes da ordem profética, ver Deu. 13:1; 17:18; 18:20.

8. *As Escolas dos Profetas*. Essas surgiram nos dias de Samuel, e devido ao encorajamento que ele lhes deu. Ver I Sam. 19:18,20; II Reis 2:3,5; 4:38; 6:1. Essas escolas deram ao ofício profético um novo poder e perpetuidade.

9. *A Inspiração Profética*. A Bíblia ensina-nos que o Espírito Santo é o inspirador dos profetas (ver Núm. 11:17,25; I Sam. 10:6; 19:20; II Ped. 1:21). Os falsos profetas, por sua vez, falavam por iniciativa própria, de seu próprio coração, de acordo com sua imaginação (ver Jer. 23:16; Eze. 13:3). Os modos de inspiração incluíam certas formas de adivinhação, conforme já foi mencionado. Ver o artigo intitulado *Adivinhação*. Mas também estavam envolvidos sonhos e visões (ver Núm. 12:6). Além disso, encontramos exemplos bíblicos de comunicação direta, mediante a voz divina, a Presença divina. Os profetas adaptavam as suas mentes a condições favoráveis à recepção de revelações, como o transe (ver II Reis 3:15; I Sam. 10:5; I Crô. 25:1). Mas esse estado podia sobrevir subitamente, como nos casos de Paulo e de Pedro, no Novo Testamento. Algumas vezes, foram outorgadas visões das dimensões celestes, como nos casos de Isaías (ver Isa. 6) e de Paulo (ver II Cor. 12). Ver os artigos sobre *Inspiração; Revelação* e *Misticismo*. Tanto Isaías (ver

PROFECIA

Isa. 6:1) quanto Ezequiel (ver Eze. 1:1) «viram». Também havia o «assim diz o Senhor», a palavra de autoridade divina (ver Jer. 1:8,19; 2:19; 30:11; Amós 2:11; 4:5; 7:3). A palavra do Senhor «vinha» a homens impulsionados pelo Espírito (ver Isa. 7:3,4), inclusive pela voz exterior (ver I Sam. 3:3-9). Eram passíveis de receber revelações súbitas, algumas vezes de maneiras deveras estranhas (ver Núm. 22:31; II Reis 6:15-17).

10. *Funções Proféticas*. Vários itens do material exposto acima indicam essas funções. Oferecemos aqui um sumário: a. O recebimento de oráculos, privados ou particulares; b. o ofício didático acerca do pecado e da retidão (Isa. 58:1; Eze. 22:2; 43:10; Miq. 3:8), como também as atividades de pastoreio, consolação, aviso de juízo divino, chamada ao arrependimento (Isa. 40:1,2); c. o trabalho dos atalaias (Eze. 3:17; 33:7-9), como também a obra de um embaixador, dentro e fora de Israel (a mensagem geral do livro de Jonas), o que incluía o evangelismo; d. apesar dos profetas não serem sacerdotes no sentido pleno da palavra, o caso de Samuel mostra que eles também podiam desempenhar funções sacerdotais (ver I Sam. 16:6-13); e. o trabalho de conselheiros de reis e outros oficiais civis (II Sam. 7:3-16), o que dava aos profetas uma função própria de estadistas; f. os profetas derivavam de Moisés as suas funções, dando continuidade ao ofício profético, conferindo assim ao povo de Israel a consciência de ser um povo ímpar, preservando a identidade nacional (controlada pelas instituições santas e pelas leis escritas: — Isa. 45:20-22; 60:3; 65:25; Êxo. 2:11 *ss*; Deu. 24:19-22; Miq. 5:4). Ver o décimo primeiro ponto, abaixo, no que concerne à importância da função profética quanto à literatura.

11. *Os Profetas e as Escrituras*. Os profetas foram os principais instrumentos usados por Deus para a redução das revelações divinas à forma escrita—as Sagradas Escrituras. Essa era uma função especial revestida de importância capital, porquanto dava ao ofício profético uma função que ultrapassava em muito aos limites da nação de Israel, tendo produzido um dos mais notáveis documentos espirituais do mundo, o Antigo Testamento. Costuma-se falar em *profetas maiores* e *profetas menores*, sobre cujo assunto damos artigos separados nesta enciclopédia. O Pentateuco (os primeiros cinco livros da Bíblia) foram produzidos por Moisés, o primeiro dos grandes profetas, talvez chegado às nossas mãos pela instrumentalidade de vários editores, redatores e outras pessoas que adicionaram certas porções. Muitos dos salmos de Davi têm natureza profética.

12. **Os Meios do Conhecimento e a Profecia.** Muitas pessoas religiosas sentem-se nervosas quando alguém fala em tomar conhecimento de qualquer coisa que não seja através da revelação divina. É que supõem que essa revelação é completa, e que basta a Bíblia para que possamos conhecer tudo de modo *infalível*. Porém, somente Deus é infalível. Sempre que alguém atribui infalibilidade a qualquer outro ser, está exercendo idolatria. Ademais, todos os meios postos ao nosso alcance para obtermos conhecimentos são legítimos, e deveriam ser utilizados em favor da espiritualidade e do conhecimento espiritual. Digamos que Deus forneceu-nos o cerne da verdade, e que agora precisamos revestir esse cerne com os pormenores que a completam. Para tanto, há vários esquemas, conforme vemos nos três pontos abaixo:

a. *Ceticismo*. Há ceticismos de muitas variedades. Ver o artigo *Ceticismo*. Assim, há um ceticismo anti-religioso, que só busca negativismos. Podemos ignorar sem dano algum essa variedade, sem importar se labora contra a fé religiosa em geral ou contra a profecia em particular. Todavia, há uma forma não-hostil de ceticismo que é definidamente útil quando enfrentamos a questão das profecias. Alguns intérpretes pensam enxergar muitas profecias nas Escrituras, relativas ao futuro, quando, na realidade, muitas dessas predições já ocorreram ou são descrições históricas, e não previsões de acontecimentos que ainda jazem no futuro. Precisamos mostrar-nos críticos quanto a essa probabilidade. Uma atitude cética também deve ser aplicada às previsões dos místicos modernos, os quais, se conseguem alguns acertos, também cometem alguns equívocos.

b. *Método Experimental*. Podemos crer em um profeta, bíblico ou extrabíblico, quando suas predições passam no teste experimental. Essas predições realmente cumprem-se? Alguns conservadores radicais supõem que as predições bíblicas são infalíveis, mas não levam em conta o fato de que *tudo* que passa através das mãos dos homens, tem erros. Esta atitude envolve certa forma de idolatria, pois somente Deus é infalível. Para exemplificar, os profetas do Antigo Testamento prediseram o retorno do povo de Israel à sua terra, após os cativeiros (assírio e babilônico), e que então ocorreria a Idade Áurea, como acontecimento imediato, segundo é fácil entender com a leitura de seus textos. Porém, os profetas do Antigo Testamento não perceberam a grande expansão de tempo que teria de passar-se entre a volta dos cativos israelitas e a era do milênio. Passaram-se praticamente dois milênios e meio desde aqueles profetas, mas a Idade Áurea ainda não surgiu no horizonte. Assim, os profetas também não anteciparam a maior de todas as dispersões: aquela *provocada pelos romanos*, no século I D.C., a qual, infelizmente, ocorreu após o retorno dos judeus do cativeiro babilônico, desfazendo qualquer possibilidade de uma verdadeira restauração, durante muitos e muitos séculos. E ainda estamos esperando pelo cumprimento dessas predições bíblicas. Contudo, podemos estar certos de que, no tempo certo, elas terão cumprimento. As Escrituras Sagradas reservam a Deus o direito de conhecer o futuro. A questão «tempo» é uma das prerrogativas divinas. «Não vos pertence saber os tempos ou épocas que o Pai determinou para sua exclusiva autoridade» (Atos 1:7).

O autor do livro de Apocalipse, já no Novo Testamento, esperava para breve o fim do império romano, com um pronto retorno de Cristo. Ele não fazia qualquer noção sobre todo o longo período de tempo que se passaria—os dezenove séculos que já se passaram desde então—sem a volta de Cristo. E só Deus sabe quanto tempo ainda se escoará antes da volta bendita do Senhor. Ver Apo. 17:10 *ss*. Essa passagem tem sido distorcida por intérpretes desonestos para eliminar o fato de que o autor sagrado antecipava somente mais dois imperadores do império romano, e que o último deles seria a reencarnação de um dos sétimo (pelo que seria o oitavo e último imperador). É claro que o autor sagrado estava equivocado em sua maneira de pensar. Todavia, Deus, que tudo sabe, reservou para si mesmo um conhecimento mais alto das coisas. O império romano prosseguiu durante alguns séculos após os apóstolos de Cristo, e muitos cristãos perderam toda esperança de qualquer regresso imediato de Cristo. O importante é entendermos que coisas assim não anulam a profecia:

III. **Gráfico dos Profetas do Antigo Testamento**

Primeiramente, apresentamos aqueles profetas que foram usados na produção de livros sagrados. Em segundo lugar, alistamos outros profetas importantes, embora não nos tivessem brindado com qualquer produção literária.

PROFECIA

Ordem Cronológica e Data Aproximada	Profeta	Referências Bíblicas	Reis Envolvidos
1. 837 - 800 A.C.	Joel	Joel 1:1; II Reis 11	Joás?
2. 825 - 782	Jonas	II Reis 13, 14	Amazias, Jeroboão II
3. 810 - 785	Amós	II Reis 14, 15	Jeroboão II
4. 782 - 725	Oséias	II Reis 15 - 18	Jeroboão II
5. 758 - 698	Isaías	II Reis 15 - 20; II Crô. 26 - 32	Uzias; Jotão; Acaz; Ezequias
6. 740 - 695	Miquéias	II Reis 15:8-20; Isa. 7,8; Jer. 26:17-19; II Crô. 27 - 32	Uzias; Jotão; Acaz; Ezequias
7. 640 - 630	Naum	Jonas; Isa. 10; Sof. 2:13-15	Josias
8. 640 - 610	Sofonias	II Reis 22, 23; II Crô. 34 - 36	Josias
9. 627 - 586	Jeremias	II Reis 22 - 25; II Crô. 34 - 36	Josias; Joacaz; Jeoaquim; Joaquim; Zedequias
10. 609 - 598	Habacuque	II Reis 23, 24; II Crô. 36:1-10	Josias
11. 606 - 534	Daniel	II Reis 23 - 25; II Crô. 36:5-23	Exílio; Nabucodonosor; Ciro
12. 592 - 572	Ezequiel	II Reis 24:17-25; II Crô. 36:11-21	Exílio; Nabucodonosor
13. 586 - 583	Obadias	II Reis 25; II Crô. 36:11-21	Exílio; Nabucodonosor
14. 520	Ageu	Esd. 5, 6	Após o exílio; Ciro; Esdras
15. 520 - 518	Zacarias	Esd. 5, 6	Após o exílio; Dario I; Esdras
16. 433 - 425	Malaquias	Nee. 12	Após o exílio; Artaxerxes I; Neemias

••• ••• •••

Outros Profetas de Nota que Não Escreveram:

1. No Reino Unido:

Natã (II Sam. 7:2-17; 12:1-25), na época de Davi, ou seja, 1000 A.C.

Gade (I Sam. 22:5; II Sam. 24:11-19), na época de Davi, ou seja, 1000 A.C.

Aías, o silonita (I Reis 11:29-40), na época de Salomão, ou seja, 971 - 931 A.C.

2. Em Judá:

Semaías (II Crô. 11:2-4; 12:5-8), na época de Reoboão, ou seja, 931 - 913 A.C.

Azarias, filho de Obede (II Crô. 15:1-7), na época de Asa, ou seja, 911 - 870 A.C.

Hanani (II Crô. 16:7-10), na época de Asa, ou seja, 911 - 870 A.C.

Jeú, filho de Hanani (II Crô. 19:2,3), na época de Josafá, ou seja, 873 - 848 A.C.

Jaaziel (II Crô. 20:14-17), na época de Josafá, ou seja, 873 - 848 A.C.

Eliezer, filho de Dodava (II Crô. 20:37), na época de Josafá, ou seja, 873 - 848 A.C.

Elias (II Crô. 21:12-15), na época de Jeorão, ou seja, 853 - 841 A.C.

Zacarias, filho de Joiada (II Crô. 24:20-22), na época de Joás, ou seja, 835 - 796 A.C.

Hulda (II Reis 22:14-20), na época de Josias, ou seja, 641 - 609 A.C.

Urias (Jer. 26:20-23), na época de Joaquim, ou seja, 609 - 598 A.C.

3. Em Israel:

Aías, o silonita (I Reis 11:29-39; 14:1-18), na época de Jeroboão I, ou seja, 931 - 910 A.C.

Um profeta cujo nome não foi dado, vindo de Judá (I Reis 13:1-32), na época de Jeroboão I, ou seja, 931 - 910 A.C.

Jeú, filho de Hanani (I Reis 16:7,12), na época de Baasa, ou seja, 909 - 886 A.C.

Elias (I Reis 17:2 - II Reis 2), na época de Acabe (874 - 853 A.C.) e de Acazias (853 - 852 A.C.).

Micaías (I Reis 22:13-28), na época de Acabe, ou seja, 874 - 853 A.C.

Eliseu (I Reis 19:16 - II Reis 13:21), na época dos reis Acazias (853 A.C.), Jeorão (852 - 841 A.C.), Jeú (841 - 814 A.C.), Jeoacaz (814 - 798 A.C.), Jeoás (798 - 782 A.C.).

Obede (II Crô. 28:9-11), na época de Peca, ou seja, 752 - 732 A.C.

O cativeiro assírio pôs fim (em 721 A.C.) à linhagem dos profetas do reino do norte, Israel, e o povo de Israel continuou através da nação de Judá. Realmente, as dez tribos de Israel perderam sua identidade.

PROFECIA

IV. No Novo Testamento: Diversas Interpretações
Ver as notas expositivas a respeito no NTI em Atos 13:1 e Efé. 4:1, onde são distinguidos os «profetas» dos «mestres» cristãos. Quanto a notas expositivas sobre os «profetas do N.T.», ver Atos 11:27). Nas Sagradas Escrituras, os «profetas» são as seguintes pessoas:

1. Algumas vezes são aqueles que, em sentido muito especial, foram escolhidos para algum ministério de revelação das verdades, através de revelações ou oráculos, conforme se verifica no caso dos profetas do A.T. Esses profetas do A.T., quanto à sua posição e autoridade, eram um tanto semelhantes aos apóstolos do N.T. O ofício espiritual deles era especial. Não há razão alguma para a suposição de que isso não pode continuar ocorrendo hoje em dia. Talvez indivíduos como Lutero, João Wesley e tantos outros, na história da igreja, incluindo até mesmo outros de menor envergadura, embora tenham sido elevados acima dos mestres e ministros comuns do evangelho, possam ser chamados «profetas». São pessoas encarregadas de alguma missão elevada, que falam com uma unção incomum do Espírito Santo. No sentido secundário da palavra, tais indivíduos também podem ser chamados «apóstolos», conforme esclarecemos nas notas expositivas sobre Atos 14:4 no NTI. Esses «apóstolos» seriam os mais elevados dentre esses «profetas».

2. Os profetas da igreja cristã primitiva, aparentemente, eram homens de considerável habilidade psíquica, capazes de proferirem declarações inspiradas, não sendo confundidos com os pregadores comuns. No exercício dos dons espirituais, ocupavam posição secundária somente em relação aos apóstolos, conforme depreendemos de passagens neotestamentárias como I Cor. 12:28; Efé. 2:20; 3:5; 4:11 e Apo. 22:9 (ver igualmente Atos 13:1; 15:32 e 21:9,10). Esses profetas do N.T. exerciam seu ofício em virtude do recebimento de dons carismáticos, e não por sanção ou nomeação oficial por parte das igrejas locais, porquanto não há o menor laivo de evidência que a posição deles fosse alcançada através da consagração a esse ofício. O trecho de I Cor. 14:29-30 mostra-nos que algumas vezes esses profetas se deixavam arrastar em seu entusiasmo ao ponto de produzirem a desordem nos cultos, o que Paulo censurou severamente.

Evidentemente, surgiram dúvidas, até mesmo naqueles dias primitivos, acerca da *autenticidade* dos dons espirituais de alguns desses «profetas», ao ponto de se suspeitar que seus poderes procediam de fontes malignas. (Ver I João 4:1 e I Tes. 5:20,21). Os poderes sobrenaturais, manifestamente superiores àquilo que se poderia esperar da parte das capacidades humanas normais, são sempre difíceis de julgar quanto à sua origem exata; o máximo que podemos fazer é aplicar as palavras do Senhor Jesus, que disse: «...pelos seus frutos os conhecereis» (Mat. 7:20). Infelizmente, o critério moderno de julgar tais pessoas tem degenerado ao teste que declara: «Por suas *denominações* os conhecereis». Esse critério é fruto do sectarismo.

Judas e Silas, nas páginas do N.T., são chamados «profetas» (ver Atos 14:4 e 15:32). Esses possuíam uma inspiração superior à daqueles que falavam em línguas (ver I Cor. 14:3). João Batista, por igual modo, foi chamado de «profeta» (ver Luc. 7:26), embora não tivesse exercido qualquer dom miraculoso. Entretanto, foi um elevadíssimo mestre, enviado por Deus, e predisse o futuro com discernimento profético.

3. Os profetas, não obstante, não profetizaram sempre e necessariamente o futuro, embora tal função evidentemente não fosse incomum entre eles (ver Atos 21:4,9-11). Nessa oportunidade, a profecia neotestamentária incluiu o conhecimento prévio, embora isso não faça parte necessária da profecia. Entretanto, é fenômeno comum, entre aqueles que possuem dons psíquicos, possuírem algum discernimento quanto a alguns acontecimentos futuros. Contudo, a profecia consiste muito mais em uma «afirmação inspirada» do que na predição do futuro. Todavia, é muito difícil fazer a separação dessas duas funções, no mesmo indivíduo.

É bem provável que certo número dos *profetas* existentes na época do apóstolo Paulo tivesse pertencido aos setenta discípulos especiais de Jesus, e que são mencionados como encarregados de missão especial (conforme o modelo da missão apostólica), no décimo capítulo do evangelho de Lucas, embora não haja nenhuma razão para limitarmos a esfera de serviço profético a tão exíguo número de homens, como também não é correto supor que não pode haver profetas em nossos próprios dias, segundo os moldes dos dias do N.T., ou segundo outros moldes.

O dom da profecia visa especialmente a consolar e edificar a igreja, além de ter a serventia de convencer os incrédulos presentes sobre as verdades do evangelho. A importância do ensino foi assim salientada, porquanto um dom especial é conferido a certos, para que se tornem mestres mais poderosos. Além disso, não devemos supor que os «mestres» também não sejam diretamente inspirados pelo Espírito Santo, já que esse é um dos ministérios formados pelo Espírito de Deus. Contudo, esse ministério é mais sutil, menos psiquicamente poderoso, mais geral e menos imediato; também é mais quieto e menos espetacular, estando mais limitado ao uso inspirado dos documentos sagrados — a Bíblia — como sua fonte, do que sucede no caso da inspiração imediata, que não depende dos documentos escritos, conforme se dá no caso dos profetas.

«Os profetas, que são associados aos apóstolos como o alicerce da igreja (ver Efé. 2:20), porquanto podem revelar a mente de Deus, segundo me parece, em certo sentido subordinado, podem existir até os nossos dias, sendo aqueles que não meramente ensinam e esclarecem doutrinas comuns e proveitosas, mas também que, devido a uma energia especial do Espírito Santo, podem desdobrar e transmitir a mente de Cristo à igreja cristã, nos casos em que esta se mostrar ignorante da mesma (embora tal mentalidade esteja oculta nas Escrituras), podendo desvendar à igreja verdades bíblicas antes escondidas, através do poder do testemunho do Espírito de Deus, de conformidade com as circunstâncias presentes da igreja e das expectativas futuras para o mundo. Isso faz deles, para todos os efeitos práticos, profetas (embora nenhum fato novo seja revelado, mas tudo já esteja presente na Palavra de Deus); os quais, por isso mesmo, tornam-se uma bênção direta e uma dádiva de Jesus Cristo à sua igreja, quanto à sua necessidade e aparecimento, embora eles se apeguem firmemente à Palavra, sem o que, entretanto, a igreja não possuiria o poder dessa Palavra». (Darby).

V. Vossos Filhos e Vossas Filhas Profetizarão (ver Atos 2:17 ss).

A copiosidade e a universalidade do dom do Espírito Santo não respeitaria qualquer distinção de sexo. Na sociedade moderna, onde a posição da mulher melhorou consideravelmente, em relação ao que era nas sociedades antigas, especialmente no que dizia respeito à antiga sociedade judaica, essa declaração não soa aos nossos ouvidos com qualquer sentimento de surpresa. Entretanto, isso deve ter

PROFECIA

parecido chocante para os judeus, porque a posição da mulher, na sociedade israelita, era extremamente baixa. A tradição rabínica degradava a mulher, porquanto nenhum rabino se rebaixaria a ensinar a lei a uma mulher. Era mesmo considerado melhor queimar a lei do que ensiná-la a uma mulher. Nos dias de Jesus era motivo de debate, entre os judeus, se as mulheres possuíam alma ou não. Era proibido aos homens conversarem em lugares públicos com as mulheres, ainda que se tratasse de suas próprias esposas, parcialmente porque essa atitude poderia provocar suspeitas e comentários escarnecedores, mas principalmente porque tal coisa não era considerada digna de ser realizada em público. (Ver Strack e Billerbeck, *Kommentar zum N.T. aus Talmud und Midrash*, II. 438). Os próprios discípulos do Senhor originalmente compartilhavam desse ponto de vista, porquanto ficaram surpreendidos por encontrar o Senhor a falar com uma mulher, à beira do poço de Jacó (conforme o registro histórico do quarto capítulo do evangelho de João).

«Foi Cristo quem descobriu e enfatizou o valor da mulher. Foi Cristo quem a elevou para equiparar-se ao homem; naturalmente não que seus deveres se tornassem idênticos, pois a própria natureza impede isso. No entanto, no dizer de Paulo, em Cristo não há nem homem e nem mulher, no sentido de que ambos podem ser igualmente queridos aos olhos de Deus e são igualmente convocados para servir no seu reino e ambos podem igualmente atingir os mesmos exaltados alvos espirituais». (Arthur John Gossip, *in loc.*, comentando sobre João 4:30).

Eles Profetizarão
1. Ver notas completas sobre o «dom da profecia», na introdução ao décimo segundo capítulo de I Coríntios, no NTI.
2. Esse dom inclui a predição sobre o futuro (ver Atos 21:10 e *ss*), mas era, essencialmente, uma forma inspirada de falar, conforme fica demonstrado em suas descrições, nos capítulos doze e catorze de I Coríntios.
3. A profecia teria por intuito trazer, para os tempos neotestamentários, e em profusão, aquilo que existia em casos relativamente isolados no A.T. Nos tempos antigos, houve poucos profetas. Nos dias do N.T., entretanto, os profetas foram muitos.
4. O ofício profético, naturalmente, envolve uma elevada autoridade, que ocupa segundo lugar somente em relação ao ofício apostólico. Quando eram profetas genuínos, e não meros mestres, eram homens dotados de grande poder.
5. Houve muitos abusos contra o ofício, e sem dúvida, muitas imitações. Em alguns lugares, o ofício chegou a aproximar-se do caos, conforme vemos pelas palavras de Paulo, em I Cor. 14:29 e *ss*.
6. O dom profético, como todos os dons, singular ou coletivamente considerados, tinha por intuito fazer a igreja avançar espiritualmente (Efé. 4:11 e *ss*). O alvo é a participação nas perfeições da imagem e da natureza de Cristo (ver o vs. 13 daquela passagem; e também II Cor. 3:18).

No que diz respeito a *profetisas*, assim Ana é designada no trecho de Luc. 2:36, como também as filhas de Filipe, o evangelista, em Atos 21:9, casos em que precisamos entender uma forma de dom permanente, e não meramente alguma função exercida numa única oportunidade. (No tocante ao exercício do dom da profecia pelas mulheres, nos cultos das igrejas cristãs, ver o trecho de I Cor. 14:34,35).

VI. Jesus Cristo como Profeta
Jesus Cristo ocupa, essencialmente, três ofícios, de profeta, sacerdote e rei. Temos apresentado um artigo separado sobre o assunto, chamado *Ofícios de Cristo*. A segunda seção daquele artigo descreve os três ofícios específicos e oferece amplas referências e idéias bíblicas.

VII. Profetas Modernos
1. *Eclesiásticos*. a. Dentro do *Movimento Carismático* (vide), os participantes crêem que a função neotestamentária dos profetas tem continuação, o que descrevo sob as seções IV e V do presente artigo. b. Na *Igreja Católica Romana*, acredita-se que os ofícios de sumo sacerdote e de profeta continuam a ser exercidos pelo papa. Ver o artigo intitulado *Papa, Papado*. c. Na *Igreja Mórmon* (vide), o presidente do grupo (eleito pelo concílio dos Setenta) é tido como quem possui poderes proféticos mediante inspiração e revelação.

2. *Não-eclesiásticos*. Em um sentido bem comum, *todos os homens* são profetas, visto que nossos sonhos prevêem regularmente o nosso futuro. Esse nível de profecia é individual, privado, para orientação de cada pessoa. Mas alguns sonhos espirituais podem ocorrer, conferindo instrução moral e espiritual. Os sonhos são uma herança espiritual indiscutível, e podem revestir-se de grande valor. Ver o artigo sobre os *Sonhos*. Além disso, há aqueles indivíduos que formam uma espécie de tradição profética secular, que recebem sonhos, visões e experiências intuitivas que lhes permite prever o futuro. A *adivinhação* (vide) pode estar envolvida nisso. Ver também sobre *Astrologia*. Os melhores entre esses prognosticadores desfrutam de uma taxa de oitenta por cento de exatidão, mas a maioria deles obtém um sucesso menor. Porém, é inquestionável que eles obtêm algum sucesso. Como eles obtêm esse sucesso é o ponto debatido.

Duas funções proféticas têm-se feito continuamente presentes na maioria das culturas humanas: o poder de curar e o poder de prever o futuro. Ver sobre *Precognição (Conhecimento Prévio)*. Embora seja verdade que as forças demoníacas podem inspirar a profecia, também é verdade que essa capacidade é inerente à personalidade humana. A função dos sonhos serve de ilustração dessa habilidade natural. Algumas pessoas podem ter essa habilidade em grau mais intenso, podendo prever acontecimentos mundiais, e não meramente questões pessoais. Visto que o homem é um espírito, naturalmente possui poderes espirituais, inteiramente à parte de quaisquer influências externas estranhas. Portanto, vemo-nos impossibilitados de fazer uma declaração não-qualificada quanto à procedência dos poderes proféticos de certas pessoas. Esses poderes podem ser sobrenaturais, demoníacos ou puramente naturais. As funções e capacidades psíquicas são neutras em si mesmas, mas podem ser utilizadas para o bem, para o mal, ou mesmo por mera curiosidade, sem que esteja envolvida qualquer questão moral. Meu detalhado artigo sobre a *Parapsicologia* procura apresentar uma boa visão sobre as funções psíquicas do ser humano, além de mostrar que essas funções são perfeitamente naturais no homem. Nem por isso queremos negar a existência de poderes demoníacos. Ver os dois artigos sobre esse assunto: *Demônio (Demonologia)* e *Possessão Demoníaca*. Jamais haverá respostas fáceis para problemas complicados. Raramente um único argumento soluciona as questões complexas. Os fenômenos com freqüência têm diversas causas, o que certamente é o caso nessa questão das funções proféticas.

Toda profecia é parcialmente inexata, devido às limitações que lhe são impostas (ver I Cor. 13:9), sem importar se estamos pensando em profecias bíblicas, eclesiásticas ou privadas. Os profetas do Antigo Testamento, que viveram na época do cativeiro babilônico, pensavam que o retorno após o mesmo inauguraria a era do reino de Deus. O escritor do Apocalipse, no Novo Testamento, antecipou uma curtíssima duração para o império romano (ver Apo. 17:10 ss). Esses profetas erraram quanto à questão cronológica. Mas Paulo, naquela referência acima, em I Coríntios, ensinou que nosso conhecimento e nosso *profetizar* são parciais. Qualquer coisa que tiver de passar pelos seres humanos tornar-se-á imperfeito. Os homens inventam dogmas que exigem a perfeição, mas coisa nenhuma na Bíblia diz-nos que as profecias sempre precisam ser cem por cento exatas e completas. O que importa não é a perfeição. A função profética tem desempenhado um papel vital e necessário em favor da espiritualidade humana, e sua exatidão essencial é adequada para esse propósito. «Um profeta pode conhecer um determinado aspecto da vontade divina, mas ser totalmente ignorante quanto a outros aspectos» (Z).

VIII. Profecia e Conhecimento

No artigo chamado *Conhecimento e a Fé Religiosa, O*, tenho mostrado que a principal fonte do conhecimento espiritual é a *revelação*. Naturalmente, isso põe-nos frente a frente com a função profética. O processo é como segue: o profeta recebe a sua mensagem; essa mensagem mostra ser vital para o povo; o próprio profeta, ou então, seus discípulos, produzem uma versão escrita da mensagem profética; surge uma organização para primeiramente *proteger*, e então *canonizar* a versão escrita da mensagem profética. E isso põe Escrituras em nossas mãos. Essas Escrituras, ato contínuo, tornam-se uma das principais autoridades seguidas por aquela organização. Ver o artigo separado sobre *Autoridade*. Não podemos esquecer-nos que inspiração e revelação são subcategorias do *misticismo* (vide). O misticismo pressupõe que poderes divinos podem comunicar-se com os homens, e realmente o fazem, e que o nosso conhecimento não se limita nem à percepção dos sentidos e nem à razão. O fato de que o profeta é o primeiro elo dentro do processo do conhecimento através da revelação (misticismo) demonstra a grande importância desse ofício.

Bibliografia. B C E FREE ND P SCHU UN W Z

PROFECIA: TRADIÇÃO DA, E A NOSSA ÉPOCA

O propósito deste breve artigo é fazer soar o alarme que adverte aos homens: «Os últimos dias estão às portas». A verdade é que na igreja, em muitas épocas diversas, os homens têm pensado isso equivocadamente. Contudo, não pode haver dúvida de que os «tempos mudaram», e que há «muitas coisas novas debaixo do sol». As predições bíblicas que dificilmente poderiam ser cumpridas em outros séculos, podem concretizar-se facilmente em nossa própria época.

Talvez a própria brevidade deste artigo chame a atenção dos leitores. Nesta enciclopédia não há artigo mais importante que este. Consideremos a natureza momentosa do pensamento: «Nossa época é o tempo do fim. Veremos o anticristo; veremos a tribulação; veremos a segunda vinda de Cristo; veremos o surgimento da idade de ouro». E por «nós» quero dar a entender a geração que atualmente vive. As pessoas que agora vivem contemplarão todos esses acontecimentos.

Esboço:
I. Os Sinais dos Tempos
  1. O progresso da ciência
  2. O aumento do poder
  3. O soerguimento de Israel
  4. O fortalecimento da Rússia
  5. O incremento da imoralidade
    a. A loucura do sexo
    b. A falta de controle
    c. A época do alcoolismo e dos tóxicos
  6. O aumento do ocultismo
II. A Moldagem do Futuro
  1. A vinda do Anticristo, o filho do Oriente
  2. A federação de dez reinos
  3. O levantamento e a queda da igreja
  4. A grande tribulação
  5. A terceira guerra mundial
  6. A quarta guerra mundial: *Armagedom*
  7. O cataclismo vindouro
  8. A segunda vinda de Cristo
III. O Que se Pode Fazer?

A maior parte dos itens deste esboço tem sido comentada em algum lugar da enciclopédia, pelo que podemos apresentar este artigo em forma de esboço, e não na forma discursiva.

I. Os Sinais dos Tempos

1. *O progresso da ciência*

Muitos esquadrinharão, e o saber se multiplicará (Dan. 12:4b).

Newton, estudando as profecias bíblicas, incluindo esta (fê-lo na versão inglesa), declarou que algum dia os homens poderiam viajar à espantosa velocidade de oitenta quilômetros por hora. Voltaire zombou dele, e fez observações cortantes acerca de como até a grande mente de Newton era pervertida pelo estudo das Escrituras, pois dizia Voltaire: «Se alguém viajar a oitenta quilômetros por hora, conforme todos sabem, ficará sufocado». Agora podemos rir de Voltaire, mas o que não podemos despedir com um sorriso é o fato de que o grande progresso científico de nossa época tem cumprido as profecias bíblicas além da mais arrojada imaginação, estabelecendo o palco para a agonia da terra que terá de preceder à volta de Cristo.

2. *O aumento do poder*

O homem tem agora a capacidade de brandir o poder necessário para descarregar sobre a terra eventos cataclísmicos como os que são descritos nesta profecia, no Apocalipse e em II Pedro. Agora é verdade que os homens podem dissolver os elementos com calor abrasador, fazendo cair fogo sobre as ilhas — que podem destruir-se totalmente. O descobrimento da energia atômica tornou possível a vasta destruição predita em Apo. 4-19, inteiramente à parte de causas sobrenaturais, embora creiamos que estas também estarão envolvidas na agonia final da terra, antes do estabelecimento da idade áurea. A *bomba infernal* imporá ao homem a maldição que ele atraiu contra si mesmo. Os fundamentos da terra serão abalados e a terra balouçará: ver Isa. 24:16,17; 24:19,20; Joel 2:10 e II Ped. 3:10. Uma libra de urânio tem o poder destrutivo em potencial de 5 milhões de libras de T.N.T. Há poder suficiente, na energia atômica de uma pequena moeda, para destruir uma cidade tão grande quanto Nova Iorque. Em Hiroshima, mediante uma minúscula bomba atômica, um mero bebê entre as armas que se conhecem hoje em dia, sessenta mil pessoas foram mortas em um segundo, e quatro milhas quadradas da cidade foram obliteradas. Quarenta mil pessoas morreram, em seguida, dos efeitos daquela explosão. A proporção de destruição e de mortes ainda foi maior em Nagasaki. Oitenta e cinco daquelas bombas poderiam destruir todas as principais cidades dos

PROFECIA

Estados Unidos. Uma nação inteira poderia ser varrida completamente do mapa em questão de horas. A bomba de hidrogênio é mil vezes mais poderosa que as minúsculas bombas atômicas iniciais. Isso é algo novo sob o sol, o que torna nossos tempos o palco possível, sim, e até mesmo indiscutível, para a agonia final da terra.

3. O soerguimento de Israel

«Restaurarei a sorte de Judá e de Israel, e os edificarei como no princípio» (Jer. 33:7).

«Tomar-vos-ei entre as nações, e vos congregarei de todos os países, e vos trarei para a vossa terra» (Eze. 36:24).

«Plantá-los-ei (a Israel) na sua terra, e dessa terra que lhes dei, já não serão arrancados, diz o Senhor teu Deus» (Amós 9:15).

Ver também o décimo primeiro capítulo da epístola aos Romanos, acerca da restauração de Israel e sua final salvação evangélica.

Essa restauração do povo de Israel, de volta a sua própria terra — em nossa época (algo novo debaixo do sol), se destaca entre os sinais do fim dos tempos, em primeiro lugar. Os eruditos da Bíblia costumavam debater se isso se cumpriria «literalmente». A história nos forneceu a resposta. De nada nos adiantará dizer conforme fazem alguns, que a própria profecia estava se «autocumprindo». É melhor reconhecer o poder de Deus que opera em nosso mundo. Manter a posição dos céticos é permanecer nas trevas, não se deixando sujeitar à iluminação espiritual.

A volta de Israel à sua terra armou o palco para seu conflito com as nações árabes, conflito esse que será o estopim da Terceira e da Quarta Guerras Mundiais, (e esta última será o Armagedom). (Ver mais abaixo «A Moldagem do Futuro», e seguir as referências dadas nos comentários no NTI). O retorno de Israel também possibilitará a «salvação nacional» prometida em Israel, em Rom. 11:26. Nossos filhos, se não nós, veremos Israel «nacionalmente» convertida a Cristo. Dentro dos próximos 35 anos, Israel tornar-se-á poderosa nação cristã «missionária», a mais fanática de todas, substituindo certas nações que agora arcam com a responsabilidade missionária. Isso será um feito do Senhor, e maravilhoso aos nossos olhos.

4. O fortalecimento da Rússia

Ezequiel 38 e 39 descrevem a posição da Rússia nos últimos dias. A Rússia ocupará lugar central quando da Terceira Guerra Mundial, a qual distinguimos da batalha do Armagedom, quando então à China caberá o papel principal; e ambos se voltarão contra a federação de dez reinos do anticristo. Tudo começará com a invasão russa nas terras dos combatentes árabes e judeus (pois esse conflito prosseguirá interminavelmente), e isso provocará o início da Terceira Guerra Mundial. Essa guerra será o principal cumprimento da predição apocalíptica sobre o «cavalo vermelho» (6:4). De modo nunca antes visto, a paz será tirada da face da terra. Isso levará a um clímax uma série de conflitos, mas será a guerra horrorosa por excelência, perdendo em violência apenas para a batalha ainda futura do *Armagedom*. Isso terá lugar em algum ponto perto do fim do século XX. Fará parte do período da tribulação.

5. O incremento da imoralidade

a. A loucura do sexo

A era imediatamente antes da segunda vinda de Cristo será semelhante à de Sodoma (ver Luc. 17:26-30). Aquela foi uma época de apetite sexual, uma era de sexo desabrido, uma fase de comercialismo pervertido. (Ver Gên. 19 quanto ao registro bíblico). O próprio vocábulo «sodomia» sugere práticas sexuais depravadas. Hoje em dia há psicólogos que falam com seriedade acerca da homossexualidade (um dos principais pecados de Sodoma) como alternativa natural para o matrimônio heterossexual. O cinema, a televisão, os jornais e as revistas refletem a tendência de nossa época, a qual fez do mundo inteiro uma grande Sodoma. Até mesmo a propaganda e o entretenimento se apóiam sobre as «muletas do sexo», como apelo. O pior aspecto do problema é que a igreja da «crença fácil» não mais encara os pecados sexuais como algo muito sério.

«Sabe, porém, isto: Nos últimos dias sobrevirão tempos difíceis; pois os homens serão egoístas... sem domínio de si... antes amigos dos prazeres que amigos de Deus, tendo forma de piedade, negando-lhe, entretanto, o poder. Foge também destes» (II Tim. 3:1-5).

Nenhum indivíduo viciado penetrará no reino dos céus: «Sabei, pois, isto: nenhum...impuro...tem herança no reino de Cristo e de Deus...Mas a impudicícia e toda sorte de impurezas...nem sequer se nomeie entre vós, como convém a santos...» (Efé. 5:5).

b. A falta de controle

Consideremos como a Corte Suprema dos Estados Unidos trata da pornografia. Pode-se exibir qualquer coisa em um cinema ou em uma revista, contanto que tenha «algum valor social». Em outras palavras, se em um filme puder ser achada qualquer coisa útil, não importa quão degenerado seja o mesmo, pode ser exibido ao público. Que padrão baixo é esse, declarado pela mais elevada corte do país. Isso é típico da «falta de controle» sobre a depravação que caracteriza a nossa época. Sodoma se tornou conhecida por haver-se abandonado a todas as formas de desregramento. A ausência de controle é ilustrada principalmente na igreja, onde a música dos clubes noturnos se tornou agora um padrão aceito. Os membros mais antigos ficam por ali assentados, enquanto tudo sucede, com pouco ou nenhum protesto. Os *filósofos* sabem que a música provoca estados metafísicos. Como poder haver qualquer conversão autêntica quando uma «música vil» é usada para «inspirar» os cultos?

c. A época do alcoolismo e dos tóxicos

Um comentador do Apocalipse predisse que o fim dos tempos se caracterizaria pelas drogas e pelo alcoolismo. Isso ele supôs ao notar que a palavra traduzida como «feitiçaria» subentende o uso de drogas, o que realmente sucedia na antiguidade. As drogas eram usadas como auxílios na feitiçaria, tal como até hoje. Essa predição foi feita em 1903, antes de surgir na cultura geral o problema dos tóxicos. Contemplemos o que está sucedendo em nossos próprios dias. Quase todos os jovens já experimentaram os tóxicos, e grandes números continuamente os usam. Os tempos do fim serão a era de mais acentuado alcoolismo e de tóxicos que já houve, desde o começo do mundo.

6. O aumento do ocultismo

Devemos cuidar para não chamar de «ocultismo» à ciência mental legítima. Muita coisa vem sendo feita, com o nome de «parapsicologia», que é ciência legítima; pois realmente é um ramo da «antropologia», porquanto suas descobertas abordam aspectos da natureza humana e do potencial humano. O homem, por ser um ente espiritual, naturalmente possui características espirituais, inclusive a telepatia, o conhecimento prévio, o poder de cura, e até mesmo a «bilocalização», ou seja, a capacidade de fazer «viagens com a alma», enquanto o corpo físico ainda

PROFECIA

está vivo.

Não nos equivoquemos, porém, pois a magia negra está em ascendência em nossos dias, e continuará aumentando, até que as forças satânicas se tenham apossado de muitos, se não mesmo da maioria dos homens. O fim de tudo será a adoração direta a Satanás, por intermédio do *anticristo*, tal como agora os crentes adoram a Deus por intermédio de Cristo. (Ver Apo. 9, sobre os julgamentos dos «ais», que quase certamente falam da invasão de poderes demoníacos da terra, nos últimos dias). Até agora, a terra tem tido proteção natural, primeiramente porque Deus assim quer e protege aos homens dos piores poderes demoníacos, pela influência de seu Espírito no mundo; e, em segundo lugar, por piores que sejam os homens, ainda não chegaram ao baixo nível de degradação que será mister para atrair os espíritos malignos mais vis. Quando os homens estiverem «preparados», por sua própria vontade perversa, então ocorrerá a invasão satânica; e quando a proteção divina for removida, o mundo tornar-se-á um inferno em vida, uma floresta louca e pervertida das mais baixas formas de violência e iniqüidade. O resultado final será a adoração a Satanás, conforme se vê em II Tes. 2:4 e Apo. 13:8.

Ocultismo negro na igreja. Sem dúvida o mais trágico aspecto do incremento da magia negra no mundo de hoje é que dentro da própria igreja cristã ela vai se tornando proeminente. Os homens têm podido perceber que os *dons espirituais* são necessários para o desenvolvimento espiritual apropriado da igreja (conforme se vê em Efé. 4, Rom. 12 e I Cor. 12-14). Esses dons não servem de mera autenticação das mensagens proféticas. São para nós, e nenhuma igreja precisa tanto desses dons como a de hoje em dia. Porém, uma igreja mal preparada para buscar os dons, que pouco saiba sobre os poderes psíquicos e seus perigos, aleijada por um baixo caráter moral, ao abrir sua consciência a poderes espirituais ocultos, tem recebido «espíritos», e não o Espírito.

Tal observação sob hipótese alguma é uma acusação contra qualquer pessoa em particular, que tenha sido envolvida pelo poder das trevas, em vez do poder da luz; mas é apenas uma advertência de que isso sucede atualmente, no seio mesmo da igreja evangélica. Esse problema, e toda a questão dos dons espirituais, é o problema mais crítico que a igreja atual enfrenta. Por outro lado, cremos que se manifestam dons espirituais genuínos hoje em dia, e que os mesmos estão à nossa disposição; mas há a questão dos poderes das trevas, que se manifestam lado a lado com os poderes divinos. I João 4:1 ss nos diz claramente da necessidade de «discernir os espíritos» para saber se vêm de Deus ou não. Homens totalmente destituídos de moral por toda a parte falam em línguas, profetizam e curam. São falsos ministros de Cristo, porquanto os verdadeiros dons espirituais *purificam* e *santificam*, criando a imagem santa de Cristo em nós. Todo o progresso espiritual, se vem da parte de Deus, traz consigo a transformação moral. Toda a conversa contrária a isso é uma insensatez. O próprio processo salvador é produzido «através da santificação», e não evitando a mesma (ver II Tes. 2:13).

II. A Moldagem do Futuro

1. *A vinda do anticristo*, o Filho do Oriente.

Levamos *a sério* as predições bíblicas que falam do surgimento de um homem poderosíssimo, o qual será tão perverso quão poderoso. Fará com que todos os homens iníquos, que têm enchido as páginas da história, se assemelhem a crianças. Pensemos na imensa perversidade de Hitler, o qual será reduzido a um «brinquedo infantil» por esse outro poder supremamente maligno! (Ver o artigo sobre o *Anticristo*). Cremos que esse homem já vive, a confiar nas declarações de certos místicos contemporâneos, que se sabe — possuírem poderes preditivos. Sem importar o que possamos pensar desses místicos como indivíduos, permanece de pé o fato de que suas predições com freqüência são válidas. É perfeitamente possível, conforme já foi predito, por alguns deles, que o anticristo tenha nascido a 5 de fevereiro de 1962. Notemos que esse «ano» é igual a 666, numericamente considerado, pois se adicionarmos 1+9+6+2=18, ou seja, três vezes seis. O «666» original era simplesmente o equivalente ao valor numérico do nome *Nero César*, a quem os cristãos primitivos esperavam que fosse o anticristo. Em outras palavras, Nero se reencarnaria, segundo pensavam, e se ocuparia de sua missão satânica. Quanto a nós, somente conjecturamos que 1962 tenha alguma significação, e não dizemos isso como algo infalivelmente certo. (Ver Apo. 13:18, no NTI, quanto às muitas conjecturas que circundam a questão). O certo é que esse homem, segundo o padrão deixado por Cristo, mas duplicando-o de modo perverso, tornar-se-á conhecido e obterá grande autoridade e poder pelo tempo em que tiver cerca de trinta anos de idade. E por esta altura ele já deve saber acerca de sua missão satânica, tal como Cristo Jesus já sabia da sua, pelo tempo em que tinha doze anos, e demonstrou sua imensa sabedoria no templo, perante os doutores da lei.

O anticristo terá dois centros de atividades: — Jerusalem e Roma —. Ele encabeçará a federação futura de dez reinos, que será o braço de seu poder. Também contará com o seu próprio «João Batista», um precursor, o qual, mediante nossos meios de comunicação em massa, publicará a sabedoria e o poder desse homem, levando o mundo a aclamá-lo dentro de pouco tempo. Toda a sabedoria dos séculos brilhará nos olhos do anticristo, mas essa sabedoria será negra e pervertida em suas operações. No começo da década de 1990 esperamos vê-lo. Nossos filhos terão de enfrentá-lo. Será promovida a pior de todas as perseguições religiosas, encabeçada por ele, e a igreja terá de agir subterraneamente, às ocultas.

O anticristo fará oposição como poderíamos supor, da própria palavra, à qualquer verdadeiro culto a Cristo. Ele terá consigo a ciência, que nega a existência de Deus, e usará as descobertas miraculosas desta para negar a necessidade de Deus na vida dos humanos. Ao mesmo tempo, esperamos que ele seja um psíquico e operador de milagres do mais elevado grau. Ele fará com que os céticos se convertam a um tipo de espiritualidade, mas que na realidade é falsa, que tornará corruptas as próprias almas dos homens.

2. *A federação de dez reinos*

(Ver Apo. 13:1 e 17:12). Essa federação, a grosso modo, representará o reavivamento do império romano; mas não se limitará, necessariamente a nações européias. Conjecturamos que se comporá destes países: Inglaterra, Itália, França, Bélgica, Alemanha, Holanda, Suécia, Japão, Canadá e os Estados Unidos. Essas nações atuarão como braço do poder do anticristo, sendo usadas para se oporem à Rússia, na Terceira Guerra Mundial, e à China, na Quarta Guerra Mundial (Armagedom).

3. *O levantamento e a queda da igreja*

O *terceiro capítulo* do Apocalipse indica que uma igreja que avança espiritualmente, existirá juntamen-

PROFECIA

te com uma igreja que fracassa e apostata. Já estamos vendo o começo disso. Alguns homens têm entrado pela vereda da renúncia, buscando o máximo dos dons e do poder de Deus, mostrando-se sérios sobre a inquirição espiritual. Ao mesmo tempo, os dons espirituais estão sendo pervertidos mediante a *influência dos espíritos* e da magia negra que tem penetrado na igreja. Moralmente falando, os ministros falsos são pútridos. A música dos clubes noturnos é atualmente aceita nos cultos de adoração, e até mesmo usada na tentativa de trazer os pecadores ao arrependimento. Esse *dualismo* de condições fará a igreja levantar-se e cair, ao mesmo tempo.

4. A grande tribulação

(Ver o artigo sobre *Tribulação, a Grande*). Muitos eruditos bíblicos limitam esse período a sete anos, ou seja, três anos e meio para a «tribulação» e outro tanto para a «grande tribulação», em que um período se seguirá imediatamente ao outro. Mas tomamos o número «7», nesse caso, como símbolo do — ciclo perfeito da tribulação — que os homens merecem, promovido pelo anticristo, entre outros fatores espirituais. Portanto, cremos que esse período de sofrimentos sem precedentes, de pragas, guerras e destruições perdurará muito mais do que sete anos, talvez até sete vezes sete, ou seja, 49 anos, ou mais ainda. Incluirá o aparecimento do anticristo (desde seu começo), e também a Terceira e a Quarta Guerras Mundiais. A tribulação incluirá o lançamento de poderes fantasticamente destrutivos, do homem contra o homem; mas também incluirá o açoite da natureza contra os homens. O mar bramirá e ficará fora de controle, e os cientistas não conseguirão explicar o que estará sucedendo. *Terremotos* sobrevirão com sofrimentos nunca igualados. Do firmamento cairão pesadas chuvas de meteoritos, e um cometa (ou mais de um no decorrer dos anos) atingirá a terra. Cremos que o período da tribulação já estará em pleno vigor antes do fim do século XX. Veremos boa parte ou a maior parte do mesmo. E nossos filhos terão de enfrentar seus terrores.

Como foi notado acima, pode ser possível que o período de sete anos seja literal, sendo um tempo de crise específica para Israel. É possível que a igreja escape — deste período. Neste caso os sete anos literais serão um tempo específico dentro da moldura de **uma tribulação muito mais duradoura**.

5. A terceira guerra mundial

Grande terremoto atingirá Israel, dando a seus inimigos árabes uma vantagem momentânea, do que resultará a *invasão* das terras de Israel. Perdas imensas terão lugar, em ambos os lados, e isso até perto do fim do século XX. A Rússia e seus aliados intervirão e ocuparão as terras de todos os participantes. Haverá muita miséria, derramamento de sangue e pestilência. O anticristo e sua federação de dez reinos se moverão para expulsar a Rússia das terras ocupadas. A Rússia, observando isso, dará início à guerra atômica. Muitas das cidades da Europa, dos Estados Unidos e da Rússia serão destruídas. Isso ocorrerá perto do fim do século. A humanidade temerá, e com boas razões, por sua própria sobrevivência. A vastíssima destruição modificará as condições atmosféricas. O sol não brilhará em meio às trevas. Por volta do ano 2000, as forças comunistas terão sido isoladas no Oriente Médio, como foram os alemães em Estalingrado. Serão destruídas pelos exércitos da federação de dez reinos, com armamentos atômicos. O anticristo será o grande herói conquistador de todos os tempos. Os Estados Unidos e a Rússia não serão mais nações poderosas, devido à vastíssima destruição que ambos os países sofrerão nessa guerra. Será, então, a oportunidade da China.

A Conversão de Israel

Em meio a esse pior de todos os holocaustos, subitamente se tornará visível no firmamento o sinal do Filho do homem, uma grande cruz luminosa. Jesus será visto corporalmente entre os soldados israelenses, que estarão lutando pela sobrevivência da própria nação, quando estiverem quase perdendo a esperança de que isso será possível. As notícias de que «Jesus está conosco» se propagarão como um incêndio por todo o Israel. Os homens serão convocados para a vitória. Israel proclamar-se-á uma nação; e tendo sobrevivido, tornar-se-á a mais poderosa *nação cristã missionária* da época.

Os eventos como agora acontecem, nos mostram alguns detalhes do que exatamente será envolvido na conquista de terras pela Rússia. O petróleo certamente será um fator de importância vital. Pensemos no que significará para as nações do Ocidente quando a Rússia controlar os suprimentos de petróleo agora sob o poder dos árabes! Nações como o Japão, não possuem recursos naturais de petróleo e dependem da importação. Estas nações que têm tudo a perder pelo controle comunista do petróleo árabe, se unirão ao anticristo para expelir a Rússia dos países árabes e da Palestina. Será então que surgirá a *Terceira Guerra Mundial*.

Nós não temos chamado a Terceira Guerra Mundial de Armagedom, mas já que o *gran finale* da guerra será na Palestina, talvez fosse melhor se víssemos o Armagedom como a consistência tanto da terceira como da quarta guerra mundial. Logo, o Armagedom em si seria uma série de eventos e não uma guerra única, ou uma única batalha. A Segunda Vinda de Cristo começa com o Armagedom e este próprio é uma série de eventos, pelos quais o mundo é levado a ajoelhar-se, tomando Cristo então o controle do mundo.

Apocalipse 16:15 indica que o Armagedom é o início da Vinda de Cristo.

6. A quarta guerra mundial: Armagedom

Estando outras nações debilitadas, e não sendo mais nações poderosas a Rússia e os Estados Unidos, a *China* iniciará vastas conquistas, o que provavelmente durará pelo período de muitos anos. A Ásia inteira, grande parte da Europa e da Rússia serão conquistadas. Então, finalmente, os acontecimentos uma vez mais se centralizarão em torno da Palestina. Milhões de tropas chinesas ocorrerão à Palestina; mas o anticristo, mediante sua poderosa federação de nações, fará chover armas atômicas sobre elas. As que porventura chegarem à Palestina estarão grandemente debilitadas, e serão totalmente destruídas. A agonia que circundará tudo isso — a vastíssima destruição — o enfraquecimento que derrubará todas as nações de joelhos, será o Armagedom. Esse acontecimento (na realidade, uma série de acontecimentos), finalmente, fará o mundo inteiro cair aos pés de Cristo. O mundo terá aprendido o que significa deixar Cristo fora de suas vidas e o que significa convidar Satanás e as suas forças para que dominem. Hoje mesmo o mundo está aprendendo o que é esse drástico *abandono*; mas finalmente, o mundo inteiro terá de voltar-se para Cristo, se ao menos quiser sobreviver. (Ver o artigo sobre o *«Armagedom»*). O Armagedom culminará com alguma espécie de intervenção divina contra o anticristo. O fato de haver derrotado a China, deixá-lo-á na posição de único mandante do globo. Como será ele derrubado, não é dito exatamente; mas isso ocorrerá mediante a «parousia» ou segundo advento de Cristo, o que, mui

PROFECIA

provavelmente, irá se cumprindo por etapas. Esses detalhes deixamos ao encargo de revelações futuras, as quais tornar-se-ão possíveis mediante os próprios acontecimentos.

As igrejas e o anticristo. Disto fazemos um novo parágrafo, pois é aqui que **precisamos de atenção** especial. Sim, o anticristo cativará a ciência e converterá os céticos. Mas como pode ser imaginado que ele não poderá tomar conta dos «sistemas religiosos»? É quase certo que ele dominará o Conselho Mundial das Igrejas. É quase certo que ele dominará uma grande porção da Igreja Católica Romana, bem como a maioria dos grupos independentes. Eles cairão diante dele; eles serão enganados. Surgindo, porém, de todos os grupos, estará um resquício, sem bandeiras distintivas (pois a perseguição une os fiéis) que fará oposição ao anticristo, com grandes perdas, medidas em termos de perseguição e morte. Os nossos tempos verão a maior perseguição religiosa de todos os tempos, que fará com que até os danos provocados pelo comunismo pareçam insignificantes.

O anticristo promoverá um culto pessoal, mas a cristandade que o suporta será um novo tipo de religião, uma espécie de mistura de religiões ocidentais e orientais. Será uma **forma de cristianismo**, mas um tipo falso. O anticristo, porém, será universal, e não se identificará com nenhum grupo determinado, nem tão pouco será o cabeça de qualquer denominação cristã particular, que repentinamente aumenta o seu poder. Todas as religiões, em toda parte se tornarão seus servos.

Uma outra tendência é o incremento do *ceticismo*, o que já provocou uma apostasia. Mas tal situação se multiplicará imensamente nos últimos dias. (Ver II Tim. 3:1 *ss* quanto à predição sobre tal «apostasia»). Historicamente, aquele trecho foi escrito contra os gnósticos, uma seita imoral que, durante certo tempo, procurou exibir-se como se fora a igreja cristã. Os apóstatas do futuro serão os modernos gnósticos amorais. Qual denominação formará a igreja apóstata? Meus amigos, creio que os intérpretes se têm equivocado, ao suporem que uma denominação particular, como a Igreja Católica Romana, será a igreja apóstata dos últimos dias. Parece bem mais provável que esta se comporá de largo segmento de todas as denominações e, por igual modo, a «igreja que se levantará» surgirá dentre todas as denominações!

E qual será o fim dessa apostasia? O fim dessa apostasia na igreja será idêntico ao fim da apostasia no resto do mundo. Essa igreja *aceitará o anticristo* como se fosse o verdadeiro Cristo e adorará a Satanás por seu intermédio. Essa igreja não resistirá a qualquer dos atrevimentos do anticristo; pelo contrário, haverá de ajudá-lo em sua busca de lealdade universal. Já a igreja que se levantar terá de ocultar-se e sofrerá a pior perseguição de todos os tempos.

A igreja atravessará o período da tribulação? A essa difícil pergunta, respondemos com um *sim*. Ver o artigo sobre *Parousia*, onde ambos os lados da questão são expostos. O mais forte argumento contra a idéia de um arrebatamento pré-tribulacional da Igreja é o fato de que o livro que descreve a própria tribulação, o Apocalipse, foi escrito para uma igreja composta de «mártires em potencial», uma igreja que haveria de sofrer a ira romana, e não escapar da mesma. O Apocalipse é um *manual para os mártires*. Não foi escrito para os judeus e nem para satisfazer a curiosidade acerca do futuro, mas a fim de mostrar a uma igreja que sofria como as coisas piorarão, e como os crentes devem postar-se firmes em tempos de tribulação. O Apocalipse é essencialmente um aviso à Igreja para que resista em meio à mais feroz perseguição. O trecho de Apo. 17:10 *ss* mostra que a igreja primitiva esperava o fim em sua própria época, numa série de «oito» governantes, o último dos quais seria o anticristo. Não há qualquer indicação bíblica de que a igreja escaparia ao látego de qualquer deles. Bem pelo contrário, a igreja terá de enfrentar a cada um deles, inclusive o anticristo, sofrendo horrendamente.

Às notas acima, devemos adicionar esta, que é importante por tornar mais clara a explicação. Quando dizemos que a Igreja passará pela tribulação, estamos falando de uma tribulação que durará cerca de quarenta anos, e não meramente sete, como alguns têm suposto. Muito definitivamente, Igreja, falsa e verdadeira, terá que enfrentar o anticristo; e muito definitivamente, a Igreja, *falsa e verdadeira*, terá que negociar com ele. Aqueles que o rejeitarem, serão perseguidos, e não haverá salvo-conduto disto. Mas isto é bom, e não maléfico, pois a Igreja necessita da purificação que resultará disto tudo. A Igreja como hoje a vemos, não pode voar.

Em relação ao arrebatamento antes, ou durante o «período de sete anos»: Nós especulamos neste artigo que este número é simbólico, e poderá significar um período muito mais longo de tempo, até mesmo sete vezes sete, ou quarenta e nove anos. Ou então este período de sete anos poderia ser um período especial que se relacionasse com Israel, dentro da extensão do período da perseguição (durante o percurso da *tribulação*). É possível que se este período for literalmente de sete anos de duração, que a igreja, tendo sido purificada na «tribulação», poderia ser arrebatada antes dos sete anos específicos de profecia, ou durante o seu percurso. Desta maneira, a Igreja passaria pela «tribulação», mas escaparia do período tradicional de sete anos, que presumivelmente, seria de natureza mais intensa. À medida que este tempo se aproxima de nós, obteremos um melhor entendimento dos detalhes envolvidos nestes assuntos. Mas não vos enganeis acerca disso: a Igreja, toda ela, passará pela perseguição das perseguições, e pelas mãos do *anticristo*.

À medida que os eventos se aproximam, eles lançam suas **sombras**. Nas sombras, vemos o **formato** dos eventos. Então as profecias se tornam mais claras. De qualquer forma, as profecias não foram escritas meramente para a nossa curiosidade, mas para instruir aqueles que vivem nos tempos em que estas profecias haverão de se concretizar. Logicamente, as profecias também servem de aviso, e este artigo foi escrito com o propósito específico de dar um aviso.

7. O cataclismo vindouro

A geologia revela-nos que por muitas vezes, na história do globo terrestre, seus pólos magnéticos subitamente mudaram de posição, provocando imensos dilúvios destruidores. O dilúvio da época de Noé provavelmente foi o último desses cataclismos. O que parece suceder então, é o seguinte: o âmago liquefeito da terra está em movimento e exerce pressão em uma direção, fazendo a crosta terrestre ficar tensa naquela direção. *Forças cósmicas* eletromagnéticas exercem força na direção oposta, assim estabilizando a crosta terrestre, para que não sofra grandes modificações de posição. Mas, enquanto a terra atravessa o espaço, ocasionalmente o campo cósmico eletromagnético é alterado, diminui, ou desaparece. Isso permite que a força do âmago liquefeito da terra exerça livre pressão sobre a crosta. E isso significa que uma nova localização para os

PROFECIA

pólos é subitamente criada, com o afundamento de antigos continentes, o soerguimento de novos, e, de modo geral, uma destruição prodigiosa. Cremos que o globo terrestre se encaminha para um outro acontecimento dessa natureza. Alguns cientistas predizem que isso pode estar próximo. Isso pode ter algo a ver com a derrubada do anticristo, e pode estar associado ao segundo advento de Cristo.

8. *A Segunda Vinda de Cristo*
(Ver Apo. 19:11 quanto à nota geral sobre esse evento, o qual, na realidade, provavelmente será uma série de acontecimentos. Esses acontecimentos serão tanto físicos quanto espirituais, tanto visíveis quanto invisíveis para os sentidos humanos. Seja como for, o resultado é que Cristo assumirá o controle do poder do mundo inteiro. Alguns dizem que isso será «visível e físico», mas outros afirmam que tudo será «espiritual». Sem importar seu «modus operandi», o reinado de Cristo será perfeitamente real, e por meio disso, será estabelecido o milênio, a idade áurea. A passagem de Apo. 16:15 ss indica que o Armagedom será o primeiro passo da «parousia» ou segunda vinda de Cristo.

III. O Que se Pode Fazer?

Em face desses momentosos eventos, que posso eu fazer? Se esses acontecimentos se destinam aos meus dias, que diferença isso deveria fazer para mim?

Antes de tudo, devo voltar a atenção para meu próprio desenvolvimento espiritual e para o cumprimento de minha missão. Devo preocupar-me com minhas palavras, com minha vida e com o exemplo que dou, procurando instruir a outros, especialmente meus filhos e os que estiverem próximos, a fim de que esses tremendos eventos não apanhe desprevenido a nenhum deles, porque eu mesmo não soei o alarme.

O que se pode dizer sobre meu desenvolvimento espiritual e sobre o cumprimento de minha missão pessoal?

1. Resolvo levar a sério o *estudo das Escrituras* e das questões espirituais, para treinar meu intelecto e para que vá sendo transformado segundo a imagem de Jesus Cristo. Devo dedicar-me à erudição espiritual. Preciso voltar a mente para o Senhor Deus, evitando o que é mundano e profano, bem como os vícios que combatem contra a alma.

2. Resolvo fazer da *oração um fator importante* de minha vida. Recuso-me a permitir que esse fator ocupe tão pouco espaço em minha vida, como tem sido até agora. Estou resolvido a aprender a agonizar em oração.

3. Resolvo *aprender* como criar em minha vida a *meditação* centralizada em Jesus Cristo, a irmã gêmea da oração. Se possível, terei em minha casa um quarto exclusivamente dedicado à oração e à meditação. Se outros podem ter salas de recreação, de música ou para receber hóspedes, posso ter um lugar separado, consagrado à oração e à meditação espiritual. Meditarei sobre a bondade, o poder, o amor e a santidade de Cristo, e esperarei que ele me transforme segundo a sua imagem. Aquietarei minha alma diante dele, e aguardarei que seu Espírito me ilumine. Mediante a iluminação do Espírito (impossível a menos que eu lhe dê condições adequadas para que chegue à minha alma), virei a conhecer a Cristo de uma maneira como nunca o conhecera antes.

4. Resolvo *entrar* na vereda da *«renúncia»* entendendo que o discipulado cristão consiste realmente de «tomarmos a cruz» e seguirmos a Cristo. Através de passagens bíblicas como Efé. 5:3-5 e II Tes. 2:13, entendo que não haverá salvação sem a santificação, quanto menos a vitória na inquirição espiritual. Repelirei todos os vícios, sabendo que minha alma nada poderá saber de Cristo, enquanto eu os — retiver. Rejeitarei vigorosamente a «crença fácil», própria de nossa época, tanto quanto tenho rejeitado o legalismo morto. Mediante a transformação segundo a imagem de Cristo, terei minha alma transformada em sua natureza metafísica (ver II Cor. 3:18), e assim virei a participar da natureza divina (II Ped. 1:4 e Col. 2:10).

5. Resolvo *seguir o exemplo de Cristo*, o qual «andou por toda a parte fazendo o bem» (Atos 10:38). Reconhecerei que a *prática do bem* em prol de outros é mais do que uma expressão natural de minha conversão; é também uma «força espiritualizadora» para a minha alma. Enquanto for praticando o bem em favor de outros, seguindo assim o exemplo de Cristo, minha alma irá sendo elevada para um estado mais alto da existência espiritual, porquanto é Deus quem opera em mim tanto o querer como o realizar, segundo o seu beneplácito. Aquele que opera por meu intermédio, ao mesmo tempo, e por causa dessa exata circunstância, também opera em mim. Dessa maneira, vou-me tornando semelhante a Cristo, tanto em meus atos quanto em meu ser. E esse é o alvo mesmo do evangelho.

Desse modo estarei preparado para encontrar-me com ele, podendo ouvir de sua parte o *«muito bem, servo bom e fiel»* (Mat. 25:23).

A Segunda Vinda

Girando e girando em círculos cada vez maiores,
O falcão não pode ouvir o falcoeiro;
As coisas se esboroam; o centro não se firma;
Mera anarquia é solta sobre o mundo,
A maré manchada de sangue é solta, e por toda a parte
A cerimônia da inocência é afogada;
Aos melhores falta toda a convicção, enquanto os piores
Estão cheios de apaixonada intensidade.
Certamente alguma revelação está próxima;
Certamente a Segunda Vinda está às portas.
A Segunda Vinda! Nem bem são proferidas essas palavras,
E a vasta imagem do Spiritus Mundi
Perturba-me a visão: em algum lugar, nas areias do deserto,
Uma forma, com corpo de leão e cabeça de homem,
Com olhar vazio e sem dó como o sol,
Move suas pernas lentas, enquanto ao seu derredor
Circulam sombras dos indignados pássaros do deserto.
As trevas voltam; mas agora reconheço
Que vinte séculos de sono de pedra
Se transformaram em pesadelo por um berço de embalo,
E que fera selvagem, tendo chegado finalmente a sua hora,
Escorrega na direção de Belém, a fim de nascer?
William Butler Yeats

O anticristo, com olhar vazio, tão sem misericórdia quanto o sol, já nasceu, o necessário precursor da Segunda Vinda.

OBSERVAÇÕES

1. O número bíblico místico para indicar provação é quarenta: o dilúvio durou quarenta dias antes que Noé mandou o corvo para achar um lugar para pousar, Gên. 7:17 e 8:6. Moisés fez jejum durante quarenta dias no monte, antes de receber a lei, Êxo. 24:18; 34:28. Golias manteve seu desafio contra Israel durante quarenta dias. A advertência de Jonas, contra Nínive durou quarenta dias, Jonas 3:4. A tentação de

PROFECIA — PROFECIAS MESSIÂNICAS

Jesus, por Satanás, estendeu-se por quarenta dias. **Parece razoável, então, supor que a Tribulação durará quarenta anos.** O período tradicional de sete anos, neste caso, será um tempo de importância especial para Israel, particularmente em relação às ações do anticristo. Estes sete anos serão de agonia intensa para Israel e para o resto do mundo. Possivelmente, representarão a parte pior da tribulação. Pode ser que a Igreja seja arrebatada antes desse período, mas até esse tempo, será a companheira de Israel em sofrimentos, e será purificada no processo. O Apocalipse deixa isso bastante claro. Foi escrito, originalmente, para ser um manual para mártires cristãos, enfrentando os terrores do império romano. Não é provável que o livro não tenha a mesma utilidade no futuro, quando suas profecias forem cumpridas na tribulação.

2. A segunda vinda de Cristo não será um único acontecimento. Será, antes, uma série de eventos, constituindo uma intervenção divina gigante na história universal. A palavra «parousia», no seu uso no N.T., pode se aplicar a diversos acontecimentos, começando com o Armagedom, Apo. 16:15-16, e se estendendo até à destruição final da própria terra, II Ped. 3:4-12. A referência dada no Apocalipse não contém a palavra «parousia», mas indica, claramente que a volta de Cristo começa com o Armagedom. Os vss quatro e doze de II Ped. capítulo três, contêm a palavra. Portanto, interpretando largamente, a «vinda» ou «manifestação» de Cristo, que irá revolucionar completamente toda a criação, se realizará sobre um grande período de tempo e incluirá muitos acontecimentos e realizações, alguns deles terrestres e literais, e outros espirituais, nos céus, bem como na terra. O próprio milênio será uma parte da «manifestação» de Cristo que trará vastíssimas mudanças na terra. Toda a criação, pelo poder da manifestação de Cristo, entrará num novo e imensamente elevado ciclo, que afinal, será absorvido no estado eterno. O homem tribal da terra será substituído pelo homem cósmico de uma vida de longa duração. Os eleitos em Cristo serão transformados e compartilharão a forma de vida que Cristo possui, e assim, tornar-se-ão em uma nova espécie.

3. A terceira guerra mundial (descrita em Eze. capítulos trinta e oito e nove, e certamente, incluída no simbolismo do cavalo vermelho de Apo. 6:4), terá uma variedade de causas, mas a causa principal será o conflito sobre energia. A Rússia, ocupando os territórios de Israel e das nações árabes, irá controlar o petróleo do mundo. A tentativa do anticristo, com sua federação de dez nações, de expulsar a Rússia de lá, provocará uma guerra atômica. Em junho, 1977, pela primeira vez, eu vi em jornais e revistas, advertências de altos oficiais militares dos E.U.A., que um dos objetivos do poder militar da Rússia é o controle do petróleo árabe, que facilmente pode resultar numa invasão da Palestina e áreas adjacentes.

4. *O oculto na igreja.* É triste ver como, em tantos lugares, as forças malignas vão se exibindo sob a bandeira cristã em partes do movimento carismático. Certamente, o oculto tem-se infiltrado na Igreja. Esta condição vai se tornar pior, especialmente enquanto a Igreja se desintegra sob a pressão do anticristo. Falsas manifestações carismáticas tornar-se-ão parte do culto do anticristo. Alguns poucos (acreditamos) que têm poderes carismáticos genuínos, vão ultrapassar, espiritualmente, línguas e suas expressões companheiras, e acharão uma nova manifestação e presença do Espírito, sem os adornos dos dons espirituais, como se manifestaram no primeiro século. O processo espiritual histórico ultrapassará este modo de expressão espiritual. Infelizmente, até nos tempos do N.T., este tipo de espiritualidade se mostrou fraco e sujeito a muitos abusos. No nosso tempo, e aumentando no decorrer do tempo, os dons espirituais serão mais evidentes na Igreja. Homens serão poderosos em palavras e obras, mas o movimento de línguas-profecias, como nós o conhecemos hoje, irá desaparecer da Igreja verdadeira. Homens terão poderosos dons espirituais, mas estes serão manifestados sem o *modus operandi* carismático do primeiro século.

5. *Considere esta tragédia.* Em muitos lugares na Igreja cristã a santificação tem sido apresentada como uma opção da fé cristã, e não como elemento necessário e integral de salvação. Este ensino tem agradado àqueles que pregam um evangelho de crença fácil, mas contradiz radicalmente tais Escrituras como Efé. 5:3-6, Gál. 5:19-21, I Cor. 6:8-11, João 1:6, 3:5,6,7,8,9 e II Tes. 2:13. Consideremos a cena, então, da chegada do anticristo e seu culto, acompanhados, finalmente, pelas agonias da tribulação. Muitos cristãos, manejando de maneira frouxa o assunto da santificação, aceitando a doutrina insidiosa da graça barata, de súbito terão que enfrentar o anticristo em um mundo total e radicalmente iníquo. O que vai acontecer pode ser facilmente previsto: alguns já tendo se enganado sobre questões importantes da espiritualidade, tornar-se-ão seguidores do culto do anticristo, seguindo os passos de Judas, que será o pai espiritual deles. Outros vão abandonar, completamente, a Igreja cristã, procurando manter alguma neutralidade. Outros serão purificados pelo fogo da tribulação. Considere a tragédia do tipo de pregação que promete à Igreja da crença fácil uma fuga fácil, pelo arrebatamento da tribulação. Antes, a nossa pregação deve advertir a Igreja, que agora mesmo, estamos às portas de uma imensa luta entre as forças do bem e do mal, sim, às portas da tribulação, e serão muitas as baixas no campo da batalha.

PROFECIA MODERNA

Ver sobre *Profecia, Profetas e o Dom da Profecia*, seção oito. Ver também *Profecia: Tradição da, e a Nossa Época*.

PROFECIA MUNDIAL

Ver sobre **Profecia: Tradição da e a Nossa Época** (que vem depois do artigo **Profecia, Profetas e o Dom da Profecia**.

PROFECIA NO ANTIGO TESTAMENTO

Ver sobre *Profecia, Profetas e o Dom da Profecia*, seções dois e três.

PROFECIA NO NOVO TESTAMENTO

Ver sobre *Profecia, Profetas e o Dom da Profecia*, seções quatro e cinco.

PROFECIAS MESSIÂNICAS CUMPRIDAS EM JESUS

Atos 3:22: *Pois Moisés disse: Suscitar-vos-á o Senhor vosso Deus, dentre vossos irmãos, um profeta semelhante a mim; a ele ouvireis em tudo quanto vos disser.*

As citações utilizadas aqui pelo apóstolo Pedro, ombinando as passagens de Deut. 18:15 e Lev. 3:29, mui provavelmente faziam parte dos «Teste-

PROFECIAS MESSIÂNICAS

munhos», uma antiga coletânea de «textos de prova» com base no A.T., usada pelos cristãos primitivos para comprovar o caráter messiânico de Jesus. Essas citações primeiramente apareceram em forma oral, mas foram incorporadas em forma escrita nos primitivos documentos cristãos, até que subseqüentemente vieram a fazer parte do texto dos livros que vieram a fazer parte do *cânon* do N.T. Essas citações algumas vezes incluíam diversas passagens juntamente, ou parafraseavam trechos do A.T. no hebraico ou da tradução da LXX (*Septuaginta*), em vez de serem dadas palavra por palavra de um ou outro desses documentos.

I. Moisés Falou Sobre Cristo

1. Moisés foi selecionado aqui como o maior dos profetas do A.T., como aquele que ofereceu o testemunho mais convincente a respeito de Cristo. Consultar Deu. 18:15 e Lev. 23:29.

2. Os essênios esperavam que três personagens cumprissem as promessas messiânicas. Os judeus não tinham nenhuma doutrina fixa acerca do Messias. Os cristãos primitivos viam em Jesus o cumprimento de todas as expectativas e a harmonia de todas as idéias divergentes quanto ao Messias.

3. Em João 20:31, no NTI, dou um sumário completo sobre a polêmica cristã em favor do caráter messiânico de Jesus. O testemunho de Moisés é um item importante nessa polêmica.

O uso de Moisés como representante da *tradição profética*, quando aceito, se reveste de significação toda especial para os judeus. Moisés era reputado tipo simbólico de Cristo (ver João 1:21), Deus falava com ele face a face (ver Êxo. 33:11) e era considerado o maior de todos os profetas (ver Deut. 34:10). Por semelhante modo, Moisés era considerado redentor de seu povo. Quanto a outras referências ao «profeta», que — os cristãos aceitavam como um único profeta e a mesma pessoa que o «Messias», ver João 1:21,25; 6:14 e 7:40. Tal como no caso de Moisés, o Messias entraria em contacto com Deus de forma toda especial — *face a face* — tendo contacto muito maior e íntimo com o Senhor do que os profetas comuns, e, tal como Moisés, estabeleceria uma nova ordem de coisas, embora de significação universal muito maior, visto que não atingiria somente a nação de Israel, mas também fluiria na forma de uma redenção e restauração universais de tudo. Tudo isso mostraria quão maior seria o Messias do que Moisés, embora Moisés tivesse sido seu tipo simbólico.

Moisés foi ao mesmo tempo legislador e profeta; e o Messias ocuparia, de maneira suprema, ambos esses ofícios, de modo a empanar a atuação extraordinária de Moisés.

Era necessário que os judeus reorientassem os seus pensamentos e a sua interpretação acerca dessa declaração de Moisés, porquanto prevaleciam muitas diferenças e havia muita confusão sobre *o profeta*. Alguns interpretavam essa predição como se ela fizesse alusão a uma série de profetas semelhantes a Moisés (ver Jarchi sobre Deut. 18:15). Porém, jamais houve qualquer sucessão de profetas que ao menos se aproximasse da estatura espiritual de Moisés, e a própria história serve de ampla demonstração sobre esse fato. Outros estudiosos judeus aplicavam essa predição ao profeta Jeremias (ver Aben Ezra, *in loc.*) ou a Davi (ver Herban. disp. cum Gregent., pág. 13). Todavia, nenhum desses dois personagens ao menos começou a cumprir as exigências envolvidas nessa profecia sobre «o profeta».

Moisés tipificou o Messias dos seguintes modos: 1. Em uma grandeza óbvia, maior que a de todos os outros profetas. 2. Como instigador de uma nova ordem de coisas e doador de uma nova lei. 3. Como alguém que tinha contacto especial com Deus, maior que o dos outros profetas. 4. Como alguém que combinava em sua própria pessoa os ofícios de legislador e de profeta. 5. Como alguém que trouxera redenção ao seu povo.

O Messias se *distinguiria* de Moisés pelo fato de que o seu ofício teria uma amplitude *muito maior*, porque seria mesmo universal, e porque isso conduziria à restauração de todas as coisas, o que não teria fim, ao passo que o ofício de Moisés era apenas intermediário, mediatório. Naturalmente, se falarmos de Cristo como o «Logos» eterno (ver João 1:1-3), então não poderá haver qualquer base para comparações entre o Senhor Jesus e Moisés.

Moisés não foi o único profeta da antiga dispensação judaica a fazer predições com referência ao Cristo, embora Simão Pedro, nesta passagem do livro de Atos, o tenha usado como o maior de todos quantos profetizaram a seu respeito. Neste ponto queremos apresentar um ponto de vista geral acerca das profecias messiânicas existentes no A.T. As profecias referentes ao Messias, como «Servo Sofredor», aparecem nos comentários no NTI, referentes ao décimo oitavo versículo deste mesmo capítulo. E as profecias referentes ao «reino» do Messias, são dadas dentro das notas expositivas atinentes ao vigésimo primeiro versículo deste capítulo.

••• ••• •••

II. LISTA DE PROFECIAS MESSIÂNICAS CUMPRIDAS POR JESUS

Trecho Bíblico	Teor da Profecia	Cumprimento
Gên. 3:15	Seria o «descendente da mulher»	Luc. 2:7; Gál. 4:4 e Apo. 12:5
Gên. 12:3; 18:18	Seria o «descendente de Abraão»	Mat. 1:1; Luc. 3:34 e Atos 3:25
Gên. 17:19	Seria o «descendente de Isaque»	Mat. 1:2; Luc. 3:34
Gên. 28:14 e Núm. 25:17	Seria o «descendente de Jacó»	Mat. 1:2,3; Luc. 3:33
Gên. 49:10	Descenderia de Judá	Mat. 1:2,3; Luc. 3:33
II Sam. 7:13; Isa. 9:7; 11:1-5	Herdaria o trono de Davi	Mat. 1:1,6
Miq. 5:2	Nasceria em Belém de Judá	Mat. 2:1; Luc. 2:4-7
Dan. 9:25	Tempo de seu nascimento	Luc. 2:1,2,3-7
Isa. 7:14	Nasceria de uma virgem	Mat. 1:18; Luc. 1:26-35
Jer. 31:15	O massacre dos infantes	Mat. 2:16-18
Osé. 11:1	Fuga para o Egito	Mat. 2:14,15
Isa. 9:1,2	Seu ministério na Galiléia	Mat. 4:12-16
Deut. 18:15	Seria profeta	João 6:14; Atos 3:19-26
Sal. 110:4	Seria sacerdote da ordem de Melquisedeque	Heb. 5:5,6; 6:20 e 7:15-17
Sal. 2:2; Isa. 53:3	Seria rejeitado pelos judeus	Luc. 4:29; 17:25; 23:18; João 1:11
Sal. 45:7; Isa. 11:2-4	Algumas de suas características	Luc. 2:52; 4:18

PROFECIAS — PROFETAS FALSOS

Isa. 62:11; Zac. 9:9	Sua entrada triunfal	Mat. 21:1-11; João 12:12; 12:13,14
Sal. 41:9	Seria traído por um amigo	Mat. 26:14-16; Mar. 14:10,43-45
Zac. 11:12,13	Seria vendido por trinta moedas	Mat. 26:15
Zac. 11:13	Tal dinheiro seria devolvido	Mat. 27:3-10
Sal. 109:7,8	Judas seria substituído	Atos 1:16-20
Sal. 27:12; 35:11	Testemunhas falsas o acusariam	Mat. 26:60,61
Sal. 38:13,14; Isa. 53:7	Calar-se-ia ao ser acusado	Mat. 26:62,63; 27:12-14
Isa. 50:6	Seria ferido e cuspido	Mar. 14:65; 15:17; João 18:22; 19:1-3
Sal. 69:4; 109:3-5	Seria odiado sem causa	João 15:23-25
Isa. 53:4,12	Sofreria vicariamente	Mat. 8:16,17; Rom. 4:25; I Cor. 15:3
Isa. 53:12	Seria crucificado com criminosos	Mat. 27:38; Mar. 15:27,28; Luc. 23:33
Sal. 22:16; Zac. 12:10	Teria mãos e pés traspassados	João 19:37; 20:25-27
Sal. 22:6-8	Seria zombado e insultado	Mat. 27:39-44; Mar. 15:29-32
Sal. 69:21	Dar-lhe-iam fel e vinagre	Mat. 27:34,48; João 19:29
Sal. 22:8	Ouviria palavras proféticas repetidas com zombaria	Mat. 27:43
Sal. 109:4; Isa. 53:12	Oraria pelos seus inimigos	Luc. 23:34
Zac. 12:10	Teria o lado traspassado	João 19:34
Sal. 22:18	Soldados lançariam sortes quanto à sua túnica	Mar. 15:24; João 19:24
Êxo. 12:46; Sal. 34:20	Nenhum de seus ossos seria quebrado	João 19:23
Isa. 53:9	Seria sepultado com o rico	Mat. 27:57-60
Sal. 16:10 e Mat. 16:21	Ressuscitaria dentre os mortos	Mat. 28:9; Luc. 24:36-48
Sal. 68:18	Ascenderia aos lugares celestiais	Luc. 24:50,51; Atos 1:9

••• ••• •••

PROFETA

Ver sobre *Profecia* quanto a uma lista de artigos referentes aos profetas e à profecia. Ver especialmente o artigo chamado *Profecia, Profetas e o Dom da Profecia*.

PROFETA VELHO

Essa expressão aplica-se a um profeta cujo nome não nos é fornecido, que residia em Betel, no começo do reinado de Jeroboão I. Somos informados somente quanto a um incidente de sua vida (I Reis 13:11-32; II Reis 23:16-18). Esse profeta queria oferecer hospitalidade a certo homem de Deus, que viera do reino do sul, Judá, e que aparecera em Betel a fim de denunciar o santuário idólatra real daquele lugar. O profeta de Judá já estava retornando à sua terra quando o profeta velho insistiu que ele ficasse. O profeta judaíta recusou-se a princípio, sob a alegação de que Yahweh lhe tinha proibido comer naquele lugar. Mas o profeta velho mentiu, ao dizer que um anjo do Senhor o instruíra, dizendo que não estaria errado se o outro comesse em Betel. E assim, o profeta de Judá acabou tendo uma refeição em companhia do profeta velho. Depois disso, o profeta de Judá partiu de volta para sua terra; mas, no caminho, um leão saiu ao encontro dele e o matou.

O profeta velho percebeu nesse evento a mão castigadora de Yahweh, embora ele mesmo tivesse enganado ao outro profeta, fazendo-o desobedecer à ordem original que recebera da parte do Senhor. E o velho profeta sepultou o profeta judaíta em seu próprio sepulcro. Com isso, o profeta velho exibiu seu arrependimento, embora isso não tivesse trazido de volta a vida do outro. Esse episódio mostra como podemos incorrer em erros que produzem conseqüências drásticas nas vidas de outras pessoas, que acabam caindo em alguma armadilha, por meio de ludíbrio ou coisa parecida.

PROFETAS FALSOS

I João 4:1: *Amados, não creiais a todo espírito, mas provai se os espíritos vêm de Deus; porque muitos falsos profetas têm saído pelo mundo.*

I. Não deis crédito a qualquer espírito

Não pode haver qualquer dúvida de que o autor sagrado refere-se aqui aos espíritos malignos (demônios), como poderes que inspiram os homens a crer erroneamente e praticarem o mal. Isso equivale a uma declaração de que o gnosticismo era inspirado pelos demônios; e sendo inspirado por espíritos malignos, opunha-se ao Espírito de Deus. Isso pode ser comparado à atitude de Paulo referente à idolatria, que não é apenas um tipo de adoração pervertida, por homens dotados de baixa percepção espiritual, mas antes, é algo praticado pela inspiração dos demônios (ver I Cor. 10:20). A idéia é que a idolatria de algum modo paga tributo e presta serviço a espíritos malignos invisíveis, e que os altares que recebiam os sacrifícios idólatras e os próprios ídolos adorados ou venerados, servem de meios dessa lealdade dada a espíritos malignos.

Alguns judeus criam na realidade dos deuses pagãos, isto é, não acreditavam que o sistema inteiro do paganismo seria mítico e imaginário, mas antes, supunham que poderes espirituais autênticos, mas de natureza maligna, dominavam os pagãos através de suas crenças e práticas religiosas distorcidas. Por isso é que o autor sagrado não diz ser invenção humana a base doutrinária do gnosticismo; pelo menos não atribuía o gnosticismo somente a isso. Por detrás de tudo ele via um poder demoníaco. Há um «espírito do anticristo» (ver I João 4:3) e também há o «maligno» (o «diabo»; ver I João 3:10). Além disso, este mundo incrédulo inteiro está debaixo do controle do diabo (ver I João 5:19). Isso pode ser comparado à expressão de Paulo, «o deus deste século» (II Cor. 4:3). O diabo tem uma maneira de cegar os homens espiritualmente.

Os crentes devem estar *alertas* quanto à natureza verdadeira das religiões falsas, não permitindo que elas obtenham qualquer cabeça de ponte na igreja. Esse estado de alerta deve revestir-se de certa qualidade espiritual, e não apenas intelectual. Pode-se entender que a maturidade espiritual dá ao crente essa espécie de discernimento. O trecho de I Cor. 12:10 nos mostra que existe um dom espiritual do «discernimento de espíritos». Isso é dado aos crentes como um favor direto do Espírito Santo, conferido a certos dentre eles, para ajudar na

437

PROFETAS — PROFETAS MENORES

manutenção da pureza da Igreja, protegendo-a dos assédios de demonismo. Isso nos faz lembrar da tremenda necessidade que a igreja evangélica atual tem desse discernimento, porque algumas igrejas locais, evidentemente, tornaram-se *centros espíritas*, embora involuntariamente; pois, paralelamente à intensificação das «manifestações espirituais» tem havido a intensificação da atividade demoníaca. Isso é demonstrado pelo fato de que, algumas vezes, quando há o fenômeno da «glossolalia» ou «falar em línguas», blasfêmias e obscenidades são proferidas. Além disso, algumas pessoas, paralelamente a seus supostos dons espirituais, envolvem-se em problemas psíquicos, sinal patente de que entrou em contacto com espíritos estranhos, e não com o Espírito Santo.

Apesar de assim dizermos, é evidente que não podemos julgar quão espalhada anda a mistificação entre aqueles que buscam e usam ativamente os dons espirituais. Não há que duvidar que a igreja cristã precisa de que lhe sejam restauradas as manifestações espirituais (em algum modo de expressão) pois são um excelente meio de desenvolvimento espiritual (ver Efé. 4:8-16). Mas, em vista do exposto, a busca pelos dons espirituais deve ser feita com o acompanhamento da busca pelo dom do discernimento de espíritos, ao mesmo tempo. Gostaríamos de saber quantos têm pensado sobre isso. E quantos não agem assim?

Robertson (*in loc.*) fala sobre pessoas que caem vítimas fáceis das «trapaças espirituais». Mas isso demonstra a falta de apreciação pela realidade das manifestações espirituais. Há também muito nessas manifestações que não é trapaça, mas antes, é autêntico. O texto sagrado não fala sobre a necessidade de ficarmos alertas em detectar fraudes e falsas reivindicações de poder espiritual, onde nenhum poder espiritual existe. —Antes, reconhece aqui plenamente que existem poderes espirituais de natureza negativa; e é contra os assédios feitos por poderes espirituais malignos «reais» que o autor sagrado nos avisa.

II. Falsos profetas

Essas palavras nos mostram que a atividade demoníaca se faz presente em indivíduos que a si mesmos se elevaram à posição de «profetas», dentro e fora da igreja cristã, apresentando a si mesmos como líderes espirituais, muitos deles supostamente «cristãos». Esses proferem «asseverações inspiradas» e entram em estados de êxtase. E algumas pessoas simples acreditam que quando algo místico se verifica na igreja, automaticamente, procede do Espírito Santo. O autor sagrado adverte que isso não é necessariamente a verdade. O trecho de Mat. 7:22 mostra que a igreja primitiva possuía exorcistas e operadores de milagres, como também «profetas», que eram indivíduos não «reconhecidos» pelo Senhor, a quem professavam servir.

III. Provai os espíritos

Consideremos os pontos seguintes a esse respeito: 1. Cumpre-nos atender a essa ordem mediante o dom espiritual do «discernimento de espíritos», a maneira principal de detectar os espíritos; a igreja evangélica deveria orar, pedindo esse dom tão necessário. 2. Também podemos apelar para o raciocínio inteligente, inspirado pela maturidade espiritual. 3. O exame das doutrinas dos homens também é excelente método. A doutrina deles exalta à pessoa de Jesus Cristo ou se assemelha à doutrina dos gnósticos, que somente o degradava? No último caso, dificilmente as «declarações proféticas» de tais indivíduos podem proceder do Espírito de Deus, cuja finalidade é a de exaltar a Cristo (ver João 16:14). 4. *Pelos seus frutos* haveremos de conhecê-los (Mat. 7:20). Os gnósticos tinham vidas imorais, fazendo da imoralidade parte de seu sistema ético. Não criam que é errôneo o abuso do corpo. Supunham que o espírito humano não pode ser prejudicado pelo pecado, tal como o ouro, mergulhado na lama, não adquire nada da natureza da lama. Chegavam mesmo a imaginar-se impecáveis (porque seu espírito estaria livre do pecado, embora o corpo pudesse corromper-se). Ver I João 8:10.

Os profetas do N.T. eram homens que falavam por *impulso imediato* do Espírito de Deus, pela «inspiração». Não eram, essencialmente, homens que «prediziam» o futuro, embora isso também ocasionalmente ocorresse. (Ver Atos 21:10 e ss). Também eram mestres inspirados. Não dependiam do corpo de mestres reconhecidos, exclusivamente. Mas podemos supor que suas profecias concordavam, de modo geral, com os ensinamentos cristãos revelados e escritos, pois, do contrário, suas profecias seriam reputadas falsas.

IV. Muitos falsos profetas

O movimento gnóstico era uma real ameaça à igreja cristã na Ásia Menor, e conseguia convertidos à sua causa dentro do próprio cristianismo. O N.T. conta com oito livros escritos para combater essa heresia, a saber, a epístola aos Colossenses, as três epístolas pastorais, as três epístolas de João e a epístola de Judas. Há outros livros do N.T. que refletem isso em parte, como a epístola aos Efésios, o evangelho de João e porções do livro de Apocalipse. O fato de que tanta literatura foi escrita contra esse sistema falso é prova da seriedade da ameaça gnóstica. Se o gnosticismo tivesse ganho a batalha, o cristianismo ter-se-ia tornado apenas outra religião misteriosa **greco-romana**. (Ver o artigo sobre *Gnosticismo*). Naturalmente, também houve outros tipos de falsos mestres e hereges.

PROFETAS MAIORES

Alguns estudiosos têm objetado a chamarem-se os profetas de «maiores» e «menores», como se exaltasse a alguns e aviltasse a outros. No entanto, esses adjetivos tencionam indicar somente o volume de suas produções literárias. Tradicionalmente, os *profetas maiores* são Isaías, Jeremias e Ezequiel. A expressão não diz respeito à qualidade de suas obras, como se *maiores* significasse «melhores», e *menores* significasse «piores». Os estudiosos liberais salientam que esses termos são artificiais, porquanto o livro de Isaías (segundo pensam) seria uma obra composta, de vários autores, enquanto que a qualidade do livro de Ezequiel não pode comparar-se com a daqueles outros profetas. Ver também sobre os *Profetas Menores*.

PROFETAS MENORES

Essa classificação cabe aos doze livros proféticos relativamente pequenos, que fazem parte do volume do Antigo Testamento. O fato de que eles são chamados «menores» não significa que os seus autores foram homens de importância secundária, — mas apenas que os rolos que eles deixaram escritos não são muito volumosos, quando confrontados com os chamados Profetas Maiores: Isaías; Jeremias; Ezequiel e Daniel. Os doze livros dos Profetas Menores são: Amós; Oséias; Miquéias; Sofonias; Naum; Habacuque; Ageu; Zacarias; Obadias; Malaquias; Joel e Jonas. Os estudiosos judeus deram um título alternativo a essa coletânea: *Livro dos Doze*. E, na forma de rolos, geralmente eles eram escritos em um único volume.

••• ••• •••

PROFETISA

Quase tudo quanto pode ser dito sobre esse assunto, foi incluído no artigo geral sobre profecia, isto é, *Profetas e o Dom de Profecia*, quinta seção. Algumas profetisas do Antigo e do Novo Testamentos foram esposas de profetas, ou, pelo menos, atuaram em íntima associação com líderes masculinos do judaísmo ou do cristianismo. Contudo, houve algumas exceções. As mulheres chamadas profetisas no Antigo Testamento são: Miriã, irmã de Moisés (Êxo. 15:20); Débora, juíza de Israel (Juí. 4:4); Hulda (II Reis 2:14); Noadia (Nee. 6:14), profetisa falsa que se opôs a Neemias. A esposa de Isaías também é chamada «profetisa», em Isa. 8:3; o que dá a entender que ela era mais do que simplesmente a esposa de um profeta.

No Novo Testamento: Ana (Luc. 2:36 ss); muitas profetisas estiveram ativas durante os tempos apostólicos (Atos 2:17; I Cor. 12:10,28 ss; 13:1 ss; 14:1-33). O evangelista Filipe tinha quatro filhas que profetizavam (Atos 21:9). Jezebel foi uma notória profetisa falsa, que exercia considerável poder sobre as igrejas da Ásia Menor (Apo. 2:20).

Há evidências de que algumas dessas mulheres assumiam a autoridade de pastores, e não meramente que elas profetizavam ocasionalmente. Paulo condenou a prática, chegando mesmo a proibir que as mulheres falassem na igreja (ver I Cor. 14:33 ss; I Tim. 2:11,12). Julgamos que embora Paulo tivesse apelado ao costume que prevalecia nas igrejas (ver I Cor. 14:33), esse costume de mulheres participarem ativamente era muito forte. As igrejas de origem judaico-cristã dificilmente estariam enfrentando esse problema, pois as crentes judias não ousariam tomar parte ativa nos cultos, quanto menos pregar ou profetizar publicamente. Mas, nas áreas greco-romanas, onde não havia nenhum costume repressivo à participação ativa das mulheres, as crentes assumiam grandes responsabilidades nas igrejas locais, não hesitando em ensinar e profetizar publicamente durante os cultos. O moderno movimento carismático, naturalmente, tem seguido o estilo greco-romano, ignorando completamente a instrução paulina. A questão a ser decidida aqui é se podemos ou não ignorar Paulo, com base na observação de que esse ponto de vista paulino acerca das mulheres (em harmonia com o ponto de vista judaico) é excessivamente prejudicial a elas, pelo que não somente deveríamos ignorar seu mandamento restritivo, mas até determinar em contrário. Quase todas as pessoas respondem de acordo com o que estão praticando, em vez de fazê-lo com base em uma convicção inspirada pelas Escrituras. A questão inteira da mulher e de seu desempenho nas igrejas é discutida no artigo intitulado *Mulher*.

PROFISSÃO DE FÉ

Nos círculos católicos romanos, essa expressão alude à cerimônia formal através da qual um noviço torna-se membro de alguma ordem religiosa, ainda antes ou mesmo depois de seus votos definitivos. *Nos círculos protestantes e evangélicos*, o termo fala sobre a confissão pública de Cristo como Salvador, além da confissão de algum credo, quando alguém pede publicamente para tornar-se membro de alguma das denominações. Infelizmente, essa confissão pública de Cristo como Salvador tem sido exagerada a um ponto em que, virtualmente, tornou-se *substituta* do real arrependimento e fé—da conversão. Antes de tudo, essa confissão tornou-se por demais credal em sua natureza. Se o indivíduo aceita um determinado credo, isso é considerado o suficiente para a salvação. Mas, com demasiada freqüência, não se indaga se o Espírito de Deus operou sobre aquela vida, de maneira transformadora. Em segundo lugar, cultos emocionais «forçam» as pessoas a fazerem essa profissão de fé; mas as emoções humanas não podem substituir uma genuína operação do Espírito de Deus. Apesar de não pensarmos que esse ato seja inútil, através dos anos temos chegado a ter menos e menos confiança em sua eficácia. De fato, a questão é um equivalente ao batismo católico romano, um rito que agrada à congregação, mas que tem bem pouca substância espiritual: trata-se mais de algo que alguém precisa fazer, um rito, uma cerimônia, mas ao qual falta qualquer poder espiritual verdadeiro. As conversões emocionais nem são espiritualmente eficazes e nem são duradouras. Um bom pregador facilmente pode despertar emoções nas pessoas, sem que isso tenha qualquer coisa a ver com a regeneração transformadora da alma.

Um outro exagero envolvido nessa questão é a noção que muitos têm a respeito do potencial de qualquer profissão pública de fé. Quando uma pessoa professa a Cristo de forma autêntica, isso não envolve apenas uma profissão de fé pública. Antes, as pessoas professam a Cristo com a sua vida diária, e não apenas com a língua, ao concordar com o credo da igreja onde tal confissão foi feita. A salvação consiste em toda uma evolução espiritual, e não em um ato externo único. A própria conversão (composta de arrependimento e fé) é apenas um primeiro passo na *salvação* (vide), e não a substância mesma da salvação.

Tudo que aqui dizemos tem por escopo destacar o fato de que está sendo dada uma exagerada importância, ultimamente, à confissão pública de fé. Essa confissão tem sua utilidade. Mas muitas igrejas anseiam por ter uma salvação que se parece com café instantâneo, empregando a profissão de fé como um sucedâneo do batismo católico romano. Minha profissão de fé é a minha vida diária como crente, e não meramente algo que eu declarei em alguma reunião em uma igreja local. Aquilo que, porventura, eu disse em um desses cultos, não obriga a Deus, sob hipótese nenhuma, a operar em meu coração. O que salva é a *profissão da vida transformada*. Sem isso, não há salvação! A profissão que consiste na vida transformada pressupõe a obra do Espírito Santo, tanto aquela inicial como aquela outra, contínua, dali por diante. E essa é a operação que transforma a alma humana segundo a imagem de Cristo (ver Rom. 8:29; II Cor. 3:18). Sem isso, toda profissão verbal é inteiramente inútil.

PROFISSÕES

Ver sobre **Artes e Ofícios**.

PROFUNDEZAS

Há várias palavras hebraicas e gregas envolvidas neste verbete, a saber:

1. *Metsulah*, «profundeza», «abismo». Palavra hebraica usada por sete vezes: Jó 41:31; Sal.68:22; 69:15; 107:24; Jon. 2:3; Zac. 10:11; Miq. 7:19.

2. *Amaq*, «profundezas». Palavra hebraica que ocorre por cinco vezes: Isa. 7:11; 29:15; Sal. 31:6; 92:5; Osé. 9:9. Formas variantes são *emeq* (Pro. 9:18) e *omeq* (Pro. 25:3).

3. *Tehom*, «profundeza», «abismo». Palavra hebraica que aparece por trinta e seis vezes, como em Êxo. 15:5,8; Deu. 8:7; Jó 28:14; Sal. 33:7; 71:20; 77:26; 107:26; Pro. 3:20; 8:24,27; Jon. 2:5.

4. *Báthos*, «profundeza», «coisa profunda». Palavra

PROFUNDEZAS — PROGRESSO

grega usada por oito vezes: Mat. 13:5; Mar. 4:5; Luc. 5:4; Rom. 8:39; 11:33; I Cor. 2:10; II Cor. 8:2; Efé. 3:18.

5. *Pélagos*, «mar alto». Palavra grega usada por duas vezes: Mat. 18:6 e Atos 27:5.

Esse é um termo bíblico que tem sentidos literais e figurados.

1. *Sentidos Literais e Mitológicos.* As profundezas (Êxo. 15:5; Sal. 68:22), como uma área ou um vale profundo (Pro. 9:18), ou a profundeza do oceano (Jó 28:14). Já o abismo (que vide) indica o hades, que os antigos supunham ficar sob a superfície da terra. O *oceano primevo*, talvez aludido em Jó 28:14, seriam as águas que teriam sido a fonte da criação. Esse oceano era personificado por Tiamate, na religião dos babilônios. Finalmente, Tiamate teria sido derrotado por Marduque, e assim as águas foram divididas em duas esferas: as de cima e as debaixo do firmamento. Esse era, igualmente, um ponto de vista comum judaico, segundo se vê desde o Gênesis. Ver os artigos sobre *Astronomia* (que tem um gráfico que ilustra as antigas idéias judaicas) e sobre *Cosmogonia*. Além disso, havia o conceito das *águas do abismo*, sobre as quais, presumia-se, a terra flutuaria e que cercariam as colunas que também sustentariam a terra. Essa era uma idéia comum entre os povos do Oriente Próximo, compartilhada pelos hebreus. O artigo sobre a *Astronomia* também ilustra o ponto. Os egípcios também acreditavam em um grande lençol de água subterrâneo.

No Novo Testamento, além daquelas duas palavras gregas referidas acima, há alusão ao *ábussos*, isto é, o «sem-fundo», associado ao hades, o lugar de punição das almas (Apo. 9:1,2,11; 11:7; 17:8; 20:1,3).

2. *Sentido Figurado.* Quando Paulo, em Romanos 8:39, falou sobre como nem a *altura* e nem a *profundidade* nos podem separar do amor de Cristo, é possível que ele estivesse pensando no «abismo», quando falou em profundidade. Mas outros estudiosos pensam que devemos aceitar essas palavras de Paulo como uma expressão poética. Também é possível que espíritos de dimensões elevadas e baixas estejam em pauta, os quais teriam sido aludidos por Paulo em termos vagos como altura e profundidade.

3. Na *hinologia cristã* encontramos menção às *profundezas do amor de Jesus*, o que reflete um grande conceito bíblico, porquanto foi devido a esse amor que se tornou possível o plano da redenção (Rom. 5:5-8 e João 3:16).

PROGNÓSTICO

Ver sobre **Adivinhação**.

PROGRESSO

Esboço:
1. Definições
2. Filosofias que Contradizem o Progresso
3. Os Filósofos e o Progresso
4. O Progresso no Pensamento Religioso
5. Teologia de Processo

1. Definições

Progresso é uma palavra importante no vocabulário da filosofia e da teologia. Esse termo vem do latim, *progressus*, o particípio passado do verbo *progredi*, «avançar», «progredir». O vocábulo básico é *gradi*, que significa «andar», no latim. O progresso pode ser concebido como algo local, ou seja, a passagem de alguém de um lugar para outro. Mas o progresso também pode envolver o avanço na direção da maturidade ou de algum outro alvo. Os sinônimos da palavra são: «avanço», «realização», «desenvolvimento», «evolução», «melhoramento», «eficiência», «maturidade».

Há muitos tipos de evolução ou progresso: o físico, o intelectual, o social, o moral e o espiritual. O *progresso* fala sobre o processo e sobre as forças inerentes ao mesmo, mediante o que esses vários tipos de evolução tornam-se realidades.

«Um termo que denota realizações cumulativas dentro do tempo, visando a um alvo desejável» (E).

2. Filosofias que Contradizem o Progresso

A principal entre elas é o *pessimismo*. Schopenhauer acreditava na reencarnação, mas não pensava que a mesma conseguia qualquer vantagem. Ele acreditava que a Idéia Absoluta (o seu deus) é insana e só quer viver, embora isso só resulte em dor e sofrimento para os homens. Ele tinha a esperança que, algum dia, esse Absoluto deixaria de querer viver, e isso faria extinguir-se toda forma de vida. E o resultado seria um bem-aventurado nada. Muitos céticos também não acreditam no progresso. Para eles, o *caos* é quem dirige este mundo. O *acaso* é o príncipe deste mundo. Ver os artigos sobre esses dois assuntos.

Se alguns cientistas pensam que o processo da evolução busca o progresso e mesmo a perfeição, muitos outros acreditam que o processo é acidental, e que não há razão alguma para crermos que haja algum alvo em mira. Alguns filósofos têm pensado que o mundo já passou pela sua áurea, e que agora o que está acontecendo é apenas a desintegração e o regresso, e não o avanço para algo melhor. Outros pensadores acreditam que o princípio da era áurea está em eterna repetição, de tal maneira que aquilo que decresceu, finalmente haverá de crescer novamente. Empédocles e os filósofos estóicos pensavam que essa repetição ou periodicidade é uma realidade, uma idéia que acabou entrando nas religiões orientais. Ver o artigo sobre *Ramanuja*.

3. Os Filósofos e o Progresso

Já vimos algo a esse respeito, no segundo ponto, acima. Aqui ofereço algumas informações sobre o conceito positivo do progresso, na filosofia. Os filósofos franceses ou *enciclopedistas* (vide) do século XVIII apegavam-se a uma versão secular do progresso. *Cabanis* (vide) supunha que o mundo está avançando na direção de uma utopia secular. Condorcet pensava que o homem está se aproximando do décimo estágio da civilização, envolvendo significativas realizações. *Turgot* (vide) opinava que a história tende, naturalmente, para o progresso; e *Voltaire* (vide) compartilhava dessa idéia. *Hegel* (vide), mediante sua tríade de tese, antítese e síntese pensava que a Idéia Absoluta (o seu deus) garantia o progresso em todas as dimensões, tendo por escopo um elevado alvo. *François Guizot* (vide) teve a percepção para ver que a *tolerância* (vide) é um elemento necessário ao progresso, em qualquer campo. Doutra sorte, novas idéias e novas verdades são entravadas e esmagadas, adiando o processo das realizações e do desenvolvimento. *Comte* (vide) imaginava que a civilização deve passar por três estágios na busca pelo crescimento, e que o estágio científico é o último e mais frutífero desses estágios. *Marx* (ver sobre o *Marxismo*) e o *comunismo* (vide) emprestaram às idéias de Hegel uma distorção secular, fazendo o progresso depender de fatores econômicos. *Darwin* (vide), em sua teoria da *evolução* (vide) concebia um progresso biológico por intermédio do qual o homem chegará a outros tipos. Alguns filósofos-teólogos têm pensado que a própria alma

PROGRESSO — PROJEÇÃO DA PSIQUE

participa desse processo evolutivo, ocorrendo no nível da alma as mais elevadas etapas da evolução. Porém, duas guerras mundiais têm feito muitos filósofos pararem de pensar em um progresso contínuo, e começaram a cismar se essa idéia não seria apenas uma colossal ilusão. Por outra parte, o óbvio desígnio que há em todas as coisas tem emprestado perpetuidade ao conceito do progresso.

4. O Progresso no Pensamento Religioso

O Antigo Testamento expõe uma espécie de filosofia da história onde a nação de Israel encontra-se no processo de uma evolução nacional, procurando atingir esse alvo mediante seu governo teocrático. As profecias bíblicas sobre o reino de Deus concebem Israel como a futura cabeça das nações. Essa idéia foi aproveitada pelo Novo Testamento, onde foi espiritualizada, de tal modo que o *Reino de Deus* (vide) passa a tornar-se uma realidade na obra do Messias, Jesus de Nazaré. Porém, para além do reino concretizado (o milênio) jaz o progresso da eternidade, sobre a qual sabemos bem pouco, exceto que seu alvo é a unidade de todas as coisas em torno da pessoa do *Logos* (ver Efé. 1:9,10), o *mistério da vontade de Deus* (vide).

Também devemos levar em conta o progresso da alma humana, que vai sendo transformada, pelo poder do Espírito de Deus, segundo a imagem de Cristo (ver Rom. 8:29 e II Cor. 3:18), de modo a vir a participar de toda a plenitude de Deus (ver Efé. 3:19), bem como da própria natureza divina (ver II Ped. 1:4; Col. 2:9,10). Ver o artigo geral intitulado *Transformação Segundo a Imagem de Cristo*.

Outrossim, há o progresso de todas as coisas na direção da *Restauração* (vide). Nessa questão está envolvida a eficácia da missão tridimensional de Cristo: na terra, no hades e nos céus. Ver o artigo chamado *Missão Universal do Logos (Cristo)*. A *salvação* (vide), naturalmente, consiste em uma evolução eterna, em que o finito ir-se-á aproximando mais e mais do infinito. Visto que há uma infinitude com que seremos enchidos, sem dúvida haverá também um enchimento infinito.

5. Teologia de Processo

Ver o artigo com este título.

PROGRESSO ESPIRITUAL

Ver **Vitória Espiritual; Estágios da Inquirição Espiritual**.

PROJEÇÃO DA PSIQUE

Esse é um assunto que se reveste de considerável importância para a compreensão da natureza humana, e também como um meio científico de investigar a existência da alma e sua sobrevivência ante a morte biológica. Apresento aqui um artigo que dará ao leitor uma idéia bastante boa sobre a questão. Um livro de Robert Monroe, *Journeys Out of the Body* (Viagens Fora do Corpo), pode ser adquirido por leitores da língua portuguesa, e essa obra é bastante informativa. Em minha opinião, os dois mais promissores métodos de prover *provas científicas* da existência da alma e de sua sobrevivência ante a morte física são: a projeção da psique e as experiências perto da morte. Ver *Experiências Perto da Morte*.

Importância dos Estudos Sobre a Projeção da Psique:

Se a projeção da psique é uma realidade objetiva, e não apenas uma experiência subjetiva, semelhante aos sonhos, então deve haver um elemento não-material, capaz de ser projetado. Outrossim, esse elemento seria um veículo da inteligência, ficando assim demonstrada a realidade da inteligência extracerebral. A morte física é apenas uma projeção permanente da psique.

Além dessas questões, essas experiências nos têm provido algumas idéias a respeito da natureza do complexo humano de energias. Até o momento, podemos dizer que há quatro distintas energias envolvidas no ser humano: 1. o corpo físico ou material, energia atômica; 2. o corpo vital (vitalidade), uma espécie de duplo do corpo físico, e que é de substância semimaterial; 3. o corpo espiritual, que é ou a própria alma, ou então algum veículo da alma; 4. o *sobre-ser* (vide), que é a pessoa real, uma figura angelical de elevada estatura metafísica, similar ao conceito do anjo guardião, exceto que a própria pessoa, em sua estatura plena, é esse sobre-ser. Nesse caso, a alma é o veículo desse elevado ente, e, por sua vez, o corpo físico é veículo da alma. Conforme o leitor deve estar percebendo, isso complica consideravelmente a discussão sobre a *Dicotomia-Tricotomia* (vide), e, provavelmente, aproxima-se mais de uma verdadeira descrição do que seja o ser humano.

Essa tentativa de descrição da natureza humana não anula o ensino bíblico acerca dos anjos, incluindo os anjos guardiães, os quais, sem dúvida, também existem. Porém, ela eleva a estatura do ser humano ao ponto onde as Escrituras no-lo apresentam: «Fizeste-o, no entanto, por um pouco, menor do que os anjos...» (Sal. 8:5 e Heb. 2:7,9).

Alguns usam uma expressão alternativa, «projeção astral». A idéia básica dessa questão é que o homem, sendo um espírito que reside em um corpo físico, pode deixar esse corpo momentaneamente, a fim de observar e investigar, e então retornar ao corpo, trazendo uma memória de sua experiência fora do corpo. Esse assunto tem atraído muita atenção nas universidades, em nossos próprios dias, não se limitando mais somente à declarações dos místicos. O leitor de língua portuguesa pode obter um livro escrito por um bem conhecido «projetor», Robert Monroe, cujo título em inglês é *Journeys out of the Body*. Talvez um exemplo bíblico de projeção da psique apareça em II Cor. 12:2 ss. Pelo menos ali, o apóstolo Paulo aceitou a possibilidade de que a alma humana pode deixar seu corpo e retornar.

Deve-se observar que, no caso do apóstolo Paulo, um importante conhecimento espiritual lhe foi comunicado. Naturalmente, a experiência dele foi a de um grande místico, e não a de uma pessoa comum. Ver o artigo sobre o *Misticismo*. Não obstante, enquanto que muitas projeções são simples excursões ao meio ambiente físico, não se revestindo de qualquer significação especial, excetuando o fato de que esse feito *pode ser feito*, demonstrando assim a realidade da alma como entidade distinta do corpo físico, em outros casos estão envolvidas significativas experiências místicas e espirituais. Alguns importantes místicos têm sido projetores. Alguns deles comunicam mensagens importantes nesse estado, ou então, recebem-nas. Outros deles são capazes de curar enfermos, estando nesse estado desincorporado. — Padre Pio, que faleceu faz muitos anos, era um projetor que usava dessa capacidade para ajudar a outras pessoas. Conheci pessoalmente um bibliotecário, em São Paulo, que podia curar estando nesse estado; e tenho ouvido falar sobre outros casos de projeção por meio de meu contato com estudantes universitários. Aqueles que devem saber sobre esses assuntos, porquanto fazem pesquisas dentro do campo, informam-nos que todas as pessoas projetam a alma para fora do corpo, embora, usualmente isso ocorra por ocasião do sono.

••• ••• •••

Alguns sonhos, na verdade, são projeções. Todavia,

PROJEÇÃO DA PSIQUE

há pessoas que exercem um controle consciente sobre esse fenômeno, podendo projetar a psique quando estão perfeitamente despertas.

Importância do Fenômeno

1. A projeção da psique é uma prova da existência da alma, além de servir de poderosa sugestão de sua potencial sobrevivência, diante da morte biológica. Pessoalmente acredito que a abordagem científica à questão da sobrevivência da alma é atualmente estribada sobre dois grandes pilares. O primeiro é a chamada *Experiência Perto da Morte* (vide), sobre o que tenho apresentado um detalhado artigo. E o segundo é a projeção da psique, assunto deste verbete. O que dizemos abaixo fornece importantes informações sobre a questão, e que deve ser de interesse para o leitor. Ainda um outro pilar da questão da sobrevivência da alma consiste naquilo que está sendo feito no domínio da *Parapsicologia*, sobre cujo assunto também tenho apresentado um detalhado artigo. A tendência, em todos esses estudos, é enfatizar as capacidades espirituais dos seres humanos, dando claramente a entender que o homem não é uma mera máquina, conforme pensam os materialistas. Existe uma distinção vital entre a mente e o cérebro, e a parapsicologia está fazendo investigações sobre a *mente*. Ver o artigo chamado *Imortalidade*, sob cujo título são apresentados quatro artigos diferentes, que abordam a questão da alma, de vários ângulos. Um desses ângulos é o científico. Ver *Abordagem Científica à Crença na Alma e em sua Sobrevivência Ante a Morte Biológica*. O segundo e o quarto desses artigos também ventilam aspectos científicos da questão.

2. *A questão do conhecimento*. O conhecimento humano começa com a experiência, sem importar se está em foco a vida diária ou algo espiritual (como no misticismo), através da percepção dos sentidos. A projeção da psique é uma experiência comum aos homens, que muito tem a ensinar-nos sobre nós mesmos, bem como sobre os seres e as coisas que nos cercam.

3. *A ontologia*. Um importante aspecto do conhecimento, ilustrado por essas experiências, é a natureza metafísica do próprio ser humano. Ver o artigo denominado *Sobre-Ser*, que dá alguma informação a esse respeito. Ver também *Humanidade* (*Natureza Humana*), como também *Dicotomia-Tricotomia*.

A leitura do artigo transcrito abaixo acrescentará outras informações importantes para o leitor.

Pode a alma sair do corpo, enquanto este ainda vive, viajando, observando, e então retornando?

— o —

Se pudéssemos achar provas quanto a isso, obteríamos uma comprovação de quase cem por cento acerca tanto da existência da alma quanto de sua sobrevivência diante da morte biológica. Robert Crookall, que tem pesquisado intensamente a área da projeção da psique, acredita que as evidências que atualmente possuímos asseguram-nos, com certeza quase absoluta, que essa é uma experiência genuína, não se tratando nem de um sonho muito vívido e nem de uma alucinação. Ele fala a respeito dessa quase certeza em termos de uma taxa de probabilidades de noventa e oito por cento, e atribui uma taxa idêntica à questão da própria sobrevivência da alma.

No que concerne aos estudos de Robert Crookall, a maior parte das informações aqui oferecidas provém de um artigo escrito por esse autor, onde é sumariada a matéria exposta em suas obras (artigo publicado pela revista *Fate*, edição de setembro de 1970, intitulado *Astral Projection*). O Dr. Crookall é o publicador dos livros atualmente bem divulgados, intitulados *The Supreme Adventure* (1961) e *The Mechanismos of Astral Projection* (1968). Aqui e acolá, dentro do material extraído dos livros de Crookall, não temos hesitado em injetar detalhes que foram tirados de outras fontes, sempre que essas adições forem consideradas apropriadas para efeito de esclarecimento ou ilustração.

O Dr. Crookall, B. Sc., D. Sc. e Ph.D., é um cientista eficiente em três disciplinas: psicologia, botânica e geologia. Foi professor da Universidade de Aberdeen, na Escócia, e geólogo chefe da H.M. Geological Survey, de Londres, Inglaterra. Durante quase trinta anos ele investigou intensamente o fenômeno da projeção da psique, e tem publicado diversos livros e muitos tratados sobre o assunto.

Estudos e Evidências

Neste artigo, exponho primeiramente as idéias essenciais, resultantes das investigações levadas a efeito pelo Dr. Crookall; mas, juntamente com essas informações, combino algumas idéias e evidências extraídas de outras pesquisas. E mais adiante sumario as descobertas feitas por outros pesquisadores.

O fenômeno da projeção da psique vem sendo mencionado e descrito desde o alvorecer da história, e isso em todas as civilizações. A obra de Platão, *A História de Er: o Julgamento da Alma* (*República*, x. 614-21), quase certamente envolve uma antiga narrativa sobre a projeção da psique, ou sobre a sua irmã gêmea, o retorno após a morte clínica. A projeção da psique é uma liberação temporária do ser essencial, a porção espiritual do homem (o intelecto, ou consciência) de seu veículo físico, o corpo.

Avaliação Pessoal

Dentre todos os tipos de evidências apresentadas nesta enciclopédia, em prol da existência da alma e de sua sobrevivência diante da morte biológica, considero dois tipos mais convincentes do que todos os demais, a saber: i. a projeção da psique; ii. as experiências envolvidas na sobrevivência depois da morte clínica. A ambos esses aspectos, pois, tenho devotado longos capítulos.

Tipos de Projeção

1. Em meios ambientes *normais*. O espírito liberta-se do corpo; mas continua neste mundo material e pode observar eventos normais e ordinários, embora seja invisível para outras pessoas. Primeiramente o espírito observa o seu próprio corpo físico, ao qual continua ligado por uma corda luminosa (o *fio de prata*, ver Eclesiastes 12:6) que sai da área da cabeça. Assim acontece se, porventura, for projetado o corpo superfísico, e não o corpo vital, que é semifísico.

2. Projeção para uma dimensão ou dimensões *mais elevadas*, gloriosas, como o céu, ou *paraíso*. Essas projeções envolvem o corpo superfísico, sem o empecilho representado pelo corpo vital. Elas ocorrem no caso de pessoas altamente desenvolvidas espiritualmente. Algumas vezes são provocadas por acidentes, etc., mas normalmente, são espontâneas, ou são provocadas pela vontade das pessoas dotadas de tal habilidade. (Artigo, pág. 72)

3. A experiência do *hades*. Nesses episódios, as dimensões atingidas não são materiais, porém, são negativas, aflitivas, sinistras. Usualmente envolvem a projeção do corpo superfísico, mas com o acompanhamento do corpo vital. Naquelas dimensões dá-se o encontro com seres malignos, egoístas, odiosos, sarcásticos, desdenhosos. A projeção do corpo vital

PROJEÇÃO DA PSIQUE

envolve a ligação do fio de prata ao plexo solar, e não à cabeça. (Artigo, pág. 72)

4. O fenômeno da *ficção científica*. Mui provavelmente essas projeções envolvem alucinações, a menos que existam realidades que preservem mundos obsoletos, como o nosso próprio mundo de séculos passados, ou como mundos futuros, como será o nosso, dentro de alguns séculos, havendo ainda reversões no tempo e no espaço (o efeito da «máquina do tempo»).

É possível que algumas dessas projeções sejam retrocognitivas, isto é, elas percebem o passado, mediante a clarividência; mas outras dentre elas vasculham o futuro. Ainda outras talvez envolvam o contato com campos de consciência do passado, ou ainda, mediante a precognição, envolvam o contato com campos de consciência que antecipam o futuro. Isso poderia explicar as reversões de tempo. Todas essas seriam atividades mentais não correspondentes a qualquer contraparte física que existe no tempo presente. Essas contrapartes físicas talvez existiram em alguma época do passado, ou existirão no futuro.

A outra possibilidade é que existam estranhas realidades que mais parecem pertencer à categoria da ficção científica, mas que, não obstante, são realidades.

Os Dois Corpos Projetados

1. O Corpo Vital

Supõe-se que esse corpo seja semifísico, uma espécie de energia que vincula o espírito ao corpo, e que talvez esteja envolvido na animação do corpo físico e na sua interação entre as energias espiritual e física.

Quando é visto pelos místicos, esse corpo aparece em tons branco e preto, e poderíamos supor que esteja envolvido nos fenômenos fantasmagóricos, ou de registros paranormais de vozes. Possui uma espécie de inteligência mecânica quando separado do corpo físico, mas não é a Inteligência do ser. Ao ser projetado, acha-se vinculado ao corpo físico mediante o fio de prata ligado à região do plexo solar. Quando de sua libertação, podem ser vistos vapor, neblina, néyoa ou nuvens de fumaça. O mesmo não sucede por ocasião da liberação do corpo superfísico. O corpo vital não é a alma, embora pareça ser usado pela porção espiritual do ser, a fim de interagir com o corpo físico. Esse corpo tem as mesmas formas do corpo humano, e talvez duplique-o, em suas porções, em algum outro nível da existência. É possível que seja uma espécie de contracorpo, mas de substância semifísica. Quando é projetado juntamente com o corpo superfísico, tolhe os movimentos deste último, bem como a sua capacidade de observação, mui provavelmente devido à sua própria natureza semifísica, tal como o corpo físico serve de grande empecilho para as atividades do espírito puro.

A radiação que emana do corpo vital provavelmente é responsável, pelo menos *em parte*, pela aura humana. Talvez esse corpo esteja envolvido com os campos de vida, que dirigem o desenvolvimento do corpo físico.

2. O Corpo Superfísico

Esse corpo aparentemente é não-material (segundo qualquer definição proposta em nossos dias). Alguns diriam tratar-se da alma, mas o mais certo é que seja o veículo espiritual do espírito. Portanto, quiçá estivéssemos com a razão ao chamarmos a alma de *sobre-ser*, ao passo que esse corpo espiritual seria o seu veículo. A sua projeção geralmente envolve a entrada em dimensões puramente espirituais da ex_stência, de natureza negativa ou positiva, conforme pudemos descrever acima. Quando é visto pelos místicos, o corpo superfísico aparece em cores, podendo viajar e observar tudo ao seu derredor, sem qualquer empecilho. Atravessa a matéria e viaja por meio do pensamento, em velocidade lenta ou extremamente rápida, conforme quiser. Trata-se de um verdadeiro veículo da inteligência, porquanto talvez seja o veículo espiritual do ser cognoscente, ao qual chamamos de alma ou espírito. Em nossos dias tornou-se costumeiro considerar o cérebro como um ser que possui entendimento; mas há excelentes razões para crermos que o cérebro e as células do organismo inteiro sejam apenas veículos de um espírito cognoscente, e que de maneira alguma, o cérebro, por si mesmo, seja o intelecto.

Por igual modo, o corpo superfísico poderia ser apenas um outro veículo complexo, talvez completando-se com seu próprio cérebro não-material e com as suas células não-materiais, mas, afinal de contas, apenas outro veículo da *Inteligência* que chamamos de espírito humano. Assim sendo, o intelecto permanece para nós um mistério. Por enquanto, não dispomos de meios para investigá-lo cientificamente. Todavia, quando aprendermos mais acerca da personalidade humana, especificamente que a personalidade humana é mais do que o corpo material (na verdade, a porção material é a sua porção menos importante) então teremos adquirido uma prova esmagadora de que a parte essencial do homem é um ser espiritual. É ridícula aquela suposição de que o corpo físico de um homem contém tudo quanto o homem é.

Platão desvendou os fatos desde o princípio: a verdadeira realidade é espiritual. A realidade física é, tão-somente, uma *imitação* da realidade, e essa realidade física é um veículo imperfeito e temporal daquilo que é real. Alguns têm expressado esse pensamento de outra maneira: o mundo físico é o véu que oculta a realidade. Começamos a compreender melhor a realidade quando começamos a remover o véu. Esse véu tem o seu propósito. Ele nos coloca em uma escola de situações, de circunstâncias. O espírito aprende nessa escola; mas algum dia obterá o seu diploma, e destarte abandonará a sua educação primária.

Citações extraídas de Crookall, que aprimoram o nosso entendimento sobre essas questões (*Artigo*, págs. 67-72):

«Os meus próprios estudos me têm levado à conclusão de que as projeções astrais envolvem dois elementos não-físicos. Ao primeiro tenho chamado de veículo 'semifísico' da vitalidade—e é por intermédio desse que o corpo material é animado. Ao segundo tenho conferido o nome de 'superfísico', o corpo da alma, que é o instrumento primário da consciência. Relativamente poucos *duplos* (corpos projetados) consistem no veículo da vitalidade apenas. Outros *duplos* consistem somente no corpo da alma, e ainda outros contêm tanto o corpo da alma quanto também uma parte do veículo da vitalidade... Tenho contrastado os testemunhos de numerosos declarantes, procurando averiguar se eles afirmam ter deixado os seus corpos naturalmente, ou se foram forçados a isso (por meio de anestésicos, etc.). Muitos daqueles que abandonaram os seus corpos naturalmente, aparentemente liberaram apenas o corpo da alma, o *corpo superfísico*, em razão do que foram capacitados a fazerem observações significativas; mas todos quantos foram ejetados à força liberaram um *duplo* que consistiu em uma parte do veículo *semifísico* da vitalidade, bem como do corpo da alma, o que teve a tendência de servir-lhes de obstáculo, motivo pelo

PROJEÇÃO DA PSIQUE

qual puderam fazer um menor número de observações. Essa diferença sugere que os *duplos* não são apenas corpos de sonhos, mas corpos reais e objetivos (embora não-físicos) conforme é asseverado por tantos daqueles que conseguem projetar a psique. Sei de um desses *duplos* liberados que consistiu em parte do veículo semifísico da vitalidade e que era o *fantasma*, sem inteligência, de um homem vivo.

A Srta. A.M. Hughes, que trabalhava no escritório do Sr. J. Deighton Patmore, sobrinho do famoso poeta, Coventry Patmore, inesperadamente viu o *duplo* dele em diversas oportunidades. Declarou ela: 'Depois do segundo ou terceiro encontro, fiquei perplexa com aquele *duplo*, sempre vestido com roupas idênticas às que o Sr. Patmore usava naquele dia. Se ele estivesse usando um terno cinza, assim o fazia também o 'outro homem', até que resolvi que deveria tratar-se de alguém que queria fazer-se passar pelo Sr. Patmore. Discutimos juntos sobre a questão e o Sr. Patmore passou a mudar freqüentemente de terno; mas o resultado era sempre o mesmo—todas as vezes que eu via o *outro homem*, as roupas eram do mesmo estilo e da mesma cor que as roupas usadas por meu patrão'.

De certa feita, a Srta. Hughes deixou o Sr. Patmore trabalhando no escritório, e não demorou muito a ver o seu *duplo* no café onde ela fora. O duplo olhou como que através dela—não era um instrumento da consciência—e saiu. Ela voltou ao escritório e encontrou Patmore ainda trabalhando. Ele nem saíra do escritório... O fenômeno ocorria quando o Sr. Patmore estava muito preocupado. Alguns dias mais tarde, quando as coisas voltaram à normalidade, o seu *duplo* deixou de ser visto».

«Mais numerosos ainda são os episódios nos quais o *duplo* liberado é composto do corpo *superfísico* da alma, nosso instrumento primário da consciência, bem como de uma parte do veículo 'semifísico' (que necessariamente envolve o corpo da alma). Entre esses casos é que se encontram as projeções *forçadas*, causadas por sufocação, perda da consciência devido a anestésicos, quedas e choques. Apesar de que essas pessoas são capazes de usar os seus *duplos* liberados a fim de fazerem observações, pouco elas são capazes de testificar, em comparação com aqueles indivíduos que liberam *duplos* que consistem somente no corpo da alma. O Dr. George Wyld, ao inalar clorofórmio, teve o seu *duplo* liberado, que ficou postado de pé, a dois metros de seu corpo físico vago. E a Srta. M.A.B. teve o seu *duplo* pendurado no ar, olhando para baixo, para o seu próprio corpo, para as enfermeiras, etc.»

«A Srta. Beryl Hinton declarou: 'Eu estava por cima do meu próprio corpo. Ao redor do mesmo estavam o médico, o dentista, etc. Admirei-me de que eu não estivesse sendo julgada, pois era óbvio que eu estava morta. Eu fora criada como católica romana estrita, e pensava que o julgamento segue-se imediatamente após a morte física. Eu jamais lera quaisquer obras acerca das experiências psíquicas. Ali estava eu, por cima do meu corpo, em derredor do qual encontravam-se diversas pessoas reunidas. Eu não podia falar com elas. Não duvido que eu me achava fora do corpo. Essa experiência contribuiu muitíssimo para convencer-me acerca da sobrevivência da alma, mais que todos os livros religiosos que eu já tivera ocasião de ler'».

Outro Caso de Experiência Transcendental

«Alegro-me por nunca haver lido livros sobre o misticismo, porquanto, na *minha mente*, não sei dizer como, a minha experiência é muito mais digna de confiança do que aqueles, sobretudo por não haver sido colorida por qualquer coisa que eu tenha lido. Contudo, não sei dizer se o que eu vi corresponde ou não às visões e revelações que outras pessoas têm recebido. Nem sei se o que obtive através disso concorda ou não com as crenças doutrinárias. Mas, para mim, isso não faz a menor diferença; deve haver mais verdades do que aquilo que os tratados teológicos dizem... Quando os meus sentidos físicos embotam-se, começo a viver em um outro corpo, que parece alçar vôo. Recebo um senso de leveza e ascensão... O mundo dos sentidos apaga-se. Parece que me movimento pelo espaço, onde posso contemplar o universo espiritual, indescritível, belíssimo... De fato, o que vejo então é a única realidade. Tudo quanto vemos neste mundo físico é apenas a *sombra* da realidade... O tempo e o espaço desaparecem. O corpo de minha alma... tem então atravessado a barreira tênue do que é físico, e eu me encontro no meu verdadeiro lar. Continua havendo uma conexão (o *fio de prata*, extensão entre o corpo da alma, temporariamente liberado, e o corpo físico, temporariamente vago). Se não mais houvesse essa ligação, estou certo de que o meu corpo espiritual, e, por conseguinte, a minha alma, não retornaria daquelas ascensões... Houve mesmo uma ocasião em que eu quase me rebelei, ao ter de voltar a esta vida terrena».

Crookall assevera que as projeções da psique que não envolvem *tanto* o corpo vital *quanto* o corpo da alma, assumem grande liberdade, pois, por assim dizer, o corpo vital é solto, permitindo que o corpo superfísico continue sozinho o seu vôo ascendente. Nas projeções que envolvem o corpo vital, tanto o começo como o fim dos mesmos envolvem tensões próximas do plexo solar, que podem ser bastante desagradáveis, dando a sensação de uma crise, de que a morte se aproxima. O corpo da alma é «envolvido» pelo corpo vital, que age como um elemento entravador.

Um Mecanismo que Pode ser Observado

«Se forem projetados para fora tanto o corpo vital como o corpo da alma, então este último é envolvido por aquele. Nessa conjectura, a vitalidade pode desprender-se. Entretanto, quando o corpo da alma retorna ao corpo físico, para nele reentrar, *primeiramente* junta-se novamente ao veículo da vitalidade e, *em seguida*, entra no corpo. Em outras palavras, esses **duplos** são formados por dois *estágios* distintos, e desaparecem também em dois estágios distintos, uma característica bastante desconhecida entre as imagens mentais. Tal fato tem sido inteiramente desprezado pelos psicólogos, psiquiatras, pesquisadores de questões psíquicas, etc., que têm adotado a hipótese de que o *duplo* não é outra coisa senão uma outra imagem mental» (*Artigo*, pág. 73).

Essa citação descreve as duas fases ou dois estágios distintos envolvidos na projeção: A saída e a reentrada. Quando o corpo da alma é ejetado, o corpo vital acompanha-o e envolve-o (se é que não se trata de uma pura projeção) e esse envolvimento assemelha-se a uma névoa, uma neblina, um vapor de fumo, com formas semelhantes a nuvens.

«Os livros de Crookall... contêm *bem acima de mil desses casos...*» (Colin Wilson, *Mysteries*, pág. 378).

Uma missiva pessoal, enviada a Crookall pelo professor Hornell Hart, professor de sociologia da Universidade Duke, dizia: «O que eu considero como o mais importante artigo dos que eu já publiquei, será publicado pelo *International Journal*. Esse artigo alicerça-se principalmente em seus livros» (carta datada de 31 de janeiro de 1967). Nos parágrafos finais daquela missiva, foram incluídas as seguintes declarações: «A hipótese da sobrevivência tem sido

PROJEÇÃO DA PSIQUE

testada em termos de análise dos casos comprovados por meio de provas abundantes, reforçados pelas experiências... Tem sido descoberto que a morte consiste em uma permanente projeção da psique para fora do corpo biológico... A natureza dos primeiros estágios da existência, após a morte física, pode ser compreendida... em termos da experiência para fora do corpo, de pessoas que temporariamente tenham projetado a psique».

A avaliação apresentada pelo próprio Crookall diz como segue: «É minha tese que, inteiramente à parte do fato de ser uma experiência pessoal satisfatória, ou não, a projeção astral pode atualmente ser taxada a uma probabilidade de noventa e nove por cento. Certamente trata-se de algo muito prático. E outro tanto aplica-se à questão da sobrevivência, pois uma coisa é apenas a extensão da outra, e existem gradações demonstráveis entre essas duas coisas» (*Artigo*, pág. 74).

Essa declaração *mui corretamente chega quase a correlacionar* a projeção da psique à experiência da morte. A primeira é uma ausência temporária da alma do corpo; e a segunda é uma forma permanente dessa *mesma experiência*. Neste volume abordamos separadamente o fenômeno do retorno de indivíduos, após o estado de morte biológica ou clínica. Nessas oportunidades, a própria morte é a crise que separa a alma do corpo. Já vimos, nos parágrafos anteriores, que diversas situações críticas podem forçar o espírito para fora do corpo. A sufocação, o choque (elétrico ou emocional), a dor intensa, um temor súbito e agudo ou a anestesia podem produzir tal efeito. A morte faz a mesma coisa, mas normalmente a projeção é permanente. Entretanto, há aqueles casos em que a morte *clínica* força o espírito para fora do corpo; mas, devido aos modernos métodos de ressuscitação (ou devido a outros fatores, que desconhecemos) o espírito pode retornar e realmente retorna ao corpo, retendo a lembrança da experiência de saída do corpo.

Estudos e Experiências do Dr. Charles Tart

O Dr. Charles Tart bacharelou-se em engenharia eletrônica pela Universidade de Carolina do Norte, nos Estados Unidos da América. Uma década mais tarde, ele veio a interessar-se pela psicologia, do que resultou — seu doutoramento — nesse campo. Tart é um dos poucos psicólogos que investigam, principalmente, as experiências fora do corpo.

O Dr. Charles Tart, professor assistente de psicologia, na Universidade da Califórnia, em Davis, mediante a aplicação de técnicas de laboratório, está conseguindo evidências significativas em apoio da suposição de que a porção espiritual do homem é capaz de passar por experiências fora do corpo, e que a hipótese dos «sonhos muito vívidos» não pode explicar muitas dessas experiências. Um artigo de Elizabeth Read, intitulado: *Wanted: Astral Fliers*, publicado pela revista *Fate*, edição de novembro de 1968, fornece-nos um sumário das suas primeiras experiências. Tart começou pesquisando com pessoas que afirmavam ter passado por experiências de projeção atral. Partindo daí, ele criou vários métodos a fim de testar as reivindicações das mesmas. As experiências relatadas nesse artigo são bastante similares àqueles relatos que qualquer pessoa pode ler em publicações do gênero; e essa similaridade, por si mesma, indica que estamos ventilando um fenômeno genuíno, provavelmente distinto dos sonhos normais. A grande debilidade do sumário de Read é que lhe faltam descrições sobre o mecanismo da projeção, o que poderia ajudar-nos a distinguir entre os sonhos clarividentes e as genuínas experiências fora do corpo.

De acordo com as informações prestadas por Tart, uma *típica projeção astral* envolve os seguintes elementos: A pessoa acha-se fora do próprio corpo; ela é um ser dotado de consciência, que paira perto do teto ou flutua acima do leito onde jaz o seu corpo físico. Pode ver o seu corpo e o meio ambiente ao derredor. Com freqüência, instaura-se um certo temor, e isso, ou então algum outro fator, pode levar o indivíduo a retornar ao seu corpo físico.

Certas projeções astrais, de natureza mais variegada, incluem as viagens a alguma localidade distante, a começar pelo lugar onde o corpo jaz dormente, o que, evidentemente, é controlado pelo pensamento. A vontade pode dirigir a pessoa a algum lugar remoto, e a velocidade da jornada pode variar, dependendo somente dos ditames do pensamento. Informações podem ser recolhidas através da observação direta da consciência projetada, e podem depois ser relembradas (e, em alguns casos, averiguadas *in loco*), uma vez que a consciência tenha retornado ao corpo. (*Artigo*, pág. 44).

Essas declarações consistem em sumários que se valem de muitas fontes informativas. Abaixo temos um desses testemunhos típicos (extraído do livro, *The Golden Light*, de Walter H. Cronk, DeVorss and Co., L.A., 1964).

O autor desse livro fala de uma experiência pessoal na qual, certo dia de sábado, cerca do meio-dia, enquanto esperava pelo almoço, ele descansava em um sofá. Um tanto modorrento, o Sr. Cronk acabou caindo em um sono leve. Subitamente, em vez de estar em Los Angeles, ele se encontrou a mais de três mil quilômetros de distância, em Omaha. Entrou na residência de seus pais, localizada naquela cidade, e encontrou sua mãe sentada em uma das extremidades de um sofá. Usando de um típico gesto da infância, ele se inclinou e encostou a cabeça no colo dela. E então, com igual subitaneidade, estava de volta a Los Angeles. Não obstante, lembrava-se de certos detalhes, como a cor e o tipo de vestido que sua genitora usava, além de diversos objetos e o aspecto das coisas na sala de estar.

Por essa altura, o relato torna-se deveras dramático. Na segunda-feira seguinte, o Sr. Cronk recebeu uma carta de entrega urgente, enviada por sua mãe, dizendo que ela o tinha visto cerca de duas horas da tarde de sábado (meio-dia, segundo o horário de Los Angeles). Ela mencionou aquele gesto infantil (algo que ele fazia freqüentemente quando era criança). Além disso, ela havia sentido que não podia falar, porquanto uma experiência extraordinária estava ocorrendo, mas, subitamente, ele havia desaparecido da sala. A subseqüente troca de correspondência confirmou as impressões acerca da sala de estar, incluindo o estilo e a cor do vestido que sua mãe usava no momento.

Essas narrativas são por demais numerosas para serem consideradas meras coincidências, podem envolver sonhos clarividentes. Se algum pesquisador pudesse ter suprido as informações de Robert Crookall ao Sr. Cronk, no sentido de que existem razões para acreditarmos que pelo menos *algumas* projeções astrais não são sonhos, então as nossas avaliações poderiam ser mais exatas. Por exemplo, no relato mencionado acima, o projetor passou pelo *modus operandi* da projeção? Nesse caso, é duvidoso que tal experiência tenha sido um mero sonho. O fato de que ele foi visto parece indicar que o seu consciente, pelo menos, imprimiu uma imagem telepática sobre a mente de sua mãe, a qual, por sua vez, «viu» essa impressão de maneira objetiva. Essa narrativa, levando-se em conta todos os fatores,

PROJEÇÃO DA PSIQUE

certamente nos dá a impressão de que se trata de algo totalmente diferente de um sonho, ou seja, de uma genuína projeção do consciente (mediante o corpo superfísico).

O Dr. Tart, preferindo ignorar o possível ridículo da parte da comunidade científica, resolveu mostrar-se realmente científico. A atitude dele foi própria de quem reconhece que as pessoas costumam afirmar que essas coisas acontecem. Por conseguinte, suas experiências sem dúvida seriam submetidas a testes Afinal de contas, *a maioria das descobertas científicas* tem sido precedida por teorias sem o respaldo de qualquer evidência sólida, e isso pelo decurso de muitos anos exaustivos de espera. As primeiras experiências de Tart foram realizadas no laboratório de eletroencefalografia do Hospital da Universidade de Virgínia. Um dos participantes, que afirmava passar por freqüentes experiências de projeção, no espaço de nove noites, passou apenas por uma dessas experiências, e isso na penúltima noite. Nessa oportunidade, ele foi capaz de abandonar o próprio corpo, elevar-se até o teto, e ler um número de cinco algarismos, que alguém pusera em uma prateleira, na sala de equipamentos do laboratório, e que estava *fora de vista e fora de alcance*, e que não poderia ter sido lido por qualquer meio *normal*. Poderia isso ter sido realizado através de um sonho? Talvez, visto que certos sonhos são claramente psíquicos em sua natureza, por serem telepáticos, clarividentes ou precognitivos. Porém, quando temos de escolher entre a explicação dada pelo sonho psíquico e a explicação dada pela projeção astral, nesses casos, esta última é a mais convincente. Existem testes que podem ser aplicados. No fim deste artigo, sumario e avalio muitas das características das projeções astrais, pelas quais poderíamos distingui-las dos sonhos. Uma coisa que deveria ser dita, no tocante à narrativa precedente, é que as experiências têm demonstrado que números ou palavras são relatados exatamente como são vistos. Por exemplo, se uma palavra foi escrita ao contrário nesses testes, como «ogral», em vez de «largo», então a palavra vista será sido «ogral». Posto isto, é evidente que alguma coisa realmente foi vista. O problema consiste de *como* isso foi visto.

Consideremos Este Método de Averiguação

Os estudos têm demonstrado que o estado de sonho é acompanhado pelo movimento rápido dos olhos de quem está dormindo, e que diversos períodos de sonhos ocorrem durante uma noite. Os períodos de sono, desacompanhados desses movimentos oculares, são essencialmente destituídos de sonhos, embora jamais ocorra um instante, durante o sono, em que a pessoa não esteja *mentalizando* algo, isto é, não se encontre pensando ou não esteja em atitude contemplativa. Se é verdade que os sonhos são necessariamente acompanhados pelo rápido movimento dos olhos (ou quase sempre), então poderíamos supor que as projeções astrais têm lugar durante aqueles períodos nos quais não são registrados movimentos dos olhos, e que, provavelmente, essas projeções não são meros sonhos. Porém, visto que sabemos tão pouco acerca dessas coisas, não podemos concluir dogmaticamente que as projeções não possam ocorrer durante os períodos de sonhos. Uma projeção astral *poderia* suceder durante um estado de sonho.

Sem importar exatamente como as coisas funcionam, o Dr. Tart usava esse fator para distinguir entre os sonhos comuns e as projeções do intelecto. Em um dos episódios, uma participante referiu-se a uma suposta projeção, afirmando que ela se levantara do próprio corpo, atravessara uma porta e entrara na sala de equipamentos do Hospital da Universidade de Virgínia. Mas não encontrou a especialista no lugar que ela normalmente ocupava. Então, passou para um escritório fortemente iluminado. Ali, encontrou a especialista em companhia de um homem. Procurou então atrair a atenção do casal, tocando em ambos, mas não obteve deles qualquer reação. Posteriormente, voltou ao seu corpo. Ao despertar, chamou a especialista e contou-lhe o que vira fora do corpo. E esta esseverou que, realmente, naqueles momentos, ela estivera fora da sala de equipamentos, e também que estivera na companhia de um homem, seu esposo. Ato contínuo, esta senhora foi apresentada ao marido da especialista, e foi capaz de confirmar que aquele era o homem que ela tinha visto. Não obstante, os registros, bem como a máquina que detecta os movimentos rápidos dos olhos, indicavam que, naqueles instantes da alegada projeção da psique, estava ocorrendo um estado normal de sonhos. (*Artigo*, pág. 46). Isso poderia indicar que a citada experiência foi um sonho psíquico (clarividência itinerante), e não uma genuína projeção da porção espiritual do homem, o verdadeiro intelecto do ser.

No caso de uma certa Srta. «Z», Tart demonstrou, mui *definidamente*, que algumas das suas projeções (embora não outras), eram realizadas quando ela não estava sonhando, em momentos destituídos dos movimentos rápidos dos olhos. Essa pessoa foi capaz de ler um número em uma prateleira que havia muito acima do leito, o que ela não poderia ter feito através de qualquer meio normal. Ela estava um tanto indignada consigo mesma, em face de haver fracassado em repetidas tentativas de projeção; contudo, quando ela finalmente realizou o seu propósito, obteve um resultado plenamente positivo. Parece provável que todos os fenômenos psíquicos são inibidos pelas experiências de laboratório, porquanto isso submete os participantes às tensões próprias da averiguação.

A Srta. «Z» era uma estudante de faculdade que, durante a vida, já passara por muitas experiências fora do corpo. Alguns casos envolviam somente o local de sua residência, nos quais o seu corpo etéreo elevava-se acima do corpo físico, até perto do teto de seu quarto. Mas, noutras ocasiões, as projeções envolviam lugares distantes. Enquanto trabalhava com o Dr. Tart, ela deu a conhecer um acontecimento incomum. Ela estava andando pela rua deserta de uma estranha cidade, usando uma saia xadrez de um modelo que ela não possuía, e então foi atacada por um assassino violento. No dia seguinte, um jornal publicou uma história incrivelmente semelhante à experiência que ela narrara ao Dr. Tart, incluindo o detalhe da saia xadrez. A jovem fora violentada e golpeada mortalmente, tal como no sonho (?) ou projeção (?) da Srta. «Z»? Um milhar de mistérios entram aqui em cena. Um sonho psíquico poderia ter captado, por via da telepatia, a experiência passada por outrem, e de uma forma tão vívida que a Srta. «Z» pensou tratar-se de uma experiência consigo mesma. Isso não é fenômeno muito raro, em pessoas dotadas dessa capacidade em grau marcante. Por outra parte, é possível que a consciência projetada realmente (pelo menos temporariamente) tenha entrado no corpo físico da jovem assassinada, podendo ainda ter estabelecido uma espécie de identificação com a consciência dela, conforme se vê nos casos de possessão. (*Artigo*, pág. 47).

O Dr. Tart também tentou fazer a Srta. «Z» identificar vários números escritos em uma folha de papel posta em uma elevada prateleira. De certa feita,

PROJEÇÃO DA PSIQUE

cinco algarismos foram escolhidos ao acaso e postos sobre uma elevada prateleira. E a Srta. «Z» identificou-os com sucesso. O que se revestiu de um incomum interesse foi que, apesar dela ter conseguido projetar-se para fora do corpo, em certa ocasião, nem por isso foi capaz de ler os números que haviam sido postos sobre a prateleira. Talvez não tenha conseguido elevar-se a uma altura suficiente. Deixou o seu corpo, mas *não pôde ascender até* à altura apropriada. É possível que se Crookall tivesse monitorizado essas experiências, também tivesse distinguido entre as projeções estorvadas, que envolvem o corpo vital, e as projeções não-estorvadas, que envolvem o *corpo superfísico*. Já tivemos ocasião de observar que nem todas as projeções pertencem a uma só categoria; algumas dessas projeções sofrem de estorvos, ao passo que outras são inteiramente desimpedidas em seu vôo.

A 18 de abril de 1965, a *Srta.* «Z» teve o que ela denominou de *pesadelo*. Foi um outro episódio de ataque contra uma jovem. A 20 de abril, apareceu uma história no jornal *The San Francisco Chronicle*, extraordinariamente semelhante ao seu «sonho». O jornal identificava a vítima como uma jovem, ajuntando que o seu corpo fora encontrado ao ar livre, em um bosque. A jovem fora ferida na cabeça, tendo sido atacada com um instrumento parecido com um quebra-gelo, e não com uma faca. Além disso, o assassino era proprietário de um automóvel grande, de cor branca. O assassino também era um jovem, namorado da vítima. Ora, todos esses elementos tinham feito parte do sonho da Srta. «Z», como parte do cenário. Todavia, o aspecto talvez mais interessante, nessa experiência, foi que a consciência da Srta. «Z» tenha vindo habitar o corpo da vítima. O caso mais acima mencionado parece indicar que houvera completa identificação com a vítima, ao passo que, neste episódio, teria havido uma *identificação parcial* apenas. Seja como for, a possessão temporária é a solução que nos ocorre.

Quanto às ondas cerebrais durante as horas de sono, tanto o Sr. «X» quanto a Srta. «Z» exibiam padrões incomuns. De fato, eram ondas cerebrais que com freqüência desafiavam qualquer classificação, de acordo com as normas aceitas. Um estranho padrão aparecia durante as projeções realizadas pela Srta. «Z», incluindo tanto aquelas que a elevavam somente poucos palmos acima do seu corpo quanto aquelas que a projetavam a lugares distantes. Ela costumava dizer: «Anote 3:15 da madrugada», «anote 6:00 da manhã», etc., como ocasiões em que ela estava se projetando para fora do corpo. E a leitura de suas ondas cerebrais indicava que, naqueles momentos, estranhas coisas estavam acontecendo com as suas ondas cerebrais. Acrescente-se a isso que tais coisas estranhas estavam acontecendo com as suas períodos de sonhos. (As experiências efetuadas pelo Dr. Tart com a Srta. «Z» foram publicadas pelo *Journal* da American Society for Psychical Research, vol. 62, nº 1, janeiro de 1968).

Eis o comentário do Dr. Tart, a respeito dessas experiências com o Sr. «X» e com a Srta. «Z». Escreveu ele: «As experiências fora do corpo sempre foram um problema periférico nas pesquisas psíquicas, a despeito do fato de que, desde há muito, tenham sido reconhecidas as suas importantes implicações concernentes à questão da sobrevivência da alma», sem falarmos de seu interesse todo particular». (*Artigo*, pág. 50).

O Dr. Tart tem demonstrado pelo menos uma questão, isto é, que essas experiências não estão fora dos limites das investigações científicas. De fato, no futuro, talvez venha a ser inventado algum instrumento fotográfico extremamente sensível, permitindo-nos filmar a própria psique projetada. Quem sabe se não surgirão ainda outros instrumentos, que nos permitam a comunicação real com um espírito que, por alguns momentos, encontre-se fora do corpo físico? Quando isso tornar-se uma realidade, a existência da alma e a sua sobrevivência diante da morte biológica não serão mais assuntos misteriosos, e, sim, um tema que poderá ser investigado, da mesma maneira que agora investigamos os fenômenos que têm lugar no corpo físico.

Observações feitas por William G. Roll

O Sr. Roll bacharelou-se pela Universidade da Califórnia, em Berkeley. Na Universidade de Oxford, ele atuou como Presidente da Oxford Society for Psychical Research, onde viu-se envolvido em diversas experiências. De 1957 a 1960 ele esteve vinculado ao Laboratório de Parapsicologia da Universidade Duke, em Durham, Carolina do Norte. Mais tarde, tornou-se o diretor de projetos da Psychical Research Foundation, bem como editor da revista publicada pela mesma, intitulada *Theta*. (As informações abaixo foram extraídas do seu artigo, *A New Approach to Survival Research*, publicado pela primeira vez no livro *Psychic Exploration*, de Edgar D. Mitchell, G.P. Putnam's Sons, Nova Iorque, 1974).

O Dr. Roll queixa-se da debilidade inerente às aparições e comunicações mediúnicas, quando se trata da tentativa de provar a sobrevivência da alma. «Uma aparição ou comunicador pode ser apenas o produto do campo *psi*, ou qualquer outro nome que queiramos dar à energia associada aos pensamentos, às idéias e às imagens de uma pessoa» (*Artigo*, pág. 78). Em sua opinião, a consciência sempre está atarefada nas *experiências do próprio «eu»*. O corpo vital projetado (tomando-se por empréstimo a expressão de Robert Crookall), apesar de poder aparecer para alguma pessoa, na verdade não é o consciente do indivíduo. Outrossim, uma aparição pode ser a projeção de uma imagem mental (televisão misteriosa!) e não a própria personalidade do indivíduo. Por igual modo, as comunicações ocorridas entre os espíritas podem envolver personalidades reais, mas não o indivíduo que supostamente estaria fazendo a comunicação; ou então podem ser meros fenômenos telepáticos ou clarividentes. O Dr. Roll acredita que as experiências fora do corpo nos proporcionam uma base mais segura de aceitação, sendo também um alicerce mais firme para as investigações científicas. Apesar de que uma pessoa possa experimentar o próprio «eu» confinado em seu corpo físico, há boas evidências em prol da suposição de que essa pessoa, uma consciência, (ou *intelecto*, segundo o vocabulário aristotélico) pode experimentar o próprio «eu» *ausente* do corpo físico.

Ele salienta, contudo, que a própria consciência não parece ser mera questão particular. Outros indivíduos poderiam *participar* da consciência de uma pessoa, através dos fenômenos psíquicos; e isso faria a consciência tornar-se «pública», compartilhada. O campo gravitacional de um objeto material está obviamente envolvido pelo campo gravitacional do globo terrestre e este, por sua vez, faz parte do campo gravitacional do sistema solar. Isso poderia servir como ilustração das propriedades das energias envolvidas na consciência. O cérebro, por sua vez, é um elemento físico *limitador*, que transforma os indivíduos em outras tantas *ilhas*. Na realidade, porém, todas as consciências se relacionam entre si, da mesma maneira que o fundo do oceano reúne as ilhas

PROJEÇÃO DA PSIQUE

em uma única grande massa. O Dr. Roll sugere que uma realidade como a consciência compartilhada subentende que a morte física dificilmente é capaz de anular uma entidade humana. E declara: «Miríades de seres humanos têm morrido sem que isso diminua a consciência dos sobreviventes. Outrossim, se a consciência é algo público, prosseguindo mesmo depois da morte do indivíduo, não precisamos imaginar que essa capacidade de *compartilhar* da consciência pública cesse, ou mesmo diminua, quando tal indivíduo morre». (*Artigo*, pág. 78).

Ao assim declarar, o Dr. Roll fez soar novamente uma nota familiar, conforme já observei no trecho que alude aos estudos feitos no terreno da volta à vida, por quem experimentou a morte clínica (biológica). Esses informes indicam que a morte provoca significativa intensidade de consciência, com o acompanhamento de considerável iluminação a respeito de intrincados problemas filosóficos e teológicos (problemas da vida, digamos assim). Os órgãos dos sentidos do corpo físico, bem como o sistema nervoso central, dão-nos a impressão de que somos o nosso próprio corpo. Contudo, diante da desintegração desses aparelhos, devido à morte física, é providenciado um acesso mais fácil à consciência (onde reside a vida).

O ponto central do raciocínio do Dr. Roll é que, quando definimos a consciência, já estamos falando de algo extrafísico. Além do tipo de consciência de que dispomos, quando estamos acordados, temos a consciência própria dos sonhos, do estado hipnótico, da meditação, do estado de toxidez por meio de drogas, e da consciência projetada. Cada uma dessas variedades de consciência tem os seus próprios mistérios, e merece investigação. O Dr. Roll aguarda o dia em que os nossos laboratórios haverão de prover o equipamento necessário para serem exploradas as características da consciência viva, características essas que talvez prossigam mesmo depois da morte biológica. E ele menciona três organizações que estão nos estágios iniciais de desenvolvimento de laboratórios dessa ordem. São as seguintes: a American Society for Psychical Research, a Divisão de Parapsicologia da Universidade de Virgínia, em Charlottesville, e a Psychical Research Foundation, em Durham, na Carolina do Norte. Três são as áreas específicas da consciência que atualmente estão sendo investigadas, a saber:

a. A consciência real do «eu», que pode estender-se para fora do corpo;
b. deve ser possível a averiguação dessa extensão;
c. o «eu» estendido deve ser capaz de existir independentemente do organismo físico, ao qual chamamos de corpo (portanto, o corpo é apenas um veículo; o «eu» consiste em intelecto ou consciência).

Dois Meios de Investigação

Essas proposições podem ser examinadas com maior proveito através de *dois meios* frutíferos: a psicologia e a parapsicologia. A psicologia pode conferir-nos discernimentos a respeito da natureza da consciência, e esses discernimentos sugerem, ainda que não provem de maneira absoluta, que um ser humano é muito mais do que o seu corpo físico. A parapsicologia pode investigar as reivindicações de uma consciência que se estenda até após a morte, estando então em foco aquela função intelectual que existe independentemente do corpo material. As experiências fora do corpo e o retorno após a morte clínica parecem ser os dois meios mais promissores para demonstrarmos a existência do **eu** como uma entidade separada do corpo.

O Dr. Roll acredita que tais experiências oferecem sólidas provas em favor da realidade da consciência não-física. De acordo com a sua opinião, essas experiências também fornecem razões sólidas para acreditarmos que a consciência projetada (uma vez liberta do corpo) pode identificar-se com o fundo comum da consciência, ao qual ele denomina de «campo da consciência». Penso que ele está aludindo aqui a algo que poderia ser identificado, pelo menos parcialmente, à *Mente Universal* dos filósofos. Sócrates acreditava que podemos receber entendimento a respeito das questões morais quando tiramos proveito dessa mente universal, inteiramente à parte das evidências conferidas pela percepção dos sentidos. Platão ampliou um pouco mais tal idéia, incluindo o conhecimento metafísico, que assim também estaria ao nosso alcance. Ora, as experiências intuitivas ou místicas podem proporcionar-nos tal participação, e, dessa forma, os nossos meios de conhecimento são grandemente ampliados. Ainda de acordo com essa teoria, é absolutamente falsa a noção de que tudo quanto podemos saber deve ser-nos mediado através da percepção dos sentidos (posição defendida pelo empirismo). Oferecemos alguns poucos exemplos que indicam que as experiências intuitivas e místicas podem conferir-nos certas modalidades de conhecimento que não podem ser adquiridas somente por meio da percepção dos sentidos físicos.

Têm sido efetuadas pesquisas sobre as experiências fora do corpo, na Psychical Research Foundation, referida acima, envolvendo certa variedade de pessoas. As mais frutíferas dentre essas experiências têm sido aquelas cujo participante foi Blue Harary, um estudante da Universidade Duke. (*Artigo*, pág. 80). A experiência transcrita abaixo contém elementos que nos chamam a atenção.

O Sr. Harary tem passado por muitas experiências de projeção da psique. De certa feita, estando no espírito, ele resolveu visitar um amigo. Concentrando-se, ele foi capaz de ir até certo lugar, em Nova Iorque, onde residia o seu amigo, George. Harary viu-se pairando por cima de seu amigo, e tentou despertar o «eu» não-físico de George, tendo ajudado esse «eu» a sair do corpo. Nem um e nem outro julgaram estranho o que estava acontecendo. No espírito, eles foram de Nova Iorque ao estado de Maine, e caminharam por uma região arborizada. Passaram por uma poça de líquido róseo, quente e borbulhante. Harary advertiu George para que se mantivesse afastado da tal poça, tendo afirmado que ela representava um perigo, mesmo para o corpo não-físico.

Essa jornada, evidentemente, teve o propósito de visitar uma outra entidade, uma mulher; e, para surpresa deles, ela já estava esperando por eles. Harary reconheceu-a imediatamente, ao ver os seus cabelos louro-avermelhados, com seu rosto de maçãs proeminentes. Ora, essa visita tinha por escopo a ajuda mútua. E discutiram a respeito de coisas que os estavam perturbando, e foram instruídos e consolados com a companhia uns dos outros. Terminada a visita, regressaram a seus respectivos lugares, e reentraram em seus corpos físicos. Ao despertar, na manhã seguinte, o Sr. Harary lembrava-se de toda aquela experiência (?) ou sonho (?). Mais tarde, naquele mesmo dia, encontrou-se com George, o qual tinha a estranha sensação de que se havia esquecido de algo importante. Mas, à noite, quando discutiam sobre seus sonhos, a fisionomia de George adquiriu uma estranha expressão, ao relembrar-se da experiência da noite anterior. Lembrou-se da «fantástica» idosa senhora, de cabelos louro-avermelhados, e não encanecidos, como seria de esperar-se. Também se relembrava de algo a respeito de uma poça de água.

PROJEÇÃO DA PSIQUE

Estava lembrado da naturalidade da experiência inteira, bem como dos dois indivíduos cujos corpos eram quase duplicatas dos corpos físicos de Harary e George. Tudo isso, a despeito do fato de que as lembranças de George não eram tão *claras* e detalhadas quanto as de Harary.

Pondo-se de lado a desagradável possibilidade de que Harary estivesse meramente contando uma boa história, a fim de confundir o Dr. Roll, defrontamo-nos com certo número de problemas, na citada experiência. Realmente, não haveria quaisquer problemas se aceitássemos a evidente realidade da história toda, a saber: a pessoa real não é o seu corpo físico; a pessoa (o intelecto) pode projetar-se para fora, enquanto seu organismo físico ainda vive; as experiências psíquicas podem ser compartilhadas com outras pessoas, em um estado similar de projeção; há um propósito espiritual em tudo isso, porquanto existem lições que precisamos aprender, havendo outras entidades não-físicas que estão interessadas pelo nosso bem-estar, e podem ajudar-nos.

Encaremos francamente a questão. A fé religiosa, bem como alguns sistemas filosóficos, sempre nos ensinaram essas realidades. De fato, são questões que pertencem ao ABC daquelas disciplinas, embora a idéia da projeção astral possa ser considerada estranha para alguns teólogos e filósofos, como *um meio* de experimentarmos eventos espirituais.

No que tange aos problemas envolvidos, poderíamos asseverar com confiança que essa experiência foi um *sonho compartilhado*. Os estudos nesse campo têm mostrado que os indivíduos emocionalmente vinculados entre si, por estarem ocupados em algum empreendimento ou trabalho comum, na realidade têm sonhos dessa natureza, com detalhes literais ou simbólicos (os detalhes são diferentes, mas os símbolos retratam as mesmas coisas). Poderíamos até falar em *alucinações compartilhadas*. É possível que possamos lançar dúvidas sobre a realidade da projeção da psique quanto a dois particulares, isto é, que ela possa servir de prova da existência da alma e de prova de sua independência quanto ao corpo. Notemos, entretanto, que o Sr. Harary passou definidamente pelo *modus operandi* da projeção, o que certamente não é típico dos meros sonhos. Segundo a minha avaliação, que aparece no final deste artigo, procuro oferecer razões pelas quais, pelo menos *algumas* projeções da psique, são exatamente isso, não podendo ser confundidas com meros sonhos muito vívidos.

Atentemos ainda a um outro estranho aspecto dessa experiência, que não figura nos casos previamente relatados. O «eu» não-físico de George foi despertado pelo Sr. Harary. Ora, não há motivos para crermos que o «eu» não-físico não seja capaz de dormir. Algumas narrativas sobre retornos ao corpo, após a morte clínica, indicam que a morte por meios violentos, ou por acidente, pode fazer a alma dormir por algum tempo, como que para recuperar-se do abalo. Sem embargo, a morte que ocorre por meios naturais quase sempre deixa a alma desperta, pelo que a transição se efetua sem qualquer perda de consciência.

O Sr. Roll, ao considerar a possibilidade de que as projeções da psique não passam de fantasias individuais, rejeita tal noção (pelo menos no caso de algumas projeções), porquanto ele dispõe de provas, colhidas no decorrer das suas pesquisas, no sentido de que a presença projetada *pode ser sentida*. Utilizando-se de Sr. Harary como sujeito, o Sr. Roll foi capaz de confirmar esse ponto em nada menos de seis diferentes ocasiões, durante as quais outras pessoas *detectaram* o «eu» não-físico do Sr. Harary, por ocasião de sua projeção.(*Artigo*, pág. 82)

O Sr. Roll também frisa que o Sr. Harary era capaz de exercer um efeito notável sobre gatinhos, acalmando-se. É interessante notarmos que, quanto a esse particular, o Sr. Harary foi capaz de acalmar um certo gatinho, mas não um outro, que estava presente. Mais mistérios! Ainda no tocante a experiências com esses dois felinos, em uma outra oportunidade, por ocasião de uma projeção astral o Sr. Harary viu somente um dos animaizinhos, e ao despertar, transmitiu a sua impressão ao pesquisador. «Correto!» disse este último. Pois o pesquisador havia removido um dos gatos de seu lugar.

Relação Entre a Percepção Extra-sensorial e a Projeção da Psique

Alguns pesquisadores têm opinado que as chamadas projeções da psique são apenas experiências subjetivas da percepção extra-sensorial, não envolvendo qualquer separação real entre os elementos físico e espiritual do ser humano. Assim sendo, seria de se presumir que as supostas viagens da alma sejam apenas a consciência telepática ou clarividente, interpretada como se a pessoa tivesse realmente *ido lá*. Essa é uma questão que não pode ser manuseada com facilidade, devido à limitação de nosso conhecimento sobre o que, exatamente, está envolvido na percepção extra-sensorial. No sumário e avaliação que oferecemos no fim deste artigo, sob o título *Razões para crermos que as projeções não são meros sonhos muito vívidos*, no seu décimo quinto item, sugiro um certo número de razões pelas quais deveríamos distinguir entre percepção extra-sensorial normal e a projeção astral.

Declarou o Sr. Roll: «A percepção extra-sensorial é a consciência daquilo que já faz parte do próprio 'eu'. As experiências fora do corpo confirmam o que já sabemos sobre a percepção extra-sensorial» (*Artigo, pág. 84*). Esse estudioso prossegue a fim de salientar que a percepção extra-sensorial pode manifestar-se mesmo sem a percepção consciente do indivíduo, ao passo que a projeção da psique é uma experiência altamente pessoal e consciente. Esse argumento, no entanto, nem sempre é válido, pois parece que há autênticas experiências de projeção das quais o indivíduo (uma vez reunido novamente ao corpo físico) não retém qualquer lembrança. Isto posto, o seu primeiro argumento parece melhor que o segundo. A projeção da psique consiste em uma real viagem do 'eu' (a consciência ou intelecto), sem a participação (e o entrave) do corpo físico. A percepção extra-sensorial, porém, é uma função desse 'eu', sendo intensificada quando da projeção astral. Enquanto se conserva preso ao corpo físico, o intelecto fica dependente das informações fornecidas pelos sentidos do corpo. Mas, quando se acha fora do corpo, a sua consciência torna-se muito mais livre, e poderíamos mesmo afirmar que agora o seu conhecimento tornou-se extra-sensorial, porquanto os sentidos físicos não estão envolvidos.

O Dr. C.G. Jung publicou um episódio de projeção astral forçada, com a qual esteve pessoalmente envolvido (relatado por Allen Spraggett, em seu livro, *The Case for Immortality*, New American Library, Nova Iorque, 1975, págs. 75 e 76).

Uma jovem senhora, tendo sofrido severa hemorragia logo depois de haver dado à luz a uma criança, afundou-se em um vazio nublado quando uma enfermeira correu para o seu lado, a fim de tomar-lhe o pulso. Repentinamente, ela começou a ter uma nova consciência da realidade. Ela estava *olhando para baixo*, de um ponto qualquer próximo ao teto da sala,

PROJEÇÃO DA PSIQUE

observando todos os acontecimentos que se desenrolavam no aposento. Ela divisou o seu próprio corpo empalidecido, bem como o médico que caminhava frenético, para lá e para cá pela sala. O seu marido e a sua mãe entraram e olharam para ela com ar de grande aflição, de cenho franzido. Por detrás dela mesma, entretanto, resplandecia uma cena de qualidade inteiramente diferente—uma paisagem maravilhosa com cores vibrantes, um prado de cor verde-esmeralda e uma luz solar amarelo-pálido. Repentinamente, porém, ela achou-se de volta ao seu próprio corpo, e a enfermeira disse-lhe que ela estivera «inconsciente» por meia hora. Mais tarde, ela repreendeu (com bom humor) ao seu médico, por ter ele dado aqueles passos nervosos pela sala, que quase chegavam à histeria. A princípio, ele quis negar que tivesse agido assim, admirado e embaraçado ao mesmo tempo; mas, finalmente, admitiu que o que ela vira realmente tinha acontecido com ele.

Se Crookall tivesse sido convidado a examinar o episódio, sem dúvida salientaria o fato de que, nesse caso, estamos abordando um exemplo de projeção astral forçada. Uma das características desse tipo de projeção é que o «eu» projetado fica pairando por sobre o corpo, fazendo observações. Contudo, nesse episódio também encontramos sinais de que houve a projeção do corpo superfísico, porquanto houve certa duplicidade de cenas. Manifestou-se o que poderíamos apelidar de *espiada para além* da vida física normal. Esse vislumbre revelou a beleza da vida eterna. Sob a ameaça da morte, o corpo superfísico já se havia libertado, ou então estava no processo de desvencilhar-se do corpo vital, e, em vista disso, começou a materializar-se uma experiência paradisíaca. Conforme declarou Jung, acerca de uma experiência dessa natureza, que ele mesmo teve: «É a bem-aventurança eterna. É algo que não pode ser descrito; é por demais maravilhoso» (C.G. Jung, *Memories, Dreams, Reflections*, Nova Iorque, New York Books, 1963). A fé religiosa sempre se manifestou nesses termos. Algum dia, talvez não muito distante, a ciência também entoará esse cântico jubiloso.

Fantasias ou Fatos?

Porventura essas experiências poderiam ser simples variações daquele fenômeno conhecido pelos psicólogos, ao qual eles dão o nome de «autoscopia», isto é, «ver-se a si mesmo, em um espelho»? Essa estranha experiência tem sido mencionada por inúmeras pessoas, incluindo alguns personagens famosos, como Goethe, Dostoevsky e Freud. Não passaria de uma forma de alucinação. A projeção da psique seria mera alucinação? Notáveis psicólogos e pesquisadores das questões psíquicas, como o Dr. Nandor Fodor, têm rejeitado esta noção. Fodor salienta que durante o fenômeno da «autoscopia» a consciência *permanece* no corpo físico, e que o *duplo* só é visto como se fora uma entidade *externa*. Todavia, no caso da projeção da psique, o processo é revertido. A entidade projetada vê o corpo físico, e fica completamente separada do mesmo. Outrossim, as alucinações autoscópicas produzem, mui tipicamente, uma profunda ansiedade, ao passo que as autênticas projeções da psique produzem a sensação de tranqüilidade, de felicidade, de iluminação, de êxtase e de triunfo espiritual. (Spraggett, *ibid.*, pág. 77).

O Dr. Karlis Osis, diretor de pesquisas da American Society for Psychical Research, de Nova Iorque, tem-se interessado vividamente pelo fenômeno da projeção astral. Osis afirma que o homem é um tipo de ser que é capaz daquilo que ele denomina de experiências *ecsomáticas* (literalmente, fora do corpo) porquanto o homem está incorporado a uma porção não-física, «capaz de agir independentemente do corpo e fora do corpo físico» (Spraggett, *ibid.*, pág. 81). Um de seus sujeitos foi Ingo Swann, um artista e escritor que reside em Nova Iorque. Em uma série de experiências, a tarefa dada a Swann consistia em abandonar o próprio corpo, ascendendo até um lugar perto do teto, onde se encontrava um objeto em uma prateleira. Esperava-se dele que chegasse até o local, observasse o objeto e então dissesse mais tarde do que se tratava. Nessa série particular, que consistiu em *oito* tentativas, ele foi capaz de identificar os objetos corretamente, todas as vezes, sem erro qualquer. Foram empregados objetos de fácil identificação, como um guarda-chuva, uma maçã, etc. O Dr. Osis informa-nos que a chance de acertar, em oito oportunidades, aproxima-se da taxa de probabilidades de quarenta mil para um. Durante as suas viagens para fora do corpo, as ondas cerebrais de Swann exibiam notáveis modificações de voltagem. Uma vez mais defrontamo-nos com a questão da «clarividência itinerante». A fonte informativa de que dispomos não faz distinções similares às de Crookall, como: «Estariam em ação mecanismos de projeção astral?» Se essa informação estivesse em disponibilidade, estaríamos em melhor posição para aquilatarmos tais episódios.

Spraggett (*ibid.*, pág. 84) menciona fotografias de aparições de aparentes projeções da psique, citando o bem conhecido caso de Charles Good, cuja aparição foi fotografada nos edifícios do Parlamento da província de Vitória, Colúmbia Britânica, no Canadá, apesar de se saber positivamente que ele estava atacado por gravíssima enfermidade, não podendo afastar-se do leito, em casa, porquanto já entrara em estado de coma. Quando o conselho de parlamentares reuniu-se, a 13 de janeiro de 1865, uma fotografia tirada dos membros daquela assembléia estampava a imagem de Good, claramente discernível entre os outros membros, mas com uma espécie de aparência de transparência, «fantasmagórica».

Fotografias dessa natureza podem ser deveras significativas; entretanto, podem ser fotografias do corpo vital, e não do corpo superfísico. Se aparecem em tons de branco e preto (como parece ter sido o caso que envolveu Good), então mui provavelmente são retratos do corpo vital, nada podendo ser demonstrado, por esse intermédio, acerca da questão da existência da alma e de sua sobrevivência diante da morte biológica. Mas, se essas fotografias são coloridas (como sucede em certos casos) então é possível que o corpo superfísico esteja envolvido. Nesse último caso, algo de extremamente significativo, no que concerne à questão da sobrevivência da alma, terá sido fotograficamente obtido. Os místicos, que asseguram ser capazes de enxergar essas duas modalidades de projeção, também afirmam que tais modalidades podem ser distinguidas mediante as suas respectivas cores (entre outras diferenças).

Havendo tantos mistérios que nos circundam, por que motivo se julgaria estranho que o próprio homem seja, afinal, um ser espiritual, capaz de prodigiosas façanhas, realmente *pertencentes* a uma esfera mais elevada do que este mundo material? Por que se pensaria ser estranho que a presença do homem neste mundo consista apenas de uma jornada instrutiva, e não uma residência fixa? Quando encontramos declarações de Platão que essencialmente dizem a mesma coisa, embora respeitemos a sua genialidade, somos invadidos por certo senso de nostalgia, mas terminamos por desconsiderar o significado das suas palavras. E, se algum profeta disser algo de similar, então as nossas mentes saltam para uma silente exclamação de *fanatismo religioso!*

A maneira pela qual compreendemos o nosso mundo padece de um equívoco básico. Sentindo a debilidade da carne humana, julgamo-nos impotentes em um mundo de matéria e caos. Assumimos uma perspectiva negativa a respeito de nós mesmos, supondo que somos apenas átomos em movimento. Em suma, olvidamo-nos do espírito, o que equivale a nos esquecermos de nós mesmos. Tornamo-nos semelhantes ao homem da caverna, dentro da alegoria de Platão. O homem da caverna desconhecia completamente o mundo real fora da caverna, e ainda tinha a ousadia ignorante de chamar as sombras que dançavam nas paredes da caverna tanto de realidade como também de *única* realidade. Não obstante, a própria matéria, se for situada dentro da escala ascendente da realidade, é apenas uma sombra tremeluzente.

Alegoria da Caverna
República de Platão, VII, 515-518

Sócrates discutia com Glaucon acerca da natureza da realidade:

—*Imagine você* um certo número de homens, que vivessem em uma caverna subterrânea dotada de uma única entrada de luz, estendendo-se por toda a extensão da caverna. Aqueles homens haviam sido confinados naquela caverna desde a infância, com as pernas e os pescoços atados de tal maneira que eles eram forçados a sentar-se eretos e olhar para a frente, visto que suas cadeias impossibilitavam-lhes olhar para cima. E imagine também uma fogueira que ardesse brilhantemente a alguma distância, acima e por detrás deles, havendo ainda um caminho elevado, que passasse entre a fogueira e os prisioneiros. Esse caminho elevado tinha uma mureta baixa ao longo do mesmo, como os tapumes que os prestidigitadores costumam colocar defronte de suas audiências, e acima dos quais exibem os seus truques.

—*Compreendi*, retrucou Glaucon.

—Imagine, igualmente, que por detrás desse tapume esteja caminhando um certo número de pessoas, as quais levam consigo estátuas de homens e imagens de animais, feitas de madeira, de pedra e de toda espécie de material, juntamente com diversos outros artigos, que aparecem por cima do tapume; e, como já seria de se esperar, algumas dessas pessoas conversam enquanto caminham, ao passo que outras se conservam em silêncio.

—Você está descrevendo *uma estranha cena*, com estranhos prisioneiros.

—Eles apenas se parecem conosco, respondi. Pois, deixe-me perguntar-lhe, antes de mais nada, se pessoas assim confinadas poderiam jamais ter visto qualquer coisa sobre elas mesmas, ou sobre as demais, a não ser as sombras projetadas pela luz da fogueira, sobre a porção da caverna imediatamente defronte delas. Poderiam?

—*Certamente não*, se imaginarmos que, durante toda a vida, nunca puderam mover a cabeça.

—E o conhecimento delas, acerca de todas aquelas coisas que costumam ser transportadas pelo caminho elevado, não seria igualmente limitado?

—Sem dúvida nenhuma.

—E, se porventura os prisioneiros pudessem conversar uns com os outros, você não pensa que eles estariam no hábito de dar nomes aos objetos que vissem passar à sua frente?

—*Certamente.*

—Novamente, se houvesse um eco dentro da caverna, e que viesse defronte dos prisioneiros, e que se fizesse ouvir todas as vezes que algum deles abrisse os lábios, ao que você pensa que eles atribuiriam tais vozes, se não às sombras que estivessem passando?

—Por certo assim pensariam que fosse.

—Nesse caso, aqueles prisioneiros haveriam de pensar que as sombras dos artigos manufaturados seriam as únicas realidades que existem, não é mesmo?

—Não há que duvidar disso.

—*Consideremos agora* o que sucederia se algum acontecimento natural libertasse aqueles prisioneiros de suas correntes, e se a insensatez deles fosse remediada da seguinte maneira: suponhamos que um deles tivesse sido libertado e fosse obrigado a pôr-se subitamente de pé, girando o pescoço e avançando na direção da luz com os olhos abertos; e suponhamos ainda que tal indivíduo fizesse tudo isso sentindo dores, e que o resplendor da luz o tornasse incapaz de divisar aqueles objetos dos quais, antes, via somente as sombras. Qual resposta daria tal prisioneiro a alguém, se lhe fosse dito que agora ele estava mais próximo da realidade, podendo ver as coisas como elas realmente são? E, especialmente, se lhe fossem mostrados diversos daqueles objetos que estivessem sendo transportados, juntamente com a ordem que ele dissesse o que são tais objetos? Você haveria de esperar que ele ficasse perplexo, chegando a pensar que as suas antigas visões eram mais verdadeiras do que os objetos que agora lhe eram exibidos?

—*Sim*, assim seria.

— Além disso, se aquele homem fosse compelido a contemplar diretamente a luz, os seus olhos não ficariam ofuscados, e ele não haveria de preferir voltar para as sombras onde antes podia ver as coisas com mais clareza, chegando a considerar tais sombras mais claras do que os objetos reais que lhe haviam sido exibidos?

— *Exatamente.*

— E, se porventura alguém o arrastasse violentamente pela subida para fora da caverna, não lhe dando descanso enquanto ele não chegasse sob a plena luz do sol, por acaso ele não ficaria indignado diante de tal tratamento? E, ao chegar à luz do dia, os seus olhos não ficariam de tal maneira ofuscados pelo resplendor que ele tornar-se-ia incapaz de ao menos ver um dos objetos que agora lhe tinham sido apresentados como os objetos reais?

— Sim, essa seria a sua impressão inicial.

— Posto isso, penso que ele teria de primeiramente habituar-se com a luz, antes de poder perceber qualquer objeto do mundo exterior. Primeiramente, ele perceberia melhor as sombras; depois, ele perceberia também as imagens refletidas na água, imagens de seres humanos e de outros objetos; e somente mais tarde poderia perceber as próprias realidades; e, mais tarde ainda, haveria de levantar os olhos para divisar a luz da lua e das estrelas, encontrando menor dificuldade em estudar os corpos celestes e o próprio firmamento, durante as horas da noite, do que o sol e a luz do sol, durante o dia.

— Sem dúvida.

— *Finalmente*, imagino que ele seria capaz de observar e contemplar a própria natureza do sol, e não como este aparece refletido sobre a água ou sobre alguma outra superfície, mas conforme o sol é, na realidade.

— *Naturalmente.*

— O próximo passo a ser dado por esse homem seria o de tirar a conclusão de que o sol é o autor das estações e dos anos, bem como que o sol é o guardião de todas as coisas deste mundo visível, e que, de certo modo, o sol é a causa de todas as coisas que ele e os seus colegas de prisão costumavam ver.

— *É óbvio* que essa seria a sua próxima conclusão.

— Nesse caso, que sucederia? Quando ele se lembrasse de sua anterior habitação, juntamente com o entendimento que ali imperava, lembrando-se de seus ex-colegas de prisão, você não pensa que ele haveria de congratular-se consigo mesmo e que teria dó dos demais?

— É inegável que sim.

— E se naqueles dias houvesse a prática de receberem honrarias e reconhecimentos uns dos outros, com a doação de prêmios àquele que tivesse a vista mais aguçada para perceber os objetos que passassem, ou que se lembrassem melhor do que antecedesse e se seguisse a isso, e, com base nessa memória, pudesse adivinhar melhor o que deveria surgir em seguida, você pensa que uma pessoa cobiçaria esses prêmios e invejaria àqueles que fossem honrados e exercessem autoridade entre eles? Você não imagina que essa pessoa sentiria o que Homero descreveu, e que preferiria ter de sofrer *qualquer coisa*, em vez de entreter aquelas antigas opiniões e viver daquela maneira, como um prisioneiro?

— Quanto a mim, replicou Glaucon, estou perfeitamente certo disso. Acredito que tal indivíduo se disporia a passar por qualquer coisa, preferindo isso a voltar a viver daquela maneira.

— Mas considere agora o que aconteceria se tal homem tivesse de descer novamente ao fundo da caverna, sentando-se de novo em seu antigo lugar. Tendo saído tão de repente de debaixo da luz do sol, ele não ficaria cego a princípio, devido às trevas reinantes na caverna?

— *Sem dúvida nenhuma.*

— E se porventura ele tivesse de emitir novamente a sua opinião acerca daquelas sombras da caverna, e esse parecer se chocasse com as idéias daqueles que continuavam aprisionados, enquanto a sua própria visão estivesse embotada e os seus olhos não pudessem divisar as coisas—e se esse processo de iniciação perdurasse por considerável tempo—não se tornaria tal homem motivo de chacotas, e não seria dito por todos os outros que ele saíra da caverna somente para regressar com a sua visão destruída, e, que, por isso mesmo, nem valia a pena alguém *tentar* sair da caverna? E se algum estranho tentasse libertá-los para fora, para a luz do sol, eles não chegariam ao extremo de tentar matá-lo, se ao menos pudessem apossar-se daquele estranho?

— Sim, chegariam a esse extremo.

— Ora, meu caro Glaucon, você precisa *aplicar* esse caso imaginário, com todas as suas particularidades, às nossas anteriores declarações, comparando aquilo que o olho humano é capaz de revelar no interior da caverna com aquilo que pode ser visto do lado de fora, além de comparar a luz da fogueira com a luz do sol. E então, se compararmos a saída para fora daquela caverna e a contemplação do mundo exterior com a compreensão da alma ao chegar à região intelectual, você terá finalmente chegado a entender onde quero chegar, em minhas conclusões, visto que você está desejando saber quais sejam elas, embora somente Deus realmente saiba se elas estão ao lado da razão! Seja como for, a opinião que eu tenho formado sobre a questão, é a seguinte: no mundo dos conhecimentos, a Forma essencial do Bem é o limite máximo das nossas inquirições, mas ela é mal percebida; entretanto quando chega a ser percebida, não podemos evitar a conclusão de que, em todos os casos, ela é a origem de tudo quanto é rebrilhante e belo—tanto no mundo visível, dando origem à luz e ao sol, quanto no mundo intelectual, dispensando, de forma imediata e com toda a autoridade, verdade e razão—bem como de que todo aquele que quiser agir com sabedoria, privadamente ou em público, terá de postar essa Forma do Bem diante de seus olhos.

— *Concordo inteiramente* com você, afirmou Glaucon.

— Sendo esse o caso, continuei, rogo-lhe que concorde comigo ainda sobre um outro ponto, e que não se surpreenda diante do fato de que aqueles que já subiram tão alto não se dispõem a participar das atividades ordinárias dos homens, porquanto as suas almas anelam por partir para aquelas regiões mais elevadas. Pois, como as coisas poderiam ser então diferentes, se é que a ilustração acima representa corretamente a situação?

— Na verdade, dificilmente poderia suceder de outra maneira.

—Pois bem, você pensa que é motivo de admiração que uma pessoa, que tenha acabado de voltar da contemplação das realidades divinas, a fim de tornar a contemplar as fraquezas humanas, venha a deixar transparecer quão mal ele se sente, e quão ridículo se sente, enquanto a sua visão continuar debilitada, antes de acostumar-se novamente com as *trevas* que reinam agora ao seu derredor? Agora ele é compelido a contender em tribunais de justiça, ou em outros lugares quaisquer, a respeito das *sombras* da justiça ou das imagens que causam essas sombras, entrando em choque com as arbitrárias suposições defendidas por aqueles que nunca receberam o menor vislumbre sobre as características essenciais da justiça.

— Realmente, isso não seria motivo de admiração, sob hipótese alguma.

— Certo, pois um homem sensato relembrar-se-ia de que os nossos olhos podem ficar confusos de duas maneiras distintas e por dois motivos diversos, isto é, pela transição súbita da luz para as trevas, ou das trevas para a luz. E, crendo que essa mesma idéia é aplicável à alma, sempre que um homem sensato defronta-se com um caso que lhe deixe a mente em perplexidade e incapaz de distinguir os objetos, ele não haveria de rir-se irracionalmente, mas haveria de pesquisar se porventura não deixou alguma vida mais resplendente, tendo ficado cego devido à novidade das trevas, ou se porventura não emergiu das profundezas da ignorância para uma vida mais esplendorosa, tendo ficado ofuscado diante daquele resplendor incomum. Somente então tal indivíduo haverá de regozijar-se por causa de sua vida e condição, ao mesmo tempo que haverá de compadecer-se dos outros; mas, se porventura ele preferir rir-se de tudo, tal riso será pelo menos não tão ridículo do que as risadas às expensas da alma que desceu à caverna subterrânea, proveniente da luz daquelas regiões superiores.

— Você está discorrendo com *grande argúcia*.

— Portanto, se tudo isso corresponde à verdade, não podemos deixar de adotar a crença que diz que a *verdadeira natureza* da educação não está em consonância com o que dela dizem certos mestres, os quais pretendem, segundo acredito, infundir nas mentes um conhecimento do qual essas mentes estão destituídas, da mesma maneira que a visão não pode ser instilada em olhos cegos.

— É verdade. Esses tais não passam de uns pretenciosos.

— Por outra parte, o nosso presente argumento mostra-nos que *existe* uma certa faculdade, residente na *alma* de cada indivíduo, um instrumento capaz de nos fazer aprender. E, da mesma maneira que podemos supor ser possível fazer a vista passar das

PROJEÇÃO DA PSIQUE

trevas para a luz, sem termos de girar o corpo inteiro, assim também essa faculdade, esse instrumento, pode ser posto a funcionar, em companhia da alma, afastando-se do mundo presente, até tornar-se capaz de contemplar o mundo real e a sua porção mais brilhante, a qual, de acordo com o que dissemos, assume a *Forma do Bem*.

•••

Citei Platão extensamente, nesta altura do artigo, porque certas particularidades da sua filosofia *concordam* com a *idéia geral* que este volume procura transmitir. Estou procurando dizer que o homem não é meramente um corpo físico, um redemoinho de átomos, o qual deixa de existir assim que a morte biológica tenha efetuado a sua obra destrutiva. Também estou asseverando de que dispomos de boas evidências *científicas* (e não meramente filosóficas ou religiosas) em favor dessa assertiva. Ajunte-se a isso que os estudos feitos no campo da parapsicologia estão confirmando determinadas declarações feitas pelos místicos, pois mostram que existem certas maneiras de conhecermos aquilo que *transcende* à percepção dos nossos sentidos, ou seja, existem meios que nos permitem tomar conhecimento de um mundo que transcende ao nosso mundo físico.

Notemos as Lições que Platão Quis Ensinar-nos

1. O homem, em seu estado atual, aprisionado a um corpo físico, pouco mais é que um prisioneiro amarrado dentro de uma caverna subterrânea.

2. Tudo quanto podemos conhecer agora é somente a sombra de uma *cópia* da realidade mais alta. Notemos como Platão não nos permite ver, nem ao menos, *sombras da realidade*, no nosso estado presente. A realidade, para ele, seria algo de transcendental, completamente do lado de fora daquela caverna, que sob hipótese nenhuma pode ser contemplado pelo olho físico. Vemos tão-somente sombras de cópias cruas da realidade, as quais foram trazidas para dentro do limitado alcance da percepção dos nossos sentidos físicos.

3. Platão queria que reconhecêssemos, antes de tudo, a inerente *limitação* envolvida na tentativa de conhecermos as coisas *somente* através dos nossos cinco sentidos físicos. Essa percepção, para início de conversa, nem ao menos visa a investigar a realidade. Os sentidos investigam apenas sombras de cópias das coisas reais. Portanto, é óbvio que a percepção dos sentidos jamais poderá conferir-nos qualquer idéia sólida sobre a natureza da realidade. Para poder conhecer a realidade, é mister que o indivíduo *saia da caverna*. Destarte, Platão negava que a ciência realmente possa vir a reconhecer a natureza das coisas, enquanto ela limitar o seu *modus operandi* do conhecimento aos meros sentidos físicos.

Ora, a grande verdade é que a ciência está chegando àquele ponto em que terá de deixar para trás a noção de que só podemos saber das coisas através dos nossos cinco sentidos (ao que a filosofia chama de *empirismo*). Não é mesmo impossível que a ciência do século XXI venha a reconhecer que a razão, a intuição e o misticismo são avenidas que nos conduzem ao conhecimento, ajudando-nos de maneira palpável no emprego desses outros meios para chegarmos ao conhecimento. Por exemplo, se a glândula pineal pudesse ser posta em ação de maneira mais intensa, por meio de substâncias químicas ou de hormônios, e se isso pudesse ser aplicado àquela glândula por meio da ingestão ou de injeções, então abrir-se-ia nova janela para recebermos iluminação.

Talvez a ciência acabe por aprender que existem meios totalmente naturais (exercícios espirituais, meditação, etc.) para que essa janela se abra mais amplamente. Finalmente, a ciência poderá descobrir que a própria espiritualidade, quando é *genuína*, desvenda-nos melhores e mais elevados discernimentos; e, assim a ciência talvez acabe promovendo a moralidade e a espiritualidade, a fim de podermos conhecer com mais exatidão a natureza da realidade. Naturalmente, estou apenas especulando quando digo que a moralidade e a espiritualidade talvez venham a ser campos investigados pela ciência, passando a ser inteligentemente promovidos por ela. Quero asseverar que, finalmente, a porção espiritual do homem será um dos principais aspectos humanos que a ciência terminará investigando, se não mesmo a questão central. Estou supondo que a ciência do futuro disporá de meios para levar avante as suas pesquisas espirituais. Creio que, finalmente, a ciência abandonará completamente a sua atitude materialista, procedente do século XIX, e assim se desvencilhará de seu passado tão raso. Não é autêntica aquela ciência que ignora as próprias realidades e se contenta em investigar apenas o que existe na *caverna subterrânea*.

4. Notemos como Platão não somente nega que a percepção dos sentidos possa conhecer a realidade, mas também como ele assegura que a realidade está inteiramente *fora* daquela caverna imaginária. Platão acreditava que o mundo físico (simbolizado pela caverna) é apenas uma *cópia* muito imperfeita da realidade. Ele também aludiu a uma outra realidade, de natureza espiritual, intelectual, não-material, a qual pode vir a ser conhecida através da razão e da intuição, e, sobretudo, por meio das experiências místicas. Ele pensava que agora podemos obter apenas ligeiros vislumbres dessa realidade, e que somente quando a alma se liberta do corpo pode ascender em seu vôo místico, a fim de contemplar a realidade de maneira direta e perfeita.

5. Notemos como Platão comparou este nosso mundo físico a um lugar onde imperam as «trevas». Quanto a isso ele soa como os autores bíblicos, os quais associam o nosso mundo às trevas espirituais, contrastando-o com a «luz» reinante nos lugares celestiais. Quanto a esse particular, ele projeta a moralidade e a espiritualidade dos diferentes tipos de existência, com suas respectivas propriedades inerentes. O nosso mundo, na estimativa de Platão, é inerentemente negro, é moralmente pervertido, é um autêntico sepulcro da alma; pois a alma, afinal de contas, nem pertence a este mundo. Em contraste com isso, a outra realidade é uma esfera iluminada. É ali que rebrilha a Forma do Bem, pois é a sua *porção mais rebrilhante*. Platão não via como se pode separar o conhecimento e a existência da moralidade e da espiritualidade. Essas coisas estão *intrinsecamente* combinadas entre si.

6. O objeto real e mais elevado do conhecimento é a Forma do Bem. Platão referia-se a uma realidade que se aproximava do Deus justo exposto pelo cristianismo, embora o tivesse feito em termos impessoais. No seu diálogo, intitulado *Leis*, ele usa o termo «Deus», em substituição à sua hierarquia de formas ou idéias. Para o leitor sem treinamento filosófico, não disponho de uma maneira simples de expressar isso no espaço que gostaria de dispor. Mas basta dizer que, embora de maneira impessoal, nessa alegoria da caverna, Platão dizia que a Justiça consumada é o mais elevado objeto do nosso conhecimento; pois ele abordava um conceito divino, aceitando como veraz a idéia de que existe uma realidade transcendental a ser buscada e experimentada. Se expressássemos tudo isso em termos cristãos, pessoais, tudo tornar-se-ia mais fácil de ser compreendido. Existe um Deus justo, que é a

PROJEÇÃO DA PSIQUE

mais elevada realidade. Os homens são almas, são seres espirituais, e possuem a capacidade de retornar a Deus e aos mundos espirituais. A percepção dos sentidos pode ajudar-nos somente um pouco, ou, melhor ainda, serve realmente de obstáculo para essa inquirição, pois a nossa percepção somente nos faz levar muito a sério este nosso mundo material, como se ele fosse a única realidade, quando, na verdade, é somente uma *miserável cópia* do mundo real.

Você deseja saber um pouco mais a respeito da outra Realidade? Então dependa um pouco mais da razão; daí, suba para a intuição; e, finalmente, busque o conhecimento através das experiências místicas, porque tudo isso está envolvido na ascensão da alma.

Esse é o ponto que estou tentando frisar!

A projeção da psique é um dos meios, embora imperfeito, de que a alma dispõe para sair de dentro daquela caverna subterrânea. O que as pessoas têm experimentado, mediante a projeção astral, deveria ser considerado (pelo menos em parte) como vislumbres de uma realidade mais elevada que o nosso mundo material.

Prossigamos com Outros Casos e Estudos

Colin Wilson, em seu volume, **Mysteries**, págs. 335 e ss , conta a história do Dr. John Lilly (o qual, por sua vez, torna a narrar a sua experiência em seu próprio livro, intitulado, *The Center of the Cyclone*, 1972). O que há de mais interessante acerca dessa experiência é o encontro de Lilly com *seres* pertencentes à outra realidade. Diz ele: «Tornei-me o centro focal da consciência e viajei para outros espaços, encontrando-me com outros seres, entidades, ou consciências. Há uma luz dourada que permeia o espaço inteiro, em todas as direções, até o infinito». Dois seres, que pareciam ser uma espécie de anjos da guarda, avassalaram-me com um profundo senso de amor e interesse. (Ele também relata-nos que, de certa feita, em ocasião anterior, quando fora anestesiado, ele já se encontrara com tais seres). E prosseguiu: «Eles me disseram que estão sempre comigo, mas que usualmente eu mesmo não me encontro em condições de percebê-los. Mas, quando estou à beira da morte do corpo, então fico em condições de percebê-los. Nesse estado, o tempo desaparece. Há uma percepção imediata do passado, do presente e do futuro, como se tudo fosse apenas o momento presente». Em outras oportunidades, nas projeções da psique, ele se encontrou com aqueles seres, os quais lhe falaram sobre a necessidade dele progredir até chegar a ocupar, permanentemente, o nível de existência que ele estava visitando; e asseguraram-lhe também que, enquanto ele vivesse no estado mortal, poderia, por assim dizer, viver em ambas as dimensões. Concordando com experiências similares (de outros indivíduos), Lilly alude à beleza arrebatadora da outra existência, de sua luz radiante, do calor, do amor e do conhecimento sem iguais que ali imperam.

Lilly oferece-nos alguns comentários iluminadores, paralelos aos discernimentos expostos por Platão. O homem físico-natural se compara com um «biocomputador humano», ou robô. De fato, ele poderia passar toda a sua vida assim, não fora certa espécie de despertar, que vem sacudi-lo. Um homem poderia passar a vida inteira meramente cumprindo a sua «programação». Foi T.S. Eliot quem disse: «Onde está a vida que temos perdido vivendo?» Nessa indagação há uma certa percepção espiritual. Aquilo que o homem é, antes de haver sido iluminado, um outro pesquisador chamou de *nível de sono*; e queixou-se de que quase tudo quanto ocorre nas escolas e universidades é desempenhado nesse nível inferior. Platão diria que as nossas escolas meramente fazem parte das atividades da imaginária caverna subterrânea.

Para alguns, somente a morte pode livrar-nos da escravatura imposta pelas trevas. Diz-se acerca de Thomas Edison que, pouco antes de falecer, tendo recebido um vislumbre sobre a vida do além, exclamou: «Estou surpreendido. É muito bonito do outro lado!» Aqueles que têm passado pela projeção astral dizem que esse conhecimento pode ser obtido sem termos de esperar pela morte.

Um Caso Claro de Projeção Forçada da Psique

Ed Morrell era um dos prisioneiros da Penitenciária Estadual do Arizona, nos Estados Unidos da América. Ali foi submetido a torturas; mas, graças a isso, passou por experiências muito instrutivas no campo da projeção da psique. Ele conta a sua história no livro de sua autoria, *The Twenty-Fifth Man*. A tortura que provocava sua projeção consistia em duas camisas de força que eram encharcadas na água, e em seguida eram ambas vestidas no prisioneiro. E quando elas se secavam, encolhiam, e assim exerciam considerável pressão sobre a vítima. Morrell relata que ele se sentia como se estivesse sendo esmagado até à morte, com forte sensação de que estava sendo asfixiado. Desde a primeira vez em que foi submetido a essa tortura, subitamente encontrou-se andando do lado de fora da prisão.

Ora, Morrell era um prisioneiro difícil, que insistia em propalar as suas opiniões anticapitalistas obstinadas. Jack London fez dele um herói, em sua última novela, denominada *The Star Rover*. Devido ao seu contínuo estado de agitação, Morrell era freqüentemente torturado; e aquela variedade de tortura, acima descrita, por muitas vezes provocou uma projeção forçada da psique. Ao projetar-se, o seu corpo caía em sono profundo; e os seus guardas sentiam-se perplexos diante dessa reação às torturas que lhe inflingiam. Essas projeções o levavam a lugares distantes, e não meramente aos diversos recintos da penitenciária. Morrell costumava explorar, então, as ruas de São Francisco, e, de certa feita, presenciou o naufrágio de um navio, na baía de São Francisco. A realidade do incidente foi mais tarde confirmada pelo noticiário local. Isso também se verificou no caso de diversos episódios similares. O governador do estado do Arizona, George W.P. Hunt, verificou que Morrell descrevera acuradamente certos acontecimentos que eram conhecidos somente por ele, o governador, sendo impossível que Morrell tivesse tomado conhecimento dos mesmos de alguma maneira física. Quando as torturas foram interrompidas, porém, ele não foi mais capaz de projetar-se fora do seu corpo (*Mysteries*, p. 378 e ss).

Projeções do corpo superfísico somente, em distinção às projeções somente do corpo vital

Nas projeções do corpo superfísico, poderíamos pensar estar envolvido o concurso da vontade; pois com freqüência, se não mesmo sempre, a pessoa lembra-se de sua projeção. Geralmente essa variedade de projeções inclui instruções metafísicas, morais e espirituais, acompanhadas por determinado grau de iluminação. Porém, a projeção do corpo vital fantasmagórico ocorre sem o concurso da vontade, sem qualquer conhecimento do que está ocorrendo, sem haver lições aprendidas e, conseqüentemente, sem qualquer iluminação que possa ser atribuída à projeção.

••• ••• •••

PROJEÇÃO DA PSIQUE

Consideremos estes Casos

F.W.H. Myers, em seu livro, *Human Personality and its Survival of Bodily Death*, descreve o caso de um rapaz, de nome S.H. Beard, que, mediante o exercício deliberado da vontade, era capaz de se projetar para fora do seu corpo e ir até à residência de sua noiva, Srta. L.S. Verity, quando então era visto tanto por ela quanto por uma sua irmã, de onze anos de idade. Nesse episódio, *vontade e conhecimento* estavam igualmente envolvidos. Todavia, as aparições «fantasmagóricas» (que, segundo pensamos, envolvem somente o corpo vital) não se revestem dessas condições.

Antônio de Pádua, o santo católico romano, afirmou que, quando pregava em uma igreja de Limoges, na Terça-feira Santa do ano de 1226, subitamente lembrou-se de que lhe competia estar em uma outra igreja, em um outro bairro da mesma cidade. Mais tarde, ficou sabendo que a congregação reunida no outro templo pudera vê-lo, e ele foi capaz de confirmar que isso coincidira com o momento do seu súbito desejo de estar ali. Quase certamente temos, nesse episódio, uma projeção do «corpo vital fantasmagórico». Não houve recolhimento de informações, a projeção não serviu para qualquer propósito. Foi meramente uma espécie de imagem projetada, que pôde ser vista.

As projeções fantasmagóricas eram, realmente, um grave problema para Emilie Sagée, uma jovem professora francesa. Ela perdeu nada menos de dezoito empregos em dezesseis anos, porque, *involuntariamente*, ela era vista em dois lugares diferentes ao mesmo tempo. Julgo que o «espanto» que isso causava entre os seus superiores levavam-nos a quererem livrar-se de *ambos* os seus «eus», querendo-os longe dos seus estabelecimentos de ensino. O que lhe ocorria sem dúvida era muito estranho, mas dificilmente poderia ser motivo de alarme. Algumas vezes, o *duplo* de Emilie era visto de pé, ao seu lado, imitando todos os seus gestos. Para exemplificar, certo dia, quando ela escrevia no quadro-negro, os seus alunos assustaram-se ao virem uma outra Emilie fazendo a mesma coisa, imitando com precisão todos os seus movimentos. Algumas vezes o *duplo* de Emilie aparecia em sua ausência. E nem o fato de que Emilie era uma boa professora foi capaz de preservar-lhe o emprego. Se Robert Crookall pudesse fazer-se presente, uma conferência sua sobre tais acontecimentos teria aliviado os temores das pessoas envolvidas. (Informação extraída do livro de Colin Wilson, *Mysteries*, págs. 380 e *ss*).

Esse é um claro exemplo de como parte da vitalidade do corpo semifísico pode ser projetado, assumindo o mesmo formato do corpo físico. Nessas ocasiões, a consciência e a inteligência permanecem no corpo (o qual continua retendo, como é óbvio, o corpo superfísico, que é o veículo da alma). Quando o corpo vital é projetado sozinho, ele não é o veículo da inteligência. Entretanto, ao ser projetado, o corpo superfísico leva consigo a inteligência.

Supostas projeções coloridas do corpo semifísico

Existem aqueles episódios em que se vê uma aparição colorida, mas que, mui provavelmente, não envolve a projeção do corpo superfísico. Estamos aqui tomando a posição de que o corpo vital, quando projetado, é visto em tons de branco e preto. Todavia, essa suposição não tem de envolver, necessariamente, todas as possibilidades.

O Rev. W. Mountford, de Boston, estado norte-americano de Massachusetts, certo dia, quando estava visitando alguns amigos, observou (como se fora um acontecimento totalmente natural) o irmão e a cunhada daqueles amigos que vinham subindo na direção da casa em uma charrete. Isso também foi visto por outras pessoas. Mas, para surpresa de todos os circunstantes, a charrete não estacou, mas continuou o seu trajeto pela estrada. Poucos minutos mais tarde, entretanto, chegou realmente a charrete. A visão fora colorida, pois, de outra maneira, todos teriam ficado surpreendidos diante da estranheza da aparição. (*ibid.*, pág. 383).

Casos dessa natureza parecem envolver uma imagem telepática projetada (e subseqüentemente compartilhada por mais de um observador) e não uma real projeção do corpo vital ou do corpo superfísico. Sem embargo, não podemos eliminar inteiramente a possibilidade de que o corpo vital possa (em algumas oportunidades) ser visto como se fora naturalmente colorido. Para cada resposta que conseguimos obter, continua havendo muitos mistérios e perguntas sem resposta.

Experiências Pessoais do Autor

Penso que meu filho mais velho já presenciou projeções de corpos vitais ou superfísicos, ou mesmo imagens telepáticas. No artigo que versa sobre o retorno à vida após a morte clínica, além de experiências similares, relacionadas à própria morte, narro uma história que ilustra esse fato. No que concerne ao presente artigo, talvez seja digno de menção que, em mais de uma ocasião, estando eu ausente de casa, meu filho mais velho me viu andando na direção de casa. Uma dessas visões pareceu-lhe tão natural que ele realmente entrou na casa para anunciar que eu estava chegando, somente para observar que se tinha equivocado. Naquela oportunidade calculei que, no momento em que ele me teria visto, na realidade eu estava dentro de um ônibus, voltando para casa, ainda cerca de duas horas antes da minha chegada. Julgo que se tratou de uma imagem telepaticamente projetada, e não de uma projeção do corpo vital ou do corpo superfísico propriamente ditos.

Quando minha mãe era jovem, nos primeiros anos de casada, em certo número de ocasiões, estando o meu pai ausente de casa, ela foi capaz de vê-lo no interior da residência. Ora, essas experiências pareciam assustadoras para ela, e ela sempre apanhava a sua Bíblia a fim de acalmar os nervos, lendo algum trecho das Escrituras. Ela via imagens naturalmente coloridas (como aquela que descrevi acima, envolvendo o meu filho mais velho) e estou aqui opinando que deveriam ser imagens telepáticas, ou então energias deixadas no espaço, as quais, sob certas circunstâncias, podem tornar-se visíveis.

Estranho, de Fato

Erikson Gorique foi um importador nova iorquino que, de certa feita, fez uma viagem de negócios à Noruega. Porém, antes mesmo de sua viagem, o seu *duplo* chegou a aparecer e mesmo em conversas com outras pessoas. Um camareiro de um hotel de Oslo observou que «era ótimo» vê-lo *novamente*, embora o Sr. Gorique nunca antes tivesse estado em Oslo. O camareiro recusou-se a acreditar que aquela era a primeira vez que o Sr. Gorique chegava à capital norueguesa. No dia seguinte, um atacadista de nome Olsen reagiu da mesma maneira, declarando que ele e Gorique já se tinham conhecido dois meses antes. Gorique, provavelmente em espírito, falara com um certo número de pessoas. Talvez as imagens telepáticas possam falar telepaticamente. É possível que o corpo superfísico, por motivo de levar consigo a inteligência, possa comunicar-se sem que aquele que o projeta tenha consciência do fato. Talvez o corpo vital possa aparecer colorido e possa realizar essa

PROJEÇÃO DA PSIQUE

tarefa mediante alguma espécie de inteligência mecânica. (*ibid.*, p. 383 e *ss*).

Projeções Até o Hades

Interessante material acerca dessa questão das projeções astrais nos é provido pelo livro de Robert Monroe, *Journeys Out of the Body*. Monroe, um homem de negócios norte-americano, teve o seu caso estudado por Charles Tart, o qual ficou impressionado diante de sua evidente autenticidade como projetor da psique.

Monroe descreve encontros alarmantes com entidades de natureza não-física, dotadas de propriedades atribuíveis somente aos demônios, gnomos e entidades elementares, sub-humanas. Poderíamos desconsiderar todo o fenômeno como mera alucinação de uma mente desequilibrada, não fora o fato de que muitas outras fontes—incluindo vários documentos sagrados das religiões do mundo, entre os quais a nossa própria Bíblia—contribuem com informações a respeito de tais seres. As religiões têm insistido no tocante à existência de níveis de vidas inferiores ao nosso próprio nível, e cujos habitantes fazem tonos parecermos comparativamente santos. Poderíamos desprezar a maioria das descrições que nos têm sido deixadas por certas pessoas; mas as evidências assim acumuladas pelo menos testificam sobre a *realidade* desses lugares do tipo do *hades*.

Crookall salienta o fato de que quando a alma se projeta com o acompanhamento do corpo vital (não tendo conseguido realizar somente a projeção do corpo superfísico) às vezes passa por experiências assustadoras, ao sair do seu corpo físico. Além disso, ficamos impressionados pelas experiências das chamadas «viagens más», feitas pelos toxicômanos, experiências essas que parecem ser projeções a regiões espirituais que poderiam ser chamadas de «hades», se porventura faltar-nos nome melhor para designá-las.

Em prol da genuinidade de pelo menos algumas dessas projeções astrais ao hades, poderíamos salientar os pontos seguintes:

1. A fé religiosa e a sua revelação fazem reivindicações similares.

2. Se o mecanismo da projeção da psique pode transportar um indivíduo a lugares paradisíacos, ou simplesmente pode permitir que a alma flutue, liberta do corpo físico, no mesmo local onde este último jaz inconsciente, e se pudermos compilar evidências em favor da validade dessas experiências (o presente artigo é uma dessas compilações) então não existem *razões sólidas* para rejeitarmos todas essas experiências, igualmente concretizadas, que transportam a alma projetada até o hades.

3. Sumariando, estamos afirmando aqui que o mesmo tipo de experiência psíquica pode conduzir um indivíduo a um destes lugares: a. a lugares paradisíacos; b. a lugares como o hades; c. a lugares naturais, pertencentes a este mundo. E isso nos leva a suspeitar que a projeção da psique pode envolver, na verdade, *muitas* esferas da existência.

As experiências desse tipo, narradas por Monroe, começaram nos fins da década de 1950 e evidentemente foram totalmente espontâneas. Certa tarde de domingo, sem qualquer aviso prévio, repentinamente ele sentiu o que pareceu ser um quentíssimo raio de luz que fez o seu corpo vibrar. Exames físicos a que ele se submeteu nada revelaram de errado. Então, um dia, quando essa experiência se repetiu, ele teve a curiosa sensação de que podia fazer a ponta de seus dedos atravessar para o outro lado de um tapete, sem rasgá-lo. Simultaneamente a isso, houve uma explosão de energia que lhe atravessou a cabeça. Quando tal coisa sucedeu, instantaneamente ele se achou pairando por cima do seu corpo. Pôde então contemplar o seu corpo, que jazia lá em baixo, no chão. Isso o deixou tremendamente assustado, e, com um mergulho súbito, ele reentrou em seu corpo. (Informação extraída do livro de Colin Wilson, *Mysteries*, págs. 156 e *ss*).

Cumpre-nos observar que esta experiência estava relacionada à cabeça desse homem. Crookall salientou nos seus estudos que as projeções do corpo superfísico estão vinculadas à região da glândula pineal, que fica no interior da cabeça, ao passo que as projeções que envolvem o corpo vital estão ligadas à área do plexo solar. De alguma maneira, as projeções da psique estão relacionadas a essas áreas do corpo.

Embora assustado a princípio, Monroe começou a fazer experiências com o fenômeno, e pôde confirmar, para sua total satisfação, que o fenômeno *nada tinha a ver* com meros sonhos ou alucinações. Em primeiro lugar, normalmente o fenômeno *não* estava associado ao estado de sono. De certa feita, estando fora do corpo, ele visitou um amigo que se achava enfermo mas descobriu que esse amigo estava saindo de casa em companhia da esposa. Subseqüentemente, ficou sabendo que seu amigo, de fato, fora dar um passeio em companhia da mulher, pois já havia se recuperado o suficiente para tanto. Noutra oportunidade, ele beliscou uma amiga sua, a qual reagiu com um safanão, retendo no corpo uma marca visível de uma causa invisível.

As experiências de Monroe ajudaram-no a distinguir a existência de três mundos ou dimensões: a. *Este mundo*. Trata-se do nosso mundo, mas visto de uma perspectiva diferente, embora envolva até mesmo certas dificuldades de orientação. Monroe afirma que o corpo astral não foi criado para viajar nesta nossa dimensão, pois não está bem adaptado para a mesma. b. *O mundo das energias e forças*, que é um mundo intelectual, um mundo de sonhos, onde o pensamento faz as coisas serem o que são. Ali podem ser encontrados o céu e o inferno tradicionais. Poderíamos supor que essas coisas nada mais são do que criações mentais dos seres que ali habitam. O que ali existe parece ser o que os seus habitantes *desejam* que exista. Isso não significa, todavia, que não existam de fato o céu e o hades autênticos, não-criados pelo pensamento, trazidos à existência *mediante o pensamento*, como se fossem consolidações de imaginações e imagens mentais de meros sonhos. c. *O terceiro mundo* é o mais estranho de todos, tendo levado alguns a duvidarem da validade das experiências de Monroe. Poderíamos mesmo afirmar que as suas experiências têm incluído o que é real, o que é imaginário e o que não passa de alucinações. Comparando essas experiências com outras pesquisas, talvez possamos estabelecer algumas distinções válidas. Seja como for, esse terceiro mundo inclui visitas a mundos do passado, a lugares onde há reversões do tempo, de fato, lugares parecidos com a substância das mais improváveis histórias da ficção científica.

A metafísica religiosa e filosófica fala de um maior número de dimensões da existência do que aquelas descritas por Monroe. Não há qualquer necessidade de supormos que, por mais válidas que sejam as projeções da psique, elas tenham de descrever mais do que uma pequena fração da realidade. Parece segura a suposição de que essas experiências indicam fortemente ao menos duas coisas: a. a alma existe e é capaz de agir independentemente do corpo, mesmo quando o corpo ainda vive; b. existem *outras realidades* que transcendem à realidade física.

••• ••• •••

PROJEÇÃO DA PSIQUE

A Memória e a Projeção da Psique

Já sabemos que as pessoas têm de vinte a trinta sonhos por noite; mas poucos desses sonhos são relembrados depois, porquanto bastam um minuto ou dois para apagá-los da memória, depois que a pessoa desperta. Como é óbvio, excetuando algumas ocasiões especiais, os únicos sonhos de que nos podemos lembrar são aqueles que tivermos imediatamente antes de acordarmos, ou então algum sonho que tivermos no meio da noite, acordando imediatamente em seguida, para depois tornarmos a dormir. Parece que ocorrem comunicações entre seres superfísicos, mas a memória desses contatos pode ser obliterada facilmente, tal como sucede no caso das imagens dos sonhos.

Uma vez fora do corpo, Monroe era capaz de conversar com pessoas vivas, mas aparentemente fazia-o com os seus corpos superfísicos. Em maio de 1961, ele se projetou até o estúdio do notório parapsicólogo, Dr. Adrija Puharich, e entrou em conversa com ele, desculpando-se por sua negligência no caso de um projeto no qual estavam ambos trabalhando. Ele observou vários detalhes existentes no estúdio de Puharich. Mais tarde, foi capaz de averiguar esses detalhes em companhia do próprio Puharich; mas este não tinha qualquer lembrança da conversa astral que houvera entre os dois. Tudo parece indicar que Monroe entrara em comunicação com o «eu superior» de Puharich, ao passo que o «eu diário» (limitado pelo cérebro físico) de Puharich ou estava totalmente inconsciente da ocorrência, ou prontamente se olvidou da mesma. (Informação extraída do livro de Colin Wilson, *Mysteries*, págs. 162-163).

Poder Extra-Sensorial e Projeção da Psique

Já pudemos observar que a percepção extra-sensorial mostra-se ativa durante a projeção da psique. Sem dúvida isso é o que acontecia durante as experiências de Monroe. Quase todas essas experiências sucediam não durante as projeções propriamente ditas, mas imediatamente antes da separação entre o corpo e o «eu» superfísico. Essas experiências lhe eram conferidas visualmente, como se fossem sonhos ou visões. Um desses episódios foi quando ele se viu em uma viagem de avião, na qual o aparelho passava debaixo de alguns cabos elétricos, para em seguida precipitar-se no solo e espatifar-se. No sonho (ou visão) ele sobreviveu. Menos de três semanas depois, quando viajava de avião, subitamente Monroe percebeu que as coisas estavam se assemelhando muito com as cenas daquele sonho. Corajosamente, ele resolveu olhar para fora, a fim de testar quão exata fora aquela premonição. Afinal de contas, ele sobrevivera ao desastre por uma vez. Por que não por *duas vezes*? O avião entrou diretamente em uma tempestade, mas não voou por baixo de cabos elétricos, sendo que Monroe chegou à conclusão de que uma coisa simbolizava apenas a outra. O aparelho resistiu a um severo castigo e aterrizou com segurança. Quatro dias mais tarde, entretanto, Monroe sofreu um ataque cardíaco, e por esse motivo passou algum tempo em um hospital. Ele acredita que a verdadeira crise foi o ataque cardíaco, e que o sonho transferiu essa crise para a experiência com o avião. Ora, tudo isso está em consonância com aquilo que sabemos sobre os poderes extra-sensoriais. Apesar de que, algumas vezes, os poderes extra-sensoriais acertam em cheio com um acontecimento, na maior parte das vezes acerta somente na substância de uma situação, com várias distorções. Isso também sucede no caso da telepatia e da precognição. É um fenômeno constante no caso dos sonhos psíquicos. Muitas questões sem importância, pessoais, foram antecipadas por Monroe, devido às suas experiências fora do corpo (como também nos sonhos).

Revelações. — Suas projeções tem produzido alguns «vislumbres apocalípticos» que ele têm podido contemplar, relacionados ao futuro próximo de nosso mundo. Nisso ele mostra-se em completa harmonia com o que dizem os profetas, antigos e modernos, os quais prevêem uma tremenda derrocada da civilização em nossa época. Os profetas contemporâneos têm previsto grandes desastres, naturais, ou provocados pelos homens, como uma das grandes características do último quartel do século XX e a porção inicial do século XXI. Tão aterrorizantes têm sido alguns dos vislumbres apocalípticos de Monroe, que ele diz que espera que algumas de suas visões *sejam* apenas alucinações.

Uma das coisas que depreendemos desses estudos que vimos descrevendo é que o homem, por si mesmo, já é um ser de notável estatura e de grande capacidade. Não é que ele precise desenvolvê-las, ainda que, eternamente, haverá espaço e oportunidade para esse crescimento. Porém, de maneira bem real, os poderes e substâncias transcendentais do homem estão esperando ser descobertos por ele, porquanto já existem. Há algo de profundamente errado na visão diária que os homens fazem de si mesmo. O materialismo do século passado amarrou o homem em sua ignorância, e quase jogou fora a chave capaz de destrancar a sua prisão. Uma ciência dotada de maiores luzes está destrancando os portões de ferro. O homem, uma vez liberto do seu cárcere, o homem, uma vez que emerja de sua caverna subterrânea, algum dia andará em companhia dos deuses.

Efeitos Materiais da Projeção da Psique

Se alguém fosse capaz de movimentar um objeto físico, enquanto estivesse fora do corpo, esse seria um dos meios possíveis de sugerir, se não mesmo de demonstrar, a sua *presença* literal. O Sr. Sylvan Muldoon, do estado de Wisconsin, autor de um livro incomum, intitulado *The Projection of the Astral Body*, afirma ter feito precisamente isso. Estando fora do corpo, ele resolveu tentar uma experiência. Em um dos aposentos de sua residência havia um piano dotado de metrônomo. Com as suas mãos astrais ele fez o mecanismo começar a funcionar, e então voltou apressadamente ao seu corpo físico, para ver se poderia ouvir o metrônomo tiquetaquear, quando estivesse consciente e de volta ao corpo. Muldoon voltou ao seu corpo e despertou. Passou-se um pequeno intervalo de tempo, e então o metrônomo começou a funcionar. Eis aí um mistério! Por que aquele lapso de tempo? A causa é desconhecida, mas o fenômeno já foi observado em outros casos. Eusapia Paldino, uma famosa sensível italiana, podia mover objetos sem entrar em contacto físico com eles, e quando estava totalmente desperta. Ela movia a mão na direção que quisesse que o objeto se movesse; e o objeto se movia cerca de *dois segundos* após o seu movimento. Ela era capaz de fazer um acordeão tocar, através do mesmo método, mas o movimento dos seus dedos antecedia o efeito musical por um pequeno intervalo de tempo. A personalidade humana é capaz da psico-sinésia (movimentação de objetos mediante o pensamento ou o esforço mental). Não é de surpreender que isso esteja relacionado às projeções astrais. Isso não serve de prova da validade de uma presença transferida (o vôo do próprio corpo superfísico) mas, adicionado a todas as coisas mencionadas até este ponto, não deixa de se revestir de certa significação. (Informação extraída do livro de Nandor Fodor, *Between Two Worlds*, pág. 107).

PROJEÇÃO DA PSIQUE

O mecanismo da projeção da psique é aprendido por um homem

Raramente um sonho altera o curso de uma vida; no entanto, foi exatamente isso o que aconteceu com Oliver Fox, quando era estudante em um colégio técnico. Ele teve um curioso sonho, no qual ele estava de pé, do lado de fora da sua casa, quando notou que os paralelepípedos do calçamento haviam mudado misteriosamente de posição. Imediatamente raiou-lhe a compreensão de que a realidade não era daquele modo. No seu sonho, ele via as pedras colocadas paralelamente à guia da calçada, apesar de saber que elas são arrumadas perpendicularmente à guia da calçada. A instantânea compreensão de que ele estava apenas sonhando fez o sonho tornar-se ainda mais vívido. Paralelamente ao vívido caráter daquele sonho, ele também obteve um novo senso *da beleza* das coisas, além de uma espécie de grande iluminação intelectual, sem falarmos sobre um elevado senso de bem-estar. Declarou ele: «A sensação foi estranha além de qualquer capacidade de expressão, mas perdurou apenas por alguns momentos, e então despertei». Essa experiência inspirou-o a tentar prolongar os seus sonhos mediante o esforço mental para tomar consciência de que estava apenas dormindo. O seu truque consistia em tentar ensinar à sua mente a observar incoerências patentes nas imagens dos seus sonhos, de conformidade com aquilo que ele sabia ser a realidade. Os seus esforços obtiveram um sucesso meramente parcial, a despeito da intensidade dos mesmos. Parece que o fato é que o seu original *sonho lúcido*, além de outros sonhos que se seguiram, na verdade foram as suas primeiras experiências de projeção da psique. No entanto, cumpre-nos observar os pontos seguintes:

a. Esses esforços mentais produziram dor na região da glândula pineal; primeiramente ele sentiu uma dor embotada, mas depois ela se intensificou rapidamente. Fox reconheceu, instintivamente, que isso era uma advertência para ele parar.

b. Todavia, quando ele foi atacado por aquela dor, conseguiu obter uma dupla consciência. Ele penetrava no cenário do seu «sonho», mas, ao mesmo tempo, tomava consciência do seu próprio corpo, que jazia dormente no leito. Mediante o exercício da vontade, ele podia intensificar as imagens de um sonho, fazendo a outra imagem, relativa ao seu corpo, desaparecer.

A despeito da advertência representada por aquela dor, ele estava curioso para saber o que aconteceria se ignorasse tal desconforto e continuasse lutando, até e mesmo cessar. E foi isso que ele tentou fazer. Assim, mediante uma considerável agonia, realizou o seu propósito. Para sua admiração, o fato de ter suportado aquela dor finalmente provocou uma espécie de *clique* em seu cérebro, e, com isso, a dor desapareceu. Ao desaparecer a dor, desapareceu também a consciência dupla, com o resultado que a consciência de um «sonho extremamente vívido» tomou conta de tudo. A partir desse ponto, em sua narrativa, encontramos uma típica projeção da psique. Fox viajava pela força do pensamento; encontrava-se com pessoas que nem ao menos o viam; não sentia qualquer conexão com o seu corpo físico, e, por isso mesmo, tinha a impressão de que estava morto.

Durante as suas experiências iniciais, Fox sentiu dificuldades para retornar ao próprio corpo. O poder da vontade levava-o a viajar em seu corpo superfísico, mas não era capaz de trazê-lo de volta ao seu corpo material. Diversas dessas tentativas, entretanto, produziam aquele «clique», agora já familiar, e assim ele voltava ao seu corpo com toda a segurança. Já tivemos oportunidade de observar que as projeções da psique que envolvem a glândula pineal (que está alojada na cabeça) são as menos atravancadas e difíceis, porquanto projetam o nosso corpo superfísico, e não o corpo vital. O Sr. Fox aprendeu coisas dessa ordem sem qualquer conhecimento anterior sobre tais fenômenos, através das suas experiências pessoais. Que assim tenha acontecido obviamente favorece a suposição de que tais experiências envolveram autênticas projeções astrais, e não meras alucinações. Não é provável que as alucinações exigissem essa forma de *modus operandi*.

Mas o Sr. Fox, agora de volta ao seu corpo, teve de experimentar outra aterrorizante surpresa. Embora tivesse retornado ao corpo, estava completamente paralisado, de tal maneira que nem ao menos podia movimentar as pálpebras. Ele acabou aprendendo que esse estado se devia a um tipo de transe auto-induzido. O passo seguinte consistiu em aprender a interromper o transe. Ora, isso ele conseguiu concentrando-se na sua intenção de movimentar um dedo, então a mão inteira, e, finalmente, o resto do corpo, agarrando-se ao estrado da cama, acima de sua cabeça, e puxando-o com força. Embora tomado de alegria, ele sentia profunda náusea e fraqueza. Os estudos feitos por Crookall tornaram familiares para nós todos esses fenômenos. O transe auto-induzido, que por sua vez permite-nos alcançar a projeção da psique, pode ser uma experiência assustadora. Embora o Sr. Fox não tenha jamais dito tal coisa, é possível que ele estivesse projetando o corpo vital juntamente com o corpo superfísico, conferindo às suas projeções um caráter menos livre do que teria sido de outra maneira.

Essas experiências fizeram o Sr. Fox pensar com maior seriedade quanto ao perigo envolvido no que estava fazendo, mas o entusiasmo e a ousadia juvenis levaram-no a prosseguir. Ele mesmo salientou os perigos envolvidos na projeção propositada da psique:

a. Batidas descompassadas do coração; insanidade, devido ao choque sofrido. O mundo por ele encontrado era «atrativo», mas algumas vezes ele também se defrontou com alguns «terrores». Ora, outras pesquisas têm mostrado exatamente essas possibilidades. Podemos ter projeções ao *paraíso* ou ao *hades*, por assim dizer.

b. Sepultamento prematuro. Em um estado de transe, como ele conseguiu impor a si mesmo, facilmente poderia ter sido dado por morto.

c. Obsessão. É possível que entidades negativas se apossem de um corpo humano, ou mesmo que danifiquem uma mente envolvida numa dessas projeções.

d. Segmentação do fio de prata. Esse é o fio de prata que vincula o corpo superfísico ao corpo físico. Poderíamos dizer que se trata de uma linha de vida, embora pouquíssimo saibamos dela a respeito. O rompimento do fio de prata indica uma projeção permanente, a saber, a morte.

e. Poderia haver repercussões maléficas sobre o corpo físico, isto é, injúrias contra o corpo astral poderiam ser transferidas ao corpo físico. É curioso que certas curas são efetuadas exatamente dessa maneira—o tratamento do corpo astral exerce influência sobre o corpo físico—e não há qualquer razão para supormos que o processo oposto também não funcione.

O Sr. Fox adverte-nos *a não* tentarmos adotar os seus métodos. Crookall implora aos seus leitores a não tentarem provocar as projeções da psique, se elas não ocorrerem naturalmente. Outros pesquisadores,

PROJEÇÃO DA PSIQUE

todavia, não têm exibido tal preocupação.

Mais Experiências Seguir-se-iam

Os sonhos de conhecimento (descritos acima) conduzem ao estado de transe. O corpo do Sr. Fox ficava em posição semi-rígida; podia ver o quarto perfeitamente bem, embora os seus olhos continuassem fechados; podia ouvir sons físicos; alucinações podiam ser provocadas por ele à vontade; havia temores e tensões estranhas, invisíveis. De modo geral, esse estado foi por ele considerado como bastante desagradável.

O passo seguinte consistiu em experimentar se o estado de transe poderia levar ao sonho de conhecimento (projeção da psique) e, portanto, se poderia servir de *causa* voluntária do mesmo. A resposta mostrou ser positiva. O Sr. Fox aprendeu a passar do transe auto-induzido para a projeção da psique. Isso ele conseguiu meditando sobre a dor de advertência, localizada na glândula pineal. Ele aprendeu que, através desse ato, ele era capaz de forçar o seu «eu» superfísico para fora do corpo, através da porta da glândula pineal. Quando ocorria aquele citado «estalido», ele se libertava. O Sr. Fox foi capaz de aperfeiçoar a sua técnica ao ponto de poder passar do transe à projeção da psique, sem a perda da consciência.

O processo era deveras interessante. Mediante a força de vontade, uma vez que se encontrasse em estado de transe, o «eu» incorpóreo era projetado para fora mediante o portal da glândula pineal. Naquele momento, uma luz dourada aumentava furiosamente de intensidade, até fazer o quarto explodir em chamas. Algumas vezes, eram necessárias várias tentativas para o Sr. Fox produzir a projeção da psique. Com freqüência, o temor era um acompanhamento inevitável dessas tentativas, mas, juntamente com o sucesso, ocorria o bem-estar mental e a iluminação.

Até aí muito bem. Todavia, uma coisa ainda tinha de ser feita: passar voluntariamente ao estado de transe e uma vez ali, mantê-lo. É que o estado de transe se interrompia com extrema facilidade. Porém, o Sr. Fox aprendeu a retornar ao corpo, a fim de fortificar o transe, para que a experiência tivesse prosseguimento. O transe podia ser induzido mediante a concentração radical sobre a glândula pineal e sobre o desejo de projetar-se dessa maneira, com a exclusão rigorosa de todo e qualquer outro pensamento. O estado de transe era sempre desagradável, e isso concorda com certos informes que Crookall nos fornece acerca das projeções «forçadas» da psique.

A caminhada foi árdua e longa. Foram necessários nada menos de catorze anos para o Sr. Fox aperfeiçoar as suas técnicas. (Informação, *The New World of Dreams*, p. 91 e ss).

Fazendo algumas distinções necessárias

A projeção do corpo vital sem dúvida alguma envolve algumas «histórias de fantasmas». Poderíamos considerar esse corpo como uma espécie de fantasma, mas existem muitas outras espécies. Por outra parte, algumas manifestações que são tidas por fantasmagóricas, na realidade não são, de conformidade com uma sã definição. Uma delas é a projeção do corpo superfísico.

Avaliação e Sumário Deste Artigo sobre a Projeção da Psique

I. Razões para crermos que as projeções não são meros sonhos ou alucinações vividas

1. As pessoas que têm passado pela projeção da psique são as primeiras a distinguir as projeções dos sonhos e alucinações comuns.

2. Nesse estado, as pessoas são capazes de ver *eventos reais* e descrever *lugares reais*, uma função que ultrapassa das funções normais dos sonhos, quanto à freqüência, validade e intensidade. Não há que duvidar que as alucinações não nos proporcionam informações dessa natureza exata.

3. O mecanismo da projeção, o processo da separação e o processo da reentrada no corpo, não são experiências associadas aos sonhos e alucinações. O *modus operandi* da projeção da psique é confirmado por pessoas procedentes de culturas as mais diversas.

4. Nesse estado, a pessoa projetada é capaz de influenciar outras pessoas, comunicando mensagens, curando, prevendo o futuro, etc., funções essas que transcendem à função dos sonhos. As alucinações sob hipótese alguma realizam esses feitos.

5. As projeções da psique incluem encontros com outros seres que porventura se encontrem no mesmo estado, ou com seres distintos da espécie humana; mas isso não caracteriza os sonhos normais. Por certo as alucinações não produzem tais experiências.

6. A psique projetada tem sido vista (e fotografada?) como se fora uma aparição, por muitas pessoas.

7. A evidência de natureza religiosa: há uma crônica toda religiosa a respeito da projeção da psique. (Ver o capítulo doze de II Coríntios).

8. Alguns daqueles que têm tentado tais experiências, mediante o uso de técnicas aprendidas, têm sido psicologicamente prejudicados. Dificilmente poderíamos esperar que sonhos e alucinações tivessem tal efeito.

9. As características do corpo vital e do corpo superfísico (descritas neste artigo) demonstram, de maneira a mais convincente, que não estamos abordando meros casos de sonhos ou alucinações.

10. Os tipos de experiências comuns às projeções astrais—normais, paradisíacas e infernais—que têm sido repetidas por pessoas provenientes de muitas culturas diferentes, em termos notavelmente similares, indicam que estão envolvidas experiências objetivas, e não meras imagens de sonhos.

11. A similaridade entre a experiência *temporária* para fora do corpo (produzida pela projeção da psique) e a separação temporária entre o corpo e o espírito (produzida pela morte clínica) subentende que estamos abordando um mesmo fenômeno, embora efetuado de maneiras diversas. As experiências com a morte clínica são realizadas sem a circulação do sangue (o coração cessa as suas batidas) e sem ondas do cérebro. Os sonhos e as alucinações também poderiam realizar-se sob tais circunstâncias? Em caso contrário, então é óbvio que as experiências durante o estado de morte clínica não são a mesma coisa. Mas o fato de que esse fenômeno é tão parecido com a projeção da psique indica que essa experiência é uma função da natureza transcendental do homem, e não apenas uma função cerebral.

12. A consciência expandida, que algumas vezes obtém uma significativa iluminação, e que dificilmente caracteriza os sonhos e as alucinações, indica o caráter transcendental de *algumas* dessas experiências. Os sonhos fornecem-nos experiências telepáticas e mesmo precognitivas, mas os próprios sonhos não são transcendentais. Algumas vezes as visões são também dessa natureza, sendo que se assemelham mais às projeções da psique do que aos sonhos. Algumas vezes as projeções astrais produzem a consciência cósmica, tal como sucede no caso de certas visões. Mas os sonhos já são outra coisa.

A **consciência cósmica** inclui a participação do indivíduo no «campo coletivo da consciência», isto é,

PROJEÇÃO DA PSIQUE

no armazém da consciência universal, posto à disposição de todos os homens. Esse campo da consciência pode ser alcançado pela consciência individual sob determinadas circunstâncias, como durante várias formas de iluminação. Antigos filósofos e teólogos falaram acerca da Mente Universal, e talvez o campo coletivo da consciência seja um aspecto da mesma. Todavia, a consciência cósmica sem dúvida inclui mais do que a mente humana, coletiva ou individualmente considerada. Aquele que atinge qualquer grau da consciência cósmica chega a sentir não somente a unidade de todas as coisas e a inerente harmonia que une a tudo, mas também recebe iluminação considerável, chegando a compreender intuitivamente as respostas de grandes problemas filosóficos e teológicos. Em suma, tal pessoa obtém discernimento quanto a alguns mistérios da própria existência. Quanto a evidências e discussões a respeito, ver o artigo sobre *Conhecimento e a Fé Religiosa*.

A projeção da psique pode consistir na simples separação entre o espírito e o corpo, quando então são vistos eventos comuns, ordinários bem como objetos físicos, sem a ajuda dos nossos olhos físicos. Por outra parte, algumas vezes uma projeção conduz o espírito a dimensões transcendentais da consciência. Essa é a função do misticismo, sendo que com razão poderíamos supor que algumas projeções da psique são experiências místicas, e isso envolve mais do que algum mero sonho ou alucinação.

13. *Detecção de alguma presença*. Se uma alma abandona o seu corpo físico, poderia ser detectada a sua presença por outras pessoas, estando ela fora do seu corpo? Nesse caso, as projeções da psique dificilmente poderiam ser simples sonhos ou alucinações. Há consideráveis evidências historiadas a respeito do fato. O fenômeno mais comum é o da «presença pressentida», invisível, mas real. Seis casos ocorridos com Blue Harary (um estudante da Universidade Duke), monitorizados pela Psychical Research Foundation, em Nova Iorque, Estados Unidos da América, indicam a realidade da presença pressentida. «Você esteve aqui, embora eu não lhe tivesse visto», é declaração transcrita de um artigo de William G. Roll, intitulado *Survival Research* publicado pela revista *Fate*, edição de novembro de 1974, à pág. 82.

Outros casos investigados por essa fundação incluem a *detecção de uma presença* projetada por parte de animais. Os animais de estimação das pessoas que passam por projeções parecem tomar consciência de suas presenças invisíveis (talvez visíveis para eles; ou então de outro modo perceptíveis para eles, embora de maneira diferente da percepção dos sentidos humanos). Os gatos de uma mulher que costumava projetar a psique, seguiam-na de sala em sala de sua casa, embora ela estivesse fora do corpo. Harary foi capaz de acalmar um gatinho, que até então se mostrava agitado. Alguns estudiosos asseveram que os aparelhos que medem os campos electromagnéticos podem detectar com êxito as presenças invisíveis, mas essas reivindicações não são suficientemente conclusivas para serem usadas como afirmações dogmáticas, e requerem maiores investigações. Algumas fotografias e filmes cinematográficos, que contêm as imagens de pessoas fisicamente ausentes, e que eliminam toda a possibilidade de fraude, servem de evidências convincentes, e não mesmo conclusivas (extraída a informação de *ibid.*, pág. 82). Contudo, restam dúvidas se tais impressões foram deixadas pelo corpo vital ou pelo corpo superfísico. No primeiro caso, então estaríamos diante de um mistério, mas que pouco é capaz de demonstrar no que concerne à sobrevivência da alma.

14. Algumas projeções da psique têm sido vinculadas àqueles períodos de ondas cerebrais e àqueles típicos movimentos oculares do estado de sonhos. Isso tem sido averiguado em estudos conduzidos em laboratório. Outras projeções, não obstante, têm ocorrido sob condições fora dos períodos de sonhos. Visto que a alma e o corpo reagem entre si, até mesmo durante as projeções astrais (por meios que ainda desconhecemos, a menos que isso se dê através do «fio de prata») não é impossível que uma projeção genuína possa ter lugar durante um período de sonhos. O mais provável, entretanto, é que essas supostas projeções sejam apenas sonhos clarividentes. Isso poderia ser esclarecido, pelo menos parcialmente, indagando-se das pessoas envolvidas se elas passaram ou não pelos mecanismos comuns de separação e de nova união com o corpo, durante tais experiências. Em caso negativo, então quase certamente teve lugar algum sonho psiquicamente ativo, e não uma projeção. Mas, se os mecanismos de projeção fizeram-se presentes, como parte da experiência, poderíamos presumir que os movimentos dos olhos e as ondas cerebrais típicas podem aparecer durante uma projeção da psique. As projeções desacompanhadas desses sinais, todavia, poderiam ser consideradas como ocorridas fora dos estados de sonhos, sobretudo se envolverem os típicos mecanismos de separação e de nova união.

15. Algumas projeções não estão relacionadas aos sonhos porque são efetuadas durante *períodos de vigília*. Isso pode ocorrer mediante o poder da vontade, ou mesmo espontaneamente. Algumas dessas ocorrências são totalmente súbitas e inesperadas. Nestes casos, o sono e os sonhos não podem ser envolvidos. Naturalmente, poder-se-ia argumentar que houve alucinações ou experiências extra-sensoriais (clarividência itinerante, telepatia, etc.). Vários dos argumentos anteriormente aduzidos podem ser empregados para mostrar-se que estão envolvidos mais que algum poder extra-sensorial. Visto que as ocorrências extra-sensoriais estão relacionadas às experiências fora do corpo, não estaremos abordando, nesses casos, qualquer fenômeno que contenha elementos contraditórios. De fato, a consciência projetada torna-se sujeita a muitas manifestações próprias das manifestações extra-sensoriais.

16. A maneira como as experiências fora do corpo são *causadas* distinguem-nas dos meros sonhos. Os choques elétricos, a dor intensa, a sufocação, etc., poderiam provocar sonhos? Um sonho poderia ser provocado pela força de vontade, de tal maneira que alguém pudesse passar—sem a perda de consciência—do estado normal de vigília para o estado dos sonhos? (Ver as causas da projeção da psique, abaixo). Porventura as alucinações poderiam ser provocadas dessa forma?

II. Razões para crermos que a projeção não é uma percepção extra-sensorial que não envolva qualquer separação entre o espírito e o corpo

1. As pessoas que têm passado por ambas essas modalidades de experiência têm também podido distingui-las entre si. Projetar o corpo superfísico é algo bem diferente do que passar por uma experiência telepática ou clarividente.

2. Os mecanismos da projeção da psique não são idênticos aos das experiências extra-sensoriais.

3. Os encontros entre pessoas projetadas parecem ultrapassar das qualidades próprias de simples comunicações mentais, da mesma maneira que estas transcendem aos sonhos compartilhados.

4. *As evidências religiosas*. A história religiosa das

PROJEÇÃO DA PSIQUE

projeções da psique parece favorecer as projeções genuínas, em contraste com as experiências extra-sensoriais normais. Ver a narrativa bíblica, em II Coríntios 12:1 e ss. Esse episódio envolveu o apóstolo Paulo, homem de elevadíssimas qualidades espirituais, sem dúvida. Aqueles que projetam somente o corpo superfísico e passam por experiências paradisíacas, normalmente são pessoas altamente desenvolvidas, espiritualmente falando. Essas qualidades parecem servir de trampolim para significativas experiências místicas, mas as experiências extra-sensoriais não estão envolvidas em tais casos. É provável que, quanto a isso, possamos estabelecer a distinção até mesmo entre o que é «psíquico» e o que é verdadeiramente «espiritual». Os fenômenos psíquicos são comuns a todas as pessoas, em um ou outro grau de intensidade. Já os fenômenos espirituais são produtos do treinamento espiritual e da vida espiritual.

5. As características dos veículos vital e superfísico, envolvidas nas projeções da psique, conforme elas são detectadas nas pessoas envolvidas, mostram que está em foco algo mais que algum mero impulso telepático ou experiência clarividente. Poderíamos indagar: por que os casos normais de experiências extra-sensoriais *não* requerem a elaboração desses corpos (o vital e o superfísico) ao passo que a projeção da psique torna-os indispensáveis?

6. As vívidas visões paradisíacas ou infernais (visitas reais àqueles lugares?) comuns às projeções da psique, estão muito mais relacionadas às elevadas experiências místicas do que aos eventos meramente extra-sensoriais.

7. A similaridade entre a experiência da morte (relatada por aqueles que retornaram da morte clínica) e a projeção da psique convence-nos de que o que está envolvido é mais ou menos a mesma coisa, isto é, a separação entre a porção não-física do homem e a sua porção física. Ora, as experiências extra-sensoriais não envolvem esse tipo de realidade.

8. A possibilidade da detecção da presença invisível de pessoas projetadas, por parte de outras pessoas ou de animais, apesar de poder ser explicada mediante a influência telepática, pode ser mais convincentemente explicada através da *presença real*, embora invisível. Por semelhante modo, um impulso telepático pode tornar-se visível, sendo que a presença real não seria demonstrada de forma absoluta pela «visão» tida sobre alguém que está fisicamente ausente. Porém, mesmo nesse caso a presença real (pelo menos em alguns episódios) pode ser uma explicação mais plausível que aquela dada pelas manifestações extra-sensoriais.

9. As causas que provocam algumas projeções da psique—choque elétrico, acidentes graves, dor muito forte ou anestesia—raramente, ou mesmo nunca, são as mesmas causas dos fenômenos extra-sensoriais.

III. Causas e condições das projeções da psique

1. *Causas naturais*. Dor extrema; situações críticas, que algumas vezes incluem a ameaça de morte, injúrias físicas, anestesia, choque elétrico ou emocional; estados de transe. Nesses episódios, os passos preliminares das projeções geralmente são desagradáveis, e as próprias projeções envolvidas (no começo, ou durante todo o processo) são sobrecarregadas de dificuldades, porquanto pode estar envolvido o corpo vital, e não somente o corpo superfísico. Essa modalidade de projeção normalmente não está vinculada a uma elevada espiritualidade.

2. *Causas espirituais*. Com freqüência se tem podido observar que as pessoas que se projetam para fora do corpo livremente, e sem o acompanhamento de qualquer fator desagradável, antes e depois, são aquelas que já atingiram um notável desenvolvimento espiritual. Nesse ponto é que realmente podemos distinguir entre fenômenos meramente psíquicos e fenômenos autenticamente espirituais, quando então as projeções da psique tornam-se um meio de iluminação e de avanço espiritual.

IV. Tipos de projeções da psique

1. *Projeções normais*. A porção não-material do indivíduo é projetada para o meio ambiente diário deste mundo.

2. *Projeções para o paraíso*. A porção não-material do indivíduo entra em uma esfera ou em esferas de natureza transcendental, onde contempla uma beleza extraordinária e onde aprende lições de natureza espiritual.

3. *Projeções para o hades*. O espírito projetado penetra em uma esfera ou em esferas de caráter não-material, mas também espiritualmente negativas, onde residem seres que são essencialmente egocêntricos, maliciosos ou que de outro modo são espiritualmente defeituosos.

4. *Projeções para dimensões da ficção científica*. Um adjetivo apropriado, para indicar essa forma de projeção, seria «esquisito». São então visitados lugares que representam o que este mundo teria sido há muitos séculos, ou o que poderíamos esperar que este mundo será dentro de muitos séculos. Há também reversões do tempo (chamadas de «efeito da máquina do tempo»).

É possível que algumas dessas projeções envolvam a retrocognição (leitura clarividente do passado) ao passo que outras envolvem a precognição (leitura clarividente do futuro). Se isso realmente ocorre, então não é mister que existam contrapartes físicas atualmente existentes, que correspondam a essas imagens mentais. Assim, poderia haver reversões mentais do tempo, mas não a descoberta de reais esferas da existência. Há uma certa probabilidade que realmente existam realidades estranhas, que contradizem tanto o nosso atual conhecimento quanto todo o bom senso humano. Algumas meras alucinações parecem estar envolvidas.

V. Conclusões especulativas

Nas projeções da psique ocorre algo que é importante que saibamos. Há alguma verdade sobre a realidade que podemos aprender através dessas experiências. Não obstante, não há razão alguma para supormos que todas as informações assim obtidas sejam autênticas. Existem razões que nos levam a crer que todos os métodos de que dispomos para adquirir conhecimento têm aspectos positivos e aspectos negativos, em graus variegados.

Quando a personalidade humana for compreendida mais perfeitamente, e forem aprimorados os métodos de investigação científica, então talvez possamos obter provas absolutas da realidade das projeções da psique. Se isso chegar a acontecer, então teremos conseguido uma demonstração da sobrevivência da alma com taxa de quase cem por cento de segurança; porquanto, se a alma pode existir, mesmo separada do corpo físico, enquanto este ainda vive, por que a alma não poderia continuar existindo, mesmo depois da morte do corpo? Efetivamente, por aquilo que sabemos a respeito do relacionamento entre a alma e o corpo, através de diversas pesquisas (especialmente aquelas acerca da projeção da psique e do retorno após a morte clínica) parece seguro afirmar-se, juntamente com Platão: longe de ser imprescindível para a manutenção da vida da alma, o corpo físico é um empecilho para a alma, no tocante às suas possíveis manifestações transcendentais. Este corpo serve de veículo temporário da alma, a fim de que possamos aprender determinadas lições *necessárias*, neste mundo físico. Mas o destino da alma é *outro*.

Não deveríamos, contudo, desprezar esta dimensão física em que vivemos. Pois ela faz parte necessária do nosso treinamento espiritual. Sem embargo, não deveríamos permitir que isso nos cegue para o fato de que existem outros mundos de luz, no *além*. Apesar de termos algo para aprender em nossa caverna subterrânea, não deveríamos deixar que as suas trevas nos furtem do conhecimento daquelas realidades que são mais compatíveis com a nossa natureza essencialmente espiritual. Tudo quanto sabemos com respeito à morte indica que, ao aproximar-se o momento certo desse acontecimento, a maior parte das pessoas *anseia* por libertar-se do corpo físico. Quem em seu perfeito juízo, não haveria de querer abandonar essa caverna subterrânea?

PROLEPSE

Essa é a transliteração, para o português, de um termo grego que significa «antecipação». Era vocábulo usado pelos filósofos estóicos para indicar as «noções comuns» que os homens têm, e que são originárias de sua natureza metafísica, de sua alma, e que podem ser conhecidas mediante a intuição (por serem inatas à pessoa), ou então mediante a experiência diária. Na lógica, a palavra tem sido usada para referir-se à antecipação que alguém faz a alguma objeção que poderia ser apresentada contra um seu argumento, ou então para referir-se à resposta do argumentador a essa objeção antecipada.

PROLETARIADO

Essa palavra vem do latim *proletarius*, com base em *proles*, «prole», «descendência». Originalmente, foi usada para referir-se àquela classe baixa de pessoas que não tinham propriedades, e que contribuíam para o Estado somente com seus filhos, que proviam para povoar o país. No seu emprego moderno, o sentido dessa palavra é apenas «classe baixa»; mas um sentido secundário da mesma é «classe trabalhadora», aqueles que produzem riquezas para os proprietários de indústrias e negócios, mas que participam bem pouco dessas riquezas. Algumas modalidades de comunismo (vide) têm imaginado inutilmente (em minha opinião) que o proletariado pode tornar-se uma espécie de ditador coletivo, desvencilhando-se do jogo das classes proprietárias, e assim passar a brandir as rédeas do governo de uma nação. Entretanto, na prática, o proletariado não está preparado para governar, e surgem oligarquias que submetem o proletariado a uma forma diferente de ditadura, com suas formas diversas de opressão, em substituição às antigas formas de opressão. Em nenhum país socialista a classe dos trabalhadores atingiu a governança. Tão-somente tem conseguido mudar os proprietários, em alguns países.

O conceito que a classe trabalhadora é capaz de governar é uma falácia, e só é usado como meio político de impor a opressão da parte de outros líderes. Se, nos países socialistas, é dito ao proletariado que este é que está governando, na prática é óbvio que os chefes do partido (uma oligarquia) é que são os verdadeiros mandantes. Essa oligarquia tradicionalmente forma uma ditadura, onde os direitos individuais dos trabalhadores são ignorados, em benefício do suposto bem coletivo. Todas as formas de ditadura, de direita ou de esquerda, são contrárias às liberdades humanas, as quais formam uma de nossas mais preciosas possessões. Essas liberdades formam um direito a ser buscado e defendido.

Visto que não se pode negar a opressão exercida pelas classes proprietárias, os trabalhadores formam um solo fértil para movimentos revolucionários. Nos Estados Unidos da América do Norte e em outros países com elevado nível de vida, onde os trabalhadores ganham bons salários, o comunismo não tem obtido grande sucesso. Pode-se fazer um contraste entre a elevada capacidade aquisitiva das classes trabalhadoras de Formosa com a baixa capacidade aquisitiva que impera na China comunista. Também podemos fazer o contraste entre o Japão moderno e qualquer outro país socialista; e daí aprenderemos que a liberdade e a iniciativa pessoais é que realmente enriquecem e fazem prosperar aos trabalhadores. Mas aquilo que cerceia a liberdade acaba por ser prejudicial aos homens. Até mesmo as ditaduras benévolas devem ser rejeitadas, por serem instrumentos que prejudicam à sociedade. É inútil alguém ser capaz de ler as notícias, se aquilo que pode ser lido for rigidamente controlado pelo Estado. É inútil dispor de dinheiro se o espírito humano (a verdadeira pessoa) estiver sendo sufocado pelo materialismo e pelo ateísmo. O que eu tenho a dizer mais sobre este assunto pode ser lido no artigo sobre o *Comunismo*. Ver também sobre *Teologia da Libertação*.

PROMESSA

Esboço:
I. As Palavras e Suas Definições
II. As Promessas de Deus
III. Temas das Promessas: Quatro Classes Principais
IV. A Teologia da Promessa
V. Promessas de Cunho Escatológico
VI. As Promessas Humanas

I. As Palavras e Suas Definições

A palavra portuguesa *promessa* vem do latim, *pro*, «para», e *mittere*, «enviar». Uma promessa é algo que uma pessoa ou situação projeta como certa ou como possível; ou, então, uma garantia dada de que alguém fará ou dará algo, ou que as circunstâncias proverão algo, de natureza positiva ou negativa. Uma promessa é uma declaração referente ao futuro, que diz: «Isto acontecerá»; ou então; «Tu receberás isto»; ou então: «Este benefício será teu». Uma promessa é uma espécie de encontro com o futuro, e usualmente envolve a situação onde um *doador* outorga algo a um *recebedor*. Uma promessa pode envolver um ato tencionado, que haverá de alterar alguma situação ou prover algo de interesse para o beneficiário da promessa. Na Bíblia Sagrada, muitas promessas estão alicerçadas sobre pactos que garantem resultados positivos, embora, algumas vezes, tais promessas dependam de responsabilidades que precisam ser cumpridas, pelo que elas se tornam condições.

A palavra hebraica assim traduzida é *dabar*, «falar» (termo usado por mais de oitocentas vezes no Antigo Testamento). Mas, quando alude a algum tipo de projeção ou de bênção proposta, torna-se naquilo que chamamos de «promessa». Quanto a alguns desses usos, ver Deu. 6:3; 9:28; 11:1; 15:6; 19:8; I Reis 5:12. O resto deste artigo provê muitas referências bíblicas.

O vocábulo grego, usado no Novo Testamento, é *epaggelía*. A raiz dessa palavra é *aggelía*, «anúncio». Naturalmente, é dessa raiz que temos também o termo *euaggélion*, «as boas novas», o «evangelho». A palavra *epaggelía* é usada por cinquenta e três vezes

PROMESSA

no Novo Testamento. Ver Luc. 24:49; Atos 1:4; 2:33,39; 7:17; 13:23,32; 28:21; 26:6; Rom. 4:13,14, 16,20; 9:4,8,9; 15:8; II Cor. 1:20; 7:1; Gál. 3:14,16-18,21,22,29; 4:23,28; Efé. 1:13; 2:12; 3:6; 6:2; I Tim. 4:8; II Tim. 1:1; Heb. 4:1; 6:12,15,17; 7:6; 8:6; 9:15; 10:36; 11:9,13,17,33,39; II Ped. 3:4,9; I João 2:25. E a forma verbal, *epaggéllomai*, ocorre por quinze vezes: Mar. 14:11; Atos 7:5; Rom. 4:21; Gál. 3:19; I Tim. 2:10; 6:21; Tito 1:2; Heb. 6:13; 10:23; 11:11; 12:26; Tia. 1:12; 2:5; II Ped. 2:19; I João 2:25. Quase sempre esse vocábulo é traduzido por «promessa», embora também possa significar «mensagem».

II. As Promessas de Deus

As Escrituras contêm essas promessas divinas (Rom. 1:2). Elas nos foram feitas em Cristo (Efé. 3:6; II Tim. 1:1). Elas foram feitas ao Filho (Gál. 3:16,19). Também foram feitas a Abraão, dentro do pacto abraâmico (Gên. 12:3,7; Gál. 3:16); a vários dos pais, como a Isaque (Gên. 26:3,4), a Jacó (Gên. 28:14), a Davi (II Sam. 7:12, que também veio a ser um pacto), aos israelitas (Rom. 9:4). Também há menção a promessas feitas aos pais (Atos 13:32, formando vários pactos), a todos quantos são chamados por Deus (Atos 2:39), a todos quantos amam ao Senhor (Tia. 1:12). Há um juramento solene que confirma as promessas divinas (Sal. 89:3; Heb. 6:17). Deus é fiel às suas promessas (Tito 1:12; Heb. 10:23). Ele nunca se esquece dessas promessas (Sal. 105:42; Luc. 1:54,55). As promessas divinas revestem-se de várias qualidades, sendo elas boas (I Reis 8:56), santas (Sal. 105:42), grandíssimas e preciosas (II Ped. 1:4), dotadas de absoluta certeza (II Cor. 1:20). Essas promessas têm o seu cumprimento em Cristo (II Sam. 7:12; Atos 13:23; Luc. 1:69-73). Elas podem ser obtidas mediante a fé (Heb. 11:33). Elas são conferidas aos que crêem (Gál. 3:22). Elas são herdadas mediante a fé e a paciência (Heb. 6:12, 15; 10:36). Elas se cumprem no devido tempo (Jer. 33:14; Atos 7:17; Gál. 4:4). Nenhuma das promessas divinas haverá de falhar (Jos. 23:14; I Reis 8:56). A lei não é contrária às promessas de Deus (Gál. 3:21). A lei não anula as promessas de Deus (Gál. 3:17).

III. Temas das Promessas: Quatro Classes Principais

Esses temas são muitos: Cristo (II Sam. 7:12,13; Atos 13:22,23); o Espírito Santo (Atos 2:33; Efé. 1:13); o evangelho (Rom. 1:1,2); a vida que temos obtido em Cristo (II Tim. 1:1); a cruz da vida consagrada (Tia. 1:12); a vida eterna (Tito 1:2; I João 2:25); todas as necessidades da vida presente (I Tim. 4:8); a adoção de filhos (II Cor. 6:18); a preservação das aflições (Isa. 43:2); as bênçãos celestes (Deu. 1:11); o perdão dos pecados (Isa. 1:18; Heb. 8:12); a *parousia* (vide) (II Ped. 3:4); os novos céus e a nova terra (II Ped. 3:13); a entrada no descanso eterno (Heb. 4:1); o aperfeiçoamento da santidade (II Cor. 7:1); a herança dos santos (Rom. 4:13; Gál. 3:18).

Quatro Classes Principais de Promessas

1. As promessas relativas ao Messias, em sua missão e trabalho. Ver o artigo separado sobre *Profecias Messiânicas Cumpridas em Jesus*. Ver Atos 13:23.

2. As promessas atinentes à Igreja, formada pelos remidos (Rom. 4:13; 8:17 ss; Gál. 3:14-29).

3. As promessas que dizem respeito ao futuro dos gentios, à grande massa da humanidade, como no *Mistério da Vontade de Deus* (Efé. 1:9,10) e na *Restauração*. Tenho provido artigos sobre ambos os assuntos.

4. As promessas relativas a Israel, material e espiritualmente falando (Rom. 11:1-24; Eze. 37:1-14; Zac. 8:1-12).

IV. A Teologia da Promessa

Por detrás das promessas divinas acham-se a veracidade e a onipotência de Deus. Deus não promete com falsidade, e nem promete qualquer coisa que não possa cumprir. Visto que não pode jurar por quem Lhe seja maior, Deus é a garantia de suas próprias promessas (Heb. 6:13). Deus jura e não muda de parecer (Heb. 7:21). Deus é fiel às suas promessas (Tito 1:2; Heb. 10:23). As promessas divinas são positivas e certas (II Cor. 1:20). Esse mesmo versículo mostra-nos que essas promessas são mediadas através do Filho, visando ao benefício dos filhos de Deus. Essas promessas estão vinculadas a pactos; e, no caso dos crentes em Cristo, estão vinculadas especialmente ao Novo Pacto, em torno do sangue expiatório de Cristo. Essas promessas foram condicionadas à resposta da fé humana; mas essa resposta é garantida positivamente pela obra predestinadora e restauradora de Deus. Deus faz promessas aos homens, e então assegura que essas promessas terão cumprimento, garantindo que eles cumpram as condições para recepção dessas bênçãos prometidas. É nisso que consiste a graça divina. O poder predestinador de Deus está por detrás do seu amor, e não o seu poder de destruir. Mas, quando ocorre tal destruição, ela serve de meio para concretização de algum bem, em última análise, embora isso possa demorar muito tempo, enquanto o homem estiver sendo condicionado pelas suas adversidades.

V. Promessas de Cunho Escatológico

1. *A Parousia* (vide) que é aludida, direta ou indiretamente, em um de cada vinte e três versículos do Novo Testamento. A *parousia* não será um evento único, e, sim, uma série de eventos, mediante a qual o Reino de Deus será estabelecido palpavelmente (inaugurado pelo *milênio*), e então seguido pela era eterna. Assim, finalmente, surgirão os novos céus e a nova terra. O trecho de II Ped. 3:4 mostra-nos que isso fará parte da segunda vinda de Cristo. Isso posto, ao pensarmos na *parousia* devemos pensar em termos de uma série de eventos, através de um longo período de tempo, cujos eventos imporão uma ordem completamente nova à criação. De fato, será uma Nova Criação.

2. *Os Herdeiros*. Essa questão aplica-se ao Israel físico e ao Israel espiritual, e tem por base os pactos divinos. Trata-se de uma realização do Espírito Santo. Gên. 17:4; 18:10; 21:1; Rom. 8:15 ss; 9:27; Gál. 4:23; Heb. 6:14. Ver o artigo separado intitulado *Herança*.

3. *Filiação*. Esse é o aspecto mais importante da *salvação* (vide). Aos remidos é prometido que eles serão transformados segundo a imagem do Filho (ver Rom. 8:29), assim chegando eles a ser compartilhar da natureza divina (ver II Ped. 1:4; Col. 2:9,10). Isso significa que eles participarão de toda a plenitude de Deus (ver Efé. 3:19), e que estarão eternamente sendo transformados de um estágio de glória para outro (ver II Cor. 3:18). Ver também o artigo de nome *Filiação*.

4. *A Cidade Eterna*. Os herdeiros de Deus herdarão a Cidade celestial (Heb. 11:9; Apo. 21 e 22).

5. *O próprio Cristo* haverá de ser herdeiro de Abraão, e seu Filho maior, o Filho no qual serão abençoados os demais filhos (ver Gál. 3:16-18).

6. *A Vida Eterna* (vide). Essa consiste em mais do que viver para sempre. Trata-se de um tipo de vida, que envolve a vida independente e necessária. Ver João 5:24 ss. Esse é *o tipo de vida de Deus*, de onde

mana a própria existência, dotada de independência (não dependente de qualquer outro tipo de vida a fim de continuar), a vida possuída por Deus. É uma vida necessária, visto que não pode deixar de existir. É vida divina, porque os filhos de Deus virão a compartilhar da natureza divina, segundo mostramos no terceiro ponto, acima.

7. *O Reino* (vide) é uma promessa comum tanto ao Antigo quanto ao Novo Testamento.

8. *A promessa do Espírito* é um importante ensinamento neotestamentário, visto ser ele o alter ego de Cristo, que assumiu o trabalho dele enquanto ele estiver ausente. Através do Espírito Santo, Cristo continua presente e ativo. Ver o artigo separado sobre o *Paracleto*. Ver João 14:14,26; Luc. 24:49; Atos 1:4; 2:33; e, no Antigo Testamento, Isa. 44:3 e Eze. 37:28.

9. *A Restauração* (vide). Ver Efé. 1:9,10. No cumprimento desse mistério, a missão tridimensional de Cristo terá a sua fruição. Para cumprir isso ele precisou ter uma missão sobre a terra, outra no hades e outra ainda no céu. Ver o artigo *Missão Universal do Logos (Cristo)*, quanto a completas informações sobre essa questão.

10. *A Restauração de Israel*. Ver Rom. 11:26. Ver o artigo separado sobre esse assunto. O Novo Testamento prevê uma nova filosofia da história.

VI. As Promessas Humanas

Uma exortação bíblica padrão é que devemos fixar os olhos em Deus e nos valores eternos, e não nos homens. Com freqüência ficamos desapontados com os homens, os quais prometem, e então não cumprem suas promessas. Quase todas as promessas humanas estão baseadas no auto-interesse; mas, cessando o auto-interesse, enfraquecem até desaparecerem, sem serem cumpridas. Um notório exemplo disso são as promessas feitas pelos políticos. Por isso, tornou-se quase proverbial dizer: «Essa era apenas a promessa de um político». Tais promessas não são feitas com seriedade. Porém, a população em geral compartilha da natureza dos políticos. O *egoísmo* (vide) usualmente é a regra da vida. Alguns homens cumprem as suas promessas, como no caso de José, que tornou certo que os ossos de Jacó seriam sepultados no território de Israel, e não no Egito (ver Gên. 47:29 *ss*; 50:7-13). Mas a promessa de Balaque a Balaão não se mostrou fiel (ver Núm. 22:17). Judas Iscariotes prometeu trair a Jesus, se lhe fosse dada uma irrisória quantia em moedas. Essa foi uma promessa que nunca deveria ter sido cumprida, mas o foi. Nem todas as promessas ou votos são de bom cunho. Todas as formas de contrato são formas de promessas; e a honestidade básica requer que essas promessas sejam guardadas. Mas os contratos são notoriamente rompidos. Esses fatos apontam para a necessidade da promoção de votos espirituais, pois o homem é tão diferente de Deus. O homem é extremamente infiel, fraco e hesitante. Algumas vezes, os homens prometem coisas, embora não disponham de recursos para cumprir suas promessas. É boa norma prometer somente dentro dos próprios recursos. Por outra parte, existe a oração, — que pode lançar em cena as forças divinas. E é diante da oração que se torna obsoleto falar em «meios humanos». Precisamos mais desse tipo de obsolescência.

••• ••• •••

PROMISCUIDADE

Essa palavra vem do latim, **promiscuus**, «misturado». Esse termo é formado por *pro*, «completamente», e *miscere*, «misturar». Seu significado básico é algo totalmente misturado, ou coisas compartilhadas sem discriminação. Também pode significar «sem plano ou propósito». Porém, em seu uso ético primário, indica manter relações sexuais indiscriminadas e em grande número. As prostitutas praticam a promiscuidade como um meio de vida. De fato, seus rendimentos dependem dos hábitos promíscuos do macho humano (e, atualmente, da fêmea humana). Teólogos e psicólogos têm apresentado evidências convincentes do dano psicológico e espiritual dessa prática, sem importar se o dinheiro está envolvido ou não. Atualmente, contemplamos o espetáculo de diversas enfermidades sexuais incuráveis, que se propagam a uma taxa alarmante entre todas as classes, porque a promiscuidade é uma prática humana comum. Ficamos boquiabertos diante da informação que dos quarenta mil soldados cubanos enviados à Angola, mais da metade foi contaminada pela AIDS. Essa é uma das razões (talvez a principal) pela qual o governo cubano está considerando a remoção de suas tropas daquele país. A razão dessa calamidade é que, em alguns países, uma grande porcentagem das prostitutas compõe-se de aidéticas, pelo que a AIDS, nesses países, não mais pode ser considerada uma doença característica dos homossexuais e dos viciados em drogas.

O ponto de vista cristão do sexo é assinalado pelo senso de responsabilidade. Para o cristão bíblico, o sexo deve ser praticado dentro dos limites do matrimônio. Ver os artigos intitulados *Monogamia, Poligamia* e *Matrimônio*. Algumas vezes, as chamadas «liberdades» são apenas antigas formas de escravidão, revestidas com palavras diferentes. Ver o artigo geral sobre o *Sexo*.

PROPAGAÇÃO, COLÉGIO DE

Uma sociedade de cardeais que atua como supervisores das missões ao estrangeiro. Também é conhecida como Colégio para a Propagação da Fé. Foi fundada pelo papa Urbano VIII, em 1627, especialmente para cuidar da questão da educação dos missionários.

PROPAGANDA

Esse vocábulo reflete o gerúndio do latim, *propagare*, «estender», «ampliar», «prolongar», «implantar». «Propaganda», no vocabulário moderno, significa «anunciar», «expor idéias ou crenças». Tal palavra também pode envolver a idéia de um esforço sistemático para obter apoio, público ou particular, para crenças, instituições ou qualquer tipo de empreendimento. Hoje em dia, esse termo reveste-se de implicações comerciais, embora isso não faça parte necessária do sentido básico da palavra.

A comunicação em massa, com seus muitos truques, óbvios ou disfarçados, tem feito a propaganda tornar-se uma questão moral. Todos temos conhecimento de golpes de astúcia dos políticos, que se autopromovem, ou das indústrias, que querem vender seus produtos a qualquer custo. Com freqüência, a propaganda limita a liberdade de escolha de uma pessoa, ante a sua insistência, a sua falsidade e as suas meias-verdades. Os truques empregados consistem em generalizações ambíguas, que as pessoas não podem interpretar com clareza; imagens visuais ocultas que estimulam o cérebro sem que a pessoa tenha conhecimento disso (como na televisão); a identificação com heróis e símbolos respeitáveis, como quando usam atletas ou astros e estrelas da televisão e do cinema, a fim de promover a venda de algum produto; um falso apelo ao patriotismo; e apelos emocionais, como o uso do sexo para apresentar qualquer produto.

No campo religioso, temos uma propaganda legítima do evangelho, embora essa palavra se tenha revestido de tantas conotações negativas que a maioria das pessoas não usaria nessa conexão. Lamentavelmente, alguns evangelistas cristãos utilizam-se de métodos propagandísticos para promover seus programas e levantar dinheiro. Os comuns artifícios da propaganda secular são então usados, além de alguns outros. Notórios são os apelos emocionalmente carregados, com as alusões reforçadoras ao medo. Até mesmo o sexo é empregado. Moças bonitas dão o seu testemunho com blusas apertadas, e há «hinos» musicados ao ritmo do rock ou do jazz, enquanto algumas jovens se balançam acompanhando o ritmo. Não é preciso muito discernimento para ver a falsidade que há em tudo isso. Assim o evangelho transforma-se em um espetáculo, em vez de ser uma exposição da vida. Os apelos em busca de dinheiro contêm a promessa de que Deus certamente abençoará àqueles que fizerem algum sacrifício financeiro. Ainda recentemente, um evangelista de reputação internacional conseguiu levantar vários milhões de dólares ao declarar, aos seus espectadores pela televisão, que Deus lhe havia dito que se ele não levantasse certa soma em dinheiro, certamente ele morreria! Esse artifício causou intensa comoção, e até revistas nacionais seculares comentaram sarcasticamente sobre a questão. Mas, seja como for, o dinheiro acabou chegando às mãos dele.

PROPEDÊUTICA

Essa palavra vem do grego, *pro*, «antes», e *pedeuein*, «ensinar». A raiz da palavra é *pais*, *paidós*, «criança», a entidade que mais necessita de receber ensino. Esse termo é um virtual sinônimo de «introdução», quando é aplicado ao ensino de qualquer matéria ou disciplina. Ou pode referir-se a um assunto preparatório ou introdutório que introduza algum assunto geral, ou um curso recebido como preparação para outro curso.

PROPICIAÇÃO

Ver sobre **Expiação e Propiciatório**.

Esboço

I. A Quem Deus Propôs Como Propiciação
II. Propiciação: Diversas Interpretações
III. O Modo
IV. Expiação ou Propiciação?

Rom. 3:25: *ao qual Deus propôs como propiciação, pela fé, no seu sangue, para demonstração da sua justiça por ter ele na sua paciência, deixado de lado os delitos outrora cometidos.*

I. A Quem Deus Propôs Como Propiciação

As palavras «...a quem...» naturalmente se referem a Jesus Cristo. Foi Cristo quem Deus «...propôs...» ou «exibiu» como propiciação. Esse verbo, «propôs», pode ter os seguintes significados:

1. Pode ter o sentido de um decreto ou desígnio anterior, cumprido dentro do tempo. O decreto seria uma preordenação, nesse caso. Ver Efé. 1:9 e comparar I Ped. 1:19,20, que diz: «...mas pelo precioso sangue, como de cordeiro sem defeito e sem mácula, o sangue de Cristo, conhecido, com efeito, antes da fundação do mundo, porém manifestado no fim dos tempos, por amor de vós». Em vez da palavra *conhecido*, nessa passagem citada, muitos estudiosos preferem a tradução *preordenado*, que é o seu sentido correto. Esse primeiro ponto de vista sobre a significação da palavra «propôs», é correto, portanto, sem importar se isso era o que Paulo tinha em mente, nesta presente passagem da epístola aos Romanos.

2. Outros pensam que o sentido é *substituiu*, ou seja, foi «posto em nosso lugar». Isso é uma verdade bíblica, que aparece em outros trechos, mas dificilmente é o que Paulo quis dizer aqui.

3. A maioria dos intérpretes pensa que isso significa «exposto publicamente, para todos verem». Essa significação da palavra grega *prostithemi* («propôs») precisa ser decididamente aceita, sendo um uso bem conhecido no grego (ver Heródoto iii.148; vi. 21; e o *Faedro* de Platão, pág. 115), por causa da correlação para com as palavras *eis endeiksin* (visando a manifestação de sua justiça). Está então em vista a crucificação de Jesus e o anúncio público do fato, mediante a pregação ou evangelismo da Igreja cristã. Assim, pois, Deus exibiu o Senhor Jesus, ante os olhos de todos os homens, em contraste com a arca da aliança, que fazia parte do mobiliário da tenda da congregação do povo judaico, que ficava oculta por pesadas cortinas, e da qual somente o sumo sacerdote podia aproximar-se, e mesmo assim apenas uma vez por ano. As referências centrais, naturalmente, não dizem respeito à prédica sobre esse fato da morte expiatória de Cristo, e, sim, ao próprio ato de Deus, em que Cristo se apresentou como a expiação pelos nossos pecados, e de tal modo que se tornou visível e compreensível para todos os homens.

II. Propiciação: Diversas Interpretações

1. O único outro uso desse vocábulo no N.T. é o que aparece em Heb. 9:5, onde se refere ao *propiciatório*, que era a tampa de ouro da arca da aliança, e sobre cuja tampa era derramado o sangue do sacrifício, no dia da expiação, ao entrar o sumo sacerdote no Santo dos Santos. O «propiciatório», pois, era o «local» da expiação. O propiciatório jazia oculto, e os judeus, através de seus sumos sacerdotes, podiam aproximar-se do mesmo apenas uma vez por ano. Era ali que Deus vinha encontrar-se com os homens. (Ver Êxo. 25:17-22; Lev. 16:2 e Núm. 7:89). Era aquele, por igual modo, o lugar da meditação, bem como da manifestação da remissão do pecado. Assim também, por intermédio de Cristo, que é o antítipo ou realização do propiciatório, há uma mediação com Deus, já que Jesus é o grande Mediador entre Deus e os homens, e que, por meio dele, os homens têm acesso a Deus. (Ver Efé. 2:18).

«Assim como a superfície de ouro cobria as tábuas da lei, assim também Jesus Cristo está por sobre a lei, vindicando-a como santa, justa e boa, e assim, igualmente, vindicando as reivindicações divinas que nos exigem obediência e santidade. E assim como o sangue era anualmente aspergido sobre a tampa de ouro, pelo sumo sacerdote, assim também Cristo é exibido 'em seu sangue', não vertido para aplacar a ira de Deus, para satisfazer a justiça de Deus ou para compensar pela desobediência humana, e, isso, como a mais elevada expressão do amor divino pelo homem, tendo participado, junto com a humanidade, até da morte, a fim de que pudesse haver reconciliação do homem com Deus, mediante a fé e a rendição a Deus». (Vincent, *in loc.*).

Essa é a interpretação central desse conceito, e que certamente é defendida pela esmagadora maioria dos eruditos na Bíblia, ainda que tal posição tenha sido vigorosamente combatida por outros, à base das seguintes alegações:

PROPICIAÇÃO

a. Cristo é mais apropriadamente apresentado como o *próprio sacrifício*, e o sangue referido é o seu, e não aquele que era aspergido sobre a tampa da arca da aliança, o que era apenas uma ilustração simbólica.

b. A «propiciação» aqui aludida não vem acompanhada do artigo definido, no original grego, o que deveríamos esperar se houvesse realmente alguma referência específica a algum aspecto do A.T. A esta objeção, porém, respondemos que nada se pode concluir disso, porquanto o grego «koiné» não segue qualquer regra estrita, de forma coerente, quanto ao emprego do artigo.

c. Alguns estudiosos supõem que em vista de Cristo ser apresentado como justiça, isto é, como a demonstração da justiça, não pode ele ser assemelhado ao propiciatório, cuja idéia dominante era a de haver necessidade de aplacar a ira divina e demonstrar a graça de Deus. Replicamos, contudo, que não há razão para alguém supor que existe uma perfeita correspondência simbólica entre Cristo e o propiciatório. A justiça, além disso, não indica apenas o aspecto negativo, isto é, o perdão dos pecados; mas indica também a perfeita revelação da vida revivificadora, bem como a participação nos atributos positivos e santos de Deus. Diversas outras objeções têm sido levantadas contra essa interpretação, que apresentamos acima, mas nenhuma delas é conclusiva.

Em favor dessa interpretação, por outro lado, podemos enfileirar os seguintes motivos:

a. A palavra aqui traduzida por *propiciação*, na Septuaginta (tradução do A.T. hebraico para o grego, completada cerca de duzentos anos antes da era cristã), é geralmente a palavra usada para indicar o propiciatório (ver Êxo. 25:18-21), num total de nada menos de vinte e seis trechos diversos (conforme se lê no Comentário de Lange).

b. O único outro uso desse termo, «propiciação», em todo o N.T., aparece em Heb. 9:5, que indica o propiciatório.

c. Tal uso está de conformidade com a tipologia do A.T., onde Cristo aparece como a nossa páscoa, como a porta, como a rocha, como o amém e como o alvorecer da madrugada.

d. Transparece uma excelente idéia contrastante, nessa interpretação. É que o propiciatório jazia «oculto», entre cortinas, só podendo ser avizinhado uma vez por ano, pelo sumo sacerdote. Em contraste com isso, pois, Deus «propôs» ou exibiu a Cristo, em seu caráter, como o verdadeiro «propiciatório»; e isso é típico do caráter mais elevado do N.T., quando confrontado com a revelação do A.T., o que também está de conformidade com a idéia de toda esta epístola aos Romanos, que contrasta o pacto antigo com o novo pacto, elevando o Novo Testamento muito acima do Antigo, como um desenvolvimento planejado e cumprido pelo próprio Deus.

2. *A despeito desses muitos e variegados argumentos* sobre o sentido da palavra «propiciatório», devemos admitir que a maioria dos eruditos modernos duvida que Paulo estivesse fazendo precisamente esse uso da palavra; pelo contrário, tal vocábulo tem o sentido mais geral de um sacrifício (o que também transparece nas páginas do A.T.), em propiciação oferecida a Deus, que anula os pecados e os seus daninhos efeitos. A idéia dominante, entretanto, não é a da necessidade de aplacar a ira de Deus, conforme se ouve comumente, mas antes, é um meio de expiação, de perdão.

«Dodd prestou um significativo serviço ao estabelecer o fato de que, na Septuaginta, essa palavra raramente, se é que alguma vez, ocorre no sentido de aplacar a Deus, como se Deus tivesse de modificar sua atitude de ira para com o favor, e que, pelo contrário, tal palavra é constantemente empregada no sentido de *meio de perdão*, em que Deus aparece como o agente». (*Journal of Theological Studies*, XXXII, 1931, 352-360. Ver também «The Epistle of Paul to the Romans», Londres: Hodder and Stoughton, 1932, *The Moffatt N.T. Commentary*). (John Knox, *in loc.*).

O sentido da palavra grega *hilasterion*, aqui traduzida por «propiciação», indica, com grande clareza, o sacrifício propiciatório. E de que outra maneira poderia isso ter sido feito «...para manifestar a sua (de Deus) justiça...»? Pois se traduzirmos essa palavra por **propiciatório**, nos esqueceremos que foi o sacrifício propiciatório da morte de Cristo que tornou possível a existência de um propiciatório. Era o bode sacrificado, no dia da expiação (ver Lev. 16:15), cujo sangue era introduzido no Santo dos Santos para ser aspergido sobre o propiciatório, ou seja, sobre a tampa da arca da aliança, que dava à cerimônia todo o seu valor. A justiça do Senhor Deus era assim proclamada, na perda da vida do animal sacrificado, e assim, com base no sangue vertido, se efetuava o encontro entre Jeová e o homem, sobre o propiciatório. Por conseguinte, a justiça de Deus transparece na morte da vítima; mas a misericórdia, e seus efeitos sobre os homens, aparecem no próprio propiciatório.

«Parece haver, entretanto, no todo, razões para suprimos a idéia de *sacrifício* (em vez da idéia de propiciatório), porquanto isso está mais de acordo com o contexto, sendo especialmente sustentado pelas duas frases, '...a quem Deus propôs...', isto é, exibiu publicamente, ao passo que a arca da aliança era mantida no segredo do Santo dos Santos, e '...em seu sangue...'. Deveríamos traduzi-la, portanto, por 'sacrifício expiatório' ou 'sacrifício propiciador'». (W. Sanday, *in loc.*).

Não existe razão alguma para supormos, entretanto, que o propiciatório jamais tivesse estado na mente do escritor sagrado, ainda que «sacrifício expiatório» seja a idéia principal em foco.

III. O Modo

Mediante a fé. Ver o artigo sobre *Fé*.

No seu sangue.

Alguns estudiosos acreditam que Paulo tão-somente fez uso da «linguagem do sistema de sacrifícios», tal como também fez uso da linguagem dos tribunais. Todavia, reduzir Paulo a isso é compreendê-lo de conformidade com certas opiniões modernas, e não do ponto de vista do ambiente histórico em que o encontramos. *Sem derramamento de sangue não há remissão...* era um conceito muito sério para os judeus, sendo compreendido em termos dos mais literais possíveis. Na morte expiatória de Cristo, pois, Deus proveu o sacrifício necessário, e pagou o preço requerido pela nossa redenção. Portanto, se por um lado fomos perdoados, por outro lado as exigências da justiça divina também foram satisfeitas.

«O sangue de Cristo significa a sua vida santa, oferecida a Deus como sacrifício expiatório, pelos pecados do mundo. Esse sangue é semelhante a uma fonte de cura, que envia riachos através do canal da fé, a fim de lavar as manchas culposas do pecado». Philip Schaff, em Rom. 3:25, no Comentário de Lange. Ver *Expiação*, e *Expiação Pelo Sangue de Jesus*.

IV. Expiação ou Propiciação?

Alguns intérpretes fazem uma distinção entre

PROPICIATÓRIO — PROPOSIÇÃO

expiação e propiciação. Ver sobre *Expiação*, seção IV, onde ofereço explicações completas.

PROPICIATÓRIO

1. Palavras e Definições

No hebraico, *kapporeth*, que aparece por vinte e sete vezes no Antigo Testamento, segundo se vê, para exemplificar, em Êxo. 25:17-22,34; 39:35; 40:20; Lev. 16:2,13-15; Núm. 7:89; I Crô. 28:11. No grego, temos o substantivo *hislatérion*, que aparece somente por duas vezes: Rom. 3:25 e Heb. 9:5. O adjetivo, *híleos*, também aparece por duas vezes: Mat. 16:22 e Heb. 8:12 (citando Jer. 31:34). O verbo, *hiláskomai*, também figura por duas vezes: Luc. 18:13 e Heb. 2:17. Finalmente, o substantivo *hilasmós*, «propiciação», aparece por duas vezes: I João 2:2 e 4:10. O verbo pode ser entendido como «propiciar», «reconciliar», «expiar», «mitigar». O substantivo também era usado para indicar uma oferenda que procurava expiação, conciliação. Era no propiciatório que Deus mostrava-se gracioso e exibia a sua *misericórdia* (vide). O propiciatório era parte integrante do tabernáculo e do templo de Jerusalém.

2. Descrição

O propiciatório era a tampa da arca da aliança, uma sólida chapa de ouro, cujas dimensões eram, aproximadamente, 1,11 m x 0,67 m. Formando uma única peça com essa chapa, havia dois querubins, um diante do outro, com asas abertas, que se tocavam no alto, e que encimavam o propiciatório (ver Êxo. 25:17,22).

3. Na Teologia do Antigo Testamento

O propiciatório, como lugar onde o sangue dos sacrifícios era vertido, uma vez por ano, simbolizava tudo quanto estava envolvido no sistema sacrificial do Antigo Testamento. Os pecados eram considerados perdoados quando o sangue dos animais sacrificados era derramado. A arca da aliança indicava o lugar da presença misericordiosa e graciosa de Deus, o seu trono misericordioso entre os homens. Os querubins, de asas abertas por cima, representavam os guardiães dos atos misericordiosos de Deus, os observadores celestes de sua graça, aplicada aos homens. «Como se fosse o escabelo do trono de Deus (I Crô. 28:2; Sal. 132:7) o propiciatório era considerado o lugar onde o Senhor se encontrava com o respresntante sacerdotal do povo» (notas na Revised Standard Version, em Êxo. 25:22). Os sacrifícios não eram realmente feitos sobre o propiciatório. Ao propiciatório apenas era trazido o sangue do animal sacrificado, uma vez por ano, onde era aspergido. Ver o artigo intitulado *Expiação pelo Sangue*.

4. Na Teologia do Novo Testamento

Cristo é nossa expiação e nosso propiciatório. Ver **Propiciação e Expiação**.

PROPORÇÃO

Ver o artigo intitulado *Proporção da Fé*.

PROPORÇÃO DA FÉ

Segundo a proporção da fé, Rom. 12:6. Visto que essa expressão é um tanto obscura, tem ela recebido certa variedade de interpretações, como segue:

1. Alguns pensam que se trata da fé subjetiva. Diz Tholuck (*in loc.*): «O profeta se mantém dentro dos limites de seu dom profético, que lhe é atribuído pela sua individualidade». Essa interpretação inclui igualmente a idéia de sua própria «receptividade», ou seja, como ele se entrega para ser instrumento para o exercício de seu dom. Cada homem tem um certo desenvolvimento em sua espiritualidade. Portanto, cada um exerce o seu dom de conformidade com seu desenvolvimento espiritual, e isso de conformidade com a sua «proporção da fé», ou seja, com a proporção de seu desenvolvimento espiritual, no que diz respeito à função de seu ofício. Ainda uma subcategoria dessa fé *subjetiva* é aquela idéia que diz que, para cada um, Deus tem determinado certa medida da «graça da fé», ou seja, da dotação espiritual, em que cada indivíduo labora de conformidade com a mesma. Isso concorda com o terceiro versículo deste capítulo, bem como com a idéia geral de havermos recebido alguma medida da «graça», que nos capacita a ministrar, devendo ser reputada como parte da idéia aqui tencionada. Não obstante, essa «graça» não se mostrará eficaz a menos que seja exercida com fé pessoal, e de acordo com o desenvolvimento espiritual do indivíduo, que depende do princípio da fé. Por essa razão é que disse Meyer (*in loc.*): «...de acordo com a força, a clareza, o fervor e outras qualidades da fé que lhes tiver sido outorgada; de tal modo que o caráter e o modo de falar se conformem com as regras e os limites que são subentendidos na proporção de seu grau individual de fé».

2. Outros estudiosos preferem pensar na *fé objetiva*, isto é, — pensam haver aqui alusão à regra das Escrituras ou revelação divina, — o padrão de doutrina cristã que é a autoridade seguida pela igreja cristã, dependendo do ponto de vista do intérprete. Essa seria a «analogia fidei», ou seja, o padrão de revelação, especialmente aquele exibido nas Sagradas Escrituras. E isso significa, por sua vez, que as profecias transmitidas por meio de quem quer que seja devem se conformar a esse padrão, não ultrapassando o mesmo. Paulo realmente apelou para certos *cânones* fundamentais da verdade, se não mesmo a confissões eclesiásticas formais, aplicadas às doutrinas neotestamentárias; e com freqüência esse apóstolo citava o A.T. como documento autoritário. (Quanto aos «cânones fundamentais da verdade, segundo Paulo», ver as notas expositivas sobre Gál. 1:8; 6:16; Fil. 3:16; II Tim. 3:15,16, no NTI). Não obstante, não podemos incluir aqui a *autoridade eclesiástica*, ou mesmo algum cânon de fé estabelecido pelo homem no N.T., conforme alguns intérpretes de tendências mais eclesiásticas gostariam de fazer-nos crer, porque, ao tempo em que Paulo assim escreveu, não havia essa autoridade estabelecida no seio da igreja neotestamentária, além do fato de que o *cânon* do N.T. estava longe de ficar completo.

PROPOSIÇÃO

Quanto a um contraste, ver sobre *Postulado*.

Esboço:
  I. Definições
  II. Algumas Considerações Amplas
  III. Tipos de Proposição na Filosofia
  IV. Contraste da Proposição com o Postulado

I. Definições

Essa palavra vem do latim, **proponere**, «estabelecer», «propor». Uma proposição é qualquer coisa que pode ser asseverada, negada, contendida, mantida, suposta, implicada ou pressuposta. O que quer que uma sentença indicativa puder expressar, será uma proposição. Os lógicos têm limitado isso ao afirmar que não são verdadeiras proposições aquelas declara-

PROPOSIÇÃO — PROPÓSITO

ções que mantêm que algo é certo ou errado (juízos morais), pois, embora gramaticalmente indicativas, na verdade elas são logicamente imperativas, ou mesmo ejaculatórias. Poderíamos indagar, entretanto, por que motivo um imperativo não pode ser considerado uma proposição afirmativa. Mas, dentro da lógica formal, essas supostas espécies de proposição não são consideradas proposições genuínas, de onde possam ser extraídas conclusões.

II. Algumas Considerações Amplas

Na *matemática*, uma proposição é uma declaração em termos de algo que se propõe a ser provado, como um teorema, apresentado como um problema. Na *gramática*, trata-se de uma sentença ou parte de uma sentença que consiste em um sujeito, um predicado e uma cópula. Na *lógica*, é uma sentença ou parte de uma sentença que afirma ou nega alguma conexão entre os termos; nesse caso, o termo «proposição» é limitado a asserções, pois perguntas e ordens não são incluídas. As proposições lógicas são divididas em: 1. consonância com a substância (categóricas e hipotéticas); 2. de acordo com a qualidade (afirmativas e negativas); 3. de acordo com a quantidade (universais e particulares). Na *poesia*, uma proposição é a primeira parte de um poema, onde é indicado o assunto abordado no mesmo. Na *retórica*, uma proposição é aquilo que é proposto, oferecido ou afirmado, sobre o que o discurso é baseado, e que o orador procura demonstrar. No *mundo dos negócios* e nas *conquistas amorosas*, uma proposição é um oferecimento qualquer que tem em mira algum benefício mútuo. Algumas vezes, dentro desta última categoria, uma proposição oferece uma sugestão imprópria.

III. Tipos de Proposição na Filosofia

1. *Proposições Categóricas*. Essas incluem as proposições *singulares*: «Sócrates é um homem». As proposições *universais afirmativas*: «Todos os homens são mortais». As proposições *universais negativas*: «Nenhum homem é imortal». As proposições *particulares afirmativas*: «Alguns advogados são políticos». As proposições *particulares negativas*: «Alguns advogados não são políticos».

2. *Proposições Hipotéticas*. Essas são aquelas que afirmam alguma situação caracterizada pela incerteza. Geralmente envolvem algum «se», como, por exemplo: «Se amanhã a temperatura baixar para dez graus centígrados, muitas pessoas ficarão resfriadas».

3. *Proposições Disjuntivas*. São aquelas que envolvem alguma situação com «ou-ou», exigindo que uma das possibilidades anule a outra. Para exemplificar: «Ou ele nasceu no Rio, ou em São Paulo».

IV. Contraste da Proposição com o Postulado

Emanuel Kant foi quem destacou essa distinção. Assim, uma *proposição* é aquilo que pode ser examinado mediante a percepção dos sentidos, podendo assim ser expresso mediante uma afirmação informal ou uma afirmação científica, com base na experiência humana. Já um *postulado* é um tipo de proposição que tem origem na razão, na intuição ou nas experiências místicas, não estando sujeito a provas científicas. Todavia, um postulado pode ser necessário para a construção de um sistema filosófico razoável, como o postulado que afirma a existência de Deus e da alma, sobre bases morais, e não sobre bases empíricas. Kant descreveu as proposições em sua obra *Crítica da Razão Pura*, e os postulados em sua outra obra, *Crítica da Razão Prática*.

PROPOSIÇÃO AUTO-EVIDENTE

Uma proposta assim chamada é aquela cuja verdade torna-se imediatamente evidente, sem qualquer necessidade de argumentação, ou por pertencer àquela classe que não pode ser comprovada mediante a investigação empírica, ou então porque ela é racional e semelhante aos princípios matemáticos. Todo conhecimento, pois, começa em princípios auto-evidentes, que são aceitos sem qualquer demonstração, e que servem de base para a formação de sistemas de pensamento. Ver sobre *Princípios Reguladores* e sobre *Postulados*.

PROPÓSITO

Esboço:
1. A Palavra e Suas Definições
2. Doutrinas e Idéias Relativas ao Propósito
3. O Mistério da Vontade de Deus
4. Consolo e Propósito
5. Qualidades dos Propósitos de Deus

1. A Palavra e Suas Definições

Essa palavra portuguesa vem da mesma raiz que o vocábulo «proposta», ou seja, o latim *pro*, «antes», e *poser*, «pôr». Um propósito, assim sendo, é «algo proposto», uma meta a ser alcançada, um princípio a ser posto em ação. No latim, *propositio* significava «proposição». A Concordância de Strong, em inglês, envolve quase cem ocorrências dessa palavra na tradução inglesa do rei Tiago. Porém, há doutrinas bíblicas de grande importância relacionadas a esse conceito. Ver no segundo ponto uma lista dessas ocorrências. Várias palavras hebraicas e gregas estão envolvidas neste verbete, usualmente tendo a idéia de «vontade de fazer-se algo», ou «plano» ou «método de ação», etc. No Antigo Testamento, poderíamos examinar passagens como I Reis 5:5; II Crô. 28:10; Esd. 4:5; Nee. 8:4; Pro. 20:18; Isa. 1:11; 14:26; Jer. 6:20; 26:3; 36:3; 49:30; 51:29; Dan. 6:17. Os propósitos aludidos nesses versículos são de natureza divina ou humana, podendo ser importantes ou triviais, morais ou imorais, espirituais ou mundanos.

Ao chegarmos ao Novo Testamento, há três vocábulos gregos que devem ser examinados, em sua forma verbal ou nominal, a saber:

a. *Próthesis*, «proposta», «proposição». Essa palavra foi usada por doze vezes: Mat. 12:4; Mar. 2:26; Luc. 6:4; Atos 11:23; 26:13; Rom. 8:28; 9:11; Efé. 1:11; 3:11; II Tim. 1:9; 3:10; Heb. 9:2. Dessas doze ocorrências, quatro referem-se aos «pães da proposição» (Mat. 12:4; Mar. 2:26; Luc. 6:4; Heb. 9:2). As demais envolvem propósitos divinos ou humanos.

b. *Boúlema*, «vontade», «propósito». Esse substantivo aparece somente por duas vezes, em Atos 27:43 e Rom. 9:19.

c. *Boúlomai*, «quero», «proponho». Esse verbo ocorre por trinta e sete vezes: Mat. 1:19; 11:27; Mar. 15:15; Luc. 10:22; 22:42; João 18:39; Atos 5:28,33; 12:4; 15:37; 17:20; 18:15,27; 19:30; 22:30; 23:28; 25:20,22; 27:43; 28:18; I Cor. 12:11; II Cor. 1:15,17; Fil. 1:12; I Tim. 2:8; 5:14; 6:9; Tito 3:8; File. 13; Heb. 6:17; Tia. 1:18; 3:4; 4:4; II Ped. 3:9; II João 12; III João 10; Jud. 5.

2. Doutrinas e Idéias Relativas ao Propósito

Ver os artigos separados sobre *Causa; Determinismo; Predestinação; Eleição; Restauração; Livre-Arbítrio*. Na Bíblia, aparecem vinculados aos seus propósitos os planos, as intenções e os atos de Deus. Ver o artigo *Decretos Divinos*. Certo argumento em favor da existência de Deus tem sido formulado com base no desdobramento do propósito e desígnio divinos na criação. Ver sobre o *Argumento Teológi-*

PROPÓSITO — PROSÉLITO

co. Deus criou tudo com um propósito em mira (ver Gên. 1). Ele remiu a sua criação por meio de um propósito (ver sobre a *Redenção*). Levantou uma nação a fim de que promovesse a sua mensagem, por meio desse propósito. O Israel espiritual é uma conseqüência desse propósito. Jesus, o Messias, veio ao mundo em consonância com o propósito de Deus, e as Escrituras tinham previsto isso (ver Luc. 24:27). Os teólogos têm-se inclinado por chamar os propósitos divinos de «decretos», e meu artigo sobre os *Decretos Divinos* apresenta um sumário a esse respeito.

3. O Mistério da Vontade de Deus

Ver o artigo sob aquele título e Efé. 1:9,10. Refere-se ao propósito final de Deus no tocante à redenção humana e à *restauração* (vide). Na dispensação da plenitude dos tempos, todas as coisas terão o *Logos* como seu centro, e todas as coisas expressar-se-ão por meio dele (ver Efé. 4:10). Dessa maneira, ele tornar-se-á tudo para todos.

4. Consolo e Propósito

A fato de que Deus tem um bom propósito para tudo, e o fato de que o seu amor e a sua força toda-poderosa estão por detrás desse propósito, ensina-nos que este mundo não está sendo dirigido pelo *caos* (vide), e nem está ficando cada vez mais caótico. Sem dúvida, isso serve de consolo para nos A experiência humana confirma esse discernimento. As *Experiências Perto da Morte* (vide) mostram-nos que o desígnio divino afeta até as menores questões da vida. Jesus ensinou que nem mesmo um passarinho cai ao chão sem que disso tome consciência o cuidado amoroso do Pai celeste (ver Luc. 12:6,7). E isso nos consola, pois valemos muito mais que os passarinhos.

5. Qualidades dos Propósitos de Deus

a. Os propósitos divinos são eternos (ver Efé. 3:11); b. são imutáveis (ver Jer. 4:28); c. seu cumprimento é certo (ver Isa. 14:24); d. a redenção e a restauração humanas são os focos principais de seus interesses (ver Rom. 8:28-30; Efé. 1:9,10); e. estão alicerçados sobre a graça que nos é conferida em Cristo (ver II Tim. 1:9).

PROPRIEDADE

Esse vocábulo vem do latim, **proprius**, «próprio», «pertencente a alguém». Popularmente, a palavra indica algum objeto de valor que pertence a uma pessoa como sua possessão. Mas também significa aquilo que pertence a um objeto, como uma característica ou qualidade distintiva. Na filosofia, indica aquilo que é comum a todos os membros de alguma classe, ou aquilo que uma pessoa possui.

Idéias dos Filósofos:

1. *Aristóteles* fazia da propriedade um dos cinco tipos de atribuição. Esses cinco tipos são: espécie, gênero, diferença, propriedade e acidente. O uso dessas definições dá-nos uma boa idéia sobre a natureza e a manifestação das coisas. Uma *propriedade* não faz parte da essência de uma coisa, apesar de pertencer exclusivamente a ela. Por exemplo, uma propriedade do homem é a sua capacidade de aprender as regras da gramática. Não se pode definir a essência de um homem ao dizer que ele possui essa habilidade; mas podemos atribuir alguma coisa a ele, ao mesmo tempo em que hesitaríamos atribuir tal capacidade a outros objetos ou entidades.

2. *Locke* falava nas propriedades no sentido de um «direito natural». Ele acreditava que a possessão de uma propriedade é um direito outorgado por Deus, algo básico à existência humana.

3. *Hegel*, concordando com Locke, referia-se ao direito de ter alguma propriedade como a primeira manifestação da liberdade humana. Para ele, negar o direito à propriedade privada a um homem era furtar-lhe a sua liberdade, que é sua mais preciosa possessão.

4. *Marx* e o *marxismo* (vide), por outro lado, fazem do Estado o único proprietário. E isso impôs o que Hegel temia, o arrebatamento da liberdade básica de um homem. Marx pensava que aqueles que buscam ter propriedades as ao mantêm usualmente estão envolvidos em alguma forma de divisão. No entanto, ele não hesitou em viver do dinheiro e das propriedades que Engel lhe deixara, em seu testamento.

PROPRIEDADES NÃO-NATURAIS

Os institucionistas falam sobre os princípios éticos como se estes se derivassem da intuição, e não das sensações. Esses princípios são chamados «propriedades não-naturais», porquanto não são apreendidos pela percepção natural dos sentidos, mas só podem ser conhecidos pelos processos mentais intuitivos.

PROPRIETÁRIO (DONO) DA CASA

Durante o período helenista, o termo usado era «mestre da casa». Nos evangelhos sinópticos encontramos o vocábulo grego *oikodespotes*, que mandava sobre a mansão, em distinção a empregados e empregadores. Ver Mat. 13:27. O próprio Jesus Cristo foi assim chamado, quando apareceu em seu senhorio no reino dos céus (Luc. 13:25). Ver também Mat 20:1 e 21:33. A forma verbal significa «gerenciar a própria casa» ou «manter a casa». Um gerente poderia estar em vista, mas o Novo Testamento usa a palavra para indicar o proprietário. Epicteto empregou a palavra para se referir ao próprio Deus, que é o mestre da casa do Universo; e Filo disse algo similar (ver *Epict*. 3:22,4; Filo, *Somn*. 1:149).

PROPRIUM

Essa palavra latina significa «possessão» ou «característica». Os filósofos não são acordes quanto a como Aristóteles distinguia o seu *proprium* do seu *acidente*. Um proprium é alguma característica de alguma entidade que não faz parte de sua essência, e sem a qual pode existir. Um cão pode existir sem abanar a cauda; mas os cães vivem abanando as caudas. Esse costume de abanar a cauda é um *proprium*. Porém, como distinguir isso de um mero *acidente* permanece um mistério.

Schleiermacher (vide) empregou essa palavra para indicar a diferenciação interna do indivíduo que exprime seu lugar particular na natureza e na história, ou sua posição finita distintiva, em meio à infinitude. À medida que uma pessoa desenvolve o seu *proprium*, ela se torna mais e mais um indivíduo distinto e útil. Em seu *proprium*, tal pessoa tem sua identidade e unidade. Todos os principais elementos da vida contribuem para a formação desse *proprium*, a saber, a ética, a sociedade, a religião, a educação, o desenvolvimento espiritual, o desenvolvimento profissional, etc.

PROSÉLITO, PROSELITISMO

Esboço:
I. Palavras e Definições
II. Caracterização Geral

PROSÉLITO

III. No Antigo Testamento
IV. Informações Rabínicas
V. No Novo Testamento

I. Palavras e Definições

A forma grega verbal dessa raiz é *proserchesthai*, «aproximar». A forma nominal é *prosélutos*, «alguém que chegou» em um lugar. Nesse sentido, pode referir-se ao ato literal de chegar a um lugar estranho. Ou, por analogia, pode aludir a alguém que chegou a alguma nova fé religiosa, tendo vindo de algum outro lugar (metaforicamente falando). Na Septuaginta (tradução do Antigo Testamento para o hebraico), essa palavra grega é usada para traduzir o vocábulo hebraico *ger*, um residente estrangeiro, que vivia em Israel mas não era hebreu. Esse termo hebraico pode ter um sentido civil, significando então «estrangeiro»; ou pode ter um sentido religioso, um estrangeiro «convertido», que assumira algumas ou todas as responsabilidades da fé judaica. O termo grego *prosélutos*, por sua parte, pode significar «recém-chegado», «visitante», «estrangeiro», e, por analogia, «convertido».

O *proselitismo* consiste no esforço proposital de fazer convertidos a alguma fé religiosa, ou a alguma idéia ou partido político. No seu sentido mais lato, um *prosélito* é um convertido a qualquer sistema ou conjunto de crenças e práticas, embora o termo tenha chegado a assumir um significado quase totalmente religioso ou político. Quase todas as fés religiosas, embora nem todas, fazem prosélitos.

II. Caracterização Geral

O termo hebraico *ger* indicava um estrangeiro que residia em Israel, e, por extensão, um estrangeiro convertido ao judaísmo. Um «prosélito justo» distinguia-se dos outros prosélitos, da classe religiosa, e tornava-se parte integral do judaísmo. Recebia o banho batismal e a circuncisão. Esse indivíduo, na verdade, tornava-se judeu. Mas um «prosélito do portão» (ver Deu. 5:14) não se filava à fé judaica em sentido pleno, embora aceitasse os elementos universais da fé judaica, conforme são sumariados nas sete leis mosaicas. Essas leis salientavam a importância da justiça, proibiam a idolatria, proibam a crueldade contra os animais, ilegitimavam o furto, o assassínio e a blasfêmia. Todavia, um homem desses não se envolvia com os aspectos ritualistas do judaísmo. Mas aos verdadeiros convertidos eram concedidos plenos direitos religiosos e legais, embora muitos deles não atingissem igualdade quanto a questões sociais e financeiras. O trecho de Atos 2:10 distingue entre judeus e gentios que haviam adotado o judaísmo. O profundo senso de preconceito racial dos judeus não permitia uma verdadeira igualdade. Sabemos que os três séculos anteriores ao cristianismo caracterizaram um período de intenso proselitismo (mediante todas as formas de atividade didática e missionária). Jesus referiu-se negativamente a isso, em Mat. 23:15. Tem sido calculado que havia nada menos de três milhões de judeus na diáspora, e que talvez a maioria deles consistisse, na verdade, em convertidos ao judaísmo, e não judeus de nascimento. Os conflitos entre os judeus e os romanos, com a destruição final de Jerusalém (nos anos 70 e 132 D.C.), pôs fim, de modo quase definitivo, ao proselitismo judaico. Então chegou a vez do cristianismo tornar-se a grande força proselitista do mundo, em obediência ao mandamento de Cristo (ver sobre *Comissão, A Grande*). E a passagem de Col. 1:16 mostra-nos que o cristianismo obteve um sucesso inicial surpreendente, nesse esforço.

III. No Antigo Testamento

1. A *tolerância* e a participação parcial. Essas condições eram oferecidas a todos os estrangeiros em Israel, embora houvesse exigências. Não podiam viver em Israel e blasfemar contra Yahweh (Lev. 24:16). Também não podiam praticar a idolatria (Lev. 20:2), tinham de agir com decência (Lev. 18:26), não podiam trabalhar em dia de sábado (Êxo. 20:10), não podiam comer pão com fermento durante os dias da celebração da páscoa (Êxo. 12:19), não podiam comer sangue ou a carne de animais que tivessem morrido naturalmente ou tivessem sido despedaçados por feras (Lev. 17:10,15). Se cumprissem esses regulamentos, podiam viver em paz, embora não fossem cidadãos e nem tivessem os direitos de cidadania. Mas, se não cumprissem tais condições, estavam sujeitos ao extermínio.

2. *Naturalização e Plena Participação*. Aqueles que quisessem esse estado, precisavam ser batizados e circuncisados. Desse modo, comprometiam-se a guardar a lei inteira, tornando-se israelitas nativos, participantes dos pactos (ver Êxo. 12:48,49; Rom. 9:4). Havia algumas exceções. Nem todos os estrangeiros podiam ser assim recebidos. Os amonitas e moabitas estavam excluídos por certos atos que tinham de realizar, até à décima geração (o que, para todos os propósitos práticos, tornavam-se *permanentes*). Os edomitas só podiam ser admitidos na terceira geração (ver Deu. 23:3,8). Essas nações tinham feito oposição a Israel, quando o povo de Deus deixou o Egito, e não podiam ser facilmente perdoadas por causa disso. Mas outros povos, como os queneus, podiam tornar-se convertidos plenos (ver Jui. 1:16). Os gibeonitas foram aceitos, mas, na verdade, foram reduzidos à virtual escravidão. Vemos, pois, que houve vários padrões em ação, pelo menos na prática, posto que não oficial (ver Jos. 9:16 ss). No tempo da monarquia, alguns estrangeiros obtiveram elevadas posições em Israel; mas, considerados como uma classe, eles eram cidadãos de segunda categoria, e muitos tiveram de tornar-se trabalhadores forçados (ver I Crô. 22:2; II Crô. 2:17,18). O profeta persa Baha Ullah estabeleceu uma boa regra ao afirmar que nunca deveríamos pedir a outra pessoa para fazer algo por nós quando nós mesmos nos recusamos a tal. Isso é degradante para a personalidade humana; mas Israel, e até os cristãos (donas-de-casa com suas empregadas quase escravas) continuam atuando dessa maneira.

Israel via-se a braços com uma espécie de problema *estrangeiro*, tal como sucede a muitas nações modernas, especialmente por razões militares e comerciais. E na época em que Judá voltou do cativeiro, tinha havido muita miscigenação entre os judeus, que Esdras e Neemias procuraram purificar; mas como é apenas natural, o elemento estrangeiro sempre foi elevado, depois disso.

Houve uma modalidade de universalismo, em alguns segmentos e em alguns períodos do judaísmo, que não caracterizava a totalidade da nação. Generosas orações chegaram a ser feitas (ver I Reis 8:41-43; Isa. 2:2-4; 49:6; 56:3-8; Jer. 3:17; Sof. 3:9), que demonstram um espírito universalista. No Antigo Testamento, quanto a isso, destaca-se o livro de Jonas, que é o João 3:16 do antigo pacto.

3. *Após o Cativeiro*. Alguns estrangeiros foram atraídos pelo judaísmo devido à presença e exemplo da piedade religiosa que os hebreus deram na Babilônia e estavam dando em outros lugares. Além disso, estava havendo um amálgama de povos e idéias, e o judaísmo absorveu muitas idéias e práticas que não se originavam no Antigo Testamento. Isso

PROSÉLITO

tendia por fazer a fé judaica tornar-se mais aceitável diante de estrangeiros. O trecho de Est. 8:17 menciona especificamente que houve muitos convertidos ao judaísmo, durante o período persa. As conquistas dos macabeus naturalmente engrossaram as fileiras dos convertidos ao judaísmo. As conversões compulsórias também eram comuns durante aquele período histórico, mas essa prática foi posteriormente denunciada, ao ponto que chegou a ser proibido até mesmo forçar um escravo a converter-se ao judaísmo (*Hebamoth* 48b). Naturalmente, houve exceções. Os membros da família de Herodes, que eram convertidos vindos de Edom, sempre insistiram que aqueles que quisessem casar-se com membros da família se convertessem ao judaísmo (mediante a prática da circuncisão, para os homens).

4. O Grande Aumento. O período dos Macabeus, com suas conversões forçadas, obviamente foi um tempo em que a causa judaica avançou, pelo menos quanto a números. Porém, além disso, os três séculos antes de Cristo foram assinalados por entusiásticas missões judaicas. Os trechos de Tobias 1:8 e Judite 14:10 dão-nos alguma idéia quanto a isso. Não demorou muito para o judaísmo ser bem representado nas grandes capitais do mundo antigo, como Alexandria. Uma abundante literatura religiosa ajudou nesse processo do proselitismo; e *Filo* (vide) foi um dos poderosos autores nesse esforço. O próprio Josefo, exilado, sendo um historiador judeu autorizado (reconhecido por Roma), atuou como força em favor do proselitismo judaico. Houve colônias judaicas em Roma desde tão cedo quanto o século II A.C. Mostraram-se tão zelosos e bem-sucedidos que os romanos expulsaram-nos dali em 139 A.C., mas, no século I A.C. eles voltaram, mais resolutos do que nunca, propagando-se por várias cidades da Itália e de outras partes do império romano. Eles dispunham de numerosas colônias no Egito e em Cirene. Quando Pompeu obteve suas vitórias militares, levou muitos judeus para Roma como escravos. Alguns deles, posteriormente, adquiriram a cidadania romana. Autores como Tácito, Juvenal, Horácio e Cícero falaram dos judeus de maneira pejorativa. Mesmo assim, tais autores queixaram-se do exclusivismo dos judeus e das atitudes xenofóbicas deles, mesmo quando judeus eram os estrangeiros. Jesus comentou negativamente sobre os abusos do zelo missionário dos judeus (ver Mat. 23:15). Todavia, um aspecto negativo não pode anular as atitudes e as práticas morais aprimoradas, que o judaísmo fazia espalhar pelo mundo. Afinal de contas, precisamos reconhecer que essa obra missionária, em mais de um sentido, facilitou a propagação do cristianismo no mundo greco-romano, e, com freqüência, os primeiros convertidos ao cristianismo provinham de colônias judaicas de muitas localidades.

IV. Informações Rabínicas

Na literatura rabínica encontramos opiniões extremadas acerca dos prosélitos. Por um lado, eles chegaram a ser elogiados até mesmo mais que os israelitas nativos. Mas, por outro lado, são escarnecidos ali como se nunca se tivessem realmente convertido, mas antes, sempre estivessem maculados pelo pecado, o qual se manifestaria com grande facilidade (ver *Baba Mesia* 59b). *Yebamot* 109b chega a comparã-los com úlceras na pele de Israel. O termo hebraico *ger* era usado para indicar um prosélito pleno. Um estrangeiro residente era chamado de *gertosab*. Essa foi a expressão que acabou sendo traduzida por «prosélito do portão». Porém, quem se convertesse por motivo de temor, era apelidado, desprezivelmente de «prosélito leão» (ver II Reis 17:25 ss). *Midrash Rabbath*, no seu oitavo capítulo (citado na *Antologia Rabínica*) reflete uma atitude bondosa de alguns rabinos para com os convertidos gentílicos ao judaísmo, afirmando que eles deveriam ser respeitados e amados mais do que os israelitas nativos. A questão dos meio-prosélitos foi levantada por Schuerer (*Geschichte des Juedischen Volkes*, vol. III, págs. 124 ss), como se tal condição fosse estranha às crenças fundamentais do judaísmo. Alguns escritores judeus chegam ao extremo de negar que o Talmude descreve qualquer coisa como um pleno convertido ao judaísmo. Porém, as citações oferecidas parecem ser contrárias a essa opinião, e o próprio Antigo Testamento certamente estabelece distinção entre os dois tipos de prosélitos.

V. No Novo Testamento

1. Ainda Sobre Bases Veterotestamentárias. Aqueles que no grego eram chamados «*oi phoboúmenoi*», «os tementes (a Deus)», quando eram gentios, sem dúvida eram convertidos ao judaísmo, que então vieram a converter-se ao cristianismo. Dentro dessa categoria estavam o centurião de Cafarnaum (ver Luc. 7:5), o eunuco etíope (ver Atos 8:27 ss), Cornélio de Cesaréia (ver Atos 10). E os trechos de Atos 2:10 e 6:5 alertam-nos quanto ao fato de que deve ter havido muitos desses prosélitos que entraram em contacto com a fé cristã, e assim supriram muitos membros à Nova Fé. Já pudemos ver que uma elevada porcentagem de judeus da *diáspora* compunha-se, na realidade, de convertidos gentios, e que o período helenista foi um tempo de intensas missões gentílicas. Talvez fosse mais fácil ser judeu nas áreas remotas do mundo greco-romano do que na Palestina. Uma condição básica para quem fosse aceito como judeu, se tivesse vindo do paganismo, era a circuncisão, e então o batismo purificador. Para as mulheres, a condição era o batismo e o oferecimento de um sacrifício.

2. No Tocante à Igreja Cristã. A Igreja cristã foi forçada a herdar o problema do proselitismo que havia no judaísmo, e então enfrentar seus próprios problemas com os novos convertidos, vindos do paganismo, sem que eles tenham, primeiramente, feito uma fase preparatória no judaísmo. O que deveria ser requerido da parte desses puros gentios que se tornassem crentes (sem o benefício de antes terem-se tornado judeus)? O décimo quinto capítulo de Atos conta-nos a história. A circuncisão não foi requerida da parte deles, o que pareceu extremamente insatisfatório para os judeus cristãos mais conservadores, os quais não podiam conceber a salvação sem a circuncisão (ver Atos 15:1). O primeiro concílio ecumênico, efetuado em Jerusalém, fornece-nos os requisitos impostos aos convertidos do paganismo: precisavam abster-se de coisas que tivessem sido oferecidas aos ídolos. Tais coisas não podiam ser usadas na alimentação. E também não podiam ingerir sangue e nem a carne de animais que tivessem sido sufocados. Igualmente, deveriam evitar de todo a imoralidade, e, naturalmente, qualquer forma de idolatria. À medida que o cristianismo foi-se expandindo para áreas puramente gentílicas, onde os legalistas não se fizessem presentes para levantar objeções, provavelmente diversas regras dessas começaram a ser ignoradas, como o uso de sangue nos alimentos; e até mesmo a questão de comer coisas que tivessem sido oferecidas a ídolos parece ter sido relaxada, *se* nenhum irmão se ofendesse diante do fato (ver I Cor. 8:7 ss). Paulo recusou-se a permitir a circuncisão de Tito, a despeito das pressões que lhe foram feitas nesse sentido, porquanto Tito era um gentio puro (ver Gál. 2:3-5). Porém, no caso de

PROSÉLITO — PROSTITUTA

Timóteo que era cinqüenta por cento judeu, Paulo permitiu sua circuncisão, a fim de outorgar-lhe maior aceitação entre os judeus da Ásia Menor (ver Atos 16:1-4). Em um dos casos, Paulo aplicou a sua convicção; e, no outro, aplicou uma medida pragmática. E, em minha opinião, ele agiu acertadamente em ambos os casos.

3. *A baixa avaliação*, feita por Jesus, dos prosélitos do judaísmo (ver Mat. 23:15), foi uma avaliação geral. Essa lata generalização não abordou casos como o dos verdadeiros «tementes a Deus», como o centurião de Cafarnaum ou o centurião de Cesaréia. E também não negou a espiritualidade autêntica de muitos judeus sinceros.

4. *A Igreja e Sua Missão Gentílica*. Jesus encorajou o proselitismo como a própria raiz da Nova Fé (ver Mat. 28:19,20). Ver o artigo separado intitulado *Comissão, a Grande*. O trecho de Atos 1:8 mostra-nos que essa comissão recebeu a sua devida ênfase, e o próprio livro de Atos é demonstração do zelo que marcou as primeiras missões cristãs, as quais, em sua maioria, acabaram voltando sua atenção principalmente para os gentios. Gradualmente, a Igreja cristã foi-se afastando de Jerusalém, sua base original, e estabeleceu seus quartéis-generais nas grandes capitais do mundo, como Éfeso, Constantinopla, Antioquia da Síria, Alexandria e Roma, os primeiros cinco grandes patriarcados. A Europa tornou-se o centro da Igreja durante a Idade Média; e as missões modernas, começando pela Alemanha, logo espalharam o cristianismo a todas as nações pagãs do mundo.

PROSTITUTA, PROSTITUIÇÃO

Esboço:
 I. As Palavras e suas Definições
 II. Algumas Práticas das Sociedades Primitivas
 III. Pontos de Vista do Antigo Testamento
 IV. Pontos de Vista do Novo Testamento
 V. Usos Metafóricos
 VI. Causas da Prostituição
 VII. Remédios Para a Prostituição

I. As Palavras e suas Definições

A raiz latina da palavra «prostituta» é *pro*, «antes», e *statuere*, «fazer ficar defronte», o que é uma idéia com óbvias implicações sexuais. A palavra latina *prostitutus* é o particípio passado de *prostituere*, que significava «expor publicamente», «prostituir». A raiz original parecia referir-se à exibição pública de prostitutas, as quais ou se exibiam voluntariamente ante os olhares masculinos, ou, então, eram submetidas a isso por outros, a fim de atrair clientes. Um vocábulo hebraico comum para «prostituta» era *Zanah*, um termo que podia referir-se tanto à fornicação quanto ao adultério, além do aluguel do sexo a dinheiro. Figuradamente, a prostituição indicava a idolatria. Ver Gên. 34:31; 38:15; Lev. 21:14; Jos. 6:17; Pro. 7:10; Isa. 1:21; 23:15; Jer. 2:20; Eze. 16:16; 23:5,9; Osé. 2:5; 3:3; Joel 3:3; Amós 7:17; Miq. 1:7; Naum 3:4. Um outro vocábulo hebraico é *qedeshah*, «devota» (quando estava em vista a prostituição religiosa, também chamada cultual), indicando uma prostituta qualquer. Ver Gên. 38:15,21,22; Deu. 22:21.

No Novo Testamento encontramos a palavra grega *pórne*, «prostituta», que figura por doze vezes: Mat. 21:31,32; Luc. 15:30; I Cor. 6:15,16; Heb. 11:31; Tia. 2:25; Apo. 17:1,5,15,16; 19:2. A forma verbal é *porneúo*, «prostituir-se», «praticar imoralidade sexual». O masculino, *pórnos* ocorre em I Cor. 5:9-11; 6:9; Efé. 5:5; I Tim. 1:10; Heb. 12:16; 13:4; Apo. 21:8; 22:15, geralmente traduzido por «imoral». O verbo, *porneúo* aparece por oito vezes: Mar. 10:19; I Cor. 6:18; 10:8; Apo. 2:14,20; 17:2; 18:3,9. *Porneía*, «prostituição», ocorre por vinte e seis vezes: Mat. 5:32; 15:19; 19:9; Mar. 7:21; João 8:41; Atos 15:20,29; 21:25; I Cor. 5:1; 6:13,18; 7:2; II Cor. 12:21; Gál. 5:19; Efé. 5:3; Col. 3:5; I Tes. 4:3; Apo. 2:21; 9:21; 14:8; 17:2,4; 18:3; 19:2.

Definições Básicas. Fazer sexo em troca de dinheiro é a idéia básica na prostituição, embora seja essa uma noção simplista. A falta de castidade promíscua também é prostituição, mesmo quando não há dinheiro envolvido. Contudo, a prostituição pode ser voluntária ou forçada. Uma mulher seria uma prostituta moral quando é forçada a entrar nessa atividade para ganhar dinheiro para terceiros, enquanto ela mesma é mantida em abjeta pobreza, conforme tantas vezes tem sucedido na história? Temos de estabelecer diferença entre uma prostituta forçada, que chega mesmo a ser uma espécie de escrava, e uma outra, que vende voluntariamente o seu corpo. Esta última é a verdadeira prostituta.

II. Algumas Práticas das Sociedades Primitivas

A prostituição religiosa, na qual mulheres presumivelmente serviam às divindades, ganhando dinheiro para os tesouros dos templos pagãos, era um aspecto bastante comum das culturas antigas. Essa era uma característica usual dos cultos religiosos cananeus, dos quais participavam prostitutos e prostitutas. A classe feminina era chamada, no Antigo Testamento, de *qedeshah*; e a classe masculina, *qades*. O trecho de Deu. 23:18 chama o ganho vergonhoso dessa atividade de «salário de prostituição» (mais literalmente, «salário de um cão»). Os tabletes de Ugarite (11:73; 63:3; 81:2) referem-se à classe masculina com a palavra *qdsm*, enquanto que os sacerdotes que promoviam esse comércio eram os *khnm*. Naturalmente, na mente dos hebreus, havia a constante associação entre a prostituição e a idolatria, porquanto as duas coisas geralmente andavam lado a lado, havendo mesmo um uso metafórico do termo que indicava idolatria. Ver Isa. 1:21; Jer. 13:27; Eze. 16:16; Osé. 1:2. Quando o povo de Israel buscava a outros deuses, essa busca era chamada de «prostituir-se com outros deuses», de tal maneira que aquela associação de idéias veio a fixar-se na mente dos israelitas.

Algumas sociedades primitivas, onde a mulher era considerada mera propriedade do homem, não hesitavam em promover ativamente a prostituição. Isso incluía a prostituição até mesmo de esposas e irmãs, com finalidades de lucro. Em uma sociedade onde uma esposa podia ser comprada, foi fácil utilizar a mesma mulher para captar dinheiro, oferecendo-a a outros homens com propósitos sexuais. E também lemos sobre pais que usavam suas filhas como prostitutas. A partir daí, foi preciso um pequeno passo para vender mulheres aos templos, a fim de serem prostitutas cultuais. Sabe-se que tal prática era comum entre os povos semitas. Por essa razão, foi mister que Moisés proibisse aos pais prostituírem suas filhas (ver Lev. 19:29). Se um sacerdote levítico fizesse tal coisa, deveria ser executado na fogueira (Lev. 21:9), ou então por apedrejamento (Deu. 22:21). A destruição final dos povos cananeus teve por razão, pelo menos em parte, a seus hábitos extremamente imorais (Lev. 20:22).

Em algumas culturas africanas, a virgindade é desprezada, e meninas muito jovens são usadas como parceiras sexuais. Na cultura dos esquimós, é costumeiro o dono da casa entregar sua esposa a um visitante, como entretenimento. Pode-se ver, com

PROSTITUTA

base nesses vários exemplos, que os pontos de vista hebreu-cristãos a respeito das questões sexuais não concordam com o que os homens em geral têm pensado e feito. De fato, a atitude moralista dos hebreus formava um agudo contraste com a permissividade dos gregos e dos romanos. Os gregos tornaram-se famosos por seu homossexualismo. E também apelavam para as *hetaerae*, «outras», que eram companhias femininas que não eram esposas. Essas mulheres eram prostitutas profissionais, e algumas delas eram companhias não pagas. Costume muito parecido prevalece atualmente no Japão.

As mulheres que se tornassem prisioneiras de guerra supriam concubinas individuais e prostitutas que atuavam nos bordéis. Os romanos seguiam esses costumes, e as escravas estavam sujeitas aos piores abusos sexuais, comerciais e não-comerciais. E também havia escravos homossexuais. Os *lupanares* ou bordéis dos romanos tornaram-se numerosíssimos e tiveram de ser regulamentados por lei; mas em Roma as leis sempre foram baixadas a fim de serem desobedecidas. O governo cobrava taxas dos bordéis, indicação de um empreendimento lucrativo. Alguns dos primeiros pais da Igreja, como Teodósio e Valentiniano, tentaram persuadir às autoridades civis a suprimirem os bordéis e não mais tachá-los como fonte de renda. Porém, os políticos romanos nunca se interessaram muito em reduzir seus ganhos em potencial. Justiniano, que se casara com uma prostituta, ficou sabendo mais do que queria sobre esse negócio, e o resultado foi que procurou introduzir reformas.

III. Pontos de Vista do Antigo Testamento

1. *A Prostituição é uma Antiga Prática*. Na verdade, conforme se tornou proverbial, essa é a mais antiga das profissões, porquanto as mulheres sempre tiveram dificuldade em viver de forma independente, e os homens sempre se dispuseram a pagar dinheiro em troca de sexo. Nos tempos modernos, sobretudo na África, os missionários cristãos vêem-se forçados a permitir a continuação da poligamia, visto que as esposas plurais, se forem repelidas, usualmente tornam-se prostitutas. Rejeitar a uma esposa quase sempre, na África, equivale a condená-la à prostituição; pelo menos equivale a torná-la adúltera (o que talvez esteja implícito em Mat. 5:32). A prostituição prevalecia em sociedades mencionadas na Bíblia, desde o início. Ver Gên. 38:15; Juí. 11:1. Era encontrada em Canaã (Jos. 2:1), na Filístia (Juí. 16:1), e em muitas outras terras (Pro. 2:16 e 29:3).

2. *Regulamentos Mosaicos*. Um pai não podia prostituir suas filhas (ver Lev. 19:29); um sacerdote não podia contrair matrimônio com uma prostituta (ver Lev. 21:14); se um sacerdote entregasse sua filha à prostituição, ele deveria ser executado na fogueira (ver Lev. 21:9), ou, então, por apedrejamento (ver Deu. 22:21). No templo não se podia usar dinheiro adquirido pela prostituição (ver Deu. 23:17,18).

3. *Atitudes dos Profetas*. A prostituição e a idolatria eram sócias, de tal maneira que a primeira era usada como metáfora para indicar a segunda. Ver Isa. 1:21; Jer. 13:27; Eze. 16:16; Osé. 1:2.

4. *A Imagem Bíblica da Prostituição*. Na Bíblia a prostituta aparece como uma aventureira que arrasta os homens à ruína (Pro. 23:27). Uma sociedade ou nação ímpia e idólatra é comparada a uma prostituta coletiva (Apo. 17:5,15-17). Uma prostituta sabe seduzir mortalmente (Naum 3:4). Nações foram assemelhadas a prostitutas, devido às suas imoralidades e à sua religião falsa (como Nínive, Naum 3:4; ou Tiro, Isa. 23:15-17). Uma mulher virtuosa é benéfica para seu marido, mas uma prostituta arruina financeiramente a um homem (Pro. 29:3; Luc. 15:30). As prostitutas exibem-se publicamente, e se caracterizam por vestes escandalosas (I Reis 22:38; Pro. 7:12; Isa. 3:16). A prostituta tem moral baixa; mas a adúltera ainda é mais vil (Pro. 6:26).

IV. Pontos de Vista do Novo Testamento

1. O Senhor Jesus repreendeu às frouxas idéias morais dos fariseus (ver João 8:7; Mat. 5:32; 21:31 ss; Luc. 7:37-50), o que, naturalmente, resultava em formas diversas de prostituição.

2. Paulo combateu a excessiva prostituição da cidade de Corinto, onde tornara-se comum a prostituição religiosa (ver I Cor. 5:1 ss; 6:15,16).

3. O concílio de Jerusalém condenou a prostituição, exigindo que os convertidos ao cristianismo abandonassem toda e qualquer participação (ver Atos 15:20,29).

4. As prostitutas estão moralmente mortas (ver I Tim. 5:6).

5. A união sexual de alguma maneira combina as energias vitais das duas pessoas envolvidas. Sendo esse o caso, é ofensa séria o crente ter união com uma prostituta, ao mesmo tempo em que desfruta da presença do Espírito Santo, com Quem goza de união espiritual vital (ver I Cor. 6:18). O fato de que o crente é templo do Espírito Santo veda terminantemente, para ele, todas as formas de imoralidade.

V. Usos Metafóricos

1. A *idolatria* é prostituição, tal como sucede à apostasia (ver Isa. 1:21; Jer. 13:27; Eze. 16:16; Osé. 1:2).

2. A prostituição é um *viver na morte* (ver I Tim. 5:6).

3. Países inteiros ou cidades-estado são comparados com prostitutas, em face de sua imoralidade e idolatria. Foram os casos de Roma (Apo. 17:5), Nínive (Naum 3:4) e Tiro (Isa. 23:15-17).

4. A prostituição é uma corrupção do corpo, que é um templo espiritual, sobretudo no caso do crente (ver I Cor. 6:18 ss).

5. Um povo pecaminoso é como uma prostituta, que corre de um amante para outro, ansiosa por mais aventura e maior ganho (ver Isa. 57:3-5; Jer. 2:23-25).

6. Nos sonhos e nas visões, a participação na prostituição pode simbolizar toda uma série de atividades e atitudes dúbias, prejudiciais e pecaminosas, embora sem o concurso (ou incluindo) de atos sexuais.

VI. Causas da Prostituição

1. Muitas prostitutas tornam-se tais por terem um desejo desordenado por sexo, encontrando satisfação somente nos excessos que sua profissão (?) lhes permite. Geralmente, podem ser encontradas perturbações psicológicas que causam a condição, embora, em algumas delas, pareça também haver causas orgânicas.

2. Usualmente há alguma distorção psicológica que leva as mulheres a buscar cumprimento ou aceitação por meio do sexo.

3. As pesquisas têm descoberto que algumas mulheres têm personalidades que definidamente gravitam para a prostituição, tal como outras personalidades inclinam-se para outras atividades.

4. Nos tempos em que vivemos, grande parte da prostituição deve-se à falta de dinheiro, a fim de sustentar vícios, como o das drogas.

5. A despeito da passagem dos séculos e da melhoria das condições de vida das mulheres, muitas delas ainda são forçadas a uma vida de prostituição.

6. A grande causa da prostituição é o simples desejo

ou necessidade de *dinheiro*. A prostituição é uma atividade lucrativa. Um simples encontro pode render, para uma prostituta, o que uma secretária só consegue ganhar em uma semana. Uma prostituta de luxo, no Brasil, pode ganhar, em um único encontro, o que uma jovem que trabalha só ganharia em dois ou três meses de trabalho. O fato de que uma cidade brasileira de tamanho moderado, como Recife, conta com cerca de quarenta mil prostitutas profissionais devidamente fichadas (para nada dizer sobre outras milhares que não o são), só pode dizer sobre o fator econômico como o maior de todos os motivos que levam as mulheres a tornarem-se prostitutas.

VII. Remédios Para a Prostituição

1. Agências sociais, financeiras e governamentais podem reduzir a prostituição mediante programas que tendam por melhorar as condições sócio-econômicas das mulheres.

2. As igrejas e a pregação do evangelho não têm conseguido reduzir apreciavelmente a prostituição massificada, embora tenha podido ajudar a muitas prostitutas individuais, especialmente por meio de missões de socorro e amparo, nas grandes cidades.

3. As agências médicas, ultimamente, talvez tenham contribuído, mais do que qualquer outra coisa, para a redução da prostituição, visto terem espalhado os perigos envolvidos nas doenças venéreas incuráveis. A mais temível dessas enfermidades é a AIDS, acerca da qual temos ouvido mais do que gostaríamos de saber. Mas, segundo outros, o povo ainda não foi informado de tudo a respeito da AIDS, porque a verdade sobre essa enfermidade é chocante. Seja como for, o temor à AIDS tem reduzido apreciavelmente a prostituição, e muitos homens têm descontinuado totalmente o contacto sexual com as prostitutas. A homossexualidade também tem recebido um golpe muito rude e muitos lugares de encontros homossexuais têm fechado suas portas. Mas, o que resta de prostituição—hetero ou homossexual—ainda é temível. Quão perigosa é a prostituição pode ser avaliado pelo fato de que a *possessão demoníaca* (vide) está tão pesadamente envolvida na perversão das funções sexuais humanas. Uma outra característica básica da possessão demoníaca é o *ódio*, o equivalente diabólico do amor. O ódio e o sexo pervertido são as duas grandes expressões da atividade dos demônios.

PROTÁGORAS

Um filósofo sofista grego (ver sobre os **Sofistas**). Suas datas foram, aproximadamente, 490-410 A.C. Nasceu em Abdera, na Trácia. Foi conselheiro de Péricles, que, por sua vez, aconselhava a políticos; e assim obteve grande reputação em Atenas. Péricles nomeou-o para formular um código legal para a colônia ateniense de Turim, na Itália.

Protágoras também era amigo de Eurípedes, sendo respeitado (embora de idéias filosóficas contrárias) por Sócrates e Platão. Em certo sentido, Protágoras foi o primeiro professor universitário. Sustentava-se com base nas taxas pagas por seus estudantes, e que os historiadores dizem que eram bastante altas. Deve ter sido o último professor universitário a ser bem pago! Sócrates pensava ser uma desgraça ficar «vendendo» o conhecimento, sendo essa uma razão pela qual Sócrates continuou na pobreza. A atitude socrática para com o ensino tem sido a atitude de maior influência na história da educação. Finalmente, Protágoras, acusado de ateísmo, — foi expulso de Atenas; mas, por essa altura, já era um homem rico.

Idéias:

1. *O homem é a medida de todas as coisas*. E isso tanto das coisas que existem quanto das que não existem. Protágoras tornou-se famoso por essa citação, que era a regra fundamental do sofismo. O homem seria a medida do conhecimento, da ética, das crenças religiosas, etc. Pois a respeito de nenhuma dessas coisas precisaríamos de leis divinas, que provenham de fora da consciência humana. Essa atitude levou-o a ensinar a relatividade quanto a todas as coisas. A minha verdade é só minha; a tua é só tua; a minha noção da ética é minha, e a tua é tua, e tudo é igualmente válido. O que funciona no meu caso é a minha verdade; e o que funciona bem para ti é a tua verdade. Protágoras, pois, equiparava a verdade com a *funcionalidade*, o que veio a ser a pedra fundamental do *pragmatismo* (vide).

2. *Educação*. A tarefa da educação consiste em modificar o homem de um estado ruim para um estado melhor. Mas isso seria melhor obtido através da máxima pragmática, conforme se viu no ponto primeiro, acima. Naturalmente, Protágoras estava interessado em todas as formas de conhecimento, embora exigindo que todo conhecimento tivesse alguma função e aplicação prática.

3. *A matéria acha-se em estado de fluxo*. Portanto, para todos os efeitos práticos, a matéria é tudo no que estamos interessados, pois nossa percepção sensorial só nos dá conhecimentos acerca da matéria. Em outras palavras, o mundo é aquilo que interpretamos que o mesmo seja, em consonância com a máxima pragmática. Qualquer teoria que ultrapasse daí é inútil. Temos aí a pedra fundamental primitiva do *positivismo* (vide).

4. *Opinião e practicabilidade* são os dois fatores determinantes dos valores éticos. Porém, quando os homens alteram suas opiniões, os padrões éticos modificam-se de acordo com isso. Não há padrões fixos, e minha verdade é minha, enquanto que a tua é tua. As idéias éticas devem dar certo, e não ser apenas teóricas. A experimentação faz-se necessária para determinar o que é exeqüível. Mas o padrão a ser seguido, a qualquer momento, é a opinião do indivíduo ou da comunidade envolvida.

5. *O progresso social* ocorre quando as comunidades ajustam-se ao desenvolvimento das artes e técnicas necessárias para sustentá-las, além da agricultura, que é basilar.

6. *No tocante aos deuses*, Protágoras assumia uma posição abertamente agnóstica: «(Os homens) não têm meios de saber nem se existem e nem se não existem; e ainda que existam, não sabem qual é a sua forma». Por causa dessa afirmativa (interpretada como própria do ateísmo), ele foi condenado em 411 A.C., e foi banido de Atenas. E pereceu afogado no mar, a caminho da Sicília.

Escritos. *Sobre a Verdade; Sobre os Deuses; Antilógica*. Além dessas obras, escreveu sobre gramática, direito e matemática. Até onde se sabe, ele foi o primeiro homem que sistematizou as regras e o estudo da gramática, tendo originado a classificação das partes da linguagem, os tempos e os modos verbais. De todos os seus escritos, restam somente fragmentos de *Sobre os Deuses*.

Platão discutiu e refutou os pontos de vista de Protágoras em seus diálogos *Protágoras* e *Taeteto*.

PROTESTANTE, ÉTICA

Ver sobre **Ética Protestante**.

••• ••• •••

PROTESTANTISMO

PROTESTANTISMO
Esboço:
I. O Termo Protestante
II. Caracterização Geral
III. Esboço Histórico
IV. Tipos Básicos de Protestantismo
V. Expressões Modernas: Gráfico
VI. Doutrinas Distintivas Básicas

I. O Termo Protestante

Ver os artigos separados *Reforma Protestante* e *Reforma Católica*.

A palavra *protestantismo* é um termo coletivo, usado para aludir àquele movimento religioso e àqueles grupos que vieram a fazer oposição à Igreja Católica Romana, o que produziu um sério cisma na Igreja Católica, no século XVI. Os grupos que mantêm essa atitude cismática são chamados de «protestantes». Ver a segunda seção, *Caracterização Geral*, quanto a uma definição mais completa do *Protestantismo*. Esse apodo, «protestantes», que veio a ser aplicado àqueles que repeliram a autoridade papal, formando igrejas independentes, originou-se na Alemanha quando, por ocasião da segunda dieta de Espira, em 1529, aqueles que apoiavam as idéias de Lutero apresentaram o seu *protesto* por haver sido repelido o edito anterior e mais tolerante de 1526. Esses seguidores de Lutero eram príncipes alemães que faziam objeção à decisão que dizia que não podiam dirigir as suas próprias questões religiosas dentro de seus respectivos territórios, conforme viam que seria justo. Naturalmente, o apelido não tardou a generalizar-se, chegando mesmo a ter um uso retroativo. Assim, em 1517, Lutero havia «protestado» contra certas crenças e práticas da Igreja Católica Romana, ao expor as suas *Noventa e Cinco Teses*. Seu principal protesto fora contra a venda das indulgências e contra a doutrina geral católica romana a esse respeito. Assim, aquilo que teve começo como um protesto, não demorou a transformar-se em denominações cismáticas. A fragmentação nunca cessou, de tal modo que os grupos protestantes, hoje em dia, são muito numerosos. Nos séculos XVI e XVII, esses novos grupos cristalizaram-se em torno de suas posições, e o cisma protestante tornou-se oficial e permanente.

II. Caracterização Geral

A Reforma Protestante sem dúvida nenhuma não foi um erro. Teve e tem seus pontos bons e necessários. Foi uma convocação à liberdade e um retorno à Bíblia (embora alguns dogmas e interpretações ocidentais, em minha opinião falsos, tenham permanecido à base do movimento). Por outra parte, por seu lado negativo, a história do protestantismo é uma massa confusa de igrejas e credos em competição, de hostilidades, de lutas pelo poder, e de uma interminável fragmentação. Nas igrejas protestantes, apesar da suposta autoridade ser «as Escrituras somente», na prática essa autoridade consiste nas Escrituras e no que eu e minha denominação interpretamos. É admirável como tantos grupos podem afirmar estarem mais próximos das Escrituras que os demais, justificando sua alegada superioridade mediante um apelo a certos textos de prova bíblicos selecionados. Naturalmente, nisso está havendo distorções do ensino bíblico.

Historicamente, o protestantismo é aquele movimento religioso que houve, no seio da *Igreja ocidental* (a Igreja oriental já se afastara do papado em 1054), associado à *Reforma Protestante* (vide) do século XVI. No entanto, a atitude de protesto e de reforma pode ser percebida em um passado muito anterior, em alguns grupos que se dividiram da Igreja oficial, sem falarmos em alguns poucos prelados e líderes religiosos, dentro da Igreja Católica, que procuraram impor reformas, ou que apresentaram idéias que divergiam daquelas da cristandade organizada. Poderíamos citar nomes como os *albigenses* e os *waldenses* (ver os artigos acerca desses grupos), os quais, embora não tenham sido protestantes quanto à doutrina em geral, opunham-se à autoridade papal e buscavam uma manifestação independente. E dentro da Igreja Católica Romana levantaram-se os grandes patriarcas da Reforma, João Wycliffe, de Oxford, na Inglaterra (1321-1384), e João Huss, de Praga, na Boêmia, acerca dos quais temos apresentado artigos separados.

«Um movimento de reforma religiosa na Europa, cujos líderes viveram durante o espaço de dois séculos. A começar por Wycliffe, no século XIV, que foi o primeiro a propor os princípios da Reforma, e então com Huss, nos fins do século XIV, e começo do século XV, que foi o primeiro a implementar esses princípios, o movimento ampliou-se durante a maior parte do século XVI. E começando com Lutero, que tomou posição com as suas Noventa e Cinco Teses, em 1517, a Reforma posicionou-se no centro do palco da cena européia. A iniciativa de Lutero teve prosseguimento com os labores de Melanchton (vide), Zwínglio (vide), Calvino (vide) e João Knox (vide). E a Igreja Católica Romana reagiu com a sua Contra-Reforma (vide)» (P).

O protesto da segunda dieta de Espira (1529) teve uma orientação nitidamente política; e a declaração mais longa que emergiu daquela dieta, intitulada *Instrumentum Appellationis*, deixou claro que a minoria evangélica tomara a mesma posição que Lutero havia tomado, acerca da autoridade das Santas Escrituras. «A Santa Bíblia é, em todas as coisas, necessária para o cristão... Somente essa Palavra deveria ser pregada, com nada que lhe seja contrário. Ela é a única verdade. É a regra segura de toda doutrina e conduta cristãs. Jamais poderá falhar e nem enganar-nos», dizia aquela afirmação.

Conforme pode-se ver, apesar do termo «protestante» enfatizar a idéia de protesto, a Reforma foi um tempo de reafirmação da Bíblia e sua autoridade, com um novo testemunho em favor das Escrituras, o que finalmente resultou nas missões modernas, que propagaram o protestantismo a todas as partes da terra. «O protestantismo migrou para a América com os primeiros colonos e, durante o século XIX, o movimento missionário protestante espalhou suas doutrinas, defendidas por diversas igrejas protestantes, pelo mundo inteiro, mormente pela Ásia oriental e pela África» (AM).

ESPIRA, DIETAS DE

Lembramo-nos dessas dietas não meramente por terem tido alguma importância durante o período da Reforma Protestante, mas também porque foi ali que o termo «protestante» veio a designar os luteranos, e daí para os vários outros grupos que depois surgiram. Espira foi a cena de quatro dietas, durante o período da Reforma. Em 1526, Carlos V muito queria impor as estipulações do *Edito de Worms* (vide). Porém, a situação política forçou-o a concordar com a resolução proferida por ocasião das Dietas de Espira, a qual dizia: «Cada qual deve governar e agir conforme espera responder a Deus e à Sua Majestade Imperial». Isso descortinou uma liberdade suficiente para o luteranismo espalhar-se por toda a Alemanha, dividindo religiosamente a nação. Mas, aí por volta de

PROTESTANTISMO

1529, Carlos V tornara-se forte o bastante, no âmbito da política, e ele resolveu esmagar o luteranismo. Assim, naquele ano, foi baixada uma resolução que revertia a situação de volta ao Edito de Worms, contradizendo as decisões mais liberais da Dieta de Espira. Ora, o Edito de Worms havia condenado claramente Lutero e suas posições teológicas, e procurava submeter a imprensa a uma censura rígida.

Os luteranos sentiram-se muito contrariados diante do fato de que a Dieta de Espira tinha perturbado a liberdade deles, e assim «protestaram», publicando a seguinte declaração: «Em questões concernentes à honra de Deus e à salvação das almas, cada qual deve prestar contas de si mesmo a Deus», dando a entender, naturalmente, que os governantes civis devem deixar em paz as pessoas no tocante a questões de consciência, fazendo da tolerância a atitude para com todos os grupos religiosos. Não obstante, nas localidades onde os governantes civis eram protestantes, esse sentimento foi geralmente ignorado, e os oponentes foram perseguidos.

Em duas outras dietas de Espira, Carlos V uma vez mais foi forçado a fazer concessões aos luteranos, para que estes o ajudassem a combater os turcos (1542), e também os franceses (1544). Porém, uma vez que ele obteve a vitória contra estes últimos, novamente voltou-se contra os luteranos, em Muelberg (1547), esmagando-os com suas forças militares.

III. Esboço Histórico

1. Os *Albigenses* (vide), uma seita de reformadores religiosos (séculos XI a XIII), que em nenhum sentido foram protestantes e evangélicos, exceto que se insurgiram contra a autoridade papal, buscando liberdade religiosa. Nesse sentido, eles anteciparam o movimento protestante do século XVI.

2. Os *Waldenses* (vide), uma seita de dissidentes religiosos, fundada em cerca de 1170 D.C., por Pedro Waldo, que buscava restaurar a Igreja à sua pureza original, enfatizando o estudo das Escrituras. Apesar de não terem sido protestantes e evangélicos quanto a muitas doutrinas, eles representavam um anseio por reforma e por liberdade, destacando a importância das Escrituras Sagradas. Esses elementos vieram a tornar-se preciosos para o protestantismo. Os waldenses continuam existindo como grupo independente até hoje, tendo assumido posições mais evangélicas do que antes.

3. *João Wycliffe* (século XIV) (vide) foi uma verdadeira antecipação da Reforma Protestante. Ver mais detalhes no artigo acerca dele.

4. *João Huss* (vide) promoveu as idéias de Wycliffe e assim tornou-se outro elo verdadeiro no processo histórico que conduziu à Reforma Protestante. Suas datas aproximadas foram 1369-1415.

5. *Os Anabatistas* (vide). Esses formaram um movimento anterior à Reforma Protestante, mas eram, essencialmente, reformadores. Eles defendiam várias doutrinas nitidamente evangélicas, que influenciaram o curso da Reforma. E então, com a passagem do tempo, terminaram por mesclar-se com os reformados.

6. A *Reforma Protestante* propriamente dita teve seu início em 1517, quando Lutero afixou suas Noventa e Cinco Teses. Ver o artigo separado intitulado *Reforma Protestante*.

7. Ver os artigos separados sobre *Lutero, Calvino, Zwínglio* e *João Knox*, o que nos leva ao final do século XVI, apresentando a propagação do protestantismo por vários lugares da Europa.

8. *A Igreja Anglicana*. A separação entre a Igreja da Inglaterra e a Igreja de Roma também foi um movimento histórico do século XVI. Ver o artigo chamado *Comunhão Anglicana*. Essa comunhão representa uma espécie de meio caminho entre o catolicismo romano e o evangelicalismo, retendo aspectos católicos (no *anglo-catolicismo*) e evangélicos. Os *batistas* (vide) tiveram sua origem no espírito evangélico que foi gerado dentro da comunidade anglicana.

9. *Nos séculos XVIII e XIX*, o protestantismo consolidou-se sob a forma de suas denominações históricas, mas sofreu alguma fragmentação adicional, em grupos menores. A grande inovação do século XVIII foi o *Metodismo* (vide).

10. *No século XIX*, vários grupos vieram fixar-se na América do Norte. Dali e da Europa (começando pela Alemanha) desenvolveu-se o moderno movimento missionário. Isso propalou as várias denominações protestantes e evangélicas tradicionais, por todo o mundo, embora, no começo, principalmente no Extremo Oriente e na África.

11. *No século XX*, tem havido grande fragmentação de grupos protestantes e evangélicos. A história do protestantismo, nessa altura dos acontecimentos, tem-se tornado uma massa confusa de igrejas e credos. Tal competição tem-se espalhado para todas as partes do mundo, através do movimento missionário. As denominações protestantes mais antigas têm-se fragmentado em intermináveis divisões e subdivisões. O liberalismo tem sido uma dessas forças de desagregação, mas a maior parte dessas divisões tem envolvido disputas sobre doutrinas e práticas secundárias, ou, então, devido à luta pelo poder, à arrogância e à carnalidade. O *movimento carismático* (vide) tem adicionado um número ainda maior de fragmentos. Ali busca-se uma nova expressão de vida, através das experiências místicas. Infelizmente, faz-se isso sobre bases antiintelectuais, no combate ao dogmatismo das denominações protestantes e evangélicas tradicionais. — Por volta de 1950, já havia duzentos e cinqüenta grupos protestantes diferentes nos Estados Unidos da América do Norte.

12. *O movimento ecumênico* insuflou uma tentativa de unificação, um esforço que prossegue. Infelizmente, busca-se ali uma unificação organizacional, com o sacrifício de crenças bíblicas autênticas. Quanto a maiores informações sobre a questão, ver o artigo intitulado *Movimento Ecumênico*. A oposição a esse movimento, lamentavelmente, tem servido de outra inspiração à fragmentação. Ver o artigo sobre o *Liberalismo*.

IV. Tipos Básicos de Protestantismo

1. *Os Dois Tipos Originais*. Diretamente da Reforma Protestante, emergiram a Igreja Luterana (seguidores das idéias de Lutero) e a Igreja Reformada (calvinista, formada por seguidores das idéias de Calvino). Esses grupos espalharam-se pela Alemanha, pela Holanda, pelos países escandinavos, pela Grã-Bretanha, e, mediante a emigração, para a América do Norte.

2. Um outro tipo de protestantismo foi aquele representado pela *Igreja Anglicana*. Eles podem ser considerados protestantes no sentido de serem contrários a Roma; mas preservam mais do catolicismo do que os outros grupos protestantes. Retêm a liturgia e certas doutrinas romanistas tradicionais, rejeitadas pelos outros grupos protestantes, especialmente as questões da sucessão apostólica e do sacramentalismo. O anglicanismo tem servido de uma espécie de ponte entre o catolicismo romano e o protestantismo.

3. Um tipo de protestantismo de *ala esquerda* tem

PROTESTANTISMO

sido o dos anabatistas e menonitas. Esses eram mais radicais, distinguindo-se por doutrinas que, aos olhos dos grupos mais tradicionais, eram consideradas extremadas.

4. Os *batistas*, bastante parecidos com os grupos protestantes tradicionais no tocante à maioria dos pontos, trouxeram algumas inovações no campo do governo eclesiástico, além de negarem a teologia sacramentalista e de ensinarem o batismo por imersão, somente para os regenerados. Os batistas originais procediam da comunidade anglicana. Ver o artigo sobre os *Batistas*.

5. Os *metodistas* formam uma espécie de movimento pietista que se separou da comunidade anglicana, tornando-se independente. Ver sobre o *Metodismo*.

6. Os *eruditos liberais* formam uma espécie de frente de ala esquerda, dentro do protestantismo. Surgiram no século XIX e se fizeram proeminentes no século XX. Ver sobre o *Liberalismo*.

7. O *movimento carismático* emergiu do metodismo, e em breve mostrou pouca força de coesão, fragmentando-se em denominações distintas. As denominações tradicionalistas também contam, em suas fileiras, com elementos carismáticos. De fato, isso ocorre até mesmo dentro da Igreja Católica Romana. Ver sobre o *Movimento Carismático*.

Os *três* tipos tradicionais de protestantismo são: os luteranos, os reformados e os anabatistas-menonitas. Dali foram surgindo outros grupos, e, por efeito de fragmentação, temos hoje o espetáculo de uma incrível variedade nas manifestações do cristianismo protestante e evangélico.

V. Expressões Modernas: Gráfico

Igreja Católica Romana
|
Pré-Reformadores
|
Reforma Protestante
|
Três Tipos Básicos:
Luteranos; Calvinistas; Anabatistas-Menonitas
|
Comunidade Anglicana:
Ponte entre Romanismo e Protestantismo
|
Começo da Fragmentação:
Batistas e Metodistas
/ \
Conservantismo Protestante Geral Moderno
|
Protestantes Evangélicos
Tradicionalistas
Fundamentalistas
Neo-Evangélicos
Liberais
Pentecostais
Carismáticos Não-Pentecostais

Explicações:

1. Este gráfico mostra a fragmentação da Igreja ocidental. Não nos esqueçamos de que a Igreja oriental já se havia separado da ocidental, em 1054. Portanto, o que aqui mostramos é como a Igreja ocidental e sua teologia achou novas adaptações e manifestações. Em minha opinião, a Igreja oriental preservou (devido aos pais gregos da Igreja) algumas doutrinas que são superiores às do Ocidente, as quais, em sua maior parte, não foram adotadas pelos vários grupos fragmentados do Ocidente.

A mais conspícua das doutrinas da cristandade oriental, em distinção à cristandade ocidental, é sua visão mais esperançosa do destino do homem. Os teólogos orientais têm-se mostrado favoráveis à idéia da contínua oportunidade de salvação, após o túmulo, asseverando que o após-túmulo é um lugar de preparação para a salvação, exatamente como o é a vida mortal, no corpo físico. Eles acreditam na missão tridimensional de Cristo: sobre a terra, no hades e nos céus. Nessas três dimensões haveria salvação ou restauração. Fazendo contraste com isso, seguindo a teologia de Agostinho, a Igreja ocidental veio a encarar o atual estado mortal do homem como a única fase da existência humana onde há oportunidade de salvação. Há textos de prova bíblicos em favor de ambos os lados da controvérsia, mas, pessoalmente, adoto o ponto de vista mais otimista, crendo que o mesmo evita que a fé cristã seja pessimista. Ver meus artigos intitulados *Restauração* e *Descida de Cristo ao Hades*, que expõem o ponto de vista mais otimista do poder e atuação do evangelho, algo que, segundo creio, muito carecemos.

2. Na terceira seção mostrei os pontos essenciais acerca da evolução desde a Igreja Católica Romana até o item que, no gráfico, chamei de *Conservantismo Protestante Geral Moderno*, com seus respectivos ramos. Assim, estas explicações prosseguirão até aquele ponto.

3. Os *Protestantes Evangélicos Tradicionalistas* são aquelas denominações que dão prosseguimento aos três tipos básicos de protestantismo com poucas alterações, a partir do século XVI. Dentre eles, os menonitas são os que mais se modificaram, pois foram ficando cada vez mais parecidos com os outros evangélicos, tendo abandonado certas doutrinas e práticas estranhas, que haviam herdado dos anabatistas.

4. Os *Fundamentalistas* são aqueles grupos que enfatizam não somente um estrito biblicismo, mas também dispõem-se a combater qualquer desvio dessa posição. Aceitando as Escrituras como sua única regra de doutrina e conduta, eles têm a certeza de que não há erros nas mesmas. Além disso, em sua maioria, adotam uma teoria da inspiração verbal por ditado das Escrituras. A fragmentação tem-se mostrado mais intensa entre os fundamentalistas da velha escola. O historiador Mardsden talvez tenha dito a verdade ao afirmar que «um fundamentalista é um evangélico que está irado acerca de alguma coisa». O grande vício do fundamentalismo é a hostilidade, de onde se originam as fragmentações e a tendência para o conflito. O vício do liberalismo, por sua vez, é o ceticismo. Ver o artigo separado sobre o *Fundamentalismo*.

5. Os *Neofundamentalistas* defendem as doutrinas essenciais do fundamentalismo, embora anseiem por desvencilhar-se da reputação de visão estreita, de pouca cultura e de permanente fragmentação. Além disso, esforçam-se por edificar associações mais amplas e alianças espirituais, incluindo um leque mais amplo de evangélicos do que o fazem os fundamentalistas. Em outras palavras, para os neofundamentalistas «separação» não é a palavra-chave.

6. Os *Neo-Evangélicos* moveram-se um tanto para a esquerda dos neofundamentalistas. Sua postura

PROTESTANTISMO

doutrinária é um pouco mais liberal, embora não se tenham tornado liberais. Entre eles, a crença de que a Bíblia «não tem erros» recebe interpretações diferentes. Muitos deles não crêem em uma exatidão absoluta, mas preferem dizer coisas como: «Não há erros na mensagem do evangelho». Ou então falam sobre a mensagem bíblica em geral, sem entrarem em detalhes. Pontos de vista mais liberais são tomados quanto a certa variedade de assuntos, como a criação, a sua maneira, o elemento temporal da criação, etc. Podemos dizer que os neo-evangélicos representam uma posição do meio-termo entre o fundamentalismo e o liberalismo; e, na verdade, cada neo-evangélico representa essa posição em um grau todo próprio. Ver o artigo separado chamado *Neo-Evangelicalismo*.

7. Os *Liberais*. Esses pensadores abandonaram a noção da perfeição das Sagradas Escrituras, e começaram a aplicar os métodos científicos e históricos ao estudo da Bíblia. Outrossim, não pensam ser necessário, e nem mesmo correto, supor que a Bíblia é a única autoridade. Para eles, a Bíblia é apenas uma das autoridades (e com defeitos), entre outras autoridades. Eles rejeitam a *Bibliolatria* (vide). Os estudiosos liberais, naturalmente, representam um espectro muito amplo de crenças, a começar pelos virtuais não-cristãos, céticos, e daí até os cristãos, de crenças muito lassas. Muitos liberais pensam que o cristianismo nem mesmo é a única expressão religiosa legítima no mundo, e alguns deles opinam que o cristianismo não é, necessariamente, a melhor dentre tantas expressões religiosas do mundo. Quanto a maiores detalhes, ver o artigo sobre o *Liberalismo*. Seu ponto positivo é sua franca e freqüentemente sincera busca pela verdade, incluindo sua luta contra a estagnação. Mas o seu grande vício é o ceticismo. O liberalismo e a Comunidade Anglicana têm sido poderosas forças por detrás do *Movimento Ecumênico* (vide).

8. Os *Pentecostais*. Esses originaram-se do metodismo. Mas o pentecostismo não demorou a expressar-se em muitas denominações distintas, aumentando enormemente a fragmentação do protestantismo. Alguns estudantes de um colégio bíblico metodista resolveram que era errado dizer que os dons espirituais deveriam desaparecer após o período apostólico. As línguas foram buscadas e obtidas. Então, presumivelmente, outros dons espirituais foram acrescentados, de tal modo que, hoje em dia, muitos pentecostais afirmam que todos os dons espirituais neotestamentários já foram restaurados. Mas outros pentecostais preferem falar em termos de uma restauração parcial. Tenho relatado essa história no artigo chamado *Movimento Carismático*. A grande virtude desse movimento é a sua insistência de que ainda há muita coisa a ser aprendida pelos crentes, e que as experiências místicas são um poderoso meio de desenvolvimento espiritual. Ver sobre o *Misticismo*. Mas o movimento tem certos vícios, como um determinado exclusivismo, e, desafortunadamente, falsas manifestações dos dons, de mescla com certas manifestações que muito se assemelham às do espiritismo.

9. Os *Carismáticos Não-Pentecostais*. Essa gente também é conhecida como *Neopentecostais*, ou simplesmente, *carismáticos*. Esses têm permanecido como membros das denominações protestantes tradicionais, embora seguindo práticas pentecostais, como a possessão e o uso dos dons espirituais. Até certos católicos romanos poderiam ser assim chamados, visto que o povo carismático, naquela igreja, não difere muito dos carismáticos evangélicos, exceto que aceitam a autoridade papal. Ver sobre o *Movimento Carismático*.

VI. Doutrinas Distintivas Básicas

Os artigos separados sobre *Batistas*, *Metodismo*, *Igreja Presbiteriana*, *Calvino*, *Lutero* e *Luteranismo* fornecem os padrões doutrinários gerais dos grupos protestantes e evangélicos. Ver também sobre *Evangelicalismo*. Neste verbete, os meus comentários limitam-se à breve menção daquelas doutrinas que distinguem os protestantes dos católicos romanos. A grande massa das doutrinas permanece idêntica. Porém, as exceções foram e continuam sendo importantes.

1. Foi tomada uma posição mais restrita acerca da *autoridade*, e as Escrituras Sagradas foram eleitas a única regra de fé e prática. Ver o artigo intitulado *Autoridade*.

2. Houve uma volta para o *agostinianismo*, com abandono do *tomismo* (ver os artigos acerca dessas duas posições). Os artigos sobre *Agostinho* e *Tomás de Aquino* abordam as particularidades.

3. A *autoridade papal* foi rejeitada, e o papa, quando muito, é aceito como o bispo legítimo de Roma, ou então, é identificado com o falso profeta ou com o anticristo.

4. Houve a rejeição à veneração a Maria e aos santos, com a paralela eliminação de imagens de escultura. Ver sobre *Mariolatria* e *Mariologia*.

5. Houve a rejeição do conceito das *indulgências* (vide).

6. Também foi rejeitada a doutrina da *sucessão apostólica* (vide), na maioria das denominações protestantes e evangélicas.

7. Houve a rejeição ao *sacramentalismo* (vide), na maioria das denominações, embora muitos luteranos e anglicanos continuem aceitando o batismo e a eucaristia como sacramentos.

8. Os *concílios* foram rejeitados como inerrantes.

9. A *justificação pela fé*, lado a lado com o ensino geral sobre a *graça* divina, tornou-se o fator principal na prédica. Os reformadores continuaram a ver a lei mosaica como guia da vida do crente, embora não como justificadora. Mas esse ponto de vista tem sido rejeitado por alguns grupos protestantes e evangélicos modernos.

10. No luteranismo, a *consubstanciação* (vide) tomou o lugar da *transubstanciação* (vide), mas muitos luteranos, e certamente a maioria esmagadora dos outros grupos protestantes também rejeitam a primeira dessas doutrinas.

11. O *determinismo* foi e continua sendo uma ênfase comum de muitos grupos protestantes, em contraste com a posição oficial da Igreja Católica Romana, que favorece o livre-arbítrio humano. Ver os artigos sobre essas questões. Quando o *Jansenismo* (vide) foi formalmente rejeitado pelo catolicismo romano, o determinismo jamais poderia ser aceito novamente pelos romanistas. No entanto, as doutrinas da *predestinação* (vide) e do *determinismo* (vide) têm desempenhado papel preponderante nas crenças de muitos grupos evangélicos.

12. Foi rejeitado o *celibato* obrigatório (vide), como requisito imposto aos ministros.

13. Houve a *separação entre Igreja e Estado*, o que, em muitos grupos protestantes e evangélicos é aliado ao governo democrático da Igreja.

14. Tem havido maior ênfase sobre a *total depravação do homem* do que é comum à teologia católica romana.

15. Muitos grupos protestantes chegaram a rejeitar o *batismo infantil* (vide).

16. Houve total rejeição da *hierarquia eclesiástica*,

com muita simplificação no ministério (mais do que é permissível pelo Novo Testamento), chegando-se ao extremo do governo democrático.

17. Impôs-se o conceito do *sacerdócio de todos os crentes*, com a rejeição (por parte da maioria dos grupos protestantes e evangélicos) do conceito de que o ministro é uma espécie de padre.

18. É fortíssima a ênfase sobre a necessidade do *indivíduo* estudar as Escrituras, com a conseqüente rejeição da idéia de que somente a Igreja tem autoridade para interpretá-las.

Bibliografia. AM AMC B C E EP HOD NAS P PAU PAU(1950) R

PROTEVANGELIUM DE TIAGO
Ver *Tiago, Protevangelium de*.

PROVAS DA EXISTÊNCIA DE DEUS
Ver **Deus**, seção V, e **Argumentos em Prol da Existência de Deus**.

PROVAS DA EXISTÊNCIA E SOBREVIVÊNCIA DA ALMA
Ver sobre **Alma**, seção V, e **Imortalidade** (diversos artigos).

PROVAS DE CULPA
Houve tempo em que a culpa ou inocência das pessoas era determinada sujeitando-se as mesmas a testes fisicamente dolorosos e perigosos. Assim, jogava-se um homem dentro da água, e esperava-se que ele não morresse afogado, se fosse inocente. Aqueles que promoviam tais absurdos supunham que algum poder sobre-humano interviria em favor de quem fosse inocente. Torturas também eram aplicadas, e que a parte inocente supostamente não deveria sentir, ou, pelo menos, que deveria suportar com galhardia; mas, se fosse culpada, não agüentaria a prova. Se povos primitivos têm usado tais métodos, essa prática era comum na Europa da época medieval.

PROVÉRBIO
Esboço:
1. A Palavra e suas Definições
2. A Natureza dos Provérbios
3. Os Provérbios da Bíblia
4. Os Provérbios como Fenômeno Verbal e da Literatura Universal

1. *A Palavra e suas Definições*
Essa palavra vem do latim, *proverbium*, formada por *pro*, «antes», e *verbum*, «palavra». Seu sentido é algumas vezes expresso por algumas poucas palavras, precisas e coloridas. O latim, *pro*, pode ter o sentido de «de acordo com», ou «através de», e talvez essa seja a força desse prefixo, nessa palavra. No hebraico, o vocábulo correspondente é *mashal*, «ser semelhante», o que salienta o valor dos provérbios para a feitura de comparações e observações sutis e inteligentes.

2. *A Natureza dos Provérbios*
Um provérbio é uma declaração expressiva, incisiva e concisa, embora com o intuito de transmitir um pensamento novo ou importante. Pode ser uma declaração enigmática ou uma máxima, como se fosse uma minúscula parábola ou símile. Os seus sinônimos são aforismo, máxima, mote, preceito, símile. No Oriente, os provérbios usualmente incluem comparações, uma espécie de observação aguda e condensada. Um provérbio também pode ser uma «declaração enigmática», que requer meditação e análise para que possa ser definido ou compreendido. É o caso de Pro. 17:3, que diz: «O crisol prova a prata, e o forno o ouro; mas aos corações prova o Senhor». Pode-se comparar esse provérbio com um outro, que lhe é similar, em Mal. 3:3. O trecho de Pro. 1:17 é outro exemplo que requer reflexão demorada: «Pois debalde se estende a rede à vista de qualquer ave».

3. *Os Provérbios da Bíblia*
Podemos encontrar os provérbios espalhados pela Bíblia inteira; mas o *Livro de Provérbios* (vide) é uma espécie de coletânea principal de provérbios, atribuídos a Salomão. Os trechos de I Sam. 10:11; 19:24 e 24:13 também contêm declarações proverbiais. Outros exemplos são Jer. 31:29 e Eze. 18:2. Jó, sendo um livro poético, naturalmente encerra muitos provérbios. A passagem de Jó 28:28 é bem conhecida: «Eis que o temor do Senhor é a sabedoria, e o apartar-se do mal é o entendimento». Esse provérbio, em uma forma modificada, reaparece no livro de Provérbios (1:7), como uma espécie de provérbio principal, que determina o espírito do livro inteiro.

A presença de provérbios em Deu. 28:15 *ss* e vs. 37 mostra-nos que esse uso é bastante antigo na cultura hebréia. Um povo desobediente é ameaçado de vir a tornar-se um provérbio.

A passagem de Sal. 69:10,11 serve-nos de exemplo da maneira como são apresentados os provérbios. Um indivíduo, humilhado e em estado aviltado, torna-se um provérbio para outras pessoas.

No Novo Testamento, há duas palavras gregas que são usadas e que podem ser traduzidas por «provérbio»: *parabolé*, como em Luc. 4:23; e *paroimía*, como em João 6:25,29 e II Ped. 2:22. Figuras de linguagem, expressões vívidas ou declarações enigmáticas podem estar envolvidas nesses vocábulos. Jesus empregou provérbios, em Seu ensino, como aquele de Luc. 4:23: «Médico, cura-te a ti mesmo». Esse provérbio pode ser confrontado com João 16:25,39. Ver também Mat. 6:21 e João 12:24. Paulo falou em amontoar brasas vivas sobre a cabeça de alguém (ver Rom. 12:20). E o trecho de I Cor. 15:33 contém um significativo provérbio, tomado por empréstimo do poeta grego Menandro: «As más conversas corrompem os bons costumes». Outros provérbios de Paulo acham-se em I Cor. 14:8: «Pois também se a trombeta der som incerto, quem se preparará para a batalha?»; e Tito 1:15: «Todas as cousas são puras para os puros; todavia, para os impuros e descrentes, nada é puro». E Tito 1:12 tem outro provérbio, citação do poeta grego Epimênides: «Cretenses, sempre mentirosos, feras terríveis, ventres preguiçosos». Também podemos citar I Tim. 6:10: «Porque o amor ao dinheiro é a raiz de todos os males», um provérbio universalmente conhecido.

Provavelmente também poderíamos catalogar como proverbial a declaração de Tia. 2:26: «Porque assim como o corpo sem espírito é morto, assim também a fé sem obras é morta». Uma outra dessas declarações é a de Tia. 1:22: «Tornai-vos, pois, praticantes da palavra, e não somente ouvintes, enganando-vos a vós mesmos». Por sua vez, Pedro nos ofereceu um excelente provérbio, quando escreveu: «...o amor cobre multidão de pecados» (I Ped. 4:8). E a afirmação que se lê em II Ped. 2:22: «O cão voltou ao seu próprio vômito; e: a porca lavada voltou a revolver-se no lamaçal», é chamada de «adágio verdadeiro», por esse apóstolo. A primeira parte dessa afirmação vem de Pro. 26:11; mas não se conhece a fonte originária da segunda parte da mesma.

Certas declarações de Jesus, feitas como se fossem provérbios, expõem diante de nós a essência da esperança do evangelho: «...conhecereis a verdade, e a verdade vos libertará» (João 8:32); e: «Se, pois, o Filho vos libertar, verdadeiramente sereis livres» (João 8:36).

4. Os Provérbios Como Fenômeno Verbal e da Literatura Universal

Antes da escrita haver sido inventada, os provérbios circulavam sob forma verbal. A literatura de todos os povos revela que tal costume era universal. A literatura antiga dos sumérios, dos babilônios, dos egípcios, dos gregos e dos romanos contém provérbios, o que também pode ser dito acerca dos chineses, dos celtas, e de outros povos. Provérbios populares acabaram se tornando provérbios literários. As religiões também têm lançado mão dos provérbios. Os provérbios são especialmente úteis no ensino de princípios éticos, e para exprimir expressões de bom senso. São excelentes instrumentos didáticos.

PROVÉRBIOS, LIVRO DE

No hebraico, **mashal**, «símile», «comparação», um substantivo que ocorre por trinta e oito vezes nas páginas do Antigo Testamento, conforme se vê, por exemplo, em Núm. 21:27; Deu. 28:37; I Sam. 10:12; 24:13; I Reis 4:32; 9:7; II Crô. 7:20; Sal. 69:11; Pro. 1:1,6; 10:1; 25:1; Ecl. 12:9; Isa. 14:4; Jer. 24:9; Eze. 12:22,23; 14:8; 16:44; 18:2,3. Na Septuaginta, *paroimía*, palavra grega que significa «comparação», com base em uma raiz verbal que tem o sentido de «ser semelhante», «ser paralelo» (cf. Gên. 10:9; Pro. 10:26). No Novo Testamento, *parabolé*, palavra grega que significa «posto ao lado», «comparação», «ilustração». Um vocábulo empregado por cinqüenta vezes: Mat. 13:3,10,13,18,23,31,33,34; 13:35 (citando Sal. 78:2); 13:36,53; 15:15; 21:33,45; 22:1; 24:32; Mar. 3:23; 4:2,10,11,13,30,33,34; 7:17; 12:1,12; 13:28; Luc. 4:23; 5:36; 6:39; 8:4,9-11; 12:16,41; 13:6; 14:7; 14:3; 18:1,9; 19:11; 20:9,19; 21:29; Heb. 9:9; 11:19. O nome do livro, em hebraico, é *misle selomoh*, «provérbios de Salomão».

O termo hebraico *mashal* teve seu sentido ampliado para cobrir também outras formas de discurso, como o oráculo de Balaão (Núm. 24:15), os cânticos de zombaria (Isa. 14:4; Hab. 2:6) e as alegorias, que são extensas comparações (Eze. 17:2; 20:49; 24:3). Há estudiosos que pensam que esse vocábulo hebraico vem da raiz que significa «governar», porquanto *mashal*, realmente, «cria novas situações» segundo disse um deles (Gemser, *Spruche Salomos*, pág. 7). Uma outra sugestão, no tocante à origem da palavra é aquela que diz que esse termo vem do assírio, *mishlu*, «metade», referindo-se ao fato de que um provérbio típico consiste em duas metades postas em paralelismo. Entretanto, o mais provável é mesmo que esse vocábulo hebraico, em seu sentido mais restrito de «comparação», por sinédoque, acabou sendo usado para indicar vários tipos de literatura de sabedoria, como aqueles que aparecem coletados no livro canônico de Provérbios.

Esboço:
I. Pano de Fundo
II. Unidade do Livro
III. Autoria
IV. Data
   A. Seção I
   B. Seção II
   C. Seções III e IV
   D. Seção V
   E. Seções VI, VII e VIII
V. Lugar de Origem e Destinatários
VI. Propósito do Livro
VII. Canonicidade
VIII. Estado do Texto
IX. Problemas Especiais
   A. A Figura da Sabedoria
   B. Relação entre *Provérbios* e a *Sabedoria de Amenemope*
     1. O documento egípcio
     2. Relações léxicas
X. Conteúdo e Esboço do Livro
   A. Conteúdo
     1. Gêneros literários
     2. Assunto
   B. Esboço
XI. Teologia do Livro

I. Pano de Fundo

Sem importar se a autoria salomônica é aceita ou não, pode-se facilmente concordar que o pano de fundo do livro de Provérbios parece ter sido a corte real em Jerusalém. Embora a literatura de sabedoria (vide), no antigo Oriente Próximo, seja anterior ao livro de Provérbios, por mais de mil anos, aquela forma particular de instruções, endereçadas ao «meu filho», parece-se mais com certas obras literárias egípcias, como *As Instruções de Ptahotepe; As Instruções de Mari-ka-Ré; As Instruções de Amen-enhete* e *As Instruções de Ani*. O casamento de Salomão com a filha do Faraó pode ter conduzido esse grande rei israelita a ter interesse por esse tipo de instruções.

Características literárias individuais, como a *mashel*, o padrão X, X + 1 e os longos discursos encadeados encontram paralelos na literatura semítica anterior. Assim sendo, o livro de Provérbios deve ter atraído os leitores já familiarizados com aquela forma literária.

Muitos críticos modernos têm negado aos hebreus uma mente verdadeiramente filosófica, a qual caracterizaria mais os gregos. Assim, na opinião desses críticos, os israelitas preferiram depender das diretas revelações dadas do alto, em vez de ficarem a pensar à moda dos filósofos gregos, que criavam sistemas com base em conceitos. Essa crítica, porém, leva em conta somente uma das facetas da mente dos hebreus. Outra faceta dessa mesma mentalidade mostra-nos que os israelitas, tal e qual qualquer outro povo, sabiam confiar nos méritos de uma filosofia humana autêntica. A grande diferença, porém, é que os hebreus não apreciavam aquela filosofia especulativa, que fica a imaginar como os mundos e os seus problemas teriam sido criados; antes, eles preferiam olhar para uma orientação prática na vida. E isso eles faziam de maneira intuitiva e analógica, e não em resultado de raciocínios dialéticos. Isso explica porque os hebreus davam a essa forma de pensamento o nome de «sabedoria», porquanto, na busca pela solução diante dos problemas morais do homem, diante da vida, eles demonstravam muito mais amor pela sabedoria prática do que pelas especulações filosóficas.

Em vista disso, o livro de Provérbios, começando com máximas isoladas, acerca dos elementos básicos da conduta humana, revela, de muitas maneiras sugestivas, que os seus autores (ver sobre *Autoria*) cada vez mais se aproximavam, em suas apresentações, de uma postura filosófica. No mínimo pode-se afirmar que eles tinham uma filosofia em formação. Esse desdobramento pode ser visto até mesmo na maneira como o vocábulo hebraico *mashal* foi sendo usado cada vez com uma maior amplitude de significação, ao que já tivemos ocasião de referir-nos.

A *mashal*, em seus primeiros usos, era de natureza antitética, contrastando dois aspectos da verdade, de tal modo que o pensamento ali mesmo se completava, nada mais restando ao autor senão passar para algum outro assunto. Isso produzia o bom efeito de pôr em contraste os grandes antagonismos fundamentais da existência humana neste mundo: a retidão e a iniqüidade; a obediência e o desregramento; a industriosidade e a preguiça; a prudência e a presunção, etc., o que analisava, mediante contrastes, a conduta do indivíduo e dos homens em sociedade. Entretanto, a partir do momento em que começam a prevalecer as *mashalim* ilustrativas e sinônimas, o estudioso toma consciência de uma maior penetração e ampliação do alcance do pensamento, porquanto começam a aparecer distinções mais sutis e descobertas mais remotas, e as analogias que ali se vêem passam a exibir uma relação menos direta entre causas e efeitos. E então, avançando ainda mais o leitor, no livro de Provérbios, especialmente quando atinge a seção transcrita pelos «homens de Ezequias, rei de Judá» (caps. 25-29), pode notar que cada vez mais se usa do artifício literário dos paradoxos e dos dilemas. Além disso, a *mashal* amplia-se ainda mais, passando da mera comparação entre dois contrastes para o quadrante e para o poema bem desenvolvido. Tudo isso, apesar de não ser ainda uma filosofia autoconsciente, chega a ser um passo decisivo nessa direção.

Um pressuposto básico, dos escritores do livro de Provérbios, é que a sabedoria e a retidão são idênticas e que a iniqüidade mesmo é uma espécie de insensatez. Isso é um ponto tão pronunciado no livro que chega mesmo a ser axiomático, emprestando ao volume o seu colorido todo especial. Isso transparece logo no primeiro provérbio, após as considerações iniciais sobre o filho sábio. Lemos ali: «Os tesouros da impiedade de nada aproveitam; mas a justiça livra da morte» (Pro. 10:2). Com base nesse pressuposto básico, surgem à tona outros princípios não menos axiomáticos: a fonte de uma vida caracterizada pela sabedoria é o temor a *Yahweh*; quem quiser ser sábio precisa ter uma mente disposta a aprender a instrução, e a atitude contrária é própria da perversidade; sábio é aquele que não se deixa impressionar pelas vantagens passageiras obtidas pelos ímpios, ao passo que o insensato não percebe as vantagens da verdadeira sabedoria, o temor ao Senhor. Esses princípios são constantemente reiterados no livro de Provérbios, não de forma sistemática, mas iluminando numerosos aspectos e aplicações às questões práticas da vida. O princípio que mostra que as más obras trazem em si mesmas as sementes da destruição, ao passo que o bem arrasta após si as bênçãos divinas é um dos conceitos fundamentais de onde emergiu toda a filosofia de sabedoria dos hebreus.

De fato, essa capacidade de mostrar sagacidade nos pensamentos e nos conselhos, capaz de reduzi-los a máximas ou parábolas, sempre foi tão admirada entre os israelitas que, desde antes de Salomão os seus possuidores tornavam-se líderes naturais, bem reputados na comunidade de Israel. Cf. II Sam. 14:2 e 20:16. E quem demonstrou maior habilidade, quanto a isso, do que o próprio Salomão? Não somente casos difíceis lhe eram trazidos a fim de que resolvesse os mesmos (ver I Reis 3:16-28), como também lhe apresentavam questões complicadas, para que fornecesse resposta (ver I Reis 10:1,6,7). Portanto, foi com base no reconhecimento de que há homens dotados de tremenda sagacidade mental, capazes de aplicar essa habilidade às questões práticas da vida, que surgiu a literatura de sabedoria, incluindo o livro de Provérbios.

II. Unidade do Livro

Visto que o próprio livro declara que se trata de uma coletânea, a sua unidade não está na dependência de sua autoria. Antes, essa unidade encontra-se na natureza geral do seu conteúdo, os provérbios, declarações sucintas, ou um pouco mais longas, que exibem profunda sabedoria prática, aplicável à conduta diária dos homens. A obra pertence à categoria geral da literatura de sabedoria (vide), exaltando as virtudes da sabedoria (sob a forma de retidão) e condenando os vícios da insensatez (sob a forma de falta de temor a Deus).

III. Autoria

Tradicionalmente, o volume maior do livro de Provérbios tem sido atribuído a Salomão, filho de Davi e rei de Judá (cf. Pro. 1:1; 10:1; 25:1). Entretanto, o próprio livro de Provérbios menciona dois outros autores, a saber: Agur (30:1) e Lemuel (31:1). Quanto a essa questão, existem duas posições extremadas, a saber: 1. Salomão escreveu o livro inteiro de Provérbios; ou 2. ele não teve qualquer conexão direta com a obra (excetuando que ele é o «autor tradicional» e patrono da literatura de sabedoria). Um terceiro ponto de vista, que ocupa posição intermediária e está mais em consonância com o próprio testemunho bíblico, é aquele que diz que Salomão foi o autor da maior parte do volume do livro de Provérbios, ao que foram acrescentadas as obras de outros autores. Assim, é apenas uma meia-verdade aquela que diz que o livro de Provérbios não teve «pai», segundo têm afirmado alguns estudiosos. Pois, apesar das declarações de sabedoria geralmente originarem-se entre pessoas do povo comum, alguém foi o primeiro indivíduo a fazer essas declarações em uma linguagem epigramática. Essa idéia é confirmada por nada menos de três vezes no volume do livro. Vejamos: «Provérbios de Salomão, filho de Davi, o rei de Israel» (1:1); «Provérbios de Salomão...» (10:1; que em nossa versão portuguesa aparece como título, o que é um erro, pois faz parte do texto sagrado); e também «São também estes provérbios de Salomão, os quais transcreveram os homens de Ezequias, rei de Judá» (25:1). Por que duvidar do próprio testemunho bíblico? Todavia, essa última passagem citada indica que Salomão não reunira todos os seus provérbios formando um único volume. Antes, ele deixara a muitos de seus provérbios dispersos, que os copistas de Ezequias coligiram. Se juntarmos a isso as palavras de Agur e de Lemuel, teremos o que é hoje o nosso livro de Provérbios.

Uma tola objeção à autoria salomônica é aquela que assevera que Salomão não era praticante das virtudes inculcadas no livro de Provérbios; cf., por exemplo, Pro. 7:6-23, que alguns pensam não refletir a vida de Salomão, porque ele teria tido um imenso número de mulheres e concubinas (ver I Reis 11:3, que diz: «Tinha (Salomão) setecentas mulheres, princesas, e trezentas concubinas; e suas mulheres lhe perverteram o coração»). Tal objeção, entretanto, olvida-se do fato de que uma coisa é escrever obras de sabedoria, e outra coisa, inteiramente diferente, é viver de maneira sábia. Um homem pode trair os seus próprios princípios!

A narrativa sobre a vida de Salomão em I Reis caps. 3, 4 e 10 (ver, especialmente, I Reis 4:30-34 e II Crô. 9:1-24) dá a entender a sabedoria e a versatilidade inigualáveis de Salomão, na composição de afirmações de sabedoria.

Por igual modo, a afirmação de que os subtítulos (ver 1:1; 10:1 e 25:1) seriam meramente honoríficos, não correspondendo à realidade da autoria salomônica, não faz justiça a Salomão. Mesmo que os subtítulos em 1:1 e 10:1 — mostrem que pessoas

PROVÉRBIOS

posteriores compilaram provérbios esparsos de Salomão, nem por isso negariam, realmente, a autoria salomônica. Os compiladores não foram autores. Eles compilaram o que já existia, e o que já existia era saído da pena de Salomão. Acrescente-se a isso que o argumento que diz que as repetições, em duas seções diferentes do livro de Provérbios, ou mesmo em uma de suas seções, elimina uma única autoria, esquece-se do fato de que os autores muitas vezes repetem o que dizem, e que os editores ou compiladores tinham por costume reter passagens duplicadas, conforme se vê, por exemplo, nos casos de Sal. 14:1 e 53:1.

A questão da autoria do trecho de Pro. 22:17-24:34 está vinculada ao problema da relação entre essa seção e a obra *A Sabedoria de Amenemope*, o que é ventilado mais abaixo. Durante as discussões e controvérsias que houve entre os judeus do século I D.C., acerca do cânon do Antigo Testamento, o livro de Provérbios foi classificado, juntamente com os livros de Eclesiastes e de Cantares de Salomão como «salomônico», conforme se aprende em *Shabbat* 30b. O livro de Provérbios, conforme o mesmo existe em nossos dias, deve ter tomado essa forma após os dias do rei Ezequias (ver Pro. 25:1), isto é, após 687 A.C. De fato, Fritsch (IB, quarto volume, pág. 775) pensa que a forma final pode ter sido alcançada somente por volta de 400 A.C. Há outros que asseveram que a coletânea final (incluindo as palavras de Agur e de Lemuel) deve ter sido feita em algum tempo entre os dias do rei Ezequias e o começo do período pós-exílico, o que daria, mais ou menos, o mesmo resultado.

Alguns estudiosos modernos, de tendências liberais, têm observado que devem ser levadas em conta as «palavras dos sábios», referidas em Pro. 22:17 e 24:23. Para eles, isso representa mais alguns autores, embora anônimos. Entretanto, não é absolutamente necessário aceitarmos essa opinião. Salomão poderia estar meramente aludindo a afirmações que antigos sábios haviam feito, mais ou menos de conhecimento geral em sua geração, às quais, agora, ele emprestava uma forma epigramática. É muito melhor ficarmos com a idéia da autoria salomônica, claramente declarada no próprio livro de Provérbios por três vezes, conforme já tivemos ocasião de verificar, do que imaginar uma multiplicidade de autores, segundo o sabor da alta crítica, que sempre quer exibir erudição multiplicando autores e atribuindo aos livros da Bíblia uma data posterior à que, realmente, eles pertencem.

IV. Data

Duas questões diferentes estão envolvidas no problema da data do livro de Provérbios, a saber: a data em que cada seção do livro foi escrita (ver abaixo quanto às «seções» do livro); e, em seguida, a data em que foi feita a «coletânea» ou «editoração» das várias seções, a fim de formar um único volume (rolo), naquilo que hoje conhecemos como o livro de Provérbios. Os eruditos conservadores têm seguido a tradicional ponto de vista da autoria salomônica do livro inteiro, exceutuando os capítulos 30 (de Agur) e 31 (de Lemuel). Isso posto, eles datam o volume maior do livro como pertencente ao século X A.C., provavelmente dos últimos anos do reinado de Salomão. A coletânea das várias seções, por sua vez, é datada variegadamente, pelos mesmos estudiosos conservadores, entre 700 A.C. e 400 A.C.

A paz e a prosperidade que caracterizaram o período de governo de Salomão, ajustam-se bem ao desenvolvimento de uma sabedoria reflexiva e à produção de obras literárias dessa natureza. Outrossim, vários especialistas têm observado que as trinta declarações dos sábios, em 22:17-24:22 contêm similaridades com as trinta seções da «Sabedoria de Amenemope», produzidas no Egito, e que eram instruções mais ou menos contemporâneas à época de Salomão. Por semelhante modo, a personificação da sabedoria, tão proeminente nos caps. 1-9 (ver 1:20; 3:15-18; 8:1-36), pode ser comparada com a personificação de idéias abstratas, em escritos egípcios e mesopotâmicos pertencentes ao segundo milênio A.C.

O papel desempenhado pelos «homens de Ezequias» (ver 25:1) indica que importantes seções do livro de Provérbios foram compiladas e editadas entre 715 e 687 A.C. Aquele foi um período de renovação espiritual, encabeçado por aquele monarca judeu. Ezequias demonstrou grande interesse pelos escritos de Davi e de Asafe (II Crô. 29:30). Talvez também tivesse sido nesse tempo que foram adicionadas às coleções de provérbios de Salomão as palavras de Agur (cap. 30); de Lemuel (cap. 31); bem como **as palavras dos sábios** (22:17-24:22; 24:23-34), embora seja perfeitamente possível que o trabalho de compilação só tenha sido completado após o reinado de Ezequias, conforme também já demos a entender acima.

Os eruditos críticos, por sua vez, rejeitam a autoria salomônica, pelo que datam cada seção do livro de Provérbios em separado, usualmente em datas muito posteriores à data tradicional da escrita e compilação do livro. Isso, por sua vez, leva-os a datarem a coletânea inteira no fim do período persa, ou mesmo do período grego. Porém, descobertas arqueológicas e filológicas recentes têm feito alguns desses eruditos abandonarem uma data tão extremamente posterior, o que andava tão em voga na primeira metade do século XX. Entre essas descobertas poderíamos citar a descoberta de declarações de sabedoria dos cananeus, bem como certos padrões lingüísticos cananeus na literatura de Ugarite.

O que é indiscutível é que o livro de Provérbios pode ser dividido em certas seções, conforme se vê abaixo:

A. *Seção I*. Essa seção tem sido datada como passagem relativamente posterior, porquanto supõe-se que foi escrita como uma espécie de introdução para o volume inteiro. Há quem pense que essa primeira seção seja pós-exílica, enquanto que outros pensam que a personificação da Sabedoria (ver o oitavo capítulo) torna provável uma data dentro do século III A.C. Porém, ainda um terceiro grupo de estudiosos tem demonstrado que essa personificação, ou melhor, hipostatização, é uma das características das religiões mesopotâmica e egípcia. A fórmula numérica de X, X + 1, encontra-se em Pro. 6:16-19, ocorrendo também em textos ugaríticos (cf. Gordon, *Ugaritic Manual*, págs. 34 e 201) do segundo milênio, A.C. Albright (*Wisdom in Israel and in the Ancient Near East*) pensa que essa seção é anterior aos *Provérbios de Aicar*, isto é, o século VII A.C. Fritsch segue a tendência de se dar uma data bem antiga à obra, ao afirmar que existem fortes influências ugaríticas e fenícias nessa primeira seção de Provérbios, e que os seus capítulos oitavo e nono compõem «uma das porções mais antigas do livro». Um exemplo dessa influência ugarítica, que damos aqui como ilustração, é o uso do termo *lahima*, «comer», que só pode ser encontrado por seis vezes no Antigo Testamento, quatro delas no livro de Provérbios. Quando isso é combinado com a opinião de Scott (*Anchor Bible*, «Proverbs», págs. 9, 10), que disse que os capítulos primeiro a nono foram escritos como introdução a uma unidade já existente (isto é, os caps. 10-31), a mais antiga data provável para essa primeira seção faz com que uma data salomônica

PROVÉRBIOS

para as demais seções, a ele atribuídas, torne-se bastante plausível. Entretanto, Scott considera que essa primeira seção do livro ē um elemento posterior, dentro do livro de Provérbios. O longo discurso dessa seção (em contraste com o estilo de aforismas do restante) encontra paralelos na antiga literatura de sabedoria egípcia e acádica. Os aramaísmos ali existentes, ao contrário do que antes alguns tinham suposto, argumentam em favor de uma data mais antiga, e não de uma data mais recente.

B. *Seção II*. Esse segmento do livro de Provérbios é considerado como salomônico pelos eruditos conservadores, como uma coletânea gradualmente feita, talvez com um núcleo salomônico, que teria atingido seu presente estado ou no século V ou no século IV A.C. Um certo escritor moderno, Paterson, considera que essa é a porção mais antiga do livro de Provérbios.

C. *Seções III e IV*. Essas seções estão envolvidas na questão da dívida literária à *Sabedoria de Amenemope*, uma questão que será discutida mais abaixo. A idéia de que essa seção depende muito de uma obra egípcia possibilita uma data entre 1000 e 600 A.C., tudo estando na dependência da data da obra egípcia. Por isso mesmo, Paterson pensa que essa porção é pré-exílica, embora posterior a 700 A.C.

D. *Seção V*. De acordo com o seu subtítulo, essa seção vem da época do rei Ezequias. Porém, a autoria real pode ter pertencido ao século X A.C.

E. *Seções VI, VII e VIII*. Há uma diferença na colocação dessas três seções do livro de Provérbios, entre a Septuaginta e o Texto Massorético (vide). Por isso mesmo, Paterson pensa que, originalmente, cada uma dessas seções corresponde a antigas coleções separadas. À base de alegadas artificialidades, ele datou-as em data posterior. No entanto, a forma acróstica de composição (ver sobre *Poemas Acrósticos*), que alguns eruditos modernos consideram um artificialismo, era um método favorito de feitura de poemas, entre os antigos hebreus. Scott afirma que os poemas acrósticos apareceram muito antes do exílio do século VI A.C. E, visto que a literatura de sabedoria transcendia às fronteiras nacionais, a história política internacional oferece-nos pouca ajuda para se fixar alguma data para essas três seções do livro de Provérbios.

V. **Lugar de Origem e Destinatários**
O livro de Provérbios provavelmente originou-se nos círculos palacianos de Jerusalém. As porções salomônicas (excetuando aquela seção transcrita pelos «homens de Ezequias, rei de Judá» (ver 25:1), podem ter sido registradas pelos escribas desse monarca descendente de Salomão. A essas coletâneas de provérbios, pois, os escribas reais adicionaram as seções VI - VIII. O seu conteúdo indica que o livro de Provérbios tinha por intuito instruir os filhos das famílias nobres. Assim, embora essas instruções sejam endereçadas freqüentemente a «meu filho», estava em pauta uma audiência muito mais ampla. A sabedoria dos sábios destinava-se a «todos» (Paterson, pág. 54).

VI. **Propósito do Livro**
O próprio livro de Provérbios assevera claramente o seu propósito, em Pro. 1:2-4, ou seja, para infundir sabedoria e discreção aos homens, especialmente no caso dos símplices, destituídos de experiência na vida. Lemos no quarto versículo: «...para dar aos simples prudência, e aos jovens conhecimento e bom siso». É perfeitamente exeqüível que esse também tenha sido o propósito do livro inteiro. Seu propósito é o de orientar os homens na conduta prática diária. Essa sabedoria, esse temor a *Yahweh*, é algo necessário para a formação de um caráter bem cultivado. A coletânea dos provérbios, pois, serviria de livro de informações útil para estudos públicos e privados. Os provérbios inculcam a moralidade pessoal, além de um direto «bom senso». Paterson conseguiu extrair bem o propósito do livro de Provérbios ao escrever que o alvo desse livro é «...diminuir o número dos tolos e aumentar o número dos sábios» (pág. 54).

Embora o livro de Provérbios seja uma obra de cunho eminentemente prático, ensinando como o homem deve viver diariamente, a sabedoria ali ensinada está solidamente escudada sobre o temor a *Yahweh* (ver, por exemplo, 1:7, que declara: «O temor do Senhor é o princípio do saber, mas os loucos desprezam a sabedoria e o ensino»). Por todo o volume, esse respeito ao Senhor é apresentado como a senda que leva à vida e à segurança (cf. 3:5; 9:10 e 22:4). No dizer de Pro. 3:18, a sabedoria é «...árvore de vida para os que a alcançam, e felizes são todos os que a retêm».

VII. **Canonicidade**
Na obra hebraica, **Shabbat** (30b), o livro de Provérbios é alistado como um livro de canonicidade disputada, nos fins do século I D.C., juntamente com os livros de Eclesiastes e Cantares de Salomão. Mas, sua associação com outras obras reconhecidamente salomônicas, nessa afirmativa judaica, parece em favor do argumento que o livro era canônico, e assim era considerado. Outro tanto se vê em *M. Yadaim* (3.5), onde diferentes opiniões aparecem no tocante à canonicidade de Eclesiastes e Cantares de Salomão, mas onde não há qualquer debate no tocante ao livro de Provérbios. A LXX e a versão portuguesa concordam em arrumar juntos todos os três livros atribuídos a Salomão, ou seja, Provérbios, Eclesiastes e Cantares de Salomão.

De acordo com o Talmude (*Baba Bathra*, 146), o livro de Provérbios aparece depois dos livros de Salmos e de Jó; e, de conformidade com *Berakoth* (57b), esse livro deveria figurar entre os livros de Jó e de Salmos. A ordem de colocação nas modernas Bíblias (como na nossa versão portuguesa) deve estar alicerçada sobre certa tradição rabínica, que dizia que Moisés escreveu o livro de Jó, que Davi escreveu os Salmos, e que Ezequias compilou os Provérbios (*Baba Bathra*, 14b-15a).

O trecho de Tiago 4:6, ao citar Pro. 3:34 fá-lo de tal maneira que mostra que o livro de Provérbios era considerado canônico no século I D.C. Em adição a isso, é com freqüência que o Novo Testamento refere-se à seção do Antigo Testamento que contém o livro de Provérbios, a saber, *kethubim*, os «escritos», tachando-os de «Escritura» (no grego, *graphé*). A sua inclusão na Septuaginta certamente favoreceu a idéia de uma bem remota aceitação do livro de Provérbios como parte integrante das Santas Escrituras.

VIII. **Estado do Texto**
O livro de Provérbios, em sua maior parte, acha-se escrito em hebraico claro, estilo clássico. Entretanto, existem algumas poucas passagens difíceis, no texto das seções principais. O erudito Fritsch alista como vocábulos que têm causado problemas para os tradutores, os seguintes: *'amon* (Prov. 8:30); *yathen* (12:20); *hibbel* (23:34); *manon* (29:21); *'aluqah* (30:15); *zarzir* e *'alqum* (30:31). A maioria das propostas de emendas, com o intuito de solucionar problemas textuais, não passa de conjecturas. Descobertas lingüísticas recentes têm demonstrado o valor de esperar-se por maiores informações em vez de apelar-se para emendas conjecturadas.

A Septuaginta é uma tradução frouxa, quase uma paráfrase, exibindo marcas do ponto de vista dos tradutores. Em certos lugares, a tradução é

PROVÉRBIOS

inteiramente corrupta. Inclui quase cem duplicatas de palavras, frases, linhas e versículos que aparecem somente por uma vez, no texto massorético. Além disso, omite algumas seções e adiciona outras. Na Septuaginta, o trecho de Pro. 30:1-14 vem depois de 24:22 (segundo o texto hebraico), e então segue-se 24:23,24 (segundo o texto hebraico). Então a Septuaginta tem Pro. 30:15-31:9, e então os caps. 25-29 (segundo o texto hebraico), e, finalmente, 31:10-31. Essas anomalias têm levado os estudiosos a acreditar que o texto continuava fluido ao tempo em que foi feita a tradução da Septuaginta.

IX. Problemas Especiais

Duas particularidades que merecem atenção especial são: 1. A figura da Sabedoria, no oitavo capítulo de Provérbios; e 2. a relação entre o livro de Provérbios (22:17-24:34) e a obra egípcia *Sabedoria de Amenemope*. Ambos esses itens estão diretamente vinculados a abordagens críticas quanto à autoria e à data do livro de Provérbios, razão por que os ventilamos aqui.

A. *A Figura da Sabedoria*. Apesar da sabedoria ser exaltada como uma virtude, por toda a seção de abertura do livro de Provérbios, como também noutros segmentos do livro, é no seu oitavo capítulo que encontramos o tratamento da «sabedoria» como uma hipostatização. Ao que tudo indica, ali, esse atributo divino aparece como um ser que mantém inter-relações com os homens. Em Pro. 1:20-33; 8:1-36; 9:1-6,13,18, a «Sabedoria» aparece em oposição a uma personagem similar, embora contrária, a «Senhora Loucura». A Sabedoria aparece como um profeta que prega pelas ruas (cf. Jer. 11:6 e 17:19,20).

Não há qualquer traço de politeísmo no livro de Provérbios. Por conseguinte, qualquer tentativa de vincular o pano de fundo acerca de Salomão a Ma'at, Istar ou Siduri Sabatu, conforme alguns têm feito, não é convincente e nem tem qualquer base nos fatos. A única questão que ainda resta ser ventilada é se a «Sabedoria» é uma verdadeira hipostatização, isto é, um atributo ou atividade da deidade, à qual foi conferida uma identidade pessoal. Alguns estudiosos têm sentido que o oitavo capítulo de Provérbios simplesmente apresenta uma vívida personificação.

A íntima correspondência entre as atividades da «Sabedoria», no livro de Provérbios, com as atividades de *Yahweh*, no resto do Antigo Testamento, é algo deveras notável. A Sabedoria derrama o espírito (ver Pro. 1:23, cf. Isa. 44:3). Deus chama, mas Israel não responde (ver Pro. 1:24-26; cf. Isa. 65:1,2,12,13; 66:4). O Espírito de Deus é a Sabedoria (ver Pro. 8:14; cf. Isa. 11:2). A Sabedoria promove a justiça (ver Pro. 8:15,16; cf. Isa. 11:3-5). Da mesma maneira que a Sabedoria prepara o seu banquete (ver Pro. 9:5 - em oposição à mulher louca, que também tem o seu banquete, Pro. 9:13-18), assim também o faz Yahweh (ver Isa. 25:6; 55:1-3; 65:11-13).

Nos seus escritos, tanto o judaísmo posterior quanto o cristianismo referem-se ao papel desempenhado pela «Sabedoria» na criação — um desempenho que em muito se assemelha à sabedoria hipostatizada no livro de Provérbios. O livro apócrifo Sabedoria de Salomão identifica a «Sabedoria» como «a modeladora de todas as coisas» (7:22), como «associada às obras (de Deus)» (8:4) e como «formadora de tudo quanto existe» (8:6). Filo (*De Sacerdota*, 5) afirma que a «Sabedoria» foi a fabricante do universo. Alguns estudiosos têm procurado demonstrar a ligação entre o «Logos» do primeiro capítulo do evangelho de João, bem como a «Sofia» concebida pelos mestres gnósticos, com a «Sabedoria» hipostatizada do livro de Provérbios; porém, as conclusões desses eruditos não conseguem harmonizar-se entre si.

Se o erudito Scott (págs. 71 e 72) está correto em sua vocalização da palavra hebraica *'amon*, para *'omen* (em Pro. 8:30), visto que *'omen* significa «artífice principal» ou então «criancinha», segue-se que a «Sabedoria» é vista como aquela força — hipostatizada— que unifica a todas as coisas (cf. Eclesiástico 43:28; Sabedoria de Salomão 1:7; Col. 1:17 e Heb. 1:3).

Embora alguns críticos tenham datado o livro de Provérbios como pertencente ao período helenista, em face da hipostatização da sabedoria (sob a alegação de que a tendência para as hipostatizações era forte durante o período de dominação grega), o fato é que há muitos paralelos entre o livro de Provérbios e o antigo mundo do Oriente Próximo, do segundo milênio A.C., ou mesmo antes. Entre esses paralelos poderíamos citar os seguintes: 1. A divindade egípcia de Mênfis, Ptá, teria criado as coisas com sua palavra e seu pensamento. 2. Em Tote de Hermápolis, a sabedoria divina e o deus criador aparecem personificados. 3. A divindade sumeria Ea-Enki era chamada de «o verdadeiro conhecedor». 4. O deus babilônico, Marduque, intitulado de «o mais sábio dos deuses», teria conquistado Tiamate e então teria criado a terra e o homem. 5. O altíssimo deus El, do panteão ugarítico, é descrito como alguém cuja «sabedoria é eterna». Esses e outros exemplos pré-hebraicos (ver Sal. 74:13,14; 82:1; Isa. 14:12-14; 27:1) demonstram claramente que desde bem antes da época de Salomão, já se conhecia o artifício literário da hipostatização.

Paterson fez um sumário da discussão da «Sabedoria», afirmando que o trecho de Pro. 8:22,23 é uma ousada confirmação e reafirmação da doutrina expressa em Gên. 1:2. Deus não criou um caos (cf. Gên. 1 e 2), e, sim, um «cosmos», um todo organizado. A sabedoria é a essência mesma do ser de Deus. O universo não veio à existência por mero acaso, e nem permanece existindo por suas próprias forças. O mundo conta com uma *teleologia* (vide) porquanto existe a teologia (ver Pro. 3:19; 20:12).

B. *Relação Entre Provérbios e a Sabedoria de Amenemope*. Desde que Adolph Erman ressaltou as similaridades existentes entre a *Sabedoria de Amenemope* e o livro de Provérbios (22:17-23:14), tem havido uma tendência geral para os estudiosos pensarem que essa passagem bíblica está diretamente endividada àquela antiga obra de origem egípcia. Todavia, os defensores da independência desse trecho bíblico a qualquer obra egípcia também têm aparecido em bom número, como E. Diroton, C. Fritsch e R.O. Kevin, para citar somente alguns nomes. Embora a preponderância da erudição encare o livro de Provérbios como se houvesse alguma dependência entre o mesmo e a *Sabedoria de Amenemope*, há argumentos sólidos suficientes para mostrar a inveracidade dessa dependência, conforme podem averiguar sérios estudiosos da Bíblia, que queiram parar para examinar todas as evidências disponíveis.

1. **O documento egípcio**. Foi Sir E. Wallis Budge, no seu artigo *Recuil d'Etudes Egyptologigue... Champollion*, em 1922, quem primeiro tornou conhecida a antiga obra egípcia *Sabedoria de Amenemope*. Em 1923, ele publicou o texto completo da obra, com fotografias e uma tradução. Outros eruditos deram a público suas próprias traduções do original egípcio. Mas foi Erman o primeiro a sugerir que as «excelentes cousas» de que lemos em Pro.

PROVÉRBIOS

22:20, poderiam ser traduzidas por «trinta», com base na divisão da *Sabedoria de Amenemope* em trinta capítulos. Essa tradução envolvia uma modificação textual, uma nova vocalização de *shalishim* para *sheloshim*, no texto hebraico do livro de Provérbios. E então Erman inferiu que o escritor bíblico teria, diante de si, os trinta capítulos da *Sabedoria de Amenemope*, tendo selecionado dali trinta afirmações, incorporando-as então em seu próprio livro de sabedoria. A verdade é que Oesterley e outros vêem pelo menos que vinte e três das trinta declarações daquela passagem do livro de Provérbios derivam-se da *Sabedoria de Amenemope*. Scott, por sua vez, afiançou que somente nove dessas declarações procedem daquela fonte. Mas o preâmbulo do trecho de Pro. 22:17-21 parece ser uma reformulação da conclusão da *Sabedoria de Amenemope*. Essa obra egípcia foi escrita por Amen-em-apete, um egípcio nativo de Panópolis, em Acmim. Ele era um supervisor de terras, evidentemente uma posição importante. Ele também foi um sábio e um escriba. Devido à posição que ele ocupava, alguns estudiosos datam a sua obra como pertencente ao período pós-exílico de Judá (cf. Esdras e Ben Siraque). Entretanto, o gênero literário da sabedoria e a instituição dos escribas eram realidades bem-estabelecidas no antigo Oriente Próximo desde muito antes do tempo de Salomão.

À obra *Sabedoria de Amenemope* têm sido atribuídas diversas datas, desde cerca de 1300 A.C. (Plumley), ou 1200 A.C. (Albright), até datas em torno do século VII A.C. (Griffith, Oesterley), ou do período persa-grego (Lange). A data mais antiga baseia-se em um ostracon que continha um extrato daquela obra egípcia. Se isso for aceito, então torna-se quase uma certeza que o livro de Provérbios realmente tomou por empréstimo elementos de *Sabedoria de Amenemope*. Há mesmo a possibilidade de que aquele ostracon representa uma fonte informativa comum, usada tanto pelo livro de Provérbios quanto por *Sabedoria de Amenemope*. Seja como for, isso em nada afeta a inspiração do livro de Provérbios, porquanto o fenômeno da inspiração envolve até mesmo a seleção de material, como também a composição do material original.

2. Relações léxicas. Vários estudos sobre a lexicografia de *Sabedoria de Amenemope* tendem a indicar que seu vocabulário egípcio-semítico pertence ao estágio final do idioma egípcio. Há indicações que esse vocabulário da obra assemelha-se mais com a *Septuaginta* do que com o *texto massorético* (ver os artigos sobre ambos). Interessante é que, embora isso seja posto em dúvida por alguns eruditos, o uso de expressões idiomáticas semíticas, no livro *Sabedoria de Amenemope*, pode até mesmo mostrar que essa obra egípcia é que depende do livro de Provérbios, e não ao contrário, conforme têm dito alguns estudiosos. Assim é que se o livro de Provérbios parece conter versículos espalhados por *Sabedoria de Amenemope*, essa obra egípcia parece conter versículos espalhados no livro de Amenemope. Destarte, os argumentos pró e contra parecem bem equilibrados. Também tem grandes possibilidades uma terceira posição, intermediária, a que diz que tanto aquela obra egípcia quanto o livro de Provérbios usaram antigas tradições orais comuns no antigo Oriente Próximo, ou mesmo — algum apanhado dessas tradições, já sob forma escrita. Também merece consideração a idéia que diz que a passagem do livro de Provérbios estava simplesmente usando os «trinta capítulos» egípcios como um modelo, e não como uma fonte informativa direta. E Scott (pág. 20) exprime um ponto de vista parecido com isso.

X. Conteúdo e Esboço do Livro

O conteúdo do livro de Provérbios pode ser classificado de conformidade com quatro critérios: por gênero literário, por assunto, por autoria e por motivos teológicos. Felizmente, as divisões feitas de acordo com os três primeiros critérios justapõem-se com facilidade, em quase todos os pontos.

A. *Conteúdo*. 1. *Classificação por gêneros Literários*. As duas formas literárias que mais prevalecem no livro de Provérbios são: 1. As declarações sucintas e expressivas usadas para transmitir sabedoria (os verdadeiros «provérbios»); e 2. os longos discursos didáticos, do que são exemplos a primeira seção (caps. 1-9), e as seções sétima e oitava (caps. 30-31). Praticamente todo o resto do livro cabe dentro da categoria dos «provérbios». Pode-se definir um *provérbio* como «uma declaração breve e incisiva, de uso comum». Tipicamente, um provérbio é anônimo, tradicional e epigramático. Conforme alguém já disse, um provérbio caracteriza-se por «sua brevidade, sentido e sal». E, conforme expressou com grande percepção Lord John Russell, um provérbio contém «a sabedoria de muitos e a argúcia de um só». Na segunda seção do livro de Provérbios há trezentos e setenta e cinco dessas declarações. Dentre os cento e trinta e nove versículos dos caps. 25-29, cento e vinte e oito são provérbios. Com freqüência, os provérbios assumem a forma de um símile gráfico (cf. os caps. 25 e 26).

Quase todo o livro de Provérbios, excetuando as seções primeira, sétima e oitava (caps. 1-9, 30 e 31), foi escrito formando duplas que se completam, ou dísticos. Esse paralelismo—uma típica característica da poesia hebraica — ocorre com certa variedade de formas. O chamado paralelismo sinônimo, em que a segunda linha reitera ou reforça a primeira, é a forma usualmente encontrada em Pro. 16:1—22:15 (cf. 20:13). O paralelismo antitético, em que a segunda linha expõe um contraste do que foi dito na primeira, ou uma reversão da idéia da primeira linha, é a forma de paralelismo usualmente encontrada nos capítulos décimo a décimo quinto (cf. Pro. 15:1). Ocasionalmente, no livro de Provérbios vê-se certa forma de paralelismo em que a segunda (ou a terceira) linha adiciona algo ao pensamento expresso na primeira linha. Esse tipo de paralelismo sintético acha-se em 10:22. Os capítulos vinte e cinco e vinte e seis estão repletos desse tipo de paralelismo.

2. *Classificação por assunto*. Três tipos latos de material são apresentados no livro de Provérbios, isto é, 1. instruções para que se abandone a insensatez e se siga a sabedoria (caps. 1-9); 2. exemplos específicos de conduta sábia ou de conduta insensata (as declarações gnômicas das seções II - V; caps. 10-29); e 3. a vívida descrição acerca da mulher virtuosa (cap. 31; que talvez contrabalance o motivo do filho sábio, nos caps. 1-9).

Em adição a isso, o conteúdo do livro de Provérbios pode ser agrupado de acordo com os tópicos discutidos, como as declarações que versam sobre os males sociais (Pro. 22:28; 23:10; 30:14); sobre as obrigações sociais (15:6,7,17; 18:24; 22:24,25; 23:1,2; 27:6,10); sobre a pobreza (17:5; 18:23; 19:4,7,17; sobre os cuidados com os pobres (14:31; 17:5,19; 18:23; 19:7,17; 21:13; 26:14,15); sobre as riquezas materiais como uma questão secundária (11:4; 15:16; 16:8,16; 19:1; 22:1), embora importante (10:22; 13:11; 19:4).

A vida doméstica é um tópico freqüente do livro (Pro. 18:22; 21:9,19; 27:15,16; 31:30), como também as relações entre pais e filhos (10:1; 17:21,25; 19:18,24; 22:24,25; 25:17).

PROVÉRBIOS

O assunto da sabedoria já foi ventilado, acima. Em contraste com o sábio, encontramos o «louco». Nada menos de quatro tipos de loucos podem ser discernidos no livro de Provérbios: 1. O tolo símplice, que pode ser ensinado (Pro. 1:4,22; 7:7,8; 21:11). Esse é o «desmiolado». 2. O insensato empedernido (1:7; 10:23; 12:23; 17:10; 20:3; 27:22), que é um obstinado. 3. O tolo arrogante, que escarnece de todas as tentativas para iluminá-lo. Isso envolve uma «atitude mental», e não tanto uma «incapacidade mental», do que tal indivíduo se torna culpado (3:34; 21:24; 22:10; 29:8). 4. O louco brutal, morto para toda decência e boa ordem(17:21; 26:3; 30:22; cf. Sal. 14:1).

A conduta dos reis é um dos tópicos do livro (Pro. 16:12-14; 19:6; 21:1; 25:5; 28:15; 29:14). O bom ânimo é encorajado (15:13-15; 17:22; 18:14). O uso da língua é discutido (10:20; 15:1; 16:28; 21:23; 26:4,23). Também são mencionados outros hábitos ou características pessoais (11:22; 13:7; 22:3; 25:14; 26:12; 30:33). Finalmente, são discutidos alguns aspectos do conceito da «vida» -sua fonte originária (10:11; 13:14; 14:27; 16:22); sua vereda (6:23; 10:17; 15:24); e também o conceito da vida propriamente dita (11:30; 12:28; 13:4,12).

B. *Esboço*. Quase todos os esboços que se têm traçado sobre o livro de Provérbios contêm de quatro a dez seções principais. As divisões naturais do livro, todavia, parecem indicar um esboço em oito pontos, com base na autoria provável e nos estágios da coleção de unidades separadas, posteriormente coligidas em um único rolo escrito em hebraico. É o que se vê abaixo:

I. Instrução paterna: sabedoria versus insensatez (caps. 1-9)
II. Provérbios de Salomão: primeira coleção (10:1-22:16)
III. Palavras dos sábios: primeira coleção (22:17 - 24:22)
IV. Palavras dos sábios: segunda coleção (24:23,24)
V. Provérbios de Salomão: segunda coleção, feita pelos homens de Ezequias (caps. 25-29)
VI. Palavras de Agur (cap. 30)
VII. Palavras de Lemuel (31:1-9)
VIII. A esposa virtuosa (31:10-31).

Algumas dessas seções podem ser subdivididas. Assim, para exemplificar, Scott (págs. 9 e 10) vê dez discursos de admoestação e dois poemas, além de algumas declarações gnômicas, na primeira seção, ao passo que Kitchen divide essa mesma seção em catorze subdivisões. Na segunda seção, a diferença no paralelismo entre os caps. 10-15 e 16:1-22:16 pode indicar uma divisão natural. A segunda seção, até Pro. 23:14 parece estar intimamente relacionada à *Sabedoria de Amenemope*, enquanto que o resto dessa seção não mostra tal relação, o que pode indicar outra divisão natural. Na quinta seção, talvez se deva perceber uma diferença entre os caps. 25-27 (principalmente preceitos e símiles) e os caps. 28 e 29 (principalmente declarações gnômicas, como em Pro. 10:1-22:16). Quase todas as declarações dísticas do livro de Provérbios encontram-se na segunda seção e em Pro. 28 e 29. Novamente, Scott subdividiu a sexta seção em um «diálogo com um cético» (presumivelmente Agur; Pro. 39:1-9) e «provérbios numéricos e de advertência» (30:10-33), ao passo que Murphy divide essa seção após o vs. 14.

XI. **Teologia do Livro**

Embora alguns estudiosos considerem o livro de Provérbios como uma obra que ensina uma sabedoria secular e prática, um exame mais cuidadoso de seu conteúdo revela que esse livro é extremamente teológico. Assim, é ali salientada a soberania de Deus (Pro. 16:4,9; 19:21; 22:2). A onisciência de Deus é claramente referida (15:3,11; 21:2). Deus é apresentado como o Criador de tudo (14:31; 17:5; 20:12). Deus governa a ordem moral do universo (10:27,29; 12:2). As ações dos homens estão sendo aquilatadas por Deus (15:11; 16:2; 17:3; 20:27). Até mesmo neste nosso lado da existência a virtude é recompensada (11:4; 12:11; 14:23; 17:13; 22:4). O juízo moral é mais importante ainda do que a prudência (17:23).

O povo hebreu não dispunha de um termo genérico para a idéia de «religião». Não obstante isso, o livro de Provérbios exprime essa idéia por intermédio da expressão «o temor do Senhor» (Pro. 1:7; 9:10; 15:33; 16:6; 22:4), como também por meio daquela outra expressão que se acha nos livros dos profetas «o conhecimento de Deus» (ver, por exemplo, Isa. 11:2; 53:11; Osé. 4:1; 6:6). Essas duas idéias aparecem como um paralelo sinônimo, em Pro. 2:5 e 9:10.

Interessante é observar que o livro de Provérbios ignora quase completamente o templo de Jerusalém e o culto religioso ali efetuado (o que serve de fortíssimo argumento contra uma autoria posterior do livro), excetuando algumas alusões bastante indiretas (Pro. 3:9,10). De fato, trechos de Provérbios, como 16:6 e 21:3, até parecem negar a necessidade dos sacrifícios levíticos (mas, cf. 15:8 e 21:27). O que se destaca no livro de Provérbios é o caráter vital da verdade (28:4 e 29:18). Citamos a última dessas referências: «Não havendo profecia o povo se corrompe; mas o que guarda a lei esse é feliz».

Embora o vocábulo «aliança» só ocorra em Provérbios por uma única vez (ver 2:16,17), não há que duvidar que esse conceito se faz presente no livro. A confiança, base de todo relacionamento de pacto, é um *sine qua non* (Pro. 3:5,7; cf. 22:19; 29:25). Deus é mencionado, na maioria das vezes, por seu nome do pacto, isto é, *Yahweh* (por nada menos de oitenta e sete vezes). Também é evidente a relação entre pai e filho, que tanto caracteriza a idéia de aliança (cf. Osé. 11:1), conforme se vê em Pro. 3:12: «Porque o Senhor repreende a quem ama, assim como o pai ao filho a quem quer bem».

Um ponto que não pode ser esquecido, neste nosso estudo, foi a marca deixada pelo livro de Provérbios e seus conceitos no Novo Testamento. Isso se faz sentir por meio de várias citações e alusões, conforme se vê nas duas listas abaixo, que servem apenas de exemplos:

A. **Citações**
3:7a — Rom. 7:16
3:11,12 — Heb. 12:5,6
3:34 — Tia. 4:6; I Ped. 5:5b
4:26 — Heb. 12:13a
10:12 — Tia. 5:20; I Ped. 4:8
25:21,22 — Rom. 12:20
26:11 — II Ped. 2:22

B. **Alusões**
2:4 — Col. 2:3
3:1-4 — Luc. 2:52
12:7 — \Mat. 7:24,27

Se considerarmos que o livro de Provérbios é um extenso comentário sobre a lei do amor, então é certo que esse livro canônico tem ajudado a pavimentar o caminho para Aquele que era tanto o Amor quanto a Sabedoria encarnados, o Senhor Jesus Cristo.

Se perguntássemos por que motivo a última seção desse livro termina com um hino de elogio à mulher virtuosa (Pro. 31:10-31), a resposta seria que a esposa de nobre caráter forma um arcabouço literário juntamente com os discursos de introdução ao livro,

PROVÉRBIOS — PROVIDÊNCIA

onde a Sabedoria é personificada como uma mulher. Na vida diária, nenhum paralelo mais feliz poderia ser encontrado como a personificação da sabedoria do que a de uma esposa de bom caráter. Por conseguinte, o livro de Provérbios começa e se encerra com chave de ouro.

Bibliografia. A fonte principal de informações sobre o livro dos *Provérbios* foi *The Zondervan Pictorial Encyclopedia of the Bible*, designada Z nas minhas referências bibliográficas. Agradeço a gentil permissão dada pela Zondervan Publishing House, Grand Rapids, Michigan, EUA, pelo uso desta obra. Esta enciclopédia foi utilizada como fonte informativa na parte bíblica da minha enciclopédia e cerca de dois e meio por cento do volume *total* desta enciclopédia presente veio, *por tradução*, desta fonte. Além desta porcentagem, idéias e informações foram extraídas desta obra sem uma tradução direta. Ver também ALB AM E I IB KI ND WBC WES YO.

PROVIDÊNCIA DE DEUS

É o cuidado sobre todas as suas obras (Sal. 145:9).

I. *É Exercida:*
Na preservação de suas criaturas (Nee. 9:6; Sal. 36:6; Mat. 10:29).
No prover as necessidades de suas criaturas (Sal. 104:27,28; 136:25; 147:9; Mat. 6:26).
Na preservação especial dos santos (Sal. 37:28; 91:11; Mat. 10:30).
Na prosperidade dos santos (Gên. 24:48,56).
Na proteção dos santos (Sal. 91:3; Isa. 31:5).
No livramento dos santos (Sal. 91:3; Isa. 31:5).
Na orientação dos santos (Deu. 8:2,15; Isa. 63:12).
No cumprimento de suas palavras (Núm. 26:65; Jos. 21:45; Luc. 21:32-33).
Na determinação dos caminhos dos homens (Pro. 16:9; 19:21; 20:24).
Na determinação das condições e circunstâncias dos homens (I Sam. 2:7,8; Sal. 75:6,7).
Na determinação do período da vida humana (Sal. 31:15; 39:5; Atos 17:26).
Na frustração dos desígnios dos ímpios (Êxo. 15:9-19; II Sam. 17:14,15; Sal. 33:10).
Na frustração dos desígnios dos ímpios mediante o bem (Gên. 45:5-7; 50:20; Fil. 1:12).
Na preservação do curso da natureza (Gên. 8:22; Jó 26:10; Sal. 104:5-9).
Na direção de todos os acontecimentos (Jos. 7:14; I Sam. 6:7-10,12; Pro. 16:33; Isa. 44:7; Atos 1:26).
No governo dos elementos (Jó 37:9-13; Isa. 50:2; João 1:4,15; Nee. 1:4).
Na determinação dos mais ínfimos detalhes (Mat. 10:29,30; Luc. 21:18).
É justa (Sal. 145:17; Dan. 4:37).
É perenemente vigilante (Sal. 121:4; Isa. 27:3).
Abarca a tudo (Sal. 139:1-5).
Algumas vezes é obscura e misteriosa (Sal. 36:6; 73:16; 77:19; Rom. 11:33).

II. *Tudo é Determinado Por Ela:*
Para a glória de Deus (Isa. 63:14).
Para o bem dos santos (Rom. 8:28).
Os ímpios têm de cumprir os desígnios dela (Isa. 10:5-12; Atos 3:17,18).

III. *Deve Ser Reconhecida:*
Na prosperidade (Deu. 8:18; I Cor. 29:12).
Na adversidade (Jó 1:21; Sal. 119:15).
Nas calamidades públicas (Amós 3:6).
No nosso sustento diário (Gên. 48:15).
Em todas as coisas (Pro. 3:6).
Não pode ser frustrada (I Reis 22:30,34; Pro. 21:30).
Os esforços humanos são vãos sem ela (Sal. 127:1,2; Pro. 21:31).

IV. *Os Santos Deveriam:*
Confiar nela (Mat. 6:33,34; 10:9,29-31).
Depender inteiramente dela (Sal. 16:8; 139:10).
Entregar suas obras a ela (Pro. 16:3).
Encorajar-se por meio dela (I Sam. 30:6).
Orar, em dependência a ela (Atos 12:5).
Orar, para serem guiados por ela (Gên. 24:12-14; 28:20; Atos 1:24).
Resultado da dependência a ela (Luc. 22:35).
Vinculada ao uso de certos meios (I Reis 21:19 com I Reis 22:37,38; Miq. 5:2, com Luc. 2:1-4; Atos 27:22,31,32).
Perigo para quem a nega (Isa. 10:13-17; Eze. 28:2-10).

V. *Flexível e Vigorosa*
A providência de Deus é suficientemente *flexível* para incluir os homens livres... O seu plano é suficientemente *flexível* para destacar o que há de mais nativo em cada um de nós. O que praticamos desempenha papel preponderante no sucesso desse plano.

A providência de Deus é suficientemente *vigorosa* para excluir a possibilidade de um fracasso final. O plano de Deus encerra muitos retrocessos, mas ele jamais desiste. Algumas vezes ele pode recuperar-se usando os restos que homens e mulheres deixaram para trás, os seus equívocos, seus ataques e seus sacrifícios. Um *insensato* conflito em família, como aquele que envolveu José e seus irmãos, pode ser usado por Deus para cumprir os seus propósitos (ver Gên. 45).

O propósito da providência de Deus consiste em preservar a vida não somente a duração da vida terrena, mas também a sua qualidade e suas realizações.

VI. *A Ajuda Divina Nas Horas Críticas*
Há ocasiões em que enfrentamos situações por *demais difíceis* para nós as vencermos sozinhos, e isso faz necessária a ajuda divina ou a intervenção divina. Quem já não experimentou em sua vida, em algum tempo, esse tipo de ajuda divina?

A tribulação, embora nos pareça sempre tão desagradável, com freqüência nos serve de ajuda em nosso progresso espiritual, e não de empecilho, porque, em seu desenrolar, vamos obtendo as porções apropriadas e necessárias de vitória e felicidade. (Ver o artigo sobre *Sofrimento, Necessidade do*).

Luz que Brilha das Trevas
Deus se move de forma misteriosa
Para realizar suas maravilhas.
Implanta seus passos no mar,
E cavalga por cima do tufão.

No profundo, em minas insondáveis
De habilidades que nunca falham,
Ele entesoura seus grandes desígnios,
E põe em obras sua vontade soberana.
(William Cowper)

Pode-se perceber a atuação da providência divina na vida do apóstolo Paulo. A simples leitura do livro de Atos revela-nos que o autor sagrado sentia que cada decisão importante que Paulo tomava de alguma maneira era inspirada por Deus, manifestada a vontade de Deus ou em sua própria alma ou através de terceiros, que eram impelidos a prestar-lhe ajuda. Quanto a isso, podem ser examinadas as seguintes

PROVÍNCIA — PROVOCAÇÃO

referências: Atos 9:3-5; 11:28; 13:2; 16:10; 19:21; 21:11; 22:17-21; e 23:11.

PROVÍNCIA

Esboço:
1. Definição e Palavras Usadas
2. As Províncias Romanas
3. A Província da Judéia

1. Definição e Palavras Usadas

O ofício de um governante podia ser assim chamado. Mais especificamente, porém, devemos pensar no território assim governado. No hebraico, encontramos a palavra *medinah*, «distrito», que algumas vezes é traduzida por «província». Esse termo é usado por cerca de cinqüenta e seis vezes no Antigo Testamento, mas por apenas quatro vezes indicando governantes israelitas (distritos da época do rei Acabe: I Reis 20:14,15,17,19). Outros usos apontam para os administradores de distritos babilônicos e persas, conforme se vê, por exemplo, em Esd. 2:1; 4:15; 5:8; 6:2; 7:16; Nee. 1:3; 7:6; Est. 1:1; Ecl. 2:8; 6:8; Lam. 1:1; Dan. 2:47,49; 3:1-3,12,30; 8:2; 11:24. A Septuaginta (tradução do Antigo Testamento para o grego) usa a palavra grega *chóra*, «país», como equivalente. Entretanto, a palavra grega *basileía* é usada em Est. 1:3, e 8:9, enquanto que outra palavra grega, *eparcheía*, é usada em Est. 4:11. A primeira dessas duas palavras significa «reino», e a segunda, «província», «distrito». No Novo Testamento, essa última palavra é que é utilizada em Atos 23:23,24 e 25:1. Nos tempos do Novo Testamento, como até hoje, no grego essa última palavra significa «província» ou território dirigido por um governador.

2. As Províncias Romanas

Originalmente, a palavra traduzida como «província» denotava uma esfera administrativa. O *praetor urbanus* (oficial) exercia autoridade sobre a *urbana provincia*, uma área designada. Essa autoridade podia ser exercida dentro de alguma cidade (Lívio 6:42; 31:6), ou fora de uma cidade; mas nunca no segundo sentido, quando em foco algum território, o qual, era virtualmente um pequeno país, segundo eram as províncias romanas dos tempos neotestamentários. Esse antigo uso acerca do exterior de uma cidade é mencionado por Tácito (Anais 4:27). Suetônio (*Iul.* 19) empregou a palavra da mesma maneira que o fez Tácito, ao referir-se a bosques e pastagens.

As primeiras províncias italianas eram territórios com alguma extensão. Entre 509 e 241 A.C., todas as menções às províncias aludem a territórios dentro da Itália. Os cônsules e dois magistrados judiciais (no latim, *praetors*) governavam essas províncias. Mas, de 241 a 27 A.C., também houve províncias fora da Itália. Pertence a essa época o uso neotestamentário do vocábulo. A ilha de Sardenha foi tomada de Cartago, em 238 A.C., tendo-se tornado província romana em 227 A.C. Mas, antes disso, a ilha de Sicília se tornara província romana. Posteriormente, a Espanha foi governada como uma província. Procônsules começaram a ser os governadores desses territórios, entre 27 A.C. e 180 D.C.

Durante a república romana, todas as províncias ficaram sob a jurisdição do senado; mas, a começar por César Augusto, as províncias foram divididas em três classes: 1. as dez províncias mais antigas (senatoriais), que não precisavam de grandes forças militares, ficaram sob o controle do senado. Ex-cônsules eram os governadores dessas províncias. 2. Doze províncias ficaram sob a administração imperial. Todas elas eram áreas de fronteira, e precisavam de poderosas forças militares para serem controladas e protegidas. Os governadores desses territórios eram legados do imperador (no latim, *legatus Augusti pro praetore*), e eram nomeados por ele por um período indefinido, de acordo com seu discernimento. 3. Províncias imperiais governadas por um procurador imperial (no latim, *praefectus*) da classe eqüestre. Esses procuradores também eram designados pelo imperador, e governavam regiões agrestes e não-desenvolvidas, algumas vezes tendo como súditos populações sediciosas.

3. A Província da Judéia

Para os estudiosos da Bíblia, essa é a porção mais atrativa. Em 63 A.C., a Judéia tornou-se província da Síria; mas, em 40 A.C., foi dada a Herodes, o Grande, como parte integrante de seu reino. Porém, após a época dele, reverteu ao seu estado anterior. Os procuradores romanos residiam em Cesaréia (ver Josefo, *Anti*. 18.3,1, 55-59; *Guerras* 2.9,2, 171; Atos 23:23,33; 25:1). Ao *praefectus* era conferida considerável autoridade, incluindo a questão da punição capital (Josefo, *Guerras* 2.8,1, 117). O Sinédrio judeu podia atuar, mas suas decisões estavam sujeitas à aprovação do *praefectus*. Isso posto, a punição capital podia ser pressionada pelos membros do Sinédrio, mas precisava ser decretada pelo governador romano. Ver João 18:31; Atos 25:1-12. Pilatos só é figura conhecida por nós devido à sua má decisão acerca de Jesus. Em 36 D.C., Vitélio passou a governar a Judéia, e Pilatos foi convocado a Roma, a fim de responder pelos erros cometidos (Josefo, *Anti*. 18.4,2, 88,89; Tácito, *Anais* 6.32).

PROVOCAÇÃO

Todo pecado é uma provocação do homem contra Deus, mesmo quando o homem também é ofendido, pois todo erro moral, em toda a criação, atinge a santidade divina. Davi, em seu adultério com Bate-Seba e assassinato do marido dela, ao reconhecer seu duplo pecado, escreveu: «Pequei contra ti, contra ti somente, e fiz o que é mal perante os teus olhos...» (Sal. 51:4). Uma provocação é algo que reclama uma reação, seja boa seja má. O trecho de II Cor. 9:2 contém o verbo «provocar» (em algumas traduções; nossa versão portuguesa diz «tem estimulado»), em um sentido positivo, mas em II Reis 23:26; Jó 17:2 e Eze. 20:28 encontramos a palavra hebraica correspondente, *kaas*, em um sentido negativo. A expressão «a provocação» ou «a grande provocação» é usada para falar sobre a obstinação do povo de Israel, quando andava vagueando pelo deserto, tendo desperdiçado quarenta anos, antes de entrar na Terra Prometida. Aí encontramos as palavras hebraicas *meribah* (Sal. 95:8), «contenção», e *neatsoth* (Nee. 9:18;26), «desprezos».

A passagem de Efé. 6:4 estampa a palavra no tocante às relações pessoais, especialmente no caso de pais que provocam insensatamente a seus filhos, mediante atos injustos e desarrazoados. Aí·a palavra grega usada é *parorgízo*, «provocar além das medidas». Isso alerta-nos para o fato de que certas formas de egocentrismo estão por detrás de atos provocantes, e que até entes amados podem tornar-se nossas vítimas. Outra palavra grega que merece a nossa atenção é *parazelóo*, (Rom. 10:19; 11:11,14; I Cor. 10:22), que significa «provocar com ciúmes». Finalmente, devemos meditar sobre o vocábulo grego *parapikraíno*, «provocar abertamente» (Heb. 2:16), no caso da obstinação do povo de Israel, no deserto.

••• ••• •••

PRÓXIMO

1. Palavras Envolvidas

Precisamos considerar quatro palavras hebraicas e uma grega:

a. *Rea*, «associado», «companheiro». Mas tem uma larga aplicação, incluindo até mesmo objetos inanimados (ver Gên. 15:10). Pode estar em foco um amigo íntimo (Pro. 26:10), ou um amante (Can. 5:16), ou o marido de uma mulher (Jer. 3:20). Essa palavra hebraica, pois, destaca como próximo uma pessoa que é íntima de quem fala, em um relacionamento onde imperam laços de amizade (ver Êxo. 20:16, 17; Deu. 5:20). Essa palavra hebraica ocorre por cento e oitenta e nove vezes.

b. *Shaken*, «concidadão», «vizinho». Está em foco alguém que mora próximo, e de quem se pode pedir algo emprestado (ver Êxo. 3:22; 12:4; Pro. 27:10). Tal vocábulo também era usado para indicar cidades próximas (ver Jer. 49:18). O termo é utilizado por vinte vezes, como um substantivo, pois também era um verbo, com o sentido de «residir», etc.

c. *Qarob*, «próximo», referindo-se a alguém ou a algum lugar; no caso de pessoas, significava «parente». Ocorre por setenta e cinco vezes nas páginas do Antigo Testamento. Alguns exemplos: Êxo. 32:27; Jos. 9:16; Sal. 15:3; Eze. 23:5,12; Gên. 19:20; Isa. 13:13; Joel 3:14; Sof. 1:14. Essas duas últimas referências mostram que a palavra também significava «perto» temporalmente.

d. *Amith*, «colega», «igual», «próximo». Essa palavra hebraica aparece por doze vezes no Antigo Testamento: Zac. 13:7; Lev. 6:2; 18:20; 19:11,15, 17; 25:14,15,17. Essas duas últimas referências mostram que ela pode ser traduzida em português como «outro», embora dando a entender outro ser humano, o próximo.

e. *Plesíon*, «próximo», «vizinho», «concidadão». Essa palavra grega aparece por dezessete vezes no Novo Testamento: Mat. 5:43 (citando Lev. 19:18); 19:19; 22:39; Mar. 12:31,33; Luc. 10:27,29,36; João 4:5; Atos 7:26; Rom. 13:9,10; 15:2; Gál. 5:14; Efé. 4:25; Tia. 2:8 e 4:12.

2. Ensinamentos Bíblicos Acerca do Próximo

Para um israelita, um outro israelita era o próximo, porquanto era um irmão, participante, com ele, do mesmo pacto com Abraão (ver Gên. 12:1-3). Dentro desse contexto foi dado o mandamento de amar ao próximo como a si mesmo (ver Lev. 19:18). Esse mandamento foi universalizado no Novo Testamento; ao passo que no Antigo Testamento era restringido aos participantes do pacto abraâmico. Assim, a interpretação rabínica dizia que aos israelitas foi ordenado que amassem ao próximo, e que isso subentendia que eles deveriam odiar ao não-próximo, ou ao estrangeiro, ou ao inimigo. Jesus referiu-se a essa interpretação equivocada em Mat. 5:43 ss. E o Senhor reverteu essa idéia rabínica tão radicalmente que chegou a ordenar que amássemos aos nossos próprios inimigos, determinando que orássemos em favor daqueles que nos perseguem (ver Mat. 5:44). É desse modo que um crente chega a tornar-se um «perfeito» filho do Pai celeste (vss. 45,46) dotado de uma elevada natureza moral e espiritual. Diz Mat. 5:48: «Portanto, sede vós perfeitos como perfeito é o vosso Pai celeste». Naturalmente, essa atitude para com o próximo faz parte da manifestação geral da lei do amor. A prática da lei do amor é prova da regeneração e da espiritualidade do indivíduo, segundo aprendemos em I João 4:7 ss.

O Antigo Testamento, de fato, emprega em sentido mais amplo o termo «próximo», conforme se vê em Êxo. 3:22; 11:2 e Eze. 16:26. Também poderíamos pensar no livro do profeta Jonas, que é o «João 3:16» do Antigo Testamento. Entretanto, essa visão mais espiritual não conseguiu capturar a imaginação da corrente principal do judaísmo, que cada vez mais foi-se tornando uma fé exclusivista.

A mais significativa passagem neotestamentária sobre a definição de quem é o nosso «próximo», e o que isso deveria significar para nós, acha-se na parábola do Bom Samaritano, em Luc. 10:29-37. Ver o artigo chamado *Samaritano, Parábola do Bom*. Ver também sobre *Bom Vizinho*. O próximo é sempre alguma pessoa em necessidade, ao qual devemos socorrer, sem importar se essa pessoa vive perto ou longe de nós, sem importar sua raça ou religião. Do ponto de vista da criação (posto que não do ponto de vista da regeneração), todos os homens são filhos do mesmo Deus, e todos eles são irmãos. Assim, um *próximo*, nesse amplo sentido, tem direito ao nosso amor. Ora, esse ensino era totalmente estranho ao judaísmo exclusivista dos dias de Jesus; mas, embora concorde com a nossa teologia cristã, raramente é observado na nossa prática. A *real lei* de Deus consiste em amarmos ao próximo como a nós mesmos (ver Tia. 2:8); mas quanto a isso temos pouca experiência, exceto como uma proposição teológica.

Paulo também mencionou essa lei, no contexto da natureza do amor cristão (ver Rom. 13:9,10). O amor ao próximo não o prejudica. Antes, cumpre todos os requisitos da lei, que encoraja o bem e proíbe que se faça mal ao próximo (ver Gál. 5:14, que reitera esse mandamento). Um amplo ensino espiritual haverá de ser, finalmente, anunciado entre todos os homens (ver Heb. 8:11), quando então a espiritualidade do ser humano será elevada ao ponto dele deixar de ser um guerreiro tribal, conforme hoje se vê. Ver o artigo geral sobre o *Amor*, e também aquele sobre o *Fruto do Espírito*.

PRUDÊNCIA

Esboço:
1. O Vocábulo
2. Na Filosofia
3. Considerações Bíblicas

1. *O Vocábulo*

O vocábulo português *prudência* vem do latim *prudens*, «conhecedor». A forma nominal é *prudentia*. A prudência consiste no uso habilidoso do conhecimento, no exercício da sabedoria. Trata-se de um cuidado habitual de evitar erros e seguir o mais sábio curso de ação acerca de qualquer questão. Envolve um sábio estado mental ou espiritual, que resulta em atos ditados pela sabedoria. A palavra latina traduz o termo grego *phrónesis*, «bom senso», «sabedoria prática». Esse termo grego ocorre por duas vezes no Novo Testamento: Luc. 1:17; Efé. 1:8. O termo cognato, *phrónimos*, foi usado por catorze vezes: Mat. 7:24; 10:16; 24:45; 25:2,4,8,9; Luc. 12:42; 16:8; Rom. 11:25; 12:16; I Cor. 4:10; 10:15; II Cor. 11:19. E a forma verbal, *phronéo*, figura por vinte e sete vezes: Mat. 16:23; Mar. 8:33; Atos 28:22; Rom. 8:5; 11:20; 12:3,16; 14:6; 15:5; I Cor. 13:11; II Cor. 13:11; Gál. 5:10; Fil. 1:7; 2:2,5; 3:15,19; 4:2,10; Col. 3:2; I Tim. 6:17. Essa forma verbal significa «pensar», «exercer bom juízo».

2. *Na Filosofia*

Sócrates acreditava que conhecer-se verdadeiramente serve de garantia para que o ser humano aja sabiamente. A prudência aparece como uma das quatro grandes virtudes (juntamente com a coragem, o autocontrole e a retidão), nos escritos de Platão. Os tradutores, com freqüência, têm usado a palavra «sabedoria» como tradução, nesse contexto. *Aristóteles* fazia da *phrónesis* uma «sabedoria prática», ao passo que a «sabedoria» seria a *sophía*, de natureza teórica e especulativa, como base de toda manifestação de sabedoria. Os pensadores *cireneus* faziam da prudência um dos alvos principais da vida. *Tomás de Aquino* atribuía a prudência original a Deus, que teria organizado todas as coisas. *Hobbes* dizia que a prudência deriva-se da experiência em geral, ao passo que a sabedoria derivar-se-ia da ciência. *Paley* pensava que a prudência e a virtude são uma e a mesma coisa. O *bispo Butler* opinava que a prudência consiste no *auto-afeto* razoável, sendo um dos principais elementos da ética, assumindo lugar paralelamente à toda-poderosa consciência, a força orientadora de toda ação ética. Por sua vez, *Sidgwick* acreditava que a *prudência* é uma qualidade intuitiva do homem, pronta para ser usada por todas as pessoas razoáveis. Alinhar-se-ia lado a lado com outros princípios, como a justiça e a benevolência, que seriam outras virtudes capitais. Conjuntamente, a prudência, a justiça e a benevolência formariam a base de toda ética.

3. *Considerações Bíblicas*

O termo grego *phrónesis* ocorre apenas duas vezes em todo o Novo Testamento (Luc. 1:17 e Efé. 1:8), que a nossa versão portuguesa traduz por «prudência» em ambos os casos. No primeiro caso, há uma alusão à natureza e aos atos de João Batista, precursor de Jesus Cristo; no segundo caso, há menção «à sabedoria e à prudência» empregados por Deus em sua redenção e nos atos restauradores do mistério de sua vontade. Ver sobre *Mistério da Vontade de Deus*. No Antigo Testamento, menciona-se aquela qualidade de bom senso que leva as pessoas a agirem com prudência (ver Amós 5:13). Porém, também há uma prudência negativa que opera a malignidade (Pro. 12:23; 14:15; Gên. 3:1). A verdadeira prudência consiste na aplicação prática da sabedoria.

PRUDENTE

No latim, **Pudens**, «modesto», «envergonhado», «tímido». Esse era o nome de um cristão de Roma que se juntou a Cláudia e a outros no envio de saudações a Timóteo, conforme se lê em II Tim. 4:21. Ele e seus amigos são mencionados somente aqui, em todo o Novo Testamento.

Por mera coincidência de nomes, o poeta latino Marcial, em seus Epígramas (I, 31; IV.13,29; V.48; VI.58; VII.11,97) falou acerca de um certo Prudente e sua esposa, Cláudia, que eram britânicos de nascimento. E alguns eruditos têm-se esforçado por associar esse casal com aquelas pessoas mencionadas no Novo Testamento; porém, certamente isso é um exercício de futilidade.

A Igreja bizantina comemora sua data em 14 de abril, enquanto que a Igreja de Roma o faz a 19 de maio. Naturalmente, a Igreja cristã lhe atribui importância como santo e mártir. Além disso, a tradição faz dele um senador, localizando sua igreja-residência no local da moderna igreja de Santa Prudência. Usualmente, as tradições são muito imaginativas, não sendo fiéis aos fatos históricos, de tal modo que é dificílimo dizer se há qualquer verdade em todas essas tradições acerca de Prudente.

PRUMO

O prumo consiste de um fio com um peso qualquer em uma das extremidades, como uma pedra ou um pedaço de metal. Seu uso é o mesmo desde a antiguidade até os nossos dias. Os pedreiros usavam-no e usam-no para encontrar a verdadeira perpendicular, — para que possam construir paredes, edifícios, templos, etc., que se mantenham na vertical e não caiam. Visto que o prumo verifica a verdadeira perpendicular, simboliza a justiça, ou as condições de correção e justeza. A arqueologia tem demonstrado a existência desse instrumento pelo menos desde 2900 A.C., no Egito.

Usos Figurados. 1. Em Amós 7:7,8, o prumo é usado para averiguar a verticalidade de uma parede, em uma visão desse profeta. O povo de Israel também precisava ser examinado, a fim de que suas iniqüidades fossem evidenciadas e corrigidas. 2. Em II Reis 21:13, o prumo simboliza o juízo divino contra os habitantes de Jerusalém, que se tinham enlameado com toda espécie de práticas injustas, duvidosas e distorcidas. 3. Em Zac. 4:10, esse pequeno instrumento simboliza a determinação de Deus em impor um correto julgamento, requerendo dos homens uma verdadeira retidão. Como vimos, todas essas referências pertencem ao Antigo Testamento, o que mostra que esse instrumento só aparece ali, e nunca é mencionado no Novo Testamento. No hebraico, «prumo» é *anak* (em Amós); *mishqoleth* ou *mishqeleth*, em II Reis 21:13 e Isa. 28:17; e *eben bedil*, «pedra de estanho», em Zac. 4:10. Também é claro que as menções a esse instrumento sempre envolvem um sentido metafórico, e nunca literal.

PSEUDEPÍGRAFOS

Esboço:
I. A Designação
II. Caracterização Geral
III. Classificações
IV. Lista Básica de Obras Pseudepígrafas
V. Preservação Cristã da Coletânea
VI. Influência dos Livros Pseudepígrafos

I. A Designação

Essa palavra portuguesa vem do grego, **pseudepigraphos**, «escrito falso» ou «escrito espúrio». Apesar de que alguns dos escritos da coletânea assim conhecida são verdadeiramente «falsos», no sentido primário de que foram invenções, o termo é usado para aludir, especificamente, à idéia de «falsa autoria». Em outras palavras, os livros assim chamados não foram escritos pelos autores aos quais são atribuídos. Para exemplificar, *Enoque* não foi escrito por aquela personagem veterotestamentária chamada Enoque; *Tomé* não foi escrito pelo apóstolo desse nome; e o *Apocalipse de Abraão* não foi escrito pelo patriarca Abraão.

Não devemos esquecer que era costume comum na antiguidade atribuir um livro qualquer a alguma pessoa antiga e bem conhecida. Isso não sucedia apenas no campo religioso, mas também secular, como nas obras filosóficas e nas obras de literatura em geral. Os motivos da prática variavam. Na maioria dos casos, podemos supor que havia o desejo de obter uma melhor distribuição de uma obra recente, mediante a glorificação de algum nome famoso. Mas muitos autores também desejavam honrar o nome usado; e, em alguns casos, tencionavam promover as idéias e as tradições dos alegados autores.

O termo *pseudepígrafos*, quando usado para indicar livros relacionados à Bíblia, usualmente refere-se aos livros pseudepígrafos do Antigo Testamento. Há livros pseudepígrafos do Novo Testamento, mas usualmente são designados *livros apócrifos*. Para efeito de distinção, os livros pseudepígrafos do

PSEUDEPÍGRAFOS

Antigo Testamento formam uma coletânea separada dos livros apócrifos, e, naturalmente, também separada dos cânones palestino e alexandrino do Antigo Testamento. No cânon alexandrino estão incluídos vários livros apócrifos, mas isso não se dá com os livros pseudepígrafos, embora alguns deles tivessem alcançado considerável prestígio, tendo exercido definida influência sobre as idéias do judaísmo helenista, e, daí, sobre certas idéias do Novo Testamento. Tenho provido artigos separados sobre os mais importantes dentre esses livros; e nos artigos sobre os livros pseudepígrafos (como o *Enoque Etíope*, também chamado I Enoque, ou como o *Enoque Eslavônico*, também chamado II Enoque) tornar-se-á patente, para o leitor, que esses livros desempenharam um importante papel como influenciadores de idéias, mesmo quando não foram diretamente citados. I Enoque foi citado em Jud. 14 *ss* (de I Enoque 1:9); e o relato da descida de Cristo ao hades, em I Ped. 3:18-4:6, foi verbalmente inspirado por passagens desse livro, embora com aplicação um tanto diferente.

II. Caracterização Geral

Vários pontos importantes devem ser salientados no tocante ao estudo desses livros:

1. Eles constituem um corpo bastante extenso de literatura, uma espécie de terceiro desenvolvimento: a. os livros canônicos do Antigo Testamento; b. os livros apócrifos, os quais, quanto a alguns deles, obtiveram posição canônica entre os judeus da dispersão, e então no cânon católico romano do Antigo Testamento; c. os livros pseudepígrafos, alguns poucos dentre os quais obtiveram situação canônica, pelo menos no parecer de alguns indivíduos ou localidades limitadas, mas que, considerados como um todo, exerceram considerável influência sobre idéias do judaísmo helenista, as quais então encontraram caminho para o Novo Testamento.

2. Como uma coletânea, a maior parte desses livros pode ser datada entre 200 A.C. e 200 D.C. quase todos eles são de natureza apocalíptica. Ver o artigo geral sobre *Apocalípticos, Livros (Literatura Apocalíptica)*.

3. Visto que muitos desses livros versam sobre questões apocalípticas, sua mais forte influência se dá na área da tradição profética. Isso usualmente surpreende aqueles que tomam conhecimento do fato pela primeira vez—o esboço profético em linhas mais gerais, presente no Novo Testamento, já aparecia em I Enoque. Meu artigo sobre esse livro provê ampla ilustração sobre esse fato, embora muitas pessoas fiquem consternadas diante disso.

4. Apesar da maior parte desses livros nunca ter atingido posição canônica, eles são bem representados entre o material achado nas cavernas próximas do mar Morto. Ver sobre *Manuscritos (Rolos) do Mar Morto*. Isso significa que em Jerusalém, e não somente entre os judeus da dispersão, eles eram importantes. Desempenharam um importante papel durante o período intertestamentário, e são valiosos até hoje devido à luz que lançam sobre o pano de fundo judaico do Novo Testamento.

5. Os escritores católicos romanos preferem o nome *apócrifos* quando se referem aos livros dessa coletânea, provavelmente porque aqueles livros que os grupos protestantes chamam de apócrifos são livros canônicos para os católicos romanos.

6. A coletânea dos livros pseudepígrafos inclui muitas obras *anônimas*, pelo que, estritamente falando, o termo pseudepígrafo não pode ser aplicado à coletânea inteira. Porém, visto que há tão grande número de obras verdadeiramente pseudepígrafas, não é errado empregar esse título geral para indicar a coletânea inteira.

7. *Conteúdo*. É impossível caracterizar tão grande coletânea quanto ao seu conteúdo. Tudo quanto faz parte da religião aparece ali, desde ensinos éticos até relatos de experiências místicas, desde profecias até exposições escriturísticas, desde história até poesia, desde filosofia até liturgia, desde apologética até didática. Mas as ênfases principais são ensinos, apologética, temas filosóficos, pseudonarrativas com as devidas lições morais e espirituais, a busca da espiritualidade por parte da alma, principalmente através de experiências místicas. Além disso, visões e iluminações, a ascensão a esferas celestiais, a descida a esferas infernais, com a conseqüente aquisição de conhecimentos. Mas, se quisermos salientar um tema maior, então temos as *expectações apocalípticas* dos autores diversos. O leitor poderá verificar isso no artigo separado sobre o *Enoque Etíope (I Enoque)*. O conteúdo dessa coletânea ainda é mais variegado do que o do Antigo Testamento, contendo vários tipos de literatura que não aparecem naquela coletânea sagrada.

8. *Classificações* segundo as presumíveis *proveniências*. Essa coletânea é por demais variada para ser simplesmente classificada em blocos. Porém, pode-se fazer a tentativa de arranjar esse material de acordo com dois grandes blocos. Ver a seção III quanto a detalhes.

III. Classificações

Nenhum único método de classificação tem merecido a aprovação de qualquer grande número de eruditos. Mas um método favorito de classificação é aquele de acordo com a presumível *proveniência*. Se utilizarmos esse método da procedência, então a classe maior é a do grupo hebreu-aramaico ou *palestino*. As principais obras dessa alegada proveniência são: Testamentos dos Doze Patriarcas; Jubileus; Martírio de Isaías; Salmos de Salomão; Ascensão de Moisés; o Apocalipse Siríaco de Baruque; o Testamento de Jó; os Paralipomena de Jeremias, o Profeta; a Vida de Adão e Eva; as Vidas dos Profetas. Além desses, há os livros gregos ou *alexandrinos*, que também são conhecidos como grupo *judaico-helenista*. Essa coletânea contém a Carta de Aristéias; alguns dos Oráculos Sibilinos; III Macabeus (relatos lendários); IV Macabeus (obra de cunho filosófico); o Enoque Eslavônico (II Enoque); e parte do Baruque escrito em grego.

Classificação Segundo o Gênero Literário. Talvez esse seja o melhor critério de classificação. Cinco distintos tipos literários podem ser distinguidos nos livros pseudepígrafos: 1. *Narrativas*, principalmente histórias: Jubileus; a Vida de Adão e Eva; os Paralipomena de Jeremias. (A palavra *paralipomena*, que está no plural, significa «coisas passadas», ou seja, não mencionadas ou omitidas. Portanto, essa obra alega contar coisas que o livro canônico de Jeremias deixou de lado). 2. *Testamentos*, como o dos Doze Patriarcas e o de Jó. 3. *Escritos litúrgicos*, como Salmos de Salomão e os Hodayoth dos manuscritos do mar Morto. 4. *Apologias*, como a Carta de Aristéias, III e IV Macabeus e alguns dos Oráculos Sibilinos. 5. *Apocalipses*, como os de Enoque, Moisés e Baruque. Muitos livros, como é óbvio, contêm vários desses gêneros literários, pelo que esta classificação também é inadequada, embora útil.

IV. Lista Básica de Obras Pseudepígrafas

A obra em dois volumes, the **Old Testament Pseudepigrapha**, de autoria de James H. Charlesworth (Doubleday & Co., Nova Iorque), contém cerca de sessenta e cinco livros dessa natureza. Apresentei artigos separados sobre os seguintes:

Abraão, Testamento de
Adão e Eva, Vida de
Aristéias, Carta de
Assunção de Moisés
Baruque, Apocalipse Grego de
Baruque, Apocalipse Siríaco de
Enoque, Etíope (I Enoque)
Enoque, Eslavônico (II Enoque)
Esdras (I ou IV)
Isaías, Martírio e Ascensão de
Jeremias, Paralipomena de
José, Oração de
Jubileus, Livro dos
Macabeus (III) — sob o título Macabeus, Livros dos
Macabeus (IV) — sob o título Macabeus, Livros dos
Salmos de Salomão
Oráculos Sibilinos
Testamentos dos Doze Patriarcas

Oferecemos detalhes adicionais sobre os livros de literatura apocalíptica no artigo intitulado *Apocalípticos, Livros* (*Literatura Apocalíptica*).

V. Preservação Cristã da Coletânea

Apesar dos livros pseudepígrafos serem de origem judaica, não teriam sido preservados sem os labores de escribas cristãos. Foram, pois, essencialmente preservados em grego, latim, siríaco, etiópico, cóptico e armênio. Com a descoberta dos *Manuscritos* (*Rolos*) *do Mar Morto*, alguns desses livros foram confirmados como de grande antiguidade, anteriores ao trabalho de amanuenses cristãos. Apesar dessa coletânea ser menos favorecida, e, portanto, menos copiada pelos rabinos judeus, obtiveram um certo favor entre os cristãos, a começar por alguns dos próprios autores sagrados do Novo Testamento, os quais incorporaram idéias (especialmente aquelas atinentes a predições proféticas). E os apologistas cristãos acharam nesses livros algum material de valor, como aquele que enfatiza questões devocionais. Muitas interpolações feitas por escribas cristãos penetraram nos textos desses livros, de tal forma que nem sempre é fácil distinguir essas interpolações dos escritos originais. Esses livros serviram de modelo para obras cristãs similares, especialmente aqueles atualmente chamados *Apócrifos* (vide, mormente aquela seção que trata dos livros apócrifos do Novo Testamento).

VI. Influência dos Livros Pseudepígrafos

1. *No Judaísmo Helenista*. O período intermediário entre o Antigo e o Novo Testamentos foi um tempo fértil quanto ao desenvolvimento e mistura de idéias. O antigo judaísmo absorveu muitas idéias que não apareciam no próprio Antigo Testamento. A idéia da «alma» encontrou guarida na teologia judaica, após muitos séculos primeiramente de incredulidade, e então, de obscurantismo. As chamas do inferno foram acesas pela primeira vez em I Enoque, uma idéia transferida então para o Novo Testamento. O esboço essencial da tradição profética foi elaborado durante esse período intertestamentário, conforme fica comprovado no artigo chamado *Enoque Etíope*. Ascensões aos céus e descidas às regiões infernais tornaram-se temas populares. Desse modo, os livros pseudepígrafos (juntamente com os escritos apócrifos, com os livros de Josefo e com os manuscritos do mar Morto) vieram a outorgar-nos discernimento sobre a natureza do pensamento religioso e filosófico dos tempos judeu-helenistas. É necessário que o estudioso volva-se para os livros pseudepígrafos a fim de entender o desenvolvimento que teve lugar na teologia do judaísmo, após o encerramento do cânon do Antigo Testamento.

2. *Algumas Idéias Proeminentes Desenvolvidas Nesse Período*. a. O conceito da alma tornou-se universal no judaísmo, algumas vezes vinculado à idéia da reencarnação; b. um inferno em chamas tornou-se doutrina para alguns judeus; c. foi desenvolvida uma elaborada angelologia, incorporando idéias persas, mas, ocasionalmente com adições inéditas e fantásticas; d. foi dada grande ênfase ao apocalipticismo; e. doutrinas messiânicas, algumas delas de elevada ordem, bem como o esboço geral das predições proféticas; f. a doutrina da ressurreição dos mortos ficou estabelecida.

3. *Sobre o Novo Testamento*. O trecho de Jud. 14 ss é o único empréstimo direto que se vê no Novo Testamento desses livros (extraído de I Enoque). Todavia, há vários empréstimos verbais, o que indica que os autores do Novo Testamento estavam acostumados com aqueles livros, não hesitando em incorporar as idéias de alguns deles em seus escritos. Acima de tudo, o que pode ser facilmente comprovado, os autores do Novo Testamento incorporaram em suas obras o esboço profético geral dos livros pseudepígrafos, incluindo muitos termos e noções que se aplicam ao Messias. Ver sobre o *Enoque Etíope*, quanto a uma completa demonstração. Também não poderíamos deixar de mencionar aqui o conceito de um inferno em chamas, tomado por empréstimo de I Enoque. O relato sobre a *Descida de Cristo ao Hades* (vide), que se acha no Novo Testamento, verbalmente é bastante similar ao relato em I Enoque.

«...não é exagero dizer-se que é impossível compreender o pano de fundo teológico do Novo Testamento à parte do estudo desses e de outros escritos judaicos pré-cristãos» (Z).

Bibliografia. AM CH E ID J ND RU(1064) Z

PSEUDO-DIONÍSIO

Os autores antigos costumavam atribuir suas obras a algum outro autor famoso, a fim de honrar a este último ou promover as suas idéias, ou meramente a fim de obter maior prestígio para os livros que escreviam. E isso sem importar se essas obras eram de natureza bíblica, secular ou filosófica. Algum autor desconhecido aproveitou-se do nome de Dionísio, o Areopagita, (ver Atos 17:34), para sua própria obra. O incrível é que tal identificação foi seriamente considerada durante a maior parte da Idade Média. Mas, visto que tal autoria é falsa, finalmente a obra passou a ser conhecida como *Pseudo-Dionísio*. Esse autor desconhecido usou os escritos de *Proclo* (vide), um famoso filósofo neoplatônico, como a base de uma série de tratados acerca de Deus, religião e teologia mística, e do neoplatonismo em geral (vide). Essa obra foi originalmente escrita em grego, mas então foi traduzida para o latim por *Erigena* (vide). Hugo de Saint Victor escreveu comentários sobre a obra, como também o fizeram Roberto Grosseteste, Alberto Magno e Tomás de Aquino. Isso indica que tal escrito circulava consideravelmente, dotado de grande prestígio entre autores da Idade Média.

Idéias

1. A revelação, — que nos é desvendada nas Escrituras, torna-se a nossa primeira linha de conhecimentos. Contudo, seria mister aplicar o conceito da chamada «teologia negativa» às Escrituras

e a todos os demais escritos que reivindicam revelar algo a respeito de Deus. Deus não pode, realmente, ser descrito em termos antropomórficos, embora o antropomorfismo seja utilizado pelo homem, devido à sua falta de conhecimento e devido à ausência de melhores meios de conhecimento. Assim sendo, sempre poderemos dizer que «Deus não é isto» que dizemos sobre o homem, para então tolamente atribuirmos tais qualidades a Deus, em forma expandida. Antes, faríamos bem em aplicar uma espécie de teologia superlativa, conforme a qual Deus é encarado como um Superser, dotado de superunidade e de superbondade.

2. Porém, além da teologia negativa e da superteologia, precisamos obter maiores discernimentos quanto à teologia mística. Ver sobre o *Misticismo*. Somente as experiências místicas podem conferir-nos alguma substância real no tocante a Deus e à alma. Esse método transcende à percepção dos sentidos e à razão.

3. As metáforas da luz e das trevas são úteis para que possamos entender uma série de coisas que começa com Deus e termina com o homem. A luz divina banha a todos os seres; podemos ser iluminados; as forças das trevas resistem a essa luz, mas podemos vencê-las. O amor unifica a todas as coisas, pois o amor é a maior de todas as iluminações e tende para a unidade. O ódio, por sua vez, engendra a discórdia. Não podemos conhecer a Luz por meio da razão; mas a luz divina ilumina-nos para que possamos conhecer a verdade, incluindo aquela verdade prática do poder unificador do amor.

4. Uma hierarquia celestial inteira está envolvida na transmissão da luz divina aos homens. Neste mundo, essa luz, por sua vez, seria transmitida e estaria na dependência a uma hierarquia eclesiástica.

Escritos. Sobre os Nomes Divinos; A Teologia Mística; A Hierarquia Celestial; A Hierarquia Eclesiástica.

PSEUDO-MATEUS, EVANGELHO DO

Dois evangelhos extracanônicos estão por detrás dessa obra, o Protevangelho de Tiago e o Evangelho da Infância de Tomé, acerca dos quais oferecço artigos. Ver também sobre *Apócrifos*, na parte que trata sobre o Novo Testamento, no que concerne a uma descrição geral desse material. O Pseudo-Mateus é uma compilação latina tardia, baseada essencialmente sobre esses citados evangelhos apócrifos. Por sua vez, tornou-se uma fonte da obra *Nascimento de Maria*. Um nome alternativo do Pseudo-Mateus é *Liber de Infantia*.

O *Pseudo-Mateus* tem exercido grande importância histórica no mundo da literatura religiosa, visto que foi com base nessa obra que surgiram outros evangelhos narrando a história da infância de Jesus, já na Idade Média. Estes serviram para inspirar a imaginação religiosa, as obras de arte e a poesia. Cartas espúrias, de Jerônimo ou para ele, foram adicionadas, a fim de emprestar-lhe prestígio e fomentar sua circulação. Eles identificaram esse material com o *Evangelho dos Hebreus*, ao qual Jerônimo fez referências frequentes, embora tudo isso não passe de fantasia. Mas alguns manuscritos dessa obra atribuem-na a Tiago, e não a Mateus.

Conteúdo. Os capítulos primeiro a décimo sétimo derivam-se, principalmente, do Protevangelho, mas com modificações e adições, embora o esboço geral seja o mesmo. Abiatar encorajou o casamento entre seu filho e Maria, mas Maria tomou votos de perpétua virgindade. Maria e José, suspeitos de fornicação, foram submetidos ao teste da água amargosa, e o próprio Abiatar misturou a bebida para eles. Naturalmente, não foram desaprovados. Então Maria foi entregue aos cuidados de José, com a condição de que outras virgens a acompanhassem. Elas receberam a tarefa de fazer um véu para o templo. Quanto à história da natividade, foi ali que um boi e um burro teriam contemplado a cena.

Os capítulos dezoito a vinte e quatro contam a jornada da santa família ao Egito, e aludem a dois relatos que presumivelmente cumpriram as profecias contidas em Sal. 148:7. Animais ferozes ficam mansos e misturam-se entre as ovelhas (ver Isa. 11:6,7; 65:25). Houve milagres fantásticos. Uma palmeira faz uma mesura, a fim de oferecer os seus frutos, e trezentos e sessenta e cinco ídolos prostram-se diante de Jesus e Maria.

Do capítulo vinte e cinco até o fim encontra-se o Evangelho da Infância de Tomé, embora com acréscimos e eliminações. Nesse evangelho, José aparece como um carpinteiro inepto, que serrou uma viga curta demais, a qual Jesus precisou esticar mediante seu poder miraculoso. Mas no livro Pseudo-Mateus, esse erro de cálculo é atribuído a um aprendiz, e não a José. Tudo é muito divertido, mas a verdade é ofendida em todos os sentidos.

PSEUDÔNIMO

Essa palavra indica aquela prática literária em que alguém escreve com um nome fictício. Os livros *pseudepígrafos* (tanto do Antigo quanto do Novo Testamento) são exemplos primordiais dessa prática. Alguns eruditos pensam que a epístola aos Efésios foi escrita por algum discípulo de Paulo, que se utilizou de seu nome. No artigo sobre esse livro, discuto acerca do problema, sob *Autoria*. Outro tanto é dito acerca de I Pedro. Seja como for, essa prática era comum nos círculos tanto religiosos quanto seculares. E os antigos, ao que parece, não viam qualquer erro nessa prática. Era um artifício para aumentar o prestígio de uma obra escrita, permitindo-lhe uma circulação mais ampla, ao mesmo tempo em que honrava ao alegado autor e promovia as suas idéias.

O Pseudônimo e a Moralidade

A prática de usar o nome de outras pessoas (famosas, naturalmente) era tão generalizada na antiguidade, e envolvia tantas religiões, ou, pelo menos, tantos escritores piedosos, que só podemos concluir que os antigos não tinham as mesmas impressões que nós acerca do que pensamos sobre o assunto. É até provável que eles pensassem que, desse modo, a pessoa cujo nome era usado, era honrada, como se suas idéias e ideais estivessem sendo promovidos.

Uso e Popularidade

É surpreendente quão populares tornaram-se algumas obras escritas sob pseudônimo, propagando-se tremendamente. Não podemos supor que isso ocorria *meramente* porque alguns nomes famosos tivessem sido vinculados a elas. Algumas de tais obras tinham um valor intrínseco. Mas a maioria delas não era acolhida a sério, como se fossem obras escritas por aqueles a quem era atribuídas.

A Abordagem Grega

Autores famosos, como Homero, mui naturalmente contavam com obras espúrias, escritas em nome deles. Não sabemos dizer quantos dos diálogos atribuídos a Platão foram, realmente, escritos por ele, embora a *maioria* dos mesmos certamente tenha saído de sua pena. Alguns poucos desses diálogos foram escritos por discípulos seus ou por admiradores de séculos posteriores.

A Abordagem Judaica

Temos aí uma considerável massa de escritos, cuja importância deriva-se do fato de que nos mostram o que os judeus pensavam (suas doutrinas, seus ideais, etc.), ao tempo em que foram escritos. Além disso, os livros *pseudepígrafos e apócrifos* exerceram considerável influência sobre os escritores não-testamentários (especialmente no campo da profecia preditiva), apesar de não aparecerem muitas citações diretas no Novo Testamento. A descoberta dos *Manuscritos (Rolos) do Mar Morto* (vide) tem demonstrado que até mesmo em Jerusalém esses livros eram usados, o que significa que não eram valorizados somente pelos judeus da dispersão. Alguns eruditos têm sugerido que os nomes de antigos heróis eram usados para emprestar autoridade às obras escritas, visto que os livros considerados inspirados por Deus tinham-se tornado parte de um cânon fechado. Porém, isso é supor que o processo de canonização havia estabelecido essa interrupção. Historicamente, porém, está envolvido um anacronismo. O cânon do Antigo Testamento nem ao menos estava fixado nos dias de Jesus, e os judeus da dispersão definidamente haviam «canonizado» os livros apócrifos, que ultrapassavam além do último dos livros que os grupos protestantes atualmente consideram parte do cânon veterotestamentário. De fato, qualquer argumento nesse sentido é uma espécie de interpretação protestante, a qual, sem dúvida, encontrava *alguma* simpatia na Palestina, no período intertestamentário; mas de forma alguma isso serviu de obstáculo à produção de novos livros sagrados, atribuindo-os ou não a antigos heróis do Antigo Testamento.

É estranho encontrar, nas fontes informativas que consultei, expressão de consternação diante do fato de que *judeus* piedosos estiveram envolvidos nesse fenômeno de pseudonímia. Essa é uma clara afirmação anacrônica. É desnecessária e falsa a suposição de que essa atribuição era legítima em qualquer grau, visto que matéria antiga (parte pertencente a pessoas a quem os livros foram escritos) foi incorporada naqueles livros. Para exemplificar, é perfeitamente patente que Enoque nada teve a ver com a autoria de I e II Enoque, em nada tendo contribuído para esses livros. Mas, aplicando essa falsa suposição, alguns têm procurado solucionar o problema de que o livro de Judas (no N. Testamento) cita o *livro de Enoque*, uma obra pseudepígrafa. Ver Jud. 14. Suponho que alguns eruditos protestantes pensam que isso teria sido um pecado da parte de Judas. Tal opinião, entretanto, apenas exibe uma profunda ignorância acerca do que, realmente, estava envolvido. A verdade é que autores cristãos definidamente conheciam e utilizaram as obras pseudepígrafas, e muitas das idéias deles foram tomadas dali por empréstimo. As chamas do inferno foram acesas pela primeira vez em I Enoque; daí essa doutrina passou para o judaísmo helenista; e daí, para o cristianismo. Essa doutrina, atualmente, é de importância primária para muitos cristãos, e, no entanto, ela começou apenas em um dos livros pseudepígrafos, I Enoque. Mas, supor que Enoque teve qualquer coisa a ver com isso, ou com outras idéias inclusas em I e II Enoque, é suposição absurda. Nenhuma *tradição antiga* ampara esses escritos. A verdade da questão é que os judeus davam pouca atenção à questão da «propriedade literária», que é tão importante para os escritores modernos, ao ponto de ser ela resguardada por direitos autorais. Também não há qualquer necessidade de tentarmos achar razões pelas quais não devamos censurar os autores antigos, que se valiam dos nomes de famosos heróis, em seus livros. Dentro desse contexto, a palavra «censura» é um anacronismo.

A Abordagem Cristã

A prática da pseudonímia prosseguiu nos tempos do Novo Testamento, e depois. E possível que nossa epístola neotestamentária de II Pedro seja, na realidade uma obra pseudônima, segundo muitos eruditos pensam. Outro tanto é dito a respeito da epístola aos Efésios, na opinião de alguns; e meus artigos sobre esses livros abordam a questão. Seja como for, as obras pseudepígrafas do Novo Testamento foram bastante numerosas, segundo fica demonstrado em meu artigo sobre aqueles assuntos. Quase todo esse material pseudepígrafo era de origem gnóstica. Não nos podemos olvidar que o cânon neotestamentário só ficou determinado aí pelo século IV D.C., e muitos sentiam o direito de continuarem a pronunciar-se sobre Jesus e sua significação, bem como sobre os apóstolos e as contribuições que fizeram à causa cristã. Isso significa que há toda uma literatura bastante parecida com o Novo Testamento, que contém evangelhos, atos, epístolas apostólicas e apocalipses, tudo espúrio, ainda que pequena porcentagem de declarações e relatos autênticos possa ter sido preservada nessa literatura. Doutrinas esotéricas e heréticas supostamente eram apoiadas por material «oculto» ou «desconhecido», que os evangelhos tradicionais teriam esquecido ou ao qual não tiveram acesso. Mas esses livros espúrios, em sua esmagadora maioria, eram apenas peças de propaganda a serviço de posições heréticas, não estando alicerçados sobre um fundo histórico.

Por semelhante modo, não é provável que as reivindicações de autoria tivessem sido levadas a sério, exceto pelos membros das seitas que se utilizavam de tais livros. As pessoas religiosas vivem caçando «textos de prova», em apoio às suas idéias; e a grande produção literária dos cristãos permitia que muitos de tais textos viessem a suportar quase qualquer tipo de heresia. Não obstante, há algumas narrativas (e idéias) deveras interessantes e fantásticas, embora algumas delas sejam moral e espiritualmente instrutivas, enquanto que outras servem de entretenimento.

Podemos supor com segurança que alguns cristãos ortodoxos objetavam ao empréstimo do nome de qualquer dos apóstolos como muleta para alguma heresia; mas, de modo geral, em consonância com as idéias da época, provavelmente muitos cristãos pensavam que a prática da pseudonímia, por si mesma, era uma prática literária inofensiva. Mesmo assim, vários autores cristãos atacaram livros espúrios (conforme se vê refletido no cânon muratoriano e nos escritos de Tertuliano, Serapião e Clemente). Tertuliano chegou mesmo ao extremo de demitir um presbítero da Ásia que confessou haver escrito um espúrio livro de Atos, «impelido pela admiração que tinha de Paulo». Sem embargo, isso é a mesma coisa que admitir que nos tempos neotestamentários havia a mesma lassidão e despreocupação com a pseudonímia que havia no mundo judaico-helenista do período intertestamentário. Jerônimo chegou a citar material apócrifo atribuído a Mateus, e, ao que parece, confundiu aquele evangelho com outro ou com outros, do mesmo nome.

••• ••• •••

PSEUDOS-MESSIAS

Ver sobre *Falsos Cristos*. Ver também os artigos chamados *Anticristo* e *Falsos Profetas*.

PSI — PSICODÉLICO

PSI
Essa é uma forma abreviada do vocábulo grego *psiché*, «alma», que atualmente é usada para indicar o espectro inteiro dos *fenômenos psíquicos*. Ver o artigo intitulado *Parapsicologia* quanto a uma avaliação e descrição detalhada desses fenômenos.

PSI: FUNÇÕES PSÍQUICAS E A PRIVAÇÃO DAS PERCEPÇÕES DOS SENTIDOS
Ver sobre **Parapsicologia**, seção IX.

PSICANÁLISE EXISTENCIALISTA
Essa é uma modalidade de psicanálise que leva em conta a verdade proposta pelo existencialismo (que vede), como a base de suas operações, em lugar das teorias de Freud.

PSICOCINESIA (PK)
Essa palavra portuguesa vem de dois termos gregos, *psiché*, «alma» (a parte imaterial do homem), e *kínesis*, «movimento». Essa palavra indica a crença que os poderes imateriais conscientes (ou inconscientes) do homem (sua mente) têm a capacidade de mover objetos ou de produzir outros efeitos sobre a matéria. As evidências científicas em favor desse poder são bastante abundantes. Alisto abaixo apenas algumas áreas:

1. As curas espirituais envolvem, provavelmente, pelo menos em alguns casos, o poder psicocinético.
2. J.B. Rhine demonstrou, — mediante milhares de testes, sob condições controladas, que a mente humana pode afetar o lançamento dos dados, para que apareçam os números desejados, mais do que as chances o permitiriam.
3. Têm sido inventadas máquinas, e até têm sido patenteadas, que são movimentadas pelo poder mental, exclusivamente. Naturalmente, isso subentende alguma forma real de energia que ali é manipulada, e que, finalmente, poderia ser demonstrada como existente dentro do campo atômico, e não apenas uma verdadeira energia não-material.
4. Pessoas dotadas de grande concentração e de poder da vontade são capazes de afetar a desintegração de substâncias atômicas, usadas em jogos. Podem fazer aparecer números ou figuras em telas (o que parece ser feito mediante impulsos de partículas atômicas), mais do que se poderia esperar do mero acaso. Isso posto, a mente tem algum poder sobre as partículas subatômicas.
5. O poder da mente sobre o corpo, isto é, a capacidade de manipular o corpo físico, requer alguma forma de psicocinesia. Seria impossível a um espírito imaterial ou à mente operar um corpo humano, a menos que houvesse alguma força capaz de atuar sobre o corpo físico. Isso nos leva ao *Problema Corpo-Mente* (vide). Sempre pareceu misterioso, para os filósofos, como a mente imaterial é capaz de manipular ou controlar o corpo físico. Alguma forma de energia deve estar envolvida, uma energia controlada pela mente. Que a mente pode fazer o corpo fazer o que ela quer, e que todas as pessoas exercem controle sobre seus próprios corpos serve de prova de que todas as pessoas são psíquicas, exercendo poderes psíquicos contínuos e produzindo fenômenos psíquicos. Uma outra prova da continuidade dos fenômenos psíquicos, no caso de todas as pessoas, é a nossa vida de sonhos, que produz constantemente esses eventos.
6. O fenomenal sucesso de alguns jogadores, quanto a certos jogos, provavelmente deve-se ao seu poder da mente, e não à mera sorte. Ver meu artigo intitulado *Parapsicologia*, onde ofereço detalhes sobre essa nova ciência e sobre os fenômenos por ela examinados. Há nisso uma utilidade e importância que não podemos dar-nos ao luxo de ignorar.
7. Alguns estudiosos chegam a pensar que Deus, como um Espírito que ele é, afeta o mundo da matéria através desse princípio.

Modus Operandi. Dispomos de algumas evidências que dão a entender que a mente (energia pura, provavelmente não-atômica) manipula uma energia secundária, talvez semimaterial, a qual, por sua vez, pode produzir efeitos sobre a matéria (energia atômica). Porém, ainda estamos muito longe de poder formular uma teoria que envolva todas as questões envolvidas. Porém, já é certo que há muitos efeitos que podem ser produzidos pela mente, alguns dos quais têm controle sobre a matéria.

PSICODÉLICO (Experiência Religiosa Psicodélica)

1. *A Palavra e Sua Origem*
Não dispomos de evidências acerca de quando essa palavra foi cunhada. Alguns filólogos pensam que isso ocorreu em Harvard, em cerca de 1961-1962, mas outros preferem pensar ainda em uma origem mais antiga. Seja como for, deriva-se do grego *psiché*, «alma», «mente», e *delo*, «revelar», «esclarecer».

2. *Uma Ampla Definição*
Essa palavra pode envolver a idéia de experiência religiosa, de consciência cósmica, de experiência iluminadora ou transcendental, obtida através de exercícios de ioga, de meditação, de jejum, etc.

3. *A Definição Comum e mais Estrita*
No mundo das drogas, tão disseminado hoje em dia, as *experiências psicodélicas* referem-se aos tipos de experiências acima referidos, provocados pelo uso de certas drogas como o LSD — 25. Mas o termo também tem sido usado para aludir a certos estímulos mentais provocados através de cores variegadas, luzes coriscantes, especialmente nas tonalidades laranja, verde, amarelo e púrpura.

4. *Perguntas e Avaliações*
Em primeiro lugar, é verdade que certos componentes químicos podem provocar experiências religiosas e espirituais. Algumas delas não passam de alucinações, mas é provável que algumas delas sejam reais. Neste último caso, podemos afirmar que tais tornam-se possíveis mediante alguma modificação no equilíbrio que existe entre o corpo e a alma, o que permite que a alma se expresse, ou que ela entre em estados espirituais positivos ou negativos. Naturalmente, os céticos supõem que o fato de que certos componentes químicos podem despertar experiências é indicação de que todo misticismo é meramente psicológico, envolvendo modificações químicas no cérebro. Isso significaria que todo misticismo é mero subjetivismo, uma espécie de auto-exercício de poderes do próprio ser, que ainda são pouco entendidos. Porém, é fácil mostrar que essa avaliação labora em erro (embora, sem dúvida, isso realmente aconteça às vezes, ou mesmo freqüentemente, com o uso de drogas), pelo fato de que as experiências místicas têm aplicações externas (que vão além delas mesmas), como nos casos da profecia, das curas de outras pessoas, etc. Essas experiências conferem conhecimento genuíno que está fora das experiências comuns do indivíduo, para nada falarmos sobre a transformação espiritual e ética que elas produzem.

PSICODÉLICO — PSICOLOGIA

Gopi Krishna, um místico de alta ordem, afirmava que é fácil distinguir um místico autêntico de um «místico feito pela química». Um verdadeiro místico é dotado de uma espiritualidade e de um poder espiritual que ultrapassam o que é natural. Mas o místico-químico geralmente é um viciado, cujo cérebro está acidulado pelos tóxicos. Outrossim, apesar dele receber visões fantásticas, dentro de sua própria mente, revela ser de pouca ou nenhuma utilidade para as pessoas ao seu redor. Em suma, tal indivíduo não é uma potência espiritual. Assim sendo, tal misticismo é da variedade barata, ainda quando esteja associada a alguns eventos genuínos, que não podem ser classificados meramente como cerebrais. Ver o artigo sobre *Sathya Sai Baba*, que deveria convencer ao leitor que existe um *misticismo real* que envolve manifestações poderosas e práticas, sobre o que a cultura das drogas nada conhece. Ver também o artigo detalhado sobre o *Misticismo*, que aborda bem essas questões.

Uma instrutiva declaração foi publicada no jornal *The Times*, de Londres, em sua edição de 15 de julho de 1967. Esse artigo sugeria que a maioria das pessoas precisa ser protegida do «vento divino» que sopra pelo universo, da mesma maneira que são naturalmente insuladas de certas radiações cósmicas pela atmosfera da terra. Várias poderosas influências, como as experiências religiosas, a meditação, ou então as drogas ou a loucura, podem destruir a insulação natural das pessoas, revelando-lhes novos mundos e novas facetas da existência, como antes nem de leve suspeitavam. Essas revelações podem ser reais, nada tendo de alucinação. Porém, muitas pessoas não estão preparadas para recebê-las, podendo sofrer grandes danos. Assim, apesar de haver algum uso legítimo para as drogas que produzem impressões psicodélicas, tal emprego certamente deve ser confinado aos limites da ciência, não devendo ser utilizados por certos lunáticos que não estão preparados para os eventos espirituais, especialmente para aquelas manifestações que podem ser provocadas pelos alucinógenos. Além disso, podemos ter a certeza de que a maioria desses eventos não passa de alucinações aberrantes.

A Questão Ética. Quanto mais se fica sabendo acerca das drogas e de suas possíveis relações com a fé religiosa, mais as questões éticas se tornam agudas. Para começar, o uso popular das drogas, tendo em vista qualquer propósito, é imoral. Isso significa que qualquer uso dessas drogas deve ser feito sob o rígido controle e experimentação de cientistas que visam ao bem público. Certas drogas tem sido empregadas de forma positiva no caso de cancerosos em condições terminais. Muitos deles têm chegado assim a perceber a essência espiritual de seu ser, perdendo o temor da morte. De fato, têm obtido maior espiritualidade por uma diminuição da insulação que até então os protegia do «vento divino» que sopra em redor de nosso mundo. Esse tipo de experimentação tem sua utilidade, e os cientistas estão avançando com cautela, pelo que deveriam ter licença de prosseguir em suas pesquisas. Deveriam ser baixadas leis governando esse tipo de atividade. O livro intitulado *The Human Encounter with Death*, de Stanislav Grof e Joan Halifax, narra o aspecto científico dessa questão. Esse livro foi publicado em 1977.

PSICOLOGIA
Esboço:
I. A Palavra e Suas Definições
II. Na Filosofia
III. Escolas de Psicologia
IV. A Psicologia da Religião
V. A Psicologia Metafísica

I. A Palavra e Suas Definições

As palavras gregas formadoras desse termo são *psichê*, «alma», «mente», e *logía*, «estudo de». A psicologia, pois, é a ciência que estuda o comportamento e as experiências dos organismos vivos. O termo *comportamento* refere-se à reação de algum organismo ao seu meio ambiente, que pode ser observado por uma pessoa. E a palavra *experiência* alude aos *eventos internos* que só podem ser notados pelo próprio indivíduo, mediante a memória e a percepção. Esse conhecimento interior, entretanto, pode ser grandemente aumentado com a ajuda de um conselheiro ou psicoterapeuta, ou então quando um amigo perspicaz nos observa e dá os seus conselhos.

As principais divisões da psicologia são: *psicologia experimental* e *psicologia aplicada*. A primeira delas está envolvida na pesquisa básica, usualmente através de métodos empíricos. A segunda é a aplicação prática da teoria, mediante a psicoterapia, o aconselhamento, o diagnóstico, a psicanálise e a recomendação de medicamentos e tratamentos, podendo estar incluída a hipnose. Quando a questão é relacionada à religião e à teologia, então temos chegado ao campo da psicologia religiosa, a qual descrevo na seção quarta deste artigo.

Freud, em sua visão materialista do homem, roubou-lhe a alma; e assim neutralizou a própria palavra *psicologia*. No entanto, sabe-se que Freud estava intensamente interessado pelos fenômenos psíquicos, embora ele gostasse de ocultar esse aspecto, mantendo-o fora de seu trabalho científico. No entanto, mesmo a essa área ele fez alguma contribuição, especialmente através de seus estudos sobre os sonhos. Pois reconhecia que os fenômenos psíquicos são comuns e universais nos sonhos. E assim, nesse outro sentido, ele devolveu a alma à psicologia. Seus alunos, Jung e Rank, enfatizaram o papel da alma —Jung em suas teorias gerais, e Rank através da ênfase que dava à *vontade* como uma qualidade da alma.

Quando a psicologia deu nascimento à *parapsicologia* (vide), também abriu caminho para a investigação científica acerca da alma. Isso chegou a um ponto em que, atualmente, não estamos longe de obter provas científicas da existência da porção não-material do homem. Quando essa prova for confirmada, então teremos obtido um conhecimento que revolucionará toda a maneira de pensar e de agir dos homens. Uma coisa é dizer «eu creio», enquanto outras pessoas nos dizem: «Você está equivocado»; e outra coisa é dizer «sei porque a ciência tem demonstrado o fato». Apesar das pessoas dotadas de fé não precisarem dessa comprovação científica, as pessoas carnais e não-regeneradas muito precisam da ajuda da ciência para reconhecerem a espiritualidade fundamental do ser humano. Ver o artigo sobre a *Psicoterapia*, quanto a outro importante aspecto da psicologia.

Três Definições Básicas da Psicologia:

1. A psicologia e a ciência que estuda e descreve a mente humana em qualquer de seus aspectos, operações, poderes, funções, natureza inerente e manifestações.

2. A psicologia é a investigação sistemática dos fenômenos mentais, mormente aqueles associados à consciência, ao comportamento e aos problemas enfrentados pelas pessoas para ajustarem-se ao seu meio ambiente com freqüência hostil.

PSICOLOGIA

3. A psicologia estuda o agregado das emoções, dos pendores e dos padrões de conduta que caracterizam um indivíduo ou um tipo de pessoa.

II. Na Filosofia
A. Perspectiva Histórica

1. Em cerca de 1590, Goclênio (vide) introduziu o termo *psicologia* no vocabulário humano, dando a entender com o mesmo «a ciência da alma», de acordo com suas raízes no grego. Nos fins do século XVI e durante o século XVII, o vocábulo veio a referir-se à elaboração dedutiva das faculdades, poderes e funções mentais. Nessa época, fazia parte integrante da metafísica. Os títulos Psicologia Racional e Psicologia das Faculdades vieram a ser usados para essa forma de psicologia.

2. Wolff, seguindo tendências de antes dele, distinguia entre a Psicologia Racional e a Psicologia Empírica (começos do século XVIII). Ver os artigos separados intitulados *Psicologia Empírica* e *Psicologia das Faculdades*.

3. Harley, Hume, James Mill e John Stuart Mill aprimoraram a psicologia empírica e lhe mudaram o nome para Psicologia Associativa.

4. Ernest Weber, Fechner, Helmholtz e Wilhelm Wundt muito contribuíram para conferir à psicologia experimental uma base firme e uma influência crescente. Em 1879, Wundt organizou o primeiro laboratório experimental de psicologia, e então muitos centros de pesquisa fizeram a mesma coisa, em muitos lugares do mundo.

B. A Psicologia como uma Disciplina Independente

Várias escolas ou métodos de experimentação desenvolveram-se, expandindo o conhecimento e as aplicações da psicologia.

1. A *psicologia funcional* foi criada por William James, sendo então promovida por J.R. Angell e outros. Os processos mentais passaram então a ser encarados como adaptações dos organismos biológicos. John Dewey exerceu poderosa influência dentro desse sistema. Os pesquisadores funcionalistas estudam os processos psicológicos não primariamente como conteúdos conscientes, e, sim, como atividades que têm utilidade na adaptação do indivíduo ao seu meio ambiente e na busca dos seus próprios alvos. A introspecção é muito importante nesse sistema. O pragmatismo é importante para o conceito.

2. A *psicologia genética* foi promovida por Ward, o qual procurou descrever as fases do desenvolvimento da mente. Ver o artigo sobre ele, quanto a pormenores. Ele enfatizava a importância da genética na natureza e nos processos mentais dos indivíduos.

3. O *estruturalismo* (acerca de cujo assunto apresento um artigo separado bastante detalhado) opinava que as sensações e os sentimentos são elementos que devem ser levados em conta em uma análise bem estruturada.

4. O *behaviorismo* (promovido por Watson) eliminava inteiramente o poder da intuição no homem, interpretando-o exclusivamente em termos dos informes colhidos por suas observações sensoriais. O homem seria apenas um animal que aprende através da experiência. Outros nomes associados a esse ponto de vista são Pavlov, Skinner e E.B. Holt. Esse sistema inclui elementos do naturalismo e do pragmatismo. O comportamento humano poderia ser recondicionado mediante o recondicionamento das experiências. Não há ali qualquer apelo ao homem interior, à alma ou a qualquer qualidade transcendental do homem.

5. A *psicologia Gestalt* fazia oposição à anterior psicologia associativa. Esse novo ponto de vista asseverava que as experiências humanas típicas são constituídas de *conjuntos completos* organizados e complexos (significado da palavra alemã *Gestalt*). Nomes associados a essa escola são Wertheimer, Kohler e Koffka.

6. A *psicologia em profundidade* foi introduzida por Freud (sobre quem apresento um artigo separado minucioso). Temos aí uma clara distinção entre a mente consciente e a mente inconsciente, em que esta última com freqüência é a força desconhecida por detrás de todo comportamento. A psicanálise, especialmente mediante o estudo dos sonhos («a estrada real para o inconsciente», conforme dizia Freud), revela ao consciente da pessoa o que está sucedendo em seu inconsciente; e essa revelação com freqüência exerce efeitos curadores. Conhecer é poder. O propósito da psicologia seria obter um melhor ajustamento ao meio ambiente hostil do indivíduo. Ver também o artigo sobre os *Sonhos*. Freud foi o pai do estudo científico sobre os sonhos. A princípio ele usava a hipnose; mas acabou abandonando o método, favorecendo a análise dos sonhos, entre outros métodos.

7. A *psicologia analítica* foi modelada por Jung, que divergia, quanto a pontos importantes, das idéias de seu mestre, Freud. Ver o artigo separado sobre *Jung*, quanto a detalhes sobre a sua teoria. Jung também dava grande importância aos sonhos, e o artigo sobre o assunto inclui material a esse respeito. Ele enfatizava a importância do papel desempenhado pelos *arquétipos* (vide), os quais operariam sobre a mente inconsciente quase como se fossem entidades distintas. Jung acreditava fortemente na existência da alma humana e de Deus, e foi um místico de alguma estatura. Ele não hesitava em aplicar a psicologia à questão religiosa, e seus estudos têm-se revestido de grande valor para os ministros cristãos que precisam cuidar dos problemas íntimos dessas pessoas.

8. A *psicologia topológica* ou de *teoria de campo*, introduzida por *Kurt Lewin* (vide), destacava o conceito do «espaço de vida» e a metodologia de «um caso por vez». O *espaço de vida* indica a totalidade dos fatos e das relações que definem a situação de uma pessoa a qualquer dado instante. E a idéia de *um caso por vez* aponta para incidências ou condições, nas experiências de uma pessoa, que estão sujeitas à análise, que muito podem fazer para iluminar ao pesquisador ou terapeuta, pelo menos, mais do que qualquer estatística.

9. *Psicologia Hórmica*. Esse adjetivo vem do grego *hormé*, que significa «impulso». No ser humano, há aquele impulso que o leva a esforçar-se por alcançar metas, o que é um aspecto básico da psicologia humana. Isso não pode ser explicado mecanicamente, mas faz parte dos instintos básicos e inerentes ao homem. Transcende ao meio ambiente. Entre esses impulsos encontramos a fuga, a repulsão, a curiosidade, o auto-abatimento, a auto-asserção e o amor paterno. Todavia, há muitos outros impulsos. E o mais importante de todos, que destacamos agora, é o impulso de buscar a Deus e aos valores e realizações espirituais. McDougall foi o pai desse tipo de psicologia. Ele frisava questões como a vontade, os impulsos, os instintos e os propósitos na vida.

C. Raízes Filosóficas das Escolas de Psicologia

A terminologia da psicologia é um desenvolvimento mais recente. Não obstante, podemos traçar idéias básicas das filosofias mais antigas, que foram incorporadas pelas diversas escolas filosóficas.

1. Platão e Aristóteles tinham idéias que vieram a ser incorporadas na psicologia das faculdades, o que demonstrei amplamente no artigo *Psicologia das*

Faculdades. A psicologia da Idade Média foi uma continuação das noções de Platão e Aristóteles. A definição deste último quanto à «substância» foi um fator que governou o pensamento psicológico de Tomás de Aquino e de outros escritores do período. Suas quatro causas, mediante as quais haveria todo desenvolvimento, serviam de importante base da teoria psicológica. A psicologia funcional também tem algumas raízes nas idéias de Aristóteles e de Tomás de Aquino.

2. Descartes, Spinoza e Leibnitz ofereceram bases variegadas para as psicologias racionais.

3. Locke foi um importante precursor da psicologia associativa, por causa de sua forte ênfase sobre o empirismo.

4. Brentano procurou fazer da psicologia uma ciência puramente descritiva. Isso influenciou a fenomenologia de Husserl, que apresentou sua importante teoria psicológica. Ver o artigo sobre *Brentano*, quanto a detalhes acerca de suas idéias.

III. Escolas de Psicologia

Quase todas essas escolas são descritas na segunda seção. Ali são descritas as seguintes: Psicologia Racional (das Faculdades); Funcional; Genética; do Estruturalismo; Behaviorismo; Gestalt; em Profundidade; Analítica; Topológica (teoria do Campo) e Hórmica. Informações adicionais a respeito têm sido oferecidas em artigos separados, aos quais nos temos referido.

A essas escolas, agora acrescento as seguintes:

1. *Herbartianismo (Psicologia Dinâmica)*, que foi criação de J.F. Herbart (1776-1841), que se opunha à psicologia das faculdades e preferia frisar as relações dinâmicas que existem entre as idéias. As idéias esforçar-se-iam, isolada e coletivamente, para atingir ideais, embora também possam entrar em competição e conflito. *A massa que se apercebe* das idéias já existentes determina a extensão e a maneira como as novas idéias serão manuseadas, aceitas ou rejeitadas. As novas idéias, porém, por verdadeiras que sejam, usualmente são forçadas a esperar por muito tempo, antes que as mentes humanas as aceitem e incorporem, do que virão a resultar inevitáveis modificações nas crenças e nas maneiras de pensar. O conhecimento cresce com lentidão, e nem sempre a verdade sai vencedora, pelo menos no primeiro arranco. Mas, afinal, a verdade vence, embora seja necessária a passagem do tempo, em qualquer caso em que novas e importantes idéias se apresentem. As antigas ortodoxias cedem lugar às novas «heresias», as quais terminam por tornar-se novas ortodoxias. E isso sucede nos campos da ciência e da religião. É preciso tempo para que uma heresia se torne uma ortodoxia, mas esse processo é contínuo e inevitável.

2. A *psicologia dos atos* é criação de Franz Brentano. Ele reconhecia, na questão da psicologia, que há *atos mentais*, em adição ao conteúdo (ou seja, o ato de perceber os objetos físicos). Seu método distintivo era a observação fenomenológica, em contraste com a experimentação e a introspecção experimentalmente controlada. Outros nomes associados a essa abordagem foram Lipps, Stumpf, Witaksk, Husserl, Messer e Kulpe, os quais introduziram suas respectivas adições e modificações.

3. *Psicologias Personalistas.* A pessoa concreta, por inteiro, é o assunto a ser investigado, segundo esse ponto de vista. As pessoas são indivíduos que buscam atingir alvos. Cada indivíduo é ímpar. A pessoa total não pode ser explicada meramente pela investigação empírica, científica. Outras disciplinas, incluindo a teologia, devem fazer parte da investigação. Nomes associados a esses conceitos foram W. Stern, G.W. Allport, E. Spranger e W. Dilthey.

IV. A Psicologia da Religião

1. *Definição.* «A psicologia da religião é o estudo sistemático dos fenômenos religiosos como formas da experiência humana; é o estudo das emoções, das atitudes, dos padrões de comportamento, das avaliações, quando associados às crenças e às práticas religiosas. Também estuda o impacto dessas crenças sobre o desenvolvimento da personalidade, e igualmente estuda os padrões das necessidades e desejos levados em conta por religiões particulares» (C).

2. *Investigações Especiais.* A psicologia da religião investiga a conversão e as experiências místicas que modificam as vidas das pessoas e a maneira delas pensarem. Interessa-se especialmente pelos estados de consciência, pelos fenômenos psíquicos, pelas visões e pelos alegados encontros com seres espirituais. As emoções da ansiedade e do temor, mormente no que diz respeito às doutrinas do pecado e do julgamento, encontram-se entre seus interesses. A exaltação religiosa, a experiência do sagrado e a experiência com seu oposto, que são as manifestações demoníacas e os estados mórbidos, também são assuntos de seus estudos. Os psicólogos céticos estão convencidos de que todas as coisas investigadas são meros estados das mentes das pessoas, não sendo coisas objetivas. Mas os estudos sobre o *misticismo* (vide), sobre as *experiências perto da morte* (vide) e sobre os modernos operadores de milagres, como *Sathya Sai Baba* (vide), mostram a objetividade das experiências e dos objetos religiosos. Freud tinha a certeza de que os estados religiosos são provocados por certas emoções negativas, como o temor e a ansiedade, projetadas pelos pais a crianças medrosas. Os ataques de Freud contra a religião em geral (embora ele tivesse sido um judeu) tem feito com que muitos teólogos mostrem-se hostis à psicologia e à psicoterapia. Mas essa hostilidade está desaparecendo, e o discernimento de Freud quanto às profundezas da psique humana está provendo valiosas informações. O tipo de psicologia ensinado por Jung tem-se mostrado especialmente útil no aconselhamento pastoral. Os estudos de Freud sobre os sonhos (ele foi pioneiro no estudo científico quanto a essa área) têm-nos alertado para a rica herança representada pelo mundo dos sonhos, tanto no aspecto espiritual quanto no emocional, a qual tem sido usada nas curas ou como orientação.

3. *O Aconselhamento.* Em nossos dias, a Igreja cristã se vê invadida pela psicologia popular; conferências religiosas, onde a Bíblia deveria ser a principal atração, com freqüência servem de ocasiões em que algum orador apresenta uma psicologia cristã popular, que alegadamente é capaz de fazer de todo pastor um conselheiro habilitado. Uma grande onda de literatura tem acompanhado isso, e uma certa superficialidade tem tomado conta das mentes de pastores que se põem à pratica sua psicologia misturada com teologia. Apesar da prática talvez estar fazendo algum bem, ficamos desapontados com o quadro em geral. Apesar de ser bom que todo pastor tenha alguma noção desses termos, é melhor deixar a questão aos cuidados de conselheiros profissionais, que conhecem realmente a psicologia, especialmente a verdadeira ciência, e não alguma versão bíblica, que só destaca alguns aspectos dessa ciência. As próprias idéias de Freud têm sido de grande valor nessa área, apesar de hostilidades. «...o trabalho de Freud tem rendido um grande benefício para a teologia e os cuidados pastorais. Sua exploração sistemática dos efeitos dos motivos inconscientes sobre a percepção e

PSICOLOGIA

o comportamento tem mostrado a complexidade da conduta humana, servindo de corretivo dos pontos de vista pelagianos sobre a vontade, que têm penetrado insidiosamente na corrente principal da teologia ortodoxa. Isso tornou necessário um reestudo da natureza da liberdade, da responsabilidade e da culpa» (B). Freud poderia ser intitulado de calvinista psicológico, porque ele revelou as profundezas da depravação humana, que se manifesta até mesmo nas crianças. Por outro lado, psicologicamente falando, ele muito fez por explorar os vastos poderes da criatividade humana, e assim deixou claro que o homem não é apenas uma criatura sujeita aos caprichos da maldade, porquanto também é dotada de grande potencialidade para o bem. Essa circunstância alerta-nos para algo que já sabíamos, por meio da teologia. Precisamos manter aceso o estudo sobre a *polaridade* (vide), se quisermos compreender melhor essas questões. O homem não é apenas um ser depravado. Também é uma criatura de grande capacidade criativa, capaz de desempenhar um importante papel na vida.

Referindo-se a Jung, diz a enciclopédia *E*: «Ele tem sido a principal fonte de inspiração da guilda inglesa de psicólogos pastorais, os quais estão interessados principalmente na promoção da compreensão da psicoterapia entre os ministros religiosos».

4. *A essência da fé religiosa reside no misticismo*, do qual a inspiração e a revelação são subcategorias. Ver sobre o *Misticismo*. Quase todas as fés religiosas repousam sobre a revelação de seus profetas. O misticismo é representado no Antigo Testamento como o profetismo, o que também se verifica com o Novo Testamento, excetuando que ali temos a experiência e a expressão mística do Filho de Deus, o qual transcende infinitamente aos profetas. William James realizou um trabalho monumental em sua análise sobre as experiências místicas religiosas, que apresentou em seu famoso livro *The Varieties of Religious Experience*. Trata-se de um estudo cuidadoso, sensível e intenso sobre a vida religiosa, com base nas experiências dos místicos e dos crentes ordinários. — Suas análises levaram-no a encarar a perspectiva religiosa como dependente de algo *além* ou *acima* da razão e da experiência humana ordinária, através da percepção dos sentidos. Outrossim, ele demonstrou a *unidade* das experiências religiosas básicas, apesar das muitas divisões da religião organizada, formada por grupos distintos, e, algumas vezes, hostis entre si. Essa unidade das experiências religiosas básicas aponta para o fato de que ali há certas realidades e não apenas imaginações de mentes invadidas pelo medo e pela ansiedade, que, segundo Freud pensava, seriam os fatores inspiradores da fé religiosa.

5. *A ciência da psicoterapia*, apesar de ainda jovem, tem sua utilidade, e com freqüência é de importância vital para certos indivíduos. É um erro e uma presunção pensar que os pastores que leiam alguns livros sobre psicologia, possam tornar-se psicoterapeutas de sucesso. Há problemas em que a ciência é de maior ajuda do que a mera citação de versículos bíblicos, com algum tempero sobre a psicologia popular. Os psicoterapeutas estão realizando exorcismos hoje em dia, obtendo sucesso onde muitos ministros do evangelho têm fracassado. Ora, deveríamos considerar a psicoterapia como uma aliada da fé, e não uma oponente. Consideremos, para exemplificar, a questão da homossexualidade. Não basta mostrar alguns poucos versículos bíblicos a um homossexual para então dizer-lhe que ele é um pecador. O problema é por demais complexo para ser abordado dessa maneira simplista. Há evidências, posto que preliminares, que realmente existe um «terceiro sexo», inspirado ou por diferenças biológicas, ou, em alguns casos, pela influência de poderes malignos. Um valioso conhecimento para a cura dos homossexuais está emergindo da ciência, e deveríamos dar as boas-vindas a esse conhecimento. Dificilmente é suficiente enviar um homossexual a um conselheiro cristão. Apesar da ciência ter somente respostas preliminares para esse grave problema, tais informações não deveriam ser ignoradas por nós. Outro tanto se dá com outros problemas da psique e da personalidade. Um trabalho extremamente valioso está sendo feito nos casos de *Personalidade Múltipla* (vide), da parte de psiquiatras com envolvimentos religiosos, no tocante tanto ao tratamento de psiques perturbadas como no tocante à teoria básica da natureza humana. Ademais, algumas vezes a questão toda deve-se à *Possessão Demoníaca* (vide). Pessoas religiosas deveriam ansiar por valer-se dos serviços dos cientistas, para que estes os ajudem a solucionar determinados problemas, em vez de dependerem unicamente da fé religiosa. Ver o artigo separado sobre a *Psicoterapia*.

Apesar de Freud ter começado suas investigações chamando a fé religiosa de uma *ilusão* (geralmente com base na força do desejo), pensando que os alegados fatos religiosos são inerentemente improváveis, outros pesquisadores, que têm agido depois dele, têm revertido esse julgamento. Alguém já disse que a fé religiosa, apoiada pelas evidências, faz um *bom senso geral*. Somente quando entramos nos pormenores dogmáticos é que surgem as dúvidas.

6. *O pai da parapsicologia*. Quando os homens começaram a investigar a questão da existência da alma e de sua sobrevivência após a morte biológica, abriram uma nova maneira de consubstanciar as antigas crenças religiosas, na mais vital de todas as áreas. A psicologia começou a desempenhar um papel pioneiro dentro dessa questão, dando assim nascimento à *parapsicologia*. Tenho apresentado um detalhado artigo sobre esse assunto.

V. A Psicologia Metafísica

Investiga a **alma** (grego, **psuche**). Ver os artigos sobre **Alma e Imortalidade**. Ver também **Experiências Perto da Morte**.

Bibliografia: AM B C DUN E EP F FREU(1927) JU(1933) JU(1938) WJ

PSICOLOGIA DAS FACULDADES

O termo básico por detrás de «faculdade», nesse caso, é o termo latino *facere*, «fazer». Esse conceito ensina que podemos subdividir a alma (alma, psique) em diversas *faculdades* distintas, como as da razão, da vontade e da sensibilidade. Platão falava sobre uma alma tripartida. Em primeiro lugar, haveria a *vontade*, a parte espiritual; também haveria os *apetites*, relacionados aos desejos do corpo, ou sujeitos ao mesmo; e, em terceiro lugar, haveria a *razão*, que procuraria harmonizar e regular essas outras duas funções diversas. Para ele, a vontade tenderia para o bem, relacionando-se a certos aspectos da imaterialidade mais elevada. Os apetites estariam ligados às exigências da porção física do homem. E a razão seria o fator controlador de tudo.

Aristóteles, seguido por Tomás de Aquino, referia-se às potencialidades da alma, que poderiam ser interpretadas como faculdades. Aquino, pois, alistava as seguintes potencialidades: vegetativa, sensorial, locomotiva e racional, com várias subdivisões. Nos fins do século XVI e no século XVII, começou a ser enfatizada a psicologia racional, ou psicologia das faculdades, salientando as faculdades ou funções mentais. Tal pensamento tem suas raízes nas idéias de Platão, Aristóteles e Tomás de Aquino.

PSICOLOGIA EM PROFUNDIDADE

Essa expressão indica que há níveis conscientes e inconscientes de mentalidade, e que a psicanálise apropriada pode penetrar na mente inconsciente. Quando isso é conseguido, então chama-se psicologia em profundidade. Ver o artigo geral sobre a *Psicologia*.

PSICOLOGIA EMPÍRICA

Ver sobre *Psicologia*, pontos dois, três e quatro.

PSICOLOGISMO

Chama-se assim a teoria que diz que psicologia é o alicerce da filosofia, e que a introspecção é o método primário da inquirição filosófica. Essa teoria foi ventilada inicialmente em um tratado sistemático dos filósofos alemães J.K. Fries e F.E. Beneke. Se, hoje em dia, há poucos exponentes dessa teoria, como um sistema, ela tem exercido a sua influência, passando a ser uma tendência na lógica. J.S. Mill afirmava que todos os axiomas matemáticos e princípios da lógica são revelados, inicialmente, mediante a introspecção, o que pode ser outro nome para a intuição. Em contraste com isso, os lógicos, como Frege e Carnap, são radicalmente não-psicólogos.

PSICOSSINÉSIA Ver **Psicocinésia (PK)**.

PSICOTERAPIA

Esse termo vem do grego **psiche**, «alma», «mente», e **terapia**, «cura». Assim, indica a tentativa de curar mediante poderes espirituais ou mentais, em vez do uso de produtos químicos e outros meios físicos. Há muitas aplicações possíveis dessa teoria. A medicina tradicional costuma usar o *placebo*, ou seja, alguma substância inerte (geralmente, apenas uma pílula de açúcar), na tentativa de «enganar» o paciente, para pensar que ele está recebendo um medicamento potente. Isso faz sua mente reagir, deflagrando os poderes naturais do corpo para curar a si mesmo. Trata-se de uma forma de cura natural, automental. De fato, é provável que a maior parte das curas seja de natureza mental, no sentido de que essas condições encorajam os medicamentos a fazerem seu efeito, como também é provável que forças mentais negativas possam anular os bons efeitos dos produtos químicos. Além disso, a psiquiatria pode exercer o efeito de encorajar a cura automental, sobretudo no caso de desequilíbrios mentais, alguns dos quais têm causas físicas, ao passo que outros são causados por problemas mentais. Acrescente-se a isso que o aconselhamento ordinário, de origem cristã ou não, pode ser uma forma de psicoterapia. Se a conduta da vida for corrigida, então o resultado pode ser o bem-estar físico.

Outras formas são a cura pela fé religiosa; o uso do hipnose; as técnicas da Ciência Cristã; as visitas aos santuários religiosos, que algumas vezes resultam em milagres genuínos; a imposição de mãos, sem importar se ligada a algum credo religioso específico ou cientificamente, sem qualquer esforço de promover qualquer tipo de teologia. A imposição de mãos (algumas vezes chamada de *toque terapêutico*) é atualmente praticada em vários hospitais, inteiramente à parte de qualquer implicação religiosa. A fotografia Kirliana tem mostrado a transferência de uma real energia curadora, um poder vital capaz de curar. E, em último lugar, mas não menos importante, é a questão da oração tradicional. As orações individuais, a menos que sejam oferecidas por algum gigante espiritual, com freqüência são bastante ineficazes. Porém, as orações grupais operam grandes coisas. A oração é primeiramente multiplicada, e então explodem em seu poder. E é o esforço coletivo que pode fazer explodir o poder da oração. Provavelmente, há uma energia real que está envolvida nisso, pois todas as pessoas têm o poder de curar, até certo grau. O homem é um espírito, e pode curar espiritualmente. Não devemos esquecer que a oração vale-se do poder de Deus, ou, talvez, de nossos anjos guardiães ou guias. E é nessa altura que a psicoterapia torna-se uma operação divina. Ver os artigos gerais chamados *Cura* e *Curas Pela Fé*. Também devemos lembrar que dois poderes ou dons incomuns sempre estiveram associados, virtualmente em todas as culturas humanas, a saber: a. o poder de curar; b. o poder de profetizar (previsão do futuro). Mas também podemos apelar diretamente a Deus. Como é óbvio, o poder divino continua operando curas, hoje como em todas as épocas.

No mundo secular, a psicanálise é eficaz quanto a alguns casos, pelo que tem o seu próprio valor. Se os conflitos interiores, os sensos de culpa e de medo puderem ser afastados mediante alguma revelação, então o resultado natural será uma saúde física melhor. Não devemos menosprezar o poder desses estados mentais interiores. A mente sempre será uma construtora, podendo construir um palácio ou uma cabana. Grandes tensões podem ir-se formando em uma personalidade, e daí podem resultar enfermidades físicas. O alívio das tensões pode curar. Conheço um homem que curou sua própria úlcera estomacal lendo e meditando o Salmo 23 todos os dias. A psicanálise é representada atualmente pelas escolas tradicionais de Freud, Jung, Adler e Rank. E também existe a escola da *psicobiologia*, iniciada sob a liderança de Adolf Meyer. Sua teoria era que as enfermidades mentais devem ser entendidas em termos do organismo total, reagindo diante de alguma situação ambiental difícil. O alvo é fazer os ajustes necessários, externos e internos, que tendem para a paz e a harmonia. Quando isso é conseguido, então segue-se a cura, mui naturalmente.

Cada vez mais descobrem-se indícios e evidências de que a influência ou a possessão demoníaca, embora muitos pensem ser coisa do passado, é responsável por muitas doenças, de natureza física ou mental. Apesar de que os antigos exageravam essa questão além dos limites razoáveis, a tendência moderna tem sido negligenciar totalmente a questão. Ver os artigos sobre *Personalidade Múltipla* e *Possessão Demoníaca*, quanto a maiores informações a esse respeito. O *exorcismo* (vide) algumas vezes pode produzir curas imediatas e dramáticas, quando tudo o mais fracassa. Ver o artigo geral chamado *Psicologia*.

PSIQUE

Essa é a transliteração, para o português, da palavra grega que, originalmente, significava «respiração», «hálito», mas que, dentro da história das idéias gregas, não demorou a envolver a idéia da «parte imaterial» do homem, primeiramente como um fantasma sem mente, que esvoaça após ter sido liberado do corpo físico, e então como a alma genuína, o homem verdadeiro.

PSIQUE — PSIQUISMO

1. *Nos escritos de Homero.* Ali a *psique* aparecia como um princípio sutil, semelhante à respiração, que anima o corpo mas que o abandona por ocasião da morte, continuando a existir como uma espécie de fantasma destituído de inteligência no mundo inferior, sem memória. Na verdade, não seria uma pessoa real. Somente a alguns mortais especiais seriam dadas, nesse estado, a memória e outras qualidades humanas.

2. *Nos ritos de Dionísio* (vide), a *psique* era vista como a pessoa autêntica, superior ao corpo, um espírito aprisionado em um corpo físico, até ser liberado pela morte. Temos aí uma alma verdadeira, representada por esse termo, *psique*.

3. *Os pitagoreanos* (vide) falavam na psique como a verdadeira alma, e também como a força que produz harmonia no corpo físico.

4. *Platão* foi um filósofo que emprestou à alma (psique) uma elevada posição dentro da hierarquia do ser, supondo ser ela imortal e eterna, sem ter tido verdadeiro começo de existência. Sua substância sempre teria existido, embora as almas individuais tenham vindo à existência em alguma distante eternidade passada, em um processo de *individualização*. A alma (*psique*) teria afinidade com os *Universais* (vide), e, em certo sentido, pertence à categoria dos mesmos. A alma seria perene, mas, na redenção, tornar-se-ia eterna, por ser recebida de volta ao mundo das *Idéias* (vide; a mesma coisa que os Universais). É patente que Platão acreditava na preexistência da alma, e isso aliado à *reencarnação* (vide). De modo geral, a sua opinião prevaleceu sobre o judaísmo-helenista, passando daí para o cristianismo, embora sem o concurso da idéia da reencarnação. Tenho apresentado vários artigos sobre a alma. Ver sobre *Alma*, e uma série de artigos dentro do título *Imortalidade*. Três desses artigos abordam as evidências científicas em prol da existência da alma. Ver também o artigo *Experiências Perto da Morte*, que é a nossa mais esperançosa maneira de nos aproximarmos da questão da existência da alma e sua sobrevivência ante a morte biológica, do ponto de vista científico. Ver também o artigo *Projeção da Psique*, que também tem importantes implicações científicas no tocante à alma.

5. *Os filósofos estóicos* preferiam usar a palavra grega *pneuma* para indicar a «alma»; mas tinham dela uma opinião materialista, supondo que a alma pode sobreviver à morte física, embora sujeita, com o tempo, à dissolução, pelo que, finalmente, seria reabsorvida pelo Fogo Universal, onde perderia de todo a sua individualidade.

6. *A psique contrastada com o pneuma*. Quanto a isso, ver o artigo separado intitulado *Pneuma*.

7. *A filosofia grega* gradualmente foi concebendo a alma como se estivesse espiritualmente relacionada a Zeus, a fim de poder compartilhar de seus atributos. E acabou identificada, ou, pelo menos, relacionada ao princípio da *nous* (mente), cósmica ou pessoal. Ver sobre *Nous*.

8. *Nas páginas do Novo Testamento*. A palavra grega *psiché* é usada no Novo Testamento por nada menos de cento e cinco vezes. Damos aqui exemplos: Mat. 10:28; 11:29; 12:18; 16:26; 22:37; Luc. 1:46; 10:27; 12:19; João 12:27; Atos 2:27,31,41,43; 3:23; 4:32; 7:14; 14:22; 15:24; Rom. 2:9; 13:1; I Cor. 15:45; II Cor. 1:23; Efé. 6:6; Fil. 2:30; Col. 3:23; I Tes. 2:8; 5:23; Heb. 4:12; 6:19; 10:38,39; 13:17; Tia. 1:21; 5:20; I Ped. 1:9,22; 2:11,25; 3:20; 4:19; I João 3:16; III João 2; Apo. 6:9; 16:3; 18:13,14; 20:4. Usualmente, *psiché* e *pneuma* aparecem no Novo Testamento como sinônimos. Entretanto, a forma adjetival, *psuchikós*, pode significar «natural» (ver I Cor. 2:14; 15:44,46), ou então «sensual» (ver Tia. 3:15; Jud. 19).

PSÍQUICO, FENÔMENOS PSÍQUICOS

Ver o artigo sobre *Parapsicologia*.

PSIQUISMO

Esse é o **ismo** da psique (a porção imaterial do homem), embora o termo tenha uma ampla utilização, aplicando-se a todos os fenômenos psíquicos, ou *psi*. Ver o artigo geral sobre a *Parapsicologia*, que é bastante detalhado. Essa palavra pode ter muitas aplicações, como segue:

1. *Aplicação Existencial*. Há uma parte imaterial dentro do complexo de energias que compõem a personalidade humana. O homem não consiste apenas em seu corpo físico. Primariamente, o homem é um espírito que manipula seu corpo físico como seu instrumento. Sua *existência* depende dessa *psique*, e não do corpo material. Por conseguinte, podemos falar no *psiquismo existencial*, porquanto a expressão pode ser usada para apontar para a natureza essencial ou metafísica do *ser* do homem.

2. *Aplicação Racional*. A mente não se limita ao cérebro. As mentes contam com cérebros, que manipulam como veículos. Portanto, a razão não é apenas uma qualidade cerebral. A razão vem da mente. Em conseqüência, podemos falar sobre um *psiquismo racional*. A mente é a sede da razão e do pensamento.

3. *Aplicação Volicional*. A vontade do homem não é exercida por seu cérebro. Antes, a sua psique imaterial tem a vontade como um de seus atributos. A vontade pode deixar-se influenciar pelo meio ambiente, mas, acima de tudo, é uma qualidade espiritual.

4. *Aplicação Ética*. A conduta ideal do ser humano é governada pelas qualidades de sua mente e de sua razão, tendo por base a sua psique, e não por meras condições materiais e ambientais.

5. *Os Fenômenos Psíquicos*. Esses fenômenos são reais, tendo por base a porção imaterial do homem, a sua psique. Assim sendo, o psiquismo pode ser uma espécie de termo geral que alude a todas as variedades de fenômenos psíquicos.

6. *Psiquismo Versus Espiritualidade*. Os fenômenos psíquicos, por si mesmos, são neutros. Um homem não é nem mais e nem menos espiritual devido a seus poderes telepáticos ou psicocinéticos. E nem é mais ou é menos espiritual, somente porque recebe visões ou sonhos que prevêem o futuro. As curas podem ser efetuadas mediante puros poderes psíquicos, sem qualquer intervenção do Espírito de Deus. Curas dessa ordem são boas, mas não são espiritualmente produzidas. Embora espíritos não-humanos, como os anjos ou os demônios, possam produzir fenômenos psíquicos, assim também pode ser feito pelo homem, por ser ele um espírito. Como já dissemos, em si mesmos os fenômenos psíquicos são neutros, não sendo nem bons e nem maus, embora possam ser postos a uso do bem ou do mal. Isso posto, há um *psiquismo* que pode ser contrastado com a *espiritualidade*. A espiritualidade pode usar os fenômenos psíquicos com muitos propósitos; mas a presença desses poderes não significa que uma pessoa que os manifeste em abundância seja mais espiritual do que as pessoas que não os manifestam. Todas as pessoas são psíquicas; e penso que tenho demonstrado amplamente isso nos artigos de minha autoria denominados *Sonhos* e *Parapsicologia*. Entretanto,

nem todos os indivíduos são espirituais. Pois a espiritualidade subentende o desenvolvimento positivo do espírito, levando-o a possuir, em algum grau, os atributos divinos. Para o crente verdadeiro, isso significa estar sendo transformado segundo a imagem de Cristo, levando-o de um estágio de glória a outro (ver II Cor. 3:18). E é justamente isso que está envolvido na filiação a Deus (ver Rom. 8:29). De conformidade com essa filiação, o remido vai compartilhando crescentemente da natureza divina (ver II Ped. 1:4; Col. 2:9,10; Efé. 3:19). Qualquer indivíduo é capaz de demonstrar poderes psíquicos (e, de fato, todos assim o fazem), sem possuir esse tipo de espiritualidade. Por outra parte, o psiquismo não é contrário à espiritualidade, a menos que um homem abuse do mesmo, mediante manifestações negativas. Ver o artigo separado chamado *Psique*, quanto a como essa palavra tem sido usada na filosofia e na teologia.

PTOLEMAIDA
Ver sobre **Aco**.

PTOLEMEU, CLÁUDIO
Suas datas aproximadas foram 100 - 170 D.C. Ele foi um filósofo e cientista grego que se especializou na astronomia, e cujas idéias vieram a dominar essa ciência durante muitos séculos. Ver o artigo intitulado *Ptolomeu, Teoria Cósmica de*, acerca de como suas teorias tornaram-se a posição da ortodoxia científica e teológica, de tal modo que outro cientista, mais moderno, *Galileu* (vide), não conseguiu derrubar. Ptolomeu publicou sua grande obra sobre astronomia, que versava sobre todos os planetas então conhecidos e sobre mil e vinte e duas estrelas, em cerca de 150 D.C. O artigo mencionado descreve os pontos fundamentais dessa teoria.

Somente já nos tempos de Nicolau Copérnico (século XVI) foram abandonadas as teorias de Ptolomeu, quando novas idéias tiveram oportunidade de fornecer uma descrição melhor sobre o espaço sideral.

Escritos. *Composição Matemática* (13 volumes); *Óptica*; *Geografia Matemática*.

PTOLOMEU, TEORIA CÓSMICA DE
Queremos falar sobre uma teoria formulada pelo astrônomo alexandrino Cláudio Ptolomeu (cerca de 100-168 D.C.), alicerçado sobre conceitos de Platão e Aristóteles. Ele asseverava que a terra é o centro fixo do universo. Essa teoria também dizia que a terra é circundada por esferas concêntricas sólidas, sete das quais são os caminhos seguidos pelos corpos celestes em movimento, ao passo que a oitava, e mais externa, seria a esfera das estrelas fixas. Mas *Galileu* (vide) descobriu muitas provas contra tais idéias, e cometeu a imperdoável «heresia» de asseverar que a terra nem é fixa e nem é o centro do universo. A indignação dos cientistas e teólogos da Idade Média, que mantinha a ortodoxia ptolemaica, caiu sobre a cabeça de Galileu. E foi somente já em nossa própria época que a Igreja resolveu «perdoar» Galileu! Ver o artigo sobre ele, que narra a história inteira. Toda essa questão chama-nos a atenção para o fato de que tanto a ciência quanto a teologia podem estar equivocadas acerca de importantes questões, e que o caminho da investigação nunca deveria ser cerrado. As novas idéias com freqüência são surpreendentes, e muitas vezes parecem trazer a aura da heresia quando são proclamadas pela primeira vez. A *tolerância* (vide) é um importante princípio religioso que sempre deveria ter aplicação; e, acima disso, há aquele princípio superior do *amor*, que é a própria essência da espiritualidade. Mas a hostilidade contra as novas idéias nem é tolerante e nem é amorosa.

PTOLOMEUS
1. Pano de Fundo
2. O Egito dos Ptolomeus: Breve Esboço
3. A Dinastia Ptolemaica
4. Os Judeus no Egito

1. Pano de Fundo
Ver o artigo geral intitulado *Período Intertestamental: Acontecimentos e Condições do Mundo ao Tempo de Jesus*. A terceira seção desse artigo trata dos *Ptolomeus* e dos *Selêucidas*, que foram os sucessores de Alexandre, o Grande, no Egito e na Síria, respectivamente. O reino de Alexandre, por ocasião de sua morte, foi dividido entre os quatro principais generais de seu exército. As duas porções orientais ficaram com generais separados: a Síria ficou com Seleuco (e com base em seu nome é que temos os selêucidas, que foram os seus sucessores); e o Egito ficou com Ptolomeu (de cujo nome deriva-se o coletivo ptolomeus, que foram os seus sucessores). Outros domínios foram estabelecidos em resultado do falecimento de Alexandre, mas somente esses dois revestem-se de alguma significação para a história bíblica. A princípio, a Palestina ficou sob o controle sírio; mas, não muito depois, passou para o controle egípcio. Assim permaneceram as coisas durante cerca de cem anos, até 198 A.C. Durante esse período, os judeus andaram dispersos, e Alexandria serviu de importante centro político e cultural, o que propiciou meios para o Antigo Testamento ser traduzido para o grego, tradução essa que tomou o nome de *Septuaginta*, também representada pelo símbolo LXX, que significa 'setenta' em latim, por causa da tradição (obviamente falsa) que diz que essa tradução foi completada em setenta e dois dias, feita por setenta e dois tradutores judeus. Sob os *ptolomeus*, pois, os judeus prosperaram, e até exigiram que fosse criado um importante centro religioso em Alexandria.

2. O Egito dos Ptolomeus: Breve Esboço
a. Sob os Ptolomeus I—III, o Egito foi sujeitado a reformas econômicas, que fizeram o país prosperar.

b. Ptolomeu IV deixou no comando do país um príncipe amante dos prazeres, e seus ministros foram corruptos. O período dele foi assinalado pela guerra.

c. As guerras prosseguiram, e houve perda de territórios ao tempo de Ptolomeu V. O controle do egípcio passou para os selêucidas (cerca de 200 A.C.).

d. Os conflitos com os selêucidas perturbaram a terra no tempo de Ptolomeu VI. Roma interveio no conflito (180—145 A.C.). Antíoco IV teve de enfrentar a revolta dos Macabeus. O Egito passou a ser governado por um triunvirato: Ptolomeu VI, seu irmão, e Cleópatra II, esposa de Ptolomeu.

e. No período de Ptolomeu VII, a corrupção tornou-se uma constante, e as comoções intestinas tornaram-se comuns, por causa da desintegração das condições econômicas. Templos foram construídos, na tentativa de aplacar as multidões, mas a verdade é que os egípcios queriam ficar libertos do domínio estrangeiro.

f. Ptolomeu VIII (145—116 A.C.), mencionado em I Macabeus 1:18 e 15:16, teve um reinado desfavorável. Um ptolomeu não-real desse período foi o assassino do genro de Simão Macabeu (135 A.C.

PTOLOMEUS

Ver I Macabeus 1:16 ss). Duas rainhas, ambas de nome Cleópatra, estiveram associadas a esse monarca.

g. Um declínio sem retorno assinalou o governo dos ptolomeus egípcios. Ptolomeu IX foi expulso do Egito, em 110 A.C., e o trono foi ocupado por seu irmão mais jovem, Ptolomeu X. Porém, Ptolomeu IX reconquistou o trono, e continuou governando o Egito até cerca de 85 A.C. Revoltas caracterizaram o seu período duplo de governo.

h. Ptolomeu XII viveu à sombra da ameaça de Roma, quando a maré da história esteve prestes a produzir uma outra grande mudança nos acontecimentos. Ele foi forçado a exilar-se, em 58—55 A.C., e o governo passou para as mãos de sua filha, Berenice IV. Porém, indivíduos subornados fizeram-no voltar ao trono, e Berenice foi assassinada.

i. Cleópatra VII foi nomeada para suceder a Ptolomeu XII, quando da morte deste, porquanto era sua filha. Ptolomeu XIII, irmão dela, deveria compartilhar do mando. Porém, estouraram rivalidades entre os dois irmãos. Júlio César recebeu a tarefa de arbitrar entre os dois. Romântico envolvido com Cleópatra, naturalmente tomou o partido dela. Ptolomeu XIII revoltou-se diante disso, mas acabou sendo morto. *Cesarion*, filho de Júlio Cesar e de Cleópatra, estava sendo preparado para ocupar o trono do Egito, com o título de Ptolomeu XV. Ele governou como títere de sua mãe, desde 44 A.C., até a derrota em Ácio, em 30 A.C. Depois de Ácio, Cesarion foi morto por Otávio (que posteriormente foi o imperador Augusto). Cleópatra cometeu suicídio, e assim o Egito passou para o domínio romano, em 30 A.C., tornando-se meramente uma província romana daí por diante.

3. **A Dinastia Ptolemaica** (cerca de 323 - 30 A.C.):
Ptolomeu I, Soter (305 - 282 A.C.)
Ptolomeu II, Filadelfo (284 -246 A.C.)
Ptolomeu III, Evergetes I (246 - 222 A.C.)
Ptolomeu IV, Filopater (222 - 205 A.C.)
Ptolomeu V, Epifânio (204 - 180 A.C.)
Ptolomeu VI, Filometer (180 - 145 A.C.)
Ptolomeu VII, Evergetes II (145 - 116 A.C.)
Ptolomeu VIII, Soter II (116 - 110, 109, 88 - 80 A.C.)
Ptolomeu IX, Alexandre I (110 - 109, 108/7 - 88 A.C.)
Ptolomeu X, Alexandre II (80 A.C.)
Ptolomeu XI, Filopater Neos Dionísio ou Auletes (80 - 51 A.C.)
Ptolomeu XII (51 - 47 A.C.)
Ptolomeu XIII (47 - 44 A.C.)

N.B. - Cleópatra VII compartilhou do mando entre 50 e 30 A.C., com Ptolomeu IV, Filopater Filometor Caesar (44 - 30 A.C.).

Informes Históricos Relacionados a esses Reis:

a. *Ptolomeu I*. Ele foi um dos generais de Alexandre, o Grande. Por ocasião da morte de Alexandre, esse general tornou-se o sátrapa do Egito (cerca de 323 A.C.). Mais tarde, assumiu o título de rei, tendo governado até 282 A.C. Seus domínios incluíam o Egito e a Palestina. Seu poder militar era grande, e prosperou economicamente. A famosa Biblioteca e Museu de Alexandria foi fundada por ele. Ver o artigo chamado *Alexandria, Biblioteca de*. Fundou a cidade de Ptolemaida (ver sobre *Aco*, nesta enciclopédia). Ele e Seleuco I talvez sejam os «reis» referidos em Dan. 11:5.

b. *Ptolomeu II*. Ele foi o filho caçula de Ptolomeu I. Governou durante dois anos, como co-regente com seu pai. Promoveu a biblioteca de Alexandria, fundada por seu genitor. Erigiu o farol de Faros. Consolidou a economia e promoveu colônias gregas no Egito. Entrou em conflito com os selêucidas, mas acabou entrando em uma aliança com eles, dando sua filha, Berenice, a Antíoco II, como esposa. Porém, ela e o filho dela foram assassinados antes da própria morte de Ptolomeu II (a história geral talvez aludida em Dan. 11:6). Antes de morrer, porém, Ptolomeu II fundou várias cidades. A tradição revela que ele foi o patrono da tradução do Antigo Testamento para o grego, chamada *Versão Septuaginta*, ou LXX. Faleceu em 247 A.C.

c. *Ptolomeu III*. Nem bem subiu ao trono (em 247 A.C.), marchou contra a Síria, a fim de vingar-se da morte de sua irmã. Ao que parece, o trecho de Dan. 11:7,8 refere-se a essa campanha. Foi declarada guerra contra Antíoco III. Ptolomeu III foi bem-sucedido na vingança. Em seguida, decorou o Egito com templos e edifícios públicos. As ruínas de seus esforços arquitetônicos ainda podem ser vistas até hoje, como o templo de Horus, em Edfu, no Alto Egito, embora os seus sucessores é que tenham acabado essa construção. Ampliou a biblioteca de Alexandria, e foi protetor dos eruditos.

d. *Ptomomeu IV*. Subiu ao trono em 222 A.C., tendo ali ficado até 205 A.C. Sua principal ocupação era a busca pelos prazeres, embora tenha dedicado algum tempo à guerra. O trecho de III Macabeus 1:1-5 faz menção à sua campanha contra os sírios. A fim de consolidar sua autoridade, mandou executar sua própria mãe, Berenice, seu irmão, Magas, e seu tio, Lisímaco. E cometeu muitos e hediondos crimes. Em suas vitórias sobre a Síria, reconquistou a Coele-Síria. Foi patrono das artes, da literatura e da religião.

e. *Ptolomeu V*. As datas de seu reinado foram 204 - 180 A.C. Era ainda muito jovem quando começou a reinar. Antíoco III da Síria conseguiu apossar-se da Palestina, tendo-a tomado do Egito (202 - 198 A.C.), e foi assim que os judeus acabaram sendo governados por dois senhores. Isso armou o palco para a revolta dos Macabeus, contra a infame dinastia dos Antíocos. Na tentativa de obter a paz, Antíoco III deu sua filha a Ptolomeu V como esposa, quando Roma já começava a arbitrar sobre as pendências locais. Revoltas intestinas prejudicaram ao Egito, e a economia egípcia debilitou-se. Foi durante o reinado de Ptolomeu V que foi preparada a *Pedra de Rosetta* (vide), um decreto baixado pelo sacerdócio egípcio, em 196 A.C., em três escritas: hieróglifos egípcios, a escrita demótica e o grego. E foi isso que permitiu, já nos tempos de Napoleão, o deciframento da antiga língua egípcia.

f. *Ptolomeu VI*. Seu governo foi de 180 a 145 A.C. Subiu ao trono muito jovem, pelo que sua mãe Cleópatra I, agia como regente. Antíoco IV consolidou conquistas sírias no Egito, fazendo deste um protetorado da Síria. Todos os estudiosos da Bíblia conhecem a narrativa sobre Antíoco IV Epifânio e como ele conspurcou o templo de Jerusalém, diante do que os Macabeus revoltaram-se. A passagem de Dan. 11:21 ss como os livros de I e II Macabeus, em geral, narram a história dos conflitos dos judeus contra esse homem. Ptolomeu VI tentou fazer intervenções na Síria; mas não foi bem-sucedido na empreitada, e, finalmente, veio a morrer de ferimentos recebidos em batalha. Os trechos de I Macabeus 10:51 ss; 11:1 ss e Josefo (*Anti*. 13.4,5 ss) prestam-nos algumas informações a respeito dele. Quando Antíoco levou Ptolomeu VI como prisioneiro, o irmão deste último proclamou-se rei, em Alexandria. Então os dois irmãos governaram conjuntamente, até 168 A.C. Porém, a contenda acabou separando os dois, e Ptolomeu VI pediu socorro dos romanos. Um contínuo estado de beligerância resultou em sua morte. Foi durante o seu governo que ocorreu grande imigração de judeus, que estavam abandonando a Palestina, o que em muito aumentou a população judaica no Egito. Isso teve lugar por causa da insegurança que então reinava na Palestina.

g. *Ptolomeu VII.* Ele governou de 145 a 115 A.C. Era filho de Ptolomeu V. Foi também rei de Cirene. Cleópatra fez seu filho infante ser coroado rei, mas esse Ptolomeu invadiu o Egito. Os romanos arranjaram para que Cleópatra se casasse com ele, e ele tornou-se rei. Imediatamente mandou matar o seu sobrinho. Seu governo foi assinalado por violências e ultrajes contínuos. Foi então forçado a fugir para Chipre, em 130 A.C. Porém, em 127 A.C., foi restaurado ao poder. Apesar de seus crimes, havia um lado bom em sua vida. Ele foi patrono da literatura, e ele mesmo foi autor de uma considerável obra sobre história natural.

h. *Ptolomeu VIII.* Governou entre 116 e 110 A.C., e então em 109, 88 - 80 A.C. Era filho de Ptolomeu VII. Ao subir ao trono casou-se com sua própria irmã, Cleópatra; mas foi forçado a divorciar-se dela, pela mãe dele. Em seguida, casou-se com sua irmã caçula, Selene. A mãe dele acusou-o de planejar uma revolta contra ela, e ele foi forçado a fugir. Então ela chamou de volta a seu filho mais novo, Alexandre I, que estava em Chipre. Porém, Ptolomeu VIII assumiu o controle do reino de seu irmão, e, durante dezoito anos, manteve Chipre como um reino independente. Quando Alexandre I morreu, Soter retornou ao Egito e começou a governar conjuntamente com sua irmã, Berenice, até que ele veio a morrer. Esteve envolvido em muitas guerras e atos violentos, em muitos levantes civis e estrangeiros. A cidade de Tebas, no Egito, foi destruída em meio a tudo isso.

i. *Ptolomeu IX.* Seu governo foi de 110 a 109 A.C., e novamente entre 108/7 e 88 A.C. Ele foi o Alexandre I, descrito no ponto anterior, que esteve em conflito com seu irmão. Começou a governar como rei de Chipre; mas, quando seu irmão mais velho foi expulso pela mãe deles, então começou a governar conjuntamente com ela, que se tornou conhecida como Cleópatra III. Vivia em dissipação e como governante não foi grande coisa. Em 89 A.C., perdeu o trono, embora tivesse conseguido recapturar a cidade de Alexandria. Mas, não demorou muito para ser expulso novamente. Finalmente, perdeu a vida em uma batalha naval ao largo de Chipre, numa última tentativa de recapturar o que havia perdido.

j. *Ptolomeu X.* Lutou contra seu irmão, Ptolomeu IX, e conseguiu governar de 110 a 109 A.C., e outra vez, entre 108/7 - 88 A.C. Sob proteção dos romanos, apossou-se de Alexandria. Casou-se com sua prima, Berenice, rainha governante. Porém, somente vinte dias após o casamento, sob suas ordens ela foi assassinada! Uma turba enfurecida matou-o, em Alexandria.

1. *Ptolomeu XI.* Governou de 80 a 51 A.C. Era filho ilegítimo de Ptolomeu IX. Era homem de mau-caráter. Dirigiu o Egito em um período de grande declínio, quando Roma ameaçava tomar conta do Egito. Mesmo assim, conseguiu subornar aos romanos. E isso, em combinação com os assassinatos que cometeu, consolidou o seu governo. Mas, para todos os efeitos práticos, os romanos é que controlavam o Egito. Forçado pelos romanos, acabou deixando em herança o seu reino para seu filho e para sua filha, a saber, Ptolomeu XII e Cleópatra, de acordo com a vontade expressa do senado romano.

m. *Ptolomeu XII.* Ele e sua irmã, Cleópatra, ocuparam o trono do Egito, de acordo com as condições estipuladas no testamento de seu pai. Por ser muito jovem quando subiu ao trono, o eunuco Potino foi quem brandiu as rédeas do poder, pelo menos durante algum tempo; mas Cleópatra, por ser mais velha, pôs fim a esse estado de coisas. No entanto, considerando Potino um favorito, Ptolomeu XII expulsou sua própria irmã. Em vista disso, ela levantou um exército e invadiu o Egito. Pompeu, o Grande, procurando fugir do exército de Júlio César, chegou a Alexandria. Mas ali foi assassinado por ordem de Ptolomeu XII. Júlio César desembarcou no Egito. Mas Cleópatra encontrou-o de tal modo com suas graças femininas, que ele a restaurou ao trono. Quando César teve de arbitrar entre ela e seu irmão, a atração sexual foi o guia dele. E Ptolomeu, ainda em uma outra campanha militar, quando tentava reconquistar o trono, acabou morrendo afogado.

n. *Ptolomeu XIII.* Após a morte de Ptolomeu XII, seu irmão mais novo, Ptolomeu XIII, foi coroado e casou-se com sua irmã, Cleópatra, por insistência de Júlio César (47 A.C.). Entretanto, Ptolomeu XIII desapareceu da cena em 44 A.C., provavelmente assassinado por ordem de Cleópatra, a fim de que o filho dela, Cesarion, pudesse subir ao trono. E Cesarion foi Ptolomeu XIV.

o. *Ptolomeu XIV.* Seu nome de batismo era Cesarion, e governou juntamente com sua mãe, Cleópatra, de 44 A.C. até a derrota das forças egípcias em Ácio (30 A.C.). Ptolomeu XIV era apenas uma figura de adorno, que nada governava. Após aquela batalha, Cesarion foi executado por Otávio, o qual, posteriormente, veio a tornar-se o imperador Augusto. Cesarion foi eliminado para que não mais pudesse ser uma ameaça à supremacia romana no Egito. Quando Ptolomeu XIV faleceu, o Egito foi reduzido a uma mera província romana, o que marcou o fim da era dos monarcas ptolomeus.

4. Os Judeus no Egito

Temos dado algumas noções a respeito ao longo deste verbete. Já vimos que uma considerável colônia judaica formou-se no Egito, no período dos ptolomeus. Foi em Alexandria que os judeus do Egito tornaram-se mais numerosos e fortes. A versão da Septuaginta (tradução do Antigo Testamento hebraico para o grego) emergiu durante esse tempo (do século III A.C. em diante). Quando Antíoco III, da Síria, conseguiu conquistar o Egito, a Palestina tornou-se um joguete nas mãos dos ptolomeus e selêucidas. Antíoco IV consolidou o poder sírio sobre a Palestina. Mas logo em seguida surgiram os governantes judeus, os Macabeus, que realizaram a façanha de obter independência dos judeus de qualquer jugo estrangeiro por um breve período, até que Roma interveio e pôs fim a essa liberdade.

Bibliografia. AM BEV BEV(1927) ND SKE Z

PUÁ

No hebraico «sopro», «declaração». E uma palavra aparentemente cognata deriva-se de uma raiz que significa «esplêndido». Esse é o nome de dois homens e de uma mulher, nas páginas do Antigo Testamento:

1. O pai de Tola, que foi um dos juízes de Israel (Juí. 10:1). Ele deve ter vivido por volta de 1240 A.C.

2. Um descendente de Issacar (Gên. 46:13). Nossa versão portuguesa, porém, grafa seu nome como *Puva* (uma variante), enquanto que as outras duas pessoas são chamadas *Puá.* Várias traduções intercambiam

esses dois nomes. Puva viveu em cerca de 1700 A.C.

3. Uma das duas parteiras israelitas que receberam ordem, da parte do Faraó, para tirarem a vida dos meninos que nascessem às mulheres israelitas, mas que poupassem as vidas das meninas (ver Êxo. 1:15-20). O nome da outra parteira era Sifrá. Podemos imaginar que elas eram parteiras-chefes, e que as demais parteiras dos israelitas obedeciam às ordens dessas duas.

PUBLICANO

Ver sobre **Coletores de Impostos**. Na antiguidade, as taxas e impostos freqüentemente eram coletados por indivíduos privados empregados com esse propósito, e não por agentes governamentais oficiais. Naturalmente, tais indivíduos tiravam proveito da situação a fim de auferirem ganhos desonestos. Por essa razão é que, no Novo Testamento, temos a expressão «publicanos e pecadores», reunindo duas classes que tinham grande afinidade de espírito. Pensava-se que nenhum publicano podia ser homem honesto, tão má era a reputação da categoria.

O termo significa *coletor de impostos*, embora, às vezes, seja usado em sentido mais lato, dando a entender qualquer funcionário público. Bom número de coletores de impostos agia com desonestidade, tanto em relação ao público como em relação ao governo, cobrando impostos ilegais e apresentando relatórios falsificados, com a intenção de enriquecer rapidamente. Não era raro que alguns publicanos ameaçassem e até matassem a alguns para atingir os seus propósitos. Havia duas classes de publicanos; uma superior, formada pelos romanos da ordem *equitator*, que em geral eram os dirigentes do trabalho, responsáveis perante o governo romano; e outra inferior, formada por judeus, que trabalhavam nas vilas e cidades dos judeus. Mateus era um deles (ver Mat. 9:9). Quando Teócrito indagou: «Entre as feras bravas, quais são as mais cruéis?» Ele mesmo replicou: «Os ursos, os leões das montanhas, os publicanos e os caluniadores das cidades». O Talmude (vide) classifica os publicanos como salteadores e assassinos e declara que para tais homens não há chance de arrependimento. Ocupavam a posição de gentios, apesar de serem judeus de raça.

Jesus usou esses homens tão detestados pelos judeus como ilustração, afirmando que até tais homens eram amigos *entre si*. Pelo menos não ensinavam o ódio aos inimigos, como o faziam as autoridades religiosas dos judeus. Jesus classificou como publicanos a todos quantos não amam e não se mostram amigos. No reino de Deus a ordem das coisas terá de ser diferente.

PÚBLIO

No grego **Póplios**; no latim, **Publius**. Ele foi homem liderante na ilha de Malta. Durante três dias ofereceu hospitalidade a Paulo e aos seus companheiros de **naufrágio** (ver Atos 28:7,8), quando Paulo estava sendo conduzido a Roma como prisioneiro, a fim de comparecer diante do tribunal de César (Nero). Seu pai estava então enfermo de disenteria e febre, mas foi curado por Paulo.

O título que lhe é dado em grego, *o prótos*, «o primeiro», «chefe», tem sido confirmado pela arqueologia em inscrições da ilha de Malta. Talvez esse título fosse seu prenome romano. Provavelmente, atuava em Malta como governador. O martirológio romano assevera que ele foi o primeiro bispo de Malta, e que, posteriormente, sucedeu a Dionísio como bispo de Atenas, na Grécia. E Jerônimo mencionou uma tradição na qual ele aparece como mártir. É muito difícil julgar a veracidade dessas tradições, as quais sempre tentam preencher os espaços em branco em nosso conhecimento, e que, por isso, na maioria das vezes consistem em fantasias da imaginação.

PUL

No hebraico, «forte». No Antigo Testamento, esse é o nome de um rei assírio e de um povo, a saber:

1. Pul é o nome alternativo do monarca assírio *Tiglate-Pileser III* (vide), o qual governou a Assíria em 745 - 727 A.C. É possível que Pul fosse seu nome pessoal, ao passo que Tiglate-Pileser fosse seu título real. Tal título fora usado por um grande rei assírio do passado. Os trechos de II Reis 15:19 e I Crô. 5:26 mencionam-no por seu nome, *Pul*. Os historiadores e arqueólogos tiveram de fazer muitas contorções até que ficou razoavelmente provado que Pul e Tiglate-Pileser III foram nomes diferentes de um mesmo homem.

2. Pul também aparece, em Isa. 66:19 como nome de um povo e país africano. Todavia, os estudiosos acreditam que na grafia dessa palavra, nessa passagem, há um erro, pois deveríamos ler ali *Pute*, conforme também aparece em algumas traduções. Ver o artigo sobre *Pute*. Nesse caso, fica definida a Líbia; de outra sorte, não se sabe onde, exatamente, dentro do território africano, ficaria Pul.

PULGA

No hebraico, *parosh*, termo que ocorre somente por duas vezes em todo o Antigo Testamento: I Sam. 24:14 e 26:20. A pulga, da qual há duas espécies (cientificamente denominadas *pulex* e *ctenocephalides*), é um inseto altamente especializado, praticamente formado somente de pernas. Se uma pulga tivesse o tamanho de um homem, seria capaz de saltar por cima de um edifício de dez andares! Os insetos adultos chupam o sangue de seus hospedeiros, pois, sem isso, não podem reproduzir-se. As larvas vivem na poeira; portanto, quanto mais limpo for um lugar, menos possibilidade haverá das pulgas multiplicarem-se.

A pulga é um animal perigoso, transmissor de diversas enfermidades, incluindo a temível peste bubônica, transmitida a partir dos ratos. É difícil ver-se a pulga; e mais difícil ainda é matá-la. Trata-se de um inseto muito perturbador, por causa das picadas que dá na pele de uma pessoa.

Esse inseto era muito comum nos países orientais. Davi comparou-se a uma pulga, quando perseguido por Saul, a fim de lançá-lo no descrédito (I Sam. 24:14). Davi estava fugindo do rei Saul, que estava resolvido a matá-lo. Porém, a quem o monarca estaria perseguindo? Somente a um cão ou a uma pulga. E, com isso, Davi procurava mostrar a Saul que ele não era uma ameaça à segurança do monarca, por ser uma pessoa de pequena importância. Essa posição era extremamente modesta, na verdade; e a história subseqüente demonstrou que Davi estava destinado pelo Senhor a ser um homem muito mais importante para o reino e para os planos de Deus do que Saul.

Há cerca de onze mil espécies de pulgas. Isso mostra que as coisas más, neste mundo, existem em meio a grande variedade. Uma pulga pode pular até 20 cm de altura, e até 33 cm para a frente. Seu mecanismo de salto é uma autêntica catapulta, feita de uma proteína elástica, chamada resilina. Algumas

PÚLPITO — PUNIÇÃO CAPITAL

pulgas têm dois olhos; mas também há pulgas sem olhos, cegas. Mas essa variedade mesmo assim não deixa de encontrar a sua presa, presumivelmente devido ao calor sentido, ou ao sentido de olfato. Há espécies que tendem por especializar-se em determinadas formas de vida animal. Há muitas piadas modernas sobre a pulga. Algumas pessoas têm a paciência de treinar pulgas, formando circos de pulgas com elas! Mas, estar com pulgas à noite, no leito, não é nenhuma brincadeira!

A maneira como a natureza equipou a pulga também não é nenhuma brincadeira. Pode permanecer no interior de seu casulo quase indefinidamente, até sentir as vibrações que indicam a presença de algum hospedeiro. Então a pulga sai de seu casulo, transforma-se em um inseto adulto e ataca. Um edifício vazio pode conter um grande número de pulgas, mas que permanecem ocultas em seus casulos. Quando pessoas passam a ocupar o edifício, causando as vibrações que despertam as pulgas, estas começam a aparecer. E não demora a haver uma praga de pulgas. Uma pulga adulta pode viver nada menos do que um ano, para garantir que todas as suas vítimas sintam-se o mais desconfortáveis possível!

PÚLPITO

Essa palavra portuguesa vem do latim **pulpitum**, «palco», «plataforma». Ela ocorre em várias traduções (como na nossa versão portuguesa), em Nee. 8:4, como tradução da palavra hebraica *migdal*, «lugar elevado», «plataforma». Esdras postou-se sobre uma plataforma a fim de ler, diante do povo reunido, as Escrituras Sagradas. Talvez o chão da plataforma fosse atingido por meio de uma escada. A elevação serviu para torná-lo conspícuo e para que pudesse ser facilmente ouvido pela multidão numerosa reunida. Naturalmente, nem devemos pensar que a *migdal*, nesse caso, se assemelhasse aos púlpitos das modernas igrejas cristãs, embora a finalidade seja mais ou menos a mesma—permitir que o orador seja facilmente visto e ouvido pelos presentes.

PUNIÇÃO

Quanto aos castigos temporais, ver o artigo *Crimes e Castigos*. Quanto à punição eterna dos perdidos, ver o verbete *Julgamento de Deus dos Homens Perdidos*. Quanto ao fato de que a missão *tridimensional* de Cristo atingiu e continua atingindo o próprio lugar de punição dos perdidos, ver o artigo *Descida de Cristo ao Hades*. Ver também os artigos *Restauração* e *Missão Universal do Logos* (*Cristo*).

PUNIÇÃO CAPITAL

Ver os artigos sobre *Punição, Crime e Castigo* e *Retribuição*. Não há que duvidar que a punição capital, mediante a qual alguém perde a sua vida física, por causa de algum crime cometido, faz parte integral da ética do Antigo e do Novo Testamentos. Ver Gên. 9:6 e Rom. 13:4. A legislação mosaica alistava diversos crimes em vista dos quais uma pessoa deveria perder a vida (Núm. 15:32 ss; Lev. 20:2,9,10,27; Deu. 17:3 ss; 22:25). O artigo sobre *Crime e Castigo*, sob o subtítulo *Apedrejamento*, fornece detalhes completos sobre essa questão. Porém, muitos filósofos, políticos, sociólogos e clérigos modernos se opõem à punição capital, com base em supostas razões humanitárias, paralelamente à idéia de que é melhor recuperar uma vida do que destruí-la. Mas confesso que é difícil perceber por que todo o castigo precisa visar à reabilitação. De fato, há crimes, como o assassinato premeditado, que requerem uma justa *retaliação*, inteiramente à parte do princípio de reabilitação. Existem criminosos irrecuperáveis! É difícil ver como o homicídio pode ser considerado um crime que não merece a punição capital. Há aquele argumento que diz que a punição capital não serve de detenção para o crime, não baixa a taxa de criminalidade. Mas, o criminoso contumaz, uma vez executado, não continua fazendo vítimas inocentes! E é por isso que ele deve ser executado. E, se a taxa de criminalidade baixa ou não, isso não vem ao caso. A justiça é um princípio que existe inteiramente à parte da questão da prevenção. No caso de muitos clérigos «humanitários», que evocam a questão dos direitos humanos para os bandidos e criminosos, eles olvidam-se de duas coisas: 1. Os direitos humanos das vítimas desses criminosos. 2. A Inquisição fez milhões de vítimas, por motivos religiosos, consideradas hereges do ponto de vista de seus perseguidores, embora não tivessem outra culpa além de não concordarem com certas doutrinas da hierarquia de Roma. Essa hierarquia, que se tornou culpada da perda da vida de milhões de criaturas humanas, em muitos países, por vários séculos, agora se faz defensora de bandidos! Todo o amor e paciência cristãos não chegam para fechar-nos os olhos a tão lamentável distorção dos direitos, pespegada em nome de Cristo, e contrária aos princípios ensinados por Deus em sua Palavra!

As observações da sociologia mostram que a leniência ou o rigor contra a criminalidade obedecem a um regime de pêndulo de relógio. Quando a criminalidade atinge níveis insuportáveis, a sociedade exige maior rigor contra os bandidos, e a taxa de criminalidade desce; mas então surgem em cena os «humanitários», recomendando tratamento brando para os criminosos, e a taxa de criminalidade sobe. Será que isso não encerra nenhuma lição para nós? A brandura para com os criminosos é quase uma conivência com eles, pois provoca-lhes o atrevimento. Até quando continuará esse estado de coisas? O Juiz de toda a terra voltará a fim de governar o mundo. Fá-lo-á com luva de arminho ou com manopla de ferro? Ver Apo. 12:5. Diz Apocalipse 19:15: «Sai da sua (de Jesus) boca uma espada afiada, para com ela ferir as nações; e ele mesmo as regerá com cetro de ferro, e pessoalmente pisa o lagar do vinho do furor da ira do Deus Todo-poderoso». A ira de Deus pesa sobre os ímpios rebeldes; a sua misericórdia paira sobre os que se humilham e se arrependem! Ver João 3:36.

Um Princípio Espiritual Envolvido. Há um princípio espiritual envolvido nessa questão, que tanto os proponentes quanto os opositores da punição capital usualmente não levam em conta. É que, para os criminosos, a ameaça de morte iminente é, com freqüência, a única coisa que os leva a reavaliar a sua vida e os seus atos, impelindo-os a buscarem alguma renovação espiritual; e não poucos deles têm-se convertido à fé cristã, sob as tensões envolvidas na ameaça da perda da existência física. Isso redunda em bem para os espíritos dos criminosos. Pois a lei da colheita conforme a semeadura, quando devidamente aplicada, sempre redunda no bem daqueles que fazem a colheita.

Quando a Retribuição Pura Também é Reabilitação. O mundo opera com base na lei da colheita segundo a semeadura (ver Gál. 6:7,8). Se alguém torna-se um assassino, haverá de beneficiar-se espiritualmente, mesmo que não se converta, ao sofrer a justa retaliação por seu crime; pois, dessa

PUNIÇÃO CAPITAL

forma, terá pago a sua dívida e estará livre para prosseguir na busca espiritual. Portanto, aquilo que poderia ser classificado como pura retribuição, do ponto de vista físico e terreno, pode tornar-se um ato de reabilitação espiritual, para que o espírito possa entrar no mundo dos espíritos, não prosseguindo, neste mundo, em sua caminhada delituosa. Isso não significa que haja nisso qualquer expiação, no sentido teológico. Não há expiação na morte de um criminoso apanhado e justiçado. Mas, tal execução pode significar que, tendo aquele espírito partido para as dimensões espirituais, e estando ainda sujeito ao ministério remidor de Cristo (ver I Ped. 4:6), ele estará em melhor posição de ser beneficiário da missão de Cristo, do que se tivesse chegado, finalmente, ao mundo dos espíritos, sem haver saldado a sua dívida diante dos homens. Aquele que já pagou por algum crime grave, certamente mostrar-se-á mais responsivo para com a chamada de Cristo, do outro lado da sepultura, do que aquele que partiu para a outra existência sobrecarregado de crimes e de culpa, por não haver pago sua dívida diante da sociedade, enquanto ainda estava no corpo físico.

Circunstâncias Mitigadoras. O argumento acima não pretende negar que, algumas vezes, até mesmo crimes como o homicídio não devem ser castigados mediante a punição capital. Pode haver circunstâncias mitigadoras, quando então **um tempo** passado no cárcere pode ser mais apropriado e justo do que a execução capital. O que não se pode esperar é que um tratamento mais brando, dado a criminosos, por si só seja capaz de recuperá-los. O criminoso é alguém que quer satisfazer a seus maus desejos; e a perda da liberdade, enquanto ele estiver encarcerado, é suficiente para enfezá-lo, anulando qualquer bom efeito da leniência. Isso comprova-se de cada vez em que algum criminoso consegue fugir da prisão. Ele recupera-se com a fuga, ou reenceta sua vida de crimes, com maior sanha ainda? O criminoso o é desde o coração; as circunstâncias externas em coisa alguma alteram isso. Muitos criminosos procedem de classes abastadas, usando seus vastos recursos para aprimorarem seus métodos criminosos e para melhor ocultarem os seus crimes. A sociologia tem fracassado, na busca da grande causa da criminalidade, porque não a busca no coração humano!

A Multiplicação dos Crimes. É fato largamente demonstrado que os criminosos, quando são finalmente apanhados, usualmente já acumularam muitos crimes em seu rol de atividades. No entanto, a justiça humana cai no absurdo de julgá-los e puni-los apenas por *um* crime. Nem mesmo a filosofia concorda com isso. Platão assegurava que a pior coisa que pode suceder a um homem é escapar ele da devida punição, quando se fez culpado. Quando isso sucede, sua alma corrompe-se definitivamente; e isso é questão muito mais séria do que não castigar ao criminoso com o devido rigor. Mas, quando um criminoso é finalmente apanhado, a justiça humana só pensa em abrandar a pena. Não me admiro que a taxa de criminalidade aumente cada vez mais em muitos países, onde os homens acabam pensando que podem fazer o que bem entenderem, sem qualquer conseqüência mais séria! Nos países árabes, um ladrão apanhado perde uma das mãos; na segunda vez, perde a outra mão. É ali que se encontram as mais baixas taxas de criminalidade do mundo! Isso não encerra alguma lição para nós? (H)

••• ••• •••

PUNIÇÃO CORPORAL

A expressão indica alguma espécie de castigo que envolve o corpo físico, em contraste com multas ou com a punição capital ou execução. A punição corporal pode ser aplicada mediante açoites, choques elétricos, torturas diversas, encarceramento, limitação de alimentos a pão e água, espancamento, trabalhos forçados, confinamento em prisão solitária e até mesmo abusos sexuais, sob condições sub-humanas.

1. *Punições Corporais Privadas.* Os pais disciplinam seus filhos com varadas, conforme a sugestão de Provérbios 13:24, onde se lê que o pai que não usa da vara odeia a seu filho. Os pais também privam seus filhos de certos alimentos, como doces e guloseimas, por algum tempo. Outros fazem seus filhos postarem-se em posições cansativas, como ficar com as mãos levantadas por longos períodos de tempo. Costuma-se jogar um copo de água sobre o rosto da criança iracunda. Há muitas variedades de castigos. Algumas formas chegam a ser mesmo criminosas, quando causam grande dor e/ou deformações. Algumas crianças, filhos de pais violentos, nunca conseguem recuperar-se inteiramente dos espancamentos recebidos de seus genitores. Alguns psicólogos modernos objetam a qualquer forma de punição corporal; mas a moderação nesse campo, como em tudo o mais na vida, parece ser a atitude mais aconselhável. Porém, se a disciplina corporal não for acompanhada pelo amor, nem mesmo a moderação é aconselhável. Uma criança que está sendo disciplinada, se também sabe que é amada, absorve bem algumas palmadas ou coisa semelhante, tirando proveito do castigo.

2. *Nas Escolas.* Em muitos países, a legislação retirou dos professores o direito de aplicarem punições corporais de qualquer espécie a seus alunos. Pode-se debater se essa proibição é correta ou não. Tal debate jamais chegará a um fim, porquanto o sucesso ou fracasso de tal disciplina depende de cada professor. Alguns professores são capazes de usar de punição corporal de forma humana e moderada, resultando em um bem para o aluno. No entanto, isso tem sido freqüentemente sujeitado a abusos nas escolas, resultando em danos permanentes, em alguns casos. Visto não haver como separar com eficácia os bons dos maus professores, em situações escolares, os governos usualmente têm achado por bem simplesmente proibir qualquer forma de castigo físico.

3. *Nas Prisões.* As punições corporais não são proibidas nas prisões e detenções de muitos países, sendo mesmo provável que elas ocorram em praticamente todas as instituições penais, com ou sem a sanção da lei. Em vários países, os códigos criminais determinam especificamente formas de punição corporal no caso de certos crimes. Uma prisão é um lugar onde os criminosos pagam e sofrem pelos crimes cometidos; mas, até mesmo ali princípios humanitários deveriam ser observados. Porém, em nome dos direitos humanos, em alguns países os criminosos são tratados com regalias tais, embora sejam assassinos e estupradores frios, como a sociedade não trataria de suas vítimas, reais ou potenciais. As observações da sociologia mostram que o tratamento conferido aos prisioneiros acompanha um regime de pêndulo. Quando a criminalidade aumenta demais, o clamor popular exige um castigo mais severo contra os criminosos, depois de algum tempo, os sentimentos de humanidade requerem um tratamento cada vez mais brando conferido aos criminosos, até que uma nova virulência de criminalidade demande novamente o

PUNIÇÃO ETERNA — PUREZA

endurecimento das atitudes contra os criminosos. Nestes meados da década de 1980, no Brasil, estamos experimentando uma fase de abrandamento, e a criminalidade vem aumentando assustadoramente. Já podemos prever que, dentro de algum tempo, o pêndulo começará a gravitar para o lado oposto. (H)

PUNIÇÃO ETERNA
Ver sobre o *Julgamento*.

PUNOM
No hebraico, «trevas». Esse era o nome de uma cidade de Edom, o lugar onde os israelitas fizeram alto em sua marcha, certa ocasião, quando vagueavam pelo deserto (ver Núm. 33:42 *ss*). Chegaram eles ali no segundo dia após terem partido do monte Hor, e antes de chegarem a Moabe.

Punom era um centro de mineração, e pode refletir o nome de certo chefe edomita, Pinom (que algumas traduções têm como alternativa para o nome Punom), que ali teria residido (ver Gên. 36:41). Eusébio informa-nos que condenados eram forçados a trabalhar nas minas da área, que era rica em cobre (ver *Onamasticon* 299, 85; 123, 9). A arqueologia tem descoberto que ali se praticava a mineração desde tão cedo quanto 2200 A.C. Sofreu vários períodos de abandono, mas era uma área próspera nos tempos romanos, e mesmo depois. A moderna *Feinan* assinala o antigo local. Nas proximidades, ainda há minas e fundições, a saber, em Khirbet en-Nahas e em Khirbet Nqieb Aseimer. Algumas ruínas da época bizantina ainda são visíveis na região, incluindo as ruínas de uma basílica e de um mosteiro cristãos. Uma inscrição do bispo Teodoro (587 - 588 D.C.) foi encontrada entre as ruínas do mosteiro.

Jerônimo indicou que Punom era uma pequena aldeia em seus dias, ocupada na mineração do cobre (realizada quase inteiramente por condenados). De acordo com as descrições de Jerônimo, ficava entre Petra e Zoar.

PUR
Ver sobre **Purim**.

PURA
No hebraico, «ornamentação», «folhagem». Esse era o nome de um servo de Gideão (ver Juí. 7:10-14), e que viveu no século XII A.C. Por ordem do Senhor, Gideão e Pura foram-se arrastando até perto do acampamento dos midianitas e amalequitas e conseguiram ouvir um soldado contar o seu sonho, que falava sobre a destruição de Midiã, inimiga de Israel.

PURANAS
Uma coletânea de dezoito livros de poemas religiosos, que constituem as sagradas escrituras da fé religiosa hindu popular. Ver sobre *Hinduísmo* e *Filosofia Hindu*. A terceira seção do primeiro desses livros apresenta uma discussão geral sobre a literatura dessa fé. Esses documentos particulares tentam descrever a origem das coisas, do mundo, do tempo, dos deuses e dos Vedas. Contêm algum material antigo. Mas, na forma em que existem, quase tudo procede do século IV D.C. e posteriormente. Várias seitas fazem uso desses livros quanto às suas idéias basilares, sobretudo no tocante à origem das coisas.

PUREZA
Ver sobre **Santidade e Purificação**.

Esboço:
1. As Palavras e suas Definições
2. A Pureza Cerimonial
3. Meios de Purificação
4. A Pureza Racial
5. A Pureza Moral e Espiritual

1. As Palavras e Suas Definições

O termo português «puro» vem do latim, **purus**, «limpo», «claro», «casto», «sem defeito». Várias palavras hebraicas são assim traduzidas:

a. *Tahor*, que significa moral e cerimonialmente «limpo», embora também possa indicar algo «bonito» ou «limpo». Ver exemplos dessa palavra em Êxo. 25:11,17,24; 28:14; Lev. 24:4,6; I Crô. 28:17; Eze. 6:20; Sal. 12:6; Mal. 1:11. Essa palavra hebraica é aplicada a pessoas, coisas e estados, por nada menos de noventa e quatro vezes no Antigo Testamento. O ouro é puro quando corretamente refinado; um homem é considerado puro quando isento de corrupções morais; uma oferenda é pura quando oferecida segundo as prescrições levíticas e pela pessoa apropriada.

b. *Zak*, «puro», «limpo», «claro». Essa palavra ocorre por onze vezes, como se vê nos seguintes exemplos: em Êxo. 30:34 (acerca do incenso); Lev. 24:3 (acerca do azeite de oliveira); Jó. 8:6 (acerca do homem); Pro. 20:11 (acerca das obras humanas).

c. *Sagar*, «refinar», «encerrar». Seu sentido normal é «encerrar», «fechar», sendo de ocorrência bastante comum nesse sentido; no entanto, no particípio passado, ocorre com o sentido de «refinar», «purificar», por oito vezes: I Reis 6:20,21; 7:49,50; 10:21; II Crô. 4:20,22; 9:20. É palavra usada para indicar a pureza do ouro refinado.

d. *Taher*, «brilhar», «ser inocente», «expurgar». Essa palavra é usada acerca de um homem, em Pro. 20:9 e Jó. 4:17, dando a entender um homem que não é puro como o seu Criador.

No *Novo Testamento*, por sua vez, encontramos as seguintes palavras gregas:

a. *Katharós*, «puro», «limpo». Esse vocábulo aparece por vinte e seis vezes: Mat. 5:8; 23:26; 27:59; Luc. 11:41; João 13:10,11; 15:3; Atos 18:6; 20:26; Rom. 14:20; I Tim. 1:5; 3:9; II Tim. 1:3; 2:22; Tito 1:15; Heb. 10:22; Tia. 1:27; I Ped. 1:22; Apo. 15:6; 19:8,14; 21:18,21.

b. *Agnós*, «puro», «casto», «claro». Esse adjetivo é usado por oito vezes: II Cor. 7:11; 11:2; Fil. 4:8; I Tim. 5:22; Tito 2:5; Tia. 3:17; I Ped. 3:2; I João 3:3.

c. *Eilikrinés*, «puro», «sincero». Termo usado por duas vezes: Fil. 1:10 e II Ped. 3:1. O substantivo, *eilikrinía*, aparece por três vezes: I Cor. 5:8; II Cor. 1:12; 2:17.

2. A Pureza Cerimonial

Ver os artigos separados intitulados *Limpo e Imundo* e *Imundícia*, quanto a detalhes sobre esse assunto. «A significação bíblica original (da pureza) era cerimonial. Essa pureza deveria ser obtida mediante certas abluções e purificações impostas aos adoradores no cumprimento de seus deveres religiosos... no caso de Israel, a purificação cerimonial tinha aspectos sanitários e éticos» (ND). Ver o artigo *Purificação*.

••• ••• •••

PUREZA — PURGATÓRIO

3. Meios de Purificação

a. *Mediante o fogo*. Como no processo do refino de metais, processo esse que tinha usos metafóricos. Ver Zac. 13:9; Mal. 3:2; Sal. 12:6; Luc. 3:16 *ss*; 12:49; Apo. 3:18. Mui provavelmente foi desse processo de purificação que se originaram as idéias do julgamento pelo fogo. Ver I Cor. 3:12 *ss*; Luc. 3:16 *ss*; 12:49.

b. *Mediante a água*. O principal agente de limpeza é a água. Ver Êxo. 19:10; Núm. 19:17-21; 31:23; Deu. 21:6; Sal. 24:4; Mat. 3:11; 27:24. Daí surgiu, metaforicamente, o batismo.

c. *Mediante meios espirituais*, a fim de ser conseguida a pureza moral e espiritual. Ver I Sam. 16:18; Mat. 5:34-37; Col. 4:6; I Tim. 4:12; Apo. 19:8. As fés hebraica e cristã têm enfatizado esse aspecto da questão, em contraste com a esmagadora maioria das religiões pagãs. Ver o artigo geral sobre a *Santificação*. A *regeneração* é comparada com uma limpeza, em Tito 3:5, e, conforme esse mesmo versículo ensina, isso é obra do Espírito de Deus. Jesus, o Senhor, é o agente ativo nessa operação.

4. A Pureza Racial

Essa questão era crítica em Israel, porquanto Deus havia separado esse povo como sua possessão exclusiva. Essa separação de Israel de outros povos foi efetuada sobre bases religiosas, e não sobre bases raciais distintas. Ver Êxo. 19:6; Esd. 9:2; 10:10,44; João 4:22; Rom. 9:3; II Cor. 11:22; Fil. 3:5. O povo de Israel tornou-se símbolo do Israel espiritual, composto dos regenerados, conforme é salientado no nono capítulo de Romanos. E o trecho de II Cor. 6:14 *ss* alude à necessidade de separação para o Israel espiritual, a Igreja. Ver também Gál. 3:6-9,14,16,18; 6:16.

5. A Pureza Moral e Espiritual

A legislação mosaica dá grande importância ao problema do pecado e sua poluição, e não meramente ao lado cerimonial da fé religiosa. Daí é que proveio a necessidade do Dia de Expiação (ver Lev. 16). O sacerdócio de Israel tinha de ser puro em símbolo e de fato (ver Lev. 16:6). Jesus criticou a mera pureza cerimonial, que foi um dos grandes abusos em que se precipitou o judaísmo. Ver Mar. 7:3 *ss*; Luc. 11:39-41.

Os patriarcas, profetas e poetas do Antigo Testamento referiram-se à pureza moral e espiritual como algo necessário para a espiritualidade genuína. Os dez mandamentos estavam envolvidos nisso (ver Êxo. 20). Davi aludiu à pureza como um elemento necessário à comunhão com o Senhor (Sal. 24:3 *ss*). «Mãos puras» era uma expressão equivalente à inocência (ver Jó 17:9; Sal. 18:20; Mat. 27:24). Davi entendeu que o importante é ter um coração limpo e puro (ver Sal. 51:7,10). Jó referiu-se a estar limpo diante de Deus (ver Jó. 11:4). O profeta Ezequiel enfatizou a necessidade de pureza nacional (ver Eze. 36:25). O escritor dos Provérbios viu o valor de uma linguagem pura e de uma clara moralidade (Pro. 22:11).

No Novo Testamento, no Sermão da Montanha, Jesus ensinou que somente os limpos de coração podem ter a expectação de ver a Deus (Mat. 5:8). O trecho de João 13:3-11 ilustra a pureza de vida, na ordenança do lava-pés. Os servos de Deus precisam ser puros (ver II Cor. 6:4,6). Os jovens inclinam-se para as impurezas morais ao entrarem em contacto com as experiências da vida; mas um jovem espiritual repele essa tendência (ver I Tim. 1:5; 4:12; 5:2). Tiago exortou todos os crentes a buscarem a pureza (Tia. 1:27; 4:8). Pedro mencionou a necessidade da alma ser purificada, pois é ali que jaz a corrupção moral (ver I Ped. 1:22). Se alguém quiser ser um instrumento a serviço de Deus, terá de ser puro (ver II Tim. 2:21).

«Isso posto, a pureza é a atitude de renúncia e de obediência que põe em sujeição a Cristo todo pensamento, sentimento e ação. Começa no íntimo e se exterioriza atingindo todos os aspectos da vida, purificando todos os modos da existência e controlando todos os movimentos do corpo e do espírito» (ND). A mente deve demorar-se sobre pensamentos puros e sobre outras qualidades morais e espirituais, a fim de que o homem interior possa ir sendo transformado segundo o grande modelo, que é Cristo (ver Fil. 4:8; Rom. 12:1,2).

PURGATÓRIO

O leitor deve consultar o artigo intitulado **Estado Intermediário**, especialmente em seu ponto quatro, que procura descrever as várias divisões da religião cristã que têm pensado acerca dessa questão.

Esboço:
 I. Origem Possível da Doutrina
 II. Caracterização Geral; Informes Históricos
 III. Idéias das Comunidades Ortodoxa e Anglicana
 IV. Orações pelos Mortos
 V. O Verdadeiro Purgatório

I. Origem Possível da Doutrina

Muitas crenças partem da experiência humana, e quando estamos estudando as crenças religiosas, então precisamos incluir as experiências místicas ou transcendentais. Mediante a razão, pode-se supor que as almas que não são suficientemente más para ir para o inferno, e nem suficientemente boas para ir para o céu, têm que sofrer alguma forma de purificação, como preparação para o ingresso no céu. Esse sentimento parece refletido em I Cor. 3:12 *ss*, que a Igreja Católica Romana usa como prova de texto da existência do purgatório. Naturalmente, protestantes e evangélicos negam que exista tal referência naquela passagem, e percebem na mesma apenas um aspecto do julgamento dos crentes. Ver II Cor. 5:10 *ss* quanto à principal menção bíblica a esse julgamento. Mas o catolicismo romano vê o «purgatório» em passagens escriturísticas assim, sendo significativo que o *fogo* é o símbolo daquele julgamento, tal como é símbolo do julgamento dos ímpios. Quanto a detalhes completos sobre o assunto, ver os artigos separados intitulados *Julgamento de Cristo, Tribunal de* e *Julgamento do Crente por Deus*.

Algumas vezes, a razão é apoiada pela revelação. Esse é o caso do raciocínio concernente à necessidade que os crentes têm de ser purificados, sendo julgados em consonância com a lei da colheita segundo a semeadura. Mas, acima da razão, temos a experiência humana. As *experiências místicas* presumivelmente fornecem-nos alguma informação sobre o que devemos esperar para além da morte biológica, e essa informação inclui a questão do julgamento. As pesquisas quanto aos fenômenos psíquicos, que procuram espiar para além da morte e entrar nas esferas espirituais além, como as *Experiências Perto da Morte* (vide), e o uso da regressão hipnótica, que procura descobrir *vida-entre-vidas*, ou seja, presumíveis experiências que as pessoas têm entre as encarnações, descobrem condições parecidas com as de um imaginado purgatório, no caso de algumas pessoas, embora não certamente no caso de todas. O pecado mui definidamente segue uma pessoa até além da vida presente, — e ali cada qual se encontra novamente consigo mesmo, com todas as suas bondades e maldades, com todos os seus triunfos e

PURGATÓRIO

fracassos. Algumas pessoas, que morreram clinicamente, ou chegaram à beira da morte, ocasionalmente passam por experiências tipo hades ou purgatório, estando naquele estado. As estatísticas indicam que cerca de uma quarta parte daqueles que passam por experiências de quase morte têm alguma espécie de «viagem negativa». E essas experiências podem ter sido um fator por detrás do desenvolvimento da doutrina oficial do purgatório, dentro da Igreja Católica Romana. Presumíveis experiências entre encarnações (ver sobre a *Reencarnação*) podem ser bastante similares àquelas. Mas, nesse caso, elas podem ser tanto negativas (purgatoriais) quanto podem ser positivas (paradisíacas). Essas experiências são chamadas experiências da *metaconsciência*.

Os estudos que estão sendo efetuados nesse terreno deveriam continuar, ainda que, no presente, existam poucas provas objetivas da validade de tais experiências. Pessoalmente, confiro grande importância a experiências daqueles que estiveram clinicamente mortos, ou quase nesse estado, e então voltaram à vida. O meu artigo sobre essas experiências, aborda pormenores. Ver sobre *Experiências Perto da Morte*.

Os julgamentos sofridos durante essas experiências não são juízos definitivos, mas apenas orientações que, algumas vezes, incluem sofrimentos. O juízo final só ocorrerá terminado o milênio, que será inaugurado após a Grande Tribulação. O julgamento final, pois, será precedido por esses juízos orientadores, visto que o destino eterno de cada alma não é determinado por ocasião da morte biológica. Ver I Ped. 4:6, que mostra que até o julgamento do hades é remedial, e não apenas vindicativo. Jesus anunciou o evangelho naquele lugar, pelo que até o hades é um lugar de redenção. Ver o artigo *Descida de Cristo ao Hades*. Isso posto, nada há de antibíblico na idéia de julgamentos intermediários, associados ao estado intermediário da alma, quando não haverá qualquer julgamento final, definitivo. Experiências com os estados intermediários de julgamento mui provavelmente serviram de inspiração por detrás daqueles conceitos que, finalmente, concentraram-se na doutrina oficial do purgatório. Naturalmente, quando a questão se dogmatizou, então a verdade básica acabou sendo sacrificada. O pior aspecto dessa doutrina do purgatório é que ela é limitada a cristãos, somente com a finalidade de «purificá-los», de modo a poderem continuar subindo para o céu. Mas a verdade da questão parece ser que os juízos intermediários visam ao propósito de ajudar *todas as almas* a prosseguirem. A salvação será sempre o alvo final, conforme também a Igreja cristã oriental sempre ensinou, e ao que os anglicanos confirmam com sua aprovação. Esse é o verdadeiro purgatório.

II. Caracterização Geral; Informes Históricos

Purgatório. Essa palavra portuguesa vem do latim, *purgare*, «purificar». Para o catolicismo romano, o purgatório é um lugar ou condição da alma onde aqueles que morrem na graça de Deus podem expiar seus pecados veniais, que foram perdoados. As preces oferecidas em favor dos mortos e as missas rezadas em benefício deles são consideradas meios importantes nessa expiação.

De acordo com os ensinos católicos romanos, o purgatório é uma condição temporária, onde a alma dos cristãos batizados que morreram expurgam seus pecados venjais. Definições providas pelos concílios de Florença e de Trento afirmam enfaticamente que há um purgatório, e que o oferecimento de orações, e, especialmente, de missas, ajudam as almas ali encerradas. Tomás de Aquino e Boaventura, dando continuação às idéias pioneiras de São Gregório, afirmavam que a punição do purgatório inclui tanto a privação da presença de Deus quanto o julgamento através do fogo (*poena damni e poena sensus*). Os intérpretes, entretanto, estão divididos quanto à questão, pois alguns pensam que as chamas são meros símbolos de julgamento, ao passo que outros pensam em chamas literais. Porém, não conseguem explicar, estes últimos, como as almas podem sofrer em chamas literais!

Alguns informes históricos sobre o desenvolvimento da doutrina do purgatório:

1. A real origem da doutrina do purgatório pode ser sugerida na primeira seção, acima.

2. O trecho de II Macabeus 12:42-45 oferece à mente católica romana (que aceita os livros *apócrifos* como inspirados e canônicos) uma demonstração adequada de que as preces e os sacrifícios de seres humanos vivos podem ajudar a melhorar as condições das almas que se desincorporaram.

3. Supostos textos de prova neotestamentários, na opinião dos eruditos católicos romanos, são: I Cor. 3:12 ss (onde as chamas são mencionadas), e II Cor. 5:10 ss.

4. O trecho de Luc. 16:19-31 parece fazer estagnar o estado das almas dos mortos; mas o relato da descida de Cristo ao hades (ver I Ped. 3:18-4:6) mostra que a missão tridimensional de Cristo não deixou o hades em estado de estagnação. De fato, I Ped. 4:6 mostra que o julgamento será remedial. Os católicos romanos aplicam isso somente aos *mortos justos*, mas I Ped. 3:20 ensina que a pregação do evangelho, no hades, foi feita aos *desobedientes*.

5. *Irineu* (130 D.C.) tinha um ponto de vista dinâmico da vida após-túmulo, no tocante aos regenerados, mas também no tocante aos não-regenerados. Ele não pensava que a morte biológica marcasse o fim da oportunidade de salvação, e encarava a vida por vir como fase da existência que dá prosseguimento a todos os propósitos, desígnios e oportunidades da vida terrena, embora em grau superlativo. Conseqüentemente, de acordo com esse ponto de vista, os perdidos poderão avançar, no outro lado da existência, achando a salvação em Cristo, ao mesmo tempo em que os salvos poderão prosseguir em sua transformação segundo a imagem de Cristo, progredindo assim na participação da natureza divina. Essa era a opinião que prevalecia entre os pais gregos da Igreja, adotada pela Igreja Ortodoxa Oriental. Essa visão mais otimista do futuro humano tornou-se parte dos dogmas da ortodoxia cristã oriental. As idéias de Irineu figuram em *Adv. Haer*. 4. 37,7: *Patrologia Graeca*, por J.P. Migne (16 volumes), e 7. cols. 1103-4. De acordo com esse ponto de vista dinâmico, sempre ocorrerão mudanças, abrindo-se espaço para uma fase purgatorial para crentes e incrédulos, após a morte biológica. Mas é evidente que Irineu oferecia uma descrição muito mais esperançosa para os mortos do que aquela que, finalmente, foi apresentada pela Igreja Ocidental (católica romana ou protestante), de acordo com a qual somente os salvos podem ser sujeitados a qualquer evolução, mas onde o estado das almas perdidas é absolutamente estagnado, sem qualquer raio de esperança.

6. *Orígenes* (falecido em cerca de 250 D.C.). Ele ensinou uma restauração universal (no grego, *apocatástasia*), abrindo espaço para a purificação de todos os indivíduos, como parte necessária do processo restaurador (*In Lucam Hom*. XXIV; ver *Patrologia Graeca*, 13, cols. 1864-5). Ele falava sobre um batismo de purificação que ele denominou de batismo de fogo. Podemos encontrar aí o gérmen de

PURGATÓRIO

um ensino sobre um purgatório, no sentido mais tradicional que veio à tona bem mais tarde. Porém, Orígenes jamais teria concordado que isso se aplicasse somente aos remidos, que precisariam ser purificados. Ele asseverava que pensar no julgamento somente como uma retribuição (mas não como restaurador, ao mesmo tempo), é aceitar uma teologia inferior. Certamente ele estava certo nessa opinião. O trecho de I Ped. 4:6 ensina esse princípio, e refere-se aos perdidos no hades que chegarão a compartilhar da vida divina *através do julgamento*. Assim, o julgamento divino é um dedo da amorosa mão do Senhor, por meio do que ele pode realizar coisas que não poderia fazer de qualquer outro modo. O julgamento será exatamente tão severo quanto for necessário para transformar os homens. Ver o meu artigo geral sobre a *Restauração*.

7. A começar pelo século IV D.C., tornou-se idéia generalizada a combinação e o contraste entre o julgamento geral e o purgatório (somente para os cristãos salvos).

8. *O testemunho de Agostinho* (século V D.C.) não é coerente. Por uma parte, ele ensinava que todos os justos (não somente os mártires) recebem de imediato a visão de Deus, por ocasião da morte, não precisando esperar pelas operações em algum estado intermediário. Assim, ele não interpretava I Cor. 3:12-15 como texto de prova da existência do purgatório. Por outra parte, às vezes ele falava de modo a parecer favorável à necessidade do *ignis purgatorius*, para solução de certos problemas da alma. Em sua obra, *Cidade de Deus* (21:26), ele menciona a teoria que diz que os espíritos dos mortos serão purificados mediante o fogo entre a morte física e o julgamento final, e então comenta: «Não rejeito essa teoria, pois pode ser verdadeira». Talvez ele aplicasse isso a *todas* as almas, e não somente às almas dos redimidos; e, nesse caso, pelo menos nessa oportunidade, tentativamente ele assumiu a posição cristã oriental sobre a questão.

9. *Gregório, o Grande* (540 - 606 D.C.), achava possível os remidos serem privados da presença de Deus enquanto passassem pela purificação, opinando que essa ausência, em si mesma, é um julgamento (*Dialogorum* Lib. 4:25; *Patrologia Latina*, J.P. Migne, 217 vol. 77, col. 357).

10. *O segundo concílio de Lyons* (1274) bem como o *concílio de Florença* (1439), referiram-se ao purgatório real como algo associado ao estado intermediário das almas. Porém, essa idéia foi contestada pelos cristãos orientais.

11. *No cristianismo oriental* foram mantidas as chamas do julgamento, para salvos e perdidos igualmente; mas ali falava-se sobre o fogo restaurador do juízo, aos moldes de Orígenes, e não meramente sobre um fogo de retribuição e sofrimento, sem qualquer modificação ou término dessa situação.

12. *A Reforma Protestante* opôs-se peremptoriamente às *indulgências* (vide), pois então o dinheiro é que libertaria as almas do purgatório. De fato, Roma estava obtendo grandes riquezas, mediante a exploração dos sentimentos e temores do povo. Opondo-se a tamanho abuso, os reformadores penderam por negar qualquer estado intermediário tanto a salvos quanto a perdidos. Por conseguinte, as coisas foram reduzidas ao quadro mais simples possível: a terra (único lugar de oportunidade de salvação); céu, imediatamente após a morte biológica dos remidos; inferno, imediatamente após a morte biológica dos perdidos. Talvez a maioria (mas certamente não todos os evangélicos) dos crentes mantenha esse ensino simplista. Mas certamente isso não corresponde à realidade dos fatos.

13. Tanto no Oriente quanto no Ocidente deu-se prosseguimento à prática dos judeus helenistas de *orar pelos mortos*, como algo dotado de eficácia. No Ocidente, essas preces eram consideradas úteis para os remidos que estivessem no purgatório; no Oriente, elas eram tidas como proveitosas para salvos e perdidos igualmente, porquanto suas condições não eram vistas como estagnadas, nem no caso dos salvos e nem no caso dos perdidos. Porém, os Reformadores protestantes abandonaram a crença na eficácia das orações pelos mortos. Ver o artigo separado sobre esse assunto.

14. *O concílio de Trento*, fazendo oposição a muitos dos ensinos dos Reformadores, reafirmou a realidade do purgatório: «O purgatório existe, e as almas ali detidas são ajudadas pelas orações dos fiéis». A isso foi adicionada uma advertência ao abuso das indulgências, provocado pela ganância de indivíduos sem escrúpulos.

Foi desse modo que o purgatório terminou sendo a doutrina oficial da Igreja Católica Romana. Mas seus pronunciamentos não determinam se as chamas do purgatório são reais ou simbólicas, e nem é ali determinado qualquer lugar ou duração dos castigos. Também não há especificação de qualquer tipo de punição. O romanismo incorporou muitas especulações em sua doutrina purgatorial, e as discussões prosseguem. Mas seu dogma é simples: 1. existe um purgatório; 2. as almas ali encerradas são ajudadas pelas orações de seus *irmãos* ainda na terra. Isso significa que, no Ocidente, acredita-se que somente cristãos batizados vão para o purgatório; e que as almas perdidas em nada são beneficiadas com aqueles castigos.

III. Idéias das Comunidades Ortodoxa e Anglicana

«A Igreja Ortodoxa Oriental—embora não usando a palavra—e a Igreja Anglicana—que ainda recentemente começou a dar maior atenção a essa crença, defendem ambas as doutrinas que envolvem a purificação das almas em seu progresso à bem-aventurança final e a eficácia das orações pelas almas dos mortos» (E). Apesar disso ser verdade, devemos entender que o processo de purificação não deve ser concebido como limitado aos remidos. O fogo purificador é universal; ele é purificador, e não meramente retributivo; redunda em bem para os perdidos, podendo até levá-los à redenção; purifica os salvos e serve como um dos elementos que os ajuda em sua transformação segundo a imagem de Cristo, até que, finalmente, venham a compartilhar da natureza divina. O processo restaurador dos perdidos (ver Efé. 1:9,10), do que faz parte o ministério de Cristo no hades (ver I Ped. 3:18-4:6), e onde a descida de Cristo ao hades e sua subida dali têm o mesmo propósito (ver Efé. 4:9,10), é uma realização de Cristo. Essa obra ocorre após a morte biológica do indivíduo. Há dimensões do ministério de Cristo que foram perdidas pela teologia católica romana, protestante e evangélica. Quanto a isso, a Igreja Ortodoxa Oriental tem uma visão mais ampla, poupando a fé cristã de um ranço pessimista.

A Igreja Ortodoxa Oriental nunca aceitou oficialmente o purgatório concebido pela Igreja Católica Romana, embora houvesse aderência temporária de delegados ortodoxos orientais às decisões do concílio de Florença.

IV. Orações Pelos Mortos

«Tem sido corretamente afirmado que, exceto no protestantismo moderno, as orações pelos mortos, herdadas do judaísmo, têm sido um costume cristão universal. A prática não requer um apoio bíblico específico, sobretudo de II Macabeus 12:39. Certa-

PURGATÓRIO — PURIFICAÇÃO

mente esse é um corolário necessário da doutrina da comunhão dos santos» (C). Quanto a uma descrição dessa doutrina (na mente católica romana uma sócia inseparável da doutrina do purgatório), ver o artigo separado intitulado *Orações Pelos Mortos*.

V. O Verdadeiro Purgatório

O verdadeiro purgatório é o juízo remedial. O relato da descida de Cristo ao hades, além de textos como o de Efé. 1:9,10, que falam sobre a restauração final, dão-nos razão para crer que o juízo, conforme o mesmo atualmente existe, é uma espécie de purgatório. O trecho de I Ped. 4:6 tem aspectos purgatoriais. Os homens pagam suas dívidas; a retribuição é inevitável; mas o julgamento também tem um aspecto remedial. Não é popular, entre os evangélicos, falar em *purgatório*, porquanto isso reflete um dos piores abusos católicos romanos, mormente pouco antes da Reforma Protestante, a qual se rebelou, entre outras coisas, contra a vergonhosa venda das indulgências, que era feita supostamente a fim de livrar as almas retidas no purgatório, a peso de moedas. Porém, um julgamento remedial envolve, necessariamente, o conceito de *expurgo*, contido na palavra «purgatório». Entretanto, o verdadeiro expurgo destina-se à *humanidade inteira*, e não aos fiéis que morrem com alguns problemas espirituais não-resolvidos. Orígenes afirmava que falar no julgamento *apenas* em termos de retribuição é condescender diante de uma teologia inferior. As evidências colhidas nas experiências perto da morte (ver *Experiências Perto da Morte*) consubstanciam a realidade do aspecto *remedial* do julgamento divino. Esse juízo é um meio de tornar eficaz o amor de Deus, em certos casos. A ira de Deus é uma subcategoria do seu amor; o julgamento é um dedo da amorosa mão de Deus. A cruz de Cristo foi um julgamento; mas a sua finalidade foi redimir os homens. O julgamento do crente poderá ser severo, mas o seu desígnio é preparar o crente para ocupar um nível superior, pelo que será remedial. Esse castigo do crente poderá ser severo, mas será uma medida corretiva de um Pai amoroso. O trecho de I Ped. 4:6 mostra que o julgamento dos perdidos também será remedial, conferindo aos perdidos assim corrigidos vida no Espírito, a saber, a vida do próprio Deus. Uma notável esperança!

A missão tridimensional de Cristo (na terra, no hades e no céu) garante o sucesso universal de seus labores. Coisa alguma pode ficar fora do alcance do seu poder. Um dos aspectos desse poder é que as almas são purificadas entre o tempo de sua morte física e o estado final. Esse tipo de purgatório é verdadeiro, e faz parte da missão geral de Cristo, o Logos. Ver sobre *Missão Universal do Logos (Cristo)*. Ver também sobre *Descida de Cristo ao Hades* e sobre *Restauração*. São doutrinas assim que impedem que a fé cristã seja pessimista.

Bibliografia. A M B C E P R

PURIFICAÇÃO

Esboço:
1. A Palavra
2. No Antigo Testamento
3. No Novo Testamento

1. A Palavra

Essa palavra portuguesa vem do latim, *purus*, «puro», e *facere*, «fazer», dando a entender qualquer agência ou condição que purifica a alguém, em sentido ético, espiritual, ritual ou cerimonial.

2. No Antigo Testamento

O povo de Israel foi escolhido por um Deus santo para ser o seu povo, esperando, como conseqüência disso, que esse povo viesse a compartilhar de sua santidade (ver Lev. 11:44,45; 19:2; 21:26). A lei mosaica enfatizava tanto o aspecto cerimonial quanto o aspecto ético da pureza (ver Lev. 20:22-26 — os homens deviam viver separados do pecado). Mas as formas cerimonial e ritualista da purificação também eram importantes. Essa questão é longamente ventilada no artigo intitulado *Limpo e Imundo*. Vei também sobre a *Imundícia*. Na mentalidade dos antigos hebreus, naturalmente, não se fazia a clara distinção que hoje se estabelece entre questões éticas e questões cerimoniais. Para os israelitas, o que era apenas cerimonial revestia-se de alta importância ética.

A imundícia contraída através do contato com objetos imundos, animais, alimentos, etc., requeria purificação. Utensílios e vestes imundas eram lavados em água corrente. Mas objetos de barro e cerâmica, por serem porosos, se ficassem cerimonialmente imundos, precisavam ser destruídos (ver Lev. 15:12). Os metais algumas vezes eram purificados fazendo-se os mesmos passarem pelo fogo (ver Núm. 31:32,33). Pessoas que ficassem cerimonialmente imundas precisavam separar-se da congregação, e não podiam participar da adoração formal (ver Núm. 5:2,3); antes, precisavam lavar-se e oferecer sacrifícios (ver Lev. 12:6). Se alguém tocasse em um cadáver, era mister passar por uma elaborada cerimônia de purificação (ver Núm. 19). Havia uma cerimônia de purificação no caso de ex-leprosos (ver Lev. 14). Os israelitas que se tornassem cerimonialmente imundos e se recusassem a passar pelos ritos de purificação, tinham de ser executados (ver Núm. 19:19).

À parte da lei mosaica, há a impureza moral, e essa também precisa de purificação. Esses conceitos vieram a fazer parte da idéia de uma santidade mais profunda (ver Sal. 51:7; Eze. 36:24). Antigos conceitos de imundícia incluíam quatro aspectos principais: alimentos; funções sexuais; lepra; contato com cadáveres, especialmente no caso dos sacerdotes. A essa lista foram adicionadas as impurezas morais, em um conceito crescente do que se faz mister para que uma pessoa seja considerada santa. Sem dúvida, os salmos e os escritos dos profetas devotam maior atenção à pureza ética e à necessidade do pecador ser purificado de seu pecado, do que os livros anteriores do A. Testamento. — A mensagem geral dos salmos e dos profetas convoca os homens para que se afastem dos males corruptores como a idolatria, a sensualidade e a busca desenfreada pelos prazeres.

3. No Novo Testamento

Aí encontramos o desenvolvimento dos melhores aspectos do ensino dos israelitas acerca da purificação, como acerca de muitas outras questões. A pureza cerimonial fica inteiramente para trás, conforme nos ensina o décimo quarto capítulo da epístola aos Romanos. Isso, no começo do cristianismo, pareceu revolucionário, para dizermos o mínimo. Esse novo ponto de vista foi antecipado nos ensinamentos de Jesus (ver Mar. 7:19 e comparar com Atos 10:15). O concílio de Jerusalém (historiado no décimo quinto capítulo de Atos), não requereu que as elaboradas regulamentações cerimoniais judaicas tivessem qualquer aplicação aos gentios convertidos ao Senhor. À medida que a Igreja foi-se afastando de seu centro inicial—Jerusalém—o antigo judaísmo foi fenecendo, como o poder impulsionador da nova fé. Ver Tito 1:15; I Tim. 4:4. No Novo Testamento, pois, encontramos a ênfase sobre a corrupção moral, que é a verdadeira causa da condenação de uma alma. O sangue de Cristo, derramado uma única vez, tornou-se o agente da purificação (ver I João 1:7; Heb. 1:3; 9:14), uma vez aplicado mediante a fé. Isso refere-se ao poder salvatício de Cristo, em sua missão na qual ele veio salvar e santificar. Ver o artigo sobre a *Santificação*. Ficou então compreendido que o ritual do Antigo Testamento era mera prefiguração da verdadeira purificação, que obtemos em Jesus Cristo (ver Heb. 9:13 ss, 23). E os *fariseus* (vide) vieram a tornar-se símbolo de uma fanática rigidez, de acordo com a qual o que é meramente cerimonial ocupa o lugar dos verdadeiros valores éticos. Lamentavelmente, a Igreja cristã, em alguns de seus segmentos, retém esse elemento ritualista em suas várias formas de legalismo. Ver o artigo geral intitulado *Pureza*.

PURIM

Ver sobre *Festas (Festividades) Judaicas*, seção terceira, *Festividade Após o Exílio Babilônico*, primeiro ponto, *Purim*.

1. Caracterização Geral

O trecho de Est. 9:24 explica o nome *purim* (que está no plural) como «sortes». Mui provavelmente, essa palavra vem do assírio, *puru*, se não é que se trata de um substantivo nativo do hebraico. O *puru* era um seixo, usado no lançamento de sortes. Hamã, que planejava exterminar aos judeus, *lançou sortes* a fim de determinar um bom dia para execução de seu maligno plano. Mas o curso dos acontecimentos não seguiu a seqüência desejada, tendo sido revertido pela intervenção de Ester, diante do rei persa. E uma festa jubilosa judaica foi estabelecida para celebrar essa grande vitória dos judeus. Essa festa era observada nos dias 13 - 15 do mês de Adar (fevereiro-março). O livro de Ester é lido nas sinagogas até hoje, e a congregação solta gritos e vaias, cada vez em que é mencionado o nome de Hamã.

O nome do rei persa, no livro de Ester, é Assuero, que alguns eruditos identificam como Xerxes (485 - 465 A.C.), ou então como Artaxerxes II (404 - 359 A.C.). A falta de confirmação secular a Ester ou aos eventos descritos no livro com esse nome, tem levado alguns eruditos liberais a duvidarem da historicidade da narrativa, que eles então classificam como uma novela romântico-religiosa. Hamã foi uma espécie de primeiro-ministro do rei persa, e que o livro de Ester apresenta como homem dotado de considerável autoridade, de tal modo que se Ester não tivesse refreado aquele homem, provavelmente ele teria conseguido concretizar seu plano criminoso.

Fora do livro de Ester, não temos qualquer outra referência ao relato. Mas o incidente é mencionado nos livros apócrifos chamados Adições a Ester 10:10-13; II Macabeus 15:36, e também em Josefo (*Anti*. 11:6,13). Nos dias dos Macabeus, essa festividade era conhecida como *Dia de Mordecai*. Josefo alude à universalidade da celebração entre os judeus de seus dias (*Anti*. 11:6,13).

Essa festividade sempre foi popular entre os judeus, desde o seu início. Além da rememorização em geral, mediante a leitura do livro de Ester, e dos gritos e vaias, conforme se disse acima, o leitor do relato pronuncia todos os nomes dos filhos de Hamã de um só fôlego, a fim de indicar que foram enforcados juntos. No segundo dia da celebração há um culto religioso formal, são entoados hinos, há dramas e atos teatrais, e são apresentadas recitações. Alimentos e presentes são distribuídos entre os pobres como um gesto de generosidade, em memória da generosidade de Deus para com o povo judeu (ver Est. 9:19).

Possível Referência Neotestamentária. Alguns estudiosos supõem que o trecho de João 5:1 alude a essa festa judaica. Porém, o trecho labora contra o costume dos judeus celebrarem a festa de Purim *em qualquer lugar* em território de Israel. Isso significa que não havia necessidade de subir a Jerusalém para a celebração da festa (o caso da festa mencionada no evangelho de João). Dos israelitas eram requeridas apenas três peregrinações anuais a Jerusalém, a saber, nas festas da páscoa, do Pentecoste e dos tabernáculos.

2. Historicidade

Embora a festa de Purim venha sendo celebrada com tanto entusiasmo e por tantos séculos, os eruditos liberais costumam salientar a total ausência de provas históricas seculares para a mesma. A história da Pérsia não fala sobre qualquer Ester, e a identificação de Assuero com Xerxes ou Artaxerxes pode ser uma identificação *ad hoc*, ou seja, uma conjetura, feita com o propósito de conferir a Assuero um caráter histórico. Por isso mesmo, alguns pensam que o relato é apenas uma novela religiosa que pode ter surgido durante o período dos triunfos militares dos Macabeus, para então ser posta em um diferente contexto histórico. E outros períodos históricos também têm sido sugeridos como a época em que, alegadamente, aqueles eventos tiveram lugar, como o período persa, o período parta, o período do zoroastrismo ou o período do exílio babilônico. Abordei esses problemas mais detalhadamente no artigo sobre o livro de Ester, em sua primeira seção. Aquele artigo também fala sobre o relato dos acontecimentos por detrás da festa, sobre os quais aqui nada relatamos. Ver os artigos separados sobre *Hamã* e sobre *Mordecai*.

3. Lições Espirituais da Narrativa

Deus dispõe à sua vontade do tempo, agindo conforme ele quer. Coisa alguma está fora do seu controle, mesmo em nossas horas mais negras. Sempre haverá vilões ameaçadores contra nós, mas nenhum deles pode, realmente, prejudicar-nos, se estamos dentro da vontade de Deus. Pois, na providência divina, surgirão pessoas e circunstâncias favoráveis a nós, na hora crucial de nossa necessidade. Ver o artigo intitulado *Providência de Deus*.

Algumas de nossas vitórias são obtidas contra todas as forças adversas, e isso porque, para Deus, é igualmente fácil fazer algo difícil ou fácil. Como tipo, Ester simboliza o Messias, o Libertador nacional. O profundo interesse de Deus por seu povo de Israel, não se abate e nem pode ser frustrado. Paulo garante-nos que os planos divinos estão se desdobrando em favor de seu povo, a despeito da atual cegueira de Israel. Ver Romanos 9-11, especialmente o trecho de 11:26 ss. A narrativa sobre Ester é uma espécie de expansão parabólica da promessa contida em Salmos 91.

PURITANISMO

O puritanismo foi um movimento religioso do século XVI, dentro do protestantismo inglês, cujo propósito primário era o de «purificar» a Igreja Anglicana de formas católicas romanas. Eles tornaram-se conhecidos como «separatistas» ou como «não-separatistas», tudo dependendo de sua atitude para com a Igreja Anglicana. Foi um dos ramos do puritanismo que deu origem ao movimento batista. Assim, os puritanos foram os verdadeiros originadores dos batistas, e não os anabatistas. Na fundação das colônias da Nova Inglaterra, na América do

PURITANISMO — PURO E IMPURO

Norte, estavam bem representados os separatistas, os não-separatistas e os batistas. A colônia da baía de Plymouth compunha-se, essencialmente, de separatistas moderados. Por conseguinte, o puritanismo foi um movimento dentro da Igreja Anglicana, que se separou da mesma e se transferiu para a América do Norte, nas emigrações inglesas para o continente norte-americano.

Embora o puritanismo já fosse uma agitação reconhecida na década de 1560, na verdade foi uma extensão de mudanças instituídas pelo Parlamento Reformador, trinta anos antes, o qual substituiu o monarca reinante em lugar do papa, como cabeça da Igreja da Inglaterra. Esse Parlamento Reformador dissolveu os mosteiros e restringiu a autoridade dos bispos. Essas forças de oposição à Igreja Católica Romana, iniciadas por Henrique VIII, vieram a asseverar princípios de reforma mais extremos que Henrique VIII jamais quisera reconhecer. O movimento puritano, mui naturalmente, aliou-se à oposição aos reis da linhagem Stuart e ao movimento do Parlamento Longo (1640), bem como apoiou a guerra civil de 1642, tornando-se assim uma poderosa força política. Mas, após um período de cooperação forçada, tornou-se bem pronunciada a separação entre os puritanos presbiterianos e os puritanos independentes. Entre 1643 e 1648 predominaram os puritanos presbiterianos, durante esse período a Assembléia de Westminster teve as suas sessões e produziu a Confissão de Fé, bem como o Grande e o Pequeno Catecismos. Entretanto, Oliver Cromwell era um puritano independente, e, após sua subida ao poder, o presbiterianismo, embora tolerado, foi forçado a ceder terreno diante de seu rival mais recente. Todavia, após a restauração da casa reinante dos Stuarts, o puritanismo caiu no ilegalismo. Assim, eles passaram a ser considerados dissidentes, porquanto recusavam-se a moldar-se aos ritos da Igreja oficialmente estabelecida.

A chamada à liberdade e à independência fez os puritanos separatistas e não-separatistas volverem os olhos para a América do Norte, onde tal chamamento até hoje reboa. Os puritanos independentes estabeleceram-se na baía de Plymouth, na Nova Inglaterra. As colônias de Massachussetts Bay e de Connecticut (as principais colônias da Nova Inglaterra) foram fundadas por puritanos não-separatistas. Mas na ocupação de Rhode Island, os batistas desempenharam o papel principal.

A Ética Puritana. Na concepção popular, a ética puritana consiste em uma piedade excessiva, de mistura com regras estritas e opressivas. Historicamente, porém, essa ética enfatiza as virtudes do trabalho árduo, da sobriedade, da honestidade e da indústria. Religiosamente falando, essa ética expressa-se por intermédio do fervor. Foram desfechadas campanhas contra toda forma de mundanismo, de maquinação política, de peças teatrais e diversões mundanas. Sua ênfase sobre a independência, o esforço pessoal e o individualismo ajudou a estabelecer o capitalismo. *Do ponto de vista teológico*, grupos evangélicos posteriores objetaram à ética puritana por ser legalista. É verdade que a lei mosaica servia, entre os puritanos, de principal força de expressão. É incrível o número de aplicações que os puritanos podiam achar para os *Dez Mandamentos* (vide). Havia aí uma boa dose de farisaísmo, o que sempre faz parte inseparável do legalismo, em suas expressões modernas. Os líderes teológicos puritanos compunham-se, principalmente, de calvinistas eruditos. Nomes notáveis entre eles foram Perkins, Sibbes, Ames, Owen, Goodwin, Baxter e Howe. O movimento puritano nunca abandonou o calvinismo como sua posição teológica.

Elementos Principais da Ética Puritana:

1. A *peregrinação* e o *conflito* fazem parte necessária da vida cristã. A afirmação clássica dessa noção é *O Peregrino*, de João Bunyan.

2. *O trabalho árduo* foi determinado por Deus para o homem. O pecado é sufocado no homem quando este se ocupa em labor diligente. E o trabalho árduo também afasta a pobreza da porta da casa. Ninguém tem direito ao lazer. Conforme dizem as Escrituras: «Seis dias trabalharás». O dinheiro, o tempo e os talentos pessoais devem ser usados completamente a serviço de Deus. O ócio é um pecado sério, e dá margem a todas as formas de vício. Indústria, capitalismo e filantropia são considerados importantes corolários do trabalho árduo.

3. *Educação e cultura*. Os puritanos sempre se mostram ativos na promoção dos valores educacionais e culturais. Eles se opunham a uma arte aviltada na pintura, no teatro, etc., e promoviam aquilo que sentiam ser hígido na arte e na literatura.

4. *O descanso dominical e a família*. Da mesma maneira que o crente deve trabalhar por seis dias, assim também ele deve parar de trabalhar por um dia a cada sete. No seu legalismo, os puritanos chamavam esse dia de descanso de sábado cristão, embora observado no domingo, e não no sábado. A violação desse dia de descanso era uma ofensa grave, nas comunidades puritanas. O dia de descanso era um dia doméstico, e, em geral, a família, a unidade da família, a adoração e o cultivo do caráter cristão eram questões muito enfatizadas. O pai de cada família era o seu sumo sacerdote, pelo que assumia todos os deveres próprios do ofício. A adoração dominical e a ênfase sobre o culto doméstico eram elementos primordiais entre os puritanos. E muitos cidadãos norte-americanos, até os nossos próprios dias, jamais deixaram esmaecer esse costume extremamente saudável.

5. *A Bíblia*, entre os puritanos, era o insubstituível guia de doutrina e prática cristãs, e o estudo das Sagradas Escrituras fazia parte da vida diária deles.

6. Eram salientados *a vida comunal e o senso de responsabilidade*. A ninguém era permitido viver só para si mesmo. Cada indivíduo era considerado responsável diante de sua comunidade, e seus atos e pensamentos eram examinados à luz do fato de que o indivíduo fazia parte de tudo.

7. *A igreja local* era o centro da vida e das atividades comunitárias. Apesar de não haver entre os puritanos alguma igreja oficial (uma idéia que os puritanos combatiam), ainda assim a igreja era o grande poder por detrás de tudo.

8. *O legalismo*, conforme foi dito acima, certamente era uma pedra fundamental da ética puritana.

«Como um modo de vida, o puritanismo não sobreviveu além do século XVII; mas, como força catalizadora, tem inspirado tendências intelectuais e morais, que se evidenciam particularmente na cultura norte-americana, persistindo por muito tempo depois que o credo original desapareceu» (AM).

PURITANISMO, ÉTICA DO

Ver o artigo geral sobre o *Puritanismo*, últimos parágrafos.

PURO E IMPURO

Ver sobre **Limpo e Imundo**.

PÚRPURA — PUTE

PÚRPURA
Ver o artigo sobre as **Cores**. O décimo item descreve especificamente a cor *púrpura*, com seus usos e simbolismos. O décimo segundo ponto desse artigo apresenta o uso metafórico das cores na Bíblia, nos sonhos e nas visões.

PURVA MIMAMSA
Essa expressão vem diretamente do sânscrito, e seu sentido é «pensamento reverente inicial». Esse é o título de uma das seis escolas indianas ortodoxas. O sistema fundamenta-se sobre a *Mimamsa Sutra*, um documento composto em cerca de 400 A.C., por Jaimini. Aborda as primeiras porções dos *Vedas* (vide), como a *Uttara Mimamsa* (vide).

Idéias Principais:

1. O dever (**Dharma**) é um conceito básico, sendo ali desenvolvido de maneira elaborada, a principal fonte do material derivado dos *Vedas*.

2. Se alguém cumprir seu dever conforme é devido, poderá livrar-se do ciclo dos renascimentos. Ver o artigo sobre a *Reencarnação*.

3. O dever depende de conceitos eternos, e os *Vedas* são reputados inspirados pela divindade. Assim sendo, os deveres dos homens são habilidosamente delineados pela divindade. Os brahmins teriam sido os instrumentos da transmissão da mensagem, mas a própria mensagem vem da parte da divindade. Os Vedas («conhecimento») não consistem apenas nos pensamentos dos homens. Temos ali uma religião revelada, e, por via de conseqüência, uma ética absoluta. Os hindus não se preocupam em nada com a questão da autoria dos Vedas, visto que acreditam que a divindade é o verdadeiro autor.

4. Visto que a linguagem serve de veículo necessário dos Vedas, os hindus crêem que essa linguagem corresponde adequadamente ao significado tencionado. E isso subentende a origem divina da linguagem, asseverando-se tratar de um meio eficaz para a transmissão da mensagem divina.

5. Declarações transmitidas por uma linguagem eficaz e que contam com o poder de Deus a sustentá-las, são necessariamente verdadeiras. Mas, segundo os hindus, não temos o dever de procurar falsidades que não concordem com a mensagem divina, nos escritos sagrados.

6. Visto que essa escola dá tanta importância à linguagem, desenvolveu-se uma espécie de lógica em que se procura investigar formas de conhecimento válido por meio de postulados, e isso acompanhado pela ausência de negações.

7. O dever está baseado sobre a *Apurva* ou potência transcendental, a qual tem em si mesma a capacidade de praticar atos corretos. Esse poder (um tanto parecido com as funções que emprestamos ao Espírito Santo) opera no mundo e inspira os homens a atos corretos.

8. O mundo é eterno, do mesmo modo que os *Vedas*. O mundo não foi criado. *Purva Mimamsa* não deixa dúvida alguma sobre a questão. A idéia da criação do mundo por Deus é considerada incoerente, porquanto dependeria de uma regressão de criadores ou causas *ad infinitum*, o que é considerado pelos hindus como uma insensatez. E eles também argumentam que Deus, se existia sozinho, não precisaria de ninguém mais, pelo que não teria tido o impulso de criar.

••• ••• •••

PÚSTULA
Ver o artigo geral sobre *Enfermidades*.

Estão em pauta diversas afecções cutâneas, referidas no Antigo Testamento, indicadas por meio de quatro palavras hebraicas diferentes, a saber:

1. *Garab*, «pelagra». Palavra que aparece por três vezes: Lev. 21:20; 22:22; Deu. 28:27.

2. *Mispachath*, «pústula». Palavra que figura por três vezes: Lev. 13:6-8.

3. *Yallepheth*, «impingem». Palavra que aparece em Lev. 21:20; 22:22.

4. *Sappachath*, «pústula». Palavra que aparece apenas em Lev. 13:2 e 14:56. Contudo, uma forma verbal da palavra encontra-se em Isa. 3:17, onde se lê: «O Senhor fará tinhosa a cabeça das filhas de Sião...» Não há equivalente no Novo Testamento, embora a LXX os tenha. Uma pústula é uma crosta ou infecção purulenta. Por si mesma, não é alarmante, podendo até mesmo ser uma proteção orgânica. O que realmente importa é o tipo de afecção por baixo dessa crosta.

Assim, no caso de *garab*, a afecção não era considerada perigosa. A pelagra, afecção produzida pela falta de vitamina C no organismo, atacava muito as pessoas que não ingeriam frutas e legumes, como os marinheiros, em suas longas viagens, ou os soldados de infantaria, em suas conquistas.

Nos dias do Antigo Testamento, uma pessoa que tivesse uma afecção cutânea persistente devia mostrá-la aos sacerdotes, que determinariam se a mesma tinha caráter progressivo ou temporário, se era uma condição que requeria isolamento ou se era uma condição benigna. (Lev. 13:2-8).

Os sacerdotes ficavam desqualificados para servir, e os animais a serem sacrificados eram rejeitados, se houvesse qualquer afecção cutânea presente. A «boca pustulenta», com feridas em redor dos lábios, do nariz e das pálpebras das ovelhas é uma condição bem conhecida atualmente pelos veterinários, e bem pode ter sido uma cena familiar no clima quente e seco de Israel.

As filhas de Sião haveriam de ser punidas, por causa de sua altivez, com uma dessas afecções na cabeça (que nossa versão portuguesa traduz por «tinha») (Isa. 3:17). Precisamos apenas pensar em uma criança com aquela crosta seborréica generalizada conhecida na medicina como dermatite seborréica, para perceber a humilhante aflição que isso significaria para uma jovem israelita.

PUTE

1. *O Homem*. Pute foi o terceiro dos filhos de Cão e o único sobre o qual não há registro de descendentes. Ver Gên. 10:6; I Crô. 1:8. Mas Josefo (*Anti*. 1:6,2) diz-nos que ele foi o pai dos líbios, e que seus descendentes chamavam-se, antigamente, *putitas*.

2. *Descendentes*. Além do que Josefo escreveu, há algumas indicações bíblicas a respeito. Eles eram guerreiros, que foram mencionados juntamente com os *lubim* (vide), egípcios e etíopes, os quais foram incapazes de impedir que os assírios (ver Naum 3:9) atacassem a No-Amom (Tebas). Ver também Jer. 46:9 e Eze. 30:5, onde Pute é descrito como aliado dos egípcios. E em Eze. 38:5, Pute aparece como parte formadora das forças de Gogue.

Parece que esse povo é africano, embora continuem questões disputadas sobre o povo preciso e a localização exata onde esse povo habitava.

3. *Localização Geográfica*. Isaías situa Pute entre

PUTE — PUVITAS

Társis e Lude como nações que, algum dia, haverão de ouvir falar sobre a glória de Deus (ver Isa. 66:19). Jeremias alista Pute entre a Etiópia e Lude como nações cujos guerreiros foram empregados por Nabucodonosor na conquista do Egito (ver Jer. 46:9). Ezequiel, por sua vez, associa Pute aos exércitos de Tiro (Eze. 27:10). Pute é alistado juntamente com a Etiópia, Lude, Arábia e Líbia, como nações que haverão de sucumbir à espada (Eze. 20:5). O trecho de Naum 3:9 associa esse povo à Etiópia, ao Egito e à Líbia. Essas muitas referências associam Pute com o continente africano, e na maioria das vezes ela tem sido identificada com a Líbia. Certa inscrição persa de Naqshi-i-Rustam menciona uma certa nação chamada *Putaya*, a qual, usualmente, tem sido identificada com a Líbia. «Opiniões mais recentes, no que concerne à identificação de Pute, vinculam esse povo a Punte ou Cuxe do sul da África, onde é comumente vinculada às costas da Somália (I Crô. 1:8; Naum 3:9). Porém, a opinião mais prevalente é que Pute é a *Líbia*».

PUTÉOLI
Ver sobre Potéoli.

PUTEUS
Uma família israelita de Quriate-Jearim, originada por netos de Calebe (I Crô. 2:53).

PUTIEL
No hebraico, «afligido por Deus (El)». Esse era o nome do pai da esposa de Eleazar, o sacerdote. Ela foi mãe de Finéias (ver Êxo. 6:25). Putiel viveu por volta de 1210 A.C. Eleazar era filho de Aarão.

PUVA
No hebraico, «boca» ou «sopro». Esse era o nome do segundo filho de Issacar (Gên. 46:13). Ver também Núm. 26:23 e I Crô. 7:1. Os descendentes de Puva são chamados «puvitas», em Núm. 26:23. Puva foi o pai de Tola (ver Gên. 46:12). Viveu em cerca de 1770 A.C.

PUVITAS
Nome genérico dos descendentes de Puva ou Puá, da tribo de Issacar (ver Núm. 26:23).

••• ••• •••

1. Formas Antigas

fenício (semítico), 1000 A.C.	grego ocidental, 800 A.C.	latino, 50 D.C.

2. Nos Manuscritos Gregos do Novo Testamento

Ϙ (Não existe no N.T.)

3. Formas Modernas

QQqq   QQqq   QQqq   Qq

4. História

Q é a décima sétima letra do alfabeto português (ou a décima sexta, se deixarmos de lado o *K*). Historicamente, deriva-se da letra consonantal semítica *qoph*, representando um rouco fonema «k». Significava «buraco da agulha». Foi adotado pelo alfabeto grego com o nome de *koppa*. Afinal, caiu em desuso no grego, embora tivesse sido adotado pelo alfabeto latino. Neste idioma, sempre era seguido pelo «v» (o que explica a combinação *qu*, em português).

5. Usos e Símbolos

Q é usada para simbolizar uma fonte informativa sobre os ensinamentos e declarações de Jesus, que teria sido usada por Mateus e Lucas, mas que parece não ter sido conhecida por Marcos. Ver o artigo separado *Problema Sinóptico*. A sigla *QI* significa «quociente de inteligência». *Q* também é usado como símbolo do *Codex 026*, que data do século V D.C. Ver o artigo separado sobre esse manuscrito *Q*.

Caligrafia de Darrell Steven Champlin

A Letra Q decorativa, o homem e o leão, evangelho de Mateus, Livro de Kells

Q

Q
Abreviação do termo alemão **Quelle**, «origem». Símbolo e termo aplicado ao hipotético documento que deu origem aos «Ditos de Jesus» e outros discursos encontrados em Mateus e Lucas, mas não em Marcos e João. A hipótese «Q», *Quellen*, ou «Redenquellen» foi apenas uma dentre várias teorias dessa ordem, propostas no século XIX por eruditos das escolas germânicas da alta crítica. De acordo com alguns estudiosos, a descoberta dos *Ditos de Jesus*, em Oxyrhyncus, teria confirmado a plausibilidade da posição. Eruditos do século passado e deste século tentaram reconstituir a perspectiva histórica da vida de Jesus, e outros do século XX continuam a pesquisa. Ver o artigo sobre o *Problema Sinóptico* que oferece mais detalhes sobre as diversas fontes supostas dos evangelhos sinópticos, inclusive Q.

QADARITAS
Essa palavra vem do árabe, com o sentido de «poder». Nome que os islamitas dão àqueles que crêem que o homem tem liberdade e poder de agir com independência, não estando sujeito ao poder predestinador absoluto de Deus. A corrente principal do islamismo é bastante determinística, embora haja quem não concorde com essa posição, como os mutazilitas (que vide).

QADI
Vem do árabe **qadar**, «poder». Nome de um oficial islamita nomeado para decidir sobre os deveres religiosos e interpretar leis como aquelas que envolvem a herança e os casamentos.

QERE
No hebraico, **o que deve ser lido**. É o oposto de K, **o que está escrito**. As siglas K e Q (Ketib e Qere) encontram-se, por muitas vezes, às margens dos textos massoréticos do A.T. Por respeito ao texto consonântico do A.T., os massoretas não ousaram mudar coisa alguma do texto, mesmo quando convencidos da existência de algum erro. Nesses casos, indicavam o erro, anotando-o à margem do texto considerado correto, o qual tornava-se então o «Q». A sigla também era usada como símbolo para indicar a pronúncia correta, no texto ainda sem os sinais vocálicos. Nesse caso, o «Q» não tem valor para a crítica textual. Mais de mil e trezentas dessas correções marginais aparecem no texto massorético. Quanto a maiores detalhes, ver o artigo sobre os *Manuscritos do Antigo Testamento*.

QESITA Ver **Pesos e Medidas**.

QOUYUNJIG, COLEÇÃO DE TABLETES DE
Ver sobre **Nínive**, ponto 5.

QUACRES
O Journal de George Fox (vide). Cent. Ed. 1.4, afirma que foi o magistrado Gervase Bennet, de Derby, o primeiro a usar o nome, porquanto membros da seita (que posteriormente foi assim chamada) ordenaram-lhe que «tremesse» (quake) diante da Palavra de Deus. Isso teve lugar em 1650. A princípio, o nome foi usado em sentido pejorativo, mas depois tornou-se o nome popular da *Religious Society of Friends*. Ver o artigo sobre *Sociedade de Amigos*.

QUADRADO
Essa palavra, que no hebraico é **raba**, aparece por onze vezes no Antigo Testamento, como descrição do formato de edifícios, como o tabernáculo ou o templo (Êxo. 27:1; 28:16; 30:2; 37:35; 38:1; 39:9; I Reis 7:31; Eze. 40:47). Em Apocalipse 21:16, que é o único uso da palavra no Novo Testamento (no grego, *tetrágonos*), esse termo descreve o formato da Nova Jerusalém. Ver o artigo sobre o simbolismo do número *quatro*.

QUADRAGÉSIMA
Termo usado pela Igreja Católica Romana para indicar o período da quaresma, que dura quarenta dias, desde quarta-feira de Cinzas até à véspera da Páscoa. Ver o artigo sobre o *Calendário Eclesiástico*.

QUADRATO, APOLOGIA DE
Foi um dos primeiros apologetas cristãos. Sua obra foi apresentada ao imperador Adriano, em período de perseguição contra os cristãos. Pode ter sido preparada na Ásia Menor, em 123-124 ou 129 D.C., ou em Atenas, em 125 ou 128-129 D.C. A única porção preservada do texto é uma breve citação de cerca de cinqüenta palavras, nos escritos de Eusébio (*Eus. Hist*. IV.iii.2), que declara que algumas pessoas a quem Cristo havia curado ou ressuscitado ainda viviam na época de Quadrato.

QUADRIVIUM
Nome latino para as quatro ciências matemáticas: astronomia, geometria, aritmética e música. Durante a Idade Média, o quadrivium constituía a divisão mais elevada do curso universitário, que contava com um total de sete áreas liberais. O *trivium* era a divisão inferior, e consistia na gramática, na retórica e na lógica. Ver o artigo sobre *Escolasticismo*. Esse programa de estudos foi esboçado por Platão em seu diálogo, intitulado *República*.

QUAESTIO
Palavra latina que significa «questão». O termo refere-se à prática de efetuar *debates* orais. Posteriormente, o nome foi transferido a um escrito filosófico que incorpora o estilo de um debate.

QUAESTIONES DISPUTATAE
Vem do latim, com o sentido de «questões disputadas». Ver sobre *Quaestio*.

QUAESTIONES QUODLIBETALES
Expressão latina que significa «questões seletas», nome de uma das formas de análise desenvolvidas pelo *escolasticismo* (que vide). Diferia das *Quaestiones Disputatae* (que vide) porque eram os ouvintes que escolhiam as questões que deveriam ser debatidas. Ver o artigo sobre *Disputas*.

QUALIDADES: Primárias, Secundárias e Terciárias
Essa distinção, era feita na filosofia grega. As qualidades primárias são aquelas possuídas pelo objeto, sem as quais o objeto nem existiria, como solidez, extensão no espaço, figura, movimento,

repouso e número. As qualidades secundárias são aquelas sem as quais um objeto pode existir, como cor, som, gosto, cheiro, etc. Os atomistas gregos, como Demócrito e Epicuro (ver os artigos a respeito) falavam nesses termos. Por longo tempo essa distinção foi ignorada na filosofia; mas, no século XVI, Galileu (que vide) e Mersene (que vide) reviveram-na, por ser útil para seu pensamento. Os termos precisos foram introduzidos por Robert Boyle e John Locke. Berkeley (que vide), e muitos idealistas (ver sobre o *idealismo*), rejeitavam a distinção, visto que, para eles, todos os objetos e conceitos são apenas funções mentais, sobre as quais não podemos estabelecer distinções.

Uma *terceira qualidade* consiste no valor que achamos em um objeto qualquer. Assim, uma nota de papel-moeda tem: 1. solidez, extensão no espaço, etc., que são qualidades primárias; 2. cor, que é uma qualidade secundária; 3. um certo valor que lhe é atribuído, subjetivamente, por convenção entre os homens, que é a qualidade *terciária*. As qualidades terciárias são avaliações subjetivas, como aquelas atribuídas a uma antiga fotografia, um cacho tirado dos cabelos do bebê, etc. (EP F P)

QUANTIDADE

Vem do latim, *quantitas*, tradução do termo grego *poson*, usado para indicar uma das *categorias* (que vide). Aristóteles considerava a quantidade uma das categorias básicas. Ver o artigo sobre ele e seu estudo sobre o assunto. Para ele, essa categoria é contínua ou separada. Pode referir-se à magnitude de alguma coisa como a extensão do tempo. Refere-se ao tamanho de alguma coisa, incluindo alterações nessa coisa. Emanuel Kant também pensava que a quantidade é uma das categorias básicas. Ver o artigo sobre ele, quanto a detalhes, sob 2. g.

QUANTUM Ver Mecânica Quantum.

QUARANTANIA

De acordo com uma antiga tradição, esse teria sido o monte onde Jesus foi tentado por Satanás (Mat. 4:8-10). Seu nome moderno é Tell el-Sultan, a oeste de Jericó do A.T. O nome alude aos quarenta dias da tentação de Jesus.

QUARENTA

Um número importante, tanto no Antigo Testamento quanto na simbologia em geral. Esse número era usado para designar a duração aproximada de uma geração, bem como períodos específicos de prova.

Períodos nos quais o número quarenta é importante:

1. Quando do dilúvio, choveu durante quarenta dias e quarenta noites, e foram precisos outros quarenta dias completos para as águas baixarem (Gên. 7:4,12,17; 8:6).

2. Moisés tinha quarenta anos de idade quando resolveu visitar seus irmãos de raça (Atos 7:23).

3. Moisés esteve por quarenta anos em Midiã, um tempo de preparação para a sua missão (Atos 7:29,30).

4. Moisés esteve por quarenta dias no monte, quando do recebimento da lei (Êxo. 24:18).

5. Moisés orou durante quarenta dias, em favor de Israel, a fim de evitar um severo castigo divino contra esse povo (Deu. 9:25).

6. Israel ficou vagueando durante quarenta anos no deserto, por motivo de desobediência, antes de poder entrar na Terra Prometida (Núm. 14:33; 32:12).

7. Davi e Salomão reinaram, cada qual, pelo espaço de quarenta anos (II Sam. 5:4; I Reis 11:42).

8. Jonas convocou os habitantes de Nínive para se arrependerem no prazo de quarenta dias (Jon. 3:4).

9. Em certa ocasião, Elias jejuou por quarenta dias, quando estava sob severa provação (I Reis 19:8).

10. Jesus jejuou no deserto pelo espaço de quarenta dias (Mat. 4:2).

11. Alguns estudiosos calculam que Jesus esteve no sepulcro durante quarenta horas. Ver o artigo separado sobre as *Quarenta Horas de Devoção*.

12. Após a sua ressurreição, Jesus continuou na terra por quarenta dias, antes de sua ascensão (Atos 1:3).

13. Tenho especulado que a grande tribulação (ver sobre a *Tribulação, A Grande*) perdurará por um total de *quarenta anos*, dos quais sete anos revestir-se-ão de significação especial para Israel. Parte dessa especulação é que esse período maior começará na década de 1980 ou na década de 1990. Ver o artigo intitulado a *Tradição Profética e a Nossa Época*.

QUARENTA E DOIS ARTIGOS

Esses foram artigos de fé compostos essencialmente por Thomas Cranmer, arcebispo de Canterbury, a fim de exprimir as crenças da *Igreja Anglicana*. Foram publicados sem autorização formal, em 1553. Posteriormente, tornaram-se a base dos *Trinta e Nove Artigos* (que vide), que é a confissão padrão da *Comunhão Anglicana*.

QUARENTA HORAS DE DEVOÇÃO

Também chamadas **Quarenta Horas de Oração**. Elas consistem em quarenta horas contínuas de oração, na presença da hóstia consagrada, que fica em exposição solene e pública. Naturalmente, a prática faz parte dos costumes católicos romanos. O propósito do mesmo é adorar, louvar e agradecer a Cristo pelos benefícios por ele conferidos através da eucaristia (que vide). Essas horas também são aproveitadas para interceder pelo bem público, pela humanidade, e, especialmente, pela paz entre os homens. O número *quarenta*, das horas desse período de devoção, deriva-se da idéia de que Jesus Cristo esteve por quarenta horas no sepulcro, antes de ressuscitar, um cálculo que não deve estar longe da verdade. Ver o artigo sobre o *Dia da Crucificação, Sexta-Feira*. Ver também sobre o *Terceiro Dia*.

Esse período de quarenta horas de devoção é acompanhado por serviços religiosos especiais. Antes de tudo há uma missa votiva (que vide), então uma procissão com o Bendito Sacramento, e o cântico da litania de Todos os Santos. O período é encerrado por outra missa pública votiva, seguida pelos mesmos elementos do primeiro dia. No segundo dia, a missa é usualmente celebrada em favor da paz ou de alguma outra necessidade especial. Pelo menos vinte velas ficam continuamente acesas sobre o altar, durante todas as quarenta horas, juntamente com o adorno de flores. Os fiéis que visitam o templo onde o rito está sendo levado a efeito, e que cumprirem outras condições, recebem *indulgência plenária* (que vide, no artigo sobre as *Indulgências*). Desde o decreto do papa Pio X, em 1914, essa indulgência é ganha mesmo quando as quarenta horas são interrompidas durante a noite.

QUARESMA — QUATRO CAVALEIROS

Não se sabe qual a origem dessa devoção, mas alguns historiadores supõem que foram os barnabitas, Antônio Maria Zaccaria e o padre Bonus de Cremona, que lhe deram início, em cerca de 1527 ou 1529. Mas outros falam sobre o padre capuchinho José de Fermo, em cerca de 1534, que teria iniciado o costume quando ele levou todas as igrejas católicas de Milão a efetuarem esses períodos de oração a fim de contrabalançar as forças que estavam ameaçando a paz da Igreja Católica Romana, na ocasião. Pouco tempo mais tarde, Filipe Neri e os jesuítas introduziram a prática em Roma. Foi aprovado pelo papa Paulo III, em 1539, como um rito católico romano oficial. Em 1592, o papa Clemente VIII publicou o *Graves et Dituturnae*, regulando o costume, no caso de Roma. Em 1606, o papa Paulo V confirmou o ato de Clemente, estabelecendo perpetuamente o rito. Seguiram-se vários atos papais, que regulamentaram ainda melhor a questão, e, em 1705, o papa Clemente XI unificou todos os atos a respeito, os quais se tornaram conhecidos como as *Instruções Clementinas*. Em 1730, o papa Clemente XII alterou levemente a questão. Esses regulamentos diziam respeito somente à cidade de Roma, mas terminaram por servir de guia para o rito em todos os lugares. (E)

QUARESMA Ver sobre **Páscoa**, último parágrafo.

QUARTA-FEIRA DE CINZAS

No Ocidente, o primeiro dia do período da quaresma, desde que houve um prolongamento de quatro dias (no começo da Idade Média), para completar um período de quarenta dias, antes da páscoa. O termo vem da prática da antiga Igreja de Roma de aspergir cinzas sobre as cabeças dos penitentes, visando restaurá-los à comunhão, na páscoa. Essa aspersão, finalmente, passou a ser dada à congregação reunida. O missal *Sarum* continha um culto para a bênção das cinzas, que seria um sinal de humilhação, contrição e lamento. Ver Isa. 61:3; Dan. 9:3; Mat. 11:21. Ver o artigo sobre a *quaresma*. (B E)

QUARTO

Um crente mencionado em Rom. 16:23 como um dos associados de Paulo, que enviou saudações aos crentes de Roma quando estava em Corinto. Tal nome é latino, embora apareça em sua forma grega no sobrescrito não-canônico de I Coríntios. Não é mencionado em qualquer outro trecho do N.T., e nem é um nome confirmado nos anais patrísticos.

Seu nome significa exatamente o que diz, «quarto», o que talvez indique que foi o quarto rebento de seus pais. Ele é mencionado apenas como um «irmão», um crente no Senhor Jesus, sem qualquer distinção especial, conforme se vê no caso de Erasto: mas, no conceito de Paulo, não era menos importante do que este último, e envia a sua saudação juntamente com a de todos os demais. Nada se sabe acerca desse homem, embora a mitologia cristã posterior tenha feito dele um dos setenta discípulos especiais de Cristo, conforme o relato do décimo capítulo do evangelho de Lucas, o qual, mais tarde, ter-se-ia tornado bispo de Berito.

QUARTO Ver sobre **Hospedagem**.

QUARTO
Ver **Pesos e Medidas**.

QUARTODECIMANOS

Esse nome vem do latim e indica os aderentes do grupo cristão do século II D.C., quase todos da Ásia Menor, que insistiam que a páscoa deveria ser observada no dia da páscoa judaica (que vide), isto é, no décimo quarto dia da lua após o equinócio de inverno, sem importar em que dia da semana caísse.

QUARTO EVANGELHO

Esse é apenas um outro nome comumente dado ao evangelho de João. Ver *João Evangelho de*. O primeiro evangelho é o de Mateus; o segundo, o de Marcos; o terceiro, o de Lucas. Ver sobre os *Evangelhos Sinópticos*.

QUATERNIDADE (QUATRO)

De acordo com a psicologia de Jung, quatro é o símbolo do que é completo, pelo que temos a terra representada como um retângulo, com quatro esquinas. Também encontramos os quatro cavaleiros do Apocalipse, que indica a totalidade do julgamento divino. A Trindade, mais a matéria, constituem a inteireza da criação. Há quatro estações a cada ano, quatro pontos cardeais. Quatro pessoas em uma família, ou seja, pai, mãe, filho e filha, constituem a unidade *básica* da família.

QUATRO
Ver sobre **Quaternidade (Quatro)**

QUATRO Ver o artigo sobre **Número**.

QUATRO CANTOS DA TERRA

Essa expressão aparece em Eze. 7:2; Isa. 11:12 e Apo. 7:1. O trecho de Isa. 24:16 tem uma expressão menos definida: «confins da terra». Essas expressões mui provavelmente significam «de todos os lugares» da terra, considerados como uma *totalidade*. Entretanto, é perfeitamente possível que por detrás da mesma esteja a crença antiga de que a terra era plana e tinha quatro cantos, pois seria quadrangular. Ver o artigo sobre *Cosmogonia*, quanto ao ponto de vista mundial dos hebreus. Ver também sobre a *Astronomia*, onde exponho uma ilustração dessa posição, completa com comentários e referências bíblicas.

Sabemos que a terra é redonda e não tem quatro cantos, mas os antigos não sabiam disso. A antiga cosmologia dos hebreus supunha que a terra fosse plana e de forma retangular, com quatro cantos, naturalmente. Essa crença reflete-se em passagens bíblicas como Isaías 11:12 e Apocalipse 7:1. Esse conceito também é amplamente representado nos livros hebreus extracanônicos, bem como nas cosmologias dos povos do Oriente Médio, incluindo os babilônios. Os filósofos gregos jônicos pensavam que a terra tivesse a forma de um disco, o que significa que eles aproximaram-se mais da verdade dos fatos. Os quatro cantos da terra tornaram-se o símbolo de qualquer coisa *completa*, sendo esse um dos simbolismos do número quatro. Ver sobre *Quatro*.

QUATRO CAUSAS

Ver o artigo sobre *Aristóteles*, III.5, e o artigo geral sobre *Causa*.

QUATRO CAVALEIROS DO APOCALIPSE
Ver sobre **Cavalos, os Quatro do Apocalipse**.

519

QUATRO CONFINS — QUATRO SERES

QUATRO CONFINS DA TERRA

Sabemos que a terra não é chata e nem quadrada, pelo que o globo terrestre não tem cantos ou arestas em qualquer sentido. Porém, os antigos não sabiam disso, pelo que suas alusões aos quatro cantos da terra podiam ser feitas com seriedade, literalmente. Seja como for, a expressão significa a extensão da terra inteira. A expressão encontra-se em Isaías 11:12; Jó 37:3; 38:13 e Ezequiel 7:2. O trecho de Apocalipse 7:1 retrata quatro anjos, de pé sobre os quatro cantos da terra, segurando os quatro ventos. Isso refere-se a alguma forma de controle, porquanto se alguém controla esses quatro cantos, controla a terra inteira. Sabemos, por outras fontes informativas, que certos povos antigos chegaram a imaginar a terra na forma de um cubo. Os filósofos gregos jônicos (600 A.C.) modificaram a concepção, pensando ser a terra um disco; mas a maioria dos antigos, desde os tempos babilônicos, aceitava a idéia de que a terra tinha forma retangular, possuindo quatro cantos, portanto. O vidente, ao contemplar a terra do alto, viu a terra como um plano retangular. É óbvio que a visão que teve retratava o globo terrestre segundo essa antiga concepção sobre a forma da terra, mas isso em nada labora contra a fé, criando problemas somente para dois grupos de pessoas, os céticos e os ultraconservadores. É tolice pensar que os autores da Bíblia conheciam mais sobre questões científicas do que os seus contemporâneos. Quanto a explicações completas sobre o sentido dessa idéia, em Apocalipse 7:1, ver as notas expositivas do NTI, nesse ponto.

QUATRO DEDOS

Ver o artigo geral sobre **Pesos e Medidas**. Quatro dedos constituem a largura da mão, cerca de sete centímetros e meio, à altura da base dos dedos. A Vulgata Latina, diz *quartor digitis*, em Êxodo 25:25. Seis larguras da mão correspondem a um côvado. Uma largura extra da mão constituía o côvado referido em Ezeq. 40:5. Essa medida foi empregada para medir o equipamento do tabernáculo (Êxo. 25:25; 37:12), bem como no caso do templo em Jerusalém (I Reis 7:26; II Crô. 4:5). O termo foi usado metaforicamente para indicar a duração da *vida* de um homem, enfatizando a sua brevidade (Sal. 39:5; em nossa versão portuguesa, temos *palmos*, o que já não corresponde exatamente à medida hebraica, porque um palmo, para nós, representa cerca de 20 ou 22 centímetros).

QUATRO ELEMENTOS

Na filosofia pré-socrática, temos uma ampla discussão sobre a suposta origem dos elementos, que se derivariam, todos, de um elemento básico. Essa discussão teve prosseguimento entre os filósofos gregos posteriores. Os elementos básicos do universo, que, mediante modificações, segundo se pensava, transformar-se-iam em todas as qualidades físicas, seriam a terra, o ar, o fogo e a água. Cada um desses elementos básicos teria duas qualidades, como a terra (fria e seca); o ar (quente e úmido); o fogo (quente e seco), e a água (fria e úmida). A água, segundo se presumia, poderia ser modificada de modo a produzir todas as substâncias conhecidas, e havia filósofos que pensavam a mesma coisa no tocante aos demais elementos básicos.

Anaximandro não se satisfazia com essa classificação em quatro elementos fundamentais, supondo que os mesmos não fossem, realmente, básicos, porquanto derivar-se-iam do *apeiron* (que vide), o elemento mais básico de todos, que seria uma substância sem limites, infinita, indeterminada. Quanto a detalhes sobre essa discussão, ver os artigos sobre Tales de Mileto, Anaximandro, Anaxímenes, Empédocles e Heráclito. Até hoje a ciência busca o elemento básico da natureza, e o estudo das partículas subatômicas é, atualmente, uma ciência independente e legítima. Suponho que a Mente é a base de tudo, que o átomo consiste na concentração de energias psíquicas. Se isso é verdade, então, dentro do âmbito da matéria, o homem jamais poderá descobrir o que é fundamental em toda a natureza. A resposta básica a essa questão é a pessoa de Deus; porém, uma vez que proferimos a palavra Deus, entramos no *tremendo mistério*, o que significa que já temos mais mistérios do que aqueles que tentamos resolver. Por conseguinte, a verdade é uma eterna aventura.

QUATRO LÍQUIDOS DO CORPO

Galeno, grande médico da antiguidade, acreditava que quatro fluídos do corpo humano precisam ser mantidos em equilíbrio, a fim de ser mantido o bem-estar físico e mental. Segundo ele, esses líquidos seriam o sangue, a cólera (ou bílis amarela), a fleuma e a melancolia (ou bílis negra). Essa doutrina foi capaz de continuar sendo adotada pela ciência até o século XVII. Formava a base da fisiologia e da clínica médica medieval. A lição que podemos aprender de crença assim, que finalmente são deixadas de lado, é que grande parte do nosso conhecimento continua sendo precisamente dessa natureza, total ou parcialmente falsa. Isso posto, ao abordarmos qualquer ponto do conhecimento humano, incluindo o conhecimento teológico, devemos estar dispostos a buscar e a aceitar os avanços, mas sempre reconhecendo que a verdade é uma inquirição, uma aventura eterna, e não algo que sejamos capazes de delinear de maneira completa, em qualquer período da história humana. Se pouco ou nada sabemos sobre esta vida, que dirá acerca da vida futura, mesmo no caso dos remidos! Mas, visto que ali o desenvolvimento espiritual nunca cessará, é de presumir que o nosso conhecimento também se expandirá cada vez mais, à medida que formos crescendo segundo a imagem e semelhança de Cristo. (Ver II Cor. 3:18).

QUATRO SERES VIVENTES

O simbolismo dos quatro seres viventes parece combinar o simbolismo que há nos livros de Ezequiel e Isaías. Os «querubins» de Ezequiel eram «quatro» em número, o que se verifica também em Apo. 4:6, no tocante aos «seres viventes». Mas a descrição recua às descrições babilônicas, onde aparecem gênios ou guardas com «quatro asas», na forma de um boi, de um leão, de um homem e de uma águia, tal como se vê em Apo. 4:7. Nos escritos judaicos, a função desses «seres» era a de sustentar a plataforma sobre a qual estava o trono de Deus, transformando-a em uma espécie de carruagem celestial. No trecho de Isa. 6:1-7, os «serafins» aparecem como seres celestes, de forma humana, mas com seis asas cada. Esses figuram perto do trono, como guardiães, a entoarem incessantemente: «Santo, santo, santo é o Senhor dos Exércitos». Tanto os «querubins» de Ezequiel como os «serafins» de Isaías, tornaram-se figuras importantes nos escritos judaicos posteriores, e com freqüência eram vistos juntos, aliados aos «ofanins», uma personificação dos *olhos* nas rodas da visão celeste de

QUATRO SERES — QUEBRA-JEJUM

Ezequiel. Esses nunca dormiriam, mas guardam constantemente o trono de Deus e seus muitos olhos fazem essa vigilância ser completa e absoluta. Ver I Enoque 71:7 e 14:23. Em II Enoque 21:1, os querubins e serafins diziam ambos «Santo, santo, santo», *o tersanctus*. Abraão, no «sétimo céu», conforme é pintado no Apo. de Abraão 18, teria visto os *ofanins*, aqueles que a «tudo vêem», os seres dotados de muitos olhos (comparar com Eze. 1:18 e 10:12). Quatro eram os rostos de cada um deles, de leão, de homem, de boi e de águia, e cada qual estava equipado com seis asas. Essa obra judaica, que data mais ou menos da mesma época do Apocalipse canônico, mistura os querubins e serafins quanto à sua aparência e função.

Tendo acompanhado a origem desses símbolos, vemos claramente onde o vidente João obteve tais símbolos. Supomos que ele atribui a esses seres (provavelmente concebidos como seres literalmente celestiais) as mesmas funções que têm nos outros livros mencionados: seriam guardiães, sustentadores do trono de Deus, poderes celestiais e seres que prestam louvores celestes. O número «quatro» mui provavelmente envolve, de alguma maneira, os poderes dos céus, os poderes da terra, as quatro extremidades da terra e os quatro ventos. Cada um deles tinha apenas uma cabeça, ao passo que, nos antigos escritos judaicos, tinham quatro. O que se pensa acerca dessas cabeças (leão, boi, homem e águia) é explicado nas notas expositivas, em Apo. 4:7 no NTI. Além disso, incorporam em si mesmos a natureza dos *ofanins*, dotados de muitos olhos, indicando a «vigilância» perante o trono, visando a proteção do mesmo, bem como uma sabedoria geral, que a «tudo» vê, dotados por Deus de propósitos especiais. O vidente João nada apresenta de original em tudo isso, mas misturou figuras simbólicas antigas, sem dúvida bem conhecidas em seus dias, apesar de parecerem estranhas em nossa época, sobretudo para os que não dão atenção aos antigos escritos judaicos, como os livros apócrifos, pseudepígrafes e certas passagens apocalípticas do próprio A.T.

Sumário da identificação e significados dos seres viventes:

1. Seriam as quatro extremidades da terra ou os quatro ventos. Portanto, representariam poderes *terrenos*, agências divinas que controlam a terra. A «natureza animada» louva a Deus e cumpre as suas ordens. Os seres viventes simbolizam isso, embora não sejam idênticos a essas forças naturais.

2. Seriam os quatro signos do zodíaco, os poderes celestiais que têm poder sobre os céus e sobre a terra.

3. Seriam seres celestes literais, que realizam tarefas que lhes foram determinadas do alto.

4. Outros pensam que não seriam seres literais, mas meros «símbolos» do modo como Deus controla a tudo e dá glória a tudo. Os anjos batem suas muitas asas, e o movimento de ar e energia, assim produzido, embora não seja perceptível aos ouvidos terrenos ordinários, é a «música das esferas» das regiões espirituais.

5. Outras interpretações incluem os pontos seguintes: a. os quatro evangelhos; b. as quatro igrejas patriarcais; c. os quatro grandes apóstolos, que simbolizariam os ministros do evangelho; d. os mestres da igreja; e. as principais faculdades da alma humana, que conduzem o homem a Deus. Todas essas interpretações, apesar de terem algum valor, talvez relacionadas à idéia do texto sagrado, não são interpretações primárias.

6. Os «olhos» das rodas da visão de Ezequiel (ver Eze. 1:18 e 10:12) são aqui transferidos aos próprios seres celestiais, conferindo-lhes a propriedade da visão completa, que tudo sabem, possuidores de perfeita vigilância.

7. O autor sagrado fala através de símbolos místicos. Não sabemos dizer o quanto de tudo isso ele supunha aplicar-se aos seres celestiais propriamente ditos, ou se a inteira descrição meramente indica os vários poderes e as várias glórias de Deus, ou como seus atributos pessoais ou como qualidades delegadas a seus servos celestiais.

QUÉ

Qué é um antigo nome da porção leste da Cilícia, na parte suleste da Ásia Menor. Um certo documento de Nabucodonosor II, de cerca de 595-570 A.C., menciona um lugar que se refere a essa região pelo nome de *Khuwe*. O nome também se acha na estela de Nabonido, em Estambul, e nos anais de Salmaneser III (858-824 A.C.), um dos reis da Assíria. Sabemos que Tiglate-Pileser III (744-727 A.C.) recebeu tributo do rei de Qué. Heródoto faz várias alusões a esse lugar. Ficava situado em uma importante rota comercial que ía desde os Portões Sírios, nas montanhas de Amano, até às cidades da Cilícia, na cadeia do Taurus. Era região famosa por seus excelentes cavalos, de onde Salomão os importava (I Reis 10:28; II Crô. 1:16). Em 103 A.C., a região, atualmente chamada Cilícia, tornou-se uma província romana. Foi governada por Cícero, em 51 A.C. Na época do imperador Vespasiano (72 D.C.), ela foi combinada com a Síria, sob uma única administração, pelo que Lucas e Paulo estão corretos, ao combinarem esses dois lugares, nas referências que fazem à região, em Atos 15:23,41 e Gál. 1:21. Ver o artigo sobre a *Cilícia*.

QUEBAR

No hebraico significa «comprimento». Era nome de um rio da Mesopotâmia, em cujas margens o rei Nabucodonosor implantou uma colônia de judeus, entre os quais achava-se o profeta Ezequiel (Eze. 1:1,3; 3:15). Esse tem sido identificado com o rio que os gregos denominavam Chaboras, atualmente chamado Khabour. Deságua no Eufrates, através da Mesopotâmia, sendo a única correnteza de qualquer volume que deságua naquele rio em Circésio. Alguns eruditos pensam que não se trata precisamente de um rio, mas de um canal feito pelos babilônios. É verdade que esses canais também eram chamados «rios». Um grande canal artificial, desviado do Eufrates, acima da cidade da Babilônia, fluía por quase cem quilômetros para suleste, através de Nipur, e, finalmente, desaguava de volta no Eufrates, perto de Ereque, segundo a arqueologia tem descoberto. Atualmente, está seco, após séculos de negligência. Dois tabletes descobertos pelos arqueólogos mencionam-no com o nome de *Naru Kabari*. A identificação desse rio, ou canal artificial, chamado Quebar, continua incerta. O que é certo é que Ezequiel teve suas primeiras visões ali (Eze. 1:1,3). Em cuneiforme babilônico, *naru* significa canal ou rio. Porém, a maioria dos eruditos rejeita a identificação com o rio que flui para dentro do Eufrates, em Circésio (Kierkesion). (S Z)

QUEBRA-JEJUM

No grego, *aristáo*, palavra que aparece somente em

QUEDA E RESTAURAÇÃO DE ISRAEL

Luc. 11:36 e João 21:12,15. No grego significava, originalmente, a primeira refeição do dia. Em latim, *prandere*. Jesus disse a seus discípulos, em uma de suas aparições pós-ressurreição: «Vinde, comei» (João 21:12. No grego diz: «Vinde, tomai o desjejum»). Posteriormente, os gregos usavam esse vocábulo para indicar o almoço, tomado ao meio-dia. Mais tarde ainda, a palavra passou a ser usada para indicar qualquer refeição, o que é refletido em alguns trechos do Novo Testamento: Mat. 22:4; Luc. 11:37; 14:12. Ou então, nos escritos de Josefo (*Anti*. 6.362,8). (A)

QUEDA DE SATANÁS Ver **Satanás, Queda de**.

QUEDA DO HOMEM NO PECADO

Ver o artigo sobre **Origem do Mal**, especialmente seções III, IV e V.

QUEDA E RESTAURAÇÃO DE ISRAEL

Como a Entrada da Igreja, na Economia Divina, Afeta Israel

O anelo de Paulo pela salvação de Israel, Rom. 9:1-5.

Os capítulos nono a décimo primeiro de Romanos constituem uma seção inteiramente distinta do resto dessa epístola. Poderíamos eliminá-los dessa epístola sem que houvesse hiato apreciável, porquanto a seção prática, que se inicia no décimo segundo capítulo da mesma pode ser facilmente vinculada à seção dos capítulos primeiro a oitavo. Os capítulos nono a décimo primeiro, por conseguinte, apresentam-nos um aspecto especial do que está implícito no evangelho apresentado pelo apóstolo Paulo. Assim, pois, se o evangelho se alicerça na graça divina, e não dentro do conceito da legalidade mosaica, e se o evangelho agora é exposto a todos os homens, sem qualquer distinção, onde é que Israel, e as promessas que lhe foram feitas como nação, cabem dentro do quadro?

O aparecimento do cristianismo criou dois problemas principais para o sistema teológico judaico. O primeiro deles é que embora alguns trechos bíblicos *antecipassem um Messias* que ao mesmo tempo seria o *Servo Sofredor* de Jeová, isso era proclamado pelos eruditos judeus somente em casos isolados. Pelo contrário, o Messias da concepção judaica era sempre um rei e líder militar triunfante, inteiramente diferente da figura de Jesus de Nazaré, que teve uma morte vergonhosa, para então desaparecer sem deixar qualquer vestígio, em que suas «profecias sobre o reino» ficaram todas sem cumprimento aparente. É verdade que a idéia da expiação pelo pecado não era desconhecida para os judeus, especialmente em face do fato de que eles possuíam um completo sistema de sacrifícios simbólicos, mas, por outro lado, os judeus jamais vincularam essa doutrina com o ministério do Messias, e, sobretudo, com a idéia de que essa sua «morte expiatória» tomaria o lugar de todo o intricado sistema de sacrifícios legais. Portanto, foi deixado aos cristãos defenderem esse tipo de Messias.

Além disso, havia o problema de como situar a nação de Israel dentro da nova dispensação cristã. Deve-se pensar que todas aquelas profecias encontradas no A.T., que se aplicavam especificamente a Israel como nação, agora possam ser facilmente lançadas no olvido, sem serem jamais cumpridas, mesmo que essa nação tenha ficado cega e desobediente? A resposta dada pelo apóstolo Paulo a tal indagação é que essas promessas e profecias não podem ficar sem cumprimento, porque, finalmente, Deus trará de volta a nação de Israel, pois a própria atual dispensação da graça, entre seus diversos outros aspectos, é também uma maneira de provocar a nação de Israel à emulação, servindo de meio de sua final restauração.

Nos primeiros oito capítulos da epístola aos Romanos, Paulo demonstrou que todos os povos, judeus e gentios igualmente, são pecadores, extremamente necessitados da graça de Deus. Essa graça divina vem por intermédio de Cristo, e todos os povos, sem qualquer distinção, estão sujeitos à ira divina ou à salvação divina, dependendo do que cada indivíduo tiver feito com relação a Cristo, rejeitando-o ou aceitando-o. Assim todas as barreiras nacionais foram eliminadas em Cristo. E o grande alvo do destino humano é a transformação dos remidos segundo a imagem de Cristo, o que será realizado inteiramente à parte de qualquer distinção de classe ou nacionalidade. Tais doutrinas parecem eliminar qualquer vantagem distintiva possuída pela nação de Israel, pois a igreja cristã não é agora o verdadeiro Israel? Sim, é verdade, mas isso não significa que não haverá mais lugar algum para o cumprimento daquelas antigas profecias relativas ao futuro de Israel. De fato, com o tempo, «...todo o Israel será salvo» (Rom. 11:26,27).

Os capítulos nono a décimo primeiro de Romanos, portanto, de certo modo, apresentam o passado, o presente e o futuro de Israel, em que o nono capítulo expõe principalmente o passado, o capítulo décimo mostra-nos principalmente o presente, e o capítulo décimo primeiro fala sobretudo sobre o futuro dessa nação, embora apareçam versículos, aqui e acolá, que não cabem bem dentro desse quadro. Abaixo oferecemos os elementos essenciais da discussão apresentada por Paulo sobre a natureza e o destino da nação de Israel, agora que um novo sistema religioso revelado — o cristianismo — se adiantou para o primeiro plano, tendo tomado o lugar, por assim dizer, que a nação israelita antes desfrutara, como veículo especial da verdade de Deus:

1. A nação de Israel deveria continuar sendo evangelizada, não sendo negligenciada, somente porque rejeitou ao Messias, Jesus Cristo (ver Rom. 9:1-3).

2. Os judeus desfrutaram dos *elevados privilégios* da verdade divina, mas os verdadeiros filhos de Abraão são aqueles que se caracterizam pela fé, os quais também são piedosos segundo a eleição da graça, o que tem tanto um aspecto individual como um aspecto nacional. (Ver Rom. 9:4-13).

3. A despeito da falha aparente da verdade de Deus em Israel, desde que o Messias foi rejeitado pelos judeus, podemos confiar que o princípio do senhorio de Deus, que opera tudo segundo sua boa vontade, não cairá por terra frustrado. (Ver Rom. 9:14-24).

4. A cegueira da nação israelita não surpreendeu ao Senhor Deus, pois, na realidade, isso já fora motivo de profecias antigas, fazendo parte dos propósitos especiais de Deus. (Ver Rom. 9:25-33).

5. Israel se caracteriza por certo zelo religioso, embora esse zelo se alicerce sobre um falso senso de auto-importância, e não sobre Deus; e isso resultou na rejeição do próprio Messias. (Ver Rom. 10:1-4).

6. Moisés apontou para Cristo, não havendo nenhuma fórmula *secreta* de salvação que requeira nossa pesquisa em lugares estranhos, a fim de encontrá-la. (Ver Rom. 10:5-8).

7. No presente, tanto para os judeus como para os

522

QUEDA — QUEDEMOTE

gentios, a salvação é oferecida com base nas mesmas considerações, isto é, arrependimento e fé em Cristo, o que leva o indivíduo a invocar o nome do Senhor, pedindo-lhe a salvação. (Ver Rom. 10:9-13).

8. Essa *invocação de seu nome* requer que evangelistas fiéis anunciem a mensagem sobre Cristo. (Ver Rom. 10:14,15).

9. Não obstante, Isaías previu a *dureza* de coração e a desobediência da nação de Israel para com o seu próprio Messias; e Moisés já havia predito que aqueles que não são *povo* (os gentios) finalmente adquiririam elevados privilégios espirituais, provocando a inveja de Israel. E o profeta Isaías também se referiu a esse aspecto, porquanto Deus seria encontrado por aqueles que «não buscavam» por ele, ao mesmo tempo em que Deus seria encontrado a estender suas mãos a um povo desobediente e profano — Israel. (Ver Rom. 10:16-21).

10. Contudo, até mesmo agora há um remanescente, um *Israel espiritual*, o qual tem sido preservado na igreja cristã através da eleição da graça, de tal modo que, apesar da maioria dos judeus ter permanecido na ignorância e na dureza de coração, o evangelho não tem sido pregado em vão para Israel. (Ver Rom. 11:1-6).

11. A nação de Israel foi *judicialmente cega* em face de sua incredulidade, ao passo que os gentios são levados aos pés de Cristo, com o propósito de emular os judeus, provocando-os ao ciúme, na esperança do resultado final do arrependimento. — A plenitude das riquezas dos gentios em Cristo é que, finalmente, provocará a plenitude de Israel. (Ver Rom. 11:7-12).

12. Os gentios não devem ser complacentes, pois se os ramos naturais foram arrancados da oliveira, quanto mais serão arrancados os ramos da oliveira brava que tiveram sido enxertados, se porventura seguirem a vereda da apostasia que Israel havia escolhido. (Ver Rom. 11:13-22).

13. Contudo, o quadro *não é* desesperador, no que concerne à nação de Israel, porquanto Deus é capaz de enxertá-los novamente em sua árvore natural. (Ver Rom. 11:24).

14. A cegueira da nação de Israel, em sua totalidade, é um profundo *mistério* da vontade de Deus, o que tem, como um de seus propósitos, a salvação dos gentios. Porém, quando estiver completo o número de gentios que deverão ser salvos, então *todo* o Israel virá a Cristo, e então se cumprirão as promessas nacionais feitas a Israel, que são tão proeminentes nas páginas do A.T. Muitos antecipam tais acontecimentos para os fins do século XX, quando Israel, atacado por todos os lados por adversários extraordinariamente numerosos e impossíveis de derrotar, será livrada por alguma *intervenção divina*, em que os seus opressores serão julgados por Deus. Quando Israel for assim libertada, haverá de reconhecer nisso a mão do Messias, e, como nação, Israel se tornará verdadeiramente cristã. Isso é predito não somente pelas profecias das Escrituras, mas também é a afirmação das visões dos místicos, através de todos os séculos, e até mesmo no presente.

15. Essa restauração de Israel se dará de conformidade com o antigo pacto estabelecido entre Deus e essa nação, quando Deus houver usado de misericórdia para com todos os povos, visto que encerrou a todos sob a incredulidade, a fim de que também pudesse usar de misericórdia para com todos. Por esse motivo, grande é o louvor com que exaltamos o nosso Deus, pois *dele, através dele e para ele* são todas as coisas, e a glória lhe pertence para sempre. (Ver Rom. 11:27-36).

Ver o artigo separado sobre a **Restauração de Israel** para uma declaração mais completa sobre esse assunto.

QUEDAR

No hebraico, «poderoso». Esse é o nome de um homem e o nome da tribo que dele descendia, nas páginas do Antigo Testamento:

1. Um dos filhos de Ismael, filho de Abraão e Hagar. Viveu em torno de 1840 A.C. Ele é mencionado somente em Gên. 25:13 e I Crô. 1:29. Há quem pense que a palavra hebraica significa «negro» ou «moreno», uma referência aos efeitos da radiação solar sobre a pele das pessoas que habitam em lugares desérticos, como é o caso do sul da Arábia, onde vivem os beduínos. Parece que isso é refletido em Cantares 1:5, onde a «esposa» diz que é «...morena... como as tendas de Quedar...» Seja como for, quando o filho de Ismael recebeu esse nome, a razão disso não deve ter sido essa coloração da tez.

2. Nome de uma tribo nômade de ismaelitas, que, em suas perambulações, iam até o golfo Elanítico. Porém, no Antigo Testamento o termo é usado em sentido genérico para indicar as tribos árabes (beduínos) como se vê em Can. 1:5; Isa. 21:16,17; 42:11; 60:7; Jer. 2:10,49; Eze. 27:21. No trecho de Salmos 120:5, Quedar e Mesque referem-se, metaforicamente, a certas tribos bárbaras. Os povos nômades assim referidos trabalhavam como negociantes e criadores de ovelhas. Os seus numerosos rebanhos, seus camelos e suas tendas, são mencionados em Isaías, Jeremias e Ezequiel. Alguns deles eram ferozes e temidos guerreiros (Jer. 2:10). Isaías predisse o julgamento de Quedar (21:6), bem como Jeremias (49:28,29), dando a entender que seriam destruídos por Nabucodonosor.

Após o castigo que esse povo sofreu, às mãos de Assurbanipal e Nabucodonosor, eles diminuíram drasticamente em número, e, finalmente, foram assimilados por outras tribos árabes. As inscrições assírias mencionam-nos em seus conflitos com Assurbanipal. Muitas descobertas arqueológicas confirmam a importância de Quedar, em relação ao povo de Israel. Sabemos que a nona campanha de Assurbanipal foi dirigida contra Quedar. Gesém era um dos reis de Quedar na oportunidade. Também havia quedaritas estacionados na fronteira leste do Egito, que talvez tivessem sido deixados ali propositalmente pelos persas.

Os hagiógrafos islâmicos, ao reconstituírem a genealogia de Maomé, fazem-no descendente de Abraão e de Ismael por meio de Quedar.

QUEDEMÁ

No hebraico, «oriental». Um filho de Ismael, referido em Gên. 25:15 e I Crô. 1:31, e que deu nome à tribo da qual ele era o ancestral e chefe. Ele aparece como o filho mais novo de Ismael. Viveu em torno de 1820 A.C.

QUEDEMOTE

No hebraico, «regiões orientais». Nas páginas do Antigo Testamento aparece como um deserto e uma cidade, a saber:

1. Um deserto na região leste do território de Rúben, perto do rio Arnon, referido somente em Deu. 2:26.

2. Uma cidade do território de Rúben, entregue aos levitas, perto de Jaza e Mefaate, referida em Jos.

QUEDES — QUEFIRA

13:18; 21:37 e I Crô. 6:79. Dali foi que Moisés enviou mensageiros a Seom, rei de Hesbom (Deu. 2:26), pacificamente, para solicitarem passagem através de seu país. Quando da conquista da Terra Prometida, a cidade foi dada à tribo de Rúben, cabendo aos levitas meraritas. Tem sido identificada com a moderna Qasr ez Za'feran, cerca de treze quilômetros a nordeste de Dibom.

QUEDES

No hebraico, «santa», «santuário». Nada menos de quatro cidades receberam esse nome, nas páginas do Antigo Testamento, talvez por estarem associadas a antigos santuários:

1. Havia uma cidade murada com esse nome, no território de Naftali (Jos. 19:35-38). Havia sido uma cidade real dos cananeus. Tornou-se cidade levítica e de refúgio (que vide) (Jos. 20:7; 21:32). Baraque nasceu nesse lugar (Juí. 4:6). Ela aparece como uma das cidades de Naftali que Tiglate-Pileser conquistou, e cujos habitantes foram levados para a Assíria, durante o reinado de Peca (II Reis 15:29). No período intertestamentário, foi a cena de uma grande batalha havida entre os Macabeus e Demétrio (I Macabeus 9:63). Tem sido identificada com o moderno Tell Qades, a noroeste do lago Hulé.

2. Uma cidade do território de Issacar, doada aos levitas gersonitas (I Crô. 6:72). Ali um rei foi morto por Josué, sendo ela mencionada como uma das cidades do norte (I Crô. 12:22). O sexto capítulo de I Crônicas menciona tanto a Quedes de Naftali quanto a Quedes de Issacar (vss. 72 e 76). Na lista paralela de Josué 19:20, o nome Quisiom aparece, podendo ser uma outra forma do mesmo nome, e que pode ter sido assim chamada devido à sua proximidade de um rio com esse nome. O trecho de Juízes 4:11 afirma que Heber, o queneu, mudara-se para as vizinhanças de Quedes. Posteriormente, Sísera, ao fugir da batalha na qual foi derrotado, entrou na tenda de Heber, onde foi morto pela esposa deste, Jael (Juí. 4:17). Se ele tivesse fugido para Quedes da Galiléia, no território de Naftali, então teria tido de correr por mais de sessenta e cinco quilômetros! Portanto, deve ter havido uma outra Quedes, mais próxima.

3. Uma cidade de Judá (Jos. 15:23), que alguns estudiosos têm identificado com Cades-Barnéia (que vide). Ficava localizada perto da fronteira com Edom. Ficava próxima de Hazor e Itnã.

4. Alguns pensam ter havido uma outra Quedes, mencionada em Juí. 4:6,9-11, nas proximidades de onde estava o carvalho de Zaanim. Para ali é que Sísera teria fugido, quando de sua derrota militar às mãos das tropas comandadas por Débora e Baraque. Lemos em Juí. 4:17 que Sísera «fugiu a pé para a tenda de Jael, mulher de Heber, queneu». Ver sobre a segunda Quedes, acima, que ficava a mais de sessenta e cinco quilômetros de distância do local da batalha. Essa distância é que tem levado alguns estudiosos a postularem a existência de uma quarta Quedes, mencionada somente nessas citadas referências.

QUEDORLAOMER

O rei de Elão, líder dos três reis que invadiram Canaã na época de Abraão (Gên. 14:4). No relato de Gênesis, aprendemos que Abraão veio de Ur dos caldeus; e, através de Harã, chegou à Palestina. Ali ele cuidou de seus rebanhos de gado e ovelhas, e recuperou os despojos que tinham sido tomados das cidades da planície. Também no livro de Gênesis, somos informados sobre os atos de Quedorlaomer, no tocante a Abraão. Ele era o rei de Elão, um país a leste da Babilônia, no fundo do golfo Pérsico (Gên. 14:1,4,5). Ele aliou-se a três outros reis a fim de combater contra os cinco reis da região do mar Morto. Quando os governantes de Sodoma, Gomorra, Admá, Zeboim e de Zoar libertaram-se de sua hegemonia, ele tentou esmagar toda a resistência. Abraão entrou em conflito com ele, quando teve necessidade de libertar Jó, que fora levado como prisioneiro. Até agora, todas as tentativas para identificar esse homem com figuras históricas conhecidas, têm fracassado. A identificação com Hamurabi (cerca de 1700 A.C.) não é mais mantida. Pelo menos, podemos datá-lo como pertencente ao século XXI A.C.

1. *O Nome*. A primeira parte desse nome, *kudu* ou *kuti*, é a palavra elamita que significa «servo». Nas combinações, usualmente esse nome era vinculado ao nome de alguma divindade. A segunda parte do nome *lao'omer*, talvez seja uma referência à deusa Lakamar, que aparece nos textos acádicos de Agada, bem como no registro em babilônico antigo (Mari). O nome é próprio ao período de cerca de 2000-1700 A.C.

2. *Circunstâncias Históricas*. Coligações políticas, como aquela descrita no livro de Gênesis, referentes a esse homem, são refletidas nos textos cuneiformes do segundo milênio A.C. Porém, têm falhado todas as tentativas de identificação específica. Alguns tentam identificar esse homem com os chamados tabletes de Quedorlaomer, existentes no museu Britânico e pertencentes ao século VII A.C. Ali, o rei de Elão é chamado Ku.Ku.Ku.Mal. Alguns estudiosos pensam que isso representa quatro reis, não um só, cada qual representando diferentes *períodos* de quatro diferentes regiões do mundo, a saber: a Babilônia (sul); o Elão (leste); a Assíria (norte); e Goim (oeste). Se isso é verdade, então o décimo quarto capítulo de Gênesis é uma Midrash (que vide). (ID S UN Z)

QUEDROM

Uma cidade nunca mencionada com esse nome nos livros canônicos da Bíblia. Figura, porém, em I Macabeus 15:39-41 e 16:9. Ficava localizada entre Jamnia e Modin, tendo sido fortificada por Cendebeu, por ordem de Antíoco VII, da Síria, a fim de ser usada quando da invasão da Judéia, durante os dias de Simão Macabeu. Dali era possível controlar várias estradas que penetravam na Judéia. Talvez seja a mesma Gederá, mencionada em Jos. 15:36, a qual se chama, em nossos dias, Qatra.

QUEELATA

No hebraico, «convocação». Foi um dos acampamentos de Israel no deserto, a respeito do qual nada mais se sabe, além de seu nome (Núm. 33:22,23).

QUEFAR-AMONAI

No hebraico, «vila dos amonitas». Um lugar mencionado entre as cidades de Benjamim (Jos. 18:24). O local da mesma é desconhecido. O nome relembra-nos as invasões dos amorreus, nas ravinas que começam às margens do Jordão e daí vão subindo até às terras altas do território de Benjamim.

QUEFIRA

Uma cidade dos gibeonitas, entregue à tribo de Benjamim (Jos. 9:17 e 18:26). Parece ter sido uma vila dos heveus. A cidade continuava a existir após o cativeiro babilônico (Esd. 2:25; Nee. 7:29). Estava

QUEIJO — QUELUBE

localizada no lugar chamado Khirbet el-Keireh, acerca de três quilômetros ao norte de Quriate el Inabe, na estrada de Jerusalém a Jope, cerca de treze quilômetros a oeste-noroeste de Jerusalém.

QUEIJO

No hebraico temos duas palavras envolvidas:
1. *Gebinah*, «coalhada». Essa palavra aparece somente em Jó 10:10.
2. *Shaphah*, «queijo de vaca». Palavra que também só é usada por uma vez, em II Sam. 17:29.

Também é usada uma expressão hebraica, em I Sam. 17:18, que significa *fatias de queijo*. Não há outras menções ao produto em toda a Bíblia.

O uso da palavra, no livro de Jó, é figurado, falando sobre a formação do feto no ventre materno. Homero, em *Odi.* 9, dá-nos alguma idéia da preparação do produto na área do mar Mediterrâneo, mencionando como o leite era deixado pendurado em odres e peles de cabra, provavelmente um dos estágios de sua fabricação. A água era drenada, permitindo que o coalho fosse pressionado, para formar uma massa. Não há razão alguma para supormos que a preparação do queijo fosse diferente, em Israel, do que em qualquer outro lugar. No Oriente, o queijo geralmente tinha o formato de um bolo pequeno. O produto terminado era posto em cestos pequenos, feitos de junco ou de folhas de palmeira, que então eram amarrados e tomavam a forma de saquinhos. O vale Tiropeano, em Jerusalém, é o equivalente grego de «vale dos fabricantes de queijo», por ter sido a grande centro de fabricação de queijo em Israel. Sabe-se que o queijo era um item importante da dieta dos judeus. A Mishnah requeria que os israelitas só comessem queijo fabricado por israelitas, essencialmente por temor que o queijo dos pagãos tivesse sido fabricado com o leite de algum animal oferecido aos ídolos.

QUEILA

No hebraico, «cercada». Uma cidadela no território de Judá (Jos. 15:44). Ficava cerca de trinta e dois quilômetros a sudoeste de Jerusalém. Nos dias de Davi, essa cidade foi cercada pelos filisteus. Davi dirigiu-se à mesma, a fim de libertá-la dos filisteus, mas seus ingratos habitantes tê-lo-iam entregue a Saul, se ele não tivesse escapado dali (I Sam. 23:1-13). Esse lugar é mencionado nas cartas de Tell el-Amarna com o nome de Qilti. Os exércitos passavam por Queila, na direção do Egito ou vindos de lá, conforme o demonstram as cartas dos príncipes de Jerusalém e Hebrom a Aquenaton, Faraó do Egito. Após o exílio babilônico, o lugar foi novamente ocupado pelos judeus, e alguns deles participaram da reconstrução das muralhas de Jerusalém, sob Neemias (Nee. 3:17,18). Há tradições que dizem que o profeta Habacuque foi sepultado ali. Tem sido identificada com a moderna Khirbet Qila, cerca de quinze quilômetros a noroeste de Hebrom.

QUEILA (ABIQUEILA)

Em nossa versão portuguesa esse foi o nome de um descendente de Calebe, filho de Jefoné, mencionado em I Crô. 4:19. Ele é chamado «garmita», um patronímico que significa «forte» ou «ossudo». Seu pai é dado como Naum, da tribo de Judá. Entretanto, esse versículo, em nossa versão portuguesa, está com alguma falha, pois dá a impressão de que Abiqueila, o garmita, e Estemoa, o maacatita, eram filhos da mulher de Hodias, o que, convenhamos, é uma frase muito estranha, dando a impressão que, ao casar-se com Hodias, já tinha esses dois filhos. Na verdade, o trecho é confuso até mesmo no hebraico. Várias traduções em inglês têm procurado encontrar a solução para a obscuridade. Talvez a melhor seja a tentativa da Berkeley Version, da Zondervan Publishing House (1960), que diz, vertendo aqui o versículo para o português: «A esposa de Hodias era a irmã de Naã, e os filhos dela, um de Gerém e o outro de Maacá, foram os ancestrais, respectivamente, de Queila, o garmita, e de Estemoa, o maacatita». O hebraico, a Septuaginta e as versões inglesas que pude examinar dizem *Queila*, nesse versículo. As versões portuguesas variam entre *Queila* e *Abiqueila*.

QUEIXO Ver sobre **Maxilar, Osso Maxilar**.

QUELAÍAS

No hebraico, «insignificante». Mas outros estudiosos preferem «Yahweh é luz». Esse foi o nome de um levita, que precisou divorciar-se de sua esposa estrangeira, após retornar do cativeiro babilônico (Esd. 10:23). Ele também é mencionado em I Esdras 9:23, onde é chamado Quelita. Esse nome também se acha em Neemias 8:7; 10:10 e I Esdras 9:48, mas não há certeza se a mesma pessoa está em foco. Viveu em torno de 450 A.C.

QUELAL

No hebraico, «perfeição». Esse nome, que só aparece em Esd. 10:30, indicava um dos oito filhos de Paate-Moabe, um homem que tomara esposas estrangeiras e precisou divorciar-se delas, quando terminou o cativeiro babilônico, ao voltar a Israel (cerca de 458 A.C.)

QUELEANOS

Um povo cuja identidade é desconhecida. De acordo com Judite 2:23, eles viviam ao norte dos ismaelitas, mas, o termo é tão vago que deixa os estudiosos em dúvida. Talvez devessem ser vinculados à moderna el-Khalle, antiga Cholle, que ficava situada entre Palmira e o rio Eufrates. Outros eruditos, porém, localizavam-nos ao norte das tribos ismaelitas, os quais viviam na parte oriental da Palestina, perto do deserto da Arábia, ainda que outros os façam habitantes da cidade chamada *Quelus* (que vide).

QUELITA

Ver sobre **Quelaías**.

QUELODE

Os filhos de Quelode encontravam-se entre aqueles que obedeceram à convocação de Nabucodonosor para fazer guerra contra Arfaxade (Judite 1:6). Essa palavra evidentemente é uma corrupção, talvez um apelido dado aos sírios, chamados «filhos das toupeiras» (*kholed*).

QUELUBE

No hebraico, «gaiola» ou «cesto». Nome de dois personagens da Bíblia, a saber: 1. O irmão de Suá e pai de Meir, da tribo de Judá (I Crô. 4:11). 2. O pai de Ezri, que era jardineiro de Davi (I Crô. 27:26), em cerca de 1000 A.C. O nome pode ser uma variação de Calibe.

QUELUÍ

Nome de sentido desconhecido no hebraico, mas talvez relacionado à raiz *klh*, «completo». Era nome de um levita, filho de Bani, homem que tomara esposa estrangeira enquanto estava no cativeiro, mas que, posteriormente, foi obrigado a divorciar-se dela (Esd. 10:35). O nome não aparece no paralelo de I Esdras 9:35.

QUELUS

Um lugar para além do Jordão, para onde Nabucodonosor enviou uma convocação, recrutando homens para irem à guerra (Judite 1:9). Ficava situado a sudoeste de Jerusalém, perto de Betânia, ao norte de Cades, às margens do rio do Egito. Atualmente tem sido identificado com a moderna Khalasa, ao sul de Berseba, em uma importante estrada que ia na direção sul, de Jerusalém ao Egito, e na rota de caravanas entre Gaza e Edom.

QUEMARIM

A palavra hebraica, de sentido desconhecido, aparece somente por duas vezes, em II Reis 23:5 e em Osé. 10:5. Algumas traduções transliteram essa palavra, por não se saber o que ela significa. Nossa versão portuguesa a traduz por «sacerdotes», na primeira dessas referências e por «sacerdotes idólatras», na segunda. O Antigo Testamento só aplica essa palavra à idéia de sacerdotes idólatras. É possível que o vocábulo esteja relacionado à raiz aramaica *kumra*, que pode ser aplicada a qualquer tipo de sacerdote, bom ou mau. Porém, no Antigo Testamento, o termo sempre se reveste de um sentido negativo, como os sacerdotes dos lugares altos (II Reis 23:5), os que serviam ao bezerro de ouro, em Betel (Osé. 10:5), e os sacerdotes de Baal, em Sof. 1:4.

QUEMUEL

No hebraico, «assembléia de Deus» ou «Deus levanta-se». Esse foi o nome de três personagens do Antigo Testamento:

1. O terceiro filho de Naor, irmão de Abraão, o qual foi pai de seis filhos, o primeiro dos quais chamava-se Arã, e o último, Betuel (Gên. 22:21,23). Todas essas pessoas são de história desconhecida, exceto o último desses homens, o qual foi pai de Labão e Rebeca (Gên. 24:15). Arã foi o nome próprio que Quemuel deu a seu primogênito, mas, visto que no hebraico também significa «Síria», alguns intérpretes, erroneamente, têm pensado que os sírios descendem dele. A Síria, entretanto, já constituía um povo quando esse homem nasceu, 1800 A.C.

2. Um filho de Siftã, líder da tribo de Efraim. Foi um dos doze homens nomeado por Moisés para dividir a Terra Prometida entre as tribos (Núm. 34:24). Viveu em torno de 1170 A.C.

3. Um levita, pai de Hasabias, o qual era príncipe da tribo de Levi, na época de Davi (I Crô. 27:7). Viveu em cerca de 1000 A.C.

QUENÃ

No hebraico, «fixo», ou então, na opinião de outros, «adquirido» ou «gerado». Foi pai de Enos, pai de Maalalel (Gên. 5:9; I Crô. 1:2). Esse nome corresponde a Cainã, uma forma que se encontra na genealogia de Jesus, em Luc. 3:36. O texto hebraico, conforme contamos com ele, não inclui esse nome, mas aparece na Septuaginta, em Gên. 5:24 e 11:12. Por essa razão, alguns estudiosos pensam que esse nome foi uma adição feita na Septuaginta, embora também apareça no texto do evangelho de Lucas. Porém, não há qualquer evidência textual objetiva para tal conjectura.

QUENAANÁ

No hebraico, «chato» ou «baixo». Nome de dois homens que figuram nas páginas do Novo Testamento, a saber:

1. Um filho de Bilã, um descendente de Benjamim, cabeça de uma casa benjamita (I Crô. 7:10), provavelmente da família dos belaítas (cerca de 1020 A.C.).

2. Pai ou antepassado de Zedequias, um falso profeta, o qual encorajou Acabe a subir contra Ramote-Gileade (I Reis 22:11,24 e II Crô. 18:10,23), em cerca de 896 A.C. Entretanto, alguns estudiosos pensam que esses dois homens na realidade eram uma só pessoa.

QUENANI

No hebraico, «feito ou nomeado por Yahweh». Era nome de um levita que oficiou quando da solene purificação do povo, sob Esdras (Nee. 9:4), em cerca de 459 A.C.

QUENANIAS

No hebraico, «bondade de Deus». Esse é o nome de dois homens do Antigo Testamento:

1. Um mestre dos músicos do templo, que conduzia os cultos musicais quando a arca foi removida da casa de Obede-Edom para Jerusalém (I Crô. 15:22). A Bíblia de Jerusalém empresta a ele um ofício mais amplo, fazendo-o também diretor do transporte (vs. 27) e um profeta do templo (vs. 22).

2. Um jizarita que, com seus filhos, cumpria deveres fora do templo de Jerusalém, como oficiais e juízes que eles eram (I Crô. 26:20; Nee. 11:16).

QUENATE

No hebraico, «possessão». Esse era o nome de uma cidade de Manassés, do outro lado do rio Jordão. Foi conquistada dos amorreus por Noba, tendo recebido, posteriormente, o nome desse homem (Núm. 32:42). Mais tarde, foi recapturada por Gesur e Arã (I Crô. 2:23). Tornou-se uma das cidades da Decápolis (que vide), quando então recebeu o nome de Canata. Foi nesse lugar que Herodes, o Grande, foi derrotado pelos arabaianos (Josefo, *Guerras* 1:19,2). Tem sido identificada com a moderna Qanawat, a pouco menos de vinte e sete quilômetros a nordeste de Bostra. Os arqueólogos têm feito ali muitas escavações, com muitos resultados positivos, especialmente nas camadas referentes ao período greco-romano. O número de edifícios em ruínas, ali encontrados, é considerável.

QUENAZ

No hebraico, «caçador». Outros preferem o sentido «flanco». Essa é uma forma singular do clã, «quenezeu» (que vide). Há três homens com esse

QUENEUS — QUENOBOSQUIOM

nome, no Antigo Testamento:

1. Um filho de Elifaz, neto de Esaú (Gên. 36:11; I Crô. 1:36), que foi um dos líderes dos idumeus (Gên. 36:15). Viveu em torno de 1740 A.C.

2. Um dos irmãos mais novos de Calebe (Jos. 1:13), pai de Otoniel, que foi um dos juízes de Israel (Jos. 15:17; Juí. 3:9). Viveu em cerca de 1490 A.C.

3. O filho de Elá, neto de Calebe (I Crô.). Viveu em cerca de 1400 A.C.

QUENEUS

No hebraico, «ferreiro», «trabalhador em metais». Esse povo é mencionado por treze vezes no Antigo Testamento: Gên. 15:19; Núm. 24:21,22; Juí. 1:16; 4:11,17; 5:24; I Sam. 15:6; 27:10; 30:29 e I Crô. 2:55. A palavra pode referir-se ao nome do clã quenita. No hebraico, o nome é equivalente ao de Caim, filho primogênito de Adão, embora não haja razões para vincularmos um nome ao outro, como se os queneus fossem descendentes de Caim. Esses pereceram no dilúvio, e a terra foi repovoada pelos descendentes de Noé, que era descendente de Sete. Em Números 24:22 é proferido um juízo divino contra esse clã, embora vivessem fortemente protegidos por suas rochas e montanhas. Eles estavam muito reduzidos em número nos dias de Saul (I Sam. 15:6). Tiglate-Pileser, rei da Assíria, quando exilou o povo da Síria, levou o povo desse clã juntamente com os sírios (II Reis 16:9).

Em nossa versão portuguesa, «Caim» é também o nome de uma cidade localizada perto de Hebrom, no território de Judá (Jos. 15:57). Em outras versões, o nome dessa cidade é «Queneu». Ela tem sido tentativamente identificada com a Khirbet Yaquin, a sudeste de Hebrom. A Septuaginta não menciona o lugar, pelo que, nesse trecho, esta versão dá nove cidades, em vez de dez.

Originalmente, os queneus eram uma tribo midianita (Núm. 10:29). Ao que parece, eles trabalhavam com metais, conforme o nome indica, no hebraico. Nas regiões por eles habitadas, segundo os arqueólogos têm demonstrado, há minas e fundições de cobre. O nome aparece pela primeira vez em Gên. 15:19, indicando os habitantes cananeus da Palestina, nos tempos patriarcais. Uma das áreas habitadas era a faixa que acompanha as costas marítimas do Mediterrâneo, a sudoeste de Hebrom (Juí. 1:16), embora eles também fossem conhecidos como nômades. Hobabe, o filho de Reuel, sogro de Moisés, era queneu (Êxo. 2:18). Moisés convidou seu sogro para acompanhá-lo como guia dos israelitas, em face de sua grande experiência como nômade (Núm. 10:29).

Os queneus também ocupavam a área atual do wadi Arabah (Núm. 24:20-22), no que veio a ser o território de Naftali (Juí. 4:11). Nos tempos de Davi e Salomão, eles foram mencionados em associação a Judá (I Sam. 15:6; 27:10). Heber, mencionado em Juí. 4:11 e 5:24, era queneu, e os ascetas recabitas, de I Crô. 2:55, pertenciam a essa tribo.

Os queneus acompanharam a tribo de Judá à herança deles (Juí. 1:16; I Sam. 27:10). Foram poupados por Saul, e sua guerra contra os amalequitas (I Sam. 15:6). Davi cultivava a amizade deles (I Sam. 30:29). As aldeias de Jezreel e Carmelo são mencionadas juntamente com a cidade de Caim, em Jos. 15:55, e duas das esposas de Davi vieram dessas aldeias. Por essa razão, alguns supõem que essas mulheres eram quenitas, embora não há evidências conclusivas quanto a essa conjectura. Com base em I Samuel 30:26-31, alguns estudiosos chegam a pensar que o próprio Davi era queneu, porquanto os queneus eram grandes cultores da música, na época, o que explicaria o interesse de Davi pela música, na promoção do ritual religioso. Esse argumento também alicerça-se sobre o fato de que Davi enviou presentes a seus «parentes», os anciãos de Judá, entre os quais haveria queneus. Mas outras traduções, como a nossa tradução portuguesa, dizem ali «amigos», sentido que a palavra hebraica envolvida pode ter. Isso, entretanto, contradiria outros trechos bíblicos, onde Davi aparece claramente como descendente de Judá. Portanto, um Davi queneu não passa de uma conjectura, que a maioria dos eruditos repele.

A Hipótese Quenita. Alguns intérpretes supõem que um dos nomes de Deus, a saber, **Yahweh**, originou-se entre os queneus. Eles supõem que Moisés tomou conhecimento dessa palavra com Jetro, seu sogro queneu-midianita. Presumem eles que o sacrifício oferecido por Jetro (Êxo. 18:12) foi feito para instruir Moisés quanto à adoração a Yahweh. No entanto, se aceitarmos o versículo anterior a esse, veremos que Moisés foi o mestre, e Jetro foi o aprendiz, e não ao contrário. Os queneus-recabitas, de um período posterior, eram zelosos adoradores de Yahweh, mas fizeram-no como convertidos à fé judaica, e não como originadores da mesma. Esses teóricos supõem que, originalmente, Yahweh era um deus do fogo, e trabalhadores em metais, como eram os queneus, naturalmente teriam interesse em promover o culto de um deus assim. Além disso, eles supõem que Caim foi seu mais remoto antepassado, e que, visto que ele tinha a marca de Yahweh, ou do Senhor, os queneus, de milênios mais tarde, eram zelosos adoradores dele (ver Gên. 4:15). Tudo isso reflete um raciocínio extremamente deficiente. O trecho de Gênesis 4:1,25 revela que os patriarcas já eram adoradores de Yahweh, o que significa que a adoração a Yahweh não foi um desenvolvimento já da época do povo de Israel, estabelecido na Palestina. (JBL (52, 212-229:1933) ND Z)

QUENEZEU

Nome de um clã ou família. Ver o artigo sobre *Quenaz*. Essa era uma das tribos que ocupava o sul da Palestina (Gên. 15:19). A terra deles foi prometida por Yahweh a Abraão. Eram aparentados dos queneus (que vide), e, como eles, eram excelentes artífices em metais, do vale do Jordão, rico em cobre. Essa palavra é usada como um epíteto para indicar Calebe, sendo possível que ele descendesse do idumeu Quenaz (que vide). Nomes idumeus e horeus aparecem na genealogia de Calebe. Lemos que ele era filho de Jefoné, o quenezeu (Núm. 32:12; Jos. 14:6,14). Os quenezeus são descritos como um povo estrangeiro (Gên. 15:19). A Calebe foi prometida uma porção na Terra Prometida, com base em sua fidelidade, e não por direito de nascimento. Entretanto, as genealogias dos capítulos dois e quatro de I Crônicas fazem dele um neto de Judá, através de Hezrom (2:9,18). Por essa razão, muitos eruditos têm encarado as genealogias dos livros de Crônicas como uma tentativa proposital de dar a Calebe posição legal em Israel, no judaísmo pós-exílico. Há nisso tudo uma discrepância que não é fácil de resolver. Por essa razão, alguns sugerem que devemos pensar em mais de um Calebe, o que não é impossível.

QUENOBOSQUIOM

No cóptico, **Sheneset**, «pastagem de ganso». Nome de uma antiga cidade do Egito, a leste do Nilo, acerca

QUERÃ — QUERIOTE

de quarenta e oito quilômetros ao norte de Luxor. Um mosteiro cristão foi fundado no lugar por Pacômio, em cerca de 320 D.C. Perto dali, em cerca de 1945, foi encontrada uma biblioteca de material gnóstico, a maior parte na forma de traduções cópticas do grego. Essa descoberta incluiu cerca de quarenta e nove documentos, em treze códices de papiro, atualmente intitulados os manuscritos de Nag Hammadi, provavelmente porque foi nessa localidade, a oeste do rio, que a descoberta foi pela primeira vez noticiada. Um desses documentos é chamado Códex Jung por haver sido adquirido por aquele instituto de Zurique. Outros documentos encontram-se agora no Museu Cóptico do Egito, no Cairo. Essas obras estão sendo publicadas, pouco a pouco. Entre elas há o Evangelho da Verdade (contido no Códex Jung), o Evangelho de Tomé (em um dos códices do Cairo). O Evangelho da Verdade é uma espécie de meditação especulativa sobre a mensagem cristã, originada na escola valentiniana do gnosticismo, talvez tenha sido uma produção do próprio Valentino, em cerca de 150 D.C. O Evangelho de Tomé contém cento e catorze declarações atribuídas a Jesus, fragmentos dos quais, em grego, foram encontradas em Oxyrhinchus, nos fins do século XIX e no começo do século XX. O que encontramos nessa descoberta é uma espécie de fragmento da biblioteca do gnosticismo (que vide). Ver também o artigo separado sobre os *Manuscritos de Nag Hammadi*. (DOR ND)

QUERÃ

Um dos filhos de Disã, filho de Seir, o horeu (Gên. 36:26; I Crô. 1:41), em cerca de 1920 A.C.

QUERÉIAS

Um capitão amonita, irmão de Timóteo, que se opôs a Judas Macabeu (I Macabeus 5:6). Ele controlava a fortaleza de Gazara (I Macabeus 5:8). Judas Macabeu assediou essa fortaleza. Judas venceu a batalha e executou os dois irmãos, Queréias e Timóteo, além de muitos dos seus seguidores (II Macabeus 10:32-38).

QUÉREN-HAPUQUE

No hebraico, «chifre de pintura», ou seja, «caixa de cosmético», embora outros estudiosos prefiram «sombra para os olhos». Esse foi o nome da filha mais jovem de Jó, que lhe nasceu quando sua prosperidade lhe tinha sido devolvida pelo Senhor (Jó 42:14). Provavelmente, o nome diz respeito à sua beleza física. Ela viveu em cerca de 1590; mas tudo depende em que período devemos situar a vida de seu pai, Jó, o que constitui um dos problemas cronológicos do livro que tem o seu nome.

QUERETEUS

Esse nome é de significação incerta, mas a alusão é à guarda real de Davi, uma tropa de elite (II Sam. 8:18 e I Crô. 17:17).

1. *Significado do Nome*. As traduções desse termo hebraico têm sido diversas, como «chefes», «corredores», «executores», etc. Porém, parece melhor entender esse palavra como um nome próprio, e não como um substantivo comum. A palavra é o plural de quereteu, uma referência às tribos filistéias que habitavam na porção sudoeste da terra de Canaã (I Sam. 30:14). Ver os comentários abaixo, sobre esse termo. Os membros da guarda pessoal de Davi incluíam homens provenientes das áreas que aqueles filisteus haviam ocupado, razão pela qual esse corpo de elite acabou sendo conhecido por esse nome.

2. *As Tribos Filistéias*. O termo «quereteus» referia-se aos filisteus que habitavam na porção sudoeste de Canaã (I Sam. 20:14). Os trechos de Ezequiel 25:16 e Sofonias 2:5 usam o nome como sinônimo dos filisteus em geral. A LXX diz ali cretenses, e é possível que isso seja correto, pois atualmente acredita-se que os filisteus (que vide), são provenientes de Creta. Na escrita cuneiforme temos *kaptara*. Alguns eruditos, entretanto, supõem que apesar de relacionados aos filisteus, os quereteus nunca estiveram diretamente associados à ilha de Creta, podendo ter tido outra origem, embora tivessem sido assimilados subseqüentemente pelos filisteus. O termo «peletitas», usado como sinônimo dos quereteus, pode ter sido empregado para evitar a idéia de que Davi estava por demais intimamente associado aos filisteus, e, nesse caso, o termo foi formado por analogia, com aquele outro, ou então por assimilação fonética. As identificações exatas, porém, continuam na dúvida.

3. *As Tropas de Davi*. Quantas daquelas pessoas, embora filistéias, haviam sido incorporadas ao povo de Israel. E, além disso, os israelitas daquelas áreas eram simplesmente chamados por esse nome, embora não fossem de ascendência filistéia? É provável que ambas as situações existissem ali. Seja como for, os nomes quereteus e peletitas tornaram-se um termo coletivo para indicar as tropas de elite de Davi (II Sam. 8:18; 15:18; 20:7,23; I Reis 1:33,44; I Crô. 18:18). Posteriormente, eles passaram a ser chamados «capitães dos cários e da guarda» (II Reis 11:4,19). Eles mostraram-se leais a Davi em períodos de crise, em todas as revoltas que perturbaram a sua vida. Eles o acompanharam quando ele fugiu de Absalão (II Sam. 15:18). Eles perseguiram Seba, após a rebelião do mesmo (II Sam. 20:7). Quando Adonias tentou suceder a Davi, por um golpe de astúcia, foram eles que deram apoio à escolha de Salomão, formando a guarda pessoal para a sua unção como rei (I Reis 1:38). O líder deles era Benaia, filho de Joiada (II Sam. 8:18), o qual também é chamado de líder da guarda pessoal de Davi (II Sam. 23:23). (G HA JM)

QUERIOTE

No hebraico, «cidades» ou «aldeias». É o nome de duas cidades, nas páginas do Antigo Testamento:

1. Uma cidade de Moabe, referida juntamente com Dibom e outros lugares, em Jeremias 48:24. Talvez seja um outro nome de Ar, a antiga capital dos moabitas, por causa do lugar proeminente que lhe é dado, na enumeração das cidades de Moabe, quando Queriote é citada e Ar é omitida (Jer. 48), ou vice-versa (Isa. 15 e 16). Ver também Amós 2:2. O lugar tem sido identificado com a moderna Saliya, cerca de quarenta quilômetros a leste do mar Morto, imediatamente ao norte do rio Arnon. No Antigo Testamento há predições de sua destruição. A cidade é mencionada na pedra Moabita, linha 13.

2. Uma cidade ao sul do território de Judá (Jos. 15:25), talvez pertencente à tribo de Simeão. Parece ser a cidade aludida no nome de Judas Iscariotes (que vide) que seria nativo dessa cidade, se isso é verdade. O local tem sido identificado com Khirbet el-Qarratein, a pouco mais de vinte e dois quilômetros ao sul de Hebrom, e a vinte e cinco quilômetros a oeste do mar Morto.

••• ••• •••

QUERIOTE — QUERUBIM

QUERIOTE-HEZROM
Uma cidade do distrito do Neguebe, no território de Judá (Jos. 15:25). Nesse versículo ela é identificada com Hazor (que vide). Tem sido modernamente identificada com Khirbet el-Quaryatein, cerca de oito quilômetros ao sul de Maom.

QUERITE
Um ribeiro existente na Transjordânia, onde Elias escondeu-se, após fugir da rainha Jezabel (I Reis 17:3,5). Um local proposto é o wadi Kelt, um riacho de águas revoltas que deságua no vale do Jordão. Porém, a expressão bíblica «fronteira ao Jordão», parece dar a entender que esse ribeiro ficava a leste daquele lugar, bem como na própria terra nativa de Elias, Gileade. Nesse caso, o wadi Yabis, defronte de Bete-Seã, parece ser a identificação mais provável. A localização do mesmo permanece em dúvida, e qualquer wadi, entre os inúmeros ali existentes, com suas numerosas cavernas, pode ter sido o lugar.

QUEROS
No hebraico, «dobrado». Ele foi ancestral de uma família de servidores do templo, que retornaram da Babilônia com Zorobabel. Seu nome aparece em Esd. 2:44 e Nee. 7:47, como também em I Esdras 5:30. Viveu em cerca de 630 A.C.

QUERUBE
No Antigo Testamento, temos o nome de um dos lugares de onde voltaram exilados, terminado o cativeiro babilônico, em companhia de Zorobabel (Esd. 2:59 e Nee. 7:61). E, no livro apócrifo de I Esdras 5:36, esse é o nome de um dos homens de Israel que voltaram do exílio babilônico.

QUERUBIM
1. *O Nome*. Em português, o nome está no singular, mas reflete a forma plural no hebraico. O sentido dessa palavra, no hebraico, é incerta, embora possa estar em foco a idéia de *intercessor*, vindo de uma raiz básica do acádico, *caribu* ou *kuribu*. Seja como for, os querubins eram uma classe de seres angelicais.

2. *As Ordens Angelicais*. É bastante antiga a formação de uma angelologia, incorporando a idéia de que há várias ordens, classes, poderes ou mesmo espécies de anjos. Ver o artigo sobre os *Anjos*. A maioria dos estudiosos acredita que esse desenvolvimento ocorreu, a princípio, na religião persa, e dali passou para o judaísmo; e, deste, para o cristianismo. O judaísmo contava com uma hierarquia de anjos, encabeçada por *sete* ou *quatro* arcanjos. Haveria miríades de anjos subordinados, e muitas ordens e funções. Coletivamente falando, eles eram servos de Deus, ministros seus que garantiam que a sua vontade seria cumprida por toda a sua criação, tanto nos céus quanto na terra. Estariam envolvidos em toda a forma de fenômeno natural e sobrenatural.

3. *A Ordem e a Classe dos Querubins, e Sua Aparência*. Nessa conexão, ver abaixo sobre a *aparência* desses seres. Por causa da associação dos querubins com asas e outras características, alguns arqueólogos têm pensado em uma identificação com a esfinge alada ou com o leão alado, dotado de cabeça humana, o que aparece como artigo proeminente da arte na Síria-Palestina. Outros os têm identificado com os colossos assírio-babilônicos, com os grifos egípcios, e com outras figuras tais. Supor que não há conexão alguma entre eles e tais representações, ao menos no tocante a como esses seres eram concebidos pelos hebreus, parece-me uma maneira muito precária de pensar. Não parece provável que as representações simbólicas dos hebreus se tenham originado em um vácuo. Também é improvável que as nações pagãs tenham feito empréstimos das noções dos hebreus, com distorções, assim inventando seus deuses grotescos, parte homem e parte animal. Porém, estabelecer paralelos e identificações específicas também é precário. As escavações arqueológicas têm descoberto todas as espécies de formas híbridas na Assíria, na Babilônia, entre os hititas, gregos, egípcios e cananeus, a partir dos dois primeiros milênios A.C. Assim, têm sido encontradas esfinges aladas, o trono esfinge do rei Airão de Biblos, seres humanos dotados de asas mas com cabeça de águia, e todas as espécies de formas com um misto de animal e homem, como se fossem figuras divinas.

4. *Aparência dos Querubins*. A arqueologia tem lançado bastante luz sobre a aparência dos querubins, conforme os mesmos apareciam nas figuras rituais dos hebreus. Um par de querubins foi encontrado, como apoio do trono do rei Hirão, de Biblos, de cerca de 1200 A.C. Era uma criatura dotada de corpo de leão, rosto humano e asas avantajadas. Os querubins mandados fazer por Salomão estariam postos sobre seus pés (II Crô. 3:13). Ezequiel diz que eles se assemelhavam a um homem, mas com asas (Eze. 10:8). O leão alado com cabeça humana (esfinge com asas), aparece por centenas de vezes na iconografia da Ásia ocidental, entre 1800 e 600 A.C. Por muitas vezes, os querubins aparecem apoiando o trono de alguma divindade. É perfeitamente claro que essas representações, descobertas pela arqueologia, ajustam-se às descrições bíblicas. Ezequiel fala de querubins com dois rostos, um de homem e outro de leão (Eze. 41:18), ou então com quatro rostos (Eze. 1:6,10; 10:14,21,22). Nesse caso, além dos leões, havia uma cabeça de boi. As asas são mencionadas em relação aos querubins, em I Reis 6:24, asas essas que seriam quatro, de acordo com Eze. 1:6,11. Duas asas estavam estendidas por cima da figura, e duas eram usadas para voar, ao passo que duas outras lhe cobriam o corpo. Sob as asas havia mãos humanas (Eze. 1:8; 10:8,21). E seus pés assemelhavam-se à sola das patas de uma vaca (Eze. 1:7).

5. *Usos no Templo de Jerusalém*. Figuras de querubins decoravam as portas e as paredes do templo de Salomão. Dois querubins eram feitos de madeira de oliveira, recoberta de ouro. Essas figuras foram postas no santuário do templo, com suas asas voltadas para cima, tocando nas pontas umas das outras, no meio da câmara, e debaixo das quais havia a arca (que vide). A própria arca tinha as figuras de dois querubins de ouro batido, defronte uma da outra, nas duas extremidades da tampa da arca, ou propiciatório (no hebraico, *kaporet*). Suas asas estavam elevadas para cima, formando uma espécie de tela. Era ali, entre os dois querubins, que Deus revelava-se e comunicava a sua mensagem. Yahweh é assim referido em I Sam. 4:4; II Sam. 6:2; II Reis 19:15; Sal. 80:2 e 99:1, como Aquele que estava entronizado entre os querubins. No segundo templo, porém, segundo tudo indica, não havia querubins. Na visão de Ezequiel, o trono do Senhor repousava sobre as asas dos quatro querubins, cada um dos quais tinha a forma de um homem com quatro rostos, a saber, de um homem, de um leão, de um boi e de uma águia, e cada qual tinha quatro asas, com mãos

QUERUBIM — QUESIL

humanas por baixo das mesmas. Cada querubim tinha uma roda a seu lado, que se movia juntamente com o querubim, e tanto o querubim quanto essa roda eram recobertos de olhos. Isso posto, esses querubins serviam de carruagem divina.

6. *Como uma Ordem Angelical*. Antes de tudo, torna-se mister dizer que as apresentações descritas acima devem ser entendidas simbolicamente. Não é necessário supormos que os anjos, ou qualquer classe entre eles, realmente tenham essas características. Também é patente que as descrições acima concordam com a atmosfera religiosa da Palestina, do Egito e da Assíria, naquele tempo. Podemos perceber sentidos simbólicos nessas descrições, e não devemos rebuscar além disso. Dentro da hierarquia angelical, que se desenvolveu posteriormente, os querubins vieram a ser situados em várias posições, dentro da escala dos poderes angelicais. As funções deles eram de guardiães e assessores do Senhor. Com base nas referências bíblicas, não conseguimos descobrir para eles quaisquer patentes fixas, formando uma hierarquia bem ordenada. Porém, o fato de que os querubins são pintados como assessores de Deus, associados ao seu trono, parece sugerir que eles ocupavam uma elevadíssima posição.

7. *Funções*. a. *Como Guardiães*. Depois que Adão e Eva foram expulsos do jardim do Éden, Deus pôs querubins e uma espada flamejante, que se revolvia, a fim de guardar o acesso à árvore da vida (Gên. 3:24). O uso da figura, no templo de Salomão, sugere a mesma atividade. Nos países ao redor de Israel, os arqueólogos têm encontrado figuras de querubins como guardas de cidades, palácios e templos. b. *Sua Associação ao Fogo*. No monte santo, os querubins andariam entre pedras de fogo. Na visão de Ezequiel, eles são retratados em meio a relâmpagos e trovões (Eze. 1:4,13,14,27,28). O relâmpago era um antigo símbolo do poder dos deuses. Brasas de fogo estariam entre os querubins e as rodas da carruagem divina (Eze. 10:6). Os querubins espalharam brasas sobre a cidade de Jerusalém, um símbolo de julgamento divino (Eze. 10:2). c. *Transportadores do Trono-Carruagem de Deus*. Ver I Sam. 4:4; II Sam. 6:2; II Reis 19:15; Sal. 80:1; 99:1 e Isa. 37:6. Deus manifestava-se a Moisés dentre os dois querubins, montados nas extremidades opostas do propiciatório ou tampa da arca (Êxo. 25:22). Essa representação tem paralelos nos cultos do Oriente próximo, nos quais há divindades ilustradas a montar sobre leões, bois ou animais mistos. As rodas da carruagem de Deus seriam impulsionadas por esses seres (Eze. 1:16,17), e, com suas asas, eles faziam o trono voar (Eze. 10:16). Portanto, Yahweh usa essa carruagem e flutua sobre nuvens rápidas, e, dessa maneira, controla as condições atmosféricas (Sal. 104:3 e Isa. 19:1). Outro tanto é dito acerca de várias divindades do panteão cananeu. O *Texto de Ugarite*, pág. 484, fala sobre os montadores das nuvens. Os trechos de II Sam. 22:11 e Sal. 18:10, aludem a Deus montado sobre um querubim. Salmos 80 encerra descrições que nos fazem relembrar as descrições do deus-sol, de outras culturas. Ele teria um rosto resplandecente, montado sobre um querubim, atravessando o firmamento. Paralela a essa concepção é a idéia do sol alado do antigo Oriente próximo, bem como as carruagens solares da adoração pagã ao sol (II Reis 23:11). Esses muitos paralelos simplesmente são óbvios demais e exatos, para supormos que todas essas coisas tiveram um desenvolvimento separado e original. Em todas essas idéias religiosas, houve muitos empréstimos e cópias. Não sabemos dizer o quanto os hebreus aceitavam isso literalmente, e o quanto entendiam de modo poético e simbólico. Talvez ambas as concepções estivessem envolvidas. Na verdade, nosso conceito de Deus vai-se aprimorando, —à medida que os séculos se passam; e nunca chegará o tempo em que o nosso conceito sobre o Senhor será perfeito. A maioria dos homens cria um Deus segundo a sua própria imagem, conforme a sua própria imaginação. Nosso conhecimento sobre Deus continua bastante cru. d. *Decorações Simbólicas*. Os querubins eram usados como símbolos, em Israel e em outras culturas antigas; mas, ao mesmo tempo, eles se revestiam de valor decorativo. Sobre o propiciatório da arca do pacto, havia as figuras de dois querubins, de frente uma para a outra. Eram feitas de ouro, formando uma peça sólida com a tampa do propiciatório. Suas asas estavam abertas como que para fazer uma sombra. No tabernáculo, havia figuras de querubins bordadas nas dez cortinas brancas, de linho fino retorcido, tecidas em azul, **púrpura e escarlate**. Essas cortinas tinham cerca de 13,50 m de comprimento cada, e então eram reunidas aos pares, a fim de cobrirem tanto a parede externa como a cobertura mais interior da tenda (Êxo. 26:1 ss, 36:8 ss). Um outro véu, feito do mesmo material, era pendurado entre o Lugar Santo e o Santo dos Santos (Êxo. 26:31 ss, 36:35 ss). No templo de Salomão, no santuário mais interior, havia dois querubins entalhados em madeira de oliveira e recobertos de ouro (I Reis 6:23-28). Tinham 4,45 m de altura e asas exatamente com a metade dessas dimensões, de tal modo que, —abertas— elas atingiam 4,45 m. Figuras de querubins, palmeiras e flores abertas haviam sido entalhadas nos painéis de madeira das paredes do templo. E também havia os suportes das bacias, em número de dez, de bronze, com a forma de um carroção. Os painéis desses carroções tinham decorações que representavam leões, bois, querubins e grinaldas. Na visão de Ezequiel (Eze. 41:17-20), apareciam vários entalhes de palmeiras e querubins. Essas figuras estavam em posição alternada, ou seja, uma palmeira, um querubim, uma palmeira, um querubim.

8. *Sentidos Simbólicos*. O material acima sugere várias coisas simbolizadas pelos querubins: a. Eles eram guardiães; b. agentes dos julgamentos divinos; c. assessores de Deus e instrumentos especiais de suas ações; d. vindicadores da santidade de Deus (Apo. 4); e. mantenedores da santidade de Deus, no tocante aos sacrifícios cruentos (Êxo. 25:17-20; Rom. 3:24-26); f. símbolos — da hierarquia — existente entre os seres imateriais; g. símbolos do controle de Deus sobre os elementos naturais, como o sol, as intempéries, etc. (AM BA E ID UN VA Z I-1961)

QUESALOM

No hebraico, «força» ou «fortaleza». Era um dos marcos de fronteira, na porção ocidental da fronteira norte de Judá (Jos. 15:10). Evidentemente era uma cidade grande, localizada perto de Jerusalém. Tem sido comumente identificada com a aldeia de Kesla, cerca de dezesseis quilômetros a oeste de Jerusalém.

QUÉSEDE

No hebraico, a palavra tem sentido desconhecido. Era nome do quarto filho de Naor, irmão de Abraão, cuja esposa era Milca (Gên. 22:22), em cerca de 2088 A.C.

QUESIL

No hebraico, «carnal», «ímpia». Era uma cidade de

Judá (Jos. 15:30). Eusébio, o historiador eclesiástico, chamava-a de Xil, situando-a no sul do território de Judá. Em I Crô. 4:28-32, ela aparece com o nome de Betuel. Pelo menos, com base nos paralelismos que os textos apresentam, isso parece corresponder aos fatos. Tem sido identificada com a moderna Khirbet el Qarjetein, a oito quilômetros ao norte de Tell 'Arad.

QUESNEL, PASQUIER

Suas datas foram 1634-1719. Nasceu em Paris e faleceu em Amsterdã. — Depois que se uniu à Congregação do Oratório (que vide), quando seus escritos passaram a ser influenciados pelas doutrinas de Baius e dos jansenistas (ver os artigos), Quesnel foi condenado pelo papa Clemente XI. Ele foi expulso daquela congregação. Publicou vários livros com um pseudônimo, na Bélgica. Foi preso em 1603; mas, pouco tempo depois, fugiu para a Holanda, onde prosseguiu escrevendo. Antes de sua morte, porém, ele buscou reconciliar-se com a Igreja Católica Romana, e foi bem-sucedido. Ver o artigo sobre a Bula Unigenitus, de 1713.

QUESULOTE

No hebraico, «gordura» ou «cintura». Era o nome de uma das cidades do território de Issacar (Jos. 19:18). Ficava localizada entre Jezreel e Suném. Eusébio identificava-a com Acchaseluth, mas esta está por demais ao norte para ser a identificação correta. Provavelmente, é a mesma Quislote-Tabor de Josué 19:12. As identificações modernas incluem Iksal, que fica cerca de três quilômetros a suleste de Nazaré, ou um pouco mais ao norte, perto de Khirbet et-Tireh.

QUETUBA

No hebraico, «escrita». Um contrato de casamento instituído por Simeão ben Shatah, no século I A.C., para proteção da esposa, em caso de divórcio ou viuvez. As mais antigas referências a documentos de casamento aparecem nos papiros de Assuã (século V A.C.), bem como no livro apócrifo de Tobias (7:14), e também no código de Hamurabi (que vide). Esse documento alista as obrigações do marido, embora não tivesse o poder de validar um matrimônio. Foi retido na prática dos judeus ortodoxos, com base na tradição.

QUETURA

No hebraico, «incenso». Segunda esposa ou concubina de Abraão (I Crô. 1:32). O casal teve seis filhos: Zinrã, Jocsã, Medã, Midiã, Jisbaque e Sua. Abraão estabeleceu-os para os lados do oriente, a fim de que não entrassem em futuro conflito com Isaque (Gên. 25:1-6).

Abraão havia chegado à idade de cem anos, e, naturalmente, seus poderes geradores haviam cessado (Heb. 11:12). No entanto, foi-lhe prometido um filho, que ainda não havia nascido, Isaque. A promessa divina cuidou desse aspecto. Então, depois do falecimento de Sara, Abraão casou-se com Quetura. Os críticos descobrem toda a espécie de problemas na narrativa. Precisamos pensar que seu vigor juvenil havia sido restaurado pelo Senhor, porquanto, em seu segundo casamento, foi capaz de gerar seis filhos. Ou então, conforme alguns supõem, pode ter havido uma deslocação cronológica de relatos, em cujo caso Quetura e seus filhos com Abraão faziam parte da vida anterior de Abraão, que não foi registrada senão após a morte de Sara. Outros têm pensado que Quetura teria sido concubina de Abraão, tendo tido esses seis filhos com ele. E então, após o falecimento de Sara, ela foi elevada à posição de esposa legítima. Entre essas duas alternativas, a primeira é a mais provável. Isso levanta a questão do rejuvenescimento de Abraão. É possível que ele tenha ficado estéril apenas temporariamente, e que o seu rejuvenescimento tenha feito parte de um novo ciclo biológico. Ou então, conforme ensinam as Escrituras, houve a intervenção divina, que renovou as funções biológicas de Abraão.

Seja como for, as tribos árabes atribuem sua origem a Abraão e Quetura. É possível que Bildade, o suíta (Jó 2:11), um dos «amigos» de Jó, tenha sido descendente de Sua, o filho mais novo de Abraão e Quetura. As três tribos de Midiã, Seba e Dedã, que são árabes em sua natureza, descendem desse casamento. Os midianitas eram o grupo mais bem conhecido dentre esses três, e ocupavam o território da porção superior do litoral do mar Vermelho. O vigésimo sétimo capítulo de Gênesis menciona-os, tachando-os de negociantes com camelos. Vieram a associar-se a Moisés (Êxo. 2:16; 3:1; 18:1). Mais tarde, porém, invadiram o território de Israel (Juí. 6—8).

QUEZIA

No hebraico, «cássia» ou «cinamomo». Mas é usada como nome próprio da segunda filha de Jó, que lhe nasceu depois que ele passou pela sua grande provação (Jó 42:14). Segundo alguns estudiosos, teria vivido em torno de 1520 A.C., mas tudo depende da época em que viveu Jó. Ver sobre *Jó*.

QUIBROTE-HATAAVÁ

No hebraico, «sepulcros do desejo». Essa expressão designa um dos lugares onde os israelitas tiveram um de seus acampamentos, quando vagueavam pelo deserto (Núm. 11:34). Não se sabe, em nossos dias, onde ficava essa localidade, embora se saiba que ficava próximo do monte Sinai. Foi ali que os israelitas murmuraram contra Moisés, ao se lembrarem dos deliciosos acepipes de que desfrutavam no Egito. Em face disso, Deus enviou codornizes ao acampamento de Israel, em tanta quantidade que eles adoeceram de tanto se empanturrarem. Seguiu-se então uma praga, durante a qual muitos morreram (Núm. 11:33). Os mortos foram sepultados nesse local, o que explica o nome do mesmo, «sepulcros do desejo» ou «sepulcros da concupiscência». Dali os israelitas partiram para Hazerote (Núm. 11:35). O trecho de Deuteronômio 9:22 mostra-nos que a lição ensinada em Quibrote-Hataavá foi relembrada algum tempo mais tarde.

QUIBZAIM

No hebraico, «dois montões». Esse era o nome de uma cidade do território de Efraim, entregue aos sacerdotes coatitas (Jos. 21:22). Ela tem sido identificada com a cidade de Jocmeão, mencionada em I Crô. 6:68. O local é incerto, embora ela tenha sido identificada com Gusin, a três quilômetros a noroeste de Nablus, ou então com o Tell Qaimun, se o local era o mesmo chamado Jocmeão, conforme dizemos acima. Esse lugar fica ao pé do monte Carmelo, cerca de treze quilômetros a suleste de Haifa.

••• ••• •••

QUIDDITAS – QUINÃ

QUIDDITAS
Esse termo latino indica a qualidade primária de alguma coisa, aquilo que uma coisa *é*, tanto em sua essência quanto em sua definição lógica, em contraste com suas qualidades secundárias. Sinônimos de quidditas são forma, natureza e *essência*. Ver o artigo sobre Qualidades: Primária, Secundária e Terciária.

QUIDOM
No hebraico, «lança». A alusão é a uma pessoa ou a uma localidade. Se a referência é a uma pessoa, então seria ao israelita a quem pertencia a eira, onde ocorreu o incidente que envolveu a arca, em sua viagem para Jerusalém. Se a referência é a um lugar, então se refere ao sítio onde o lamentável acontecimento sucedeu, quando Uzá morreu (I Crô. 13:9), quando ele tocou na arca (que vide), quando os bois que puxavam a carroça onde ela estava sendo transportada tropeçaram, e ela quase caiu. Em II Samuel 6:6, o nome aparece sob a forma «Nacom», onde os manuscritos variam. Isso pode dar a entender que a identidade do lugar ficou em dúvida.

QUIETISMO
Nome de um movimento religioso e místico do século XVII, dentro da Igreja Católica Romana. Seus líderes foram Miguel de Molinos, que publicou o livro *Guia Espiritual*, refletindo as idéias do movimento, e François Fénelon, que escreveu *Explicações das Máximas dos Santos*. A Igreja Católica Romana não se sentiu feliz com o movimento, com o resultado que Molinos foi condenado à prisão perpétua, ao passo que Fénelon recebeu uma censura papal.

Idéias:
1. Um ponto de vista pessimista da natureza humana, por considerá-la totalmente depravada, com a conseqüente necessidade do indivíduo *vender* ou *matar* sua vontade consciente.
2. Isso libera a alma para que busque completar-se exclusivamente em Deus, inspirada no amor de Deus, e não nos méritos humanos.
3. A meditação era um exercício muito usado, com o intuito de ajudar o homem a esperar em Deus, em seus movimentos transformadores e graciosos.
4. A ênfase sobre a mediação levou à máxima do quietismo que diz que um momento de verdadeira contemplação vale mil anos de boas obras. Supomos que essa contemplação deve ser uma experiência mística segundo a qual a pessoa entra em contato direto com o Ser divino, sendo transformada nesse processo.
5. A fé pura está acima de idéias e crenças. O verdadeiro amor consiste em amor por causa do amor, um tipo de qualidade constante da alma, e não meramente o afeto que se fixa sobre alguma pessoa ou objeto.
6. A verdadeira atitude mental receptiva, capaz de acolher a graça divina, consistiria em *absoluta calma* (o que justifica o nome *quietismo*), sem mistura com as ambições pessoais. A meditação era recomendada, a fim de encorajar esse estado de receptividade mental. Outros importantes membros desse movimento, além daqueles dois que já foram mencionados, foram Jeanne Marie Guyon (que vide) e a srta. Antoinette Bourignon (que vide). (E P)

QUIKAR
Ver sobre **Dinheiro** e sobre **Pesos e Medidas**.

QUILAN
Cabeça de uma numerosa família, que retornou do cativeiro babilônico, em companhia de Zorobabel (I Esdras 5:15). Nunca é mencionado nos livros canônicos do Antigo Testamento.

QUILIASMO
Palavra que vem do grego, **chiliás**, «mil». Esse termo português pode ser um sinônimo de «milênio», que vem do latim, para indicar a mesma coisa. Nesse caso, ambos os termos referem-se à doutrina que diz que Cristo retornará ao mundo a fim de dar início ao seu reinado de mil anos na terra, antes do tempo do fim, ou seja, antes do estado eterno. Ver o artigo sobre o *Milênio*. Algumas vezes, entretanto, o termo grego é usado para referir-se às interpretações exageradamente literais de textos do Antigo Testamento, que abordam a restauração da nação de Israel durante o milênio. Para exemplificar, o *quiliasmo* assevera que o trono de Davi será restaurado, e que o próprio Davi reinará, em pessoa. Além disso, essa doutrina supõe que os sacrifícios cruentos de animais serão restaurados, insistindo sobre interpretações gerais bem literais. De acordo com esse uso, o quiliasmo seria um posição que contrasta com o «mileniarismo», que insiste sobre uma interpretação menos literal.

QUILIOM
No hebraico, «fracasso». Nome de um dos filhos de Elimeleque e Noemi. Quiliom era o marido de Orfa (Rute 1:2 e 4:9), tendo falecido enquanto essa família de Israel jornadeava na terra de Moabe. Ele é chamado efrateu, o que talvez signifique que ele era de Belém da Judéia. Cerca de 1360 A.C.

QUILMADE
Uma cidade asiática (Eze. 27:23), mencionada em conjunção com Seba e Assícia. Não se conhece a localização atual dessa cidade.

QUIMÃ
No hebraico, essa palavra significa «anelo». Também era usada para indicar uma fisionomia *lívida*, ou então para indicar um *cego*. É nome de um homem e de uma localidade, como se vê abaixo:
1. Um seguidor, e talvez filho de Barzilai, o gileadita, que acompanhou Davi até Jerusalém, após a revolta de Absalão. Foi agraciado por Davi com uma possessão em Belém, em consideração pelos serviços prestados por seu pai (II Sam. 19:37-40), em cerca de 1023 A.C.
2. Nome de uma localidade, perto de Belém da Judéia, identificada com a propriedade que Davi outorgara a um homem do mesmo nome. A localidade teve essa designação pelo menos durante quatro séculos. Joanam e Careá, e seu bando, acamparam-se ali quatro séculos mais tarde, quando então a localidade continuava com o mesmo nome. Alguns identificam-na com o lugar onde José e Maria não puderam encontrar alojamento, quando Jesus era infante (Luc. 2:7). Porém, isso não passa de uma conjectura. Seja como for, o lugar tem uma história antiga. O trecho de Jeremias 41:17 o menciona como o lugar onde havia uma hospedaria.

QUINÃ
No hebraico, «lamento pelos mortos». Uma cidade

QUINERETE — QUIRIATAIM

no extremo suleste do território de Judá, próxima da fronteira com Edom (Jos. 15:22). Talvez tenha sido um lugar ocupado pelos queneus (I Sam. 27:10), conforme o nome sugere. O local dessa cidade não pode ser identificado em nossos dias.

QUINERETE

No hebraico, a palavra significa «com formato de harpa», e tem dois empregos diversos.

1. Era o nome de uma cidade fortificada no território de Naftali (Jos. 19:35, que é a única referência bíblica). Jerônimo a identificava com a cidade que, posteriormente, chamou-se Tiberíades. Também há aquela colina ou cômoro chamado Tell 'Oreimeh, que significa «cômoro da harpa». Fica no lado noroeste do mar da Galiléia. As evidências arqueológicas mostram que o local vinha sendo ocupado desde os dias de Josué, pelo que poderia ser o local original.

2. O mar de Quinerete (Núm. 34:11; Deu. 3:17; Jos. 11:12; 12:3, etc.), o qual também é chamado «lago» de Genezaré», em Luc. 5:1, e «mar de Tiberíades», em João 6:1 e 21:1 (Bahr Tarbarihey é seu nome nativo), e naturalmente, o «mar da Galiléia» (que vide). Provavelmente, o nome Quinerete deriva-se de algum antigo nome cananeu, que existia antes da conquista da terra por Israel. O lago visto de cima, tem a forma de uma harpa, e disso deriva-se o nome do lago.

QUINQUE VIAE

Expressão latina que significa «cinco caminhos», referindo-se aos cinco argumentos usados por Tomás de Aquino para provar a existência de Deus. Ver o artigo sobre os *Cinco Argumentos em Prol da Existência de Deus*. O artigo sobre *Deus* tem uma seção que aborda esses argumentos e acrescenta outros argumentos, àqueles cinco. O filósofo católico romano Jacques Maritain acrescentou um sexto argumento. Ele supunha que o ser humano tem a *intuição* que o verdadeiro *Eu*, o *intelecto* ativo, não é temporal. Com base nisso, o indivíduo chega a compreender que o *eu* é eterno, através do ato de pensar do Ser Infinito.

QUINTA-FEIRA SANTA ver Sexta-Feira Santa.

QUINTESSÊNCIA

Na física de Aristóteles temos o **quinto** elemento (no latim, *quinta essentia*), que seria o componente dos corpos celestes, em distinção aos supostos elementos básicos da terra, como a terra, o fogo, o ar e a água, mas que estaria latente nesses elementos terrenos. Os alquimistas falavam sobre esse elemento chamando-o de *matéria-prima*, ou primeira matéria, distinguindo-o do resto, do que o mundo foi formado. Eles tentavam destilar essa matéria-prima dos elementos terrenos. Esse elemento, no linguajar de Pitágoras e de outros filósofos gregos, foi chamado *éter*. Na linguagem moderna, entretanto, o éter seria a porção mais essencial e pura de alguma coisa. O adjetivo *quintessencial* significa aquilo que é absolutamente necessário ou essencial.

QUIOS

Esse é o nome de uma das principais ilhas do arquipélago jônico, mencionada somente em Atos 20:15. Pertencia à Jônia, e ficava entre as ilhas de Lesbos e de Samos, cerca de treze quilômetros distante do ponto mais próximo da Ásia Menor. Tem cerca de quarenta e oito quilômetros de comprimento, de norte a sul, e chega a ter um terço disso, em sua porção mais larga. Trata-se de um lugar muito fértil, bem conhecido por sua produção de algodão, seda, frutas e bons vinhos. Sua aldeia principal era Quios, que tinha um bom porto, segundo informa-nos Estrabão (xiv.645). O navio no qual Paulo viajava ancorou ali, na última viagem desse apóstolo à Palestina (Atos 20:15). Quios é um dos sete lugares que têm sido mencionados como o lugar do nascimento de Homero. Nos tempos romanos, Quios desfrutava da posição de cidade livre e fazia parte da província da Ásia. Seus habitantes eram tidos como os mais abastados que havia entre os gregos, no século V A.C.

QUIR

No hebraico, «muralha». O nome desse distrito aparece em II Reis 16:9; Amós 1:5; 9:7 e Isa. 22:6. Pertencia ao império assírio, entre os mares Negro e Cáspio, próximo do Elão, margeando o rio Qur. Modernamente é chamado Geórgia, em território da União Soviética. Tiglate-Pileser levou para ali cativos, os habitantes de Damasco (II Reis 16:9). Isso cumpriu a profecia de Amós 1:5. Na referência do livro de Isaías, o lugar aparece em conexão com o vale da visão, o qual, provavelmente, é o mesmo que aparece no segundo livro dos Reis. Todavia, há estudiosos que pensam que a região ficava localizada ao sul da Babilônia, às margens do rio Tigre.

QUIR DE MOABE

Com esse nome, a cidade figura apenas em Isaías 15:1. Mas conforme pensam quase todos os estudiosos, trata-se da mesma cidade chamada Quir-Haresete, mencionada em II Reis 3:25 e Isa. 16:7, ou então Quir-Heres, mencionada em Isa. 16:11 e Jer. 48:31. Era uma das duas cidades fortificadas de Moabe, a outra sendo a cidade de Ar. O nome Quir-Haresete ou Quir-Heres significa «cidade de cerâmica» ou «cidade nova».

Há estudiosos que pensam que Ar era uma região, e não uma cidade de Moabe. Após a derrota de Mesa, de Moabe, pelos israelitas, somente em Quir-Haresete ficou pedra sobre pedra. Todavia, a cidade foi capturada e destruída (II Reis 3:25). Isaías previu sua destruição (Isa. 16:7).

Alguns eruditos identificam o lugar com Queraque, a antiga capital daquele distrito. Sabe-se que esse era um local muito importante, estrategicamente falando, situado sobre um elevado lugar, de fácil defesa. Dominava todas as antigas rotas de caravanas, estando no famoso Caminho do Rei, que ia do Egito à Síria. Os cruzados reconheceram a importância estratégica do lugar, muitos séculos mais tarde. Ver o artigo sobre as *Cruzadas*. Atualmente a área é habitada, situada a dezesseis quilômetros a leste do mar Morto. O wady Hesa fica cerca de vinte e três quilômetros para o sul. Um castelo encima a colina.

Alguns supõem que o nome moabita original da cidade era QRHH. E, nesse caso, é mencionada na pedra Moabita, das linhas 22 em seguida, onde é dito que o rei Mesa estabeleceu ali um santuário em honra a Quemós, e ali dirigiu um projeto de construções.

QUIRIATAIM

Segundo muitos pensam, esse nome significa «cidade dupla». Nas páginas do Antigo Testamento, há duas cidades com esse nome, a saber:

1. Em trechos como Núm. 32:37; Jos. 13:19; Jer. 48:1,23 e Eze. 25:9, aparece uma cidade que fazia parte do território de Rúben, a leste do Jordão, cerca de seis quilômetros a oeste de Medeba, que fica a suleste de Hesbom. Ela foi construída pelos descendentes de Rúben. Os moabitas expulsaram os gigantescos emins daquele lugar. Em seguida, ela passou para as mãos dos amorreus, e, mais tarde, para a possessão dos israelitas. Durante o período do exílio assírio, os moabitas conquistaram novamente a cidade, juntamente com outras da mesma área geral. Por causa disso, os moabitas foram condenados por Deus (Jer. 48:1,23). O local tem sido identificado com a moderna el-Qereiyat, a quase quinze quilômetros a leste do mar Morto e à mesma distância do rio Arnon.

2. Uma das cidades levíticas de refúgio, dentro do território de Naftali (I Crô. 6:74). Tem sido identificada com Khirbet el-Kureiyat, ruínas existentes entre Medeba e Dibom. Também era chamada Cartã, referida em Jos. 21:32 (que vide).

QUIRIATE
Ver sobre **Quiriate-Jearim**.

QUIRIATE-ARBA
O antigo nome de **Hebrom** (vide).

QUIRIATE-ARIM
Ver sobre **Quiriate-Jearim**.

QUIRIATE-BAAL
O nome mais antigo de **Quiriate-Jearim** (vide).

QUIRIATE-HUZOTE
No hebraico, «cidade dos lugares exteriores». É mencionada apenas em Números 22:39. Nesse trecho aprendemos que Balaque e Balaão foram até ali com o propósito de oferecerem sacrifícios. Era uma cidade moabita. O lugar ficava perto de Bamote-Baal (vs. 41) embora não saibamos dizer sua localização. Provavelmente ficava perto do rio Arnon. Foi conquistada por Seom, e depois pelos israelitas.

QUIRIATE-JEARIM
No hebraico, «cidade das florestas». Nas páginas do Antigo Testamento aparece como o nome de uma cidade de Judá e como o patronímico de um descendente de Calebe, filho de Hur, a saber:

1. Essa cidade também aparece com o nome contraído de Quiriate-Arim, em Esdras 2:25. Com seu nome completo é mencionada em Jos. 9:17; 15:9,60; 18:14,15; Juí. 18:12; I Sam. 6:21; 7:1,2; I Crô. 13:5,6; II Crô. 1:4; Nee. 7:29; Jer. 26:20. Apesar de ter sido entregue à tribo de Judá, mais tarde passou para o território de Benjamim. Em Jos. 15:9 é chamada Baalá, e, em Jos. 15:60, Quiriate-Baal. Foi desse lugar que a arca da aliança foi trazida e entregue aos cuidados de Eleazar (I Sam. 7:1). Vinte anos mais tarde, Davi levou-a para Jerusalém (II Sam. 7:2; I Crô. 13:5; II Crô. 1:4). O profeta Urias morava em Quiriate-Jearim (Jer. 26:20). Várias tentativas de identificação têm sido dadas no tocante à localização moderna. Uma possibilidade é Kuriet 'Enab, localizado ao norte do monte Jearim, e Khirbet 'Erma, que fica mais ao sul, é outra possibilidade. Ambas essas vilas refletem o nome antigo, e ambas podem cumprir as descrições daquele lugar do Antigo Testamento. Kuriet 'Enab também aparece com o nome de Qaryet el-Inab, em outra literatura antiga. Os habitantes árabes da atualidade chamam o lugar de Qaryeh. Mas a cidade também é conhecida como Abu Ghosh, devido ao nome de famosos xeques desse nome, dos séculos VIII e IX, que ali exerceram o seu poder.

Perto do local original, há restos de habitações romanas, bem como do período das cruzadas. O período bíblico faz-se representar por um grande cômoro, sobre o qual foi edificada a Igreja da Arca da Aliança. Esse cômoro tornou-se conhecido como Deir el-Azhar, o que talvez seja uma alusão a Eleazar, filho de Abinadabe (que vide) o qual foi escolhido pelos homens de Quiriate-Jearim para tomar conta da arca da aliança (I Sam. 7:1). Há evidências arqueológicas pertencentes à Idade do Bronze Posterior e à Idade do Ferro, principalmente na forma de fragmentos de cerâmica. Eusébio afirmou que esse lugar ficava a dez milhas romanas de Jerusalém, na estrada para Lida, metragem essa que ele corrigiu, posteriormente, para nove milhas romanas. Ficava entre Neftoá (Lifta) e Chesalom (Quesla), o que concorda com os informes bíblicos atinentes à sua posição na fronteira norte de Judá (Jos. 15:9 e 18:15).

Informes Históricos. 1. Quiriate-Jearim foi uma das quatro cidades gibeonitas que estabeleceram acordo com os israelitas invasores, tendo-os enganado (Jos. 9:17). 2. A cidade servia como marco de fronteira entre Judá e Benjamim (Jos. 15:9). Ela foi cena de certos eventos que circundaram a arca da aliança (I Sam. 7:1). 3. Foi fortificada por Salomão (chamada Baalate, em I Reis 9:18). 4. Foi invadida quando a região foi invadida pelos egípcios (I Reis 14:25; II Crô. 12:1-9). 5. Foi o lugar onde habitava o profeta Urias, que denunciou o corrupto reinado de Jeoaquim, o que o forçou a fugir para o Egito; mas Urias foi capturado no Egito, trazido de volta a Judá e foi executado (Jer. 26:20-23). 6. Alguns dos cidadãos de Quiriate-Jearim voltaram do exílio babilônico com Zorobabel (Esd. 2:25; Nee. 7:29). (AH UNA (1962) Z)

QUIRIATE-SANÁ
Ver sobre **Debir**.

QUIRIATE-SEFER
O nome mais antigo de **Debir** (vide).

QUIRÍNIO
Seu nome figura em Luc. 2:2. Seu nome completo era Publius Sulpicius Quirinius. Ele era os romanos chamavam de «homem novo». Tal como Cícero, ocupou o ofício de governador e tornou-se cônsul em 12 A.C., sem a vantagem de um nome de família tradicional na política ou na administração. Tácito, o historiador romano, devotou um breve capítulo a Quirínio, por ocasião de sua morte, em 21 D.C.

Quirínio era um militar notável, tendo a seu crédito uma campanha no deserto de Cirene, região essa que, juntamente com Creta, governou como procônsul, em cerca de 15 A.C. Entre 12 e 2 A.C., ele esteve ocupado em um projeto de pacificação na Pisídia, contra os montanheses que Tácito, na passagem acima citada, descreveu erroneamente como cilícios. As datas são vagas, mas os eruditos bíblicos interessam-se pelas mesmas, por estarem ligadas à data do nascimento de Cristo. O «primeiro recensea

QUIS — QUISOM

mento», efetuado quando Quirínio era governador da Síria (Luc. 2:2), pode ter sido aquele ao qual Gamaliel aludiu, segundo se lê em Atos 5:37. Esse recenseamento deu-se em 6 ou 7 D.C. Segue-se que o recenseamento anterior — devido ao ciclo costumeiro de catorze anos — deu-se em 8 ou 7 A.C. E daí resulta o problema. Quirínio devia ter sido especialmente comissionado para a tarefa de supervisão por Augusto, pois sabe-se que Quintílio Varus ocupava então o importante porto de governador da Síria. Mas, como Varus perdera três legiões na floresta germânica de Teuteburgo? — um dos mais chocantes desastres das forças romanas naquele século — talvez Augusto preferisse um homem de maior envergadura para ocupar-se do recenseamento. A intervenção de Quirínio, a organização necessária para o recenseamento e os preparativos para o mesmo podem ter adiado a data do mesmo para o fim de 5 A.C., uma data mais razoável.

Quirínio mostrou-se astuto o bastante para cortejar discretamente a amizade de Tibério, que estava exilado em Rodes. E nada perdeu com isso, quando Tibério, por falta de outros herdeiros do trono, sucedeu a Augusto. Quirínio, porém, morreu sem herdeiros.

QUIS

No hebraico, «arco» ou «chifre». Esse é o nome de cinco personagens do Antigo Testamento:

1. O filho de Ner, pai do rei Saul (I Sam. 9:1; I Crô. 8:33; 9:38,39). A genealogia bíblica talvez registre o fato de que Quis era descendente de Ner, e não seu filho imediato. Isso permitiria a inserção de Abiel e de outros nomes, entre Quis e Ner. Comparar I Sa. 9:1,14 com I Crô. 8:33 e 9:36, que aparentemente estão em conflito:

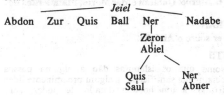

Talvez somente um Quis e um Ner descendiam de Jeiel, e, nesse caso, os descendentes de Ner tornaram-se duas casas tribais. A primeira delas tornou-se a família real de Saul, tomando Quis como seu fundador, porém, era um ramo mais recente da linhagem de Ner. Seja como for, ambas as casas pertenciam à família de Jeiel.

Quis foi um rico benjamita (I Crô. 8:33). A única coisa que a Bíblia nos revela sobre ele foi que ele mandou Saul buscar seus jumentos perdidos (I Crô. 9:3), e que ele foi sepultado em Zela (II Sam. 21:14). Isso ocorreu em torno de 1025 A.C. Há uma referência a ele, em Atos 13:21.

2. Filho de Jeiel e tio de Quis de número «um» (I Crô. 8:36).

3. Um benjamita e bisavô de Mordecai, que foi levado cativo para a Babilônia (Est. 2:5), em cerca de 478 A.C.

4. Um filho de Abi, um levita da família de Merari (II Crô. 29:12), que ajudou o rei Ezequias na restauração da verdadeira fé judaica. Viveu em torno de 720 A.C.

5. O segundo filho de Mali. Seus filhos casaram-se com as filhas de seu irmão, Eleazar (I Crô. 23:21,22).

Um de seus filhos chamava-se Jeremeel (I Crô. 24:29). Viveu em torno de 1060 A.C.

QUISI

No hebraico, «arco de Yahweh». Era filho de Etã, que foi nomeado como cantor e músico, nos dias de Davi (I Crô. 6:44). Em I Crônicas 15:17 ele é chamado Cusaías. Viveu em torno de 1015 A.C.

QUISIOM

No hebraico, «dura» ou «terra dura». Era uma cidade da tribo de Issacar, entregue aos levitas da família de Gérson (Jos. 19:20 e 21:28). O nome dessa cidade aparece com a forma de Quedes, em I Crô. 6:72, mas isso representa um erro escribal. A localização não é certa, mas têm sido sugeridos os cômoros el-Ajjul e el-Muqarqash, como possibilidades.

QUISLEU

Ver Nee. 1:1 e Zac. 7:1. Esse era o nome do terceiro mês do ano civil e do nono do ano eclesiástico dos judeus, que começa na lua nova de dezembro. Ver o artigo sobre o *Calendário*. A origem do nome é acádica. A Crônica Babilônica afirma que a marcha de Nabucodonosor contra Jerusalém começou nesse mês, no ano de 598 A.C. Dias memoráveis desse mês incluíam a festa da dedicação do templo, a comemoração de haver sido purificado após as poluições feitas pelos sírios; um jejum em face do fato de que Jeoaquim queimou o rolo das profecias de Jeremias (Jer. 36:22).

QUISLOM

No hebraico, «forte esperança», «confiança». Ele era pai de Elidade, príncipe de uma das famílias de Benjamim, que foi escolhido para assessorar na divisão da terra de Canaã entre as tribos (Núm. 34:21), em cerca de 1618-1490 A.C.

QUISOM

No hebraico, «meândrico», «sinuoso». Um rio que regava o vale de Esdrelom, em torno do qual há o registro de muitos incidentes bíblicos. Trata-se de uma torrente de inverno, que seca nos quentes meses de verão. (Ver Sal. 83:9). Em Juízes 5:19 chama-se «águas de Megido». Origina-se nas colinas perto de Tabor e de Gilboa. Corre na direção noroeste, através das planícies de Esdrelom e Acre, e despeja suas águas no mar Mediterrâneo, próximo do monte Carmelo. Há dois canais que se tornam um só, a curta distância ao norte de Megido. O rio é profundo e de águas rápidas, em certos meses do ano, quase não podendo ser atravessado, mas, no verão, o leito do rio seca e a área fica estorricada. Somente a poucos quilômetros do mar vê-se alguma água nesse rio, nos meses de verão. Seu nome moderno é Nahr el Mukatta, que significa «rio da matança». Ver I Reis 18:40. — No cântico de Débora (Juí. 5:21), é chamado «ribeiro das batalhas». Um incidente bíblico de nota, associado a esse rio, é a história de Sísera (que vide), em Juízes 5:20,21. Os sírios, sob o comando de Sísera, combatiam contra Israel, os quais eram liderados por Débora e Baraque. Sísera contava com forças muito superiores, com o apoio de carros de combate e de cavalaria. Porém, chuvas pesadas fizeram o rio transbordar, —pondo as forças de

Sísera à imobilidade; e o resultado foi que Israel obteve uma vitória fácil. Um outro notável incidente bíblico, que teve lugar perto desse rio, foi o conflito entre os profetas de Baal e o profeta Elias (I Reis 18:40). O local desse último incidente tem sido identificado com Deir al'Muhraqa, onde existe um mosteiro carmelita, de Santo Elias. Os derrotados sacerdotes de Baal foram levados a Quisom, onde foram executados. O rio provavelmente foi usado para o ritual da purificação.

As cidades mencionadas em conexão com o rio são a cidade de Jocneão (Tell Qeimum), Megido (Tell el-Mutessellim), Taanaque (Tell Ti'nnik). Ver Jos. 19:11 e Juí. 5:19. Esse rio era cruzado por importantes rotas de caravanas, e também foi a região onde várias campanhas militares envolveram povos como os midianitas e os filisteus. O rei Josias foi morto ali. Em tempos posteriores, esteve envolvido nas guerras dos hasmoneanos, dos romanos e dos cruzados. (ALB SMI)

QUITIM

No hebraico, «nsulanos». Esse povo, descendente de um dos filhos de Javã, filho de Jafé, é mencionado na Bíblia, com esse nome, somente em Gên. 10:4 e I Crô. 1:7. Quitim é um nome alternativo para a ilha de Chipre (que vide). Josefo compara esse nome ao nome da cidade de Citiom, na costa suleste dessa ilha. Atualmente, essa cidade chama-se Larnaca. As referências fenícias dizem *kt* ou *kty*, ao se reportarem a esse lugar. O povo de Quitim ocupava-se no comércio marítimo (Núm. 24:24). Em Isaías 23:1,12, esse nome parece aplicar-se à ilha inteira de Chipre, bem como as costas do Mediterrâneo oriental. Ver Jer. 2:10 e Eze. 27:6. Na quarta visão de Daniel, o nome aparentemente aplica-se a Roma (Dan. 11:30), o que tem paralelo em uma referência nos manuscritos do mar Morto em um Comentário sobre Habacuque, ao interpretar a palavra «caldeus». O texto trata sobre a guerra entre os Filhos da Luz e os Filhos das Trevas. Ali, «quitim» poderia indicar os gregos selêucidas, os romanos, etc., como uma referência obscura aos adversários da retidão.

QUITILIS

Em Josué 15:40 é uma das cidades que foram atribuídas à tribo de Judá, quando a terra foi dividida, durante as conquistas. A cidade permanece sem poder ser identificada.

QUITROM

No hebraico, «figurada» ou «pequena». Nome de uma cidade do território de Zebulom, pertencente anteriormente aos cananeus, mas de onde os israelitas não puderam expulsá-los. Ela é chamada Catate, em Jos. 19:15. Aparentemente, era a maior cidade da Galiléia, naquela época. Tem sido identificada com o Tell el-Far, cerca de treze quilômetros a suleste do porto de Haifa, embora outros prefiram identificá-la com Catá ou com o Tell Qurdaneh.

QUIUM

De acordo com vários estudiosos, esse nome vem da palavra síria *kainanu*, que é uma referência ao deus pagão, Saturno. Em Amós 5:26, única passagem onde aparece o nome, ele aparece como o deus-estrela adorado por Israel, em certa fase de sua história. Os egípcios usavam o termo *Seb*, para indicar essa divindade. O termo hebraico envolvido é similar ao vocábulo que significa «coisa detestável». Alguns estudiosos chegam a pensar que houve uma mudança deliberada na grafia da palavra, como uma espécie de jogo de palavras. Mas outros pensam que a palavra hebraica está ligada à raiz da palavra que significa «pedestal», o lugar onde uma imagem era colocada. A Septuaginta diz *rephan*, e Estêvão, em sua defesa-pregação, em Atos 7:42 *ss*, usa esse nome em sua forma grega, que nossa versão portuguesa translitera para «Renfã», referindo-se à adoração idólatra de Israel, durante quarenta anos, no deserto.

QUMRAN

Ver **Khirbet Qumran** e **Mar Morto, Manuscritos do**.

QURAN

Ver sobre o **Alcorão**.

QUTB

Nome que os islamitas dão a alguma pessoa especialmente santificada, a algum proeminente líder espiritual, a um homem dotado de poder, com missões e atividades especiais entre os homens. Tal homem teria a habilidade de fazer coisas especiais, sob a orientação de Alá (que vide).

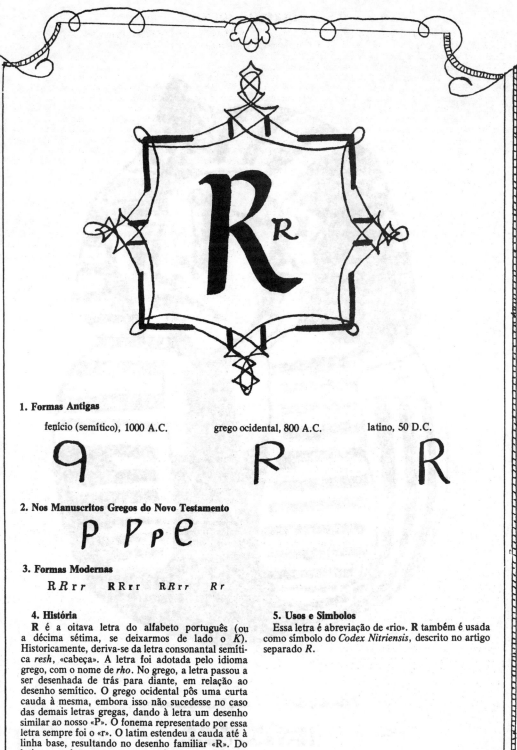

1. Formas Antigas

fenício (semítico), 1000 A.C.   grego ocidental, 800 A.C.   latino, 50 D.C.

2. Nos Manuscritos Gregos do Novo Testamento

3. Formas Modernas

4. História

R é a oitava letra do alfabeto português (ou a décima sétima, se deixarmos de lado o *K*). Historicamente, deriva-se da letra consonantal semítica *resh*, «cabeça». A letra foi adotada pelo idioma grego, com o nome de *rho*. No grego, a letra passou a ser desenhada de trás para diante, em relação ao desenho semítico. O grego ocidental pôs uma curta cauda à mesma, embora isso não sucedesse no caso das demais letras gregas, dando à letra um desenho similar ao nosso «P». O fonema representado por essa letra sempre foi o «r». O latim estendeu a cauda até à linha base, resultando no desenho familiar «R». Do latim, essa letra passou para muitos outros idiomas modernos.

5. Usos e Símbolos

Essa letra é abreviação de «rio». R também é usada como símbolo do *Codex Nitriensis*, descrito no artigo separado *R*.

Caligrafia de Darrell Steven Champlin

Arte egípcia — o Faraó Tutankhamum

Reprodução Artística de
Darrell Steven Champlin

R

R

Essa é a designação do **Codex Nitriensis**, um palimpsesto que contém certas porções do evangelho de Lucas e que data do século VI D.C. Acha-se no Museu Britânico. Sobre o texto do evangelho foi escrito o tratado siríaco de Severo de Antioquia, contra João Gramático, nos séculos VIII ou IX D.C. Esse manuscrito também contém cerca de quatro mil linhas da *Ilíada*, de Homero. Em 1847, esse manuscrito, com cerca de quinhentos outros manuscritos, foram trazidos do mosteiro de Santa Maria, Mãe de Deus, localizado no deserto Nitriense, para Londres, Inglaterra, o que explica o título latino do mesmo. Esse mosteiro fica cerca de cento e trez quilômetros a noroeste do Cairo. Contém o texto chamado tipo Ocidental. Ver sobre *Manuscritos, Novo Testamento*.

RÁ

Vem do egípcio, e ficaria melhor como **Ré, sol**. Era o principal deus do sol do antigo Egito. Aparecia como homem dotado de cabeça de falcão, usando um disco solar.

Em tempos bem remotos, *Rá* era identificado com o deus criador, Atom, de Heliópolis (vide), onde se tornou a principal divindade. Comumente ele era chamado de Ré-Haracte, «Rá-Horus do Horizonte», o sol que surgia no horizonte oriental.

Rá começou a ser protegido pela realeza na segunda dinastia, atingindo maior proeminência na época dos construtores das pirâmides, nas dinastias IV e V (c. de 2600—2400 A.C.), quando os reis intitulavam-se «filhos de Rá». Mais tarde, se tornou proeminente o deus fúnebre, Osíris. Na XVIII dinastia, Aquenaten deificou o sol, chamando-o de Aten, introduzindo uma idéia monoteísta no Egito. Mas, nas duas dinastias seguintes, Amom, de Tebas, Rá e Ptá, de Mênfis, formaram um trio concebido como três aspectos de uma única divindade. No A.T., Rá aparece somente no nome do sogro de José, Poti-*fera*, sacerdote de Om (Heliópolis).

RÃ

No hebraico, **tesephardea**, palavra que aparece por treze vezes, em Êxo. 8:2-9,11-13; Sal. 78:45 e 105:30. No grego, *bátrachos*, que ocorre apenas por uma vez, em Apo. 16:13.

No Antigo Testamento, a palavra aparece em conexão com uma das pragas que houve no Egito, ao passo que, no Novo Testamento, em Apo. 16:13, o termo é usado em sentido metafórico, para indicar uma praga de espíritos malignos, que procederão da boca do dragão, a besta ou anticristo, e da boca do falso profeta. Esses demônios operarão milagres e influenciarão os homens a virem à grande batalha do Armagedom, a fim de se destruírem mutuamente.

Diversos tipos de rãs, do gênero *Rana*, eram nativos do vale do rio Nilo, e uma ou mais dessas espécies poderia ter causado a praga mencionada no livro de Êxodo. Tais rãs atingem um comprimento de cerca de sete centímetros, o que significa que são bastante pequenas. A rã verde é comestível, mas tais batráquios eram considerados imundos pelos egípcios e pelos israelitas. O rio Nilo, por ocasião da primeira praga, ficou severamente poluído, sendo essa a causa provável do aparecimento das rãs, que saíram das águas marginais desse rio, para invadirem os campos.

Nos lugares quentes e secos, as rãs desidratam-se e morrem rapidamente, o que resulta na putrefação, com seus odores desagradáveis e sua ameaça à saúde das pessoas. É uma ironia que as rãs mostrem-se muito úteis no controle da multiplicação de insetos, e algumas das pragas que se seguiram à praga das rãs devem ter sido causadas pelos insetos, pelo menos em parte. Portanto, uma coisa conduzia à outra, em uma série de desastres, atribuídos à indignação de Deus contra os egípcios. Seja como for, é uma doutrina bíblica comum aquela que diz que a natureza revolta-se contra a pecaminosidade dos homens, e que eles se revoltam somente para seu próprio prejuízo. Por essa razão, pois, é que aqueles juízos divinos caíram sobre os egípcios.

RAABE

No hebraico, significa **tempestade** ou **arrogância**.

1. *A pessoa*. Raabe era uma meretriz em Jericó, em cuja casa abrigaram-se dois espias, imediatamente antes da conquista da Palestina por Josué (Jos. 2:1-21). Aterrorizada ante a aproximação dos israelitas, ela fez um acordo com os espias, pedindo proteção para ela e para seus familiares. Ela escondeu os espias dos agentes do rei de Jericó, ajudando-os a escaparem através de uma janela de sua casa, na muralha da cidade. Quando da queda de Jericó, Josué poupou a ela e a sua família (Jos. 6:17,22,25).

De acordo com a genealogia de Mateus (1:5), ela se tornou esposa de Salomão e mãe de Boás. O autor da epístola aos Hebreus menciona seu nome como um exemplo de fé (Heb. 11:31), e Tiago alude a ela, por haver demonstrado sua fé mediante suas obras. (Tia. 2:25).

Na literatura rabínica, Raabe é considerada prosélita, instrumento do Espírito de Deus e ascendente de muitos sacerdotes e profetas, além de aparecer, contrariamente ao que diz a Bíblia, como esposa de Josué.

Heb. 11:31: *Pela fé Raabe, a meretriz, não pereceu com os desobedientes, tendo acolhido em paz os espias*.

(Ver esse relato em Josué 6:22-25). Raabe era então mulher moralmente depravada, que jamais pensaríamos ser capaz de obter tão grande vitória, mediante a fé. Mas ela se tornou exemplo clássico do que pode fazer a fé, a despeito do material humano menos promissor, mostrando-nos, ao mesmo tempo, que não há pessoa que esteja fora do alcance do milagre da fé. Tiago reuniu Abraão e Raabe juntamente (ver Tia. 2:21-25) e isso foi algo espantoso. O fato de que o seu nome veio a ser mencionado em justaposição com o de Abraão, usado dentro de um mesmo parágrafo, entretanto, ilustrou o poder extraordinário da fé.

O autor sagrado deixa entendido que se o caso de Raabe não era desesperador, então também não era desesperador o caso de seus leitores originais. Eles tinham começado a afastar-se de Cristo, mas a fé poderia restaurá-los, não menos do que operara um prodígio moral em favor de Raabe. E o milagre que envolveu Raabe parece ainda maior quando nos lembramos que ela pode ser quase certamente identificada com a esposa de Salmom, mãe de Boaz, um ancestral de Davi, que evidentemente pertencia à árvore genealógica de nosso Senhor. (Ver Mat. 1:5). Alguns antigos intérpretes procuravam evitar o claro ensinamento acerca da vil profissão de Raabe,

RAABE — RABÁ

traduzindo a palavra grega «porne», isto é, «meretriz», como «proprietária». Mas tal interpretação é ridícula.

A primeira tentativa de «limpar» o registro passado de Raabe, tornando-a uma hospedeira condigna dos espias, teve lugar nos comentários judaicos. O Targum sobre Jos. 2:1 chama-a de «mulher que vendia alimentos». (Ver também os escritos do rabino *Sol. Urbin, Obel Moded.*, fol. 24:1). Porém, os textos simples, em grego (como se vê aqui), ou em hebraico (como em Jos. 6:17), dificilmente podem ser interpretados com esse sentido suavizado.

Os desobedientes, isto é, os «incrédulos». A idéia de «desobediência» faz parte das implicações do vocábulo grego. Recusaram-se a crer que Deus dera a terra aos israelitas; e, por essa razão, ofereceram resistência. Raabe, entretanto, deu crédito a esse relatório e ajudou os espias israelitas. (Ver Jos. 2:9-11). A verdade é que Raabe tinha consciência das maravilhas anteriormente feitas por Deus, estando impressionada com as mesmas.

Acolheu. A recepção dada foi amigável; e ela os ajudou no seu propósito. Ela agiu de conformidade com a sua fé, de que Deus estava em favor dos israelitas, pelo que ela não poderia mesmo recusar-lhes tal ajuda.

Com paz, apesar de que os desobedientes certamente gostariam de ter morto os espias. Houve a exibição de gentileza, na fé de Raabe; e isso lhe poupou a vida, transformando também o seu caráter.

E assim Raabe, a meretriz, juntamente com Sara (ver Heb. 11:11), e com a mãe de Moisés (ver Heb. 11:23) além de outras mulheres fiéis (ver Heb. 11:35) é lembrada como notável mulher de fé. (Ver no NTI as notas expositivas, no décimo primeiro versículo, sobre esse pensamento, que é notável, posto que os judeus davam tão pouco valor às mulheres).

«Raabe agiu de acordo com sua crença nesse propósito (o de Deus); e, em vez de denunciar os espias como inimigos de sua pátria, 'acolheu-os em paz', isto é, como amigos, arriscando sua vida, devido à sua fé» (Dods, *in loc.*).

Abaixo transcrevemos as notas de Newell (*in loc*), acerca de certas qualidades e pontos notáveis na vida de Raabe:

1. Raabe era uma pecadora comum, e até mesmo uma meretriz. Mas Deus diz para todos nós: «Não há diferença, pois todos pecaram».

2. A fé de Raabe (ver Jos. 2:8-11) foi confessada por ela com estas palavras: 'Bem sei que o Senhor vos deu esta terra, e que o pavor que infundis caiu sobre nós, e que todos os moradores da terra estão desmaiados'.

3. Essa crença significou que ela se voltou contra o seu próprio povo, tal como agora todos os crentes se afastam do mundo e não mais pertencem a ele.

4. Isso incluía a crença de que Jericó seria *destruída* (ver Jos. 2:13), e isso a fez pensar em sua própria família.

5. Isso produziu o belíssimo quadro simbólico da corda escarlate, amarrada em sua janela, através da qual os espias tinham escapado (ver Jos. 2:15-21). E como essa corda nos faz lembrar do sangue derramado por Cristo!

6. Mediante sua fé, foram preservados ela, seu pai, sua mãe, seus irmãos e todos os seus parentes. «...de qualquer que estiver contigo em casa» .' (Jos. 2:19 e 6:22,23,25).

7. Raabe se tornou mãe de Boaz (ver Mat. 1:5), o bisavô de Davi, o rei. (Ver Rute 5:21,22).

2. *Um monstro*. Nos livros poéticos ao A.T., o nome é aplicado a um monstro de poderes demoníacos. As alusões ocorrem dentro do contexto do poder de Deus sobre a natureza — Deus domina Raabe em uma demonstração de força (Jó 9:13; 26:12; Sal. 89:10 e Isa. 51:9; contudo, nossa versão faz silêncio sobre Raabe, nas duas primeiras referências; chama-o de «monstro marinho» na referência de Isaías, e só estampa o termo «Raabe» em Sal. 89:10). Cada uma dessas passagens está ligada a algum ato criador de Deus, ao restringir as forças do mar, como demonstração de seu poder supremo. O episódio foi aplicado ao livramento dos israelitas da servidão egípcia, quando Deus abriu as águas do mar e permitiu que o seu povo o atravessasse em seco (Isa. 59:10).

3. *Um nome aplicado ao Egito*. Talvez devido às associações acima referidas com o êxodo, Raabe tornou-se um nome simbólico para o Egito. Raabe é incluída na lista de nações hostis a Israel, em Sal. 87:4, sendo definidamente vinculada ao Egito por Isaías (30:7; onde nossa versão portuguesa diz «Gabarola», talvez uma alusão a um dos sentidos do nome hebraico, «arrogância»).

RAAMÃ

Aparece em Gên. 10:7 e I Crô. 1:9 com leves variações ortográficas. Pode significar «trovão» ou «vibração», de acordo com a derivação heb. ou aram., ou então «constranger», «humilhar», se a derivação for árabe. Pertencia aos descendentes de Cão, filho de Cuxe e pai de Sabá e Dedã. Portanto, era nome de uma tribo da Arábia, embora não semita. Os negociantes de Raamã e Sabá levavam aos mercados de Tiro suas melhores especiarias, pedras preciosas e ouro (Eze. 27:22). A localização exata ainda não foi identificada. Com base na forma grega, *Regamá*, muitos identificam-na com uma cidade desse nome, mencionada por Ptolomeu (VI. 7,14), localizada a leste da Arábia, no golfo Pérsico. Mas a identificação é improvável, porque o nome dessa cidade nas inscrições não teria chegado no hebraico em sua forma presente. Uma identificação melhor é com a Raamã perto de Me, no sudoeste da Arábia, mencionada nas inscrições mineanas, como o lugar de onde partiram assaltantes de Sabá e do Haulã contra uma de suas caravanas. Pode ser a mesma *Ramanitai*, mencionada por Estrabão (XVI.4,24). Se a identificação é correta, então a lista de tribos, em Gên. 10:7, começa no lado africano e termina no lado asiático do mar Vermelho.

RAAMIAS

Um dos doze chefes israelitas que voltaram do exílio babilônico em companhia de Zorobabel (Nee. 7:7). É chamado Reelaías, em Esd. 2:2, e Resaías, em I Esdras 5:8.

RAÃO

No hebraico significa «misericórdia», «amor». Era descendente de Judá e Calebe. Filho de Sema e pai de Jorqueão (I Crô. 2:44).

RABÁ

No hebraico, «grande» ou «populosa». Era a grande cidade, ou seja, a capital amonita.

1. *Geografia*. Seu nome completo é Rabá dos Filhos de Amom (Deu. 3:11 e Eze. 21:20), e o seu nome moderno é Amam, capital da Jordânia. Esta foi edificada sobre as ruínas da cidade bíblica. Parece ser a única cidade amonita a ser mencionada na Bíblia.

RABÁ — RABITE

Fica cerca de 35 km a leste do rio Jordão, nas cabeceiras do Wadi Amam, que logo se torna no rio Jaboque. A poderosa fonte de água, à beira do deserto, tornou-se a razão principal da existência da cidade. Por isso, é chamada «a cidade das águas», em II Sam. 12:27.

2. *História Bíblica*. A primeira menção bíblica à cidade é Deu. 3:11, que fala sobre o «leito de ferro» de Ogue, rei de Basã. A interpretação desse leito, talvez um sarcófago, é um enigma para os eruditos; e isso porque Ogue viveu no início da Idade do Ferro, quando esse metal era caríssimo. No território gadita, a cidade de Aroer ficava a leste de Rabá (Jos. 13:25). A referência bíblica seguinte diz respeito ao assédio da cidade pelos israelitas, sob as ordens de Joabe, junto com o episódio de Davi e Bate-Seba (II Sam. 11:1—12:31). Joabe esperou a chegada de Davi para completar a conquista (II Sam. 12:27-31; I Crô. 20:1-3). A cidade foi uma rica presa, e seus habitantes foram reduzidos à condição de trabalhadores forçados. Parece que Davi antecipava que Salomão reedificaria Jerusalém. Quando fugia de Absalão, Davi chegou a Maanaim, onde foi ajudado por amigos, entre os quais estava Naás, rei de Rabá (II Sam. 17:27-29). Davi deve ter estabelecido uma nova dinastia no trono amonita, após ter capturado a capital.

Nos dias do profeta Amós, a cidade era novamente a capital independente do reino amonita, cujas fronteiras se tinham expandido até Gileade. Em face da brutalidade da conquista, Amós predisse a destruição de Rabá (Amós 1:13,14). Nos dias de Jeremias, a predição se repetiu, pelo mesmo motivo (Jer. 49:1-3). Ezequiel tem duas predições contra os amonitas. O rei da Babilônia capturaria Rabá na mesma campanha em que Jerusalém seria destruída (Eze. 21:20), embora a capital amonita não fosse aniquilada nessa ocasião. Isso ocorreria às mãos dos árabes do deserto (Eze. 25:1-7). Rabá se enriqueceu devido ao controle das rotas comerciais das tribos do deserto com os árabes. Ezequiel predisse que essas mesmas tribos reduziriam a cidade a terras de pastagem no deserto.

3. *História Intertestamental*. A primeira alusão a Rabá, após o encerramento do A.T., é sua captura por Ptolomeu Filadelfo. A cidade foi rebatizada com o nome de Filadélfia, o qual perdurou durante todo o período romano, aparecendo, ocasionalmente o nome antigo. Antíoco, o Grande, capturou a cidade em 218 A.C. após longo cerco. Em 199 A.C., retornou à esfera de influência ptolemaica. A cidade tornou-se romana por ocasião da conquista da Palestina por Pompeu, em 63 A.C. Os nabateus, seus ocupantes normais no primeiro século A.C., foram dominados por Herodes, o Grande, em cerca de 30 A.C. Sob os romanos, a cidade tornou-se a cidade mais ao sul da confederação de cidades chamada Decápolis.

4. *História Arqueológica*. O abundante suprimento de água foi o segredo da contínua existência de Rabá. Artefatos descobertos pela arqueologia mostram ocupação desde os tempos paleolíticos até os tempos calcolíticos. O mesmo se dá quanto a sua ocupação por toda a Idade do Bronze e por toda a Idade do Ferro (menos a III), bem como nos períodos helenista e romano. Um túmulo do período dos hicsos mostra a riqueza da cidade na época. Mais interessante ainda é um templo da Idade do Bronze Posterior, em campo aberto, a quatro quilômetros da cidade. A rota principal do comércio com as margens do Mediterrâneo passava através de Rabá, entre a Arábia e Damasco.

Os grandes edifícios da época romana e bizantina são por demais valiosos no sentido de podermos descobrir a sua história anterior. A única parte viável para as escavações arqueológicas é uma parte do muro da cidade da era do Ferro.

Dos templos romanos foi descoberto um grande teatro e um pequeno odeão. Também há dois templos, um ninfeu, um banho, um aqueduto e restos de ruas com colunatas. Através desses restos, pode-se fazer boa idéia das formas arquiteturais básicas de Jerusalém, Jericó e Samaria, quando Jesus visitou essas cidades. Jerás é uma espetacular mostra de antiga cidade em ruínas, da época romana, sem igual em todo o Oriente Próximo.

RABE-MAGUE

Título babilônico de um oficial da corte real. Trata-se de uma palavra composta cujo sentido é desconhecido. O trecho de Jeremias 39:3 menciona Nergal-Sarecer, o rabe-mague que se fez presente quando da capitulação de Jerusalém. Nossa versão portuguesa, porém, dá a entender que Rabe-Mague era um príncipe distinto, entre os outros cinco, e não o título de um deles.

RABE-SÁRIS

Palavra de origem assíria. Era título dado ao eunuco que realizava vários serviços em favor do rei, incluindo a responsabilidade pelo harém real. De acordo com II Reis 18:17, Senaqueribe, o rei assírio, enviou um Tartã, um Rabe-Sáris e um Rabsaqué para forçarem a capitulação de Jerusalém. O termo também se encontra em Jer. 39:3,13. A versão portuguesa dá a impressão de que eram nomes pessoais, quando eram apenas títulos de cortesãos.

RABINISMO

Ver sobre *Rabino*. Rabinismo é o nome dado à disciplina religiosa criada pelos mestres rabínicos do período pós-bíblico. O Antigo Testamento era usado por eles como base, mas com a adição de comentários e tradições como um suplemento e como interpretação daquele documento sagrado. Desse modo, o judaísmo adaptou-se às necessidades da época. Ver sobre *Akiba; Hillel Midrash; Mishnah* e *Talmude*.

RABINO

No hebraico, **rabi**, «meu mestre». Termo transliterado do hebraico, usado pelos judeus para designar seus mestres religiosos. A princípio era usado para aludir aos escribas treinados na lei (Mat. 23:2-7) e a partir do século I A.C. começou a ser usado como um título. Foi traduzido para o grego como *didáskalos*, que significa «mestre» (Mat. 23:8; João 1:38). Devido à significação de *rab*, que quer dizer «grande», Jesus proibiu que seus discípulos aceitassem o título (Mat. 23:8). Entretanto, chamaram a Jesus por esse título (Mat. 26:25,49; Mar. 9:5; 11:21; 14:45, etc.). Também aplicaram-no a João Batista (João 3:26). «Raboni» (João 20:16) é uma forma aramaica-palestina da palavra. Ver *Mestre*.

RABITE

Cidade fronteiriça de Issacar (Jos. 19:20). Talvez seja a mesma cidade chamada Daberate, uma cidade levítica no território de Issacar (Jos. 21:28; I Crô. 6:72). A LXX e o manuscrito B dizem «Daberote», em lugar de Rabite, em Jos. 19:20.

RABONI

Ver **Rabino**.

RABSAQUÉ

Título assírio que significa «copeiro mor». Vem do acadiano *rab*, «chefe», e *saqû*, «dar de beber». Era designação de um oficial da corte, que ocupava importantíssima posição. Quando Senaqueribe atacou Laquis, enviou o seu Rabsaqué para entregar-lhe um ultimato (II Reis 18:17,19, 26-28,37; Isa. 36:2,4,11-13,22; 37:4,8). A versão portuguesa dá a impressão de tratar-se de um nome pessoal, e não de um mero título nobiliárquico.

RACA (TOLO)

A maioria dos eruditos supõe que temos aí uma transliteração de um termo aramaico que significava «estúpido» ou «vazio». Ver Mat. 5:22. Essa opinião é refletida em nossa versão portuguesa. Mas outros especialistas acreditam que o texto original é obscuro, e que só podem ser oferecidas especulações a respeito.

Opiniões:

1. A palavra seria uma interjeição dotada de um sentido negativo, embora não específico. Era proferida com hostilidade e ódio.

2. Equivaleria ao termo grego *su*, «você», embora dito de tal maneira que envolvia uma atitude odiosa.

3. Equivaleria a «cuspo», uma palavra usada para referir-se aos hereges.

4. Em Tia. 2:20 temos o adjetivo grego *kenós*, «vazio» (que nossa versão portuguesa traduz por «insensato»). Essa é a idéia mais comum que fazem os tradutores acerca desse vocábulo (ver também Mar. 12:3; Luc. 1:53; 20:10,11; Atos 4:25—citando Sal. 2:1; I Cor. 15:10,14,58; II Cor. 6:1; Gál. 2:2; Efé. 5:6; Fil. 2:16; Col. 2:8; I Tes. 2:1 e 3:5). Talvez esta e a outra interjeição tivessem a idéia de «réprobo», na mente de quem a proferia. O próprio Jesus usou a palavra ao referir-se aos escribas e fariseus, segundo se vê em Mat. 23:17,19.

Avaliações:

1. O contexto de Mat. 5:22 provê três classes de pecados, cada uma das quais perfaz uma parte do *assassinato* espiritual. Um aspecto disso é a *raiva* que demonstramos para com outras pessoas, que nos faz ofendê-las e prejudicá-las. E um outro aspecto é o *ódio*, que é o pólo oposto do amor. Ora, o amor é a própria prova da espiritualidade (ver João 4:7 ss). Assim sendo, o ódio é a prova da ausência de espiritualidade. As pesquisas têm esclarecido que a possessão demoníaca requer essa emoção se tiver de florescer. Por igual modo, a vida espiritual não pode florescer sem o concurso do amor verdadeiro. Ver os artigos intitulados *Ódio* e *Amor*.

2. Ocasionalmente, o ódio expressa-se por meio do uso de linguagem ofensiva. Ver sobre *Linguagem, Uso Apropriado de*.

O sexto mandamento da lei mosaica proíbe o assassinato literal. Porém, há maneiras morais e espirituais de alguém «matar» a outrem, até onde isso pode ser feito. Jesus condenou essas atitudes, incluindo a calúnia e o juízo descaridoso. Porém, quem não ofende com suas palavras aos seus semelhantes? Seremos chamados a prestar contas pelas nossas palavras (ver Mat. 12:36).

O rabino Joanã dirigiu-se a um aluno que se havia rido, em uma de suas preleções, usando a palavra hebraica *reqa*. No tocante ao comentário sobre a história de Noé, uma *midrashim* faz Noé dizer: «Ai de vós, *reqayya!* Amanhã virá o dilúvio. Arrependei-vos!» Parece que, nesses casos, o significado é «estúpido», «embotado».

RAÇA

No estudo das raças humanas, devemos considerar o aspecto biológico e o aspecto social. O primeiro versa sobre os processos de diferenciação das populações humanas, bem como sobre a classificação dos resultados de tais processos. O segundo aspecto trata dos mecanismos sociais que influenciam os processos de diferenciação, bem como as reações de um grupo social ante os resultados finais dos vários processos de diferenciação. Consideremos, pois:

I. O Problema Biológico da Raça
   A. Definição de Raça
   B. Meios de Classificação das Raças
   C. Classificação das Raças
   D. Como as Raças se Diferenciam entre si
   E. Raças Modernas Versus Raças Pré-históricas

II. Problemas Sociológicos da Raça
   A. Derivados da Comunidade Religiosa
      1. A Bíblia e a Questão Racial
      2. Supremacia Racial
   B. Derivados da Totalidade da Sociedade
      1. Controles Sociais Sobre a População
      2. Reações Sociais a Populações Distintas

I. O Problema Biológico da Raça

Não há dois seres humanos iguais. O exame dos detalhes mostra alguma distinção, mesmo entre sósias. Mas, ao mesmo tempo, os círculos científicos modernos concordam que todos os seres humanos vivos pertencem a uma única espécie. Uma espécie se compõe de todos os organismos que podem reproduzir-se sexualmente, criando descendentes férteis.

Os antropólogos dizem que o homem forma uma única espécie em contínua variação, isto é, *polimórfica* — com marcantes variedades quanto a muitas características estruturais; *politípica*, dentro de uma dada população, (ocorrerá certo número de variedades de indivíduos; e *poligênica* — em um grande número de *gene loci*, dois ou mais alelos se encontram em proporções relativamente estáveis, que variam de uma população para outra, dependendo de pressões seletivas, onde a maioria das características fenotípicas é produto de múltiplos efeitos genéticos. Essa espécie se compõe de grande número de populações em multiplicação, diferindo umas das outras devido a pressões de adaptação local, impedimentos geográficos e, em alguns casos, impedimentos sociais, que embargam o fluxo entre as populações. Isso significa que em todas as suas principais características biológicas, há mais características em comum do que diferenças distinguidoras.

A concentração de certas características em cada agrupamento humano torna-se a base da classificação das raças. Assim, as populações nativas da África central têm taxas muito mais altas de genes que produzem pele escura do que as populações européias. A taxa de genes produtores de olhos azuis diminui progressivamente da Escandinávia para o Mediterrâneo, e daí para a África. O problema consiste em classificar as subdivisões com base nessas tendências. Antigamente, pensava-se mais em características fixas das raças; modernamente se pensa mais em termos de distâncias e relacionamentos.

Há vários esquemas de classificação. Um deles divide toda a população do mundo em três grupos

RAÇA

básicos: *caucasóide*, ou branco; *negróide*, ou negro; e *mongolóide*, ou amarelo. Um outro esquema alicerça-se somente sobre considerações geográficas. E o outro alicerça-se sobre os tipos sangüíneos, A, B, ou O.

Visto que o termo «raça» tem sido aplicado a todas essas classificações, a confusão tem sido tal que alguns antropólogos têm sugerido a descontinuação do termo. Temos também de considerar que todas as populações têm a sua própria história. O que pode ser feito para classificar a população do Brasil, em face de tanta imigração? Nas palavras de Washburn, as «raças são produtos do passado, relíquias de tempos e condições que há muito deixaram de existir».

A. Definição de Raça

Uma classificação científica, baseada em critérios genéticos firmados permite a divisão da espécie humana em unidades menores, biologicamente determinadas. Uma definição baseada no *genótipo* ou formação genética humana, e não nas distinções *fenótipas*, diria: «Uma raça é uma população humana suficientemente isolada para revelar uma composição genética distintiva, que se manifesta em uma combinação toda própria de características físicas». Ela reconhece que há aparências físicas diversas, mas que elas não podem ser o único critério de classificação.

B. Meios de Classificação das Raças

Quatro idéias básicas estão envolvidas: população, isolamento, composição genética e características físicas distintivas.

Uma *população* pode ser definida como «um grupo de observações possíveis ou de indivíduos unidos por algum princípio comum». As populações que têm ocupado uma dada região desde tempos remotos, e que continuam a fazê-lo, tendem mais por compartilhar de antepassados comuns. Ali poderá haver variações *locais*. Alguns têm calculado que o número total dessas variações locais é de trinta. Estas podem dividir-se em raças *microgeográficas*, que seriam grupos extremamente isolados, como os antigos patagões do extremo sul da América do Sul. O *isolamento* é o resultante da mobilidade limitada de uma população, o que assegura que seus membros compartilhem de genes que não são compartilhados por outras populações. Fatores geográficos e sociais contribuem para tal isolamento. Oceanos podem impedir que duas populações se misturem por casamento, ao passo que a exogamia-endogamia pode restringir as oportunidades de casamento, reduzindo assim o isolamento na cena local.

A *composição genética* sugere que o material hereditário das células sexuais é o conjunto de unidades mais ou menos discretos. São os chamados «genes». Entram aí as leis da herança genética, de Mendel. Outrossim, embora uma criança obtenha metade dos genes de seu pai e metade dos genes de sua mãe, ela recebe apenas a metade do total de genes de cada genitor. Isso envolve questões como os cromossomos, o ácido desoxirribonucléico e uma espécie de código que reúne os cromossomos, tudo o que foge ao âmbito de um artigo como este, mas que faz parte do quadro total.

Uma concatenação inteira de *características físicas* assinala uma raça qualquer. Contudo, é claro que um indivíduo nunca possui todas as características que distinguem a sua raça. Cada indivíduo é ímpar.

C. Classificação das Raças

Talvez a mais completa e extensa classificação das raças, baseada na definição de raças, que demos acima, seja aquela sugerida por E. Adamson Hoebel, que divide a espécie humana em nove categorias principais: 1. *Européia* — populações da Europa, norte da África e Oriente Médio, com seus descendentes espalhados pelo mundo. 2. *Indiana* — populações do subcontinente indiano. 3. *Asiática* — populações da Sibéria, Mongólia, China, Japão, sueste da Ásia e Indonésia. 4. *Micronésia* — população das ilhas do Pacífico Ocidental desde Guam às ilhas Marshalls. 5. *Melanésia* — população das ilhas do Pacífico ocidental ao sul da Micronésia, desde a Nova Guiné até Fiji. 6. *Polinésia* — população das ilhas do Pacífico oriental desde as ilhas do Havaí até a Nova Zelândia e a ilha da Páscoa. 7. *Americana* — população formada pelos «índios». 8. *Africana* — populações da África, ao sul do deserto de Saara. 9. *Australiana* — população formada pelos aborígenes australianos.

Consideremos com maiores detalhes cada uma dessas nove raças.

Européia. Não é realmente branca. Há grande variedade de pigmentação da pele. A cor dos olhos vai do azul claro ao castanho escuro. Os cabelos vão de louro ao negro, com textura de fina a média. Podem ser lisos, ondulados ou encaracolados, mas nunca do tipo «pixaim». Os homens tendem por ter pêlos nc peito, nos braços, nas pernas e no rosto, bem como no alto da cabeça. O nariz é estreito e reto, raramente largo e achatado. Embora a testa seja ligeiramente inclinada para trás, a face não apresenta prognatismo. O queixo tende a se projetar, e os lábios são finos. A estatura varia entre média e alta.

Indiana. O fato de que a Índia é um subcontinente isolado do resto da Ásia por grandes cadeias montanhosas, sua população pode ser considerada uma raça à parte. Há centenas de raças locais e de raças microgeográficas na península. A endogamia tribal e de castas têm dividido a população em inúmeros grupos isolados, separados por distâncias sociais mais inibidoras do que as distâncias geográficas. No norte da Índia a cor da pele é variegadamente clara. No sul, pode ser bem escura. A estatura é baixa, exceto no extremo noroeste, onde tem havido muita mistura com sangue europeu (principalmente da Europa Central). Quase todos os indianos são morenos, e os cabelos são, usualmente, ondulados. Os homens têm pêlos moderados no corpo. A cabeça quase sempre é colicocefálica. Os olhos são castanhos escuros e bem grandes. A construção do corpo é graciosa.

Asiática. Era chamada mongolóide. A característica mais proeminente dessa raça são os olhos oblíquos, que os antropólogos chamam, mais elegantemente, de dobra interna epicântica. Os infantes também têm uma característica sem-par, a «mancha mongolóide», uma área triangular de pele azulada, na base da espinha. A cor da pele é trigueira, ou com um tom amarelado. Os olhos são castanhos, ou castanho escuro, e os cabelos são negros e lisos, e freqüentemente longos, mas eles quase não têm pêlos no rosto e no corpo. Quase todas as populações asiáticas são braquicéfalas. As maçãs do rosto são proeminentes, o nariz é achatado, dotado de ponte baixa, dando assim uma aparência de rosto chato. Apesar de terem tronco relativamente longo, pesado e largo, usualmente, as pessoas dessa raça são baixas, porquanto as suas pernas são curtas.

Micronésia. Essa população resultou da mescla de asiáticos do sueste e de melanésios. Tem estatura média, olhos castanhos e pele escura. Os cabelos são negros e freqüentemente frisados. A cabeça varia entre o tipo braquicefálico e mesocefálico.

Melanésia. Os povos das Ilhas Negras são dotados de pele e cabelos negros. Os cabelos são longos e frisados. A cabeça, usualmente, é dolicocefálica e o nariz é alto e largo. Os olhos são escuros e a face tem um prognatismo acentuado, com lábios excessivamente grossos. São raros os pêlos no corpo. A estatura é média e o corpo é bem formado.

Polinésia. A população dali é uma mescla de sangue indiano, melanésio e asiático do sul. A raça é bastante parecida com o tipo malaioindonesiano, com exceção do fato de que uma hereditariedade mediterrânea um tanto mais acentuada lhe dá um cabelo mais ondulado, alonga a face e o corpo, aclara a pele e produz um nariz alto. A tendência africana se exibe em seus lábios grossos. A redondeza dominante dos asiáticos caracteriza a maioria dos polinésios. Os cabelos crescem abundantes na cabeça, mas, como já era de se esperar em uma mistura indiana-asiática-melanésia, os pêlos são escassos no corpo e na face. Visto que a alimentação ali é abundante, os polinésios possuem corpos bem desenvolvidos e poderosos.

Americana. Antes chamados ameríndios. Os índios da América têm estatura muito variável, como também a forma da cabeça e certos detalhes de características faciais. A grosso modo, porém, revelam sua origem asiática. Predomina ali a cabeça braquicéfala, os olhos castanhos, os cabelos negros e usualmente lisos, os lábios finos, as maçãs do rosto salientes, a dobra epicântica dos olhos em alguns casos, e uma pele amarelada ou avermelhada cobre um corpo largo e pesado. Todavia, os tipos sangüíneos diferem muito dos tipos asiáticos.

Africana. Dentre toda a humanidade, os africanos são os dotados de mais intensa pigmentação de pele. Mas poucos africanos são realmente negros. A maioria tem a pele amarronzada. Os cabelos quase sempre são negros, grossos, do tipo «pixaim». Com poucas exceções, as cabeças são longas e estreitas. A região occipital se projeta para fora, como também a porção mais baixa do rosto, o que é acentuado pelos lábios grossos e revirados para fora. O nariz africano é largo, com narinas grandes e uma ponte larga e profundamente deprimida. Os cabelos, embora compactos, são curtos e nos homens a barba é rala, sendo raros os pêlos no corpo. A estatura vai de média a alta. O antebraço é longo e as canelas são finas (geralmente não desenvolvem a batata da perna como em outras raças).

Australiana. O aborígene australiano tem o cenho carregado. A testa é extremamente inclinada para trás, partindo da mais pesada ponte suborbital que há em qualquer raça sobrevivente na terra. O crânio é estreito e abriga um cérebro notavelmente menor em volume que o de qualquer outra raça viva. O rosto se projeta para a frente, e mais ainda a arcada dentária. Os olhos, castanhos escuros, são postos ao lado de uma raiz nasal profundamente deprimida, e logo abaixo as ventas grandes exibem abas que formam uma espécie de globo. O rosto inteiro é comprimido. Os australianos não são muito baixos e nem muito altos. Têm corpos magros e curtos, sobre um par de pernas que parecem tubos.

D. Como as Raças se Diferenciam Entre Si

Disse Dobzhansky: «As diferenças entre as raças humanas, afinal de contas, são pequenas, visto que a separação geográfica entre elas nunca é por demais marcante. As raças divergem gradualmente. Naturalmente, nada há de fatal nessa divergência e, sob algumas circunstâncias, as divergências podem cessar ou mesmo transformar-se em convergências. Isso é uma característica da espécie humana. No passado, as raças humanas estavam mais separadas uma das outras do que atualmente».

As raças se diferenciam dentro da espécie humana devido a quatro fatores. A *seleção* é a influência do meio ambiente em várias intensidades, que impede ou encoraja a reprodução de genes dos indivíduos que os transportam. Há forças que permitem que certas populações se multipliquem mais rapidamente do que outras. O *desvio genético* refere-se à perda de genes através de acidentes no processo de segregação e recombinação de genes. Em uma população numerosa, a contribuição de um indivíduo é menor do que no caso de populações rarefeitas. A *mutação* é a reorganização molecular do código genético. Um gene não se repete exatamente dentro do processo de réplica, o que ocorre com relativa raridade. As mutações, porém, só produzem variações dentro de uma espécie, e nunca em novas espécies. Mas em seguida há a regressão ao tipo anterior. O *fluxo genético* é a transmissão de genes de uma população para outra.

Há fatores que impedem o processo de diferenciação acima indicado. Esses fatores podem ser geográficos, ambientais e sociais. — Eles não chegam causar diferenças raciais apreciáveis, mas têm alguns efeitos inibidores. Assim, uma população católica que vive ao lado de uma população budista, dificilmente misturar-se-á com aquela.

E. Raças Modernas Versus Raças Pré-históricas

É tarefa relativamente fácil diferenciar as raças vivas. Mas, os cientistas nem sempre têm podido diferenciar os grupos raciais do passado. Eles tendem por apresentar uma linha única de ascendência, que é uma grande fraqueza no estudo dos fósseis humanos. Assim, o *Homo Sapiens* seria descendente do austrolopiteco, passando por fases como o homem Erectus, o homem Solo, o homem Rodesiano, o homem Neanderthal e o homem Cro-Magnon. Nunca se saberá com certeza, mas qualquer dos fósseis humanos poderia ter sido uma raça separada, e não parte de um único desenvolvimento de tipos distintos de homens. Nenhuma teoria exposta pelos cientistas tem podido resolver o dilema.

II. Problemas Sociológicos da Raça
A. Derivados da Comunidade Religiosa

1. *A Bíblia e a questão racial.* A Bíblia nunca menciona a idéia de «raça» é nem tal conceito é desenvolvido ali. No entanto, a Bíblia tornou-se o centro de sentimentos profundamente arraigados a respeito da questão racial. Tais sentimentos e as teorias que os têm sustentado, se têm derivado de fontes sociológicas, e não de fontes bíblicas. Dentro de certas sociedades, as diferenças raciais se têm transformado em atitudes racistas.

Os primeiros capítulos de Gênesis, segundo o parecer de alguns, ensinaria que as raças foram espécies separadas criadas por Deus, embora tal idéia seja estranha às Escrituras. «O Deus que fez o mundo... de um só fez toda raça humana para habitar sobre toda a face da terra...» (Atos 17:24 e 26). Mas alguns têm pensado que a história de Adão e Eva aplica-se somente aos caucasianos. Outros têm argumentado que Caim era negro, o progenitor da raça africana, idéia atrativa para os racistas, que assim podem associar a conduta de Caim ao tipo negro.

Outro ponto de interesse é o relato em torno de Noé. Os negros seriam descendentes de Cão, porque, supostamente, este teria nascido negro. Todas as teorias se esquecem de que os três filhos de Noé, segundo notícias bíblicas, podem ter sido homens de pele escura, característica dos povos do Oriente Próximo. As variações de cor da pele surgiram centenas de anos após a época dos filhos de Noé. Isso destrói o mito que diz que Cão adquiriu a coloração negra por causa da maldição. Mas a maldição recaiu sobre Canaã, e não sobre Cão. Deve-se entender que tal maldição não teve qualquer sentido «espiritual». De qualquer maneira, não devemos esperar da Bíblia uma explicação científica da origem das raças. A resposta possivelmente se acha nas condições do clima, e isto através de um tempo muito mais longo do que a cronologia bíblica cobre. As diferenças entre as raças, além do problema da cor, não têm uma explicação nem bíblica, nem científica que satisfaz. Ver o artigo sobre *Evolução*.

A torre de Babel se tem tornado outra fonte de teorias sobre a origem das raças. Alguns pensam que Deus, miraculosamente, produziu as raças, ao mesmo tempo que diferenciou os idiomas. Todas as ideias afins servem somente para alimentar os sentimentos racistas de alguns, sendo inteiramente destituídas de base bíblica.

2. *Supremacia racial*. Os preconceitos raciais se derivam de várias causas econômicas, políticas e sociais; do conceito de superioridade-inferioridade; de diferenças biológicas ou de combinações de todos esses fatores. Todos esses preconceitos nada têm de científico, estando calcados sobre meras razões emocionais. As perguntas que exigem respostas, derivadas desses preconceitos, são: algumas raças têm uma capacidade superior para adquirir cultura? São inerentemente mais inteligentes? Têm uma capacidade inerente maior para a liderança, o que justificaria o seu controle e exploração sobre as raças supostamente menos bem dotadas?

Os testes de inteligência também não medem a superioridade de uma raça qualquer sobre outras. Esses testes aquilatam a habilidade inata juntamente com a experiência cultural. Coisa alguma tem podido determinar a superioridade de uma raça qualquer sobre outra. A variação da inteligência é uma questão puramente individual, nunca inerentemente racial.

Mas devemos nos lembrar que é um fato cientificamente comprovado que nutrição inadequada reduz a inteligência e a criatividade de um povo, como um total. Portanto, uma subnutrição produz uma raça inferior, tanto física como intelectualmente. O cérebro, afinal, é um orgão físico, e precisa de uma alimentação adequada, especialmente nos primeiros meses de vida da pessoa. Portanto, enquanto não podemos falar, cientificamente de uma raça inferior *inerentemente*, por razões práticas, como nutrição, não podemos negar o fato da inferioridade. Na Bíblia, no A.T., a raça judaica é considerada superior, espiritualmente falando, por causa de privilégio maior. Mas esta superioridade foi dada para que Israel fosse o professor das nações nas coisas espirituais, não para exaltar aquele povo acima de qualquer outro.

B. Derivados da Totalidade da Sociedade

1. *Controles sociais sobre a população*. A sociedade interage com o meio ambiente para produzir e controlar a população que se multiplica. As estruturas sociais também exercem seu controle. Qualquer grupo que não faça parte do potencial de intercasamentos será isolado sociologicamente e, assim, provavelmente, surgirá uma diferenciação racial com a passagem do tempo. Esses isolamentos podem dar-se por motivos econômicos, políticos ou religiosos.

2. *Reações sociais a populações distintas*. Todos os homens, sem importar a raça, podem aprender a falar um idioma, a adquirir habilidades técnicas, a cooperar, a usufruir da beleza e da arte, a cultivar noções religiosas, filosóficas e científicas. O estudo das culturas deveria insuflar-nos profundo respeito pela capacidade humana de aprender.

Mas a negação da igualdade de oportunidades para todos estultifica a diversidade genética com que a humanidade foi equipada, durante o seu desenvolvimento histórico. Essa desigualdade oculta e impede a capacidade de alguns povos e mascara a falta de habilidade de outras populações. Mesmo depois que a expectação de vida dos americanos brancos aumentou de quarenta e oito anos para sessenta e sete anos para os homens no caso dos americanos negros, as taxas foram de trinta e dois anos para sessenta e um anos. Isso indica que os americanos brancos gozam de melhores oportunidades sociais e econômicas do que os americanos negros, e não que os brancos sejam superiores aos negros.

Sumariamos aqui os parágrafos finais da *Declaração sobre Raças*, da Organização Educacional, Científica e Cultural das Nações Unidas (Paris, 1950):

Temos pensado valer a pena estabelecer, de modo formal, o que se sabe, no presente, como cientificamente estabelecido, no tocante às diferenças individuais e raciais:

a. No tocante às raças, a única característica que os antropólogos têm sido capazes de usar com eficácia, até o presente, como base de classificação é de natureza física (anatômica e fisiológica).

b. O conhecimento científico disponível não provê qualquer base para a crença de que os diversos grupos da humanidade difiram em sua capacidade *inata* para o desenvolvimento intelectual ou emocional. Mas condições físicas, como nutrição, condicionam o desenvolvimento intelectual.

c. Algumas diferenças biológicas entre seres humanos de uma mesma raça podem ser tão grandes ou mesmo maiores do que as mesmas diferenças biológicas entre as raças.

d. Vastas mudanças sociais têm ocorrido sem qualquer conexão com alterações no tipo racial. Os estudos históricos e sociológicos, portanto, confirmam o ponto de vista de que as diferenças genéticas são pouco significativas na determinação das diferenças sociais e culturais entre diferentes agrupamentos humanos.

e. Não há qualquer evidência de que a mescla de raças produza desvantagens, do ponto de vista biológico. Os resultados sociais das mesclas raciais, para melhor ou para pior, podem ser atribuídos, de modo geral, a fatores sociais.

RACAL

Localidade no sul de Judá para onde Davi enviou parte dos despojos obtidos em Ziclague (I Sam. 30:29). A LXX e o manuscrito B dizem «Carmelo», havendo boas razões para se pensar que esse é o texto correto.

RAÇAS PRÉ-ADÂMICAS

Ver os artigos separados **Antediluvianos** e **Língua**, onde, na discussão relativa à origem dos idiomas, entra esse ponto das raças pré-adâmicas. Ver também sobre *Criação* e *Astronomia*. Os telescópios que usam luz infravermelha estão captando luz com dezessete bilhões de anos de antiguidade. É possível sustentar a crença em uma criação recente em geral, e da terra em particular. O próprio homem é de maior antiguidade que muitos têm pensado, e grandes mistérios circundam esse assunto.

RACATE

No hebraico, o sentido da palavra é incerto. Era uma cidade fortificada de Naftali, mencionada na Bíblia em Jos. 19:35. Alguns estudiosos lhe dão o sentido de «barranco» ou «torrente». A tradição judaica a identifica com Tiberíades, mas a erudição moderna prefere identificá-la com Khirbet el-Quneitireh, pequena e antiga localidade perto da praia ocidental do mar da Galiléia, a pouco mais de dois quilômetros ao norte de Tiberíades.

RACHADORES DE LENHA

Os rachadores de lenha parecem ter formado, em Israel, uma classe operária distinta. Algumas vezes, esse trabalho era imposto como um trabalho forçado, visto que era muito cansativo, que qualquer homem teria evitado, se possível. Os gibeonitas, que iludiram Josué quanto a um certo acordo, temendo que seriam tratados a exemplo do que fora feito aos habitantes de Jericó e de Ai, uma vez descoberto o ludíbrio, foram forçados a fazer esse trabalho, como também o de serem transportadores de água (Jos. 9:21). Tais serviços, usualmente, eram realizados por trabalhadores das classes sociais mais humildes (Deu. 29:11). O trecho de I Reis 5:15 revela-nos que Salomão tinha quatro mil rachadores de lenha nas montanhas, por serem elementos importantes em qualquer projeto de construção. Os rachadores de lenha, mencionados em II Crô. 2:10 e Jer. 46:22; parecem ter sido considerados profissionais, formando uma classe social. Parece que isso se confirmava ainda mais quando algum projeto de construção estava sendo efetuado.

RACIONALIDADE

Tradicionalmente, os filósofos têm-se referido ao homem como um *animal racional*, pois a razão seria a mais proeminente distinção entre o ser humano e o reino animal. Mas os animais têm sido subestimados quanto a isso, porquanto várias espécies de animais têm mostrado possuir certo grau de raciocínio. Contudo, no que tange ao reino animal como um todo, pode-se afirmar que aquela distinção é veraz. Ver o artigo geral sobre o *Racionalismo*, que enfatiza essa qualidade humana básica para o conhecimento.

O trecho de Rom. 12:1 é um importante versículo neotestamentário que alude à racionalidade. Somos ali exortados a apresentar nossos corpos como um sacrifício vivo, santo e aceitável a Deus, no que consiste nosso «culto racional». A palavra grega ali usada, *logikós*, está vinculada à nossa palavra portuguesa «lógica». Ela tem sido interpretada como dotada dos possíveis sentidos de racional, razoável, espiritual. A nossa dedicação a Cristo é razoável, lógica e espiritual. Há muitas boas razões para a vida cristã consagrada a Deus.

RACIONALISMO

Essa palavra portuguesa vem do termo latino **ratio**, «razão». De modo geral, esse termo indica o princípio de que à razão devemos dar o lugar de preeminência, em nossa maneira de tomar conhecimento das coisas.

1. *Três Definições Básicas*:

a. O racionalismo é a crença de que é possível o homem obter a verdade contando unicamente com a razão, ou, pelo menos, principalmente por meio da razão, ainda que com a ajuda de outros métodos. Os séculos XVII e XVIII viram o aparecimento do desenvolvimento do racionalismo sistematizado nas filosofias de Descartes, Spinoza e Leibnitz, mas o racionalismo sempre foi uma importante postura filosófica.

b. Ou a crença que todas as coisas podem ser explicadas por meio da razão (se ao menos tivermos a paciência de esperar), e que todas as verdades podem ser organizadas formando um único sistema. Esse tipo de racionalismo requer muita fé para ser aceito. Sartre é um exemplo dessa variedade de racionalismo.

c. Em um sentido restrito, o racionalismo é a crença de que a fé religiosa é destituída de alicerce racional. Em outras palavras, um racionalista desse tipo é alguém que não vê qualquer significação na religião, pensando ser a mesma contraditória, insensata, ilógica e fantasiosa. Algumas pessoas religiosas, que salientam o elemento místico às expensas de todos os demais elementos, chegam a ansiar por confessar a irracionalidade de sua fé. Ver sobre o *Antiintelectualismo*. A verdade da questão é que todos nós precisamos de todas as janelas para o conhecimento que possamos obter. A razão não é contrária à fé, e nem é uma atitude exclusivista para que se venha a conhecer a verdade religiosa. Pois também precisamos do *misticismo* (vide).

2. *Idéias dos Filósofos:*

a. *Parmênides* via o mundo através da razão, julgando que a percepção dos sentidos erra em suas descrições. Ele pensava que a percepção dos sentidos leva a uma experiência que é alienada da verdadeira realidade, a qual só poderia ser captada pela razão.

b. *Platão* aceitava as assertivas básicas de Parmênides, mas aplicava-as ao mundo das Idéias, permitindo que o mundo físico seja descrito inexatamente pelas experiências da percepção dos sentidos. Para Platão, a razão seria a verdadeira maneira de chegarmos a conhecer as coisas. Porém, acima da razão ele ainda postulava a intuição e as experiências místicas (a contemplação do Real, ou seja, do mundo das Idéias). Platão enfatizou o racionalismo em seus diálogos. Ele esperava que desse raciocínio fossem produzidos resultados.

c. *Os racionalistas continentais*, como Descartes, Spinoza e Leibnitz construíram sistemas que dependiam, essencialmente, do exercício e aprovação da razão. Descartes e Spinoza têm sido acusados (ou elogiados) de terem feito a filosofia tornar-se uma espécie de geometria.

As Idéias Inatas. Esse é um importante aspecto do sistema racionalista. Essa expressão compreende as idéias embutidas nas pessoas, que o pensamento disciplinado seria capaz de exteriorizar. Essas idéias incorporam a verdade. Ver o artigo separado com esse título.

d. *Uma outra forma* de racionalismo é aquela do século XVIII, quando adquiriu o sentido de seguir o «novo conhecimento», como aquele das ciências, em vez do pensador deixar-se cativar pelas tradições. A religião ficou sendo alvo de ataques desse tipo de racionalismo. Naquela época, para muitos, a razão parecia excluir qualquer fé religiosa.

e. *No século XIX*, nos escritos de Hegel e de outros, o racionalismo veio a ser associado ao *idealismo filosófico* (vide) de vários tipos. Nesses sistemas, a razão desempenhava o papel predominante como um método de conhecimento. A teoria da coerência da verdade foi posta em destaque. Idéias básicas foram expandidas em subcategorias, não havendo necessidade de apelar para a verificação empírica. Ver o artigo chamado *Conhecimento e a Fé Religiosa*, O. A segunda seção desse artigo apresenta várias teorias da verdade, onde a *coerência* é o décimo terceiro ponto.

f. *Na teologia*. Encontramos aqui várias aplicações possíveis do termo: 1. A razão é nossa mais poderosa ferramenta para tomarmos conhecimento da verdade religiosa. A fé desempenharia um papel secundário. A fé religiosa precisa ser razoável. Deus é o autor da razão, e podemos confiar em seus poderes e nas conclusões a que chega a razão. 2. Algumas vezes, o termo tem sido usado como sinônimo de *modernismo* (vide), ou de *liberalismo* (vide), quando a razão é algumas vezes usada para chegarmos a conclusões negativas, a fim de denunciar as crenças e tradições fundamentalistas. 3. O racionalismo também tem sido a designação de um método *crítico* de estudar a Bíblia e a fé religiosa. 4. Os eruditos conservadores chamam alguns estudiosos de *racionalistas*, quando dependem excessivamente da razão e pouco demais da verdade bíblica, pois, enfatizando a razão acabam chegando a conclusões falsas. (AM E EP F P MM)

RACOM

No heb. aparece com o artigo definido, pelo que na LXX é Iarak Kon. Os estudiosos relacionam a palavra à raiz que significa «cuspir», embora seja mais provável que se relacione a uma raiz que significa «ser fino», ou seja, *praia* (?) ou *lugar estreito* (?).

Era uma das cidades que coube por herança a Dã, presumivelmente, em ou perto de Nahr el-'Auja (rio Jarcom), cerca de 24 km de Jope e próxima do Mediterrâneo, de acordo com o contexto (Jos. 19:46). Tem sido sugerido o cômoro er-Reqqeit, a dez quilômetros ao norte de Jope. Visto que a LXX a omite, alguns sugerem o nome como ligado a Me-Jarcom. Todavia, as formas desses nomes são, suficientemente diferentes para tornar a sugestão improvável. O mais provável é que a LXX corrompeu o texto mediante um *homoeteleuton* — omissão de uma passagem porque o olho do copista saltou de um fim de linha para outro fim de linha similar. (Ver Me-Jarcom).

RADAÍ

Quinto dos sete filhos de Jessé, pai de Davi (I Crô. 2:14).

RADBERTO, PASCÁCIO

Não se sabe quais suas datas com certeza, embora seja sabido que ele faleceu pouco tempo depois de 856 D.C. Foi abade de Corbie entre 842 e 852 D.C. Foi o mais erudito dos teólogos francos, em seu século. É mais conhecido atualmente devido à sua obra, de título latino, *De Corpore et Sanguine Domini*, que significa «Do Corpo e do Sangue do Senhor». Esse foi o primeiro tratado de que se tem notícia e que se devotou exclusivamente a um estudo sobre esse assunto, sendo uma antiga explicação da *transubstanciação* (vide).

Vários de seus contemporâneos protestaram contra essa obra, como Rabano Mauro, João Scoto Erigena e Ratramno, este último um companheiro seu. Mas a doutrina geral de Radberto terminou obtendo aceitação dentro da Igreja Católica Romana.

RADHAKRISHNAN, SARVEPALLI

1. Sua postura filosófica em geral era a do *idealismo* (vide), que ensina que a verdadeira realidade consiste na idéia, na energia espiritual, e não na matéria, sendo que esta é apenas um modo de expressão da idéia.

2. Para alguns filósofos e teólogos indianos, o vocábulo *maya* significa «ilusão», o estado *irreal* do mundo dos sentidos, o alegado mundo físico que, para a maioria das pessoas, é a realidade central. Entretanto, alguns filósofos indianos têm usado o termo para indicar uma *realidade secundária* (conforme Platão também referia-se ao mundo dos objetos físicos). Este mundo seria relativo, sendo uma expressão do Absoluto. Radhakrishnan usava a palavra para indicar alguma realidade relativa e inferior.

3. Os pontos de consonância entre as religiões são mais impressionantes do que as diferenças, na opinião dele. Isso incluiria as religiões orientais e ocidentais. Radhakrishnan esforçava-se por obter unidade entre as filosofias e religiões do mundo, pensando que há muita base para a tentativa, se ao menos pudéssemos esquecer a nossa arrogância.

4. Doutrinas comuns entre todas as religiões são a existência de Deus, e a existência da alma e sua sobrevivência diante da morte biológica, a busca pela vida espiritual no além, a busca pela verdade e a necessidade das boas obras, ou seja, o viver segundo a lei do amor. Essas coisas, para ele, seriam a substância própria da fé religiosa.

5. A religião do espírito incluiria, naturalmente, a filosofia e sua inquirição, excetuando no caso das mentes mais fechadas e radicais.

6. Deus não é totalmente nem transcendental e nem imanente. Os filósofos frisam a transcendência, e as religiões frisam a imanência de Deus.

7. O discernimento religioso, quando verdadeiro e suficientemente completo, inevitavelmente produz o *otimismo*, o *universalismo ético*, e, acima de tudo, a *tolerância* (vide). Porém, aqueles de menor espiritualidade continuam vivendo na hostilidade, fazendo da vida religiosa um campo armado, com seus ataques contra pessoas de crenças diferentes.

8. Platão exibiu grande discernimento quando percebeu que valores eternos devem estar por detrás de toda a nossa vida. O mundo dos sentidos jamais poderá satisfazer à alma. Há um mundo superior que a alma busca. Mas, além disso, para Radhakrishnan há o conceito hindu do alvo da auto-existência divina, ou seja, a participação final na natureza divina. Como é óbvio, este último ponto é claramente ensinado pelo cristianismo. Ver, por exemplo, II Ped. 1:4.

9. Mas a participação na natureza divina seria um privilégio da raça humana inteira, e não apenas para alguns indivíduos, conforme ensina a Bíblia. Esse filósofo indiano tinha grande fé no triunfo final do bem, no *sentido absoluto*, que fará o mal ser completamente obliterado, em todas as suas manifestações. Esse alvo final será atingido, em última análise. Ver sobre o *Universalismo*.

Escritos. Indian Philosophy; The Philosophy of the Upanishads; An Ideal View of Life; Freedom and Choice; Contemporary Indian Philosophy; East and West; Some Reflections; A Source Book in Indian Philosophy; Religion in a Changing World.

RADICAIS HOLANDESES

Essa escola de pensamento dizia que nenhum dos escritos do Novo Testamento é anterior ao século II D.C. Eles descreviam a história como um lento e gradual processo evolutivo, que envolve a religião e os dogmas. A ênfase deles recaía sobre um lento processo histórico, e não sobre os elementos sobrenaturais da religião. Essa escola era um paralelo aproximado da escola alemã de Tubingen. Ver sobre os *Eruditos de Tubingen*.

RADICALISMO FILOSÓFICO

Alguns estudiosos preferem falar nos *radicais filosóficos*. Esse nome foi outorgado à filosofia, e o título alternativo aos filósofos que promoviam o *utilitarismo* (vide). Os principais representantes dessa posição foram Jeremias Bentham, James Mill, Stuart Mill, William Godwin e John Austin.

Filosofia Radical. Esse termo não deve ser confundido com aquele que aparece acima. Pois fala de um movimento que começou na década de 1970, e que afirma que a filosofia deveria ser relevante. Assim, não seria suficiente tentar interpretar o mundo. Antes, a filosofia deveria procurar ver como tais interpretações fazem uma diferença, além de procurar promover essas diferenças.

RAFA

No hebraico, o nome adquire duas formas, o que reflete na LXX, *Ráfe*, em I Crô. 8:2, e *Ráfaia*, em I Crô. 8:37. A primeira forma significa, no hebraico, *ele curou*; e a segunda, *ele* (*Deus*) *tirou*; ou então, *ele* (*Deus*) *curou*. É nome de duas pessoas:

1. O quinto filho de Benjamim (I Crô. 8:2). Entretanto, a lista dos filhos de Benjamim, em Gên. 46:21, omite inteiramente o nome.

2. Nome de um descendente de Saul de Benjamim; era filho de Bineá e pai de Eleasá (I Crô. 8:37; cf. 9:43).

RAFAEL

No hebraico, significa «curador divino». Era um dos «sete santos anjos que apresentaram as orações dos santos e entraram na presença da glória do Santo» (Tobias 12:15). Na mesma passagem desse livro apócrifo, o arcanjo teria dito a Tobias: «Agora Deus enviou-me a curar a ti e à tua nora, Sara» (12:14).

Os sete arcanjos seriam Rafael, Gabriel, Uriel, Miguel, Izidquiel, Hanael e Quefarel. Eram príncipes dos exércitos angelicais, os únicos seres criados que teriam o direito de penetrar na radiância da glória divina (cf. Luc. 1:19, onde Gabriel se descreve como quem vive na presença de Deus). Rafael seria um protetor de Tobias.

No livro de Enoque, Rafael e Miguel aparecem comissionados a punir os anjos caídos que se tinham casado com mulheres, nos dias de Noé. Rafael recebeu ordens para amarrar as mãos e pés de Azazal e jogá-lo no abismo (Enoque 10:4; cf. II Ped. 2:4). Mesmo assim, Rafael agia como um curador, pois assim a terra seria sarada da contaminação produzida pelos anjos caídos. De acordo com o *Livro de Noé*, um tratado de medicina, mencionado nos Midrashim dos judeus, os homens foram afligidos por várias enfermidades após o dilúvio, e então Deus enviou Rafael para mostrar a Noé o emprego de várias plantas e raízes curativas. Uma outra tradição judaica diz que Rafael foi o terceiro dos anjos a aparecer a Abraão, em Gên. 18:2-22. Rafael teria dado a Sara a capacidade de conceber, embora já tivesse passado da idade de ter filhos. Todavia, ele nunca é mencionado nos livros canônicos da Bíblia.

RAFAIM

Um ancestral de Judite (Judite 8:1), mencionado como filho de Aitube e pai de Gideão.

RAFOM

Moderna er-Rafeh, à margem direita do Nahr el-Ehreir, a 13 km ao norte de Carnaim (moderna Asterote-Carnaim). Essa cidade não é mencionada na Bíblia, mas, provavelmente, é a cidade que ocupa o vigésimo nono lugar nas listas das cidades conquistadas por Tutmés III, *nw-r-p-'i*. Foi também ali que Timóteo, comandante de Gileade, reorganizou o seu exército e o reforçou com tropas árabes auxiliares, depois que foi derrotado por Judas Macabeu e Jonatã, no comando de oito mil judeus, em Datema. Ao atravessarem a ravina para ir ao encontro do adversário, na margem oposta de Rafom, os judeus novamente derrotaram os gentios.

RAFU

No hebraico, significa curado. Pai de Palti, espia que representava a tribo de Benjamim, em Núm. 13:9, e que trouxe um relatório pessimista do que vira.

RAGA

Temos aí um vocábulo sânscrito que fala sobre um dos cinco tipos de apego ilusório experimentados pelas pessoas. *Raga* é o apego a *coisas agradáveis*, as quais podem desviar nossas mentes da inquirição espiritual séria.

RAGAÚ

Filho de Peleque e pai de Serugue. É mencionado na genealogia de Jesus (Luc. 3:35).

RAIA IOGA

Essa é uma das quatro variedades básicas da **ioga** (vide). Ela salienta a concentração mental como a vereda da libertação. Está em pauta a atenção às experiências místicas, a vereda mística e psíquica. As outras três variedades ressaltam a devoção (com ênfase especial sobre a vida caracterizada pelo amor), o conhecimento e a disciplina física.

RAINHA, RAINHA-MÃE

No hebraico, foram usadas quatro palavras diferentes. A Septuaginta as traduz de várias maneiras, com o sentido de *poderosa*, etc. No hebraico, a forma mais comum é apenas o gênero feminino da palavra que quer dizer *rei*. É a palavra usada para indicar, por exemplo, a rainha de Sabá (I Reis 10:1 ss), Vasti e Ester, no livro de Ester, e a esposa do monarca babilônio, em Dan. 5:10. A segunda palavra hebraica mais comum é usada para indicar Tafnes, esposa de Faraó (I Reis 11:20); Maacá, rainha-mãe do rei Asa (II Reis 10:13); Jezabel (II Reis 10:13); e Neusta (II Reis 24:8). Há uma forma hebraica, muito rara, usada em Nee. 2:6, que descreve a rainha sentada junto a Artaxerxes. Esse termo hebraico também é usado em Sal. 45:9. E, em Isa. 49:23, a palavra hebraica que significa «princesa» é traduzida por rainha. O N.T. também menciona Candace, rainha dos etíopes (Atos 8:27).

A única rainha que governou em Israel foi Atalias, que fora rainha-mãe à morte de seu filho, Acazias (II Reis 11:1 ss). Ela governou durante sete anos, até ser derrubada pelo sacerdote Joiada (II Reis 11:4-20).

As esposas dos reis hebreus eram intituladas rainhas. As mais notáveis foram Mical, filha de Saul e esposa de Davi, e Jezabel, esposa de Acabe. Foram ousadas. Mical zombou de Davi (II Sam. 6:20 ss), e Jezabel imortalizou-se como perseguidora de Elias (I Reis 10:1-3).

A rainha-mãe geralmente era a viúva de um rei anterior, e mãe do monarca reinante. Tinha responsabilidades e era tratada com certo respeito. Mas Asa removeu sua mãe herege, Maacá (I Reis 15:13). Em contraste, Salomão respeitou sua mãe, Bate-Seba (I Reis 2:19). Também é digno de nota que, em Judá, sempre que um rei subia ao trono, fazia-se menção ao nome de sua mãe (por exemplo, II Reis 12:1). A importância do título é vista no fato de que a prostituída Babilônia, em Apo. 18:7, arrogava-se, pomposamente, o título: «Estou sentada como rainha».

RAINHA DE SABÁ

Uma rainha que visitou Salomão, vinda do antigo reino árabe de Sabá. Ela o fez, ostensivamente, com o propósito de «prová-lo com perguntas difíceis», somente para descobrir se ele ultrapassava a tudo quanto ela ouvira a seu respeito (I Reis 10:1-13; II Crô. 9:1-12). Talvez também houvesse motivos comerciais nessa visita. Seus camelos vieram carregados de especiarias, muitíssimo ouro e pedras preciosas (I Reis 10:2,10). O que Salomão lhe deu de volta não é especificado, embora pareça que lhe tenha dado mercadorias (v.13). O comércio era uma faceta importante das atividades de Salomão. O mar Vermelho e a península da Arábia estavam dentro de seu círculo de interesses. De fato, ele tinha um porto no mar Vermelho, em Eziom-Geber (I Reis 9:26-28; 10:11,12,20-29). Há uma alusão específica, em I Reis 10:15, ao «tráfico» dos negociantes dos reis da Arábia e dos governadores da terra. Portanto, uma visita de uma rainha árabe não era algo inconcebível.

O antigo reino de Sabá, nome sul-arábico do antigo estado sabeu (ver Sabá), ficava na extremidade sudoeste da península da Arábia, mais ou menos na região do moderno Iêmen. O estado e seu povo, os sabeus, são freqüentemente referidos no A.T. (Jó 6:19; Sal. 72:10,15; Isa. 60:6; Jer. 6:20; Eze. 27:22,23 e 38:13). Importantes escavações feitas em Maribe, a antiga capital, em 1951-1952, nos têm dado grande conhecimento quanto à civilização dos sabeus. Suas origens são desconhecidas, embora haja alguma evidência de que a região pode ter sido ocupada por semitas que migraram para o sul, em meados do segundo milênio A.C. Pelo século X A.C., havia um reino florescente na região. Uma missão diplomática e comercial, efetuada por uma rainha, ao reino de Salomão, cerca de dois mil e quatrocentos quilômetros para o norte, possivelmente fazia parte de um esforço de expansão comercial. Há inscrições assírias dos séculos VII e VIII A.C. que mencionam diversas rainhas, o que sugere uma linha de sucessão matrilinear.

A origem da tradição de que a linhagem real da Abissínia descende de Salomão e da rainha de Sabá é difícil de provar. Certamente a Etiópia foi colonizada por sabeus provenientes do sul da Arábia. Lendas árabes fornecem muitos detalhes sobre a rainha que teria se casado com Salomão, e Josefo vinculava a rainha de Sabá à Etiópia (Josefo, *Anti.* II.x.2; VII.vi.5,6).

RAINHA DO CÉU

Objeto de adoração dos judeus, nos dias de Jeremias. Quase toda informação que temos sobre esse culto vem de fontes extrabíblicas. Os únicos indícios bíblicos são Jer. 7 e 44. Diz o trecho de Jer. 7:18: «Os filhos apanham a lenha, os pais acendem o fogo, e as mulheres amassam a farinha para fazerem bolos à rainha dos céus...» Geralmente pensa-se que esses bolos tinham a forma de um ser humano. Muitos fragmentos têm sido encontrados, feitos de argila — usualmente com traços femininos exagerados. Lemos em Jer. 44:17 que o povo tencionava queimar «incenso à rainha dos céus» e oferecer-lhe libações «nas cidades de Judá e nas ruas de Jerusalém».

O problema consiste no uso da incomum forma massorética hebraica da palavra *rainha*. Alguns consideram essa uma forma distorcida da forma verdadeira. Outros, incluindo os tradutores da LXX, entenderam que a palavra hebraica significa «obra das mãos», o que explica a tradução da LXX, «ao exército do céu», em Jer. 7:18. O Targum aramaico diz ali «estrelas», em vez de «rainha».

Geralmente aceita-se que se tratava de uma divindade estrangeira. Diversos povos vizinhos de Israel tinham consortes para as suas divindades masculinas — deusas e uma rainha dos céus. Na Assíria, a deusa Istar era chamada *senhora do céu*, ao passo que na literatura ugarítica ela é chamada «rainha do céu». A Astarte dos cananeus era uma bem conhecida deusa da fertilidade. Esse parece ser o domínio da rainha do céu, mencionada em Jer. 44, visto que o povo regozijava-se nela por causa de seu bem-estar geral. O povo de Ugarite também contava com Anate, uma espécie de deusa-mãe. Esse nome aparece nos textos elefantinos, do Egito. Anate-Yaho era a consorte de Yaho (Yahweh). Talvez essa fosse uma repetição do culto contra o qual Jeremias pregava.

Dentro da mariolatria católica romana, também são dados os títulos de «rainha» e de «senhora» à virgem Maria, noções extrabíblicas que entram em choque com o ensino da Bíblia, onde só há um Rei do universo (Deus), e um único Senhor dos céus e da terra (Jesus Cristo).

RAIZ

No hebraico, **sharash**, e no grego **riza**. Aponta para a porção de uma planta que penetra no solo e extrai a seiva e os nutrientes para a vida da planta.

As numerosas referências à «raiz», nas Escrituras, quase sempre são figuradas, com base na importante relação entre uma planta e sua raiz. Assim, raízes próximas da água indicam prosperidade (ver Jó 29:19; Eze. 31:7), mas o contrário aparece em Oséias 9:16: «...secaram-se as suas raízes...» Uma raiz envelhecida na terra (ver Jó 14:8) indica a perda da vitalidade, e o ato de *lançar raízes* indica estabelecer firmemente (ver II Reis 19:30 e Efé. 3:17 — neste último caso, «arraigados», em nossa versão portuguesa). O julgamento contra os pecadores é retratado como o apodrecimento da raiz (ver 5:24), ou como raízes que se ressecam (ver Jó 18:16 e Isa. 14:30). O ato de arrancar as raízes indica destruição (ver Eze. 17:9; Luc. 17:6 e Judas 12). O machado à raiz das árvores indica um julgamento iminente (ver Mat. 3:10).

A raiz é a origem das condições morais ou espirituais. «Porque o amor do dinheiro é raiz de todos os males...» (I Tim. 6:10); e uma *raiz de amargura* é a causa de apostasia (ver Deu. 29:18 e Heb. 12:15).

A raiz de uma família ou nação é o seu genitor (ver Rom. 11:16). O Messias, como «a raiz de Jessé» (ver Isa. 11:10), não era alguém que tirava proveito da raiz, e, sim, a origem e a força da linhagem messiânica. A expressão «a Raiz de Davi», em Apo.

RAM MOHAN ROY — RAMÁ

5:5 e 2:16, — denota a natureza divina-humana de Cristo Jesus, como a origem e o descendente de Davi. Uma outra expressão, «raiz de uma terra seca», em Isa. 53:2, retrata seu meio ambiente humilde, em contraste com seu vigor espiritual interno.

RAM MOHAN ROY

Suas datas foram 1772—1833. Foi o fundador da filosofia-religião indiana *Brahma Samaj* (vide). Também foi o fundador da chamada Nova Índia. Muitos acreditam ter sido ele o fundador do estudo das religiões comparadas, que é um dos pontos débeis nos estudos cristãos. Ele comparou o cristianismo, o islamismo, o hinduísmo e certa variedade de outras fés. Foi positivamente influenciado pelo monoteísmo, em resultado desse estudo, e era crente firme no *teísmo* (vide). Traduziu os Upanishadas do sânscrito, e publicou-os, tendo encontrado nos mesmos muitas crenças básicas de valores, incluindo a posição teísta.

Ao estudar a Bíblia, sentiu-se muito atraído por Jesus, tendo declarado enfaticamente que achava que as doutrinas de Cristo tendem mais por ensinar princípios morais do que os ensinos de qualquer outro ser que se conhece. Esses princípios, segundo ele, seriam maravilhosamente adaptados para seres racionais. Então publicou um livro chamado *Os Preceitos de Jesus*, tendo-o recomendado como um roteiro à paz e à felicidade. Chegou mesmo a tentar traduzir os evangelhos do Novo Testamento para o idioma bengali, mas parece que a tarefa não foi completada em seus dias.

Roy ajudou a estabelecer a missão unitariana em Calcutá, e, finalmente, caracterizou sua própria posição religiosa como cristianismo unitário. Adorava a um só Deus e adaptou as formas religiosas do hinduísmo tendo em vista essa finalidade. Mostrou-se ativo quanto a muitas reformas que tinham, em sua base, os princípios cristãos. Foi ele o intermediário da introdução dos métodos educacionais ocidentais na Índia, e viajou muito entre a Índia e a Inglaterra. Foi neste último país que veio a falecer, em 1833. Serviu, portanto, de elo de ligação entre o Oriente e o Ocidente, tendo aprendido algumas lições valiosas que no-las transmitiu em seus escritos.

RAMA

Esse é o nome atual de uma das divindades hindus que, juntamente com *Krishna* (vide), é uma das principais encarnações de Vishnu. Uma grande porcentagem de hindus adora a divindade sob esse nome, incluindo a maioria dos vishnuítas. Rama parece ter começado sua carreira como uma figura humana exemplar, no *Ramayana* (vide), uma grande obra épica do hinduísmo. Nos livros I a VI, ele é descrito como um filho obediente, um marido amoroso e um homem possuidor de todas as virtudes. Todavia, também teria realizado muitas tarefas sobre-humanas, daí resultando que ele adquiriu estatura divina, e com a passagem do tempo, veio a tornar-se uma pessoa divina, nos escritos e ensinamentos do hinduísmo. Os livros I e VII, que foram adições posteriores, aludem à sua divindade. A tradição fez dele uma encarnação de Vishnu, um filho divino e, do século X D.C. até o presente, essa é a posição que tem ocupado dentro das crenças hindus.

RAMA

Sem o artigo definido, Nee. 11:33 e Jer. 31:15. Um nome geográfico bastante comum, cujo sentido é «altura», dado a diversas cidades da antiga Israel, usualmente edificadas em algum lugar elevado.

1. *Em Naftali*. Essa cidade é mencionada por uma vez (Jos. 19:36; na LXX, *Ramá*, A ou *Aráel*, B). Aparentemente, E. Robinson foi o primeiro pesquisador moderno a notar que o nome é preservado na vila de er-Râmeh, cerca de 13 km a oeste-sudoeste de Safade (atual Zefat). A localização dessa aldeia árabe (cristã e drusa) é topograficamente marcante; está na vertente baixa do Jebel Heider (atual Har Ha'ari), perto do passo que separa aquele monte das outras colinas na serra direita que divide claramente o Wadi esh-Shaghur (vale talmúdico de Beth-cerem), a fim de formar uma parede maciça entre a baixa Galiléia, ao sul, e a alta Galiléia, ao norte. Assim, er-Râmeh fica na linha divisória natural entre a alta e a baixa Galiléia; e também fica perto da junção da estrada entre Aco e Safade com a estrada que vai para o sul, para Nazaré. O contexto bíblico em que Ramá aparece ajusta-se à localização geográfica de er-Râmeh; as aldeias antes de Ramá ficam na baixa Galiléia, e aquelas que se seguem, na alta Galiléia (incluindo Hazor, que deveria estar mais ligada à alta Galiléia, embora fique no vale de Hulé). Os termos alta e baixa Galiléia não aparecem na Bíblia, mas a distinção é óbvia na topografia local, além do que, a ordem das cidades de Naftali, nessa lista, certamente reflete conhecimento sobre as duas regiões. Josefo (Guerras III. iii.1 e *ss*) tinha plena consciência dessa divisão, pondo a linha demarcatória na Beerseba do norte, atualmente Khirbet Abu esh-Shibâ, que fica em uma colina a apenas 5 km a leste de er-Râmeh. Uma posição assim privilegiada, militarmente falando, certamente seria cidade do comandante militar da Galiléia, cujo intuito era fortificar os pontos estratégicos. Por outro lado, os rabinos, interessados nas questões da vida diária, davam como limite entre as duas Galiléias um centro rural conhecido por seu mercado e por seus líderes religiosos, a saber, Kefar Hananiah (Kefr Inân, uma aldeia no vale, abaixo de Beerseba; Shebi. IX.2).

Na vila de er-Râmeh, as ruínas antigas (incluindo uma inscrição em aramaico: «Em memória do rabino Eleazer, filho de Tedeor, que edificou esta casa de hóspedes») datam dos períodos helenista e romano.

Quanto à Ramá da época bíblica, seu sítio era Khirbet Zeitun er-Râmeh, também conhecida como Khirbet Jûl, um cômoro antigo, cerca de 3 km a leste de er-Râmeh, no lado sul da estrada para Safade. Trata-se de um cômoro típico das eras do Ferro I e II, localizado em um trecho pedregoso do vale. Os limites exatos da antiga povoação são difíceis de determinar atualmente, visto que a área inteira está ocupada pelos famosos bosques de oliveiras da região.

2. *Em Aser*. A descrição exata da linha fronteiriça da tribo de Aser, cuja linha é difícil de seguir, aparentemente, situa a cidade de Ramá (Jos. 19:29; na LXX, *Ramá*) em algum ponto entre a grande Sidom e a «cidade fortificada de Tiro». Esse último lugar é conhecido em fontes não bíblicas pelo nome de *Usu* (maneira assíria de grafar: *Ushu*) e o escrito clássico *palaityros* (Estrabão XVI.II.24) a localiza em Tell Rashidiyeh. Portanto, essa Ramá deve ser procurada na área a noroeste da moderna cidade de Tiro. A identificação, freqüentemente, proposta com a pequena aldeia de er-Ramiyeh parece fora de questão, porque fica por demais para o sul.

3. *Em Benjamim*. Uma aldeia dada à tribo de Benjamim (Jos. 18:25; na LXX, *Ramá*, com variações insignificantes em alguns manuscritos). As evidências em favor de sua identificação são das mais conclusivas

RAMÁ

em relação a qualquer localidade em Israel. Deve ser localizada perto de Betel (Juí. 4:5), a moderna Beitin, no antigo tronco rodoviário que vai de Belém para o norte, e que passa a oeste de Jerusalém (Juí. 19:13). Josefo (Anti VIII.xii.3), ao discutir sobre os eventos de I Reis 15:16,17, situa essa cidade, que ele chamou de Aramaton, a cinco milhas romanas de Jerusalém. Mas Eusébio e Jerônimo situaram-na a seis milhas romanas ao norte da cidade santa. Robinson notou que o nome é preservado na moderna aldeia de er-Râm, e Jerusalém fica apenas a pouco mais de 9 km para o sul.

A profetisa Débora (vide) exerceu sua autoridade como juíza de Israel em um lugar entre Betel e Ramá (Juí. 4:5). Em vez de ter feito meia volta para passar a noite em Gibeá, o levita poderia ter caminhado um pouco mais até Ramá (Juí. 19:13). Além de estar na estrada norte-sul, er-Râm também está a pequena distância da estrada leste-oeste que parte de Jerusalém e passa por Gibeom, e da descida de Bete-Horom até Gezer. A hostilidade de Baasa (vide) consistiu no estabelecimento de um ponto forte em Ramá, capaz de bloquear o tráfico com Jerusalém, — ao longo dessa rota vital (I Reis 15:17; II Crô. 16:1). Retaliando, Asa (vide), persuadiu os sírios a atacarem Israel pelo norte. E aliviando assim a pressão na fronteira com Judá, ele pode desmantelar a fortificação em Ramá, usando os blocos da edificação para construir dois novos fortins em Geba (vide) e em Mispa (vide). Destarte, a fronteira entre Judá e Israel foi fixada como uma linha que dividia a anterior herança tribal de Benjamim em duas (I Reis 15:17-22; II Crô. 16:4-6). A divisão do território de Benjamim, dessa maneira, faz lembrar a divisão sobre a qual se lê em Josué 18:21-28, onde Ramá pertence ao distrito mais ao sul. Um breve oráculo de Oséias contra Gibeá, Ramá e Bete-Áven (vide), aparentemente, visava a tribo de Benjamim, talvez com uma alusão particular a essa meia tribo «judia» (Osé. 5:8). E quando uma coluna do exército de Senaqueribe estava assolando na direção sul, desde Samaria, como quem ia para Jerusalém, Ramá ficava na rota direta do avanço assírio (Isa. 10:29). Jeremias descreve Ramá como o cenário de lamentação de Raquel por seus filhos (Jer. 31:15; cf. Mat. 2:18). Alguns dos anteriores habitantes de Ramá estavam entre os que retornaram, terminado o exílio (Esd. 2:26; Nee. 7:30). A cidade também é mencionada na lista de lugares ocupados (Nee. 11:33), que pertenciam a territórios fora da província judaica. Portanto, podemos supor que Ramá foi uma daquelas cidades onde uma parte da população manteve seu domínio, durante o tempo em que o corpo principal dos judeus esteve no exílio.

4. *Local do nascimento do profeta Samuel.* Embora seja muito provável que essa Ramá seja idêntica à anterior, as referências a ela pertencentes são tratadas em separado, por efeito de conveniência. O lar de Elcana (vide) e de Ana é chamado de «Ramataim-Zofim», em I Sam. 1:1. Mas a construção hebraica é um tanto estranha. Visto que Elcana descendia de Zufe (vide), um levita coatita (I Crô. 6:35), estabelecido ao norte do território de Benjamim (I Sam. 9:5; cf. Jos. 21:5; I Crô. 6:22-26,35,66 *ss*), aparentemente, a maneira mais correta de se entender o nome, em I Sam. 1:1; é «Ramataim dos zufitas». O subformativo no hebraico, *aim*, provavelmente, deve ser compreendido como um locativo, e não como um simples sufixo dual (cf. Titaim, e outros). Todas as demais alusões à terra de Samuel (excetuando I Sam. 25:1 e 28:3), têm o subformativo locativo -*a*, pelo que a LXX traduz esse nome como *Armathaim* ou *Armathém*, chegando mesmo a inseri-lo em I Sam. 1:3, após as palavras «sua cidade».

A identificação de Ramataim-Zofim com Ramá é confirmada pela comparação entre I Sam. 1:1 com 1:19 e 2:11. Embora Samuel tivesse nascido ali, foi criado em Siló, e retornou à sua terra quando Siló foi abandonada como centro religioso de Israel. Fez de Ramá o seu quartel general, de onde partia em seu circuito anual a Betel, Gilgal e Mispa (I Sam. 7:15-17). Os anciãos de Israel vieram a ele em Ramá quando lhe pediram um rei (I Sam. 8:4). Foi em Ramá, na «terra de Zufe», que Saul se encontrou pela primeira vez com Samuel e foi secretamente ungido rei (I Sam. 9:5—10:10). A provável associação do túmulo de Raquel com Ramá de Benjamim (Jer. 31:15; Mat. 2:18; cf. Gên. 35:16-20), ajusta-se à descrição da viagem de Saul para o sul (I Sam. 10:2-5,10). Samuel continuou a habitar em Ramá mesmo após ter cortado relações com Saul (15:34; 16:13). Davi se refugiou ali quando fugia de Saul (19:18-24). Esse trecho também confirma a existência de um lugar chamado Naiote (vide), em Ramá (19:19,22,23; 20:1), que, provavelmente, representava um posto ou povoado, habitado por um grupo de profetas. Finalmente, Ramá tornou-se o último lugar de descanso do profeta Samuel (25:1; 28:3).

5. *No Neguebe.* Uma cidade mencionada na descrição da herança tribal de Simeão (Jos. 19:8). O texto massorético afirma que as cidades de Simeão e suas aldeias iam «até Baalate-Beer, que é Ramá do Neguebe». Os manuscritos gregos exibem alguma confusão nos textos. *A* diz: «até Baalate-Ramote, indo para Bamete, na direção sul»; ao passo que *B* diz: «até Bareque (variante: Baleque), indo para Bamete, na direção sul». Deve-se desconsiderar a tradução da LXX do termo geográfico «Neguebe» por um termo direcional «para o sul», pois é mais provável que o hebraico «Ramate-Neguebe» indicasse um acusativo adverbial de direção. Destarte, o versículo poderia ser traduzido por «até Baalate-Beer, na direção de Ramate-Neguebe». A passagem paralela de I Crô. 4:33 diz apenas «até Baal». E Ramate-Neguebe também não aparece na lista de povoados no Neguebe de Judá (Jos. 15:21-32), que incluía Simeão.

Por outro lado, parece que essa cidade aparece como Ramote do Neguebe (I Sam. 30:27), um dos lugares para cujos anciãos Davi enviou parte dos despojos conquistados dos amalequitas. Mas não há qualquer indicação acerca da localização.

Um novo ostracon, encontrado em Tell 'Arad (julho de 1967), levanta de novo a questão da identificação e localização de Ramá/Ramote-Neguebe. Trata-se de uma carta de alta autoridade que exigia confirmação de uma ordem anterior, baixada pelo rei, de que fossem enviadas tropas de Arade e de alguns outros lugares, para Ramote-Neguebe, a fim de tentar impedir um ataque dos idumeus. Essa ameaça dos idumeus, provavelmente corresponde à situação retratada em Sal. 137:7, onde se lê que Edom tirou proveito da queda de Judá, em 587 A.C., para pilhar colonos indefesos na Cisjordânia. A retribuição anunciada profeticamente por Obadias reverteria o feito: «Os de Neguebe possuirão o monte de Esaú...» (v. 19).

As atuais especulações sobre a identificação de Ramote-Neguebe giram em torno de Khirbet Ghazzeh, na beira oriental do Neguebe de Judá, que guarda uma das estradas principais vindas de Edom (Aharoni). Além da fortaleza com casamatas, pertencente à Idade do Ferro II, tem sido encontrado uma certa quantidade de material da Idade do Ferro I, nas circunvizinhanças. Por outro lado, a elevada posição dominante de Khirbert Gharreh e sua localização no centro do Neguebe de Judá (ou seja, na fronteira da herança de Simeão) são fortes argumentos em favor desta última.

RAMADÃ

Nome de um dia religioso do calendário islâmico, caracterizado por jejum total, desde o alvorecer até o pôr-do-sol. Ocorre no nono mês do calendário islâmico. Esse jejum comemora a primeira revelação que, entre outras, foi dada a Maomé, tudo o que culminou no *Alcorão* (vide).

RAMATE-LEÍ

No hebraico, «colina de Leí». Foi o lugar onde Sansão derrotou os filisteus com uma queixada de jumento, como sua arma (Jos. 15:17).

RAMATE-MISPA

No hebraico, «colina da torre de vigia». Uma cidade pertencente ao território de Gade, na divisão da Palestina. É mencionada como localizada entre Hesbom e Betonim (Jos. 13:26).

RAMATITA

Um nativo de Ramá. O encarregado das vinhas de Davi, Simei, é chamado ramatita, em I Crô. 27:27, embora não se saiba precisar qual era o seu povoado, entre os muitos existentes nas cercanias.

RAMAYANA

Esse é um dos grandes relatos épicos do hinduísmo, que ocupa naquela fé uma posição equivalente aos poemas *Ilíada* e *Odisséia*, na cultura grega. Essa obra conta com mais de cinqüenta mil linhas, em sete livros. É mais antiga e mais breve do que o grande épico hindu, o *Mahabharata* (vide).

O Ramayana foi escrito no período entre os séculos IV e VI A.C. Seu assunto principal é *Rama*, uma personagem que teria começado como um ser humano, mas não tardou a tornar-se divino, um filho encarnado de Vishnu. O poema conta seu nascimento, vida, vida conjugal, grandes virtudes e labores. Então temos a interessante história do rapto de sua esposa, por parte de um demônio, e o retorno dela. Rama tornou-se um governante, pelo que encontramos ali a descrição de seu reinado, então de seus anos finais e de sua morte.

Esse épico é uma espécie de aventura moral e espiritual, na qual o virtuoso Rama torna-se capaz de mostrar que a vida humana pode ser vivida com sucesso, do ponto de vista espiritual e moral, no caso daqueles que têm a coragem de tentar. Rama saiu-se vencedor sobre inimigos humanos e demoníacos. Do começo ao fim exibiu um comportamento exemplar, que faríamos bem em imitar. Houve interpolações no século II A.C., que fizeram o ser humano, Rama, tornar-se no filho divino de Vishnu. Rama-Vishnu, pois, tornou-se um guia divino e amoroso, que garante o bem-estar e o sucesso daqueles que se devotarem a ele.

RAMASSÉS

Deriva-se do egípcio **Pr-R'mss**, isso é, «propriedade do rei Ramsés». Cidade residência das dinastias egípcias XIX e XX, no delta do rio Nilo. Ali trabalharam os hebreus de onde partiram por ocasião do êxodo.

O local da Pi-Ramesse egípcia (original da forma hebraica), tem sido muito debatido na egiptologia: em Tânis (no hebraico, Zoã, vide), ao sul do lago Menzalé, ou perto de Qantir, cerca de 27 km mais para o sudoeste. Em ambos os locais têm sido encontrados consideráveis restos de objetos da época daquele Faraó, embora o último nunca tenha sido plenamente escavado. Pesados os prós e os contras, todavia, tudo leva a crer que devemos identificar Ramessés com a moderna Qantir, incluindo o importante fator que ela está na rota do êxodo dos israelitas. (Ver *Êxodo*).

RAMIAS

No hebraico, «Yahweh é alto». Um descendente de Parós (cf. Esd. 2:3), que retornou do exílio babilônico com Zorobabel. Foi um dos que se tinham casado com mulheres estrangeiras (Esd. 10:25).

RAMOS

Era uma região árida como a Palestina, similar à caatinga do nordeste brasileiro, é apenas natural que haja muitas espécies vegetais arbustivas. E isso explica o incrível número de palavras hebraicas usadas no Antigo Testamento para indicar esse tipo de vegetação, ou ramos da mesma. Podem-se contar cerca de quinze palavras hebraicas para indicar tais ramos. Nem sempre os tradutores podem encontrar palavras modernas que correspondam exatamente àquelas. A nossa Bíblia portuguesa em vários casos usa a tradução «ramos», quando há alusão a porções de alguma planta, excetuando o tronco ou as raízes. Alguma árvore jovem também é assim chamada, conforme se vê em Eze. 31:5. Há alusões literais e metafóricas. As alusões *literais* incluem os ramos usados quando da festa dos Tabernáculos (que vide) (Lev. 23:40); os galhos verdes onde abrigavam-se pequenos roedores e aves (Eze. 31:13); os ramos de hissopo, mergulhados no sangue do cordeiro pascal, aplicado às entradas das residências dos filhos de Israel (Êxo. 12:22), ou usados em rituais e purificações religiosas (Êxo. 14:51; Núm. 19:6). Porém, quase todas as menções a essas formações arbustivas ou similares são *metafóricas*, a saber: 1. Grandes homens e líderes são comparados a ramos (Isa. 11:1; Jer. 23:5; Zac. 3:8; 6:12; no hebraico, *netzer*), como o grande Príncipe que brotaria dentre a família de Davi, Jesus Cristo. 2. Essa maneira de referir-se a pessoas também foi empregada pelos antigos poetas, como Sófocles, *Elec.* iv.18; Homero, *Ilíada*, 2:47,170,211,252,349; Píndaro, *Olymp.* 2:6,3. 3. Os descendentes de reis (Eze. 17:3,10; Dan. 11:7). 4. A prosperidade, indicada por ramos vigorosos (Eze. 17:3; Pro. 11:28; Sal. 80:11,14; Isa. 25:5). 5. O ramo *abominável* de Isa. 14:19, uma pessoa que seria rejeitada como um ramo sem utilidade. 6. A adoração idólatra (Eze. 8:17), provavelmente devido ao costume dos idólatras de levarem ramos para decorar seus ritos e cortejos. 7. Os crentes, os quais refletem a natureza de Cristo e estão em união mística com Ele (João 15:5,6). No mesmo contexto, lemos sobre aqueles que não estão unidos a Cristo, porquanto rejeitam-no, pelo que são lançados fora e queimados (João 15:6; ver a exposição desse versículo no NTI, bem como o artigo sobre a *Eterna Segurança do Crente*). 8. Os ramos que reverdecem, mostrando que o verão já se aproxima, o que é utilizado no simbolismo de certos eventos, os quais prenunciarão a segunda vinda do Senhor (Mat. 24:32). 9. A mostarda, com seus ramos que se espalham muito— simbolizam a propagação do reino de Deus (Luc.

RAMOTE — RAMSÉS

13:19). 10. Os ramos que foram postos no caminho por onde Jesus estava prestes a passar, quando de sua entrada triunfal em Jerusalém, foi uma forma singela do povo prestar-lhe homenagem (Mat. 21:8). 11. No décimo primeiro capítulo da epístola aos Romanos, Paulo compara os judeus a ramos naturais de uma boa oliveira, ao passo que os gentios são ramos de oliveira brava, enxertados naquela. 12. Em Zacarias 4:12, há menção a dois «raminhos» (no hebraico, *shibboleth*), que representam dois servos e testemunhas especiais do Senhor. Há muitas interpretações a respeito da identidade desses dois. Seriam figuras messiânicas, profetas, Enoque e Elias, etc. (Ver Apo. 11, que talvez estribe-se sobre essa alusão). Outros vêem nas duas testemunhas símbolos de Cristo e do Espírito Santo, ou então da comunidade judaica e cristã, etc.

No Novo Testamento, há três vocábulos gregos a serem levados em conta, a saber: *Baíon*, «ramo de palmeira», que aparece somente em João 12:13. *Kládos*, «rebentos», que aparece em Mat. 13:32; 21:8; 24:32; Mar. 4:32; 13:28; Luc. 13:19; Rom. 11:16-19, 21. *Stoibás*, «ramos», em Mar. 11:8. (G HA LAN S NTI)

RAMOTE

No hebraico significa «alturas». A LXX exibe várias formas para esse nome. É nome de uma pessoa e de três cidades no A.T.

1. Em Esd. 10:29, de acordo com Qere (vide) era um dos filhos de Bani, israelita, que divorciou-se de sua esposa gentílica, após o cativeiro. Na LXX, ele é chamado *Remoth*. Mas, de acordo com Ketib (vide), seu nome seria Jeremote.

2. Uma cidade pertencente a Gade, em Gileade (Deu. 4:43); na LXX, *Ramoth*, Jos. 20:8; 21:38; I Crô. 6:80 (no heb., em I Crô. 6:65). Ver Ramote de Gileade.

3. Uma cidade do Neguebe, para onde Davi enviou presentes, após o seu ataque devastador contra o acampamento dos amalequitas (I Sam. 30:27; na LXX, *Ramá*).

4. Uma cidade levítica pertencente aos descendentes de Gérson, no território de Issacar (I Crô. 6:73; na LXX, *Ramoth*). Sem dúvida é a mesma Jarmute de Jos. 21:29, porquanto ocupa a mesma posição na lista das cidades levíticas, havendo muitas outras discrepâncias entre as duas listas. Além disso, deve ser a mesma Remete (Jos. 19:21). Uma estela de Seti I (1309-1290 A.C.) declara que os *apiru* do monte Iarmute atacaram os asiáticos. O monte Iarmute, sem dúvida, deve ser associado à Jarmute-Remete-Ramote de Issacar, isto é, na região alta a noroeste de Bete-Sean. Assim sendo, a forma Iarmute é mais original do que a forma Ramote. Albright sugeriu como local o povoado de Kokab el-hawa, localizado a pouco mais de onze quilômetros ao norte de Bete-Seanon, um platô com 305 m de altura, acima do nível do mar e uma região de fontes (ver «The Topography of the Tribe of Issachar», ZAW, XLIV (1926), pág. 231).

RAMOTE-GILEADE

Sob a administração de Salomão, Ramote-Gileade se tornou o centro do distrito a leste do rio Jordão, e daí para o norte, até o Iarmuque (I Reis 4:13). Essa era uma das cidades de refúgio (Deu. 4:43; Jos. 20:8), concedida aos levitas meraritas de Gade (Jos. 21:38; I Crô. 6:80). Era uma cidade de fronteira, sendo um posto avançado militar importantíssimo, nas guerras entre Israel e Síria. Acabe foi morto em batalha em Ramote-Gileade (I Reis 22:3-40; II Crô. 18). Então Jeú foi ungido rei por um dos profetas mais jovens de Eliseu (II Reis 8:28—9:14).

A localização de Ramote-Gileade não é certa. O *Onomasticon* a situa perto do rio Jaboque, cerca de 24 km a oeste da Filadélfia (Amam). As listas dos centros administrativos de Salomão, e os relatos da guerra entre Israel e a Síria sugerem um local mais para o norte. Albright sugeriu a imponente localização de Husn Ajlum. Os estudos da superfície, feitos por Glueck, dão apoio a essa possibilidade. As escavações efetuadas ali em 1967, em Tell er-Ramith, descobriram evidências muito favoráveis para a sua identificação com Ramote-Gileade. Ramith fica a 24 km a leste de Irbide e a quase 5 km de Ramtha. A continuidade de nomes e a localização geográfica têm sido notados como fatores significativos. Os paralelos entre a história da ocupação, determinada pelas provas arquiteturais encontradas nas escavações, bem como artefatos e registros literários dão apoio à identificação de Ramith como forte possibilidade da localização moderna da antiga Ramote-Gileade.

RAMSÉS

No egípcio, R'-ms-sw, que significa «Rá (deus sol) o criou». Foi nome de onze Faraós do Egito e epíteto de dois outros, a saber:

A. Na Décima Nona Dinastia

1. *Ramsés I.* Fundador da décima nona dinastia do norte do Egito. Pertencia a uma família militar. Já idoso quando subiu ao trono, reinou somente por dezesseis meses, mas se notabilizou como o pai do formidável Setos I.

2. *Ramsés II.* Reinou durante sessenta e seis anos (ou entre 1304-1238 A.C., ou entre 1290-1224 A.C.). Filho de Setos I e da rainha Mut-tui, ambos de famílias militares. Tal como a rainha Hatsepsut e Amenofis III, ele se utilizava do mito de origem divina de Faraó para legitimar o seu reinado. Ramsés II lutou por muitos anos contra os hititas, na Síria. Em seu quarto ano de governo, provavelmente, livrou o reino de Amurru do domínio hitita. No quinto ano, marchou contra Cates do Orontes, diretamente para dentro de uma armadilha hitita, mas conseguiu desvencilhar-se por seu valor pessoal notável e pela chegada oportuna de ajudantes. A famosa batalha foi tratada como um feito épico, em cenas e textos nas paredes dos templos. Politicamente, porém, foi um retrocesso, embora contrabalançado por seu heroísmo pessoal e por suas campanhas subseqüentes (anos oitavo, décimo, etc., de seu reinado). Suas conquistas também envolveram Seir e Moabe. Devido a ameaças assírias, egípcios e hititas entraram em um acordo de paz, observado por ambos os lados com lealdade, alicerçado pelo casamento de Ramsés II, em seu trigésimo quarto ano de reinado, com uma filha do rei hitita, e ainda depois, com outra princesa hitita.

No que concerne ao número, as edificações de Ramsés II ultrapassam as de todos os demais Faraós. Basta-nos falar sobre sua ambiciosa capital do delta, Pi-Ramessés (vide), seu vasto salão com colunas de 24 m de altura, no templo de Karnak, em Tebas, e seu templo funerário com um colosso de mil toneladas, na margem oeste *tebana*, e os dois espetaculares templos de pedra em Abu Simbel, modernamente transportados inteiros, para não ficarem sob o nível das águas da represa do Nilo. Houve muita prosperidade durante o seu longo reinado, e a intensificação das atividades literárias no Egito. Talvez ele tenha sido o Faraó do êxodo (ver Êxodo). Sua orgulhosa autoconfiança parece ser refletida no Faraó do Êxodo 5—12.

3. *Ramsés-Sipta*. Reinou por seis anos, no fim dessa dinastia. Mudou seu nome para Rerenepta-Sipta, e morreu jovem. Os verdadeiros mandantes, por detrás do trono, eram a rainha Tewosred e o chanceler Bay (de origem síria dotado de poderes similares aos de José, filho de Jacó).

B. Vigésima Dinastia

1. *Ramsés III*. Filho de Setnact, que fundou a dinastia. Reinou durante trinta e um anos. Lutou em três batalhas épicas que impediram a invasão do Egito. No seu quinto ano, derrotou os líbios, posto que de modo indeciso. No seu oitavo ano, lançou-se contra os povos do mar, incluindo os filisteus (primeira menção a eles na história), fazendo o exército inimigo recuar e destruindo a sua marinha. No seu décimo primeiro ano, derrotou os líbios mais decisivamente. Também lutou em Edom. Manteve a grandiosidade da dinastia a princípio, mas não pôde impedir a decadência administrativa, em seus últimos anos. O mais importante edifício de seu reinado foi o templo funerário em Tebas ocidental.

2. *Ramsés IV*. Reinou somente por seis anos, mas, de acordo com a famosa estela de Abydos, orou pedindo um reinado de sessenta e sete anos, como o de Ramsés II. Compilou uma lista dos benefícios realizados por seu pai, Ramás III, aos templos egípcios, para ajudá-lo em sua sucessão ao trono.

3. *Ramsés V*. Filho de Ramsés IV. Reinou apenas por quatro anos, tendo morrido de varíola quando ainda bem jovem. Seu reinado tornou-se famoso por causa do vasto papiro Wilbour, parte de uma pesquisa de terras do médio Egito, um documento de imenso valor para o estudo da administração e das instituições.

4. *Ramsés VI*. Reinou pelo menos durante sete anos. Deu continuidade e completou o túmulo de seu sobrinho, Ramsés V, no vale dos Reis, em Tebas, onde guardou importantes textos funerários.

5. *Ramses VII*. Reinou por sete anos. Se antecedeu ou se sucedeu ao Faraó que alistamos em seguida, é algo incerto.

6. *Ramsés VIII*. Um governante efêmero, que dirigiu melhor o Egito em seu primeiro ano de governo.

7. *Ramsés IX*. Reinou por dezoito anos. O sumo sacerdócio de Amom, em Tebas, era exercido por membros de uma poderosa família. A administração se tornou tão lassa que os próprios túmulos dos Faraós estavam sendo roubados. Invejas entre os administradores do leste e do oeste de Tebas trouxeram à luz o escândalo. Isso provocou a intervenção de uma comissão, cujo relatório aparece em uma série notável de papiros que narram o roubo de túmulos.

8. *Ramsés X*. Quase nada se sabe sobre o seu reinado de nove anos.

9. *Ramsés XI*. O último dessa linhagem, reinou pelo menos durante vinte e sete anos. Houve invasores líbios e uma guerra civil que involveu o vice-rei da Núbia, e talvez a morte ou o exílio de um sumo sacerdote de Amom, em Tebas. As falhas administrativas foram solucionadas com a nomeação de dois governantes subalternos a Faraó, um para o Alto Egito e outro para o Baixo Egito. Houve então um verdadeiro «renascimento». Smendes, governante do Baixo Egito, sucedeu Ramsés XI como rei, tendo sido o fundador da vigésima primeira dinastia, pois, aparentemente, casou-se com uma princesa da família real de Ramsés.

C. Vigésima Primeira Dinastia e Depois

Psusenes I (cerca de 1040 A.C.). Adotou o nome duplo de Ramsés-Psusenes, a fim de frisar sua ligação (através de Smendes) com a família Ramsés, e, assim seu legítimo direito de governar o Egito. Seus sucessores foram contemporâneos de Davi e Salomão (ver *Filha de Faraó; Egito, Terra do*). O título «Filho do Rei de Ramsés» tornou-se um elevado título honorífico durante essa e as duas dinastias egípcias seguintes.

RANGER

No hebraico, **charaq**, «ranger (os dentes)». Essa palavra é usada por cinco vezes no Antigo Testamento: Jó 16:9; Sal. 34:16; 37:12; 112:10; Lam. 2:16. No grego, temos três palavras: a. *Brúcho*, «rilhar (os dentes)», que ocorre apenas por uma vez, em Atos 7:54. b. *Trídzo*, «rilhar (os dentes)», palavra que aparece também somente por uma vez, em Mar. 9:18. c. *Brugmós*, «o rilhar (dos dentes)», forma nominal do primeiro verbo grego, que ocorre por sete vezes: Mat. 8:12; 13:42,50; 22:13; 24:51; 25:30; Luc. 13:28.

No Antigo Testamento, o ato de rilhar os dentes aparece em conexão com a fúria ou com profunda tristeza. No Novo Testamento, o trecho de Atos 7:54 refere-se a como os inimigos de Estêvão, cheios de ódio, rilhavam os dentes, e a fúria deles não demorou a levá-los ao homicídio. Marcos 9:18 é trecho que fala sobre como o epilético rangia os dentes. O termo grego *brugmós* é usado em conexão com o ranger dos dentes daqueles que serão lançados nas trevas exteriores (Mat. 8:12), da angústia daqueles que serão lançados na fornalha de fogo do juízo final (Mat. 13:42). A idéia do julgamento final, vinculado a esse ato de agonia, aparece em Mateus 24:51 e reaparece em Mat. 25:30, o que é reiterado em Luc. 13:28.

RÃO

Na LXX o nome aparece com as formas de *Arám* ou *Ram* ou *Arran*. O significado do nome é *alto*. Há três homens com esse nome, no A.T.:

1. Um dos antepassados do rei Davi, mencionado somente nas genealogias (Rute 4:19; I Crô. 2:9). Também aparece como antepassado de Jesus, em Mat. 1:3,4 (no grego, *Arám*). Nos manuscritos gregos, o trecho de Luc. 3:33 apresenta problemas, pois ali aparecem as formas *Arni* ou *Arám*. Nossa versão portuguesa diz «Arni».

2. Filho primogênito de Jerameel, de Judá (I Crô. 2:25,27). Esse Rão, aparentemente, era sobrinho do primeiro Rão, acima, de acordo com I Crô. 2:9.

3. Cabeça da família de Eliú, que foi um dos «consoladores» molestos de Jó (Jó 32:2).

RAPOSA

No hebraico, **shual**, «raposa», «chacal». Esse termo aparece por sete vezes: Juí. 15:4; Nee. 4:3; Sal. 63:10; Can. 2:15; Lam. 5:18; Eze. 13:4. No grego, *alópeks*, vocábulo que ocorre por três vezes: Mat. 8:20; Luc. 9:58; 13:32.

No caso do Antigo Testamento, pelo menos nos trechos de Juí. 15:4 e Sal. 63:10, o animal que está em vista é o chacal, porquanto também nesse caso há certa confusão entre as espécies animais, nas páginas da Bíblia, visto que os antigos não os classificavam cientificamente, mas, muitas vezes, apenas pela aparência geral. A raposa e o chacal assemelham-se quanto ao tamanho e à forma, pelo que eram facilmente confundidos entre si. Seja como for, há três espécies de raposas que vivem na área da Palestina e do Egito. Há duas variedades de raposa vermelha, uma delas de porte bem menor que a outra. E a raposa síria é idêntica à raposa européia comum, chamada cientificamente de *Vulpes vulgaris*.

As raposas e os chacais fazem parte da família do cão. A raposa é um animal solitário, mas o chacal vive em pequenos bandos. Ambas as espécies comem frutas e vegetais, incluindo uvas (Can. 2:15). O relato de Juízes 15:4 que diz que Sansão apanhou trezentos animais, atou-os rabo a rabo com uma tocha entre eles e soltou-os nos campos plantados dos filisteus, provavelmente envolve chacais, e não raposas. Nos tempos da dominação romana, raposas com tochas atadas às caudas eram caçadas nos circos, durante as festas em honra a Ceres.

Os lobos atacam suas presas com certa valentia. As raposas, por serem muito menores, precisam depender de sua astúcia. Talvez por isso Jesus tenha dito a respeito de Herodes: «Ide dizer a essa raposa que...» (Luc. 13:32). As pequenas forças físicas da raposa transparecem no motejo de Samballá, acerca das muralhas de Jerusalém, quando, nos dias de Neemias, os judeus estavam reerguendo os muros arruinados da capital da Judéia: «Ainda que edifiquem, vindo uma raposa derrubará o seu muro de pedra» (Nee.4:3). Os falsos profetas de Israel são comparados por Ezequiel com as raposas: «Os teus profetas, ó Israel, são como raposas entre as ruínas» (Eze. 13:4).

Usos Figurados:

1. Os mestres e profetas falsos são comparados com raposas, por causa de sua astúcia e obstinação nos seus maus caminhos (Eze. 13:4; Can. 2:5).

2. Os tiranos e outros homens ímpios são assemelhados a raposas, por causa de seus desígnios maldosos, que executam astutamente contra seus semelhantes (Luc. 13:32; onde Herodes é especificamente mencionado).

3. Aqueles que se deixam levar por concupiscências pecaminosas parecem-se com as raposas, em seus caminhos astuciosos e ruinosos (Can. 2:15).

4. Ser alguém «pasto dos chacais» é o mesmo que ter as próprias terras ou a própria habitação desolada, ao mesmo tempo em que o indivíduo que sofreu tal perda é deixado insepulto, ao morrer (Sal. 63:10).

RAQUEL

Esboço:
 I. O Nome
 II. Origens Raciais de Raquel
 III. Encontro com Jacó
 IV. Esposa Favorita de Jacó
 V. Filhos de Raquel
   a. Indiretos
   b. Biológicos
 VI. Morte e Sepultamento de Raquel
 VII. O Caráter de Raquel
 VIII. Simbolismo Bíblico

I. O Nome

No hebraico, **rahel**, «ovelha». Na Septuaginta tradução do Antigo Testamento hebraico para o grego, terminada cerca de duzentos anos antes da era cristã, encontramos a forma *Rachel*, que é apenas uma transliteração do nome hebraico para o grego. Em uma cultura agropastoril, como era a de Harã, na região da moderna Síria, seria apenas natural dar a uma filha o nome de um animal de criação, como é o caso da ovelha. Isso é confirmado pelo fato de que *Lia* (vide), irmã mais velha de Raquel, tinha um nome que, no hebraico, significa «vaca selvagem».

Raquel era a filha caçula de Labão, irmão de Rebeca, mãe de Jacó e Esaú. Por conseguinte, Raquel tal como Lia, era prima em primeiro grau de Jacó, por parte da mãe deste.

II. Origens Raciais

Em Gênesis 10:22, aprendemos que os filhos de Sem, filho de Noé, foram cinco: Elão (os elamitas), Assur (os assírios), Arfaxade (os babilônios), Lude (os lídios) e Arã (os sírios). Como é apenas natural, houve casamentos mistos entre os descendentes desses cinco filhos de Sem. Porém, na narrativa bíblica sobre Jacó e Raquel (e também Lia), precisamos considerar Arfaxade e Arã. A família de Abraão (o nono na linhagem direta de Sem; ver Gên. 11:10-27) tinha um ramo arfaxadita (babilônico) e um ramo arameu (sírio).

Quando Terá, pai de Abraão, resolveu deixar Ur dos caldeus, seguindo na direção do Ocidente (ver Gên. 11:31), um ramo da família se deixou ficar em Harã (o que é hoje a Síria), a saber, Naor, Betuel e Labão (ver os artigos separados sobre esses três), ao passo que Abraão prosseguiu até entrar na terra de Canaã, destino final a que se propusera Terá, e para onde o Senhor Deus enviara especificamente Abraão. Os que ficaram em Harã foram chamados de o *ramo arameu* da família de Abraão. Raquel e Lia, sua irmã, pertenciam ambas ao ramo arameu da família.

Visto que os israelitas, com suas doze tribos, descendem de Jacó e de suas quatro mulheres, Lia, Raquel, Bila e Zilpa, e visto que as duas primeiras eram araméias, por isso mesmo, lemos em Deuteronômio 26:5: «Arameu, prestes a perecer, foi meu pai (Jacó) e desceu para o Egito, e ali viveu como estrangeiro com pouca gente; e ali veio a ser nação grande, forte e numerosa». As palavras assim citadas faziam parte da confissão que os israelitas deveriam fazer, a mando do Senhor, quando tivessem entrado na Terra Prometida.

Após o incidente da perda da bênção da primogenitura por parte de Esaú, irmão gêmeo de Jacó (ver Gên. 27), com cuja bênção Jacó ficou, Isaque, pai de ambos, mandou Jacó tomar esposa dentre a sua parentela araméia. Esse relato aparece em Gênesis 28:1-5. Destacamos partes dessa passagem: «...vai a Padã-Arã, à casa de Betuel, pai de tua mãe, e toma lá por esposa uma das filhas de Labão, irmão de tua mãe... Jacó, que se foi a Padã-Arã, à casa de Labão, filho de Betuel, o arameu...» (vs. 2 e 5).

Por conseguinte, nos primórdios do povo de Israel, três das matriarcas eram do ramo arameu da família, a saber, Rebeca, Lia e Raquel. Lia foi mãe de seis filhos (metade das tribos de Israel): Rúben, Simeão, Levi, Judá, Issacar e Zebulom. E Raquel foi mãe de dois filhos (uma sexta parte das tribos de Israel): José e Benjamim. Essas são as oito tribos de Israel com maior incidência de sangue arameu, embora as outras quatro tribos também tivessem sangue arameu, porquanto Rebeca, mãe de Jacó, era araméia. Mas não se sabe a etnia de Bila e Zilpa; porém, pode-se conjecturar que elas eram sírias. Ver o artigo sobre *Arã*. Ver também sobre as *Tribos de Israel*.

III. Encontro com Jacó

Primos que eram, Jacó e Raquel avistaram-se pela primeira vez à beira do poço que havia no campo, nas proximidades de onde ela residia. Raquel trazia suas ovelhas para beber, «porque era pastora» (Gên. 29:9). Jacó, em demonstração de grande força física,

RAQUEL

«removeu a pedra da boca do poço», para que as ovelhas pudessem beber. «Feito isso, Jacó beijou a Raquel e, erguendo a voz, chorou» (Gên. 29:10,11).

Como deve ter sido agradável para Jacó encontrar-se com sua prima, longe de casa como ele estava, ainda sem saber onde ficaria! Felizmente, seu tio, Labão, irmão de sua mãe, Rebeca, o acolheu.
— Chegou mesmo a dizer-lhe: «De fato, és meu osso e minha carne» (Gên. 29:14). Um mês depois, porém, era preciso arranjar a permanência de Jacó em bases mais dia-a-dia. E Labão perguntou de Jacó que salário ele aceitaria para ficar com ele. Jovem solteiro como era, Jacó estava de olho nas primas. A Bíblia nos dá uma breve descrição das duas: «Lia tinha os olhos baços (no hebraico, «delicados»), porém, Raquel era formosa de porte e de semblante» (Gên. 29:17). Mas o coração de Jacó rendera-se à graça feminina de sua prima mais nova: «Jacó amava a Raquel, e disse: Sete anos te servirei por tua filha mais moça, Raquel» (Gên. 29:18). Não há que duvidar que Jacó amara a Raquel desde que a viu pela primeira vez. Ele não tinha chegado a Padã-Arã a fim de arranjar esposa? Não lemos que ele também tenha beijado Lia, mas beijou Raquel e chorou! Quem pode penetrar naquela explosão de sentimentos e explicar por que Jacó chorou? O que sabemos é que os sete anos de serviço, propostos pelo próprio Jacó «...lhe pareceram como poucos dias, pelo muito que a (Raquel) amava» (Gên. 29:20).

IV. Esposa Favorita de Jacó

Após sete anos de serviço, prestado por Jacó, chegou o dia do seu casamento. Houve grande festividade, com muitos convivas e muita comida e bebida. Mas, à noite, em vez de Labão dar Raquel como esposa a Jacó, fez introduzir na tenda dele sua filha mais velha, Lia. Jacó só descobriu o logro na manhã seguinte (ver Gên. 29:21-25). Agora, Jacó estava casado com Lia, porquanto o casamento se consumara nas trevas da noite. É evidente que Lia amava seu primo; pois, se tivesse aversão por ele, jamais teria consentido em coabitar com ele. Mas, isso não satisfazia a Jacó. Por isso, uma semana mais tarde, Labão também deu Raquel a Jacó, como esposa, em troca de mais sete anos de serviço! E o favoritismo de Jacó por Raquel transparece de imediato. «E coabitaram. Mas Jacó amava mais a Raquel do que a Lia; e continuou servindo a Labão por outros sete anos» (Gên. 29:30). Assim, por amor a Raquel, Jacó acabou servindo por nada menos de catorze anos!

Todos esses costumes matrimoniais antigos têm sido amplamente confirmados pelas descobertas arqueológicas e históricas, incluindo o costume de nunca se dar em casamento uma filha menor, enquanto outra filha, maior, estivesse solteira, conforme Labão alegou que fizera no caso de Lia e Raquel! Além disso, alguns estudiosos pensam que, por essa altura dos acontecimentos, Labão não tinha filhos homens. O casamento de Jacó (um parente chegado) com Lia e com Raquel garantiria que a herança ficaria em família. Não sabemos se Labão agiu assim tão friamente, como se a única coisa que interessasse fossem as questões econômicas, mas os documentos de Nuzi, no norte de Mesopotâmia, mostram que tal costume era bem generalizado no antigo Oriente Médio. Esses documentos têm sido encontrados pelos arqueólogos, lançando muita luz sobre a vida na época dos patriarcas do povo de Israel!

O favoritismo de Jacó por Raquel não foi coisa passageira, e não se alterou mesmo depois que Lia começou a dar-lhe filhos, ao passo que Raquel se mostrava estéril. Os leitores de Gênesis 29—35 podem verificar facilmente esse favoritismo, que se manifestava das mais diversas maneiras, principalmente no leito! Um incidente tocante é o das mandrágoras achadas por Rúben no campo. Quando Raquel pediu essas mandrágoras (então consideradas um afrodisíaco), Lia respondeu à sua irmã mais nova: «Achas pouco a me teres levado o marido, tomarás também as mandrágoras de meu filho?» E a resposta de Raquel ainda é mais reveladora: «Ele te possuirá esta noite, a troco das mandrágoras de teu filho» (Gên. 30:15). Pobre Lia! Para deitar-se com seu marido, era forçada a apelar para pequenos expedientes! Incidentalmente, isso demonstra um dos males da poligamia. Felizmente, o Senhor Deus não estava alheio à situação. Pois lemos: «E Jacó, naquela noite, coabitou com ela (Lia). Ouviu Deus a Lia; ela concebeu e deu à luz o quinto filho», que foi Issacar (Gên. 20:16,17).

O favoritismo de Jacó por Raquel nunca se abateu. Mesmo depois da morte dela (ver abaixo, ponto VII), ele se lembrava dela carinhosamente. Em diálogo que teve com José, muitos anos depois, disse Jacó: «Vindo, pois, eu de Padã, me morreu, com pesar meu, Raquel, na terra de Canaã, no caminho... sepultei-a ali no caminho de Efrata, que é Belém» (Gên. 48:7).

V. Filhos de Raquel

Quando Lia já tivera quatro filhos, isto é, Rúben, Simeão, Levi e Judá (ver Gên. 29:31-35), Raquel sentiu tremendos ciúmes de sua irmã. Portanto, a bigamia estava envenenando o coração de Raquel. Porém, ela apelou para um expediente comum na época. Entregou a Jacó sua serva (dada por seu pai, Labão), de nome Bila. A alegação de Raquel foi: «...coabita com ela, para que dê à luz e eu traga filhos ao meu colo, por meio dela» (Gên. 30:3). E foi assim que Jacó recebeu sua terceira mulher, com a qual teve dois filhos: Dã e Naftali (ver Gên. 30:5-8). Estabelecera-se uma estranha competição entre as duas irmãs: Quem daria filhos a Jacó, e seria mais amada por ele?

A reação de Lia foi dar a Jacó a sua quarta mulher, Zilpa. Esta era a serva de Lia, que lhe fora dada por seu pai, Labão. E Jacó também teve dois filhos por meio de Zilpa: Gade e Aser. Mais tarde, Lia teve mais dois filhos, Issacar e Zebulom.

É claro que Lia estava levando a melhor. Ela dera a Jacó nada menos de seis filhos, biologicamente seus, enquanto que Zilpa, sua serva, dera a Jacó mais dois filhos. Se juntarmos a isso a única filha de Jacó, que era filha de Lia, Diná, então veremos que, entre os filhos indiretos e os filhos biológicos de Lia havia nada menos de oito filhos homens e uma filha.

a. *Filhos Indiretos de Raquel.* Enquanto isso, Raquel só podia contar com os dois filhos que Bila, sua serva, dera à luz a Jacó: Dã e Naftali. Mas, uma coisa é ter filhos através da concubina da esposa (no hebraico, *issah*, «esposa», o que mostra a legalidade do casamento de Jacó e Bila) e outra coisa é ter seus próprios filhos. Na antiguidade, essa era uma questão crucial. Problema semelhante já tinham tido, no passado, Sara (ver Gên. 16:1 ss) e Rebeca (ver Gên. 25:19 ss). Sara apelara para que Abraão tomasse por esposa a Hagar, a serva egípcia de Sara, e assim nascera *Ismael* (vide). No caso de Rebeca, porém, Isaque orara ao Senhor, e Rebeca, após alguns anos de esterilidade, teve gêmeos: Esaú e Jacó. Mas, no caso presente de Raquel, até agora ela não fora mãe.

b. *Filhos Biológicos de Raquel.* Novamente houve a intervenção divina, embora muito discreta. A única notícia que a Bíblia nos dá a respeito encontra-se em Gênesis 30:22: «Lembrou-se Deus de Raquel, ouviu-a e a fez fecunda».

RAQUEL

Assim, Raquel ficou grávida pela primeira vez, deu à luz a José, e exclamou, aliviada e vitoriosa: «Deus me tirou o meu vexame»! (ver Gên. 30:23). Isso mostra-nos que, até então, Raquel vivia um drama, não se sentindo realizada como mãe. O nome *José* chegou a ser um vaticínio. No hebraico, esse nome significa «que ele (Deus) adicione». Na verdade, Deus atendeu a essa petição de Raquel, anos mais tarde, quando do nascimento de Benjamim, o segundo e último filho de Raquel. Porém, o parto lhe foi tão difícil que ela veio a morrer.

Portanto, os filhos biológicos de Raquel foram *José* e *Benjamim*. Ver os artigos sobre ambos; e, quanto aos seus descendentes, ver *As Tribos de Israel*. José e sua esposa egípcia, Asenate (ver Gên. 41:45), tiveram dois filhos; Manassés e Efraim. Séculos mais tarde, a nação do norte, Israel, tinha na tribo de Efraim a tribo liderante. E quanto a Benjamim? Os descendentes de Benjamim sempre estiveram muito ligados à nação de Judá, descendentes do quarto filho de Lia, juntamente com Simeão e parte de Levi.

Atualmente, os judeus classificam-se em descendentes de Benjamim e descendentes de Levi. Esses formam o núcleo do povo judeu, tanto no moderno estado de Israel quanto na dispersão, pelo mundo inteiro. Em torno desse núcleo, naturalmente, há descendentes das outras nove tribos, em menores proporções, diluídos e não mais distinguíveis daquelas três tribos básicas.

VI. Morte e Sepultamento de Raquel

Quando Raquel estava grávida pela segunda vez, e já fazia nada menos de vinte anos que Jacó estava longe de sua casa paterna, Jacó e seu clã tinham resolvido retornar à terra de Canaã. De fato, esse retorno chegou a ser determinado pelo Senhor, que dissera a Jacó: «Torna à terra de teus pais, e à tua parentela; e eu serei contigo» (Gên. 31:3). As duas mulheres originais de Jacó, Lia e Raquel, concordaram plenamente com ele. E, aproveitando o fato de que Labão estava tosquiando suas ovelhas (Gên. 31:19), eles fugiram. Jacó levantou-se, «...passou o Eufrates, e tomou o rumo da montanha de Gileade» (Gên. 31:21). No entanto, Labão acabou alcançando a Jacó e seu grupo, na montanha de Gileade. A conversa entre Jacó e Labão não foi amena. Houve recriminações de parte a parte, conforme pode verificar o leitor ao examinar o trecho de Gên. 31:22 ss. Mas, finalmente, Labão e Jacó firmaram um pacto de não agressão mútua, e separaram-se. Jacó, tendo partido de Padã-Arã, «...chegou... são e salvo à cidade de Siquém, que está na terra de Canaã» (Gên. 33:18). Após o infeliz incidente entre Diná e o príncipe Siquém, filho do heveu Hamor (Gên. 34), por ordem do Senhor, Jacó mudou-se para Betel (ver Gên. 35:1 ss). Foi em Betel que o Senhor mudou o nome de Jacó, dizendo: «Já não te chamarás Jacó, porém Israel será o teu nome» (Gên. 35:10). E, então, lemos: «Partiram de Betel e, havendo ainda pequena distância para chegar a Efrata, deu à luz Raquel um filho, cujo nascimento lhe foi a ela penoso» (Gên. 35:16). A parteira ainda a encorajou. De fato, o menino nasceu. Moribunda, Raquel chamou a criança de *Benoni* (no hebraico, «filho de minha tribulação»), mas Jacó deu-lhe o nome de *Benjamim* (no hebraico, «filho de minha mão direita»). As Escrituras descrevem a morte de Raquel de modo *sui generis*, mas muito esclarecedor: «Ao sair-lhe a alma (porque morreu)...» (Gên. 35:18). De fato, o homem *é* a sua porção *imaterial*, composta de espírito e alma. O corpo físico é apenas nosso veículo animal, para vivermos neste mundo material. E a morte física consiste na *separação* entre a parte material do homem e sua parte imaterial. O corpo é sepultado e volta ao pó. E a alma toma um *novo* rumo. A morte é a grande niveladora. Todas as distinções que os homens estabelecem uns diante dos outros são reduzidas a nada. Mais do que isso, a morte nivela o homem aos animais irracionais. O autor do livro de Eclesiastes observou isso, ao meditar: «...o que sucede aos filhos dos homens, sucede aos animais... como morre um, assim morre o outro, todos têm o mesmo fôlego de vida, e nenhuma vantagem tem o homem sobre os animais... todos procedem do pó, e ao pó tornarão. Quem sabe que o fôlego de vida dos filhos dos homens se dirige para cima, e os dos animais para baixo, para a terra»? (Ecl. 3:19-21). Todavia, esse quadro mostra somente o quanto a morte é desnatural para seres eternos como são os homens. Tudo isso nos ensina que a vida terrena é apenas uma fase da existência da alma humana. Mas, devido à misericórdia divina, a ressurreição virá consertar essa violência contra o ser humano, produzida pelo pecado. Na ressurreição, pois, Deus haverá de reunir novamente os elementos constitutivos do homem. Claro que haverá diferenças, e bem radicais, entre a ressurreição para a vida e a ressurreição da condenação, mas não é aqui que queremos falar sobre essas distinções. Aqui, preferimos falar sobre a tremenda dor da separação imposta pela morte física. No caso de Raquel, para que Benjamim tivesse vida, sua mãe teve de pagar com a morte! «...e foi sepultada no caminho de Efrata, que é Belém. Sobre a sepultura de Raquel levantou Jacó uma coluna que existe até o dia de hoje» (Gên. 35:19,20). Terminada estava a vida de Raquel neste mundo! Jacó só haveria de revê-la, muitos anos depois, mas só no estado *espiritual*, depois que fechou os olhos físicos pela última vez. Como o N.T. fala, — a morte é o nosso maior inimigo. Por isso mesmo foi que comentou o apóstolo Paulo: «O último inimigo a ser destruído é a morte» (I Cor. 15:26). E isso ficou garantido pelo próprio Filho de Deus, que nos afiançou: «...a vontade de quem me enviou é esta: Que nenhum eu perca de todos os que me deu; pelo contrário, eu o ressuscitarei no último dia» (João 6:39).

VII. O Caráter de Raquel

Raquel foi mulher com alguns graves defeitos. Ela mostrou ser mulher descontente e impaciente, diante do fato de que não tinha filhos. Jacó, que tanto a amava, chegou mesmo a irritar-se com essa atitude dela. Ver Gên. 30:1,2.

Em sua luta com sua própria irmã, Lia, além do condenável ciúme que teve dela, também mostrou ser egoísta em seu amor, pois, noite após noite, deitava-se com Jacó, enquanto Lia ficava sozinha em sua tenda. O ponto culminante dessa situação foi atingido no caso das mandrágoras (ver acima, em IV. *Esposa Favorita de Jacó*, terceiro parágrafo).

Porém, a maior mácula no caráter de Raquel se deu no caso dos terafins que furtou da casa de seu pai. Essa narrativa, que deixa transparecer a astúcia de Raquel, um defeito que, sem dúvida ela herdara da família, é contada em Gênesis 31:19-35. Mas, a característica pior de Raquel não era propriamente o seu espírito ardiloso e, sim, a sua tendência para a idolatria. Os *terafins* (em nossa versão portuguesa, «ídolos do lar») eram ridiculamente pequenos, porquanto ela os pôde esconder debaixo da sela de seu camelo. Isso significa que não havia, naqueles objetos, qualquer valor material.

Todavia, talvez ela não pensasse nos terafins como objetos de veneração, mas somente como garantias de que seus próprios filhos ficariam com a herança que lhe caberia da parte de Labão. Muitos estudiosos têm dito que quem ficasse com os «ídolos do lar» também ficava com a herança. Nesse caso, a ação de Raquel é um tanto suavizada, e não podemos acusá-la de idolatria. Seja como for, Jacó deixou entendido (sem saber quem furtara os ídolos de seu tio, Labão) que o culpado do furto era digno de morte. «Não viva aquele com quem achares os teus deuses...» (Gên. 31:32). O resultado desse ato de furto, por parte de Raquel, não nos é revelado. Mas sabemos que, não muito depois, quando Jacó e seus familiares precisaram achegar-se mais perto do Senhor, foi necessário que ele dissesse aos seus familiares: «Lançai fora os deuses estranhos, que há no vosso meio, purificai-vos...» (Gên. 35:2). E esses objetos acabaram enterrados «debaixo do carvalho que está junto a Siquém» (vs. 4). E ali ficaram, porquanto, ato contínuo, Jacó e sua gente partiram para Betel. Para que serviram, portanto, os terafins furtados por Raquel?

Se nós sabemos que somos meros pecadores, salvos pela pura graça de Deus, e que continuamos muito defeituosos até o último dia de nossa vida, certamente Jacó compreendeu a mesma coisa. Assim, apesar de reconhecer os defeitos óbvios de Raquel, nem por isso Jacó a amou menos. Bem pelo contrário, ao tomar conhecimento da aproximação de Esaú, seu irmão gêmeo, que vinha contra ele com quatrocentos homens, Jacó dispôs à sua gente em grupos, um após outro, com alguma distância entre cada grupo. Dessa forma, se Esaú atacasse um dos bandos, talvez os outros pudessem fugir. E lemos: «Pôs... a Raquel e José por últimos» (Gên. 33:2). Isso não demonstrou um extremoso cuidado de Jacó por Raquel e o único rebento deles, José? Sim, Jacó amou Raquel até o fim!

VIII. Simbolismo Bíblico

Em Jeremias 31:15,16, o profeta alude ao exílio das dez tribos de Israel, a nação do norte, pelos assírios. Isso ocorreu na época de Salmaneser, rei da Assíria. Ver também II Reis 17:20. O profeta alude à comoção e tristeza que esse cativeiro provocou, referindo-se, simbólica e poeticamente a Raquel, como a antepassada maternal das tribos de Efraim e Manassés, que, juntamente com outras tribos, foram levadas para aquele exílio forçado. Lemos naquela passagem de Jeremias: «Assim diz o Senhor: Ouviu-se um clamor em Ramá, pranto e grande lamento; era Raquel, chorando por seus filhos, e inconsolável por causa deles, porque já não existem. Assim diz o Senhor: Reprime a tua voz de choro, e as lágrimas de teus olhos; porque há recompensa para as tuas obras, diz o Senhor, pois os teus filhos voltarão da terra do inimigo». Portanto, essa predição tanto fala no castigo de Israel quanto em sua futura restauração. Oh! a entranhável misericórdia de Deus! E é em termos de restauração que o Espírito de Deus continuou a falar, pela boca do profeta Jeremias, até o fim do trigésimo primeiro capítulo do seu livro, e que o leitor faria bem em examinar.

Quando chegamos ao Novo Testamento, porém, encontramos uma outra aplicação daquela mesma predição de Jeremias. Essa outra aplicação se encontra em Mateus 2:18, no caso da matança dos inocentes, por determinação do iníquo rei Herodes. Mateus informa-nos de que a matança dos meninos de Belém e de «todos os seus arredores», foi cumprimento do que fora dito «por intermédio do profeta Jeremias». Nesse caso, Raquel representou todas as mães judias que perderam seus filhinhos, a fim de que Jesus, ainda menino, pudesse escapar com vida da sanha assassina de um rei que não hesitou em matar meras crianças, porquanto temia que ele ou os seus descendentes fossem ameaçados no trono pelo Rei dos Judeus!

No livro de Rute (4:11), Lia e Raquel são reputadas como figuras ancestrais que «edificaram a casa de Israel». Isso disseram os anciãos de Israel, ao aceitarem a moabita Rute (vide), como parte integrante do povo antigo de Deus!

Raquel é mencionada por nada menos de quarenta e oito vezes nas páginas da Bíblia. Por quarenta e quatro vezes no livro de Gênesis. E, então, em Rute 4:11; I Sam. 10:2 (que apenas alude ao «sepulcro de Raquel»); Jer. 31:15 e Mat. 2:18.

RAQUEL, TÚMULO DE

De acordo com Gên. 35:19,20, Jacó erigiu uma coluna sobre o *túmulo de Raquel*, um marco que ainda existia no tempo de Samuel (I Sam. 10:2). Muitos estudiosos pensam que a Bíblia expõe duas tradições divergentes, no tocante ao local do sepulcro. Já se argumentou que nos trechos de Gên. 35:16; I Sam. 10:2 e Jer. 31:15, Efrata ficaria na fronteira norte de Benjamim, cerca de dezesseis quilômetros ao norte de Jerusalém, mas que, de acordo com Gên. 35:19 e 48:7, ficaria perto de Belém, presumivelmente, ao sul de Jerusalém. A verdade, porém, é que aqueles três versículos não contradizem a afirmação clara de Gên. 35:19 e 48:7. O primeiro desses trechos diz, literalmente: «havia ainda um trecho de terreno até Efrata», dando a entender um local ao sul de Jerusalém. I Samuel 10:2 assevera que ficava localizado na fronteira de Benjamim. Isso pode referir-se à fronteira sul de Benjamim, imediatamente ao sul de Jerusalém (Jos. 15:8; 18:15-17), pois a cidade mencionada em I Sam. 9, presumivelmente próxima da fronteira, não é identificada. Outrossim, a expressão «junto ao sepulcro de Raquel» (I Sam. 10:2) não precisa ser pressionada, pois, de outra sorte, as palavras «em Zelza», seriam supérfluas (embora Zelza não possa ser identificada). Por outro lado, o local tradicional pode não ser autêntico, pois parece estar por demais ao sul da fronteira de Benjamim. Finalmente, a declaração em Jer. 31:15 não fornece qualquer evidência de que o túmulo de Raquel ficava em Ramá, a oito quilômetros ao norte de Jerusalém. O profeta pode ter evocado, em sublime prosopopéia, Raquel a lamentar-se por seus filhos em Ramá, ou pode ter previsto que os cativos de Judá e Benjamim seriam levados a Ramá, após a queda de Jerusalém, antes de serem levados para o exílio (Jer. 40:1), ou porque Ramá ficava em um lugar alto no território de Benjamim, de onde podia ser vista a desolação.

Josefo e os talmudistas concordam que o túmulo de Raquel ficava perto de Belém. Orígenes, Eusébio e Jerônimo também aceitavam o local. Posteriormente, os peregrinos descreveram o túmulo como uma pirâmide, formada por doze pedras. As cruzadas reconstruíram-no, erigindo um edifício quadrado, com 7 m de lado, formado por quatro colunas encimadas por arcos pontudos com 3,6 m de largura e 6,4 m de altura, tudo coroado por uma cúpula. Em 1788, os arcos foram preenchidos com paredes. Em 1841, Sir Moses Montefiore obteve para os judeus a chave de Qubbet Rahil, adicionando um vestíbulo quadrado com um *mihrab*, para os islamitas.

RAS SHAMRA

Nome de um cômoro na Síria, a antiga cidade de Ugarite, cerca de doze quilômetros ao norte de Laodicéia e Mare, na costa marítima da Síria. Ali, a partir de 1929, começaram a ser encontrados objetos arqueológicos de imenso valor para o estudo da religião fenícia e cananéia, inaugurando assim uma nova era no estudo do A.T. Ver *Ugarite*.

RASSIS

Um ancião de Jerusalém, muito considerado pelos judeus em face de sua vida exemplar. Foi acusado perante o general sírio, Nicanor, como opositor do helenismo, tendo cometido suicídio de maneira sangrenta, preferindo isso a ser aprisionado (ver II Macabeus 14:37-46).

RATIONES SEMINALES

Expressão latina que significa «razões seminais», ou seja, aquelas forças básicas, não-materiais que põem a criação material em ação, algo parecido com os *lógoi spermátikoi*, «sementes da razão», concebidos pelos gregos, que viam o *Logos* atuando em tudo. Na filosofia de Boaventura, essas forças fazem a criação física ser o que ela é, trabalhando em cima das potencialidades da matéria. Deus é a fonte originária tanto dessas forças quanto da matéria, sobre a qual operam.

LOGOI SPERMATIKOI

Os *logoi spermatikoi* (o grego traduzido *rationes seminales*) são as manifestações do *Logos* na filosofia estóica. O *Logos* (vide) é a força ou substância básica, criadora e controladora, e seus poderes (sementes = *spermatikoi*) operam em tudo. Em Filo, os dois *logoi* fundamentais são a bondade e o poder de Deus, e estas duas forças constituem o *Logos*, que, às vezes, ele personificou como o «anjo do Senhor». A relação exata entre o Logos e Deus, em Filo, não é bem esclarecida por ele, mas é claro, pelo menos, que os *logoi spermatikoi* são operações de Deus, baseadas nos seus atributos divinos. O próprio *Logos* e os *logoi spermatikoi* têm o trabalho de mediadores e operadores da vontade de Deus. Em Plotino, os *logoi spermatikoi* são formas operadoras na emanação do *Logos* no mundo. Eles manifestam os poderes das *Idéias* ou *Formas* em toda a existência, inclusive nos mundos físicos. Desta maneira, as *Idéias* se envolvem em um processo de emanação, uma idéia diferente não contemplada por Platão. Os *logoi spermatikoi* efetuam a vontade de Deus nas inumeráveis esferas onde ele se manifesta. São forças criadoras e controladoras. Estas forças duplicam imperfeitamente, isto é, *imitam* as Formas, e assim os mundos inferiores são, como Platão falou, imitações ou sombras do mundo das Formas.

No cristianismo, os *logoi spermatikoi* são as operações e influências do Logos na criação de Deus, inclusive na criação física. O *Logos*, a encarnação de Deus, identificado com o Filho, tem inúmeros poderes e influências que operam em seu favor, e efetuam a vontade de Deus. É a vontade de Deus de espalhar a mensagem espiritual, inclusive a da salvação. Os *logoi spermatikoi* se encontram em toda parte, em religiões não-cristãs e na melhor parte da filosofia, como a de Platão. Portanto, o Logos não está limitado a fé cristã, sua esfera de atividade é universal. Ele se manifesta através da natureza (religião natural), através da revelação (no misticismo e revelação), nas ciências naturais, na razão (como nas filosofias), na consciência do homem, nas intuições. O Logos é universal e poderoso e nem uma única maneira de operar pode limitá-lo. Portanto, suas manifestações não se limitam a religião cristã, embora aí ele encontre sua expressão mais exata e promissora. Os *logoi spermatikoi* se encontram nos lugares mais variados e, às vezes, surpreendentes. Os homens gostam de limitar as atividades de Deus dentro de seus pobres sistemas, mas os *logoi spermatikoi* não conhecem qualquer limitação. Ver *Mistério da Vontade de Deus*.

RAZÃO

Ver o artigo geral sobre o **Racionalismo**. Ver também **Razão na Religião**.

Esboço:
 I. Definição
 II. Idéias dos Filósofos
 III. Razão na Religião

I. Definição

I. Definição

A palavra portuguesa **razão** vem do latim, *ratio*, «estimativa», «avaliação». Em grego há três palavras a levar em conta, cujo sentido é equivalente próximo, e que foram empregadas pelos filósofos: *phrónesis*, *noûs* e *lógos*, sobre as quais tenho apresentado artigos separados. Mas também devemos considerar *phrén*, «compreensão», e *súnesis*, «entendimento». Quando é atribuída ao homem, a razão refere-se a uma *capacidade* dele. Com essa capacidade, através de seus poderes intelectuais, ele é capaz de extrair conclusões lógicas de uma série de pensamentos organizados. Platão dizia que o homem é possuidor de vontade, razão e paixão (sentimentos) como suas principais características. Essas capacidades humanas tradicionalmente têm feito os pensadores destacá-lo dentre os animais inferiores, embora os animais possuam certo grau de raciocínio, muito mais do que os filósofos e os cientistas têm pensado. O homem, como um *animal racional*, é assim um ser responsável. Sua razão também lhe confere um grande instrumento na busca científica, religiosa e filosófica.

Entre as definições da razão, são comuns os conceitos de organização sistemática de conceitos universais, para que o homem possa manipular aquilo que, de outra sorte, seriam pensamentos desorganizados. A razão conduz à *competência* no pensamento.

II. Idéias dos Filósofos

1. *Platão*. As três principais características do homem é que ele é um ser dotado de vontade, razão e paixão.

2. *Aristóteles* estabelecia a distinção entre a razão ativa e a razão passiva. A razão ativa seria uma forma *pura*, enquanto que a razão passiva estaria vinculada à percepção dos sentidos. Essa idéia foi seguida durante a Idade Média, e a filosofia islâmica muito ficou devendo às idéias de Aristóteles.

3. *Panaécio* (século I A.C.) distinguia entre a razão teórica e a razão prática, e atribuía maior valor à razão prática.

4. *Tomás de Aquino* procurou prover o devido equilíbrio no que tange à razão e à fé. Ambas têm suas respectivas aplicações, propósitos e alvos, e não se contradizem. Assim sendo, a fé poderia apreender certas verdades, como a Trindade, as naturezas divina e humana de Cristo Jesus, etc., ao passo que a razão é incapaz de sondar as mesmas. Essas duas funções são complementares no homem, e não entram em choque uma com a outra. Os imaturos é que as fazem entrar em conflito uma com a outra. A razão é como um anjo guardião, que nos resguarda de um misticismo exacerbado.

5. *Hobbes* concebia a razão de maneira materialis-

ta, e procurou convencer-nos que ela não passa de uma computação mecânica. E muitos cientistas, que não fazem a distinção devida entre a mente e o cérebro, seguem essa noção.

6. *Pascal* mostrou a distinção entre a razão da mente e a razão do coração. Esta última é capaz de apreender algumas coisas intuitiva e instintivamente, ao passo que isso é impossível para a razão da mente.

7. *Emanuel Kant* empregou o raciocínio empírico na busca de suas proposições, embora tivesse empregado a razão prática na busca pelos seus postulados. O primeiro está envolvido na percepção dos sentidos; a segunda, na razão, na intuição e nas experiências místicas.

8. *Newman* falava sobre a razão formal e a razão informal, dando precedência à primeira delas.

9. *Os filósofos idealistas*, de modo geral, preferem as evidências colhidas pela razão, em detrimento da percepção dos sentidos; mas muitos deles aceitam a hierarquia da razão, da intuição e das experiências místicas, em grau crescente de importância.

10. *Ritschl* respeitava tanto a razão quanto a fé, mas separava-as de modo radical, no tocante ao que cada qual pode realizar.

11. *Peirce* asseverava que a razão jamais pode ser isolada da vontade e dos sentimentos, pelo que estaria sempre condicionada pela vontade e pelos sentimentos. A função da razão seria refinar a crença.

12. *Ortega y Gasset* referiu-se à «razão vital», que seria mais imediata e sutil que a razão teórica e a razão formal, porquanto entraria na esfera da intuição.

13. *Paul Tillich* discorria sobre três tipos ou níveis de razão: a razão heterônoma (de outras coisas); a autônoma (do próprio indivíduo); e a teônoma (de Deus e de realidades superiores). Esse último tipo de razão é que estaria ligado às profundidades do ser humano, levando-nos à inquirições da fé.

III. Razão na Religião

Ver o artigo separado e detalhado sob esse título.

1. *Funções da Razão*. É errado e prova de imaturidade lançar a razão contra a fé, ou a razão contra as experiências místicas. Ver o artigo sobre o *Antiintelectualismo*. A razão nos foi dada por Deus para servir-nos de guarda. Muito misticismo trivial, ou mesmo daninho, dentro e fora das fileiras da Igreja cristã, poderia ser evitado mediante o poder da razão. Por outra parte, a razão não deveria ter por função negar o valor da fé, sem evidências empíricas, e nem negar o papel do misticismo na experiência religiosa. Quanto a esse particular, concordo com Platão. Nossas maneiras de tomar conhecimento das coisas formam uma hierarquia, com valor ascendente, cada qual com seu próprio uso e serventia: a percepção dos sentidos, a razão, a intuição, as experiências místicas. É ridículo criticar os teólogos e exaltar o que «Deus me revelou pessoalmente». Não será possível que Deus também revele coisas aos teólogos?

É ridículo criticar àqueles que estudam. O estudo, porventura, não seria um meio de revelação ou de definir melhor as revelações divinas? O poder da razão procede de Deus e constitui um grande aspecto distintivo do que é o ser humano. E é absurdo elogiar algumas qualidades outorgadas por Deus ao homem, ao mesmo tempo em que outras dessas qualidades são desprezadas.

2. *A Vontade de Crer*. Algumas pessoas, devido a suas atitudes religiosas básicas, dispõem-se a acreditar em quase qualquer coisa. Essa tendência deveria ser disciplinada, e a razão é um meio de disciplina. Por outra parte, a razão pode confirmar, em vez de contradizer, a vontade de crer. Mas também há uma atitude cética que «não quer acreditar», não havendo evidências que consigam convencer a um indivíduo de que ele se acha na prisão de suas próprias dúvidas.

3. *Usos e Abusos da Razão*. Ver sobre o *Racionalismo*, 2.f. Algumas formas daquilo que os homens chamam de *razão* não passam de outro nome para o *ceticismo*, e alguns teólogos têm exercido esse tipo de razão. Ver sobre o *Ceticismo*. Quando a razão termina no ceticismo, então podemos ter a certeza de que a *experiência religiosa*, especialmente do tipo místico, está ausente.

4. *A Fé Pode Transcender à Razão*. Certas coisas não podem ser reconhecidas por meio da racionalidade. Às vezes, precisamos apelar para a fé, com base na intuição ou na revelação bíblica. Por outro lado, a razão pode resguardar-nos de crenças tolas ou de um *pseudomisticismo*. — O homem é um ser dotado de múltiplas capacidades, e todas elas podem ser usadas no desenvolvimento de sua espiritualidade. Não estaremos prestando a Deus um favor falando contra a razão, um dos seus preciosos dons aos homens. Também não estaremos cumprimentando a Deus se exagerarmos essa função humana ao ponto de terminarmos no ceticismo.

5. *A Razão e a Metafísica*. A razão é uma das funções da alma (mente) e somente secundariamente, do cérebro. Há um conhecimento e um raciocínio extracerebrais. Ver o artigo *Experiências Perto da Morte*, quanto a uma demonstração prática do fato. Ver o estudo ainda mais completo, no verbete *Razão na Religião*. (AM B E EP F MM P)

RAZÃO CRÍTICA

Ver o artigo intitulado **Razão Prática**, bem como o artigo geral sobre *Kant*, mormente a introdução àquele artigo, e então o primeiro ponto, *Teoria do Conhecimento*.

RAZÃO NA RELIGIÃO

Ver o artigo sobre a **Razão**, em sua terceira seção. As coisas que ali foram ensinadas, adiciono aqui uma perspectiva histórica, mostrando as razões pelas quais alguns desprezam a razão na religião, quando, na realidade, deveríamos dar valor à razão na religião. Ver também sobre o *Antiintelectualismo*.

Esboço:
  I. Perspectiva Histórica
  II. Motivos que Levam Alguns a Desprezar a Razão
  III. Apoio da Razão à Religião

I. Perspectiva Histórica

1. *As atitudes religiosas* para com os poderes, o uso e a propriedade da razão, historicamente falando, no que concerne à sua aplicação, podem ser reduzidas a quatro categorias principais:

a. a razão entra perfeitamente em harmonia com a fé religiosa, além de servir para expressá-la. A razão exibe logicamente aquilo que a religião sente e põe em prática. Exemplos daqueles que têm mantido essa posição são Justino Mártir, João Scoto Erígena e Hegel.

b. A razão é compatível com a fé religiosa, tendo a função de expressá-la e defendê-la. Mas a fé cristã, com base na revelação bíblica, transcende à razão, conferindo-nos algumas doutrinas que são inatingíveis para a razão. Exemplos daqueles que têm tomado esse ponto de vista são Tomás de Aquino, John Locke e os estudiosos conservadores moderados, considerados como uma classe.

RAZÃO NA RELIGIÃO

c. Em certos casos, a razão pode entrar em conflito com a fé religiosa, e, realmente, o faz. Aqueles que mantêm essa opinião assevera que cada proposição da razão e da fé deve ser aceita como veraz, cada qual em sua própria dimensão, sem importar as contradições, que então serão apenas aparentes. Temos aí uma espécie de teoria da *dupla verdade*, onde a razão desempenha um papel, embora nem sempre ela se mostre correta em seus raciocínios. A fé é mais enfatizada dentro dessa posição, e a revelação é aceita como a base da fé. Guilherme de Occam pensava que aquilo que pode ser filosoficamente verdadeiro pode ser teologicamente falso. Martinho Lutero e Thomas Hobbes também mantinham esse ponto de vista, em sentido geral.

d. *O antiintelectualismo* (vide) tem sido a posição extremada de algumas pessoas religiosas. Elas mostram-se hostis para com qualquer tipo de raciocínio filosófico, em apoio à fé. Tertuliano deixou sua famosa declaração: *Credo, quia absurdum*, ou seja, «Creio, por ser absurdo». Ele esperava que a fé religiosa fosse irracional—uma opinião deveras absurda. De acordo com essa posição, é difícil imaginar por que Deus deu cérebro aos homens. P. Bayle fez uma sarcástica observação quanto a esse ponto de vista em seu *Dicionário*, quando afirmou que as verdades mais irracionais parecem ser as que mais tendem por estar corretas. E alguém disse, com grande argúcia: «Algumas vezes, a fé consiste em crer no que não é verdade». As pessoas que exageram e fazem da experiência pessoal a única base de sua religião, especialmente enfatizando as experiências místicas, dão pouco valor à razão e ao estudo. Essa é uma posição unipolar, obviamente falsa. Precisamos de todas as janelas abertas, postas à nossa disposição, a fim de adquirirmos maiores luzes.

2. *A Atitude do Novo Testamento*. Apesar do Novo Testamento frisar a fé, com base na revelação divina, não se trata de um documento caracterizado pelo antiintelectualismo. Jesus apelou para as experiências diárias e interiores, em suas bem-aventuranças, como também às evidências da vida cotidiana. Podemos reconhecer o verdadeiro e o falso, observando seus respectivos *frutos*. Ele conclamou os homens para avaliarem as experiências e as idéias: «E por que não julgais também por vós mesmos o que é justo?» (Luc. 12:57). Não há nenhuma declaração de pendor antiintelectual, em todas as assertivas de Jesus. Paulo declarou que oraria com o espírito, mas também com «a mente» (ver I Cor. 14:15). Ele salientava a necessidade da compreensão na profecia e na pregação, em contraste com a ausência da compreensão nas línguas, que, assim sendo, precisavam ser interpretadas. Paulo atacou a filosofia falsa, como aquela dos gnósticos (ver Col. 2:8); mas ele mesmo não hesitou em aplicar argumentos filosóficos, quando viu lugar para tal argumentação, conforme se vê no capítulo dezessete, em sua visita a Atenas. E diminuiu a importância da filosofia, por causa dos exageros dos gregos a esse respeito (ver I Cor. 1:22,23); no entanto, em suas epístolas, há muitos traços do estoicismo e do raciocínio filosófico. Os pais gregos da Igreja, como Clemente de Alexandria e Orígenes, expressaram a fé cristã em termos platônicos, estabelecendo um precedente a ser seguido em todos os demais séculos. Tomás de Aquino valeu-se de Platão e de Aristóteles a fim de expressar muitas idéias religiosas. Talvez o trecho de I Ped. 3:15 seja a mais útil declaração neotestamentária que contém um equilíbrio entre a razão e a fé: «...estando sempre preparados para responder a todo aquele que vos pedir *razão* da esperança que há em vós» (o itálico é nosso).

3. *Durante o Iluminismo*. Esse foi um período histórico quando a razão suplantou a fé! Mas Hegel declarou que a religião e a filosofia expõem as mesmas verdades, embora de diferentes ângulos.

4. *No revivalismo*, como o de João e Carlos Wesley, ou o de Jônatas Edwards, a razão recebia pouca importância, ao passo que a fé era ressaltada.

5. *No existencialismo e na neo-ortodoxia* (temos preparado artigos separados a respeito), a razão não é proeminente. Nomes vinculados a esses sistemas são Karl Barth, Evil Brunner e Reinhold Niebuhr.

6. *A causa da razão* foi vigorosamente advogada no escolasticismo em geral, e também por certos filósofos em particular, como H. Rashdall, W.R. Sorley, A. S. Pringle-Pattison, W.E. Hocking, A.C. Knudson, J.S. Bixler, W.M. Urban, John Bennett e muitos outros.

7. *A negação da utilidade*, tanto da razão quanto da fé, no campo da religião, tem sido afirmada por John Dewey e por muitos pensadores céticos.

II. Motivos que Levam Alguns a Desprezar a Razão

1. A razão complica; a fé simplifica. Portanto, prefiramos a fé. Entretanto, com freqüência a verdade não é simples. Todo conhecimento demonstra isso.

2. A autoridade fixa é melhor mantida quando temos fé simples nos livros sagrados, e não pomos a razão em ação, através de cujo exercício podem ser encontrados erros, parcialidades e outros defeitos nos pontos de fé. Porém, a *autoridade* (vide) é algo complexo, e jamais poderá ser determinada mediante um único método.

3. A unidade, no seio do cristianismo, pode ser mantida melhor se ignorarmos os conceitos dos filósofos. Todavia, mesmo sem o exame que a razão nos faculta, o cristianismo tem-se subdividido em muitos fragmentos, meramente com base em diferentes interpretações de textos de prova, extraídos da própria Bíblia.

4. A impossibilidade de um completo exame racional da fé religiosa deve ser levada em conta. Contudo, a fé religiosa não é passível de *qualquer* exame completo ou de experiência, por mais que insistamos em impor somente a fé. A simplicidade não é sinônimo da verdade. A fé tipo café instantâneo só é concebível para as mentes fracas ou para as crianças espirituais.

5. *A revelação divina* é tudo, enquanto que o raciocínio humano nada é. Não obstante, a revelação não é o único método de se obter conhecimento da verdade, e, além disso, Deus criou a capacidade intelectual para o homem usá-la no julgamento e avaliação da revelação, bem como no descobrimento de verdades que não foram reveladas. Muitas verdades existem que não fazem parte da revelação bíblica, como é lógico.

6. O mistério e a irracionalidade são algumas das características da verdade. Apesar de ser verdade que esses fatores com freqüência se fazem presentes, também é verdade que à medida que nosso conhecimento progride, podemos remover os aspectos de mistério e de irracionalidade de muitas verdades.

III. Apoio da Razão à Religião

1. Deus é o maior de todos os intelectos. Joseph Smith certamente estava certo ao dizer: «A glória de Deus é a sua inteligência». Referindo-nos aos atributos de Deus, conferimos-lhe todas as mais elevadas qualidades do intelecto, da razão e da racionalidade. Como, pois, os homens, criados à imagem de Deus, seriam destituídos de *mente*?

RAZÃO NA RELIGIÃO — REAFIRMAÇÃO

2. Apesar de que algumas verdades podem permanecer *aparentemente* incoerentes e autocontraditórias (como é o caso dos *paradoxos*; vide), muitas outras verdades estão sujeitas à nossa razão. E os próprios paradoxos poderão ser sondados por nossas mentes, quando nosso conhecimento aumentar o suficiente para tanto.

3. O apelo à razão é útil para testarmos reivindicações rivais de revelação, bíblicas ou extrabíblicas.

4. A fé cega é, verdadeiramente, conforme alguém já disse, meramente «é crença em algo que não é verdadeiro».

5. A crença no poder da fé algumas vezes consiste meramente na crença nos dogmas de minha denominação religiosa. Os homens são arrogantes, e com freqüência ocultam sua arrogância por detrás de uma suposta elevada espiritualidade, o que pode ser pouco mais do que a ignorância.

6. A ignorância não tem valor; mas homens tolos gostam de defender a ignorância como se estivessem defendendo a fé, o que não tem base alguma na realidade dos fatos. A nossa fé deve ser uma fé esclarecida.

7. A suposição de que a verdade é simples e abre-se diante da fé isolada é ridícula. Quanto mais vamos conhecendo sobre a verdade, tanto mais ficamos impressionados com a sua complexidade. A verdade precisa ser investigada por muitos ângulos e através de muitos meios, antes que possa ser desvendada.

8. A fé cega, que não raciocina, é uma violação da integridade da personalidade humana, que é uma unidade complexa. Uma das muitas capacidades da personalidade humana é a do raciocínio, e todas as capacidades humanas devem ser empregadas na busca pela verdade.

9. Embora a razão não crie revelações, estas devem ser examinadas pelo poder da razão.

10. A razão é uma guardiã da alma, capaz de anular um falso misticismo, falsas idéias e os exageros de pessoas religiosas imaturas.

11. A razão autêntica pesquisa humildemente em busca da verdade. A arrogância não é uma qualidade necessária da intelectualidade.

12. A razão é aliada da verdadeira fé. A razão e a fé são instrumentos de inquirição e descobrem as mesmas verdades. No caso de certas verdades, a razão pode encontrá-las com maior facilidade; por outra parte, a fé pode descobrir certas verdades com mais facilidade do que a razão. E também há verdades que requerem a utilização tanto da razão quanto da verdade.

13. A razão tem-se mostrado especialmente valiosa na busca por definições e provas de imortalidade, uma grande verdade religiosa. É bom crer, e ainda é melhor saber *por qual motivo* cremos.

14. Algumas mentes sentem-se mais à vontade com a razão do que com a fé, e, para elas, a razão é o melhor caminho.

15. A razão é especialmente eficaz em campos como a ética e metafísica. Sem algumas idéias verdadeiras (que precisam ser testadas), não podem subsistir nem a ética e nem a religião metafísica.

16. A fé (no caso de pessoas extremamente místicas) pode ser exagerada, manipulada por grande variedade de sistemas religiosos, alguns dos quais obviamente falsos, enquanto que outros sistemas contêm muitas idéias falsas. Pensemos sobre as muitas seitas cristãs que têm surgido com base em falsas reivindicações místicas! A razão precisa dar sua contribuição, em algum ponto do caminho. Naturalmente, acima da razão precisamos testar empiricamente as idéias, sendo essa apenas uma outra maneira de obtermos conhecimentos. Ver o artigo geral intitulado *Autoridade*, quanto à teoria das fontes múltiplas da verdade.

17. Todos os dons de Deus são excelentes, e muito devem ser desejados e buscados. O poder da razão, que se origina no intelecto, é um dos preciosos dons de Deus. Desprezar esse dom é um absurdo. Aristóteles considerava Deus como o *Intelecto*. E todos os homens são intelectos, criados à imagem do Grande Intelecto. Isso faz parte da herança humana, que é uma pessoa espiritual. É um erro crasso desprezar essa herança divina que possuímos.

RAZÃO PRÁTICA

A filosofia de Emanuel Kant divide-se mui naturalmente em duas grandes facetas. Em sua *Razão Crítica*, ele enfatizou a necessidade de proposições alicerçadas sobre o empirismo, para aquilo que chamamos de «conhecimento». Mas em sua *Razão Prática*, ele frisou os *postulados* (vide), que falam sobre assuntos como Deus, a alma, a liberdade, a imortalidade, a ética, a estética, etc., que estão fundamentados sobre a razão, a intuição e as experiências místicas. Essas questões, em sua estimativa, não estão sujeitas à prova mediante a percepção dos sentidos, apesar de que são elementos necessários para qualquer sistema filosófico razoável e coerente. Ver o artigo geral sobre *Kant*, especialmente o ponto 2.h. Seus *Três Mundos* ilustram a divisão natural entre os dois tipos de razão. Ver o artigo *Ética*, VIII. *A Ética de Emanuel Kant*, que faz a exposição sobre os seus três mundos.

RAZÃO SUFICIENTE Ver **Suficiência de Razão**.

RAZÕES DO CORAÇÃO

Pascal dizia que existem razões mentais que nos fornecem algumas verdades. Mas, além dessas razões mentais, também existem as «razões do coração», com essa expressão ele indicava os poderes da intuição. Essas «razões» algumas vezes podem penetrar nas verdades profundas, quando outras formas de razão fracassam.

O homem pode sentir Deus com o seu coração. O coração tem suas próprias razões. Se nos aproximarmos de Deus somente pelo prisma racional, poderemos estar sendo conduzidos ao *deísmo* (vide), ou mesmo ao *ateísmo* (vide). A razão humana não pode perscrutar aquilo que é infinitamente incompreensível. As razões do coração poderão ter muito maior êxito nesse terreno.

RÉ Ver sobre **Rá**.

REABIAS

No hebraico, **Yahweh alargou**. Era filho de Eliézer e neto de Moisés. Pertencia a uma família levítica liderante (I Crô. 23:17; 24:21; e 26:25).

REAFIRMAÇÃO CONTEMPORÂNEA
De Argumentos Tradicionais em Prol da Existência de Deus

Autor: *A.E. Taylor* (1869-1945) foi professor de Filosofia Moral da Universidade de Edimburgo, na Escócia. Tornou-se bem conhecido tanto como intérprete de *Platão* quanto como um filósofo de idéias originais.

REAFIRMAÇÃO

Extraído do artigo de A.E. Taylor, *The Vindication of Religion*, da obra •Essays Catholic and Critical•, 1926, editada por E.G. Selwyn.

I. DA NATUREZA PARA DEUS

1. O argumento que «parte da natureza para a natureza de Deus» pode ser apresentado sob formas extremamente diferentes, e com mui diferentes graus de persuasão, correspondentes ao conhecimento mais ou menos definido e **exato dos diferentes** épocas acerca dos fatos detalhados da natureza, bem como do maior ou menor grau de articulação atingido pela lógica. Contudo, o pensamento principal que subjaz a essas diferentes variações é sempre o mesmo, ou seja, dos pontos incompletos para o completo, do que é dependente para o que é independente, do que é temporal para o que é eterno. A natureza, no sentido do complexo de «objetos apresentados à nossa atenção», os corpos animados e inanimados que nos circundam, bem como os nossos próprios corpos que cooperam com cada um deles, antes de tudo, é algo sempre incompleto; não possui limites ou fronteiras; o horizonte, no tempo e no espaço retrocede indefinidamente, à medida que vamos avançando em nossa aventura de exploração. «Para além do mar, há mais mar». E, além disso, a natureza sempre se mostra dependente; nenhuma porção da mesma contém sua explicação completa em si mesma; a fim de explicarmos por que qualquer porção é o que é, sempre teremos de levar em conta as relações dessa porção com alguma outra porção, o que, por sua vez, requer como explicação, a relação para com uma terceira porção, e assim por diante, interminavelmente. E quanto mais completo e mais rico se vai tornando o nosso conhecimento acerca do conteúdo da natureza, tanto mais, e não tanto menos imperativo se torna encontrar a explicação de todas as coisas, em relação a cada porção por sua vez, e cada porção, por sua parte, exige um esclarecimento similar. Novamente, a mutabilidade transparece claramente em face de cada nova porção da natureza—«Tudo é passageiro, e nada é permanente». O que esteve no passado, agora não está mais, e o que está agora aqui, não mais estará algum dia. «Ali estava a rocha onde rola o mar». Até mesmo aquilo que, à primeira vista, parece ser permanente, quando é examinado mais detidamente, mostra tão-somente possuir um nascimento e uma decadência mais lentos. Até mesmo na Idade Média cristã se pensava que o *firmamento* permanecia imutável desde o dia da sua criação, até que finalmente fosse dissolvido em meio à grande explosão de calor, quando da nova criação, e a astronomia moderna relata-nos a produção e a dissolução graduais de «sistemas estelares» completos. Pensamentos como esses sugeriram à mente grega, desde a própria infância da ciência, a conclusão de que a natureza não é um sistema fechado em si mesmo, não sendo a sua própria *razão de ser*. Por detrás de toda essa temporalidade e alteração deve haver algo imutável e eterno, que é a fonte originária de tudo quanto é mutável e que é a explicação do por quê as coisas são como são.

•••

No Primeiro Caso esse senso de mutabilidade deu origem somente ao desejo de saber o que é o estofo permanente daquilo a que chamamos de *coisas*, as quais seriam somente suas fases passageiras. Seria a água, o vapor, o fogo, ou talvez algo inteiramente diferente dessas coisas? A grande questão que se destacava em *primeiro plano*, para todos os antigos homens de ciência era justamente algo extremamente diferente dizer TODAS AS COISAS SÃO ÁGUA ou dizer «Creio em Deus». No fundo, entretanto, a inquirição pelo estofo com que as coisas todas são feitas é um primeiro passo, incerto e um tanto cego, dado na mesma direção que o famoso argumento de Aristóteles, adotado por Tomas de Aquino, em favor da existência de um *movimento inabalavel* (o qual, permanecendo *immotus in se*, é a origem de todo o movimento e vida deste mundo inferior), na direção também em que seguem todos os desde então familares argumentos *a posteriori* sobre a existência de Deus.

2. *Foi apenas mais um* passo dado nessa mesma direção, que não demorou a ser dado pelos primeiros fundadores da ciência, quando se percebeu que a persistência de um «estofo» imutável não serve de explicação completa para os fatos aparentes da natureza, tornando-se então claro que nos é conveniente indagar de onde procede o **movimento** que é a vida e todos os processos naturais. Essa é a forma como o problema se apresentou para Aristóteles e para o seu grande seguidor, Tomás de Aquino. Criam que a *natureza é uniforme* no sentido de que todos os movimentos aparentemente irregulares e ilegítimos com os quais a vida nos torna familiarizados no mundo ao nosso redor, se originam e são efeitos de outros movimentos, aqueles *dos céus*, que seriam absolutamente regulares e uniformes. De acordo com esse ponto de vista, o movimento supremamente uniforme e dominante da natureza pode ser naturalmente identificado com a revolução diurna e aparentemente absolutamente regular de todo o firmamento estelar ao redor do globo terrestre. Aristóteles entretanto, não se contentava em aceitar o mero fato dessa suposta revolução como um fato final que não precisa de mais nenhuma explicação. Pois nenhum movimento se explica por si mesmo, pelo que também precisamos inquirir pela «causa» ou razão pela qual os céus exibem esse movimento contínuo e uniforme. Entretanto, essa razão *Aristóteles* e os seus seguidores só sabiam explicar na linguagem do mito imaginado. Posto que nada pode pôr a si mesmo em movimento, o movimento que permeia o universo inteiro da natureza deve ter sido iniciado por algo que não pode ser movimentado por qualquer outra coisa, e que, por isso mesmo, não é mutável e sujeito a variações, mas por toda a eternidade é sempre o mesmo e perfeito, não permitindo e nem necessitando de qualquer desenvolvimento de qualquer espécie. «De um princípio assim é que depende o céu inteiro». (Aristóteles, Metafísica, 1072b, 14). E segue-se, de outras pressuposições da filosofia de Aristóteles, que esse «princípio» deve ser aceito como uma inteligência viva e perfeita. Assim sendo, na formulação aristotélica sobre os princípios da ciência natural, chegamos ao resultado explícito de que a natureza, em sua estrutura mais íntima, só pode ser explicada como algo que depende de uma origem perfeita e eterna da vida, fonte essa que não é nem a própria natureza e nem qualquer parte dela. A «transcendência de Deus» tem sido finalmente explicitamente afirmada como verdade sugerida (Aristóteles e Tomás de Aquino teriam dito como «verdade demonstrada») pela análise racional da própria natureza. Em princípio o argumento deles é o mesmo de toda forma posterior da chamada «prova cosmológica».

Examinemos de volta, de acordo com essa linha de pensamento, a questão em foco. Dessa linha de pensamento é que as «*provas da existência de Deus*» que nos são familiares têm sido desenvolvidas nas obras populares sobre a teologia natural, indagando de nós mesmos qual valor permanente tem esse desenvolvimento para nós, e até que ponto o mesmo

REAFIRMAÇÃO

contribui para sugerir-nos a real existência de um Deus a quem um homem religioso pode adorar «em Espírito e em verdade». Precisamos supor que o próprio pensamento é necessariamente antiquado, porque a linguagem em que o mesmo foi vazado nos impressiona como uma linguagem ultrapassada, ou porque aqueles que o apresentaram inicialmente mantinham certos pontos de vista sobre os detalhes da estrutura da natureza (notavelmente o conceito geocêntrico da astronomia) que agora são obsoletos. E é perfeitamente possível que —essa substituição de pensamentos antiquados por pontos de vista contemporâneos, no tocante à natureza do *universo estelar* ou no tocante à fixidez das espécies animais deixa inalterada a força do argumento, sem importar qual seja essa força. Existem duas críticas em particular que faríamos bem em eliminar de uma vez por todas, porquanto apesar de ambas parecerem plausíveis, segundo penso, a menos que eu esteja redondamente enganado, estão totalmente equivocadas.

O ponto central do argumento acerca da necessidade de uma fonte *inabalável de movimento* não deve ser perdido de vista. Poderemos compreendê-lo melhor se nos lembrarmos que, no vocabulário de Aristóteles, a palavra *movimento* indica as modificações de toda a sorte, de tal modo que aquilo que é falado é que deve haver alguma causa imutável ou fonte de modificação. Outrossim, não devemos imaginar que já nos desvencilhamos desse argumento ao dizermos que não há qualquer pressuposição científica que a série de alterações que compõe a vida da natureza pode não ter sido sem um começo e está destinada a não ter fim. Tomás de Aquino, cujos famosos cinco argumentos sobre a existência de Deus são todos variações do argumento baseado no *movimento*, ou, conforme diríamos hodiernamente, no **apelo do princípio da causalidade**, foi igualmente o filósofo que criou sensação entre os pensadores cristãos de seu tempo ao insistir inflexivelmente que, à parte da revelação dada nas Escrituras, nenhuma razão pode ser aduzida para que se diga que o mundo teve começo ou que precisa ter fim, conforme de fato Aristóteles mantinha que o mundo não teve começo e nem fim.

A dependência que transparece nesse argumento nada tem a ver com a questão da successão do tempo. O que Aquino realmente queria dizer é que o nosso conhecimento sobre qualquer acontecimento que ocorre na natureza não será completo enquanto não entendermos a razão completa desse acontecimento. Enquanto soubermos somente que *A* é assim porque *B* é assim, mas não pudermos dizer porque *B* é como é, nosso conhecimento será incompleto. Nosso conhecimento será completo somente quando estivermos na posição que nos capacite a dizer que *A* é assim porque *Z* é desse ou daquele jeito, e que *Z* é algo que encerra a sua própria razão de ser, de tal maneira que seria uma insensatez indagarmos *por qual* motivo *Z* é o que é. E isso, de imediato, nos conduz à conclusão de que em vista de sempre termos o direito de indagar acerca de qualquer evento da natureza, por qual razão esse acontecimento é o que é, e quais são as suas condições, o *Z* que é a sua própria *razão de ser* não pode pertencer à própria natureza. O ponto nevrálgico desse raciocínio consiste precisamente do fato que se trata de um argumento baseado no fato de que existe uma natureza em face da realidade de uma *supernatureza*, e esse ponto em nada é afetado pela pergunta se houve começo para o tempo, ou se houve um tempo em que não havia qualquer *acontecimento*.

Outrossim, não devemos permitir que sejamos desviados da trilha certa através da observação plausível mas superficial que diz que o problema inteiro sobre a *causa do movimento* se originou da suposição desnecessária de que as coisas estiveram antes em repouso, mas que depois começaram a movimentar-se, de tal maneira que é suficiente começarmos—a exemplo dos modernos físicos—com uma pluralidade de partículas em movimento, ou átomos, ou eléctrons, para nos livrarmos de toda essa difícil questão. Também não seria relevante a observação de que os físicos modernos reconhecem não haver qualquer movimento absolutamente uniforme, como aquele atribuído por Aristóteles ao *firmamento*, mas tão-somente há movimentos mais ou menos estáveis. Por exemplo, se começarmos por um sistema de «partículas», todas elas em movimento uniforme, ainda assim não haverá explicação para o surgimento de movimentos «diferenciais». E se começarmos, a exemplo do que tentou fazer Epicuro, com uma chuva de partículas, todas elas se movimentando na mesma direção, e com a mesma velocidade relativa, ainda assim não se poderá esclarecer como é que essas partículas chegaram a unir-se a fim de formar os complexos. Se preferirmos, seguindo o exemplo de Herbert Spencer, começar com uma nebulosa estritamente—homogênea, ainda será necessário explicar, o que Spencer não conseguiu fazer, o que veio a entrar nesse quadro a «heterogeneidade». Será mister pensarmos em variedade individual, bem como em «uniformidade», em qualquer das teorias que se queira postular acerca dos informes originais, se quisermos que o resultado dê um mundo semelhante ao nosso, o qual, conforme disse Mill com carradas de razão, é não somente uniforme, mas também infinitamente variegado. *Ex nihilo, nihil fit*, e de um espaço uniformemente em branco, nada *fit* senão um espaço em branco igualmente uniforme. E ainda que, *per impossible*, se pudesse excluir toda a variedade individual do informe inicial de um sistema de ciência natural, com toda a razão se poderia pedir que se desse uma explicação acerca dessa singular ausência de variedade, e qualquer explanação naturalista a respeito só poderia assumir a forma de derivação de algum estado mais primitivo de coisas, o qual não se caracterizaria pela «uniformidade» absoluta. A verdade é que nem a uniformidade e nem a variedade se explicam por si mesmas, sem importar com qual delas queiramos começar. Pois em ambos os casos teremos de enfrentar o mesmo antigo dilema. O informe inicial deve ser meramente aceito como um «fato» bruto, para o qual não há qualquer motivo, ou então, se houver qualquer razão, é necessário que a mesma seja encontrada fora da natureza, naquilo que é «sobrenatural».

•••

Podemos, por exemplo, considerar como o antiquado argumento baseado na passagem do «movimento» para a fonte «inabalável» do movimento, quando é declarado em sua forma mais geral, até hoje ainda pode ser apresentado. Conforme já pudemos ver, o argumento simplesmente passa do que é temporal, condicional e mutável para algo eterno, incondicional e imutável como sua origem. O ponto central de todo esse raciocínio é que toda a explicação de dados, fatos ou acontecimentos envolve a inclusão de outros fatos inexplicáveis; qualquer explicação de qualquer coisa, se porventura pudéssemos *obter* uma explicação assim, requereria, por conseguinte, que acompanhássemos o fato explicado de volta a algo que contém a sua própria explicação em si mesmo, algo que é o que é por seu próprio direito; tal coisa como é óbvio, não é mero acontecimento ou mero fato, pelo que também não pode fazer parte integrante da natureza, que é o complexo de todos os acontecimen-

REAFIRMAÇÃO

tos e fatos, mas antes, faz parte da natureza *superior*. Todo o homem tem o direito de dizer, se assim o preferir, que pessoalmente, não se importa em gastar o seu tempo exercendo essa maneira de pensar, mas que prefere ocupar-se no descobrimento de novos fatos, bem como de novas e até então insuspeitadas relações entre os fatos. E não precisamos acusá-lo por causa dessa sua preferência, e isso porque nos cabe o direito de indagar, daqueles que estão despertos para a significação do antigo problema, como é que eles se propõem a dar-lhe solução, se porventura rejeitam a inferência que parte do não-terminado e condicional para aquilo que é perfeito e incondicional. Quanto a mim, posso perceber apenas duas alternativas.

1. A Primeira Alternativa (de **Hume**, ou antes, do crítico cético nos **Diálogos** — não podemos estar certos de que Hume concordaria com essa sugestão): Em seus *Diálogos sobre a Religião Natural*, que, embora cada porção da natureza possa depender de outras porções para que seja explicada, o *sistema inteiro* dos fatos ou acontecimentos a que chamamos de *natureza* pode, como um *todo*, deve ser explicado *por si mesmo*. O *próprio mundo* pode ser esse *ser necessário* acerca do qual tem falado os filósofos e os teólogos. Em outras palavras, um sistema complexo no qual cada membro, considerado isoladamente, é temporal, pode ser *eterno*. Cada membro pode ser incompleto, mas o *todo* pode ser completo; cada membro pode ser mutável, mas o todo pode ser imutável. E assim, conforme têm dito muitos filósofos de ontem e de hoje, o «eterno» pode ser simplesmente o temporal quando plenamente compreendido, e assim não haveria qualquer contraste entre a natureza e a «supernatureza», mas tão-somente entre a «natureza compreendida como um todo» e a natureza como a apreendemos, isto é, fragmentariamente. O pensamento parece excelente, mas não acredito que poderá resistir à crítica.

A própria primeira pergunta, sugerida pela espécie de fórmula que acabei de citar, indaga se na realidade não é uma autocontradição chamar a natureza de um «todo»; pois, se assim é na realidade, é claro que não haverá como apreendermos a natureza como algo que ela não é. E penso que é perfeitamente claro que a natureza no sentido de complexo de acontecimentos, em virtude de sua própria estrutura, é algo incompleto e não um todo verdadeiro. Talvez eu possa explicar melhor esse ponto mediante um exemplo absurdamente simplificado. Suponhamos que a natureza se constitua de apenas quatro constituintes, isto é, *A*, *B*, *C* e *D*. Supostamente devemos «explicar» o comportamento de *A* mediante a estrutura de *B*, *C* e *D*, e bem assim mediante a ação conjunta de *B*, *C* e *D* com *A* e, similarmente, com cada um dos outros três constituintes. É perfeitamente óbvio que, com um conjunto de «leis gerais» de alguma espécie podemos «explicar» por que *A* se comporta como o faz, contanto que saibamos tudo acerca de sua estrutura, bem como acerca das estruturas respectivas de *B*, *C* e *D*. Não obstante, ainda assim fica inteiramente sem explicação por que *A* deveria estar presente, ou por que, se esse elemento está ali, deveria ter *B*, *C* e *D* como seus vizinhos, e não outros elementos com estruturas inteiramente diversas desses elementos. Que isso é assim tem de ser aceito como um fato «bruto», que não pode ser explicado e nem é auto-explanatório. Assim, pois, nenhum acúmulo de conhecimento sobre as *leis naturais* poderá esclarecer o presente estado da natureza, a menos que também suponhamos isso como um fato bruto que a distribuição de «matéria» e «energia» (ou quaisquer outras coisas que reputemos como elementos últimos de nosso sistema de física), há um milhão de anos atrás, foi assim ou assado. Contando com as mesmas «leis», mas com uma distribuição «inicial» diferente, o estado real do mundo atual seria inteiramente diferente do que é. Usando a terminologia de Mill, tanto «colocações» como *leis* de causação—precisam entrar em todas as nossas explicações de cunho científico. E embora seja verdade que à medida que aumenta o nosso conhecimento, vamos aprendendo continuamente a atribuir causas para as «colocações particulares» originalmente aceitas como fatos brutos, só conseguimos avançar quando retrocedemos para outras «colocações» anteriores, que igualmente precisamos aceitar como fatos brutos e inexplicados. Conforme declarou M. Meyerson, só nos livramos do—inexplicável—em um ponto, ao preço de introduzi-lo novamente em algum outro lugar. Ora, qualquer tentativa de abordar o complexo de fatos a que denominamos de natureza, como algo que pode ser visto como auto-explanatório, à medida que nosso conhecimento sobre esses fatos vai aumentando, tornar-se-ia quase auto-explicado se ao menos conhecêssemos a todos esses fatos, o que equivale à tentativa de eliminarmos inteiramente o fato bruto, reduzindo a natureza a um mero complexo de *leis*. Em outras palavras, trata-se de uma tentativa de manufaturar existentes particulares com base em meros universais, tentativa essa que, por isso mesmo, deve terminar em—fracasso. E o progresso que há na ciência dá testemunho sobre isso. Quanto mais avançamos, reduzindo a face visível da natureza a meras «leis», mais complexa, e não menos se torna a massa de caracteres que nos deixa perplexos, mas que precisamos atribuir a fatos brutos inexplicáveis aos nossos constituintes finais. Um eléctron é uma dose muito mais intragável de *fato bruto* do que um dos duros e impenetráveis corpúsculos conceituados por Newton.

•••

Por conseguinte, podemos asseverar com justiça que se nos **rendermos à sugestão** de que a natureza, contanto que a conhecêssemos o bastante, seria vista como *auto-explanatório*, — é seguir uma ilusão. A dualidade das «leis» e «fatos» não pode ser eliminada das ciências naturais, e isso significa que, no fim, ou a natureza não pode ser explicada sob hipótese alguma, ou então, se ela pode ser explicada, a explicação deve ser buscada em algo *fora*, — do que a natureza depende.

2. Assim sendo, não é de surpreender que tanto entre os cientistas como entre os filósofos, na atualidade tenha aparecido a forte tendência de desistir da tentativa de explicar completamente a natureza, retrocedendo eles para o *pluralismo final*. Isso significa que nos rendemos, admitindo a dualidade das «leis» e dos «fatos». Supomos assim que existe uma pluralidade de constituintes finalmente diversos na natureza, cada qual com seu próprio caráter específico e com sua maneira própria de comportar-se, e a nossa tarefa, na tentativa de explicar, consistiria somente em mostrar como se pode entender o mundo, conforme o percebemos, através das leis mais simples e em menor número, leis de interação entre esses diferentes elementos constitutivos. Em outras palavras, desistimos inteiramente da tentativa de *explicar a natureza*, pois contentamo-nos em «explicar» as «porções» menores da natureza, em termos de seu caráter específico e de suas relações para com outras—porções. É óbvio que essa é uma maneira de ceder inteiramente justificada, no caso de um cientista que esteja procurando encontrar a solução de algum problema particular como, por exemplo, a descoberta das condições sob as quais uma nova «espécie» permanente se origina e se conserva. Porém, isso se transforma em questão inteiramente diferente quando está em foco saber se o *pluralismo final* pode ser ou não a última palavra sobre uma *filosofia da natureza*. Se assim pensarmos, isso significará que, no fim, não possuiremos qualquer razão que nos capacite a afirmar por qual razão devem existir tantos elementos finais constitutivos da natureza conforme se diz que existem, ou por qual razão esses elementos devem ter as características particulares que dizemos que os mesmos possuem, exceto que «sucede porque assim é o caso». E isso nos leva a aquiescer ante «fatos brutos», não porque, de conformidade com nosso atual estado de conhecimento, não sejamos capazes de compreender melhor, mas sob a alegação de que não há e nem pode haver qualquer explanação. E isso nos levaria a insuflar um mistério ininteligível no coração mesmo da realidade.

Talvez possa ser retrucado: «E por que não deveríamos reconhecer isso, já que, gostemos de tal coisa ou não, teremos de chegar a essa conclusão no fim?» Bem, pelo menos pode-se replicar que aquiescer ante tal «final inexplicável» como ponto final significa que nos é negada a validade da própria suposição sobre a qual está edificada a ciência humana inteira. Através de toda a história do progresso científico tem se considerado como questão pacífica que não se deve aquiescer ante os fatos brutos inexplicáveis, e sempre que os homens se defrontam com aquilo que, em nosso presente estado de compreensão, tiver de ser como mero fato, temos o direito de pedir posteriores esclarecimentos, pois seria uma falsidade para com o espírito da ciência se assim não agíssemos. E assim chegamos inevitavelmente à conclusão de que ou os próprios princípios que inspiram e orientam a pesquisa científica são todos ilusórios, ou então a própria natureza deve depender de alguma realidade que pode explicar-se por si mesma, e que, por isso mesmo, não é nem a natureza e nem qualquer porção integrante da mesma, mas antes, no sentido estrito das palavras, é uma realidade *sobrenatural* ou «transcendental»—transcendental, isto é, no sentido que nela é vencida a dualidade das «leis» e dos «fatos» que é uma característica da natureza e de cada porção constitutiva da mesma. Não se trata essa realidade de um mero *fato bruto*, e, no entanto, não é também alguma lei ou complexo universal abstrato de tais leis, mas antes, um Ser realmente existente e autoiluminador, que poderíamos ver, se porventura pudéssemos apreender o seu verdadeiro caráter, que ter esse caráter e ser tal caráter são a mesma coisa. Essa é a maneira pela qual a natureza, conforme me parece, inevitavelmente aponta fora de si mesma, na qualidade daquilo que é temporal e mutável, para «outrem», que é «eterno e imutável».

II. DO HOMEM PARA DEUS

Quanto a esta particularidade, podemos tecer considerações mais breves. Se a meditação sobre as criaturas em geral nos conduz a uma rota em circuito e a uma luz mortiça que focaliza o Criador, a meditação sobre o ser moral do homem sugere mais diretamente a Deus, com muito maior clareza. Pois agora começamos a galgar um novo estágio da *subida* para um nível superior. Esse caminho ascendente para Deus se assemelha à montanha do purgatório de Dante; quanto mais alto tiver subido, tanto mais fácil é subir mais alto ainda. Por meio da natureza, quando muito, vemos a Deus sob um disfarce pesadíssimo que nos permite discernir pouco mais do que o fato de que alguém se encontra ali, mas, dentro de nossa própria vida moral vemos a Deus, por assim dizer, com a máscara meio tirada.

Uma vez mais, o caráter geral da subida é o mesmo; começamos com o que é temporal, com um certo senso do que é natural, terminando com o que é eterno e sobrenatural. Porém, a linha de pensamento que aqui *exploramos*, embora se assemelhe àquela primeira, é independente, de tal modo que a natureza e o homem são como duas testemunhas que jamais tiveram a oportunidade da acareação. O testemunho mais claro e mais enfático dado pelo homem, acerca daquilo que foi testificado um tanto mais ambiguamente pela natureza, fornece uma posterior confirmação de nossa esperança, a qual já nos era sugerida pela natureza. um tanto mais *retificada*.

Uma única sentença será suficiente para mostrar tanto a analogia existente entre o argumento. «Do Homem para Deus» e o argumento baseado na natureza, como a real independência dessas duas formas de testemunho. A natureza, conforme temos insistido, quando inspecionada, aponta para o *sobrenatural*, que deve haver acima dela, como sua própria pressuposição. Mas, se olharmos para dentro de nós mesmos, veremos que no homem se encontram a «natureza» e a «supernatureza». O homem tem, em seu próprio coração, tanto a natureza como a supernatureza, refletindo, ao mesmo tempo, tanto o que é temporal como o que é eterno. Diferentemente dos animais irracionais, até onde podemos julgar a vida íntima do homem, este não precisa adaptar-se rigidamente ao seu *meio ambiente* tão-somente, mas antes, precisa ajustar-se a dois meios ambientes, isto é, o secular e o eterno. E posto que ao homem cabe por desígnio ser finalmente um habitante dos lugares celestiais ao lado de Deus, na eternidade, o homem jamais pode sentir-se realmente à vontade nesta esfera terrestre; quando muito, tal como Abraão, ele é um peregrino que se encaminha para a terra invisível prometida; e quando pior, à semelhança de Caim, o homem é como um fugitivo sem rumo, que se torna um vagabundo à face do globo. A própria *imagem* de seu Criador, que foi estampada sobre ele, não serve apenas de sinal de seu legítimo direito de domínio sobre as demais criaturas; esse é também o «sinal de Caim», que todos os homens procuram evitar. Portanto, entre todas as criaturas, muitas das quais são bastante cômicas, somente o homem se mostra trágico. A vida do homem, quando muito, é uma tragicomédia, e, quando encarada sob o seu pior aspecto, é uma tragédia negra. E é perfeitamente natural que assim seja; pois, se o homem tem em comum com os animais do campo apenas o «ambiente» temporal, a sua vida inteira não passa de uma perpétua tentativa para encontrar uma solução racional de uma equação que ele ainda não aprendeu. Só pode conseguir ajustar-se a um de seus dois «meios ambientes», mediante sacrifícios pessoais e ajustamento ao outro; não pode manter-se igualmente sintonizado com o eterno e com o secular ao mesmo tempo, tal como um piano não pode estar afinado com todas as tonalidades musicais ao mesmo tempo.

Na prática sabemos como essa dificuldade é aparentemente resolvida, nas melhores vidas humanas. Essa dificuldade é solucionada mediante o cultivo de nossos apegos terrenos, mas em que também praticamos um alto desprendimento, não «fixando demasiadamente os nossos corações» nem mesmo nos melhores bens temporais, visto que o melhor que há desses bens são «apenas sombras», as quais *usam* as criaturas, mas sempre nos lembrando do tempo em que não mais poderemos usá-las. Portanto, devemos amá-los, mas com restrições,

REAFIRMAÇÃO

cuidando para não rendermos o coração a qualquer desses bens. Os homens sábios não precisam ser lembrados que a recusa deliberada e voluntária dos excessos de coisas boas deste mundo é uma medida necessária, como proteção contra a avaliação exagerada daquilo que é secular, em qualquer vida humana digna de ser vivida. Por outro lado, os sábios também reconhecem que a renúncia aos bens terrenos, que eles recomendam, não é recomendada visando tão-somente ficarem *destituídos de bens*. O bem sempre deve ser renunciado visando um «bem superior». Porém, é patente que o «bem superior» não pode ser qualquer das coisas boas que há nesta existência secular. Pois não há qualquer dos bens terrenos que não possa ou não deva ser renunciado, sob certas circunstâncias, em algum período da existência do homem.

Não quero dizer com isso, meramente, que certas circunstâncias exigem o sacrifício de certas coisas que o «indivíduo médio sensual» chama de bem—conforto, riquezas, influência, posição social, e coisas semelhantes. Pois nenhum moralista sério pensaria em considerar qualquer dessas coisas, quando muito, como bens inferiores. Mas refiro-me ao fato de que a mesma coisa é verdade no tocante àquelas coisas que homens de molde superior estão prontos a sacrificar, por serem bens obviamente secundários. *Por exemplo*, poucos são os bens materiais, se é que há algum deles, que possam ser comparados com as nossas afeições pessoais. Não obstante, um homem, deve estar preparado para sacrificar todas as suas afeições pessoais no serviço de sua nação, ou para sacrificá-las por aquilo que ele acredita honestamente ser a Igreja de Deus. Porém, existem coisas que aqueles que amam mais profundamente a sua pátria ou a sua Igreja devem estar preparados para sacrificarem, embora essas coisas estejam tão perto de seu coração. Posso morrer pelo meu país, como tantos combatentes têm feito, deixando esposa e filhinhos, a fim de ganhar alguma coisa de valor. Porém, não me convém adquirir paz e segurança para o país que tanto amo mediante o assassinato mesmo que seja de um inimigo perigoso e que não sente remorsos. Posso permitir que meu corpo seja queimado em defesa da fé, e posso permitir que meus pequeninos fiquem sem o pão diário por essa causa, mas não devo tentar defender a fé mediante a fraude ou o dolo. Alguém poderia argumentar que visando o bem da raça humana um homem deve estar preparado para sacrificar a própria independência de sua terra natal, em troca de algum benefício em favor da humanidade inteira, mas não se pode insultar a justiça, baixando sentença reconhecidamente injusta contrária aos inocentes. Pois se as coisas não forem desse modo, então todo o arcabouço de nossa moralidade se dissolverá. Por outro lado, se elas são realmente assim, então o bem maior, em troca do qual devo estar preparado a sacrificar tudo o mais, deve ser algo que nem ao menos pode ser apreçado em termos de uma aritmética secular; deve ser algo incomensurável com o «bem-estar» da Igreja ou do Estado, ou mesma da humanidade inteira. Se esse bem maior tiver de produzir fruto, o mesmo deve encontrar-se onde todas as vantagens materiais sucumbem e terminam, isto é, *no além*, como diriam os «neoplatonistas», ou «nos céus», como diriam os cristãos ordinários.

Se este mundo passageiro, no qual ficamos apenas por algum tempo, fosse realmente o nosso lar, o nosso único lar, penso que deveria ser impossível justificar tão completa e total rendição como preconizo acima; por outro lado, estejamos certos de que o sacrifício não é maior do que nos é exigido, quando a necessidade surge, de acordo com os mais elementares princípios da moralidade. Todo aquele que fala em «dever», pensando realmente em *dever*, nesse próprio ato está dando testemunho sobre aquilo que é sobrenatural e sobretemporal como o lar destinado finalmente para o homem. Não podemos duvidar de que todos admitem a existência de um número demasiado de regras em nossa moralidade convencional, as quais não são universal e incondicionalmente obrigatórias; quanto a essas, «devemo-nos» conformar sob certas condições especificadas e compreendidas. Devo mostrar-me generoso somente depois de haver satisfeito as justas reivindicações de meus credores, do mesmo modo devo abster-me de tirar vingança por conta própria, quando a sociedade me supre o maquinismo legal que cobra as afrontas por força da lei. Mas, todo aquele que fala em «dever», seja como for, deve com isso querer dizer que *quando* as condições necessárias forem cumpridas, a obrigação será absoluta. Podem surgir ocasiões em que não estarei forçado a dizer a verdade a um inquiridor; porém, se aparecer uma única ocasião em que devo dizer a verdade, então não devo ocultá-la, «ainda que o céu venha abaixo».

Ora, se jamais existir uma única ocasião em que eu devo dizer a verdade, ou fazer qualquer outra coisa «a qualquer custo», conforme estamos acostumados a dizer, qual é o bem em nome do qual essa exigência incondicional me é imposta? É impossível que se trate de qualquer bem secular que se possa nomear, como a minha própria saúde ou prosperidade material, ou mesmo a prosperidade e a existência feliz da humanidade. Pois, devido às consequências de meus atos serem intermináveis e imprevisíveis, jamais poderei ter a certeza de que não estarei pondo em perigo esses mesmos bens mediante minhas ações, apesar de eu estar certo de que esta ou aquela atitude é exatamente o que devo fazer. Não há que duvidar, entretanto, que alguém pode apelar para a taxa de probabilidade como seu guia da vida e dizer: «*Devo fazer isto ou aquilo, porque me parece ser o caminho mais provável para produzir o meu próprio bem-estar temporal, bem como o de minha família, o de minha nação, etc.*». E não há que duvidar que, na prática, essas são as considerações por causa das quais somos constantemente influenciados. Porém, é evidente que essas coisas não podem ser o motivo mais peremptório da obrigação, a menos que toda a moralidade tenha de ser reduzida à posição de uma ilusão conveniente. Pois dizer que a base final de uma obrigação é o mero fato de que um homem pensa que isso fomentaria este ou aquele alvo concreto e tangível, envolve o resultado de que ninguém estaria obrigado a fazer qualquer ação a menos que pense que a mesma produzirá certos resultados, e que ele pense que pode fazer qualquer coisa que queira, contanto que imagine que isso produzirá os resultados colimados. Creio no meu coração que até mesmo os escritores que vão mais adiante, professando aceitar essas conclusões, fazem contra si mesmos uma injustiça moral. Estou convencido de que não existe nenhum deles, sem importar qual a teoria que defende, e que, na prática, não trace a linha divisória em algum ponto e diga: «Não farei isto, sem importar o custo para mim mesmo, para quem quer que seja, ou para todos». Ora, uma obrigação totalmente independente de todas as «consequências» temporais não pode justificar-se à base das vantagens temporais, e nem qualquer criatura pode ser por ela constrangida a encontrar o seu bem exclusivamente naquilo que é temporal. Somente para um ser que, em sua estrutura, adaptou-se aos interesses eternos, é que se

REAFIRMAÇÃO — REALIDADE

pode dizer com significação: «*Deves*».

Pode-se ver que o pensamento sobre o qual demorei em meu último parágrafo é um dos temas fundamentais e mais constantes do principal tratado ético de Emanuel Kant, *Crítica da Razão Prática*. É uma das características de Kant que, conforme penso, erroneamente, ele desconfiava totalmente da sugestão do «sobrenatural» como algo derivado da contemplação da própria natureza, e que, devido a um temor exagerado do fanatismo e da superstição desregulados, característicos deste século, ele estava inteiramente cego para a terceira fonte de sugestão sobre a qual ainda nos convém falar. Portanto, para *Kant*, o conhecimento do nosso próprio ser moral, — como criaturas que possuem obrigações incondicionais, é que recebia todo o peso do argumento. Quanto a isso, confesso que Kant parecia estar inteiramente equivocado. Pois a plena força da vindicação da religião não pode ser sentida a menos que reconheçamos que o seu peso não é sustentado apenas por um único fio, e sim, por uma corda de três fios entrelaçados: precisamos integrar Bonaventura, Thomas e Butler com Kant a fim de apreciarmos a força verdadeira da posição do crente. No entanto, para mim, Kant parece inquestionavelmente correto até esse ponto. Porque ainda que nada existisse que nos sugerisse que somos ao mesmo tempo cidadãos de um mundo natural e temporal e de um mundo sobrenatural e eterno, a revelação de nossa própria divisão íntima contra nós mesmos, o que nos é conferida pela consciência, quando ela é devidamente meditada, é suficiente para despertar-nos para essa realidade. Ou, expressando o que quero dizer de forma bastante diferente, quero frisar que dentre todos os pensadores filosóficos que se têm preocupado com a vida do homem como um ser moral, os dois pensadores que se destacam, até mesmo na estimativa daqueles que com eles não concordam, são os dois grandes e imorredouros moralistas da literatura, Platão e Emanuel Kant, que são exatamente os dois que mais vigorosamente têm insistido sobre aquilo que os indivíduos de mente secularizadas costumam chamar, depreciativamente, de «Dualismo»-*este mundo* e o *outro mundo*, ou então, utilizando-nos da linguagem de Kant, «o homem como um fenômeno (natural)» e «o homem como uma realidade («sobrenatural»). Negar a realidade dessa antítese é arrancar as próprias vísceras da moralidade.

Podemos perceber isso de imediato, por exemplo, se compararmos Kant com David Hume, ou então Platão com Aristóteles. Porquanto é perfeitamente óbvio que **Platão** e **Kant** realmente se **importavam** com a questão da **moralidade prática**, ao passo que Aristóteles e Hume não tinham essa preocupação, ou, pelo menos, essa preocupação não era tão intensa como deveria ser. Nas mãos de Hume, a bondade moral é tão completamente nivelada com a mera respeitabilidade que ele chega a dizer, exatamente com essas palavras, que a nossa aprovação à virtude e a nossa desaprovação ao vício, no fundo, dependem de nossa preferência a um homem bem vestido, em detrimento de um homem mau vestido. Mas Aristóteles se preocupava muito mais profundamente do que isso com essa questão. Para ele, a bondade moral dependia do desencargo dos deveres de um bom cidadão, de um bom pai de família e de um bom vizinho nesta vida secular, e tinha sempre o cuidado de insistir que não devemos nos furtar dessas obrigações. No entanto, quando chega a vez de Aristóteles falar sobre a verdadeira felicidade do homem, bem como sobre o tipo de vida que lhe convém viver «como ser que tem algo de divino em si»,

descobrimos que a vida dessa porção divina, para ele, não significava mais do que a promoção da ciência. Para Aristóteles, viver perto de Deus não significava a justiça, a misericórdia e a humildade, a exemplo de Platão e dos profetas hebreus, e, sim, significava ser alguém um metafísico, um físico ou um astrônomo. A justiça, a misericórdia e a humildade realmente deveriam ser praticadas, mas somente visando a algum propósito secular, a fim de que o homem de ciência tivesse um—meio ambiente ordeiro e calmo na sociedade, e assim pudesse ser livre, o que não aconteceria se tivesse que lutar contra as paixões desordenadas em si mesmo ou em seus semelhantes, e a fim de que pudesse dedicar a maior parcela de tempo possível aos interesses que realmente valem a pena. Não se pode dizer acerca de Hume, ou de Aristóteles, e nem mesmo de qualquer dos moralistas que fazem da moralidade meramente uma questão de corretos ajustamentos sociais neste mundo temporal, o que se pode dizer acerca de Platão ou de Kant, isto é, *beati qui esuriunt et siunt justiam*. A «preocupação com o outro mundo» é uma característica dos maiores moralistas teóricos, bem como também das vidas mais nobres, sem importar quais as teorias que professam.

REAIAS

Na LXX, *Raiá*. No hebraico significa *Deus tem visto*. Há três homens com esse nome, no A.T.: 1. Um descendente de Judá. Seu pai era Sobal, e seu filho era Jaate (I Crô. 4:2). Talvez ele também seja referido em I Crô. 2:52, onde aparece como pai de Haroé. 2. Um descendente de Rúben; seu pai era Mica e seu filho era Baal (I Crô. 5:5). 3. Cabeça de uma família de servos do templo que retornou com Zorobabel do exílio babilônico (Esd. 2:47 e Nee. 7:50; cf. I Esd. 5:31, onde uma genealogia similar diz Jairo, na posição ocupada por Reaías, em Esd. 2:47 e Nee. 7:50).

REALIDADE

Essa palavra portuguesa vem do latim, *realitas*, termo derivado do latim, *res*, «coisa». O termo latino *realitias* significa «coisidade», referindo-se à essência de uma coisa qualquer, encarada como existente ou real. Ao que parece, foi Duns Scoto quem cunhou o termo e o introduziu na filosofia, que usava como sinônimo de *ser*. Outros sinônimos são *actualidade* e *existência*.

Idéias Sobre o Real:

1. *Platão*. O mundo das *Idéias* (ou universais) (vide) é o mundo mais real. Nosso mundo inferior dos particulares (dos objetos físicos) é dotado de uma realidade inferior e imitativa, sendo um mundo transitório. A realidade do mundo dos Universais, por sua vez, é eterna e imutável.

2. *As religiões orientais* chamam a realidade física de ilusória, e encontram a realidade verdadeira na Mente, mormente na Mente divina. Isso é uma forma de *idealismo* (vide).

3. *O idealismo* (vide) afirma que somente as idéias da mente (divina ou humana, coletiva ou individual, bem como a mente cósmica) são reais. Os chamados objetos físicos são epifenômenos da idéia.

4. *Os filósofos empíricos* aceitam a realidade dos objetos físicos, e muitos deles aceitam somente a realidade física ou atômica, rejeitando as especulações metafísicas acerca de uma alegada realidade imaterial.

5. *A Realidade Metafísica (Ontológica)*. A fonte permanente, final e objetiva da experiência é a

REALIDADE — REALISMO

realidade, sem importar se esta for concebida como *causa primária* (como no escolasticismo), ou como atividade producente (como nas filosofias de Berkeley, Leibnitz, Lotze, Bowne e Bergson), ou como qualquer conjunto de entidades e princípios que expliquem o prosseguimento do universo (como na filosofia de Whitehead).

6. *Campanella* explicava que há uma realidade gradativa que incorpora perfeições em graus variados. Todas as coisas possuiriam as *primalidades* do conhecimento, do poder e do amor.

7. *Emanuel Kant* falava sobre a realidade física examinada pelas experiências empíricas, mas essa experiência já estaria contida nas categorias da mente. Ele postulava (através da razão, da intuição e da experiência mística) a realidade mais elevada, como a realidade de Deus e da alma.

8. *Fichte* dizia-que o ego *postula* a realidade externa, sustentando assim certa forma de idealismo.

9. *Peirce* tomava uma postura pragmática diante da realidade, como quando afirmou que a realidade é aquilo que é *crido* pela comunidade dos inquiridores, no fim de uma série de inquirições.

10. *Bradley* acreditava que o verdadeiramente real é um Absoluto que jaz por detrás da experiência, pelo que defendia certa forma de idealismo. Somente aquilo que satisfaz o intelecto pode ser verdadeiro, e que aquilo que é mais valioso também é mais real.

11. *Ostwald*, um cientista, interpretava a realidade em termos de *energia*.

12. *Freud* falava sobre o «princípio da realidade», como o alvo da terapia, segundo o que o indivíduo maduro é capaz de esquecer-se da ilusão e favorecer a realidade.

13. *Buber* encontrava uma abordagem à realidade em sua relação «eu-tu».

14. *Romero* cria que a transcendência é a chave para compreendermos a realidade, porquanto o mundo físico é apenas um véu que nos oculta a realidade.

15. *Royce* chamava a realidade de «comunidade interpretativa».

16. *A fé cristã* concebe uma hierarquia de realidades que inclui o que é físico e o que é espiritual, e culmina em uma espécie de dualismo. Isso é conseguido mediante uma divisão, a grosso modo, entre aquilo que é material e aquilo que é imaterial, ou espiritual. Ambos os tipos de realidade são considerados reais, e não um real e o outro irreal, conforme se apregoa pelas religiões orientais. (AM E EP F MM P)

REALIDADE E POTENCIALIDADE

1. Em Aristóteles, são termos contrastantes, indicando o que tem forma e o que meramente tem a possibilidade de forma. Ver o artigo sobre *forma*. A realidade (no grego, *energeia*) é o modo do ser em que uma coisa pode produzir outras coisas, ou pode ser produzida por elas — o campo dos eventos e dos fatos. Em contraste, a potencialidade (no grego, *dynamis*) não é o modo como uma coisa existe, mas o poder de efetuar alterações, ou a capacidade que uma coisa tem de fazer transições para diferentes estados.

2. Na filosofia de Husserl, a realidade (em alemão, *wirklichkeit*) indica a existência dentro do espaço e do tempo, em oposição à possibilidade.

3. As *formas* de Platão têm imensas implicações teológicas, pois representam, a grosso modo, os tipos de coisas que a teologia cristã atribui a Deus, como Seus atributos. Toda realidade reside em Deus, embora seja administrada através de veículos físicos. O artigo sobre *Forma* expande o assunto. (EP F)

REALISMO

Esboço:
I. Definição Básica
II. O Realismo Metafísico
III. O Realismo Epistemológico
IV. O Realismo Ético
V. O Realismo e as Religiões
VI. Artigos Separados a Consultar

I. Definição Básica

A base da palavra **realismo** é o termo latino *res*, «coisa». E sua asserção básica é que essa «coisa» realmente existe, não sendo uma questão de imaginação. Isso posto, nosso vocábulo «real» significa algo que «tem existência verdadeira», não sendo apenas parte de algum conceito mental. O *real* tem existência própria, não sendo algo apenas provável ou imaginário.

II. O Realismo Metafísico

O *Universal* (vide) ou *Idéia* (*Forma*) tem existência real. Platão concebeu seu mundo das *Idéias* (Universais) como algo mais real do que a realidade do mundo dos particulares (os mundos físicos). Este último, segundo ele, teria sido produzido por imitação do mundo superior, das Idéias.

Aristóteles promoveu um realismo moderado, em contraste com a forma radical e totalmente dualista do realismo platônico. Ele afirmava que o universal é real, embora sempre seja refletido pelo particular. Por isso é que o *vermelho* seria algo achado em vários objetos; a *verdade* achar-se-ia nas coisas e pessoas, ou idéias, mas nem o vermelho e nem a verdade teriam existência separada em algum céu platônico.

Sócrates, evidentemente, aceitava o que veio a chamar-se de *conceptualismo*. O universal é real, mas é um conceito da mente, específica e primariamente de Deus, e em seguida dos homens, ou da mente cósmica. *Vermelho* e *verdade*, por conseguinte, são conceitos, e não entidades reais. Os conceitos são implementos usados na criação de todas as coisas (como conceitos existentes na mente de Deus); mas não existem como entidades separadas. Ver sobre o *Conceptualismo*.

O *nominalismo* (vide) sempre foi parte da filosofia grega, sendo esse o conceito que veio a predominar no campo da ciência e em todas as formas de ceticismo. O universal é definido como um simples termo da linguagem. *Vermelho* e *verdade* são agora meros vocábulos de nossa linguagem, que descrevem vários particulares. Meu artigo sobre os *Universais* apresenta maiores detalhes a respeito, com ilustrações.

III. O Realismo Epistemológico

Essa é a posição que diz que os objetos físicos são reais, mesmo que não estejam sendo percebidos pelos sentidos ou concebidos por qualquer mente. Uma árvore da floresta seria uma realidade, mesmo que Deus não lhe desse atenção, quanto mais se não fosse percebida por qualquer mente finita. O *realismo*, no sentido epistemológico, é contrastado com o *idealismo* (vide). Esse sistema afirma que aquilo que é real é *idéia*, e não objetos materiais. O real é a idéia que eu faço das coisas; ou então o real é a Idéia divina das coisas (como em todas as formas de filosofias absolutistas, segundo se vê nos escritos de filósofos alemães, como Hegel, Fichte e Schopenhauer). No idealismo radical, coisa alguma pode existir sem o concurso da idéia, da mesma maneira que inventamos tudo quanto sucede em nossos sonhos. Essas coisas apenas parecem ter existência separada: elas têm dimensão (ocupam o espaço); têm formas geométricas, peso, e também todas as propriedades que

REALISMO

atribuímos aos objetos físicos. Porém, na realidade, são apenas nossas idéias projetadas como se fossem separadas de nós. O idealismo objetivo admite que as coisas sejam entidades separadas de nós, embora nunca distintas da Mente divina.

John Locke foi um nome importante que se manifestou em defesa do realismo, como também o foi G.E. Moore. Em sua obra, *Refutation of Idealism*, ele afirmou que os idealistas estão aprisionados aos seus próprios conceitos, tirando vantagem do transe solipsístico. Eles confundem o *ato* de ver uma cor (por exemplo), o que é algo necessariamente dependente da mente, com o seu *objeto*, embora o ato e o objeto não sejam uma mesma coisa, como é evidente. Chamar os objetos físicos de «idéia» ou «impressão» é uma distorção da linguagem. Todas as declarações idealistas, em última análise, repousam sobre *pressupostos* realistas. *George Berkeley* (vide), por outra parte, apresentou argumentos convincentes em prol do idealismo. E assim vai prosseguindo a controvérsia.

IV. O Realismo Ético

Esse é o ponto de vista de que pelo menos os mais elevados padrões morais, ideais e valores, como sejam o amor, a justiça e a verdade, são *objetivamente* válidos e independentes do conhecimento humano ou de seu esforço ético. O homem, por sua própria natureza, sente afinidade com esses valores mais altos, por assim dizer, através das *idéias inatas* (vide). Sem embargo, os padrões morais (se estivermos falando a respeito de grandes princípios) não podem ser detectados nos processos naturais, e nem podem ser desenvolvidos mediante manipulações empíricas. Essa forma de realismo tem-se prestado para a formação de um argumento em favor da existência de Deus, por parte de pensadores como Emanuel Kant, J. Martineau, A.S. Pringle-Pattison, H. Rashdall, A.E. Taylor e W.R. Sorley. Se existem mesmo valores fixos e absolutos, então também deve haver uma Fonte ou Criador desses valores; e sua Fonte é Deus, que é o padrão real de todos os valores. Por conseguinte, o realismo moral assevera a existência de uma dimensão transcendental de valores. A condição exata do real, sem importar se subsistente ou se existente em Deus, como idéias divinas, já é outro assunto a ser discutido, e que tem sido expresso variegadamente por esses filósofos. O realismo moral usualmente faz-se acompanhar pelo realismo epistemológico. Os valores sobrevêm aos homens de modo direto, imediato e poderoso, para aqueles que permitem o fluxo do processo. O homem tem afinidade com Deus, e, naturalmente, haverá de pensar como Deus acerca de valores e de princípios morais.

V. O Realismo e as Religiões

Quase todas as religiões, do Oriente e do Ocidente, aceitam certa forma de realismo metafísico. Entretanto, as religiões orientais, em sua maior parte, são idealistas, e não realistas, no tocante à questão do conhecimento. Para elas, o mundo material, exterior, é ilusório. O cristianismo, em contraste, usualmente aceita o realismo epistemológico, e arremata o pensamento com certo dualismo. Haveria duas realidades, uma celeste e espiritual, angelical, etc., que é superior, e uma realidade dos mundos físicos, inferior, a qual, embora real, pertence a uma realidade transitória e secundária, em relação à realidade espiritual. Quase todas as religiões concordam com as reivindicações do realismo moral. (AM E EP F MM P)

VI. Artigos Separados a Consultar

Para obtenção de um melhor conhecimento acerca das questões ventiladas nos parágrafos anteriores, ver os artigos intitulados *Realismo Crítico; Realismo Ingênuo; Realismo do Bom Senso; Universais* e *Idealismo*.

REALISMO CRÍTICO

O **realismo**, quando aplicado à teoria do conhecimento, indica que o mundo externo é real, mesmo sem a presença de mentes que o reconheçam. Se uma árvore qualquer tomba em uma floresta, embora ninguém esteja presente, ainda assim ela cai e faz ruído, porquanto é um acontecimento real, embora ninguém o tenha percebido. Porém, os filósofos realistas não concordam quanto ao modo e à extensão de nosso conhecimento sobre o real, exterior a nós, embora concordem que não podemos reduzir o universo aos termos da mente e do pensamento, o que é chamado de *idealismo* (que vide). O *realismo ingênuo* afirma que o mundo é real, sendo percebido através dos cinco sentidos humanos, sendo exatamente aquilo que ele parece ser. Essa posição também é chamada de realismo do bom senso. O realismo crítico, em contraste, apesar de supor que o conhecimento nos chega através da percepção dos sentidos, nega que os cinco sentidos possam *apresentar-nos* o mundo tal e qual ele é. Antes, os sentidos representam o mundo. Quando descemos ao nível atômico, conhecemos bem pouco da realidade, e a percepção de nossos sentidos termina apenas em conjecturas, por meio de instrumentos científicos e das noções matemáticas. A fim de declararmos o que cremos ser a realidade, precisaremos depender da *fé animal*. Portanto, o realismo crítico torna-se uma espécie de *ceticismo* (que vide). Aquilo que é percebido aponta para o objeto que causa a percepção, mas apenas de maneira representativa, imperfeita. Os realistas críticos não concordam sobre exatamente *como* os sentidos nos fornecem conhecimento sobre as coisas. Alguns deles têm objetado à idéia da representatividade, e querem incluir mais que isso; porém, os argumentos em contrário indicam que eles não têm sido capazes de dar solução ao problema. Ver o artigo geral sobre o *realismo*, quanto a maiores detalhes. O adjetivo *crítico*, vinculado ao realismo, exibe a idéia contrária à do realismo ingênuo, cujos defensores parecem confiar demais na percepção dos sentidos. Precisamos ser críticos em nossos juízos, apelando para a investigação. (EM MM P)

REALISMO DO BOM SENSO

Esse ponto de vista assevera que nossos cinco sentidos físicos são dignos de confiança e que aquilo que detectamos por meio deles corresponde à realidade dos fatos. A posição supõe que há uma realidade externa separada da mente que percebe (isso é o *realismo*, que vide), e que os nossos sentidos estão tão bem adaptados à realidade, que obtemos genuíno conhecimento daquela realidade, por meio dos sentidos. Essa posição pode ser defendida se a chamarmos de *verdade prática*. Quanto ao nosso mundo de todos os dias, essa é a verdade que, necessariamente, precisa ser seguida. Porém, a nossa ciência tem demonstrado, de maneira absoluta, que a percepção dos nossos sentidos deixa de detectar grandes dimensões da realidade. O realismo crítico destaca esse fato. Sabemos que o mundo está *la fora*, e presumimos que o mesmo é real. Entretanto, os nossos sentidos são por demais fracos para conferir-

REALISMO — REALIZAR

nos uma faixa apreciável da realidade. Até mesmo com instrumentos científicos, a verdade da criação permanece essencialmente misteriosa para nós. Não sabemos como foi a origem de todas as coisas. Os nomes associados ao realismo do bom senso são: Thomas Reid, William Hamilton, Dugald Stewart e G.E. Moore (ver os diversos artigos a respeito deles). Ver o artigo geral sobre o *Realismo*.

Reid supunha que a nossa crença no mundo externo e as nossas noções a seu respeito são implantadas por Deus, em nossas mentes. Isso significa que possuímos idéias inatas de mistura com a percepção dos sentidos que, de modo fidedigno, nos dá conhecimento daquelas idéias, em relação ao mundo exterior. A filosofia de Reid tinha o intuito de contrabalançar o ceticismo de Hume. (AM F MM)

REALISMO E AS RELIGIÕES
Ver sobre **Realismo**, quinta seção.

REALISMO EPISTEMOLÓGICO
Ver sobre **Realismo**, seção terceira.

REALISMO INGÊNUO
Na epistemologia, o **realismo** é aquela teoria que diz que o mundo «exterior» é *real*, sem importar se é conhecido ou não por qualquer mente que o percebe. Em contraste com isso, o *idealismo* é a idéia que diz que o mundo é conhecido através da idéia, não possuindo existência separada da idéia. Se houver algo real, que exista à parte da idéia (o que corresponde ao realismo), então isso é desconhecido e desconhecível. O *realismo ingênuo* é um tipo de realismo. Afirma que o mundo é, realmente, aquilo que parece ser, de acordo com as informações que posso receber através da percepção dos meus sentidos. Essa posição ignora as misteriosas qualidades do átomo, por exemplo. Todas as qualidades que nossos sentidos nos transmitem, como formas, cores, sons, gostos, sensações tácteis, os objetos com suas qualidades, etc., são aquilo que parecem ser, porquanto a percepção de nossos sentidos é adequada para conferir-nos um conhecimento preciso sobre essas coisas.

O realismo ingênuo é a filosofia do não-filósofo, do não-cientista, do popular. O realismo crítico, em contraposição, apesar de crer na realidade do mundo «exterior», não acredita que a percepção de nossos sentidos seja adequada para realmente tomar conhecimento do mundo e compreendê-lo, exceto de uma maneira superficial e prática, que não nos ajuda muito quanto ao campo das investigações científicas. Ver o artigo geral intitulado *Realismo*.

REALISMO METAFÍSICO
Ver sobre **Realismo**, seção segunda.

REALISMO MORAL (ÉTICO)
Ver sobre **Realismo**, seção quarta.

REALIZAR, REALIZAÇÃO
Esboço:
I. Termos Empregados
II. Tipos de Realização
III. A Realização e as Promessas

I. Termos Empregados

Há três palavras hebraicas principais e seis palavras gregas envolvidas, a saber:

1. *Male*, «preencher», «cumprir». Termo hebraico usado por cerca de duzentas e dez vezes, conforme se vê, para exemplificar, em Gên. 29:27,28; Êxo. 23:26; I Reis 2:27; 8:15,24; II Crô. 6:4,15; 36:21; Jó 36:17; Sal. 20:5; Jer. 44:25. Essa palavra vem de uma raiz que significa «encher», com a idéia de realizar, cumprir, confirmar, expirar, chegar ao fim, satisfazer, etc. As idéias que nos interessam, neste verbete, são aquelas em que as promessas ou a Palavra de Deus são cumpridas, como no caso de predições e promessas.

2. *Kalah*, «completar», «terminar». Palavra hebraica que aparece por quinze vezes, como, por exemplo, em Êxo. 5:13,14; Esd. 1:1; Núm. 7:1; Jer. 4:27; 5:10,18; 46:28; Eze. 11:13. Esse termo, que vem da raiz que significa «terminar» é usado a fim de indicar idéias como cessar, realizar, cumprir, destruir, desgastar, consumir, etc.

3. *Asah*, «fazer». Vocábulo hebraico usado por cerca de duas mil e seiscentas vezes e, portanto, extremamente comum. Nas traduções, aparece com os mais variados sentidos, como realizar, produzir, causar, cometer, fazer, efetuar, executar, exercer, modelar, adaptar, obter, guardar, manter, ordenar, preparar, prover, etc. Com o sentido específico de realizar, ver, por exemplo, II Sam. 14:22; I Crô. 22:13; Sal. 145:19; 148:8.

4. *Teléo*, «terminar». Palavra grega usada por vinte e oito vezes: Mat. 7:28; 10:23; 11:1; 13:53; 17:24; 19:1; 26:1; Luc. 2:39; 12:50; 18:32; 22:37; João 19:28,30; Atos 13:29; Rom. 2:27; 13:6; II Cor. 12:9; Gál. 5:16; II Tim. 4:7; Tia. 2:8; Apo. 10:7; 11:7; 15:1,8; 17:17; 20:3,5,7.

5. *Teleióo*, «cumprir», «realizar», «aperfeiçoar». Palavra grega que ocorre por vinte e três vezes: Luc. 2:43; 13:32; João 4:34; 5:36; 17:4,23; 19:28; Atos 20:24; Fil. 3:12; Heb. 2:10; 5:9; 7:19,28; 9:9; 10:1,14; 11:40; 12:23; Tia. 2:22; I João 2:5; 4:12,17,18.

6. *Suntéleo*, «cumprir juntamente com». Palavra grega usada por sete vezes: Mar. 13:4; Luc. 4:2,13; João 2:3; Atos 21:27; Rom. 9:28 (citando Isa. 10:23); Heb. 8:8 (citando Jer. 31:31). O substantivo, *suntéleia*, «cumprimento», «realização», aparece por seis vezes: Mat. 13:39,40,49; 24:3; 28:20; Heb. 9:26.

7. *Pleróo*, «preencher», «cumprir». Vocábulo grego que aparece por oitenta e sete vezes, desde Mat. 1:22 até Apo. 6:11.

8. *Anapleróo*, «cumprir», «suprir», «preencher totalmente». Palavra grega usada por seis vezes: Mat. 23:14; I Cor. 14:16; 16:17; Gál. 6:2; Fil. 2:30; I Tes. 2:16.

9. *Ekpleróo*, «cumprir totalmente». Palavra grega usada somente por uma vez, em Atos 13:32, onde está em pauta o cumprimento das promessas messiânicas na pessoa de Jesus. A leitura de todas essas referências mostra-nos que a Bíblia usa as idéias de realizar, aperfeiçoar, levar a bom termo, etc. No segundo ponto abaixo, alistamos tipos de realização.

II. Tipos de Realização

1. *As predições dos profetas foram cumpridas* (I Reis 14:12. Ver Mateus 26:34, 75). As profecias messiânicas tiveram cumprimento (Gên. 3:15). O fato de que ele seria descendente da mulher cumpriu-se, segundo Lucas 2:7. Ele seria descendente de Abraão (Gên. 12:3; Mat. 1:1); procederia da tribo de Judá (Gên. 49:10; Mat. 1:2,3); nasceria em Belém (Miq. 5:2; Mat. 2:1); seria sumo sacerdote de acordo com a ordem de Melquisedeque (Sal. 110:4; Heb. 5:6), etc. No NTI, ofereço longa lista de tais predições nos

comentários sobre Atos 3:22. Quanto a uma afirmação geral do Novo Testamento, referente a essa atividade, ver Luc. 24:44.

2. *Cumprimentos de conceitos das Escrituras*. A epístola aos Hebreus destaca o cumprimento dos tipos e instituições veterotestamentárias na pessoa de Cristo. Ver as várias referências no primeiro ponto, acima.

3. *Um elemento na prédica da Igreja primitiva*. A *kérugma* (pregação) cristã partia do pressuposto de que o que sucedeu a Cristo e no seio da Igreja primitiva era cumprimento de antigas expectações proféticas. O trecho de Romanos 1:1,2 demonstra isso. O evangelho de Deus foi prometido de antemão pelos profetas, nas Santas Escrituras. O trecho de Hab. 2:4 contém um dos principais temas desenvolvidos na epístola aos Romanos: «O justo viverá pela fé». A epístola aos Romanos, em todos os seus capítulos, demonstra depender pesadamente dos conceitos do Antigo Testamento, que são apresentados, sob uma *nova luz*, nas páginas do Novo Testamento.

4. *A tradição profética* antecipava Cristo e as suas realizações conforme se vê no primeiro ponto, acima; mas também esboçava o futuro em termos gerais. O vigésimo quarto capítulo de Mateus, o chamado «pequeno Apocalipse», apresenta as profecias gerais escatológicas, feitas por Jesus. O livro de *Apocalipse* é o grande livro profético do Novo Testamento, antecipando os últimos dias com detalhes como não aparecem em nenhum outro livro da Bíblia. Quanto a pormenores a esse respeito, ver o artigo sobre *Profecia: A Tradição da, e a Nossa Época*.

III. A Realização e as Promessas

As promessas de Deus ao povo de Israel cumprem-se, literalmente, na nação de Israel, mas, espiritualmente falando, no Novo Israel, a Igreja (Rom. 9:4; 15:8; II Cor. 1:20; Heb. 6:12; 7:6). O trecho de Hebreus 8:6 enfatiza as *melhores promessas* do evangelho, que têm cumprimento nas vidas dos crentes. A passagem de II Pedro 1:4 mostra-nos que, em Cristo, temos recebido grandes e preciosas promessas, por meio das quais chegamos a compartilhar da própria natureza divina, que é a maior de odas as realizações, em sentido espiritual ou em qualquer outro sentido. As promessas de Deus não podem deixar de cumprir-se. Ver João 10:35. Ver o artigo separado sobre *Promessa e Cumprimento*, e também sobre *Promessas*. Ver, igualmente, sobre a *Salvação*, que é a grande realização do evangelho sobre a alma humana. Ver também sobre a *Imortalidade*. Lemos em II Coríntios 1:20: «Porque quantas são as promessas de Deus tantas têm nele o sim; porquanto também por ele é o amém para glória de Deus, por nosso intermédio».

REATUS CULPAE, REATUS POENAE

No latim, *reatus* significa «estado», «condição». *Reatus culpae* é o estado de culpa considerado como culpa; *reatus poenae* é o mesmo estado de culpa visto pelo ângulo da pena. As teorias gerais do direito não percebem muito uso para essa distinção; mas as teologias o percebem. Isso é verdade porque os trechos de Rom. 5:12-21 e I Cor. 15:45 ensinam-nos uma doutrina de «representação federal», mediante o uso do símbolo de dois adões. O primeiro é o progenitor da raça, e o segundo ou o último Adão é Cristo. No primeiro Adão encontramos o *reatus culpae*, pois a pena por ele merecida foi imputada a todos os homens. Já o segundo Adão não tinha qualquer participação no *reatus culpae*; mas, tendo levado sobre si a culpa e a pena que cabiam aos homens, ele tomou sobre si mesmo o *reatus poenae*.

Os homens são culpados por seus próprios pecados. Mas têm de arcar com a punição decretada contra o primeiro Adão, embora possam escapar dessa punição, uma vez vinculados, mediante a fé, ao segundo Adão. Ver o artigo *Dois Homens, Metáfora dos*.

REAVIVAMENTO (REVIVALISMO)

1. *Definição*. Fazendo contraste com o *evangelismo*, endereçado, principalmente àqueles que estão fora das fileiras da Igreja, e que presumivelmente nunca se converteram, o *revivalismo* é orientado para os membros da Igreja de Cristo. Essa palavra significa «fazer viver de novo», «dar nova vida». Um reavivamento é um novo impulso no fervor religioso, após um período de declínio ou negligência. Seu propósito é reativar os crentes que, porventura, caíram na incúria e na indiferença. Não obstante, essa palavra por muitas vezes tem o sentido de *evangelismo*, visto que, em alguns grupos, supõe-se que aqueles que assim declinaram em seu fervor religioso «caíram da graça», pelo que estariam carentes de nova conversão e regeneração. Com freqüência, pois, o termo revivalismo automaticamente é compreendido como evangelismo.

2. *Instâncias Históricas*. Nos Estados Unidos da América do Norte, os historiadores eclesiásticos têm assinalado cinco «grandes colheitas», a começar nos primórdios do século XVIII, e daí até dentro do século XX. Pode-se dizer que, a grosso modo, cada geração produz um grande evangelista que é a força principal por detrás de tais movimentos. Por ordem cronológica, temos Salomão Stoddard (um pregador da Igreja Holandesa Reformada); George Whitefield; Jonathan Edwards (que foi neto de Stoddard). O segundo grande despertar ocorreu com Lyman Beecher e Nathaniel W. Taylor, além de Charles Grandison Finney (falecido em 1875). Entrementes, através da influência de tais homens, várias denominações, como os congregacionais, os metodistas, os presbiterianos e os batistas estiveram intensamente envolvidas em reavivamentos locais, ao ponto de o fenômeno ter se tornado uma característica comum e muito enfatizada da vida eclesiástica. No século XIX, literalmente centenas de revivalistas, procurando a salvação dos perdidos, e promovendo uma nova expressão espiritual entre os convertidos, moviam-se por toda a extensão do território norte-americano. Nos finais do século XIX apareceu o espetacular Dwight L. Moody; e, na segunda metade do século XX, apareceu William (Billy) F. Graham, o mais poderoso evangelista e revivalista do século XX.

Esse movimento de revivalismo tem envolvido a muitas outras figuras, de maneira tal que atualmente os seus grandes pregadores utilizam-se dos serviços da televisão, o que envolve um negócio de muitos milhões de dólares. Mas isso, naturalmente, tem obscurecido o revivalismo simples de muitos. Acresça-se a isso, que tremendos escândalos morais têm abalado esses movimentos, e certos ministros do evangelho têm copiado os métodos e a baixa moralidade dos astros do cinema. Assim, a Igreja tem-se parecido mais com um barco de espetáculos do que com um barco de vida.

3. *O Movimento Carismático*. Em seu próprio cerne, o movimento carismático é revivalista, pelo que, em suas igrejas, quase todo domingo é assinalado por essa forma de expressão religiosa. Vários grupos têm adicionado o restauracionismo ao revivalismo, pelo que os dois conceitos têm-se

misturado em várias denominações evangélicas extremamente exclusivistas.

4. *Internacionalização do Revivalismo*. O movimento metodista, na Inglaterra, foi de cunho revivalista. Em seguida, os movimentos missionários de diversas denominações propagaram a filosofia dessa expressão em escala mundial, e a Igreja evangélica, onde quer que ela possa ser encontrada, preserva a ênfase revivalista até hoje.

REBA

No hebraico, **descendência** ou **rebento** (Jos. 13:21 e Núm. 31:8). Foi um dos reis midianitas, morto pelos israelitas em batalha nas planícies de Moabe. De acordo com Núm. 31, Moisés recebeu ordens para se vingar dos midianitas, porque estes haviam tentado aos israelitas com seus deuses falsos. No décimo terceiro capítulo de Josué, Reba é mencionado como um dos reis de Midiã, que provavelmente eram vassalos de Seom, rei dos amorreus. Aparentemente, Seom apossara-se da área de Moabe, sujeitando as tribos midianitas que residiam em Moabe.

REBANHO

Há seis palavras hebraicas e duas palavras gregas envolvidas neste verbete, a saber:

1. *Eder*, «rebanho». Termo hebraico que é usado por trinta e oito vezes; segundo se vê, por exemplo, em Gên. 29:2,3,8; 30:4; Juí. 5:16; I Sam. 17:34; II Crô. 32:28; Jó 24:2; Sal. 78:52; Can. 1:7; 4:1,2; Isa. 17:2; 32:14; Jer. 6:3; 13:17,20; 31:10,24; 51:23; Eze. 34:12; Joel 1:8; Miq. 2:12; 4:8; 5:8; Sof. 2:14; Zac. 10:3; Mal. 1:14.

2. *Tson*, «ovelha», «rebanho». Essa palavra ocorre por mais de duzentas e sessenta vezes, principalmente com o sentido de «ovelha». Mas, com o sentido de «rebanho» aparece por cento e trinta e sete vezes, conforme se vê, para exemplificar, em Gên. 4:4; Êxo. 2:16,17; Lev. 1:2,10; Núm. 11:22; Deu. 8:13; I Sam. 3:20; II Sam. 12:2,4; I Crô. 4:39,41; II Crô. 17:11; Esd. 10:19; Nee. 10:36; Jó 21:11; Sal. 65:13; Can. 1:8; Isa. 60:7; Jer. 3:24; Eze. 24:5; Amós 6:4; Jon.3:7; Miq. 7:14; Hab. 3:17; Sof. 2:6; Zac. 9:16; 10:2; 11:4,7,11,17.

3. *Miqneh*, «gado», «aquisição». Palavra hebraica que ocorre por setenta e cinco vezes, conforme se vê, por exemplo, em Gên. 4:20; Êxo 9:3; Núm. 20:19; Deu. 3:19; Jos. 1:14; Juí. 6:5; I Sam. 23:5; II Reis 3:17; I Crô. 5:9,21; II Crô. 14:15; Isa. 30:23.

4. *Marith*, «gado no pasto». Palavra hebraica que aparece por apenas uma vez com esse sentido, em Jer. 10:21, embora apareça outras dez vezes com o sentido de «pasto».

5. *Chasiph*, «rebanho ao relento». Palavra hebraica utilizada por apenas uma vez: I Reis 20:27.

6. *Ashtaroth*, «multiplicações». Palavra hebraica empregada por quatro vezes, com o sentido de «rebanhos»: Deu. 7:13; 28:4, 18,51.

7. *Poímne*, «rebanho». Palavra grega usada por cinco vezes: Mat. 26:31 (citando Zac. 13:7); Luc. 2:8; João 10:16; I Cor. 9:7.

8. *Poímnion*, «pequeno rebanho». Termo grego usado também por cinco vezes: Luc. 12:32; Atos 20:28,29; I Ped. 5:2,3.

Esse vocábulo português, quando usado na Bíblia, indica um grupo de ovelhas, ou de cabras, ou de ambas essas espécies (Gên. 4:4; 29:2; Can. 4:1; Joel 1:18). Em Números 32:36, porém, está em pauta o gado vacum. Ver os artigos separados sobre *Ovelhas*, *Cabras* e *Gado*.

Usos Figurados:

1. Exércitos, nações e grandes grupos de pessoas são assim denominados (Jer. 49:20; 51:23). Isso acontece porque tais grupos estão unificados em torno de alguma causa comum, ou porque representam alguma herança cultural comum.

2. Os «donos dos rebanhos» (Jer. 25:34,35) são os líderes e governantes do povo, homens poderosos e ricos.

3. Israel aparece como o rebanho do Senhor (Jer. 13:17,20), alvo de seu amor e de seus cuidados. Eles formam um rebanho santo (Eze. 37:38), em distinção às multidões dos povos pagãos.

4. O trecho de Zacarias 11:4 fala nas «ovelhas destinadas para a matança», que são aquele grupo de pessoas que Deus determinou destruir mediante o seu juízo, dentre do povo de Israel. Nações pagãs serão usadas para produzir essa matança.

5. A *Igreja* é o rebanho do Senhor Jesus e ele é o seu Pastor (Isa. 40:11; Atos 20:28; João 10). Nessa conexão, examinar também Luc. 12:32 e I Ped. 5:2,3.

REBATISMO

Corria ainda no século II D.C. quando a corrente principal do cristianismo começou a rejeitar o batismo de participantes dos chamados grupos heréticos e a requerer o rebatismo dos mesmos, se quisessem ser aceitos nas fileiras ortodoxas. Mas a Igreja de Roma, desde um período histórico bem recuado, tomou posição diametralmente oposta a isso, afirmando que o rito do batismo, uma vez realizado com a fórmula e o intuito corretos, em nome do Pai, do Filho e o Espírito Santo, deve ser considerado válido, mesmo que levado a efeito por grupos cismáticos. Entretanto, esse ponto de vista não era universal, e, na verdade, entra em conflito com os ensinos da *Sucessão Apostólica* (vide).

Na África do Norte, Tertuliano, e, posteriormente, Cipriano, não reconheciam o batismo de pessoas que consideravam heréticas. Cipriano entrou em amarga controvérsia com o bispo de Roma, sobre essa questão, em cerca de 250 D.C. Uma obra escrita por algum autor desconhecido, intitulada *De Rebaptismate*, representava a posição romanista. Esse tratado fazia a distinção entre o batismo do Espírito e o batismo em água. É dito ali que se um herege pedir admissão na Igreja ortodoxa, ao lhe serem impostas as mãos, e ao vir sobre ele o Espírito, isso tornaria supérfluo outro batismo em água. Essa tornou-se a posição oficial da Igreja de Roma, mediante decisão do concílio de Arles (314 D.C.). Agostinho defendeu essa decisão em suas lutas contra os donatistas. E outros advogados dessa posição afirmam que o Novo Testamento não ensina o rebatismo, no que são contraditos pelos seus adversários, os quais apontam para o fato de que Atos 19:4,5 serve de prova de texto em prol do rebatismo, quando isso se faz necessário. Mas, o outro partido contendor argumenta que o batismo de João não era um batismo cristão. Por analogia, a circuncisão era um ato sem repetição, e isso serviria de precedente, porque, em certo sentido, o batismo cristão é paralelo da circuncisão judaica, segundo se aprende em Col. 2:11,12. Um outro argumento contra o rebatismo é o que afirma que o batismo procede de Deus, e não do homem, e que os agentes errados do batismo não o anulam. Vale dizer, o batismo seria um sacramento eficaz, mesmo quando aplicado erroneamente. Naturalmente, sendo o batismo em água apenas uma representação simbólica do batismo do Espírito no corpo de Cristo (ver I Cor. 12:13), ele será inválido se tiver sido

REBATISMO — REBELIÃO

aplicado sem a regeneração prévia, e a sua repetição não conseguirá fazer algum pecador nascer do alto. Isso mostra a inocuidade do debate.

O *concílio de Trento*, em seu quarto cânon, sobre o batismo, reafirmou a posição tradicional católica romana, que parece militar contra a doutrina católica da *sucessão apostólica* (vide), embora aqueles teólogos não pensem assim. De acordo com eles, um herege, que não está na linha de sucessão apostólica, pode realizar um legítimo ato de batismo, como um sacramento (transmissor da graça divina).

Ao tempo da Reforma Protestante, os *anabatistas* (vide) fizeram reviver a ênfase sobre o rebatismo, conforme o próprio nome deles o revela. Eles ensinavam a invalidade do *batismo infantil* (vide), e que adultos convertidos, embora tivessem sido batizados na infância, precisavam ser batizados novamente, dessa vez legitimamente. As igrejas evangélicas de inclinações batistas têm dado continuidade a essa atitude, além de terem adicionado a asserção de que existe tal coisa como «imersão estranha», praticada por grupos não-batistas e heréticos. Adultos batizados assim, ao chegarem ali, têm que ser rebatizados. Para exemplificar, um crente presbiteriano, embora aspergido na infância, em uma genuína igreja evangélica, ainda assim deve sujeitar-se ao batismo por imersão, ao chegar naquelas igrejas.

A Igreja Católica Romana e a comunidade anglicana praticam o que intitulam de «batismo condicional», quando surgem dúvidas sobre a validade de um batismo anterior. Na comunidade anglicana, em tais oportunidades, o sacerdote realiza o ato de batismo afirmando: «Se ainda não foste batizado, eu te batizo».

REBECA

No hebraico, provavelmente, **laço**; no árabe, significa *amarrar*. Consideremos estes pontos a seu respeito:

1. *Família*. Era filha de Betuel, que era sobrinha de Abraão (Gên. 22:20 *ss*). Vivia no território dos arameus, perto do rio Eufrates. Tornou-se esposa de Isaque e mãe de Esaú e Jacó.

2. *Casamento*. O encontro com o servo de Abraão (Gên. 24), Eleazar, é relembrado como um exemplo clássico da providência divina e de resposta à oração. O pai e o irmão de Rebeca reconheceram que a mão do Senhor estava dirigindo tudo e consentiram no casamento dela com Isaque. Tomando Rebeca para sua tenda, Isaque a amou. E «assim foi Isaque consolado depois da morte de sua mãe (Gên. 24:67).

3. *Maternidade*. Durante vinte anos, Rebeca não teve filhos. Mas, em resposta às orações de Isaque, Deus lhe deu gêmeos (Gên. 25:20-26). E o Senhor lhe revelou que escolhera o mais novo para abençoar. Malaquias cita as experiências de Israel como provas disso (Mal. 1:2 *s*). Paulo mostra que, nos gêmeos, Deus estava estabelecendo o princípio da graça da eleição (Rom. 9:10-13).

O livro de Gênesis mostra como Jacó, o irmão gêmeo mais novo, suplantou a seu irmão, Esaú, arrebatando-lhe o direito de primogenitura e a bênção paterna. Esaú prometeu matar seu irmão. Mas Rebeca encontrou meio de fazê-lo escapar da ira de Esaú, enviando-o para a casa de seu pai, em Harã, sob a alegação de que ali ele deveria arranjar noiva, e não entre as mulheres de Canaã. Portanto, Rebeca foi instrumental na preservação de Jacó, cumprindo assim a vontade divina. Segundo Gên. 49:31, Rebeca foi sepultada no túmulo da família, em Macpela, perto de Hebrom.

REBELIÃO

Rebelião na Sociedade. Apesar do décimo terceiro capítulo da epístola aos Romanos ensinar a lealdade geral aos governos humanos (ver sobre *Governo*), sempre haverá casos claros nos quais a rebelião se tornará necessária, por amor à justiça. Geralmente os indivíduos malignos é que preferem a vereda da rebeldia (ver Pro. 17:11); mas há vezes quando a rebelião pode estar servindo à reta justiça. A maioria das revoluções alicerça-se sobre atos rebeldes; e nem todas as revoluções são erradas. Por outra parte, existem movimentos políticos maléficos que excitam os povos à rebeldia; e, quando obtêm sucesso, oprimem esses mesmos povos a ditaduras piores do que aquelas que conseguiram expelir. Assim sendo, a questão é bastante complexa, não podendo ser avaliada de forma simplista.

A Rebelião e o Crente. Um seguidor de Cristo, que se veja forçado a optar pela rebelião ou por alguma forma secundária de oposição àquilo que ele considera opressivo, tanto na esfera governamental quanto em alguma esfera menor (mesmo nas relações eclesiásticas), só deve tomar tal decisão após haver sopesado cuidadosamente as questões morais envolvidas. Talvez seja correto dizer que, para o crente, a rebeldia deve ser um último recurso, depois que se exauriram todos os outros meios em busca de uma solução pacífica para a injustiça e a opressão.

REBELIÃO CONTRA DEUS

Proibida (Núm. 14:9; Jos. 22:19).
Provoca a Deus (Núm. 16:30; Nee. 9:26).
Provoca a Cristo (Êxo. 23:20,21 com I Cor. 10:9).
Vexa ao Espírito Santo (Isa. 63:10).

Exibida:
 Na incredulidade (Deu. 9:23; Sal. 106:24,25).
 Na rejeição do governo divino (I Sam. 8:7; 15:23).
 No desprezo à sua lei (Nee. 9:26).
 No desprezo aos seus conselhos (Sal. 107:11).
 Na desconfiança quanto ao seu poder (Eze. 17:15).
 Na murmuração contra Deus (Núm. 20:3,10).
 Na recusa de dar-lhe ouvidos (Deu. 9:23; Eze. 20:8; Zac. 7:11).
 No afastar-se de Deus (Isa. 59:13).
 Na rebeldia contra os líderes nomeados por Deus (Jos. 1:18).
 No afastar-se dos preceitos divinos (Dan. 9:5).

A culpa devido à rebeldia:
 É agravada pelos cuidados paternais de Deus (Isa. 1:2).
 É agravada pelos incessantes convites de Deus, para que o rebelde retorne a ele (Isa. 65:2).
 Deve ser lamentada (Jos. 22:29).
 Deve ser confessada (Lam. 1:18,20; Dan. 9:5).
Só Deus pode perdoá-la (Nee. 9:17).
A instrução religiosa visa impedi-la (Sal. 78:5,8).
Promessas feitas aos que a evitam (Deu. 28:1-13; I Sam. 12:14).
É perdoada em face do arrependimento (Nee. 9:26,27).

Os Ministros:
 São advertidos contra ela (Eze. 2:8).
 São enviados aos rebeldes (Eze. 2:3-7; 3:4-9; Mar. 12:4-8).
 Devem advertir contra a mesma (Núm. 14:9).
 Devem testificar contra a mesma (Isa. 30:8,9; Eze 17:12; 44:6).

A Rebelião

A Expulsão do Jardim

O homem luta com o monstro, Livro de Kells, o Evangelho de Mateus

RECA — RECAPITULAÇÃO

Devem relembrar o passado a seus liderados (Deu. 9:7; 31:27).

RECA
Um lugar desconhecido no território de Judá (I Crô. 4:12).

RECABE, RECABITAS
No hebraico, o nome significa **carreteiro**, pois deriva-se de uma raiz que significa «montar», «dirigir». Consideremos estes pontos:

1. Um filho de Rimom, um benjamita de Beerote. Com seu irmão, Baaná, os dois guerrilheiros assassinaram traiçoeiramente a Isbosete, seu rei, mas foram devidamente castigados por Davi (II Sam. 4:2,5,6,9).

2. A casa de Recabe, ou seja, os recabitas, famosos por sua regra de total abstenção de vinho, também não edificavam casas, não semeavam e não plantavam vinhas, mas viviam em tendas (Jer. 35:6-8).

a. *Relação com os queneus*. De acordo com I Crô. 2:55, certos queneus «vieram de Hamate, pai da casa de Recabe». Para interpretarmos corretamente o texto, precisaremos compreender «Hamate» e «pai». Antes de tudo, Hamate pode ser o nome de um lugar, bem como um locativo: 1. nessa lista de Judá (I Crô. 2—4), os nomes dos chefes de clãs são mencionados de tal modo que também se tornam nomes locativos; contudo, o fraseado desse trecho é estranho. 2. A preposição «de», antes de Hamate, parece dar a entender que os queneus em foco vieram de um lugar, Hamate (cf. a LXX alexandrina *eks Aimàth*). 3. De acordo com Juí. 4:11,17, o grupo de Heber, o queneu, separou-se dos queneus que descendiam de Hobabe, armando tenda em Cades de Naftali, na mesma região geral de Hamate (cf. Jos. 19:35-37). Em segundo lugar, o termo «pai» pode dar a entender que os recabitas eram aparentados aos queneus, ou que Hamate havia sido o fundador dos recabitas como uma guilda profissional. Em qualquer dos casos, o texto se reveste de interesse porque alguns dos queneus ganhavam a vida como trabalhadores de metais que provavelmente era a profissão dos recabitas. Ver Queneus.

b. *Posição social e religiosa* de Jonadabe, fundador da disciplina dos recabitas (II Reis 10:15,23; Jer. 35:6,14). Os eruditos diferem em sua opinião sobre a posição social deles, pensando alguns que eles seriam homens simples do deserto, e outros que seriam nômades criadores de rebanhos. Mas se tem pensado até que eles eram uma guilda socialmente importante. Além disso, a designação «filho de Recabe» (II Reis 10:15) talvez não indique uma verdadeira relação de pai-filho, mas apenas um membro de uma guilda associada à profissão dos carreteiros. Essa designação também poderia indicar que Jonadabe era nativo de um lugar chamado Recabe, talvez porque ali houvesse muitos carreteiros. Talvez por isso Jeú levou Jonadabe em seu carro, na viagem a Samaria. Finalmente, o diálogo entre Jeú e Jonadabe serve para confirmar uma aliança militar (cf. II Reis 10:16 com I Reis 22:4; II Reis 3:7). Uma coisa é clara. Por causa do lugar proeminente que o novo governante lhe deu (II Reis 10:16,23), sua influência não era coisa de pequena monta.

Quanto à sua *posição religiosa*, ele era um defensor radical do nome de Yahweh, sob a ameaça de um crescente baalismo, durante o reinado da casa de Onri. A declaração de que Jonadabe «lhe vinha ao encontro» (de Jeú), mostra que Jonadabe tomou a iniciativa (ver II Reis 10:15).

c. *Regras de Jonadabe*. Alguns estudiosos pensam que as regras dele visavam à preservação da simplicidade primitiva, ou seja, a manutenção do nomadismo, pois a vida civilizada, inevitavelmente, leva à apostasia para longe de Yahweh. Essa maneira de entender repousa sobre três pressupostos: a abstenção de bebidas alcoólicas é própria da sociedade nômade; viver em tendas indica nomadismo; e desdenhar da agricultura é sinal seguro de nomadismo. Contudo, outros estudiosos não aceitam essa interpretação, tendo exposto opiniões alternativas.

d. *Aprovação de Yahweh aos recabitas*. O Senhor não recomendou tanto as regras deles, mas a obediência deles às suas regras, contrastando-os com os demais membros da nação de Israel, que não obedeciam ao Senhor.

e. *Sobrevivência dos recabitas*. O Senhor prometeu que devido à obediência dos recabitas, nunca lhes faltariam representantes nas gerações sucessivas (Jer. 35:19). O cumprimento dessa promessa se verifica das seguintes maneiras: 1. o título do Salmo 71, na LXX: «dos filhos de Jonadabe e dos primeiros cativos»; 2. uma referência a Malquias, que reparou a «Porta do Monturo», quando da restauração de Jerusalém sob Neemias (Nee. 3:14); 3. uma tradição judaica no sentido de que as filhas deles se casaram com sacerdotes; 4. uma duvidosa afirmativa de Hegesipo de que um sacerdote recabita protestou contra o martírio de Tiago (Eusébio, Hist. 11,23); 5. uma declaração no Talmude de que os recabitas tinham um dia especial, o sétimo do mês de Abe; 6. até hoje existiriam professos descendentes da seita, no Iraque e no Iêmen.

RECÂMARAS DO SOL
Essa expressão encontra-se somente em Jó 9:9, juntamente com a menção às constelações da Ursa, do Oriom e das Sete-estrelas ou Plêiades. Segundo a astronomia da Babilônia, não haveria pólo sul correspondente ao pólo norte, mas antes, uma região denominada *Ea*. Aparentemente, Jó estava aplicando essa expressão a essa região. A identificação dos eruditos difere: a. Uns pensam tratar-se da constelação de Argo, de Centauro ou do Cruzeiro do Sul. b. Outros pensam que a expressão é indefinida, não podendo ser aplicada, com certeza, a qualquer estrela ou constelação. c. Ainda outros pensam que essa expressão refere-se a um espaço destituído de corpos celestes (o que justificaria a palavra «recâmaras») existente entre certas estrelas e constelações. Nesse caso, alguns destes últimos identificam tais recâmaras com aquela de onde é dito que sai o pé-de-vento, em Jó 37:9. Ultimamente, muitos estudiosos têm dado preferência a esta última interpretação. (Z)

RECAPITULAÇÃO
Na linguagem da teologia, essa palavra aponta para a doutrina de *Ireneu* (vide), que viveu no século II D.C., que ensinou que Cristo passou por sucessivos estágios da raça humana, desde a infância. Por nossa vez, também precisamos atravessar todos os seus estágios de vida divina, chegando a compartilhar de sua natureza divina (ver II Ped. 1:4; Rom. 8:29; II Cor. 3:18; Efé. 3:19). O vocábulo grego por detrás dessa idéia é *anakephalaíosis*, «encabeçamento», «sumário». Assim como, em seu ser, Cristo recebeu um sumário de toda a existência e experiência humanas, assim também, em nossa glorificação em

RECASAMENTO — RECONCILIAÇÃO

Cristo, receberemos o sumário e a participação na vida divina.

A Recapitulação na Restauração. O termo grego acima mencionado aparece em Efé. 1:10, onde lemos sobre a restauração ou sumarização de todas as coisas em Cristo, de tal modo que ele venha a tornar-se o Cabeça de tudo, ao mesmo tempo em que todas as coisas virão a ser o seu corpo. Ver os dois artigos chamados *Mistério da Vontade de Deus* e *Restauração*.

Uma outra forma de recapitulação é aquela que Cristo realizou quanto à tradição profética. Ver o verbete *Profecias Messiânicas Cumpridas em Jesus*. Os planos de Deus, em suas várias facetas, incluindo aquela faceta da redenção, são sumariados em Cristo, mediante a sua missão tridimensional. Ver sobre *Missão Universal de Cristo*.

RECASAMENTO

Ver os artigos intitulados *Novo Casamento* e *Matrimônio e Divórcio*.

RECIPIENTES

No hebraico, **machtah**, «incensário», «recipiente». Essa palavra hebraica ocorre por vinte e duas vezes. Por quinze vezes é traduzida como «incensário», por três vezes é traduzida como «apagadores». E, por quatro vezes, tem o sentido de «recipientes»; em geral: Êxo. 27:3; 38:3; II Reis 25:15 e Jer. 52:19.

Nessas últimas passagens está em foco algum tipo de recipiente para transportar brasas apagadas ou acesas. Dentro do sistema de sacrifícios de Israel, esse utensílio tinha três funções diferentes. É de acordo com essas funções que, nas traduções, o mesmo utensílio aparece como «incensário», «apagador» ou «recipiente». Ver sobre incensário, em Lev. 10:1; 16:12; Núm. 4:14; 16:6,17,18, 37-39,46; I Reis 7:50; II Crô. 4:22. Quanto a *apagador*, ver Êxo. 25:38; 37:23; Núm. 4:9.

RECOMPENSA

Ver o artigo separado sobre **Coroas**.

No Antigo Testamento, temos nada menos de dezoito termos hebraicos diferentes para indicar a idéia, com os mais variados sentidos, como, por exemplo, «fim», «dom», «recompensa», «salário», «conseqüência», «obra», «fruto», «suborno» e «término». No Novo Testamento são usadas duas palavras, *antapódosis*, «devolução», e *misthós*, «salário» ou «recompensa». A primeira é usada somente em Col. 3:24 (a forma *antapódoma*, «recompensas», é usada em Luc. 14:12 e Rom. 11:9). A segunda é usada por cerca de trinta vezes, desde Mat. 5:12 até Apo. 22:12.

A noção bíblica de recompensa ou vingança ante as ações de alguém está em foco. Na maior parte das citações, a idéia é a da recompensa pelo bem praticado, embora também haja a idéia de castigo contra os maus atos dos homens. No Antigo Testamento estão em pauta três formas de recompensa divina: 1. a continuação dos descendentes de Abraão; 2. o estabelecimento de Israel na terra de Canaã; e 3. a culminação final do pacto na pessoa do Messias. A glória do conceito veterotestamentário era que Deus, em sua misericórdia, substituiria um Sacrifício vicário pelos pecados de seu povo. (Ver Isa. 53:5). Esse mesmo conceito é reafirmado no Novo Testamento, embora o judaísmo já tivesse caído no legalismo dos fariseus e no partido rabínico. Por sua vez, o Novo Testamento expõe dois níveis de recompensa: o espiritual, em face da fé depositada em Cristo; e o físico, que acompanha todos que seguem as ordenanças da criação divina, como, por exemplo, as leis de higiene.

A distinção teológica clássica que surgiu desse ponto de vista fala em «graça comum» e «graça especial». A primeira envolve todos os benefícios divinos, com exclusão da salvação da alma. A segunda envolve a salvação com todas as bênçãos espirituais eternas que a acompanham. A recompensa final do crente é que ele estará na própria presença de Cristo.

Alguns sistemas ensinam salvação como recompensa pelas boas obras. A Bíblia ensina salvação mediante a graça, independentemente das obras humanas, e ensina a recompensa como galardão extraordinário para os salvos que tiverem perseverado na prática do bem. Ver sobre *Graça* e *Obras*.

RECONCILIAÇÃO

Esboço
 I. Idéia Básica
 II. Os Elementos da Reconciliação
 III. Sumário de Fatores Principais
 IV. Alvos da Reconciliação

Rom. 5:10: *Porque se nós, quando éramos inimigos, fomos reconciliados com Deus pela morte de seu Filho, muito mais, estando já reconciliados, seremos salvos pela sua vida.*

I. Idéia Básica

A doutrina da «reconciliação», segundo a própria palavra significa, quer dizer, essencialmente, «troca», «permuta». Consiste da mudança da relação de hostilidade que pode existiu entre dois indivíduos, passando eles a serem amigos entre si. Essa relação de hostilidade é alterada para a relação de paz. Há, portanto, a «permuta» de estado. Do estado de paz, em seguida, fluem todas as bênçãos da salvação; isto é, a salvação que se deriva da vida de Cristo.

O parecer de Vincent (*in loc.*), quanto a esse particular, é digno de nossa atenção: «No sentido cristão, a mudança nas relações entre Deus e um homem é efetuada por meio de Cristo. E isso envolve: 1. O movimento de Deus em direção ao homem, tendo em vista quebrantar a hostilidade humana, recomendar o amor e a santidade divina ao homem, e convencendo-o da enormidade de seu pecado e das conseqüências do mesmo. É Deus quem inicia esse movimento, na pessoa e na obra de Jesus Cristo (ver Rom. 5:6,8; II Cor. 5:18; Efé. 1:6 e I João 4:19). Por isso é que o verbo é aqui encontrado na forma passiva, *fomos reconciliados*, pelo ato reconciliador de Deus. 2. Um movimento paralelo ao lado do homem, em direção a Deus—em que o homem cede ao apelo do amor de Cristo que foi ao auto-sacrifício, deixando de lado a inimizade, renunciando ao pecado, voltando-se para Deus com fé e obediência. 3. Uma conseqüente modificação *do caráter* do homem; a cobertura, perdão e purificação do pecado; uma total revolução em todas as suas disposições e princípios. 4. A modificação correspondente da parte de Deus, porquanto foi removido aquilo que era a única razão da hostilidade divina contra o homem, de tal modo que agora Deus o acolhe em sua comunhão, prodigalizando-lhe todo o seu amor paternal e a sua graça (ver I João 1:3,7). Portanto, a reconciliação é completa. (Ver também o trecho de Rom. 3:25,26)».

II. Os Elementos da Reconciliação

1. A reconciliação evangélica redunda na completa salvação, ou seja, na participação da plenitude de

RECONCILIAÇÃO

Deus (ver Efé. 3:19) e em sua própria natureza (ver II Ped. 1:4).

2. A missão de Cristo é universal, como também exerce efeitos sobre os perdidos, produzindo uma forma de restauração, o que contrasta com a redenção. (Ver notas completas sobre esse conceito, em João 14:6 e Efé. 1:10, no NTI).

3. *Cristo agente; o mundo—o objeto.* A reconciliação se torna uma realidade por meio dele. Essa é a mensagem central do N.T., o que é reiterado de diversas maneiras. Em si mesmo, o N.T., de acordo com certo ângulo, consiste de uma longa polêmica que busca provar o ofício messiânico de Jesus, e como o Cristo eterno se encarnou nele. (Ver as longas notas sobre essa polêmica cristã, em João 20:31 no NTI).

4. *Não imputando aos homens as suas transgressões*, (II Cor. 5:14). (Com isso se pode confrontar o trecho de Rom. 4:7,8). O pecado não é imputado sob a condição de fé; de outra maneira, se um homem não tem fé em Cristo e nem reconhece sua soberania, os seus pecados lhe serão imputados. O termo grego «logizdomai», aqui utilizado, significa «levar em conta», «pôr na conta de». Pois se os pecados não forem imputados à alma, isso significa que seus efeitos deletérios não poderão prejudicá-la. Isso não significa que os resultados derivados do pecado sejam removidos. Porquanto haveremos de colher aquilo que tivermos semeado, embora sejamos perdoados, do mesmo modo que o assassínio e o adultério de Davi lhe foram perdoados, mas mesmo assim teve ele de sofrer as conseqüências de seus pecados. Pois o pecado macula, e não há como evitar essa mácula, ainda que a alma escape da punição merecida.

5. *O ministério da reconciliação. Reconciliando consigo o mundo*, II Cor. 5:19. Não encontramos aqui uma expiação limitada. O mundo inteiro esta em foco, e não meramente os eleitos. Pois o mundo inteiro é o objeto da reconciliação, embora isso só se torne eficaz no caso daqueles que confiam em Cristo. A misericórdia de Deus se prolonga até o próprio hades, produzindo ali a confiança na missão terrena de Cristo, porém, até mesmo ali qualquer benefício só poderá ser obtido se houver fé como reação favorável à sua mensagem. (Ver o artigo sobre a *Descida de Cristo ao Hades*). Em qualquer nível ou esfera, em qualquer período da existência, assim deve suceder. (Ver o trecho de I João 2:2, ver o artigo sobre a *Expiação*).

6. *Confiou a palavra de reconciliação.* Comentou Alford (in loc.), sobre essas palavras: «Observemos que a reconciliação aqui aludida, vem de Deus para nós, de modo absoluto e objetivo, por meio do seu Filho, e que assim Deus pode contemplar e tolerar complacentemente um mundo pecaminoso, recebendo todos os que se aproximam dele em Cristo».

A outorga do ministério de reconciliação poderia ter sido feita aos anjos ou a outros seres (talvez desconhecidos de nós). Porém, foi entregue ao humilde homem, de tal maneira que, em amor, um ser humano pode ajudar a outro. Isso agradou a Deus, porquanto isso deu aos homens a oportunidade de viverem segundo a lei do amor, que é a prova mesma da espiritualidade (ver I João 4:7). Ouso dizer, entretanto, que essa missão não foi proporcionada exclusivamente ao homem. Elevadíssimas forças estão envolvidas no uso de homens como agentes, os quais (mui provavelmente), operam por si mesmos.

III. Sumário de Fatores Principais

1. A reconciliação é um *ato de Deus*. Ele é quem toma a iniciativa, e ele é quem leva essa obra ao seu final determinado. A reconciliação diz respeito à hostilidade de que havia entre Deus e o homem, por causa do pecado, produzindo o estado de Paz.

2. *O objeto* da reconciliação é o *homem*. Por causa de seu pecado, o homem ficara alienado, provocando a desordem no universo moral. O homem desafiou o propósito divino da vida. O fato de que éramos inimigos descreve tanto a «atitude» dos homens no que respeita a Deus como a sua natureza básica como pecadores.

3. Transporta os homens do estado de inimizade para o estado de amizade. Devemos consultar sobre esse particular o primeiro capítulo da epístola aos Colossenses. Essa amizade envolve a participação em seus propósitos universais, bem como a realização dos mesmos em nós.

4. A reconciliação também envolve uma *calorosa experiência humana*, porque provê o mais eficaz antídoto para o impessoalismo árido em nossos pensamentos religiosos. Livra-nos da irrealidade para um mundo de experiências, onde o fator decisivo é que Deus mostra o seu amor para conosco, reconciliando-nos consigo mesmo. Jesus Cristo é o agente que produz a paz, através do sangue de sua cruz. (Ver Col. 1:20). Estabelecer essa paz, portanto, consiste em uma atividade moral operada por uma pessoa, sobre as pessoas.

5. *O meio eficaz* da reconciliação é a morte de Jesus Cristo, o grande ato da misericórdia divina para com os homens. O contexto da grande passagem sobre a reconciliação, no quinto capítulo da segunda epístola aos Coríntios, deixa claro que Paulo considerava a reconciliação como algo que é alicerçado na morte e na ressurreição de Cristo, e o primeiro capítulo da epístola aos Colossenses e o segundo capítulo da epístola aos Efésios **foram vazados** em palavras tais que não deixam margem alguma para dúvida, no tocante à intimidade da conexão entre o propósito de Deus e a cruz de Cristo, como meio por ele escolhido para efetuar a reconciliação.

Ver o artigo sobre *Expiação*.

Reconciliar é devolver a unidade, a harmonia, a tudo aquilo que antes era alienado. Segundo a Bíblia há necessidade de reconciliação entre Deus e o homem, visto que a alienação entre eles é a fonte do pecado humano e a aversão do mesmo à retidão divina. Deus mesmo proveu o meio para a reconciliação, mediante a morte de Seu Filho, Jesus Cristo.

1. *Informes bíblicos*. O termo «reconciliação» (no grego, *katallage*) aparece por quatro vezes no N.T. Por três vezes é usado para indicar a reconciliação entre Deus e o homem (Rom. 5:11; II Cro. 5:18,19), e uma vez para indicar a reconciliação da linhagem do pacto com o mundo, com a rejeição temporária do povo judeu (Rom. 11:15). Uma forma intensiva também é usada, com a preposição prefixada *apó*, dando a entender «reconciliar plenamente» (Efé. 2:16; Col. 1:20,21).

Quando a reconciliação tem seu pleno sentido bíblico de salvação, a alienação que ela remove aparece como resultado do pecado (Isa. 59:12). Isso transparece em II Cor. 5:19, onde a reconciliação é vinculada a Deus, não imputando ele as transgressões. Em mais de um trecho das epístolas paulinas a reconciliação aparece como paralelo e equivalente da justificação (Rom. 5:9,10; II Cor. 3:9; 5:18). Isso porque o meio da reconciliação é a morte de Cristo (Rom. 5:10). O propósito de sua morte foi a expiação. A morte de Cristo e a imputação de sua retidão ao pecador é a base da remoção da alienação entre Deus e o homem, a culpa do pecado.

RECONCILIAÇÃO ECLESIÁSTICA

A «reconciliação», porém, tem um sentido mais lato que a «justificação». A palavra grega *katallage* deriva-se das atividades sócio-econômicas (cf. I Cor. 7:11). Alude de modo geral à eliminação de uma inimizade, sem especificar como ela foi removida. Nos escritos de Paulo, o termo grego, com freqüência, é contrastado com «inimizade» e «alienação» (Rom. 5:10; Efé. 2:14 s; Col. 1:22). No sentido positivo, tem o sentido de «paz» (Rom. 5:1,10; Efé. 2:15 s; Col. 1:20 s).

No sentido bíblico, «paz» é o termo inclusivo que se refere à restauração da comunhão entre Deus e o homem. Por isso, Paulo pôde exultar, dizendo: «Justificados, pois, mediante a fé, temos paz com Deus, por meio de nosso Senhor Jesus Cristo» (Rom. 5:1).

A Bíblia ensina que a paz é produto da morte de Cristo. Somos reconciliados em sua carne, mediante a morte (Col. 1:22): O trecho de Rom. 5:10 alude a termos sido reconciliados mediante a morte de Cristo. Col. 1:20 diz que Deus estabeleceu a paz através do sangue da cruz de Cristo.

O termo «reconciliação» também é usado para indicar a inclusão dos gentios na linhagem do pacto (Rom. 11:15). Nesse trecho se fazem presentes os sinais característicos da reconciliação. Paulo diz sobre os gentios que eles estavam sem Cristo, estranhos a Israel, afastados do pacto da promessa. Cristo nos trouxe a paz, pregou a paz e é a nossa paz. Ele uniu judeus e gentios, que na Igreja tornam-se uma única comunidade. Nesse sentido, destaca-se a abolição da distinção de judeus e gentios, uma vez que estejam em Cristo. No entanto, o que os separava era a lei. Esta, que era a razão da inimizade, foi eliminada, e a paz foi assim estabelecida entre esses dois povos (Efé. 2:16).

Esse e outros elementos da reconciliação devem ser vistos contra o pano de fundo do propósito todo abrangente de Deus, de reconciliar todas as coisas Consigo mesmo, através de Cristo (Col. 1:20 s). Isso indica o vasto escopo da idéia de reconciliação. Tendo estabelecido a paz mediante o sangue de Cristo, Deus tem o grandioso propósito de reconciliar Consigo mesmo todas as coisas, no céu e na terra.

Assim, é possível falar do evangelho da salvação, em seu escopo mais amplo, como o «ministério da reconciliação». O evangelho conclama os pecadores a se reconciliarem com Deus (II Cor. 5:20).

2. *Formulação doutrinária*. A doutrina da reconciliação enfoca a alienação do homem de Deus, em face do pecado, bem como a provisão divina para a restauração do homem ao seu favor. No seu sentido mais amplo, a reconciliação diz respeito à renovação daquilo que se interpõe entre Deus e o mundo, no mais inclusivo sentido da palavra «mundo». Está em foco até mesmo a reconciliação final de todas as coisas em Cristo, ao Pai, no último dia, que a Bíblia chama de «restauração».

Deus estava reconciliando consigo o mundo, em **Cristo. E os homens são exortados a se reconciliarem** com Deus. «...Deus estava em Cristo, reconciliando consigo o mundo... Em nome de Cristo, pois, romanos que vos reconcilieis com Deus...» (II Cor. 6:19,20). Um aspecto anterior da reconciliação, preparativo para a mesma, é o da *propiciação*, referida em I João 2:2 e 4:10. Ali é usado o termo grego *hilasmós*, tradução de um termo hebraico que significa «cobrir». Deus se tornou propício a perdoar os pecados de todos — «...ele é a propiciação pelos nossos pecados, e não somente pelos nossos próprios, mas ainda pelos do mundo inteiro» (diz a primeira dessas passagens). Deus reconcilia-se com os que se arrependem e crêem. Segundo lemos na Bíblia com muitas provas, só se arrependem e crêem os eleitos; os demais são endurecidos, e rejeitam a oferta de reconciliação em Cristo. «...creram todos os que haviam sido destinados para a vida eterna» (Atos 13:48).

Sob a influência de pensadores como Soren Kierkegaard e Karl Marx, a idéia de alienação se tem tornado um dos temas centrais da filosofia, da teologia e da literatura contemporâneas. Mas eles só concebem uma reconciliação secularizada, em que o indivíduo se reconcilia com sua própria natureza. A doutrina bíblica, entretanto, reconhece a necessidade do homem reconciliar-se com Deus, em face da alienação produzida pelo pecado, possibilitada pela expiação que há no sangue de Cristo. Ver Expiação.

IV. Alvos da Reconciliação

O que tenho dito sugere diversos *alvos* da reconciliação. Aqui acrescento os alvos escatológicos principais.

1. Redenção dos eleitos. Ver o artigo sobre *Redenção*.
2. Salvação escatológica. Ver o artigo geral sobre *Salvação*. Este conceito inclui, como elemento principal, a transformação do crente à imagem de Cristo. Ver *Transformação Segundo a Imagem de Cristo*. Esta transformação incluirá, necessariamente, participação em toda a plenitude de Deus (Efé. 3:19), portanto, na própria natureza divina (II Ped. 1:4). Ver o artigo separado, *Divindade, Participação na, Pelos Homens*.
3. Restauração. Os não-eleitos também participarão na reconciliação efetuada por Cristo. Ele tinha (tem) uma *missão tridimensional*: na terra, no hades, e nos céus. Estas três missões juntas alcançarão *todos* os homens, embora não da mesma maneira, e não com os mesmos resultados. Ver uma discussão que esclarece estes conceitos no artigo sobre *Restauração*.
4. A realização final do *Mistério da Vontade de Deus* (vide), que efetuará, afinal, uma *união* de tudo no Logos.

RECONCILIAÇÃO ECLESIÁSTICA

Ver o artigo paralelo intitulado *Excomunhão-Expulsão*. Em traços gerais, a reconciliação eclesiástica é a reversão de qualquer disciplina que tenha sido imposta a algum indivíduo ou congregação local. Especificamente, toma as formas seguintes:

1. Um ato episcopal mediante o qual uma *censura* ou interdito eclesiástico (vide) é removida de um ou mais membros da Igreja, mormente quando se trata de Igreja Católica Romana. Isso permite que tais membros participem de certas funções litúrgicas, das quais tinham sido temporariamente barrados. A partir de então, esses membros também têm o direito de receber ou de administrar os sacramentos.

2. A reconciliação de penitentes. Historicamente, até o século XIII D.C., os pecadores públicos eram expulsos da Igreja na quarta-feira de cinzas, para então serem reintegrados na quinta-feira santa. Um ato pio sem qualquer efeito, razão pela qual foi descontinuado.

3. Uma igreja local pode ser disciplinada, e, em seguida, restaurada. Disciplinas são assim impostas por causa do uso indevido do edifício da igreja, de algum homicídio ali cometido, ou de rebeldia da congregação contra os regulamentos da Igreja. Nesses casos, o tal templo precisa ser restaurado como lugar santificado e apropriado para as funções da

REDAÇÃO — REDE

comunidade religiosa. Se o templo houver sido consagrado, então um bispo terá de restaurá-lo mediante a sua bênção, embora possa enviar um delegado seu. Se aquele templo tiver sido apenas abençoado, então um padre poderá restaurá-lo com uma bênção oficial.

4. No caso das igrejas protestantes e evangélicas, o pastor ou a congregação poderão receber de volta membros excluídos, em face de provas de arrependimento, usualmente após um período de provação, que atua como prova de arrependimento. Se algum membro tiver sido oficialmente excluído, e não mais for um membro, então poderá tornar-se membro novamente por qualquer meio de admissão que aquela congregação requerer.

REDAÇÃO

Esse é o vocábulo usado pelos críticos das Escrituras que opinam que certos livros da Bíblia foram editados por um ou mais indivíduos, em vez de terem sido escritos por um único autor. «Trabalho editorial» é uma expressão sinônima para *redação*. Com freqüência, os críticos referem-se ao redator em termos hipotéticos. No que concerne ao Antigo Testamento, supõe-se que quase todo o trabalho de possíveis redatores teve lugar após o cativeiro babilônico, o que tem levado esses críticos a postularem datas tardias para muitos dos livros veterotestamentários, incluindo largas fatias do Pentateuco.

A palavra «redação» vem do latim, *redigere*, «pôr em ordem», indicando o trabalho de editoração ou preparação para a publicação, mediante coleta de material, o que usualmente é acompanhado por adições feitas pelo redator.

REDE

Esboço:
1. Palavras Envolvidas
2. Tipos de Rede
3. Nas Decorações e nos Móveis
4. Usos Figurados

1. Palavras Envolvidas

Há cinco palavras hebraicas (algumas com formas variantes) e três palavras gregas, que precisamos considerar neste verbete, a saber:

a. *Cherem*, «rede», «armadilha», «dano». Esse vocábulo hebraico ocorre por nove vezes: Ecl. 7:26; Eze. 26:5,14; 32:3; 47:10; Miq. 7:2; Hab. 1:15-17.

b. *Resheth*, «rede». Palavra hebraica que aparece por vinte vezes. Êxo. 27:4,5; Jó 18:8; Sal. 9:15; 18:9; 25:15; 31:4; 35:7,8; 57:6; 140:5; Pro. 1:17; 29:5; Lam. 1:13; Eze. 12:13; 17:20; 19:8; 32:3; Osé. 5:1; 7:12.

c. *Makmor, mikmar, mikmoreth*, «arrastão». Em suas diversas formas, essa palavra ocorre por apenas uma vez cada. A última forma está no plural. Sal. 141:10; Isa. 19:8; 51:20.

d. *Matsod, matsud, metsodah, metsudah*, «rede». Por igual modo, cada uma dessas variantes ocorre apenas por uma vez. Jó 19:6; Pro. 12:12; Sal. 66:11; Ecl. 9:12.

e. *Sabak*, «rede». Essa palavra é um *hápax legómenon*, igualmente, ou seja, um termo que só ocorre uma vez em todo o Antigo Testamento: I Reis 7:17.

f. *Díktuon*, «rede de pesca». Esse vocábulo grego aparece por doze vezes no Novo Testamento: Mat. 4:20,21; Mar. 1:18,19; Luc. 5:2,4-6; João 21:6,8,11.

g. *Sagéne*, «arrastão», um *hápax legómenon* no grego: Mat. 13:47.

h. *Amphíblestron*, «algo lançado de ambos os lados», «tarrafa». Esse termo grego ocorre por duas vezes: Mat. 4:18 e Mar. 1:16.

A palavra grega *sagéne* vem do verbo *satto*, «carregar», «equipar». Embora também possa indicar uma «albarda», no Novo Testamento é usada para indicar uma grande rede de arrastão, munida de cordas. Seu uso, em Mat. 13:47, é simbólico, indicando como o reino de Deus apanha toda variedade de almas humanas, que depois precisam ser selecionadas em boas e más.

2. Tipos de Rede

a. *Redes de Pesca*. Não dispomos de informações diretas sobre os tipos de redes de pesca utilizados pelos hebreus, mas pode-se supor que usavam algum tipo egípcio. Havia o *arrastão*, dotada de bóias na parte superior, que a estendia do sentido vertical, enquanto sua parte inferior raspava o fundo da água. Podia ser lançada da praia ou arriada de um barco. Ver Isa. 19:9; João 21:6,8. Em seguida, essa rede era puxada para a praia ou para dentro do barco. Uma rede menor era usada para pescar em águas rasas. Dispunha de duas varas em cada extremidade. Era manipulada por dois homens, um em cada extremidade. Esse tipo de rede era usado para apanhar peixes que tivessem sido fisgados com anzol ou traspassados com uma flecha, como também peixes que ainda não tivessem sido apanhados.

b. *Redes Passarinheiras*. Os egípcios usavam armadilhas feitas com redes, a fim de apanhar aves. A parte superior podia cair subitamente sobre a parte inferior, prendendo a ave. E esta era atraída por alguma coisa que servisse de chamariz. A estrutura dessas redes variava, embora possamos chamá-las «redes», por causa de sua forma de construção. Ver Pro. 1:17.

c. *Redes de Caça*. Até mesmo para apanhar animais de certo porte eram usadas redes, conforme se vê em Sal. 25:15; 35:7,8; Pro. 29:5; Isa. 51:20; Eze. 19:8. Era estendida uma longa rede, esticada por meio de postes; os animais eram tangidos por caçadores, que os perseguiam. Ou, então, redes eram simplesmente estendidas em lugares onde se sabiam que os animais costumavam vir comer ou beber. E seus movimentos naturais deixavam-nos enrodilhados na rede.

3. Nas Decorações e nos Móveis

Obras de rede eram usadas em decorações arquiteturais e em móveis. Ao redor do altar do tabernáculo havia uma grelha ou trançado de bronze, que se assemelhava a uma rede (Êxo. 27:4,5; 38:4). Os capitéis das duas colunas de bronze, na frente do templo de Salomão, tinham ornamentos com o formato de redes. Ver I Reis 7:17.

4. Usos Figurados

As artimanhas e as sutilezas dos inimigos são comparadas com o uso que os caçadores fazem de redes de caça: Sal. 9:15; 10:9; 25:15. O mal que se abate subitamente sobre um homem é como uma rede que apanha um animal, que não pode livrar-se mais da rede (ver Isa. 51:20). Ver também Lam. 1:13; Eze. 12:13; Osé. 7:12. Exércitos poderosos são comparados com redes, conforme se vê em Hab. 1:14-16. Os maus governantes são comparados com redes, que arrastam outras pessoas à ruína e ao pecado (Osé. 5:1).

••• ••• •••

REDE — REDENÇÃO

REDE (ARMADILHA, LAÇO)

Nada menos de oito palavras hebraicas e duas palavras gregas estão envolvidas neste verbete, a saber:

1. *Chebel*, «corda», «armadilha», «destruição». Mas, com o sentido claro de «armadilha», só podemos pensar no trecho de Jó 18:10: «A corda está-lhe escondida na terra, e a armadilha na vereda», embora o termo hebraico ocorra por um total de sessenta vezes.

2. *Yaqush*, «armadilha», «apanhador de aves». Palavra hebraica usada por três vezes: Jer. 5:26; Sal. 91:3; Pro. 6:5.

3. *Moquesh*, «armadilha», «apanhador de aves». Palavra hebraica usada por vinte e cinco vezes, como em Êxo. 10:7; 23:33; Deu. 7:16; Juí. 2:3; 8:27; I Sam. 18:21; II Sam. 22:6; Jó 40:24; Sal. 18:5; 64:5; 106:36; Pro. 13:14; 14:27; 18:7; 29:6,25; Isa. 8:14.

4. *Matsod*, «rede». Palavra hebraica usada por três vezes: Ecl. 7:26; Jó 19:6; Pro. 12:12.

5. *Metsudah*, «rede». Palavra hebraica usada por quatro vezes: Sal. 66:11; Ecl. 9:12; Eze. 12:13; 17:20.

6. *Pach*, «armadilha». Palavra hebraica usada por vinte e cinco vezes, como em Jos. 23:13; Jó 22:10; Sal. 11:6; 69:22; 142:3; Pro. 7:23; 22:5; Ecl. 9:12; Isa. 24:17,18; Jer. 18:22; Osé. 5:1; Amós 3:5.

7. *Pachath*, «poço», «armadilha». Palavra hebraica usada por dez vezes: Lam. 3:47; II Sam. 17:9; 18:17; Isa. 24:17,18; Jer. 48:24,43,44.

8. *Sebakah*, «trança», «armadilha». Palavra hebraica usada por apenas uma vez com o sentido claro de «armadilha» (Jó 18:8), embora empregada por um total de quinze vezes.

9. *Bróchos*, «corda», «armadilha». Termo grego que aparece por apenas uma vez: I Cor. 7:35.

10. *Pagís*, «rede», «armadilha». Vocábulo grego que é empregado por cinco vezes: Luc. 21:35; Rom. 11:9 (citando Sal. 69:23); I Tim. 3:7; 6:9; II Tim. 2:26.

Essas várias palavras hebraicas e gregas denotam os vários métodos antigos de apanhar homens ou animais. Ver também sobre *Grinalda*. O termo hebraico mais comum, *pach*, segundo pensam alguns estudiosos, teria ligação com o verbo «fechar». No Antigo Testamento, indicava uma armadilha de ferro (Jos. 23:13).

Na grande maioria das ocorrências, essas palavras têm um sentido metafórico ou poético. A forma mais comum de armadilha, na mente dos escritores sagrados, era a rede do passarinheiro (ver Jó 18:8; Sal. 69:22; 91:3; 124:7; 140:5; Pro. 6:5; 7:23; 12:13; Osé. 9:8; Luc. 21:34; I Tim. 3:7; 6:8; II Tim. 2:26). Na maior parte dos casos, isso é expresso pelo termo hebraico *pach*. A Septuaginta traduz essa palavra por *pagís*, termo que também é empregado nas páginas do Novo Testamento por cinco vezes.

As ilustrações que nos chegaram do Egito permitem-nos entender como eram essas armadilhas para pássaros. Era uma rede que se soltava e envolvia a ave de baixo para cima, quando o pássaro tocava no gatilho, que era, geralmente um graveto, ou coisa parecida (Sal. 141:9; Eze. 12:13; Amós 3:5). Isso ilustrava, metaforicamente, o desastre e a catástrofe em que o indivíduo era envolvido, quando se deixava iludir por alguma vantagem imaginária.

Uma outra forma comum de armadilha era o «laço», que se apertava em torno do pescoço do animal ou ave apanhada, devido ao seu próprio movimento para a frente (Jó 18:10; I Cor. 7:35). Essa forma de armadilha parece ser o tipo de metáfora que está por detrás de trechos veterotestamentários como Pro. 22:8. É possível que a passagem de Eze. 17:20 se refira a um laço que caía de cima sobre a vítima, embora também pudesse ser uma rede que caía sobre a presa, enquanto esta prendia as patas em alguma espécie de gatilho. Ou, então, é possível que o passarinheiro puxasse algum fio, que soltasse uma rede, quando o pássaro ou animal se aventurasse a passar debaixo da rede suspensa (Pro. 1:17, 18). Um buraco devidamente camuflado era outra forma de armadilha, usada para captura de animais pesados (ver II Sam. 17:9; Isa. 24:17,18; 42:22; Jer. 18:22; 48:43,44; Lam. 3:47). E o trecho de Salmos 9:15 desenvolve a metáfora, ao dizer: «Afundam-se as nações na cova que fizeram, no laço que esconderam prendeu-se-lhes o pé». Ironicamente, pois, o caçador acabou caindo na armadilha que havia preparado para suas vítimas. As nações do mundo haverão de autovitimar-se, quando aceitarem o anticristo como seu imperador e salvador.

Em Romanos 11:9 temos a menção metafórica à «armadilha», em um trecho onde Paulo cita Salmos 69:23, que ensina a reprovação divina no caso dos ímpios. Exatamente como Deus endurece os corações e cega os olhos dos homens, para que não percebam e sejam condenados, é algo que a Bíblia não revela. Mas, a julgar por esse trecho e vários outros, Deus tanto seleciona para a salvação como reserva para a condenação, tudo dependendo de seu conselho sábio e soberano. O que mais esteja envolvido, que nos satisfaça a mente e o nosso senso de justiça, ficou reservado para o próprio Deus, e não nos foi revelado.

A Bíblia também ensina, claramente, o livre-arbítrio e a responsabilidade humana. Ver os artigos: *Livre-arbítrio; Eleição; Reprovação;* e *Paradoxo*.

REDENÇÃO (REDENTOR)

Esboço
I. Significados da Palavra
II. O Agente
III. A Redenção Cósmica
IV. Caracterização Geral; Sumário

I. Significados da Palavra

A palavra grega, tal como também aparece no termo latino, *redimo*, indicava o preço pago para comprar de volta um escravo ou cativo, tornando-o livre pelo pagamento de um «resgate» (no grego, *lutron*, o termo grego aqui utilizado). Ver *Diod. S. Fgm*.37,5, e pág. 149. Plutarco, *Pomp.* 24,5; Filo, Omn. Prob. Lib. 114; Josefo, *Antiq*. 12,27.

1. Um «livramento», conforme se vê em II Macabeus 7:24; IV Macabeus 8:4-14 e Heb. 11:35.

2. Daí passou a significar «livramento do pecado e de seu poder», ou seja, o perdão dos pecados (Rom.4:7,8), com a participação resultante em uma nova vida em Cristo. Os trechos de Rom. 8:23; Efé. 1:7; 4:30 e Col. 1:14 assim usam essa palavra. Este último trecho, Col. 1:14, atribui à redenção o preço do sangue de Cristo, como também o faz Rom. 3:25. No trecho de Rom. 3:14, a «graça» é assinalada como a causa da «redenção», e tudo é ali declarado como algo que ocorre por meio de Cristo.

3. Em seu aspecto mais amplo, a *redenção* inclui tudo aquilo a que denominamos de «salvação», não indicando apenas, a. o livramento da escravidão ao pecado, ou perdão dos pecados, nem também, b. apenas a justificação e a santificação, mas igualmente, c. a vida ressurrecta, que floresce na forma de participação na vida de Cristo, em tudo quanto ele é,

REDENÇÃO

a sua herança, a sua filiação, a sua natureza santa, a sua natureza metafísica, e a participação na divindade, segundo aprendemos em Col. 2:10.

O termo grego *lutron*, que é a palavra aqui traduzida por «redenção», tem sido encontrado em muitos papiros do primeiro século da era cristã, com o sentido de *dinheiro de compra*, com o qual os escravos eram libertos, e daí se derivou a idéia, espiritualmente aplicada, de ser alguém comprado de seu miserável estado de servidão ao pecado, a fim de receber a exaltada vida dos lugares celestiais, criaturas não mais escravizadas, mas verdadeiros filhos de Deus, filhos do Rei, iguais ao seu Irmão mais velho, em sua natureza e herança, que é o Senhor Jesus Cristo, o qual, mediante o preço de seu sangue, libertou os cativos, e através da atuação de seu Espírito Santo *transformador* ele os despede de seus trapos de servidão, revestindo-se com a sua *própria natureza*, a fim de que sejam verdadeiramente filhos, em todos os sentidos, do Pai celeste.

A idéia de que Cristo deu a sua vida em nosso «resgate» não foi criada pelo apóstolo Paulo, mas antes, parece fazer parte da tradição mais antiga do cristianismo, pois já se encontra no evangelho de Marcos (10:45), e, evidentemente, foi ensinada pelo próprio Senhor Jesus. (Ver Heb. 9:15; I João 2:2; I Ped. 1:18,19 e 2:24). Nos trechos de Efé. 1:14; Rom. 8:23 e I Cor. 1:30, a redenção tem um aspecto fortemente escatológico, referindo-se àquela parte da redenção que ocorrerá nos últimos dias, mediante a segunda vinda de Cristo, quando ele tomará nas mãos as rédeas do poder e da autoridade mundiais, em preparação para a inauguração da era eterna.

II. O Agente

Em Cristo Jesus, Rom. 3:24. A relação dessas palavras para com o resto da frase tem sido compreendida das seguintes maneiras, relacionadas abaixo:

1. Ele é o intermediário do plano traçado eternamente junto com o Pai. Ver Efé. 1:4,5.
2. Ele é o Verbo Eterno, a revelação de Deus para toda a criação, e esta revelação inclui a redenção. Jó 1:1-3.
3. A encarnação é o meio. Jó 1:12-14.
4. Sua vida é duplicada no homem. Os homens participaram na natureza divina, como Cristo participou na natureza humana, II Ped. 1:4.
5. A morte expiatória faz parte do plano, Rom. 3:25.
6. A redenção inclui a participação do homem na ressurreição, ascensão e glorificação de Cristo. Rom. 4:25; 8:29.
7. Na comunhão mística com Cristo, o homem é redimido numa transformação espiritual, absoluta. Ver o artigo sobre Cristo-misticismo, e ver no NTI as notas sobre I Cor. 1:4.

A redenção é uma comunicação da vida divina ao homem, não meramente perdão de pecado e um lar nos céus.

Assim como os rios buscam um mar que não podem encher,
Mas são eles mesmos tomados pelo abraço do mar,
Absorvidos, em descanso, cada rio e cada riacho:
Concede-nos tal graça.
   (Christina G. Rossetti)

Na redenção, pois, somos absorvidos pelo oceano da graça divina, embora não percamos nossa individualidade. Nas profundezas oceânicas de seu amor, a vida se vai tornando cada vez mais rica e cheia. Os remidos serão cheios para sempre com toda a plenitude de Deus (ver Efé. 3:19).

III. A Redenção Cósmica

1. Além da redenção dos eleitos, haverá a restauração geral de todas as coisas. Ver o artigo sobre *Restauração*.
2. Rom. 8:21, por certo ensina tal princípio, o que torna a fé cristã em fé altamente otimista. Em Rom. 8:19, no NTI, sob o título «A ansiedade de toda a criação», comentamos sobre esse conceito com detalhes.
3. Ver também trechos bíblicos, nessa conexão, como Efé. 1:23 e Col. 1:16.
4. *Liberdade*: esse é um dos resultados da redenção.
   a. É a liberdade da escravidão ao pecado, tema desenvolvido no sexto capítulo de Romanos.
   b. É a liberdade de todos os resultados do pecado, na criação inteira.
   c. É o fim da inutilidade e do caos, descritos em Rom. 8:21.
   d. É algo glorioso, porquanto envolve a participação na glória divina, um conceito anotado em Rom. 3:23 no NTI. O pecado furtou do homem a glória que lhe pertencia; Cristo veio a fim de restaurá-la.
   e. Uma comum definição filosófica da «liberdade» é aquela que diz que os homens são livres quando escolhem o estado em que estão vivendo, com suas condições e requisitos. Porém, quanto maior é a liberdade daqueles que vivem sob as condições escolhidas pelo próprio Deus! A redenção dos eleitos (a participação na própria natureza de Deus, através do Espírito, ver II Ped. 1:4 e II Cor. 2:18), é um estado de liberdade.
   f. É uma liberdade de todas as limitações temporais e físicas, porquanto será a entrada na vida eterna (ver o artigo sobre a *Vida Eterna*).

«A causa da liberdade é a causa de Deus». (William Lisle Bowles, 1762-1850, em carta a Edmund Burke).

Isso pode expressar a verdade no que concerne às realidades terrenas, mas é supremamente verdadeiro no que diz respeito ao eterno plano remidor de Deus. Pode-se dizer com verdade, acerca do homem terreno que: «nenhum homem é inteiramente livre. Ele é um escravo das riquezas, ou da sorte, ou das leis, ou então o povo o restringe de agir exclusivamente segundo a sua própria vontade». (Eurípedes, em *Hécuba*, 480-406 A.C.). Mas a redenção preparada por Deus, no sangue de Cristo, produzirá uma liberdade total que redundará em «bem», uma liberdade que os homens atualmente não possuem.

E conhecereis a verdade e a verdade vos libertará...Se, pois, o Filho vos libertar, verdadeiramente sereis livres». (João 8:32,36).

Se tenho liberdade em meu amor,
E em minha alma sou livre,
Somente os anjos, que sobem ao alto,
Desfrutam de tal liberdade.
   (Richard Lovelace, *To Athea from Prison*, 1618-1658).

Ora, Senhor, quero ser livre, quero ser livre;
Arco-íris sobre os ombros, asas em meus pés.
   (Autor desconhecido; extraído de uma canção negra norte-americana).

«Ninguém pode ser perfeitamente livre enquanto todos não forem livres». (Herbert Spencer, *Social Statics*, 1820-1903).

O Canto do Livre

Liberdade é o mote escrito,
No céu, na terra e no mar!
Di-lo a fera no seu grito,

REDENÇÃO

E as aves cruzando o Ar;
Di-lo o vento da procela,
A vaga que se encapela
E nos espaços a estrela
Em seu contínuo girar.

Di-lo tudo! Mas ainda
Mais livre me criou Deus
Que os astros da altura infinda,
Os ventos e os escarcéus.
Eu tenho mais liberdade
Desta alma na imensidade,
Pois tenho nela a vontade,
Tenho a razão, luz dos céus.
(Soares de Passos, Portugal)

O ano está na primavera,
O dia está ainda na manhã.
A manhã está às sete;
A colina está úmida de orvalho;
A cotovia está nos ares;
A caracol está na espinheiro;
Deus está em seu céu
E tudo vai bem com o mundo.

Esse poema de Robert Browning (1812-1889), que é famoso com justiça, sendo citado com muita freqüência, quanto à porção que diz «Deus está em seu céu e tudo vai bem com o mundo», encerra uma grande verdade. Apresenta-nos a certeza de que, estando Deus entronizado nos céus, isto é, não tendo perdido o seu poder e senhorio, fica garantido o *bem final*. Sabemos, entretanto, que nem tudo vai bem, se aquilatarmos pelas aparências, quando observarmos as dores de parto e as agonias; porém, até mesmo essa observação confere-nos consolo, pois sabemos que é necessário que o mundo atravesse tais agonias, pois elas, em última análise, são benéficas.

IV. Caracterização Geral: Sumário

Ser redimido é ser livrado do poder de algum domínio, com a liberdade daí resultante. No seu sentido original e em seu uso bíblico, a redenção está ligada às idéias de «resgate» e «substituição». Com freqüência envolve a idéia de restauração. O âmago da mensagem bíblica da redenção é o livramento do povo de Deus da servidão ao pecado, pelo perfeito sacrifício vicário de Cristo, e sua subseqüente restauração a Deus e ao seu reino celeste. E um redentor é quem tem o poder de exercer o direito de redimir.

1. *Informes bíblicos*. No A.T., a palavra «redimir» é tradução de duas palavras hebraicas. Uma era usada para indicar o pagamento em dinheiro exigido por lei, em Israel, para a redenção dos primogênitos (Êxo. 13:2,11-16), isto é, o resgate que isentava da obrigação imposta após o êxodo, no sentido de que cada primogênito, homem ou animal, fosse dedicado ao serviço de Deus (Êxo. 21:8; Lev. 25:47-49; 27:27; Núm. 3:46-49; 18:15 ss). O outro vocábulo era usado para indicar o livramento de pessoas da servidão (Êxo. 21:8; Lev. 25:47-49). Era usado para indicar a recuperação de propriedades que houvessem passado para outras mãos (Lev. 25:26; Rute 4:4 ss), e também a comutação de um voto (Lev. 27:13,15,19,20) ou de um dízimo (27:31). Deus é referido como o redentor, ou *goel* de Israel, especialmente em Isaías. Fora do livro de Isaías, essa palavra, *goel*, é aplicada a Deus (Jó 19:25; Sal. 19:14; 78:35; Pro. 23:11; Jer. 50:34).

No A.T., a idéia de redenção está associada às leis e costumes de Israel. Em um caso de homicídio, um parente tinha o direito de vingar ou redimir o sangue da vítima (Núm. 5:8; I Reis 16:11). Se alguma família perdesse o direito de usufruir de um terreno, este lhe era devolvido no ano do jubileu, a cada cinqüenta anos (Lev. 25:8-17). Antes desse ano, porém, um parente mais próximo tinha o direito e a responsabilidade de remir a propriedade, liquidando a dívida e restaurando-a a seus donos originais — (Lev. 25:23-28).

O casamento levirato se parecia com isso. O cunhado ou outro parente próximo de uma mulher cujo marido morrera sem deixar herdeiro masculino, estava na obrigação de se casar com a viúva, a fim de preservar o nome da família do falecido e os direitos de propriedade dele. A idéia de redenção também aparece quando uma pessoa fora privada de algo que lhe pertencia como parte de sua integridade pessoal. Assim foi que Noemi chamou o filho nascido a Boaz e Rute de redentor, porque a livrara do opróbrio de não ter herdeiro masculino sobrevivente (Rute 4:14).

Por tê-los livrado da última praga do Egito, Deus reivindicou o direito de ter os filhos primogênitos dos homens e dos animais dos israelitas, que dali por diante estavam dedicados ao serviço de Deus (Êxo. 13:2). No lugar deles, Deus nomeou a tribo de Levi e seu gado (Núm. 3:12,13,41,45). Visto que não havia número suficiente entre eles, para corresponder a todos os primogênitos, Deus requereu que os israelitas «redimissem os primogênitos restantes pagando certa soma (Núm. 3:46-51), os quais puderam voltar assim ao convívio de suas famílias. Dali por diante, os primogênitos homens eram redimidos pelo pagamento de certa quantia, e um primogênito de jumento substituía um cordeiro, etc. (Êxo. 13:12,13; 34:19, 20).

No N.T., são usadas as palavras gregas **agorázo** e **loútromai**, e seus derivados. A primeira indica a ação de comprar, — e em sua forma reforçada, *exagorázo*, é usada para indicar *redenção*, (Gál. 3:13; 4:5; Apo. 5:9). A segunda dessas palavras gregas relaciona-se ao substantivo *lútron*, que significa «resgate». O substantivo aparece somente em Mar. 10:45 e Mat. 20:28. Refere-se literalmente ao meio de liberar, por exemplo, o pagamento de um preço combinado. Os antigos escritores usavam-na quase universalmente para indicar o resgate pago por prisioneiros. As formas verbais usadas no N.T. nem sempre incluem a idéia de resgate. O termo «redentor» (em grego, *lutrótes*) figura no N.T. somente em Atos 7:35, referindo-se a Moisés.

2. *Formulação doutrinária*. Redimir é livrar da servidão ou de algum domínio sobre outrem. O exemplo mais notável de redenção, no A.T., foi o livramento dos filhos de Israel da escravidão no Egito. A idéia bíblica de redenção também envolve o libertador, naquilo que ele realiza para efetuar o livramento. Segundo um costume israelita, era possível alguém ser redentor em causa própria (Lev. 25:49), mas, mais caracteristicamente, o redentor era alguma outra pessoa, como um parente chegado, dotado do direito de redimir. A essa pessoa dava-se o nome de *goel*.

Em sua alusão central à salvação, a Bíblia ensina que a redenção sempre se efetua por meio de outrem. No êxodo, a atenção recai não tanto sobre o ato de livramento, mas sobre o próprio redentor, Deus, que atuava através de seu profeta, Moisés. Isso dava ao Senhor plenos direitos sobre Israel, tornando-se Ele o Senhor deles, com plenos direitos.

No tocante à salvação, continua a idéia de pagamento de um preço. Assim, o povo de Deus foi redimido pelo pagamento da dívida, por causa dos seus pecados, pela perfeita satisfação paga por Jesus Cristo.

REDENÇÃO — REDENÇÃO DO CORPO

Na Igreja primitiva, a redenção era corretamente associada à idéia de resgate. Com o tempo, surgiu a idéia errada de que Cristo remira seu povo mediante o pagamento de um resgate ao diabo. As Escrituras silenciam acerca de quem teria recebido o resgate. Se alguém o recebeu, esse alguém foi Deus. Contudo, o foco da atenção não é o recebedor do resgate, mas a suficiência do pagamento feito por Cristo — a sua própria vida, dada em lugar dos redimidos (Mat. 20:28).

A teologia liberal moderna dissocia a redenção das idéias de resgate e satisfação, concebendo a redenção como simples livramento do domínio do mundo. Isso exprime uma faceta importante da redenção, mas não expressa tudo. O liberalismo teológico repele a idéia de substituição como indigna da religião cristã, pois ali pensa-se que cada indivíduo terá de se apresentar a Deus em sua própria responsabilidade, como uma personalidade ética.

Não se deve esquecer de que a **redenção** envolve o livramento de uma reivindicação. Cristo nos redimiu das reivindicações da lei, satisfazendo totalmente as suas exigências. O meio da redenção, e o que ela alcança são claramente estabelecidos no trecho de Efésios 1:7,8: «...no Amado, no qual temos a redenção pelo seu sangue, a remissão dos pecados, segundo a riqueza da sua graça, que Deus derramou abundantemente sobre nós em toda a sabedoria e prudência...» (cf. Col. 1:14).

Visto que a redenção livra da servidão ao pecado, seu alcance é tão amplo como o escopo do pecado e o mal a ele inerentes. Esse livramento envolve basicamente dois aspectos: 1. redenção da maldição da lei (Gál. 3:10,13), das prescrições legais da dispensação do A.T. (Gál. 4:1-5) e da exigência da obediência à lei como um meio de vida (Gál. 3:10; 2:16,19; Fil. 3:9). 2. Redenção da culpa e do poder do pecado (Tito 2:14).

A abrangência da redenção do pecado e do mal conseqüente é demonstrada pelo fato de que a consumação final do processo redimidor inteiro é chamada de *a redenção* (Luc. 21:28; Rom. 8:23; Efé. 1:4; 4:30). A exposição dessa consumação (Efé. 1:14) exibe claramente os elementos da redenção. Os que crêem em Jesus Cristo são selados por Seu Espírito. Deus pôs sobre eles o seu carimbo, e eles tornaram-se propriedade Dele, sendo impossível o seu extravio. Por isso, Paulo considerava os filhos de Deus como quem já fora comprado, como quem apenas estava aguardando a redenção final, quando os corpos dos crentes serão ressuscitados e glorificados, e eles entrarão na sua herança. A isso ele chama de «resgate da sua propriedade» (Efé. 1:14). Então, os redimidos serão libertados deste mundo pecaminoso, sob cujo domínio permanecem, e serão restaurados Àquele que tem direitos anteriores sobre eles, em virtude do fato de que obteve os redimidos como sua propriedade particular. Quando ocorrer esse aspecto final da redenção, então a criação inteira será restaurada Àquele que é o Senhor por plenos direitos de compra. Ver Justificação. Portanto, vê-se que o conceito de redenção se foi espiritualizando, à medida que Deus foi revelando a sua vontade, através dos sucessivos livros do Antigo e do Novo Testamentos.

3. *O alvo da redenção*. Para os *redimidos*, a missão de Cristo garante a participação na natureza divina (II Ped. 1:4), através da transformação da alma à imagem do *Logos*, (Rom. 8:29) e pelo poder do Espírito, de glória para glória, eternamente, (II Cor. 3:18). Os filhos, como o *Filho*, participam na *pleroma* (de Deus), isto é, em todos os seus atributos, porque compartilham da mesma essência de ser (Col. 2:9,10).

Ver também Efé. 3:19. Ver os artigos separados que explicam estes grandiosos conceitos: *Transformação Segundo à Imagem de Cristo; Salvação;* e *Divindade, Participação na, Pelos Homens*. Os pais alexandrinos (inclusive Atanásio), ligaram a essência de Cristo com sua missão redentora. Isto quer dizer que na sua missão, Cristo (o Logos) compartilhou sua própria essência de ser com os outros filhos, não meramente os santificou de seus pecados. Esta percepção não deve ser ignorada.

4. *Restauração, companheira da redenção*. Os eleitos serão redimidos; os não eleitos serão *restaurados*, afinal. A restauração faz parte da missão universal do Logos, e embora ele opere uma realização secundária, mesmo assim, neste aspecto de sua missão, opera uma obra magnificente que corresponde ao amor de Deus, e ao poder restaurador do Logos. Ver o artigo separado sobre *Restauração* que dá amplos detalhes sobre este assunto.

REDENÇÃO DO CORPO

A filosofia grega e as religiões orientais pregavam, desde muitos séculos antes de Cristo, a verdade da imortalidade da alma. A religião judaica revelada também incluía esse conceito, ainda que não tivesse sido declarada nos tempos mosaicos. Muito antes dos tempos de Jesus Cristo, entretanto, essa era uma doutrina rabínica ordinária. Foi a religião dos hebreus que desenvolveu a idéia da ressurreição do corpo, e embora essa doutrina geralmente estivesse enclausurada em expressões cruas, apontava ela para uma importante realização na redenção humana. Já o cristianismo incorporou tanto a imortalidade da alma como a ressurreição do corpo, em seu corpo doutrinário. (Ver II Cor. 5:1-10, onde ambos os conceitos se evidenciam).

O sistema religioso do cristianismo requer a redenção da *personalidade inteira*—mente, corpo e espírito (ou alma). Intensa discussão se centraliza em volta da indagação se a ressurreição exigirá os elementos do antigo corpo mortal para formação do novo corpo espiritual, que será o novo veículo da alma, ou se não haverá necessidade de tal apelo ao antigo corpo material. Bons intérpretes se encontram em ambos os lados dessa questão. Mas ambos os grupos concordam que será através da ressurreição, sem importar como ela seja considerada exatamente, que haverá a redenção da personalidade humana em sua inteireza, quando a alma será «revestida» do corpo celestial, preparado para ser usado por ela como veículo ou instrumento.

A ressurreição é um dos *temas centrais* do livro de Atos, tendo sido igualmente preservada como doutrina de todo o cristianismo no décimo quinto capítulo da primeira epístola aos Coríntios. Porém, tal como no livro de Atos, a «ressurreição» paulina é um conceito que inclui, necessariamente, ainda quando isso não é especificamente mencionado, a glorificação, sobretudo quando está em foco a ressurreição de Cristo. Por conseguinte, o cumprimento da «adoção», ou seja, a sua fruição, não consistirá meramente no fato de que contaremos com um novo veículo de expressão para as nossas almas, mas também que todos os seres humanos, totalmente redimidos, haverão de compartilhar da *glória* e *natureza* de Cristo. (Ver Rom. 8:24 ss).

Portanto, a mera ressurreição ainda não será a fruição completa da adoção, pois esta só se completará quando da participação na glória de Cristo, que depende da ressurreição e está envolvida na mesma, como seu resultado natural. E isso poderemos averiguar com grande clareza em Rom. 8:20,25,30. Assim, pois, sob o título de «redenção do nosso corpo», Paulo aponta, uma vez mais, para aquele exaltadíssimo conceito da glorificação em Cristo, e não meramente para o fato de que a alma remida possuirá um novo veículo de expressão. Antes, em Cristo há *completa redenção* para toda a personalidade humana, o que ocorrerá através da glorificação que os remidos compartilharão com Cristo. (Ver o artigo geral sobre a *Ressurreição de Jesus Cristo*).

«Esta cena é profundamente tocante. Eis alguém que está redimido, que pertence aos céus, mas que, apesar disso, está preso a um corpo em que geme juntamente com toda a criação. Mas então, eis uma admirável bondade! O bendito Espírito, poderíamos dizer, apresenta os ternos sentimentos de Deus para com a sua criação, habitando em nossos corpos, enquanto os mesmos ainda não estão redimidos». (Newell, em Rom. 8:23).

«Um dos sinais da filiação ainda imperfeita dos crentes é aquele corpo mortal e corruptível em que a porção melhor e celestial de sua pessoa está aprisionada. Mas esse corpo, igualmente, será transformado e glorificado, ficando livre de todos os defeitos próprios de sua condição terrena. (Comparar com I Cor. 15:49-53 e II Cor. 5:1 e *ss*). (Sanday, em Rom. 8:23).

A redenção do corpo representa a redenção daquela porção do homem que mais se assemelha ao mundo natural e material, mundo esse que é aqui retratado como a gemer e sofrer dores de parto, a fim de que seja produzida a plena redenção prometida em Cristo. Ora, se a criação material ou natural terá a sua redenção, então certamente o corpo do crente, que é similar ao mundo material, será redimido, e é justamente isso que redundará numa maior glória para os filhos de Deus.

«O anseio *do crente* não é apenas pela vitória pessoal, mas por um serviço sem obstáculos, por toda a eternidade. Ora, isso o crente não receberá de modo completo enquanto o seu ser inteiro não estiver redimido, na realidade, e não apenas como promessa do pacto. E isso só se tornará realidade quando não somente o espírito, mas também o corpo, for liberto dos últimos vestígios negros da queda, no momento da ressurreição». (Moule, em Rom. 8:23).

REDENHO

No hebraico, **yothereth**, «diafragma». Palavra que ocorre por nove vezes (por exemplo: Êxo. 29:13; Lev. 3:4; 4:9; 9:10,19).

Muitos estudiosos preferem pensar que a palavra é de sentido incerto. Talvez indique uma camada do revestimento interno da cavidade abdominal, que envolve parcialmente o fígado de todos os animais, tal como o grande omento envolve o estômato. A tradução inglesa RSV diz «apêndice do fígado». Outros eruditos pensam mesmo no diafragma, que envolve o fígado como uma capa; ou então no mesentério gorduroso, que cobre os intestinos delgados como se fosse um avental. Em Oséias 13:8 temos uma outra palavra hebraica, *segor*, «pericárdio», que algumas versões também traduzem por redenho, mas que a nossa versão portuguesa, mais acertadamente, traduz por «envoltura do coração», em linguagem figurada, para indicar o castigo de Israel que seria comparável ao rompimento do pericárdio, através do ataque de uma fera.

••• ••• •••

REDENTORISTAS

O fundador dessa ordem religiosa foi *Alfonso Liguori* (vide). Também é conhecida como Congregação Católica Romana do Santíssimo Redentor. A ênfase primária dessa ordem é a santificação, em imitação ao Senhor Jesus Cristo. Em segundo lugar, essa ordem visa à prédica, especialmente aos pobres e abandonados. Atualmente é uma ordem internacional, talvez com cerca de dez mil membros.

REDENTORISTINAS

Esse é o nome de uma ordem de freiras contemplativas da Igreja Católica Romana, fundada em 1731, com a ajuda de *Alfonso Liguori* (vide). Com a passagem do tempo, a ordem tornou-se internacional, atuando agora em cerca de trinta diferentes países.

REDONDEZA DA TERRA

Essa expressão encontra-se somente em Isaías 40:22, onde Deus aparece «assentado sobre a redondeza da terra». Uma declaração similar encontra-se em Jó 22:14, onde se lê: «...ele passeia pela abóbada do céu». O trecho de Provérbios refere-se ao «horizonte sobre a face do abismo». Alguns intérpretes têm-se valido dessas expressões para dizer que os antigos hebreus acreditavam na esfericidade da terra. Porém, aqueles que têm estudado a cosmologia dos hebreus negam que esse conceito emergiu da cultura dos hebreus, embora saibamos que na filosofia grega antiga (pré-socrática), a idéia já havia aparecido. Os hebreus imaginavam um firmamento abobadado, um tipo de substância sólida que separava a terra dos céus. Por baixo do firmamento haveria luzeiros secundários como o sol, a lua e as estrelas, a fim de iluminarem a terra. É bem possível que a alusão à «redondeza da terra», naquele trecho de Isaías, seja uma referência àquele arco. Outros eruditos pensam que está em foco o *horizonte*, porque, às vezes, devido às nuvens, parece formar-se em um semi-círculo. Mas a palavra «redondeza» poderia apontar meramente para a idéia de esfera, ou localidade. Não há como saber o que a expressão significa. Quanto ao ponto de vista dos hebreus sobre o mundo, ver o artigo sobre *Cosmogonia*. No artigo sobre a *Astronomia*, exponho um desenho que ilustra a questão, acompanhada por explicações.

REDUCIBILIDADE

Uma expressão usada pelos reducionistas (ver o artigo *Reducionismo*), alusiva à redução de todas as qualidades da vida às propriedades da matéria inerte. Em outras palavras, a crença fundamental desses pensadores é que não existe tal coisa como a mente ou qualquer substância não-material, e que as funções dos átomos podem explicar tudo quanto existe. Ver sobre o *Materialismo*.

REDUCIONISMO

A palavra-chave, nesse caso, é **reduzir**. Geralmente está em foco a redução, ao que é material, de alguma coisa alegadamente não-material. Para exemplificar, a tentativa de mostrar que não existem mentes, mas tão-somente cérebros, ou que as chamadas funções mentais, psíquicas ou espirituais, em última análise, não passam de propriedades de átomos em movimento ou da manipulação dos mesmos.

Essa palavra também é usada no tocante a ciências

ou teorias. Assim, duas ou mais ciências ou teorias podem ser reduzidas a uma só ciência ou teoria. Para algumas pessoas, a psicologia pode ser reduzida à fisiologia. Ou a biologia pode ser reduzida à física ou à química. Mas aqueles que defendem a Biologia Orgânica refutam essa teoria, porquanto alicerçam-se sobre a observação de que existem funções que dificilmente podem ser entendidas como meramente físicas. As *experiências perto da morte* (vide) dão evidências de inteligência e consciência extracerebral. E isso certamente não dá apoio aos reducionistas. Ver também o artigo *Parapsicologia*.

O reducionismo também tem sido aplicado ao comportamento humano, quando então a reivindicação é que o comportamento das pessoas pode ser explicado se entendermos a origem do mesmo, a saber, o comportamento animal. O comportamento animal, por sua vez, é mais reduzido ainda a meras leis físicas, porquanto tudo repousaria sobre os átomos e seus movimentos. E isso leva-nos à idéia de que o comportamento da matéria inanimada é a fonte de tudo. Pavlov, com suas experiências com cães, tentou demonstrar esse princípio. Skinner fez a mesma coisa com camundongos, e Lorenz, com gansos. Padrões de comportamento instintivo, nesses animais, são então transferidos para os seres humanos, pelo menos quanto a determinados aspectos.

Dentro do contexto teológico, os eruditos conservadores chamam os críticos da Bíblia de *reducionistas*, quando estes reduzem ou minimizam as verdades espirituais a fim de, alegadamente, torná-las mais aceitáveis à mente do homem moderno.

REDUCTIO AD ABSURDUM

Uma expressão latina que quer dizer «redução ao absurdo». Trata-se de uma forma de argumentação ou refutação que mostra as absurdas conseqüências que se seguiriam, por necessidade lógica, com base em algum argumento que tenha sido apresentado. Esse é um método de prova indireta, que anula um argumento por intermédio de outro, e que procura demonstrar o absurdo de alguma declaração ou proposição. Uma proposição que logicamente conduz a um absurdo ou contradição é, obviamente, falsa.

REDUCTIO AD IMPOSSIBILE

No latim, «redução ao impossível», uma forma de argumentação que procura demonstrar que uma proposição qualquer envolve conseqüências impossíveis. Trata-se de uma forma de *reductio ad absurdum*

REELAÍAS Forma alternada de *Raamais* (vide).

REELIAS No hebraico, *Yahweh faz tremer*.

Um líder religioso que voltou do cativeiro babilônico, em companhia de Zorobabel (ver I Esdras 5:8). Na posição ocupada por esse nome, na lista, isso corresponde a Bigvai, em Esd. 2:2 e Nee. 7:7.

•••

REENCARNAÇÃO

Esta doutrina tem ocupado uma posição de importância na religião e na filosofia por milênios. Seria uma *omissão crassa* não incluir o assunto numa enciclopédia que pretende falar significantemente sobre idéias religiosas e filosóficas. O ensino da reencarnação é amado, detestado; favorecido, temido. Sempre era e é uma coluna dogmática das religiões orientais; foi ensinada nas escolas dos fariseus e essênios, e entre os judeus místicos da Cabala. Entrou no pensamento grego até antes do início da filosofia ocidental, e já nos filósofos pré-socráticos achou um lugar de destaque. Platão aprimorou o conceito e ele passou a ter uma posição importante no neoplatonismo

Provavelmente, nenhuma outra doutrina de nossos dias, dentro do mundo cristão, provoque tão variegadas reações como essa. O conceito está sendo estudado por alguns cristãos como uma maneira lógica para explicar o problema do mal. De onde procede o mal, em suas formas tão variadas, e aparentemente, tão injustas? A reencarnação responde: merecimento e aprendizagem. Por outro lado, visto que a idéia parece contradizer certas doutrinas cristãs fundamentais, a mera menção do vocábulo «reencarnação» provoca desgosto, ou mesmo *ira*.

Meus amigos, apresento o seguinte artigo numa atitude de crença estudada a fim de não embotar o impacto do mesmo. *Depois* de expor os argumentos em favor e contra esta crença, apresento minhas próprias opiniões. Meu artigo é histórico, científico, filosófico, teológico e experimental. Procuro trazer para o leitor os estudos *científicos* que examinam o assunto, mas também dou avaliações filosóficas e teológicas.

ESBOÇO:
1. Os vocábulos usados
2. História da reencarnação no pensamento humano
3. Modernos casos historiados
4. Razões para a crença na reencarnação
5. Explicações alternativas
6. Essência do significado da reencarnação
7. Tentativas de reconciliação entre a reencarnação e a teologia cristã
8. Conclusão

1. Os Vocábulos Usados

a. *Transmigração*. Esse termo com freqüência é empregado para indicar mais do que a mera reencarnação (conforme a idéia é normalmente aceita na atualidade), indicando que uma alma humana é capaz de retornar sob qualquer outra forma de vida, seja vegetal, animal, humana, demoníaca ou divina.

b. *Reencarnação*. Quando é usada em contraste com o vocábulo *transmigração*, essa palavra indica que uma alma humana pode retornar à terra com a finalidade de viver novamente, mas somente em um outro corpo humano.

c. *Metempsicose*. Essa palavra deriva-se do termo grego *meta*, «novamente», e de outro termo grego, *empsychoein*, «animar». A idéia básica é que a alma migra de um corpo físico para outro, animando esse novo corpo, isto é, começando uma nova vida terrena. Esse termo pode ser usado como um sinônimo tanto de transmigração como de reencarnação.

2. História da Reencarnação no Pensamento Humano

A despeito do fato de que esse conceito, na mente da maioria das pessoas, é especificamente associado à antiga religião egípcia (uma das razões para os embalsamamentos) ao hinduísmo e ao budismo, trata-se de um conceito mais antigo (e mais divulgado) do que essas associações poderiam dar a entender.

Entre as razões (ou motivações) antigas dessa crença, poderíamos aduzir a relutância do homem (como uma espécie) em encarar a morte física como o fim de tudo: «Sou importante demais para morrer. O meu ser é por demais complexo e impressionante para vir a ser totalmente destruído. O propósito, demonstrado em mim e no resto da humanidade, por

REENCARNAÇÃO

certo acabará conquistando a morte», poderia ser raciocínio de qualquer um de nós. Desde os tempos mais remotos, a reencarnação tem sido uma das maneiras pelas quais negamos a possibilidade de deixarmos de existir. Ela também tem sido encarada como um meio de darmos prosseguimento aos nossos valores. E é possível, igualmente, que a função dos sonhos tenha influenciado a crença na existência da alma, bem como em sua sobrevivência diante da morte biológica. Alguns antigos acreditavam que a alma, durante o sono, liberta-se do corpo e pode viajar, separada do mesmo, visto que os sonhos seriam mais do que mera atividade mental. Antes, refletiriam as atividades da alma. Ora, se desde agora uma alma pode agir dessa maneira (separada do corpo), por que ela não poderia retornar a outro corpo físico, após a morte? Também é possível que a visão de aparições tenha causado, ainda mais significativamente, a suposição, defendida por muitos, de que os espíritos, em vez de ficarem vagueando incansavelmente para sempre, finalmente acabam vindo habitar em outros corpos humanos.

É inegável que os antigos (e não meramente os seus pares modernos) dispunham de seus próprios *relatos típicos* que favoreciam o conceito da reencarnação como alegadas memórias de vidas passadas ou a experiência do *déjà vu*, etc. (Ver a terceira parte deste artigo, quanto a narrativas modernas que ilustram por quais razões algumas pessoas acreditam nessa doutrina).

a. Antiguidade do conceito (no Ocidente):

Os mais antigos escritos gregos contêm a idéia da reencarnação, como se dá no caso da **Odisséia**, de Homero, xi, 298-304, 246a. Os escritos órficos, do século VI A.C., incorporam o conceito como um importante aspecto da experiência humana. No orfismo, a idéia aparece combinada com um elaborado sistema de doutrinas que descreve a origem do homem, proveniente dos deuses, bem como a sua queda na depravação, o seu julgamento e a sua redenção. O orfismo advogava o conceito da transmigração (em contraste com a simples reencarnação). A necessidade dos ciclos de renascimento alicerça-se sobre a perversidade humana (o homem precisa pagar pelo que praticou de errado na terra), bem como sobre a provisão misericordiosa de uma nova oportunidade (tendo saldado a sua dívida, e tendo, finalmente, aprendido a sua lição, o homem é por fim redimido da necessidade de participar daqueles ciclos, e não mais renasce).

Píndaro (cerca de 528-438 A.C.), o maior dos líricos corais da Grécia, em seu *Olímpios*, ii, postula o interessante conceito de que este mundo e o vindouro são, reciprocamente, lugares de recompensa e castigo. A fim de poder libertar-se dos ciclos de renascimento, seria requerido do indivíduo que ele viva corretamente por três vezes de cada lado da existência (em um total de seis vidas, vividas virtuosamente). Tendo realizado tal alvo, o indivíduo entraria na bem-aventurança imortal.

O ensinamento acerca da reencarnação também aparece nos mistérios eleusios (originados dos tempos homéricos). Pitágoras (550 A.C.) incorporou a idéia em seu sistema, tendo ensinado a transmigração da alma. Uma estória muito repetida informa-nos que Pitágoras, em certa ocasião, objetou diante do espancamento de um cachorrinho, dizendo: «Não bata nele, pois é a alma de um amigo meu. Reconheci-o quando o ouvi ganindo». Alguns filósofos, naturalmente, não levam Pitágoras a sério, nesse episódio. Seja como for, para ele a pureza de vida era o método que permitia a uma pessoa não ter de retornar a esta vida terrena.

Platão (450 A.C.), em seus maiores diálogos, como *República, Fedo, Faedro, Meno, Timeu e Leis*, utiliza-se do conceito da reencarnação como importante seção de sua soteriologia (idéia de salvação ou redenção). Platão não concebia a esfera terrestre como o lugar mais apropriado para a alma humana, cuja origem se encontraria na eternidade passada, no Mundo das Idéias, o equivalente platônico do céu do cristianismo. Embora horrivelmente rebaixada de seu anterior estado elevado, a alma humana poderia regressar àquele estado anterior, mas, nesse regresso, estariam envolvidas inúmeras reencarnações. O corpo físico seria tanto a prisão quanto o sepulcro da alma, e um dos aspectos da redenção consistiria em abandonarmos o corpo físico, bem como todas as coisas materiais, deixando tudo para trás, onde elas pertencem. Na reencarnação, por conseguinte, haveria oportunidade de purificação e de avanço espiritual.

A reencarnação não seria algo desejável por seus próprios méritos, mas poderia ser usada como um meio para obtermos liberdade, justiça, bondade e bem-aventurança. O alvo da vida seria a purificação e a redenção, que finalmente reconduziriam o indivíduo ao seu apropriado lar, o Mundo das Idéias, o campo da Realidade Última. Platão supunha que o escape para longe do mundo material exigiria um período realmente longo, isto é, um período de dez mil anos para as pessoas comuns, e de três mil anos para os «filósofos». Ora, recordemo-nos de que ele usava a palavra filósofo quando se referia ao «homem espiritual» (conforme nós mesmos, na teologia cristã, nos referiríamos às nossas pessoas). O homem espiritual poderia ser contrastado com aqueles que vivem somente para os interesses terrenos, como os esportes, o dinheiro, os confortos desta vida, a posição social, etc. Estes últimos seriam os não-filósofos.

A reencarnação também fazia parte natural do sistema do estoicismo (350 A.C. e depois), porquanto ensinava a repetição dos ciclos de vida. Somente a reabsorção pelo Logos Divino (o Fogo Eterno) seria capaz de colocar um ponto final a esses ciclos.

Naturalmente, o neoplatonismo reviveu o conceito, e Plotino (205-270 D.C.) foi um poderoso porta-voz do mesmo.

A reencarnação é idéia mencionada por Menandro (341-291 A.C.), o dramaturgo ateniense, em sua obra, *Theophorumene*, tendo sido satirizado, devido a isso, por Luciano (125-190 D.C.), em seu *Gallus*.

Dentro da literatura romana, desde os tempos mais remotos, a reencarnação vinha sendo seriamente discutida, como o foi por Ênio (329-169 A.C.). Ênio foi o maior e mais influente dos poetas latinos, e com toda a razão tem sido denominado de pai da poesia latina. Pérsio (34-62 D.C.) lançou Ênio no ridículo, devido ao interesse deste pelo tema, em sua obra, *Sátiras*, vi.9-11. Lucrécio (50 A.C.) referiu-se negativamente ao assunto, em sua obra, *A Natureza das Coisas*, i.121-126. Horácio (65 A.C.) menciona a questão em suas *Epístolas*, ii.1,50-52. Discutindo a respeito da natureza do mundo inferior, Virgílio (70-19 A.C.) incorporou essa idéia em *Eneida*, vi.724 e ss

b. Antiguidade do conceito (no Oriente)

A reencarnação figura como um princípio fundamental na maioria das religiões e dos pensamentos filosóficos da Índia. Pode ter tido origem entre o povo pré-ariano, pelo menos em forma larvar. Os mais antigos escritos sagrados dos arianos, o Rigveda (2000 A.C.), não incluem qualquer alusão indisputada ao

REENCARNAÇÃO

tema, todavia, desde tão cedo quanto 600 A.C., as Upanishadas (embora de uma maneira crua) ensinam a idéia da transmigração da alma. Ali nos é assegurado que uma vida boa ou má determina um bom ou um mau retorno a esta vida terrena, porquanto é inexorável a lei do *karma* (literalmente, *feito*, embora esteja em pauta a lei da colheita segundo a semeadura). A redenção, pois, consistiria na libertação do ser humano, que ficaria isento desses ciclos, e isso dependeria, essencialmente, de uma realização moral. A substância da redenção, isso posto, seria a identidade da alma (Atman) com o Brahman (o Absoluto), aquela verdadeira absorção do que é finito pelo infinito.

O budismo e o jainismo (século VI A.C.) aproveitaram-se dessa doutrina de maneiras diversas. O jainismo, em contraste com outros pensamentos hindus, parece preservar a identidade pessoal e a promessa da bem-aventurança aos redimidos. De conformidade com o budismo, a reencarnação pode assumir a forma de um retorno a qualquer uma dentre as cinco formas, dependendo do *karma*, a saber: no inferno, em um animal, em um fantasma, em um homem ou em um deus, embora nenhuma delas seja permanente. De acordo com a interpretação de alguns, é negada a continuidade da identidade pessoal, de uma encarnação para outra.

Os budistas (pelo menos alguns deles) negam a existência da alma (conforme a idéia figura em nosso vocabulário comum) mas eles não põem em dúvida a transmigração da alma. E explicam que a skandhas (substância da alma) de uma pessoa moribunda cria um «ser intermediário», o qual penetra no útero materno, a fim de criar a *skandhas* de um novo ser. Não parece que, de conformidade com esse conceito, a identidade pessoal seja transferida de uma encarnação para a próxima, embora alguns estudiosos não concordem com essa negação. É difícil percebermos como o Nirvana poderia ser prometido como o alvo de tão árdua ascensão, a menos que persista uma consciência constante, que possa continuar essa ascensão. A despeito dessa dificuldade, o ensino budista parece ser que há uma espécie de constante recriação da consciência, durante todo o processo de reencarnações, e, além disso, essa consciência recriada transportaria o *karma* que fora criado, embora não atravesse uma série de vidas, no sentido individual. O que teria prosseguimento, assim sendo, seria o karma reencarnado, e o Nirvana poria fim a esse processo, por ser algo indesejável.

c. **A reencarnação no pensamento hebreu**

É perfeitamente possível que aquela indagação feita por Jó: «Morrendo o homem, porventura tornará a viver?» (Jó 14:14), tenha sido uma especulação quanto à possibilidade da reencarnação. Não encontramos provas quanto a essa hipótese, entretanto. Mas os escritores místicos da Cabala dos judeus ensinavam claramente o conceito da reencarnação. A palavra «Cabala» significa «receber», e se refere à tradição mística. É obscura a origem desse sistema. Porém, encontram-se evidências sobre temas cabalísticos, tanto na teosofia especulativa quanto na taumaturgia prática, na literatura apócrifa e apocalíptica dos hebreus, evidências essas abundantes na *literatura talmúdica* e *midráshica*. O desenvolvimento dos escritos cabalísticos prolongou-se por certo número de séculos. Ao longo do processo, foram sendo incorporados elementos provenientes do gnosticismo, do neoplatonismo e do neopitagoreanismo (e, quiçá, do zoroastrismo e do sufismo). De 550 a 1000 D.C., a Cabala passou por um desenvolvimento sistemático. O seu mais significativo volume veio a ser o Zohar, divulgado por Moisés de Leão, em 1300. Com o advento do Zohar, o estudo da Cabala propagou-se entre as massas populares, pelo que essa forma de misticismo deixou de ser uma doutrina privada, mas tornou-se largamente difundida. A Cabala (vide) jamais sentiu a restrição da «letra que mata», e a Bíblia passou a ser interpretada não apenas literalmente, mas também alegoricamente, homileticamente, e mesmo misticamente.

Antes do desenvolvimento formal da *Cabala*, o judaísmo passou a contar com alguns elementos que foram os proponentes da idéia da reencarnação. Josefo revela-nos claramente que as escolas dos fariseus, em seus dias, ensinavam tal doutrina. Os teólogos-filósofos judeus diretamente influenciados pelo platonismo, como *Filo* (30 A.C. - 50 D.C.) faziam da reencarnação uma parte importante dos seus sistemas. É provável que o neoplatonismo tenha exercido influência sobre os fariseus da época de Jesus, bem como sobre o desenvolvimento dos escritos cabalísticos, pelo menos até certo ponto. Deveríamos acrescentar, entretanto, que, exceturando o caso dos estudiosos da Cabala, o conceito da reencarnação nunca produziu qualquer efeito duradouro sobre o pensamento judaico.

d. **A reencarnação no pensamento cristão**

Nas páginas do Novo Testamento existem diversas referências que quase certamente refletem a crença na reencarnação, por parte dos judeus, nos dias de Jesus, bem como por parte de certos primitivos cristãos. Essa idéia, entretanto, não penetrou no sistema como um dogma. (Informação sobre a *reencarnação*, artigos das enciclopédias, *Britannica*, *Americana* e *Encyclopedia of Religion*, Vergilius Ferm, editor).

Consideremos algumas referências bíblicas:

1. *Mateus* 16:13,14: «Indo Jesus para as bandas de Cesaréia de Filipe, perguntou a seus discípulos: Quem diz o povo ser o Filho do homem? E eles responderam: Uns dizem: João Batista; outros, Elias; e outros: Jeremias, ou algum dos profetas».

Ora, se Jesus tivesse de ser um dos antigos profetas hebreus, teria de ter reencarnado. Fazia parte da doutrina judaica comum daquela época que os grandes profetas da antiguidade teriam de cumprir mais de uma missão sobre a terra, e esperava-se que voltassem a este mundo não somente Elias, mas também Jeremias. Uma figura tão poderosa quanto Jesus, por conseguinte, bem poderia ser identificada com algum profeta antigo, na mente popular. O comentador bíblico, Adam Clarke, diz a respeito desses versículos:

«...a doutrina farisaica da metempsicose, ou transmigração das almas, era bastante generalizada, porque era com base na mesma que eles acreditavam que a alma de Batista, ou de Elias, Jeremias, ou de algum dos outros profetas, retornara à vida, no corpo de Jesus».

Jesus não aprovou e não negou essa doutrina, nessa oportunidade, apesar de não haver aceito qualquer das identificações propostas quanto à sua pessoa. A doutrina farisaica não limitava a reencarnação a alguns poucos indivíduos seletos, mas encontrava lugar para inúmeros renascimentos, dentro do seu sistema.

2. *João* 9:1-3: «Caminhando Jesus, viu um homem cego de nascença. E os seus discípulos perguntaram: Mestre, quem pecou, este ou seus pais, para que nascesse cego? Respondeu Jesus: Nem ele pecou, nem seus pais, mas foi para que se manifestem nele as obras de Deus».

A despeito do fato de que havia uma esquisita

REENCARNAÇÃO

noção judaica, segundo a qual julgava-se que um homem podia pecar, mesmo enquanto ainda estivesse no ventre de sua mãe, antes de seu nascimento físico, não é muito provável que os discípulos de Jesus tivessem em mente tal idéia, quando indagaram por que razão aquele homem já nascera cego. Mas interrogavam a Jesus a respeito do *karma*, pois parece que eles compartilhavam dos pontos de vista farisaicos a respeito da reencarnação. A resposta dada por Jesus, por sua vez, nem confirmou e nem negou essa possibilidade, mas meramente eliminou-a no tocante a esse incidente particular. Entretanto, é teologicamente significativo que aqueles que escreveram os primeiros documentos cristãos, sem importar se acreditavam ou não na idéia da reencarnação, por essa altura da vida de Jesus, não incorporaram o conceito no sistema soteriológico do Novo Testamento, quando do registro de seus livros.

Adam Clarke, ao comentar sobre o trecho de João 9:1-3, apresenta uma nota elaborada a respeito da reencarnação, conforme ela é concebida dentro de várias culturas. Ele exprime a convicção de que essa era a idéia que rebrilhava por detrás daquela indagação dos discípulos. E cita Josefo (*Ant.* b.xviii. c.1, s.3; e *Guerras dos Judeus*, b.ii, c.8, s. 14), onde aquele autor judeu forneceu-nos alguns detalhes sobre os ensinos dos fariseus a respeito da idéia. Clarke dá a entender que o ensinamento deles era que as almas más descem diretamente para o inferno, mas que as almas boas recebem a permissão de se reencarnarem, a fim de pagarem dívidas e progredirem. Seria uma espécie de «recompensa», pois ofereceria uma oportunidade renovada. Com efeito, a alma relativamente boa poderia voltar a este mundo, o qual, para ela, tornar-se-ia uma espécie de purgatório, onde ela daria solução para problemas anteriores.

A discussão exposta por Clarke também é interessante quanto a outros particulares. Ele mostra como os antigos, incluindo os rabinos judeus, supunham que pecados específicos, em vidas anteriores, provocam problemas específicos em vidas sucessivas, reencarnações. Assim é que as dores de cabeça seriam uma punição contra aqueles que, em um estado anterior da existência, tenham falado com irreverência acerca de seu pai ou de sua mãe; a cegueira seria infligida aos anteriores matricidas; e até mesmo as marcas no corpo eram consideradas indicações de algum pecado na alma. Essa crença também é comum entre alguns modernos advogados da idéia da reencarnação, tal como a sugestão, feita por Edgar Cayce, de que a tuberculose resultaria de uma exagerada atividade sexual em alguma vida anterior. Certos estudos, feitos através da regressão hipnótica, têm resultado em idêntica conclusão.

3. *Apocalipse* 17:10,11 e Apocalipse 11:7 e 17:8: «São também sete reis, dos quais caíram cinco, um existe, e o outro, ainda não chegou, e, quando chegar, tem de durar pouco... a besta que surge do abismo pelejará contra elas e as vencerá e matará... A besta que vista, era e não é, está para emergir do abismo...»

Encontramos aqui alusão à lenda do *Nero redivivo*. Os antigos cristãos acreditavam que Nero, um dos sete imperadores romanos, aqui mencionados, voltaria à vida (mediante a reencarnação), e que seria o oitavo imperador romano, a saber, o anticristo. O trecho de Apocalipse 11:7 mostra-nos que eles esperavam que Nero retornaria do próprio hades. E a passagem do Apocalipse 17:8 repete a declaração. O autor sagrado não esperava que o mundo ainda continuaria a existir por muito mais tempo, e sentia que esse oitavo imperador seria o último da linhagem imperial, antes da queda do império romano. Ora, quando o autor sagrado escreveu o Apocalipse, Nero já estava morto, tendo cometido suicídio no exílio. Julgava-se que ele se reencarnaria, reuniria um exército dentre os inimigos dos romanos, os partas, e voltaria a fim de cometer matricídio (isto é, destruir a cidade de Roma). Essa é a idéia por detrás da declaração de Apocalipse 17:16, a qual prediz que o anticristo, com os seus dez reinos, odiaria a meretriz e a faria «devastada e despojada», comendo-lhe as carnes e consumindo-a no fogo.

Em seus comentários sobre João 9:1-3, Adam Clarke demonstra que uma das facetas da crença de alguns rabinos na reencarnação era que, entre os nascimentos, podia ser determinado um período de residência no hades para algumas almas particularmente perversas. Algumas das antigas idéias cristãs sobre a identidade e a carreira do anticristo concordavam com esse conceito. E certos intérpretes evangélicos modernos continuam interpretando essa passagem do Apocalipse como se a mesma indicasse precisamente isso, supondo que a reencarnação não seja a regra geral para a humanidade, embora envolva alguns casos excepcionais, por razões especiais. Os primeiros escritos cristãos, tal como os *Oráculos Sibilinos* 5.363-69, 4.119-27 e 137-39, contêm essa lenda a respeito de Nero, sendo que, como é óbvio, ela estava bastante espalhada entre os cristãos dos primeiros séculos, sempre que eles se interessavam pelas profecias bíblicas. Esses citados oráculos parecem ter sido uma compilação que abarcou um período de dois ou três séculos (século II A.C. até o século I D.C.), pelo que teriam origem tanto judaica quanto cristã. É possível que o livro do *Apocalipse*, no que concerne à estória que envolve Nero, tenha-se baseado sobre esses oráculos, ou vice-versa.

4. *Apocalipse* 11:3 e *ss*: «Darei às minhas duas testemunhas que profetizem por mil duzentos e sessenta dias, vestidas de pano de saco. São estas as duas oliveiras e os dois candeeiros que se acham em pé diante do Senhor da terra. Se alguém pretende causar-lhes dano, sai fogo das suas bocas e devora os inimigos; sim, se alguém pretender causar-lhes dano, certamente deve morrer...» *As duas testemunhas:* o Novo Testamento prediz que duas testemunhas desempenharão uma missão especialíssima nos últimos dias. Elas farão oposição ao anticristo, mas serão mortas por ele. Contudo, ressuscitarão e serão arrebatadas para o céu, sob o olhar de grandes multidões (por meio da televisão). Apesar de não haver um acordo geral quanto à identidade dessas duas testemunhas, a interpretação quase unânime dessa passagem, entre os eruditos do Novo Testamento, é que elas serão dois antigos profetas que terão retornado à vida terrena. Alguns têm sugerido Elias e Enoque, outros dizem tratar-se de Elias e Moisés. Outros até têm pensado em Elias e João, o evangelista. Porém, a suposição de que seriam Elias e Moisés talvez seja a idéia mais comum, com base sobre os tipos específicos de milagres que as duas testemunhas realizarão, paralelamente às narrativas do Velho Testamento sobre as vidas daqueles dois profetas. (Ver Apocalipse 11:5,6 quanto a essa particularidade).

Alicerçados sobre um exame cuidadoso das passagens acima citadas, poderíamos tirar as seguintes conclusões:

i. A crença na reencarnação, entre os judeus da época de Jesus, era bastante generalizada.

ii. Muitos cristãos antigos evidentemente compartilhavam dessa crença. Ou, pelo menos, pensavam que a reencarnação fazia parte do destino de *alguns* indivíduos.

REENCARNAÇÃO

iii. Muitos evangélicos modernos também têm acompanhado essa diretriz. Porém, apesar de crerem em alguns casos isolados de reencarnação recusam-se a admitir a possibilidade de um fenômeno generalizado, que faça parte de muitos destinos humanos.

iv. Os primitivos escritores cristãos (sem importar quais fossem as suas crenças) não incluíram o conceito da reencarnação em seu credo de redenção. É possível que eles acreditassem que o advento de Cristo, o Salvador, tenha posto fim aos ciclos de renascimento, e que a redenção se tenha tornado algo imediatamente possível através da graça divina, mediante a fé, pois um genuíno arrependimento poderia liberar os homens dos ciclos da reencarnação. Por outro lado, *se* porventura eles acreditavam que os mortos *perdidos* pudessem retornar, a fim de terem na terra uma nova oportunidade, não o disseram. Talvez se tenham recusado propositalmente de fazê-lo, pensando que tal doutrina apenas embotaria o apelo evangelístico, o qual promete o céu imediatamente após a morte, para os que forem remidos em Cristo.

Alguns dentre os autores neotestamentários viam apenas juízo (e não oportunidade renovada) para os impenitentes. *Mas o autor de I Pedro* (ver 3:18-4:6) acreditava que a oportunidade de redenção (ou, pelo menos, de aprimoramento individual) se estenderia ao próprio hades, e, sendo essa a realidade das coisas, a reencarnação não continuaria sendo necessária. Não podemos mesmo afirmar que esse autor sagrado acreditava na reencarnação, a despeito de tudo quanto ensinou. Mas, se porventura cria nisso, a sua crença na descida de Cristo ao hades, a fim de ali administrar certa graça, pode haver suplantado qualquer crença anterior naquele conceito. O autor da epístola aos Hebreus (ver 9:27) por sua parte, obviamente não deixou qualquer espaço para uma renovada oportunidade, após a morte física, e, assim sendo, se pudéssemos interrogá-lo a respeito, mui provavelmente teria negado peremptoriamente a veracidade do conceito da reencarnação.

O que foi dito neste quarto ponto, foi dito apenas como uma especulação. Mas posso ter acertado algo da verdade do caso, embora errado quanto a outras. O que é patente, sem embargo, é que a Igreja cristã, apesar de aceitar poucos casos de reencarnação (visando a propósitos especiais), tem rejeitado esse conceito como uma parte integrante do propósito divino remidor.

v. *Por conseguinte*, se a reencarnação corresponde à realidade, é mister demonstrá-la à parte dos escritos básicos do Novo Testamento. A maioria daqueles que crêem nessa idéia não farão objeção alguma a essa observação. Entretanto, provavelmente farão uma observação toda sua, isto é, que é impossível que qualquer livro, ou coleção de livros, possa conter a verdade toda e, por essa razão, poderia haver não apenas uma, mas muitas outras verdades, que nunca são mencionadas nas páginas do Novo Testamento.

Dentre os chamados pais da Igreja, *Orígenes* parece haver sido o único que envidou qualquer esforço para ensinar algo de específico a respeito da reencarnação. Todavia, ele assumia a posição que aparece sob os pontos dois e três, acima: reencarnação somente em casos especiais. Antes da época de Orígenes, as seitas gnósticas haviam incorporado a idéia da reencarnação em seus sistemas, mas os gnósticos eram considerados hereges pela corrente principal da Igreja. Depois da época de Orígenes, a idéia da reencarnação tem sido defendida por cristãos isolados, alguns deles de grande nomeada, mas os seus pontos de vista dificilmente poderiam ser considerados representativos dos dogmas da Igreja. Os maniqueus, nos séculos IV e V D.C., renovaram esse conceito no seio do cristianismo, como também o fizeram os cátaros, nos séculos XII e XIII.

3. Modernos Casos Historiados

Este artigo foi escrito na esperança de que se possa apresentar algumas provas científicas em apoio à crença na existência da alma, bem como em sua sobrevivência diante da morte biológica. Vários livros, do ponto de vista religioso ou filosófico, também têm sido escritos, com o intuito de provar a mesma coisa. Mas, visto que este artigo foi escrito para apresentar, essencialmente, uma abordagem científica, não acolho e nem rejeito aqui uma idéia somente porque algum dogma religioso parece pronunciar-se em favor ou contra essa idéia. Antes, é meu propósito mostrar que a ciência tem algo a dizer sobre a alma. Posto isso, nem rejeito e nem aceito a idéia da reencarnação (por enquanto) em face do que já foi dito a respeito, na revisão de sua história dentro do pensamento humano. Antes, anseio por examinar mais evidências que possam ser apresentadas.

Transcrevo as narrativas abaixo como que no espírito da crença, sem intercalar quaisquer comentários negativos ou críticos, a fim de não diminuir o impacto das mesmas. Mais adiante, neste mesmo artigo, apresentarei as minhas avaliações.

Prossigamos, pois, no exame da própria experiência humana (inteiramente à parte de dogmas e credos), para verificarmos o que ela nos ensina a respeito da reencarnação.

a. A Regressão Hipnótica e o Renascimento

Um dos argumentos usados contra a idéia da reencarnação é que os casos historiados sobre esse suposto fenômeno tendem por glorificar o indivíduo a respeito de quem se está revelando «o que ele teria sido», em alguma vida anterior. Assim é que se ouve falar de pessoas comuns, sem qualquer habilidade especial, que teriam sido reis, rainhas, princesas, poderosas figuras militares, etc., em existências anteriores. George Field, se pudermos acreditar em sua história, foi apenas o filho de um pobre fazendeiro, que teve morte violenta, em 1863, e nada mais.

Loring G. Williams, membro da Keene State College Psychic Research Society, e professor colegial por profissão, tem empregado a hipnose em algumas das suas experiências psíquicas. Ao fazer experiências com George Field (então com a idade de quinze anos) tentou a regressão da idade, e encontrou muito mais do que estava rebuscando. Field, tendo assumido uma identidade de mais de cem anos passados, durante os dias da Guerra Civil norte-americana, foi levado a experimentar novamente a sua morte, naquele período já distante. Nada houve de agradável nesse repasse, porquanto Field chocou ao seu hipnotizador, ao soluçar: «Oh, eles me acertaram! Aqueles malditos soldados ianques atiraram em mim!» E apertou a região do estômago, com o rosto distorcido em um rictus de dor, ao mesmo tempo que as lágrimas lhe desciam pelo rosto. Mas então a sua fisionomia adquiriu novamente um ar pacífico: *Jônatas* havia morrido! Ora, a pergunta que aqui se impõe é a seguinte: Field seria realmente a mesma pessoa que Jônatas, o soldado de mais de cem anos atrás? O Sr. Williams estava resolvido a descobrir os fatos. Seria aquela apenas uma fantasia, proferida sob hipnose, ou havia alguma realidade naquele suposto já longínquo acontecimento?

Sob hipnose, Field especificou, em declarações que estavam sendo gravadas, que ele tinha vivido no

REENCARNAÇÃO

estado de Carolina do Norte, de 1832 a 1863. Havia um certo número de coisas específicas que ele queria dizer sobre aquela alegada vida terrena, e que facilitaria enormemente a averiguação das suas asserções. A narrativa é longa e complicada, mas vou diretamente ao âmago da mesma. Certo número de itens, aludidos por Field, envolvendo lugares e coisas próprias da região onde ele teria vivido (em outro corpo) há mais de um século atrás, foi comprovado por visitas subseqüentes à região em foco. Isso a despeito do fato de que Field vivia em New Hampshire, e jamais visitara a região onde passara a sua suposta vida anterior.

Eis um sumário dos pontos «acertados» por Field: Ele acertou corretamente quanto à existência de uma certa Mary Powell, a quem ele chamou de sua avó. Um antigo registro de propriedades, pág. 430, vol. A, registrava o fato de que ela era a proprietária de um certo terreno. Field deu o nome exato da localização da residência de seus genitores (o Sr. e a Sra. Powell, sendo ele mesmo Jônatas Powell) chamado a localização de Jefferson, no condado de Ashe. E acertou os nomes tanto da cidade quanto do condado onde residira antes a família Powell. O livro de registros exibia a data de 1803 como a época em que foi feita a transação com o citado terreno, e essa data correspondia à idade presumível que uma avó deveria ter tido, de acordo com a idade que Field atribuíra a Jônatas.

Outro caminho de investigações foi explorado mediante a ajuda prestada por uma historiadora local, familiarizada com muitas condições e pessoas da época em que Jônatas supostamente teria vivido. Essa historiadora, que não queria que a sua identidade fosse revelada, deixou claro que não acreditava *nessa coisa*, apesar de ter sido de prestimoso auxílio. — Enquanto Field estava sob hipnose, a historiadora dirigiu-lhe muitas perguntas, a fim de verificar se ele realmente conhecia Jefferson, o condado de Ashe e os seus habitantes, mais de cem anos antes. A historiadora fez perguntas a Field, envolvendo um total de vinte e cinco pessoas ou eventos em Jefferson, prolongando-se até o ano de 1860, em sua sondagem do passado. E ele foi capaz de responder detalhadamente a respeito de quinze desses itens, descrevendo a posição financeira de vários indivíduos, os nomes de seus filhos e detalhes sobre suas residências, etc. Field mostrou estar substancialmente correto em seus informes.

Jônatas teria asseverado que o seu pai trabalhava em uma mina nas proximidades de Jefferson, e que ele falecera nessa mina, vítima de um desmoronamento. Ora, essa era uma informação bem definida, que podia ser averiguada. A historiadora sabia que tinha havido um desmoronamento assim, restando-lhe somente verificar o elemento tempo. E descobriu que, efetivamente, terminada a Guerra Civil norte-americana (em consonância com as informações prestadas por Jônatas), houvera um acidente dessa natureza na mina, cujo nome era Ore Knob, cerca de dezesseis quilômetros distante de Jefferson. Não obstante, o nome de Willard Powell não se encontrava na lista dos mortos. É possível a despeito disso, que não se tenha tratado do mesmo acidente, porquanto tinham havido muitas pequenas minas no local, ou então a lista de vítimas não estava completa.

Jônatas mencionou ainda um certo Sr. Brown, que teria sido um pregador (da seita quacre) embora ele nunca se tivesse interessado muito por assuntos religiosos. A historiadora foi capaz de desvendar a existência de um certo homem desse nome, que fora uma espécie de pregador itinerante, o qual, com freqüência ia a Jefferson.

Hipnotizado, Field foi capaz de delinear, de maneira essencialmente correta, os limites da antiga localidade de Jefferson. Mas repeliu completamente a idéia da existência da gleba que atualmente se chama West Jefferson, insistindo em que tal lugar não existia naqueles tempos. Ora, as pesquisas revelaram que West Jefferson não começou senão depois do ano de 1900.

Na gravação (feita antes da visita investigatória a Jefferson) Field mencionou a existência de um rio denominado South Fork, como caudal que passava próximo de Jefferson. Novamente, a informação estava certa. Também deu o nome de Clifton como cidade vizinha de Jefferson, e esse foi outro tiro que acertou em cheio. Mencionou o armazém do Sr. Carter, e, embora nenhum registro pudesse ser encontrado a respeito desse armazém, havia uma certa família Carter que residia na localidade. E mostrou-se igualmente correto ao mencionar a existência de uma família de nome Abby, que ali residia.

Finalmente, quanto à cena da morte, o pesquisador, Sr. Williams, pensou que Jônatas certamente estava equivocado ao dizer que havia soldados ianques na Carolina do Norte, no ano de 1863, e que eles usavam uniformes de cor «cinza». Entretanto, a historiadora revelou que tinha havido renegados nortistas, que se tinham valido da guerra como uma desculpa para os seus assaltos, e que eles poderiam estar vestidos de cinza, se porventura houvessem furtado aqueles uniformes.

Dificilmente pode ser disputado que Field, realmente, foi capaz de captar o complexo de memórias de Jônatas, a menos que toda a narrativa não passe de um bem imaginado relato forjado. Mas, contra essa possibilidade há o fato de que, *antes* da visita a Jefferson, a fim de garantir que o relato fosse convincentemente averiguado, o Sr. Williams passou fitas gravadas de sessões de hipnotismo, na presença de testemunhas fidedignas. Estas puderam confirmar, com certeza absoluta, que as informações dadas por Field, a respeito de Jônatas, precederam a qualquer investigação local acerca dos pontos por ele desvendados. Porém, a grande indagação que paira no ar, é esta: Field teria sido Jônatas em uma existência anterior, ou de alguma maneira ele se «sintonizou» com aquela vida cem anos anterior à sua? O problema envolve a identidade de duas entidades. Poderíamos oferecer certo número de explicações alternativas, mas preferimos reservá-las para o quinto ponto do nosso esboço. (As informações sobre o primeiro caso foram extraídas de um artigo publicado pela revista *Fate*, edição de dezembro de 1966, p. 44 e ss).

Hipnose Novamente

Neste artigo, examinaremos diversos métodos mediante os quais, segundo se alega, é possível obter-se conhecimento acerca de alguma reencarnação anterior. Sem embargo, a regressão hipnótica se tem tornado um dos métodos favoritos, nessa espécie de investigação. É fato bem conhecido que uma pessoa hipnotizada demonstra a tendência para fantasiar, e, de fato, deleita-se nisso, porquanto os seus poderes da imaginação são liberados e ela experimenta uma liberdade de expressão incomum. *Certos indivíduos* adquirem uma considerável eloqüência, que lhes falta no estado comum, desperto. Acresça-se a isso que a pessoa hipnotizada com freqüência deleita-se em agradar ao seu hipnotizador, e, se é a reencarnação que este último procura, o hipnotizado pode criar uma história convincente, a

REENCARNAÇÃO

fim de satisfazer àquele que o hipnotizara.

Não obstante, em alguns casos parece estar envolvido muito mais do que isso. Ora, um dos propósitos deste artigo é precisamente o de descobrir o que, porventura, poderia estar envolvido.

Consideremos o caso de Joanne MacIver

Joanne MacIver, quando tinha quinze anos de idade, ao ser hipnotizada (pelo seu próprio pai) lembrou-se de uma vida que supostamente ela teria vivido cem anos atrás, com o nome de Susanne Marrow. Susanne, conforme dizia a sua história, era uma esposa pioneira que vivia em uma fazenda de Ontário. Seria isso uma fantasia da imaginativa escolar? Nesse caso, não haveria qualquer problema: seria apenas mais uma estranha narrativa.

Porém, algumas das memórias de Joanne mostravam-se extremamente convincentes. Estavam inclusos muitos e variegados pormenores da vida em uma aldeia, no ano de 1800, que agora não mais existe! Ela foi capaz de dar o nome e a localização da aldeia. Essa aldeia fora antes um lugar cheio de vida. Agora, entretanto, era uma localidade morta e virtualmente deserta, mas continuava vivendo, de alguma estranha maneira, na mente subconsciente de Joanne MacIver.

O *Dr. Ian Stevenson*, tendo ouvido falar a respeito do caso, fez um vôo até o Canadá, a fim de obter informes em primeira mão.

A história toda começou a 13 de outubro de 1962, quando Ken, pai de Joanne, tentou um truque tipo Bridey Murphy com a própria filha. Regredindo no tempo, a voz e a personalidade da menina se modificaram. Então anunciou que era Susanne Ganier, que vivera perto da aldeia de Massie, não distante de Owen Sound, ao norte de Ontário. Ela forneceu detalhes suficientes para permitir uma investigação inteligente acerca do relato. Mencionou uma faixa de terras chamada «Vail's Point», e falou como costumava ir a Owen Sound a fim de fazer compras, utilizando-se de um cavalo e de uma carroça. O nome de seu marido teria sido Thomas Marrow. Thomas teria falecido, ajuntou ela, por causa de um golpe acidental com o forcado que um ajudante da fazenda brandia. Viúva e sem filhos, Susanne supostamente teria falecido em 1903; com a idade de oitenta e quatro anos.

As pesquisas efetuadas pelo pai de Joanne revelaram os seguintes fatos:

Existe uma aldeia chamada Massie, em Holland Township, perto de Owen Sound. Ela é pequena demais para figurar na maioria dos mapas, mas os residentes da área continuam usando esse nome para indicar a localidade. Atualmente, o local é um mero cruzamento de estradas; porém, há um século, contava com duzentos habitantes.

Arthur Eagles, de R.R. 3, Woodford, homem na casa dos oitenta anos, afirma ter conhecido Susanne Marrow, e assinou uma declaração nesse sentido. Afirma ele que, quando era jovem, por mais de uma vez levou Susanne de carroça, até Owen Sound, para ela fazer compras.

Vail's Point não mais existe, mas existiu nos dias de Susanne. Essa designação se deriva do nome de um famoso explorador.

Susanne também mencionou uma sua amiga íntima, a Sra. Speedie, a carteira da localidade. A pedra lapidar da Sra. Speedie pode ser vista em Annan, atualmente. Ela faleceu no ano de 1909.

O Dr. Stevenson, que acompanhou o desenrolar da história, e fez os seus próprios registros com base nas informações prestadas por Joanne, declarou ousadamente que não pôde encontrar evidências de fraude ou ludíbrio em todo o depoimento. Até hoje não se descobriu qualquer evidência documentada em prol da existência de Susanne e seu marido, mas o fato é que um incêndio ocorrido em Owen Sound, nos fins de 1800, destruiu muitos registros, entre os quais poderiam encontrar-se aqueles relativos a Susanne e seu marido. (Informações extraídas do livro *Reincarnation in the Twentieth Century*, por Martin Ebon, p. 117 e ss. Essa história foi publicada pela primeira vez por Allen Spraggett. Jess Stearn escreveu um livro sobre o episódio, intitulado *The Search for the Girl with the Blue Eyes*, 1968).

b. Passemos a Outro Episódio: Lembranças espontâneas e instantâneas.

Mudando um pouco de cena geográfica, consideremos agora o caso do coronel inglês, *William Blakeney*. Ele afirma ter vivido novamente os terrores sentidos em uma sua vida anterior. Em 1939, Blakeney foi enviado para adestrar um novo destacamento militar em Bengalore, na Índia.

O então major Blakeney e um amigo estavam subindo a pé por uma vereda, nas encostas de uma colina, e queriam chegar ao topo da mesma. No caminho, encontraram alguns canhões que haviam sido enterrados em posição vertical, no solo, assim transformando-se em postes, entre os quais haviam sido colocadas algumas correntes. O seu amigo indagou, admirado quão antigos seriam aqueles canhões. Sem titubear, o major Blakeney deu a data da fabricação dos mesmos, na época do rei George III. Continuando a serpear vereda acima, um súbito terror apossou-se de Blakeney. Ele sabia que, logo depois da próxima curva, haveriam de encontrar algo de terrível, e, no entanto, nunca estivera antes naquele local. Ao dobrarem a curva, chegaram à beira de um profundo precipício. Mais tarde, pois, ele descobriu que o local se chamava «Precipício Tippoo», e também que ali fora o lugar onde um príncipe de muitos séculos passados costumava lançar os seus inimigos, para que morressem. O major Blakeney foi invadido pela sensação de que, em algum tempo, no passado distante, ele mesmo fora uma daquelas vítimas.

Oito anos mais tarde, enviado para a mesma área geral, dessa vez para Madras, ao atravessar andando as ruínas do antigo Forte George, da companhia das Índias Orientais, ele observou espontaneamente a um amigo: «Aqui é onde ficam as masmorras». O seu companheiro de caminhada replicou que ali não havia qualquer masmorra. Porém, as investigações efetuadas pelo então coronel Blakeney revelaram o fato de que, efetivamente, ele estava com a razão. Nos dias de Robert Clive, o fundador do império da Índia Británica, aquelas masmorras haviam servido para manter presos inimigos cativos. O coronel Blakeney não pretende mostrar-se romântico quanto a esses incidentes de conhecimento extraordinário, — mas está convencido de que a reencarnação é a melhor explicação que há: ele teria realmente estado ali antes, em outro corpo. (Informação extraída da revista *Fate*, junho de 1971, p. 78 e ss).

Descartando a possibilidade de uma narrativa puramente inventada, cumpre-nos indagar: «Como é que uma pessoa pode captar conhecimentos sobre um passado distante, sem haver feito qualquer pesquisa, mas antes, de maneira totalmente espontânea?» Ele, Blakeney, tinha estado naqueles lugares anteriormente? Seria aquela uma experiência de retrocognição especial, ou seria apenas um caso de memória ancestral? Sim, do que se trata? No quinto ponto deste artigo, procuro fornecer algumas respostas para essas perguntas.

REENCARNAÇÃO

c. Supostas Memórias de Uma Vida Anterior

Esse tipo de narrativa representa um tipo inteiramente à parte. Nesses casos não há o auxílio da hipnose. O indivíduo simplesmente começa a relembrar-se de uma outra vida, e diversas evidências (incluindo as investigações efetuadas na cena da presumível vida anterior) parecem mostrar a validade do relato, se não mesmo a identificação das entidades envolvidas. Algumas vezes, a capacidade de falar em um outro idioma (sem ter havido qualquer estudo prévio do mesmo, embora sob determinadas circunstâncias) também figura no quadro.

O Dr. Ian Stevenson, — professor doutor de psiquiatria da Universidade da Escola de Medicina de Virgínia, nos Estados Unidos da América, tem mostrado um interesse especial nas implicações da reencarnação, no que concerne à sobrevivência da alma diante da morte biológica. De fato, ele tem recolhido mais de 2.000 casos semelhantes e tem publicado diversos livros e artigos que versam sobre o assunto. Entre esses, poderíamos citar *Twenty Cases Suggestive of Reincarnation*, Charlottesville, University Press of Virginia, 1974; *The Evidence for Survival from Claimed Memories of Former Incarnations*, Journal of the American Society for Psychical Research (abril a julho de 1960); e *Some New Cases Suggestive of Reincarnation*. The Case of Rajul Shah, *The Journal of the American Society for Psychical Research*, julho de 1972. É do último desses artigos que extraímos o material abaixo:

Rajul Shah nasceu em Vinchiya, uma aldeia da Índia, a 14 de agosto de 1960. Com doze meses ela começou a falar, e, quando tinha apenas dois anos e meio, de forma totalmente espontânea, começou a falar a respeito de uma sua vida anterior, na qual ela ter-se-ia chamado Gita. Presumivelmente, Gita morrera ainda bem nova, devido a uma «febre muito grave». Segundo Rajul assevarava, ela teria vivido cerca de cento e sessenta quilômetros de distância de onde agora estava vivendo, em uma aldeia chamada Junagadh.

Visto que a menina continuava a falar de maneira persistente e insistente sobre «Gita», finalmente os seus pais resolveram investigar. Estes supunham que Gita teria morrido mais ou menos ao tempo da data do nascimento de Rajul (suas crenças religiosas encorajavam tal cálculo). As investigações feitas no local revelaram que uma menina de nome Gita havia realmente falecido em Junagadh, a 28 de outubro de 1959, cerca de dez meses antes do nascimento de Rajul. Os registros consultados mostraram que seu pai era Gikaldas K. Thacker. Tendo sabido do episódio, a família Thacker entrou em contato com os pais de Rajul e fizeram-se arranjos para eles visitarem aqueles. Uma vez tendo chegado ali, Rajul demonstrou um misterioso conhecimento sobre a vida, e residência da família Thacker. Ora, estes pertenciam a uma seita religiosa diferente da dos genitores de Rajul, mas, apesar disso, ela demonstrou possuir conhecimento sobre os costumes e ritos da outra seita, coisas a respeito das quais ela nunca tivera oportunidade de tomar conhecimento, como Rajul Shah.

Consideremos Estes Itens

Rajul declarou corretamente (antes mesmo daquela visita) que a residência da família Thacker tinha dois quartos, cozinha e uma varanda. Afirmou que o nome de sua mãe era Shanta ou Kanta. Conforme se descobriu, era Kanta Ben. Ela identificou corretamente os Thackers como membros do Lohanas, uma subcasta ou clã de mercadores, e seu pai, especificamente, como negociante de cereais. Chegou mesmo a descrever os tipos diferentes de vestes que os seus supostos ex-genitores costumavam vestir, — em contraste com o vestuário que a sua atual família usava. Sem cometer qualquer erro, ela descreveu o tipo de utensílios de cozinha que eles usavam, os seus lugares de adoração, além de muitas outras coisas, por demais numerosas para serem mencionadas aqui. Foi capaz de reconhecer vários membros da família Thacker, identificando-os corretamente quanto ao grau de parentesco. Por igual modo, reconheceu armazéns, localizações, etc. Quanto ao episódio da morte da menina, por causa de uma «febre muito alta», também era verdade que Gita havia falecido por haver contraído sarampo.

O Dr. Stevenson foi capaz de preparar uma lista de cerca de *cinqüenta* itens diferentes, com base nas memórias acerca de Gita e das circunstâncias sob as quais ela vivera, tudo o que mostrou estar corretíssimo. Tudo isso ainda torna-se mais admirável quando ficamos sabendo que Rajul tinha então apenas cinco anos de idade. Houve algumas declarações incorretas, é verdade, mas essas só servem para demonstrar que dificilmente poderíamos esperar outra coisa da parte de uma menina que morreu com dois anos de idade, sendo impossível que ela se lembrasse de tudo com muita exatidão, sobretudo porque ela agora estaria falando através de um novo corpo, que tinha somente cinco anos de idade.

Quando, em 1970, então com a idade de dez anos, Rajul Shah foi interrogada se ainda se lembrava de sua vida passada como Gita, ela replicou: «Sim, lembro-me de tudo perfeitamente bem».

Ao investigar o caso, o Dr. Stevenson *teve o cuidado* de impedir qualquer colaboração entre as duas famílias, para que não pudesse haver troca de informações. E ficou satisfeito diante do fato de que não houvera qualquer contato anterior entre as duas famílias. Acrescenta-se a isso que a pequena menina teria tido de ser mui cuidadosamente treinada sobre o que lhe conviria dizer, sem mencionarmos que ela teria de ser dotada de uma tremenda habilidade para dizer o que dizia, em face de sua pouca idade. Entretanto, não havia qualquer evidência de tal fraude.

Porventura Rajul teria sido realmente Gita, apenas alguns anos antes? Em caso negativo, como é que ela foi capaz de lembrar-se de tantos detalhes da vida de Gita? Seriam memórias genuínas sobre uma vida anterior? Ou uma superpercepção extra-sensorial? Ou psicometria? Poderia ser a influência exercida por algum espírito? Em outras palavras, o espírito de Gita ter-se-ia ligado a Rajul, suprindo-lhe aquelas memórias? Discutimos as diversas alternativas no quinto ponto deste artigo.

Outros casos de memória e de memória espontânea

O bem conhecido psíquico, Edgar Cayce, afirmava-se conhecedor de diversas de suas reencarnações anteriores. A sua reencarnação anterior mais recente (segundo diz a informação de que dispomos) teria sido aquela em que ele foi um antigo batedor de fronteira, durante a guerra de 1812, nos Estados Unidos da América. Ele guiava um pequeno grupo, que descia rio abaixo, flutuando em uma jangada. O alimento andava escasso, e as condições não eram nada promissoras para o grupo. O repentino aparecimento de alguns índios solucionou todos os problemas. Os índios assenhorearam-se de todos e mataram-nos. Uma narrativa deveras interessante, mas apenas uma fantasia? A cena transmuta-se, e um Cayce de nossa época encontra-se sentado em uma barbearia, em Virginia Beach, na Flórida. Quando dava uma

REENCARNAÇÃO

espiada em um jornal, um menino de cerca de cinco anos de idade subiu casualmente em seu colo e lhe deu um abraço. — O pai do garoto repreendeu-o, em termos claros, por aquilo que parecia ser um ato ousado em relação a um mero estranho. Disse o pai do garoto: «Você não deveria perturbar esse homem; ele não é ninguém que você conhece». Mas a resposta do menino foi espantosa: «Mas, eu o conheço, sim. Estivemos juntos com fome, no rio». (*Adventures into the Psychic*, por Jess Stearn, pág. 177).

d. Estranhas Marcas de Possíveis Reencarnações:
Sinais de berço bizarros, idiossincráticos

Esses casos com freqüência são acompanhados pela memória espontânea a respeito de alguma outra vida terrena, de tal modo que a pessoa se lembra do que causou aquela marca, transferida para outra suposta reencarnação. Abaixo temos alguns dentre os muitos casos registrados pelo Dr. Stevenson.

Um jovem, que afirmava estar lembrado de haver encontrado a morte durante a Primeira Guerra Mundial, trazia no corpo duas marcas intra-uterinas extraordinariamente semelhantes à cicatrizes deixadas por ferimentos à bala.

Além de um certo número de *outras* indicações convincentes de que Ravi (um menino da Índia) era a mesma personalidade de Nunna (de uma outra época), ele também trazia um *sinal de nascença* que se parecia notavelmente com um ferimento produzido por uma espada. E ele dizia relembrar-se de que havia morrido de um ferimento, quando ainda era Nunna.

Um homem do Alasca, de nome Corliss Chotkin, desde menino ainda pequeno, vinha afirmando que ele era o seu próprio tio-avô, que renascera. Além disso, era fato que o falecido, Victor Vincent, havia predito que tornaria a viver, e que, como prova disso, traria sinais de nascença semelhantes a cicatrizes cirúrgicas, uma devido a uma operação nos olhos e outra por ter sido atravessado o seu pulmão com um golpe penetrante. Realmente, Corliss tinha essas marcas de nascença, chegando mesmo a apresentarem sinais de sutura.

Um homem que vivia em uma aldeia turca exibia, em redor do pescoço, uma lívida marca de nascimento que se assemelhava à queimadura súbita por roçar violento de uma corda. E afirmava poder relembrar-se de que, em outra vida, havia morrido enforcado, por ter sido um ladrão de cavalos.

Essas espetaculares marcas de nascimento poderiam ser desprezadas por muitos com um muxoxo zombeteiro, mas, em alguns casos (e assim fica criado um novo tipo de fenômeno), essas marcas são acompanhadas por memórias, que adicionam provas à hipótese. Presumivelmente, uma alma, mediante uma memória intensa, poderia deixar um sinal em seu novo veículo físico. Também é presumível que a posse de alguma marca bizarra poderia atuar sobre a imaginação de seu possuidor, levando-o a fantasiar alguma história de reencarnação. Essa explicação poderia justificar, pelo menos, alguns casos.

e. Reencarnações Reconhecidas por Meio de Sonhos

Um sonho pode servir de avenida psíquica para o subconsciente. Se o subconsciente de alguém contém informações derivadas de mais de uma vida vivida à face da terra, não seria de se estranhar que algum sonho viesse a perscrutar tais informações. Um caso possível dessa ordem é o que envolveu o Sr. C.F.C. Hill, de Cardiff, na Inglaterra. Em uma carta que ele escreveu ao periódico, *The People*, em agosto de 1936, encontramos a seguinte narrativa:

Desde os seus primeiros anos, o Sr. Hill havia sentido grande familiaridade e simpatia pela América do Sul, mais particularmente ainda pelo Brasil. Na escola, ele chegava a deixar estupefatos os seus professores, a cada vez que lhe era solicitado responder a perguntas relativas à geografia, aos costumes, aos povos, etc., daquele continente. Outrossim, ele costumava ter um sonho que se repetia de vez em quando. Nesse sonho ele aparecia como um explorador que percorria uma densa floresta, quando, subitamente, era atacado pelos nativos. Embora pudesse falar a língua dos aborígenes, e lhes oferecesse presentes, não conseguia mostrar-se suficientemente convincente diante dos selvagens. E então via uma lança que era erguida, bem como o golpe desferido com a mesma, então sentia uma dor lancinante no peito e com isso, despertava do sono.

Finalmente, o Sr. Hill veio a tornar-se camaroteiro dos navios de passageiros da Royal Mail, que viajavam entre a Grã-Bretanha e a América do Sul. Isso lhe conferia a oportunidade de visitar cidades como o Rio de Janeiro e Buenos Aires. E, para sua profunda perplexidade, ele descobriu que era capaz de antecipar os nomes de ruas obscuras, ao passo que muitos edifícios lhe pareciam familiares.

Porém, a experiência mais espantosa de todas ocorreu em conexão com um cavalheiro dinamarquês que ele veio a conhecer a bordo, tendo embarcado em seu navio, juntamente com outros passageiros, na cidade de Santos, um porto brasileiro. O dinamarquês costumava ficar olhando fixamente para o Sr. Hill, o que parecia a este bastante desconcertante, para dizermos o mínimo. Finalmente, o dinamarquês abordou o Sr. Hill, e disse-lhe que desejava mostrar-lhe uma cabeça encolhida, preparada pelos jívaros, uma tribo amazônica de caçadores de cabeças. Curioso, o Sr. Hill examinou a cabeça encolhida. E a sua carta dizia, mais tarde: «Eu sabia que estava olhando para uma contraparte exata de minha própria fisionomia!»

Poderíamos ser tentados a soltar uma gargalhada, mas essa narrativa não é tão ímpar como poderíamos imaginar. Há uma certa modalidade de episódios que envolvem supostas reencarnações, dentro dos quais a semelhança física é um dos pontos salientes, isso pode ser comprovado por antigas fotografias. Poderia a alma impressionar sobre um novo veículo físico certas características desejáveis, que um corpo anterior possuía? Ou casos dessa natureza seriam apenas esquisitas coincidências?

f. Evidências Psicológicas da Reencarnação

Uma outra variedade de narrativa acerca de possíveis reencarnações é aquela que procura demonstrar essa possibilidade por causa de gostos ou aversões, de ambições e temores, em suma, devido à natureza psicológica de uma pessoa. A história transcrita imediatamente acima pertence, em parte, a essa categoria.

A história que passamos a contar envolve urubus, e o leitor bem poderia pensar que ela se destina ao consumo das aves. Novamente, porém, não estamos tratando de algum incidente isolado e, sim, de toda uma modalidade de fenômenos.

Muitas pessoas têm temores irracionais, tão irracionais, em alguns casos, que chegam a ser neuroses. Foi exatamente esse o caso de Alec Kerr-Clarkson, um psiquiatra. Ele estava de visita a um outro psiquiatra, Denys Kelsey, que é membro do Royal College of Physicians, da Inglaterra, a fim de discutirem juntos coisas do interesse de ambos, relativas à hipnose. Com um gesto de amizade, quando o Sr. Kerr-Clarkson estava prestes a partir e

REENCARNAÇÃO

tomar um trem, a fim de retornar ao norte da Inglaterra, o Dr. Kelsey lhe ofereceu, como um presente, alguns faisões. Sem dúvida os faisões deveriam ser um presente extremamente valioso, porquanto, quando isso teve lugar, o racionamento continuava em vigor na Inglaterra. O Sr. Kerr-Clarkson parecia nervoso e embaraçado. E retrocedeu como se estivesse aterrorizado. E exclamou que lhe era impossível tocar naquelas penas! Ele tinha medo de penas de aves!

Joan, a esposa de Dr. Kelsey, que era psiquicamente sensível, subitamente percebeu que aquele terror irracional estava ligado aos urubus. Ela foi capacitada a «ver» uma cena na qual um homem, moribundo em campo de batalha, estava cercado por seis urubus. Fracamente, o homem tentava enxotar os pássaros. Mas estes chegaram-se tão perto que o homem podia sentir-lhes o odor. Finalmente, ela viu os urubus rasgando as carnes do homem ferido. Essa informação deixou o Sr. Kerr-Clarkson extremamente abalado, e o Dr. Kelsey sentiu-se obrigado a interromper o drama.

Naquela mesma noite, devido a um estimulante mental preparado por Joan, o perturbado psiquiatra começou a receber memórias espontâneas. E então, através daquilo que ele foi capaz de relembrar, percebeu-se que ele estava tão profundamente ferido, psiquicamente falando, não tanto por haver sido atacado pelos urubus, mas porque os seus companheiros de farda tinham-no abandonado para morrer de uma morte tão terrível, não tendo desfechado o *golpe de misericórdia* que poderia ter posto fim à vida. Joan também recebeu o conhecimento de que esse ato dos camaradas daquele soldado não fora proposital, e ela foi capaz de convencer o Sr. Kerr-Clarkson disso. Evidentemente os seus companheiros tinham abandonado o ferido à sua sorte, porque pensavam que ele já tivesse morrido. Uma vez aceita a informação, aqueles temores irracionais abandonaram a vítima, que nunca mais temeu tocar em penas de aves. (Informação extraída do livro, *Many Lifetimes*, de Denys Kelsey, págs. 66 a 68).

Essa categoria de narrativas envolve todas as modalidades de preferências, gostos, aversões, etc., e não apenas temores. A teoria por detrás delas é que certas experiências, traumatizantes ou agradáveis, sobrevivem em nós na forma de memórias empanadas. Essas memórias projetam-se para o nosso subconsciente sob a forma de condições psicológicas aberrantes. O Sr. Kelsey, em sua prática como psiquiatra, afirma que, na vasta maioria dos casos, essas coisas, além de outras semelhantes (como enfermidades psicossomáticas) podem ser explicadas mediante as experiências passadas em outra vida terrena. Ocasionalmente, entretanto, por meio do hipnotismo, ele descobre a causa de alguma aberração, em alguma vida anterior. E isso se tem tornado nele um instrumento de diagnóstico e de cura, em sua prática psiquiátrica.

Estaríamos, verdadeiramente, abordando experiências de genuínas vidas anteriores, ou essas vidas prévias seriam meras fantasias? Seriam atos teatrais, que servem de meio pelo qual uma pessoa liberta-se de alguma indesejável distorção psicológica?

g. Reencarnação Subentendida por Conhecimento Especial, Interesses e Habilidades, mas Negativamente, por Tendências para o Mal, Rebelião e Mentalidade Criminosa

Já li a história do general George S. Patton em mais de uma fonte informativa, e suponho que esse relato tem sido largamente divulgado. Patton foi um homem de ação, de raciocínio rápido e de poder de decisão. Como poderia ele acreditar em algo tão improvável como a reencarnação? Todavia, cumpre ao leitor acreditar que assim sucedia. A crença de Patton estava alicerçada não somente sobre sentimentos intuitivos, mas também sobre francos períodos de «tomada de conhecimento», que ocasionalmente lhe chegavam ao consciente, em campo de batalha ou em certos momentos de reflexão. Ele se lembrava, vez por outra, de cenas de suas vidas passadas, nas quais ele teria sido um conquistador militar sem compaixão. Afirmava-se capaz de relembrar antigas estratégias e cenas de batalhas.

De certa feita, no *sul da França*, durante a Primeira Guerra Mundial, Patton achava-se em uma missão secreta, em uma localidade onde nunca antes estivera. Ao longo do caminho, teve a estranha sensação de que já conhecia o local, embora ele e o seu motorista estivessem viajando à noite. Subitamente, ele pensou que sabia qual a localização do acampamento para onde estavam se dirigindo. «Fica imediatamente depois dessa colina, dobrando para a direita?» exclamou Patton. «Não», retrucou o motorista, «mas fica um pouco mais adiante, estrada abaixo». No entanto, no local apontado por Patton, existira um antigo acampamento *dos romanos*.

Na Sicília, durante a Segunda Guerra Mundial, Patton estava sendo guiado em uma excursão pela ilha pela Signora Marconi, curadora de antiguidades. Em meio às explicações que ela lhe oferecia, casualmente ele corrigiu a descrição que ela fizera sobre um avanço dos cartagineses contra a capital de Siracusa. Surpresa, aquela dama perguntou: «O senhor já esteve aqui antes?» «Suponho que sim», replicou o general.

Patton acreditava que os seus antepassados haviam sido guerreiros, e que ele tinha de viver à altura das expectativas deles a seu respeito. E também pensava que estivera vivo entre eles, como um guerreiro do passado. Se pensava que já tinha vivido antes, também pensava que tornaria a viver. Patton tinha o dom de *déjà vu* (que diz: «Eu já vi isto alguma vez!»), e se sentia que ele podia ser contado entre aquele punhado de homens, em todo o mundo, dotados de dons semelhantes aos seus. Em momentos de crise e de iminente morte aparente, ele *lembrava-se do seu destino*, e sabia que o fim não chegaria daquela maneira, e então uma profunda paz tomava conta dele.

Em certa ocasião, na França, acoçado por disparos feitos pelos alemães, Patton jazia deitado de barriga no chão, a fim de evitar ser atingido. Quando, finalmente, adquiriu a coragem para erguer a cabeça e olhar ao seu redor, teve uma visão das cabeças de seus irmãos e do seu avô. Percebeu o cenho cerrado das fisionomias deles, e como que pôde perceber o que eles tencionavam dizer-lhe: «Georgie, Georgie, assim você se torna um desapontamento para nós, aí caído no chão. Lembre-se de que um grande número de Pattons já foi morto, mas nunca houve entre eles um covarde». Diante disso, Patton levantou-se, puxou da pistola e bradou uma ordem de comando. Conseguiu reunir cerca de trezentos homens de infantaria, à ponta de revólver, e então, a pé, dirigiu um ataque de tanques norte-americanos. Aquela visão de seu avô e seus irmãos não desapareceu de diante dos seus olhos enquanto não viu seus parentes que olhavam para ele com ar de aprovação, quando a maré da batalha já tinha mudado. Entre as cartas de Patton, encontrou-se um poema escrito em 1944 que termina com as seguintes linhas:

REENCARNAÇÃO

Como Que Através de um Espelho

Assim, como que através de um espelho,
Contemplo o conflito milenar,
Onde lutei sob muitos disfarces,
Muitos nomes — mas sempre eu.

Mas não vejo, em minha cegueira,
Com quais objetivos eu lutei,
Mas, visto Deus dirigir nossas contendas,
Foi por Sua vontade que combati.

Assim, para sempre, no futuro,
Continuarei lutando, como no passado,
Morrendo só para nascer um guerreiro,
Só para morrer uma vez mais.
(George S. Patton)

Ele tinha fé em Deus, como também fé na força que ele acreditava que Deus lhe conferira. Determinada oração que ele fez, antes da batalha do Bolsão, foi muito criticada, mas nunca será esquecida. As tropas do Terceiro Exército norte-americano tinham-se postado para a batalha, porém, as más condições atmosféricas tornavam impossível a proteção aérea e dificultava a movimentação das tropas. Então ele orou como se segue:

«Pai Todo-poderoso e mui misericordioso, humildemente nós Te rogamos, por Tua grande bondade, que restrinjas essas chuvas imoderadas com as quais temos tido de contender. Concede-nos um bom tempo para a batalha. Ouve-nos graciosamente, a nós, soldados, que Te invocamos para que, armados com o Teu poder, possamos avançar de vitória em vitória, esmagando a opressão e a iniqüidade de nossos inimigos e estabelecendo verdadeira justiça entre os homens e as nações. Amém».

Patton pediu de Deus somente para que as chuvas cessassem. Dentro de si mesmo ele teria as qualidades que se faziam necessárias, conferidas por Deus.

Patton era de uma *família* de guerreiros. Será que suas memórias eram realmente de suas próprias vidas passadas, ou eram exemplos brilhantes de *memória ancestral* e/ou *racial*?

Algumas pessoas dispõem-se a crer na reencarnação por parecer-lhes uma idéia romântica. Não sucedia outro tanto com *Taylor Caldwell*. De fato, ela preferia qualquer outra explicação a alguma estranha história estribada sobre a idéia da reencarnação. Quando ainda era menina bem pequena, o mundo já lhe desfechava duros golpes, e, para ela, a vida era uma provação monstruosa, dolorosa e desagradável. Assim, para ela a idéia da reencarnação não passava de um pensamento deprimente, tão deprimente, de fato, que ela proclamava abertamente que preferia a total extinção a ter de nascer novamente. Mas essa negatividade sobre o tema não impediu que ela passasse por experiências que pareciam destacar a realidade daquilo em que ela não queria crer de forma alguma. Quando ainda era bem pequena, antes que ao menos pudesse entender o significado da palavra *reencarnação*, ela recebeu evidências dessa realidade.

Quando tinha apenas seis anos de idade, uma menina de nome Alice (então com cerca de catorze anos de idade) mostrou-lhe um livro que vinha lendo, com título em inglês *Mill on the Floss*. Sem saber dizer por que, ela tomou o livro nas mãos e declarou: «Entre todos os livros que eu já escrevi, esse sempre foi o meu favorito». Sua colega de folguedos olhou para ela, espantada. Porém, mais ainda estava para suceder, capaz de suscitar admiração. Taylor foi capaz de contar a história toda do livro, embora jamais o tivesse ouvido, e certamente jamais o tivesse lido. Subitamente, ela percebeu o que estava fazendo, e levou um choque.

Anos mais tarde, ela realmente leu o livro, mas já conhecia *cada palavra* do mesmo, antes mesmo de fazer a leitura, e sentiu quando a autora encontrara dificuldade em certa passagem, durante a leitura. Taylor Caldwell teria sido a mesma Mary Ann Evans (cujo pseudônimo foi George Eliot), a autora do citado livro? Um outro incidente sugere a mesma coisa. Antes mesmo dela haver lido *Mill on the Floss*, já havia demonstrado considerável promessa como escritora, e já ganhara vários prêmios escolares por causa de ensaios e breves histórias que escrevera. Uma professora chegou mesmo a observar: «Você sabe de uma coisa? você escreve como George Eliot». (Informação extraída do livro *Adventures into the Psychic*, por Jess Stearn, págs. 178 e ss).

A Sra. Caldwell passou por outras experiências, similares, que envolviam supostas vidas anteriores. Essas experiências incluíam momentos súbitos de tomada de conhecimento, além de sonhos e visões vívidos, breves, mas repetidos. Algumas das coisas que ela aprendeu, através dessas experiências puderam ser autenticadas, ou acidentalmente ou através da investigação proposital. Se as suas estranhas experiências efetivamente foram genuínas provas de vidas anteriores por ela vividas, então ela fora testemunha de muita tristeza, dor e aflição. Indiscutivelmente, Taylor Caldwell era dotada de uma mente brilhante e imaginativa, e era *também* psicamente sensível. As supostas reencarnações que ela descobriu poderiam ter sido casos *incomuns* de retrocognição, ou superpercepção extra-sensorial.

Devido à dor constante, alguns têm chegado a pensar que a morte eterna é a única verdadeira bem-aventurança, a mais querida esperança, o único bálsamo. Foi assim que o expressou o poeta Swineburne:

Estou farto de esperanças e gargalhadas,
De homens que semeiam para colherem,
Daquilo que poderá vir depois da vida,
De homens que vivem e que choram.
Estou cansado dos dias e das horas,
Botões soprados de flores estéreis,
Desejos, e sonhos, e poderes,
E de tudo o mais, menos do sono.

Platão imaginava o ser humano atravessando o rio Estix, a fronteira entre a vida e a morte. Ele descreveu poeticamente como as águas haviam soerguido, dentre as suas memórias, uma tremenda carga, pois havia coisas demais, esperanças demais que tinham sido frustradas, ambições demais que não se tinham cumprido, erros demais e perdas demais. Entretanto, também havia muitas alegrias e vitórias, muitos triunfos, muitas vantagens. Não obstante, a alma não é capaz de suportar tanta coisa. A redenção espera pela alma, e podemos ouvir o chamamento daquele que convidou: «Vinde a mim todos os que estais cansados e sobrecarregados, e eu vos aliviarei» (*Mateus* 11:28).

Consideremos isto: a Mentalidade Criminosa

O artigo intitulado, *The Criminal Mind: A Startling New Look*, por Eugene H. Methvin, publicado pelo *Reader's Digest*, edição de junho de 1978, com certeza é exatamente isso, *espantoso*. Uma das principais teses desse artigo é que as vidas de muitos criminosos não podem ser entendidas se apontarmos somente para o meio ambiente em que foram criados. — Realmente, muitos dentre eles têm sido reconhecidos por seus genitores como crianças diferentes, desde tenra idade, embora vivendo entre outras crianças sem quaisquer tendên-

REENCARNAÇÃO

cias para o crime, normais, a despeito da semelhança da criação. Isso se verifica, sem importar se o criminoso é do tipo violento ou não, como, por exemplo, o assaltante de rua ou o escroque engravatado. Muitos criminosos, pois procedem de famílias estáveis (cerca da metade deles, diz aquele autor). Desde bem cedo começam a acusar a outros por qualquer coisa que haja de errado com eles, sem jamais assumirem a própria culpa. Quando ainda são crianças, tais pessoas são reconhecidas como *caracteres fracos*, e até mesmo acovardados, mas cheios de arrogância, procurando ocultar as suas fraquezas inerentes por detrás de atos de beligerância.

Os criminosos violentos usualmente ofendem ao próximo nas *três áreas* principais do crime, a saber: propriedade, sexo e integridade física. Antes que um criminoso típico seja detido pela primeira vez, já cometeu muitas e variegadas transgressões, até mesmo centenas delas, crimes suficientes para condená-los por mil e quinhentos anos de detenção, se cada crime tivesse de ser julgado em separado. Não obstante, quando um indivíduo desses é finalmente apanhado, tratam-no com excessiva gentileza e recebe uma sentença leve, que serve apenas para encorajá-lo a prosseguir no seu caminho de destruição.

Vamos Retificar o Quadro

Uma grande porcentagem dos criminosos, cujo pano de fundo financeiro e social não pode explicar por quais razões eles são o que são, mostra-se inclinada ao crime desde o começo das suas vidas. Quando *crianças*, foram cronicamente irriquietas, irritadiças, insatisfeitas, — e já furtavam dinheiro das bolsas de suas mães, mentindo, enganando e brigando; e às vezes são criados em meio a outros irmãos e irmãs perfeitamente *normais*, criados no mesmo meio ambiente que eles. Os jovens criminosos parecem apreciar a excitação de evitar a captura, e apreciam até mesmo o ato de serem finalmente apanhados, porquanto isso lhes provê a oportunidade de tentarem escapar ou de mitigarem a sua punição. Lêem livros sobre as leis, aprendem o quanto podem acerca das enfermidades mentais e como devem fingir-se insanos, podendo enganar até os melhores peritos sobre o assunto. Um estudo feito a respeito de cem criminosos violentos, que haviam sido julgados «inocentes por motivo de insanidade», revelou que nenhum daqueles casos permaneceria de pé sob criterioso reexame.

Poderia um homem nascer como um criminoso empedernido? A reencarnação responde: *Certamente!* É que tal indivíduo trouxe de volta, consigo mesmo, aquilo em que se tornara nas suas vidas anteriores. Talvez ele tenha chegado de volta com boas intenções, mas, uma vez aqui, não demora a deslisar para os seus naturais maus caminhos. Ou porventura uma pessoa poderia nascer com alguma forma de defeito cerebral que lhe inspire tendências criminosas? Até agora a ciência não foi capaz de descobrir quaisquer provas em apoio a essa suposição. Mas isso não significa que tal descoberta não possa vir a ser feita.

Essas histórias ilustram, de maneira dramática, certa contenção central, enfatizada pelos pesquisadores da idéia da reencarnação. Um homem *é aquilo que foi*. É o resultado do acúmulo de muitos fatores, tanto negativos quanto positivos. Esses fatores resultam do fato de ter ele vivido muitas vidas, pois, através delas, passou por muitas experiências. As características positivas de um ser humano, bem como as suas debilidades, ou então as suas capacidades ou a ausência das mesmas, não podem ser justificadas pela sua herança genética tão-somente. De fato, até mesmo o seu código genético é determinado pelas suas qualidades espirituais e morais, porque o que é espiritual sempre governa o desenvolvimento e a natureza daquilo que é material, a começar pelo código genético do feto.

Essa é uma maneira mais elaborada de se afirmar a lei da colheita conforme a semeadura. «...aquilo que o homem semear, isso também ceifará...» (*Gálatas* 6:7). Os que acreditam na reencarnação, acreditam também no «quadro maior» da alma. A semeadura e a colheita, que determinam o destino de um indivíduo, não podem ser contidas naquele minúsculo período de tempo inerente a um nascimento e uma morte. Isso seria uma visão muito míope a respeito da alma, diminuindo o próprio conceito do que seja a vida.

Desde escrevi o presente artigo, algumas evidências têm surgido em favor da idéia de que a criminalidade pode ser, em *alguns casos*, o resultado de defeitos cerebrais de nascença. Isto explicaria porque alguns criminosos demonstram más tendências desde crianças. Pessoas que acreditam na reencarnação respondem que o *espírito perverso* é capaz de criar tais defeitos físicos, por pura *perversidade*. Há muitos mistérios sem soluções claras. A discussão continua.

4. Razões Para A Crença na Reencarnação

A seleção das histórias que oferecemos acima foi feita de propósito. Os indivíduos escolhidos representam várias raças e culturas diferentes. São variegadas as maneiras pelas quais eles chegaram a crer (ou chegaram a ver a sua crença confirmada) na reencarnação. O próprio conceito da sobrevivência pode ser mui proveitosamente examinado, se usarmos múltiplos métodos de ataque. Por igual modo, o que dissemos aqui a respeito da reencarnação, até este ponto, representa um exame do conceito feito de vários ângulos vantajosos. Daí podem ser extraídos determinados motivos para acreditarmos nessa idéia.

a. O Fator do Testemunho

A história da reencarnação no pensamento humano é uma das coisas para as quais as pessoas apelam, ao mostrarem por que razão esse conceito é razoável. Neste artigo, no seu segundo ponto, tivemos ocasião de traçar uma breve história da idéia da reencarnação. A leitura daquela porção do artigo mostra que indivíduos provenientes de muitas culturas, religiosas ou irreligiosas igualmente, têm aceitado a validade dessa doutrina. Entre essas pessoas encontramos grandes gênios, como Platão, e outros, além de certas personagens, que, embora não dotadas de tão grande genialidade, foram indivíduos dotados de considerável capacidade intelectual, ou de profunda piedade religiosa, como Filo, o filósofo judeu, ou Plotino.

Marcus Bach, autor, educador, conferencista e autoridade sobre religiões comparadas, diretor da *Foundation for Spiritual Research*, em Palos Verdes Estates, na Califórnia, Estados Unidos da América, sente e procura projetar nos seus escritos, a força desempenhada pelo fator do testemunho, em prol da idéia da reencarnação. Afirma ele: «Dentro do periódico julgamento contra a teoria do renascimento, reúne-se em sua defesa uma hoste de impressionantes testemunhas, como também o próprio tempo» (Artigo intitulado *Of Life and Death: The Case for Reincarnation*, revista *Fate*, out. de 1969, p. 85 e ss). Bach relata um incidente divertido que ocorreu em um ato fúnebre, em uma igreja evangélica fundamentalista. O autor fora convidado a apresentar um sermão fúnebre. Escolheu então como seu texto a passagem de Jó 14:14, que diz: «Morrendo o homem, porventura tornará a viver?» E indagou de si mesmo: «Mas, tornará a viver *onde?*» Então começou a considerar sobre o Zohar e a Cabala da tradição judaica (que asseveram enfaticamente a veracidade da

REENCARNAÇÃO

reencarnação) e especulou que o «onde» um homem poderia viver novamente, bem poderia ser aqui mesmo na terra, em uma outra encarnação.

Em seu sermão, o Sr. Bach teve a coragem de combinar aquele texto com a passagem de Mateus 16:13,14, onde os discípulos expõem, diante de Jesus, várias noções populares (o que as pessoas estavam dizendo) acerca de sua identidade. «Quem diz o povo ser o Filho do homem? E eles responderam: Uns dizem: João Batista; outros: Elias; e outros: Jeremias, ou algum dos profetas». É inegável que a reencarnação estava sob enfoque e nos lábios de homens como os originais doze apóstolos! Posso imaginar as pessoas remexendo-se, fervendo por dentro, naquele ato fúnebre. Só a graça cristã impediu que Bach fosse fisicamente agredido. Não obstante, conforme ele mesmo declarou: «Aprendi muito sobre como se deve falar em público, desde aquela oração memorial!» O choque foi enorme, informa-nos ele, e um dos ministros presentes jamais o perdoou devido à sua suposta inaptidão. Porém, se ele tivesse afirmado que há *algumas* instâncias de reencarnação, em casos especiais (mas tivesse negado o conceito no que concerne a qualquer aplicação mais ampla), não teria havido dificuldades com seus irmãos evangélicos. Todavia, também não teria frisado o ponto que queria enfatizar.

Um outro pregador que apresentou um sermão a respeito da reencarnação, em uma igreja evangélica, foi o Dr. Leslie D. Weatherhead, psicólogo, pregador, pesquisador e mestre. Ele intitulou aquele sermão de «O Caso em Prol da Reencarnação», tendo exposto esse sermão no City Temple, de Londres. Parte do que ele declarou acha-se transcrito abaixo:

«Se cada nascimento no mundo for o nascimento de uma nova alma, não vejo como o progresso poderá ser jamais consumado. Pois, nesse caso, cada alma tem de começar desde a estaca zero. Como, portanto, poderia haver algum progresso nas coisas, que são as mais importantes, se o nascimento de cada nova geração enche o mundo de almas não-regeneradas, prenhes do pecado original? *Jamais* poderá haver um mundo perfeito a menos que, gradualmente, aqueles que nascerem no mundo puderem tirar proveito das lições aprendidas em vidas anteriores».

Já devemos ter ouvido falar da explosão que foi ouvida ao redor do globo. Pois foi exatamente esse sermão, ouvido no mundo inteiro.

Este sermão do Dr. Weatherhead criou bastante debate nos círculos religiosos e gerou uma quantidade considerável do *ódio teológico* (ver o artigo sob aquele título). O debate é *saudável* quando conduzido sem ódio, porque neste exercício, evidências positivas e negativas aumentam para o benefício de todos.

O volume intitulado, *Reincarnation*, de Joseph Head e S.L. Cranston, inclui uma impressionante lista de nomes de pessoas bem conhecidas, da antiguidade ou dos tempos modernos, que davam o seu apoio à hipótese da reencarnação. Abaixo oferecemos algumas poucas citações (relacionadas ao artigo de Bach, mencionado acima):

«A idéia da reencarnação encerra uma explicação extremamente consoladora da realidade, por intermédio da qual o pensamento hindu transpõe dificuldades que deixam atônitos aos pensadores europeus» (*Albert Schweitzer*).

«A única sobrevivência após a morte, que sou capaz de conceber, é o começo de um novo ciclo terreno (na reencarnação)» (*Thomas Edison*).

«Sei que a morte não me atinge. Os nascimentos nos têm conferido enriquecimento e variedade. Não há que duvidar que já morri por dez mil vezes antes» (*Walt Whitman*).

«Vivi na Judéia há dezoito séculos atrás. Até onde eu sou capaz de relembrar-me, tenho-me referido inconscientemente às experiências de um estado anterior da existência» (*Henry David Thoreau*).

«Se um asiático me solicitasse para definir a Europa, eu seria forçado a responder-lhe que essa é a porção do mundo que vive assombrada pela incrível *ilusão* de que o homem foi criado do nada e que o seu presente nascimento é a sua primeira entrada na vida» (*Arthur Schopenhauer*).

O Fator do Testemunho em Reverso

Como é óbvio, uma lista igualmente impressionante de nomes (pessoas procedentes de todas as culturas, religiões, etc.) poderia ser invocada, manifestando-se contrariamente à idéia da reencarnação. A realidade ou irrealidade da reencarnação não pode ser estabelecida mediante esse fator. Não obstante, não podemos ignorar o argumento. Como é claro, todos os grupos e seitas, de natureza política, religiosa, etc., contam com os seus próprios testemunhos que visam demonstrar a sua suposta exclusividade ou superioridade. A verdade não pode ser estabelecida por meio desse método, embora o testemunho pessoal de alguém possa ser veraz, e, por conseguinte, deva ser levado em conta.

b. Argumentos Baseados na Variedade da Experiência Humana.

«O que quer que o mais humilde dos homens afirme, com base em sua própria experiência, sempre será digno de ser ouvido; mas aquilo que até o mais brilhante dos homens vier a negar, em sua ignorância, não merecerá um momento sequer de nossa atenção» (*Sir William Bennett*).

«Assente-se diante dos fatos como uma criancinha; prepare-se para desistir de todas as noções preconcebidas; siga humildemente para onde for conduzido pelos abismos da natureza, porquanto, de outra forma, você nada aprenderá» (*Thomas Huxley*, biólogo inglês, 1825-1895).

«Tenho tido as minhas soluções desde há muito. Porém, ainda não sei como poderei chegar até elas» (*Karl Friedrich Gauss*, Alemanha, 1777-1855).

A *experiência humana*, espontânea ou provocada em laboratório, é uma das principais fontes da verdade. Aqueles que acreditam na reencarnação dispõem de certa variedade de experiências humanas em respaldo das suas reivindicações. Essas experiências incluem a memória readquirida por meio da regressão hipnótica; as súbitas explosões de memórias do passado, que então se reiteram persistentemente; a cura de enfermidades psicossomáticas através da rememorização de algum trauma sofrido em uma vida passada; estranhas marcas no corpo, que talvez indiquem alguma injúria física anterior; a memória readquirida por meio dos sonhos; condições psicológicas especiais, vinculadas à memória de suas causas; habilidades, incapacidades, interesses ou aversões, em associação à memória a respeito das condições de alguma vida passada, que funcionem como causas daquelas condições psicológicas.

Uma variedade de evidências deve ser respeitada, mas por si, não comprova um argumento porque sempre há uma variedade de contra-evidências. É justamente por isso que a investigação deve continuar até a verdade emergir essencialmente sem a perturbação de contra-argumentos.

As pesquisas têm mostrado que há alguma

REENCARNAÇÃO

realidade por detrás dessas narrativas a respeito da possibilidade da reencarnação. As evidências colhidas são extremamente numerosas e variegadas, e originam-se de indivíduos provenientes de diversas culturas e formações, ficando assim eliminada a possibilidade de outras fontes que não sejam a imaginação e a alucinação. Talvez a reencarnação não seja uma causa, pois é possível que causas psíquicas, ou outras, estejam em operação. Não estamos abordando apenas relatos interessantes, que nada tenham a ver com as dimensões da alma. Nesses casos, há alguma coisa que diz respeito à porção espiritual do homem. Ora, a reencarnação é uma resposta plausível para esses mistérios. Todavia, oferecemos outras possibilidades, no quinto ponto deste artigo, *Explicações Alternativas*.

O poeta inglês, John Masefield, sentiu-se inspirado pela idéia, e escreveu:

Mantenho que quando uma pessoa
  morre,
Sua alma retorna novamente
  à terra;
Revestida de algum novo
  disfarce de carne,
Com membros mais fortes e cérebro
  mais brilhante,
A antiga alma caminha de novo
  pela estrada!

Meus amigos, apresento aqui os raciocínios dos defensores da realidade da reencarnação. Cada raciocínio, obviamente, tem um ou mais contra-raciocínios que podem ser apresentados pelos intérpretes que negam a validade da teoria. Todavia, ofereço a argumentação em favor da reencarnação essencialmente sem as interrupções de contra-argumentação. Sob ponto 5, apresento, detalhadamente, os contra-raciocínios.

c. Argumentos Morais
1. A Lei da Colheita Segundo a Semeadura

Os defensores da doutrina da reencarnação mostram-se enfáticos quanto a esse particular. Eles acreditam que esse conceito explica, melhor que qualquer outra idéia, a «causa» do sofrimento humano. O indivíduo estaria apenas recebendo aquilo que merece, de bom ou de mau. Ele é o que foi. O homem acaba por reencontrar-se. Um dos mais intrincados problemas que a filosofia e a fé religiosa precisam enfrentar consiste no problema do mal. De onde procede ele? por que motivo os homens sofrem? Se a alma não é preexistente, e nem está «acumulando» existências anteriores, por que razão um indivíduo sofre muito mais do que outro qualquer, neste vida terrena? A resposta que diz: «Essa é a vontade de Deus», é por demais vaga, e não explica coisa nenhuma, pelo menos no que tange aos defensores da idéia da reencarnação. Sim, trata-se da vontade de Deus, mas por meio de qual *modus operandi*, e com base em qual raciocínio?

O comentário de Albert Schweitzer repousa sobre a explicação supostamente superior, postulada pela reencarnação, diante do mal e do sofrimento, conforme manifestam-se os mesmos em nosso mundo.

«A idéia da reencarnação encerra uma explicação extremamente consoladora da realidade, por intermédio da qual o pensamento hindu transpõe dificuldades que deixam atônitos os pensadores europeus»

O *Problema do Mal* (ver o artigo sob este título) é um dos problemas mais difíceis que os teólogos e filósofos enfrentam. A reencarnação oferece uma solução possível. Há outras soluções propostas que o leitor pode consultar no artigo mencionado.

2. A Justiça do Sofrimento

Não há sofrimento que não corresponda a algo anteriormente praticado. Não existe benefício alcançado que não corresponda a algum bem anteriormente feito. Essa linha de raciocínio dá apoio à idéia da absoluta justiça de Deus, ao tratar com os homens. Temos aqui um argumento moral em prol da reencarnação, uma subcategoria do argumento anterior.

3. A Responsabilidade Pessoal

As coisas que acontecem a uma pessoa, não lhe acontecem ao acaso. Cada qual é a causa daquilo que sofre, bem como daquilo que lhe sucede de bom. É necessário que cada qual assuma a responsabilidade por todas essas coisas. Não se lance a culpa sobre o acaso cego. Abandonemos a idéia de que o caos nos levou até onde nos encontramos atualmente. Pelo contrário, assumamos a nossa responsabilidade, e assim poderemos dirigir a nossa vida em qualquer direção que desejemos fazê-lo. Todas as coisas são governadas por um grandioso desígnio, intrincado, compelidor e terrivelmente inexorável. Assim sendo, quanto mais prontamente nos conformarmos à vontade de Deus, à sua justiça, bondade e amor, melhor será para nós. Ele criou a todos nós como seres responsáveis. A cada passo do caminho, vamo-nos encontrando conosco mesmos. O conceito da reencarnação salienta esse tipo de explicação quanto à responsabilidade pessoal, e os seus defensores pensam que isso milita em favor do seu valor como uma verdade metafísica.

4. Criação, Preservação e Valores

Um único período de vida não é suficiente para que o indivíduo possa cumprir a sua missão terrena. Algumas pessoas podem atuar em certa variedade de realizações, cumprindo alguma missão realmente significativa, entretanto, a fim de fazerem isso, precisam do tempo envolvido em muitas vidas terrenas. E assim, retornam a fim de darem prosseguimento à sua obra inacabada. O relógio não pode entravá-los. Essa é a idéia que resplende por detrás daquela declaração de Henry Ford:

«Adotei a teoria da reencarnação quando eu estava com vinte e seis anos de idade. Quando a descobri, foi como se eu tivesse encontrado um plano universal. Percebi que havia uma oportunidade das minhas idéias serem testadas e concretizadas. O tempo não continuava limitado. Eu não era mais escravo dos ponteiros do relógio».

Esse mesmo conceito rebrilhava por detrás da noção judaica de que os grandes profetas, como Elias e Jeremias, teriam mais de uma missão terrena a cumprir, mais de uma só oportunidade de promoverem os valores espirituais em particular que sabiam que os homens necessitam, a fim de aprenderem os mesmos e de se conformarem a eles.

Essa idéia envolve um esforço comum, e não meramente individual. Muitos acreditam que as pessoas retornam em grupos inteiros (família, comunidade, e mesmo nação) a fim de atacarem problemas e projetos mútuos. A reencarnação seria uma escola. Afirma-se que apesar do destino do homem ser uma outra dimensão da existência, onde ele afinal chegará, aquilo que acontece neste mundo é igualmente importante. De fato, o que acontece aqui determina quando e como entraremos em esferas mais avançadas do aprendizado e do progresso da alma.

É possível, todavia, que almas trabalhem em grupos ou times através dos séculos. Assim, propósitos e missões poderiam continuar, de uma alma para outra, sem a reencarnação de membros individuais da fraternidade.

5. Uma Força Moral que Altera Nosso Modo de Pensar

É um bom negócio alguém ser uma boa pessoa. A reencarnação demonstra que uma pessoa tem de pagar, pagar e pagar, a menos que aprenda a dar, a amar e a cuidar do próximo. Entretanto, além disso, a reencarnação ensina-nos a olhar para as coisas com otimismo. Se Deus é inexoravelmente justo, também é enormemente longânimo, paciente. Ele sabe que somos apenas pó, e compreende o poder imenso que o mal tem de influenciar-nos. Deus mostra-se gracioso em sua orientação. O plano divino não se assemelha ao café instantâneo, isto é, não requer de uma alma que determine o seu destino eterno no espaço de apenas alguns anos, e isso sob circunstâncias adversas, as quais, sejamos francos, no caso de multidões de indivíduos, não oferecem aos homens qualquer oportunidade de redenção. Mas a reencarnação garante, de modo absoluto, que todos os homens recebam uma adequada oportunidade, embora não garanta que todos venham a alcançar bom êxito. Esse sucesso fica na dependência de cada qual utilizar-se apropriadamente da sua oportunidade. Todavia, cada qual recebe a sua oportunidade, e não devemos permitir qualquer equívoco quanto a esse fato.

Esses conceitos infundem esperança nos homens. Eles já estão caminhando há muito tempo; já sofreram bastante; já aprenderam alguma coisa; e agora, prosseguem. Se já pudemos experimentar a vida e a morte por muitas vezes, e daí? Fomos capazes de chegar até onde estamos, e temos sido capacitados à triunfar. As coisas não têm sido tão más assim. De fato, tudo tem sido uma grande aventura. A esperança vive, e a vida conquista a morte.

Há outras forças morais e outros meios para continuar o desenvolvimento espiritual. Tais coisas podem existir sem a reencarnação. Devemos procurar as nossas soluções honestamente e diligentemente, examinando *todas* as possibilidades.

d. Argumentos Teológicos, Ontológicos e Metafísicos

1. A reencarnação é a idéia que oferece a melhor explicação para a **origem da alma**, bem como a sua união com o corpo físico. Esse é o argumento ontológico, isto é, que tem algo a ver com a própria natureza do ser. As alternativas da reencarnação são as que se seguem:

O criacionismo. Essa é a idéia que afirma que Deus, por ocasião da concepção ou nascimento de cada indivíduo, cria uma alma completamente nova. Assim, se alguém está com trinta anos de idade, na realidade terá existido somente durante esse espaço de tempo. Teologicamente, contra tal noção, temos a considerar o problema que indaga por que razão uma alma recém-criada tem de ser má, segundo nos é ensinado pela doutrina do pecado original. A doutrina bíblica concernente ao pecado não diz que os homens tornam-se pecadores em face do seu meio ambiente, mas antes, que a própria alma é decaída, tendo trazido essa decadência para a sua existência mortal. Entretanto, se Deus cria uma alma nova, a cada concepção ou nascimento, poderíamos supor que ele cria uma alma pecaminosa?

Também levantam-se outras considerações que militam contra a teoria do criacionismo. O criacionismo força Deus a tornar-se por demais atarefado em apenas uma linha de atividades. Parece-nos que ele apelaria judiciosamente para outro plano, com maior poupança de tempo. Além disso, essa idéia obriga Deus a inclinar-se diante do impulso procriador do homem, sem importar quão pervertido se mostre esse impulso. E assim, até mesmo o incesto, o adultério e o estupro obrigá-Lo-iam a criar uma alma nova. Não, essa idéia não faz sentido. Para mim é impossível imaginar que Deus se incline diante das loucuras do impulso procriador humano. Acresça-se a isso a consideração psicológica: poderia ser verdade que tenho apenas a idade do meu próprio corpo, e que eu dependo tanto desse corpo que tive de esperar pela sua existência, até que meus pais mo proveram, através de um ato animal?

Os pais alexandrinos da Igreja acreditavam na preexistência da alma, sem o acompanhamento da idéia da reencarnação. Naturalmente, Orígenes (segundo já vimos) cria em uma reencarnação limitada, que permitiria a determinadas pessoas cumprirem múltiplas missões. Eles também acreditavam que o homem foi criado por ocasião da criação dos anjos, e, assim sendo, também acreditavam que o homem é antiqüíssimo, embora assuma a existência física somente por uma vez. De acordo com essa idéia, uma alma decaída arrastaria a sua condição moral depravada a esta existência terrena, mas viria a esta vida apenas por uma vez. A maioria dos pais alexandrinos preservava a idéia de uma ampla oportunidade, o que também é postulado pelo conceito da reencarnação, ao afirmarem eles que essa oportunidade prolonga-se no hades, porquanto Cristo realizou uma missão misericordiosa naquela dimensão e proveu uma oportunidade de redenção na vida após túmulo (baseados como estavam eles no ensino sobre a descida de Cristo ao hades, em I Pedro 3:18 - 4:6). Para os advogados da idéia de reencarnação, essa linha de raciocínio teológico é muito superior à noção esposada pelo criacionismo, mas, ainda para eles, tal idéia poderia ser melhorada mediante a suposição de que a jornada terrena talvez envolva vários capítulos neste mundo, que serviriam de preparação para as regiões celestiais.

A maioria dos cristãos assevera categoricamente: «Viveremos após a morte». Todavia, alguns cristãos, à semelhança do que faz o conceito da reencarnação, dizem: «É verdade; mas a vida envolve mais que isso. Já vivemos antes da vida presente. O nascimento do indivíduo não marcou o início da sua existência, e, por certo, a morte também não será o seu fim».

O traducionismo. Esse é o conceito que diz que o próprio processo da procriação, sem o concurso de qualquer ato especial de Deus, envolve a capacidade de produzir não somente o corpo, mas também a alma. Em outras palavras, os pais, por serem seres físicos e espirituais (ao mesmo tempo), mui naturalmente reproduzem (mediante o ato da procriação) um outro ser, em seus aspectos físico e espiritual. Ora, em vista dos pais estarem maculados pelo pecado, naturalmente reproduzem uma progênie pecaminosa, semelhante a eles mesmos. Os estóicos defendiam o conceito do traducionismo, como também o fazia Agostinho. Alguns teólogos modernos julgam que essa explicação é mais convincente que o conceito do criacionismo. De fato, assim sucede, mas o traducionismo, por sua vez, não é tão convincente quanto a idéia da preexistência da alma. Não obstante, o traducionismo cria imensos problemas na área da procriação, a qual, por si mesma, já é plena de variegados mistérios.

A preexistência da alma. Essa é a idéia que assegura que a alma foi criada há muito tempo atrás. Alguns dizem que a alma humana foi criada juntamente com os anjos. Orígenes não acreditava

REENCARNAÇÃO

que exista qualquer substancial diferença metafísica entre um anjo e um homem, excetuando a distância imposta pela queda do homem no pecado, que o rebaixou de seu estado anterior. Os pais alexandrinos acreditavam na antiguidade da alma, mas mostraram-se imprecisos a respeito de onde estaria o homem, e acerca do que ele estaria fazendo, antes de sua (única) encarnação terrena. A doutrina da reencarnação propõe-se a dizer-nos onde a alma se encontrava: sobre a terra (ou em alguma outra dimensão da existência) passando por vários ciclos de existência, a fim de aprender a retornar a Deus. Assim sendo, muitos defensores da idéia da reencarnação professam crer que há muitas dimensões da existência, e que a terra não seria a nossa única escola nesse aprendizado.

Em favor da preexistência da alma, poderíamos aduzir o *fator psicológico*: «Sei que não tenho apenas trinta anos de idade!» poderia alguém dizer. Tal pessoa sente que não pode identificar-se meramente com o seu corpo físico. O espírito vem primeiro, e só depois o corpo físico. Esse fator também é favorecido pelo fato de que pode fornecer uma *melhor* resposta para o problema que o homem é uma criatura decaída (embora sem se levar em conta o seu meio ambiente). A queda no pecado antecederia ao nascimento físico, porquanto os corpos físicos vão sendo ocupados por almas já decaídas.

O conceito da preexistência da alma também libera Deus da *desagradável tarefa* de ficar constantemente criando almas novas, bem como de ter de sujeitar-se às atividades procriativas dos homens, muitas vezes aberrantes.

Além disso, a idéia da preexistência da alma conta, a seu favor, com certa dose de *evidências científicas*. É que, em redor do ovo fertilizado e do feto em desenvolvimento (no homem, tanto quanto nos animais), existe a aura, um campo de energia luminosa. Existem evidências suficientes para indicar que esse campo de energia guia o código genético, isto é, determina o desenvolvimento da formação física do feto. Nesse caso, o que é que governa esse campo de energia? A resposta é óbvia: a alma. A alma, que já existe desde antes do corpo, é a inteligência que determina o desenvolvimento do feto, e isso é efetuado através do campo de energia que se tem podido fotografar por meio do processo fotográfico kirliano. A ciência tem podido demonstrar que esse campo de energia ocupa posição primária, ao passo que o corpo físico é secundário. Todavia, ainda mais primária que a aura é a alma. Ela vem antes de tudo e governa o desenvolvimento do seu próprio veículo físico. Toda e qualquer vida é imaterial, e a matéria meramente serve de veículo de expressão. Platão já havia pensado nisso, desde a antiguidade. A nossa ciência, a nossa fé religiosa, a nossa filosofia e a nossa razão também segredam-nos que ele estava com a razão.

Finalmente, devemos considerar a *razão filosófica*, dotada de considerável peso. Quase certamente estão certos os filósofos que têm sabido distinguir, de forma radical, o mundo material do mundo espiritual. Fala-se sobre o mundo das idéias (Platão) sobre o mundo do intelecto (Aristóteles) e sobre o mundo da mente (filósofos idealistas) — meros sinônimos do espírito e daquilo que é espiritual. Esse mundo ideal, intelectual, mental, espiritual existe separado do mundo material. Pertence a uma *categoria diferente*, mas dispõe de meios para interagir com o nosso mundo material, por razões específicas. Esse mundo espiritual é primordial, em razão do que ele existe *antes e depois*, além de estar *separado* do mundo material. A alma pertence ao mundo espiritual, e não a este mundo dos sentidos.

Ora, esse conceito requer a realidade da preexistência da alma, porquanto em sentido algum a matéria pode ser a causa primária, e nem é absolutamente necessária a relação entre o intelecto e a matéria, e nem essa relação pode ser concebida como algo permanente. Em suma, a diferença radical, quanto à espécie, que existe entre a alma e o corpo (a primeira é espiritual, e o último é material) não nos permite identificar as duas coisas quanto à sua origem e quanto ao tempo de seu começo. Cada qual tem o seu próprio começo, na sua respectiva esfera.

2. A Reencarnação Nega a Perspectiva Pessimista sobre o Mundo

Se a oportunidade de redenção estivesse limitada apenas a um período de vida terrena, e se somente aqueles que ouvem e aceitam a mensagem espiritual da maneira correta, ou seja, durante esta vida terrena, pudessem ser salvos, então não somente alguns poucos seriam finalmente remidos, mas também pouquíssimos, desde o início da história, *tiveram qualquer chance* de ser remidos. O primeiro capítulo da epístola aos Romanos ensina que Deus seria justo se condenasse a todos os seres humanos. Os capítulos dois e três daquela epístola confirmam essa tese, aplicando-a a todas as raças humanas. Porém, começando mais ou menos na metade do terceiro capítulo dessa mesma epístola, é-nos assegurado que há uma notável provisão da graça divina, capaz de estabelecer uma diferença fundamental. Em outras palavras, a graça de Deus garante que não haverá jamais tal coisa como a justiça crua. A justiça divina sempre haverá de manifestar-se revestida pelo amor e pela graça. Por conseguinte, apesar de que, teoricamente, poderíamos contemplar uma criação com uma finalidade pessimista, também nos foi garantido que as coisas, na realidade, não terminarão desastrosamente.

A oportunidade, tanto para se desenvolver como para obter a salvação, certamente é oferecida após-túmulo. A doutrina da *Descida de Cristo ao Hades* (ver o artigo sob esse título) garante a continuidade da oportunidade. A missão *tridimensional* de Cristo, na terra, no hades e nos céus, oferece ampla oportunidade, para *todos os homens* de todos os tempos. Assim, a reencarnação não é necessária para a continuação da oportunidade, mas *poderia* ser *um* meio entre outros para esta finalidade.

3. A Reencarnção Explica e Aprimora o Conceito da Justiça de Deus

Já tivemos ocasião para frisar tal coisa nos parágrafos acima. Esse conceito exige plena retribuição e plena recompensa para as obras praticadas pelo homem, o que concorda com um princípio moral universalmente aceito. Porém, se Deus é realmente justo, torna-se mister que ele nos forneça um período razoável de tempo, durante o qual se esperaria que ouvíssemos, acolhêssemos e obedecêssemos às suas exigências. Ele não pode dar aos homens um teste que não possa ser adequadamente manuseado, dentro dos apertados limites de tempo de uma só vida na terra.

Se considerarmos a questão da justiça, ainda de acordo com um outro ângulo, teremos de levar em conta o seguinte enigma: Que dizer sobre os infantes e as crianças pequenas que morrem? Uma resposta padronizada é aquela que diz que esses serão *salvos*, e isso porque ainda não chegaram à idade da razão, não podendo ainda ser considerados responsáveis. Na verdade, porém, essa é uma resposta extrabíblica, pois a Bíblia não ensina tal idéia. Não obstante, trata-se de um conceito largamente difundido e

REENCARNAÇÃO

aceito. E por que é ele aceito? Por ser *mais razoável* do que a idéia contrária, isto é, a condenação de infantes e de crianças pequenas, que dificilmente poderiam agir em consonância com as demandas de Deus à alma humana.

Uma outra resposta a essa pergunta, e oferecida por uma pequena minoria, a dos hipercalvinistas, é que esses infantes e crianças pequenas se perdem, e, portanto, vão para o inferno. Todavia, faz-se o reparo que o inferno sofrido pelos tais seria menos intenso, a despeito de que seria um sofrimento infernal. Doutrinariamente considerada, a grande verdade é que essa resposta é mais coerente que aquela, porquanto o sistema cristão também ensina que o juízo sobrevém aos homens por causa do pecado, e também que todos os homens já *nascem* pecadores. Ninguém torna-se pecador devido à força deletéria do seu meio ambiente. Todos os membros da raça humana decaída começam a existir como seres decaídos, desde o nascimento. (E a reencarnação assevera que todos já eram pecadores, *antes* mesmo do nascimento, sendo que concorda que os homens começam esta vida como pecadores). Contudo, a maioria das pessoas, com formação teológica ou não, rejeita corretamente essa doutrina hipercalvinista, embora ela se harmonize melhor com o pensamento cristão em geral a respeito das causas do juízo divino, em confronto com aquela outra idéia.

A reencarnação fornece uma resposta *melhor* (pelo menos, segundo alguns pensadores religiosos) do que qualquer uma dessas outras posições. Se uma alma retornar a um outro veículo físico, e por aqui tiver permanecido durante um dia, algumas poucas semanas, ou mesmo alguns meses, para então ir-se embora deste mundo, em face da morte do corpo, então tal alma não terá sido significativamente aprimorada, e nem terá sido significativamente prejudicada devido a tão abreviada excursão terrestre, se é que tão breve período seja realmente levado em conta. Pouco, ou mesmo nada, foi aprendido por tal alma, pouco, ou mesmo nada, foi perdido ou ganho. Em outras palavras, tão breve permanência na terra reveste-se de relativa insignificância para a história de uma alma, não sendo capaz de causar a menor agitação à superfície do nosso oceano teológico.

Pelo contrário, antes de sua reentrada na vida deste mundo, a alma já trazia determinadas características espirituais. Por causa dessas características é que ela deve ser contada ou não entre os remidos. Se for contada entre os remidos, então essa alma veio à terra a fim de cumprir alguma espécie de missão. Mas, se não for contada entre os remidos, então terá de prosseguir em sua jornada, a fim de aprender mais, a fim de buscar mais. O fato de uma alma haver sido subitamente removida da terra não é capaz de distorcer qualquer desses dois propósitos, *senão por algum tempo*, mas a sua entrada na vida terrestre não pode ter exercido influência apreciável sobre a sua qualidade espiritual, que ela já trouxera de sua preexistência. Mas, no tocante ao destino eterno da alma, coisa alguma pode ter sido resolvida por um nascimento e uma morte tão imediatos.

Posto isto, o conceito da reencarnação extrai toda a aura de mistério quanto aos infantes que morrem, ficando também solucionado o mistério sobre o que aconteceria com as almas desses corpinhos. No que tange ao propósito dessas mortes tão prematuras, provavelmente estaríamos corretos ao pensar que elas visam muito mais a ensinar algo aos que ficam na terra do que a ensinar algo às próprias criancinhas.

Se a alma que ficou tão pouco tempo no corpo tem a oportunidade de continuar numa esfera espiritual, tanto para se desenvolver como para obter a salvação, então a graça de Deus abundaria através *deste meio*, mas não através da reencarnação. Ou a graça de Deus é tão abundante que poderia operar através dos dois meios.

4. A Reencarnação Faz Parte da Revelação

Sob o segundo ponto deste artigo, intitulado *História da Reencarnação no Pensamento Humano*, subdivisão *d*, *A Reencarnação no Pensamento Cristão*, apresentei quatro passagens do Novo Testamento que mostram que esse nosso maior documento contém a idéia do renascimento físico, ainda que a exponha de modo indireto. Os comentários ali feitos observam que o sistema doutrinário cristão, apesar de aceitar a possibilidade—e até mesmo o fato, da reencarnação—não incluiu tal conceito em seu sistema, no tocante à redenção humana. Poderíamos supor, com base no próprio Novo Testamento, que vários autores dos livros da coletânea sagrada aceitavam a reencarnação como algo que realmente tem lugar, pelo menos em casos especiais, que envolvam novas missões a serem desempenhadas na terra. Todavia, no Novo Testamento, essa limitada aceitação do conceito da reencarnação não é estendida aos homens em geral. Portanto, temos ali a idéia da reencarnação visando os propósitos especiais, mas não a sua generalização quanto ao destino humano. O Novo Testamento não afirma abertamente essa interpretação, mas somos capazes de deduzi-la por intermédio da maneira como a reencarnação *é ou não é* mencionada. Ela é mencionada no caso de *alguns*, mas *não é* mencionada no caso de *todos*.

Sem embargo, podemos asseverar que o princípio da reencarnação, por si mesmo, não é estranho à Bíblia, e nem mesmo ao pensamento cristão. Aqueles cristãos que acreditam no postulado da reencarnação tenderiam por declarar, nesta altura, que foi um erro o Novo Testamento não ter demorado mais sobre a idéia. Alguns teólogos que se inclinam por acolher a idéia poderiam explicar que, em vista da redenção humana poder agora ser conseguida através da graça divina, em um único salto, mediante o arrependimento genuíno, em face da missão expiatória de Cristo, teria sido um erro de cálculo se os escritores neotestamentários tivessem ensinado a idéia da reencarnação, lado a lado com a doutrina da graça divina, porquanto isso tenderia por debilitar o vigor da revelação cristã. Destarte, ambas as doutrinas seriam verdadeiras—a reencarnação prosseguiria, mas agora o livramento imediato é possível—embora o Novo Testamento saliente apenas a segunda dessas idéias. E essa ênfase visaria às massas populares que não seriam capazes de manusear ambos esses conceitos ao mesmo tempo, sendo que também se trata de uma ênfase correta. Poderíamos aduzir ainda outros raciocínios, pelo que, no sétimo ponto do presente artigo, procuro expor um exame mais completo da questão.

e. A Reencarnação é a Melhor Explicação Isolada Para os Fatos

Apesar de haverem problemas envolvidos na tese da reencarnação, e apesar de que certas explicações alternativas talvez expliquem alguns casos de supostos renascimentos físicos, o fato é que a idéia da reencarnação, como algo que envolve a todos os homens, é a melhor explicação isolada dos fatos retratados pelos casos historiados. Se essa declaração corresponde ou não à verdade, isso é algo que pode ser submetido a teste (embora quiçá não se obtenha uma solução final) mediante a leitura dos argumentos expostos acima, em favor da reencarnação, após o que

REENCARNAÇÃO

se compare esses argumentos com as «explicações alternativas», que passamos a descrever.

5. Explicações Alternativas

Como é que esses casos, por mim apresentados, poderiam ser devidamente explicados, a menos que nos utilizássemos do conceito da reencarnação?

a. Especificamente Contra a Regressão Hipnótica Como uma Evidência

Certos psicólogos têm denunciado o emprego da hipnose na tentativa de descobrir supostas vidas anteriores na terra, declarando que isso desperta uma intensa emoção, e isso seria um ponto positivo para os defensores da idéia da reencarnação, mas um ponto negativo para a prática da psicanálise. A regressão hipnótica tem sido denunciada como «fantasia científica», como «pseudociência» e como mero acobertamento do que se costumava chamar de «múltipla personalidade», um estranho fenômeno que não requer qualquer explicação como aquela que fala sobre «outras vidas» à face da terra.

A hipnose envolveria ainda diversas fraquezas, considerada como um instrumento a ser usado em tais casos, a saber:

1. É fato bem conhecido que a pessoa hipnotizada anela por agradar ao seu hipnotizador, sendo que poderia apresentar uma boa história de vida anterior exatamente com essa finalidade. E visto que a hipnose intensifica a capacidade criativa da mente, algumas histórias muito fantásticas podem ser inventadas por esse intermédio.

2. O participante, a fim de narrar uma boa história, vasculha memórias subconscientes, que ele tece para fornecer inúmeros detalhes sobre alegadas vidas passadas, em razão do que é capaz de falar de maneira convincente, conferindo às suas narrativas um tom de veracidade.

3. A hipnose *não põe fim* à tendência do indivíduo mentir descaradamente. Assim, a pessoa poderia pensar consigo mesmo: «Ah! e se eu contasse para eles que eu fui isto ou aquilo, em alguma vida anterior?» O velho desejo da autoglorificação não pode ser dominado, nem mesmo com o auxílio da hipnose.

Contra essa alternativa, os defensores da idéia da reencarnação sentem-se capazes de retrucar:

Como é patente, alguns relatos sobre supostas vidas anteriores neste mundo são exatamente o que sugerem. Muitas narrativas que falam de alguma reencarnação, em algum tempo recente, e, conseqüentemente, facilmente verificáveis, terminam por mostrar-se puras fantasias, mesmo quando tais narrativas são vazadas em excelente estilo literário, rebrilhantes de impressionantes detalhes. Alguns desses relatos, embora totalmente convincentes, nada são senão um produto da faculdade inventiva do homem, plenamente liberada pela hipnose.

Todavia, objeções como essas não conseguem justificar aquelas outras narrativas que têm sido comprovadas em todos os seus detalhes, conforme se vê nos diversos casos expostos neste artigo. Se certos eventos do passado *realmente tiveram lugar*, e se certos lugares e personagens *realmente existiram*, tais coisas dificilmente poderiam ser produtos de uma mente imaginativa que resolvesse usar o seu subconsciente como fonte informativa. Alguns desses casos envolvem um genuíno retroconhecimento, e não meras fantasias. A questão que se impõe é: «*Como é que essas pessoas foram capazes de detectar o passado?*» As tentativas de explicação, acima, ditadas pelo ceticismo, não fornecem qualquer resposta para essa indagação. Meramente elimina *alguns casos*, tachando-os de fantasias

b. A Hipnose Pode Produzir a Mediunidade
(envolvendo um espírito humano)

As coisas poderiam acontecer desta maneira: um genuíno espírito humano (desencarnado) deseja entrar em comunicação com os vivos. Eis que, por acaso (suponho eu) ele vê uma pessoa que está sendo hipnotizada. Visto que o espírito desta última está-se liberando do seu corpo físico, então aquele espírito (que por acaso passava próximo) tira proveito da oportunidade e passa a vir habitar temporariamente no corpo da pessoa hipnotizada; ou então, através de alguma força mental avassaladora, o espírito leva a pessoa hipnotizada a identificar-se com ele mesmo, fazendo-a pensar temporariamente que, em algum tempo passado, a pessoa hipnotizada foi aquele outro indivíduo (que agora é—um espírito). Em um caso assim, a reencarnação ficaria eliminada, porquanto o que estaria envolvido seria um caso de retrocognição (por intermédio da mediunidade) e não o caso de um espírito que nasceu por duas vezes.

Problemas Envolvidos Nessa Teoria Contrária

1. Se um espírito que estivesse vagueando quisesse entrar em comunicação com os vivos, por qual razão ofereceria um esboço de sua vida passada (enquanto habitava em um corpo físico) mas nada diria sobre a sua existência atual?

2. Por que tal espírito aparentemente *não teria consciência de sua presente existência*, mas usaria a sua grande oportunidade para recontar eventos passados, muitos dos quais são banais, afinal de contas? Parece que qualquer espírito, que tivesse a oportunidade de aproveitar-se dessas ocasiões relativamente raras, haveria de querer comunicar algo de significativo, acerca do que seria a vida do outro lado da existência, etc.

3. Por que um espírito *vagabundo* teria qualquer motivo para provocar a identidade com outra entidade? Por que ele não diria: «Vivi esta ou aquela vida, e essas coisas aconteceram, e quero que vocês saibam dessas coisas?» E por que iludiria à pessoa hipnotizada, levando-a a supor que ela é a personagem que viveu a vida assim descrita?

4. As comunicações mediúnicas não pertencem a esse naipe. Quando um suposto espírito humano se comunica, geralmente anela por identificar-se, narrando a sua história ou dando o seu conselho. Todavia, não anseia por fazer o «médium» pensar que o espírito e o «médium» sejam uma só e a mesma pessoa.

5. Seria possível (e, nesse caso, qual a freqüência da ocorrência?) que um espírito itinerante pudesse substituir tão completamente o espírito da pessoa hipnotizada que esta chegasse a falar sobre a vida de outrem como se tivesse sido a sua própria vida? Penso que tal ocorrência, mesmo que assim pudesse acontecer, seria algo muito raro.

6. A minha opinião é que a explicação *mediúnica* poderia explicar *alguns* casos de suposta reencarnação (descobertos pela hipnose), mas também afirmo que essa explicação é por demais óbvia para justificar qualquer número apreciável de instâncias.

c. A Hipnose Pode Produzir a Mediunidade
(envolvendo um fantasma)

No artigo chamado — **Projeção da Psique**, estabeleci certa distinção entre o espírito humano (o ser inteligente, a alma) e o fantasma (talvez vinculado ao corpo vital). O fantasma não é a entidade; antes, é uma espécie de energia vital, semi-intelectual, que pode projetar-se para fora mesmo quando uma pessoa ainda vive, a qual também pode libertar-se por ocasião da morte física. O fantasma tem a capacidade

REENCARNAÇÃO

de comunicar-se, mas através de vocábulos muito limitados. Pode realizar algumas funções mecânicas; porém, exibe notória debilidade mental. Não pode responder a perguntas difíceis, e chega a tropeçar até mesmo diante de perguntas fáceis. Em suma, não se trata de uma personalidade humana. Trata-se de mero fragmento do complexo do indivíduo falecido. Com a passagem do tempo, aparentemente essa energia dissipa-se e desaparece.

Mas, poderia *um fantasma*, vasculhando o passado, e observando uma pessoa hipnotizada, vir a identificar-se com ela de alguma maneira, fornecendo-lhe um esboço de uma vida anterior? Suponhamos que isso pudesse ocorrer. Nessa eventualidade, poderíamos encontrar uma explicação para certos casos de alegada reencarnação. Todavia, é impossível acreditarmos que isso possa acontecer com muita freqüência. O fantasma, um mero fragmento débil mental de uma personalidade humana, dificilmente poderia dominar um espírito humano, e isso com freqüência, neutralizando-o a ponto de provocar uma troca de identidade. É possível que certas instâncias envolvam precisamente isso, sobretudo aquelas que se caracterizam pela trivialidade. Porém, muitos exemplos de suposta reencarnação envolvem narrativas informativas e altamente complicadas. Acresce-se que algumas dessas narrativas revestem-se de elevada qualidade literária, ultrapassando em muito o que se poderia esperar de um mero fantasma.

d. A Hipnose Pode Produzir a Mediunidade Inconsciente (envolvendo um espírito não-humano)

Penso que é razoável a suposição de que o mundo espiritual é tão complexo quanto o mundo físico. Assim sendo, sem dúvida existem muitas variedades de espíritos não-humanos, alguns deles menos inteligentes (e menos poderosos) e outros mais inteligentes (e mais poderosos) que o espírito humano. A teologia cristã sempre assumiu a posição de que essa avaliação é certa—tendo-nos conferido dois vocábulos bem gerais para designarem tais seres: anjos e demônios. Sem dúvida, essa classificação é um tanto estreita, porquanto o vocábulo «anjos» denota seres impecáveis, espirituais, poderosos e altamente inteligentes, ao passo que «demônios» denota seres pecaminosos, extremamente malignos, poderosos e altamente inteligentes. As evidências de que dispomos mostram que existem muitos seres espirituais (invisíveis, mas reais) que não se ajustam a nenhuma dessas duas categorias. Existem, por exemplo, os «elementares», que são menos inteligentes e poderosos que o espírito humano. Por isso mesmo, esses são como—os macacos—do mundo dos espíritos. Existem outros espíritos mais ou menos da estatura do espírito humano. E existem ainda outros fantasticamente mais elevados que o espírito humano.

Em conseqüência disso, sob o título dado acima, estamos especulando que o contato com toda essa grande complexidade de espíritos poderia ser efetuado através de uma pessoa hipnotizada. E essa pessoa tornar-se-ia, temporariamente (embora também inconscientemente) um «médium». A teoria é interessante, porquanto a própria complexidade do mundo espiritual (com as suas inúmeras variedades de espíritos) poderia explicar as variações nos «tipos de vida» supostamente vividos, bem como a variedade na energia mental e na criatividade manifestada no relato dessas tais vidas. Entretanto, muitas de tais instâncias ficariam eliminadas da investigação científica, pelo simples fato de que somente naquelas oportunidades que os pesquisadores descobrissem que esta ou aquela pessoa (nomeada pela pessoa hipnotizada) *realmente existiu*, e que realmente experimentou pelo menos algumas das coisas relatadas, seriam dignas da nossa consideração.

Suponhamos que estivéssemos investigando um possível caso de reencarnação, narrado sob hipnose, e que o mesmo tenha sido devidamente averiguado: a pessoa mencionada teria vivido uma vez; certos detalhes de sua vida têm sido confirmados. No entanto, aquela pessoa, de fato, não é a mesma que agora está sob hipnose. Na verdade, a pessoa hipnotizada não pode ser identificada com o *espírito*, que agora faz a comunicação. Em outras palavras, o espírito estaria mentindo para nós. Ou então, trata-se de um espírito de menor inteligência e poder que a pessoa hipnotizada, ou mesmo um espírito de maior inteligência e poder que ela. Poderia ser um espírito bom ou um espírito mau, ou então se pareceria um pouco mais conosco mesmos, que somos bons e maus. Se porventura tratar-se de um espírito bom, não penso que queria provar intencionalmente a veracidade da reencarnação para nós, se a reencarnação não corresponde à realidade. Por outro lado, se tal espírito é em parte bom e em parte mau, e portanto, capaz de nos enganar, por qual razão faria isso? E, finalmente, se esse espírito é um ser mau, por que haveria de querer que creiamos que acabamos de descobrir uma instância de reencarnação quando, na realidade, nada descobrimos?

Sugestões

1. Alguns espíritos, de inteligência e poder inferiores aos do espírito humano, podem perpetrar brincadeiras acerca de condições da existência nos dois mundos. Essas brincadeiras, apesar de falsas e não terem qualquer propósito, não teriam a intenção precípua de iludir. Seria uma brincadeira, pura e simples. Isso poderia explicar algumas vidas passadas, extremamente triviais, onde pouco é dito que seja importante, e de onde nada se pode aprender. Os macacos do mundo dos espíritos estão brincando, nada mais, nada menos. Entretanto, o número dessas ocorrências deve ser bem pequeno, e certas narrativas sobre supostas vidas passadas não se coadunam bem com essa idéia.

2. Quando são narradas histórias impressionantes e de caráter criativo, as quais são subseqüentemente confirmadas, se porventura são narradas por espíritos bons, então poderíamos supor que eles o fazem a fim de acreditarmos na realidade da reencarnação. Eles poderiam usar a mente subconsciente da pessoa hipnotizada, se realmente se trata do espírito da pessoa que está sendo descrita, e que teria vivido há muito tempo. Mediante tal *manipulação*, poderia fazer uma revelação mais ou menos como: «Essa pessoa já viveu antes, e estes fatos talvez tenham alguma significação para você». Por outra parte, se o espírito envolvido é maligno, nesse caso poderia estar perpetrando uma fraude proposital. E esse espírito inclinar-se-ia por dizer: «A reencarnação é um fato, e a pessoa que você hipnotizou foi tal ou qual pessoa. Por conseguinte, creia na reencarnação e viva a sua vida à sombra dessa verdade». Os espíritos malignos supostamente fariam isso a fim de desviarem as nossas mentes da verdade, especificamente, a verdade que cada indivíduo passa por uma única vida física, a única de que cada qual dispõe para a redenção do seu espírito. E aqueles que morreram sem redenção esperam o juízo, imediatamente após a morte física. Escondendo dos homens essas verdades, e iludindo-os com uma doutrina falsa, eles estariam contribuindo para o programa deles, que visa à destruição dos espíritos humanos.

Essa espécie de explicação é bastante popular (de

uma forma ou de outra) entre os opositores religiosos do conceito da reencarnação.

Quero Fazer as Seguintes Observações

1. Não é algo **impossível** que uma pessoa venha a ser influenciada pelos demônios, e mesmo que venha a tornar-se endemoninhada; todavia, não é algo de esperar que suceda com freqüência.

2. Outras formas de provas em prol da idéia da reencarnação, como a memória espontânea, os sonhos, etc. (já aludidas) não envolvem, todas elas, influência ou possessão demoníaca, e, assim sendo, apesar de que alguns casos de suposta reencarnação poderiam ser explicados em termos de influência demoníaca, tal explicação dificilmente dá solução a todos os problemas envolvidos, conforme alguns gostam de fazer. Mas essa explicação simplista é um instrumento conveniente, que pode ser usado praticamente em todos os casos. Todavia, porventura isso aumenta o nosso cabedal de conhecimento, ou soluciona os problemas que investigamos? Dificilmente. Outrossim, é comum que as pessoas religiosas tentem explicar problemas difíceis, dizendo: «Isso vem do diabo!» Tal abordagem, o mais que consegue é evitar a questão, não se tratando de um esforço sério para a descoberta e o conhecimento da verdade. Nesses casos, como é que a questão está sendo evitada? Sucede que tal resposta parte do pressuposto de que já sabemos qual seja a resposta para o problema e que qualquer investigação real é supérflua.

Os *demônios* enganam os homens a fim de fazê-los acreditar na reencarnação? Ver um tratamento detalhado sobre esta possibilidade ao fim do artigo sob o título, *Desenvolvendo a Sugestão de Joe Keeton*, ponto 6.

3. Quanto aos espíritos não-demoníacos, mas que também não são humanos, e que porventura estejam envolvidos em todo esse drama, digo que esses só poderiam explicar os casos de narrativas banais. Não penso que espíritos totalmente bons, ou espíritos mais ou menos do nosso nível—bons e maus—haveriam de desperdiçar o seu tempo criando o mito da reencarnação.

e. Influência de Espíritos que Não Envolve a Hipnose

Quanto a esse particular, entram em cena as mesmas considerações apresentadas acima, com o único reparo que tal influência poderia ter lugar através da telepatia mental, durante as horas de vigília, ou então durante as horas de sono, por meio de sonhos. Tudo quanto já foi dito, pró ou contra, sob o ponto *d*, também tem aplicação a este caso. Tão-somente temos removido a hipnose como o *modus operandi*.

Posso imaginar um espírito errante, perdido, perplexo, vinculando-se a um outro espírito (ainda residente em um corpo físico), procurando viver uma vida anterior naquele indivíduo. Penso que isso poderia acontecer. E isso poderia explicar alguns casos de memória espontânea, ou de memória constante, onde são revelados muitos detalhes acerca de alguma vida anterior, que realmente fora vivida. Nessa conjuntura, estaríamos frente a frente com uma alma pouco desenvolvida, que se encontra em situação similar à de uma criança perdida. É possível, pois, que *alguns* casos de memória sobre alegadas vidas anteriores envolvam espíritos assim desnorteados.

f. Superpercepção Extra-sensorial

É inegável que certos indivíduos, talvez por meio de uma extraordinária capacidade de percepção extra-sensorial, são capazes de «ver» acontecimentos que ainda jazem no futuro. Os estudos feitos sobre os sonhos revelam que todas as pessoas, até certo ponto, podem prever o futuro. Talvez até seja verdade, conforme alguns têm sugerido, que todos os eventos de uma vida sejam previstos pelos sonhos de uma pessoa, posto que parte dessas previsões seja dada sob forma simbólica, e, portanto, não seja reconhecida como tal. Conseqüentemente, se as pessoas são capazes de prever o futuro, por qual razão algumas delas não poderiam ver o passado? Por que motivo alguns indivíduos não possuiriam acentuadas faculdades de retrocognição, se há quem tenha acentuadas faculdades de precognição?

Conhecemos pessoas que possuem tais poderes. Algumas podem captar o passado, e outras podem captar o futuro. Porém, tal capacidade seria suficiente para explicar as narrativas que envolvem a idéia da rencarnação? Não me parece impossível que a mente de alguém (uma vez liberada, por meio da hipnose, mas em outras pessoas, durante os sonhos, e, ainda em outras, mesmo estando acordadas) possa captar o passado de outrem. Se a experiência for suficientemente vívida, a pessoa poderia supor (mormente se já tem a predisposição de aceitar o conceito da reencarnação) que está captando informações a respeito de alguma vida passada, que ela mesma tenha vivido.

Contra a possibilidade de que tais explicações possam justificar a realidade das memórias de vidas passadas, em qualquer número apreciável, deveríamos fazer as seguintes observações:

1 Todo o conhecimento que temos acerca dos poderes espirituais especiais, parece indicar que certos relatos que envolvem a retrocognição, cobrindo presumíveis vidas anteriores, ultrapassam consideravelmente aquilo que se poderia esperar por parte dessa faculdade. Por exemplo, consideremos aqueles casos nos quais alguém fala em um idioma estrangeiro, em uma forma arcaica do mesmo. Certa mulher de Lancasterra, na Inglaterra, estando sob hipnose, falou fluentemente uma forma arcaica do francês (séc. XVIII), embora jamais tivesse estudado essa língua. Algumas pessoas, mediante poderosa força telepática, têm sido capazes de falar em idiomas correntes. Entretanto, poderia uma força espiritual especial retroceder no tempo mais de um século, a fim de captar uma forma de língua que já se tornou obsoleta? A dama aqui mencionada jamais estudara qualquer variedade do francês, quanto menos uma forma pertencente ao século XVIII! Ela aludiu à morte de Maria Antonieta como se isso tivesse acabado de acontecer, e disse que residia em uma rua de Paris chamada Rue de St. Pierre, perto da catedral de Notre Dame. Atualmente, essa rua não mais existe, mas as investigações desvendaram o fato de que essa rua já existiu, perto da vizinhança identificada, cerca de cento e setenta anos passados. (Informação extraída do livro de Allen Spraggett, *The Case for Imortality*, pág. 139).

2. Parece provável que a memória sobre o passado, devido a uma capacidade espiritual especial, ocorre em acessos esporádicos, envolvendo algumas poucas informações esparsas, porquanto também é assim que nossa memória funciona na vida diária. Mas, por qual motivo o conhecimento sobre o passado, ou capacidade retrocognitiva, envolveria algo diferente (e muito mais pronunciado) | da memória do dia a dia? Os relatos sobre reencarnações envolvem lembranças simples acerca de alguma vida passada, da mesma forma que todos nós nos lembramos de estreitas faixas do nosso próprio passado. A memória simples é algo

REENCARNAÇÃO

diferente dos lampejos de discernimento que podemos obter por intermédio da percepção extra-sensorial.

3. A maioria das pessoas dotadas dessa capacidade retrocognitiva especial, não demonstra possuir outras capacidades psíquicas especiais, como a telepatia, a clarividência, etc., em razão do que é para se duvidar que o que elas estão exercendo seja, realmente, um aspecto de superpercepção extra-sensorial.

4. Ao outro lado, é possível que a *retrocognição*, em alguns casos, possa ser muito mais poderosa do que antecipamos, e poderia explicar até os casos mais dramáticos da reencarnação aparente. Investigue.

g. A Explicação Psicométrica (contato com campos de memória e emanações provenientes de objetos)

Em que consiste a psicometria? É a capacidade que algumas pessoas têm (e que, mui provavelmente, a maioria das pessoas poderia desenvolver até certo ponto) de receber, intuitivamente, informações sobre coisas que aconteceram em determinadas áreas, sobretudo da parte de objetos físicos que aparentemente absorveram (sem que saibamos dizer de que maneira) energias produzidas pelos acontecimentos ocorridos nas proximidades. Supomos que os acontecimentos emanam energia para o ar dos locais onde ocorreram, e que a mesma energia é capaz de ser retida pelos objetos. Se a morte de uma pessoa deixa um campo de memória na área onde ela viveu, então tal energia pode ser detectada por alguém dotado de sensibilidade psicométrica. Seja como for, o fato é que certas pessoas podem dizer coisas diversas acerca de outras vidas, meramente segurando objetos que estas outras costumavam usar. Alguma espécie de energia, que emana de tais objetos, capacitam-nas a saberem, intuitivamente (ou, algumas vezes, através de quadros mentais) certas coisas sobre seus proprietários, como a sua personalidade, caráter, características, eventos passados, e mesmo eventos futuros que envolveram os donos desses objetos.

Certas áreas geográficas aparentemente retêm (sob a forma de alguma energia misteriosa) eventos que ali tiveram lugar. Alguns pesquisadores supõem que, finalmente, seremos capazes de fotografar essas emanações de energia, e, desse modo, poderão ser registrados eventos do passado emocionalmente carregados. De qualquer forma, o fato é que a psicometria é uma realidade. Entretanto, porventura essa capacidade poderia explicar as narrativas sobre reencarnações, ficando assim eliminada a nossa explicação de que o fenômeno depende da retrocognição?

Observações

1. Aqueles casos de supostas reencarnações que envolvem a lembrança repentina de eventos particulares, em uma área geográfica específica, poderiam ser explicados mediante a teoria psicométrica. Ela funcionaria como segue: uma pessoa, psicometricamente sensível (de forma consciente ou inconsciente) ao *visitar* um local qualquer, poderia captar (através de sua habilidade especial) o conhecimento de acontecimentos que transpiraram naquelas circunvizinhanças. O reviver do passado, dessa maneira misteriosa, poderia levar tal pessoa a pensar que já estivera ali pessoalmente, quando esses eventos ocorreram, e, portanto, que ela mesma tivera uma vida anterior, no local. Todavia, o que talvez esteja acontecendo, em um caso assim, é que o indivíduo esteja captando as emanações de energia do passado, causadas pelos acontecimentos que ali tiveram lugar.

2. Por igual modo, uma pessoa dotada de sensibilidade psicométrica, que *vivesse* em uma certa área, poderia captar eventos passados ocorridos naquela área, ou em regiões próximas. E ela poderia supor, devido a esse estranho fenômeno, que já vivera em uma vida anterior, naquela mesma região. Todavia, talvez a mera psicometria estivesse em ação.

3. É impossível explicarmos, porém, todas as narrativas de possíveis reencarnações mediate essa teoria, mesmo quando estão envolvidas essas considerações topográficas. Alguém poderia obter conhecimento de um idioma por esse meio? Poderia uma pessoa, psicometricamente sensível, ter implantada em sua memória a língua falada em uma região nunca antes visitada (mas que é relativamente próxima, quanto ao espaço)? — Ora, alguns casos envolvem precisamente esse fenômeno. Penso que isso seria pedir demais da psicometria.

4. Acresça-se que há muitos relatos sobre reencarnações que não envolvem qualquer proximidade geográfica. A vida assim «captada» fora vivida em local muito distante, não tendo sido intuída mediante alguma visita à região onde supostamente aquela vida tivera lugar. Nesses casos, o mero fator da distância elimina a psicometria como uma explicação. Talvez a clarividência à longa distância poderia ter descoberto tal vida, entrando em contato com algum complexo de memória, mas, ao assim postularmos, já estamos falando novamente da teoria da percepção extra-sensorial, que já foi ventilada e avaliada. Naturalmente, a psicometria é uma espécie de percepção extra-sensorial, mas que requer o toque ou a presença do indivíduo sensível para poder funcionar.

h. Memória Ancestral e ou Racial

Não suponho que foi Carl Jung quem inventou o conceito; mas o seu nome está intrinsecamente associado ao mesmo, porquanto fazia parte importante da sua psicologia. Em seu livro, *O Homem Moderno em Busca de uma Alma*, ele asseverou: «A minha mente inconsciente estende-se para muito além deste meio ambiente, retrocedendo no tempo... Tal como um homem traz todo o desenvolvimento da humanidade em seu próprio organismo... guelras em seu pescoço, derivadas de instâncias que retrocedem até os peixes...assim também cada indivíduo traz estampada a história inteira do mundo em sua mente subconsciente». Vários pesquisadores têm aventado a suposição de que a memória é transmitida por meio dos genes, em razão do que cada nascituro teria (de forma latente ou inconsciente) a memória de seus pais, de seus avós, de seus bisavós, de seus ancestrais, afinal. Se nos tornássemos radicais quanto à questão, acompanhando bem de perto a idéia de Jung, poderíamos afirmar que cada ser humano tem a história inteira da humanidade em sua memória. Parece que Jung conseguiu demonstrar adequadamente que o homem retém antigos arquétipos psicológicos gravados na memória, e que não se pode explicar isso com base em sua presente vida e contatos sociais.

A ciência já provou a sobejo que os animais inferiores retêm, pelos menos, as habilidades primárias aprendidas pelos seus ancestrais, o que, suponho eu, é uma forma de memória. Ora, isso poderia ser transmitido através dos genes ou por meio de moléculas de memória. Os vermes que tenham aprendido a reagir à luz, ao calor, etc., uma vez mortos e pulverizados, e servidos como alimento a sucessivas gerações de vermes, levam esses novos vermes a exibirem aquelas mesmas características. Teriam estes últimos absorvido as moléculas de memória em seu sistema, através da digestão? Continua havendo muitos mistérios.

REENCARNAÇÃO

Consideremos Este Caso

O tenente-coronel Charles E. Melchar, que servia no quartel-general da Terceira Força Aérea Norte-Americana, quando visitava o País de Gales passou por várias experiências que poderiam ser classificadas como místicas. Ele *reconheceu* vários edifícios antigos, castelos, igrejas, locais, etc. Entretanto, tudo quanto ele foi capaz de reconhecer tinha mais de cem anos de antiguidade. Coisa alguma mais recente do que isso despertava nele qualquer fagulha de memória. No caso de alguns edifícios, ele foi capaz de descrever o seu interior com toda a precisão, mesmo sem entrar neles. A sua capacidade continuou até que ele achou-se a uma distância de cerca de quarenta e oito quilômetros. Cessou quando ele ultrapassou esta linha invisível, tão abruptamente quanto começara. Ele não acreditava na reencarnação, mas não há que duvidar que esse episódio poderia ser melhor explicado por meio desse conceito.

Tendo voltado aos Estados Unidos da América, em agosto de 1965, movido pela curiosidade ele examinou a sua árvore genealógica. Descobriu que o seu tetravô fora um mineiro galês de nome Alexander Price, que vivera em Pontypool, perto de Abersychan, País de Gales. Mas a sua estranha experiência não terminou depois que ele deixou o País de Gales. Algum tempo depois começou a usar espontaneamente palavras galesas, uma língua que ele jamais estudara ou usara. E também descobriu que podia ler com facilidade obras literárias em galês, antes desconhecidas por ele, como poemas, contos épicos, etc., sem nunca havê-las estudado. Também começou a usar sentenças com estruturas gramaticais tipicamente celtas, de muitos séculos passados, e não a versão contemporânea de galês. Tudo isso soa como as melhores narrativas sobre reencarnação. Mas a grande questão é: o coronel Melchar obteve todo aquele conhecimento porque trazia os genes de seu tetravô, transmitidos no decurso de muitas gerações? Ou ele seria, de fato, o seu próprio tetravô (aquela mesma entidade) e que agora estava vivendo de novo? (Informação, *Fate*, dez. de 1969, p. 69 e *ss*,

Observações

1. Apesar de não queremos tirar o crédito que cabe à memória ancestral, uma experiência como aquela que acabamos de relatar poderia ser explicada dessa maneira? Poderíamos entender que a experiência do «déjà vu» (a sensação de que «já vi isto antes») origina-se dessa forma de memória. Ocasionalmente sentimos uma vaga sensação, ou talvez uma sensação perfeitamente distinta, que já vimos certas regiões ou coisas, em alguma ocasião passada. Porém, essa espécie de memória seria capaz de ensinar-nos todo um idioma, além do conhecimento pormenorizado de coisas vividas há um século ou mesmo mais? Penso que isso seria sobrecarregar em demasia a idéia da memória ancestral, pois se trata de algo por demais detalhado, por demais exato.

2. *Há grandes mistérios*. A genética e a memória racial poderiam ser tão poderosas que penetram nos tempos passados mais remotos da raça, entregando para um homem moderno a memória e as capacidades de uma pessoa que morreu há muitos séculos. Se isto for o caso, nosso conhecimento da natureza humana e como ela é transmitida através dos séculos ainda estão na sua *infância*.

Consideremos Isto

Diz certo homem: — «Lembro-me da vida de certa pessoa que viveu há cento e cinqüenta anos passados. Ela era assim ou assado, viveu neste ou naquele lugar, e os seus parentes foram estes e aqueles. Minhas pesquisas têm mostrado que ele não se encontra entre os meus antepassados. Não obstante, essa pessoa existiu, e realmente ocorreram muitas das coisas das quais me recordo. Pelo que me tem sido dado saber, penso que eu sou aquela pessoa, em uma vida anterior». Todavia, eis que um outro homem retruca: «Contemplemos as coisas do seguinte ângulo: devido ao seu relacionamento com a humanidade em geral, devido à memória transmitida através dos genes, embora você não descenda do homem que acaba de descrever, você conseguiu reter a memória dele, de alguma maneira misteriosa». Qual alternativa soa como a mais provável? Ou seria mais provável ainda alguma outra explicação (tal como aquelas expostas acima)?

Nem sempre a verdade segue a alternativa *aparentemente* mais provável. É justamente por isso que o *debate deve continuar*.

i. A Teoria da Combinação de Fatores

Apesar de que nenhuma teoria alternativa seja capaz de explicar todos os casos de suposta reencarnação, todas essas alternativas, conjuntamente, poderiam explicar todos os episódios, ficando assim eliminada a necessidade de apelarmos para a crença na reencarnação, a fim de explicarmos experiências de retrocognição. Dessa maneira, poderíamos desfechar um tiro mortal de carabina em numerosos e variegados episódios de alegadas reencarnações, e, presumivelmente, poderíamos atingir cada caso em particular. Cada chumbinho disparado seria uma alternativa para a teoria da reencarnação.

Aqueles que acreditam na reencarnação talvez até concordem com esse método do tiro de carabina, contanto que, entre os chumbinhos, estivesse incluído um chumbinho intitulado «reencarnação». Poderíamos ir *eliminando* muitas dessas histórias mediante explicações alternativas, sem termos de aceitar o conceito da reencarnação; e essas alternativas poderiam fornecer-nos as respostas mais prováveis. Sem embargo, ao assim fazermos, poderíamos estar fugindo da questão central. Pois, recusando-nos a perceber a lógica e a força da reencarnação, como explicação para esses fenômenos, apelamos para outras explicações, por mais improváveis que elas sejam, no tocante a casos específicos. Assim sendo, poderíamos estar perdendo a verdade de vista, em vez de a estarmos capturando.

Tenho exposto motivos fortes para a crença na idéia da reencarnação, bem como muitas alternativas possíveis que também poderiam explicar os estranhos episódios que têm sido historiados. Que o leitor empregue o seu próprio juízo aquilatador. Não dispomos de qualquer meio seguro que nos permita afirmar, com certeza absoluta, que a reencarnação faz parte da experiência humana em geral. Por outra parte, exceto através de declarações *dogmáticas*, não há como essa possibilidade possa ser negada. A aceitação da reencarnação, como uma experiência humana geral, requer certo ato de fé. Em certos casos, porém, as evidências confirmatórias também são tão patentes que, não aceitá-la, igualmente requer um ato de fé. E outro tanto sucede no caso do próprio conceito da sobrevivência da alma, com a única exceção de que, nesse caso, há uma maior variedade de evidências do que no caso da reencarnação. Portanto, do ponto de vista científico, a crença na sobrevivência da alma, diante da morte biológica, é consubstanciada de uma forma bem mais convincente. Contudo, a taxa de probabilidades que precisamos atribuir à idéia da reencarnação não pode ser desprezada por quem quer que realmente esteja à cata da verdade, e não meramente querendo consolo mental, através de um credo que nem ao menos examinou.

Seja como for, tenho exposto as evidências a respeito da reencarnação somente como uma das maneiras pelas quais tentamos provar a validade da crença na sobrevivência da alma diante da morte física. A própria revelação bíblica, como também o dogma religioso, poderiam ser empregados em favor de uma reencarnação limitada, isto é, que ela pode ocorrer e efetivamente ocorre no caso de certos indivíduos, por motivos especiais. Se assim realmente sucede, mesmo que a reencarnação não faça parte da experiência humana em geral, então esse conceito torna-se uma maneira legítima de defendermos a tese deste artigo: existem razões científicas para acreditarmos que a morte não mata uma entidade humana.

6. A Essência do Significado da Reencarnação

a. A idéia da reencarnação é uma tentativa de se expor um ponto de vista mais razoável sobre **a origem e o drama sagrado da alma**. A religião, na maioria de suas expressões, assevera: «Vivemos após a morte física». A idéia da reencarnação concorda com isso, mas afirma que essa é uma perspectiva por demais estreita das coisas. E aqueles que crêem na reencarnação acrescentam: «Cada indivíduo já viveu antes da sua atual vida no corpo. Todos vêm de longe. A queda do homem foi muito grande: a jornada de volta é longa. Todavia, as coisas não têm sido muito más. Você tem sido capaz de chegar até este ponto. A vitória espera-o um pouco mais à frente. Não fique desencorajado. Deus tem paciência, e você dispõe de tempo».

b. A reencarnação tenta *solucionar problemas difíceis*, como aqueles sobre as «razões» do mal e do sofrimento. Ela também representa uma *declaração forte e exigente* da lei da colheita segundo a semeadura. Aquilo que os homens sofrem, sofrem-no porque o merecem. No sofrimento há *razões* especiais e exatas. Coisa alguma é abandonada ao sabor do acaso. A razão e o desígnio imperam sobre as coisas. As lições são difíceis e muito requerem de nós, mas as recompensas para aqueles que as aprendem são grandes. Cada um de nós vive a encontrar-se consigo mesmo novamente. O que é que você tem padecido? O que é que você ainda tem para experimentar? Quais benefícios existem em reserva para você? Quais habilidades especiais você possui? Quais deficiências e fraquezas? Todas essas coisas você tem causado para você mesmo, a menos que a Providência Divina, inteiramente à parte do que você é ou tenha feito, forneça situações de aprendizado. Normalmente, entretanto, como regra geral, vivemos sempre a reencontrar-nos.

c. A reencarnação não consiste só em *pagar e receber*, de acordo com o que cada qual tiver feito ou tiver sido. Mas ela também é uma escola. Envolve a busca pela perfeição. Não obstante, a reencarnação não é uma das escolas superiores, visto que este plano terrestre não é um dos grandes trampolins que nos reconduzem a Deus. De fato, a reencarnação assemelha-se mais a uma escola primária. Uma vez que o homem se forme nela, há muitas outras escolas superiores à sua espera. Contudo, o que venha a suceder nas vidas envolvidas em um corpo físico, serve de um dos fatores determinantes do avanço da alma.

d. *A reencarnação não equivale à redenção*. Realmente, a alma remida liberta-se dos ciclos terrenos. Entretanto, os renascimentos provêm ampla oportunidade para a redenção, porque, através deles, nenhuma alma continua desculpável. Assim sendo, a reencarnação seria uma das maneiras pelas quais Deus trata com os homens. Deus dispõe de tempo suficiente para remir a alma, e exerce imensa paciência. Ele sabe que somos apenas pó. E aplica os seus argumentos e pressões. Deus é quem conduz a alma durante todo o trajeto. Não há alma que fique destituída de uma ampla graça. Deus não é mesquinho. É impossível que uma alma eterna *tenha* de ser redimida no espaço de uma única vida terrena. Isso é uma visão míope sobre o destino humano. Apesar de que seria perfeitamente justo Deus condenar aqueles que não tivessem recebido uma *ampla oportunidade*, o fato é que ele não aplica a justiça nua. Os caminhos de Deus operam lentamente, mas são inexoráveis e vão até o fim da caminhada, prenhes de amor e misericórdia. Não é possível que o destino de uma alma eterna possa ser determinado dentro dos estreitos limites da existência em uma única e breve vida física.

e. Apesar de que alguns referem-se a uma justiça divina que esmaga, elimina e queima, os defensores da idéia da reencarnação falam sobre uma justiça divina que *espera, convence e restaura* até as almas mais obstinadas. Deus jamais desiste, e nunca aceita um «não» como resposta. A idéia de que só há uma breve hora de oportunidade, e de que se deixarmos de tirar proveito dela como convém, então estamos eternamente perdidos, é uma idéia desesperadoramente inadequada. Ela nada soluciona, nada satisfaz. Não pode mesmo ser verdadeira. Antes, a oportunidade de redenção começou desde tempos remotos, por ocasião da criação da alma, em um passado tão anterior ao nascimento físico que a nossa mente se estonteia. E a oportunidade persegue o homem muitas e muitas vezes, através de nascimentos físicos. Como já dissemos, Deus não é parcimonioso quanto a isso. Ele não promove uma solução instantânea para o problema da queda do homem no pecado. Mas há um drama sagrado da alma que retrocede no tempo muito mais do que a nossa mente é passível de imaginar. Essa oportunidade prossegue em nosso tempo presente, buscando convencer-nos. Prolonga-se futuro adentro. O ato redimidor de Deus é tão vasto quanto o seu amor, e tão eficaz quanto o seu poder!

f. A reencarnação, *se verdadeira*, não é um princípio absoluto. Os homens não existem somente para que vivam e tornem a viver, indefinidas vezes, numa esfera física. A reencarnação, *se verdadeira*, não é o nosso destino. É apenas *um* dos graus da escada ascendente.

7. Tentativas de Reconciliação entre a Reencarnação e a Teologia Cristã

Muitas pessoas, deixando-se orientar por crenças cristãs, julgam que a idéia da reencarnação acha-se em conflito insolúvel com a doutrina neotestamentária da missão de Cristo. Devido à confiança que têm na sua orientação cristã, rejeitam sem delongas qualquer possibilidade da reencarnação exprimir alguma verdade. É possível que, mesmo assim, aceitem a idéia de uma reencarnação limitada, supondo que essa poderia ser a experiência de alguns poucos indivíduos, incumbidos de desempenhar alguma missão especial. Essa pequena dose de reencarnação, visto não afetar a destino geral da humanidade, ainda de conformidade com essas pessoas, não seria prejudicial ao ponto de vista neotestamentário da redenção. Há muitos evangélicos que aceitam uma minúscula parcela da reencarnação, mas que não podem tolerá-la em doses mais avantajadas.

Mas existem aqueles outros (embora em exíguo número) que se consideram—cristãos sinceros, e que têm ficado impressionados com as evidências em favor

REENCARNAÇÃO

da reencarnação, em razão do que anseiam por tentar descobrir alguma maneira de reconciliá-la com o seu próprio conceito do cristianismo. Como isso poderia ser feito, ou, pelo menos, tentado?

a. Alguns cristãos enfatizam que existem trechos, no próprio Novo Testamento, que ensinam a idéia da reencarnação. Sob o segundo ponto deste artigo, *História da Reencarnação no Pensamento Humano*, d. *A Reencarnação no Pensamento Cristão*, apresentei quatro dessas passagens, onde também pudemos averiguar que, verdadeiramente, esses trechos refletem a crença na reencarnação. Sem embargo, aqueles versículos bíblicos não fazem qualquer declaração dogmática ou geral. Tão-somente envolvem duas situações, a saber: i. casos especiais; ou ii. são um simples eco da crença dos antigos nesse conceito, sem que tais ecos sejam transformados em proposições teológicas. Destarte, apesar dessas passagens poderem ser usadas para provarmos que os antigos acreditavam na idéia da reencarnação—ou em casos especiais de reencarnação—dificilmente esses trechos bíblicos podem servir de comprovações do conceito. Além disso, o resto do Novo Testamento, em todos os trechos nos quais o problema da redenção da alma é abordado, definitivamente não incorpora a idéia do renascimento físico em seu esquema.

Se porventura tivéssemos de provar que a reencarnação se aplica a todos os seres humanos, então tal prova teria de ser obtida *fora dos limites* da revelação cristã. Muitos cristãos têm admitido que isso poderia ser uma possibilidade, porquanto nenhum livro, ou coleção de livros, e nem qualquer revelação contida em qualquer sistema religioso, poderia revelar todos os aspectos da verdade. Os próprios documentos cristãos não declaram que *somente eles* contêm a verdade, e que ninguém pode descobrir *qualquer verdade* fora deles. Mas os homens, mediante o desenvolvimento do *dogma* cristão é que têm feito tais reivindicações.

Ainda que dependamos *exclusivamente* dos ensinamentos constantes no Novo Testamento, nem por isso somos forçados a abandonar outras avenidas pelas quais poderíamos descobrir a verdade, e nem devemos supor que não existe qualquer outra verdade a ser apreendida. O dogma humano é que cerca a Deus e à verdade com uma sebe, afirmando que o conhecimento só nos pode ser transmitido de determinada maneira. Todavia, os dogmas são criados essencialmente para simplificarem as coisas e conferirem-nos algum conforto mental. Pois, se já conhecemos tudo quanto é essencial que seja conhecido, então podemos descansar e olvidar qualquer inquirição que procure por maiores luzes. O dogma pertence à essência mesma da letra que mata. O seu propósito é impor organização e ordem a um sistema de idéias, a fim de que esse sistema possa ser mais facilmente apreendido e aplicado. Porém, torna-se algo muito prejudicial quando começa a erguer muralhas que aprisionam a mente e o espírito. E torna-se ainda pior quando persegue aqueles que tentam escapar de seus estreitos limites. Literalmente falando, os dogmas têm sido a causa da morte de muitos corpos humanos. Têm sido a fonte de inúmeras perseguições religiosas. Têm servido para embotar muitas mentes. Os dogmas têm criado inimizades. São os principais aliados dos preconceitos.

Por conseguinte, se o próprio Novo Testamento não nos limita, em nossa busca pela verdade, não deveríamos sentir-nos muito preocupados com as pessoas que tentam descobrir verdades adicionais, além daquelas que nos são fornecidas pela revelação bíblica. —Nem deveríamos ser construtores das muralhas do dogmatismo.

b. Outros cristãos apresentam *citações* extraídas dos escritos de algum dos pais da Igreja, ou de algum respeitável líder cristão do passado ou do presente, supondo que, em vista de alguns poucos mas notáveis cristãos terem aceitado a idéia da reencarnação em seus sistemas teológicos, nenhum crente deveria hesitar em fazê-lo, igualmente. No entanto, descobrir alguns poucos testemunhos favoráveis à reencarnação dificilmente seria suficiente para mostrar que o cristianismo não é incompatível com essa doutrina.

c. Outros cristãos, ainda, simplesmente afirmam que a *teologia cristã é incompleta*, e que ela não só poderia, mas também deveria, incorporar outras idéias, apoiadas em provas razoáveis. Para essas pessoas, é um absurdo a suposição de que não podemos aprender outras verdades, ao longo do caminho, presumivelmente porque a verdade nos foi entregue uma vez por todas, como que contida em garrafas arrolhadas. Todavia, essa é uma maneira infantil de se buscar e aplicar a verdade, segundo alguns encaram as coisas. É bastante imatura aquela teologia que requer que sejamos capazes de reconciliar entre si todas as idéias verazes. Pois é inevitável que encontremos contradições e problemas de reconciliação entre as idéias que aceitamos como verdadeiras, ou, mesmo como provavelmente verdadeiras. Em conseqüência do fato, de acordo com esse ponto de vista, a perspectiva neotestamentária da missão de Cristo (Ele oferece a salvação mediante a sua graça, por meio da fé, e os homens podem ser remidos em um único período de vida terrena) não contradiz, necessariamente, a idéia de que os homens, durante diversas reencarnações, encontrem oportunidades de buscar essa redenção. E nem somos forçados a erguer algum sistema teológico que dê solução a todas as questões que possam ser levantadas acerca de como isso funcionaria.

d. Alguns têm sugerido idéias sobre como isso deveria funcionar. Talvez suponham que haja *dois sistemas em operação*. Um indivíduo, mediante o arrependimento (e com base na graça divina) poderia neutralizar todas as dívidas passadas de sua alma. Isto é, o arrependimento genuíno, que aceita a oferta divina da salvação em Cristo, pode cancelar toda e cada dívida da alma; sendo assim libertada, podendo entrar nas dimensões espirituais, a alma não tem mais necessidade de retornar à terra. Essa teoria pressupõe que o arrependimento genuíno transforma a alma até o ponto em que os defeitos morais e espirituais, que causam os atos errados, são corrigidos. A própria alma é transformada e não apenas as más ações. Isso posto, o retorno à vida pode ser evitado. Na verdade, foi a missão de Cristo que possibilitou a nossa liberação de tais ciclos, e, em vista disso, a reencarnação não é mais a regra que governa as vidas dos homens. Ou então, mediante um processo mais lento, os homens vão saldando progressivamente as suas dívidas, obtendo uma vitória gradual sobre os vícios e os problemas da alma. Isso prosseguiria até que, finalmente, o indivíduo se encontrasse do lado vitorioso, donde também seria transferido para as dimensões espirituais da existência.

Observemos cuidadosamente, entretanto, que o arrependimento requerido para aquele grande salto é algo estrito e absoluto. A alma precisa ser genuinamente libertada de todos os vícios, vindo a participar significativamente das virtudes morais positivas de Deus, como o amor, a bondade, a retidão, etc. É mister que haja uma conversão autêntica e completa, ou a questão inteira será apenas uma farsa. É duvidoso, entretanto, que tal forma de

REENCARNAÇÃO

conversão seja de ocorrência muito freqüente. A maioria dos homens continua seguindo pela outra estrada. Todavia, Deus exerce paciência no caso de todos eles.

e. Só há *um sistema* de redenção. Esse sistema opera mediante a graça divina oferecida através da missão de Cristo, sendo aceito mediante a autêntica conversão. Por conseguinte, em sentido algum a reencarnação seria um método alternativo de redenção. Não obstante, para aqueles que ainda não foram remidos, ela oferece uma contínua oportunidade.

f. O ensino sobre a salvação em Cristo, mediante a graça divina, por meio da fé, é uma doutrina superior à da reencarnação. A revelação do Novo Testamento não contém o ensino de repetidos nascimentos (apesar de continuarem estes a ser uma experiência humana comum) porquanto isso teria obscurecido e embotado a imensa esperança oferecida mediante a libertação desde *agora mesmo*. Deveríamos ter consciência disso, não promovendo a reencarnação como uma questão na qual nós, os remidos, deveríamos continuar envolvidos. A verdade é que deveríamos promover a idéia de que é muitíssimo melhor escaparmos do processo da reencarnação. E como escapamos desse processo? Aceitando a oferta divina da salvação em Cristo, depositando nele a nossa fé. Assim podemos conferir descanso às nossas almas.

Meus amigos, tenho apresentado aqui como *cristãos diversos* enfrentam o problema da reencarnação. Podemos não concordar com as idéias dos outros. Entretanto, é a nossa *responsabilidade* deixar o debate continuar *sem* ódio teológico. O debate deve sempre depender de *evidências*, e as evidências devem sempre emergir de *pesquisas* velhas, novas e sempre crescentes. Isto porque procuramos a *verdade* e não conforto mental. Aceitaremos *a verdade* que, finalmente, resulta das investigações, seja em favor ou contra o conceito da reencarnação.

N.B. Apresento outros argumentos e alternativas à idéia da reencarnação ao fim do artigo sob o título *Desenvolvendo a Sugestão de Joe Keeton*, que faz parte das minhas *reflexões posteriores* sobre este assunto.

g. *Alguns* acreditam que a reencarnação é uma questão de escolha para a alma. Existem *muitos* lugares para promover o desenvolvimento espiritual. A pessoa pode escolher a reencarnação na terra como um meio de progredir, mas, não é obrigada a fazer isto. Pode escolher outra esfera para continuar sua *escola*.

8. Conclusão

Para aqueles que já crêem na reencarnação, certas porções deste artigo suprirão razões que mostram que essa crença é sensata. E para aqueles que não acreditam na reencarnação, os estudos aqui oferecidos, que suprem explicações alternativas, podem ser usados para combater esse conceito. Podemos asseverar, entretanto, que as evidências em prol de uma reencarnação limitada são, pelo menos, tão válidas quanto as evidências em contrário. Quer haja um grama ou um quilograma de reencarnação, esse conceito (sob qualquer forma) torna-se um útil meio corroborador que demonstra que a alma existe e sobrevive à morte biológica. Ao examinarmos qualquer tema controvertido, deveríamos esforçar-nos por conhecer a verdade, e não meramente por buscarmos conseguir provas em favor daqueles dogmas que nos dão algum consolo mental. A verdade importa muito mais que o conforto mental. Em conseqüência disso:

Da covardia que teme novas verdades,
Da preguiça que aceita meias-verdades,
Da arrogância que pensa conhecer toda a verdade,
Ó Senhor, livra-nos!
(Arthur Ford)

A *sabedoria* desta citação deve atrair a atenção tanto das pessoas que acreditam na reencarnação, quanto das pessoas que não acreditam. Não é impossível que *todos* os supostos casos de reencarnação possam ser explicados pelas alternativas sugeridas, ou, podem existir outras explanações que, atualmente, são fora da esfera do nosso conhecimento. Ao mesmo tempo, a reencarnação pode ser uma verdade que os nossos credos têm ignorado. Se existem muitos ou poucos casos de reencarnação, qualquer caso de renascimento constituiria uma prova, entre muitas, que a alma existe e sobrevive a morte biológica.

Avaliação das Diversas Teorias Afirmativas e Alternativas:

1. A teoria de *fraude* dos céticos falha absolutamente à luz da revelação bíblica (que afirma a realidade de *alguns* casos de reencarnação) como à luz da ciência (como nos dois mil casos investigados por Ian Stevenson), que sugere a possibilidade que o fenômeno seja comum, se não universal.

2. Nenhuma explicação alternativa, tomada isoladamente, pode anular a teoria. Todas elas tomadas juntas ainda deixam sérias dúvidas.

3. A explicação alternativa mais promissora é justamente aquela do budismo mais primitivo: o que se reencarna não é uma *entidade*, mas a *bagagem mental* que é transferida para uma série de indivíduos, isto é, através de uma série de pessoas. Esta bagagem mental é constituída por disposições, atitudes mentais (positivas e negativas), tendências e memória. Embora esta teoria pudesse explicar a maioria dos supostos casos da reencarnação, é difícil ver como mera bagagem mental poderia explicar os casos de crianças que não têm só uma memória detalhada de uma vida anterior, mas que também podem falar uma linguagem (uma vez que têm a capacidade física, motora para tal) que nunca estudaram e com a qual não têm contato. Também, é difícil entender como capacidades especiais poderiam ser tranferidas desta maneira.

4. Quase certamente, *alguns casos* de reencarnação são verdadeiros. Mas as evidências positivas e negativas são tais que, se dependermos somente da investigação da experiência humana, e das investigações científicas, não poderemos nem afirmar, nem negar a reencarnação generalizada. Quem afirma a reencarnação generalizada faz isto *pela fé*; quem a nega também o faz *pela fé*. As evidências positivas em favor de *alguns casos* são quase *irresistíveis*, mas para afirmar mais do que isto, positiva ou negativamente, exige *fé*.

Conclusão. As evidências positivas não são adequadas para comprovar a reencarnação generalizada, embora sejam adequadas para praticamente comprovar alguns casos. As explicações alternativas são capazes de explicar razoavelmente a maioria dos supostos casos de reencarnação, mas não resolvem o problema e nem oferecem nenhuma certeza. A *fé* de cada indivíduo vai determinar o que ele acha deste assunto. A ciência *deve* continuar as suas investigações para resolver, de vez, positiva ou negativamente, esta questão — que tem tremendas implicações.

••• ••• •••

REFLEXÕES POSTERIORES
SOBRE A REENCARNAÇÃO
••• ••• •••

Prezados amigos, escrevo esta página decorridos vários anos desde a autoria do artigo anterior. Penso ser importante adicionar algumas idéias e *reflexões posteriores* ao assunto. A reencarnação é uma área de investigação científica de grande interesse e é importante dar *prosseguimento* à questão para provar de uma vez por todas se é verdadeira ou falsa. Erasmo certamente estava correto ao *insistir* na livre investigação. Há certa verdade no sentimento inerente ao título de certo livro: «A Libertação da Teologia». Freqüentemente, o dogma é somente algo usado pelas pessoas como uma apologia para suas mentes, há muito estagnadas.

O Dr. Ian Stevenson, da Universidade de Virginia, já compilou mais do que 2000 casos de possíveis reencarnações, as quais foram submetidas a investigações científicas do maior rigor. Seus melhores casos são de crianças que ainda têm lembranças de vidas passadas, presumivelmente vividas *pouco tempo* antes de seus novos nascimentos. Estas lembranças, como qualquer lembrança, vão se perdendo com o decorrer dos anos, da mesma maneira como as pessoas *perdem* seus passados com a excessão de algumas das coisas e eventos mais marcantes que deixaram marcas permanentes. A maioria dos casos investigados por Stevenson é simples e não tem elementos confusos. Uma criança simplesmente se lembra de uma vida vivida poucos anos antes. Investigações revelam a factual existência de algumas dessas vidas. Tais crianças, quando levadas aos locais onde declaradamente viveram suas últimas vidas, têm lembranças espontâneas de *outros* elementos, *in loco*. Essas crianças não demonstram qualquer sinal de possessão demoníaca, nem de qualquer alteração psicológica; elas simplesmente lembram. Mas, justamente quando pensamos ter «provas razoáveis» da teoria, e em parar de investigar, elementos estranhos surgem, nos forçando a retomar as indagações.

Em um dos casos, descobriu-se que a pessoa cuja vida a criança teria vivido ainda estava *viva* quando a criança nasceu. Ela morreu após a criança completar três anos de vida! Talvez a criança estivesse captando um campo de memórias e identificando-se com ela. Ou, talvez, o espírito do homem, por motivos desconhecidos, estivesse influenciando a mente da criança, forçando uma identificação errônea.

Outro caso estranho ocorreu no Líbano. O Dr. Stevenson encontrou duas crianças tendo lembranças *da mesma vida anterior* com detalhes e acertos marcantes. Uma das doutrinas da reencarnação nos indica que um mesmo *Sobre-ser* pode, de fato, ter uma ou *mais* encarnações ao mesmo tempo. O *Sobre-ser* é a verdadeira entidade espiritual, enquanto os corpos não passam de veículos usados na coleta de experiência. Essa teoria afirma ser possível (até freqüente) o espírito controlar mais de um corpo ao mesmo tempo. Isso poderia explicar o caso libanês, mas não quero depender dessa teoria. Em outro caso, Stevenson descobriu que uma criança estava misturando elementos das vidas de *duas pessoas*. Também, neste caso, não quero depender da teoria de reencarnações *múltiplas* (ao mesmo tempo) de uma única *entidade espiritual*, para explicar os fenômenos.

O Dr. Eugene Jussek, um médico de Los Angeles, Califórnia, encontrou um caso estranho, descoberto durante uma sessão de regressão hipnótica. Hipnotizado, Charles Roberts afirmou ter sido um banqueiro do século 19, cujo nome era James Edward Stewart e que tinha nascido em 1801. Seu endereço era 17 Yorkshire Road, e vivia na cidade de Northampton. O Dr. Jussek confirmou muitos ítens dos dados fornecidos por Roberts e provou a realidade da existência de James Edward Stewart. Detalhes sobre lugares, escolas e amigos de Stewart, além de viagens, nomes de ruas, e até mesmo o local onde se situava o banco de Stewart foram revelados por Roberts e posteriormente, confirmados. Stewart não era um indivíduo de fama histórica, portanto, sua vida não poderia ter sido investigada em uma biblioteca. Mas, um elemento *complexo* entrou na história. Descobriu-se que as informações fornecidas por Roberts traziam também informações sobre *outra* pessoa, John Stewart, um vendedor de vinho e não um banqueiro, e que não era parente do outro Stewart. Mais uma vez, a teoria do *Sobre-ser*, vivendo mais de uma vida física ao mesmo tempo, pode ser usada para explicar o problema. Ainda assim, reluto contra o uso desta faceta, talvez erradamente.

D. Scott Rogo, cujo livro *Psychic Breakthroughs Today* (capítulo 15) me deu as informações relatadas nos parágrafos acima, afirma: «Certamente, há algo de importância *cósmica* nos sendo revelado» pelo estudo científico da reencarnação, mas nossos pontos de vista «simplistas» daquilo que a reencarnação deveria significar, não nos revela aquilo que queremos saber sobre o assunto. A investigação deve, portanto, continuar. Conclui ao dizer: «Renascimento *de algum tipo*, provavelmente, pode explicar a evidência coletada pela parapsicologia no tocante à reencarnação. Mas é difícil de determinar *qual* conceito em particular a evidência tende a documentar. Então, depois de tudo ter sido dito e feito, a evidência continua intrigante e confusa — e não há uma solução final à vista» (p. 196). O artigo anterior deu ao leitor uma variedade de maneiras para explicar a reencarnação e também maneiras diversas para negar a existência de qualquer coisa que se possa chamar de «reencarnação». É crucial a continuidade das investigações. Assuntos de vital importância estão em foco.

A Cura e a Reencarnação

Todos temos familiaridade com o fenômeno que ocorre durante os tratamentos de psicoterapia. O psiquiatra encontra a cura para uma doença simplesmente ao *descobrir* um *trauma* no passado da presente vida do paciente. Tais curas são dramáticas. Mas a cura se torna ainda mais dramática quando o trauma é descoberto em alguma vida *passada*. Revelar tal trauma cura da mesma maneira. Apesar de não acreditar na reencarnação, Gerald Edelstein, psiquiatra do Herrick Memorial Hospital, de Berkeley, Califórnia afirma que a terapia de vidas passadas têm resultados *maravilhosos*. Com câncer ósseo, e após passar por 12 cirurgias, uma mulher, desesperada, resolveu fazer terapia de vidas passadas. Durante uma regressão, a mulher se viu como uma sacerdotisa pagã que era forçada a beber o sangue de vítimas sacrificiais. Ela odiava fazer isso, mas teria sido executada se tivesse se rebelado. Depois de testemunhar tal vida e tal evento, seu câncer simplesmente desapareceu. O sangue é, claro, produzido na medula óssea, eis a conexão psicológica.

O Dr. Alexander Canon, um médico britânico, afirmou que a teoria da reencarnação era seu maior *pesadelo*. Mas, após documentar 1382 casos de aparente apoio à teoria, veio relutantemente, a aceitar

REENCARNAÇÃO

o fenômeno. «Tenho que admitir a existência de tal coisa como a reencarnação», afirma. O Dr. Edith Fiore chegou a mesma conclusão, com 99% de convicção, mas também, relutantemente. A Dra. Helen Wambach não acreditava em qualquer coisa como a reencarnação, mas após regredir milhares de pacientes, quisesse ou não, encontrou diversas evidências de vidas passadas. Em tais vidas foram encontrados traumas que supostamente explicavam problemas de saúde, em vidas atuais. A revelação e descoberta de tais traumas, freqüentemente, proporcionavam curas dramáticas. Por fim, ela veio a afirmar: «Não acredito na reencarnação — eu *sei* de sua existência!».

Por outro lado, Joe Keeton regrediu milhares de pessoas, e sim, encontrou aparentes vidas passadas. Via regressão, Keeton curou as doenças possivelmente causadas por traumas ou circunstâncias de outras existências. Mas, no entanto, apesar de prometer continuar a investigar, não espera descobrir a resposta verdadeira para os poderes de cura da terapia de vidas passadas, sendo que ainda não acredita em tais vidas. Keeton acredita que não estamos fazendo as *perguntas certas*, quanto menos as respostas. «As maçãs caíam das árvores da mesma maneira milhares de anos antes de Newton fazer a *pergunta certa* sobre a gravidade», lembra. «São de perguntas que precisamos, não de respostas», enfatiza. (As informações dos parágrafos acima foram retiradas do livro, *The Case for Reincarnation*, por Joe Fisher, capítulo 15).

As evidências científicas para a *sobrevivência da alma* perante a morte biológica estão se tornando tão variadas e poderosas que podemos ter certeza de que, em um período de tempo relativamente curto, teremos provas científicas esmagadoras para isso. A evidência científica para a reencarnação também está crescendo. Mas no presente momento, temos um *empate* entre evidências em favor e contra-evidências que negam a teoria. Daí, algumas pessoas rejeitam, por um salto de fé (além das evidências científicas) o conceito. Esta rejeição, normalmente, se baseia em convicções religiosas. Outras pessoas, também por um salto de fé, aceitam a idéia. A investigação *deve continuar.*

••• ••• •••

Desenvolvendo a Sugestão de Joe Keeton

Eu tenho apresentado as evidências a favor e contra a reencarnação como elas *realmente existem*, não como *eu* gostaria que existissem, e nem como *outra pessoa* gostaria que existissem. Nenhuma argumentação verdadeira a favor ou contra este conceito pode existir sem enfrentar as evidências *como são*. Este problema não pode ser resolvido, positivamente ou negativamente, pelo mero apelo ao dogma.

De um lado, temos evidências que parecem apoiar dogmas religiosos que afirmam a realidade da reencarnação generalizada. Por outro lado, temos contra-evidências e alternativas que parecem apoiar dogmas religiosos que negam a realidade da reencarnação generalizada.

Joe Keeton argumenta em favor de uma *terceira* possibilidade: evidências existem que *parecem* demonstrar a reencarnação, mas elas, de fato, estão apontando para *outra* realidade, ainda não bem definida ou entendida. Ofereço algumas sugestões:

1. *Super-retrocognição.* Experiências científicas sobre sonhos têm demonstrado que temos entre 20 e 30 sonhos por noite. Estes sonhos projetam o futuro essencial do sonhador, simbólica ou literalmente. Técnicas de laboratório tornam possível capturar até 10 sonhos por noite, um número adequado para garantir uma projeção clara do futuro do sonhador. As coisas previstas são importantes ou banais, justamente como a própria vida da pessoa combina o que é importante e banal. Todas as pessoas, sem a ajuda divina ou diabólica, têm muitos sonhos precognitivos que é uma função absolutamente natural. Se a mente humana tem a capacidade natural de precognição, porque a mesma mente não tem a capacidade de *retrocognição*? As evidências que *parecem* estar indicando a realidade da reencarnação poderiam estar demonstrando as capacidades retrocognitivas da mente humana. Devemos nos lembrar que o homem está somente um pouco abaixo dos anjos em poder e capacidades naturais. A mente liberada por uma visão, ou sonho, ou estado hipnótico poderia ser capaz de entrar nos campos de memória de pessoas que já morreram. Um ato especial de retrocognição poderia ocasionar um considerável impacto emocional. Neste caso, a pessoa poderia, naturalmente, embora, erroneamente, se identificar com uma pessoa do passado como se fosse a mesma entidade.

2. *União de almas em missão e propósito.* Talvez a realidade que estamos encontrando seja bastante diferente da reencarnação repetida de uma única alma. Um *número* de almas poderia participar em missões semelhantes, formando um tipo de time que age através dos séculos. Desta maneira, um trabalho ou trabalhos e um fundo comum de conhecimento estariam sendo melhorados e avançados com a passagem do tempo. Por exemplo, João Batista continuou a missão de Elias, mas isto não quer dizer que João era a reencarnação de Elias. O mesmo se aplicaria a outras almas, não somente as grandes almas. O grupo não estaria limitado somente a duas almas. Um homem, agora vivo, poderia entrar efetivamente no campo de memória de um membro do grupo que já morreu. Esta entrada, se carregada com fortes emoções, poderia levar o homem a se identificar com o outro membro do grupo. Assim, teríamos um caso *aparente* de reencarnação. Um músico notável, que toca ou compõe música (até mesmo enquanto criança), poderia estar continuando o trabalho dos grandes mestres, mas isto não quer dizer que ele seja a reencarnação de Bach. Se a idéia que apresento aqui é verdadeira, então temos muito a aprender sobre a natureza humana e o plano divino que opera nas vidas humanas.

3. *O microcosmo e o macrocosmo.* Talvez todos os homens de *todos* os tempos tenham uma *conexão vital*. Num sentido, sou um homem só; em outro sentido, sou a raça, como um microcosmo do macrocosmo. Se minha associação (como um fragmento da raça) com a raça inteira é vital e poderosa, então eu poderia entrar efetivamente em vidas passadas. Esta entrada faria disponíveis para mim tanto memórias como capacidades. Esta experiência (se fosse emotivamente poderosa) — poderia me encorajar a identificar-me com uma

REENCARNAÇÃO

pessoa que já morreu. Nosso conhecimento sobre a natureza humana e como esta natureza opera em membros individuais ainda estão na sua infância.

4. *Memória racial.* Evidências em favor da *memória ancestral* são bastante fortes. Os animais inferiores certamente exibem a memória e capacidades de membros mortos da mesma espécie. Isto constitui parte do que chamamos de *instinto*. Se a memória ancestral é um fato, porque não a *memória racial*? A psique, liberada por um sonho, uma visão ou hipnose, poderia entrar no campo de memória de uma pessoa morta. Por meios ainda desconhecidos por nós, a genética e a herança racial poderiam incluir não a simples memória mas capacidades também. Em alguns casos especiais, até uma linguagem poderia ser transmitida a uma pessoa, sem que ela a estudasse. A crença na reencarnação individual poderia ser uma avaliação superficial de grandes mistérios ainda não revelados.

5. *A mente universal.* Este conceito supõe que existe um tipo de *fundo mental* que incorpora tudo que se tem conhecido, por mentes humanas ou não-humanas. Para nos ajudar a entender esta idéia, precisamos somente pensar nos supercomputadores e suas crescentes capacidades. Existe alguma evidência em favor do conceito. Talvez a reencarnação *aparente* seja um tipo de participação na mente universal. A memória racial seria um *aspecto* da mente universal, mas não idêntica a ela. Um contato emocional com certo conteúdo deste vasto fundo mental poderia produzir uma reencarnação aparente.

6. *O trabalho de demônios.* Alguns intérpretes supõem que a maioria, se não todos os casos de reencarnação aparente, são invenções de demônios. Os demônios enganam os homens, dando a entender que há muito tempo para adquirir a salvação, provido por uma seqüência de reencarnações. Assim, os homens ficam descuidadosos e não receiam a morte como o fim da oportunidade. Enquanto esta teoria poderia explicar alguns casos aparentes de reencarnação, rejeito-a como a solução do problema, pelas seguintes razões:

a. A recuperação do conhecimento de vidas passadas normalmente vem através *de algum tipo* de simples memória. As pessoas que têm essas memórias não demonstram sinais de influência demoníaca.

b. Nossa doutrina concernente aos demônios é que estes são seres altamente inteligentes, mestres do engano, e muito poderosos. *Este conceito* dos demônios não pode ser aplicado a fim de explicar a grande maioria das alegadas reencarnações. Se as evidências gerais em favor do conceito vem através da influência dos demônios, então eles são um bando de idiotas-trapalhões. A grande maioria das supostas reencarnações, quando investigadas, mostram-se meras fantasias. Somente alguns poucos casos realmente correspondem a vidas realmente vividas no passado.

Se são os demônios que nos apresentam os casos aparentes de reencarnação, então mostram-se estúpidos quando apresentam duas crianças dizendo que foram a mesma pessoa que morreu. Agem estupidamente quando inventam uma suposta vida passada que combina mais do que uma vida, fazendo um composto. Seres *inteligentes* malignos apresentariam *muitos* casos que poderiam ser comprovados; apresentariam casos não complicados; evitariam meras fantasias. Mas a *maioria* dos casos de reencarnação aparente é justamente de tipos que seres inteligentes *não* apresentariam, *se* quisessem enganar.

c. A oportunidade para adquirir a salvação, além do sepulcro, já faz parte da realização da *missão universal* de Cristo (I Ped. 3:18-4:6). Ver o artigo *Descida de Cristo ao Hades*. Cristo tinha e tem uma missão *tridimensional*: na terra, no hades e nos céus, garantindo uma oportunidade ampla que se estende além do sepulcro. Os demônios dificilmente precisariam promover uma doutrina falsa para indicar a mesma realidade.

7. *A reencarnação é uma parábola espiritual, não uma realidade física.* Muitos filósofos e teólogos têm comentado sobre a natureza parabólica do nosso conhecimento. Nosso conhecimento é fraco, frágil e parcial e assim, nós estamos mergulhados em parábolas quando procuramos nos expressar. A mente humana tem prazer em utilizar parábolas tanto como um modo de pensar, quanto como um modo de ensinar. A reencarnação, segundo este raciocínio, seria meramente um tipo de *parábola mental* que nos ensina que a vida nunca termina; que passa através de muitos ciclos; que uma pessoa pode continuar a missão de outra; que a imortalidade é um fato. Esta *parábola mental*, ativa e cheia de emoção nas mentes humanas, poderia produzir muitas reencarnações aparentes.

8. *Uma explicação ainda desconhecida, sui generis.* Talvez a verdadeira explicação ainda esteja fora do alcance do nosso conhecimento. Não sabemos a resposta para este enigma e continuamos procurando luz.

••• •••

O dogma resolve? Muitas pessoas religiosas resolvem todos os problemas na terra e fora dela pelo simples pronunciamento de um ou mais dogmas. Eu mesmo aceito *algumas crenças* apelando para um dogma quando não há outras vias de investigação. Todavia, eu procuro dentro da ciência a resposta das questões e problemas apresentados *neste* artigo. Isso porque considero a ciência a disciplina melhor equipada para a busca de soluções *neste* caso.

••• •••

Edifica para ti mansões mais majestosas,
  Oh, minha alma,
Enquanto as estações ligeiras passam!
Deixa teu passado de teto baixo!
Que cada novo templo, mais nobre que o anterior,
Feche-te do céu com uma cúpula mais vasta,
  Até que, por fim, fiques livre,
Abandonando tua pequena concha no
  mar intranqüilo da vida.
  (Oliver Wendell Holmes)

O último inimigo que há de ser aniquilado é a morte. (I Cor. 15:26)

••• •••

REENCARNAÇÃO

••• •••

ao pôr-do-sol, representação artística

Ao por-do-sol, sinto em mim
A esperança de um novo dia.
Em que forma e como
A vida continuará, reside
Na vontade e no amor de Deus.

O oposto de injustiça
não é justiça
— é *amor*.

••• •••

Meus amigos, acho que *todas* as pessoas seriamente religiosas ou filosóficas devem ser *informadas* sobre o tema deste artigo, se acreditam na teoria ou não. O estudo não significa crer ou não crer, mas pode trazer iluminação. Apresentei, acredito eu, o *artigo* mais detalhado e completo sobre esse assunto na língua portuguesa. Espero que este artigo informe o leitor adequadamente sobre este enigma.

••• ••• •••

Ler para considerar não para condenar.

••• ••• •••

REFAIM

No hebraico, «curas»; ou talvez o nome venha de uma raiz que significa «afundar», «relaxar». Nesse caso, o título poderia significar «afundados» ou «destituídos de poder». Consideremos os pontos abaixo, que apresentam a questão com maiores detalhes:

1. Alguns eruditos têm pensado que essa palavra era usada para denotar os *habitantes do mundo inferior*. O termo aparece na literatura poética e de sabedoria do Antigo Testamento, bem como nas inscrições fúnebres fenícias de cerca de 300 A.C. Algumas referências mitológicas ugaríticas obscuras também parecem empregar a palavra nesse sentido. Os israelitas, sem dúvida, usavam a palavra para aludirem a pessoas mortas e desaparecidas (ver Sal. 88:10; Pro. 2:18; Isa. 14:9; 26:14). Em Jó 26:5, ao que tudo indica, esses seres são apresentados como dotados de alguma forma de consciência, formando uma espécie de assembléia unida (ver Pro. 9:18; Isa. 14:9). A passagem de Isa. 26:19 («mortos») diz que, algum dia, eles haverão de ser ressuscitados. Os textos fenícios e ugaríticos, e talvez os trechos de Isa. 14:9 e 26:14, sugerem que esses seres são a aristocracia dos espíritos que partiram deste mundo, embora talvez isso seja emprestar ao vocábulo um sentido por demais especializado.

No Pentateuco (os primeiros cinco livros da Bíblia) não há qualquer referência clara à sobrevivência da alma após a morte física. Esse ensino só aparece com clareza nos Salmos e nos Profetas. Mas, no período intertestamental (na literatura apócrifa e pseudepígrafa), o conceito já aparece bem desenvolvido, até com elementos tomados por empréstimo de outras culturas. E, naturalmente, o ensino aparece perfeitamente desenvolvido no Novo Testamento.

2. Os habitantes da Transjordânia, em tempos pré-israelitas, eram chamados por esse nome, ao mesmo tempo em que os moabitas chamavam-nos *emins*, e os amorreus, *zanzumins*. Quedorlaomer subjugou-os em cerca de 2000 A.C., em Astarote-Carnaim (ver Gên. 14:15). Eles estavam alistados entre os habitantes do território que Deus prometeu à descendência de Abraão (ver Gên. 15:20). Quando o povo de Israel lançou-se à conquista de Canaã, os refains pareciam ocupar um extenso território, mas eles eram conhecidos por nomes diversos, conforme a localidade. Em Moabe, os refains foram finalmente substituídos pelos moabitas, sem dúvida com alguma mescla racial, o que também veio a suceder entre os amonitas. Ver Deu. 2:11,20,21. Os refains eram gigantes como os filhos de Anaque (ver Deu. 2:21). A Septuaginta (tradução do Antigo Testamento para o grego) chamou-os *gigantes* (ver Gên. 14:5; Jos. 12:4; 13:12; I Crô. 11:15; 14:5; 20:4).

Alguns eruditos pensam que as palavras *rapa* e *rapâ* (ver II Sam. 21:16,18, 20,22; I Crô. 20:6,8), que alguns tradutores traduzem por «gigantes», na verdade indicam formas variantes da palavra *repaim*. Fora da Bíblia, a arqueologia ainda não encontrou esse nome em sentido étnico.

O trecho de Deu. 2:11,12 informa-nos que eles eram numerosos, de elevada estatura, como os filhos de Anaque, como Ogue, rei de Basã. A arqueologia tem descoberto algumas estruturas que sugerem que seus construtores eram gigantescos. Também havia gigantes entre os filisteus contra os quais Davi teve de combater, sendo possível que alguns deles fossem descendentes dos refains. Eles descendiam de Rafa, o ancestral epônimo dos refains. Ver I Crô. 20:4,6,8; II Sam. 2:16,18,20,22.

Destarte, encontramos três usos bíblicos dessa palavra: os fantasmas, uma raça de elevada estatura, na época de Abraão, e os gigantes dos dias de Davi. A tradução RSV corretamente distingue esses três usos, utilizando-se de termos separados: *sombras; refains; gigantes*. Em português, esses termos poderiam ser traduzidos por *fantasmas, refains* e *gigantes*.

REFAINS, VALE DOS

Usualmente, essa expressão é traduzida por «vale dos gigantes» (nossa versão portuguesa diz «vale dos refains»). Esse vale é mencionado na descrição da fronteira norte de Judá, no livro de Josué (15:8). Foi cena de vários choques armados entre Davi e os filisteus: ver II Sam.5:17-22; 23:15-17; I Crô. 14:9 ss. E o trecho de I Crô. 11:15,16 sugere que esse lugar não ficava longe de Belém. Era um lugar fértil, famoso por suas colheitas abundantes (Isa. 17:5). Parece tratar-se da mesma área que um vale com cerca de cinco quilômetros de comprimento, que jaz entre a parte sudoeste de Jerusalém e que prossegue até a meio caminho de Belém. Atualmente, chama-se *Baqa*.

REFEIÇÃO SACRAMENTAL

Ver **Sacramental, Refeição**.

REFEIÇÕES (BANQUETES)

Ver sobre *Alimentos*. Em 4.d desse artigo, são especificamente mencionadas *refeições*. E esse artigo também descreve a preparação de alimentos para as refeições.

Esboço:
 I. Fontes Informativas
 II. Terminologia
 III. Tempo e Modos de Servir; Tipos de Refeições; Costumes
 IV. Tabus e Restrições
 V. Refeições de Cunho Religioso
 VI. Usos Metafóricos

I. Fontes Informativas

Quase todo o artigo que se segue deriva-se de fontes bíblicas, identificadas com os itens em discussão. A mais antiga cena de banquete que os arqueólogos têm conseguido preservar foi encontrada em um cilindro de lápis-lazúli, descoberto em Ur, na Mesopotâmia. Atualmente está no museu da Universidade de Filadélfia. Data de cerca de 2600 A.C. Os convidados pelo rei aparecem sentados em banquetas baixas e são servidos de vinho em canecas, por servos vestidos com aventais feitos de lã. Um harpista provê

REFEIÇÕES (BANQUETES)

O rei de Nínive num banquete

A festa

Lavagem das mãos antes de comer

Refeição oriental

REFEIÇÕES (BANQUETES)

Reclinando na festa

Metáforas Relacionadas às Refeições

Por que gastais o dinheiro naquilo
  que não é pão?
e o produto do vosso trabalho naquilo
  que não pode satisfazer?
Ouvi-me atentamente, e comei o que é bom
e a vossa alma se deleite com a gordura.
  (Is. 55:2)

Eu sou o pão da vida. (João 6:48)

A minha comida é fazer a vontade daquele
que me enviou e realizar a sua obra.
  (João 4:34)

O mantimento sólido é para os perfeitos
os quais, em razão do costume, têm os
sentidos exercidos para discernir tanto o
bem como o mal. (Heb. 5:14)

Desejai afetuosamente, como meninos novamente nascidos, o leite racional, não
falsificado, para que por ele vades
crescendo. (I Ped. 2:2)

REFEIÇÕES

a música ambiental. Servos munidos de grandes leques provêm o condicionamento de ar. Artefatos semelhantes têm sido achados na Babilônia. Um baixo relevo assírio exibe o rei Assurbanipal comendo em companhia de sua esposa, no palácio real de Nínive. — Ele aparece reclinado sobre um divã almofadado, erguendo uma taça de vinho até seus lábios. Sua esposa faz o mesmo gesto, com uma taça de formato elegante. Um monumento, erguido em 879 A.C., representa um banquete que deve ter sido um dos mais notáveis da história. Ali é dito que houve sessenta e nove mil, quinhentos e setenta e quatro convivas! Foi uma festa organizada por Assurbanipal II.

A Bíblia, escrita como foi através de um longo período histórico, naturalmente fornece-nos detalhes sobre a questão de banquetes e refeições, em vários períodos da história do antigo Oriente Próximo e Médio. Vejamos:

1. Quanto ao primitivo *período patriarcal* há evidências arqueológicas provenientes do Egito. José viu-se envolvido em banquetes egípcios (ver Gên. 40:20). Informações detalhadas sobre o que teve lugar em tais oportunidades, chegaram até nós. Os hóspedes eram elegantemente perfumados e emperucados, sentados sobre divãs postos perto de mesas baixas. Havia grande variedade de abundantes alimentos, como aves assadas, legumes, massas e guloseimas. Também era comum servir várias qualidades de vinhos e bebidas fermentadas. Desenhos tumulares exibem servos, músicos, muito vinho, muitos alimentos e, naturalmente, até mesmo alguns comensais já intoxicados, caídos no chão, perto de seus divãs.

2. *Na Pérsia*, no século V A.C., o livro de Ester relata-nos várias cenas de banquetes. Um desses banquetes, em Susa, durou seis meses, tendo sido oferecido em honra aos príncipes da Pérsia e da Média (ver Est. 1:3 ss). Mas, como não pareceu o suficiente, houve mais sete dias de festividades nos jardins reais, quando então foram convidados todos os que trabalhavam no palácio, a fim de participarem dos festejos. Foram estendidos toldos para proteger os convidados dos raios solares; os divãs estavam ornamentados com ouro e prata. Outras festas mencionadas nesse mesmo livro são aquelas que houve no palácio das mulheres (ver Est. 1:9); uma festa de casamento (2:16-18); um banquete de vinho de Assuero e Hamã (5:4; 7:1-8); e a festa de Purim, dos judeus (9:1-32).

3. *O Povo Comum*. As descrições acima não deveriam levar-nos a pensar que o povo comum vivia nababescamente. O povo de Israel, até à época de Salomão, era uma nação bastante pobre. O desjejum dificilmente podia ser chamado de refeição, e, se houvesse outra refeição durante o dia, isso era produto do trabalho pessoal nas lides agrícolas ou devido à criação de gado vacum e ovino. A época de Saul já apresentou melhorias quanto a isso, e a generosidade de Davi tornou-se bem conhecida (ver II Sam. 9:7). Salomão, por sua vez, imitava os luxos dos monarcas orientais, tendo organizado esplêndidas festas. Jezabel sustentava a quatrocentos e cinqüenta profetas de Baal e a quatrocentos profetas de Aserá, e todos comiam bem. Ver I Reis 18:19.

As classes trabalhadoras, porém, a menos que pertencessem a famílias ligeiramente mais abastadas, não passavam bem. Não tinham um desjejum formal, mas levavam alguma provisão de boca em seus bornais ou cestas. Contudo, dispunham de pão, de leite de cabra, de queijo, de figos, de azeitonas e de outras frutas. Ao que parece, os egípcios tinham uma boa refeição ao meio dia; mas os hebreus não se alimentavam muito nesse horário (ver Rute 2:4). E, entre os judeus, quando um homem não comia nesse horário, então é que estava jejuando (Juí. 20:26; I Sam. 14:24). Para os hebreus comuns, o jantar, no fim do dia, era a refeição mais importante (ver Rute 3:7). Os trechos de Gên. 18:8 e 27:25 indicam que o povo comum costumava sentar-se no chão, quando comia. Mesas tornaram-se mais comuns, em tempos posteriores (ver I Reis 13:20; Sal. 27:5; Eze. 23:41). Pode-se supor que o estilo egípcio, descrito acima, foi transportado para Israel. Ver Est. 7:8, que sugere precisamente isso.

II. Terminologia

1. *Comer*. O verbo hebraico bem comum correspondente é *akal*. Todavia, esse termo também pode significar «queimar», «consumir» e «almoçar». As referências bíblicas são muito numerosas. Para exemplificar, ver Gên. 2:16; 43:16 e Sal. 141:4. No Novo Testamento, temos o verbo grego comum *esthío* (Mat. 6:25,31; Mar. 1:6; Luc. 4:2; 5:30,31; João 4:31-33; Atos 9:9; Rom. 14:2,3,6,20,21,23; I Cor. 8:7,8,10,13; Apo. 2:7,14,20; 19:18, só para exemplificar), «comer».

2. *Alimento*. No hebraico, *akal* também é substantivo (Gên. 1:29). E *ma'akal* é uma palavra geral para indicar alimentos, tanto para os seres humanos quanto para os animais, incluindo artigos como carne, frutas, etc. Ver Gên. 2:9; 3:6; Lev. 19:23; Pro. 6:8. *Lechem* é outra palavra hebraica, que alude a pão, cereais, e também alimentos em geral, incluindo carne e frutas. Ver Lev. 3:11; 22:7; Sal. 78:25. No grego encontramos três palavras: *Trophê*, que era a palavra que comumente indicava alimentos (ver Mat. 3:4; 6:25; 10:10; 24:45; Luc. 12:23; João 4:8; Atos 2:46; 9:19; 14:17; 27:33,34,36,38; Heb. 5:12,14; Tia. 2:15). *Brôma*, «comida» (ver Mat. 14:15; Mar. 7:19; Luc. 3:11; 9:13; João 4:34; Rom. 14:15,20; I Cor. 3:2; 6:13; 8:8,13; 10:3; I Tim. 4:3; Heb. 9:10; 13:9). *Brôsis*, «comida» (ver Mat. 6:19,20; João 4:32; 6:27,55; Rom. 14:17; I Cor. 8:4; II Cor. 9:10; Col. 2:16; Heb. 12:16). Uma forma variante é *brósimos*, que ocorre somente em Luc. 24:41.

3. O horário das refeições também era expresso mediante a palavra hebraica *akal* (ver Rute 2:14).

4. O costume, na antiga Terra Santa, geralmente era as pessoas tomarem duas refeições, em lugar de três, conforme se dá entre nós. Na maioria das vezes, porém, os hebreus só tinham uma verdadeira refeição diária, usualmente à noite. O termo grego *áriston* (alimento tomado antes de se começar a trabalhar) referia-se ao «desjejum», embora também pudesse indicar o almoço (ver Mat. 24:4; Luc. 11:38). Sua forma verbal, *aristáo*, significa «tomar o desjejum» (ver João 21:12,15). *Deípnon*, outra palavra grega, tanto apontava para a refeição vespertina quanto para banquetes em geral (ver Mat. 23:6; Mar. 12:39), ou mesmo para indicar o que chamamos de jantar (ver João 12:2 e 13:2).

5. *Banquetes e Orgias*. Para indicar esses festins era usada a palavra hebraica *mirzach*. Interessante é que, literalmente, significa «clamor», pelo que também era usada com o sentido de «lamentação». Todavia, os clamores dos festejadores caracterizavam bem um banquete, com seu vinho, sua comilança e suas orgias. Ver Amós 6:7. Outra palavra hebraica, comumente usada para indicar banquetes, é *mishteh*, que vem de uma raiz que significa «beber». Essa palavra é empregada em Est. 5:4-6,8,12,14; 6:14; 7:2,7,8. O termo grego correspondente era *pótos*, «beber». Esse termo também transmitia a idéia de «farra» (ver I Ped. 4:3). Mas há outras palavras

REFEIÇÕES

gregas envolvidas: *Dochê*, «festa», cuja raiz envolve a idéia de «receber» algum convidado (ver Luc. 5:29; 14:13). *Eortê*, «festa», cuja raiz tem a idéia de «guardar um dia de festa» (ver Mat. 26:5; Luc. 3:41 e João 4:45). *Suneuochéo*, «festejar juntamente com», transmitindo a idéia de um festim comunitário (ver II Ped. 2:13; ver também Jud. 12).

6. *Festas Sagradas*. A palavra hebraica *chag* é usada com esse sentido, em Êxo. 10:9; 23:15 e 34:33. Uma palavra cognata, *chagag*, tem raízes que significam «mover-se em círculos» ou «marchar em cortejo». Danças e cortejos estavam associados a essas ocasiões, o que explica o uso dessa palavra com essa significação.

Ver Êxo. 5:1; Lev. 23:39; Deu. 16:15.

III. Tempo e Modos de Servir; Tipos de Refeições; Costumes

As refeições dos israelitas consistiam em um desjejum simples (quando o tomavam), uma refeição leve ao meio dia (ver Gên. 18:1; 43:16,25; Rute 2:14; I Reis 20:16), e uma refeição mais pesada, no começo da noite (ver Gên. 19:1; Rute 3:2). Entre os israelitas, as refeições eram acompanhadas por uma bênção sobre os alimentos (ver I Sam. 9:13; Mat. 14:19; 15:36; João 6:11). A carne era servida sob forma sólida. Os israelitas, ao que parece, desconheciam as sopas. Porções de alimentos eram postas, com os dedos, em um pedaço de pão, que servia de prato. As classes mais pobres costumavam molhar o pão no vinagre, no leite ou, então, usavam cereal tostado (Rute 2:14). As classes mais abastadas dispunham de vários tipos de carne, legumes e frutas.

Nos banquetes, cada comensal recebia seu lugar em consonância com seu grau de honra. Os ricos tinham servos, músicos proviam o entretenimento, e também havia itens importados que faziam variar o cardápio. Os trabalhadores trabalhavam até o meio-dia sem comer coisa alguma. Então, recebiam alimentos simples como pão, azeitonas, alguma fruta, e, então, descansavam por algum tempo. À noite, terminado o trabalho do dia, as pessoas aproveitavam o tempo para comer e descansar. A refeição principal, no começo da noite, constituía-se em uma espécie de reunião da família, e não meramente um tempo para comer. Os homens sentavam-se em roda e conversavam. Ver Jer. 15:17. Ao que parece, havia refeições segregadas, em que os homens comiam à parte, e às mulheres à parte (ver Rute 2:14; Jó 1:4). No começo, os hebreus sentavam-se no chão; com a passagem do tempo, entretanto, adotaram o costume cananeu de usar mesas e cadeiras. Essas mesas, na verdade, eram uma espécie de armação recoberta com couro. As casas das pessoas pobres não dispunham de um lugar separado para comer. De fato, muitas residências, na Palestina, contavam somente com um aposento, que servia para tudo, desde dormitório até cozinha. Porém, as residências das classes mais abastadas, sobretudo dos ricos, dispunham do que hoje chamamos de sala de jantar, onde tomavam suas refeições ou se banqueteavam. As pessoas reclinavam-se sobre divãs, que, normalmente, acomodavam três pessoas. Ver Amós 6:4.

Os *viajantes* tinham dificuldades para alimentar-se, a menos que fossem ricos e pudessem transportar alimentos consigo. As antigas hospedarias viviam infestadas de ladrões e prostitutas. Exatamente por essa razão é que a hospitalidade era tão importante.

Vários relatos do Antigo Testamento referem-se a provisões divinas para as refeições. Israel dispunha de maná, dado por Deus e de certa feita, codornizes em grande abundância (ver Êxo. 16:13-16), tudo o que serve de excelente metáfora acerca das provisões divinas para todas as necessidades. Elias foi alimentado por corvos (I Reis 17:6). Os caravaneiros levavam alimentos e água em abundância, mas os indivíduos sofriam. Os alimentos favoritos dos caravaneiros, em suas jornadas, eram frutas secas, pão, azeitonas e queijo. Desenvolveu-se, necessariamente, um código de hospitalidade entre os nômades do Oriente Próximo. Dos estrangeiros esperava-se que ajudassem e protegessem aos viajantes. Algumas vezes, esses costumes chegavam a ser exagerados. Assim, Ló (ver Gên. 19:8) e o idoso homem de Gibeá (ver Juí. 19:23,24), dispuseram-se a sacrificar a virgindade de suas próprias filhas, a fim de protegerem seus hóspedes. Os hóspedes eram recebidos com um ósculo (ver Luc. 7:45), tinham seus pés lavados com água (ver Gên. 18:4; Mat. 15:1,2), recebiam uma muda de roupa (Ecl. 9:8), eram ungidos com azeite (Amós 6:6; Mat. 26:7). O Senhor Jesus repreendeu a Simão, o fariseu, por não haver observado esses favores (Luc. 7:44-46). Servos lavavam as mãos dos convidados, antes de alguma refeição, e era oferecida uma bênção sobre os alimentos (I Sam. 9:13). As mulheres da casa é quem serviam os alimentos, ou então, no caso dos ricos, servos ou servas realizavam esse serviço (ver Mat. 8:14,15; Mar. 1:30,31; I Reis 10:5; II Crô. 9:4). Não eram usados nem garfos e nem quaisquer outros utensílios de mesa. As pessoas comiam usando as pontas dos dedos para apanhar os alimentos (ver Pro. 26:15; Mar. 14:20; João 13:26). Um hospedeiro, a fim de mostrar respeito por seus hóspedes, servia-os pessoalmente, ou entrava em diálogo com eles. Os hóspedes de honra recebiam as porções melhores de alimento, e também as porções mais fartas (ver Gên. 43:34; I Sam. 9:24). As migalhas que caíam das mesas eram servidas aos cães (ver Mat. 15:27). Nos banquetes havia música e dançarinos (ver Isa. 5:12; I Sam. 30:16 e Mat. 14:6), como também se apresentavam adivinhações e quebra-cabeças (Juí. 14:12-18). Terminada as refeições, havia momentos para conversar, sendo, então, incluídos todos os assuntos imagináveis, desde filosofia, até religião e política.

Apesar das festas serem momentos de comunhão, certas pessoas ou classes evitavam outras pessoas ou classes. Assim, os egípcios evitavam os pastores (ver Gên. 43:31), os judeus evitavam comer com os pagãos (João 4:9). Jesus foi criticado por comer com pecadores e cobradores de impostos (Mat. 9:11; Luc. 15:2). O ato de lavar as mãos era importante para os judeus, antes das refeições, muito mais como um ritual do que como uma medida higiênica (ver Mat. 15:2; Mar. 7:2; Luc. 11:33). O costume dos persas, caldeus e romanos, de se reclinarem em divãs, a fim de tomarem suas refeições, acabou absorvido pela sociedade israelita, segundo se vê em João 13:23,25.

IV. Tabus e Restrições

As leis dos hebreus eram muito estritas quanto a esse particular. Os artigos sobre *Alimentos* e *Limpo e Imundo* abordam a questão, com detalhes. Ver *Alimentos*, 4.a. *Proibições*, e b. *Alimentos Permitidos*. Entre as proibições e restrições, temos a questão da lavagem das mãos; as pessoas com quem os judeus não comiam; e os próprios alimentos vedados aos judeus. As normas neotestamentárias alteraram tudo isso. Os cristãos não deveriam rejeitar qualquer coisa como comum, visto que todas as coisas foram criadas por Deus (ver Atos 11:9). Jesus ensinou que os alimentos nada têm a ver com a espiritualidade do indivíduo (Mat. 6:25). Os excessos são condenados (Rom. 13:13; Gál. 5:19,21; I Ped. 4:3), mas não os alimentos propriamente ditos (Rom. 14:2 ss). Até mesmo quando estivessem comendo em companhia de pagãos, os cristãos não deveriam fazer perguntas sobre a procedência dos alimentos, ainda que essa procedência fosse idólatra (ver I Cor. 10:25-27), algo que ultrapassava totalmente à compreensão da mente judaica.

V. Refeições de Cunho Religioso

1. *Refeições Pagãs*. Festividades comunais e ritualistas eram importantes nos países de origem semita. As descobertas arqueológicas em Ras Shamra (Ugarite) mostram quão importante isso também era para os cananeus. Havia templos dedicados a Baal, onde, com freqüência, havia festas religiosas, ritualistas. Em Siquém, nas ruínas de um templo dos hicsos, foram encontrados salões de banquetes. Os babilônios costumavam oferecer animais selvagens e domésticos às suas divindades, organizando grandes festividades em sua honra. Jeremias precisou denunciar aqueles que ofereciam bolos à rainha dos céus (ver Jer. 7:18). Além disso, entre os egípcios e mesopotâmicos havia o generalizado costume de oferecer alimentos aos espíritos dos mortos. E aqueles que lêem as antigas obras clássicas, a começar por Homero, conhecem as muitas alusões que esses antigos documentos contêm às festividades em honra aos deuses, tanto em lugares sagrados quanto fora deles mesmos. Sacrifícios de animais também faziam parte dessas celebrações, e as festas dos mistérios eleusianos incluíam oferendas sob a forma de cereais. Os romanos também praticavam coisas dessa natureza. Ocasiões especiais, como aniversários natalícios, casamentos, aniversários de acontecimentos importantes, ou o retorno de alguma longa viagem, eram ocasiões festivas, quando as divindades também eram honradas devido à proteção e provisão que, supostamente teriam dado às pessoas.

2. *Refeições Hebréias*. É provável que em algumas das festas rituais mais primitivas que havia entre os hebreus, eles pensassem, tal como sucedia no paganismo, que os sacrifícios, em algum sentido, fossem refeições oferecidas a Yahweh. Todavia, não é isso que, finalmente, veio a transparecer do sistema de sacrifícios levíticos. Naturalmente, os festejos tinham um papel importante dentro daquele sistema. Porém, as idéias psicológicas fundamentais, entre os hebreus, eram as seguintes:

a. *Comunhão*. As pessoas reuniam-se em atitude devocional, participando de refeições a fim de desfrutarem de companheirismo.

b. *Provisão*. A providência divina é quem faz provisão para todas as nossas necessidades, e os alimentos abundantes, nos banquetes, evidenciavam isso.

c. *Sacrifício*. Antes de ser consumido pelos homens, um animal qualquer era oferecido em sacrifício, a fim de agradar ao Senhor. A idéia do perdão dos pecados terminou sendo envolvida nesses sacrifícios, embora não fosse essa a única razão para os mesmos.

d. *Dedicação*. O animal representava o sacrifício supremo, um exemplo de sacrifício vivo, envolvido na inquirição espiritual (ver Rom. 12:1,2). As três festas religiosas mais importantes entre os judeus, a Páscoa, o Pentecoste e a festa dos Tabernáculos (ver os artigos a respeito), envolviam ofertas e sacrifícios, acompanhados por festejos, o que mostra quão importante era a questão, dentro da cultura dos hebreus Todavia, o sistema inteiro poderia redundar em nada, senão em festejos, e os profetas protestaram contra a abundância de sacrifícios e ofertas, oferecidos por um povo desobediente ao Senhor (ver I Sam. 15:22; Isa. 1:13-17; Amós 5:21-24; Miq. 6:7,8; Mal. 1:6,7). As refeições dessa natureza eram para todos. Até os escravos participavam delas (ver Deu. 12:12).

3. *Refeições Cristãs*. A Ceia do Senhor (também chamada eucaristia), instituída pelo próprio Senhor Jesus, deriva-se da páscoa judaica. O Senhor Jesus é o antítipo dessa cerimônia simbólica (João 1:29), na qualidade de Cordeiro de Deus. Ver o artigo separado sobre o *Cordeiro de Deus*. Ver também sobre *Eucaristia e Ceia do Senhor*. A refeição instituída por Jesus, como é óbvio, visa à comunhão entre os seus seguidores. Ela representa a *doação da vida* e o *perdão dos pecados*. Mas também lança os olhos para o futuro, quando a *parousia* (vide) levar à plena concretização o plano de salvação, com a glorificação dos crentes. Visto ser uma demonstração do amor de Deus, por isso mesmo essa refeição é chamada no Novo Testamento grego de *agapé* (vide). Originalmente, a Ceia do Senhor era comemorada com uma refeição, da qual o pão e o vinho eram uma pequena parte. Os abusos e excessos levaram à redução somente a esses dois elementos. Houve tais abusos desde o começo, e o apóstolo dos gentios advertiu aos crentes coríntios para que não fizessem dessa refeição sagrada uma zombaria e uma galhofa. Ver I Cor. 11:20-22. Os gnósticos costumavam desrespeitar a Ceia do Senhor, e Judas declarou que eles se haviam tornado máculas e nódoas nas festas de amor dos crentes (Jud. 12).

VI. Usos Metafóricos

Há notas abundantes sobre esses usos metafóricos no fim do artigo intitulado *Alimentos*. Ver também sobre *Banquetes, Uso Figurado*, no último parágrafo. Por igual modo, há um artigo bem detalhado sobre o *Pão da Vida, Jesus como o*.

Nos Sonhos e nas Visões. Uma refeição particular, com outra pessoa, pode significar comunhão íntima, ou desejo de intimidade, incluindo aquela de natureza sexual. Os atos de beber, de comer e de satisfazer outros apetites, podem indicar a mesma coisa. Ser convidado a uma festa aponta para a idéia de *provisão*, e aquele que oferece a festa é o provedor. Se o sonho tem origem divina, então a provisão também é divina, e o provedor é o próprio Deus.

REFIDIM

No hebraico, o sentido provável é **refrigérios**. Lugar onde os israelitas estacaram, no caminho entre o Egito e o Sinai (Êxo. 17:1,8; 19:2; Núm. 33:14). Números 33:15 localiza Refidim entre Alus e o deserto do Sinai. Visto que o deserto do Sinai é de localização incerta, outro tanto sucede a Refidim. Há três opiniões comuns: ou o monte Sinai tradicional, também chamado Jebel Musa, ou Cades-Barnéia, ou algum lugar em Midiã, a leste do golfo de Áqaba. Com base no local tradicional do monte Sinai, perto da extremidade sul da península formada pelos golfos de Suez e Áqaba, Refidim pode ter sido o atual wadi Feiran, ou o wadi Rufaid.

O trecho de Êxodo 17 e 18 registra os eventos ocorridos em Refidim. Um deles foi a água extraída da rocha, a mando de Deus, após o povo ter-se queixado da falta de água. Por causa disso, Moisés chamou o lugar de Massá e Meribá, que significam «prova» e «contenda» (Êxo. 17:7). Moisés, reiteradamente aludia ao incidente, lembrando ao povo a fidelidade de Deus e a infidelidade do povo (Núm. 20:13,24; 27:14; Deu. 6:16; 9:22; 32:51; 33:8). O autor do Salmo 81 também relembrou o incidente (vs. 7).

Foi em Refidim que os amalequitas lutaram contra

REFINAR — REFORMA PROTESTANTE

Israel (Êxo. 17:8 *ss*), em famosa batalha porque as mãos de Moisés tiveram de ser amparadas, enquanto ele orava. Após a derrota do inimigo, Moisés erigiu um altar, chamando-o de «o Senhor é a minha bandeira» (Yahweh-Nissi). Provavelmente, a visita de Jetro, sogro de Moisés, a esse legislador, também ocorreu em Refidim (ver Êxo. 18). A última menção a Refidim é em Êxo. 19:2, quando o povo dali partiu.

REFINAR, REFINADOR

Ver o artigo geral sobre **Metal, Metalurgia**, que oferece detalhes concernentes ao refino de metais, que não são reiterados aqui. Ver também o verbete *Artes e Ofícios*.

A *metalurgia* é a arte ou ciência da extração de um metal ou metais, dos seus respectivos minérios, mediante processos como fundição, redução, refino, liga e eletrólise. A raiz hebraica que alude ao processo de refinação de metais é *srp*, que exprime a fundição, teste e refino. O termo hebraico para refinador é *sorep*. Esse vocábulo era geralmente usado para indicar um homem que trabalhava com metais. No Novo Testamento, o termo grego usado é *puróomai*, que figura por estas vezes: I Cor. 7:9; II Cor. 11:29; Efé. 6:16; II Ped. 3:12; Apo. 1:15 e 3:18.

Na Bíblia, o *refino* usualmente diz respeito a metais, mas em Jó 36:27 está em foco a chuva (o que explica a tradução «destilam», em nossa versão portuguesa), enquanto que em Isa. 25:6, o vinho é o assunto (em nossa versão portuguesa, «vinhos velhos bem clarificados»). Além disso, encontramos o uso metafórico no qual Deus é o refinador, e os homens é que são refinados. Ver Juí. 7:4; Sal. 13:9; 17:3; Mal. 3:2, 3. A Palavra de Deus também nos refina (Pro. 30:5; Sal. 12:6). Deus procura purificar o seu povo da corrupção do pecado (ver Isa. 1:25). As provações têm por escopo refinar os crentes, e aqueles que são sábios permitem que essas tribulações realizem o seu efeito (ver Dan. 11:35; 12:10).

O processo de refino era bastante simples na antiguidade. Envolvia a aplicação de grande calor ao minério, a fim de que se fundisse, fazendo o minério entrar em estado líquido. Então o líquido era soprado ou desnatado de sua espuma superficial. Antes de ser descoberto o processo de refino, eram usados vários metais em seu estado natural, como aqueles encontrados em meteoritos. Mas o refino aumentou extraordinariamente a capacidade do homem controlar seu meio ambiente. O artigo *Metal, Metalurgia* oferece pormenores a respeito.

«A arte do refinador era essencial para que se pudesse trabalhar com metais nobres. Consistia na separação entre a escória e o minério puro, o que se conseguia reduzindo o metal a um estado fluido, mediante a aplicação de calor, com a ajuda de solventes, com um álcali (ver Isa. 1:25), ou de chumbo (ver Jer. 6:29), os quais, amalgamando-se com a escória, permitia a extração do metal não-adulterado. Os instrumentos imprescindíveis eram o forno ou cadinho e o fole. O derretedor de metais costumava sentar-se para realizar seu trabalho (ver Mal. 3:3). Dessa maneira ele podia observar e acompanhar melhor o processo, deixando o metal dissolvido ser derramado no momento mais propício. Os egípcios desenvolveram a um grau de extraordinária perfeição o trabalho com metais, sendo que não duvidar que os hebreus obtiveram no Egito o conhecimento que tinham dessa arte, embora haja evidências de que a fundição do cobre e do ferro já era conhecida antes mesmo do dilúvio (ver Gên. 4:22)» (UN).

••• ••• •••

REFORMA CATÓLICA

A Igreja Católica Romana reagiu contra a Reforma protestante (que vide). Paulo III (1534-1549), que com justiça pode ser considerado como a transição entre os papas da renascença e os papas da reforma católica, convocou o concílio de Trento (que vide) «ad reformationem cleri et populi christiani». Da sessão V à sessão XXV, que também foi a sessão final, houve negociações *de reformatione*, paralelamente às negociações *de fide*. Cada fase da doutrina católica romana que fora ou estava sendo sujeita a ataques, por parte dos reformadores, foi redefinida, com tratamento especial sobre os grandes assuntos como justificação, pecado original, graça, redenção, os sacramentos, a missa, o purgatório, etc. Todas as violações da disciplina que haviam contribuído para a desunião também foram denunciadas. Medidas reformadoras foram delineadas e reforçadas, mediante a ameaça de severas penas. É interessante observar que dois dos cardeais que presidiram as sessões, posteriormente tornaram-se papas, a saber, Júlio III (1550-1555) e Marcelo II (1555). O papa Reginaldo tornou-se o último legado cardeal católico da Inglaterra, sob a rainha Maria Tudor. Ali, ele laborou em prol da restauração católica. Pio IV (1559-1565), encerrou solenemente o concílio de Trento com a instituição da *Sagrada Congregação do Concílio*, para que reforçasse e interpretasse autenticamente os decretos do concílio. Ele também publicou um novo *Índice de Livros Proibidos*. Esses estatutos foram postos em vigor pelos papas Pio V (1566-1572) e outros, os quais foram, por isso mesmo, chamados *papas reformadores*. Houve a reforma do missal e do breviário católico romano, a introdução do catecismo Tridentino, a reforma do calendário juliano (ver sobre o *Calendário*), a instituição dos Colégios Teológicos Romanos, a reorganização da Cúria Romana, a formação do corpo coletivo de oficiais do governo papal, a repressão ao banditismo, a fundação de novas ordens, incluindo os jesuítas, os capuchinhos, os teatinos, e várias comunidades de ordens femininas, incluindo as Filhas da Caridade. Também houve a renovação da instrução por meio de academias, seminários, etc., tanto em escolas religiosas como secular-religiosas. Foram promovidas as atividades missionárias ao estrangeiro; e a Inquisição (que vide), que viera à existência entre 1227 e 1241, foi reavivada, tornando-se ativa especialmente na Espanha, na Itália e nos territórios a elas dependentes. Ver o artigo sobre a *Inquisição*. Infelizmente, essa reforma católica romana teve de matar e queimar na fogueira milhões de pessoas, para que os povos se mantivessem dentro dos limites da fé aprovada, oficial. É lamentável que Calvino também tenha apelado para os mesmos métodos, embora em escala infinitesimalmente menor, conforme se vê no artigo sobre *João Calvino*. Leão X (1513-1521) excomungou Lutero, e Pio V excomungou a rainha Isabel, da Inglaterra. A despeito de algumas boas medidas internas que foram adotadas, e de alguns bons resultados conseguidos pela reforma católica, também foi promovido muito sofrimento, confusão e arrogância, de modo oficial, em nome de Deus. (C CE R)

REFORMA PROTESTANTE

Outros artigos têm contado a história essencial desse lance histórico. Ver o artigo geral sobre o *Protestantismo*. Ver também sobre *Lutero* e *Calvino*, quanto a vários eventos históricos que fazem parte da Reforma Protestante. Quanto aos pontos doutrinários

REFORMA — REGENERAÇÃO

distintivos que vieram a fazer parte do protestantismo, em contraste com a Igreja Católica Romana, ver sobre *Protestantismo*, sexta seção. E acerca de como o protestantismo tem-se fragmentado em muitas formas e denominações, ver sobre *Protestantismo*, seções quarta e quinta. A terceira seção desse mesmo artigo dá o *esboço histórico* do movimento protestante, incluindo, obviamente, a própria Reforma.

Definição. A *Reforma Protestante* foi um movimento religioso reformador, na Europa, que fragmentou a Igreja cristã ocidental (Igreja Católica Romana). A Igreja cristã oriental (igrejas ortodoxas orientais) já se tinha separado, em 1054. Pode-se dizer que a Reforma começou, em sua forma preliminar, com *Wycliffe* (vide), no século XIV. *João Huss* (vide) foi outra figura espiritual que lançou o alicerce sobre o qual a Reforma veio a ser edificada. Mais exatamente, porém, a Reforma começou quando Lutero postou suas Noventa e Cinco Teses à entrada da catedral, as quais se tornaram o fulcro de uma acalorada controvérsia. Isso teve lugar em 1517. O trabalho inicial de Lutero teve continuidade graças aos esforços de *Melanchthon* (vide), *Zwínglio* (vide), *Calvino* (vide) e *João Knox* (vide). A Igreja Católica Romana com a sua *Contra-Reforma*. Ver sobre *Reforma Católica*.

Ênfases. Protestar contra os graves erros; convocação à reforma; testificar sobre a autoridade da Bíblia; voltar ao agostinianismo e repelir o tomismo. Demos uma completa declaração sobre as diferenças doutrinárias que emergiram e foram oficializadas em credos e práticas, nas denominações protestantes, no artigo intitulado *Protestantismo*, sexta seção.

REFÚGIO

No hebraico significa exatamente o que significa em português, «refúgio», «abrigo». São usados cinco substantivos e um verbo, no hebraico. A idéia de segurança permeia todos esses vocábulos, porque o senso de segurança pode ser visto de vários ângulos. Um dos termos hebraicos exprime a segurança como um abrigo, que protege de uma tempestade ou de um perigo. Deus é o refúgio dos piedosos (Sal. 14:6; 104:18; Isa. 4:6). Outras vezes, a proteção pode ser equiparada a uma fuga, como se vê em Jer. 46:5 e Amós 2:14. Também pode ser concebido como um lugar de habitação, especialmente como um lugar secreto como a cova de uma fera, segundo se vê em Amós 3:4. Em Israel havia cidades de refúgio (Núm. 35:11 ss). Ali a palavra hebraica usada significa «aportar», como quem chega a um porto seguro. Outra palavra hebraica significa *torre*, exibindo a segurança como uma altura inacessível (Sal. 9:9; Isa. 33:16).

REGÉM

No hebraico, **amigo**. Era o epônimo de uma família de Calebe. Foi um dos filhos de Jadai (I Crô. 2:47).

RÉGEN-MELEQUE

Membro de uma delegação enviada pelo povo de Betel aos sacerdotes do templo para inquirir sobre a propriedade de continuarem o jejum, em comemoração à destruição do templo (Zac. 7:2). Há alguma incerteza se está em foco um nome pessoal ou um título, «amigo do rei». Neste último caso, o sentido pode ser: «Quando de Betel foi enviado Sarezer, amigo do rei...»

••• ••• •••

REGENERAÇÃO

Ver o artigo detalhado sobre *Novo Nascimento*.

Esboço
1. Testemunho Bíblico
2. Perspectiva Teológica Bíblica
3. Desenvolvimento Doutrinário
4. Formulação Doutrinária
5. Novo Nascimento; Nova Criação
6. Alvos Finais da Regeneração

No grego, *paliggenesía*, «renascimento», «regeneração». Indica a doutrina bíblica do renascimento, da renovação e da restauração final de todas as coisas.

Testemunho bíblico. O diálogo de Jesus e Nicodemos é o testemunho bíblico mais importante da doutrina da regeneração. Representante da seita religiosa mais importante de que era membro, Nicodemos veio investigar Jesus acerca do reino de Deus, procurando instrução. Jesus orientou os pensamentos de Nicodemos, dizendo-lhe abruptamente: «...se alguém não nascer de novo, não pode ver o reino de Deus» (João 3:3). Nessas e nas declarações seguintes, Jesus frisou a necessidade do *novo nascimento*, de natureza espiritual. Nicodemos não precisava de informações, mas de alterar radicalmente o rumo de sua vida, nascendo do alto.

Quando se referia à regeneração, João sempre a descreveu como um nascimento da parte de Deus (cf. João 1:13). Destaca-se nisso a origem do novo nascimento, na atividade sobrenatural do Espírito Santo. E a menção ao vento mostra que se trata de algo fora do alcance da experiência terrena (João 3:8). As idéias de «novidade», de «regeneração» e da «origem sobrenatural do Espírito» aparecem em Tito 3:5, onde se lê que a salvação ocorre «...mediante o lavar regenerador e renovador do Espírito Santo».

Na salvação há uma lavagem e uma regeneração, com alteração das inclinações e atitudes mais profundas do ser humano, e isso só pode ser corretamente retratado por um nascimento — um novo nascimento, cuja origem não é humana, mas na vontade soberana de Deus (João 1:13). A regeneração transfere o indivíduo de **sua condição de poluição** e morte espirituais para um estado renovado de santidade e de vida. É nessa mesma veia que a Bíblia fala sobre o indivíduo regenerado como «nova criatura» (II Cor. 5:17). De acordo com Paulo (Gál. 6:15), o que realmente importa é ser uma nova criação. Por isso, o crente é exortado a se revestir «do novo homem, criado segundo Deus, em justiça e retidão procedentes da verdade» (Efé. 4:24). O novo nascimento também é descrito como uma «geração» (ver Tia. 1:18), e como uma «vivificação» (João 5:21 e Efé. 2:5). Desse modo que ele é, um «ressurrecto dentre os mortos» (ver Rom. 6:13), e também que ele é «feitura» de Deus (Efé. 2:10).

Tendo estado morta em suas transgressões e pecados (Efé. 2:1,5), cega e indiferente para com as realidades do Espírito de Deus (I Cor. 2:14), incapaz de fazer obras meritórias da salvação (II Tim. 1:9; Tito 3:5), a pessoa, embora até então corrompida em todas as suas faculdades, é recriada em Cristo Jesus. Tal como um recém-nascido não tomou a iniciativa de sua própria concepção e nascimento, assim também o homem regenerado tem que olhar para fora de si mesmo se quiser encontrar a fonte de sua regeneração, encontrando-a exclusivamente no Espírito que lhe é dado do alto.

2. Perspectiva teológica bíblica. A palavra grega para regeneração (**paliggenesia**) acha-se somente em Mat. 19:28 e Tito 3:5. No primeiro caso, a alusão é à restauração do Universo inteiro, no fim dos tempos.

REGENERAÇÃO

No segundo caso, refere-se à iniciação de uma nova vida no crente. Mais comumente, esse novo começo é expresso pelo verbo grego *gennan*, ou pelo verbo composto *anagennan*. Essas palavras significam «gerar», «gerar novamente» ou «dar à luz» (cf. João 1:13; 3:3-8; I Ped. 1:23; I João 2:29; 3:9; 4:7; 5:1,4,18). Em Tia. 1:18 é usado o termo grego *apokúein*, «dar à luz». A idéia da produção de uma nova vida também é expressa pela palavra *ktízein*, «criar» (Efé. 2:10). A criação resultante é chamada «nova criação» (II Cor. 5:17; Gál. 6:15), ou «novo homem» (Efé. 4:24). Em Efé. 2:5 e Col. 2:13 encontramos a palavra *suzoopoieín*, «vivificar com».

A doutrina mais específica do novo nascimento ocorre, porém, no contexto do ensino bíblico mais lato acerca da «renovação». Esse termo não aparece, com freqüência, nas Escrituras. Figura somente nas epístolas, como *anakainoûn*, e seus cognatos (ver Rom. 12:2; II Cor. 4:16; Efé. 4:23; Col. 3:10; Tito 3:5; Heb. 6:6). Essa raridade, porém, não significa que a doutrina não seja importante. A idéia bíblica da renovação é ensinada em todos os estágios da revelação divina.

No A.T. as idéias de purificação e limpeza são muito proeminentes, embora quase sempre de natureza cerimonial. Como exemplos disso temos a purificação ritual do sumo sacerdote, antes dele entrar no Lugar Santo (Lev. 16:1-4) e a purificação ritual da mulher, após o parto (Lev. 12). Embora externas, essas purificações tinham certo sentido ético, simbolizando a retidão e a santidade do coração, exigidas da parte do povo de Deus. Os profetas repreendiam os israelitas quando eles perdiam de vista o sentido mais profundo, espiritual desses ritos. Havia a profecia de uma nova era, quando a lei de Deus seria inscrita nos corações de um povo realmente separado para Deus (ver Jer. 31:33).

O conceito de *renovação do coração* não é tão claramente ensinado no A.T. quanto o é no Novo. Todavia, o sentido central do pacto de Deus com o seu povo é que eles seriam o seu povo (Gên. 17:1,7,8). Essa separação era simbolizada pelo rito da circuncisão, que retratava o intuito mais profundo de Deus (Gên. 17:10), o que envolvia a união mística com Deus. Essa era também simbolizada pela idéia de casamento, pelo que o rompimento do pacto era comparado à prostituição (Jer. 2:2; 3:1; Osé. 1:2 e outros).

O povo de Israel ainda não estava maduro para as realidades simbolizadas por esses ritos. Tinha de ser governado pela lei, bem detalhada e cheia de imposições (Atos 15:10; Gál. 3:19,23-26; 4:1-7; 5:1), podendo ser observada externamente, sem a mudança correspondente no coração. Além disso, o acesso a Deus se dava através de um sacerdócio humano, e a Palavra de Deus era recebida através de profetas. O A.T., porém, reconhece a natureza temporária desses arranjos. Ali é prometido um tempo quando o Espírito seria derramado sobre toda a carne (Joel 2:28). Também ali se reconhece o sentido mais profundo da lei. Para exemplificar: «O Senhor teu Deus circuncidará o teu coração, e o coração de tua descendência, para amares ao Senhor teu Deus de todo o coração e de toda a tua alma, para que vivas» (Deu. 30:6). Isso os tornaria em um povo espiritual: «Dar-lhes-ei um só coração, espírito novo e porei dentro deles; tirarei da sua carne o coração de pedra, e lhes darei coração de carne» (Eze. 11:19; cf. 36:26; 37:1-14; Jer. 31:33). Em reação positiva, há a bela expressão de piedade dos santos do A.T. «Purifica-me com hissopo, e ficarei limpo; lava-me, e ficarei mais alvo que a neve... Cria em mim, ó Deus, um coração puro, e renova dentro de mim um espírito inabalável» (Sal. 51:7,10).

Embora poucas passagens mencionem diretamente o tema de regeneração, esse ensino aparece dentro do contexto do ensino mais geral da renovação espiritual, o que inclui não só o próprio novo nascimento, mas igualmente tudo quanto dali flui, a nova vida em Cristo. Assim, embora a regeneração seja o passo inicial da renovação, não deve ser isolada desta última.

3. Desenvolvimento doutrinário. Visto que o tema da regeneração aparece na Bíblia dentro do contexto mais amplo da idéia de renovação, o termo «regeneração» não adquiriu de pronto o sentido preciso que lhe damos na teologia moderna. A não distinção entre a regeneração e a justificação, por exemplo, exerceu efeitos adversos na teologia escolástica. Hoje distingue-se uma da outra declarando que, na justificação, Deus declara alguém justo por ter crido na retidão de Cristo, sendo esta lançada na conta daquele, na mente de Deus. A regeneração, porém, envolve uma operação feita pelo Espírito, no coração do pecador, conferindo-lhe um novo coração, uma nova vida, uma nova inclinação.

4. Formulação doutrinária. Uma pesquisa no tema da regeneração, dentro da Bíblia, mostra que o mesmo não é ali definido com pristina clareza. Estão envolvidas tanta a fase inicial, do novo nascimento propriamente dito, como o processo inteiro de renovação, em suas dimensões pessoal e cósmica. Deus visa a salvação do homem inteiro — espírito, alma e corpo — e, juntamente com ele, o cosmos, sobre o qual o homem foi nomeado vice-regente. A regeneração, pois, envolveria vários elos interligados dentro da cadeia da salvação. Assim como o pecado afeta não somente o pecador individual, mas o próprio cosmos — «maldita é a terra por tua causa» (Gên. 3:17), assim também a regeneração do indivíduo chegará a produzir uma regeneração universal (que a Bíblia chama de *paliggenesía*, «regeneração» (ver Mat. 19:28), ou *apokatastáseos*, «restauração» (ver Atos 3:21). Isso envolve a transformação dos remidos segundo a natureza de Cristo, com o recebimento da natureza divina por parte deles. «...nos têm sido doadas as suas preciosas e mui grandes promessas para que por elas vos torneis coparticipantes da natureza divina...» (II Ped. 1:4).

A culpa do pecado é resolvida pela justificação, e a poluição do pecado é resolvida pela santificação. Na regeneração é insuflado um princípio de santidade, que, embora nunca atinja estado perfeito neste mundo, introduz na vida do crente o *poder renovador* que terminará por conferir-lhe a retidão e a santidade de Deus. Assim, João foi capaz de dizer acerca de quem é regenerado: «Todo aquele que é nascido de Deus não vive na prática de pecado; pois o que permanece nele é a divina semente; ora, esse não pode viver pecando, porque é nascido de Deus» (I João 3:9).

A diferença entre o homem regenerado e o homem não regenerado transparece como uma antítese que assinala a vida inteira deles. No homem regenerado há a consciência que busca sujeitar tudo ao senhorio de Cristo, paralelamente à consciência de que há um antigo princípio que procura tornar-se independente de Deus. A solução é entregar nas mãos do Senhor a direção inteira da vida. «...no tocante ao homem interior, tenho prazer na lei de Deus, mas vejo nos meus membros outra lei que, guerreando contra a lei da minha mente, me faz prisioneiro da lei do pecado que está nos meus membros. Desventurado homem que sou! quem me livrará do corpo desta morte? Graças a Deus por Jesus Cristo nosso Senhor...»

(Rom. 7:22-25). Esse conflito íntimo termina quando ele se liberta do corpo físico, a sede da natureza carnal, por ocasião da morte física. O corpo ressurrecto terá deslocado o seu centro de decisões, passando da alma para o espírito. Nosso corpo atual é animal (impulsionado pela alma), nosso corpo futuro será espiritual (impulsionado pelo espírito). (Ver I Cor. 15:44).

A criação inteira aguarda pela manifestação dessa transformação dos filhos de Deus (ver Rom. 8:19-23). Embora nem todos os seres humanos venham a receber a salvação dos remidos, o cosmos inteiro será beneficiado por ocasião da glorificação dos filhos de Deus. Ver sobre *Restauração*. Todas as coisas serão renovadas no novo céu e na nova terra. E essa renovação desde agora e para sempre emana do Filho de Deus, que se tornou homem para que nos tornássemos participantes na natureza divina. Glória a Deus por isso!

5. Ver os artigos separados sobre *Novo Nascimento; Nascer de Novo e Nova Criatura*. O artigo sobre *Novo Nascimento* explica a doutrina da *Regeneração* detalhadamente.

6. Alvos finais da regeneração

1. Redenção dos eleitos. Ver o artigo separado sobre *Redenção*.
2. Salvação escatológica. Ver o artigo geral sobre *Salvação*. Este conceito inclui, como elemento principal, a transformação do crente à imagem de Cristo. Ver *Transformação Segundo à Imagem de Cristo*. Esta transformação incluirá, necessariamente, participação em toda a plenitude de Deus (Efé. 3:19), portanto, na própria natureza divina (II Ped. 1:4). Ver o artigo separado, *Divindade, Participação na, Pelos Homens*.
3. *Restauração*. Os não-eleitos também participarão na regeneração efetuada por Cristo. Ele tinha (tem) uma missão tridimensional: na terra, no hades, e nos céus. As três missões *juntas* alcançarão *todos* os homens (Efé. 1:9,10), formando uma *união* de tudo em Cristo. O Logos Divino alcançará *todos* os homens, embora não da mesma maneira, e não com os mesmos resultados. Ver a discussão que esclarece estes conceitos no artigo sobre *Restauração*.
4. A realização final do *Mistério da Vontade de Deus* (vide), que efetuará, afinal, uma *união* de tudo no Logos.

REGENERAÇÃO BATISMAL

No Novo Testamento, encontramos o batismo associado à regeneração. Ver João 3:3 e 5. O Novo Testamento fala no nascimento *pela água* e pela *lavagem da regeneração e renovação do Espírito Santo*. Aqueles que crêem que o batismo em água é necessário à salvação, como sua causa ou instrumento *sine non quo*, naturalmente valem-se desses versículos a fim de consubstanciarem sua doutrina. E reforçam a idéia usando trechos como Atos 2:38 e Marcos 16:16. Naturalmente, aqueles que assim interpretam rejeitam o aspecto metafórico desses versículos e, ao ensinam que a *água* simboliza as operações do Espírito Santo e a purificação espiritual (e, portanto, a santificação), — e também insistem que o batismo é apenas um *sinal*, e não a causa ou substância da regeneração. E quando é salientado que o trecho de Romanos 6:3,4 alude ao *Batismo Espiritual* (ver o artigo), — segundo o qual a pessoa é identificada com Cristo, em sua morte e ressurreição, os advogados da idéia da regeneração batismal replicam que isso é verdade, mas que só ocorre quando se cumpre o mandamento do batismo em água, determinado por Deus. A questão inteira é discutida longamente no NTI, nas notas sobre João 3:5. Ver igualmente o comentário sobre Tito 3:5. O artigo sobre o *Batismo Espiritual* fornece muitos detalhes sobre essa questão. Ver também o artigo geral sobre o Batismo, sob os pontos 2, Sacramentalismo, e 4. Batismo Simbólico (ponto de vista dos Batistas).

Os mais liberais entre os católicos romanos têm tomado a posição que diz que até mesmo os pagãos, inteiramente desligados da Igreja, se obedecerem à voz da própria consciência, recebem o batismo através de meios espirituais, ainda que nunca recebam o próprio rito. (Ver Rom. 2:14 *ss*.). Alguns católicos e protestantes supõem que, em casos excepcionais, em que a conversão antecede à morte por breve período de tempo, e não permite o recebimento do rito batismal, à alma pode ser salva sem o mesmo. Minha opinião é que quanto mais nos afastamos da suposição de que ritos e cerimônias podem exercer qualquer efeito transformador sobre a alma, mais nos aproximamos da verdade revelada. É o Espírito de Deus que nos transforma, o que ele faz inteiramente à parte de cerimônias humanas, mesmo quando essas cerimônias são divinamente determinadas. Um dos sinais de primitivismo, nas religiões, consiste em injetar efeitos mágicos aos seus ritos; mas o judaísmo e o cristianismo não têm podido libertar-se desse vício. A *história* da religião demonstra que à medida que a fé religiosa vai-se espiritualizando, menos importante e elaborado torna-se o ritual, assumindo natureza mais simbólica do que eficaz. A epístola aos Hebreus é um tratado cristão sobre o assunto. Em substituição a todos os sacrifícios, abluções, ritos e cerimônias, e mesmo em substituição ao elaborado sistema sacerdotal, aquela epístola acha lugar somente para uma palavra: CRISTO! Quanto mais aplicamos esse princípio, tanto mais perto chegamos da verdade. Os ritos são bons como sinais e como encorajamentos à adoração. Mas não são a causa de nossa espiritualidade em hipótese nenhuma.

Entretanto, em meio a qualquer controvérsia, — devemo-nos lembrar que o maior de todos os princípios espirituais é a lei do amor. E isso requer que respeitemos às outras pessoas, tolerando, de boa fé, aquilo que consideramos como erros delas. Se tivermos a oportunidade de tentar convencê-las de seu equívoco, deveremos fazê-lo em espírito pacífico, e não em atitude de ódio. Mas, é possível que elas nos surpreendam em relação a outras questões, instruindo-nos no tocante a algum erro de doutrina ou prática. que estamos cometendo. (B BRO)

REGIÃO MONTANHOSA

As referências bíblicas que contêm essa expressão ou expressões similares, são um tanto vagas, a menos que o contexto proveja uma definição acerca do local em questão. Geralmente, estão em pauta áreas que continham montes em Judá, Efraim e Naftali, embora todas essas áreas fossem parte de uma única serra. As elevações, na Palestina, raramente atingem mais de 900 m, pelo que aludo que alguns chamariam de montes, outros chamariam de colinas. Há quatro divisões geográficas naturais na Palestina: 1. a planície marítima ao longo do mar Mediterrâneo; 2. a Sefelá, ou região montanhosa; 3. o vale do rio Jordão; e 4. o platô da Transjordânia. Todavia, quase toda a Palestina pode ser considerada como uma região montanhosa.

Usos: 1. As colinas onde os cananeus efetuavam

REGIÃO — REGIÕES INFERIORES

seus ritos pagãos (Deu. 12:2; I Reis 14:23). 2. Os habitantes das regiões montanhosas, como Gibeá de Saul (I Sam. 11:4; 15:34); a Gibeá de Finéias (Jos. 24:33); a Gibeá de Benjamim (I Sam. 13:16). 3. Simples montes ou serras, como o monte Sião (Sal. 2:6; 48:11); as colinas em redor do território de Judá (Jos. 11:21; Luc. 1:39,65); o monte Efraim (Jos. 17:15); as colinas em redor do território de Naftali (Jos. 20:7); as colinas de Gileade (Deu. 3:12); os montes de Basã (Sal. 68:15); os montes de Amom (Deu. 2:37); os montes dos amorreus (Deu. 1:7). 4. O monte da Transfiguração (Luc. 9:37), que talvez seja o mesmo monte Hermom (vide).

REGIÃO MONTANHOSA DOS AMALEQUITAS

Um lugar próximo de Piratom, no território de Efraim (ver Juí. 12:15). Não há que duvidar que esse lugar era assim chamado porque, antigamente, os amalequitas tinham ocupado o lugar.

RÉGIO

No grego, **Région**. Modernamente, tem a mesma forma com que aparece no português. Mas essa forma de escrever é complicada por idéias antigas e sem base sobre etimologia. Os gregos, que pensavam que a Sicília ter-se-ia «separado» da Itália pelo estreito de Messina, com doze quilômetros de largura, derivavam a palavra de *rhegnumi* — quebrar. Mas os italianos favoreciam a soletração «reg-», que significa «real». Isso explica o «h» ou a sua ausência. A origem provável do termo é pré-grego, e se uma derivação tiver de ser preferida a outra, então a origem latina ou italiana da palavra é a mais provável.

Seja como for, a cidade era uma colônia grega no extremo da península italiana, diante de Messina, tendo sido fundada em 720 A.C. por Calquis, com forte mistura de cidadãos de Messênia, colônia que tinha apenas mais alguns poucos anos de antiguidade.

Régio era originalmente uma oligarquia, embora pouco se saiba sobre os dois primeiros séculos de sua história. O nome de seu «tirano» (no sentido grego do termo) era Anaxilas, entre 494 e 476 A.C., que levou a cidade a um período de imperialismo. Tendo-se envolvido na política siciliana, Régio foi destruída por Siracusa, em 387 A.C.; reedificada, mais tarde ficou em mãos de mercenários do centro da Itália (de 280 a 270 À.C.), tendo conseguido resistir com sucesso a dois conquistadores em um mesmo século, Pirro e Aníbal.

Por ocupar uma posição estratégica, como torre de vigia diante do estreito que separava a Sicília da Itália, os romanos cuidavam especialmente de Régio. Ela mostrou ser uma cidade leal a seu suserano, tendo recebido posição municipal em 90 A.C.

Régio era um porto seguro em um estreito notoriamente difícil para a navegação dos antigos navios (ver as lendas de Scila e Caribdes). O navio em que Paulo viajava, bordejando, chegou a Régio (Atos 28:13), e ali esperou momento azado para um vento sul que o empurrasse através do estreito, com suas correntezas complexas, em direção a Potéoli.

Régio continuou sendo uma cidade de fala grega durante todo o tempo de Roma imperial, tendo tomado o nome de Rhegium Julium nos dias de Augusto. Ali nasceu o poeta Íbico (meados do século V A.C.).

REGIÕES INFERIORES (Efé. 4:9)

Que Significam essas Palavras?

1. Alguns opinam que a expressão «regiões inferiores da terra», aponta para o «sepulcro» no qual o corpo de Jesus fora posto, portanto, segundo essa interpretação, tudo quanto foi dito aqui, é que Jesus foi sepultado. Essa interpretação é ao mesmo tempo trivial e absurda! Os vss. nono e décimo, falam de uma vasta missão de Cristo em sua «descida» e «subida», e não do mero fato de seu sepultamento. A expressão «regiões inferiores da terra» alude à «descida de Cristo ao hades», que os antigos gregos, romanos e hebreus, pensavam estar literalmente sob a superfície da terra, em alguma vasta caverna no centro do globo terrestre. A maioria dos intérpretes acha que a referência é à descida de Cristo ao hades, embora haja desacordo quanto ao intuito desta descida.

2. Outros pensam que essa «descida» seja alusão à encarnação de Cristo, e não à sua descida ao hades. Porém, a própria terra, dificilmente poderia ser chamada de «regiões inferiores da terra». Paulo se referia a uma localização no «interior» da terra, e não à própria terra como inferior aos céus. Se Paulo tinha em mira apenas a encarnação, teria falado na descida de Cristo «à terra», e não às regiões inferiores da terra».

3. Pelo contrário, juntamente com a maioria dos intérpretes antigos, bem como a maioria dos modernos (com exceção daqueles que se recusam a ver qualquer bem, na descida de Cristo), a referência é à descida de Cristo ao hades.

A Descida de Cristo, Qual Foi seu Significado?

1. Ver o artigo sobre a *Descida de Cristo ao Hades*. Embora as referências neotestamentárias não sejam abundantes, no que tange a esse acontecimento, há muitas alusões a descidas assim, na literatura judaica (acerca de profetas e homens santos), bem como em muito da antiga literatura não-judaica. Além disso, os primeiros escritos cristãos, e não poucos deles, contêm a narrativa da descida de Cristo ao hades.

Seu Significado:

2. Não que Cristo foi ali a fim de pregar o juízo. Isso é contradito pelo texto presente. Sua descida teve o mesmo propósito que sua subida, isto é, «para que enchesse todas as coisas», ou se tornasse «tudo para todos», a mesma expressão encontrada em Efé. 1:23.

3. A maioria dos pais da igreja viam, nessa descida ao hades, a oferta de plena salvação aos perdidos que ali se encontravam. Em outras palavras, Cristo transformou o hades em um campo missionário.

4. Outros dentre os pais da igreja, pensavam que Cristo *melhorara* o estado dos perdidos, mas sem lhes oferecer a salvação evangélica. Prefiro a de número 3.

REGRA ÁUREA

Confúcio emprimiu essa regra de forma negativa: «Não faças aos outros o que não queres que te seja feito». Quando alguém lhe solicitou que falasse sobre o *caminho verdadeiro*, com uma única palavra, ele replicou: «Reciprocidade» (Analectos 15.23). Ver o artigo sobre *Confúcio, Confucionismo*, quarto ponto.

Os cristãos conhecem essa regra áurea em forma positiva, conforme foi expressa pelo Senhor Jesus, em Mat. 7:12: «Tudo quanto, pois, quereis que os homens vos façam, assim fazei-o vós também a eles; porque esta é a lei e os profetas». O famoso rabino Hilel fazia dessa regra (embora expressa de maneira diferente) o grande conceito que deve ser aplicado a todos os atos humanos, e que cumpre a lei. Disse ele: «O que te for odioso, não faças ao próximo. Isso resume a *Torá* inteira. Tudo o mais é interpretação». A epístola de Aristéias (207) diz algo similar: «Pois

REGRA DA FÉ — REI, REALEZA

Deus atrai todos os homens em sua condescendência». Encontramos declarações similares nos escritos de Filo, de Isócrates, de Aristóteles e de outros autores antigos. É notório que Lucas usou essa declaração (ver Luc. 6:31) como introdução à declaração de Jesus, na qual ele ordena que os seus discípulos amem a seus inimigos. Ver Luc. 6:32-36.

Emanuel Kant acreditava que o seu *imperativo categórico* (vide) contém a essência dessa regra, ao mesmo tempo que a fortalece. Afirmou ele: «Nada faças que não queiras ver transformado em uma lei universal».

REGRA DA FÉ

Quando opinamos sobre esse assunto, estamos falando sobre a questão da *autoridade*, sobre a qual apresentamos um artigo pormenorizado. A Regra de Fé (*Regula Fidei*) varia conforme o grupo cristão (ou não). Assim, para Ireneu e Hipólito a *regra de fé* consistia na «doutrina viva das igrejas». Para Tertuliano, eram as doutrinas firmadas e autoritárias da fé. Alguns têm pensado que a mesma envolve essencialmente a fórmula batismal que os candidatos eram obrigados a professar por ocasião da recepção da cerimônia. Na antiguidade cristã, o termo não parece ter sido usado para aludir à própria Bíblia (pelo menos não na Igreja antenicena), mas esse é o principal sentido que a expressão tomou em muitas igrejas protestantes e evangélicas. Os católicos romanos definem a expressão como o ensino das *autoridades* da Igreja, incluindo as decisões dos concílios e os pronunciamentos *ex-cathedra* dos papas. Os protestantes simplificaram demais a questão, ao insistirem sobre «as Escrituras somente». Os estudiosos liberais pensam que é presunção ridícula pensar que a fé possa ser reduzida a qualquer fórmula ou regra única. Karl Barth referiu-se à Palavra de Deus, mas com isso ele não indicava somente a palavra escrita, as Sagradas Escrituras, e, sim, a ampla e universal mensagem que Deus tem dado ao homem, de diversas maneiras.

REGRAS GERAIS

A idéia de que podem haver **regras ética gerais** que governem a nossa conduta, é bastante comum ao pensamento religioso. A maioria dos cristãos supõe que a revelação bíblica supriu-nos muitas regras, boas para a época em que foram escritas e válidas até hoje. A autoridade por detrás dessas regras é o conceito da inspiração, que atribui ao Espírito Santo a função de estabelecer as nossas regras morais (e os nossos princípios de fé).

Usualmente, as regras gerais são conceitos amplos, com base nas quais regras mais minuciosas podem ser estabelecidas. Mas também há regras específicas, como os Dez Mandamentos (vide). O imperativo categórico de Kant (vide) é uma lei geral, e presumivelmente, universal: Faz somente aquelas coisas que gostarias que se tornassem uma *lei universal*. Ver o artigo separado sobre o *Imperativo Categórico*. Platão acreditava que o sistema ético dos homens depende dos *universais* (vide) e não das invenções humanas; e, com base nisso, teríamos leis éticas gerais e todo poderosas. Sócrates, por sua vez, acreditava que os princípios universais residem na Mente Universal, que poderiam ser *descobertos* mediante o raciocínio (conforme se vê em seus *Diálogos*), ou mediante a intuição, incluindo a contemplação.

Os sistemas que acreditam em regras gerais são chamados sistemas formais ou rigoristas. Nesses sistemas, as regras não são estabelecidas por meio do processo empírico, mas já seriam existentes (como, por exemplo, em alguma esfera ou força extraumana), sendo descobertas na vida diária. Aqueles que negam que isso é correto, buscam as regras éticas mediante a experiência, formando sistemas relativistas ou situacionais. Ver o artigo geral sobre a *Ética* I.7, quanto a uma discussão sobre as principais modalidades de ética. O conceito de regras gerais é negado pela ética relativista.

REI

No hebraico, **amigável**. Um dos apoiadores de Salomão, ao tempo da tentativa de Adonias de obter para si o trono de Davi (I Reis 1:8). Pertencia à tribo de Judá, e era oficial da guarda real.

REI, REALEZA

No hebraico, **melek**, palavra que ocorre por mais de duas mil e quinhentas vezes, desde Gên. 14:1 até Dan. 7:24. No grego, *basiléus*, termo que aparece por cento e onze vezes. Se considerarmos seus cognatos, como «rainha», «reinar» e «reino», então esse número aumentará para mais de trezentas vezes. O termo grego *basiléus* ocorre de Mat. 1:6 até Apo. 21:24.

Ver diversos artigos separados que acrescentam informações sobre este assunto: *Israel, Reino de*, que alista todos os reis de Israel e dá uma descrição abreviada de cada um; *Israel, História de; Reino de Judá*, que alista todos os reis de Judá e dá uma descrição abreviada sobre cada um. Muitas outras informações são incluídas nesses artigos. Sob o título *Israel*, uma lista de títulos de artigos é dado que dirigirá o leitor para uma riqueza de informações sobre essa nação e suas instituições.

Esboço:
1. Usos da Palavra
2. Religião e Realeza
3. O Reinado em Israel
4. Aspectos do Reinado em Israel
5. Usos do Novo Testamento
6. Usos Figurados
7. Gráfico dos Reis de Israel e Judá, Confrontados Com os de Outras Nações

1. Usos da Palavra

Os termos hebraico e grego são usados para indicar o principal chefe ou governante de uma tribo ou nação. Os reis da antiguidade eram meros chefes locais, como de uma vila ou grupo de vilas. Com o tempo foram surgindo reis de cidades-estados, de nações ou mesmo de impérios. Os imperadores, em português, eram os governantes dos grandes impérios posteriores, como os imperadores romanos ou os imperadores chineses.

Os governantes meramente locais são, algumas vezes, chamados «reis». Isso é provado pelo fato de que Ben-Hadade tinha autoridade sobre trinta e dois «reis» (I Reis 20:1,16). Em Canaã, Adoni-Bezeque derrotou setenta reis, tendo-os obrigado a comer pão debaixo de sua mesa (Juí. 1:7). Nas Escrituras, Ninrode é uma das primeiras figuras da história a ser chamado rei, mas logo temos os reis do Egito (intitulados Faraós), da Pérsia, de Edom, de Canaã, etc. (Gên. 10:10 e os capítulos 13, 14, 20 e 36). O que poderíamos chamar de «reino» era uma modalidade comum de governo, no Oriente Médio, pelo menos até onde a história nos pode fazer retroceder. Um único homem tornava-se o governante de uma cidade, ou de uma área específica (Gên. 14:10; 5:13; 20:1 ss). Desde

REI, REALEZA

os tempos antigos, esse poder era hereditário, pelo menos em alguns casos (Gên. 36:31 ss). Em tais casos, por detrás do sistema, havia toda uma teologia, segundo a qual a família reinante era considerada de origem divina. Em certos lugares, os reis eram concebidos como dotados de poderes e de autoridade divinas. Platão pensava que a autoridade dos reis derivava-se de Zeus, o deus supremo do panteão helênico.

2. Religião e Realeza

Acabamos de observar alguns elementos a esse respeito. Como é óbvio, um rei local que aterrorizava e pilhava ao seu redor, não estava interessado em ser identificado com alguma divindade. Porém, a linhagem real dominante em países de mais elevada civilização, com freqüência era identificada com alguma divindade, ou mesmo com vários deuses. Esse era um corolário natural do conceito de que os deuses eram os protetores deste ou daquele povo. O rei, por ser a principal autoridade de uma nação, torna-se a encarnação da proteção daquela divindade. Os seres humanos são incuravelmente religiosos, e as crenças humanas mesclam-se facilmente com as idéias políticas. Os épicos gregos, com a Ilíada e a Odisséia, falam sobre deuses que comungam com os homens, ajudando-os, pondo obstáculos no caminho deles, manifestando-se nas batalhas, etc. E assim, os anais dos povos gentílicos nos fornecem uma visão imanente do poder divino, onde homens e deuses misturam-se livremente. O rei, pois, era aquele que desfrutava de contacto mais íntimo e constante com os deuses. Os heróis, por sua vez, eram aqueles que adquiriam uma espécie de semidivindade no além-túmulo, mediante seus feitos extraordinários.

Através dos longos séculos da história egípcia, e também com freqüência na área da Mesopotâmia, os deuses eram considerados uma espécie de alta realeza que governava os homens, e os reis e os sacerdotes eram tidos como seus representantes especiais. Também devemos pensar nos homens que, de algum modo, eram considerados descendentes dos deuses, de onde, supostamente, derivava-se o seu poder. Nos mitos gregos, os deuses sempre acabavam tendo relações sexuais com as mulheres terrestres, e seus filhos eram os grandes homens da terra. Faraó, do Egito, era tido como uma espécie de encarnação do deus Horus; pelo que todos os Faraós, em seus títulos, tinham alguma referência a essa divindade. Além disso, vários epítetos de divindades mesopotâmicas são os mesmos adotados pelos reis humanos.

Os deuses eram apresentados sob muitas formas, como pastores, mensageiros, copeiros, jardineiros e até mesmo inspetores de canais. Torna-se evidente que o salto da condição humana para a condição divina não era muito grande. A soteriologia vinha misturar-se com esse programa de deificação, o que significa que a esperança de imortalidade alicerçava-se sobre a promessa feita pelos deuses aos homens que os agradassem de alguma maneira. A atividade das divindades principais era retratada em termos das atividades nos palácios dos reis. Até mesmo na Bíblia, esse uso metafórico é bastante freqüente. Essas idéias chegaram até os tempos do império romano. Surgiram os reis divinos, e alguns imperadores romanos chegaram a pensar, com seriedade, que neles havia algo de divino. O *direito divino dos reis* sempre foi um fator importante, nos governos europeus da Idade Média. O décimo terceiro capítulo da epístola aos Romanos refere-se a essa idéia, o que significa que ela tem raízes ainda anteriores à Idade Média. Alguns estudiosos de sociologia acham que a idéia é útil, quando não é distorcida pelo exagero,

porquanto a sociedade humana precisa de autoridade dotada de muita força, que possa coibir os excessos.

As evidências arqueológicas mostram que nas culturas do antigo Oriente Médio o ofício real era fomentado, quanto à sua importância, pelos costumes populares relativos às festividades e a certos elementos dos diversos calendários. Assim, as colheitas abundantes eram celebradas como provas da bênção dos deuses ao governo deste ou daquele rei. A casta sacerdotal não deixava de explorar esse aspecto da questão. Nas sociedades antigas, usualmente a casta sacerdotal era quem, realmente, exercia autoridade sobre o povo, depois dos militares; e ambas essas classes estavam sob o controle dos reis. Em diversos países, a festa da colheita também servia de ocasião para a coroação do rei, quando lhe eram conferidos títulos divinos, dando a entender que ele representava a divindade, e não somente que havia uma preocupação política em foco. Alguns eruditos pensam que esse foi um fator decisivo em muitos lances da história de Israel. Ali, anualmente, Yahweh era entronizado representativamente na pessoa do rei. Há evidências de que eram dados títulos divinos aos reis de Israel, embora a teoria inteira repouse sobre a especulação, com poucos textos de prova possíveis, como Sal. 47, 93, 96 e 99; comparar com Sal. 68:24. Todavia, não se pode duvidar que dos reis de Israel esperava-se que fossem líderes da religião nacional. O Antigo Testamento cuida em mostrar os vícios e as virtudes dos reis de Israel, porquanto a medida da utilidade de um rei era a qualidade de sua espiritualidade. Ademais, temos a considerar a doutrina do Messias, o Rei que descenderia de Davi e estabeleceria o reino de Deus sobre a terra, por intermédio de Israel. A realeza, do princípio ao fim, era uma espécie de subcategoria da teologia, porquanto Israel era uma teocracia, dentro da qual o rei era uma das figuras mais proeminentes.

3. O Reinado em Israel

a. *Pano de Fundo e Preparação*. Moisés. Uma autoridade real ou monárquica era estranha às antigas instituições mosaicas. A idéia dominante é que Yahweh era o único Rei que Israel poderia ter (I Sam. 8:7). O trecho de Isaías 33:22 afirma enfaticamente o princípio envolvido: «Porque o Senhor é o nosso juiz, o Senhor é o nosso legislador, o Senhor é o nosso rei: Ele nos salvará». Moisés servia de juiz do povo de Israel, atuando por meio da legislação levítica, divinamente inspirada. Mas ele jamais imitou as nações circunvizinhas, tornando-se um soberano. No entanto, o povo de Israel foi moldado no Egito, onde o rei-divino era a autoridade suprema, e eles tinham saudades de muitas coisas que haviam visto no Egito, das quais também tinham participado. Há uma certa grandeza na realeza, onde um homem é exaltado até os céus, fazendo grandes pronunciamentos que alimentam o orgulho dos povos. Para muitos, em Israel, Moisés deve ter parecido um pobre substituto de Faraó. Portanto, desde o começo da história de Israel, como povo livre, havia as sementes da realeza, semeadas em Israel. O rei teocrático, Yahweh, era invisível, e, mui provavelmente, havia suspeitas sobre até que ponto ele realmente se comunicava por meio de Moisés e dos sacerdotes levíticos. Os israelitas, pois, queriam um *rei* visível.

As primitivas condições palestinas. Na antiga nação de Israel, a autoridade era exercida, essencialmente, através de chefes de aldeias (Juí. 11:5). Quando necessário, esses chefes podiam convocar um exército de emergência (Juí. 11:9). Não parece que esses juízes ocupassem um ofício hereditário. A Gideão foi pedido

REI, REALEZA

que governasse Israel (Juí. 8:22), mas ele se recusou a isso. Seu filho, Abimeleque, conseguiu obter para si mesmo um reino local e temporário (Juí. 9:6 ss); mas o livro de Juízes termina com uma nota melancólica, observando que, em Israel, cada qual fazia o que bem entendia, em meio ao caos generalizado. E isso era explicado como resultado da ausência de um rei (Juí. 19:1; 21:25). Após o desaparecimento dos fortes líderes, como Moisés e Josué, os chefes das aldeias nunca foram suficientemente importantes para impedir o caos.

Eli e Samuel. Esses dois homens proveram uma forte liderança. Eli era o sacerdote principal em Silo (I Sam. 1:3; 4:13). Samuel tinha uma liderança não-hereditária. Ele governava de diversos lugares em Israel, em seus circuitos pela nação (I Sam. 7:15 ss). A demanda nacional por um rei tornou-se premente, e foi o próprio Samuel que, com relutância, cedeu diante dessa exigência (I Sam. 8:4 ss). Esse pedido popular foi considerado uma apostasia, da teocracia original para o governo humano (I Sam. 8:7).

b. *O Rei Saul*. Saul, homem de grande vitalidade física e de muita força de vontade, embora não dotado de profunda espiritualidade, foi ungido rei por Samuel. O décimo capítulo do livro de I Samuel conta a história inteira da escolha de Saul para ser o primeiro rei. O evento é baseado sobre três razões: 1. O povo de Israel insistira, erroneamente, em ter um rei (vs. 18,19), rejeitando assim, pelo menos quanto a certo aspecto, o reinado de Yahweh. 2. Todavia, Saul era o homem escolhido pelo Senhor (vs. 1). 3. Porém, o povo de Israel estava à cata de meros valores humanos, porquanto Saul era mais alto que qualquer outro homem em Israel (vs. 23). Como em quase tudo quanto os homens fazem, houve a mistura de valores divinos e valores humanos; como resultado houve uma vitória parcial e uma derrota parcial. Quase sempre, as vitórias obtidas pelos homens são maculadas por algo inferior ou errado, apesar do que, são vitórias.

O rei Saul obteve poderes consideráveis, em pouco tempo. Ele tinha a última palavra na administração da justiça e da política interna (II Sam. 15:2; I Reis 3:16). Exercia o poder de vida e morte sobre os cidadãos (II Sam. 14). Chegou a imiscuir-se em assuntos religiosos (I Reis 8 e II Reis 12:4; 18:4; 23:1). Era o comandante-em-chefe do exército. E essa era a principal razão pela qual os israelitas queriam ter um rei; porque temiam os muitos inimigos que viviam ameaçando Israel por todos os lados (I Sam. 8:20). Para todos os efeitos práticos, a única força que contrabalançava o poder real era o poder da casta sacerdotal, juntamente com a dos profetas, os quais interviram por mais de uma vez, algumas vezes com sucesso, e outras vezes sem sucesso, quando o rei cometia algum erro (I Sam. 14:45; I Reis 20:22,28; II Reis 1:15). Houve oportunidades, entretanto, quando a espada do rei prevaleceu sobre qualquer força restringidora (I Sam. 22:17).

c. *Melhorias Sob Davi*. Com Davi, o poder do reinado foi anexado à sua linhagem, que se tornou hereditária. O trono, preferencialmente, era dado ao filho mais velho (II Reis 21:21). Essa norma, naturalmente, nem sempre era observada (I Reis 1:17; II Crô. 11:21). Os reis eram ungidos pelo sumo sacerdote do momento, um gesto que refletia a teocracia (I Sam. 8:14; 10:1; 15:1; 16:12; II Sam. 2:4; 5:3; I Reis 1:34,39,40), ao menos simbolicamente, mesmo que não literalmente. A despeito de seus grandes erros, Davi era espiritualmente superior a Saul (I Sam. 13:14; I Reis 11:4; 14:8). O governo de Davi foi muito bem-sucedido, dos ângulos pessoal, militar e religioso, de tal modo que Davi chegou a ser considerado o monarca ideal. Todavia, houve algumas falhas graves, como seu adultério com Bate-Seba e a morte provocada do marido dela, Urias. Grandes homens, grandes vícios. O pacto davídico (Sal. 132:11 ss), sem dúvida, foi um fator essencial na importância dele, visto que tornava-se clara a existência de um propósito divino, operante através da linhagem de Davi. Esse propósito era o surgimento do Messias, Jesus Cristo. Davi tornou-se uma espécie de rei-sacerdote, tendo restaurado, até certo ponto, o ideal mosaico (II Sam. 6:13 ss; comparar com I Reis 8:5).

A Esperança Messiânica. Várias passagens das Escrituras confirmam o ensino que, mediante a linhagem de Davi, viria o Messias, o qual seria um verdadeiro Rei-Sacerdote, em nível universal, e não apenas nacional. Ver Salmos 2; 110; 132; Isa. 11:1-4; Jer. 23:15; Mat. 2:6 (citando Miq. 5:2). As genealogias do Novo Testamento apresentam Jesus como pertencente à linhagem de Davi (Mat. 1:6; Luc. 3:31,32). —Tornou-se doutrina aceita que o Messias seria Filho de Davi (Mat. 21:9). A mesma coisa é ensinada em Mateus 22:42. Mas Jesus, ao citar Salmos 110:1, em Mateus 22:43, mostrou que o Messias também é o Senhor de Davi, pelo que a expressão «Disse o Senhor ao meu Senhor» subentende a divindade de Jesus de Nazaré.

d. *Salomão*. Salomão, filho de Davi, levou a nação de Israel a seu ponto culminante de poder e prosperidade, em um período essencialmente pacífico. Foi nesse período que o templo de Jerusalém foi edificado, o que adicionou uma nova dimensão ao caráter nacional de Israel. Salomão, em meio ao grande luxo em que vivia, — naturalmente envolveu-se em alguns vícios, primeiramente com mulheres, e então, com a idolatria. Novamente vemos que grandes homens, grandes vícios. A história dele é narrada em I Crônicas 1-12 e II Crônicas 3, 22, 23, 28, 29. Salomão encontrou dificuldades onde a maioria dos monarcas orientais escorrega. Um numeroso harém era um dos luxos mais cobiçados da época (II Sam. 5:13; I Reis 11:1; 20:3). Salomão foi o mais luxuoso e sensual deles todos, tendo tido mil esposas e concubinas. O trecho de Deuteronômio 17:16,17 prediz os maus resultados dos reis de Israel que multiplicassem cavalos, esposas e riquezas materiais.

e. *Desenvolvimentos Posteriores*. Cada um dos reis de Israel e de Judá merece um comentário em separado. Ver também o artigo sobre os dois livros de *Reis*. O Antigo Testamento aquilata os reis essencialmente em acordo com a adoração e serviço que eles prestaram a Yahweh, como também com base em sua retidão pessoal. As narrativas sobre as sangrentas e intermináveis guerras ocupam uma porção desencorajadora do espaço do volume da Bíblia, ao ponto de ficarmos chocados ante a selvageria daquela gente. Muitos dos reis de Israel e de Judá foram ímpios que encorajaram a impiedade (I Reis 14:15; II Reis 21:16). Porém, fica entendido, do princípio ao fim, que Deus estava realizando um propósito nacional para Israel. O ponto central desse propósito era que Israel seria o instrumento da revelação divina e finalmente, todas as nações seriam beneficiadas. Isso faz parte das provisões dos pactos abraâmico e davídico. Ver o artigo geral sobre as *Alianças*, quanto a detalhes sobre essa questão.

Após a divisão do reino, nos dias de Reobão e Jeroboão, em reino do norte (Israel) e reino do sul (Judá), a monarquia judaica foi declinando. No espaço de duzentos anos, Israel chegou ao fim, mediante o cativeiro assírio (722 A.C.). A nação mais estável de Judá durou mais cento e trinta e cinco anos,

REI, REALEZA

até o cativeiro babilônico (587 A.C.). Ver os artigos separados sobre esses dois cativeiros. Houve o retorno de um remanescente, após o cativeiro, registrado nos livros de Neemias e Esdras, mas o povo de Israel nunca mais foi o mesmo. Israel ficou sujeito ao domínio estrangeiro até à revolta encabeçada pelos Macabeus.

f. *Os Macabeus*. Durante o período entre 104 e 37 A.C., certos sumo sacerdotes de uma mesma família, chamados Macabeus, assumiram o título e a autoridade próprios de reis, e houve algum tempo de independência para os judeus. Mas Roma, finalmente, subjugou a Palestina inteira, em cerca de 63 A.C. Duas revoltas, uma no ano 70 D.C., e a outra no ano 132 D.C., culminou na grande dispersão dos judeus entre as nações gentílicas. Essa condição só veio a ser revertida em nossa própria época, após a Segunda Guerra Mundial, em 1948. Ver o artigo separado sobre o *Período Intertestamental*, quanto a detalhes sobre esse período geral.

4. Aspectos do Reinado em Israel

a. *Poderes dos Reis*. O rei era o comandante-em-chefe, o principal defensor da fé nacional, o juiz supremo, o administrador das questões financeiras, o guerreiro principal, o diretor dos empreendimentos de construção da nação, o vice-regente de Yahweh (I Sam. 10:1). Esperava-se do rei que ele fosse homem dotado de grande retidão pessoal (II Sam. 7:14; Sal. 89:26; 2:6,7). Os reis tinham uma corte e seus respectivos oficiais. A corte provia ao rei os luxos tipicamente orientais, as riquezas materiais, os edifícios decorativos, e muitas mulheres (I Sam. 8:15; II Reis 24:12,15). Ver também I Reis 22:10 e II Crônicas 18:9 acerca do dinheiro e das decorações em que o rei se via envolvido. Quanto ao aspecto religioso, o rei era ajudado pelos sacerdotes levitas. Ele tinha o seu cronista (II Sam. 8:17). O povo de Israel sempre foi muito sensível à história. Por isso, o rei tinha seu administrador (Isa. 22:15), seus companheiros (I Reis 4:5), sua guarda pessoal, com um capitão (II Sam. 20:23), bem como os oficiais sobre seus armazéns, tesouros, plantações, vinhas, etc. (I Crô. 27:25-31). Também havia um comandante do exército às ordens do rei (II Sam. 11:1; 20:23; I Crô. 27:34), e conselheiros reais, equivalentes a ministros (I Crô. 27:32; Isa. 3:3; 19:11,13).

b. *Suas Rendas*. Os reis de Israel dispunham de gado e de plantações (I Sam. 21:7; II Sam. 13:23; II Crô. 26:10). Eles cobravam taxas dos negociantes que passavam pelo território de Israel (I Reis 10:14), cobravam impostos dos seus súditos (I Sam. 10:27), do comércio (I Reis 10:22), das aventuras comerciais (I Reis 9:28), dos despojos de guerra (II Sam. 8:2,7,8), e taxas diversas (I Sam. 8:15 e II Reis 23:25).

5. Usos do Novo Testamento

Nas páginas do Novo Testamento, o rei maior é o imperador romano (I Ped. 2:13,17), os sete reis da história romana ligados ao surgimento do anticristo (Apo. 17:10). Esse termo é ali também aplicado a governantes locais, como Herodes, o Grande (Mat. 2:1) e Herodes Ântipas (Mat. 14:9). Ver outros usos abaixo, sob *Usos Figurados*.

6. Usos figurados

a. Ser rei é ter sido dotado de poder supremo (Pro. 8:15,16). b. Deus é o Rei, brandindo a autoridade suprema (I Tim. 1:17). c. Cristo é Rei, como cabeça da Igreja (I Tim. 6:15,16; Mat. 27:11), como Rei messiânico (Mat. 21:5), como Rei dos reis e Senhor dos senhores (Apo. 19:16). d. O povo de Deus compõe-se de reis e sacerdotes (Apo. 1:6). e. A palavra «rei» é usada em sentidos simbólicos diversos (Mat. 18:23; 22:2,7,11,13). f. A morte é o rei dos terrores (Jó 18:14). g. O crocodilo é rei, sobre todos os animais orgulhosos (Jó 41:34).

7. Gráfico dos Reis de Israel e Judá, Confrontados com os de Outras Nações

REI, REALEZA

Gráfico Histórico Comparativo
REIS DE ISRAEL E JUDÁ

ISRAEL
- Era dos Juízes (1300-1070)
- Saul (1070-1010)
- Davi (1010-960)
- Salomão (960-935)

Israel
- Jeroboão (931-910)
- Nadabe (910-908)
- Baasa (908-886)
- Elá (886-884)
- Zinri (7 dias em 885)
- Tibni (884)
- Onri em Samaria (884-870)
- Acabe (Elias) (870-848)
- Jorão (846-834)
- Jeú (834-806)
- Jeoacaz (806-709)
- Jeoás (790-775) (Isaías)
- Jeroboão II (775-746)
- Zacarias (746-745)
- Salum (745)
- Menaem (745-738)
- Pecaías (738-737)
- Peca (737-732)
- Oséias (732-724)
- Queda de Samaria (722-721)

Judá
- Reoboão (931-910)
- Abias (915-911)
- Asa (911-869)
- Jeorão como regente (848-835)
- Acazias (835-834)
- Atalia (834-828)
- Joás (828-789)
- Amazias (789-761)
- Azarias (761-710) (Uzias)
- Jotão (710-705)
- Jeoacaz (705-700)
- Ezequias (700-687)
- Manassés (667-642)
- Amom (642-640)
- Josias (640-609)
- Jeoacaz (609)
- Jeoaquim (609-598)
- Joiaquim (597)
- Zedequias (597-587)
- Queda de Jerusalém (587)

SÍRIA
- Hirão de Tiro (980-936)
- Ben-Hadade de Damasco
- *Batalha de Carcar (853)*
- Hazael de Damasco
- *Fundação de Cartago (814)*

BABILÔNIA
- Nabusumilibar
- Dinastia das Terras do Mar
- Nabuapaldina (885-852)
- Mardukapaldina (721-711)
- Samasumuquim (668-648)
- Nabucodonosor II (605-562)
- *Destruição de Babilônia (539)*

EGITO
- 21ª Dinastia Esmendes
- Sisaque I (935-914)
- Pianqui (751-730)
- Taarge (689-664)
- Núbio
- Psamético (663-610)
- Neco (610-595)

ASSÍRIA
- Assurnasirpal I (1051-1033)
- Salmaneser II (1032-1021)
- Assurrabi II (1014-974)
- Tiglate-Pileser II (968-936)
- Adabe-Nirari II (911-891)
- Assurnasirpal II (883-859)
- Salmaneser III (858-824)
- Adabe-Nirari III (810-783)
- Sargão II (721-705)
- Assurbanipal (668-631)
- *A Assíria é destruída (609)*

PÉRSIA
- Ciro I
- Ciro II (559-530)

GRÉCIA
- Invasões tribais
- Idade Homérica
- *Fundação de Atenas*

Bibliografia: (FRAN JOHN ND RO UN Z)

REID, THOMAS

Suas datas foram 1710-1796. Nasceu em Strachan, na Escócia. Educou-se em Aberdeen e Glasgow. Tornou-se ministro presbiteriano. Os artigos separados que expõem suas teorias distintivas são *Realismo do Bom Senso* e *Realismo Ingênuo*. Quanto a um contraste com as suas idéias ver o artigo *Realismo Crítico*, e então o verbete *Realismo*, que é bem mais geral. Reid tornou-se melhor conhecido como o originador da escola escocesa do bom senso. Ele considerava a filosofia de Hume um pensamento destrutivo do bom senso. O empirismo, para ele, facilmente conduz ao ceticismo, depois que o estudioso descobre que nossa percepção dos sentidos é inexata e fraca. Reid, pois, esperava poder restaurar o papel do empirismo, com sua insistência que nossos sentidos são capazes de conferir-nos um real conhecimento sobre os objetos.

Idéias:

1. Em seus ataques contra as idéias de Hume e de Berkeley, Reid insistia que nossos sentidos *apresentam-nos* a realidade, e não apenas a *representam*.
2. Dos objetos derivamos sensações que ele chamava de «sinais naturais». Esses sinais dão-nos conta dos objetos que os produzem, com toda a veracidade. Esses sinais confirmam nossa crença natural na realidade independente dos objetos. Há uma realidade que existe fora e de maneira independente de nossas percepções e de nossas idéias.
3. Os sinais estão vinculados tanto às qualidades primárias quanto às secundárias, que ele afirmava serem reais, em parceria com John Locke. Descrições simples originam-se do nosso bom senso, sendo elas superiores àquelas teorias que diluem essas descrições em idéias e meras sensações representativas. Porém, os filósofos, segundo ele, gostam de envolver-se no *encantamento com as palavras*, o que serve para desviar os homens por muitos caminhos sem destino e sem retorno.
4. Aquilo que é verdadeiro dentro da teoria do conhecimento em geral, também é verdadeiro no campo da ética. A ética é intuitiva e está fundamentada sobre verdades auto-evidentes. Não podemos reduzir a ética a meros sentimentos de aprovação ou desaprovação. Deus é o criador das idéias éticas, e nós as intuimos, em face de nossa afinidade com a Mente divina.
5. Possuímos o mesmo tipo de evidências em prol da existência de Deus que possuímos no tocante à existência de outras pessoas. A intuição também desempenha aí um importante papel. Deus outorgou-nos uma maneira digna de confiança de tomarmos conhecimento geral das coisas e de discernirmos entre o certo e o errado.

A filosofia de Reid é a filosofia do homem comum, que prefere não se envolver com as contorções dos filósofos. Todavia, falta a essa filosofia aquela sofisticação necessária para que daí se parta para qualquer teoria científica. Sua filosofia era uma espécie de revolta religiosa do homem comum contra as complicações dos filósofos. Entretanto, a verdade nem sempre é simples, e nem podemos tomar contacto com ela de maneira fácil e verdadeiramente eficaz.

REIFICAÇÃO (REÍSMO)

Essa palavra vem do latim, **res**, «coisa», e **facere**, «fazer». Esse termo designa a falácia de considerar alguma entidade mental (ou produto da imaginação) como se fosse algo real. Esse termo é um sinônimo de *hipostatização*. Alguns críticos acreditam que quase todas as crenças religiosas, especialmente aquelas que envolvem entidades não-materiais, e esperanças metafísicas, são produtos dessa fantasia. O *Argumento Ontológico* (vide), para exemplificar, é considerado uma mera fantasia que foi transformada em uma alegada realidade. Meu artigo sobre esse assunto procura mostrar que as afirmações religiosas usualmente contam com uma base mística, e que refutá-las é algo que requer a demonstração de que o *misticismo* (vide) não pode ser uma verdadeira maneira de alguém obter conhecimentos. Meu artigo sobre esse assunto destaca a dificuldade envolvida na tarefa. Entretanto, é verdade que a *reificação* é uma atividade comum em muitos sistemas de crença religiosa, de tal maneira que freqüentemente temos parábolas que, realmente, não falam sobre coisas reais, mas que, quando muito, são meras figuras de linguagem que versam sobre algumas modalidades de realidade.

O *reísmo* é a tentativa de preservar a objetividade de entidades intencionais, é uma filosofia ilustrada pelas idéias de Brentano e de Meinong. Eles argumentavam que os objetos de nossos desejos, crenças e esperanças talvez não existam, na realidade, mas que o mero fato de que podemos falar deles como objetos, confere-lhes uma espécie de objetividade. Alguns denominam esse ponto de vista de *concretismo*. Porém, isso parece dizer apenas que chamamos nossos pensamentos e crenças de *objetos*, pelo que assim eles devem ser, de alguma maneira. Tudo quanto temos feito é inventar uma idéia objetiva, e não uma entidade. A fé religiosa não depende de tal atividade, embora, como é óbvio, as pessoas religiosas mostram-se ativas quanto ao *reísmo*.

REINO

No hebraico, temos cinco termos e no grego, um, a saber:

1. *Melukah*, palavra que ocorre por dezoito vezes. Por exemplo: I Sam. 10:16, 25; II Sam. 16:8; I Reis 1:46; I Crô. 10:14; Sal. 22:28; Isa. 34:12.

2. *Maleku*, palavra aramaica usada por cinqüenta e três vezes. Para exemplificar, Dan. 2:37,39-41,44; 4:3,17,18,26,30,31,34,36; 7:14,18,22-24,27.

3. *Malekuth*, palavra hebraica usada por setenta e cinco vezes com esse sentido. Por exemplo: Núm. 24:7; I Sam. 20:31; I Reis 2:12; Est. 1:2,4,14.

4. *Mamlakah*, palavra hebraica usada por cento e dez vezes. Por exemplo: Gên. 10:10; Êxo. 19:6; Jos. 11:10; II Sam. 3:10,28; I Reis 2:46; II Crô. 9:19.

5. *Mamlakuth*, palavra hebraica usada por nove vezes: Jos. 13:12,21,27,30,31; I Sam. 15:28; II Sam. 16:3; Jer. 26:1; Osé. 1:4.

6. *Basiléia*, palavra grega usada por cento e sessenta vezes, desde Mat. 3:1 até Apo. 17:18.

Em sentido geral, esse vocábulo é usado no Antigo Testamento para especificar algum país ou países sujeitos a um monarca (Deu. 3:4) ou então a fim de designar o poder e o governo de algum rei (I Sam. 18:8; 20:31).

Sentidos Religiosos e Espirituais. Há muita variedade de tais sentidos, uma questão considerada no artigo intitulado *Reino de Deus* (ou dos Céus).

REINO, PARÁBOLAS DO

Ver **Parábola**, seção III.

••• ••• •••

REINO ANIMAL — REINO DE DEUS

REINO ANIMAL

Os vários animais mencionados na Bíblia são comentados individualmente, por ordem alfabética.

REINO DE DEUS (ou DOS CÉUS)

Esboço:
I. Caracterização Geral
II. Sumário de Conceitos
III. O Reino como Virtudes Cristãs Cardeais
IV. Os Crentes e o Reino
V. Aspectos do Reino na Teologia Moderna

I. Caracterização Geral

Antes de tudo, devemos dizer que não há qualquer diferença entre «reino de Deus» e «reino dos céus». Alguns estudiosos têm pensado que a primeira dessas expressões é mais abrangente, abarcando todas as inteligências criadas, nos céus e na terra, ao passo que a segunda delas descreveria o governo de Deus em algum lugar ou em alguma circunstância específica, como o reino do Messias. Porém, a expressão «reino dos céus» é usada no evangelho de Mateus com respeito a questões vinculadas ao «reino de Deus», nos outros evangelhos. Para exemplificar, em Mat. 3:2, lemos que João Batista veio pregando o reino dos céus, mas, na passagem paralela de Mar. 1:14, lemos que ele veio pregando o reino de Deus. É claro que o Batista não veio pregando dois reinos diferentes. Marcos e Lucas não usam as palavras «reino dos céus», mas descrevem as mesmas realidades mediante a expressão «reino de Deus». Usualmente, Mateus alude ao esperado reino messiânico, ao governo do Messias sobre o trono de Davi. A expressão deriva-se de Daniel 2:34-36,44; 7:23-27, que alude àquele Reino, divinamente estabelecido e que será estabelecido à face da terra quando uma pedra cortada sem ajuda das mãos tiver posto fim ao sistema mundial gentílico. Esse foi o reino que Deus prometeu a Davi (II Sam. 7:7-10), que foi descrito nos escritos dos profetas (Zac. 12:8) e que foi confirmado a Jesus Cristo mediante o anjo Gabriel (Luc. 1:32,33). De acordo com Mateus 3:2, esse reino está «próximo», porquanto em breve se concretizará. Teria um cumprimento preliminar nesta dispensação (Mateus 13), e teria um aspecto profético, o reino que será estabelecido quando da segunda vinda de Cristo, ou «parousia» (que vide) (Mat. 24:29-35).

Por que «reino dos céus» é usado, em vez de «reino de Deus»? Os judeus tinham profundo respeito pelo nome divino. Portanto, no evangelho de Mateus, escrito principalmente a leitores judeus, é empregada a expressão reino dos *céus* como um eufemismo, para evitar tantas menções ao nome de Deus.

Nos evangelhos sinópticos, a pregação do reino é o tema central. Não podemos duvidar que João Batista, seus seguidores, Jesus e os seus discípulos, pensassem que o reino de Deus haveria de ser estabelecido na terra. O reino de Deus foi uma oferta genuína feita a Israel, mas a oferta foi rejeitada. Isso posto, a vontade divina apresentou aos gentios o esplendor da Igreja e de nossa era da graça. De nada nos adianta tentar imaginar como o reino de Deus poderia ter sido genuinamente oferecido ao povo de Israel, ao mesmo tempo em que ele tinha de ser rejeitado, a fim de que pudesse surgir a Igreja cristã. Essas razões pertencem aos mistérios ocultos de Deus.

Em sentido bem amplo, poderíamos definir esse reino como composto por aqueles que reconhecem, adoram, amam e obedecem a Deus, como o único Deus vivo e verdadeiro. Portanto, esse reino pode ser concebido como existente no céu, ou então no coração dos homens regenerados. Os remidos, pois, comporiam o reino de Deus. A Igreja seria a coletividade formada por esses remidos, nos céus e na terra. Sem importar qual forma assuma, esse reino incorpora a luz do mundo, sendo a vida e o sal da terra. Jesus nasceu para ser Rei e de muitas maneiras, onde ele consegue impor-se como tal, aí está o reino de Deus. Por essa razão, o reino de Deus é chamado de «reino de Cristo, o Filho», por causa de sua administração. Mas é chamado reino de Deus, porque Deus é a autoridade final, por detrás desse reino. No evangelho de Mateus é chamado «reino dos céus» porque o céu é a habitação de Deus. Finalmente, a autoridade real de Jesus Cristo será exercida em todos os lugares (Efé. 1:10), quando então haverá a unidade de todas as coisas em torno da pessoa de Cristo.

II. Sumário de Conceitos

1. *A criação inteira é o reino de Deus*. Ele é o Deus do céu, retratado como quem está sentado no trono do governo do universal (Sal. 103:19; Eze. 1:26-28). Isso Deus faz cercado pelas hostes celestes que O servem (I Reis 22:19), cuidando de tudo e governando tudo (Sal. 33:13 *ss*), como o Rei Eterno (Sal. 145:13; Dan. 4:3,4). O direito que Deus tem de ser Rei deriva-se do fato de que ele é Criador de todas as coisas (Sal. 95:3-5). Sua jurisdição abrange todas as nações (Sal. 22:28; Jer. 46:18). Ele determina quem deve governar na terra (Dan. 2:37; 4:17). Ele determina todos os sistemas e condições (Sal. 29:10; 93:1-4). O seu governo caracteriza-se pela verdade e pela retidão (Sal. 96:13; 99:4). Deus requer que todos os seus súditos O temam e respeitem (Sal. 99:1-3; Isa. 6:5; Mal. 1:14). Nesse ponto, encontramos uma metáfora antropológica, onde o poder e a majestade do Senhor são simbolizados pela grandiosidade das cortes orientais.

2. *A nação hebréia é o reino de Deus*. Por essa razão, aquela nação tornou-se um reino de sacerdotes (Êxo. 19:6). A glória de Deus manifestava-se no templo de Jerusalém, que era lugar da autoridade de Deus, com o intuito de refletir a sua glória e autoridade celestial (II Reis 19:15). Deus governava no monte Sião ou Jerusalém (Sal. 48:2; 99:1 *ss*). É possível que o reino de Deus fosse celebrado anualmente, em uma festa especial da colheita (Salmos 47, 93, 96, 97 e 99. Ver também Salmos 68:24). Sem importar o sentido exato do conceito, Deus como o Rei de Israel é uma noção comum no Antigo Testamento (Deu. 33:5; I Sam. 12:12; Juí. 8:23). Ver o artigo sobre *Rei, Realeza*, em seus pontos segundo e terceiro, que ilustra a questão.

3. *O reino messiânico*. Esse era o reino profetizado que os judeus esperavam, o qual, segundo a doutrina cristã primitiva, tornou-se parte do ensino sobre o *milênio* (que vide). Ver os comentários sobre o primeiro ponto deste verbete, que ampliam a idéia.

4. *Conceito geral*. O reino de Deus abarca todas as coisas sobre as quais Deus exerce poder, quer o mundo e tudo que nele existe, a as vidas dos homens. Portanto, o reino de Deus pode ter um significado puramente espiritual ou ético (Luc. 17:20,21; Rom. 14:17).

5. *O reino de Deus pode indicar salvação, vida eterna*. No evangelho de João, a expressão «reino de Deus» é praticamente equivalente à salvação, ou vida eterna (João 3:3-5). Nesse trecho, a expressão «reino de Deus» aparece como a salvação transcendental, ou seja, a *vida eterna* que um homem não pode possuir sem o novo nascimento. Pelo tempo em que o evangelho de João foi escrito, isto é, depois da destruição de Jerusalém, para muitos crentes já havia desaparecido a esperança da inauguração de algum

REINO DE DEUS

reino político no futuro previsível, ainda que muitos deles preservassem tal esperança sob a forma da doutrina do milênio, vinculada à *parousia* (que vide). Por essa razão é que, no evangelho de João, o reino político não mais ocupa qualquer posição. Ali, a *salvação no outro mundo* é o reino de Deus.

6. *A Igreja cristã*. No trecho de Colossenses 1:13, a expressão «reino de Deus» indica a Igreja cristã, na qual estão investidas todas as esperanças humanas de participação no futuro reino celeste. Esse é o uso popular da expressão, em nossos dias.

7. *A vida cristã*. Quando bem vivida, no sentido de I Coríntios 4:20. Deus governa os corações humanos, através do seu Espírito, e assim infunde neles o seu reino.

8. *As virtudes cristãs cardeais*. Estão em foco a justiça, a paz e a alegria, mediante o poder do Espírito (Rom. 14:17). Esse uso é discutido em uma porção distinta deste artigo, a terceira porção.

9. *Os crentes como o reino de Deus*. Esse é um uso paralelo daquele descrito no segundo ponto deste verbete. A nação hebréia era o reino de Deus, e agora os crentes, judeus ou gentios tornaram-se esse reino. Ver Apo. 1:6. Esse uso é discutido na quarta porção deste artigo.

10. *O futuro Governo de Deus*. Esse governo será absolutamente universal. — Deus tornar-se-á então tudo para todos, preenchendo tudo (I Cor. 15:28). A restauração geral terá assim o seu cumprimento, e isso através da missão universal do Verbo de Deus (Efé. 1:10). Ver o artigo sobre a *Missão Universal do Logos, o Cristo*. Em última análise, coisa alguma ficará fora do poder remidor e restaurador do Logos, do que resultarão a unidade e a harmonia finais. Esse é o *mistério da vontade de Deus* (que vide).

11. *Aspectos na teologia moderna*. Ver explicações a esse respeito no quinto ponto deste artigo.

III. O Reino Como Virtudes Cristãs Cardeais. Rom. 14:17.

O reino de Deus consiste na justiça, na paz, na alegria e no Espírito Santo.

O *reino de Deus* neste caso, é a vida cristã, desde seus primórdios, quando da regeneração, incluindo a participação na justiça de Deus, através de Jesus Cristo, e suas aplicações práticas na vida cristã, através da santificação, isto é, a vida diária na real retidão divina, a qual já nos havia sido atribuída, e que agora nos é proporcionada no homem interior, como transmissão real, por obra e graça do Espírito Santo. Equivale à «paz com Deus», bem como à paz que os crentes têm uns com os outros. Também é a mesma coisa que a nossa alegria no Espírito Santo, atitude jubilosa essa que deveria caracterizar todos aqueles que foram libertados dos seus pecados.

Aqueles que preferem dar saliência a questões de dieta, manifestando-se contra ou a favor da abstinência de determinados alimentos, e que assim fazendo provocam grande confusão no seio da igreja, não enfatizam as coisas que realmente têm valor e são de vital importância no que tange à vida cristã. O apóstolo desejava que primeiramente percebêssemos quais são as coisas que realmente se revestem de importância, e então vivêssemos de tal modo a destacar essas coisas de real valor, rejeitando questões laterais e secundárias, que geralmente conduzem à contenda, e não à preservação do vínculo da paz e do amor no seio da irmandade.

O reino de Deus é justiça. Paulo só podia ter querido dizer o que vinha descrevendo tão intensamente por toda esta epístola aos Romanos, isto é, a «justiça atribuída» a nós por Deus, por intermédio de Cristo. (Ver Rom. 4:3 e 3:21).

O Reino Consiste de Retidão

1. O reino consiste de retidão imputada, mediante a qual recebemos uma correta posição diante de Deus, através de Cristo. Essa é a santidade de Deus, na qual se postam os crentes. (Ver Rom. 3:21; 4:11 e 5:13).

2. Trata-se da santidade de Deus, que se torna real na vida do crente, através do poder do Espírito, na santificação (ver as notas em I Tes. 4:3 no NTI).

3. — Trata-se da retidão divina finalmente aperfeiçoada, em que as virtudes espirituais positivas de Deus são implantadas no crente (ver Mat. 5:48).

4. Em sua aplicação prática, isso ensina-nos que existem certos elementos indiferentes, que nada têm a ver com a santidade, como a guarda de dias especiais, as questões de dieta, etc. Ao ensinar-se essa lição, as Escrituras recomendam-nos, que não façamos campanhas em prol de coisas não-essenciais, para que a unidade da igreja não seja ameaçada. A verdadeira santidade promove a paz e a concórdia.

Paz. Existe aquela paz de Deus que é um dos aspectos do fruto do Espírito Santo, e que é uma qualidade formada na alma, mediante o exercício ou operação do Espírito de Deus. Essa paz também faz parte integrante da transformação moral dos crentes. Essa paz é verdadeiramente formada no íntimo dos remidos, de tal maneira que ela permite que estes vivam em harmonia tanto com Deus como com os seus irmãos na fé e com os seus semelhantes, além de viverem em paz com suas próprias almas. Esse aspecto da «paz», bem possivelmente, era o que Paulo tinha especificamente em mente, quando usou esse vocábulo neste versículo. Não nos olvidemos, todavia, que a paz dos crentes, uns com os outros, se fundamenta sobre a paz com Deus. Ver o artigo sobre *Paz*.

Alegria. Essa qualidade, igualmente, é um dos aspectos do fruto do Espírito Santo. Tal alegria não pode ser duplicada pelos esforços humanos, esforços de natureza religiosa ou não. Trata-se de uma qualidade de bem-estar, que envolve não meramente as sensações corporais e as circunstâncias externas da vida material, mas até mesmo a própria alma. A alma que se sente segura em Cristo, por ter vindo a conhecer a verdadeira vida, sua beleza e seu alvo glorioso, desfruta intensamente de sua posição em Cristo, e se enche de esperança. A felicidade, tanto a temporal como a eterna, é o grande resultado disso. Ver Gál. 5:22,23.

Queres Fazer Alguma Campanha?

1. Nesse caso, promove o reino de Deus, a sua retidão, a sua alegria, a sua paz.

2. Não faças nenhuma campanha em favor de questões secundárias, que só servem para desunir a igreja; aprende o que tem valor primário, e o que é apenas secundário. Poderíamos sugerir aqui algumas idéias, como aquelas relativas ao modo de batismo, ao governo eclesiástico, ou quais seriam os melhores manuscritos gregos para dali se fazerem as traduções do N.T.?

3. Não insistas em impor os teus direitos.

O trabalho do Espírito Santo. Rom. 14:17 e Gál. 5:22,23 enfatizam que somente o Espírito é capaz de cultivar nos homens as virtudes e qualidades espirituais que devem caracterizar o homem verdadeiramente espiritual. Isto acontece através do uso dos *meios do desenvolvimento espiritual* (que vide).

IV. Os Crentes Como um Reino. Apo. 1:16.

E nos fez reino, sacerdotes para Deus, seu Pai.

Nos constituiu reino. O autor sagrado evidentemen-

REINO DE DEUS — REINO DE JUDÁ

te toma por empréstimo idéias do trecho de Êxo. 19:6, onde Deus prometeu a Moisés que, após a miraculosa libertação de Israel, da escravidão egípcia, Israel estava destinada a tornar-se um «reino de sacerdotes, uma nação santa», o que significa que se tornaria aquele povo uma «teocracia». A promessa ao «novo Israel», por conseguinte, é que este tornar-se-á, por semelhante modo, uma teocracia, mas não pertencente a este mundo, e, sim ao celestial. Cada remido haverá de ser um rei; cada remido haverá de ser um sacerdote. Essa promessa sem dúvida alguma está vinculada ao conceito do «milênio» que aparece em Apo. 20:6 (comparar com Apo. 5:10 e I Ped. 2:9), mas não há razão para limitarmos esse conceito a isso. O grego aqui empregado pelo autor sagrado leva-nos a entender que ele diz, «constituiu-nos um reino, sacerdotes», porquanto ele usa o nominativo e não o genitivo, que teria usado se ele tivesse querido dizer «reino de sacerdotes». Vários intérpretes supõem que o autor queria que compreendêssemos isso, mas que seu grego (conforme sucedeu com freqüência), saiu de seu controle, e ele terminou por traduzir equivocadamente a passagem que usava, extraída do A.T. E essa idéia é possível, considerando-se o grego deficiente deste livro. (Ver o artigo sobre o *Apocalipse*, seção VIII, acerca do tipo de grego que nele foi empregado). Porém, a despeito do mau grego empregado, uma profunda verdade nos é transmitida. O «novo Israel» tornar-se-á um reino de reis, e, nesse reino, cada homem será um sacerdote.

Notemos, no sétimo capítulo do livro aos Hebreus, como Melquisedeque aparece como «rei-sacerdote». Assim também se aprende em I Ped. 2:9, a nosso próprio respeito.

V. Aspectos do Reino na Teologia Moderna

Todas as explicações dadas sob o segundo ponto deste artigo, *Sumário de Conceitos*, estão incluídas na teologia moderna, no que tange a esse assunto. A isso poderíamos acrescentar algumas outras considerações, como, por exemplo:

A história eclesiástica tem forçado várias definições sobre esse conceito. A teologia católica romana tem confundido a Igreja com o reino de Deus. Na verdade, há algum precedente para isso no Novo Testamento, conforme vimos no segundo ponto, mas não no sentido mais preciso da questão. Agostinho foi quem mais desenvolveu o conceito. Os teólogos da era medieval construíram sobre a base agostiniana, a fim de sancionarem a teologia de uma Igreja onipotente, cujos poderes estariam enfeixados nas mãos do papa. Os papas Gregório VII e Inocente III foram os que mais tiraram proveito dessa idéia.

As atividades da Igreja têm por escopo fomentar o reino de Deus, mediante o seu esforço missionário. Com base nesse ensino neotestamentário, os reformadores protestantes salientaram o reino, em seus aspectos espiritual e invisível, fazendo contraste com a ênfase católica romana. Nos ensinos concernentes à segunda vinda de Cristo, são enfatizados pelos teólogos evangélicos os preceitos escatológicos relativos ao reino. Mas as pessoas incorrem em erro quando exageram a ênfase sobre um aspecto, em detrimento de outros, porque o ensino bíblico sobre o reino de Deus é muito lato, e cada aspecto tem sua própria importância. É entristecedor vermos essa doutrina ser posta a serviço do *Exclusivismo*, quando alguma denominação cristã afirma ser o reino de Deus, com exclusão de todas as outras denominações. Outros erros incluem a secularização do conceito, o que o reduz ao progresso evolutivo da sociedade humana, mediante sistemas religiosos, políticos e sociais. O chamado *evangelho social* do liberalismo resvalou para esse equívoco.

O conceito bíblico do reino de Deus sempre envolve a transformação espiritual dos remidos, e só secundariamente a transformação social da sociedade humana, como um resultado que ocorrerá automaticamente, no tempo devido (quando da inauguração do milênio, ou governo de Cristo sobre a terra). Um dos mais graves erros da *Teologia da Libertação*, pregada pela Igreja Católica Romana, em alguns de seus segmentos, é a *secularização* da teologia, conforme até mesmo teólogos católicos romanos conservadores têm dito. Ver sobre a *Teologia da Libertação*. (DOD HIE NTI SCHW W SCO)

REINO DE ISRAEL
Ver sobre **Israel, Reino de**.

REINO DE JUDÁ

Esboço:

Considerações Preliminares
  1. Pano de Fundo Histórico
  2. O Reino Unido
  3. O Território de Judá

I. Razões da Divisão
  1. O Declínio de Salomão
  2. Fatores Econômicos
  3. Causas Políticas
  4. A Luta de Jeroboão Pelo Poder
  5. Debilitamento da Espiritualidade

II. Pontos Altos das Relações Entre Judá e Outras Nações
  1. Com o Reino do Norte e com o Egito
  2. Com a Assíria
  3. Com a Babilônia

III. Sumário de Eventos:
  A História e a Apostasia de Judá

IV. Considerações sobre a Individualidade dos Reis de Judá
  Conclusão

V. Gráfico:
  Cronologia Comparada: Israel — Israel-Judá — Egito — Assíria — Babilônia e Grécia
  Bibliografia

Considerações Preliminares

1. *Pano de Fundo Histórico*

Alguém já disse: «A característica distintiva de Israel é que essa foi a nação que escolheu Deus». Porém, quando examinamos os registros bíblicos, descobrimos que a verdade é exatamente o contrário: Israel é a nação que Deus escolheu! Os trechos de Gênesis 12:3 e Romanos 11:11,12 mostram que a escolha divina não foi nem arbitrária e nem exclusivista. A nação de Israel deveria tornar-se o guia espiritual de toda a humanidade, mormente através da realização da missão do Messias. A tradição profética assegura-nos que a tarefa da evangelização mundial, que a Igreja não completará, antes da conversão de Israel, finalmente será terminada, com a ajuda de Israel (ver Isa. 11:9).

Quando consideramos as minúsculas dimensões do território e do povo de Israel, em comparação com outras nações, ficamos impressionados ante o fato de que o número e a estatura de seus filhos ultrapassam em muito a importância geográfica dessa nação. A melhor explicação desse fato é que a vontade de Deus se está desdobrando em meio ao povo de Israel.

REINO DE JUDÁ

2. O Reino Unido

As doze tribos de Israel constituíam um reino unido, nos dias de Davi e Salomão. A dinastia de Davi, sobre a nação de Judá (após a divisão do reino em dois: Israel, ao norte, e Judá, ao sul), continuou governando em Jerusalém até à destruição do reino do sul, o que teve lugar em 586 A.C., pelas tropas babilônicas de Nabucodonosor. A divisão da nação em dois reinos limitou severamente o poder e a influência da dinastia davídica. A glória de Salomão nunca mais conseguiu ser duplicada. Além disso, tensões entre as nações do norte e do sul polarizaram-se nas pessoas de Reoboão, rei de Judá, filho de Salomão, e de Jeroboão, filho de Nebate, rei de Israel, que pertencia à tribo de Efraim. A rebeldia de Jeroboão obteve êxito, e ele acabou ascendendo ao trono do reino do norte, Israel. Assim, a glória pessoal de Jeroboão foi fomentada às expensas da glória de Israel. Reoboão, por sua vez, reteve a coroa de Davi, governando sobre as tribos aliadas de Judá e Benjamim; mas o seu reino era uma mera sombra do que havia sido o reino de Salomão. No entanto, seu reino manteve acesa a lâmpada de Davi, ainda que, em várias oportunidades, parecesse estar à beira da extinção. Em conseqüência, a linhagem messiânica foi preservada, em consonância com o desígnio sobrenatural que se estava desdobrando.

3. O Território de Judá

Além da tribo de Judá, o reino do sul incluía a maior parte da tribo de Benjamim, e, ao que tudo indica, finalmente abarcou também a tribo de Simeão, que ficara isolada no extremo sul da Palestina. A tribo de Judá era a mais próspera de todas elas, tendo absorvido Benjamim e Simeão. Também não nos podemos esquecer dos levitas que habitavam nesse território, além de outros que se bandearam para a família de Davi. Isso devia-se, pelo menos em parte, ao fato de que Judá é que havia herdado as riquezas de Salomão.

Fronteiras. A oeste o limite era o mar Mediterrâneo. A leste as fronteiras eram o rio Jordão e o mar Morto. Ao norte não havia qualquer limite natural entre Judá e Israel, pelo que a fronteira era um convênio. Por isso mesmo, tal fronteira modificava-se vez por outra, embora passasse sempre um pouco ao norte ou um pouco ao sul de Betel. Aparentemente, essa linha estendia-se desde um pouco ao norte de Jope até o rio Jordão, em um ponto que ficava cerca de vinte e um quilômetros ao norte do mar Morto. Ao longo dessa linha, várias fortalezas foram construídas, em Ramá, em Gibeom e em Betel. Ao sul, o território era incertamente limitado, pois dava para a deserto da Iduméia, uma região estéril e sem vida, e, por conseguinte, uma barreira natural.

O Minúsculo País. O território do reino de Judá formava um quadrado tosco, cobrindo, aproximadamente, cento e dezesseis quilômetros quadrados. Que um território tão pequeno, com pouco mais de dez quilômetros de lado, tivesse sido a pátria dos profetas e a localização do desdobramento da promessa messiânica mostra-nos que a diferença era a presença do Espírito de Deus.

Vinte reis reinaram sobre a nação de Judá, desde a época da divisão da nação de Israel em dois reinos, em 936 A.C., até o cativeiro babilônico, em 586 A.C.

Em relação às nações circunvizinhas, a história de Judá pode ser dividida em três períodos. O primeiro período caracterizou-se pela interação entre Judá e Israel; o segundo, pela interação entre Judá e a Assíria; e o terceiro, pela interação entre Judá e a Babilônia.

O primeiro desses períodos estendeu-se da divisão do reino de Reoboão, em 936 A.C., até o fim do reinado de Jotão, em 751 A.C. Inicialmente, esse período caracterizava-se por muitos conflitos entre Judá e Israel. Nos anos em que Judá combateu Israel, com o propósito básico de reunir novamente as doze tribos, Judá só conseguiu reconquistar algumas cidades fronteiriças. Após esse período de lutas, Asa, em 875 A.C., foi capaz de reestabelecer a amizade com as tribos do norte. Essa amizade perdurou até 722 A.C., quando a Assíria levou cativa a nação do norte, Israel. Mas essa amizade com Israel foi prejudicial para a espiritualidade de Judá, porquanto fê-la desviar-se para a adoração pagã que a nação do norte havia aceitado.

Durante o reinado de Acaz (731 A.C.) começou o segundo período da história de Judá. Esse período caracterizou-se pelo poder assírio em ascendência, mas também pelo fato de que o reino foi abandonando cada vez mais os caminhos do Senhor. E Judá ficou muito dependente da Assíria, exatamente por esse motivo. Entre outras coisas, Judá teve de pagar pesados tributos, quarenta e seis cidades de Judá foram capturadas, e nada menos de duzentas mil cento e cinqüenta pessoas foram levadas para o cativeiro, na Assíria. Judá só se viu livre da tirania dos assírios quando a Assíria foi destruída, no ano de 608 A.C., durante o reinado de Josias.

Após a queda da Assíria, Judá entrou no seu terceiro período histórico. Porém, a única alteração real é que, dali por diante, o poder opressor tornou-se a Babilônia, da parte da qual Judá teve de sofrer o saque, a destruição e o cativeiro.

Quatro reinos assinalaram esse breve período de vinte e dois anos. A cada novo rei sucessivo, Judá caía mais e mais para longe de Deus, até que, em 586 A.C., foi destruída, e quase todos os judeus foram levados cativos para a Babilônia.

Por todo este artigo será feita a tentativa de entendermos, mediante as informes históricos, algumas das razões pelas quais o povo de Judá afastou-se tanto de Deus.

I. Razões da Divisão

1. O Declínio de Salomão

Josefo revela-nos que Salomão «cresceu cada vez mais em seu amor pelas mulheres, não se dominando em sua concupiscência». Ele também andou muito ocupado imitando os reinos pagãos, buscando poder e esplendor pessoais. Obteve o que desejava, e se inchou em sua arrogância e exibicionismo. Desbaratou os recursos de Israel em seu tão opulento programa de edificações. Podemos ter a certeza de que, em meio a tudo isso, não estava dando muita atenção à espiritualidade. O descontentamento intensificou-se entre as tribos, antigas contenções foram renovadas, e não demorou nada para que a divisão se tornasse inevitável. Para tanto, faltava somente aparecer um líder decidido. Quando tudo se foi tornando cada vez mais «asiático», com costumes estrangeiros novos, poligamia descontrolada, introdução de religiões pagãs, alianças políticas com potências estrangeiras, etc., a solidariedade de Israel foi sofrendo cada vez mais.

2. Fatores Econômicos

Salomão era glorioso, mas o povo de Israel é que estava pagando a conta, altíssima, por sinal. A construção do templo fora ordenada por Deus; mas houve muitos outros projetos desnecessários, nos quais Salomão malbaratou os recursos de Israel. A fim de sustentar um reino que gastava tanto, foram cobrados altíssimos impostos, e muitos súditos foram

REINO DE JUDÁ

reduzidos ao virtual labor escravo. A cada novo ano o reino de Salomão debilitava-se, conforme a insatisfação crescia.

3. Causas Políticas

Judá obteve maior poder e independência econômica, devido às suas terras muito produtivas e ao comércio com o Egito e outras nações. Isso servia de causa de rivalidades e ciúmes, por parte de outras tribos. A mudança do santuário nacional de Silo para Jerusalém nunca foi aceita de bom grado. Efraim tornou-se o centro da competição e da rivalidade com Judá. O reino unificado de Salomão e a concentração de riquezas, em Jerusalém, diminuiu a importância das demais tribos, um fato que Efraim ressentia de modo todo especial. A revolta, pois, pelo menos em parte era um reclamo em prol da restauração tribal.

4. A Luta de Jeroboão pelo Poder

Jeroboão procurava restaurar o prestígio da tribo de Efraim, mas podemos ter a certeza de que ele também procurava a sua própria glória. Havia o fator pessoal de suas próprias ambições. Era a mesma velha história da luta pelo poder, com base na glorificação pessoal.

5. Debilitamento da Espiritualidade

Várias declarações dadas acima ilustram o fato de que foi o enfraquecimento da espiritualidade dos líderes do povo de Israel que produziu a divisão política em duas nações. Se os homens tivessem dado a Deus o primeiro lugar, então os demais problemas, de ordem econômica e política, teriam sido devidamente equacionados e resolvidos.

Reoboão reteve algo da sabedoria de seu pai, pois, se os reis do norte mudaram de capital, ele fortaleceu Jerusalém e preservou a herança de Davi. Ver II Crô. 11:23.

II. Pontos Altos das Relações entre Judá e Outras Nações

1. Com o Reino do Norte e com o Egito

Apresentamos aqui um esboço abreviado dos eventos. Mais adiante, cada rei de Judá terá seu governo individualmente considerado. Quanto a maiores detalhes, ver o gráfico cronológico, no apêndice.

As contendas generalizaram-se. Judá queria forçar a reunião das doze tribos, mas o profeta Semaías interveio. Jeroboão cooperava com Sesonque, do Egito, e o território de Judá foi invadido. Os egípcios saquearam os tesouros do templo de Jerusalém. A derrota de Judá foi interpretada como o juízo de Deus contra o ambicioso Reoboão. Contudo, seu filho e sucessor, Abias, obteve uma significativa vitória sobre Jeroboão, e assim expandiram-se um pouco os territórios do reino do sul. Abias e Asa estabeleceram acordos com a Assíria. Porém, antes da destruição do reino do norte, pelos assírios, Asa estabeleceu relações amistosas com o norte. Isso perdurou até o ano da destruição de Israel, em 722 A.C.

2. Com a Assíria

Isso marca o segundo período da história de Judá. Os assírios ameaçavam tanto a Israel quanto a Judá. Tiglate-Pileser III (o Pul referido em II Reis 15:19) encabeçava essa ameaça. A fim de evitar a destruição, Acaz estabeleceu um pacto com Tiglate-Pileser, embora tivesse de pagar pesados tributos por causa disso. Isso deu início à norma de tratados com potências estrangeiras. Conforme os profetas disseram que sucederia, tais tratados mostraram-se prejudiciais, afinal de contas. O paganismo invadiu as instituições e até mesmo a adoração judaica. Ezequias liderou uma reforma que conseguiu certa medida de purificação. Porém, nenhuma manipulação foi capaz de fazer cessar o avanço dos assírios. Isaías enconrajou Ezequias para que oferecesse resistência aos assírios, a qualquer custo. Jerusalém só foi salva por divina intervenção (ver Isa. 37:36), mas Senaqueribe, outro rei assírio, conseguiu tomar quarenta e seis cidades, segundo sua contagem. Manassés, filho e sucessor de Ezequias, foi forçado a submeter-se como rei vassalo da Assíria. Em sua própria degeneração, Manassés foi testemunha da total desintegração de Judá. Porém, foi em seus dias que começou a declinar o poder assírio.

3. Com a Babilônia

Tanto o Egito quanto a Babilônia tiraram proveito da queda da Assíria, pelo que tinham chegado a promover essa queda. Faraó Neco, temendo a Babilônia, aliou-se à Assíria e assim obteve controle sobre Judá e a Síria. Depôs Jeoacaz e estabeleceu Jeoaquim, seu irmão, como governante de Judá. Todavia, esse arranjo perdurou por brevíssimo tempo. Neco aliou-se a Asur-Ubalite e aos assírios para combater os babilônicos. A total derrota da coligação deu azo ao surgimento do predomínio babilônico.

Os babilônios aniquilaram o poder assírio. Judá tornou-se um estado vassalo da Babilônia. Jeoaquim, que ficara como títere no trono de Judá, por determinação de Faraó Neco, continuou sendo apenas um vassalo sob as ordens de Babilônia. No entanto, quando Jeoaquim revoltou-se, isso trouxe Nabucodonosor às portas de Jerusalém. Durante o cerco que teve lugar, Jeoaquim ou morreu ou foi assassinado. Jerusalém caiu em março de 587 A.C. Jeoaquim chegou a governar de modo ilusório e temporário, após a morte de seu pai, mas somente pelo espaço de três meses. Foi levado para o exílio na Babilônia juntamente com seus familiares e a nata da sociedade judaica. Matanias, filho de Josias, chamado Zedequias por Nabucodonosor, foi posto no trono como um títere, com a condição de se mostrar leal à Babilônia (Eze. 27:13). Sua lealdade, porém, foi de curta duração. Zedequias conspirou contra a Babilônia, juntamente com o Egito. Nabucodonosor perdeu a paciência e avançou novamente contra Jerusalém. A matança, o saque, lutas sangrentas, fome e exílio em grande escala puseram fim ao que ainda havia restado da nação de Judá.

Judá, como um reino, — durou trezentos e cinquenta anos, desde 936 A.C., ou seja, duzentos e catorze anos mais do que o reino do norte, Israel. Essa duração um tanto maior do reino de Judá pode ser atribuída a um grau menor de apostasia. Essa história da minúscula nação de Judá é mais a história de uma dinastia do que a história de uma nação, e é mais a história de uma cidade do que a história de um país. Seus pontos fortes e fracos residiam nesses fatos.

III. Sumário de Fventos

A História e a Apostasia de Judá:

A história do povo judeu consiste quase inteiramente em vitórias e derrotas militares. Porém, paralelamente a esses conflitos militares, rugia uma contínua guerra espiritual. Sem dúvida, essa batalha espiritual prolongada foi declarada quando as forças satânicas perceberam que Deus estava separando um povo que O adorasse como único Deus, não seguindo as formas de adoração pagãs que glorificam a Satanás.

Mesmo após a separação entre os reinos do norte e do sul, essa tensão espiritual prosseguiu. O reino do norte cedeu quase totalmente à pressão de Satanás, ao passo que o reino do sul continuou obtendo vitórias e fracassos, nessa guerra espiritual.

As derrotas espirituais podem ser atribuídas a muitas causas, como: orgulho, sede de poder e

REINO DE JUDÁ

suposta **auto-suficiência do governante**, a influência negativa dos conselheiros dos reis, e também as alianças com potências estrangeiras, em vez da nação depender da proteção divina. Por várias vezes, essas alianças resultaram em casamentos por interesse, levando a nação inteira a sofrer a infiltração de idéias pagãs e da idolatria, fazendo com que a geração judaica seguinte fosse criada no paganismo. E o resultado final de tudo isso era que os judeus depositavam a sua confiança em outras coisas, mas não no Senhor.

Com base em I Reis 14:21-24, pode-se ver que o reino do sul vivia imerso na idolatria. Era mesmo impossível um governante judeu casar-se com alguma princesa pagã, sem que a nação judaica ficasse sujeita aos avanços da idolatria.

A mãe de Reoboão era amonita. Ela se chamava Naama, sendo muito provável que ela tivesse servido de instrumento que atraiu Reoboão para a idolatria. E também não constituiu surpresa que Abias, sucessor de Reoboão, tivesse seguido a idolatria de seu pai (I Reis 15:3). Abias condenou a idolatria de Jeroboão, sem perceber, ou, melhor, sem querer perceber a sua própria idolatria (ver II Crô. 13:8-12).

Durante trinta e seis anos Asa foi fiel ao Senhor. Ora, poderíamos indagar por que motivo Asa não apelou para a proteção divina, quando foi confrontado pela ameaça externa. Por que motivo tentou subornar o rei da Síria? No décimo quarto capítulo de II Crônicas, pode-se ver que por causa da fidelidade de Asa ao Senhor é que ele havia sido galardoado com sucessos militares. Porém, diante das vitórias, Asa deve ter-se orgulhado, e, conforme Josefo afirmou, esse rei começou a imitar o iníquo Jeroboão. Com o passar dos anos, tornou-se Asa tão mau que não se arrependeu mais de seus erros. Por isso, foi-lhe tirado o poder, e, sem a ajuda divina, precisou socorrer-se em outras nações, todas elas pagãs. De certa feita, deixou clara a sua falta de confiança no Senhor, quando pediu ajuda de um médico para que curasse sua doença nos pés. Ver II Crô. 16:12,13.

Poderíamos fazer aqui uma interessante pergunta: Por que motivo Josafá honrou ao Senhor, em seu reinado, embora herdeiro de um exemplo tão negativo como o de seu pai, Asa, em seus últimos anos de governo? A resposta pode ser dada pela cronologia. Josafá nasceu no sexto ano do reinado de Asa, e, destarte, por cerca de trinta anos foi treinado nos retos caminhos do Senhor.

O orgulho e as riquezas materiais levaram Josafá a desviar-se do Senhor, afinal. Conforme está escrito em II Cor. 18:1, Josafá «...aparentou-se com Acabe». Seu filho, Jeorão, casou-se com a filha de Acabe. Mas, os efeitos mais daninhos desse casamento só apareceram durante o reinado de Jeorão, sucessor de Josafá.

Após a morte de Josafá, a nação de Judá mergulhou **em grande depressão espiritual. Durante quinze anos,** a luz do Senhor não brilhou em Judá. Essa depressão espiritual pode ser atribuída à invasão de poderes satânicos. O casamento de Jeorão e Atalia, esta filha de Acabe, foi um convite franco a todo tipo de adoração pagã. Atalia era filha de Jezabel, uma mulher astuciosa, atrevida e sem escrúpulos, que odiava a adoração a Yahweh e se dispunha a qualquer coisa para lançá-la no opróbrio. Não há que duvidar que Atalia herdou essas péssimas qualidades.

Assim, durante quinze anos, Judá esteve em total bancarrota espiritual. Após esse período, Joás, que fora escondido por Jeosabeate, filha do rei Jeorão, mulher do sacerdote Joiada, como único sobrevivente do «massacre» provocado por Atalia, foi guindado ao trono. Enquanto esteve escondido, embora criança, Joás foi instruído nos caminhos do Senhor. Enquanto viveu o sacerdote Joiada, Joás seguiu nos caminhos do Senhor. Porém, após o falecimento desse sacerdote, Joás foi persuadido pelos oficiais do reino a reverter à idolatria. Lemos em II Crô. 24:17: «Depois da morte de Joiada, vieram os príncipes de Judá e se prostraram perante o rei, e o rei os ouviu». Esse ato de prostrar-se diante do rei de Judá foi um ato de lisonja; pois, conforme deixaram escrito alguns escritores judeus, como Kimchi, prostrar-se diante de alguém era um ato de adoração religiosa, o que elevava esse alguém à posição de Deus. Foi mediante esse ato de falsa honraria que a corte judaica, que favorecia o culto a Baal, conseguiu reestabelecer o culto a esse deus pagão. Todavia, também é possível que o ato fosse uma demonstração de revolta contra a hierarquia que o sistema anterior havia imposto.

Joás foi substituído no trono por Amazias. Nos escritos de Josefo sobre Amazias, ele diz que esse rei era excessivamente cuidadoso em praticar o que era reto, quando ainda era bem jovem. Uma vez mais, porém, vemos nele as características que marcavam os monarcas orientais. É provável que Amazias tenha observado as vitórias do rei de Israel contra a Síria, despertando nele o desejo de também brandir poder militar, o que significa, por sua vez, que o fator dominante foi a jactância e a crueldade. Sob tais circunstâncias, a adoração a Yahweh novamente foi substituída pela idolatria.

Poderíamos indagar por que motivo Uzias, sucessor de Amazias, voltou à adoração ao Senhor. Josefo assevera que Uzias foi «um homem bom, por natureza reto, magnânimo e trabalhador». Visto que Uzias tinha apenas dezesseis anos de idade quando se tornou rei, provavelmente esteve sob a direção espiritual de grandes sacerdotes e profetas.

No entanto, posteriormente, devido ao seu orgulho, Uzias acabou se afastando do Senhor. Não parava para meditar que Deus é quem lhe dera toda sua autoridade e riquezas.

Uzias foi substituído no trono por Jotão. A narrativa bíblica sobre Jotão é impecável. Jotão permaneceu leal ao Senhor durante todo o seu reinado, embora não se possa dizer a mesma coisa acerca da nação de Judá. Lemos em II Reis 15:35 que o povo continuou a adorar nos lugares altos, o que envolvia a idolatria.

A continua idolatria mostrou que as advertências **de Isaías, durante os últimos anos de reinado de Uzias** e durante o reinado de Jotão, foram incapazes de refrear a corrida do povo para a idolatria. Tudo isso mostra-nos que a tendência nacional era mergulhar na idolatria. Todavia, é impossível determinarmos se todas as formas de idolatria, descritas em II Crônicas 28:3,4, começaram durante o reinado de Acaz, ou se foi um desenvolvimento gradual, através de vários governos. O mais provável é que tenha sido uma infiltração gradual, usando como pretexto os sucessos militares dos sírios, com os deuses que eles adoravam.

O reinado inteiro de dezesseis anos de Acaz foi assinalado por uma desabrida idolatria. E essa apostasia prosseguiu até os primeiros anos de governo do rei Ezequias.

Em uma reunião a que estiveram presentes o rei e o povo comum, o profeta Miquéias, revestido da autoridade do Senhor, apareceu na assembléia, a fim de repreender ao povo. E a multidão ouviu, boquiaberta, a amarga sátira mediante a qual os nobres foram descritos como se estivessem preparando seu banquete canibalesco, com a carne e os ossos dos pobres.

REINO DE JUDÁ

Ezequias voltou-se de todo o coração aó Senhor, e muitas reformas tiveram lugar na nação de Judá. As práticas idólatras foram descontinuadas, e Ezequias chegou a ordenar a destruição da serpente de bronze que Moisés mandara fazer, porquanto até isso se havia tornado um objeto de adoração idólatra.

Mas, quando chegou o governo de Manassés, filho de Ezequias, houve novo desvio para longe do Senhor. É muito improvável que esse desvio possa ter tido como causa a influência de Hefzibá (que a tradição judaica diz ter sido filha do profeta Isaías), pois ela aparece como mulher piedosa.

Em contraste com Joás, o jovem Manassés não deve ter tido uma forte orientação religiosa antes de ascender ao trono. Outros dois fatores negativos também talvez expliquem seu caráter: 1. alguns conselheiros do rei tendiam para a idolatria (Isa. 22:15-19; 29:14-16; 30:1; 9:14). 2. Nos últimos anos do governo de Ezequias, seu pai, houve uma aliança com a Babilônia. Esses fatores também devem ser levados em conta na apostasia de Manassés, embora não fossem fatores de primeira grandeza.

No fim de sua vida, após uma carreira tão maligna como nenhum outro rei de Judá tivera antes, Manassés arrependeu-se, e os ídolos foram removidos do país. Todavia, essa condição purificada não perdurou por muito tempo. Conforme informa-nos Josefo, Amom «...imitou as obras de seu pai, que ele tão insolentemente praticara na juventude».

Depois de Amom, foi a vez de Josias. Através da narrativa bíblica, podemos ver que Josias governou Judá de acordo com os princípios do Senhor. Novamente, temos aí um rei que subiu ao trono de Judá ainda bem jovem. Visto que tinha somente oito anos de idade quando subiu ao trono, sem dúvida, ele tinha bons tutores e conselheiros. Entre eles estavam os profetas Jeremias e Sofanias, e a profetisa Hulda.

Após o reinado de Joás, o reino de Judá só continuou pelo espaço de vinte e dois anos. As estruturas internas da nação estavam se desmantelando, sob o peso da idolatria, ao mesmo tempo em que potências estrangeiras estavam-na destruindo mediante ataques armados e tributos pesados.

Os três meses do reinado de Jeoacaz foram assinalados pelo fato de que o rei do Egito mandou prendê-lo, impondo pesadas taxas sobre a nação de Judá. Faraó Neco forçou Judá a receber Jeoaquim, filho de Josias, como rei. Durante os seus onze anos de governo, ele teve de pagar tributo ao Egito, serviu a Nabucodonosor por três anos, e seu território foi invadido pelos caldeus, arameus, moabitas e amonitas. Finalmente, nos dias de Joaquim, seu filho, Nabucodonosor atacou a cidade de Jerusalém e levou para o exílio a esse rei e à sua nobreza. Durante o breve reinado de três meses de Joaquim, entretanto, não houve qualquer dificuldade com os egípcios, pois os babilônios haviam tomado conta de larga porção do Egito. Mas, por ocasião do ataque babilônio, o templo de Jerusalém foi saqueado.

Finalmente, no décimo primeiro ano do reinado de **Zedequias, Jerusalém foi cercada pelas tropas** babilônias. E foi então que começou um cativeiro de Judá que se prolongou por setenta anos.

Esses acontecimentos históricos deveriam servir de lição para todas as gerações. Pois ali rebrilham as verdades transcendentais que aqueles que seguem o caminho da retidão são honrados e ajudados pelo Senhor, mas aqueles que seguem as veredas da injustiça são tratados de acordo com a ira de Deus, conforme se vê no caso da nação de Judá.

IV. Considerações Sobre a Individualidade dos Reis de Judá

1. *Reoboão*, «o povo expande-se»:
   a. Reinado: 936 — 919 A.C. (17 anos)
   b. O jugo econômico não é aliviado (I Reis 12:1-15; II Crô. 10:3-15)
   c. O reino divide-se em dois: (I Reis 12:16-24; II Crô. 10:16,17)
   d. Tempo de prosperidade (II Crô. 11:5-23)
   e. Julgamento divino (I Reis 14:25-28)
   f. Morte (I Reis 14:29-31; II Crô. 12:16)
2. *Abias*, «Yahweh é pai»:
   a. Reinado: 919—916 A.C. (3 anos)
   b. Anda nos caminhos de seu pai (I Reis 15:3)
   c. Mostrou a Israel como pecar contra Deus (II Crô. 13:8,9)
   d. Tentou reunificar o reino (II Crô. 13:4-19)
   e. Morte (I Reis 15:18; II Crô. 14:1)
3. *Asa*, «médico»:
   a. Reinado: 916—875 A.C. (41 anos)
   b. Removeu a idolatria (I Reis 15:12,13; II Crô. 14:3-5)
   c. Fortificou a nação (II Crô. 14:6-8)
   d. Derrotou os etíopes (II Crô. 14:9-15)
   e. Fez mais reformas religiosas (II Crô. 15:8-16)
   f. Dependeu do homem, e não do Senhor (I Reis 15:18,19)
   g. Morte (I Reis 15:24; II Crô. 16:13).
4. *Josafá*, «Yahweh é juiz»:
   a. Reinado: 875—851 A.C. (25 anos)
   b. Fortaleceu as defesas (II Crô. 17:2)
   c. Ensinou o povo (II Crô. 17:7-9)
   d. Entrou em aliança com Israel (I Reis 24:4; II Crô. 18:3)
   e. Instituiu reformas (II Crô. 19:4-11)
   f. Os invasores foram derrotados pela fé (II Crô. 20:1-30)
   g. Morte (I Reis 22:50; II Crô. 21:1)
5. *Jeorão*, «Yahweh é exaltado».
   a. Reinado: 850—842 A.C. (8 anos)
   b. Matou seus próprios irmãos (II Crô. 21:4)
   c. Edom revoltou-se contra Judá (II Reis 21:8-10)
   d. Judá deixou-se arrastar para a idolatria (II Crô. 21:11)
   e. Predição de calamidade (II Crô. 21:14,15)
   f. O Senhor julgou mediante a invasão estrangeira e Jeorão foi ferido nos intestinos (II Crô. 21:16)
6. *Acazias*, «Yahweh agarrou»:
   a. Reinado: 842—841 A.C. (1 ano)
   b. Seguiu as más veredas de sua mãe, Atalia (II Crô. 22:2,3)
   c. Aliou-se a Jeorão de Israel (II Reis 8:28; II Crô. 22:5)
   d. Jeorão é ferido (II Reis 8:28,29; II Crô. 22:5,6)
   e. Acazias é morto por Jeú, como juízo divino (II Reis 9:27; II Crô. 22:8,9)
7. *Atalia*, «Yahweh é exaltado»:
   a. Reinado: 841—835 A.C. (6 anos)
   b. Assassinou os filhos do rei (II Reis 11:1; II Crô. 22:10)
   c. Joás é oculto por Jeosabete (II Reis 11:2; II Crô. 22:11)
   d. Atalia é destronada e executada (II Reis 11:4-16; II Crô. 23:1-21)
8. *Joás*, «Yahweh deu»:

REINO DE JUDÁ

a. Reinado: 835—795 A.C. (40 anos)
b. Instruído na verdade por Joiada (II Reis 12:2)
c. Reparou o templo (II Reis 12:4-16; II Crô. 24: 8-14)
d. Foi persuadido por seus conselheiros a voltar à idolatria, após a morte de Joiada (II Crô. 24:17-19)
e. Morto por seus servos (II Reis 12:20; II Crô. 24:25)

9. *Amazias*, «Yahweh é forte»:
a. Reinado: 795—768 A.C. (29 anos)
b. Vingou a morte de seu pai (II Reis 14:5; II Crô. 25:3)
c. Fortificou o reino e usou soldados de Israel (II Crô. 25:5,6)
d. Despediu os soldados de Israel (II Crô. 25:10)
e. Foi repreendido por sua idolatria (II Crô. 25:14-16)
f. Judá foi julgada com sua derrota por Israel (II Crô. 25:17-28)

10. *Uzias*, «minha força é Yahweh»:
a. Reinado: 768—740 A.C. (52 anos)
b. Governou com justiça, no começo (II Reis 15:3; II Crô. 26:4,5)
c. Derrotou os filisteus e os árabes (II Crô. 26:7)
d. Fortificou a nação (II Crô. 26:9-15)
e. Corrompeu-se em face de seu orgulho (II Crô. 21:23)
f. Foi julgado pela lepra (II Reis 15:5,7)

11. *Jotão*, «Yahweh é perfeito»:
a. Reinado: 740—731 A.C. (16 anos)
b. Reino justo (II Reis 15:34; II Crô. 27:2)
c. A nação continuou idólatra (II Reis 15:35; II Crô. 27:2)
d. Fortificou Judá (II Reis 15:35; II Crô. 27:4)
e. Vitória sobre os amonitas (II Crô. 27:5)
f. Morte (II Reis 15:38; II Crô. 27:9)

12. *Acaz*, «ele (Deus) agarrou»:
a. Reinado: 731—725 A.C. (16 anos)
b. Andou na idolatria (II Reis 16:2-4; II Crô. 28:2-4)
c. Judá cai sob o poder dos sírios (II Reis 16:5; II Crô. 28:5)
d. Israel recebe ordens de soltar os cativos de Judá (II Crô. 28:11-15)
e. Confiou nos ídolos de Damasco (II Reis 16:10-18; II Crô. 28:23-25)

13. *Ezequias*, «Yahweh fortalece»:
a. Reinado: 725—696 A.C. (29 anos)
b. Reformas religiosas (II Reis 18:4)
c. Reformas no templo (II Crô. 29:3-36)
d. Reestabelecimento da páscoa (II Crô. 30:1-27)
e. Os ídolos são destruídos (II Crô. 31:1-21)
f. Vitória sobre os assírios (II Reis 18:13—37:19; II Crô. 32:1-22)
g. Mostrou riquezas aos babilônios (II Reis 20:13)

14. *Manassés*, «levando a esquecer»:
a. Reinado: 696—641 A.C. (55 anos)
b. Restaurou a idolatria (II Reis 21:1-16)
c. Idolatria castigada pelo cativeiro babilônico (II Crô. 33:10,11)
d. Humilhou-se diante do Senhor (II Crô. 33:14-20)
e. Morte (II Reis 21:18; II Crô. 33:20)

15. *Amom*, «hábil trabalhador»:
a. Reinado: 641—639 A.C. (2 anos)
b. Andou na maldade (II Reis 21:20; II Crô. 33: 22)
c. Morto por conspiradores (II Reis 21:23,24; II Crô. 33:24)

16. *Josias*, «Yahweh cura»:
a. Reinado: 639—608 A.C. (31 anos)
b. Livrou Judá da idolatria (II Crô. 34:3-8)
c. Reparou o templo (II Reis 23:3-7; II Crô. 34: 8,13)
d. Encontrado o livro da lei (II Reis 22:8; II Crô. 34:14)
e. Condenação predita (II Reis 23:16,17; II Crô. 34:24,25)
f. Removeu a idolatria (II Reis 23; II Crô. 34:33)
g. Morte (II Reis 23:29; II Crô. 34:24)

17. *Jeoacaz*, «Yahweh apossou-se de»:
a. Reinado: 608 A.C. (3 meses)
b. Fez o mal aos olhos do Senhor (II Reis 23:32)
c. Pagou tributo ao Egito (II Reis 23:33; II Crô. 36:3)
d. Morte (II Reis 23:34)

18. *Jeoiaquim*, «Yahweh levanta»:
a. Reinado: 608—597 A.C. (11 anos)
b. Rei mau (II Reis 23:37; II Crô. 36:5)
c. Pagou tributo ao Egito (II Reis 23:35)
d. Serviu a Nabucodonosor (II Reis 24:1)
e. Voltou à idolatria (II Crô. 36:5,8)
f. Levado cativo à Babilônia (II Crô. 39:6)
g. Sepultado como um jumento (Jer. 22:19)

19. *Jeoaquim*, «Yahweh estabelece»:
a. Reinado: 597 A.C. (3 meses)
b. Não andou retamente diante do Senhor (II Reis 24:9)
c. Levado cativo à Babilônia (II Reis 24:12; II Crô. 36:10)
d. Levados os tesouros do templo (II Reis 24:13; II Crô. 36:10)
e. Só os mais pobres são deixados em Judá (II Reis 24:14-16)

20. *Zedequias*, «Yahweh é justiça»:
a. Reinado: 597—586 A.C. (11 anos)
b. Um reinado iníquo (II Reis 24:19; II Crô. 36:12)
c. Rebela-se contra Nabucodonosor (II Reis 24:20; II Crô. 36:13)
d. Faz aliança com o Egito (Eze. 17:15)
e. Zombados os mensageiros de Deus (II Crô. 36:16)
f. É cego e levado prisioneiro (II Reis 25:7)
g. Destruição de Judá (II Crô. 17-21)

Avaliando a história de Judá, o reino do sul, Edersheim frisou que a idolatria «não conseguiu lançar raízes profundas entre o povo». E citou três razões para isso: 1. a influência positiva do templo de Jerusalém, como o santuário central da nação. 2. Os reis idólatras de Judá eram sempre sucedidos por monarcas piedosos, que reparavam os estragos feitos por seus antecessores. 3. O reinado dos reis idólatras era comparativamente breve, em relação ao reinado dos monarcas piedosos.

Nesse quadro individualizado sobre os reis de Judá, vê-se que as datas dos reinados de alguns deles não concordam com os anos que se diz que eles reinaram. É que, nesses casos, conta-se o tempo em que reinaram como corregentes e como reis isolados. É difícil a cronologia relativa aos reis de Judá e Israel.

Vale a pena mencionar que os reis de Israel, o reino do norte, tiveram uma história bem diferente da dos

REINO DE JUDÁ — REIS

reis de Judá. Em Israel predominou sempre a idolatria e o paganismo, muito mais entricheirados que em Judá. Esse fator, sem dúvida, abreviou a duração da nação de Israel.

Conclusão:
Somente o propósito divino, atuante na história da humanidade, poderia ter preservado a identidade de Israel após os cativeiros assírio e babilônico. Podemos supor que esses cativeiros tiveram lugar por várias razões: 1. os inimigos de Israel eram mais numerosos e mais fortes do que eles. A mera superioridade militar produziu a queda de Israel. 2. As contendas e divisões internas apressaram essa queda. 3. Governantes ostentadores, que só buscavam seus próprios interesses contribuíram para garantir o colapso da nação. 4. Mas, visto que Israel fora levantada por intervenção sobrenatural, podemos pensar que o declínio espiritual foi o principal fator na catástrofe de Israel. Certamente essa foi a mensagem dos profetas.

Tal como as parábolas de Jesus, a história de Judá torna-se para nós uma série de exemplos, alguns positivos e outros negativos. É impossível subestimarmos a importância e a força do exemplo.

V. Gráfico: Cronologia Comparativa — Israel, Judá; Egito, Assíria, Babilônia, Grécia.
Ver o artigo sobre *Rei, Realeza* que contém este gráfico.

Bibliografia: AH ALB ALBR AM ANET E G I JE JNES PF PFE SH TH V VA YO WE WRI WRIG Z

REIS, DIREITO DIVINO DOS

Essa é a teoria que diz que os reis são dotados de autoridade absoluta em função do fato de que seu ofício, em última análise, deriva-se de Deus, e não apenas do consentimento de seus súditos. A idéia está baseada sobre a antiga crença da íntima comunhão (e até mesmo identidade de linhagem) entre os deuses e os reis. Ver o artigo sobre *Rei, Realeza*, segundo ponto, *Religião e Realeza*, quanto a uma completa explicação sobre a questão. A economia veterotestamentária é um excelente exemplo desse conceito. Ali, não somente o rei era ungido pelo sumo sacerdote de Deus, mas também esperava-se que fosse o principal líder na promoção da fé em Yahweh. Os reis de Israel eram julgados segundo quão bem cumpriam seus deveres religiosos e sua piedade pessoal. Na Idade Média, a Igreja Católica esteve muito envolvida no estabelecimento e destituição de reis. De fato, estabeleceu-se grande conflito entre essa Igreja e o Estado. Ao mesmo tempo, naturalmente, a doutrina do direito divino dos reis era muito debatida. Líderes protestantes e humanistas promoviam a idéia, a fim de se oporem ao poder da Igreja Católica Romana, fazendo do Estado uma força equilibradora. De modo geral, em face de textos de prova, como Romanos 13 e I Pedro 2:13 *ss*, os cristãos são forçados a reconhecerem o princípio, juntamente com a reserva de que os governantes civis devem ser obedecidos enquanto não requererem coisas e nem se oporem a coisas que envolvam a consciência religiosa, em sentido negativo. Entretanto, cumpre-nos obedecer a Deus, e não aos homens (Atos 5:29). Os céticos, os liberais religiosos, os humanistas e os historiadores seculares consideram a doutrina do direito divino dos reis um simples mito e historicamente, um braço conveniente das classes dominantes para manter sob seu poder os que estão sob a sua autoridade.

••• ••• •••

REIS (I E II), LIVROS DOS

Esboço:
I. Caracterização Geral
II. Antigas Formas Desses Livros
III. Autoria
IV. Fontes
V. Data
VI. Proveniência
VII. Motivos e Propósito
VIII. Cronologia
IX. Cânon
X. Conteúdo e Mensagem
XI. Gráfico dos Reis

I. Caracterização Geral

Os livros de I e II Reis, que formavam um único livro de acordo com o cânon hebreu, são livros históricos do Antigo Testamento, incluídos entre os profetas anteriores (que vide) ou seja, os livros de Josué até II Reis, que se seguem ao Pentateuco. Esses livros narram a história de Israel desde a conquista da terra de Canaã (século XIII A.C.) até à queda de Jerusalém, em 586 A.C. A história sempre foi importante para os hebreus. Nesses livros há um autêntico material histórico, conforme admitem até mesmo os mais liberais eruditos. Os livros de I e II Reis fornecem-nos a história de Israel desde os últimos dias de Davi e da ascensão de Salomão (cerca de 970 A.C.) até o aprisionamento do rei Jeoaquim, em uma prisão na Babilônia, por Amel-Marduque, em cerca de 561 A.C. Muitos estudiosos crêem que esses livros, conforme os temos atualmente, incorporam duas edições, a primeira das quais teria sido publicada em cerca de 600 A.C., escrita por um historiador deuteronômico e a segunda, que conteria material suplementar, relativo principalmente à nação do norte, Israel, que teria sido produzida cerca de cinqüenta anos mais tarde (ver sobre *Data*, abaixo). Esses livros mencionam várias fontes informativas, pelo que o autor sagrado, mesmo que tenha sido contemporâneo de alguns dos eventos historiados, foi, essencialmente, um compilador. Ver abaixo, sobre as *Fontes Informativas*. Os historiadores respeitam esses livros canônicos como obras sérias, embora supondo alguns que ali há um certo colorido, com propósitos pessoais e teológicos. Por serem complementares do livro de Deuteronômio, eles expõem os grandes ideais da doutrina deuteronômica, como a centralização de toda a adoração sacrificial no templo de Jerusalém, ou como a doutrina da retribuição divina segundo os feitos humanos, bons ou maus.

Esses livros recebem seu nome devido à palavra inicial, no texto hebraico, do livro de I Reis, *wehammelek*, isto é, «e o rei», bem como devido ao fato de que essa porção das Escrituras trata principalmente da descrição dos feitos e do caráter dos monarcas de Israel e de Judá.

II. Antigas Formas Desses Livros

Na Bíblia em hebraico, esses dois livros formavam um único volume, ou rolo. A divisão do livro em dois, ocorreu na Septuaginta, por razões práticas. O hebraico, que era escrito somente com as consoantes, ocupa muito menos espaço do que o grego, que tem vogais como letras separadas. Quando esse livro foi traduzido para o grego, pois, ocupava tanto espaço que não era prático deixá-lo sob a forma de um só rolo ou volume. Por isso, foi dividido em duas porções. A divisão não apareceu na Bíblia hebraica senão quando Bomberg imprimiu a Bíblia hebraica, em Veneza, em

REIS

1516-1517. Essa divisão também apareceu na Vulgata Latina impressa. Na Vulgata Latina e na Septuaginta, os livros de I e II Samuel, I e II Reis são tratados como uma história contínua, pelo que ali temos os livros de I, II, III e IV Reis. Embora a divisão entre I e II Reis seja totalmente arbitrária, tem sido preservada nas versões das línguas vernáculas. Essa arbitrária divisão corta bem pelo meio a narrativa sobre o reinado de Acazias. O primeiro capítulo de II Reis termina a narrativa sobre o seu governo. Ainda mais estranho é que a história do profeta Elias, e a unção de Eliseu, aparecem em I Reis; mas o final dramático do ministério de Elias aparece em II Reis.

III. Autoria

A tradição judaica piedosa, segundo é refletida no Talmude (Baba Bathra 14b) diz que Jeremias foi o autor desses livros. Essa idéia é defendida por alguns estudiosos com base no fato de que parte desse livro (II Reis 25:27-30; atribuída por alguns a um outro autor, que teria começado a escrever em II Reis 23:26) poderia ter sido escrita por Jeremias, para nada dizermos sobre a primeira porção, porquanto a tradição judaica afirma que Nabucodonosor levou esse profeta para a Babilônia, depois que aquele monarca conquistou o Egito, em 568 A.C. Na Babilônia, conforme prossegue a história, Jeremias morreu quando já tinha mais de noventa anos de idade. Segundo esse ponto de vista, a compilação em duas porções fica justificada (ver sobre *Fontes*, quarto ponto). E a avançada idade de Jeremias teria sido suficiente para satisfazer a cronologia envolvida. Naturalmente, precisamos depender da tradição, a fim de encontrar apoio para essa posição. E muitos duvidam da precisão dessa tradição. Por esse motivo, outros eruditos opinam que houve dois distintos autores-compiladores, defensores das tradições teológicas do livro de Deuteronômio, pelo que foram chamados de autores deuteronômicos.

A linguagem usada por Isaías, por Jeremias e pelo autor do livro de Deuteronômio assemelha-se à dos livros de Reis, por conterem um tipo comum de admoestação, de exortação, de reprimenda e de encorajamento, reiterando os mesmos grandes temas da centralização da adoração, no templo de Jerusalém, e da doutrina da retribuição divina, juntamente com uma rígida avaliação espiritual das personagens descritas nesses escritos. Os eventos ali registrados cobrem um período de quatrocentos anos; mas sabemos, com base nas fontes informativas usadas, que tudo foi um trabalho de compilação, em sua maior parte, e que o autor sagrado foi contemporâneo apenas de uma pequena parte dos eventos registrados. Mesmo que Jeremias não tenha sido o autor, é perfeitamente possível que, pelo menos, uma parte dos eventos tenha ocorrido durante a vida do autor sagrado. Provavelmente esse autor foi um profeta, o que se reflete no espírito profético com que esses livros foram escritos. Em cada geração do povo de Israel, parece que os profetas mostraram-se ativos, sempre intervindo na política da nação, e não apenas no culto religioso de Israel. Houve um número muito maior de profetas que escreveram narrativas, do que aqueles cujos livros foram incluídos no cânon hebreu. Ver os comentários sobre *Fontes*, quarto ponto.

IV. Fontes

Com base em informes nos próprios livros de Reis, sabemos que a porção maior de I Reis (pelo presumível primeiro autor-compilador) dependeu pesadamente de fontes informativas já existentes:

1. O livro da história de Salomão (I Reis 11:41).

2. O livro da história dos reis de Israel (I Reis 14:19).

3. O livro da história dos reis de Judá (I Reis 14:29).

A primeira dessas obras era uma espécie de louvor a grandes homens, com o propósito de salientar a sabedoria, a magnificência e o resplendor do reinado de Salomão. Trata-se de algo similar às memórias dos reis persas. Todos os detalhes foram arranjados de tal modo que fazem os adversários de Salomão parecerem uns anões, em contraste com ele. As outras duas fontes informativas são mais históricas do que biográficas e elogiosas, provavelmente representando anais oficiais reais. Os hebreus sempre mostraram ser muito sensíveis para com a história, e esses anais foram cuidadosamente compilados.

4. Alguns eruditos propõem que os capítulos sexto a oitavo de I Reis constituam o reflexo de uma fonte informativa independente, provendo informações sobre a construção do templo de Jerusalém, sua forma de culto e sua dedicação, embora outros duvidem que isso corresponda à realidade dos fatos.

5. Parece que o autor sagrado também tinha acesso a algum tipo de coleção de livros a respeito de Isaías, narrando sobretudo o tempo quando ele era amigo e conselheiro de certos reis (II Reis 18:13-20 e capítulo dezenove).

6. A história do reino sobrevivente de Judá, mediante a soltura, no exílio, do rei Jeoaquim (II Reis 18 — 25) que se alicerçaria sobre uma fonte ou fontes informativas distintas, embora não identificadas. Grande parte dessa fonte deve ter sido constituída por narrativas de testemunhas pessoais, compiladas pelo próprio autor sagrado, ou por aqueles cujo material escrito foi aproveitado.

Os Profetas e seus livros. As diversas fontes informativas por detrás dos livros dos Reis dizem-nos aquilo que também nos é dito em outras fontes, ou seja, que houve uma grande atividade de crônica em Israel, com o envolvimento de vários profetas, de cujos escritos o Antigo Testamento é apenas uma representação parcial. Sabe-se da existência de vários livros de profetas, como: a. Crônicas registradas por Samuel, o vidente (I Crô. 29:29). b. Crônicas de Gade, o vidente (I Crô. 29:29). c. Livro da história de Natã, o profeta (II Crô. 9:29). d. A profecia de Aías, o silonita (II Crô. 9:29). e. Livro da história de Ido, o vidente (II Crô. 12:15). f. Livro da história de Semaías, o profeta (II Crô. 12:15). g. História do profeta Ido (II Crô. 13:22). h. Os atos de Uzias, escritos pelo profeta Isaías (II Crô. 26:22).

V. Data

Como é óbvio, todo o material tomado por empréstimo foi escrito antes de ter sido usado na compilação que há nos livros dos Reis. Como uma unidade, a data não pode ser anterior a 562 A.C., quando, ao que sabemos, Jeoaquim foi liberado de sua prisão, na Babilônia (II Reis 25:27-30). Esse informe histórico fala sobre os favores que lhe foram prestados no fim de sua vida, pelo que o autor sagrado estava escrevendo alguns anos após a soltura de Jeoaquim. É possível que a compilação final tenha ocorrido em cerca de 550 A.C. Entretanto, esse dado pode ter sido adicionado a uma composição escrita anterior. É possível que a porção maior desse livro tenha sido escrita durante o cativeiro babilônico (que vide) ou seja, entre 587 e 538 A.C. Alguns estudiosos, porém, pensam que devemos pensar em uma data após a morte de Josias (609-600 A.C.), pois supõem que o autor sagrado foi o primeiro a usar o material histórico derivado do recém-descoberto livro de Deuteronômio, que, ao que se presume, apareceu em

621 A.C. A lei, sem-par, do santuário central, que figura no décimo segundo capítulo do Deuteronômio, supostamente seria o princípio avaliador dos reis, conforme é salientado nos livros dos Reis. Esses eruditos também afirmam que um segundo escritor deuteronomista acrescentou a narrativa sobre a liberação do rei Jeoaquim, que seria a seção de II Reis 25:27-30. Essas teorias, porém, não passam de especulações, não havendo maneira histórica, digna de confiança, que nos permita confirmá-las ou rejeitá-las.

VI. Proveniência

Já pudemos notar que os livros dos Reis estão intimamente relacionados às atividades literárias dos profetas hebreus. Tendo sido esse o caso é provável que esses livros tenham sido escritos em uma das cidades onde essa atividade tinha lugar. Os centros proféticos estavam localizados nas áreas fronteiriças, entre as nações de Israel, ao norte, e Judá, ao sul. Lugares como Betel, Gilgal e Mizpa eram centros de ensino, nos dias de Samuel (I Sam. 7:16). Essas cidades, além de Jericó, eram centros dessa natureza, nos dias de Elias e Eliseu. As duas capitais, Samaria (de Israel, ao norte) e Jerusalém (de Judá, ao sul) ficavam cerca de sessenta e cinco quilômetros uma da outra, e as cidades das áreas fronteiriças eram suficientemente distantes para que um profeta pudesse expressar suas idéias, mas não tão distantes que não tivesse informações exatas sobre o que estava ocorrendo em ambas as capitais. Portanto, uma das cidades acima mencionadas pode ter sido o local da compilação de nossos livros de Reis. Entretanto, um lugar como a cidade da Babilônia também conta com pontos em seu favor, se os livros dos Reis foram escritos durante o cativeiro babilônico.

VII. Motivos e Propósito

O autor da suposta primeira edição dos livros dos Reis era admirador do rei Josias, o modelo perfeito de rei aos moldes deuteronômicos. Ele também se entusiasmava diante da grandeza de Salomão, pelo que lançou mão da fonte que descrevia os resplendores do reinado salomônico. Porém, os livros dos Reis não estão interessados em meros registros históricos. Há ali tentativas para avaliar a espiritualidade dos reis envolvidos, e, nessa avaliação, projetar aos leitores o tipo de líderes espirituais que convêm ao povo. A espiritualidade sofreu um retrocesso, diante da divisão em duas nações, Israel e Judá. A correta adoração era aquela que se efetuava no templo de Jerusalém. As divisões e hostilidades entre os homens servem como empecilhos aos propósitos divinos, felizmente transponíveis. Os homens têm de pagar um preço por causa disso, porquanto Deus é um rígido avaliador e juiz das ações humanas. O propósito do autor sagrado é claramente revelado em I Reis 2:3,4, nas instruções finais dadas por Davi a Salomão: «Guarda os preceitos do Senhor teu Deus, para andares nos seus caminhos, para guardares os seus estatutos, e os seus mandamentos, e os seus juízos, e os seus testemunhos, como está escrito na lei de Moisés, para que prosperes em tudo quanto fizeres, e por onde quer que fores; para que o Senhor confirme a palavra que falou de mim...»

Há um só Deus, como também um único santuário. Todos os homens são responsáveis diante de Deus. A lei da colheita segundo a semeadura haverá de prevalecer. As vidas dos homens provam esses fatos. Contudo, a misericórdia divina e o destino da alma têm prosseguimento. A narrativa da soltura de Jeoaquim não deve ser considerada um mero apêndice. Antes, é uma nota de esperança. Deus, embora muito severo em seus juízos, nunca abandonou o seu povo. Ele exilou o seu povo em razão de seus pecados, mas não deixou de restaurá-los. A linha davídica não fora finalmente rejeitada. A história da redenção tinha prosseguimento.

VIII. Cronologia

O leitor poderá consultar o artigo sobre a *Cronologia do Antigo Testamento*. Ali fica demonstrado que as cronologias antigas não tinham a finalidade de serem exatas, historicamente falando. Havia outras forças por detrás delas. Em primeiro lugar, há *simetria*. Anos foram adicionados ou subtraídos, a fim de emprestar simetria às listas cronológicas. Em segundo lugar, interesses pessoais, crenças, etc., podem ter alterado as listas. Um indivíduo ímpio, assim sendo, era eliminado de uma lista por razão de sua iniqüidade. Em terceiro lugar, as cronologias, tal como as genealogias, eram apenas *representativas*, e não absolutas. Especificamente, no que diz respeito aos livros dos Reis, o período da monarquia dividida é apresentada juntamente com um cuidadoso sistema de referências cruzadas, entre os reis de Judá e de Israel. Apesar disso, evidentemente está em operação a atividade simetrista, porquanto a soma dos anos de governo dos reis de Israel, em um dado período, não corresponde à soma dos anos de governo dos reis de Judá, durante o mesmo período. O período desde a subida ao trono de Reobão até à morte de Azarias aparece como noventa e cinco anos; mas o período correspondente em Israel, de Jeroboão até à morte de Jorão, aparece como noventa e oito anos. Além disso, o total de anos de governo desde Atalias até o sexto ano do reinado de Ezequias é de cento e sessenta e cinco anos; mas, o mesmo período em Israel, de Jeú até à queda de Samaria, aparece como cento e quarenta e três anos e sete meses. Parte dessa discrepância pode ser explicada pela contagem de parte de anos como se fossem anos inteiros. Também há o problema da co-regência, onde pai e filhos compartilhavam do trono por certo número de anos, embora esses anos fossem subseqüentemente alistados em separado, nos cálculos cronológicos. Ver os casos de Davi e Salomão (I Reis 1:34,35) e de Azarias e Jotão (II Reis 15:5).

A isso podemos acrescentar o problema do uso de dois tipos de calendário em Israel, o civil e o religioso, que eram diferentes um do outro. Ver sobre o artigo *Calendário*, onde damos um gráfico sobre o calendário judaico, ilustrando a questão. Várias obras descrevem em detalhes as razões possíveis dessas discrepâncias cronológicas, sendo fácil negligenciarmos a mais grave dessas razões, a saber, que os antigos autores simplesmente não se preocupavam com cronologias exatas, conforme os modernos historiadores fazem, pelo que nenhum exame e manipulação podem explicar as coisas que aparecem nessas genealogias bíblicas. O artigo sobre *Cronologia* ilustra abundantemente essa declaração.

Seja como for, as listas e as datas dos reis de Israel e de Judá, incluindo as comparações entre essas listas, aparecem no artigo sobre a *Cronologia*, em seu quinto ponto, *Períodos Bíblicos Específicos*. f. Da fundação do Templo de Salomão até à sua Destruição.

IX. Cânon

Provemos um artigo sobre o assunto, no caso do Antigo e do Novo Testamentos, onde oferecemos detalhes. A questão é complexa, porquanto, em nosso cânon sagrado, há livros, de ambos os Testamentos, que por muito tempo não foram universalmente aceitos. Porém, no que tange aos livros dos Reis, que, originalmente, eram apenas um rolo ou livro o cânon

REIS — RELAÇÕES

hebraico nunca os omitiu. De acordo com Josefo, o cânon dos judeus ficou completo por volta de 400 A.C., composto de vinte e dois livros, que correspondem exatamente aos trinta e nove livros do Antigo Testamento de edição protestante, ainda que a ordem desses livros não seja a mesma na Bíblia hebraica e na Bíblia cristã. Para os hebreus, o livro dos Reis faz parte dos escritos dos profetas. Nos arranjos posteriores, porém, os nossos livros dos Reis aparecem entre os livros históricos.

X. Conteúdo e Mensagem

1. Salomão, o Rei (I Reis 1:1 — 11:43)
   a. Subida ao trono (1:1-53)
   b. Recomendações de Davi (2:1-46)
   c. Casamento e sabedoria (3:1-28)
   d. Sua administração 4:1-34)
   e. Suas atividades como construtor (5:1 — 8:66)
   f. Sua prosperidade e esplendor (9:1 — 10:29)
   g. Sua apostasia (11:1-43)
2. Reinados comparativos de reis em Israel e em Judá (I Reis 12:1— II Reis 17:41)
   a. Reoboão-Josafá (I Reis 12 — 22)
   b. Jeorão-Acaz (II Reis 8 — 16)
   c. Ezequias-Amom (II Reis 18-21)
   d. Josias-Zedequias (II Reis 22 — 25)
3. Reis de Judá, após a queda de Samaria, até à queda de Jerusalém (II Reis 18:1 — 25:26)
   a. Ezequias (18:1 — 20:21)
   b. Manassés (21:1-18)
   c. Amom (21:19-26)
   d. Josias (22:1 — 23:30)
   e. Jeoacaz (23:31-35)
   f. Joaquim (23:36 — 24:7)
   g. Jeoaquim (24:7-17 e 25:27-30)
   h. Zedequias (24:18 —25:26).

Julgamentos de Valor e História. O autor sagrado não temia fazer julgamentos de valores. Mostrou-se sempre cônscio das operações de Deus entre os homens, bem como da responsabilidade dos homens diante de Deus. Os principais aspectos de sua mensagem são bons para qualquer época. Há um só Deus. Deus é severo e inflexível em relação ao pecado. Para o autor sagrado, devemos ter uma visão teísta de Deus, um Deus que galardoa e castiga. Deus é imanente em sua criação. Ver o artigo sobre o *Teísmo*, em contraste com o *Deísmo* (que vide). O pecado é uma questão séria, que resulta em desastre para a alma, conforme a história dos livros dos Reis o demonstra. A comunidade dos homens é considerada responsável, e não apenas o indivíduo. Há misericórdia divina e restauração, porquanto Deus está esperando para acolher àqueles que se voltam para ele de todo o coração, de toda a alma (I Reis 8:48). O cativeiro foi revertido por meio do retorno.

As realizações religiosas dos reis parecem mais importantes, para o autor sagrado, do que seus feitos políticos e militares. Dois desses reis, Onri e Jeroboão II, que obtiveram o maior sucesso econômico e político, merecem breves comentários apenas. Os historiadores seculares, porém, ter-se-iam demorado mais sobre esses dois. Mas o autor dos livros dos Reis não se interessou muito com eles. A Acabe e seus filhos foram dedicadas várias páginas, não porque foram bons, como reis ou como homens, mas por causa de seus conflitos com Elias e Eliseu. E o autor sagrado anelava por contar essa história com pormenores. Reis como Josafá, Ezequias e Josias recebem descrições entusiasmadas, porquanto lideraram movimentos de reforma religiosa. Teologicamente falando, esses livros complementam a narrativa da história de Israel, sob a orientação divina, conforme vemos nos livros de Êxodo, Josué, Juízes e I e II Samuel. O autor sagrado deve ter sido um profeta-historiador, e o resultado de seus esforços foi uma história de forte cunho religioso.

XI. Gráfico dos Reis

Ver o artigo **Rei, Realeza**, ponto 7.

REJEITAR

O principal vocábulo hebraico para essa idéia é *ma'as*, que também pode significar «desprezar». Quando o ser humano despreza a lei de Deus e suas exigências, está rejeitando o Ser divino, para seu próprio detrimento. Todos os homens envolvem-se constantemente nessa questão, visto que o pecado é a rejeição dos princípios divinos. E alguns indivíduos vêem-se radicalmente envolvidos, porquanto nunca se ocupam em qualquer inquirição espiritual. Deus rejeitou a nação de Israel, quando seus mandamentos foram rejeitados por ela (ver I Sam. 15:23 ss). No Novo Testamento, a grande rejeição foi a do Messias, pelos judeus, segundo aprendemos em João 1:11. As próprias palavras de Cristo foram por eles rejeitadas (ver Mar. 8:31; 12:10).

A palavra grega envolvida aqui é *apodokimázo*, «pôr de lado», «ignorar», como se algo fosse indigno de nossa consideração. Ver Mat. 21:42 (citando Sal. 118:22); Mar. 8:31; 12:10; Luc. 9:22; 17:25; 20:17; Heb. 12:17; I Ped. 2:4,7.

O trecho do primeiro capítulo de Romanos mostra-nos que todas as variedades de idéias e práticas más estão por detrás da rejeição da verdade divina por parte dos homens. Algumas vezes, a intolerância religiosa rejeita verdades religiosas genuínas, o que pode ser exemplificado pelas atitudes dos fariseus. Ver o oitavo capítulo de João, quanto a uma longa descrição dessa atitude. Quando o Senhor Deus rejeita homens que preferem apegar-se aos seus pecados, ele os julga. O próprio julgamento divino já é uma rejeição, e isso pode perdurar por muito tempo. Entretanto, o trecho de I Ped. 4:6 mostra-nos que o próprio juízo divino é remedial, pelo que a rejeição divina é um meio que Deus tem para forçar os homens à restauração. E a passagem de Efé. 1:9,10 ensina que a rejeição será, finalmente, substituída pela restauração, de tal maneira que todas as coisas serão unificadas em Cristo. Ver os artigos chamados *Restauração* e *Mistério da Vontade de Deus*.

RELAÇÕES INTERPESSOAIS

A **lei do amor** propõe-se a levar todas as coisas à harmonia e à prosperidade, mas os homens são egoístas em sua natureza básica, e essa lei do amor só é aplicada com grande raridade. De fato, alguns filósofos supõem que não existe tal coisa como um ato verdadeiramente altruísta, sem alguma motivação egoísta subjacente. Ver o artigo sobre o *Egoísmo*. Um dos alvos principais da missão de Cristo foi o de estabelecer a reconciliação dos homens com Deus (ver Col. 1:20, 21), mediante o que a paz com Deus é estabelecida. E um dos subprodutos da reconciliação espiritual e da paz é a melhoria das relações entre os indivíduos. O trecho de Efésios 4:4 refere-se a sete grandes *unidades* espirituais. Ver o artigo sobre *Unidades: as Sete Unidades Espirituais*. Essas são qualidades espirituais que deveriam governar todos os relacionamentos pessoais. Começamos no amor e terminamos na harmonia. Infelizmente, a religião tem servido até mesmo para produzir divisões oficiais, e os homens ainda não aprenderam quase nada quanto à prática da lei do amor.

RELÂMPAGO — RELATIVIDADE

A Lei Fundamental

É um erro anular os ensinamentos bíblicos acerca do amor de Deus mediante uma ênfase errada sobre a eleição e a predestinação. Ver o artigo sobre o *Determinismo*. Deus nem poderia esperar que O amássemos de todo o coração, mente, alma e forças, a menos que ele mesmo nos tivesse deixado exemplo. Dificilmente ele poderia esperar que amássemos ao próximo como a nós mesmos (Mar. 12:30,31), a menos que ele nos tivesse dado o exemplo correspondente. O amor de Deus não anula a necessidade de resolver o problema do pecado. De fato, essa lei requer o anulamento dessa questão, finalmente, pois somente assim o ente amado poderia prosperar em um sentido real. O amor inspira-nos a considerar devidamente a todos os nossos semelhantes, porquanto todos foram feitos à imagem de Deus. Ver Rom. 12:17. Os vícios servem somente para destruir aquilo que Deus procura fazer pelos homens. As fricções que ocorrem entre os homens sucedem por causa das obras da carne (ver Gál. 5:19-21). Paulo nos diz que uma vida egocêntrica e hostil caracterizava aos homens antes que o amor e a bondade de Deus fizessem uma diferença (Tito 3:3,4). Paulo falava sobre controversalistas presunçosos (I Tim. 6:4,5). Os tais também são egoístas egocêntricos (II Tim. 3:1-5). Quão freqüentemente as pessoas envolvem-se nessas coisas, nas discussões teológicas, e quão fácil é pensarem elas que estão defendendo a fé, quando tudo não passa de opiniões bitoladas e preconcebidas!

A Atitude Básica:

Jesus recomendou que buscássemos em primeiro lugar o Reino de Deus e a sua justiça, porquanto todas as demais coisas necessárias nos seriam acrescentadas (Mat. 6:33). Se dermos a Cristo o primeiro lugar em todas as coisas (Col. 1:18), então a harmonia nas relações humanas será gerada, visto que as atividades egoístas perderão sua força de atração. O discipulado cristão requer a renúncia do egocentrismo (Mat. 16:24-28; Mar. 8:39—9:1; Luc. 9:23-27). O indivíduo que renunciou ao egocentrismo tornou-se servo de todos, e isso é a melhor coisa que poderia acontecer a um homem, porquanto ele terá seguido o exemplo de Cristo (Mar. 9:35).

RELÂMPAGO

1. Palavras e Referências Bíblicas

Várias palavras hebraicas são usadas para aludir ao fenômeno natural dos relâmpagos. Dentre essas palavras, a mais comum é *baraq*, que tem a idéia de «brilho». Ela figura por catorze vezes com o sentido de «relâmpago»: Êxo. 19:16; II Sam. 22:15; Jó 38:35; Sal. 18:14; 77:18; 97:4; 135:7; 144:6; Jer. 10:13; 51:16; Eze. 1:13; Dan. 10:6; Naum 2:4; Zac. 9:14. Já no Novo Testamento encontramos o termo grego *astrapé*, empregado por oito vezes: Mat. 24:27; 28:3; Luc. 10:18; 17:24; Apo. 4:5; 11:19 e 16:18.

2. Natureza do Relâmpago

O relâmpago é uma descarga elétrica que risca a atmosfera. Essa corrente pode fluir entre nuvens, entre superfícies carregadas de uma mesma nuvem, ou entre uma nuvem e o solo terrestre. A terra tem uma superfície negativamente carregada. Durante os períodos de bom tempo, o potencial elétrico da atmosfera aumenta, com uma elevação média de cerca de cem volts por metro quadrado. A terra (negativa) e a atmosfera, ou a ionosfera (positiva), tornam-se um imenso condensador. As nuvens, por sua vez, por terem uma carga potencial negativa ou positiva, por ocasião das precipitações atmosféricas, tornam-se positivamente carregadas no alto, e negativamente carregadas na parte inferior. Além disso, cada gotícula de água tem uma carga elétrica à sua superfície. Os cientistas acreditam que as nuvens ficam eletricamente carregadas devido à taxa diferencial de queda entre as gotas de água maiores e menores. A descarga elétrica, ou relâmpago, ocorre a fim de neutralizar a carga assim criada, sendo, na verdade, uma gigantesca fagulha, que pode ter até quase cinco quilômetros de comprimento. A fagulha vai de seu pólo negativo ao seu pólo positivo, pelo que, na verdade, os relâmpagos sobem em vez de descerem, quando os mesmos se dão entre a superfície da terra e alguma nuvem. Podem ocorrer relâmpagos em nuvens de poeira, nos desertos, ou sobre os vulcões ativos. Mas, a grande maioria dos relâmpagos ocorre por ocasião das tempestades. Em um ano, ocorrem cerca de dezesseis milhões dessas agitações atmosféricas. A ilha de Java conta com nada menos de 222 dias anuais com relâmpagos. Certos trechos do estado norte-americano da Califórnia podem ter nada mais do que quatro dias com relâmpagos. Na média, na superfície inteira do mundo ocorrem cerca de cem relâmpagos a cada segundo. O relâmpago pode ter até 15 cm de espessura. Considerando-se a grande emissão de luz, produzida por um relâmpago, isso pode parecer surpreendente.

3. Usos Bíblicos

Esses usos são todos metafóricos, conforme se vê na lista abaixo:

a. A gloriosa e espantosa majestade de Deus (Apo. 4:5).

b. O poder destruidor dos decretos de Deus, se eles forem desobedecidos (Sal. 18:14; 144:6; Zac. 9:14).

c. Os julgamentos divinos apocalípticos (Apo. 8:4; 16:18; 11:19).

d. A queda repentina e espetacular de Satanás, a estrela do céu (Luc. 11:8).

e. A repentina e inesperada volta de Cristo (Mat. 24:7; Luc. 17:24).

f. O poder com que o Senhor combate em favor de seu povo (Zac. 9:14).

g. A gloriosa aparência das teofanias (Êxo. 19:16; 20:18).

h. O resplendor da face de Deus (Dan. 10:6; 28:3).

i. A brancura de certas vestes, nas visões (Luc. 24:4).

RELATIVIDADE, TEORIA DA

1. «Com o princípio da relatividade, Renouvier quis dar a entender que todas as coisas são relativas umas às outras, pelo que também não haveria absolutos. Esse é o sentido vinculado à idéia do *relativismo* (vide)».

2. Mais especificamente, «a teoria da relatividade» diz respeito às idéias gerais e especiais de *Albert Einstein* (vide) «contidas na sua famosa fórmula: $E = MC(2)$, que diz respeito à curvatura do tempo-espaço» (P). «*A teoria especial da relatividade* afirma que a velocidade da luz é independente do movimento de sua fonte, e que esse movimento é destituído de sentido, exceto que se dá entre dois sistemas físicos de corpos materiais, que se movem relativamente um ao outro. A *teoria geral da relatividade* amplia esses conceitos à lei da gravidade e aos movimentos dos corpos celestes» (WA). Einstein percebeu que a velocidade da luz desempenha um papel dominante em nossa visão do universo. Mais particularmente ainda, essa velocidade da luz é absoluta, por não estar

RELATIVIDADE — RELATIVISMO

em relação com qualquer outra coisa, mormente para com a velocidade daquele que a mede. A equação newtoniana acerca da velocidade, de acordo com as teorias de Einstein, aparece somente como uma equação aproximada, válida somente para velocidades pequenas, quando comparadas com a velocidade da luz. De acordo com as idéias de Einstein, o tempo atrasa o seu fluxo conforme a velocidade aumenta. Desse modo, certas coisas que antes se pensava serem absolutas, agora apareciam apenas como relativas, dependentes de outros fatores.

Há certas implicações filosóficas a partir dessa teoria científica. Em primeiro lugar, o absoluto foi posto em dúvida, de modo geral. Em seguida, os filósofos chegaram a pensar que essa teoria dá apoio ao *relativismo* (vide). Nossa compreensão sobre a natureza está em constante modificação, e podemos esperar que ainda haverá grandes mudanças, conforme nosso conhecimento for aumentando. Isso serve de lição objetiva para todos de que os dogmas com freqüência estão errados, e que o progresso no conhecimento exige uma busca aberta e empírica. No terreno da metafísica, já havia sido especulado que nem todas as porções do universo ou da existência são governadas pelo mesmo contínuo de tempo-espaço que conhecemos em nosso globo terrestre. Talvez tenham sido Platão, e, então, Emanuel Kant, quem melhor anteciparam aquilo que Einstein acabou asseverando. Platão percebia uma realidade não-espacial e não-temporal como a mais elevada das realidades, em seu mundo das *Idéias* ou *Universais* (vide). O espaço e o tempo seriam modelos, em nosso universo, que não têm aplicação absoluta, nem mesmo àquilo que conhecemos e podemos ver, quanto menos àquilo que pertence aos mundos invisíveis e imateriais. Isso posto, a teoria da relatividade tem modificado nosso entendimento sobre a própria realidade, quanto a ângulos importantes. E grandes modificações ainda jazem à nossa frente. Nosso conhecimento está em estado de fluxo.

RELATIVISMO

Esboço:
1. O Termo
2. Relativismo Epistemológico
3. O Relativismo na Crença
4. O Relativismo na Ética
5. O Relativismo Cultural
6. Críticas

1. O Termo

Essa palavra portuguesa vem do latim, **relatus**. «relativo», «cognato», de alguma coisa. Na filosofia, esse vocábulo indica que coisa alguma subsiste isolada, não podendo ser considerada um absoluto por si mesma. Antes, todas as coisas seriam interdependentes, modificando-se umas às outras.

«O relativismo é a teoria que diz que a base para nossos juízos no conhecimento, na cultura e na ética difere de acordo com as pessoas, acontecimentos ou situações. Dá a entender um estado mental e uma maneira de pensar que repele as reivindicações absolutas» (H). As teorias, no campo da física, que subentendem a relatividade na natureza, são chamadas *estranhas* em outros campos, como no campo do conhecimento e da ética.

2. Relativismo Epistemológico

Para os que aceitam essa posição não há verdades absolutas; uma verdade é hipotética e está sempre relacionada a outras supostas verdades. A verdade também nunca é fixa, mas está sempre em um estado de fluxo, sujeita a modificações de sociedade para sociedade, e de época para época. Mui naturalmente, o relativismo incorpora a atitude do *ceticismo* (vide). Protágoras e Pirro foram antigos pensadores relativistas, nos terrenos da epistemologia e da ética. Quase todos os cientistas também abraçam esse ponto de vista, embora a mais básica de todas as proposições científicas seja de natureza absoluta, ou seja, a *invariabilidade*, sem o que a ciência nem poderia existir. Temos aí um paradoxo! Se não se pudesse obter sempre um mesmo resultado, com uma mesma experimentação (pois tudo está na dependência das leis fixas da natureza), então nem poderia existir a ciência. A «crença através da dúvida», de Descartes, era um ceticismo apenas aparente, porquanto ele sabia muito bem a quais conclusões desejava chegar. Ele não era um relativista. — Emanuel Kant enfatizou o empirismo, mas, desde o começo fez com que este fosse governado pelas categorias da mente, que ele considerava categorias *a priori*.

3. O Relativismo na Crença

As crenças podem ser nebulosas, indistintas. Tem-se observado que diferentes sociedades defendem diferentes crenças em relação às mesmas entidades. Assim sendo, as crenças são socialmente condicionadas e determinadas. As crenças religiosas diferem muito umas das outras, e cada sociedade advoga seu próprio conjunto de dogmas. Até mesmo as crenças que se fundamentariam sobre a revelação diferem de sociedade para sociedade, ou mesmo dentro de uma mesma cultura. Imagine! Diferem largamente até dentro de uma mesma religião, como se dá no caso do cristianismo. Essas observações conduzem-nos ao fato de que as crenças são questões relativas, e não fixas, embora pessoas e grupos possam tentar fixá-las, em suas declarações de fé. A mesma coisa que se verifica no campo das religiões pode ser verificado no ceticismo, o qual supõe que não existem verdades fixas, ou, pelo menos, que essas verdades não foram descobertas até agora.

4. O Relativismo na Ética

Sempre foi debatido, entre os homens, o que está certo e o que está errado. Tem-se observado que diferentes sociedades aceitam diferentes conjuntos de noções e práticas éticas. Quem deve determinar o que está certo ou errado? A ética que se diz alicerçada sobre a revelação também difere de sociedade para sociedade, ou mesmo dentro de uma mesma sociedade. As condições sociais e culturais determinam as atitudes sobre o que está certo ou errado, e sobre a conduta considerada ideal. O relativismo ético assevera que não existem critérios absolutos para os juízos morais. Apesar de que, em um terreno prático, somos capazes de demonstrar o que se deve fazer, no terreno teórico vemo-nos defronte de um dilema. Além disso, com as modificações do tempo, mudam também essas bases práticas. E isso significa que a ética está sempre em estado de fluxo. Isso pode ser facilmente demonstrado pela história, ficando assim provada a tese que a ética vive em *fluxo* permanente.

Um outro nome para a ética relativista é ética da situação. O que eu tiver de fazer depende do complexo de fatores da situação com que me defronto. Conforme vão mudando as situações e os seus fatores, assim também terão que ir-se modificando os meus atos. Meus atos não podem servir de padrões para os atos de outrem. O meu bem é meu; o teu bem é teu. Ver o artigo chamado *Ética da Situação*. Por isso mesmo, alguns apegam-se à idéia de que a moralidade de um ato depende do *bem* que for promovido por aquele ato. Porém, o termo «bem» requer definição—e a minha definição precisa satisfazer à minha consciência; e a tua definição precisa satisfazer a tua consciência.

5. O Relativismo Cultural

Não há padrões universais que possam governar qualquer sociedade, e muito menos todas as sociedades, através das mesmas regras. De fato, os costumes sociais são produtos da experimentação, com tentativas e erros, em face do que jamais serão atingidos o bem absoluto e a certeza. — Assim como a cultura está em estado de fluxo, assim também encontra-se a ética. O homem existe em um universo simbólico, que ele mesmo construiu, e, se ele continuar a edificar, seus padrões automaticamente ir-se-ão modificando. Assim, aquilo que chamamos de moralidade é apenas convenção, na maior parte dos casos.

6. Críticas

O relativismo é uma realidade básica que tem muitas aplicações, devido ao dilema de nossos conhecimentos. Mas isso não quer dizer que um maior conhecimento que cheguemos a adquirir não possa produzir absolutos. Não nos podemos olvidar de que há uma verdade real, um conhecimento certo e padrões morais absolutos. A revelação divina tem-nos fornecido alguns desses absolutos. E podemos pesquisar em busca de outros. Todavia, também precisamos reconhecer que algumas coisas são relativas e pragmáticas por sua própria natureza, não envolvendo princípios fixos. No tocante a essas coisas, o relativismo e o pragmatismo são posições legítimas. Mas, por outra parte, o relativismo ignora totalmente as experiências espirituais, e estas nos têm dado algumas definições sobre questões de magna importância. Na vida há mais do que apenas a experiência do dia a dia. Alguns gigantes espirituais têm-nos brindado com algumas importantíssimas verdades e padrões éticos. Em muitas situações, precisamos confiar na palavra desses mestres. Quanto a outras situações, precisamos descobrir essas verdades por nós mesmos.

No campo das crenças religiosas, o relativismo (manipulado pelos estudiosos liberais) tem praticamente anulado o caráter sem-par do cristianismo, fazendo o Senhor Jesus, o Cristo, ser apenas um de nossos mestres, e não, necessariamente, o nosso grande Mestre espiritual, o manancial de todo conhecimento e sabedoria. «...o mistério de Deus, Cristo, em quem todos os tesouros da sabedoria e do conhecimento estão ocultos» (Col. 2:2b,3). Por semelhante modo, muitos eruditos liberais deixam-se atrair pela ética relativista, visto que eles não dependem da moral que nos foi divinamente revelada na Bíblia. O crente que ama a sua Bíblia e o Senhor da Bíblia não aceita o relativismo aplicado à fé religiosa.

RELATIVISMO CULTURAL

Essa expressão é usada de três maneiras diferentes, a saber:

1. A primeira é a observação que existem muitas culturas diferentes, observação essa que leva ao conhecimento dessa variedade, mas sem fazer qualquer aquilatação moral, com base nos variegados aspectos da cultura.

2. A segunda é a ciência descritiva. Trata-se de uma técnica analítica ou metodológica que procura entender os costumes e as culturas dos povos, em termos de seus próprios sistemas de valores, mas sem subentender qualquer acordo ou desacordo com esses sistemas.

3. A terceira é a posição filosófica, que presume que todas as culturas e seus respectivos costumes têm igual valor e deve ser igualmente respeitadas. Essa é uma posição popular, e muitos cientistas behavioristas do século XX a têm adotado. De acordo com essa regra, é bom que dona-de-casa passe a noite com um viajante que chegue, se a cultura em que ela vive promove tal costume. Ou então, se uma sociedade pensa que os idosos e doentes devem ser deixados para morrer à míngua, então tal costume é bom para aquela sociedade, embora seja justo e bom cuidar dos enfermos e dos idosos, em outras sociedades. Se alguma sociedade pratica o sacrifício de crianças aos deuses, então para aquela sociedade constitui um bom ato. Porém, essa idéia cai na falácia de equiparar o *é* com o *deve ser*, ou o *é* com o *bom*. Na verdade, o conceito inteiro de pecado nega que o mesmo seja bom ou desejável. Essa terceira posição, embora negue qualquer padrão absoluto, tem o seu próprio padrão, que consiste em forçar-nos a aceitar a norma do *é = bom*. Sua norma absoluta é que todas as culturas humanas são igualmente boas. Isso é uma simplificação que nenhum filósofo pode aceitar. O relativismo cultural leva, naturalmente, ao relativismo individual. Ver o artigo sobre o *Relativismo*, quanto às objeções a esse sistema tão controvertido.

A primeira das interpretações, acima, nada significa de positivo ou de negativo para o homem espiritual. A segunda delas pode ser útil, porquanto é bom ter conhecimento de todas as sortes, é bom saber sobre os povos e suas respectivas culturas. Algumas sociedades missionárias requerem esse tipo de conhecimento da parte dos missionários em potencial. Ademais, compreender um povo qualquer e os seus problemas é bom do ponto de vista humanitário. A terceira interpretação exibe uma falsa filosofia, e deveríamos tomar conhecimento dela somente para sabermos refutá-la melhor. (H)

RELIGIÃO

Esboço:

I. Palavras e Definições
II. Idéias dos Filósofos; a Filosofia da Religião
III. Tipos de Religião
IV. Religiões Comparadas
V. Religiões Primitivas
VI. A Religião e a Tolerância
VII. A Religião e a Ciência

I. Palavras e Definições

A palavra portuguesa *religião* vem do latim, *religare*, «religar», «atar». A aplicação básica dessa palavra é a idéia de que certos poderes sobrenaturais podem exercer autoridade sobre os homens, exigindo que eles façam certas coisas e evitem outras, forçando-os a cumprir ritos, sustentar crenças e seguir algum curso específico de ação. Em um sentido secundário, a denominação religiosa de alguém também exerce tais poderes. Precisamos respeitar as atitudes e as regras da comunidade religiosa a que pertencemos, se queremos fazer parte da mesma. E, como é natural, também estamos obrigados por consciência, visto que o homem, por natureza, é um ser religioso. O homem tem forças, dentro de si, que o forçam a assumir e a seguir certas idéias religiosas e éticas, embora ele não as compreenda bem, levando-o a pô-r em ação essas imposições. Em tudo isso, não podemos olvidar o poder mandatório do Espírito de Deus, o que assegura que nenhum ser humano consegue escapar de sua própria consciência religiosa. Ver João 14:26. Paulo argumentou com base na

RELIGIÃO

religião natural, no primeiro capítulo de Romanos, dando a entender que, devido ao próprio testemunho da natureza, embora sem contar com a revelação divina, o homem está obrigado, por sua própria consciência, a crer em certas realidades.

Alguns cristãos fazem objeção ao uso da palavra «religião», como se o cristianismo fosse tão distinto e superior às demais religiões do mundo que esse vocábulo não pudesse ser apropriadamente aplicado à fé cristã. Porém, assim fazendo, eles estão dando a sua própria definição ao termo, uma definição inaceitável para os autores de dicionários e enciclopédias, conforme se verifica nas discussões dos filósofos e dos teólogos.

Definições Tentativas. A filosofia analítica tem-nos ensinado que não podemos **definir** qualquer vocábulo muito rico, como «verdade», «beleza», «justiça», etc. O máximo que conseguimos, nesses casos, é apresentar uma série de descrições, cada uma delas incompleta em si mesma, embora, reunindo todas elas, possamos derivar idéias gerais sobre os assuntos em foco. Consideremos os pontos abaixo:

1. A religião é um *sistema* qualquer de idéias, de fé e de culto, como é o caso da fé cristã.

2. A *religião consiste em crenças e práticas organizadas*, formando algum sistema privado ou coletivo, mediante o qual uma pessoa ou um grupo de pessoas são influenciados.

3. «Uma instituição com um corpo autorizado de comungantes, os quais se reúnem regularmente para efeito de adoração, aceitando um conjunto de doutrinas que oferece algum meio de relacionar o indivíduo àquilo que é considerado ser a natureza última da realidade» (P).

4. *Um uso popular* do termo é aquele que pensa que *religião* é qualquer coisa que ocupa o tempo e as devoções de alguém. Assim, as pessoas costumam dizer: «O trabalho dele é a sua religião», ou então: «O comunismo é uma religião», etc. Há nisso uma certa verdade fundamental, visto que aquilo que ocupa o tempo de uma pessoa usualmente é algo a que ela se devota, mesmo que não envolva a afirmação da existência de algum Ser Supremo ou de seres superiores, porquanto a devoção encontra-se à raiz de toda religião.

5. *Definições restritas*, como aquela de Karl Barth, não permitem que a fé cristã seja considerada uma religião. Para ele, a religião envolvia a piedade humana e a autojustificação, à parte de qualquer revelação divina. O cristianismo, como fé revelada, não poderia ser assim considerado. Mas essa definição é artificial, que envolve modificação no sentido comum da palavra. Bonhoeffer falava sobre um «cristianismo não-religioso», sem quaisquer exigências morais e espirituais, embora existente sob a forma de ritos e de convivência, que pouco ou nada fazem em favor das almas.

6. *Definições com propósitos específicos*. Quando Mao Tsé Tung, ditador da China, declarou que a religião «é o ópio do povo», ele fa¹ava sob uma influência idealista específica, que se ajustava à sua filosofia comunista. Os psicólogos, antropólogos e sociólogos com freqüência brindam-nos com definições estreitas desse tipo. F.H. Bradley, um psicólogo, apresentou uma definição desse naipe, quando disse: «Penso que isso (a religião) é um sentimento fixo de medo, resignação, admiração ou aprovação, sem importar qual seja o seu objeto, contanto que esse *sentimento* atinja certa tensão e seja qualificado por certo grau de reflexão» (*Appearance and Reality*, pág. 448 s).

7. *Uma definição eclética e funcional*. «...é o reconhecimento da existência de algum poder superior, invisível; é uma atitude de reverente dependência a esse poder, na conduta da vida; e manifesta-se por meio de atos especiais, como ritos, orações, atos de misericórdia, etc., como expressões peculiares e como meios de cultivo da atitude religiosa» (B).

II. Ideais dos Filósofos; a Filosofia da Religião

1. *A Razão na Religião*. Tenho apresentado um artigo separado com esse título, o qual acompanha as atitudes dos filósofos e dos teólogos no tocante ao uso da razão no que concerne à fé religiosa. Esse artigo oferece uma perspectiva histórica, bem como argumentos em prol e contra o uso da razão na religião.

2. *A história da religião* acompanha a história da humanidade. Onde estiver o ser humano, aí estará, igualmente, a religião.

3. *O animismo* (vide) parece ser o mais antigo sistema religioso.

4. *Heráclito* (500 A.C.) criticou as superstições da antiga religião dos gregos.

5. *Xenófanes* (500 A.C.) criticou o politeísmo dos gregos, com seus deuses caracterizados por uma baixa moralidade, e procurou promover um antigo monoteísmo entre o seu povo.

6. *Sócrates* (450 A.C.) abordou principalmente questões éticas, as quais são extremamente importantes para a fé religiosa, e declarou sua fé em Deus e na alma.

7. *Platão* (400 A.C.) idealizou um nobre sistema religioso. Sua filosofia estava eivada de padrões e crenças espirituais. Seu dualismo foi emulado pelo pensamento cristão, como também algumas de suas idéias sobre a alma. Seus conceitos sobre as *Idéias* ou *Universais* (vide) proveram muitos atributos tradicionalmente atribuídos a Deus, como infinitude, eternidade, vida fora do tempo, vida fora do espaço, onipotência, onipresença, realidade, etc. Ele misturava suas idéias com noções orientais a respeito da alma, da reencarnação e da responsabilidade (karma). Também fez o contraste entre o meramente *perene* (existência para sempre) e o *eterno* (participação na natureza divina). Destarte, ele trouxe à tona a *qualidade* da vida divina, ultrapassando em muito a idéia da existência interminável. Ele concebia um drama sagrado da alma, a qual busca purificação e espiritualização, o que tem inspirado a muitos pensadores. Os primeiros pais da Igreja, mormente aqueles da tradição grega, expressaram sua teologia por meio das idéias filosóficas e da terminologia de Platão. O neoplatonismo, um grande movimento religioso, por muitos séculos esteve completamente alicerçado sobre as idéias platônicas.

8. *Os apologistas cristãos* estavam divididos entre o uso da filosofia e da razão. Tertuliano e seus seguidores rejeitaram totalmente o uso desses meios. Não obstante, ele defendeu seus pontos de vista com argumentos filosóficos! Por causa disso, os filósofos nunca o perdoaram. Justino Mártir, Clemente, Orígenes e os seus seguidores encontravam muito uso para a filosofia na religião, — considerando os melhores aspectos da filosofia, como a de Platão, como um mestre-escola que tendia por conduzir os gregos a Cristo, da mesma maneira que a lei de Moisés teve essa função no caso dos judeus. Meu artigo sobre *Razão na Religião* oferece uma detalhada declaração sobre essas e outras questões paralelas.

9. *Os deístas* defendem a *religião natural* (vide), em lugar do sobrenaturalismo. Nomes atrelados a essa atividade são Tindal, William Wolleston e Thomas

RELIGIÃO

Chubb.

10. *Holbach* supunha que a religião não é dotada de qualquer conhecimento certo, e que se quisermos ter tal conhecimento teremos que nos voltar para a ciência. E, segundo ele, quando fazemos isso, abandonamos a religião, como uma inquirição inferior. Ele opinava que o cristianismo é uma superstição. Muitos cientistas têm assumido essa visão geral bastante baixa da religião.

11. *Kant* não podia encontrar apoio para a fé religiosa em suas *proposições* derivadas da experiência (empirismo), mas descobria certa justificação para as principais crenças religiosas em seus *postulados*, que ele fazia derivar da razão, da intuição e das experiências místicas. Ele negava os argumentos tradicionais em favor da existência de Deus (derivados, principalmente, da experiência e da razão), mas apoiava a crença na existência de Deus sobre bases morais. E ele também defendia a existência da alma, como algo necessário para qualquer hígido sistema filosófico. Sem Deus e sem a alma, teríamos o *caos* filosófico (vide).

12. *Herder* pensava que a religião está intimamente associada aos mitos e à poesia.

13. *Hegel* apresentou uma filosofia religiosa e mística, que ele pensava ser superior às religiões em geral. Todavia, entre as religiões ele acreditava que o cristianismo oferece a síntese.

14. *Schleiermacher* vinculava a religiosidade aos sentimentos de dependência.

15. *Feuerbach* entendia que as religiões extrapolam para Deus as qualidades humanas, pelo que o coração da religião é o ser humano. Ver sobre o *Antropomorfismo*.

16. *O positivismo lógico* negava qualquer valor nas proposições metafísicas, fazendo da ciência o seu deus. Ora, a ciência está limitada à percepção dos sentidos e suas manipulações.

17. *Kierkegaard e os existencialistas* percebiam muito desespero no mundo, enquanto que o homem estaria perdido com seu supremo livre-arbítrio. Os existencialistas ateus não viam como o homem poderia sair desse desespero, mas os existencialistas religiosos notavam veredas de escape, como a missão de Cristo e a significação dele.

18. *Ritschl e Troeltsch* encaravam a religião como uma disciplina autônoma, com poderes que ultrapassam a capacidade da razão.

19. *Santayana* via a religião como uma ponte entre a mágica e a ciência.

20. *Rudolf Otto* ficou impressionado diante do *Mysterium Tremendum* (vide) e do *Mysterium Fascinosum*, salientando a transcendência e as qualidades inspiradoras de respeito da religião. Ele centralizava seu conceito religioso sobre a idéia da santidade.

21. *Cassirer* concebia a religião como uma forma de comunicação metafórica, fazendo contraste com os símbolos usados pela ciência.

22. *Paul Tillich* interpretava Deus como a base do ser e a religião como o objeto dos interesses finais do homem.

A Filosofia da Religião. Ver o artigo separado e detalhado sobre esse assunto. A filosofia da religião não é uma defesa das crenças religiosas (embora seja freqüentemente usada nesse sentido); antes, é um exame filosófico das crenças religiosas e suas implicações. «A filosofia da religião consiste apenas na análise filosófica dos informes religiosos». Algumas das personagens acima alistadas foram autênticos filósofos da religião, mas outras foram teólogos ou historiadores. Porém, todas aquelas pessoas participaram da filosofia da religião, por haverem expressado algumas idéias interpretativas acerca da natureza da religião.

III. Tipos de Religião

1. *Animista*. Espíritos, desencarnados ou não, servem de base para as crenças e os atos praticados pelo animismo. Fica entendida a proximidade do mundo dos espíritos. Tais espíritos seriam bons ou maus, podendo ajudar ou prejudicar ativamente aos seres humanos.

2. *Legalista*. O principal elemento religioso, nessas religiões, é algum código legal que governa todos os aspectos da vida do indivíduo. Esse código geralmente é concebido como divinamente inspirado; o bem é prometido àqueles que obedecem (algumas vezes esse bem é a própria salvação, como no judaísmo); é prometida a punição àqueles que desobedecem ao código legal aceito.

3. *Ritualista*. Nessas religiões acredita-se que ritos e cerimônias agradam as divindades (ou Deus), e que aqueles que observam tais coisas serão beneficiados. Esses ritos, com freqüência, simbolizam crenças importantes, ou então costumes e expectações dos adoradores. Ver o artigo separado intitulado *Teurgia*. As artes ocultas e as fés primitivas operam com base em ritos e encantamentos, como se essas coisas servissem para controlar os espíritos, fazendo-os atuar para bem das pessoas, e para malefício dos inimigos dos adoradores.

4. *Sacramentalista*. Nessas religiões, os sacramentos são tidos como meios de transmissão da graça divina e da atuação do Espírito de Deus. Usualmente, esse tipo de fé religiosa tem sacramentos que só pertencem ao grupo, tornando-se assim meios de promover o exclusivismo. E usualmente essas religiões pensam que sem o uso dos sacramentos, ministrados por indivíduos devidamente autorizados, o Espírito de Deus não pode atuar. Ver o artigo separado sobre os *Sacramentos*, quanto a completas explicações a respeito.

5. *Natural*. A revelação divina ou é rejeitada como base dessas religiões, ou então, recebe uma posição meramente secundária. Para essas religiões, Deus ter-se-ia manifestado na natureza, mostrando-se ativo nas faculdades racionais e intuitivas do homem. Portanto, seriam dispensáveis a revelação divina e os livros sagrados. O que haveria nessa revelação e nesses livros sagrados seriam noções eivadas de erros, pelo que não serviriam como guias fidedignos.

6. *Racional*. A razão humana, para essas religiões, é algo tão poderoso e expansivo que, na religião, nada mais se faria mister do que um apelo à razão bem treinada e disciplinada. Usualmente as pessoas que sustentam esse ponto de vista dão muito valor à filosofia, onde a razão recebe a ênfase mais proeminente.

7. *Revelatória*. Tais fés religiosas estariam fundamentadas principalmente sobre supostas revelações da parte de deuses, de Deus, do Espírito, de espíritos desencarnados, ou de qualquer outro ser ou poder espiritual que dê revelações, as quais acabam cristalizadas em livros sagrados. Em sua maioria, as religiões pertencem a essa categoria.

8. *Mística*. Para tomarmos conhecimentos das coisas, contamos com a percepção dos sentidos, com a razão, com a intuição e com as experiências místicas. A maior parte das religiões frisa o misticismo, do qual a revelação é uma subcategoria, no tocante a seu conhecimento. Mas nem todas as religiões, nem

RELIGIÃO — RELIGIÃO, FILOSOFIA DA

mesmo as de caráter revelatório, enfatizam a necessidade de experiências místicas pessoais, em nossos próprios dias, como algo necessário ao desenvolvimento espiritual. Isso posto, as religiões místicas também são revelatórias, mas também acreditam na necessidade de contínuas experiências místicas como meios de informação e de crescimento espiritual. Assim, a Igreja Católica Romana sempre abriu espaço para a fé mística, e as igrejas ortodoxas orientais dispõem de muitas pessoas que buscam diligentemente a iluminação. Por sua parte, o protestantismo tradicional evita as experiências místicas, mas o movimento carismático tem enfatizado as mesmas, devolvendo-as ao meio evangélico. Na verdade, todas as pessoas religiosas carecem do toque místico para receber iluminação e desenvolvimento espiritual. Precisamos de mais do que meramente estudar; mais do que meramente orar. Essas coisas não são contrárias às experiências místicas, e nem entram em competição com elas. Precisamos da presença do Espírito Santo, cada vez mais próximo, cada vez mais atuante em nossas vidas, sem a qual seremos pouco mais do que uma pilha de ossos secos. Ver o artigo separado sobre *Desenvolvimento Espiritual, Meios do*. Ver também sobre o *Misticismo*.

N.B. —Os vários tipos de religião alistados e discutidos acima não são necessariamente, contraditórios, e nem excluem outros tipos. Muitas pessoas religiosas combinam vários tipos, formando algum sistema eclético. Isso parece mais satisfatório e útil do que seguir apenas alguma dessas noções.

9. *Tipos Espúrios de Religião*. Muitas pessoas transformam a política, a ciência, suas carreiras ou suas ocupações preferidas em religiões ou quase-religiões, porquanto tanto se consagram a essas atividades. Porém, nenhuma delas é alguma religião autêntica.

10. *Sacrifical*. A leitura do *Pentateuco* basta para mostrar-nos até que ponto a fé dos hebreus era uma religião sacrificial, embora não fosse somente isso. De fato, os tipos de religião mesclam-se em qualquer fé que queiramos considerar, e geralmente as religiões progridem de um tipo para outro, ao longo de sua trajetória. O antigo hinduísmo védico serve-nos de exemplo de uma fé que supunha que a salvação pode ser obtida através dos sacrifícios apropriados. Quase todos os hinos do Rig-Veda faziam-se acompanhar por sacrifícios. De mistura com o conceito dos sacrifícios, havia a importância da expiação pelo sangue. Ver o artigo *Expiação Pelo Sangue*. As antigas idéias incluíam aquela que dizia que os deuses honrados por tais sacrifícios insuflam um santo poder no sangue dos sacrifícios, o qual é assim bafejado com as virtudes e os poderes das divindades em questão. Porém, eis que surge o maior absurdo de todos: os *sacrifícios humanos*, o maior de todos os sacrifícios. Muitos estudiosos da Bíblia indagam-se como Abraão poderia ter admitido tal coisa. Minha resposta à pergunta é que Abraão achava-se em uma situação histórica em que pensava que Deus *poderia* ter requerido tal coisa. Entretanto, ele estava equivocado, por mais sincero que tenha sido. E, na verdade, Deus não permitiu que ele oferecesse a seu próprio filho, Isaque (ver Gên. 22:11-13). Assim, a sinceridade jamais serve de guia seguro para a verdade, embora seja aconselhável sermos sinceros quanto àquilo em que cremos.

O *cristianismo* é uma religião sacrificial, no sentido de que Jesus Cristo é reputado o sacrifício supremo, necessário à salvação. Ver o artigo geral intitulado *Expiação*; e também *Expiação Pelo Sangue de Jesus*.

Naturalmente, o cristianismo combina em si vários tipos de religião, o que fica claro no decorrer da leitura deste verbete.

Sacrifício e Satisfação. Essa forma de religião favorece uma forma ou outra da teoria da satisfação dada por meio de expiação. Em suas formas mais primitivas, Deus ou os deuses aparecem aplacados por tais sacrifícios e a ira deles desvia-se. Visto que Cristo é o Cordeiro sacrificado do cristianismo, alguns teólogos defendem alguma forma da teoria de satisfação por expiação. Ver o artigo geral intitulado *Satisfação*. O artigo chamado *Expiação* alista as principais teorias a respeito, dando maiores informações sobre o aspecto da «satisfação».

IV. Religiões Comparadas
Ver o artigo separado com esse título.

V. Religiões Primitivas
Ver o artigo separado com esse título.

VI. A Religião e a Tolerância
Admira ver quão pouco a fé religiosa contribui para que tantas pessoas amem a seus semelhantes e se mostrem tolerantes para com seus pontos de vista, se, porventura, não concordam com essas opiniões divergentes. Um dos grandes escândalos da história da religião consiste em quantas fés religiosas, de todos os naipes, têm perseguido e morto «a oposição». Ver o artigo separado intitulado *Tolerância*. Não podemos olvidar que a tolerância é apenas um alvo. Por detrás da tolerância deve haver a compreensão, e por detrás da compreensão, o amor. Um homem espiritual, longe de mostrar-se perseguidor, mostra-se tolerante, daí ele avançará para o entendimento esclarecido, e daí partirá para a lei do amor que abranja a todos os homens, da mesma maneira que Deus amou o mundo.

VII. A Religião e a Ciência
Ver o artigo separado com esse título.

Bibliografia. AM B C E EP F P

RELIGIÃO, FATOR DE

Essa expressão refere-se à crença que as pessoas têm no poder *determinador* do destino de certos objetos, forças, poderes espirituais, ou qualquer outra coisa que faça parte da experiência humana. Infelizmente, as religiões contêm muitos desses fatores. E também haveria outros fatores influenciadores (conforme garante a astrologia), que afetariam os seres humanos, e que até se manifestariam em certas pessoas especialmente dotadas. Na verdade, porém, a alma, a entidade real de cada indivíduo, é o principal fator determinador do destino. As coisas envolvidas nessa questão são a duração da vida de alguém, o senso de bem-estar, o sucesso naquilo que é tentado pelas pessoas, o que vulgarmente é chamado de «sorte», e, finalmente, a questão mais importante de todas, a condição da alma, após a morte física. Mas, com isso, poucos se importam, até mesmo os mais crédulos em horóscopos e coisas semelhantes.

As religiões são fatores importantes que dizem respeito ao destino humano, mas outras questões também estão envolvidas, e nenhuma delas deve ser esquecida, embora haja nisso toda uma hierarquia de valores. Em última análise, é Deus que determina o destino de cada ser humano, porquanto tudo foi criado por ele e para ele, conforme o Novo Testamento deixa abundantemente claro.

RELIGIÃO, FILOSOFIA DA
Ver o artigo intitulado **Filosofia da Religião**.

RELIGIÃO — RELIGIÃO E A CIÊNCIA

RELIGIÃO, PODERES DA

Essa expressão alude àqueles poderes, reais ou imaginários, associados às fés religiosas, formal ou informalmente, e que supostamente exerceriam influências sobre as vidas das pessoas, no terreno físico e no terreno espiritual, tanto nesta vida como na vindoura.

Existiriam poderes invisíveis, cósmicos e impessoais que os homens não conseguem definir com exatidão, mas que, conforme *sentem*, exercem influência sobre eles, para melhor ou para pior.

Esses seriam os poderes da natureza, como as forças físicas, os signos da astrologia, certos objetos inanimados, como os amuletos, mas que são quase como seres vivos, na opinião de algumas pessoas. Se forem personalizados, esses poderes tornam-se divindades, fantasmas, espíritos de mortos, heróis (seres semideificados), sombras ou outras figuras da superstição popular.

Na teologia mais sofisticada, como no monoteísmo, Deus é o grande poder que exerce controle sobre todas as coisas. E então, em ramos especializados das religiões, há outros poderes de grande importância. Assim, no cristianismo temos o Logos, que se encarnou em Jesus Cristo, o Espírito Santo, os anjos; mas também santos e até demônios, estes últimos encabeçados por Satanás. Algumas religiões concebem que os ancestrais tornam-se poderes sobre as pessoas, provavelmente por serem ali deificados, recebendo então alguma autoridade especial.

Há sistemas em que esses poderes são arranjados em grandes hierarquias, cada nível com seu respectivo grau de honra e de merecida atenção. Usualmente algum tipo de governo aparece associado a essas hierarquias.

RELIGIÃO A POSTERIORI

O conceito básico, nesse caso, é que as proposições da fé religiosa são posteriores à investigação empírica, e a esta dependentes. Usualmente, quando essa posição é assumida, a religião torna-se uma forma de sociologia ou de psicologia, visto que então perde suas raízes transcendentais e místicas. E o resultado é uma espécie de religião natural.

RELIGIÃO A PRIORI

A idéia básica, para os que assim pensam, é que as proposições da fé religiosa são anteriores à investigação empírica, e mesmo independentes dela. Tais proposições repousariam sobre a razão, a intuição e as experiências místicas.

RELIGIÃO CRISTÃ

Ver sobre **Cristianismo**.

RELIGÃO DOS GREGOS PRIMITIVOS

Ver sobre **Gregos Primitivos, Religião dos**.

RELIGIÃO E A CIÊNCIA

I. Definições e Observações Gerais
II. Um Aparente Conflito
III. Informes Históricos
IV. Algumas Idéias dos Filósofos
V. Perspectiva

I. Definições e Observações Gerais

Ver o artigo intitulado **Religião**, primeira seção, quanto a várias definições tentativas. O termo *ciência* provém do latim *sciens* (*entis*), «conhecimento» e sua forma verbal é *scire*, «conhecer». Mas a ciência, como uma disciplina, destaca o caminho empírico do conhecimento, embora cientistas individuais acreditem, igualmente, na eficácia da razão, da intuição e até das experiências místicas para descobrimento e tomada de conhecimento de idéias científicas. É a ênfase da ciência sobre o *empirismo*, em contraste com a ênfase das religiões sobre o *misticismo*, que tem lançado uma contra a outra, em um conflito desnecessário.

A *filosofia analítica* tem-nos ensinado que nenhuma palavra de sentido muito abrangente, como «verdade», «beleza», «ciência», «religião», etc., pode ser devidamente definida de um fôlego só. Antes, só conseguimos dar uma série de descrições incompletas, as quais, em seu conjunto, podem conferir-nos uma noção regularmente boa do objeto assim descrito. A natureza da ciência é um dos grandes problemas da filosofia. Antigamente, a ciência fazia parte da filosofia, onde ela teve o seu nascimento. Mas, separando-se da filosofia como uma disciplina a parte, logo a ciência tornou-se uma vasta série de disciplinas, talvez ligadas entre si por certas idéias comuns que giram em torno de procedimentos, e não de conteúdos. À medida que a ciência foi-se desenvolvendo, foi ficando cada vez mais patente que há uma unidade de todas essas divisões e disciplinas, visto que todos os ramos da ciência tratam da Grande Realidade que ou vemos com os olhos ou, de outra modo, percebemos com os nossos sentidos. As ciências têm sido divididas em *dedutivas* (como a matemática) e *indutivas* (como a física). Essa é uma divisão útil; mas talvez, afinal, venha a ficar demonstrado que todos os aspectos da ciência são dedutivos, se o conhecimento chegar a dominar os essenciais e o conteúdo geral de todos os ramos do conhecimento. Talvez todas as coisas sejam fixas «e exatamente o que são», e que nossas ciências apenas gradualmente cheguem a definir o que seja essa «alguma coisa».

Uma Questão de Fé. Chega a surpreender algumas pessoas que a ciência também envolva uma questão de fé. Sim, sem fé na *invariabilidade* ou *coerência*, a ciência seria simplesmente impossível. Nenhuma investigação seria possível sem a fixidez das leis da natureza, o que garante que um mesmo experimento, repetido sob as mesmas condições, produza os mesmos resultados. Não poderia haver ciência sem o fato de que «o universo» ali fora de nós, de alguma maneira, misteriosamente corresponde às nossas mentes, e que as leis da natureza podem ser descobertas por via de experiências repetidas. Ora, essas leis sugerem a existência de um Legislador. E assim, embora a ciência com freqüência seja declarada divorciada da religião, sempre volta à mesma, por força de suas próprias experiências. É realmente admirável que haja uma tão teimosa invariabilidade na natureza, porquanto isso de maneira alguma fala sobre o caos e o acaso sobre os quais alguns cientistas gostam de falar.

Algumas Definições Tentativas da Ciência:

— A ciência consiste no conhecimento dos fatos, fenômenos, leis e causas aproximadas, obtido e averiguado mediante observações exatas, experiências organizadas e raciocínios corretos.

— A ciência é uma classificação exata e sistemática do conhecimento obtido através de experiências controladas que utilizam a percepção dos sentidos, com a ajuda de instrumentos de precisão, e projetadas por analogia.

RELIGIÃO E A CIÊNCIA

—A ciência é um departamento do campo do conhecimento onde os resultados das investigações foram sistematizados na forma de hipóteses e leis gerais sujeitas à verificação.

Filosofia da Ciência. Ver o artigo separado sob esse título.

Método Científico. A ciência moderna continua a ser governada bem de perto pela filosofia estreita do *Positivismo* (vide).

II. Um Aparente Conflito

O conflito entre a ciência e a religião originou-se a princípio dos *diferentes pontos de vista globais* dos teólogos e dos cientistas. Muitos teólogos têm uma forte vontade de crer, e crêem em quase qualquer coisa, e muitos cientistas têm a forte determinação de não crer, e terminam no ceticismo. Os teólogos têm certeza da existência de uma realidade invisível, espiritual; e os cientistas têm certeza somente da realidade física, considerando tudo o mais com grande suspeita. Os cientistas não aceitam a autoridade de grupos religiosos, meramente porque algum profeta, em algum tempo no passado, disse alguma coisa que acabou ficando registrado em algum livro sagrado. Eles insistem que nossos líderes deveriam ser cientistas, e não sacerdotes ou pessoas religiosas.

Também há a *questão do método.* Os teólogos e os místicos estão convencidos sobre o valor das experiências místicas, como as visões, os sonhos, as experiências intuitivas e as revelações. Tendem por encarar essa questão em termos absolutos, razão pela qual afirmam que seus livros sagrados não encerram erros. Mas os cientistas conseguem encontrar um considerável número de erros, de várias categorias, nos livros sagrados, e chegam a desconfiar do misticismo ou da revelação como um modo autêntico de obter conhecimentos. Além disso, os cientistas requerem que todo conhecimento seja obtido através de métodos empíricos.

Assim sendo, dotados de diferentes pontos de vista globais e usando métodos diferentes, a ciência e a religião terminam em conflito. Esse conflito é real, mas, segundo defino, é aparente, por ser desnecessário. Pois, uma vez que se obtenha conhecimento suficiente, desaparece o conflito entre a ciência e a religião. Podemos ter a certeza, porém, que para que isso suceda, tanto a ciência quanto a religião terão de sacrificar algumas de suas idéias e terão de incorporar outras. Finalmente, haverá um casamento, embora não pareça que isso venha a suceder dentro de pouco tempo. Não obstante, está havendo progresso nessa direção. O estudo sobre as *Experiências Perto da Morte* (vide) tem lançado luzes poderosas sobre a questão da existência da alma e sua sobrevivência ante a morte biológica. Ver também os artigos *Parapsicologia* e *Projeção da Psique*, em cujos estudos a ciência está sendo aplicada com significativos resultados.

Conflitos tradicionais entre a ciência e a religião têm envolvido questões como as seguintes: A terra e os demais corpos celestes movem-se? A ciência dizia «sim»; e a teologia dizia «não». Além disso, foi dito que a terra era o centro do universo. Os cientistas afirmavam na negativa, e os teólogos, positivamente, porquanto dependiam de uma ciência e de um raciocínio antigos. Mas a nova ciência tornou a vencer nesse conflito. O conflito acerca de métodos permanece de pé. Todavia, está sendo obtida alguma reconciliação, e a religião começa a empregar alguns estudos científicos em apoio a algumas de suas crenças, ao mesmo tempo em que alguns cientistas começam a reconhecer que as experiências místicas podem render algum conhecimento genuíno. De fato, alguns físicos teóricos estão falando sobre o universo quase nos mesmos termos usados pelos místicos.

A teoria da *evolução* (vide) continua sendo uma larga área de conflito, conforme demonstro amplamente no artigo com esse título. O *Criacionismo* (vide) também é um assunto disputado a ferro e fogo. A ciência, estritamente falando, não especula sobre as origens, mas muitos cientistas estão convencidos de que a matéria é eterna, aos moldes da filosofia grega. Mas os criacionistas acreditam em um começo, mediante um ato criativo. Porém, alguns desses criacionistas chegam ao absurdo de supor que a terra tem apenas cerca de sete mil anos de idade, apesar do fato de que os radiotelescópios e os telescópios de luz infravermelha possam capturar raios de luz que precisaram de dezessete milhões de anos para chegar ao ponto do universo onde está nosso globo terrestre. Ver os artigos sobre *Criação, Antediluvianos* e *Língua,* quanto a evidências acerca da vasta antiguidade da terra, das raças humanas, e até de possíveis raças pré-adâmicas. E assim prossegue a polêmica. Mas, quando chegarmos à *verdade* total, ver-se-á que não há qualquer conflito entre a ciência e a religião. Contudo, o progresso nessa direção só pode ser medido em termos de meio século, ou mesmo de um século ou de vários séculos.

Um Promissora Area de Concordância. Segundo minha opinião, no presente a ciência está enriquecendo a fé religiosa e a teologia com suas investigações sobre a alma, em sua existência e sobrevivência ante a morte biológica. Creio que não se passará muito tempo antes que se obtenham provas científicas sobre esse importantíssimo assunto. E quando isso ocorrer, a fé religiosa tornar-se-á uma consideração séria para todos os povos, para cientistas e não-cientistas. Os artigos a serem consultados a esse respeito são os seguintes: *Experiências Perto da Morte; Projeção da Psique; Parapsicologia; Imortalidade.* Nos dois primeiros, fornecemos a abordagem científica da questão.

III. Informes Históricos

1. *Os filósofos pré-socráticos* deram início à investigação científica com suas especulações acerca das substâncias básicas de todas as coisas, como o fogo, a água, a terra, o ar ou, então, algum elemento indeterminado, de onde esses elementos básicos teriam surgido. Ver o artigo sobre esses filósofos, quanto a maiores explicações.

2. *A Academia de Platão* interessou-se profundamente pela ciência, primeiramente pela matemática, a mãe de todas as ciências, e em seguida pela biologia e pela zoologia. Um sobrinho de Platão, Espeusipo, que veio a encabeçar a academia, após a morte de seu tio, era biólogo. Porém, na época a ciência não dispunha de equipamentos e nem de laboratórios, pelo que ela era descritiva, e não experimental. Platão manifestou várias idéias sobre a natureza do universo e do homem, especialmente no tocante a como o mundo físico duplica (de maneira inferior) o mundo invisível, de essência não-material. E essas noções têm exercido considerável influência até os tempos modernos. De fato, a idéia platônica universal-particulares está obtendo mais e mais o apoio dos cientistas modernos, conforme se vê, por exemplo, na *fotografia kirliana* e nos estudos sobre os *campos de vida* (ver ambos os artigos nesta enciclopédia). Seja como for, a metafísica e a ciência andam abraçadas uma à outra, nestes nossos dias, pelo menos quanto a certos aspectos do conhecimento. E essa tendência por certo prosseguirá.

642

RELIGIÃO E A CIÊNCIA

3. *Aristóteles*, o mais brilhante dos pupilos de Platão, foi o maior cientista de seu tempo. Suas idéias foram tão poderosas e dominantes que prevaleceram até o alvorecer da ciência moderna. Ele abandonou algumas das idéias metafísicas de Platão, fazendo do mundo físico (os particulares) objeto de suas investigações. Isso constituiu um afastamento da ciência metafísica e uma aproximação na direção da ciência moderna. Em seus métodos, Aristóteles também se mostrou, essencialmente, um empirista, embora reconhecesse a legitimidade da intuição, a qual, surpreendentemente, fornece-nos discernimentos notáveis quanto aos problemas. Seja como for, a abordagem eminentemente empírica de Aristóteles foi uma das pedras fundamentais sobre a qual a ciência moderna veio a firmar-se. Outrossim, Aristóteles negava a realidade separada do mundo das *Idéias* ou *Universais* (vide), postulada por Platão, vendo o universal somente quando associado ao particular, e não algo dotado de existência distinta.

4. *A ciência experimental* só brotou nos fins da Idade Média. As noções e os métodos filosóficos dos gregos dominaram a ciência até *Copérnico* (vide). A ele seguiram-se Kepler e Galileu, e então houve sérias disputas entre os novos cientistas e os teólogos (e muitos filósofos). Foi por essa altura que a ciência começou a abandonar as explicações teológicas do universo (explicações teológicas alicerçadas sobre o *escolasticismo* (vide), apelando para Deus somente no que diz respeito às origens absolutas). O aristotelismo foi sendo gradualmente destronado. O ridículo julgamento de Galileu, em 1632, por parte de autoridades eclesiásticas católicas romanas, foi um ponto nevrálgico para a ciência. Embora ele tivesse sido pressionado e se tivesse retratado, essa perda acabou sendo revertida de maneira drástica, porquanto suas teorias básicas terminaram por ser demonstradas corretas, contra todos os dogmas dos teólogos católicos romanos! E a teologia foi forçada a concordar com a ciência, diante de evidências esmagadoras. A antiga geração desapareceu; as novas gerações cresceram acostumadas a pensar de modo diferente. A verdade sempre haverá de triunfar desse modo.

5. *As idéias cosmológicas dos hebreus* (ver o artigo chamado *Cosmologia*) foram reinterpretadas de acordo com a ciência mais avançada, e a maioria das pessoas nem notou a mudança. De fato, até hoje muitas pessoas não sabem o que os hebreus acreditavam sobre o universo, supondo tolamente que eles diziam o que a ciência moderna tem dito a respeito. Aquele citado artigo entra detalhadamente no assunto.

6. *Algumas noções básicas*, derivadas da filosofia grega e das religiões hebréia e cristã, têm permanecido à raiz da ciência, mormente no que diz respeito ao desígnio, como a invariabilidade da natureza, porque as pesquisas científicas as têm confirmado. De fato, quanto mais a ciência vai descobrindo, tanto maiores são as provas acumuladas em favor do desígnio, em lugar do caos, no universo. Ora, a idéia de *desígnio* é fundamental para o pensamento religioso. O que nos deveria impressionar é que, apesar dos conflitos, a ciência tem-se desenvolvido no mundo cristão. Alguns dos grandes cientistas também foram cristãos devotos, sem importar suas opiniões divergentes dos teólogos. Francisco Bacon, Descartes, Kepler, Galileu, Pascal, Boyle, Rau e Newton são alguns poucos exemplos.

7. *O ateísmo metódico* (vide) tornou-se um importante princípio para a maioria dos cientistas. Segundo o mesmo, não se deve invocar Deus só por havermos encontrado mistérios e problemas que não sabemos solucionar. Embora, pessoalmente, possamos crer em Deus, precisamos manter nossa ciência *natural*. Se não agirmos assim, muitas coisas continuarão sendo misteriosas, quando, na realidade, podem ser esclarecidas, com base na investigação empírica. Nunca se deve apelar para Deus como meio para explicar algum problema. Antes, é mister fazer o esforço para explicar as coisas. Isso deve ser feito tendo em vista o avanço do conhecimento científico.

8. *O Deus dos hiatos*. Sempre que surge um *hiato* em nosso conhecimento, algumas pessoas apelam para Deus, para que seja preenchido o vazio. Esse método precisa ser evitado, no interesse da ciência. Naturalmente, existem hiatos genuínos que somente Deus é capaz de explicar, mas o método científico precisa evitar recorrer a Deus, sempre que possível.

9. *Naturalidade: o conflito acerca da evolução*. A ciência investiga o mundo criado por Deus, mas este mundo é governado por leis naturais que podem explicar quase todas as questões que interessam à ciência. Não se deve apelar para as explicações sobrenaturais, quanto à maioria dos problemas encontrados pelos cientistas. Darwin exagerou nessa atitude, embora sua contribuição para a ciência seja inquestionável. Seja como for, a religião dos hebreus, no relato do Gênesis sobre a origem do homem, não falava de uma alma, mas tão-somente de um corpo animado. Somente no tempo da composição dos Salmos e dos escritos dos profetas hebreus foi que a teologia hebréia começou a falar sobre a alma imaterial. Isso posto, a narrativa do livro de Gênesis sobre a origem do homem surpreendentemente, para a maioria dos cristãos, na verdade nada diz sobre a origem do verdadeiro homem, a *alma*. Por semelhante modo, Darwin, quando ensinou sobre como o homem veio a existir, estava abordando somente o seu *corpo*, visto que nada disse acerca de sua alma. Em consequência disso, o conflito entre a Bíblia (se entendida do ponto de vista original dos hebreus, e não do ponto de vista cristão) e a teoria da evolução gira somente em torno do corpo humano, pelo que não envolve um conflito muito grande. Atualmente, a ciência está emprestando o seu prestígio e capacidade à investigação do verdadeiro homem, a alma, e isso é algo que nem Darwin e nem os teólogos tinham antecipado.

10. *O século XIX* testemunhou uma radical atitude antiteológica na ciência, como também o começo da entronização do *positivismo* (vide), como o método científico. Foi então declarado que as proposições metafísicas *não têm significação*. Vale dizer, as investigações científicas não chegam lá, por estarem acima do alcance das pesquisas empíricas. Assim sendo, sem importar se as proposições metafísicas são verdadeiras ou falsas, elas não têm significação para os cientistas. De fato, os cientistas reconhecem que não podem fazer qualquer declaração significativa acerca de Deus. Por igual modo, a ciência não tem meios para investigar a alma humana, e nem mesmo as origens do homem, como também qualquer outro assunto de natureza metafísica. Isso impõe uma limitação nada razoável à ciência, apesar de ter surtido o bom efeito de requerer uma atenção empírica mais densa sobre as pesquisas científicas. Todavia, muitos cientistas estão começando a perceber que essa limitação positivista é insensata. Os modernos físicos teóricos estão falando como se fossem místicos. Há muitas idéias que podem ser verdadeiras e que precisam ser investigadas, mas que, até o momento, não podem ser pesquisadas laboratorialmente, ao gosto dos cientistas.

RELIGIÃO E A CIÊNCIA

11. *A psicologia* é uma ciência crescente, embora alguns pensem que ela ainda não atingiu a posição de autêntica ciência. Mas os estudos nos campos dos diferentes estados de consciência estão produzindo notáveis resultados, e esse campo, finalmente, será uma dimensão em que a fé religiosa e a investigação científica aliar-se-ão. As evidências demonstram, mais e mais, que a mente e o cérebro não são a mesma coisa. Karl Popper chegou a falar sobre «as mentes e seus cérebros», dando a entender que a mente é a entidade maior, e que o cérebro é a entidade menor, embora fundidas uma à outra no ser humano. As *Experiências Perto da Morte* (vide) têm comprovado que a consciência e a razão não dependem da existência de um cérebro material, para que continuem funcionando. Isso não é uma poderosa prova indireta da existência da alma, o verdadeiro «ser» humano?

12. *A parapsicologia*, segundo minha opinião, é uma ciência legítima, vital para demonstrar que não podemos falar no cérebro sem postular a mente, que emprega o cérebro como instrumento. Ademais, essa ciência está à beira de demonstrar, cientificamente, a realidade da alma e sua sobrevivência diante da morte biológica. Essa investigação começou cerca de cem anos atrás, e tem produzido alguns admiráveis resultados. Meu artigo sobre esse assunto fará o leitor reconsiderar algumas de suas crenças.

IV. Algumas Idéias dos Filósofos

1. Mostrei, na terceira seção, acima, algumas relações entre os primeiros filósofos, como os pré-socráticos, Platão e Aristóteles, e a ciência e a crença religiosa (expressa pela metafísica). Nos seus primórdios, a ciência andou muito envolvida com a filosofia. Somente mais tarde a ciência separou-se da filosofia, tendo optado pelo método empírico.

2. *Platão* fazia a distinção entre *conhecimento* e *opinião*, e fazia a opinião depender da percepção dos sentidos. O conhecimento, para ele, deveria ser obtido através da razão, da intuição e da experiência mística. Mas a ciência moderna faz o conhecimento ser adquirido à base da percepção dos sentidos.

3. *Aristóteles* fez da percepção dos sentidos a base da investigação. Ele prestou um grande serviço em seus estudos sobre as *causas*, os quais posteriormente vieram a ser incorporados nas provas cristãs tradicionais da existência de Deus. Ver sobre estes assuntos: *Argumento Cosmológico*; *Argumento Teleológico* e o artigo geral sobre os *Cinco Argumentos em Prol da Existência de Deus*. O tipo de ciência aristotélica foi utilizado por alguns teólogos em favor de certas crenças religiosas.

«Aristóteles considerava a ciência como conhecimento demonstrado das causas das coisas. Isso deve ser distinguido da *dialética*, onde as premissas não são certas, e também da *erística*, onde o objetivo é conquistar as boas graças dos ouvintes. Haveria ciências teóricas, práticas e produtivas. As ciências teóricas seriam superiores às outras duas, mas as ciências seriam irredutivelmente plurais, cada qual devendo ser entendida segundo seus próprios termos» (P).

4. *No começo da Idade Média* houve uma lamentável mistura da ciência com a religião, graças aos esforços de eclesiásticos que queriam dominar todos os aspectos da vida. Em última análise, *scientia* significava o conhecimento de Deus e da alma, e todo conhecimento era posto a serviço dessa finalidade. Daí procede a doutrina da *unidade da verdade*, embora sobre uma base falsa. Para os escolásticos (ver sobre o *Escolasticismo*) toda verdade estava sumariada em Deus, e as várias disciplinas pensariam os pensamentos de Deus após ele. Poucas obras emergiram então de cunho científico, no sentido moderno. Para os escolásticos, já se sabia tudo quanto era possível ser conhecido; e os mestres apenas repetiam o que grandes pensadores do passado haviam dito. Destarte, estagnou-se a descoberta científica, por imposição de uma teologia míope.

5. *Dominico Gundisalvo*, seguindo as diretrizes de uma versão neoplatônica da versão árabe do aristotelismo, dividiu as ciências em humanas e divinas, as primeiras governadas pela razão, e as segundas, pela revelação.

6. *Hugo de São Vítor* referiu-se a várias modalidades de ciência, como teóricas, práticas e mecânicas, mas pensava que todas elas, de alguma maneira, estariam relacionadas à sua ênfase preferida, *contemplação mística*.

7. *Averróis* pensava que a ciência é eterna. Ela abordaria coisas isoladas e suas respectivas naturezas.

8. *Rogério Bacon* apresentou uma hierarquia do conhecimento: a ciência especulativa; as ciências experimentais (incluindo a observação e a matemática); a teologia — tudo nessa ordem de importância.

9. *Guilherme Ockham* empregou a sua navalha, fazendo aguda distinção entre a *scientia rationalis*, «ciência racional» e *scientia realis*, «ciência das coisas reais». Ele foi um dos pioneiros da ciência moderna, e proibia a multiplicação de entidades com o intuito de se explicar a realidade. Ele não apelava para o sobrenatural, a fim de explicar o natural.

10. *Francis Bacon* salientou a importância da indução para a ciência. Ele pensava que a indução levava à verdade, e que sua principal função era a utilidade. Todas as ciências refletiriam as faculdades humanas: a ciência natural seria reconhecida pela razão; a história, pela memória.

11. *Thomas Hobbes* introduziu o ateísmo e o materialismo na ciência, de maneira radical, e suas idéias cativaram muitos cientistas.

12. *Galileu* empregou instrumentos para derrotar os pontos de vista aristotélicos, tendo podido mostrar que a terra *está* em movimento, não sendo ela o centro do universo. Mas ambas as idéias foram fanaticamente combatidas na época. Somente já em nossos dias, o papa João Paulo II «perdoou» a Galileu por ter estado com a razão. Galileu enfatizava o método empírico, e alguns instrumentos óticos chegaram a ajudá-lo em suas pesquisas.

13. *Descartes*, o matemático, alicerçava a ciência sobre a razão, vinculando a certeza à ciência, o que seria conseguido através do método de pôr em dúvida todo conhecimento, antes de ser confirmado pela investigação. Coisas das quais não poderíamos duvidar seriam Deus (em favor de Quem ele empregava os argumentos tradicionais) e a alma. Mas concordava com o lema medieval que dizia que a verdadeira ciência é idêntica ao conhecimento de Deus.

16. *Newton*, embora fosse homem devoto e religioso, em sua prática científica tendia para o positivismo, e somente em último recurso apelava para Deus a fim de explicar algum mistério ou preencher algum hiato. Sua famosa declaração era: «Hypotheses non fingo», ou seja, «Não invento hipóteses». Ele referia-se a teorias, sem qualquer base na experimentação, a fim de tentar explicar problemas difíceis. Antes, frisava o descobrimento de padrões matemáticos de informes.

17. *Kant* submeteu a ciência ao método empírico, mas chamava suas proposições, já existentes na mente, de *juízos a priori*. Ele negava a validade das provas tradicionais da existência de Deus, embora

RELIGIÃO E A CIÊNCIA

defendesse a existência de Deus mediante o argumento moral, derivado de *postulados*. Estes repousam sobre a razão, a intuição e as experiências místicas. Portanto, Kant criou uma dicotomia em sua epistemologia. O mundo dos *fenômenos* é conhecido pela percepção dos sentidos; mas o mundo *noumenal* (da mente) é conhecido através da razão, da intuição e das experiências místicas.

18. *J. S. Mill* insistia sobre a indução, e dizia que toda ciência é indutiva, estando envolvida, por isso mesmo, nas taxas de probabilidades. Mais recentemente, teria sido um estatístico.

19. *Spencer* via a filosofia como o ponto final do conhecimento e como a unificadora do mesmo, e também encarava as ciências distintas como itens formadores dessa unidade.

20. *W. Wundt* falava sobre ciências exatas e ciências sociais, conferindo à filosofia a tarefa de ser a unificadora, embora não pensasse que esses dois tipos de ciência podiam ser reduzidos a um só tipo.

21. *Peirce* deu início à visão pragmática da ciência, como método básico de inquirição, pensando que a praticalidade é o valor que devemos procurar nas coisas.

22. *Dewey* também salientava o ponto de vista pragmático, tendo enfatizado a experimentação a fim de obter a praticalidade.

23. *Windelband* concordava com a visão de Wundt de que as ciências naturais e as ciências sociais são disciplinas separadas. Às primeiras chamou de *idiográficas*, e às segundas de *nomotéticas*.

24. *Karl Pearson* era da opinião de que a ciência deve ser descritiva, e não explanatória.

25. *Dunem* acreditava que a ciência tem por tarefa descobrir relações que existem entre coisas parecidas, salientando assim a posição de Kant.

26. *Cassier* asseverava que a ciência estuda conceitos, ao passo que as experiências místicas e religiosas estudam as metáforas. No primeiro caso, teríamos experiências objetivas; no segundo, experiências subjetivas.

27. *Haberlin* falou sobre as ciências sociais como primárias, e sobre as ciências exatas como secundárias.

28. *O positivismo lógico* proveu um método restrito para a ciência moderna, pensando que as proposições metafísicas são destituídas de significação e exigindo que todo o conhecimento (que consistiria somente em taxas de probabilidades) precisa ser obtido em laboratórios, mediante investigações científicas formais. Comte, Neurath, Carnap e Hemple são alguns nomes associados a esse ponto de vista. As ciências exatas já vinham sendo governadas por essa filosofia, bem antes deles. Mas Hemple aplicou o sistema às ciências sociais, igualmente.

29. *Kuhn* destacou que a inquirição científica deve ser dirigida por certo grupo de paradigmas, e que esses paradigmas precisam ir sendo modificados, à medida que for progredindo o conhecimento. Isso ocorreria lentamente, e com imensas dificuldades. Assim sendo, a ciência assemelhar-se-ia a uma religião, onde as heresias são combatidas por uma posição *ortodoxa*, e onde, tal como no caso das religiões, com freqüência as heresias acabam se tornando novas ortodoxias, com a passagem do tempo.

30. *Feyerabend* dizia que o progresso científico verifica-se mais através da apresentação de hipóteses alternativas do que através da reafirmação de antigas hipóteses, através de muitas experiências, com o mero acúmulo de fatos.

31. *Karl Popper* enfatizava a importância da refutação, a qual deveria ser usada na averiguação de proposição. O mero acúmulo de afirmações não seria suficiente.

V. Perspectiva

1. *Diferença de Métodos*. Visto que as ciências, necessariamente, devem lançar mão do método empírico, e que a fé religiosa opera por meio da razão, da intuição e das experiências místicas, sempre haverá certa diferença de ênfase. Todavia, alguns assuntos, que antes eram reservados somente à religião, como a existência da alma e sua sobrevivência ante a morte física, também podem tornar-se alvos da investigação científica. Em nossos dias, o empírico está ajudando o místico. Outro tanto pode ser dito com respeito aos *estados alterados de consciência*, tão importantes que são para a fé religiosa. Esses estados estão sendo investigados pela ciência, com resultados positivos. Até mesmo o fenômeno das *línguas* está sendo investigado pela ciência. E tem ficado demonstrado que quase todas as línguas não são idiomas, pois empregam um número bem limitado de vogais e consoantes, repetitivamente, uma limitação que não permite qualquer genuína expressão lingüística. Sem dúvida, essa é uma das razões pelas quais as línguas, como um fenômeno geral, não têm tido seus intérpretes. Nada há a interpretar, na maioria dos casos. O que se verifica ali são ejaculações extáticas que elevam o espírito de que fala, mas elas nada têm a ver com alguma *comunicação*. Naturalmente, nem todas as línguas pertencem a essa categoria. Algumas vezes são ditas palavras em linguagem real, desconhecida de quem as profere. À medida que for avançando o conhecimento, é até possível que certas coisas, atualmente fora do âmbito da ciência, segundo pensamos, e que atribuímos exclusivamente à fé religiosa, venham a tornar-se alvos das pesquisas científicas.

2. *Diferença de Objetivos*. A ciência está interessada no que é prático e material. Ela procura dar-nos confortos, conveniências, medicamentos para o corpo enfermo, máquinas, aparelhos, etc. Já a fé religiosa está interessada na outra dimensão da existência, a' dimensão espiritual, no bem-estar da alma, na conduta ideal das pessoas. Essas diferenças de objetivos haverão de separar sempre essas duas atividades humanas. Não obstante, conforme a ciência for sendo espiritualizada (conforme tem sido sugerido no primeiro ponto, acima), ela irá penetrando em áreas que antes faziam parte somente dos interesses de filósofos e teólogos.

3. *Divisão de Setores e Unificação do Conhecimento*. Apesar da ciência e da fé religiosa terem suas respectivas ênfases, em última análise estamos sondando, todos juntos, uma única vasta unidade de conhecimento. Todas as ciências pensam os pensamentos de Deus após ele, para quem todo o conhecimento está unificado. Por essa exata razão, os cientistas devem dirigir-se a seus laboratórios como se fossem a um santuário, e não meramente um lugar de trabalho. Nessa conexão, precisamos lembrar de que Deus é quem confere aos cientistas a missão que eles recebem; e, se fizerem bem o seu trabalho, serão devidamente recompensados. É ridículo lançar a ciência em choque contra a fé religiosa.

4. *A Questão da Missão: um Duplo Destino*. Todos os homens precisam cumprir dois destinos. O primeiro tem a ver com o que fazem aqui mesmo, no mundo, as contribuições que podem fazer, os sofrimentos que podem aliviar, o progresso material que forem capazes de promover. Paralelamente a isso, as comunidades, as nações, e, finalmente, o mundo

RELIGIÃO E FILOSOFIA CHINESAS

físico, têm destinos a serem cumpridos neste lado da existência. Os indivíduos também têm a cumprir esses respectivos destinos. No desdobramento desses destinos seculares, a ciência tem a desempenhar importantíssimo papel, visto que o progresso do mundo, depende muito dessa disciplina. Porém, acima dos destinos materiais em que todos nós estamos envolvidos, há também um destino espiritual para cada ser humano. E isso também muito nos deveria interessar. Importa muito aquilo que sucede às nossas almas. Assim sendo, um homem tem um *duplo destino*, o que também se dá com a comunidade dos homens—um destino secular e um destino espiritual. Esses dois lados da questão não estão em conflito, como também não estão em conflito verdadeiro e necessário a ciência e a fé religiosa, conforme vimos no decorrer deste artigo.

Bibliografia. B C E EP F H P

RELIGIÃO E CONHECIMENTO

Ver o artigo intitulado *Conhecimento e a Fé Religiosa, O*.

RELIGIÃO E DRAMA

Ver sobre o *Drama Religioso*.

RELIGIÃO E EDUCAÇÃO

Ver sobre **Educação Religiosa**.

RELIGIÃO E FILOSOFIA CHINESAS

I. Fés Remotas e Primitivas

Antes do advento das fés chinesas tradicionais—o confucionismo, o budismo e o taoísmo, havia outras religiões mais primitivas. Elementos dessas religiões mais primitivas misturaram-se com essas fés que, posteriormente, tornaram-se tradicionais, e muita gente continuou a praticá-los, mesmo quando aquelas fés passaram a ter pleno poder.

1. *O Animismo e o Politeísmo*. Até onde a história pode retroceder, os chineses adoravam quatro tipos de espíritos: a. O *Shen*, o mais elevado, o sol, a lua e as estrelas, e, secundariamente, os espíritos do vento, da chuva, etc. (as intempéries). b. O *Ch'i*, que seriam os espíritos da terra, do solo, dos cereais, das cinco montanhas sagradas, de outros montes, vales, etc. c. O *Kuei*, os espíritos humanos desencarnados, especialmente os ancestrais. d. O *Kuai*, os espíritos de seres animados e inanimados. Essa forma de adoração incluía muitos deuses e muitas localidades, relacionadas a esses espíritos.

2. *A Adoração a Sang-ti*. Esse seria um dos muitos espíritos celestiais, e também o chefe de todos eles, sendo um espírito positivo, pessoal e perfeito. Até o ano de 1912, era dever do próprio imperador oferecer sacrifícios a esse deus, em favor do povo.

3. *A Adoração aos Antepassados*. A fundação de um homem são os seus antepassados, os quais têm sido variegadamente adorados, como as pessoas adoram qualquer outra forma de divindade. Essa adoração é uma expressão e exagero do respeito filial. Um conceito básico da adoração chinesa é o *cumprimento das relações humanas*, e a adoração aos antepassados é uma tentativa de cumpri-las. Aos antepassados são oferecidos alimentos, são-lhes oferecidas notas em papel-moeda, e também outros meios para expressar a crença na realidade da existência e no poder dos antepassados são empregados.

4. *A Adoração a Confúcio*. Essa adoração é uma extensão da adoração aos antepassados, porquanto Confúcio é uma das grandes personagens do passado que inspiram os homens. A adoração oficial a esse homem começou na dinastia Han, no ano de 195 D.C., tendo sido realizada, pela primeira vez, diante do túmulo de Confúcio. Um templo foi erigido em seu lugar de nascimento, em 442 D.C., e a adoração de **Confúcio obteve grande avanço**. — Ele recebeu todas as formas de títulos enobrecedores, como *Mestre Máximo, Sábio Perfeito, Duque*, etc. Em 1934, a data do aniversário natalício de Confúcio, 27 de agosto, começou a ser observada como um feriado nacional. Sua adoração tornou-se uma espécie de culto oficial, o que foi apenas a sanção oficial daquilo que já existia há séculos.

II. Religiões e Filosofias Tradicionais

1. O confucionismo (que vide).
2. O taoísmo (que vide)
3. Movimentos iniciados nos séculos VI a II A.C., como o Mo Tzu, os Logicianos Chineses, a Escola Legalista e a Escola Yin Yang. Ver os artigos sobre cada um desses movimentos.
4. O *Neotaoísmo*, a começar no século III A.C. (que vide).
5. Uma mistura de confucionismo e taoísmo, a começar pelo século II`A.C., com os nomes de Huai-nan Tzu, Tung Chung-Shue, Wang Ch'ung, Lieh Tzu e Kuo Hsiang (ver os artigos sobre cada uma dessas misturas).
6. O desenvolvimento do budismo chinês, a começar pelos séculos III e IV da era cristã. Ver sobre Kumarajiva, Seng-Chao, Chi-Tsang, Hsuang-Tsang e Chih-I. Também surgiram várias escolas individuais, como as escolas Hua-Yen, T'ien-T'ai e Ch'an do Budismo Zen, sobre as quais há artigos separados.
7. O desenvolvimento do neoconfucionismo começou em cerca do século VIII D.C., até os nossos dias. Alguns nomes representativos são Han Yu, Li Ao, Chou Tun-i, Shao Yung, Wang Yan-Ming, Tai Chen, K'ang Yu-Wei, T'an Ssu-Tung, Chang Tung-Sun, Fung Yu-Lan e Asiung Shih-li, (que vide).

III. Introduções Estrangeiras

1. *Islamismo* (que vide). Essa fé foi introduzida na China em 628 D.C. O islamismo veio de vários lugares, em diversas províncias chinesas. O movimento expressava-se, essencialmente, em dois tipos de islamismo: o de Sinkiang e Chinghai, chamados os seus seguidores de maometanos de turbante, e de outros lugares da China, introduzido por descendentes de negociantes islamitas e de soldados árabes, que foram enviados para pôr fim a uma rebelião em 755 D.C., a pedido do imperador. Seus seguidores têm retido as crenças islâmicas tradicionais, embora com a mistura de outros elementos. — Entretanto, poucos dos seus seguidores chineses podem ler o Alcorão, e menor número ainda pode compreender a língua árabe. A tradução do Alcorão para o chinês não teve lugar senão nos fins do século XIX, e a distribuição dessa tradução nunca foi grande. Em cerca de 1930, havia cerca de cinquenta milhões de pessoas que seguiam essa religião, na China.

2. *Cristianismo*. Precisamos pensar nas seguintes variedades de cristianismo, introduzidas em épocas diferentes:

a. *Nestorianismo* (que vide). Essa foi a primeira variedade de cristianismo a penetrar na China, talvez desde tempos bem remotos, embora só tenhamos evidências dessa penetração ali a partir de 781 D.C. O Tablete Nestoriano, que está relacionado a essa fé,

RELIGIÃO E FILOSOFIA CHINESAS

apareceu na China em 635 D.C. Trata-se de uma espécie de cristianismo oriental, desenvolvido independentemente da civilização greco-romana. Uma grande perseguição por parte dos chineses foi dirigida contra o budismo, em 845, e, como subproduto, o nestorianismo quase foi destruído.

b. *Catolicismo Romano.* Missionários franciscanos levaram a fé católica romana à China, durante a dinastia Yuan, entre 1280 e 1368. Os jesuítas deram uma força nova ao movimento, durante a dinastia Ming (1368-1644). Francisco Xavier chegou à China em 1552, mas morreu no mesmo ano. Os jesuítas desfrutavam do favor real, e o catolicismo desenvolveu-se rapidamente na China. Os jesuítas permitiam o sincretismo da fé católica com as crenças tradicionais chinesas, mas os dominicanos e franciscanos objetavam a tal sincretismo. A batalha que disso resultou reduziu em muito a influência católica romana, bem como o número de católicos na China. Antes da instalação do comunismo, na China, havia cerca de três milhões de católicos chineses naquele país. Eles operavam 438 orfanatos, 315 hospitais e mais de vinte mil escolas, tendo construído museus, bibliotecas e centros de pesquisa. Havia cerca de três mil padres missionários estrangeiros. Os padres chineses eram cerca de dois mil.

c. *Protestantismo*. Robert Morrison chegou em Cantão em 1807, e, com ele, teve começo o movimento protestante na China. Após cerca de cento e trinta e cinco anos, havia cerca de um milhão de protestantes de várias denominações. Em 1934, havia ali dezessete missões inglesas, sessenta e quatro norte-americanas, vinte e três canadenses e duas australianas. O número total de missionários evangélicos era de cerca de seis mil, representando mais de noventa denominações. Esses grupos contribuíam significativamente para a educação, os cuidados médicos e os serviços comunitários. Cerca de duzentos e setenta e um hospitais haviam sido construídos por eles. Em muitas áreas, os únicos serviços médicos que havia eram prestados pelos hospitais cristãos. Além das tradicionais denominações protestantes, tinham-se tornado movimentos nacionais a Cruz Vermelha, a Y.M.C.A. e a Y.W.C.A. Os cristãos, de modo geral, opunham-se a certas práticas duvidosas da sociedade chinesa, como o fumo de ópio, o casamento infantil, o casamento de cegos, o nepotismo e a deformação dos pés das jovens, como sinal de beleza. Os cristãos promoviam os direitos das viúvas tornarem a casar-se, o direito dos jovens escolherem os seus próprios cônjuges, a independência das mulheres, o direito feminino à educação. Foi introduzida a ciência ocidental na China. A *China Inland Mission*, fundada por J. Hudson Taylor, que foi para a China em 1853, nesse ponto culminante contava com cerca de mil missionários na China, ocupados em muitas atividades diferentes, além da organização de igrejas locais.

3. *Judaísmo*. A história do judaísmo na China é bastante antiga, embora só possa ser acompanhada com certeza até cerca de 1163, onde se sabe que uma sinagoga foi ali erigida. Porém, há estudiosos que supõem que, através do comércio, o judaísmo penetrou na China desde o primeiro século da era cristã. Entretanto, essa fé nunca se espalhou muito, e nem obteve muitos adeptos.

4. *Maniqueísmo*. Esse movimento começou na China em cerca de 694 D.C., tendo crescido de forma moderada até cerca de 823 D.C., quando sofreu perseguição e foi grandemente reduzido. Seguiram-se outras perseguições, e, por volta de 915 D.C. pouco restava do maniqueísmo. Não parece ter restado qualquer traço desse movimento depois de 1644.

5. *Zoroastrismo*. Essa fé chegou à China entre 516 e 519 D.C., mas sofreu perseguições, e, por volta de 845, havia desaparecido quase inteiramente. Desde então não parece ter havido qualquer movimento sobrevivente.

6. *Outras*. Antes da instalação do comunismo na China, havia muitos grupos menores, como a teosofia, o bahaísmo, e várias seitas menores cristãs e japonesas, além de muitas sociedades secretas e semi-secretas, de natureza religiosa.

IV. Comunismo, Perseguição e Liberalização

Quando o comunismo (que vide) entrou na China, depois da Segunda Guerra Mundial, muitos líderes religiosos de todas as denominações foram mortos e igrejas foram fechadas. Pessoas foram mortas e perseguidas, em massa, meramente por causa da sua religião. Eu conheci alguns parentes dessas pessoas. Durante a Revolução Cultural, as perseguições foram renovadas. Recentemente (1984-85) uma liberalização tem modificado esta cena. Não sabemos até que ponto isto vai continuar. Esperamos que seja para sempre, mas a política é uma coisa imprevisível.

Reportagem, Estado de São Paulo, de 12 de novembro de 1985.

PEQUIM — Os dirigentes «pragmatistas» chineses, sob a liderança do «homem forte» Deng Xiaoping, procuraram sepultar mais um dogma marxista-leninista, seguido fielmente pelos maoístas durante a Revolução Cultural dos anos 60: o de que a religião entorpece o povo e é um instrumento político das «classes reacionárias». Ontem, o jornal porta-voz do PC chinês, *Diário do Povo*, disse que é errado considerar a religião «o ópio que envenena o povo», qualificando também de «nociva e anticientífica» a afirmação de que a religião é «o reflexo do absurdo, do ilusório da ideologia subjetiva dos seres humanos». O jornal também considerou errôneo afirmar que a religião é «o instrumento político da classe dominante em seu controle das massas».

Durante a Revolução Cultural, os maoístas procuraram destruir todos os vestígios do passado «burguês, explorador e reacionário» e centenas de templos foram destruídos, livros foram queimados, sacerdotes e irmãs muçulmanos ridicularizados, perseguidos, presos e até assassinados.

Para o *Diário do Povo*, essas afirmações feitas no passado «não são convenientes para a unidade das nacionalidades do país, nem respeitam a história, a cultura e os sentimentos de outros povos do mundo».

As críticas dos «pragmatistas» à repressão desencadeada pelos maoístas contra a religião se traduzem cada vez mais em maiores garantias para os cultos. Dessa maneira, igrejas católicas, mesquitas e templos de outras religiões reabriram suas portas em todo o país para que os crentes possam praticar sua fé. Na China há atualmente 35 milhões de muçulmanos, dez milhões de cristãos e algumas dezenas de milhares de budistas.

Cantão está cada vez mais ocidental

CANTÃO — Um funcionário municipal, que conversou com membros de uma delegação parlamentar soviética em visita a esta cidade, no mês passado, comentou que os russos se mostraram impressionados e perplexos com a atmosfera reinante aqui.

«Se isso é marxismo, preciso voltar a ler Marx» — teria dito um dos representantes soviéticos. Durante a visita, os russos tiveram a oportunidade de conhecer a florescente livre empresa da cidade, os seus hotéis de estilo ocidental, que rivalizam com os melhores de Hongcong e muitos outros sinais de que em Cantão passou a vigorar a política da «porta aberta».

RELIGIÃO — RELIGIÃO PRIMITIVA

Onde a liberdade existe, religiões florescem

O espírito humano rejeita a explicação materialista do mundo e procura uma expressão compatível com sua realidade metafísica. Todo o movimento comunista será forçado a reconhecer isto, afinal, porque os valores mais profundos não podem ser definidos em termos de economia e movimentos históricos.

RELIGIÃO E LIBERDADE

Ver os artigos *Liberdade Religiosa* e *Liberdade Cristã*.

RELIGIÃO E PSICOLOGIA

Ver sobre **Psicologia**, quarta seção.

RELIGIÃO E PSICOTERAPIA

Ver o artigo sobre a **Psicoterapia**.

RELIGIÃO E SOCIOLOGIA

Ver sobre **Sociologia da Religião**.

RELIGIÃO GREGA

Ver sobre **Gregos Primitivos, Religão dos**.

RELIGIÃO HINDU

Ver sobre **Hinduísmo**.

RELIGIÃO JUDAICA

Ver sobre **Judaísmo**.

RELIGIÃO PRÁTICA

Essa expressão indica a prática da religião sem a ênfase sobre dogmas e teologia, com ênfase sobre a prática das boas obras, sobre a promoção da caridade e todas as formas de empreendimento humanitário. Também estão envolvidos o estabelecimento de comunidades religiosas, orfanatos, e as atividades do evangelho social e da obra social da Igreja. A maior parte dessas coisas envolve diretamente a vida diária segundo a lei do amor. Ora, o amor é a própria prova da espiritualidade (ver I João 4:7 ss). Precisamos tanto de uma religião teórica quanto de uma religião prática. Tiago, em sua epístola, ressaltou o lado prático da religião cristã, em sua epístola (ver especialmente Tia. 2:14 ss). Ele falou a respeito da lei real do amor (ver Tia. 2:8).

RELIGIÃO PRIMITIVA

Esboço:
1. Definição Básica
2. Crenças Comuns da Religião Primitiva

1. Definição Básica

Uma religião primitiva é um conjunto de crenças, a conduta influenciada por essas crenças, além dos ritos e costumes que constituem a religião, formal ou informal, de algum povo antigo. Os eruditos conservadores algumas vezes objetam a que se classifique a fé dos hebreus (sobre a qual a fé do Novo Testamento estriba-se parcialmente) de «primitiva». E isso porque tal adjetivo faz com que essa fé pareça ser apenas uma dentre muitas outras religiões de povos antigos, e não uma religião especial, dada mediante uma revelação divina. Porém, essa distinção não é válida. Não precisamos anular a palavra «primitiva» a fim de defender a idéia da revelação divina, que é uma realidade. E nem carecemos supor que nada havia de primitivo, isto é, de não plenamente desenvolvido, na religião hebréia.

A excessiva «cristianização» da fe dos hebreus, por parte dos cristãos modernos, tem apenas tendido por obscurecer aquilo em que os israelitas antigos realmente acreditavam. Essa atitude moderna de alguns faz aquela fé parecer científica e como se sempre estivesse «guardando» fruição na pessoa do Messias. Essa abordagem, apesar de ter algum fundamento, na verdade, obscurece muitas facetas da antiga fé dos hebreus. Para ver ilustrações a respeito, o leitor deve examinar os artigos intitulados *Cosmogonia*, *Cosmologia* e *Criação*, onde encontramos alguns conceitos verdadeiramente primitivos da fé dos hebreus, que têm sido ultrapassados tanto pela ciência quanto pela teologia.

2. Crenças Comuns da Religião Primitiva

a. *O Sobrenatural*. O homem não estaria sozinho; existiriam seres maiores que o homem.

b. A possibilidade de aplacar forças hostis, *divinas ou demoníacas*, através de artes mágicas, rezas, encantamentos, uma certa maneira de vida e sacrifícios, cruentos ou não.

c. *Animismo*. Essa é a crença que os espíritos muito têm a ver com a vida humana, incluindo espíritos de deuses, demônios, seres humanos e animais. Esses espíritos animariam objetos e influenciariam ou possuiriam pessoas e animais. Mesmo em sua forma desincorporada, — eles poderiam ser capazes de influenciar os acontecimentos para melhor ou para pior. Essa crença algumas vezes inclui a noção que tais espíritos procuram viver vidas parecidas com as vidas humanas, podendo até envelhecer e, finalmente, morrer. Provavelmente, essa noção alicerçava-se sobre a observação que os «fantasmas» tendem por diminuir e desaparecer.

d. Os *shamans* (tipos de sacerdotes especializados no controle de espíritos) são os cabeças das sociedades com crenças animistas. Deles espera-se que tenham sabedoria, poderes espirituais de curar e de fazer o mal, dotados de visões e sonhos para efeito de orientação, etc. Em algumas culturas, espera-se que esses shamans tenham um espírito-guia que ajude a comunidade toda. A palavra *shaman* vem de um termo russo que significa «asceta».

e. *Poderes Sobrenaturais Impessoais*. Algumas vezes esses são os poderes temidos pelas pessoas, e que estas tentam aplacar, nas culturas onde o animismo não é bem desenvolvido. Esse tipo de fé algumas vezes chama-se *animatismo*, uma palavra cunhada para distinguir essa crença do *animismo*. Esses poderes sobrenaturais impessoais, que também existiriam próximos do homem, embora de maneira menos definida do que no caso do animismo, são chamados *mana*, que é um termo genérico. Tudo quanto for extraordinário, provocativo ou temível, capaz de inspirar respeito ou veneração, constitui o *mana*. O mana sobrevém a um homem quando este está condicionado para realizar algum feito extraordinário, que esteja acima de seus poderes normais. O mana é uma espécie de poder dos deuses, que não chega a ser definido.

f. *Politeísmo*. Essa crença concebe uma hierarquia de deuses, havendo «deuses superiores» que seriam os principais controladores da vida humana. Esses deuses primários tornam-se objeto de veneração, e não meramente de temor. Em alguns sistemas, aparece um Ser supremo que figura como criador, o que indica uma certa aproximação ao henoteísmo, se

RELIGIÃO — RELIGIÃO ROMANA

não mesmo do monoteísmo.

g. *Mitologias* diversas existem, na tentativa de explicar a origem e o destino, além de outras características da natureza e da vida humana.

h. *Elementos Especiais*. Entre esses estão os ritos, as festividades religiosas, os sacrifícios, os exorcismos, as rezas, os encantamentos, as artes mágicas, coisas essas que emprestam a essas religiões uma espécie de função eclesiástica. Nessas sociedades, a *mágica* (vide) com freqüência é uma questão importante, por meio da qual pensam muitos que o ser humano é capaz de controlar seu meio ambiente hostil, obtendo resultados positivos de maneira geral. Usualmente, os *tabus* (vide) fazem parte do quadro. Certos atos e alimentos são proibidos. A quebra de um tabu prejudica e põe em perigo os violadores.

i. *Veneração aos antepassados*, como também a adoração a animais, ao sangue, o fetichismo, a veneração a ídolos, os sacrifícios humanos e de animais, todas essas são coisas que fazem parte das atitudes das religiões primitivas.

RELIGIÃO RELACIONADA À FILOSOFIA
Ver o artigo **Filosofia e a Fé Religiosa**.

RELIGIÃO ROMANA
Esboço
A. Alicerces Itálicos
B. A Religião da Cidade de Roma
C. A Invasão Grega
D. Cultos Orientais
E. Adoração a César
F. A Religião Romana e o Cristianismo

Observações Iniciais

1. *A Palavra*. Quanto a uma completa definição dessa palavra e seus usos, ver o artigo *Religião*, primeira seção. Essa palavra é de origem latina. Provavelmente originou-se na idéia do senso de respeito pelo *numen*, ou vontade divina, envolvendo as obrigações correspondentes. No início, *numen* significava um aceno com mão, e, por extensão, uma *ordem* ou *mandamento*. Com o tempo passou a indicar um ser divino, e, em conseqüência, a vontade de um deus ou dos deuses. A forma plural, **numina**, adquiriu o sentido de «espíritos».

2. As *numina* atraíram a atenção dos romanos primitivos, em paralelo com vários povos antigos, em sua cultura mais antiga, formando-se assim uma fé religiosa animista. Quanto aos vários tipos de religião ou de expressão religiosa, ver sobre *Religião*, terceira seção, onde alistamos e descrevemos os oito tipos.

3. *Os Lares*. Ver o artigo separado sobre esse assunto. Cada lar romano tinha os seus próprios *lares* (espíritos dos campos) e os seus próprios *penates* (espíritos da copa). Esses espíritos eram representados por meio de imagens.

Os primórdios simples nessa forma de religião logo se tornaram complexos, mediante sistemas elaborados. O resto deste artigo aborda a questão.

A. Alicerces Itálicos

A religião indígena básica de Roma tomou forma inicial na comunidade agrícola, patriarcal e primitiva da qual emergiu Roma. Sua natureza e forma eram similares às religiões das tribos itálicas circunvizinhas, as tribos oscas e úmbrias, que se acumulavam no espaço em redor do rio Tibre, que o povo latino ocupava. A primitiva religião romana, conforme se depreende de escritos como o *Fasti* de Ovídio, além de outros, era uma religião animista, reconhecendo a divindade em presenças espirituais, e não em deuses antropomórficos. Esses espíritos habitariam em coisas naturais como os rios, os bosques, as fontes de água. Tinham o poder de ajudar ou prejudicar, e a presença deles era sentida no senso de respeito que a alma humana sente diante da força, da beleza ou da beneficência da natureza. Ver sobre o *Animismo*, que adora as forças da natureza, em vez de adorar ao Deus da natureza. Nisso os romanos primitivos chegavam a mostrar-se ridículos. Netuno deriva seu nome da palavra itálica que significa «água». Portuno era o deus tutelar dos «portos». A casa estaria cheia dessa presença. Jano era o espírito da «porta» (*ianua*). Vesta era a deusa da «lareira», pois a raiz do nome dessa deusa significa «queimar». Os penates eram os guardiães do alimento guardado (*penus*). E assim por diante. No culto popular moderno, que a Igreja Católica Romana observa, transferindo para seus «santos» (vide), a adoração que era dada a divindades pagãs, vemos reflexos dessa antiga veneração animista, incluindo seus ritos rurais e as datas de suas festividades.

B. A Religião da Cidade de Roma

As festividades rurais, quando Roma se tornou a cena central e absorvedora da vida latina, foram mantidas, embora com novas significações apropriadas. Júpiter, o antigo deus dos juramentos, tornou-se o deus da justiça interna; Marte, um deus da agricultura, tornou-se o deus da guerra. Evolução importante foi quando o antigo culto, antes nas mãos dos chefes de família, foi aproveitado pelo Estado, tendo em vista seus próprios usos. Um grande templo foi erigido na colina Capitolina—o centro da nova Roma—onde foi estabelecida uma tríada divina que simbolizava a majestade religiosa do Estado. No início essa tríada compunha-se de Júpiter, Quirínio e Marte, mas depois, sob a influência dos etruscos, essa tríada passou a compor-se por Júpiter, Juno e Minerva. O Estado também criou uma hierarquia, composta pelos *flamínios*, para servirem as principais divindades, pelo colégio dos *pontífices* ou «sacerdotes», associados a muitos dos ritos secundários, e pelo sumo pontífice, «sumo sacerdote», que era o guardião da lei sagrada e conservava em segredo o calendário religioso, que ele só podia revelar ao povo mês após mês. Essa é a base do sistema hierárquio da Igreja Católica Romana, adaptado quando o cristianismo sobrepujou ao paganismo, mas moldado sobre este último, e não sobre aquele. O Novo Testamento não reconhece «sacerdotes» como uma classe distinta dos «leigos». O sacerdócio de todos os crentes é o claro ensino neotestamentário. Ver I Ped. 2:5; Apo. 1:6; 20:6. Muito menos ainda o Novo Testamento reconhece uma hierarquia sacerdotal. O sistema ministerial cristão reconhece quatro variedades de trabalho ministerial, não em escala hierárquica, mas complementares: apóstolos, profetas, evangelistas, pastores. Esses ministros se ocupam da Palavra. Os diáconos se ocupam mais do aspecto material do ministério, embora também possam ser pregadores. Ver Efé. 4:11 e a narrativa sobre Estêvão, em Atos 6 e 7, sobretudo 6:10. É verdade que o ministério das igrejas protestantes e evangélicas não acompanha de perto esse esquema neotestamentário, porquanto deriva-se muito mais das decisões dos Reformadores do século XVI, que reagiram contra a idéia hierárquica de Roma, com seus muitos títulos, e reduziram o ministério protestante a somente pastores e diáconos. Ver sobre o *Ministério Cristão*.

C. A Invasão Grega

Houve tempo em que a península itálica era chamada de *Magna Grécia*. Ali muitas cidades têm origem claramente grega. Isso significa que, desde o

RELIGIÃO ROMANA

começo de Roma, houve intercâmbio cultural entre tribos itálicas e helênicas. Porém, depois que as tropas romanas invadiram a Grécia, bem como muitas regiões que haviam sido colonizadas pelos gregos, a cultura grega «cativou sua feroz conquistadora», no dizer de Horácio (*Epístola* 2.1.156). Essa invasão da cultura grega incluiu não somente aspectos como a arte e a literatura, mas fez-se sentir até mesmo no campo religioso, quando a religião romana tomou uma direção nitidamente antropomórfica, segundo o gosto dos gregos. Em suas características, fundiram-se as divindades romanas e gregas: Júpiter e Zeus; Juno e Hera; Netuno e Poseidon; Marte e Ares; Minerva e Atena; Mercúrio e Hermes; Diana e Artemis, etc. Nos escritos de Ênio (238-169 A.C.) e de Plauto (251-184 A.C.), dois dos mais antigos autores romanos, cujas obras chegaram até nós, esse processo de identificação já aparece quase completo. A despeito dessa identificação de nomes, no panteão romano, foram mantidos os cultos italianos, provenientes da primitiva antiguidade, e continuaram a ser servidos pelo sacerdócio aristocrático. Tudo consistia em um sincretismo de idéias religiosas mais antigas e mais recentes, em uma confusão tal que, segundo muitos comentadores, esse sincretismo contribuiu pesadamente para o profundo ceticismo que prevalecia na sociedade romana, no final da era republicana. O único elemento ao qual podemos, com razão, adjetivar de «religioso», era o elemento supersticioso, que até hoje não abandonou as populações italianas.

Embora as questões filosóficas não façam parte das considerações deste artigo, não há que duvidar que, dentro de tão confusa situação religiosa, a filosofia fosse uma espécie de religião para os romanos mais especulativos. Isso explica o grande sucesso de idéias filosóficas, como o estoicismo (vide) e o epicurismo (vide), na Roma imperial. E, pouco depois, veio **juntar-se a isso**, ainda um outro ingrediente, na tentativa de satisfazer o faminto e estéril espírito romano, inteiramente desapontado com as suas próprias divindades e conceitos religiosos, a saber, os cultos orientais.

D. Os Cultos Orientais

A extraordinária capacidade de absorção dos romanos, que nunca se mostraram muito criativos, mas cujo sincretismo religioso era simplesmente proverbial, foi sendo alimentada cada vez mais, conforme o império ia-se expandindo geograficamente, e um número cada vez maior de divindades estrangeiras encontrava aceitação no hospitaleiro panteão de Roma. As religiões de «mistério», com seus ritos de fertilidade e suas cerimônias só para os iniciantes, deixaram os romanos fascinados. É que essas religiões vinham preencher um vácuo no espírito romano, com sua religião tão despida de características atrativas. O próprio Estado, terminada a Segunda Guerra Púnica, em 204 A.C., introduziu o culto orgiástico da grande mãe Cibele, natural da Frígia, na Ásia Menor. Esse culto, servido por sacerdotes que dançavam freneticamente, ao ritmo de tambores, com estranhos e horrendos ritos de mutilação e êxtases, conquistou os romanos, por assim dizer, da noite para o dia. Mais tarde, de 88 a 63 A.C., os legionários romanos encontraram Ma, a deusa da Capadócia, com o seu ritual de batismo em sangue de bois. Do Egito, as tropas romanas trouxeram o culto a Ísis, com seus jejuns e seu drama de ressurreição. Esses cultos estrangeiros chegaram a arraigar-se de tal modo nas preferências dos romanos que Augusto, ao procurar restaurar os cultos italianos mais primitivos, ao menos em **sua forma grego-romana**, não obteve bom êxito. De fato, o senado romano, cerca de cem anos antes, havia tentado suprimir o culto orgiástico de Dionísio. Mas, habitualmente, esses cultos enfrentavam a supressão tornando-se subterrâneos e isso atraía ainda mais os supersticiosos e crédulos romanos. O mitraísmo, ou culto a Mitra, proveniente da Pérsia, era mais sério, não se podendo classificá-lo como ignóbil. Ver sobre o *Mitraísmo*. Porém, essa foi uma das poucas exceções. Na maioria das vezes, as religiões orientais importadas eram moralmente prejudiciais.

E. Adoração a César

A adoração ao imperador é abordado em um artigo separado, com esse título. Basta-nos acrescentar aqui que essa adoração era tanto ao espírito de Roma como à pessoa do imperador, que encarnava esse espírito. Também deve-se dizer que se esse conceito tinha origem na deificação dos déspotas do Oriente, igualmente tinha raízes no antigo conceito italiano das abstrações deificadas, ou animismo. Se os cultos misteriosos, com sua forte carga emocional, eram devidamente desafiados pelo cristianismo, as especulações monoteístas dos filósofos, de Cícero, de Sêneca, de Epicteto e até de Marco Aurélio, ao nível social e político, satisfaziam-se com o culto ao imperador. Isso posto, a fé cristã chegou a uma sociedade romana faminta, insegura e insatisfeita, que se estava desintegrando moralmente, em meio à mais absurda confusão religiosa.

F. A Religião Romana e o Cristianismo

Neste sexto ponto queremos esclarecer como a atitude do império romano para com o cristianismo, a princípio amigável ou mesmo indiferente, terminou resultando em um terrível conflito, ao ponto que o simples fato de que, ser cristão, era considerado um crime. E também como, não podendo vencer o seu adversário, o império achou por bem absorver esse adversário, o cristianismo, tornando-o seu, em um novo sincretismo tipicamente romano. Para começar, diríamos que a principal questão envolvida nesse conflito entre o império romano e o cristianismo era que, à medida que este se fortalecia, aquele se debilitava. E as autoridades romanas, naturalmente, reagiram a isso, ou perseguindo os cristãos, ou finalmente, oferecendo-lhes proteção imperial, para melhor controlá-los. Dividiremos este sexto ponto por etapas que seguem os desenvolvimentos históricos naturais.

a. *Até à Morte de Nero* (68 D.C.). Visto que os primeiros cristãos nem imaginavam separar-se da sinagoga judaica, para as autoridades romanas, no começo o cristianismo parecia apenas um dos ramos da fé judaica. Ora, o judaísmo era uma *religião lícita*, isto é, uma religião estrangeira tolerada no império. Para os romanos, o cristianismo a princípio deve ter parecido apenas um judaísmo reformado e mais espiritual. Assim, as primeiras perseguições contra os cristãos foram todas movidas pelo judaísmo. Quando os judeus acusaram os cristãos, o governo imperial não só se recusou a dar ouvidos a essas acusações, mas também protegeu aos cristãos, livrando-os até mesmo da violência da população (ver Atos 21:31 s). Foi somente na época de Nero que o governo romano tomou o primeiro passo hostil contra os cristãos, a fim de desviar da pessoa do imperador as suspeitas populares de que ele mandara incendiar Roma. Depois disso, as acusações passaram a ser que os cristãos eram hostis ao gênero humano e eram culpados de praticar artes mágicas. A partir daí, o cristianismo passou a ser considerado uma *religião ilícita*, aos olhos dos governantes romanos.

b. *O Período Flaviano* (68-96 D.C.). Durante esse período, o governo imperial não assumiu nenhuma

RELIGIÃO ROMANA

atitude uniforme de hostilidade aos cristãos. Contudo, os imperadores flavianos não podiam evitar de seguir o precedente estabelecido por Nero. Tito em coisa alguma alterou essa atitude governamental, mas Domiciano, seu irmão, aparece proeminentemente como perseguidor dos cristãos, durante esse período histórico, tal como Nero o fora durante o período anterior. Não obstante, Domiciano entrou em choque com o cristianismo muito mais por causa de seu esforço em prescrever as religiões orientais e em dar novo impulso à religião nacional. Por isso, foi criada a alegação de que os cristãos eram *ateus*, no sentido de que eles não aceitavam adorar os deuses romanos. Foi o mesmo Domiciano quem criou um teste fácil de ser aplicado para detectar os cristãos e facilitar os inquéritos contra eles. Esse teste consistia em requerer dos cristãos a adoração ao *gênio* do imperador, o que, naturalmente, os cristãos convictos se recusavam a fazer. A política de Domiciano, além disso, era impor o seu título de *dominus et deus*, «senhor e Deus». Como é óbvio, os cristãos, leais à divindade e senhorio de Cristo, nunca aceitariam título tão blasfemo, com tudo quanto o mesmo subentendia. O livro de Apocalipse reflete os sofrimentos da Igreja cristã durante o reinado de Domiciano.

c. *O Período Antonino* (96-192 D.C.). É fato curioso que alguns dos melhores imperadores romanos perseguiram aos cristãos, como Trajano, Marco Aurélio, Décio e Diocleciano, ao passo que alguns dos piores dentre eles deixaram os cristãos em paz, como Cômodo, Caracala e Hiliogabalo. Foi durante o reinado de Marco Aurélio (161-180 D.C.) que a perseguição contra os cristãos estendeu-se à Gália e ao norte da África—um passo mais na direção da perseguição geral contra os seguidores de Jesus Cristo, conforme se viu no século seguinte. Por essa altura dos acontecimentos, as autoridades romanas irritavam-se sobretudo contra o que lhes parecia a obstinação dos cristãos, que não queriam largar sua «pertinaz superstição», conforme diziam. Para essas autoridades, bastaria isso para que os cristãos fossem considerados dignos de castigo. No entanto, até esse ponto da história os imperadores não perseguiam aos cristãos como uma norma fixa de seu governo.

d. *As Muitas Dinastias, de 192 a 311 D.C.* Nesses cem anos e um quarto, mais de vinte homens vestiram a púrpura real, quase cada um deles de uma dinastia diferente. Foi um período um tanto confuso para o império. Os cristãos tiraram proveito da situação para se multiplicarem e se propagarem pelo império. Quando subiu ao trono o imperador trácio, Maximiano, houve perseguições localizadas contra os cristãos. Foi o imperador Décio (249-251 D.C.) quem lançou a primeira perseguição geral contra os cristãos, isto é, envolvendo todas as províncias do império. A política imperial estava então calcada sobre duas normas básicas: 1. a profissão cristã, por si só, não resultava em sentença de morte para alguém, pois todos os meios eram empregados pelas autoridades romanas para convencer os cristãos a se retratarem de suas idéias religiosas; a execução só ocorria no caso dos recalcitrantes. 2. As autoridades romanas já haviam reconhecido a força da organização dos cristãos, pelo que os seus esforços dirigiam-se, principalmente, contra os oficiais da Igreja. Interessante é observarmos, incidentalmente, que a Inquisição, uma medida radical tomada pela contrarreforma católica romana, que começou cerca de doze séculos depois da perseguição geral movida por Décio, empregava exatamente essas normas. Ver sobre a *Inquisição*.

Voltando aos imperadores romanos, tal como outros perseguidores do cristianismo, Diocleciano foi um dos governantes romanos mais capazes. A princípio, ele não queria perseguir aos cristãos; porém, quando o fez, mostrou-se muito duro, procurando mesmo o extermínio deles. Houve alguns editos de sua autoria contra os cristãos. Um deles visava a debilitar a Igreja em expansão. Bíblias foram destruídas e assembléias cristãs foram fechadas. Um outro edito voltava-se contra a organização eclesiástica dos cristãos. Um terceiro oferecia a chance de escapar da morte aos cristãos que se retratassem, embora também procurasse compeli-los à submissão, mediante torturas físicas, se eles se mostrassem insubmissos. Isso mostra-nos o desespero do governo imperial, já inteiramente batido no campo das idéias. Finalmente, convencido da inutilidade de suas medidas, Diocleciano acabou suspendendo a pena de morte contra os cristãos (304 D.C.). Isso, paralelamente à sua abdicação ao trono, no ano seguinte, conforme muitos comentadores têm dito, mostra-nos que ele reconheceu sua derrota, diante do Mestre da Galiléia. O primeiro edito geral de tolerância aos cristãos teve lugar a 30 de abril de 311 D.C., da parte de Galécio, Constantino e Licínio.

e. *Do Primeiro Edito de Tolerância até à Queda do Império Romano do Ocidente* (311-466 D.C.). Face ao edito de tolerância, em 311 D.C., o cristianismo foi, finalmente, declarado *religião lícita*, embora isso ainda não lhe tivesse dado posição de igualdade com o paganismo oficial. Não demorou, porém, que essa igualdade também fosse reconhecida. E, finalmente, com a fundação da nova capital do império, Constantinopla, o cristianismo tornou-se, virtualmente, a religião oficial do império romano—em uma aliança que teve conseqüências desastrosas para a pureza e para a unidade do cristianismo. Em primeiro lugar, porque, ao entrarem em aliança com Constantino, os cristãos estavam dando a César o que pertencia a Deus, reduzindo o cristianismo a uma religião deste mundo. E, em segundo lugar, porque essa secularização imediatamente fez o cristianismo transformar-se em uma religião intolerante e perseguidora, inspirada que estava pela intolerância imperial.

Os filhos de Constantino herdaram a natureza cruel de seu pai, e agora de mistura com um cristianismo apenas nominal. Se Constantino deixara o cristianismo e o paganismo em um mesmo nível, o que se prova facilmente pelo fato de que aquele imperador nunca desistiu dos títulos pertinentes ao sumo sacerdócio da religião pagã, que eram privilégios dos imperadores romanos, os seus filhos, por sua vez, lançaram-se à inglória tarefa de tentar exterminar o paganismo, mediante a violência, isso em nome de Cristo. Não demorou para que o cristianismo oficial se transformasse em um poder que apelava para o vandalismo. As turbas cristãs tomavam de assalto os templos pagãos e se apossavam de seus bens, liderados por líderes cristãos fanáticos. Realmente, no império romano do Ocidente, o paganismo, daí por diante, foi perseguido pela Igreja oficial até o fim, e a sua derrubada definitiva foi apressada pela extinção do império ocidental, em 476 D.C. Por sua vez, Justiniano, no império romano oriental, fechou as escolas pagãs de filosofia, em Atenas (529 D.C.), tendo mesmo proibido, despoticamente, a adoração pagã, mesmo em particular, sob pena de morte.

Teria vencido o cristianismo e sido derrotado o paganismo? A verdade dos fatos é outra. As populações inquietas do império romano não se haviam convertido a Cristo. O que havia sucedido era que a Igreja oficial secularizava-se a tal ponto que foi

RELIGIÃO — RELIGIÕES COMPARADAS

por ela abandonado o requisito bíblico da conversão (arrependimento e fé em Cristo), em troca da mera aceitação de lábios. Espiritualmente falando, o que estava ocorrendo era o maior plantio de joio, em meio ao trigo (ver Mat. 13:24-30) que, provavelmente, já houve na história.

O paganismo romano já representava o sincretismo de noções religiosas itálicas e gregas com o judaísmo, com as religiões orientais e com as idéias filosóficas gnósticas, e a isso veio juntar-se um verniz de cristianismo, com muito tempero ariano. (Ver sobre o *Gnosticismo* e sobre o *Arianismo*). Não foram Constantino e nem Teodósio (vide) que deram fim à religião pagã romana. Esses e outros imperadores romanos do Ocidente e do Oriente somente deram uma nova feição ao paganismo romano, pressionados que estavam sendo por considerações políticas, porquanto o cristianismo, na época deles, era uma força que não podia deixar de ser ouvida no governo do império romano.

RELIGIÕES, TIPOS DE

Ver sobre **Religião**, seção III, **Tipos de Religião**.

RELIGIÕES COMPARADAS

Ver sobre **Rationales Seminales (Logoi Spermatikoi)**

Esse é o estudo das várias religiões do mundo para que se averigue o que é similar ou diferente nas mesmas. Por extensão, também pode estar em pauta o estudo das crenças de várias denominações, dentro de um único sistema religioso, para que se verifique como a fé é diversamente interpretada. Durante quatro anos fiz estudos bíblicos e teológicos, mas não recebi qualquer aula de religiões comparadas, exceto de modo negativo. Eram feitos estudos de outras fés, mas apenas com o intuito de criticar, e não com a esperança de descobrir novos aspectos da verdade. Realmente, o estudo negativo, no campo das religiões comparadas, no caso de muitas pessoas religiosas, é a única motivação que as leva a estudar as outras religiões. Deixo aqui registrado que essa é uma maneira errada, míope e prejudicial de estudar as religiões, nada tendo a ver com a verdadeira defesa da verdade. Ver os artigos sobre a *Comunidade de Inquirição* e sobre a *Comunidade de Interpretação*, quanto a algumas razões dessas minhas afirmações. Quando aprendi a abordar os ensinos de outras denominações cristãs, ou os ensinos de religiões não-cristãs, com o propósito de aprender, e não com o intuito de criticar, então descobri, em muitos casos para minha grande surpresa, que podemos obter desse estudo muitos discernimentos importantes. Meu próprio conhecimento e minha fé têm sido enriquecidos mediante o estudo das religiões comparadas. Uma das descobertas que podemos fazer é que alguns grandes princípios básicos percorrem todas as fés religiosas, embora expressos mediante um vocabulário diferente. Sou forçado a concordar aqui com a opinião dos pais gregos da Igreja que diziam que as sementes da verdade foram semeadas por toda a parte pelo *Logos*, o qual tem uma expressão universal, e não atua somente através de uma fé religiosa. A lei foi dada a Israel como mestre-escola, para conduzir os judeus a Cristo. A melhor porção da filosofia grega, sobretudo a filosofia de Platão, também foi dada aos pagãos como um mestre-escola, para levá-los aos pés de Cristo. É claro que a filosofia fez isso em termos, pois apenas fê-los anelar pela revelação divina, que é desfrutada por meio de Cristo. O mesmo princípio pode ser aplicado a outras filosofias e religiões. Não devemos olvidar que os processos remidores e restauradores são realmente milenares, não sendo limitados nem pela morte biológica e nem por qualquer era particular da história humana. Antes, transcendem a todas essas coisas (I Ped. 4:6 e Efé. 1:10).

Sendo esse o caso, o *Logos* pode mostrar-se ativo em muitos lugares e através de muitos sistemas, em sentido preparatório. A *unidade* é o alvo final de toda essa atividade, conforme aprendemos em Efésios 1:10. Em toda a nossa busca, a lei do amor, e não a lei da hostilidade, deve governar os nossos passos. Essa é uma lição difícil de ser absorvida, pois as denominações cristãs promovem ativamente o *ódio*, a fim de defenderem os seus respectivos sistemas. Tenho sido testemunha de muitas controvérsias e divisões eclesiásticas. Certo professor que tive, na faculdade teológica em que estudei, em meio a certa controvérsia particular declarou: «A melhor coisa que esta denominação poderia fazer seria jogar fora todos os seus mimeógrafos!» Ele disse isso porque cada facção em luta estava atacando as outras mediante material duplicado em seus mimeógrafos. Porém, a verdade é que os conflitos começam na mente dos homens. Se tivermos de opor-nos a outro sistema ou a outra pessoa, cujas idéias são diferentes das nossas, deveremos fazê-lo impulsionados pelo espírito do amor, deixando de lado toda a hostilidade. Convém que escolhamos nossas palavras a fim de edificar, e não a fim de antagonizar.

Os **estudos comparativos** deveriam começar pela **expectação da descoberta**, e não pelo intuito de defender a minha posição e de derrubar a posição contrária. Nas mãos dos céticos, o estudo das religiões comparadas com freqüência é feito a fim de descobrir coisas que podem ser usadas para desacreditar a fé religiosa em geral. Essa é uma outra abordagem negativa do assunto. E não precisamos procurar por muito tempo para descobrir coisas absurdas nas religiões. No entanto, esses «absurdos» geralmente não anulam os discernimentos que elas têm recebido quanto à verdade. O princípio do Ser divino e da existência da alma e sua sobrevivência ante a morte biológica, juntamente com a lei do amor, são doutrinas cardeais da maioria das religiões. O budismo é criticado como uma fé baseada no ateísmo. É verdade que certas formas de budismo não promovem a doutrina de Deus, e que, mediante omissão, isso poderia ser considerado ateísmo. Porém, devemo-nos lembrar que Buda foi um filósofo ético, que não se atirou à tarefa de examinar as grandes questões metafísicas. Assim sendo, quando abordamos o budismo, devemos lembrar que, no mesmo, devemos procurar entender os princípios éticos, e não entrar em questões metafísicas especulativas. Se assumirmos essa abordagem, poderemos aprender muito. Se você não acredita nisso, leia o meu artigo sobre o *Budismo*. Tenho estudado o budismo a fim de aumentar os meus conhecimentos, e não para tornar-me um budista. Há excelentes pontos sobre a alma e sua busca, derivados do budismo. Suas múltiplas veredas de expressão são muito instrutivas, acrescentando algo ao nosso conhecimento sobre os *meios* do desenvolvimento espiritual. Posso extrair pontos valiosos do hinduísmo, sem que eu me torne hindu, e sem sentir-me forçado a criticar o hinduísmo. Assim sendo, meu leitor ou ouvinte (conforme o caso), pode estar certo de que não estou sendo convertido a essas religiões! Posso mostrar apreciação pela defesa fanática da existência da alma, demonstrada pelo espiritismo, juntamente com a sua insistência sobre a prática da caridade, sem tornar-me espírita. Posso salientar a longa história das

RELIGIÕES MISTERIOSAS

contribuições que a Igreja Católica Romana tem feito para a fé e a civilização, sem tornar-me um católico romano. Satisfaço-me com a informação de que Roma conseguiu manter de pé a civilização ocidental, tornando-se a fonte de toda a cultura e educação durante a Idade Média, pelo espaço de mil anos, sem pôr em dúvida a **justiça da Reforma** protestante do século XVI. Também não preciso rosnar contra os católicos e os protestantes para que o meu leitor fique certo de que não estou esquecendo qualquer erro, em minha busca pela verdade. Podemos encontrar muitos erros, na doutrina e na prática, de *todas* as denominações cristãs e de *todas* as religiões do mundo. Somente as pessoas mais arrogantes poderiam negar esse fato. Porém, nada ganhamos por entrar em guerra o tempo todo. Certo ex-padre católico romano, quando fala em público, mostra-se cheio de consideração com os outros. Porém, quando senta-se por trás de sua máquina de escrever, deixa-se impulsionar por um espírito tão iracundo que sua máquina chega a fumaçar! Há evidências de que, antes de sua conversão ao evangelho, ele fumaçava contra os protestantes! Infelizmente, em alguns círculos religiosos, é considerado uma *virtude* cristã cuspir bolas de fogo! Porém, penso que o homem espiritual vai aprendendo a moderar essa tendência humana, à medida que ele amadurece.

Os *historiadores*, algumas vezes, caem no erro de afirmar, em seus estudos comparativos de religiões, que a fé religiosa é apenas uma parte do processo histórico, nada tendo de divino na mesma. Os *filósofos* talvez façam outro tanto, ao traçarem as linhas comuns da crença religiosa, que se manifestam nas várias fés religiosas do mundo. Os crentes *extremamente fundamentalistas* podem perder de vista o valor que podemos derivar desse estudo, ao insistirem sempre que aquilo que eles sabem, automaticamente precisa ser certo, não estando sujeito a qualquer aprimoramento. Eles também mostram-se absurdos quando concebem o *Logos* divino, Jesus Cristo, a operar exclusivamente através da fé cristã. Neste preciso instante, tenho aberto diante de mim, um volume de dicionário teológico, de tendências fundamentalistas, onde encontro, de tantas em tantas linhas, uma advertência contra o liberalismo teológico, ou acerca do estudo das religiões comparadas, embora admita que esse estudo «não seja destituído de certo interesse e valor».

Ainda recentemente, um bem conhecido pregador pelo rádio e pela televisão declarou publicamente que Deus nunca ouve as orações dos judeus! Mas a sua Bíblia, o tempo todo, contém o Antigo Testamento. E todos pensamos que os livros do Antigo Testamento são uma mui significativa contribuição à fé religiosa. Porventura Deus teria uma tão fraca audição quanto a declaração daquele pregador quer dar a entender?

No século XIX, começou a surgir o que veio a ser chamado de Ciência das Religiões Comparadas. Essa novel ciência acompanha a história das religiões; classifica itens teológicos, filosóficos e éticos; tenta fazer comparações e contrastes, e, de modo geral, expõe a substância e as subcategorias das idéias religiosas. O método científico é aplicado, até onde é possível, nesse tipo de estudo. Teoricamente, aborda esse campo desarmado de pressupostos, busca todos os fatos e aplica as ciências paralelas da arqueologia, da antropologia, da lingüística, da teologia, da filosofia, da sociologia, da psicologia e da história. Reúne os fatos, relaciona os mesmos, classifica-os quanto à sua origem, natureza e desenvolvimento, e então declara: «Nisto consiste a religião». Esse estudo não têm satisfeito a todas as esperanças relacionadas ao mesmo. A Encyclopaedia Britanica, apesar de conter estudos de anatomia comparada, de psicologia, de filologia, e de outras ciências, não tem nenhum artigo sobre religiões comparadas. Isso, por si mesmo, serve de indicação do pioneirismo desse tipo de estudo. Quantas escolas teológicas no Brasil têm um curso sério sobre o assunto, ou ao menos incluem a matéria em seu currículo, de maneira significativa? A maioria desses seminários propagam ativamente suas próprias doutrinas limitadas, pelo que não estão interessados em cursos sérios sobre esse assunto. Um interesse menos preconcebido pela verdade haveria de encorajar os seminários evangélicos a incluírem estudos de *Religiões Comparadas*.

RELIGIÕES MISTERIOSAS (DOS MISTÉRIOS)

Esboço:
Introdução
Palavras e Caracterização Geral
I. Lista das Religiões Misteriosas (dos Mistérios)
II. Qual a Relação entre essas Religiões e o Cristianismo?
III. Contribuições

Introdução
Palavras e Caracterização Geral

1. *A Palavra-Chave*. O termo básico grego é *mústes*, «iniciado nos mistérios». O vocábulo grego *mustérion* significa «mistério», «rito secreto», «doutrina secreta». Essa mesma palavra grega no plural, *mustéria*, aponta para os «mistérios», as celebrações religiosas secretas, os ritos e as doutrinas inescrutáveis. Ao que parece, esse termo, com tal sentido, foi usado pela primeira vez, dentro do contexto cristão, na obra *Dionysius Areopagitica*, do *pseudo-Dionísio* (vide). O vocábulo *mistério* deriva-se da palavra grega *múo*, «fechar os olhos», criando assim o senso do misterioso.

2. *Caracterização Geral*. A expressão *religiões misteriosas* relaciona-se àquelas formas religiosas que incorporam doutrinas esotéricas, ritos e cerimônias secretas de iniciação, e que existiam no mundo helênico, mais ou menos na época das conquistas militares de Alexandre, o Grande, e daí por diante, até os primórdios do cristianismo. Esses cultos eram enormemente populares no tempo de Jesus Cristo, e os eruditos não têm dificuldade alguma por encontrar palavras tomadas por empréstimo dos mesmos, nas páginas do Novo Testamento, como *pléroma*, «plenitude», e a própria palavra *mustérion*, «mistério». Algumas citações dos escritos dos antigos pais da Igreja, como Clemente de Alexandria e Orígenes, mostram que alguns dos primitivos cristãos pensavam que o cristianismo é a grande e autêntica religião misteriosa, visto que trouxera à luz as esperanças e os alvos das religiões misteriosas, onde essas esperanças e alvos eram traçados de maneira muito vaga e imperfeita.

As religiões misteriosas eram, essencialmente, religiões que falavam em redenção, oferecendo aos iniciados a libertação dos problemas do mal, das condições terrenas e suas limitações. Essa libertação deveria ser obtida mediante a aderência fiel aos ritos prescritos. Após longas e árduas purificações, os iniciados seriam guindados à vida própria dos deuses, ou a alvos espirituais de alguma daquelas diversas seitas.

A possessão de um conhecimento secreto e a observância dos ritos determinados supostamente eram medidas que asseguravam um estado de bem-aventurança aos devotos, tanto agora como na

RELIGIÕES MISTERIOSAS

vida após-túmulo. Os mistérios gregos, frígios, sírios, egípcios e persas são os que mais interessam aos estudiosos. E, naturalmente, o gnosticismo sofreu poderosamente a influência desses cultos, tendo incorporado, em seu sistema, aspectos daquelas crenças. Quase todas aquelas religiões misteriosas giravam em torno da idéia de salvadores que morriam e voltavam à vida. Essa aspiração, entretanto, só teve cabal cumprimento na vida, na morte e na ressurreição de Jesus, o Cristo. Entretanto, aquelas doutrinas esotéricas apelavam para um profundo e crescente senso de necessidade de alguma experiência religiosa pessoal, bem como da salvação futura da alma, como algo essencial para o ser humano. Foi precisamente por esses motivos que essas religiões floresceram tão espetacularmente no mundo antigo, durante alguns séculos.

1. Lista das Religiões Misteriosas (dos Mistérios)

1. *Os Mistérios Eleusianos*. Esse nome deriva-se de Eleusis, perto de Atenas, na Grécia, onde estava o santuário central dessa fé misteriosa. Essa religião estava alicerçada sobre mitos associados às deusas Demeter (a Ceres dos romanos) e Persefone (a Proserpina dos romanos), filha da primeira. Para esses mistérios pareciam muito importantes as estações do ano em sucessão, o renascimento da vida na primavera, e daí derivava-se a idéia de renascimento pessoal. Nessa religião encontramos o drama da descida ao hades, da subida do mesmo, e, subseqüentemente, da vida eterna. Persefone teria sido arrebatada para o hades. Isso teria causado a Demeter uma profunda tristeza. A fim de aliviar-lhe a tristeza, Zeus (o Júpiter dos romanos) arranjou as coisas de modo a devolver Persefone à sua mãe, por oito dos doze meses de cada ano. Os quatro meses que ela ficaria no hades corresponderiam aos meses de inverno, quando as coisas morreriam à face da terra. Mas, então, a vida retornava, quando Persefone era devolvida à sua mãe, que então cessava em suas lamentações. Essa história era o ponto central dos mistérios eleusianos. Em imitação a Persefone, os iniciados precisavam descer ao hades e, então, ainda emulando-a, deveriam voltar à vida. Ao ascender ao hades, os iniciados atingiriam uma resplandecente luz, a luz da imortalidade. Portanto, para essa fé, um ponto cêntrico era a descida ao hades e a derrota do mesmo, quando o indivíduo dali escapava. Isso tornou-se um dos motivos universais das religiões do mundo, e o cristianismo, como é claro, também inclui uma descida ao hades (por parte de Cristo), com propósitos remidores. Ver o detalhado artigo intitulado *Descida de Cristo ao Hades*. Nessa descida ao hades, Cristo abriu aquele lugar como um campo missionário. Dessa maneira, sua missão tornou-se tridimensional: a. na terra; b. no hades; c. nos céus. Isso posto, uma aspiração dos pagãos apontava para uma realidade, e Cristo foi quem concretizou essa realidade.

2. *Os Mistérios de Ísis-Osíris Cibele-Átis e Afrodite-Adônis*. Esses mistérios eram parecidos com os mistérios eleusianos (ver acima). Em ambos os casos, os ritos tinham por finalidade induzir boas colheitas, mas, finalmente, desenvolveram-se em cultos que buscavam a salvação pessoal, através de ritos de purificação. Ísis e Osíris eram egípcios. Segundo a crença, Osíris teria sido morto e desmembrado por Sete, o deus maligno. Ísis pôs-se a procurar até encontrar os membros do marido, e, depois de ajuntá-los, fez seu marido voltar à vida. Os seres humanos, pois, identificar-se-iam com Osíris em sua experiência de morte e desmembramento, mas o poder daquela deusa seria adequado para restaurar a vida, conferindo a vida eterna à alma.

Os *frígios* adoravam Cibele, que terminou tornando-se conhecida como *Magna Mater*, «Grande Mãe». Ela era a deusa da fertilidade. Átis, seu amante, foi emasculado a fim de que a sua virilidade fosse dada à deusa. Mas, ele recuperou-se prodigiosamente da emasculação e voltou à vida. Os sacerdotes dessa religião, pois, emasculavam-se em honra a essa deusa. Os sacrifícios cruentos de touros eram um rito importante nessa religião misteriosa. O sangue gotejava da plataforma onde os sacrifícios eram efetuados, pingando sobre os iniciados, que ficavam em baixo da plataforma. E esse sangue, segundo supunham, garantia a vida eterna aos iniciados.

Na *Síria*, Afrodite e Adônis eram as principais divindades pagãs vinculadas às religiões misteriosas. Aquela deusa personificava a vida-mãe da natureza, enquanto seu companheiro representava a morte e então o renascimento da vegetação. A morte de Adônis era representada por meio de um drama místico. Quando Adônis morria, havia muita lamentação, mas um júbilo frenético acompanhava a sua imaginária ressurreição. Esse drama simbolizava as esperanças que os iniciados tinham de vencer a morte e serem restaurados à vida, a saber, a vida eterna.

3. *Os Mistérios Órficos*. Eurídice e Orfeu formavam um outro imaginário casal divino. Orfeu, por não haver seguido à risca certas instruções divinas, foi incapaz de impedir Eurídice de voltar do mundo inferior. Encontramos aí a tragédia da vida e da morte dos homens, que somente levam aos tormentos e ao desespero do mundo das trevas. Nos mistérios órficos encontramos o deus Dionísio a morrer e a ressuscitar como um salvador. Ele, que era um dos filhos de Zeus, teria sido morto pelos titãs, que lhe comeram as carnes. Porém, um novo Dionísio emergiu de seu coração, que havia sobrado. A partir desse mito, esse culto desenvolveu-se em uma crença em uma espécie de metempsicose (reencarnação), como maneira de preservar a vida do indivíduo, embora o fim da carreira da alma fosse a glória eterna. No orfismo eram importantes tanto as práticas ascéticas quanto os ritos de purificação.

A história da descida ao hades, o orfismo, é bastante antiga, antecedendo as formas posteriores, caracterizadas por uma melhor esperança, daquela fé. Orfeu era reputado como um grande poeta, porquanto seria filho de Eagro e da musa Calíope. Tão artístico era ele na música e na poesia que seria capaz de fazer as árvores e as rochas moverem-se, como também podia amansar as feras. Eurídice, sua esposa, teria sido picada por uma serpente e teria morrido. Assim sendo, Orfeu desceu ao hades, onde tocou sua música e declamou a sua poesia. E de tal maneira comoveu Persefone, com a sua apresentação, que ela lhe permitiu levar dali Eurídice, de volta ao mundo superior, com a condição de que ele não olhasse para trás, ao passar pelo reino dos mortos (lembremo-nos da esposa de Ló!). Entretanto, Orfeu não foi capaz de conter a sua curiosidade, e olhou para trás. Como castigo, Eurídice teve de voltar ao hades, que se tornou a residência permanente dela.

A Literatura Órfica. Uma volumosa literatura desenvolveu-se em torno desses mistérios, hinos e poemas que exerceram considerável influência sobre o neoplatonismo. Mas isso foi apenas natural, posto que Platão deixara-se influenciar por essa fé religiosa, com suas idéias de reencarnações, o drama sagrado da alma e a vida eterna para as almas purificadas. O orfismo conferia aos iniciados a certeza da salvação e da bem-aventurança eterna, mediante a comunhão mística com Deus. Orfeu era considerado o fundador daqueles ritos, motivo pelo qual o culto tomava o seu nome

4. *Os Mistérios de Dioniso*. Nesse caso, a divindade era celebrada em meio a cânticos e danças, através das virtudes do vinho, dos prazeres sexuais e do êxtase de plena participação nos atos de sacrificar e comer animais. O que esses ritos buscavam era a produção do êxtase, seria nessa êxtase que o iniciado buscava união com Deus. A alma era considerada superior ao corpo, de fato, aprisionada no corpo. Conforme já vimos, Dioniso também era figura importante em outras religiões misteriosas, embora elas não tivessem, especificamente, o seu nome. Mas, em torno de seu nome, desenvolveram-se vários mitos. O culto específico a Dioniso era de origem trácia, mas tornou-se muito generalizado. O seu nome tem sido encontrado entre antigas inscrições cretenses. Um outro nome seu era Baco. E, devido aos excessos selvagens dos ritos dos mistérios de Dioniso, temos as palavras portuguesas *báquico* e *bacanal*, referindo-se a orgias, festins de vinho e excessos sexuais de toda sorte. As *bacas* eram as companheiras femininas e devotas de Baco ou Dioniso.

5. *O Mitraísmo*. Esse culto girava em torno da matança de um touro, em nome do deus Mitra. Foi a última das religiões misteriosas a popularizar-se no império romano. Ao que parece, era de origem persa. Mitra, o deus-herói, estando na terra, dedicou-se a servir à humanidade. Após uma última ceia, que celebrava o seu sucesso, especialmente os seus esforços remidores em favor dos homens, ele subiu para o céu. Ali chegando, ele continuou a ministrar aos homens, por meio de seus agentes terrenos. Seus seguidores, estando neste mundo, enfrentam muitas dificuldades com poderes diabólicos, mas ele os ajuda e os torna vencedores. O processo de iniciação, para que alguém se tornasse membro pleno desse culto, era o mais elaborado dentre todas as religiões misteriosas. O candidato precisava passar por sete graus que simbolizavam como a alma, após a morte, deve atravessar sete céus, antes de atingir a glória eterna. Em cada um desses graus o candidato entrava mediante a prática de abluções, refeições sagradas e vários ritos sacramentais. O mitraísmo era a única das religiões misteriosas a restringir ao sexo masculino o direito de se tornarem membros, pelo que se tornou um culto extremamente popular entre os soldados romanos. Durante o segundo e o terceiro século de nossa era, tornou-se o rival mais popular do cristianismo, especialmente nas fronteiras do império romano, onde o número de militares romanos era maior.

A Matança do Touro. Talvez esse fosse o rito mais importante do mitraísmo. Representava os poderes sexuais, e daí extrapolava para o poder e a glória da própria vida à qual os iniciados estavam sendo introduzidos. Esse culto era caracterizado por uma rígida disciplina que, naturalmente, atraía a mente militar e religiosa.

II. Qual a Relação Entre Essas Religiões e o Cristianismo?

1. *Atitudes e Idéias Similares*. A leitura do material acima impressiona o leitor com certas semelhanças básicas. Vemos naquelas religiões misteriosas planos de redenção, como no cristianismo; elas enfatizam a responsabilidade humana, o uso de sua vontade para obedecer e executar os mandamentos da divindade; elas dão grande valor à fé religiosa nesta vida; elas falam na descida ao hades, na libertação do hades, e no vôo para a glória eterna; exceto no caso do mitraísmo, homens e mulheres podiam tornar-se membros, com um destino celestial idêntico, mesmo que no mundo os privilégios entre homens e mulheres diferissem. A ênfase de Paulo quanto a esse último ponto mostra que o cristianismo avançava um degrau em relação ao judaísmo, onde a mulher era inferiorizada em relação ao homem. Por isso mesmo, alguns estudiosos têm chegado a pensar que Paulo foi influenciado, quanto a esse particular, pelas religiões misteriosas, uma conclusão desnecessária, porém.

2. *A Ênfase Sobre a Experiência Humana*. A fé de uma pessoa deve tornar-se real na prática, não se reduzindo meramente a um credo. As religiões misteriosas absorviam a vida inteira de seus devotos. E o cristianismo, quando é autêntico, faz a mesma coisa.

3. *O Bem Eterno da Alma*. As religiões misteriosas, tal como o cristianismo, enfatizavam a vida vindoura, a imortalidade da alma e tudo quanto está envolvido nisso.

4. *Competição e Contrastes*. Como é óbvio, há muitos contrastes, como também similaridades; e o cristianismo entrou em conflito com essas religiões, e, finalmente, venceu-as. O cristianismo prosseguiu, enquanto elas chegaram ao final de suas carreiras e desapareceram.

5. *Empréstimos Feitos pelo Cristianismo?* O ponto intensamente debatido é exatamente o quanto o cristianismo tomou por empréstimo dessas religiões. Alguns eruditos supõem que os empréstimos foram significativos naquelas áreas em que o judaísmo não foi uma fonte de influência. Os racionalistas germânicos e os teólogos céticos chegaram a tentar desenvolver esse tema. Mas pensaram que o apóstolo Paulo muito se endividou diante dessas idéias. Além das várias doutrinas que temos alistado no primeiro ponto, sentiu-se que as lavagens cerimoniais dessas religiões misteriosas eram as precursoras do batismo cristão; que a refeição sagrada era a precursora da Ceia do Senhor; que o conceito do deus que morre e ressuscita influenciou as doutrinas cristãs a respeito de Cristo. Eruditos como Bousset, Reitzenstein e Loisy foram os principais porta-vozes dessas idéias. Apesar de muitos estudiosos admitirem que um certo conjunto de vocábulos foi tomado por empréstimo desses cultos, incluindo a própria palavra *mistério*, que ocorre com freqüência no Novo Testamento, embora nunca em todo o Antigo Testamento (outros exemplos são *místes*, *mustérion*, *kathársis* e *teleiôsis*), esse radicalismo parece ter sido essencialmente abandonado. Não há que duvidar que certas formas de expressão foram tomadas por empréstimo, e que algumas idéias são similares. Mas, não há razão alguma para supormos que houve qualquer empréstimo substancial das religiões misteriosas para o cristianismo.

III. Contribuições

1. *Voltando à Questão dos Empréstimos de Idéias*. Penso que é lógico supormos que o cristianismo, ao crescer no meio ambiente formado pelas religiões misteriosas, recebeu *um senso mais agudo sobre os mistérios*, sobre a profunda natureza dos mistérios divinos, do que teria sido possível se tivesse recebido apenas a influência do judaísmo. Quiçá tenha sido essa a principal contribuição das religiões misteriosas. Isso fica demonstrado pelos muitos mistérios que foram adotados no pensamento e no vocabulário cristãos. Ver o artigo separado intitulado *Mistério*. Isso significa que apesar do cristianismo não ter tido de pedir emprestadas idéias das religiões misteriosas, parece ter incorporado o senso de admiração, em sua fé, acerca das divinas realidades, que era sentido, pelo

RELÓGIO — REMANESCENTE

menos parcialmente, nas religiões misteriosas.

2. *O Trabalho Missionário Foi Facilitado*. A Igreja cristã, ao avançar para regiões onde predominava o paganismo, encontrou aderentes das religiões misteriosas. Uma certa semelhança de maneira de pensar, quanto a certas áreas importantes, naturalmente teriam exercido efeito na preparação do caminho para a passagem da nova fé, o cristianismo.

3. *A ênfase sobre a necessidade de disciplina e de experiência religiosa* foi uma ênfase positiva, embora, com freqüência, aqueles sistemas religiosos misteriosos abusassem dessa questão.

4. *Os mistérios do cristianismo* são mais antigos que os das religiões misteriosas, pois aqueles têm sua base no judaísmo, além do fato de poderem reivindicar para si uma revelação mais exata a respeito dos grandes mistérios. Outrossim, o cristianismo é mais rígido em suas exigências éticas, embora não sem o concurso daquela liberdade que surgiu quando o cristianismo rompeu relações com o legalismo judaico. (AM E F Z)

RELÓGIO DO SOL

Há evidências em favor da suposição de que o relógio de sol foi inventado pelos babilônios. Heródoto informa-nos que os gregos obtiveram deles esse instrumento, bem como a divisão do dia em doze unidades ou horas (ii.109). A primeira menção à «hora», no Antigo Testamento, encontra-se em Daniel 3:6, bem como no contexto babilônico. Os trechos de II Reis 20:11 e Isaías 38:8, em conexão com o rei Ezequias, parecem aludir *gnômon* (indicador vertical) do relógio de sol, onde o termo hebraico *maalah* significa «degrau». Porém, a referência ali existente mais provavelmente aponta para uma série de degraus sobre a qual alguma coluna lançava sua sombra, projetada pela luz do céu que ia ascendendo, ou uma sucessão de marcas, onde a sombra atingia segundo a hora do dia. Esse sistema era usado como um método primitivo para dizer a hora do dia. O aparelho, sem importar o seu formato e natureza, foi erigido pelo rei Acaz. O profeta Isaías, a fim de mostrar que a Ezequias seria conferida a saúde física que ele buscava recuperar, predisse que a sombra retornaria dez graus (ou degraus), o que devemos considerar um grande milagre, a menos que, naquela oportunidade, tenha ocorrido uma leve mudança na posição dos pólos magnéticos da terra, o que alterou a sombra em dez graus.

RELÓGIOS, IMAGEM DOS DOIS

Descartes insistia na combinação entre a mente e o corpo, com interação mútua em sua teoria da dupla personalidade humana. Outros filósofos tomam posições diferentes, e o que podemos dizer sobre o problema da mente-corpo, pode ser ilustrado mediante dois relógios. As possibilidades são como seguem:

Dois relógios, que marcam o tempo com precisão, e estão sempre juntos, poderiam fazer isso através de: 1. Interação constante e ajustes mútuos; ou 2. um fabricante poderia ajustar constantemente ambos os relógios, a fim de que sempre correspondessem um ao outro; ou, finalmente, 3. os dois relógios, devido à perfeição de seu mecanismo, podem trabalhar sempre em uníssono, sem qualquer interferência externa, e sem necessidade de qualquer interação. Se substituirmos a relação entre mente e corpo por dois relógios, chegamos a obter várias teorias possíveis, como: 1. Interacionismo; 2. ocasionalismo; ou 3. paralelismo,

ou seja, um funcionamento paralelo harmônico. Vários filósofos têm tomado uma ou outra dessas posições como possíveis. Ver o artigo geral sobre o *Problema da Mente-Corpo*. (F)

REMALIAS

Pai de Peca, um dos últimos reis de Israel, reino do norte. Peca obteve o trono assassinando seu antecessor, Pecaías (II Reis 15:25), que fora o rei que o nomeara como seu capitão.

REMANÊNCIA

Esse termo, cunhado por **Wycliffe** (vide), vem do vocábulo latino *remanare*, «permanecer». Assim ele deu nome a certa doutrina sua. Ele afirmava que, na eucaristia, os elementos materiais do pão e do vinho permanecem nesse sacramento, mesmo após as palavras de consagração, mas fazem-se acompanhar pelo corpo e pelo sangue de Cristo. Essa idéia pode ser comparada às doutrinas da *transubstanciação* e da *consubstanciação*, sobre as quais tenho apresentado artigos separados. Ver também o artigo *Jesus Como o Pão da Vida*, quanto à interpretação mística da Ceia do Senhor.

REMANESCENTE

No hebraico temos três palavras diversas, com o sentido de «aquilo que resta», «escape» e «remanescente». No N.T. também temos três palavras gregas, *katáleimma, leîmma* e *loipós*, todas com o sentido de «remanescente».

O conceito de remanescente encontra-se ao longo da Bíblia, com vários aspectos e significações. Aquelas palavras originais, algumas vezes, eram usadas em combinações que lhes emprestavam um efeito intensificador ou especial. Podiam indicar objetos ou pessoas que sobraram, após o uso ou alguma mortandade ou destruição. Os profetas se utilizaram especialmente de expressões como «restantes de Sião» (Isa. 4:3; Jer. 6:9, «resíduos de Israel»; Miq. 2:12, «restante de Israel»; Miq. 5:6 s, «restante de Jacó») e expressões similares. Essas expressões têm um sentido teológico e escatológico, um resumo das esperanças dos crentes israelitas. O povo ao qual seria dada a salvação final consiste na comunidade daqueles que, pelo desígnio gracioso de Deus, vierem a escapar do juízo condenatório, por haverem sido escolhidos pelo Senhor. Todavia, como muitos outros conceitos teológicos, o conceito de «remanescente» também sofreu uma evolução ao longo da revelação bíblica:

1. *Uso profano ou natural*. A idéia de algo que sobrou é comum no uso secular. A Bíblia alude ao resto das ofertas de manjares ou de cereais (Lev. 2:3), ao resto do azeite (Lev. 14:18), os restantes dos prostitutos cultuais (I Reis 22:46), etc. A palavra «restante» é usada, especialmente, para indicar minorias políticas de vários tipos (ver Jos. 23:12; Deu. 3:11; II Sam. 21:2; Isa. 14:22,30; 16:14; I Reis 14:10; II Reis 25:11; Eze. 14:22, etc.). Os grupos de exilados que retornaram da Babilônia em companhia de Zorobabel e Esdras também eram chamados «remanescentes».

2. *Uso teológico*. É nesse campo que a palavra se reveste de grande importância. O destino político de Israel é uma questão escatológica, profetizada. Um exemplo pertinente disso é Miq. 5:3: «Portanto os entregará até ao tempo em que a que está em dores de parto tiver dado à luz; então o restante de seus irmãos

REMAR — REMORSO

voltará aos filhos de Israel». Estão em foco os eleitos de Deus dentre todas as nações, que serão unidas aos israelitas salvos no fim de nossa dispensação, completando a Igreja. Os profetas do A.T. apenas vislumbravam o que o N.T. descreve com maior clareza.

Aquele que faz a vontade de Deus é irmão, irmã ou mãe de Cristo (Mat. 12:50); e Cristo não se envergonha de chamá-los irmãos (Heb. 2:11). A promessa se estende a todos quantos são chamados por Deus (Atos 2:39).

Que a Bíblia ensina um *retorno* literal dos judeus à Palestina (que pode ser identificado ou não ao contemporâneo movimento sionista), parece claro, através de trechos como Jer. 31:7-9 e Miq. 5:7,8. Mas, quando chegamos ao N.T., a palavra «remanescente» é usada especialmente em relação aos judeus que, em cada geração, se vão convertendo a Cristo, até à grande colheita final de israelitas, nos dias da grande tribulação. Romanos 9:27-29 é passagem crucial dentro da teologia do remanescente. Só o remanescente de Israel será salvo. Esses são a semente espiritual de Abraão, em contraposição à sua descendência natural — aqueles que são tão numerosos como as estrelas, em contraste com aqueles que são tão numerosos como a areia dos mares. Portanto, é um erro equiparar a moderna nação de Israel com o remanescente profetizado. Contudo, apesar desse remanescente visar especialmente aos judeus eleitos por Deus, também estão em pauta os gentios eleitos (ver Rom. 9:24,25: «...a quem também chamou, não só dentre os judeus, mas também dentre os gentios...»). Isso esclarece que a Igreja de Cristo em seu estágio final, consistirá de judeus e gentios eleitos, tal como se deu no começo do cristianismo, fortalecendo a posição pós-tribulacional, que não concebe a Igreja gentílica arrebatada antes da tribulação, somente após o que os judeus se voltariam para Cristo. As promessas bíblicas, acerca do povo de Deus do fim, visam igualmente a judeus e gentios, pois, em Cristo são eliminadas todas as distinções que os separavam, formando-se um único corpo místico de Cristo. (Ver João 17:22,23).

Romanos 11:4,5 é trecho que fala de um remanescente escolhido de acordo com os propósitos da graça divina. A base histórica disso é a experiência do profeta Elias, que foi relembrado, em um período de grande apostasia em Israel, que havia ali muitos que não tinham dobrado os joelhos diante de Baal. O ponto frisado pelo apóstolo foi que esses fiéis do passado são paralelos ao remanescente da graça na dispensação atual. A soberana eleição de Deus está em foco. Apesar da maioria da nação de Israel ter caído em apostasia, o remanescente permaneceu fiel ao Senhor. O mesmo sucederá no período escatológico do fim. Outro pensamento que se salienta é que Deus jamais rejeita os seus escolhidos. Pois a eleição para a salvação não depende das realizações morais dos escolhidos, mas do beneplácito de Deus. A ênfase recai sempre sobre a profundíssima misericórdia do Senhor, em todas as discussões sobre o remanescente.

REMAR, REMADOR
Ver **Navios e Embarcações**.

REMETE
Uma cidade de fronteira, no território de Issacar, alistada juntamente com En-Ganim (Jos. 19:21). Provavelmente era idêntica à Ramote de I Crô. 6:73, e à Jarmute de Jos. 21:29.

REMIDOR DE PARENTE
Ver **Goel**.

REMINISCÊNCIA
Essa palavra aponta para o ensino de Platão de que todo conhecimento importa em «lembrança». Ele alicerçava sua idéia sobre a crença de que a alma, antes de vir a este mundo, já havia contemplado as *Idéias*, o mundo dos *Universais* (vide), mesmo porque ela seria aparentada daquelas elevadas realidades. Assim sendo, a alma humana seria possuidora de todo conhecimento, embora não no nível da consciência. Mas, por meio de vários esquemas, a alma pode recuperar parte desse conhecimento, ou seja, através da razão (daí a importância do diálogo), da intuição e das experiências místicas.

Ainda segundo Platão, a alma perderia a memória de suas vidas anteriores e dos universais, ao reencarnar-se. Por assim dizer, antes de voltar a este mundo, ela seria forçada a beber da fonte do esquecimento, e assim nasceria, *como que* pela primeira vez. Ver o artigo detalhado chamado *Reencarnação*. Ver também o verbete *Anamnésis*, termo grego para reminiscência.

REMISSÃO DE PECADOS
Ver **Perdão**.

REMONSTRANTES
Quarenta e cinco ministros de pendores arminianistas objetaram ao calvinismo estrito e apresentaram suas idéias alternativas. Eles dirigiram uma remonstrância ou «protesto» às províncias da Holanda e de Frieslândia, em 1610, motivo pelo qual vieram a ser conhecidos como os remonstrantes ou protestadores. Imediatamente foram privados de seus ministérios e foram banidos, visto que o ódio teológico sempre se manifestará com conseqüências drásticas. Posteriormente, porém, foram perdoados. Ver os artigos intitulados *Calvinismo; Arminianismo; Calvino* e *Armínio*.

REMORSO
Ver o artigo geral sobre o **Arrependimento**. A palavra latina por detrás de «remorso» é *remorsus*, «morder de volta». *Remordere* é termo latino que significa «remorder», «continuar mordendo». Todos estamos familiarizados com o remorder da consciência. O remorso é uma espécie de angústia mental, devido às coisas erradas que temos praticado. Trata-se de um desassossego de que fizemos algo errado, que precisa ser corrigido. Trata-se também de uma aguda auto-reprimenda. Muitas pessoas têm chegado ao ponto de cometer suicídio, devido ao espicaçar de um profundo remorso.

O remorso, entretanto, fica a meio do caminho palmilhado pelo arrependimento. Por isso mesmo, os teólogos geralmente distinguem entre o remorso e o arrependimento, porquanto o primeiro pode existir sem o segundo. Presumivelmente, quando Judas Iscariotes sentiu remorso, por haver traído ao inocente Jesus, por isso mesmo não verdadeiramente arrependeu-se. De outra sorte, não se teria suicidado (ver Mat. 27:3). Por outra parte, para nós é difícil dizer qual o resultado final de seu remorso. Pedro vem em nosso socorro, e diz: «...Judas se transviou, indo para o seu próprio lugar» (Atos 1:25). E o trecho de II Cor. 7:10 acena-nos com a esperança de que a «tristeza segundo Deus» termina em arrependimento. Todavia, há uma tristeza mundana que só resulta em malefício para a alma.

RENAN, JOSEPH ERNEST

Suas datas foram 1823-1892. Nasceu em Treguier, na Bretanha francesa. Ele foi orientalista, historiador, teólogo e filósofo. Educou-se em Treguier e em São Nicolau, no Seminário de Issay. Tornou-se professor de hebraico e das línguas caldaicas no Collêge de France. Apresentou conferências de tendências liberais, como aquelas sobre a *Vida de Jesus*, o que lhe custou sua remoção daquela instituição de ensino por parte do ministério de educação da França. Porém, deu prosseguimento às suas pesquisas e aos seus escritos. Mais tarde, veio a ser administrador do Collêge de France, e finalmente, grande oficial da Legião de Honra.

Renan tornou-se conhecido nos círculos teológicos por meio de sua literatura, na qual assumia uma posição naturalista. Referiu-se a Jesus Cristo como «homem incomparável», mas sem jamais considerar a sua natureza divina. Sua famosa obra, *Vie de Jésus*, «Vida de Jesus», foi finalmente expandida em um jogo de oito volumes. Também escreveu cinco volumes sobre a *Histoire du peuple d'Israel*, além de várias outras obras importantes. Seus *Ensaios de Moral e Crítica* nunca deixaram de suscitar debates.

RENASCENÇA

Esboço:
1. O Termo e a Época em Foco
2. O Reavivamento da Cultura Antiga
3. O Movimento do Humanismo
4. Aristóteles Versus Platão
5. O Reavivamento do Misticismo
6. O Soerguimento da Ciência
7. Insatisfação com as Instituições
8. Reflorescimento das Artes
9. Efeitos sobre a Erudição e a Literatura
10. Sumário de Efeitos

1. O Termo e a Época em Foco

O vocábulo português «renascença» deriva-se do francês que significa «renascimento». Esse termo é aplicado como designação histórica de um período de tempo que foi vivido pela Europa Ocidental, entre os séculos XIV e XVI. Porém, somente entre 1855 e 1860 é que esse termo começou a ser realmente usado para indicar esse período de tempo, e isso nas obras de Michelet e Burckhardt. Eles usaram esse vocábulo como título do período histórico em pauta. Mas houve outras designações, como «renascimento do espírito greco-romano» e «reavivamento da erudição».

2. O Reavivamento da Cultura Antiga

As obras clássicas gregas e latinas não eram desconhecidas durante a Idade Média, mas também não eram enfatizadas. Durante a renascença, reviveu o interesse por essas áreas do pensamento e realização. E isso serviu de estímulo para que os estudiosos buscassem maiores conhecimentos sobre a idade áurea greco-romana. E daí resultou um efeito secularizador, que tendeu por diminuir o predomínio até então exercido pela Igreja Católica Romana sobre o oeste europeu.

Por essa altura dos acontecimentos, foram encontrados muitos manuscritos escritos em grego e em latim, e a literatura e a cultura da antiga civilização greco-latina tornaram-se importantes para grande número de estudiosos. Essa influência tornou-se um fator muito forte no âmbito da educação, o que se estendeu até dentro do período moderno. No entanto, esse ímpeto, em nossos dias, perdeu-se quase inteiramente. Os departamentos de estudos clássicos são pequenos e débeis nas instituições de ensino. Assim, a Universidade de São Paulo, em 1987, não formou um único aluno no idioma e na literatura gregos, e a maioria das universidades nem ao menos conta com uma cadeira dessa disciplina. O latim é pouquíssimo ensinado, até mesmo em nível universitário, quanto menos no ginásio e no colégio. Estamos falando sobre o nosso país. A reforma do ensino, em 1964, extinguiu o estudo do latim, conforme, várias décadas antes, o grego cessara de ser ensinado. O grego «koiné», porém, continua sendo uma matéria obrigatória dos cursos teológicos, porquanto foi nesse idioma que o Novo Testamento foi originalmente escrito. A Igreja Católica Romana sempre se mostrou interessada pelos clássicos, e grande parte das idéias de Platão e Aristóteles foi incorporada no *escolasticismo* (vide), ainda que essa incorporação tenha tido adaptações cristãs e dogmáticas. Isso contrasta com o período da renascença, quando os estudiosos examinavam os clássicos devido ao valor que lhes davam.

3. O Movimento do Humanismo

Podemos estar certos de que esse movimento surgiu como uma revolta contra o domínio sufocante da Igreja Católica Romana, apesar de também ter sido um ressurgimento livre e espontâneo do desejo de liberdade e bem-estar humanos. Ver o artigo geral chamado *Humanismo*. Os clássicos gregos e romanos eram estudados; os valores culturais humanos foram enfatizados; a autoridade da Igreja foi questionada. Vultos como Petrarca e Erasmo de Roterdã foram fatores importantes para o humanismo que caracterizou a época.

4. Aristóteles Versus Platão

Um dos efeitos da renascença foi o debilitamento do aristotelismo. Por sua vez, o platonismo foi reavivado, conforme se viu na *Academia Florentina* (vide). E isso teve certos efeitos sobre a postura teológica de muitos pensadores.

5. O Reavivamento do Misticismo

Durante a renascença foram reestudados a **Cabala** (vide) e os *escritos herméticos* (vide). A *alquimia* cresceu em sua importância, abrindo caminho para a mais científica *química*. *Nicolau de Cusa* (vide) combinou entre si essas diversas disciplinas.

6. O Soerguimento da Ciência

A renascença foi um importante fator para o desenvolvimento da ciência moderna. A ciência conseguiu desprender-se de vez da filosofia, adquirindo direitos e valias próprios. *Giordano Bruno* (vide) e *Francisco Bacon* (vide) foram figuras exponenciais nesse aspecto do movimento.

7. Insatisfação com as Instituições

Uma característica óbvia do período foi a insatisfação geral diante dos rumos que estavam tomando a religião e as principais instituições religiosas. A Igreja Católica Romana resistia às tentativas de reforma de seus abusos, tendo apelado para a perseguição e a matança. Lembremo-nos que a Reforma Protestante foi um corolário da renascença. Mas nem toda resistência católica romana era contra os reformadores religiosos. Giordano Bruno acabou executado na fogueira, tendo-se tornado o primeiro «mártir da filosofia», nos primórdios da era moderna.

8. Reflorescimento das Artes

Esse foi um importante aspecto da renascença. A

RENASCENÇA — RENDA GARANTIDA

arte abandonou o simbolismo medieval acerca de um outro mundo, imaginado pelos religiosos, para representar as belezas do mundo físico. Nem por isso os assuntos religiosos foram totalmente relegados ao esquecimento, mas agora possuíam uma maior naturalidade. Os arquitetos da renascença afastaram-se dos temas místicos e religiosos, e reviveram as formas clássicas. Os dramas teatrais e a música passaram a celebrar temas totalmente seculares. É óbvio que muitos artistas renascentistas foram homens piedosos, mas até mesmo eles começaram a explorar um leque mais amplo de assuntos e temas. Contudo, houve uma expansão a áreas que os piedosos do passado dificilmente teriam querido sondar. Assim, Poggio Bracciolini serve de exemplo de um humanista que desafiou abertamente a moralidade da sua época. Vasari, em sua obra *Vidas dos Pintores*, falou sobre as belas-artes, que foram ganhando uma faixa cada vez mais larga na cultura humana. Michelet descreveu a renascença como «o descobrimento do mundo e do homem», e isso teve reflexos nas artes e na literatura do período. A renascença, em suma, foi um tempo de *excitação* intelectual generalizada, de *iluminismo* (Walter Pater) e da redescoberta de uma *liberdade autoconsciente* (Symonds).

9. Efeitos sobre a Erudição e a Literatura

Esses campos da atividade humana receberam uma nova liberdade, um novo impulso, em parte inspirados pela erudição árabe e judaica. A literatura do período incluiu a tradução dos clássicos gregos e romanos, o reavivamento das antigas idéias do período greco-romano, em obras totalmente divorciadas da questão religiosa, e que, em muitos casos, punham em dúvida a autoridade de Roma.

10. Sumário de Efeitos

a. Perda de prestígio e autoridade por parte da Igreja Católica Romana.

b. Adoção de certas idéias pagãs, novas formas culturais e uma moralidade nova.

c. Mudanças nos costumes, com o enriquecimento de muitos e uma vida luxuosa.

d. Surgiram os livre-pensadores, com suas atitudes de crítica, tanto positiva (feita pelos reformadores protestantes) quanto negativa (feita pelos pensadores céticos).

e. Formação das pedras fundamentais das sociedades modernas, com política desvinculada da Igreja; a arte e a literatura seguem temas seculares, e não mais exclusivamente religiosos.

f. Um notável efeito foi o lançamento do alicerce da ciência moderna, que se tornou essencialmente secular, e não mais religiosa, pois libertou-se do apadrinhamento romanista.

g. Foi lançada a base sobre a qual floresceram filósofos posteriores, como John Locke e Hume, os quais foram instrumentais na introdução do empirismo e do ceticismo, figuras exponenciais que separaram a filosofia e a ciência da religião.

h. Foi facilitado em muito o caminho para a Reforma Protestante. Apareceu o individualismo na maneira de pensar; foram fornecidas raízes ao liberalismo. Na verdade, a Reforma embotou temporariamente a influência secularizadora da renascença, embora tivesse sido muito ajudada pelas modificações impostas pela renascença.

i. A secularização da era moderna foi o desabrochar da semente plantada durante a renascença. Portanto, esse movimento foi decisivo na determinação da direção que a cultura haveria de tomar na Europa, e, em seguida, nas Américas.

j. Finalmente, a renascença assinalou o fim da Idade Média e o começo da era moderna. (AM E H P)

RENASCIMENTO

Ver sobre *Reencarnação*. Ver também os artigos *Novo Nascimento* e *Regeneração*, que são outras formas (espirituais) de renascimento.

RENDA GARANTIDA

Jesus recomendou que não nos preocupássemos com o dia de amanhã (ver Mat. 6:34). Isso com base no fato de que Deus tem consciência de nossas necessidades, sendo ele aquele que nos dá uma renda garantida. Porém, a pobreza tem uma natureza tão opressiva, e os homens são dotados de uma mentalidade tal que alguns sindicatos trabalhistas e outras organizações têm procurado promover o conceito de uma renda garantida, na forma de salário. Presumivelmente, isso parece indicar que também deve haver empregos garantidos. Porém, mesmo que isso não aconteça, essa idéia declara que o governo deveria garantir algum dinheiro para os desempregados.

Algumas vezes, a pobreza origina-se na falta de oportunidade, de educação ou de provisões e providências inadequadas, por parte dos governos. Mas, outras vezes, a pobreza origina-se na mera preguiça. Um caso recente no Brasil (1986), ilustra bem isso. Foram doadas terras a muitas famílias. Mas certos homens assim beneficiados, que poderiam então trabalhar e desenvolver suas plantações, preferiram ir a uma aldeia próxima passando as noites em bebedeiras e festanças. E alguns deles, nessa irresponsabilidade, chegaram a cometer crimes sérios. A lição é clara: Antes que se possa tirar as pessoas das favelas, é mister tirar a favela do coração das pessoas.

Por outro lado, há muitas pessoas honestas e dignas de confiança, que querem trabalhar, mas que não têm a oportunidade de fazê-lo em regiões onde impera a depressão econômica. Até que ponto um governo pode e deve assumir a responsabilidade por seus cidadãos? Nos dias antigos, os necessitados eram ajudados por suas respectivas famílias. Porém, nem sempre isso funcionou, porque sempre houve fome e necessitados nos países em recessão econômica, apesar das boas intenções das famílias.

Muitos cristãos objetam a um excessivo envolvimento dos governos nessas questões, argumentando que isso promove tanto a desonestidade quanto a preguiça. Muitas pessoas pouco ou nada fazem por si mesmas, a menos que sejam forçadas, a fim de sobreviverem. A Bíblia enfatiza a caridade, mas também requer o senso de responsabilidade pessoal, repreendendo o parasitismo: «...se alguém não trabalha, que também não coma...» (II Tessalonicenses 3:10). Todavia, isso não isenta a ninguém do dever de mostrar-se generoso para com os necessitados. Porém, até que ponto pode um governo, mediante a cobrança de impostos, garantir que seus cidadãos necessitados sejam socorridos? A experiência tem demonstrado que quanto maiores garantias se tentar, mais baixos ficarão os salários, visto que *muitas* pessoas serão ocupadas a fazer algum trabalho que poderia ser feito por *poucas* pessoas. Isso significa que os salários precisarão ser distribuídos por um maior número de pessoas, que pouco ou nada fazem.

Um outro desses artifícios econômicos tem sido o obrigar as pessoas a contribuírem com parte de seus salários para fundos de garantia social, para o caso de

RENFÃ — RENOVAÇÃO

pessoas que tiverem perdido seus empregos, por qualquer motivo, possam receber do governo alguma ajuda financeira. O chamado «seguro desemprego» é um outro desses esquemas, mas, na verdade, não pode isso ser confundido com uma renda garantida, mesmo porque é de pequena duração. Alguns economistas, políticos e outros têm sugerido que uma solução possível possa ser uma pequena renda garantida, que garanta a sobrevivência dos necessitados em tempos de crise, mas que não encoraje os preguiçosos a tentarem viver somente dessa ajuda governamental, em bases permanentes. Os problemas sociais em que algumas nações se vêem envolvidas são tão calamitosos que não existe nenhuma boa solução, mesmo que se combinem muitos métodos de ajuda. Contudo, faz parte da responsabilidade dos governantes continuarem buscando remediar tal situação. Sabemos, contudo, que a pobreza continuará existindo até à volta do Senhor Jesus. Ele mesmo disse: «Os pobres sempre os tendes convosco...» (Mat. 26:11).

RENFÃ

Na Septuaginta, **Raifan**; no N.T., **Romfa**, além de numerosas variantes, todas com sentido incerto; Atos 7:43.

Nome de uma divindade astral associada ao planeta Saturno, citado em Atos 7:43, baseado na tradução da LXX, citando Amós 5:26. O texto hebraico massorético diz aqui *kiyyun*, similar ao acádico *kaiwanu*, «Saturno». No hebraico houve a substituição das vogais de *siqqus*, «coisa detestável», pelas vogais da palavra acádica, a fim de refletir quão detestável era aquela divindade pagã. Não se sabe como a Septuaginta terminou exibindo a forma inesperada *Raifàn*. Talvez se trate de uma transliteração equivocada ou uma forma de Repa, um nome egípcio do deus do planeta Saturno, em substituição às traduções alexandrinas menos inteligíveis, *kiyyun*.

RENOVAÇÃO

Esse conceito sempre sofre devido a **duas interpretações extremas**: da parte daqueles que se satisfazem com seus hábitos e maneira de viver, os quais resistem a qualquer tentativa de mudança, com freqüência rotulando-a de heresia ou fanatismo; ou da parte daqueles que anseiam tanto por renovar as coisas que terminam na arrogância da superioridade e do exclusivismo, pensando que voltaram aos dias do Novo Testamento ou conseguiram realizar algum feito extraordinário. Quase todos os movimentos de renovação enfatizam o lado místico, ao mesmo tempo em que negam o valor do intelecto. Ver sobre *Antiintelectualismo*.

Seja como for, apesar dos abusos, a *renovação* é uma parte integral do pensamento cristão, e deveria fazer parte da experiência cristã. Paulo exortou-nos para que sempre renovássemos a nossa mente (ver Rom. 12:1,2), como meio de atingirmos um alto grau de dedicação a Cristo. A necessidade de renovação faz-se continuamente presente, e deveria ser enfatizada por nós. O salmista reconheceu esse fato (Sal. 5:10; 103:5; Isa. 40:31; 41:1). O Novo Testamento usa as palavras gregas *anakaínosis*, «renovação», e *ananéomai*, «ser renovado» (um verbo passivo ou reflexivo). A primeira dessas palavras ocorre em Rom. 12:2 e Tito 3:5; e a segunda em Efé. 4:23. Paulo referiu-se ao *novo homem* (ver Col. 3:10), bem como à nossa constante necessidade de renovação (ver II Cor. 4:16). O trecho de Efé. 4:23 recomenda: «...e vos renoveis no espírito do vosso entendimento», porquanto é no espírito que se originam todas as mudanças e renovações. Naturalmente, fica entendido que o Espírito de Deus é o agente em toda verdadeira mudança e renovação espirituais.

Terminada a era apostólica, uma visão sacramental da renovação penetrou na Igreja. E certos versículos neotestamentários parecem antecipar essa distorção, embora certos teólogos neguem isso. Entre as obras apócrifas, Barnabé 6:11 liga a renovação ao batismo em água, como também o livro, Atos de Tomé (132). Ver o artigo intitulado *Regeneração Batismal*.

A própria regeneração, efetuada pelo Espírito Santo, é a maior de todas as renovações. No entanto, hodiernamente, o termo é usado por muitos para indicar os reavivamentos religiosos e os movimentos de igrejas tradicionais que aceitam a bênção carismática. A regeneração é obra do Espírito de Deus, e a renovação mental é efetuada pelo mesmo Espírito, com a cooperação consciente e esclarecida do crente.

Os meios de desenvolvimento espiritual são fatores importantes em qualquer renovação genuína e duradoura. Ver o artigo chamado *Desenvolvimento Espiritual, Meios do*. As experiências emocionais podem ser o estopim de renovações imediatas, mas provisórias. O crescimento espiritual, porém, garante a continuidade da renovação mental, moral e espiritual do crente.

RENOVAÇÃO DA MENTE

Rogo-vos pois, irmãos, pela compaixão de Deus, que apresenteis os vossos corpos como um sacrifício vivo, santo e agradável a Deus, que é o vosso culto racional. E não vos conformeis a este mundo, mas transformai-vos pela renovação da vossa mente, para que experimenteis qual seja a boa, agradável, e perfeita vontade de Deus.

Consagração do cristão, segundo Romanos 12:1,2:

Pela Renovação da Vossa Mente

Essa «renovação» é de caráter espiritual, assumindo o aspecto de «reforma», em que as faculdades mentais e espirituais—as faculdades imateriais do indivíduo—são afetadas para melhor. Isso é mais do que a renovação «intelectual», porquanto também deve ser ação da própria alma ou espírito, a verdadeira essência intelectual do ser humano.

«A mente é renovada pela novidade do Espírito, e do íntimo o impulso transformador passa a transfigurar a totalidade da vida». (Philip Schaff, no Comentário de Lange).

Deus é intelecto puro, o «nous» dos gregos (que significava a «mente», para eles), o *nous* do universo, o grande ser imaterial. O homem também possui *intelecto*, cuja espiritualidade é derivada da espiritualidade infinita de Deus. A *mente*, palavra empregada neste texto e usada constantemente no vocabulário da filosofia grega, a começar por Anaxágoras, reveste-se da idéia de «espiritualidade», e não apenas da idéia de «intelectualidade». Portanto supomos, paralelamente a vários intérpretes, que o presente versículo fala mais do que sobre as qualidades intelectuais, dando a entender que mais do que essas faculdades ainda precisam ser transformadas pelo poder de Deus. Na realidade, é a própria alma ou espírito que terá de passar por essa renovação do Espírito, o que, naturalmente, incluirá o processo e as qualidades intelectuais. E assim o «intelecto» humano não mais será escravo ante as influências de um mundo ímpio, embora o sentido da passagem seja mais profundo que esse.

RENOVAÇÃO — REOBOÃO

Os Elementos da Renovação

1. Quando do arrependimento, o homem é libertado do domínio do pecado, passando a ter uma nova concepção da vida e seu significado (ver o artigo sobre o *Arrependimento*).

2. Na santificação, o homem não somente se vai despindo do poder do pecado, mas também vai adquirindo as virtudes espirituais positivas de Deus. Tal homem vai caminhando pelo novo caminho, compartilhando da mente de Cristo, ao invés de ser dominado pela mente carnal. (Ver o artigo sobre a *Santificação* e ver no NTI as notas sobre a «mente de Cristo», em I Cor. 2:16).

3. Essa operação renovadora, naturalmente, é realização do Espírito (ver II Cor. 3:18 e Gál. 5:22), pois é algo divino, e não alguma operação humana. O caminho de Deus é místico, e não legal ou sacramental. Em outras palavras, tal obra é realizada através de um *contacto* com o *super-humano*, conforme a definição básica do misticismo (que vide).

4. Essa renovação é fomentada pelo emprego dos *meios de desenvolvimento espiritual*: O estudo da Bíblia; a dedicação da mente às questões espirituais através do uso das Escrituras, e outros livros espirituais; a oração, que é a comunhão direta com Deus, a meditação (que é quando Deus fala intuitivamente com os homens), a santificação (pois sem santidade não pode haver qualquer desenvolvimento cristão); a prática da lei do amor (as boas obras), pois o amor é a comprovação da espiritualidade e se deriva do próprio novo nascimento (ver João 4:7,8); e o uso dos dons espirituais, que tende por conduzir-nos na direção de nossa perfeição (ver Efé. 4:11 e *ss*).

RENÚNCIA

Essa palavra portuguesa vem do latim, **renuntiare**, «protestar contra». Seu emprego, na ética cristã, envolve a idéia de «protestar contra» os antigos caminhos e todos os fatores que servem de obstáculo ao discipulado cristão. Somente os mais espiritualmente corajosos gostam da palavra «renúncia». Pois a maioria dos crentes prefere a *acomodação*. Torna-se patente, pela história de Jesus e de seus ensinos, que a renúncia sempre foi uma base necessária para o verdadeiro discipulado cristão. Ver o artigo separado *Discípulo, Discipulado*. A renúncia alude ao sacrifício pessoal e à dedicação absoluta, e essas não são características de uma Igreja mundana ou de crentes mornos.

Jesus requereu a renúncia do crente quanto às suas propriedades, familiares e à sua própria vida (ver Mat. 19:16-30; Luc. 14:25-27,33). Essa era uma característica de sua própria expressão espiritual. Paulo imortalizou essa atitude em uma famosa passagem—Fil. 3:7-11.

A renúncia apresenta-nos uma idéia radical acerca da escala de valores que devemos observar. Ela contrasta o crente, de forma absoluta, com o homem mundano. Estabelece Cristo no coração, em lugar das multidões de ídolos humanos, como o grande objeto e objetivo da vida. A auto-realização floresce dentro do espírito de sacrifício, um conceito diametralmente oposto do raciocínio humano típico (ver Mat. 10:39). Um grande futuro é prometido aos renunciadores (Luc. 18:28-30; Mat. 6:33), porquanto a lei da colheita segundo a semeadura garante esse resultado.

A *verdadeira renúncia* só pode tornar-se realidade se estimulada pelo ministério do Espírito Santo na vida do crente, quando este lança mão dos meios de desenvolvimento espiritual. Ver o artigo *Desenvolvimento Espiritual, Meios do*. Por outra parte, a vontade humana negativa pode anular a renúncia e os seus efeitos, da mesma maneira que, se positiva, pode impulsionar grandemente o seu progresso.

REOBE

No hebraico, *lugar aberto, praça* ou *mercado*. No A.T., nome de dois homens e de três localidades, a saber:

1. Pai de Hadadezer, rei de Zobá, a quem Davi feriu à margem do rio Eufrates (II Sam. 8:3,12).

2. Um levita que assinou o pacto das reformas, juntamente com Neemias (Nee. 10:11; um versículo omitivo pela LXX).

3. Uma cidade ou distrito no extremo norte do vale do Jordão, assinalando o limite da viagem dos espias (Núm. 13:21). Durante o reinado de Davi, era uma das fortalezas dos arameus que enviaram forças para ajudar Amom (II Sam. 10:6-8). É chamada de Bete-Reobe em II Sam. 10:6; cf. Juí. 18:28. Na lista topográfica de Tutmés III, provavelmente, ocupa o 87° lugar. Mas sua localização exata é desconhecida.

4. e 5. Duas cidades fronteiriças em Aser (Jos. 19:28 e 19:30; a LXX chama-as por nomes levemente diferentes, *Raàb* e *Raaû*). A primeira delas coube aos gersonitas, uma das famílias dos levitas (Jos. 21:31; I Crô. 6:75). A tribo de Aser não conseguiu expulsar os habitantes cananeus de uma delas (Juí. 1:31). Uma Reobe é mencionada ao lado de Dor, em uma lista de Ramsés II, de Amara, pelo que parece necessário localizá-la na planície ao sul de Aco. Talvez deva ser identificada com o moderno Tell el-Gharbi (ou Berweh), localizado cerca de onze quilômetros a leste-suleste de Aco, na planície.

REOBOÃO

No hebraico significa *o povo se expande*, mas há quem tenha sugerido a tradução *acolhendo o povo*. No hebraico posterior, passou a significar *liberal*. Foi o primeiro rei de Judá, após a divisão do reino em dois: I Reis 11:43—12:27; 14:21—15:6; II Crô. 9:31—12:16. No N.T. aparece somente em Mat. 1:7.

1. *Família*. Era filho de Salomão, que lhe nasceu antes de subir ao trono (I Reis 11:42; 14:21). Sua mãe era Naamá, uma princesa amonita. Entre as suas esposas, uma delas, Maalate, era neta de Davi. Mas, subseqüentemente, ele preferiu Maacá, filha de Absalão, como seu sucessor. Seguindo o mau exemplo de seu pai, Salomão, Reoboão mantinha um numeroso harém, tendo designado seus filhos para comandarem cidades fortificadas (II Crô. 11:18 *ss*).

2. *Cronologia*. Reoboão sucedeu a seu pai no trono quando tinha quarenta e um anos de idade, tendo reinado por dezessete anos, até a sua morte. Thiele calculou suas datas como 931/930 a 941/913, com base em sua análise dos informes nos livros de Reis, retrocedendo desde a batalha de Qarqar, em 853 A.C. (fixada nos registros assírios; ver *Cronologia*). Esse cálculo tem sido confirmado por outros informes históricos.

3. *A revolta das dez tribos*. 1. Situação. Reoboão subiu ao trono em um período muito tenso, devido a estes fatores: a. grandes despesas oficiais, particularmente da corte e do exército permanente, financiadas em parte por pesados impostos que incidiam principalmente sobre o norte agrícola. Essa conclusão pode ser tirada *a priori* com base nos informes de I Reis 4, acerca da organização distrital de Salomão. b.

REOBOÃO — REORDENAÇÃO

O trabalho forçado constituia-se em uma queixa constante, apesar da negação de que houvesse escravos no tempo de Salomão. Mas a formação de uma leva de trabalhadores por Salomão (I Reis 5:13), certamente tornou-se uma prática comum, gerando descontentamento. c. Apesar da poderosa força militar de Salomão, ele perdera controle da área de Damasco, e os sírios estavam assediando o norte de Israel (I Reis 11:25). d. A atitude frouxa para com as religiões estrangeiras era um convite ao castigo divino, expresso nas palavras do profeta Aías a Jeroboão (I Reis 11:29 ss). Certamente todo o Israel tomou conhecimento dessa profecia (I Reis 12:3).

4. *Confronto*. Foi convocada uma assembléia nacional para confirmar a subida de Reoboão ao trono. Isso só pode significar que em Israel ainda não se conhecia o direito hereditário de reinar, à parte dos desejos do povo. A assembléia, formada por anciãos que representavam o povo, exigiu alívio das pesadas cargas impostas pelo governo de Salomão. As alternativas eram: Reoboão teria uma autoridade constitucional ou uma autoridade absolutista? Reoboão respondeu à assembléia com a famosa frase: «Meu pai fez pesado o vosso jugo, porém eu ainda o agravarei; meu pai vos castigou com açoites, eu, porém, vos castigarei com escorpiões». Provavelmente, «escorpiões» eram látegos com pontas armadas de ferro ou osso. O povo reagiu à resposta com um «Às vossas tendas, ó Israel! Cuida agora da tua casa, ó Davi!»

5. *Conseqüências*. Adonirão, que controlava a força de trabalho, estando encarregado da ordem pública, foi enviado para abafar a revolta. Mas foi apedrejado até morrer, e o próprio Reoboão escapou para Jerusalém. Foi convocada a milícia de Judá e Benjamim, para tentar dominar as dez tribos do norte à força, mas o profeta Semaías proibiu publicamente a expedição, em nome do Senhor. Estabeleceu-se um estado de hostilidades (I Reis 14:30; II Crô. 12:15). Abias chegou a invadir Israel, talvez com a esperança de restaurar o reino davídico ali.

6. *Expedição de Sisaque*. A tentativa de Sisaque de impor novamente a autoridade egípcia sobre a Palestina é descrita (naquilo que afetou a Judá) em I Reis 14:25-28 e II Crô. 12:1-12, sendo representada em gravura na parede do templo de Amom, em Carnaque. Isso ocorreu no quinto ano do reinado de Reoboão. Sisaque, após destacar forças para invadir o Neguebe, subiu as colinas através de Gibeom (norte de Jerusalém), cruzou até o vale do Jordão e atravessou o vale de Jezreel, e dali de volta, pela estrada costeira. Sisaque queria impor seu domínio sobre Jeroboão, que fora um refugiado em sua corte. Tendo abandonado o serviço do Senhor, o rei e seu povo agora experimentariam o que é estar à mercê de um tirano (II Crô. 12:8). A fonte histórica comum dos livros de Reis e Crônicas dá a impressão de que Sisaque realmente entrou ou enviou oficiais para entrarem na cidade.

7. *Defesa*. Duas linhas de evidências sugerem que a força de Sisaque no Neguebe estabeleceu um estado tampão no vale de Gerar: 1. o caráter das forças que atacaram Judá, trinta anos mais tarde (ver Asa) e 2. a lista de cidades em colinas fortificadas por Reoboão contra os filisteus, os egípcios e talvez ameaças dos idumeus (II Crô. 10). Todavia, em sua fronteira norte, Reoboão não deve ter-se considerado na defensiva.

8. *Normas religiosas*. Reoboão afirmava-se leal ao Senhor e seu templo. Substituiu os escudos levados por Sisaque por outros, para as cerimônias tradicionais; o discurso de Abias, em II Crô. 13; e, indiretamente, a necessidade de Jeroboão estabelecer pontos de atração, retaliando contra o templo de Jerusalém. Em resultado, muitos levitas se mudaram para Judá (II Crô. 11:13 ss).

O cronista registra, em II Crô. 11:17 e 12:1, que, após três anos, ao sentir-se firmado no trono, Reoboão abandonou o Senhor. Os reis e seus cortesãos aceitaram a reprimenda do profeta Semaías, mas com meio arrependimento apenas. Talvez Reoboão não tivesse a força de caráter suficiente para fazer virar a maré de desobediência ao Senhor, além do fato de que Salomão abrira precedentes para a introdução das práticas estrangeiras pecaminosas.

REOBOTE

Na LXX, **Euryxoria**, «lugares amplos». Três localidades são chamadas por esse nome, no A.T.

1. Um poço cavado por Isaque, a sueste de Beerseba. Gênesis 26 relata as dificuldades de Isaque com Abimeleque e os pastores de Gerar. Os filisteus haviam entupido um antigo poço, obrigando os servos de Isaque a cavarem novos poços. Mas os pastores de Gerar contenderam os dois primeiros para si mesmos (vss. 20 e 21). Quando um terceiro poço foi aberto e não disputado, Isaque deu-lhe o nome de *Reobote*, dizendo: «Porque agora nos deu lugar o Senhor, e prosperamos na terra» (vs. 22). Ruheibeh, cerca de trinta e dois quilômetros a sueste de Beerseba, exibe um nome moderno similar, sendo geralmente aceita como a mesma localidade.

2. Os trechos de Gên. 36:37 e I Crô. 1:48 falam sobre Saul de Reobote, junto ao Eufrates. (O hebraico diz apenas «junto ao rio»). Saul foi um dos «reis» que governaram a terra de Edom, antes que houvesse reis em Israel. Essa cidade de Reobote não tem sido identificada nem mesmo vagamente, mas certamente não é a mesma Reobote do sul de Judá.

3. Reobote-Ir (*cidade dos lugares amplos*) é um dos lugares, ao norte da Mesopotâmia, que Ninrode, o poderoso caçador, edificou (Gên. 10:11). Também é um lugar que nunca foi identificado. Alguns estudiosos pensam que se trata de um substantivo comum, e não do nome de uma cidade, compreendendo que a alusão é às praças abertas ou subúrbios desocupados de Nínive ou de Calá, que são os nomes anterior e posterior a Reobote-Ir, naquela lista.

REOBOTE-IR

Ver sobre **Reobote**, terceiro ponto.

REORDENAÇÃO

Dentro da teologia católica romana, não existe a reordenação de um bispo, padre ou diácono. Porém, se algum homem havia sido ordenado ao ministério em algum outro segmento da Igreja e então se tornou católico romano, sua ordenação naquele outro ramo não é considerada válida, e terá de ser reordenado para fazer parte do ministério católico romano. Naturalmente, a mesma coisa às vezes acontece entre os grupos protestantes e evangélicos que não respeitam ordenações alheias (especialmente se partem de grupos considerados rivais). Dentro da história do protestantismo, a ordenação por muitas vezes é reputada como um ato que faz alguém tornar-se parte de algum ministério particular, e não um ato em que a igreja local reconhece o dom ministerial que foi dado pelo Senhor ao indivíduo, dom esse que, uma vez dado, nunca mais se perde. «...os dons e a vocação de Deus são irrevogáveis» (Rom. 11:29). Sem entenderem isso, alguns grupos protestantes e evangélicos insistem em reordenar, nos casos acima especificados. Dá-se a mesma coisa com o batismo em água. Geralmente os grupos cristãos que assim fazem são notórios por seu exclusivismo.

REPARAÇÃO (RESTITUIÇÃO)

Essa palavra vem do latim, **reparatio**, «renovação», «substituição». A idéia envolvida é a de reparação por algum erro cometido. No sentido teológico, o termo pode ser usado como equivalente à *expiação*, quando então refere-se a como o Senhor Jesus, mediante seu sacrifício, abriu caminho para a reconciliação dos homens com Deus.

Dentro da teologia católica romana, essa palavra indica aquelas orações, boas obras, atos de abnegação e de sacrifício pessoal que são oferecidos a Deus com o propósito de compensar pelas más ações praticadas.

Dentro da teoria moral em geral, a *reparação* é aquilo que alguma pessoa faz na tentativa de anular as más ações antes praticadas, ou de devolver algo a alguém que a pessoa tinha defraudado. Conheço pessoalmente um pastor que, em sua juventude, foi leiteiro. Durante a distribuição diária, ele não conseguia refrear-se de tomar algum leite. E quando deu início a seu treinamento teológico, sua consciência começou a perturbá-lo por esse pequeno ato de desonestidade. E quando se tornou pastor, dirigiu-se a seu ex-patrão e entregou-lhe certa quantia em dinheiro, a fim de reparar o prejuízo que causara. Isso foi um ato típico de reparação. E também há pessoas que fazem reparação mediante algum ato de caridade. E isso já fala sobre uma reparação *indireta*, geralmente por ser impossível a devolução direta, a quem de direito.

A reparação pode ser um sinal de genuíno arrependimento, no esforço de corrigir injustiças cometidas. Zaqueu serve de bom exemplo disso. Ao converter-se, disse ao Senhor: «...se nalguma cousa tenho defraudado alguém, restituo quatro vezes mais» (Luc. 19:8). A reparação direta é necessária para aquele que está procurando seguir pela estreita vereda espiritual. Isso deve ser feito, sempre que possível. A reparação indireta sempre será um bom princípio, contanto que a reparação direta se tenha tornado impossível, pois, na realidade, não compensa nossas vítimas pelos erros sofridos. Paulo apresentou-nos um caso de reparação indireta, ao ordenar que aqueles que antes haviam sido ladrões, agora dessem algo aos pobres (ver Efé. 4:28).

O Antigo Testamento encarece esse princípio, contendo várias estipulações acerca de reparação ou restituição, segundo se vê em referências como Êxo. 22:1-11; II Sam. 12:6; Pro. 6:31. Quanto ao Novo Testamento, ver também Rom. 13:7,8; I Cor. 6:1—8; File. 18,19; Gál. 6:1.

REPETIÇÃO ETERNA

Essa é a doutrina que declara que o tempo é *cíclico*. Encontra-se tanto na filosofia oriental quanto na filosofia ocidental. Os estóicos pensavam que todas as coisas acontecem novamente, quando os ciclos se repetem. No hinduísmo (que vede), a doutrina era ensinada por Shankara (que vede) e por Ramanuja (que vede). Erigena (que vede) incorporou essa doutrina em seu sistema, como também o fez Nietzsche (que vede), entre os filósofos modernos. Ele acreditava que o mundo é finito, e que o número de suas configurações possíveis também é finito. E, visto que o mundo prosseguiria indefinidamente, é inevitável que as mesmas configurações se repitam.

Por conseguinte, literalmente, a história repetir-se-ia por muitas vezes, interminavelmente.

REPOSTEIRO

No hebraico, **masak**, «coberta». Palavra que aparece por vinte e cinco vezes. Para exemplificar: Êxo. 26:36,37; 27:16; 35:15,17; Núm. 3:25,31; 4:25,26. Deve-se distinguir entre o reposteiro e a cortina (no hebraico, *qelaim*). O reposteiro servia de porta do tabernáculo. Nas especificações do tabernáculo, dadas a Moisés (Êxodo 25—27), havia provisão para três reposteiros feitos de azul, púrpuro, escarlate e linho fino retorcido. Eram postos em postes de madeira de acácia, pendurados por meio de ganchos; mas não é claro se esses reposteiros eram afastados ou retirados, a fim de se ter acesso ao tabernáculo.

O primeiro desses três reposteiros ficava na extremidade oriental do átrio do tabernáculo (Êxo. 27:16). Tinha dez metros de comprimento e era sustentado por quatro pilares decorados com filetes de prata, cada um sobre bases de bronze. Os reposteiros eram similares às cortinas de linho, de que eram feitos os lados do átrio, exceto que os reposteiros eram peças decoradas. As especificações para os reposteiros do átrio parecem indicar que havia um pilar a cada 2,5 m (ver *Tabernáculo*), em cujo caso um reposteiro destacável de dez metros de comprimento requereria cinco pilares para ser sustentado. Se havia tal intervalo entre os pilares, o que não é certo, então, o reposteiro não seria removível e, por isso, requereria mais quatro pilares, ainda não computados, nas paredes.

O segundo reposteiro ficava à entrada da tenda da congregação (Êxo. 26:36 s), sendo similar ao da entrada do átrio, exceto que era sustentado por cinco pilares ou recobertos de ouro, ou, mais provavelmente ainda, decorado com filetes de ouro e com capitéis.

O terceiro reposteiro formava a divisão entre as duas divisões principais da tenda, vedando a entrada para o Santo dos Santos, o recinto mais interior (Êxo. 35:12). Com maior freqüência, é chamado de véu (*paroketh*; por exemplo, Êxo. 26:31,33,35; 27:21), outras vezes de véu do reposteiro (*paroketh hammasak*; por exemplo: Êxo. 35:12), e, apenas por uma vez, de reposteiro (*masak*). Nesse último caso (Núm. 3:31), certamente é o véu descrito como guardado pelos coatitas, visto que o reposteiro da tenda estava ao cargo dos gersonitas (Núm. 3:25).

REPREENSÃO (ADMOESTAÇÃO)

A raiz dessa palavra é o termo latino **monitio**, que indica um conselho amigável. Nas Sagradas Escrituras há várias fontes originárias de advertência espirituais, a saber:

1. Os preceitos divinos (Sal. 19:11).
2. Os profetas (Eze. 33:4; Jer. 6:10).
3. Os apóstolos (Atos 20:31; I Cor. 4:14; Col. 1:28; I Tes. 6:14).
4. Meios sobrenaturais admoestam secretamente (Mat. 2:12; Atos 10:22; Heb. 11:7).
5. Os pastores das igrejas locais têm o dever de estar equipados para admoestarem, mediante o conhecimento que têm das Escrituras, a razão, a intuição, e até mesmo mediante alguma experiência mística.

Muitas passagens bíblicas contêm repreensões de Deus contra o mal. Os juízos divinos são repreensões ativas. A misericórdia divina em Cristo e a missão tridimensional de Cristo (na terra, no hades e no céu)

REPRESENTAÇÕES — REPROVAÇÃO

são reprimendas contra a injustiça. O povo de Deus está na obrigação de repreender o mal em outras pessoas (ver Lev. 19:17; Luc. 17:3; I Tim. 5:20), embora deva fazê-lo sem arrogância e com o espírito de brandura e de amor. Talvez, na próxima oportunidade, seja a nossa vez de sermos repreendidos (ver Gál. 6:1). Se não repreendermos o mal, poderemos tornar-nos coniventes com a iniqüidade. Deus repreende aos povos pagãos (ver Sal. 9:5), aos inimigos de Israel (ver Sal. 76:6) e a Satanás, o acusador dos crentes (ver Zac. 3:2). Mas também repreende ao seu próprio povo, quando este merece tal reprimenda (ver Pro. 3:19). O Senhor Jesus repreendeu aos poderes demoníacos (ver Mar. 1:25), às enfermidades (ver Luc. 4:39), ao vento e ao mar (ver Mat. 8:26), e também aos seus próprios discípulos, quando eles precisaram ser repreendidos (ver Mar. 8:33; Luc. 9:55).

REPRESENTAÇÕES COLETIVAS

Ver o artigo sobre **Émile Durkheim**.

REPRESENTANTE

«Um substituto toma ou usurpa nosso lugar, enquanto que um representante deixa intacto o nosso lugar, agindo em nosso favor e fazendo-se presente em nosso lugar, quando, na realidade, não podemos comparecer pessoalmente» (C).

Cristo é o nosso Representante diante de Deus. Ele é o cabeça federal da nova raça, a raça dos remidos (Rom. 5:12 ss), e assim pudemos ser aceitos no Amado (Efé. 1:6). Cristo é o nosso Irmão mais velho, em cuja imagem moral e metafísica estamos sendo transformados (Rom. 8:29; II Cor. 3:18). E isso significa, finalmente, que participaremos plenamente da natureza divina, da mesma maneira que ele veio participar de nossa natureza humana (ver II Ped. 1:4).

Por outro lado, Cristo é o representante de Deus Pai entre os homens (ver João 1:18). Ele mesmo disse: «Quem me vê a mim, vê o Pai» (João 14:9). Foi Cristo quem nos veio trazer a plena verdade de Deus: «...a graça e a verdade vieram por meio de Jesus Cristo» (João 1:16). Ainda um outro lado da questão é que Jesus Cristo, como homem, tornou-se o representante daquilo que os remidos haverão de ser, mediante a redenção e a transformação à imagem de Cristo.

RÉPROBO

No hebraico temos uma palavra usada por setenta e sete vezes, no A.T., e no grego temos o termo *adókimos*, empregado por seis vezes no N.T. (Rom. 1:28; II Cor. 13:5-7; II Tim. 3:8 e Tito 1:16). O termo hebraico dá a entender um «refugo», como o refugo da prata (ver Jer. 6:30). O termo grego significa «rejeitado», por não ter passado em um teste. Na LXX, esse mesmo termo grego é usado em Pro. 25:4 e Isa. 1:22, onde a idéia é similar à que aparece em Jer. 6:30.

Paulo usa um jogo de palavras com o termo grego, em Rom. 1:28: «E, por haverem desprezado (*ouk edokímasèn*) o conhecimento de Deus, o próprio Deus os entregou a uma disposição mental reprovável (*adókimon*), para praticarem cousas inconvenientes». Tê sido reprovado é idêntico a ter sido «desqualificado», que Paulo usa em uma metáfora atlética, em I Cor. 9:27. No tocante aos falsos apóstolos, Paulo sugere que eles se examinassem, para ver se poderiam ser aprovados no teste da autenticidade. Em nossa Bíblia portuguesa, a única vez em que a forma «réprobo» é usada é em II Tim. 3:8, onde o apóstolo diz que alguns não eram aprovados no tocante à autenticidade de sua fé.

REPROVAÇÃO Ver também **Reprovado**.

Esboço:
I. Defrontando o Problema Difícil
II. Exposição de Romanos 9:20
III. As Idéias de Romanos 10:1, o Outro Lado da Moeda

I. Defrontando o Problema Difícil

1. O nono capítulo de Romanos apresenta o dificílimo problema da relação entre o livre-arbítrio humano e a predestinação, e toda a exposição do presente capítulo se relaciona, de um modo ou de outro, com essa questão.

2. Não podemos solucionar esse problema, supondo não estarem em pauta meros *indivíduos*, mas somente nações. Nem podemos solucioná-lo afirmando não estar em pauta a *salvação*, mas tão-somente certos privilégios terrenos, religiosos ou não. Pois o texto alude à salvação da alma e a indivíduos isolados.

3. Alguns intérpretes abandonam toda tentativa por solucionar o problema, tachando-o simplesmente de paradoxo. Conforme esse ponto de vista, o livre-arbítrio humano — que vide —, é uma verdade, mas a predestinação também exprime uma verdade. Seriam duas facetas de uma verdade maior, os dois lados de uma mesma moeda. Quiçá sejam apenas dois lados de uma verdade de múltiplas facetas, a maior parte das quais não foram reveladas em nossa minúscula teologia. Nossa teologia se arrasta capenga diante da elevadíssima verdade divina. É uma insensatez eliminar uma verdade a fim de salientar uma outra, meramente com o fito de obter uma teologia sistemática. Não há motivos pelos quais não possamos aceitar ambas essas verdades sem contorsões espirituais e mentais.

4. Quanto à *reprovação ativa*, isto é, — assim como Deus elegeu a alguns, também rejeitou ativamente a outros (o que é virtualmente ensinado no nono capítulo de Romanos), podemos obter alguma luz, através das seguintes considerações:

a. A teologia judaica era débil quanto a *causas secundárias* pois fazia de Deus a única causa o que a levava à beira do perigo de fazer de Deus o autor de coisas desagradáveis, e até mesmo do mal. Existem causas secundárias, como a vontade livre do homem, os desastres naturais, etc. Essas causas também produzem eventos. Por isso é que dizemos que a queda dos anjos e a queda dos homens trouxeram o pecado à existência.

b. *Reprovação passiva?* Mediante o uso do conceito de causas secundárias, poderíamos afirmar que a reprovação divina foi atraída pelo próprio homem, em razão do que a ação de Deus seria «passiva» quanto a essa questão, e que tão-somente permitiu que os homens fossem o que eles mesmos determinaram, em sua rebeldia. Muitos trechos bíblicos dariam a dar-nos essa impressão, mas o uso que Paulo faz de uma débil teologia judaica (a qual negligenciava o conceito de causas secundárias) poderia explicar por qual razão a reprovação ativa parece estar em foco aqui.

c. A própria idéia da reprovação ativa pode exprimir uma verdade, não sendo contrária à moralidade (isto é, não faz Deus ser o autor do mal), contanto que exista uma *realização secundária*, efetuada através da missão de Cristo, ou seja, uma *restauração*, em contraste com a *redenção* dos eleitos.

REPROVAÇÃO

Certos trechos bíblicos, parecem ensinar tal coisa. (Ver Efé. 1:10 quanto a isso, bem como a «missão universal de Cristo», comentada em João 14:6. A leitura dessas notas no NTI dará ao leitor boa compreensão sobre esse importante conceito).

d. A vantagem da idéia expressa no ponto «c» é que, **através da mesma**, podemos admitir livremente que a reprovação ativa é uma verdade ensinada no nono capítulo de Romanos, sem tornar Deus a causa do mal, o que não é moralmente aceitável. No entanto, por enquanto nada pode dissipar o mistério do inter-relacionamento entre o livre-arbítrio humano e a predestinação divina, e como ambas as coisas se relacionam ao óbvio convite universal do evangelho. Todos os homens *poderiam* crer, se o quisessem.

5. Alguns supõem que a idéia paulina da reprovação ativa, no nono capítulo de Romanos, tenha sido exposta apenas como uma *possibilidade hipotética*, e não a sério, como um fato espiritual absoluto. Esse argumento passa a raciocinar que isso teve por intuito, exprimir a total impossibilidade do homem vir a adquirir a salvação por intermédio da lei. Ela deve vir necessariamente através da graça, com exclusividade (ver Efé. 2:8).

6. Finalmente, em Rom. 9:31 e *ss*, há uma declaração de Paulo no sentido de que a reprovação divina, se escuda em razões tanto *divinas* quanto *humanas*. Começando por esse ponto, e chegando até o fim do décimo capítulo, Paulo apresenta o *lado humano* da questão. Os homens foram convocados a se arrependerem—não quiseram fazê-lo—foram endurecidos por seus próprios pecados—Deus os convocou, mas eles não corresponderam. Daí, tornaram-se *merecedores* do juízo. Assim, parece que Paulo *abandonou* seu argumento da reprovação ativa —ou não?

7. Grandes mistérios circundam essas doutrinas. Aquilo que podemos dizer, não satisfaz nem a nós mesmos, quanto menos aos outros!

8. A reprovação se baseia sobre o *voluntarismo* (ver o artigo).

II. Exposição de Romanos 9:20

Rom. 9:20: *Mas, ó homem, quem és tu, que a Deus replicas? Porventura a coisa formada dirá ao que a formou: Por que me fizeste assim?*

Este versículo dá prosseguimento claro ao tema da *reprovação ativa*.

De conformidade com Rom. 9:16-18, o que Deus realmente faz? Ele toma um pouco de barro inerte e faz dele um vaso para ira, próprio só para a destruição. É óbvio que um vaso de ira não serve para qualquer propósito justo, mas bem pelo contrário, opondo-se aos mandamentos divinos e perseguindo ao povo de Deus, o vaso de ira dá margem para que Deus demonstre o *seu poder*, na forma de julgamento, sendo assim exaltada a sua glória. Não há que duvidar que Paulo ainda tinha Faraó em mente; e Paulo deixa subentendido que aquilo que Faraó fez, fê-lo impelido pela vontade ativa de Deus, embora tantos intérpretes forcem sobre essa passagem a noção de que ele fez isso por sua própria vontade e inclinação e que Deus tão-somente permitiu que Faraó continuasse em seu curso de ação, e que ele chegou a colher, finalmente, os resultados necessários.

Os intérpretes têm procurado evitar a severidade da idéia da «reprovação ativa» dos ímpios, por parte de Deus, apelando para *várias explicações*, a saber:

1. Faraó teria sido mantido *fisicamente vivo* através de todas as pragas, etc., a fim de que pudesse continuar fazendo oposição a Moisés, para que uma gloriosa vitória finalmente pudesse ser atribuída a Deus, por meio de Moisés. De acordo com esse ponto de vista, o «endurecimento» de Faraó nada tinha a ver com a sua natureza moral, — boa ou má —, e nem com a sua salvação pessoal. Mas essa interpretação é manifestamente errônea, pois a simples leitura do contexto, tanto da narrativa do A.T. como das considerações de Paulo nesta epístola, em seu nono capítulo, mostra que as coisas não aconteceram assim, especialmente se considerarmos o trecho de Rom. 9:22,23.

2. Outros pensam que a reprovação dos ímpios é *passiva*. Alguns desses admitem que ela poderia ser ativa, mas que envolveria nações, e não indivíduos, de tal maneira que não estaria em vista a escolha individual em favor ou contra a salvação pessoal. Porém, Esaú, Jacó, Moisés e Faraó foram indivíduos.

3. Ainda outros estudiosos pensam que podemos dizer que a *reprovação* aqui ensinada pode ser *ativa* ou *passiva*, conforme quisermos pensar, porque diria respeito tão-somente aos *privilégios religiosos*, e não à eleição para a salvação, e nem à reprovação para a condenação. Porém, mesmo que essa opinião estivesse com a razão, o simples fato da outorga de privilégios religiosos a alguns (isto é, a iluminação espiritual no que respeita à vontade de Deus e ao caminho da salvação), ao passo que outros indivíduos ficariam nas suas próprias trevas, para todos os efeitos práticos, indicaria a eleição para a salvação ou a reprovação para a condenação dos indivíduos envolvidos, porquanto é somente através de tais privilégios que os homens podem vir a Cristo e à salvação que há potencialmente no seu sangue. Portanto, negar privilégios religiosos ou negar iluminação espiritual é a mesma coisa, o que resulta na reprovação ativa, para todos os efeitos práticos. A mera leitura do presente texto bíblico nos mostra que tais especulações não têm fundamento sólido, sendo meros resultados das tentativas de fazer com que os textos sagrados se tornem mais aceitáveis para os gostos humanos, mais fáceis de serem harmonizados com outros trechos das Escrituras, especialmente com os ensinamentos neotestamentários, os quais, na realidade, são contrários às noções básicas aqui apresentadas.

> Este, que um deus cruel arremessou à vida,
> Marcando-o com o sinal da sua maldição;
> Este desabrochou como a erva má, nascida
> Apenas para aos pés ser calcada no chão.
>
> De motejo em motejo arrasta a alma ferida...
> Sem constância no amor, dentro do coração
> Sente, crespa, crescer a selva retorcida
> Dos pensamentos maus, filhos da solidão.
>
> Longos dias sem sol! noites de eterno luto!
> Alma cega, perdida, à toa no caminho!
> Roto casco de nau, desprezado no mar!
>
> E, árvore, acabará sem nunca dar um fruto;
> E, homem, há de morrer como viveu: sozinho!
> Sem ar! sem luz! sem Deus! sem fé! sem pão! sem lar!
>
> (Olavo Bilac, Estado do Rio, 1865—1918).

Contradizendo a Deus, ou um Conceito Insuficiente de Deus?

1. Os intérpretes que negam o claro ensino do nono capítulo de Romanos, quer abertamente (como um teólogo liberal se inclina por fazer), quer através de uma interpretação distorcida (como um conservador poderia fazer) naturalmente pensam que estão prestando a Deus um valioso serviço quando agem assim, que estão «purificando o conceito de Deus».

2. Portanto, um ataque contra o nono capítulo de Romanos, de acordo com a opinião franca ou secreta

REPROVAÇÃO

de certos, é um ataque, não contra Deus, e, sim, um ataque contra um conceito deficiente de Deus.

3. Esse ataque, se fosse verdadeiro e legítimo, seria obviamente um serviço, e não uma desgraça, e deveria ser aplaudido.

4. Pessoalmente, acho que precisamos dizer algo semelhante a isto: que o conceito que os homens têm de Deus foi aprimorado, na passagem do Antigo para o Novo Testamento. Isso é auto-evidente. Portanto, se Paulo trouxe à tona um exemplar inferior da teologia judaica, e, se no N.T. podemos obter uma luz que aclara tal conceito, então que todos o saibam. Podemos asseverar, portanto: «Paulo declarou isso, mas ele estava repetindo idéias teológicas inferiores. Devemos ir além do que ele disse, quanto a este ponto, através da consideração de outras revelações». E isso *não é impossível*!

Os Intérpretes Exprimem suas Opiniões, Considerando a Questão de Vários Pontos de Vista

1. Se olharmos para a questão somente do ponto de vista divino, então teremos de levar em conta a reprovação ativa e a eleição (conforme se aprende no nono capítulo de Romanos).

2. Se olharmos para a questão segundo a situação terrena, teremos de admitir a reprovação passiva (Rom. 9:30—10:21).

3. Se olharmos para a questão segundo um puro ponto de vista humano, isto é, do ângulo do livre-arbítrio humano (ver I Tim. 2:4), então não poderemos admitir de forma alguma a idéia da reprovação, e nem a idéia da eleição, sem que isso nos obrigue a aceitar a existência de um *paradoxo*.

«Deus não é responsável pelo pecado. Deus não está sob a obrigação de salvar a quem quer que seja. Obrigação e senhorio não podem ser, ambas as coisas, praticadas por Deus. Se porventura ele salva a alguém, trata-se de um ato soberano de misericórdia». (Newell, *in loc.*).

Esse tipo de declaração pode ser ouvida com freqüência, e apesar de encerrar alguma verdade, na realidade é uma verdade meramente parcial.

As palavras: «Porventura pode o objeto perguntar a quem o fez: Por que me fizeste assim?», não são tanto uma citação, mas antes, um eco do trecho de Isa. 29:16, onde essas palavras se aplicam à nação inteira de Israel, embora Paulo as aplique a certos indivíduos.

«Um homem não é uma coisa, e se a explicação inteira do seu destino houver de ser procurada na vontade isolada de Deus, ele dirá: Por que me fizeste assim? e nem mesmo a autoridade de Paulo conseguirá silenciá-lo». (James Denny, *in loc.*). Essas palavras de Denny envolvem grande sabedoria, embora não tenham sido apresentadas por ele como a sua própria opinião sobre a questão, e, sim, como o ponto de vista de um objetor. Não obstante, essas palavras são verdadeiras, apesar de não terem sido aprovadas por ele.

Essas palavras citadas por James Denny são verdadeiras porque, com ou sem o apoio de Paulo, é boa doutrina aquela que diz que Deus não pode ser reduzido a um destruidor arbitrário, impelido por caprichos de sua própria vontade. O Criador e Juiz de todas as criaturas fará o que é «direito». Ora, o que é «direito» deve conformar-se com o caráter que ele requer da parte dos homens, conforme foi exemplificado pela pessoa do Senhor Jesus Cristo. O Senhor, a quem chamamos de Jesus, foi o exemplo máximo de altruísmo, de amor, e ele não veio a fim de destruir, e sim, a fim de salvar, como também não veio a fim de condenar, e, sim, de redimir. Deus Pai não pode ser visto como diferente disso em sua natureza, sem importar o truque filosófico ou teológico que os homens usem, porquanto também aquilo que podemos saber sobre o Pai, só o sabemos através do Filho, pois Deus Pai e Deus Filho são um só.

Rom. 10:1: *Irmãos, o bom desejo do meu coração e a minha súplica a Deus por Israel é para sua salvação*.

Paulo apresenta em Romanos capítulo 9, com grande seriedade e utilizando-se de uma linguagem absoluta, a questão da eleição e da reprovação divinas, de tal maneira que se supõria que não há oportunidade alguma para a escolha feita pelo próprio homem. Entretanto, a começar do trecho de Rom. 9:30, o apóstolo mostra que a escolha humana, o exercício da vontade, devem ser vistos como algo que age juntamente com a vontade divina, de tal modo que as decisões de Deus não são arbitrárias, mas estão alicerçadas sobre razões morais autênticas. Com isso, Paulo não desistia sob hipótese alguma do conceito do senhorio de Deus, mas tão-somente abandonava a idéia de alguma arbitrariedade da parte do Senhor, pelo menos se considerarmos essas questões por seu lado prático.

III. O Outro Lado da Moeda

1. Nas passagens sobre a «reprovação» temos presumido que de Rom. 9:30, até o fim do décimo capítulo dessa epístola, Paulo tenha voltado a vista para as condições neste mundo. Antes disso ele fixara os olhos nos céus; e, contemplando a vontade de Deus absolutamente suprema, não podia perceber outra coisa senão eleição ou reprovação, ambas as coisas exercidas à parte de qualquer mérito humano, de qualquer vontade ou preferência humana.

2. Olhando então para as coisas segundo o ponto de vista humano, Paulo percebeu claramente que o homem é *responsável* por seus atos, — que tem livre-arbítrio, devendo escolher o seu destino. Isso não significa que o homem possa conquistar o seu destino, como que através da lei. Paulo já havia demonstrado que isso é impossível. (Ver os verdadeiros «usos da lei», em Rom. 7:7).

3. O fato de que o homem tem livre-arbítrio, significa que ele tem a capacidade de escolher, e presumimos que, na cruz, uma graça geral é estendida a todos os homens, para que tenham a capacidade de exercer fé. Ora, a salvação vem pela fé (ver Efé. 2:8). (Ver o artigo sobre *livre-arbítrio*).

4. Supomos que Paulo podia olhar para o problema da predestinação versus livre-arbítrio, de qualquer dos ângulos, o humano ou o divino, em diferentes ocasiões, aceitando a verdade de ambos, sem sentir qualquer necessidade de reconciliar uma coisa com a outra. Pelo menos, o fato é que ele ensinou ambas as doutrinas, mas nunca tentou reconciliá-las entre si.

5. Se existisse somente o livre-arbítrio, seria impossível para o homem chegar à salvação, pois esta é uma realidade elevadíssima, que envolve a participação na imagem e natureza de Cristo (ver Rom. 8:29 e II Cor. 3:18), e até a plenitude de Deus—com os seus atributos, alicerçados em sua natureza (ver as notas em Efé 3:19 no NTI). Nenhum ser humano poderia chegar à salvação por qualquer processo humano. Portanto, a salvação vem pela graça divina (ver Efé. 2:8). A eleição tem necessariamente de ser uma realidade, para que a salvação seja possível. Porém, a menos que também existisse o livre-arbítrio, nada haveria no homem para ser salvo, e nem poderia haver qualquer responsabilidade humana pela escolha feita.

6. Ambos os lados dessa questão, estão contidos em Fil. 2:12,13, onde se lê: «...desenvolvei a vossa

REPROVAÇÃO — REPROVADO

salvação com temor e tremor, porque Deus é quem efetua em vós tanto o querer como o realizar, segundo a sua boa vontade». Paulo nos expõe ambos esses conceitos em uma única declaração, e não tenta estabelecer qualquer reconciliação entre eles. Podemos seguir o seu exemplo, embora nos seja útil debater um pouco a questão.

Se funcionasse somente o livre-arbítrio humano, a obtenção da salvação se assemelharia a uma corrida que, embora os contendores se empenhassem pelo prêmio, descobririam que o alvo ia retrocedendo cada vez mais para eles, sem importar a intensidade de suas buscas e de seus esforços. Assim, a busca de Deus seria:

...*aquele mundo não-viajado cuja margem desaparece*
Para sempre, para sempre, quando me movimento.
(Do poema de Tennyson, *Ulisses*).

Por outro lado, se somente o senhorio divino funcionasse, o homem não poderia ser um ser capaz realmente de atingir o alvo da salvação, que é a transformação segundo a imagem moral e metafísica de Cristo.

Por conseguinte, tanto o livre-arbítrio humano como o senhorio divino devem ser conceitos verdadeiros. O homem precisa da ajuda e da orientação divinas, o que explica a aplicação da escolha e da segurança oferecidas na eleição. Porém, ao mesmo tempo, o homem deve continuar responsável **pelas suas escolhas, pois,** de outro modo, não seria digno de ser salvo. Portanto, o livre-arbítrio humano deve ser um conceito verdadeiro.

Ver os artigos sobre *Determinismo* e *Livre-arbítrio*.

REPROVADO Ver também **Reprovação**.

No grego **adókimos**, «reprovado após exame». O vocábulo aparece por oito vezes no Novo Testamento: Rom. 1:28; I Cor. 9:27; II Cor. 13:5-7; II Tim. 3:8; Tito 1:16 e Heb. 6:8.

Em I Coríntios 9:27, Paulo exprime que temia a possibilidade de ter pregado a outros, mas, finalmente, ser «desqualificado» (conforme diz nossa versão portuguesa). Isso levanta a questão da *eterna segurança* do crente (que vide). A palavra grega também é traduzida por «reprovado» ou «rejeitado», em nossa versão portuguesa. A definição do sentido desse termo, por si mesmo, não é suficiente para mostrar-nos exatamente o que Paulo queria dar a entender. Se examinarmos a teologia, chegaremos a certa variedade de respostas: 1. *A resposta arminiana*. Paulo realmente acreditaria que lhe era possível cair da graça e perder-se, embora fosse um apóstolo de Cristo. 2. *A resposta calvinista*. Paulo apenas preocupar-se-ia em ser desqualificado em seu ministério, nada tendo isso a ver com a salvação de sua alma. 3. *A resposta calvinista modificada*. Paulo teria admitido a possibilidade dele cair da graça como uma hipótese de advertência, mas não como algo que ele julgasse que pudesse, realmente, suceder-lhe. Naturalmente, essa terceira posição expressa um contra-senso teológico, pelo que a primeira ou a segunda dessas posições está com a razão, desfrutando de defesa escriturística. 4. Outros pensam que estaria em vista uma maneira inteiramente humana de dizer, de tal modo que estaria em foco apenas a aceitação prática, nada tendo a ver com o destino eterno da alma, mas isso é uma explicação muito improvável. 5. Ainda outros pensam que Paulo poderia perder alguma elevada recompensa, o que significaria que seria salvo como que através do fogo (ver I Cor. 3:15), ou, pelo menos, ficar aquém dos plenos galardões que poderia conquistar. É claro que II João 8 quase certamente exprime esse conceito. Portanto, seria uma idéia válida, embora alguns pensem que não era isso que Paulo tinha em mente, em I Cor. 9:27. 6. *Interpretação desta enciclopédia*. Paulo estava usando uma metáfora baseada na vida esportiva, tendo em vista as corridas ou o boxe. A competição na qual ele se encontrava requeria intensa disciplina. O atleta que não se disciplina não conquistará o prêmio, e nem poderá sair-se vitorioso em luta contra algum forte oponente. Em I Cor. 9:26 está em vista uma corrida; mas, no v. 27, parece estar em foco o boxe. Um boxeador deve seguir as regras, e precisa vencer de conformidade com essas regras. Se seu adversário for mais forte do que ele, ou se ele lutar contrariamente às regras, terá *perdido a luta*. Apesar de não haver modo absoluto de determinarmos o sentido tencionado por Paulo, parece-me que chegaremos melhor à verdade se combinarmos os conceitos do arminianismo e do calvinismo. Assim, uma pessoa pode cair totalmente da fé, retornando aos seus caminhos pagãos, como se nunca se tivesse convertido. Isso parece ser abundantemente confirmado pela experiência humana. Para mim, dizer que, em cada caso assim, a pessoa envolvida nunca se convertera, e então somente *pareceu* ter caído da fé, é fugir do ponto central da questão. Esse é um raciocínio *a priori*. É como se alguém dissesse: Minha teologia diz que isso *não pode* acontecer, pelo que, sem importar as evidências em favor do fenômeno, o mesmo seria apenas um pseudofenômeno. Algumas vezes, porém, a observação do que realmente sucede é uma teologia melhor do que este ou aquele sistema teológico. Portanto, para começar, admitamos que descair da fé é algo que pode acontecer. Isso posto, combinemos essa idéia com o conceito de que também é verdade o ensino de Cristo em João 10 e de Paulo (como em Rom. 8), no sentido de que, para o regenerado, vir a perder-se eternamente é uma impossibilidade. Nesse caso, isso teria aplicação ao *destino final* da alma, e não às vicissitudes pelas quais a alma haverá de passar, até chegar à eternidade.

De acordo com esse raciocínio, pois, o descair da fé, embora seja uma experiência genuína, finalmente será revertida, porque as promessas de Cristo eventualmente terão cumprimento, no caso de *todo* aquele que nele tiver confiado. Uma outra maneira de dizer a mesma coisa é afirmar que o desvio é *relativo*, mas a segurança eterna é *absoluta*. Em outras palavras, a restauração terá de caracterizar, finalmente, àqueles que se converteram. E acerca de *quando* as almas desviadas serão restauradas, podemos afirmar que isso poderá suceder enquanto elas ainda se encontram nesta vida física, mas também que isso pode ocorrer do outro lado do sepulcro, já nos mundos espirituais. O trecho de I Pedro 4:6 por certo ensina que a redenção pode ocorrer até mesmo ali, uma teologia que vai além da idéia mais radical e elementar de Hebreus 9:27. Realmente, essa possibilidade sempre fez parte do ensino dos pais gregos da Igreja, que o aplicavam a todos os homens, e não somente àqueles que porventura tivessem-se convertido, e posteriormente desviado. —Ao concebermos o desvio como algo relativo, e a recuperação espiritual dos desviados como algo absoluto, podemos interpretar todos os trechos bíblicos que abordam a questão, sem omitir nenhum deles. O desvio é uma das vicissitudes da vida do crente, como uma questão seríssima. O estado de perdição pode ser mantido por muito tempo, até mesmo na vida espiritual, além-túmulo, tornando-se causa de muito sofrimento e perda. Mas finalmente, as promessas de Cristo, que afirmam que ele não perderá a nenhum dos que lhe forem dados, terão de cumprir-se. Nada disso quer dizer que o desvio espiritual não seja uma questão séria. Se um filho meu cometer algum crime e for condenado à prisão por quarenta anos, terei de considerar seríssima a sua situação, uma perda trágica de tempo e de vida, ainda que eu saiba que, dentro de quarenta anos, ele será libertado. Conheço pessoalmente um pastor evangélico que tem um filho que foi encerrado em uma detenção por motivo de estupro. Esse pastor sabe que, finalmente, seu filho será libertado. Mas isso não diminui a dor presente desse pastor.

RÉPTEIS
Ver **Fauna**.

REQUÉM
No hebraico, significa **amizade**. No A.T., era nome de dois homens e de uma cidade, a saber:

1. Um dos cinco reis midianitas mortos pelos israelitas em uma batalha nas planícies de Moabe (Núm. 31:8; Jos. 13:21). De acordo com Números 31, Moisés recebeu ordens de Deus para vingar-se dos midianitas. Anteriormente, os midianitas haviam seduzido Israel para que adorasse a Baal de Peor, e Zinri, príncipe da casa paterna dos simeonitas, havia tomado Cosbi, filha de um rei midianita, à casa de sua família (Núm. 25). Requém aparece como um dos cinco reis midianitas que, provavelmente, eram vassalos de Seom, rei dos amorreus (Jos. 13:21). Aparentemente, Seom tomara posse da área de Moabe, sujeitando as tribos midianitas residentes na área.

2. Um descendente de Calete, filho de Hebrom e pai de Samai (I Crô. 2:43,44).

3. Uma dentre as diversas cidades dentro do território dado por Josué à tribo de Benjamim (Jos. 18:27). Sua localização moderna é incerta.

4. Um clã de Maquir (I Cor. 7:16). Era descendente de Manassés.

RÉQUIEM
Esse título deriva-se das palavras iniciais da composição musical aplicada a certa missa solene, que tem esse nome: *Requiem aeternam dona eis, Domine*, ou seja, «dá-lhes descanso eterno, ó Senhor». O *Réquiem* é uma missa cantada em honra aos mortos, nos funerais e no dia de Todos os Santos. Certas seções diferem da forma regular de missa. Assim, a *glória* e o *credo* são omitidos, e outras seções são adicionadas. Essas seções são: Introit; Kyrie; gradual e tratado; seqüência; ofertório, Sanctus et benedictus; Agnus Dei e communio.

REQUIESCAT
Isso corresponde à palavra inicial de orações pelos mortos, feitas em latim, *requescat in pace*, «que ele (ou ela) descanse em paz». Ver o artigo sobre *Oração Pelos Mortos*.

RES
Palavra latina que significa «coisa». Descartes estabeleceu a distinção entre a *res cogitans*, «coisa pensante» (a entidade que tem a capacidade de pensar) e a *res extensa*, «coisa extensa» (a matéria). Ele identificava essas duas coisas como os elementos básicos do dualismo mente-corpo. Ver o artigo geral intitulado *Problema Corpo-Mente*.

RÊS
Vigésima letra do alfabeto hebraico. Também representava o número 200. A vigésima seção do Salmo 119, no original hebraico, começa com essa letra, que se repete a cada verso.

RESÁ
No grego, **Resá**. Um dos filhos de Zorobabel, que aparece na genealogia de Jesus, em Lucas 3:27.

RESCRITO
Esse é o vocábulo que designa uma resposta dada pelo papa ou por outro ato oficial eclesiástico a uma solicitação ou inquirição, usualmente com a finalidade de solucionar alguma controvérsia ou debate. Um *rescript* difere de uma *decretal* por aplicar-se somente a algum indivíduo ou situação em particular que requeira a sua formulação, ao passo que uma decretal é uma orientação geral. As bulas, os breves (menos formais que as bulas) e as cartas apostólicas são formas variantes do *rescrito*.

RESEFE
Na LXX, essa palavra aparece de duas maneiras diversas. No hebraico, significa «chama» ou «raio». Consideremos estes pontos:

1. Foi um membro da tribo de Efraim, provavelmente, filho de Berias e irmão de Refa (I Crô. 7:25).

2. Há estudiosos que dizem que se trata de um nome próprio, mas traduzido como nome comum em Deu. 32:24; Jó 5:7; Sal. 76:3; 78:48; Can. 8:6. A Septuaginta, também a entende como um substantivo comum nesses trechos. Portanto, haveria nisso uma alusão a divindade cananéia que figura nas listas de oferendas e entre os nomes dos deuses de Ras Shamra, no papiro egípcio Harris (final da dinastia XIX) e nas inscrições sírias em aramaico (século VIII A.C.). Com base no próprio nome, podemos deduzir que Resefe era vinculado às pestilências. As representações artísticas e as referências literárias mostram que ele era considerado o senhor do submundo, bem como da guerra e da pestilência. No épico de Keret, ele aparece como o deus da praga ou da destruição em massa. Segundo Albright, estaria intimamente relacionado ao Nergal da Babilônia. Os gregos chamavam-no Apolo. Mas a ligação dessa divindade com aquela divindade cananéia deve ser rejeitada, por que é altamente improvável que os escritores monoteístas da Bíblia tivessem atribuído vida a uma divindade pagã. Por outro lado, pode-se perceber uma polêmica contra Resefe, em Hab. 3:5.

RESÉM
Na LXX, *Dase;* provavelmente uma forma hebraicizada do assírio *res eni*, que significa *cabeça de fonte*, embora outros estudiosos prefiram o sentido *fortaleza*.

A maioria dos estudiosos pensa que o locativo designa uma cidade assíria edificada por Assur, entre Nínive e Calá. Mas nenhuma cidade de dimensões apropriadas tem sido encontrada nessa área. Alguns eruditos propõem a aldeia assíria de Resh-eni, mencionada por Senaqueribe em conexão com as suas obras para suprir Nínive de água, situada a nordeste da capital. Mas há quem pense que se trata de uma descrição parentética de alguma impressionante construção de enganharia ou militar — talvez alguma obra hidráulica.

RESERVA DO SACRAMENTO

A Igreja Católica Romana e a Igreja Ortodoxa Oriental poupam uma porção da Santa Comunhão (já consagrada) a fim de ser oferecida a pessoas enfermas e outras, que não possam fazer-se presentes à cerimônia da missa. A mesma prática existe em favor dos moribundos que desejam receber a comunhão. Ainda recentemente, a comunidade anglicana reviveu o costume, embora não seja o mesmo observado no protestantismo.

O costume é muito antigo, tendo sido mencionado por Justino Mártir, em sua Apologia (cap. 65). Ver também Tertuliano, *Ad. uxorem*, II.5. Naturalmente, o sacramentalismo encoraja esse costume. Onde não houver sacramentalismo, esse costume far-se-á ausente. A Igreja Católica Romana administra somente o pão. A Igreja Ortodoxa Oriental ensopa o pão no vinho.

RESERVA MENTAL

A reserva mental pode ser legítima ou ilegítima. Vejamos:

1. *Reserva Mental Legítima*. Uma reserva mental é uma qualificação secreta (não enunciada) de uma declaração, no interesse da justiça ou da experiência, e que altera, de alguma maneira importante, o que se espera que os ouvintes entendam, com base naquela declaração. A ilustração clássica da situação é o caso hipotético em que um homem chega a uma casa, em busca de uma pessoa a quem quer matar. O homem força entrada na casa e indaga: «Onde está tal pessoa?» Seu mau intuito é compreendido, pelo que a pessoa a quem fora feita a indagação, responde: «Essa pessoa não está aqui. Ninguém está escondido aqui». A reserva mental envolvida é aquilo que não foi dito: «a quem eu deva, com justiça, entregar em suas mãos». Assim, aquele homem vê-se frustrado e enganado, porquanto ouviu apenas uma declaração parcial, e o que ele não ouviu alteraria o sentido da declaração.

2. *Reserva Mental Ilegítima*. Mas uma reserva mental é ilegítima quando é apenas uma maneira de se dizer uma mentira ou inverdade. Assim, alguém faz uma declaração que é absolutamente veraz, mas que tem o sentido de enganar. E quem faz tal declaração reserva, mentalmente, qualquer adição esclarecedora que faria o ouvinte entender a verdade da questão.

3. *Reservas Mentais na Teologia*. Quase todos os membros de alguma denominação evangélica, que subscrevem a algum credo particular, mantêm alguma reserva mental acerca de algum ou alguns itens. Eles duvidam da validade ou do valor de certos itens do credo, mas, a fim de não entrarem em choque com outras pessoas, ou a fim de não perderem sua colocação, não exprimem as suas dúvidas. Nesses casos, as reservas mentais deveriam ser a inspiração para maiores pesquisas e aprendizado, a fim de obtermos esclarecimentos. Não é sinal de fé superior nunca embalar dúvidas. Isso pode ser apenas um sinal de preguiça mental ou de imaturidade espiritual.

RESERVATÓRIO

No hebraico, essa palavra é usada por muitas vezes, com o sentido de «cisterna», «poço» e até mesmo «masmorra». Indicava um lugar para guardar água.

O clima muito seco da Palestina obrigava os seus habitantes a descobrirem meios de preservar seu suprimento de água, principalmente, durante os meses de estio, de maio a setembro. O terreno roxo era excelente para se cavarem reservatórios, com um mínimo de esforço. Com cuidado, a água coletada durante as chuvas, era conservada potável durante um considerável tempo.

Era vital um adequado suprimento de água o tempo todo, especialmente durante tempos de cerco por tropas inimigas (cf. II Crô. 32:3,4). Nossa Bíblia portuguesa acertadamente diz «reservatório», em Isa. 22:11, onde aparece um outro termo hebraico, derivado da raiz que significa «coletar» (isto é, nações, em Jer. 3:17, e águas, em Gên. 1:9). A precisão na terminologia requer as traduções «reservatório» como lugar onde a água era coletada, «aqueduto» como meio de transporte da mesma e «fonte» como um manancial de águas borbulhantes. Ver *Cisterna* e *Poço*.

RESGATE

Duas palavras hebraicas e duas palavras gregas são traduzidas em nossa versão portuguesa por «resgate». No A.T., a palavra mais usada significa «cobertura», que se vê, por exemplo, em Êxo. 30:12; Sal. 49:7; Pro. 6:35, etc. Apesar de seu sentido original, chegou a ser usado nas Escrituras com o sentido de «expiar», «isentar da punição». Essa é uma das palavras chaves no ensino veterotestamentário sobre o pecado e a sua expiação (Lev. 1:4, etc.). A outra palavra hebraica é usada apenas por uma vez, em Êxo. 21:30, e vem da raiz que significa «saldar uma dívida». Está em pauta o dinheiro pago como multa pelo descuido com a guarda de um touro feroz, que porventura matasse um ser humano. Seria morto o animal e seu proprietário, a menos que este pagasse toda a quantia que lhe fosse exigida. Isso lhe garantia a «liberdade», que é o sentido do termo.

No N.T. grego temos *lútron*, que ocorre com freqüência em passagens chaves do N.T. (Luc. 24:21, etc.), com o sentido de «resgate» ou «redenção»; e, por uma única vez, *antílutron* (I Tim. 2:6), que tem o sentido de «preço correspondente». Ver *Expiação; Propiciação*.

RESGATE DE TERRAS

Em Israel, era o processo legal mediante o qual a terra era conservada sob o domínio e usufruto de uma família. O termo hebraico significa *pagar de volta* ou *vingar*.

Tecnicamente, todas as terras em Israel, que houvessem sido vendidas, revertiam à família possuidora original no ano do jubileu, a cada 50 anos. O trecho de Lev. 25:25-28 ensina que o parente próximo de um endividado, comprasse de volta a sua propriedade, antes do ano do jubileu. Exemplos desse processo podem ser encontrados em Rute 4:4-6 e Jer. 32:6-15.

RESIGNAÇÃO

Essa palavra vem do latim, **resignare**, «reassinar», ou seja, «cancelar», «abandonar». A resignação, dentro do vocabulário, teológico, indica as idéias de «submissão», «cessação da resistência» ou «indiferença», do que resulta a falta de ação, de protesto, de afirmação, etc. Essa palavra é usada em dois sentidos principais, dentro do jargão da ética:

RESIGNAÇÃO — RESPEITO

1. *A resignação diante das próprias condições*, condições essas aceitas como expressões da vontade de Deus; a submissão à vontade de Deus; o estar contente com a própria situação, de abundância ou de escassez. Paulo referiu-se a esse aspecto da resignação em Fil. 4:10 e I Tim. 6:8. Está em foco o sentimento de contentamento, sem queixumes, a aceitação da própria sorte na vida. Por outra parte, reflete a confiança na *providência* (vide) de Deus. Não está em pauta a extrema apatia dos estóicos, e nem o temor ou a relutância em mudar de atitude ou de ações. Apesar disso, há condições que fogem ao nosso controle, e também nos deveríamos resignar diante dessas condições. Ensinou o Senhor Jesus: «Não resistais ao perverso...» (Mat. 5:39). E isso indica certa modalidade de resignação. A atitude de resignação não nos deveria empurrar para o cinismo; antes, deveríamos viver sob a jurisdição de Deus, em louvor e ações de graças. Ver Isa. 45; Sal. 73:15-26; Jer. 20:7-13.

2. *A resignação negativa*, que significa entrar em armistício secreto com o pecado, conformando-se com este mundo, por ser muito difícil resistir e porque a luta contra o mundanismo deixa nossos nervos espirituais tensos demais. É ceder diante da maré do pecado, que inunda continuamente este mundo. Paulo ensinou-nos a não nos conformarmos ou amoldarmos com este mundo (ver Rom. 12:2). O protesto contra o mundanismo será legítimo se não for feito na atitude do ódio e da arrogância. O trecho de I João 3:15 ss deixa bem claro que há adversários a enfrentar e a vencer. Pedro relembrou-nos que há certas coisas que guerreiam contra a nossa alma (ver I Ped. 2:11). O desenvolvimento espiritual em geral é uma tentativa proposital de evitar a resignação negativa diante do nível espiritual e moral inferior em que alguém se encontra. Ver o artigo *Desenvolvimento Espiritual, Meios do*.

Resignação segundo Epicteto

«É necessário que o indivíduo estabeleça a paz consigo mesmo, entrando em harmonia com o mundo. Jamais deve perder de vista o fato de que ele é um mero mortal humano, animal, vegetal, etc. Se alguém conservar-se permanentemente no reconhecimento dessa verdade básica e simples, então a sua alma será capaz de controlar-se quando outros estiverem perdendo a compostura e o controle próprio.

Entre as muitas coisas capazes de tornar um homem *vulnerável*, destaca-se o amor. Como exemplo disso, consideremos o homem que ama profundamente à sua propria esposa. Esse homem estará sujeito a sentir-se extremamente angustiado no caso do falecimento dela. A vida pode tornar-se insuportável quando ficamos separados de seres amados; em conseqüência, a fim de fortificar-se como o aço, em face a tais circunstâncias, o indivíduo precisa lembrar-se incessantemente da natureza perecível da vida e das atividades humanas. 'Quando qualquer coisa, desde as mais vis até às mais excelentes, se fizer atrativa e útil para ti, ou tornar-se objeto de tuas afeições, nunca te olvides de perguntar a ti mesmo; Qual é a sua natureza?! Se por acaso gostas muito de uma jarra, diz para ti mesmo que aprecias muito aquela jarra, e então não ficarás perturbado se a mesma vier a quebrar-se. Se osculares a um filho teu ou à tua esposa, diz para ti mesmo que estás beijando um ser humano; pois então, se porventura a morte desfechar o seu golpe, não ficarás aflito'. Em outras palavras, se alguém conservar-se na completa consciência do fato de que nesta vida, nada é permanente ou imutável, então mais facilmente poderá resignar-se ante qualquer ocorrência desagradável que o envolva. Não obstante, essa atitude só deve ser tomada quando os objetos e as circunstâncias estiverem além da capacidade do indivíduo em alterá-los. Por outro lado, o homem pode assumir uma outra atitude, diferente da que é aconselhada acima, a qual é igualmente eficaz no manuseio das tragédias: 'Jamais digas a respeito de qualquer coisa: Eu a perdi. Pelo contrário, diz: *Eu a devolvi*. Teu filho morreu? Foi devolvido. Tua esposa faleceu? Foi devolvida. Tuas propriedades te foram arrebatadas? Porventura não foram também elas devolvidas? Mas, talvez objetes: Aquele que se arrebatou de mim é um homem iníquo. Porém, que te importa a pessoa através de quem o grande Doador pediu-te algo em devolução? Enquanto o grande Doador permitir-te ficar na posse de alguma coisa, cuida dela, mas não como tua própria; antes, trata-a como os viajantes tratam de uma hospedaria'». (Seleções extraídas de Epicteto, com comentários do livro intitulado *Realms of Philosophy*, William S. Sahakian, Schenkman Pub. Co., Cambridge, Mass., Estados Unidos da América do Norte, 1965).

RESISTÊNCIA PASSIVA

Modificações políticas são buscadas por meios não-violentos, embora de mistura com medidas que perturbam e agitam as forças governamentais. A propaganda é um aspecto importante desse tipo de resistência, que tem por alvo modificar a opinião pública, tanto no local da resistência como fora desse local. Filósofos e líderes religiosos que têm estado associados a esse tipo de atividade, e sobre os quais diversos artigos distintos têm sido escritos, são os seguintes: **Tolstoy, Thoreau, Gandhi, Einstein**.

Uma definição desse tipo de resistência, de acordo com certo dicionário, afirma: «Oposição às autoridades constituídas, que não apela para a violência aberta, embora se valha de jejum voluntário, recusa a obedecer às leis, etc.». (WA)

RESPEITO (ACEPÇÃO) DE PESSOAS

Romanos 2:11: *pois para com Deus não há acepção de pessoas*.

Literalmente traduzida, a expressão «*...acepção de pessoas...*» seria *receber a face*, isto é, demonstrar *parcialidade*. Essa parcialidade jamais se encontra em Deus, o que é declarado, paralelamente a este versículo, em passagens como Efé. 6:9 e Col. 3:25. O trecho de Tia. 2:7,9 declara que a «acepção de pessoas» é um pecado, dando a entender que isso também é ensinado pela lei mosaica. Ver no NTI notas expositivas referentes a esses passos bíblicos). Aquele, pois, que exibe parcialidade, o que usualmente faz por motivos egoístas, aparece como um «agradador de homens», sendo condenado como prevertido, em passagens como Efé. 6:6 e Col. 3:22. Essa atitude é pecaminosa porque o objeto do agrado deve ser Deus, e não o homem. Outrossim, nessa idéia de lisonja humana transparece a ação pervertida da insinceridade, numa «exibição» que procura ganhar o favor, ainda que isso não seja feito com sinceridade, como se houvesse o desejo autêntico de ajudar ao próximo.

Deus, por outro lado, não está sob obrigação alguma de agradar aos homens, favorecendo injustamente um em detrimento de outro, por causa de supostos valores mais altos ou de posições superiores que tenham os favorecidos. O valor da personalidade depende exclusivamente de quanto o Espírito Santo tiver realizado nessa personalidade, pelo que tais

RESPEITO — RESPEITO HUMANO

valores são divinos, e não humanos. Ora, o conceito que Deus faz sobre alguém depende exclusivamente disso, e o seu favor flui em relação a essa atuação, e não por causa de quaisquer qualidades puramente humanas, que os homens porventura imaginem que merecem a atenção de Deus.

O apóstolo Paulo estava pensando aqui, especificamente, sobre a noção judaica que imaginava que Deus devia algo aos judeus, *simplesmente* porque eram descendentes carnais de Abraão, membros da nação que estabelecera uma aliança com Deus. No entanto, a verdade é que os judeus eram indignos de qualquer atenção, exceto naquilo em que eram autênticos filhos espirituais de Abraão, isto é, naquilo em que porventura participavam de sua natureza espiritual. Essa afirmativa, todavia, é de natureza geral, aplicando-se a todos os homens e a todas as situações. Simplesmente não existe qualquer grandeza humana, nem valor ou importância humanos que tenham a virtude de atrair o favor divino. O seu favor chega até nós exclusivamente por intermédio de Jesus Cristo, seu Filho, imparcialmente, para com todos aqueles que estão sendo transformados segundo a sua imagem moral e metafísica, através da ação transformadora do Espírito Santo.

A idéia de **receber a face**, conforme a tradução literal da expressão grega aqui traduzida por «acepção de pessoas», deriva-se do pensamento de fazer um juízo favorável a alguém, por causa de sua aparência. Também pode subentender o favorecimento por causa do temor da face de outrem, ou porque esse outro parece simpático àquele que age como juiz. A idéia central, entretanto, é a de que alguém é favorecido por motivo de mera aparência externa, exibicionismo, qualidades superficiais, reputação autocriada ou superioridade mítica. Para os homens, essas qualidades, positivas ou negativas, que distinguem uns dos outros, podem parecer elementos que merecem consideração séria e real—questões como abastança, poder militar ou político e posição social. Para Deus, enfretanto, tais coisas são superficiais como avaliação de quem quer que seja, tão sem importância como a aparência do rosto de alguém.

Os sete princípios que norteiam o juízo de Deus, por conseguinte, são estes. Romanos capítulo 2:
1. De conformidade com a verdade (segundo versículo);
2. De conformidade com a culpa acumulada (versículo quinto);
3. De acordo com as obras (versículo sexto);
4. Sem fazer acepção de pessoas (versículo décimo primeiro). E daqui por diante veremos:
5. Segundo a realização de cada um, e não apenas conforme seu conhecimento (versículo décimo terceiro);
6. Tem o poder de sondar os segredos do coração (versículo décimo sexto); e finalmente,
7. Segundo a realidade, e não a mera profissão religiosa (versículos décimo sétimo a vigésimo nono). Por conseguinte o julgamento de Deus, conforme os princípios quarto e sétimo, não será efetuado segundo a acepção de pessoas.

«Os ricos, os educados, os viajados, os cultos, os proeminentes, os influentes, os agradáveis, os fortes, todos são procurados. Os pobres, os ignorantes e os fracos, porém, são desprezados e negligenciados. Não é assim com Deus, entretanto. Ele vê os homens através de seus olhos santos, sempre verazes. Ele 'não vê como vê o homem'. Isso é um pensamento aterrorizante para os grandes da terra, mas é um pensamento infinitamente consolador para toda a alma humilde e temente ao Senhor Deus, aquele que mostra que existe um Ser imparcial, que não faz acepção de pessoas, e com quem temos de tratar!» (Newell, *in loc.*).

«Os homens serão julgados de acordo com as suas obras, sem importar se têm recebido ou não qualquer revelação especial sobre a vontade divina, conforme ela foi dada a Israel». (James Denny, *in loc.*).

Este versículo, portanto, atua como uma espécie de transição entre o que é dito antes, e aquilo que se seguirá. Judeus e gentios, com ou sem a revelação divina, serão julgados de conformidade com as suas obras. Deus não acolhe os judeus meramente porque eles receberam uma maior revelação, e nem rejeita aos gentios em face de terem eles recebido uma revelação inferior. A obediência à luz já recebida é que determina o favor divino. (Assim nos ensinam os versículos seguintes).

«Nenhum indivíduo naquele grande dia, será levado aos céus por causa de qualquer parcialidade por parte do Juiz, e ninguém será mandado para o inferno porque Deus não lhe proporcionou graça suficiente, ou porque ele tivesse baixado algum 'decreto' que tenha determinado que qualquer uso dessa graça seria ineficaz para a salvação do tal». (Adam Clarke, *in loc.*, o qual assim aborda a controvérsia que circunda a declaração deste versículo, acerca da «eleição»).

O Problema da Eleição

1. O versículo implica em imparcialidade, pelo que parece negar a eleição. Há muitos versículos dessa natureza no N.T. O livre-arbítrio é uma verdade.

2. Outras escrituras ensinam a eleição. Ambas as doutrinas são verdadeiras, embora aparentemente contraditórias. Ver os artigos separados sobre *Livre-arbítrio, Eleição* e *Determinismo*.

RESPEITO HUMANO (RESPEITO A PESSOAS)

Essa expressão pode ser entendida de duas maneiras principais: 1. *A não-aceitação divina de pessoas*, com reflexos nas vidas daqueles que mostram imparcialidade em seu relacionamento com o próximo; 2. *a aceitação positiva de pessoas*, no cumprimento da lei do amor.

1. *A Não-Aceitação Divina de Pessoas*
Ver *Respeito (Acepção) de Pessoas*.

2. *A Aceitação Positiva de Pessoas*
Respeitar a uma pessoa é o mesmo que aceitá-la. Em Rom. 12:10,13-15,17-20, Paulo refere-se à atitude que devemos ter para com nossos semelhantes. A aceitação às pessoas amplia-se até os nossos inimigos, conforme também o requer a lei do amor. A aceitação às pessoas não faz distinção entre os grandes e os pequenos, entre os ricos e os pobres, entre os sábios e os ignorantes. Tiago advertiu-nos que não devemos fazer acepção de pessoas, mas, o que seria mais comun do que essa atitude, dentro e fora da Igreja? Ver Tia. 2:1-13. Ele esclareceu que a aceitação dos humildes, sem favorecimento especial dos grandes e dos ricos, é um aspecto da lei do amor. A aceitação de pessoas deve envolver a tolerância religiosa, algo que os arrogantes (embora muitas vezes teologicamente ortodoxos) com facilidade olvidam. Ver o artigo chamado *Tolerância*. Porém, a tolerância é um dos menores aspectos da questão. Acima da tolerância temos a compreensão; e acima da compreensão, temos o amor cristão. No entanto, muitas pessoas fazem da teologia um campo de batalha, promovendo assim aquilo que se convencionou chamar de *Odium Theologicum* (vide).

••• ••• •••

RESPEITO — RESPONSABILIDADE

RESPEITO PELA VIDA
Ver o artigo **Reverência Pela Vida**.

RESPIGAR
Há duas palavras hebraicas envolvidas, a saber:
1. *Alal*, «respigar». Palavra que ocorre por quatro vezes com esse sentido: Lev. 19:10; Deu. 24:21; Juí. 20:45; Jer. 6:9.
2. *Laqat*, «colher», «respigar». Vocábulo que aparece por doze vezes com o significado de «respigar»: Rute 2:2,3,7,15-19,23.

A lei mosaica provia um tratamento liberal para os pobres. Por ocasião da colheita, o proprietário de um campo plantado não deveria fazer a ceifa completa, mas deveria deixar as pontas das plantações para serem recolhidas pelos pobres, pelos aflitos ou estrangeiros (Deu. 24:20-22; Juí. 8:2). Esse costume é lindamente ilustrado na história de Rute, no segundo capítulo desse livro. As azeitonas eram respigadas (Isa. 24:13). No trecho de Juí. 20:45, há um uso metafórico. Homens mortos em batalha, quando fugiam, eram metaforicamente «respigados». Obter informações aos poucos, ou tirar proveito de algum benefício recebido, também era «respigar».

RESPIRAÇÃO
Está em foco o ar que passa pelos pulmões, nos movimentos de inspiração e expiração, que nos fornece o oxigênio e expulsa da corrente sangüínea o gás carbônico. Uma pessoa pode viver cerca de trinta dias sem alimentos, três ou quatro dias sem água, mas apenas cerca de dez minutos sem oxigênio. Portanto, o processo é essencial à vida (Gên. 2:7; Jó 27:3; Eze. 27:5,6). No hebraico há três palavras a serem consideradas, e no grego, uma. As palavras hebraicas são: 1. *Nephesh*, «respiração», «alma». Essa palavra é extremamente comum, aparecendo por mais de seiscentas e oitenta vezes, embora só por uma vez tenha o sentido de «respiração», isto é, em Jó 41:21. 2. *Neshamah* ou *nishma*, que figura por vinte e uma vezes, mas, com o sentido de «respiração», apenas por onze vezes, por exemplo: Gên. 2:7; 7:22; I Reis 17:17; Jó 33:4; Isa. 2:22; Dan. 5:23 e 10:17. 3. *Ruach*, «espírito», outra palavra que aparece por muitas vezes, mais de trezentas e setenta vezes, embora apenas por vinte e oito vezes com o sentido de «respiração», por exemplo: Gên. 6:17; 7:15; Jó 12:10; 17:1; 19:17; Sal. 146:4; Ecl. 3:19; Isa. 11:4; Eze. 37:5-10. A palavra hebraica é *pnoé*, «respiração», que figura apenas em Atos 2:2 e 17:25.

Há um uso simbólico, em Atos 9:1, «Saulo, respirando ainda ameaças e morte...», cujo sentido é auto-evidente. Há um artigo separado, nesta enciclopédia, acerca do «sopro» de Jesus, mediante o qual o Espírito Santo foi dado aos discípulos (João 20:22).

Quanto aos termos hebraicos *neshamah* e *ruach*, temos a dizer ainda que embora essas palavras tenham significados levemente diversos, a primeira sugere um sopro gentil, enquanto que a última indica um sopro súbito e forte. Pode-se ajuntar a isso que *neshamah* é empregada preferivelmente para indicar a respiração em sentido fisiológico, ou «respiração vital», de onde lhe provém o sentido secundário de «vida (ou alma) animal» (cf. Gên. 2:7; 7:22; Jó 27:3, onde ambas essas palavras hebraicas ocorrem, e também Isa. 45:52 e Dan. 5:23). Por outro lado, *ruach* é a palavra geralmente empregada onde a respiração é considerada fisicamente—um sopro como ato de força—razão pela qual está ligada às idéias da vontade ou das emoções, de onde lhe provém o sentido secundário de «espírito», mas também «pensamento» ou «propósito», segundo se vê em Jó 4:9; 9:18; Sal. 18:15; Eze. 37:5-10. Apesar de nem sempre haver uniformidade nesse uso, *ruach* exprime a *expressão* da vida, ao passo que *neshamah* exprime o *princípio* da vida. Não obstante, quando *ruach* e *neshamah* são atribuídas a Deus, elas indicam o princípio, não de sua própria vida, mas da vida conferida às suas criaturas. Ver também *Espírito*.

RESPONSABILIDADE
Esboço:
1. A Palavra e sua Definição Básica
2. O Livre-Arbítrio e o Determinismo
3. O Amor e a Lei
4. A Lei da Colheita Segundo a Semeadura
5. A Idade da Responsabilidade
6. Algumas Considerações Bíblicas Sobre a Responsabilidade

1. *A Palavra e Sua Definição Básica*
A palavra «responsabilidade» procede do latim, *respondere*, «responder». Usada como um termo moral, significa que o indivíduo deve «responder» ou «reagir» diante de certos deveres, a fim de ajustar-se a algum padrão moral e espiritual. A responsabilidade é o estado de quem sente que precisa prestar contas de seus atos; de quem sente que precisa cumprir com as suas obrigações; de quem sente que precisa atender a reivindicações legítimas.

«O ponto de vista de que o indivíduo precisa responder por suas ações, em termos de critérios morais e éticos. A posição tradicional a respeito é que à responsabilidade implica no fato de que o homem possui livre-arbítrio. A questão envolve as alternativas de um determinismo suave e também do indeterminismo» (P).

2. *O Livre-Arbítrio e o Determinismo*
Ver os dois artigos separados com esses títulos. É lógico supormos que um homem não pode ser responsável pelos seus atos, a menos que lhe seja dada uma escolha real. As Escrituras incluem tanto o livre-arbítrio quanto princípios determinísticos, e nem uma coisa e nem outra pode ser sacrificada na tentativa de se obter sistemas destituídos de problemas. Cada um desses conceitos tem seu uso próprio e importante nos campos da teologia, da filosofia e da ética. Assim, a *responsabilidade* é um subproduto da obrigação do homem diante das leis divinas, fazendo parte da toda-importante lei do amor, que é a expressão suprema do amor. O trecho de I João 4:7 *ss* mostra que o amor é a própria prova da espiritualidade, e o amor inclui muitas responsabilidades.

3. *O amor e a lei:*
a lei nunca basta. A responsabilidade nunca pode ser determinada meramente pelo conceito do *dever*. As exigências morais cultivam-se no solo da lei do amor (Gál. 5:22,23). O amor estende todas as nossas responsabilidades e faz delas *privilégios*. Ver o artigo detalhado sobre *Amor*.

4. *A Lei da Colheita Segundo a Semeadura*
Essa lei é universalmente reconhecida nos sistemas éticos e nas religiões. Kant também percebeu que o *caos* (vide) acaba reinando supremo, a menos que a justiça seja servida. E isso requer a atuação de Deus, o único que pode fazer perfeita justiça, e também requer a continuação da existência da alma, a fim de que receba a justiça feita. A lei da colheita segundo a semeadura seria uma injustiça sem o princípio da

RESPONSABILIDADE

responsabilidade.

5. A Idade da Responsabilidade

Um dos grandes hiatos teológicos consiste no silêncio das Escrituras Sagradas acerca do que sucede aos infantes antes de terem a presumível idade da responsabilidade por seus pecados. Em face da ausência específica de ensinos bíblicos a respeito, têm sido propostas algumas teorias. Forneço detalhada descrição a respeito do problema no artigo *Infantes, Morte e Salvação dos*.

6. Algumas Considerações Bíblicas Sobre a Responsabilidade

A idéia inteira de um julgamento segundo as obras (Rom. 2:6; Apoc. 20:12) força-nos a considerar o homem um ser moralmente responsável. Se o julgamento será conforme nossa responsabilidade, o livre-arbítrio deve ser uma verdade. Doutra sorte, cairíamos em um absurdo moral. Ver notas completas sobre essas questões, no NTI, nas referências dadas. Ver também sobre o *livre-arbítrio* em I Tim. 2:4 e sob esse título nesta obra.

Responsabilidade diante de Deus: Todo homem terá de prestar contas do que fez ou deixou de fazer, diante de Deus. Ver Rom. 14:12. Há uma suprema lei moral que precisa ser atendida. Kant viu claramente que nossas escolhas são entre o caos e a justiça, e que a justiça só pode ser uma realidade se houver vida após a morte biológica, onde os homens possam receber o bem ou o mal que tiverem praticado. E mesmo aqueles que não reconhecem qualquer legislação espiritual formal, conforme se vê na lei judaica ou no evangelho cristão, são considerados responsáveis, conforme se aprende em Rom. 2:12. Aqueles que são dotados de maiores luzes, são considerados mais responsáveis, segundo se depreende de Luc. 12:47,48.

Responsabilidade de grupos, e não apenas de indivíduos: Nações e grupos que tenham propósitos comuns, também são responsáveis pelo que fizerem coletivamente, porque as nações semeiam e colhem, tal como os indivíduos. Sem dúvida isso se estende à vida após a morte. O trecho de Rom. 5:12-21 mostra que um homem não é apenas um homem - ele faz parte da humanidade, e o juízo atingirá a humanidade, e não apenas indivíduos isolados.

Platão ensinava que somos responsáveis diante do mundo sobrenatural das idéias e não apenas perante outros homens da sociedade humana. Aristóteles localizava a responsabilidade do indivíduo na comunidade humana, sem fixar a atenção sobre as realidades metafísicas. O cristianismo reconhece ambos os princípios. Somos responsáveis diante das autoridades civis (Rom. 13:1 ss), porque pertencemos à sociedade humana. Mas, mesmo nesse caso, podemos apelar à Autoridade suprema, nos céus.

Mitigações. Os atos involuntários são universalmente reconhecidos como suavizações da responsabilidade. O indivíduo que mata a outrem em um acidente de automóvel, se a ocorrência foi verdadeiramente acidental, não é posto na prisão. Causou o acidente por descuido, pode sofrer alguma multa, mas não merece o castigo que seria imposto a um homicídio culposo. Os homens agem por motivo de temor ou aberração mental, e são tratados de diferentes maneiras pela lei, em relação àqueles que agem com o desejo de vingar-se. Disse Jesus: «Pai, perdoa-lhes, porque não sabem o que fazem» (Luc. 23:24). Quando Paulo foi abandonado sozinho diante do tribunal, foi capaz de dizer. «Que isto não lhes seja posto em conta». (II Tim. 4:16). Ele deve ter visto alguma razão para isso, dando margem à debilidade humana em face da ameaça à vida. A Bíblia não nos expõe nenhuma explicação sistemática das mitigações, mas os versículos dados são sugestivos. A lei mosaica provia cidades de refúgio para os homicidas involuntários (Núm. 35:6 ss.). Paulo menciona que em seu próprio caso recebeu misericórdia porque perseguira e consentira com o homicídio por causa de sua ignorância, quando perseguia loucamente a Igreja, antes de converter-se (I Tim. 1:13).

Responsabilidade dos pagãos: Essa é uma questão que tem causado considerável consternação. Paulo, naturalmente, declarou-se em favor da atribuição de responsabilidade até mesmo àqueles que desconheciam a lei e o evangelho (Rom. 1:32; 2:14-15). Ele não abordou o problema real de como os destinos eternos podem ser determinados quando levamos em conta o grande amor e a misericórdia de Deus. Na verdade, ele não soluciona o problema, deixando-nos a meio caminho, no que diz respeito à questão. Por outro lado, a descida de Cristo ao hades (I Ped. 3:18-4:6) mostra-nos que o próprio Redentor envolveu-se no problema, e assim pregou aos mortos perdidos (I Ped. 4:6), a fim de que pudessem viver segundo Deus, no espírito. Essa é a misericórdia levada a grande potência, que resolve para nós o que Paulo deixou incompleto e ameaçador. Ver notas completas sobre a descida de Cristo ao hades, no artigo sobre esse assunto. Pessoalmente, não tenho apologias a fazer sobre esse outro aspecto da missão de Cristo, porquanto poupa o evangelho de ser uma proposição pessimista.

Responsabilidade das crianças: Não há ensinos bíblicos claros que falem sobre a salvação de crianças que morrem pequenas. Através da razão, muitos teólogos têm pressuposto que até certa idade, se morrerem, as crianças serão salvas. Várias idades arbitrárias têm sido sugeridas. O catolicismo circunscreve tais crianças ao chamado limbo, um lugar muito melhor que o inferno, mas que está longe de ser o céu. Presumivelmente, o limbo é a residência das almas que não merecem castigo, mas que também não pertencem ao céu. Além das crianças, os bons filósofos gregos (dos tempos pré-cristãos) também iriam para o *limbo*. Alguns teólogos identificam o limbo ao «seio de Abraão» (Luc. 16:22). Pessoas mentalmente deficientes também seriam levadas para o limbo. Naturalmente, essas doutrinas foram criadas para dar resposta a um problema real, embora destituídas de qualquer base bíblica. O calvinismo radical tenta resolver o problema, consignando-os ao inferno. Isso aproxima-se do ponto de vista sem mitigação de Paulo, em Rom. 1:32 e 2:14-15, mas deixa-nos desolados.

Solução sugerida: Muitos teólogos têm ensinado que após a morte há um mundo intermediário onde não são determinados os destinos finais, e que somente a segunda vinda de Cristo determinará o destino final de cada caso não-resolvido. Isso significaria que os destinos, quanto a maioria dos homens, estão em estado de fluxo, após a morte biológica. Aqueles que verdadeiramente se converteram vão à presença de Cristo, mas aqueles que forem consignados ao hades, ou a outras esferas da existência espiritual, podem tirar proveito da missão de Cristo, tal como aqueles que ainda estão vivos no corpo físico. Esses pontos de vista teológicos eram comuns entre os pais gregos da Igreja, sendo fortemente representados nas denominações eslavas, gregas e anglicanas. Se isso corresponde à realidade dos fatos, então uma criança que morre, ou um adulto deficiente mental, chegando ao mundo intermediário, em seu espírito, verá que a questão do destino final da

RESPONSABILIDADE — RESSURREIÇÃO

alma continua em aberto, pois os espíritos sempre estarão sujeitos às administrações da missão de Cristo, através de enviados Seus, aos quais é conferida a missão de cuidar de problemas dessa ordem. Esse ponto de vista certamente é superior ao limbo católico e à «idade da responsabilidade» das crianças, postulada pelos protestantes. (B H NTI S)

RESPONSABILIDADE, IDADE DA
Ver o artigo intitulado, *Infantes, Morte e Salvação dos*.

RESPONSABILIDADE COLETIVA

O indivíduo é responsável pelos seus atos, mas a sociedade também o é, da mesma forma que a família, o bairro, a cidade, o estado e o país. Além disso, as corporações, bem como todos os tipos de sociedades, de clubes, de indústrias e de organizações governamentais, têm uma responsabilidade coletiva. Isso faz parte da ética dos negócios e da ética comunitária. A Bíblia dirige-se a cada indivíduo, mas também dirige-se à humanidade como um todo, ao povo de Israel, às nações gentílicas, aos governantes, aos governados e aos crentes. Os sistemas legais reconhecem isso, fazendo provisões apropriadas. Empresas são levadas às barras dos tribunais e multadas, e não apenas indivíduos. Todavia, a responsabilidade coletiva nunca elimina a responsabilidade individual. Criminosos de guerra são detidos, julgados e castigados, a despeito do fato de que estavam agindo debaixo de ordens superiores. Líderes da indústria sofrem multas por enganarem outras empresas ou iludirem os acionistas. O pastor de uma igreja é considerado responsável pelo que a sua igreja local faz, coletivamente falando. Quando os islamitas invadiram certas áreas antes ocupadas por cristãos, os pastores das igrejas cristãs foram responsabilizados pelos atos praticados por membros individuais daquelas igrejas. O prefeito de uma cidade é considerado responsável pelo que os membros de sua comissão tiverem feito de errado. Tive um professor que costumava dizer: «A sociedade precisa de princípios morais. Eu não». Porém, essa não é uma maneira muito analítica de pensar, parecendo mais uma tentativa de desculpa para praticar o mal, jamais servindo de justificativa. Deus julga as nações por aquilo que elas fazem. Mas também as recompensa. Ver Mateus 25:32 ss. Cada pessoa é julgada individualmente, porém, parte desse julgamento envolve o que cada um faz em relação a outras pessoas (Mat. 5:19). Israel foi para o exílio devido à culpa coletiva da nação. A cidade de Nínive foi julgada pelo mesmo motivo. E nenhum pecado particular será esquecido, por causa do julgamento coletivo. A guerra quase sempre se inicia por causa de algum julgamento coletivo, da parte de Deus. A paz pode ser uma bênção coletiva, dada a um povo, porque o mesmo não promove a guerra. Isso sem dúvida pode ser dito acerca do Brasil, que sempre foi uma nação pacífica, tendo vivido em paz durante quase toda a sua história de perto de cinco séculos. Agora, porém, o Brasil já é o quinto maior produtor de armamentos bélicos do mundo, e está semeando a violência desse modo, embora indiretamente, e sua sorte poderá mudar no futuro. (H)

RESPONSABILIDADE DOS PAGÃOS

Ver o artigo geral chamado **Responsabilidade**, sexto ponto, último parágrafo. Enquanto que a *justiça crua* (descrita por Paulo no segundo capítulo da epístola aos Romanos) exigiria que os pagãos perecessem sem qualquer testemunho, com base no fato de que são pecadores e precisam responder pelos seus pecados, contudo, não nos devemos olvidar que o evangelho de Cristo ensina-nos que a justiça crua, apesar de teórica, nunca é aplicada por Deus aos homens. O fator do amor («Deus amou ao mundo de tal maneira», ver João 3:16) nunca pode fazer-se ausente. O contrário da injustiça, pois, não é a justiça, e, sim, o *amor*. (Neste caso, foi usada a palavra «justiça» no sentido anterior, «justiça crua», aquela que não conta com o tempero do princípio do amor).

A **tríplice missão de Cristo** (na **terra**, estendida então ao **hades**, e então ampliada aos **céus**) garante a absoluta oportunidade de todos os homens ouvirem a evangelho e darem resposta ao mesmo. Ver sobre *Missão Universal de Cristo* e *Descida de Cristo ao Hades*. O poder dessa missão tridimensional de Cristo é tão grande que resulta na *redenção* dos eleitos e na *restauração* dos perdidos. Ver os artigos separados com esses títulos.

Assim sendo, apesar de que seria cruamente justo para Deus condenar os pagãos que tenham vivido na terra sem nunca terem ouvido o evangelho, ainda assim o evangelho garante que não sucederá assim com eles. É precisamente esse o imenso alcance do amor e da graça de Deus. Isso nos surpreende porque vai muito além daquilo que poderíamos esperar. O problema é tão grave que alguns pensam que o problema dos pagãos só é resolvido mediante uma renovada oportunidade, em outras encarnações, e não mediante aquilo que sucede nas dimensões espirituais. Ver o artigo sobre a *Reencarnação*.

Considerações Filosóficas. Uma pessoa é responsável por seus atos, motivo pelo qual pode receber louvor ou ser condenada. Mas isso só pode ser uma realidade se cada qual tiver a liberdade de ação, com condições razoáveis para sua realização. A ignorância, a incapacidade, os motivos mal orientados e as fraquezas naturais entram no quadro, mas não podem anular a responsabilidade do indivíduo, e nem mesmo podem depreciá-la. A responsabilidade requer: 1. a presença do livre-arbítrio humano; 2. conhecimento; 3. desejos e intenções. Atos não-intencionais, contudo, poderão ser punidos, especialmente se houve o concurso do descuido; mas esses atos são menos merecedores de castigo do que os atos intencionais.

RESSURREIÇÃO
Ver **Ressurreição e a Ressurreição de Jesus Cristo**.

RESSURREIÇÃO DE LÁZARO
Ver **Lázaro, Ressurreição de**.

RESSURREIÇÃO e a RESSURREIÇÃO DE JESUS CRISTO

Esboço

I. Pano de Fundo
II. A Ressurreição no Antigo Testamento
III. A Ressurreição no Novo Testamento
IV. A Ressurreição de Cristo
V. Subentendidos Teológicos da Doutrina da Ressurreição de Cristo
VI. A Natureza do Corpo Ressurrecto
VII. Inferências Éticas da Ressurreição
VIII. A Ressurreição em Relação a Imortalidade da

RESSURREIÇÃO

Alma e o Estado Intermediário da Alma Desencarnada
IX. A Ressurreição de Jesus nas Escrituras
X. A Ressurreição na Pregação da Igreja
XI. Diversas Teorias sobre o *Modus Operandi* da Ressurreição de Jesus
XII. Acontecimentos no Dia da Ressurreição
XIII. Aparições de Jesus após a Ressurreição

I. Pano de Fundo

A crença na ressurreição, de uma forma ou de outra, não se confina à herança judaico-cristã. Uma noção vaga de ressurreição existia entre os mais primitivos povos animistas, e o costume de sepultar utensílios, alimentos e outros itens de interesse, juntamente com os mortos, em algumas culturas, provavelmente refletia a crença na ressurreição. Nessa categoria se poderia incluir a maneira elaborada como os egípcios embalsamavam seus mortos. Contudo, muitas culturas primitivas, apesar de crerem no após-vida, não distinguiam claramente entre o corpo e o espírito, e por essa razão os ensinamentos sobre a sobrevivência da alma e sua natureza, não podem ser facilmente acompanhados através da história.

Para alguns povos antigos a alma foi uma espécie de substância semifísica, capaz de atarefar-se em atividades similares às do corpo, pelo que também poderiam usar utensílios que haviam sido úteis para o corpo; o que talvez explica a maior parte dos hábitos de sepultamento dos povos antigos. É interessante observarmos que os hábitos de sepultamento, até mesmo entre o homem Neanderthal, demonstram a crença na sobrevivência em face da morte física. Apesar do pensamento ordinário, dos gregos e dos romanos, acerca da existência após-túmulo, envolver alguma forma de descida ao hades, em que a alma seria uma substância bem diluída, apesar de material, e à qual vários graus de inteligência e de vida real eram atribuídos, aqui e acolá, aparecem nos mitos (como, por exemplo, no mito de *Osíris*), aparecem casos de ressurreição, por parte dos deuses ou dos heróis, e, algumas vezes, até mesmo de pessoas comuns. Contudo, essa não era a ênfase nem o ensinamento comum, e sabemos que tais noções não eram levadas muito a sério pelos antigos. A idéia da sobrevivência, em sua forma mais elevada, era ensinada por Platão, em diálogos como Fédon e Banquete. É ali que encontramos uma bem elevada idéia sobre a grandeza da personalidade humana, que não se concentra no corpo, e nem mesmo na combinação do corpo com a alma (porquanto tal combinação ali aparece realmente como uma punição contra o homem, por haver perdido a perfeição, ao cair no pecado); antes, a alma aparece ali como uma substância pura, eterna em sua natureza, embora dotada de um começo remoto no tempo, na forma de individualização; mas mais tarde, devido à sua queda, teria assumido o veículo de um corpo físico.

Segundo essas noções platônicas, a vida consistiria essencialmente da luta da alma por libertar-se deste mundo material, na tentativa de retornar ao mundo eterno ao qual ela pertence. Muitas idéias de Platão são paralelas à doutrina cristã, embora não haja nelas qualquer indício da ressurreição do corpo, e nem qualquer noção que disso se aproxime. Porque tal conceito seria altamente indesejável para Platão.

Apesar do fato de que o conceito do após-vida, no *zoroastrismo*, era mais materialista que a maioria das idéias antigas, contudo, até mesmo ali não havia qualquer idéia claramente definida acerca da ressurreição dos mortos. A afirmação mais clara sobre a ressurreição, fora da herança judaico-cristã, se encontra no Alcorão, onde Deus é retratado como alguém que conclama os anjos a tirarem os mortos e ressuscitarem-nos, como corpos vivos de carne. Isso ocorreria quando do julgamento, após o que os eleitos viveriam no aprazimento sensual de alimentos abundantes, de gemas preciosas ofuscantes e de donzelas de 'olhos grandes', ao passo que os ímpios seriam lançados numa punição física eterna. Tais ensinamentos tem sido interpretados simbolicamente, mas tal «modernização» tem sido vigorosamente atacada pelos islamitas «ortodoxos». O ensinamento sobre a ressurreição, no Alcorão, entretanto, na realidade não é uma doutrina independente, porquanto o próprio Alcorão estribou-se pesadamente tanto sobre o Antigo como sobre o Novo Testamentos, em muitos particulares.

II. A Ressurreição no Antigo Testamento

As declarações que têm sido extraídas do Pentateuco, apesar de darem a entender um «após-vida», são extremamente duvidosas como evidências da crença na ressurreição, dentro dos livros de Moisés. O trecho de Êxo. 3:6,16 é usado pelo Senhor Jesus, nas citações, a fim de provar o fato de que os antigos patriarcas continuavam «vivendo», mas isso, por si mesmo, dificilmente poderia servir de prova da ressurreição no livro de Êxodo, ainda que possa mostrar que o judaísmo posterior veio a encarar tais passagens desse modo. Sabemos, de fato, que assim aconteceu. (Ver Mar. 12:18 e *ss*). O rabino Simai argumenta em prol da ressurreição com base em Êxo. 6:3,4 (a promessa de que a Terra Prometida seria dada aos patriarcas), mas isso provavelmente foi compreendido pelos próprios patriarcas como uma promessa referente aos seus descendentes. A exclamação de Jacó: «A tua salvação espero, ó Senhor!» (Gên. 49:18), bem como o desejo expresso por Balaão: «Que eu morra a morte dos justos, e o meu fim seja como o dele» (Núm. 23:10), apesar de indicarem alguma crença no «após-vida», dificilmente podem ser considerados como uma afirmação da ressurreição naquele período tão remoto.

Naturalmente, a famosa passagem da *ressurreição*, em Jó 19:23-27, é uma declaração expressa dessa crença, e o livro de Jó é o mais antigo volume da coletânea do V.T. Porém, essa doutrina não se tornou tradicional na fé judaica senão depois que já estava escrito o Pentateuco.

Pela época em que foi registrada a história dos reis (I e II Reis), essa doutrina já deveria estar bem estabelecida em Israel, porquanto os Salmos certamente contêm tal pensamento (ver Sal. 17:15), e a literatura daquele período registra várias ressurreições contemporâneas. (Ver I Reis 17:17,24; II Reis 4:18-37; 13:20-25). Nos livros proféticos, a passagem de Isa. 26:16-19 provavelmente é a passagem isolada mais importante de todo o A.T., acerca da ressurreição. A passagem de Eze. 37:1-14, apesar de provavelmente ter por — referência primária — a restauração da nação de Israel, igualmente ensina a doutrina da ressurreição. No trecho de Dan. 12:2 essa doutrina se faz perfeitamente clara.

A igreja cristã primitiva se utiliza dos trechos de Jer. 18:3-6 e Sal. 88:10 como textos de prova da doutrina da ressurreição. (Ver também Sal. 16:9, que mui provavelmente prediz especificamente a ressurreição de Cristo). E o trecho de Osé. 6:2 é outra profecia acerca da ressurreição de Cristo, ao passo que Osé 13:14 fala sobre a ressurreição em geral.

A crença na ressurreição foi-se tornando cada vez mais comum após os exílios, sobretudo no período dos Macabeus. E, pelo tempo em que nasceu Jesus Cristo, era uma crença praticamente universal na Palestina e

RESSURREIÇÃO

no judaísmo em geral. Os fariseus eram os grandes defensores dessa doutrina, e a isso haviam acrescentado a crença na sobrevivência da alma, nos anjos, nos espíritos e na existência de um mundo sobrenatural. A grande exceção no judaísmo era a tradição dos saduceus. Os saduceus se ufanavam de sua «pureza doutrinária», rejeitando aquilo que reputavam meros mitos. Esses consideravam o Pentateuco como seu «cânon» das Escrituras. Por essa mesma razão rejeitavam eles a ressurreição, a sobrevivência da alma, a existência dos espíritos, etc., porquanto essas doutrinas não são claramente ensinadas no Pentateuco, apesar de haver ali alguns indícios das mesmas. (Ver Josefo, *Antiq*. 18.1.4, onde vemos que os saduceus chegavam até a negar a imortalidade da alma, quanto mais a realidade da ressurreição. Ver os artigos sobre *Saduceus* e *Fariseus*).

III. A Ressurreição no Novo Testamento

A afirmação mais decisiva sobre a realidade da ressurreição aparece nas páginas do N.T., onde essa doutrina pode ser encontrada em muitas passagens, e o capítulo 15 de I Coríntios é a sua declaração clássica. Podemos supor que a descrição exposta por Paulo não era muito diferente daquilo que se poderia encontrar nos estudos rabínicos mais refinados, exceutuando, naturalmente, a ênfase cristã sobre a importância da pessoa de Jesus Cristo como as primícias dos ressurrectos, além do fato de que os cristãos sempre vincularam a ressurreição de Cristo à concretização da imortalidade, porquanto é a vida de Cristo que possibilita aos remidos viverem em qualquer sentido espiritual, na imortalidade ao nível da alma, ou, finalmente, na imortalidade final, quando a alma houver de ser revestida pelo corpo espiritual.

Nas páginas do N.T., os seguintes pontos específicos deveriam ser observados acerca do fato da ressurreição, envolvendo tanto a ressurreição de Cristo como a de outros:

1. Jesus Cristo, antes de sua morte e ressurreição, já possuía poder sobre a morte, tendo ressuscitado a várias pessoas dentre os mortos. (Ver Mat. 9:25; Luc. 7:12-15 e João 11:43,44).

2. Cristo previu a sua própria ressurreição. (Ver João 10:18 e Luc. 24:1-8).

3. Houve uma ressurreição de mortos que se seguiu imediatamente após a ressurreição de Cristo. (Ver Mat. 27:52,53).

4. Os apóstolos também puderam ressuscitar certos homens da morte. (Ver Atos 9:36-41 e 20:9,10).

5. Existem duas ressurreições gerais e futuras, a saber: a. A ressurreição para a vida (ver I Cor. 15:13,22; I Tes. 4:14-17 e Apo. 20:4); e b. a ressurreição para o «juízo» (ver João 5:28,29 e Apo. 20:11-13). Essas duas ressurreições ocorrerão com um hiato de mil anos entre elas (ver Apo. 20:5).

6. A ressurreição do Senhor Jesus foi *corporal* (ver João 20:3-10; 20:19-23,24-29; 21:12-14). Mas as suas várias aparições mostram que o seu corpo fora *espiritualizado*, tendo sido ressuscitado para a vida com uma nova forma, e, por ocasião de sua ascensão aos céus, podemos imaginar que houve mais uma fase de «espiritualização».

7. O ensino contido no décimo quinto capítulo de I Cor. parece indicar que, de alguma maneira, ultrapassa em muito à nossa compreensão e a nossa própria ressurreição também envolverá os antigos elementos do corpo morto, recolhidos, transformados e espiritualizados. O corpo ressurrecto será incorruptível, glorioso, poderoso, espiritual, e será até mesmo conformado segundo a natureza celestial de Jesus Cristo, o que nos permitirá participar de sua própria natureza, e até mesmo de sua divindade, que ele possui na qualidade de Deus-homem. (Ver Rom. 8:29; II Cor. 3:18; II Ped. 1:4 e I Cor. 14:42-44,49; Efé. 3:19; Col. 2:10).

8. Os crentes que ainda estiverem vivos quando da segunda vinda de Cristo, receberão o mesmo tipo de corpo, através de transformação súbita, quando de sua manifestação, assim escapando aos efeitos da morte física. (Ver I Cor. 15:50-53 e Fil. 3:20,21).

9. Essa transformação magnificente, quer quando da ressurreição, quer quando da transformação súbita, é chamada de *redenção* do corpo, mas significa um passo mais elevado em direção à glorificação, sendo, na realidade, um passo na direção da glorificação do «ser inteiro». (Ver Rom. 8:23 e Efé. 1:13,14).

10. Após a «segunda» ressurreição é que terá lugar o julgamento final. (Ver Apo. 20:7-15 e João 5:29).

11. Alguns dos pais antigos da igreja ensinaram que parte da diferença entre a glorificação de uma pessoa, em comparação com outra, será devida a natureza mais avançada ou menos avançada do corpo da ressurreição. Isto provavelmente expressa uma verdade. Todavia, não contemplamos nenhuma estagnação. As pessoas sendo glorificadas, terão continuamente, especulamos, uma transformação do *veículo* (corpo) espiritual da alma. Ver Efé. 3:19 que pode servir de base desta idéia, embora não a expresse diretamente.

IV. A Ressurreição de Cristo

Quanto ao que está implícito na ressurreição de Cristo, para os remidos, consultar todo o décimo quinto capítulo de I Cor. que é a declaração clássica sobre o tema. Quanto ao «modo» da ressurreição, acerca do que há intensa controvérsia, ver as notas expositivas em Luc. 24:6 no NTI que apresentam os diversos pontos de vista sobre essa questão. Quanto às manifestações de Cristo, após sua ressurreição, o que serve para demonstrar a historicidade da ressurreição de Cristo, ver as notas expositivas sobre a passagem de João 20:1 no NTI, onde aparece a nota de sumário

V. Subentendidos Teológicos da Doutrina da Ressurreição de Cristo

1. A ressurreição de Cristo confirmou sua doutrina. Jesus a predisse, e mostrou a si mesmo como o Senhor da vida. Portanto, Cristo é um ser de elevadíssima estatura, e podemos confiar no que ele nos ensinou.

2. A ressurreição de Cristo declarou a sua divindade e caráter único e sem-par, conforme também o indica o trecho de Rom. 1:4.

3. A salvação em sua inteireza, do princípio ao fim, depende da ressurreição de Cristo. A justificação é garantida por ela. (Ver Rom. 4:25). Mas a vida inteira, agora, quando da transformação da alma, quando da glória do estado intermediário e imaterial, ou mesmo quando da glorificação, isto é, quando a alma for revestida pelo corpo imaterial e já espiritualizado, depende da «vida que nos foi dada através da ressurreição de Cristo», e isso porque ele compartilha dessa vida com os homens. E, através disso, em qualquer nível de existência em que se encontrem os homens, podem os remidos compartilhar de sua *vida eterna*. (Ver I Cor. 15:12,17; Rom. 5:10 e I Cor. 15:20).

4. Fomos regenerados para uma viva esperança: a conversão original, a regeneração, a transformação progressiva segundo a imagem de Cristo, e a própria vida de Deus, que haverão de ser compartilhadas por

Bouguereau. As mulheres no Sepulcro de Jesus

Bouguereau. RABBONI.
O Cristo Ressurrecto

Jesus ao lado do lago depois da ressurreição

RESSURREIÇÃO

nós, mediante a graça de Deus em Cristo, dependem todas da sua ressurreição. (Ver I Ped. 1:3,4; João 5:25,26; 6:57 e II Cor. 4:14).

5. Devido à ressurreição de Cristo, a vida «necessária e independente», que é a própria vida de Deus, a autêntica imortalidade, é dada aos homens, e assim assumem a natureza de Cristo. (Ver João 5:25,26; 6:57).

6. Por conseguinte, a imortalidade da alma, por mais profunda que seja essa doutrina (ver o quinto capítulo da segunda epístola aos Coríntios, o primeiro capítulo da epístola aos Filipenses e as notas no NTI sobre II Cor. 5:8, além do artigo que versa sobre esse tema), não será completa ainda, porquanto existe uma imortalidade mais elevada, que é a dos espíritos' novamente revestidos de seus corpos espiritualizados. O estado dos espíritos desencorporados é «muito melhor» do que o da presente vida física (ver Fil. 1:23); no entanto, a plena glorificação não poderá ocorrer enquanto a alma não for revestida pelo corpo espiritual e imortal. (Ver II Cor. 5:4 e I Cor. 15:42-50).

7. O corpo ressurrecto *não será* composto de carne, visto que carne e sangue não podem herdar o reino de Deus. (Ver I Cor. 15:50). Antes, será um *corpo espiritual*, que muito provavelmente não será atômico em qualquer sentido, mas antes, será um campo de força espiritual, um elemento mais básico e puro do que as estruturas atômicas. Será semelhante ao corpc de Cristo. (Ver I João 3:2 e Fil. 3:21).

VI. A Natureza do Corpo Ressurrecto

Será um corpo espiritual, uma forma espiritual, pertencente ao mundo eterno. Provavelmente não terá constituição atômica, mas antes, se comporá de algum *campo de força* ou energia espiritual, um veículo apropriado para a alma, nos lugares celestiais. Sim, certamente o corpo ressurrecto dos crentes não será *físico*, conforme já dissemos acima. Não obstante, poderá conter alguns elementos do presente corpo físico, conforme *parece* dar a entender a ilustração que Paulo usou sobre a semente e sua florescencia. Se assim realmente for o caso, então poderemos basear-nos diretamente no paralelo da ressurreição de Cristo.

Entretanto, alguns estudiosos têm sentido que existe algum elemento, no «ser» do homem, talvez de natureza misteriosa, ou talvez de alguma maneira vinculado à alma, que será usado pelo poder celestial para ser transformado em um *corpo espiritual*. A palavra «corpo», é com freqüência usada, no pensamento hebreu, para expressar o *ser inteiro*, e não apenas o corpo físico, e isso permitiria, do ponto de vista do hebraico, tal interpretação. Seja como for, haverá a real restauração do ser inteiro do indivíduo, de tal modo que a morte não terá conquistado partícula alguma de todo o seu ser. Assim sendo, o espírito do indivíduo remido não continuará «desincorporado», porquanto essa «derrota» será revertida, e e depende inteiramente de Deus como ele fará tal reversão.

Alguns eruditos têm ensinado uma forma de ressurreição a qual denominam de *nova criação*, onde os elementos do corpo físico antigo não seriam utilizados, porque Deus restauraria a personalidade humana revestindo a alma com um corpo espiritual, criado para o momento. Contudo, tal *corpo* seria muito mais elevado e espiritual do que este nosso corpo físico, que a morte física nos leva a perder como nosso veículo de expressão. Isso representa uma verdadeira *restauração*, uma *ressurreição*, embora envolva termos celestiais exclusivamente.

O corpo espiritualizado será o veículo da alma; e esse corpo se revestirá de poder e glória, por assemelhar-se ao corpo de Jesus Cristo. Nesse «revestimento», o crente alcançará um elevado estado de glória, tanto na forma de exaltação de seu próprio ser (o que o elevará acima dos anjos, porquanto seremos a plenitude de Cristo, que é aquele que preenche a tudo em todos, o que jamais foi dito com respeito aos anjos; ver Efé. 1:23), como na forma de participação na própria divindade (ver II Ped. 1:4), como, ainda, na forma de obras exaltadas que os ressuscitados poderão realizar, como um serviço eterno. Nenhuma imaginação pode ao menos começar a apreender o sentido de tudo isso, mas sabemos que isso faz do destino humano algo excessivamente elevado, verdadeiramente espantoso. E como poderia ser menos do que isso quando consideramos que haveremos de participar da plenitude da glória de Cristo, de sua natureza, de sua vida, de sua herança, na qualidade de filhos de Deus, que estão sendo conduzidos à glória, juntamente com o Filho de Deus? (Ver o artigo sobre a *Glorificação*, da qual a ressurreição faz parte essencial. Quanto a maiores detalhes sobre a «natureza do corpo ressurrecto», ver as notas expositivas em I Cor. 15:35 no NTI.

VII. Inferências Éticas da Ressurreição

Toda a moralidade cristã se baseia na crença do após-vida, na punição, na recompensa, na colheita segundo a semeadura; e tudo isso para não ser meramente presente (conforme de fato é), mas também transcenderá a este mundo físico, quando a verdadeira justiça fará parte do mundo eterno. A alma sobreviverá, e será revestida pelo corpo espiritual, e o que tiver sido feito nesta vida terrena afetará diretamente o estado, a exaltação, o progresso e as atividades dos crentes no estado eterno. Visto que fomos ressuscitados com Cristo, somos exortados a buscar aquelas coisas que são «de cima», isto é, aquelas coisas que pertencem a Deus, posto que Cristo está assentado à sua «mão direita». (Ver Col. 3:1). As coisas terrenas não podem mais exigir nossa legítima atenção, porquanto «morremos» já para essas coisas. Não mais existimos para elas, e nem elas para nós. (Ver Col. 3:2). Por conseguinte, compete que *mortifiquemos* todas as carnalidades que nos servem de empecilho e todas as tendências mundanas, visto que não mais pertencemos a este mundo e seu sistema de vida. (Ver Col. 3:5 e *ss*). Já não somos mais cidadãos deste mundo, mas aguardamos o aparecimento de Cristo. Então, quando ele aparecer, também apareceremos juntamente com ele, «em glória», o que nos será apropriado como filhos da ressurreição, que seremos. (Ver Col. 1:4). Nossa cidadania, na realidade, é a dos céus, e nos deveríamos conduzir como súditos leais desse reino. (Ver Fil. 3:20). Nossa esperança de realização celestial é uma esperança purificadora. (Ver I João 3:3).

«Assim também vós considerai-vos mortos para o pecado, mas vivos para Deus em Cristo Jesus...mas oferecei-vos a Deus como ressurrectos dentre os mortos, e os vossos membros a Deus como instrumentos de justiça» (Rom. 6:11,13). Ver todo o contexto dessa passagem, que fala diretamente sobre esse assunto. (Ver também os trechos de Rom. 7:4; 8:11; Efé. 1:18-20; Fil. 3:10,11 e Col. 2:13).

VIII. A Ressurreição em Relação a Imortalidade da Alma e o Estado Intermediário da Alma Desencarnada

Considerando toda essa questão com olhos sóbrios (I Cor. capítulo 1) *precisamos dizer que* :

RESSURREIÇÃO

1. Ou Paulo não compreendia plenamente a doutrina da imortalidade da alma, conforme dizia a tradição grega comum; ou então, pelo momento, *ignorava* tal realidade, como algo que *não era adequado* para ele em seu argumento.

2. Ou que aqueles que eram os opositores à verdade da ressurreição eram da variedade cética, do tipo de incredulidade dos saduceus, os quais negavam igualmente a imortalidade. Contra tal noção Paulo se opunha. Mas esta idéia não é provável.

3. Ou então as noções de Paulo sobre a ressurreição também envolviam uma certa doutrina a alma, embora sobreviva, assume um tipo muito inferior de existência, esperando ser restaurada ao corpo, e nisso é que seria dada a verdadeira imortalidade, prometida em Cristo. Porém, se lermos outras passagens, como o quinto capítulo da segunda epístola aos Coríntios, bem como a esperança paulina expressa constantemente que estar «ausente» do corpo é estar «presente» com o Senhor (ver II Cor. 5:8), bem como a sua confiança de que «morrer é lucro» (ver Fil. 1:21) e partir «do corpo» e estar com Cristo é «muito melhor» (ver Fil. 1:23), então precisamos admitir que Paulo não tinha qualquer doutrina dessa natureza, mas antes, via a alma como algo muito superior ao corpo, como a verdadeira pessoa, bem como via ele a alma como o veículo da inteligência e da vida. Os gregos, nos tempos bem remotos, tinham uma doutrina no sentido de que a alma sobrevivia a uma espécie de sombra insensível, vazia, uma entidade destituída de memória e de inteligência; porém, não há qualquer evidência de que Paulo defendia tal doutrina, quando os textos acima referidos são examinados.

4. Naturalmente, com base em I Cor. 15:11, fica bem compreendido que a imortalidade, em seus *níveis mais elevados* (não meramente alguma condição «melhorada» em relação ao estado presente), *deve incluir* a restauração da personalidade inteira, o que significa ressurreição de alguma espécie. Essa é a teologia cristã padronizada.

Contudo, até mesmo a imortalidade do estado intermediário, que aguarda a plena glorificação, *está vinculada* à ressurreição (conforme se vê nos versículos décimo sétimo e décimo oitavo), pois tudo quanto envolve a salvação, do princípio ao fim, consiste da participação nessa vida que Cristo possuía quando saiu do túmulo. A própria justificação está ligada à ressurreição. (Ver Rom. 4:25). Assim, a glória presente, no estado imaterial, bem como na mais elevada glória futura, quando estivermos vestidos da imortalidade perfeita, estão ambas vinculadas à ressurreição. A ressurreição é a substância da presente imoralidade imaterial, bem como é a garantia da futura e mais elevada imortalidade, o eterno «revestir-se» que haverá de restaurar a personalidade inteira.

Portanto, precisamos concluir por uma dentre três possibilidades, a saber:

1. Ou que Paulo tinha em vista a segunda possibilidade, na lista acima, isto é, ele se opunha àqueles que negavam tanto a ressurreição como a imortalidade. Essa é a posição tomada por alguns comentadores bíblicos. Contudo, tal posição é enfraquecida pela observação de que *tudo* quanto a imortalidade promete, a intermediária ou a futura, o apóstolo parece vincular à «ressurreição», e isso concorda com outras passagens, como o primeiro capítulo da epístola aos Filipenses e o quinto capítulo da segunda epístola aos Coríntios. Portanto, Paulo se opunha não àqueles que negavam a imortalidade, mas aos que a negavam em vinculação à idéia da ressurreição. Queriam eles uma imortalidade sem a ressurreição. Mas Paulo retruca que não existe uma forma «cristã» da imortalidade desacompanhada da ressurreição, porquanto essa imortalidade, no que se relaciona aos crentes, terá de assemelhar-se à de Jesus Cristo, que ressuscitou dentre os mortos e foi transformado em sua ascensão aos céus.

2. Naturalmente, existe outra possibilidade que resolve perfeitamente o problema, e que aparentemente satisfaz as exigências do presente texto, a saber: que o apóstolo acreditava na ressurreição como o *próprio portão* da imortalidade, negando completamente a sobrevivência da alma. Isso parece harmonizar-se de maneira suave com o presente texto, mas não podemos aceitar essa possibilidade (embora alguns crentes o façam; e esse era o pensamento hebreu mais antigo), porque tal idéia é uma contradição frontal a passagens como o quinto capítulo da segunda epístola aos Coríntios e o primeiro capítulo da epístola aos Filipenses, bem como com o pensamento farisaico (e Paulo fora *fariseu*), além de contradizer a doutrina neotestamentária padrão, que ensina a sobrevivência da alma (como I Pedro, capítulos terceiro e quarto, e Apo. 6:9 e *ss*).

Relembremo-nos de que a teologia dos hebreus, em sua forma mais primitiva, não envolvia qualquer esperança de vida *além-túmulo* (conforme se verifica no Pentateuco, que jamais alude a tal idéia), e isso foi seguido pela tradição dos saduceus. Mas então, a ressurreição do corpo, como a esperança da vida eterna (mas desacompanhada da idéia da sobrevivência da alma), apareceu em seguida, nesse desenvolvimento. Finalmente, mais ou menos pela época dos profetas do cativeiro é que veio à lume a idéia da imortalidade, bem como a da ressurreição. Essa síntese foi seguida pelo cristianismo, e isso não meramente por motivo de acidente histórico, mas porque essa síntese expressa a verdade da questão. Ora, se Paulo, como judeu que era, reverte momentaneamente, devido ao seu argumento, ao segundo estágio do pensamento hebreu (ressurreição, mas não sobrevivência da alma), então a passagem de I Cor. 15:11 se torna perfeitamente clara. Contudo, isso representa uma *contradição* com o ensino paulino em geral, bem como com o ensino geral do N.T. Podemos considerar, pois, que Paulo provavelmente não assumiu essa posição. Crendo em tal coisa, permanecemos com o problema. Assim sendo, aqueles membros de Corinto que criam na imortalidade, mas não na ressurreição (embora aceitassem a ressurreição de Cristo como um «sinal» de seu poder sobre a morte), encontrariam várias debilidades nos argumentos de Paulo que aparecem nos versículos décimo segundo e décimo nono, conforme salientamos mais acima.

O problema central deste texto, se o quisermos declarar com brevidade, é o seguinte: Neste texto Paulo vincula **toda a imortalidade** à ressurreição, e aparentemente não estabelece qualquer distinção entre estágios mais baixos e mais elevados da imortalidade. Porém, *em outras passagens*, como o primeiro capítulo de Filipenses e o quinto capítulo da segunda epístola aos Coríntios, ele reconhece uma elevada forma de vida imortal (bem «melhor» do que a vida presente), que consiste do estado imaterial. Todavia, falta, essencialmente, tal reconhecimento nos argumentos óbvios dos versículos décimo segundo a décimo nono deste capítulo. Mas esse reconhecimento pode ter sido a base mesma do ensino em Corinto de que não havia ressurreição. Seja como for, dentro do sistema do cristianismo a ressurreição é vinculada à

RESSURREIÇÃO

«forma mais alta» da imortalidade, conforme foi prometida no evangelho cristão, embora uma forma mais baixa e intermediária, apesar de muito exaltada, da imortalidade, possa ser experimentada nesse estado imaterial, o que subsistirá até à primeira ressurreição, se alguém se acha «em Cristo». O vigésimo versículo deste mesmo capítulo descreve exatamente o que a imortalidade promete, por meio da ressurreição, dentro do cristianismo.

3. Quanto à solução bíblica para esse problema (sem importar se os opositores de Paulo, em Corinto, concordavam ou não com isso), observemos a mensagem geral dos versículos décimo sétimo e décimo oitavo deste capítulo. A totalidade da «imortalidade» e da glória, e, realmente, a salvação inteira, do princípio ao fim, está vinculada à ressurreição; pois a própria morte de Cristo não traria benefício algum aos homens, se isso não houvesse sido confirmado pela ressurreição (ver Rom. 4:25). Além disso, nossa própria ressurreição, que por ele foi prometida, é aquele elemento que garante e confirma a glória «intermediária» que agora desfrutam os espíritos desincorporados. Quando da ressurreição, pois, essa glória se *tornará completa*. Não haveria qualquer glória «intermediária» para espíritos desincorporados, se não fosse a ressurreição, porquanto é na ressurreição que nos chega *aquela vida através da qual vivemos* em qualquer nível, conforme o trecho de Rom. 5:10 indica. Em qualquer nível, portanto, somos salvos pela vida de Cristo, e essa é a vida ressurrecta.

IX. A Ressurreição de Cristo nas Escrituras

Predita pelos profetas (Sal. 16:10 com Atos 13:34,35; Isa. 26:29).
Predita por ele mesmo (Mat. 20:19; Mar. 9:9; 14:28; João 2:19-22).
Era necessária:
  Para cumprimento das Escrituras (Luc. 24:45,46).
  Para o perdão dos pecados (I Cor. 15:17).
  Para a justificação (Rom. 4:25; 8:34).
  Para a nossa esperança (I Cor. 15:19).
  Para a eficácia da pregação (I Cor. 15:14).
  Para a eficácia da fé (I Cor. 15:14,17).
Prova de que ele era o Filho de Deus (Sal. 2:7 com Atos 13:33; Rom. 1:4).
A fraude era impossível (Mat. 27:63-66).
Ele deu muitas provas infalíveis de sua ressurreição (Luc. 24:35,39,43; João 20:20,27; Atos 1:3).
Foi confirmada:
  Pelos anjos (Mat. 28:5-7; Luc. 24:4-7,23).
  Pelos apóstolos (Atos 1:22; 2:32; 3:15; 4:33).
  Pelos seus inimigos (Mat. 28:11-15).
Asseverada e pregada pelos apóstolos (Atos 25:19; 26:23).
Os Santos:
  São gerados para uma vívida esperança, por meio da ressurreição (I Ped. 1:3,21).
  Desejam conhecer o seu poder (Fil. 3:10).
  Devem manter-se na lembrança da mesma (II Tim. 2:8).
  Ressuscitarão na semelhança de Cristo ressurrecto (Rom. 6:5; I Cor. 15:49 com Fil. 3:21).
É emblema do novo nascimento (Rom. 6:4; Col. 2:12).
É as primícias de nossa própria ressurreição (Atos 26:23; I Cor. 15:20,23).
A verdade do evangelho depende da mesma (I Cor. 15:14,15).
Foi seguida pela exaltação de Cristo (Atos 4:10,11; Rom. 8:34; Efé. 1:20; Fil. 2:9,10; Apo. 1:18).
É garantia do julgamento (Atos 17:31).

Tipificada: Isaque (Gên. 22:13 com Heb. 11:19), Jonas (Jon. 2:10 com Mat. 12:40).
Efetuada:
  Pelo poder de Deus (Atos 2:24; 3:15; Rom. 8:11; Efé. 1:20; Col. 2:12).
  Pelo seu próprio poder (João 2:19; 10:18).
  Pelo poder do Espírito Santo (I Ped. 3:18).
No primeiro dia da semana (Mar. 16:9).
No terceiro dia após sua morte (Luc. 24:46; Atos 10:40; I Cor. 15:4).

X. A Ressurreição na Pregação da Igreja

Atos 2:24: *ao qual Deus ressuscitou, rompendo os grilhões da morte, pois não era possível que fosse retido por ela.*

O Grande Tema

1. Dentre todos os itens da apologética cristã, a ressurreição de Jesus era o mais poderoso, como prova do fato de que Jesus foi o Messias.
2. No livro de Atos, a ressurreição sempre subentende a ascensão (ver Atos 1:6), e a subseqüente glorificação de Jesus. Portanto, Pedro foi capaz de dizer que Jesus foi recebido à mão direita do Pai (ver Atos 2:25).
3. Os crentes participam de tudo quanto Cristo fez, foi e é, (ver Rom. 8:30).

— Este sermão de Pedro é, na realidade, nosso *mais primitivo* exemplo dessa apologia cristã. O vigésimo segundo versículo destaca as obras de Jesus, os seus muitíssimos milagres, os seus prodígios e sinais, como nenhum mortal comum poderia jamais ter produzido. O vigésimo terceiro versículo menciona como o próprio Deus autenticara a missão de Jesus, porque, através dele, se cumprira o plano divino referente ao Messias. A citação extraída da profecia de Joel (vss. 17-21) vincula o *Yahweh* do A.T. (do que se deriva a forma corrompida *Jeová*, nos tempos modernos) com o «Cristo» do N.T., que é o Senhor de todos. E, dessa maneira (como nos vss. 25-28 deste mesmo capítulo), Jesus é associado ao A.T., como cumprimento vivo das profecias messiânicas. A promessa e o cumprimento da vinda do Espírito Santo, por si mesmos, serviram de prova do caráter messiânico de Jesus, porquanto o Pentecoste e os eventos daquele dia cumpriram todas as expectativas do A.T. acerca do ministério do Espírito Santo, e isso fora especificamente prometido e conferido através do Senhor Jesus, ficando assim demonstrada a veracidade de suas predições e promessas. No evangelho de João essa apologia aparece de forma ainda mais bem desenvolvida, e quanto a um sumário sobre a questão, ver as notas expositivas referentes a João 7:45 no NTI.

A ressurreição do Senhor Jesus inspirara os seus discípulos a uma atuação ousada, e podemos concordar com Crisóstomo (345-407 D.C.), *in loc.*, de que aqueles homens teriam continuado derrotados e descoroçoados, se não pensassem verdadeiramente que o Senhor Jesus ressuscitara dentre os mortos. A pior interpretação possível dos acontecimentos é aquela que afirma que os discípulos perpetraram uma fraude, sabendo perfeitamente bem que Jesus continuava bem morto, porquanto eles foram perseguidos e geralmente tiveram morte horrível, tudo com base em uma mentira totalmente desnecessária. É óbvio, portanto, que para os primitivos discípulos o Senhor Jesus estava vivo, e, mais do que isso, que estava bem presente entre eles, tal como havia prometido, através do seu «alter ego», o Espírito Santo. O Espírito de Deus atuava sobre eles, e Pedro, que há tão poucos dias se acovardara ante a uma simples pergunta de uma criada, agora discursava com uma coragem impávida e serena, ante a multidão

RESSURREIÇÃO

que havia bradado acerca de Cristo: «*Crucifica-o! Crucifica-o!*».

Johannes Weiss, em sua obra *History of Primitive Christianity*, faz o seguinte comentário sobre as vidas e as realizações dos apóstolos, que estavam alicerçadas firmemente na crença sobre a realidade da ressurreição de Jesus: «Em verdade, em meio a uma geração melancólica, sem esperança, *perversa*, ali estava um grupo de homens inspirados, corajosos, que dependiam exclusivamente de seu Deus; em meio a uma nação que se avizinhava de sua destruição, estava um novo povo, e com que futuro!» (Nova Iorque: Wilson-Erickson, 1937, I, pág. 41).

Rompendo os grilhões da morte. Não há certeza absoluta acerca do significado da palavra «grilhões» neste caso, sendo motivo de debates o seu sentido. Muitas traduções dizem «dores», sendo verdade que o termo tem sido usado na literatura grega para indicar as dores de parto. O comentário de Vincent (*in loc.*) sumaria as diversas idéias: Alguns afirmam que Pedro seguiu a tradução errônea da LXX em Sal. 18:5, onde a palavra hebraica para «tramas» foi traduzida pela palavra aqui usada para indicar *dores*, e que, portanto, a tradução deveria ser «tramas de morte», em que o simbolismo seria o de escape do laço de um caçador. Mas outros supõem que o simbolismo é o do 'trabalho de parto', que cessaria ao dar à luz, isto é, na ressurreição. Mas essa interpretação parece muito desviada, embora seja verdade que, no grego clássico, o vocábulo fosse comumente empregado para indicar as dores de parto. Talvez seja melhor, no seu todo, pensar que essa expressão tem o sentido dado pela Autorized Version (KJ), fazendo com que as dores da morte sejam a mesma coisa que a própria morte.

Deve-se observar, por outro lado, que essa palavra é a mesma traduzida por *dores*, em Mat. 24:8, a qual, literalmente traduzida, seria *dores de parto*, o que salientaria a intensidade do sofrimento, e não necessariamente a idéia de algum tipo de nascimento, que estivesse para ocorrer. Porém, se realmente houver em mente alguma forma de nascimento, então Pedro talvez tenha feito alusão à idéia da «nova vida», que vem através da ressurreição. Mas, se ele se referia a laços ou algemas (a idéia que aparece no hebraico, no trecho citado, Sal. 18:5), então pode estar em vista uma armadilha.

Eis como Robertson compreende a questão, conforme se evidencia em seu comentário: 'laços', 'armadilhas' ou 'cordas' da morte aludem ao *seol*, isto é, à morte personificada, como caçadores que põem uma armadilha para a presa». Todavia, esse autor também reconhece a possibilidade da outra interpretação, quando diz: «Os primitivos escritores cristãos interpretavam a ressurreição de Cristo como um nascimento saído da morte».

É verdade que diversos dos primeiros pais da igreja interpretaram a morte de Jesus como as dores de parto da nova vida, na ressurreição; porém, isso pode ter se derivado da interpretação sobre esta passagem, que não é, necessariamente, a interpretação correta, embora, naturalmente, isso expresse uma grande verdade, sem importar se tal verdade é ensinada aqui ou não. É muito provável que o sentido tencionado seja simplesmente que embora os sofrimentos de Cristo, na morte, fossem grandes, tais sofrimentos não fizessem parte permanente de sua experiência, e nem a morte provocada por essas dores pudesse fazer parte permanente dessa experiência, sendo que também Deus o libertou de todo o contexto dos sofrimentos e da morte, levando-o à vida imortal, a saber, aquela vida que ele mesmo possui. (Ver João 5:26 e 6:57).

«Apesar de que há um mistério que não pode ser dissipado, no que concerne à maneira da ressurreição, o fato da ressurreição não pode ser posto em dúvida mais do que a evidência histórica e honesta do assassinato de César». (*De Wette*).

«Pode-se afirmar, sem a mínima hesitação, que a ressurreição de Cristo é o fato mais bem comprovado da história». (*Edersheim*).

«Nada é tão historicamente confirmado como o fato de que Jesus ressuscitou dentre os mortos e apareceu novamente para os seus seguidores». (*Ewald*).

«Se ainda não sabemos que Jesus de Nazaré ressuscitou dentre os mortos, então ainda não sabemos coisa alguma sobre a história». (John A. Broadus).

Porquanto não era possível que fosse ele retido por ela. Cinco são as razões principais pelas quais era impossível que Cristo, o Filho de Deus, ficasse retido pela morte:

1. Era impossível por causa do fato de ser ele o *Filho de Deus*, participante da divindade, e em sua humanidade, na qualidade de ser mortal, foi-lhe outorgada a verdadeira imortalidade por parte de Deus Pai, aquela vida independente e necessária que Deus possui. (Ver João 5:26 e 6:57). Não devemos perder de vista o ponto de que, nessas passagens, o mesmo tipo de vida é prometido a todos os crentes. Por conseguinte, também é impossível que a morte possa reter qualquer remido pelo sangue do Senhor Jesus, porquanto todos eles são verdadeiramente imortais, no mesmo sentido que Deus é imortal e conforme foi concedida tal vida a Jesus Cristo.

2. Também era impossível essa retenção de Cristo no sepulcro por que em sua pessoa, em sua missão, e em sua obra pioneira, como mortal, isto é, em sua encarnação, ele é o *Príncipe da Vida*, razão pela qual a morte não poderia jamais caracterizá-lo. Ele é o Príncipe da Vida de conformidade com os termos da explicação dada no primeiro ponto, acima.

3. Isso era igualmente impossível porque, *devido ao Pai*, o Filho não poderia ser retido pela morte, nem por qualquer dos resultados desse estado, quer no mundo espiritual, quer no íntimo de seu próprio ser. Porquanto era da vontade do Pai erguê-lo novamente dentre os mortos, e isso serviu de prova completa da autenticação de sua pessoa e de sua missão divinas, salientando o fato de ser ele as primícias de todos quantos entram no estado da morte, mas que, finalmente, haverão de ressuscitar triunfalmente. (Ver o trecho de I Cor. 15:19-21, que salienta essa mensagem).

4. Outrossim, isso era impossível por nossa causa, porque a *promessa* que nos foi feita por Deus é que Cristo é a nossa garantia de vida eterna. Os pecadores penitentes são aceitos no Amado, e os dons de Deus são proporcionados aos homens através dele. Todos quantos nele confiam participam necessariamente de seu tipo de vida (ver João 6:57), pelo que também era impossível que a morte pudesse triunfar sobre a fonte de toda a vida aos homens.

5. Finalmente, era impossível que Cristo ficasse retido pela morte porque a tendência de todas as profecias do A.T., no que tange à pessoa, ao ministério, à morte e à ressurreição do Messias é que a sua missão fosse *um sucesso*; embora lhe tivesse sido mister passar pela morte, também haveria de ressuscitar dentre os mortos sem experimentar corrupção física. Essas predições das Escrituras não poderiam jamais ser quebradas. Portanto, era impossível que a morte o retivesse, como é impossível que ela nos retenha permanentemente. Essa é a

RESSURREIÇÃO

mensagem que aparece neste mesmo capítulo do livro de Atos, que faz alusão às profecias de Davi. (Ver Atos 2:25-28).

6. O texto não menciona o *hades*, mas a morte de Cristo subentende o mesmo, e o vs. 27 deste mesmo capítulo alude definidamente ao hades. Em sua descida ao hades, Cristo realizou uma missão ali, igualmente. Ver o artigo sobre a *Descida de Cristo ao Hades*.

XI. Diversas Teorias sobre o Modus Operandi da Ressurreição de Jesus

1. Jesus não teria, realmente, ressuscitado dentre os mortos—mas os seus seguidores teriam *furtado* o seu corpo, conforme também os judeus declararam, e assim os discípulos deram a entender que houvera ressurreição. A narrativa inteira dos evangelhos, entretanto, labora contra essa noção, não sendo provável que os apóstolos tivessem criado uma ressurreição simulada, para em seguida terem sido perseguidos e, finalmente, mortos de maneira vergonhosa, em defesa de algo que sabiam, o tempo todo, fora inventado por eles. Somente as convicções de homens coletivamente desvairados poderiam tê-los feito sofrer tanto, produzindo frutos tão notáveis, se não estivessem escudados na realidade.

2. As narrativas acerca desses acontecimentos são relatos de entusiastas, não podendo ser consideradas como *dignas de grande valor*. As mesmas objeções oferecidas contra o primeiro argumento, se aplicam aqui também. Outrossim, pode-se observar que as outras quinhentas testemunhas oculares do Cristo ressurrecto também deveriam ter sido entusiastas desvairados, para explicar uma ilusão coletiva dessa envergadura. Segundo aprendemos pelos escritos de Paulo, em seus dias, a maioria desses quinhentos irmãos ainda vivia, e a história poderia ser facilmente verificada em sua autenticidade, sendo altamente improvável que tão grande número de pessoas pudesse ter caído naquilo que, de outra maneira, seria reputado um ponto de fé extremamente difícil de defender.

3. *A teoria do desmaio*: Essa teoria afirma que Jesus realmente não morreu na cruz, mas que tão-somente entrou em um estado comatoso. Quando foi posto em um túmulo frio, recuperou os sentidos. Essa teoria tem sido sustentada por muitos elementos liberais, mas está sujeita a objeções fatais. Em primeiro lugar, é altamente improvável que um debilitado Jesus, que quase chegara às portas da morte, e que realmente fora considerado morto por todos os circunstantes, pudesse ter cumprido as ações do vivíssimo Jesus que é retratado após a ressurreição. Em segundo lugar, tal Jesus não teria sido um homem extraordinário, e, sim um homem abaixo do normal, durante um período muito longo. Nada disso se coaduna com o quadro apresentado acerca de suas aparições após a ressurreição. Os discípulos e todas as demais testemunhas oculares dos fatos devem ter sido pessoas extremamente estúpidas e infantis, para crerem que ele realmente ressuscitara. Outrossim, topamos com o problema da fiel dedicação de suas vidas ao Senhor Jesus, por motivo de que viveram sob tremenda perseguição até que tiveram fim vergonhoso, tudo por causa de um homem que estaria *semi-morto* que continuaria mutilado, que tão só perdera a consciência na cruz mas que recobrara os sentidos ao ser colocado no túmulo. Tudo isso pressupõe extrema obtusidade por parte de mais de quinhentas testemunhas oculares do Cristo ressurrecto, o que é impossível de ser aceito. Adicione-se a isso, ainda, que Jesus, que não teria morrido, mas que meramente teria perdido os sentidos, finalmente deve ter morrido—destruindo assim toda a confiança que fora depositada nele. Uma vez mais a história não consubstancia essa teoria. Outrossim, acrescente-se a isso o testemunho inconsciente mas importante de João, acerca das circunstâncias da morte de Jesus. João 19:34 revela que o ferimento feito com a lança, no lado de Jesus, fez sair «...sangue e água...», o que, conforme a medicina tem aprendido pela observação, é sinal de um coração rompido. Um coração rompido sem a menor sombra de dúvia é uma ocorrência médica fatal. E, se em último lugar, admitirmos a evidência dada pelo sudário de Turim (ver a nota em Mat. 28:6 no NTI), veremos que as provas químicas demonstram que o corpo que aquela peça de linho um dia conteve, realmente morreu, embora não tivesse permanecido envolto no pano por tempo suficientemente longo para borrar as imagens produzidas pelos agentes químicos de um corpo que padeceu horrores, o que, de outro modo, teria ficado irreconhecível pela continuação das reações químicas de um corpo em putrefação.

4. A idéia da ressurreição em termos *mediúnicos*: Esta teoria pode assumir muitas formas variegadas, mas diz, essencialmente, que Jesus apareceu aos seus seguidores, após a morte, embora tais aparecimentos fossem apenas de seu espírito desligado do corpo. Isso equivale a afirmar que o espírito humano de Jesus tinha o poder de fazer-se visível e compreendido. As narrativas dos evangelhos, contudo, negam essa teoria, porquanto diversos dos discípulos «tocaram» nele, o que sem a menor dúvida, indica que Jesus apareceu em forma corpórea. Além disso, o próprio Jesus, querendo dar a entender a sua ressurreição física, e não o seu mero aparecimento em espírito, no trecho de Luc. 24:36-43, além de dar sobejas provas de que tinha corpo e podia fazer o que os corpos fazem (ser apalpado, comer etc.), declarou ante os discípulos espantados: «Vede as minhas mãos e os meus pés, que sou eu mesmo; apalpai-me e verificai, porque um espírito não tem carne nem ossos, como vedes que eu tenho» (Lucas 24:39). Apesar de que esta teoria do aparecimento mediúnico de Jesus admite, pelo menos, a sobrevivência da alma, contudo, as narrativas dos evangelhos não lhe prestam apoio algum. O sepulcro estava vazio, e as cicatrizes puderam ser vistas e apalpadas nas mãos e no lado de Jesus.

5. *Explicação psicológica*: Conforme essa teoria, a ressurreição de Jesus, teria sido, na realidade, uma impressão interna, íntima, para certo número de pessoas, e não uma realidade exterior. Teria sido um tipo de mecanismo do cumprimento de um *«desejo»*, podendo ter envolvido elementos dos fenômenos similares ao hipnotismo em massa. Essas condições psicológicas teriam sido provocadas pelo tremendo desejo, dos seguidores íntimos de Jesus, em vê-lo vivo novamente. E essa energia mental, criada dentro das estruturas de pensamento de tantas pessoas, possibilitou o aparecimento de eventos profundamente anelados, embora não tivessem eco no mundo das realidades materiais. Porém, essa idéia se torna extremamente fraca e *insustentável* quando nos lembramos do número de pessoas envolvidas—nada menos de quinhentos indivíduos que, de uma só vez, foram testemunhas oculares da presença física do Cristo ressurrecto, além do fato das diversas aparições do Senhor Jesus, no processo de quarenta dias. Não é provável que tal estado psicológico pudesse ter sido mantido por tanto tempo, e entre tantas pessoas, sem o fundamento da realidade externa. As pessoas simplesmente não podem enganar a si mesmas por tanto tempo, e em massa, como nesse caso. Relatos,

RESSURREIÇÃO — RESTAURAÇÃO

como o caso ocorrido com Tomé, que pôde tocar no corpo físico de Jesus, também labora contra essa idéia de uma ilusão psicológica em massa sobre a ressurreição de Jesus. Chega mesmo a ser impossível crermos que tantas pessoas tivessem criado um mundo de fantasias por tantos dias, mantendo-se, digamos assim, em um estado de sonho permanente.

6. Segundo certos estudiosos, a ressurreição seria meramente a existência do espírito *perenemente vivo* de Jesus, isto é, *a influência de Jesus no mundo e sobre as vidas dos homens*, embora não tivesse sido uma realidade física. Até certo ponto isso expressa parte da verdade, porquanto o espírito de Cristo continua perfeitamente vivo em muitas pessoas, mas, uma vez mais, isso não concorda plenamente com os fatos do caso em foco, porquanto requer a negação da realidade dos aparecimentos de Jesus aos discípulos, o manuseio de Jesus por parte de alguns, e a realidade de suas conversas audíveis com diversas pessoas.

7. *A realidade da ressurreição literal e corporal de Jesus.* Jesus ressuscitou o seu próprio corpo, transformado, mas ainda dotado de propriedades físicas. Jesus espiritualizou o seu próprio corpo. Esse foi o seu último e maior milagre terreno, e a intenção dos escritores dos evangelhos é justamente a de transmitir-nos o fato. Houve muitas testemunhas oculares dessa realidade. Quando da ascensão e glorificação de Cristo, é perfeitamente possível, sendo fato muito provável, que Jesus tenha sido ainda mais poderosamente transformado no ideal da criação de Deus, tendo-se tornado o modelo de Deus, para conduzir muitos filhos à glória—o padrão para a transformação final dos crentes. (Ver Rom. 8:29 e Efé. 3:19).

XII. Acontecimentos no Dia da Ressurreição

1. As mulheres, Maria Madalena, Maria mãe de Jesus, e Salomé, dirigem-se ao sepulcro.

2. Ao chegarem elas, ou talvez pouco antes, desceu o anjo, o Senhor ressuscitou e os guardas caíram por terra como mortos.

3. Pouco depois disso, o mesmo anjo que aterrorizara os guardas, fala com as mulheres, que haviam chegado à cena. (Alguns registros tradicionais pintam os guardas a correr de terror passando pelas mulheres que iam a caminho do túmulo).

4. As mulheres encontraram a pedra rolada para um lado, e Maria Madalena volta a fim de contar o ocorrido aos discípulos (Luc. 23:55—24; João 20).

5. Pedro e João, ao receberem a notícia, vão ao túmulo, examinam-no e se vão embora (João 20:11-18).

6. Maria Madalena volta à cena da ressurreição, chorando, ainda duvidosa; então vê os dois anjos e o próprio Senhor Jesus (João 20:11-18). Em seguida, Maria Madalena é enviada para avisar os outros discípulos.

7. Maria, mãe de Tiago e José, retornou com as outras mulheres ao sepulcro; as mulheres vêem os dois anjos (Luc. 24:4,5 e Mar. 16:5), e ao receberem a mensagem angelical saem à procura dos discípulos, mas ao encontro delas sai o próprio Senhor Jesus (Mat. 28:8-10).

Todavia, *a ordem exata* desses acontecimentos não é dada em parte alguma, e eles são variegadamente arranjados. Mas toda ordem apresentada está sujeita a dúvidas.

A ressurreição de Jesus Cristo é o grande alicerce histórico da igreja cristã, sendo o elemento do qual se origina uma das principais diferenças da doutrina cristã, quando contrastada com outras religiões. É um equívoco declarar ou mesmo supor que a mensagem de Cristo não teria significação se ele não houvesse ressuscitado dentre os mortos, porquanto, até mesmo sem a história da ressurreição, provavelmente seria considerado um dos maiores homens que já viveram à face da terra, tanto por causa dos seus ensinamentos como por causa de sua vida extraordinária, na qual demonstrou diversos poderes admiráveis.

Hoje em dia, muitos não aceitam a realidade de uma ressurreição *literal*, ou pelo menos física, e apesar disso encontram grande valor na vida e nos ensinamentos de Cristo. Não obstante, a ressurreição é pressuposta em todas as porções do N.T., sendo *constantemente solicitada* como *fato* mais certo e como aquele que tem conseqüências teológicas de maior alcance. (Ver, por exemplo, as declarações do apóstolo Paulo, em I Cor. 15:12-20, 29-32). É verdade que, em sua maior parte, a nossa crença na ressurreição de Jesus não pode ser apoiada pela moderna investigação científica; mas certamente não lhe falta o «apoio histórico». Paulo afirma que mais de quinhentos irmãos tinham visto Jesus, após a sua ressurreição (ver I Cor. 15:6). Teria sido fácil verificar o testemunho dessa gente, quando Paulo fez tal declaração. Outrossim, certo número de indivíduos específicos afirmava não só ter visto o Jesus, mas também ter tido extenso contacto com ele. As tradições que cercam a ressurreição de Jesus provavelmente sofreram modificações e adornos, mas o grande fato da ressurreição permanece de pé, e, em todos os seus elementos essenciais, as tradições mais antigas (as de Pedro, as de Paulo e as dos evangelhos) estão em plena harmonia umas com as outras.

No findar do sábado. No evangelho de Marcos, lemos «Passado o sábado...» E no evangelho de Lucas: «...alta madrugada...» O comentário adicional de Mateus, «...ao entrar o primeiro dia da semana...», faz harmonia com a narrativa de Lucas. Goodspeed (GD) traduz aqui, «após o sábado», sendo, provavelmente, a tradução mais correta do trecho. Alguns acreditam que Mateus falava do pôr-do-sol, que Marcos falava do nascer do sol, mas isso não é uma inferência necessária, à base de Mat. 28:1. De fato, o versículo indica que as mulheres compareceram ao túmulo cedo pela manhã, pouco antes do romper do dia.

XIII. Aparições de Jesus após a Ressurreição

Ver o artigo separado com este título.

Naturalmente que se estabeleceu certa confusão quanto ao nome das testemunhas da ressurreição de Jesus, especialmente no que se refere àquelas primeiras visitas. João refere-se apenas a Maria Madalena, quando da primeira aparição. Marcos também menciona Salomé. Lucas menciona diversas outras, a saber: Joana, esposa de Cusa (ver Luc. 8:3). Mateus apresenta as duas Marias. Alguns têm suposto que essas diferenças se originaram devido a ênfase de cada escritor, pois cada evangelista teria enfatizado mais uma pessoa do que outra. Mais provavelmente, os próprios relatórios foram fragmentários e confusos por causa do impacto das emoções envolvidas.

Bibliografia. AM B C E IB ID LAN NTI P Z

RESTAURAÇÃO

Esboço:
 I. O Mistério da Vontade de Deus
 II. O Modus Operandi da Restauração
 III. As Dimensões do Mistério da Vontade de Deus: A Restauração Universal
 IV. A Redenção é um Aspecto da Restauração
 V. O Que Dizer Sobre o Julgamento?

RESTAURAÇÃO

A RESTAURAÇÃO UNIVERSAL
EFÉSIOS 1:10, 23

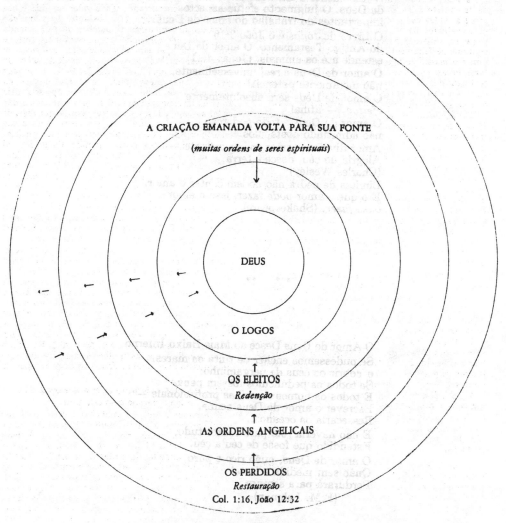

O oposto de injustiça não é justiça — é *amor*.

O julgamento é um dedo da mão amorosa de Deus. O julgamento efetua aspectos importantes do trabalho do amor de Deus.

A amor de Deus escreverá o último capítulo da história humana.

••• •••

RESTAURAÇÃO

•••

O amor de Deus escreverá o último
capítulo da história humana.
O julgamento é um dedo da mão amorosa
de Deus. O julgmento efetua aspectos
importantes do trabalho do amor de Deus.
O Livro de *Jonas* é o João 3:16
do Antigo Testamento. O amor de Deus
estende até os animais. (Jonas 4:11)
O amor de Deus é *real* universalmente,
não meramente potencial.
O amor de Deus será absolutamente
efetivo, — afinal.
O amor de Deus é todo-poderoso
não admitindo obstáculos.
Amor divino — amor todo excelente —
Alegria do céu, desce à terra.
(Charles Wesley)
Limites de pedra não podem conter o amor.
E o que o amor *pode* fazer, isso o amor
ousa fazer. (Shakespeare)

••• •••

O Amor de Deus Desce ao Mais Baixo Inferno
Se pudéssemos encher de tinta os mares,
e cobrir os céus de pergaminho;
Se todos os pedúnculos fossem penas
E todos os homens escribas profissionais —
Escrever o amor de Deus acima,
Ressecaria os oceanos;

E não haveria rolo para conter tudo,
Estendido que fosse de céu a céu.

O amor de Deus, quão rico e puro,
Quão sem medida e forte!
Perdurará para sempre...
    (F.M. Lehman)

•••

RESTAURAÇÃO

VI. Algumas Particularidades do Mistério da Vontade de Deus
VII. A Dispensação da Plenitude dos Tempos
VIII. A Universalidade da Restauração
IX. A Universalidade Ilustrada em Colossenses 1:16
X. A Universalidade Ilustrada em I Cor. 15:26
XI. A Descida de Cristo ao Hades e a Ascensão Efetuam a Restauração
XII. Fatores de Amor e de Justiça Exigem a Restauração
XIII. A Missão Tridimencional de Cristo

Observações Preliminares

No hebraico, «devolver», «fazer voltar». Há um outro verbo hebraico, «completar», usado por oito vezes, que encerra um sentido paralelo. Esse verbo é usado, por exemplo, em Joel 2:25, um trecho muito usado pelos que ensinam a doutrina da «restauração», no A.T. No N.T., *apokathístemi*, «restaurar», e *apokatástaisis*, «restauração». O verbo é usado por oito vezes, e o substantivo por uma vez só, em Atos 3:21.

1. Como muitas outras doutrinas bíblicas, ela começa no A.T. como um *simples ato de devolução*, em face de algum dano causado. Ver, por exemplo, Gên. 20:7: «Agora, pois, restitui a mulher a seu marido, pois ele é profeta, e intercederá por ti, e viverás...» Somente nos profetas a idéia passa a ter um sentido de promessa (de que os exilados voltariam à Terra Prometida), assumindo então um sentido teológico ou mesmo escatológico, quando a nossa visão é dirigida para os últimos dias.

2. *Restauração de Israel*

Há várias posições acerca da questão. Há aqueles que dizem que a «restauração» envolveu apenas a volta de Israel do exílio babilônico. Outros dizem que o movimento sionista moderno está em pauta. Ainda outros pensam que a restauração de Israel só ocorrerá no futuro escatológico. Também há aqueles que espiritualizam a promessa de restauração, aplicando-a à Igreja. Esta última posição merece algum comentário. Seus mentores quase sempre são homens de elevado idealismo. O movimento de «restauração» de dois séculos atrás, nos E.U.A. e na Inglaterra, é prova disso. Envolveu homens brilhantes e sinceros. Porém, aplicar a restauração à Igreja é um equívoco, pelos seguintes motivos: a. a Igreja já é o fruto da «restauração» iniciada por João Batista e continuada por Jesus. Se for aplicada à Igreja, teremos de falar em uma «restauração» da «restauração», uma idéia absurda. b. No A.T., a «restauração» sempre é aplicada ou a Israel ou aos céus e à terra (a Igreja nunca surgiu no horizonte profético do A.T., pois é uma revelação tipicamente neotestamentária, que Deus revelou aos seus apóstolos). c. Israel, os céus e a terra, devido ao pecado, precisam reconciliar-se com Deus, mediante a realização de Cristo, pois nele tudo converge, afinal. Mas a Igreja se compõe daqueles que já se reconciliaram com Deus. Para que reconciliar os já reconciliados? d. Resta aos filhos de Deus — a Igreja — manifestarem-se em sua glória, por ocasião do segundo advento de Cristo. E então, a própria natureza e o cosmos serão reconciliados com Deus (Rom. 8:22,23). Então, haverá «novos céus e nova terra» (Apo. 21:1 ss).

3. *Restauração e a Igreja*

Não podemos incluir na «restauração» mais do que foi profetizado. Ver Atos 3:21: «...até aos tempos da restauração de todas as cousas, das quais Deus falou pela boca dos seus santos profetas...»

Cristo inicia a «restauração» espiritual com a Igreja. Somos como que «...primícias das suas criaturas» (Tia. 1:18). No momento, a Igreja, como corpo místico de Cristo, *é a restauração* em seu aspecto espiritual. Começando conosco, Ele ampliará a obra restauradora para atingir a criação inteira.

As diversas escolas escatológicas do cristianismo moderno não têm dado a devida importância ao ensino bíblico da «restauração». Tais sistemas não levam em conta esse aspecto da profecia. Os apóstolos, porém, perceberam quão crucial é esse aspecto. Dentre tantas indagações que poderiam fazer a Jesus, no momento de sua despedida, eles indagaram: «Senhor, será este o tempo em que restaures o reino a Israel?» (Atos 1:6). Jesus negou-se a precisar o tempo da restauração, mas não negou sua realidade futura. Poucas semanas depois, Pedro volta ao tema, vinculando-o à segunda volta de Cristo (ver Atos 3:20,21). Segundo suas palavras, «...ao qual é necessário que o céu receba *até* aos tempos da restauração de todas as cousas, de que Deus falou por boca dos seus santos profetas...». Cristo voltará ao mundo, entre outras coisas, para *completar* a restauração iniciada por João Batista (Mat. 17:11-13), e tornada exeqüível com o seu sangue. «...Deus estava em Cristo, reconciliando consigo o mundo...» (I Cor. 5:19). Portanto, em seu aspecto espiritual, a restauração se dá e dar-se-á por etapas; a Igreja, já desde os tempos dos apóstolos; Israel, quando a venda lhes for tirada dos olhos e eles forem reenxertados na boa oliveira (Rom. 11:23,24), o que sucederá dentro do período escatológico profetizado, fazendo deles parte integrante da Igreja, os perdidos, e então os céus e a terra, isto é, toda a criação.

4. *A Restauração Universal*

Poderíamos sumariar dizendo que a «restauração» é a doutrina bíblica que considera o plano de Deus em seu escopo total e completo, abarcando a visão mais abrangente da vontade revelada do Senhor. Exige maturidade espiritual para ser entendida; alguns nunca conseguem encaixá-la em seu sistema doutrinário, por serem crianças (ver I Cor. 3:1). Ver também Efé. 1:9,10.

Fazendo conhecer o mistério da sua vontade,
segundo o seu beneplácito, que nele propôs
Para a dispensação da plenitude dos tempos,
de fazer convergir em Cristo todas as coisas,
Tanto as que estão nos céus como as que
estão na terra. Efésios 1:9-10.

O Mistério da Vontade de Deus:
A Restauração Universal

I. O Mistério da Vontade de Deus

O mistério. Um mistério é qualquer verdade divina antes oculta, que nos foi revelada, — para que fôssemos iluminados. Consideremos abaixo alguns pontos sobre o que não é e o que é um «mistério»:

1. Um mistério não é alguma verdade misteriosa que somente os «iniciados» possam compreender, segundo se pensava nas «religiões misteriosas» dos gregos e entre os gnósticos.

2. Um mistério é antes uma verdade que até o momento de sua revelação estava oculta, mas que agora nos foi desvendada.

3. Envolvendo alguma verdade divina profunda, um mistério se reveste de determinados elementos que até agora não são perfeitamente compreendidos por nós, o que requer a iluminação espiritual da alma. E o Espírito Santo é quem projeta o foco de luz esclarecedora em nossas almas. (Ver versículo 18 e ss de Efé. 1 acerca dessa questão).

4. Compreendem-se os mistérios intuitivamente, em parte, não se tratando de uma compreensão

RESTAURAÇÃO

inteiramente descritiva. Em outras palavras, alguns crentes perceberão, intuitivamente, a importância e a natureza dos mistérios de Deus, e esse entendimento os transformará, tornando-os mais santos e espirituais, apesar de não poderem «descrever», em termos objetivos e intelectuais, a natureza do mistério melhor do que outros crentes.

5. Um mistério é um *segredo desvendado*, uma verdade divinamente revelada. Não se trata de algo que possa ser descoberto exclusivamente pelo raciocínio da razão, e, muito menos ainda, através da pesquisa. Trata-se de conhecimento outorgado mística e intuitivamente, e não empiricamente.

6. O vocábulo «mistério» provavelmente foi tomado por empréstimo, pelo apóstolo Paulo, das religiões misteriosas de sua época, a fim de estabelecer um paradoxo proposital. De acordo com essas religiões, os mistérios seriam segredos ocultos, que só poderiam ser entendidos por alguns poucos. Seria um conhecimento esotérico. No cristianismo, entretanto, os mistérios são *segredos desvendados*, a fim de se tornarem conhecidos pelo mundo inteiro. A tarefa dos crentes é justamente tornar tais mistérios conhecidos, a fim de que os homens tomem conhecimento da glória de Cristo e de suas promessas aos homens. Tais mistérios devem ser «publicados» e não ocultados, conforme era o caso naquelas religiões da antigüidade.

7. A própria palavra grega aqui usada, *musterion*, significa «segredo», «rito secreto», «doutrina secreta». Nas páginas do N.T., portanto, um mistério é alguma realidade espiritual antes oculta nos conselhos divinos, mas que agora ele nos desvendou. Os mistérios sempre são verdades profundas e importantes. Existem muitos mistérios no N.T., e essa questão em sua inteireza, é comentada nas notas expositivas no NTI sobre os trechos de Rom. 11:25 e Mat. 13:11,13. (A passagem de Efésios 3:5 fornece-nos a definição bíblica de «mistério»).

Da sua vontade. Precisamos desdobrar essas palavras, como segue:

1. Tudo nos foi dado pela vontade de Deus, e de conformidade com ela.

2. Foram-nos desvendados os seus conselhos secretos, alicerçados em sua vontade divina.

3. Esses mistérios dizem respeito ao que Deus quer, aquilo que foi determinado em seus decretos eternos.

4. Porém, o que é enfaticamente destacado aqui é «aquilo que Deus tenciona fazer», a saber: o «mistério concernente ao que Deus está fazendo e fará, em toda a sua criação».

O mistério de Efésios 1:9,10: A união e harmonia final de todas as coisas no *Logos* (Cristo). A volta de toda a criação ao Criador. Isto é, a Restauração final e total de tudo. Esta restauração funcionará em dois níveis: A redenção dos eleitos, a restauração dos não eleitos. Ver seção VI que oferece mais detalhes.

N.B. Se pudéssemos explicar o mistério da vontade de Deus nos termos convencionais do julgamento como apresentado nos Evangelhos, e em outras partes do Novo Testamento, não seria um **mistério**. Ver o artigo separado sobre **Mistério da Vontade de Deus**.

II. O Modus Operando da Restauração

De fazer convergir nele ...todas as coisas. Essas palavras expressam o mistério máximo da vontade de Deus. Todas as coisas encontram sua existência, propósito e significação em Cristo Jesus. E isso, por sua vez, mostra a sua significação cósmica, e não meramente terrena. Cristo é o ponto culminante ou centro em torno de quem todas as coisas têm sua existência e sentido. De uma maneira ou de outra, todas as coisas lhe redundarão em glória e nele serão glorificadas. Ele é o Cabeça e benfeitor universal de todas as coisas, de todos os seres inteligentes, e não apenas dos homens.

Notemos que este versículo menciona coisas *tanto as do céu como as da terra*. Na qualidade de Verbo de Deus, todas as coisas conhecidas por Deus foram conhecidas por intermédio dele. Isso está incluso na doutrina do «Verbo», que aparece no primeiro capítulo do evangelho de João, como também está implícito em Col. 1:15, onde ele é visto como «a imagem do Deus invisível». Deus vive em luz inabordável, de quem ninguém se pode aproximar (ver Tim. 6:16). Qualquer ser que se avizinhe de Deus tem de fazê-lo por intermédio do Verbo, a imagem de Deus, e qualquer acesso futuro terá de ocorrer da mesma maneira. Por conseguinte, todo o bem-estar e a unidade universal de todas as coisas, tudo se centraliza em torno de Cristo. Nas Escrituras aprendemos que tudo vive, se move e tem seu ser em Deus (ver Atos 17:28), e agora ficamos sabendo que isso faz parte do mistério da vontade divina, sendo plano do Senhor que todas as coisas tenham seu centro em Cristo, o Verbo eterno. E a história inteira da humanidade é tão-somente o processo terreno mediante o que isso está tendo lugar.

Fazer convergir. No grego, *anakephalaico*, isto é, «sumariar», «recapitular», *reunir*. Podemos comparar isso com Rom. 13:9: «...tudo nesta palavra se resume: Amarás ao teu próximo como a ti mesmo». Por semelhante modo, a criação inteira está «sumariada» em Cristo, tendo nele o seu ser, propósito, destino e centro. E tudo é «devolvido à sua órbita, sendo ele o centro». Isso indica a unidade universal de todas as coisas em Cristo. Todos os seres e todas as coisas, igualmente, giram em torno dele. (Comparar isso com Rom. 8:21 e I Cor. 15:28).

III. As Dimensões do Mistério da Vontade de Deus: A Restauração Universal

1. É tempo perdido procurar diminuir o alcance do que é dito no texto à nossa frente. A vontade de Deus é restaurar «todas as coisas», tal como ele também criou «todas as coisas». O trecho de Col. 1:16, encerra idêntica mensagem. E assim como a criação foi realizada «por Cristo» (ele é o Alfa), assim também veio a existir «para Cristo» (pois ele também é o Ômega). Finalmente, Cristo haverá de «sumariar» a criação inteira. Ele terá de ser «tudo para todos» (interpretação do trecho de Efé. 1:23). Ora, isso não poderia ocorrer a menos que a unidade em torno de Cristo fosse absolutamente toda-compreensiva, incluindo cada ser que jamais viveu, bem como a estrutura de todos os mundos criados.

2. Os intérpretes que opinam que essa unidade envolverá somente os salvos, entendem mal o grandioso conceito da vontade de Deus, no tocante a toda a sua criação.

3. Unidade fala de harmonia, boa vontade, bem-estar. A unidade que finalmente se formará em redor de Cristo, portanto, deve visar o bem. Não basta dizer que os perdidos servirão de louvor a Deus, ao mesmo tempo que habitarão no fogo eterno, porquanto contemplarão a santidade divina. Isso não exprime uma verdade. É uma declaração por demais parcial, por demais míope. Orígenes por certo tinha razão, quando afirmou que o conceito do julgamento como algo apenas retributivo (sem qualquer grau de restauração), é uma idéia que condescende com uma teologia inferior.

4. Não temos nisso o universalismo. Alguns intérpretes têm lançado mão do presente texto para

684

RESTAURAÇÃO

defender a idéia do universalismo, isto é, o conceito de que, finalmente, todos serão salvos, e que o «quando» (o ponto dentro do tempo) é a única diferença que se pode conceber aqui. Pelo contrário, consideremos os seguintes fatores:

IV. A Redenção é um Aspecto da Restauração

1. A restauração envolverá todos os seres e todas as coisas. A redenção por sua parte, atinge somente os eleitos. A redenção quer dizer que os homens participarão da própria imagem e natureza de Cristo (ver Rom. 8:29), e portanto, da própria natureza divina (ver II Ped. 1:4), e dos atributos de Deus (ver Efé. 3:19), e assim sendo, de sua própria forma de vida (ver João 5:25,26). Os eleitos passarão de um estágio de glória para outro, pois a glorificação deles será interminável (ver II Cor. 3:18).

2. Em contraste com isso, os *não-eleitos restaurados*, formarão uma espécie completamente diferente, que não compartilhará da natureza divina; e as vantagens que adquirirem—pelo motivo de fazerem parte da unidade em torno de Cristo e do fato de que ele será tudo para eles (ver Efé. 1:23)—serão, em comparação com o ganho infinito dos eleitos, uma perda infinita. Não podemos imaginar qualquer estagnação no estado dos perdidos, mas estes jamais poderão adquirir a forma de vida que será dada aos eleitos.

Meus amigos, há muitos anos, escrevi a afirmação deste segundo ponto. Falando em termos comparativos, achei bom falar sobre a glória secundária dos não-eleitos como uma *perda infinita*. Hoje, sinto muito que esta declaração tenha sido publicada no *N. Testamento Interpretatdo*, o comentário que escrevi sobre estas Escrituras. Quero declarar que atualmente, acho que é uma *degradação* do trabalho do *Redentor-Restaurador* chamar sua restauração dos não-eleitos de perda infinita. Certamente, não compara com a redenção dos eleitos. Mesmo assim será uma *grande realização*, um tremendo trabalho do *Logos*, que somente a vontade de Deus, com toda sua força, poderia efetuar. Isso merece todo o nosso louvor e admiração e não devemos usar qualquer termo de desprezo em relação ao assunto. O ponto três expressa melhor a idéia.

3. Os eleitos serão maiores, em poder e glória, do que a maioria dos homens concebe acerca do poder e da glória de Deus, pois os homens, afinal de contas, fazem uma idéia bem baixa da pessoa de Deus. Por semelhante modo, especulamos, os perdidos terão uma glória e uma utilidade maiores, a serviço de *Jesus Cristo* (porquanto eles provavelmente comporão muitas sociedades bem dispersas, onde Cristo será ativamente glorificado), do que a maioria dos homens agora pensa ser o destino dos eleitos.

A Restauração e a Redenção: Unidade em Cristo
1. Definição

O restauracionismo tem sido usado na teologia como um sinônimo de *universalismo*. Ver o artigo separado sobre este último ponto. Nesse sentido, o *restauracionismo* indica que todas as coisas, finalmente, serão restauradas, e, no que concerne à alma humana, diz que todas as almas serão finalmente salvas ou remidas. Isso significa que todas as almas humanas, finalmente, virão a participar da *salvação* que há em Cristo. Vários cristãos notáveis do passado têm defendido essa posição, como Orígenes, Clemente de Alexandria e Gregório de Nissa. Tradicionalmente, porém, tanto a Igreja Católica Romana quanto os grupos protestantes têm declarado que essa doutrina é uma heresia. Agostinho opunha-se a tal doutrina, a qual foi oficialmente condenada por ocasião do concílio de Constantinopla, em 543 A.C. Não obstante, o *restauracionismo* tem sido favorecido entre os anabatistas, os morávios e os cristadelfianos. Naturalmente, os universalistas, como uma denominação, ensinam essa doutrina, e muitos teólogos liberais têm promovido a idéia, como a resposta final de Deus a um mundo enfermo pelo pecado. O vocábulo grego usado para essa doutrina é *apokatástasis*.

Apesar de ser praticamente impossível provar essa doutrina mediante o uso do Novo Testamento, pelo menos sabe-se que o mistério da vontade de Deus requer que *todas as coisas* finalmente sejam restauradas e levadas à unidade, em torno do Logos (Cristo) conforme se vê em Efé. 1:9,10. E isso, definidamente, fala a respeito de certa forma de *restauração*.

Tenho preparado este longo artigo sobre o assunto, por sentir que o mesmo se reveste da máxima importância, porquanto, na doutrina da *restauração* encontramos aquilo que, *finalmente*, Deus fará. Isso ultrapassa a tudo quanto é esclarecido dentro da doutrina do julgamento divino. De outra sorte, não poderia ter sido chamado de um «mistério». —Cada vez que Paulo revelava algum mistério, ele deixava claro que estava falando sobre alguma nova revelação; é como se ele estivesse dizendo: «Dai atenção a isto. Eis algo que ainda não sabíeis. O que vos estou dizendo é uma revelação». Isso significa que a doutrina, conforme até ali fora entendida, teria de ser modificada, mediante o acréscimo de alguma nova verdade. É convicção minha que agora devemos tanto modificar quanto abandonar anteriores doutrinas do julgamento, com base em Efésios 1:9,10. Com isso concorda Pedro, o qual, em I Pedro 4:6, ensina que o julgamento é uma medida remedial, e não meramente retributiva. Em outras palavras, o julgamento terá de fazer alguma coisa, e não apenas aplicar punição. Discuto sobre essa questão nos pontos que se seguem.

2. Uma Realização Completa.

Acredito que a *restauração* conduzirá todos os homens à unidade em torno de Cristo. Cristo será o cabeça de todas as coisas, e todas as coisas encontrarão nele unidade e harmonia. A revelação do mistério da vontade de Deus requer essa crença. Declaro que isso não torna todos os homens eleitos ou remidos, mas tem as seguintes conseqüências: a redenção dos eleitos e a restauração da grande massa dos não eleitos. Na redenção, os eleitos são levados a participar da natureza divina, em sentido literal, posto que secundário. Os restaurados, por sua vez, não participarão da natureza divina, mas terão uma existência útil e abençoada, que chegará a redundar em glória positiva para Cristo, posto que a posição deles nunca chegará a comparar-se com a dos eleitos. Acredito que sociedades de muitas *espécies* diferentes estarão envolvidas nisso, não meramente duas ou mais regiões onde as almas habitarão. A alma humana, em sua evolução, é capaz de muitos destinos. Um desses destinos é a participação na natureza e na forma de vida da família de Deus. Esse é o destino dos salvos. Ver II Ped. 1:4; II Cor. 3:18; Col. 2:10; Efé. 3:19. A plenitude de Deus será atingida por bem poucos. Os demais haverão de distribuir-se por *muitas espécies* de seres, que jamais participarão da natureza divina, mas que, apesar disso, serão elevados a uma unidade, que circundará o Logos, que não deixará de ser glorioso. As eras da eternidade haverão de produzir esse resultado. Chegará uma dispensação da *plenitude dos tempos*, a

RESTAURAÇÃO

qual não será determinada pela *parousia* ou segunda vinda de Cristo. Esse evento haverá de *introduzir a era* eterna, dentro da qual haverá muitos ciclos, segundo os quais Deus haverá de operar, de acordo com a sua vontade. À medida que as coisas forem sendo **realizadas por** Deus uma a uma, a unidade em torno de Cristo ir-se-á tornando uma realidade cada vez mais gloriosa e abrangente. Deus não se desfará de qualquer coisa como um lixo. Antes, haverá de utilizar cada vida, purificando-a, transformando-a e apresentando-a ao Logos, como parte de sua herança eterna. **Um maravilhoso bem-estar,** uma admirável unidade, assinalará essa produção final da vontade de Deus.

3. A Seriedade do Julgamento Divino

Coisa alguma do que tenho dito acima serve para diminuir a seriedade do julgamento final. Não sabemos dizer por quanto tempo os sofrimentos haverão de caracterizar o estado dos perdidos, antes de poderem ser levados ao estado da restauração, se não mesmo de redenção. Cremos que bem poucos, finalmente, serão remidos, embora *todos* (em virtude das exigências do mistério da vontade de Deus, que ele cumprirá, finalmente) deverão ser restaurados. Até onde, dentro dos ciclos da eternidade futura, será mister avançarmos, para produzir-se a prometida unidade, também não sabemos dizer. Somente Deus sabe como isso operará. Esse é um daqueles pontos que Deus reservou para seu exclusivo conhecimento. Portanto, pronunciarmos **agora** um severo julgamento contra os pecadores impenitentes é correto e necessário. Porém, essa é uma verdade *intermediária*, e não uma verdade final. E isso é assim porque esse severo julgamento está operando um propósito do amor de Deus. De fato, o juízo é um dedo da amorosa mão de Deus. Não há qualquer contradição entre o amor de Deus e a ira de Deus. Esses são os pólos de uma única doutrina. Quando Deus julga, também está amando, pois o seu julgamento é um *meio* de efetuar o propósito do amor, tal como um pai disciplina a um filho, e às vezes até severamente, a fim de que se torne aquilo que deveria ser. Por semelhante modo, a *cruz* foi um terrível julgamento, mas também foi uma magnífica demonstração do amor de Deus. Separar os pólos da **doutrina** do julgamento-amor é produzir uma teologia unipolar, que, necessariamente é defeituosa. Orígenes certamente estava com a razão quando declarou que ver apenas retribuição no julgamento divino é condescender diante de uma teologia inferior.

4. Consideremos Esta Ilustração

Conheci um pastor cujo filho já homem, em um momento de loucura e paixão, assaltou sexualmente a uma mulher. Essa foi a primeira ofensa séria dele. Mas, mesmo assim, a lei usou de severidade com o rapaz, e o lançou na prisão. Agora, ele já está na prisão faz vários anos. Pode-se facilmente imaginar a tragédia representada por isso, para aquele pastor e sua família. Muitas agonias mentais têm sido enfrentadas por aquela família, e a vida daquele rapaz é uma tragédia total, por causa de um único ato desvairado. Da última vez em que ouvi qualquer coisa sobre o caso, aquele pastor estava tomando medidas, novamente, para ver se conseguia tirar o filho da prisão, embora sem grandes esperanças de sucesso. Digamos que aquele jovem passe vinte anos na prisão, por causa do que fez. Faço a seguinte pergunta: O seu julgamento foi menos real, ante o fato de que ele sabe que, *algum dia*, terá saldado inteiramente a sua dívida diante da sociedade, por causa de seu crime, e será posto em liberdade? Penso que não. Notemos, igualmente, que o próprio tempo passado na prisão é que ajustará as contas do rapaz e permitirá que ele seja posto em liberdade. Pois bem, temos bases bíblicas para supor que os juízos divinos também operarão desse modo. A *descida* de Cristo ao hades (ver sobre esse assunto, nesta enciclopédia) levou a oferta da salvação às almas, bem em meio ao julgamento; e esse ato constituiu e continua constituindo uma das três missões de Cristo: na terra, no hades e no céu. Ele teve e continua tendo um ministério terreno; outro ministério no hades, e outro no céu. Ele pregou o *evangelho* (I Ped. 4:6) àqueles que tinham sido *desobedientes* (I Ped. 3:20). O amor e o interesse de Deus, nesse ato, foram óbvios, e essa missão de Cristo envolve tremendas implicações sobre *como* o julgamento divino haverá de operar, e o que tenciona alcançar. O trecho de I Pedro 4:6 mostra-nos que o julgamento terá de ser realizado, mas também afirma, enfaticamente, que o seu *propósito* é produzir vida, isto é, uma *vida bendita* no Espírito.

5. Ensinamentos Unipolares

A Igreja Oriental, em contraste com a Igreja Ocidental, tem tido uma visão mais ampla daquilo que, finalmente, poderemos esperar por parte da missão de Cristo. Tenho ilustrado abundantemente esse fato em meu artigo chamado *Descida de Cristo ao Hades: Perspectiva Histórica e Citações Significativas*. Entre os grupos cristãos orientais, a vida após túmulo tem sido encarada como um meio de preparação dos homens para a salvação, em vez de ser um estado de perdição eterna, ainda que sempre dependente das condições de arrependimento e fé.

Lamento que ensinos unipolares, em grandes segmentos da Igreja cristã, tanto católica romana como protestante, tenham negligenciado com desdém os aspectos maiores e mais abrangentes do amor de Deus. Penso que é um erro sério diminuir a missão de Cristo, em relação àquilo que as Escrituras Sagradas ensinam. Sem dúvida alguma, o mistério da vontade de Deus lançará novas *luzes* sobre o julgamento divino, de que precisamos tão desesperadamente. É um sério erro teológico apagar essa luz mediante um ensino obsoleto sobre o julgamento. Pessoalmente, permaneço firme onde a doutrina da descida de Cristo ao hades e a doutrina do mistério da vontade de Deus me preparam para chegar. Aqueles que preferirem permanecer com uma visão inferior daquilo que Cristo tem feito em favor dos homens, são responsáveis pela sua posição, e eu sou alegremente responsável por uma visão a respeito que olha para além de tais expectativas incompletas, acerca daquilo que Deus preparou para todas as almas humanas.

6. O Propósito de Deus Não Falhará

O *calvinismo* percebe essa verdade. Mas, a fim de fazê-la concordar com certas idéias sobre o que será o julgamento divino, e a fim de enfatizar o exclusivismo da eleição, o calvinismo declara que Deus, na realidade, quer salvar somente aos eleitos, e que os demais são rejeitados, passiva ou ativamente. E esse *resto*, composto dos não eleitos, terminará nas mais excruciantes dores para toda a eternidade.

O *universalismo* também enxerga essa verdade, que o propósito de Deus não poderá fracassar, mas, em seguida, supõe que a eleição soberana de Deus, finalmente incluirá todos os homens, de tal modo que a diferença entre os homens reside apenas no tempo em que o amor de Deus haverá de alcançá-los, e não se alguns não serão alvo da redenção.

Há um *meio termo*, que proponho neste artigo. Concordo com o princípio bíblico de que os propósitos de Deus não poderão falhar, mas ajunto a isso que o amor de Deus está por detrás de seu propósito predestinador. Sendo esse o caso, sua aplicação

RESTAURAÇÃO

precisa ser absolutamente universal. Em *primeiro lugar*, a oportunidade para a obtenção da plena salvação deve ser universal. Em *segundo lugar*, aqueles que não obtiverem a redenção, nem por isso serão tirados para fora do plano da vontade de Deus, chamado de *o mistério* de sua vontade, em Efésios 1:9,10. Seu santo amor não falhará; a missão amorosa de Cristo não pode falhar. Isso posto, haverá uma restauração, uma oportunidade secundária, a fim de que possa haver uma verdadeira unidade em redor de Cristo. Dessa forma é que ele se tornará tudo em todos, ou tudo para todos (ver Efé. 1:23). Dessa forma, igualmente, a necessidade de que Deus seja *tudo para todos* (ver I Cor. 15:28) será gloriosamente cumprida. Todas as teologias que permitem a idéia de *alienação*, na sua doutrina do julgamento final, ignoram e contradizem uma das mais excelentes revelações neotestamentárias. O universo criado por Deus, finalmente, não poderá conter qualquer fator de alienação. De fato, o alvo de toda a existência é a *unidade* e a harmonia, e não a alienação. Isso é o que poderíamos esperar da parte de Deus e de seu grande amor. E esse grande amor de Deus, que é um *fato*, e não mera poesia, atingirá o mais profundo do inferno.

7. O Fator Tempo

Efé. 1:9,10 (o mistério da vontade de Deus) fazem claro que a restauração de todos os seres, para ser realizada, necessitará de alguns ciclos (eras) da eternidade futura. Sendo que o julgamento é um dos instrumentos que restaura (I Ped. 4:6), deve também entrar nestes ciclos. Acredito, portanto, que o julgamento ocupará um tempo prolongado, dentro dos ciclos da eternidade. Todavia, seu propósito é operar o bem dos julgados, não meramente puni-los. A punição é *um* elemento do julgamento, não sua totalidade. O fato de que o julgamento poderá durar um tempo prolongado na eternidade futura aumenta nosso conceito sobre sua *seriedade*. Mas seria um erro nos rebaixar para um teologia inferior declarando que o julgamento não é restaurador, afirmando ser meramente punidor. Também, sendo que os restaurados perdem a *redenção* (participação na natureza divina, II Ped. 1:4) que é o destino verdadeiro do ser humano, a restauração em si é um julgamento, considerado comparativamente com a redenção dos redimidos. *Neste sentido*, o julgamento será eterno. Todavia, não devemos rebaixar a obra *magnifica* do Restaurador que é também o Redentor.

8. *Grande Diferença entre os Remidos e os Restaurados*

Deus é chamado de ser necessário e independente, em contraste com todos os demais seres, cuja vida é desnecessária e dependente. Deus não pode deixar de existir (sua forma de vida é necessária). Ele é o **auto-existente (não tendo derivado a sua vida de outro ser), além do que a sua forma de vida é auto-sustentadora e autoperpetuadora.** Contudo, por ocasião da redenção, Deus compartilha com os remidos desse tipo de vida, ou seja, da *verdadeira imortalidade*, o que é uma doutrina grandiosa. Ver João 5:25,26.

Deus Pai vive por si mesmo; esse tipo de vida ele deu ao Filho; e o Filho de Deus por sua vez, confere essa vida aos outros filhos de Deus. E isso significa que haverá muitos filhos conduzidos à glória (Heb. 2:10). Quando as almas humanas são transformadas à imagem do Filho (Rom. 8:29), e compartilham de toda a plenitude de Deus (Efé. 3:19) e, portanto, da própria natureza divina (II Ped. 1:4), desse modo chegam a participar da verdadeira *imortalidade*. Podemos supor que os *restaurados*, embora possuidores de vários tipos de vida, nunca chegarão a possuir a imortalidade, mas continuarão a ter uma imortalidade dependente, uma vida perene, que Deus terá de suster permanentemente. Essa será a grande distinção entre os remidos e os restaurados. Somente os remidos, no sentido primário e mais alto do termo, é que são *imortais*. Não obstante, seria ridículo e espiritualmente errado degradar a imortalidade dependente que o Restaurador dará às almas humanas. Pois essa também será uma gloriosa realização da graça e do poder divinos.

V. O Que Dizer Sobre o Julgamento

1. A restauração dos perdidos não deixará de lado o julgamento. Antes, o próprio juízo será um dos elementos que produzirão essa restauração. O julgamento será restaurador, e não apenas retributivo, conforme é ensinado em I Ped. 4:6 (onde as notas expositivas no NTI devem ser examinadas; ver um conceito similar comentado em Rom. 11:32);

2. O julgamento *castigará*, mas também terá uma natureza *restauradora-remidora*. Ver pontos 5 e 6.

3. O julgamento deve ser aquilatado em termos de «contraste», e não somente em termos de «sofrimento». Em outras palavras, os não-eleitos sempre estarão debaixo de julgamento, porque esse será eterno, porquanto a idéia central do julgamento é privação. Todavia, o julgamento ajudá-los-á a verem restaurado a um grau de grande utilidade e glória. Esse «grau», repetimos, por si mesmo será um julgamento.

4. O número dos eleitos será extremamente pequeno. Poucos descobrirão o caminho da redenção que há em Cristo; poucos compartilharão de sua própria natureza e imagem; poucos obterão o ganho infinito. O número dos restaurados será muito vasto, a saber, *todos* os não-eleitos.

5. *A porta da oportunidade será fechada para sempre?* Será que os não-eleitos terão a oportunidade de se tornarem eleitos, para participar na redenção? Quando escrevi o *Novo Testamento Interpretado*, acreditei que a *parousia* (que vide), a Segunda Vinda de Cristo, estabeleceria os limites finais dos destinos dos homens. Certamente, a morte biológica de cada indivíduo não é capaz de fazer isto, como I Ped. 4:6 ensina claramente. Atualmente, acredito que *não podemos* falar sobre o ato *redentor-restaurador* do Logos em termos de fins e limites. É impossível imaginar uma estagnação em qualquer ação ou ato divino. Portanto, acredito que será *sempre* possível que um dos restaurados alcance a redenção, embora, também acredito que poucos farão esta transição. Ver o ponto 6 onde ofereço mais idéias sobre isto.

6. *O tapete de muitas cores*. A variedade agrada os homens. Um tapete, que combina muitas cores e desígnios, certamente, é mais atraente do que um tapete simples, de uma cor só. Quero comparar o *ato redentor-restaurador* a um tapete de muitas cores. Vamos imaginar que a cor dourada representa a *redenção* dos eleitos. De todas as cores, esta é a mais rica e atraente. Mas, se o tapete fosse somente de cor dourada ela *perderia* a beleza potencial que tem. Assim, o tapete é de *muitas* cores, inclusive brilhantes e escuras. As cores brilhantes têm uma beleza maior justamente porque se contrastam com as escuras. As cores representam níveis diversos de glória, mas cada cor é uma obra digna do *Logos-Restaurador*. Cada uma é uma maravilha em si. O *Artífice* do tapete é uma grande inteligência. Ele é o Mestre-Artista. Ele nunca faz um erro. A obra dele é absolutamente perfeita. Posso olhar somente a cor parda, e, comparando esta cor com a dourada, posso sentir, profundamente, a diferença de beleza representada por ela. Mas, olhando a obra como um todo, vejo,

RESTAURAÇÃO

claramente, que sua beleza depende, em parte, da presença do pardo, e isto se aplica a *todas* as cores. Examinando o total, vejo uma beleza extraordinária que depende justamente da variedade de cores e *desígnio* que o tapete tem. Segundo o que falei sob ponto 5, acho que o pardo pode tornar-se áureo, sob a bênção de Deus, que se manifesta através da missão universal do Logos. Mas, na praticalidade, não acredito que isto venha acontecer em larga escala. Acredito que muitas *espécies* espirituais serão formadas neste tapete, e *cada cor* representará *uma espécie*. Acredito que estas espécies ficarão essencialmente constantes, embora a estagnação não seja a regra que governará. O avanço da espiritualidade de uma espécie pode fazer dela uma outra espécie mais elevada, e este avanço poderá atingir o máximo, até mesmo a áurea da redenção. Somente Deus sabe como tudo isto acontecerá, e em que grau. Não quero fazer qualquer declaração que limite o poder de Deus. Já temos bastante desta atividade na Igreja, através dos muitos dogmas que fingem saber exatamente como Deus agirá para sempre. Quando falamos sobre os atos e decretos de Deus, entramos em grandes mistérios. Mas a experiência que temos com Deus e seus planos, é que sempre são maiores e mais cheios de esperança do que os dogmas da teologia sistemática. Acredito, portanto, em um evangelho *otimista*.

7. Volto aqui, depois de alguns anos, para ler estas notas sobre o julgamento. Como falei antes, acredito que o próprio julgamento será restaurador e não meramente vingador. I Ped. 4:6 ensina isto, embora certas denominações da igreja torçam o versículo para que ele não ofereça aos homens esta esperança. Falei aqui que a restauração é, sob certo ponto de vista, o julgamento, e assim os restaurados serão julgados eternamente. Comparativamente, podemos fazer declarações deste tipo. Todavia, usando tais termos, devemos ter cuidado para não degradar o trabalho do *Restaurador*. Para cumprir este ideal, atualmente, acredito que é melhor dizer que a restauração *elimina* o julgamento, substituindo-o. Pelo menos, o julgamento que normalmente descrevemos, cessará de existir uma vez que seu trabalho nobre for realizado.

8. O julgamento, em muitos casos, será *severo e prolongado*, porque algumas almas necessitarão deste tipo de tratamento para serem restauradas. O julgamento é um assunto assustador e sério, e não devemos nos esquecer disto. *Exemplo*. Conheço um pastor cujo filho, em um momento de loucura e fraqueza estuprou uma mulher. Hoje, depois de muitos anos, ele ainda está em uma prisão nos EUA. Isto tem causado um grande sofrimento e desgraça para a família, e o rapaz está em uma miséria total. Vamos imaginar que depois de mais 10 anos, ele será libertado. Será que esta libertação afinal faz o julgamento que ele está sofrendo menos sério? Acredito que não. *Note bem*. Este próprio julgamento é justamente a *causa* de sua libertação futura. Além disto, o julgamento que foi decretado foi segundo o que ele mereceu. Semeou e ceifou, em termos exatos. Acredito que o julgamento de Deus funciona nestes termos. Segundo I Ped. 4:6, o julgamento produz nos julgados a participação na vida de Deus.

9. *O julgamento libertará os cativos, terminando a miséria do castigo do pecado*. É isto que esperaríamos do *famoso amor de Deus*. Deus amou o *mundo*. Os decretos de Deus garantem a aplicação *cósmica* deste amor.

10. Se o que eu tenho escrito aqui não fosse a verdade, a própria criação é um *caos* miserável, e Schopenhauer teria razão: a maior maldade de todas é a própria existência. Sou contra esse *pessimismo* (que vide). — O próprio *Evangelho* também é contra. *O misterio da vontade de Deus* olha além do caos do conceito primitivo do julgamento. *A razão* afirma que o julgamento deve *fazer* algo construtivo, não meramente castigar.

11. *Fator Tempo*. Ver as *Observações Preliminares*, número 7, no início deste artigo. O *fator tempo* ilustra a *seriedade* do julgamento.

VI. Algumas Particularidades do Mistério da Vontade de Deus

1. Envolve muito mais do que a «salvação dos povos gentílicos», segundo essa questão tem sido reduzida por alguns intérpretes. Pois que os gentios haveriam de ser salvos não constituía nenhum segredo, por ser tema das profecias do A.T. (Ver Rom. 9:24-33 e 10:19-21).

2. Esse mistério também não consiste de iguais privilégios religiosos e espirituais entre judeus e gentios, embora isso não houvesse sido antecipado pelo A.T. e embora isso faça parte integrante do mistério.

3. Por conseguinte, esse mistério não é a «igreja», nem mesmo em seu sentido mais elevado de «Noiva», algo novo na economia divina, em que os seus participantes serão remidos, e compartilharão da imagem de Cristo. Realmente, isso constitui um mistério, a saber, aquele explicado em Efé. 3:3 e *ss*. Mas aquele mistério faz parte do que aqui é abordado e mostra como esse mistério mais extenso se aplica aos remidos.

4. Esse mistério também não é o evangelho, em seus muitíssimos aspectos. O evangelho faz parte deste mistério maior, por ser um agente da redenção humana.

5. Pelo contrário, o mistério aqui ventilado é uma espécie de *restauração* universal incluindo a universal unidade em torno de Cristo. Portanto, isso envolve Israel como nação e o cumprimento de todas as promessas; a nova criação, a habitação de todos os seres unificados; todos os seres inteligentes, todos os exércitos celestiais, todas as hostes angelicais; os novos céus, os lugares celestiais como moradas dos seres espirituais; a igreja, que é a comunidade dos espíritos humanos remidos; e, de alguma maneira, como sugerida acima, até mesmo os perdidos.

VII. A Dispensação da Plenitude dos Tempos

Não está em vista apenas a dispensação do porquanto o que esta passagem diz que se realizará transcende ao que é meramente terreno. Está em foco o «tempo» da concretização ou cumprimento do mistério. «...*tempos*...» é tradução exata, literal. A palavra «...dispensação...», originalmente, significa «família», «gerência», ou «ofício da mordomia». Metaforicamente, mais tarde veio a significar «mordomia». Em um sentido ainda mais geral, veio a indicar a gerência de qualquer exército ou estado, ou seja, um «governo», uma «economia política».

Embora encontremos aqui um elemento de «tempo» a ênfase deste versículo recai sobre a idéia de «governo», sobre «tipo de governo», sobre «ordem social», debaixo da orientação de certa espécie de «economia», ou poder divino. Nisso devemos incluir «aquilo que governa e aquilo que é governado». Haverá uma *ordem social* inteiramente *nova*, e essa será governada pelo poder de Cristo. Isso é o que significa a «dispensação da plenitude dos tempos», o estado eterno.

Essa dispensação envolverá as seguintes características:

RESTAURAÇÃO

1. A criação física estará centralizada em Cristo—será controlada e governada por ele, através da eleição (1:4) e da *restauração* (1:10).

2. Israel, como nação, tê-lo-á como Salvador e Senhor, Rei.

Plenitude dos tempos. Consideremos os pontos seguintes, a respeito disso:

1. Essa expressão não equivale ao que se lê em Gál. 4:4, «...a plenitude do tempo...», pois esta última declaração indica apenas «o tempo certo e apropriado».

2. Antes, trata-se de uma referência a *períodos distintos* durante os quais Deus trata diretamente com os homens e com toda a criação. Mas ainda assim não equivale às «sete dispensações», que são a consciência, o sacrifício, o governo humano, a promessa, a lei, a graça e a eternidade. Antes, devemos compreender aqui períodos de relações entre Deus e a criação, antes mesmo do aparecimento do mundo, no mundo dos espíritos, na eternidade passada. Devemos compreender aqui o começo do cumprimento dos planos de Deus; as relações de Deus com Israel, quando lhe conferiu a legislação mosaica; a primeira vinda de Cristo; a doação do Espírito Santo; o atual período da graça; e até mesmo a *parousia* ou segundo advento de Cristo, e eras da *própria eternidade*, além do tempo.

Todos esses tempos (ciclos), que incluem, certamente o reino milenar de Jesus Cristo, com suas ênfases particulares, produzirão uma *nova dispensação* que será o *cumprimento* (fruição) de todos esses períodos, o cumprimento daquilo na direção do que tudo presentemente se movimenta, nas relações específicas de Deus com suas criaturas. Essa dispensação, pois, será a «plenitude», ou seja, o «cumprimento» de todos aqueles «tempos». O resultado será a *nova ordem social* com seu governo centralizado em Jesus Cristo realizada na eternidade futura. A «plenitude dos tempos», portanto, será o resultado de todos os «tempos» anteriores, a grande conclusão a que somos levados pela progressão dos tempos. Esses tempos são as «estações determinadas» divinamente, conforme aprendemos em Atos 1:7, o que é um termo similar a este.

VIII. A Universalidade da Restauração

1. No que se aplica aos anjos, ver Heb. 1:6. Embora isso seja limitado em seu escopo às funções dos anjos, que são sempre poderosos instrumentos da glória de Deus, acreditamos que eles se tornarão instrumentos ainda mais poderosos do que agora, em Cristo Jesus.

2. No que se aplica à nação de Israel, ver Rom. 11:26.

3. No que se aplica às nações da terra, ver Apo. 21:24.

4. No que se aplica à criação física, ver Rom. 8:21.

5. No que se aplica aos perdidos, ver Fil. 2:10,11; I Ped. 3:18-20 e 4:6.

6. No que se aplica à igreja, ver Efé. 1:22,23. Cristo é a vida, é o Senhor, é Messias.

A igreja será a sua plenitude, e a força mais forte e completa de sua expressão.

Todos os seres inteligentes, os exércitos de anjos, serão suas legiões de poder e atividade.

Até mesmo os perdidos encontrarão lugar sob o seu pendão. O Salvador é o Rei e é o unificador de todos e de tudo—essas são as idéias principais que aqui se destacam. Tudo isso culminará em glória real para Deus. (Ver I Cor. 15:28).

Todas as cousas. No original grego, «ta panta», isto é, a criação inteira, incluindo *todos* os seres inteligentes. Esse é o *gigantesco* escopo do mistério aqui referido. Devemos observar as palavras *nos céus*, vazadas no plural. Todos os campos da existência espiritual estarão unificados em Cristo Jesus. Ver em Col. 1:16 como a «Ta Panta» foi criada e voltará para Cristo. A expressão *todas as cousas* «na terra» significa que a missão de Cristo alcançará todos os tipos de homens, judeus, gentios etc., sem distinção.

A unidade em Cristo implica paz, harmonia, bem-estar, propósito, glória, mas em aplicações diferentes nas esferas diversas. É impossível que a missão de Cristo falhe, mas terá êxito de maneiras diferentes.

IX. A Universalidade Ilustrada em Col. 1:16

Porque nele foram criadas todas as coisas nos céus e na terra, as visíveis e as invisíveis, sejam tronos, sejam dominações, sejam principados, sejam potestades.

O significado geral deste versículo torna-se mais claro para nós quando nos lembramos da idéia gnóstica da «criação». De acordo com o sistema deles a criação seria, realmente, uma «emanação», isto é, um resplendor, o brilho do próprio Deus, tal como o sol emite seus raios, que realmente fazem parte de si mesmo. Os seres mais elevados seriam aqueles que são as emanações mais próximas; e quanto mais nos afastaríamos do «fogo central», menor seria o poder e a glória das emanações. Finalmente, chegaríamos à matéria crassa, que seria tão afastada de Deus que seria trevas totais. Então, quanto ao alvo da criação, pensaram eles que tudo, finalmente, retornaria a Deus e seria novamente «absorvido» em seu ser, perdendo a identidade pessoal. Assim também, em Cristo, há aqui uma verdade que deve ser compreendida sem a idéia da «emanação», que naturalmente nos leva a pensar em «panteísmo». Tudo está *nele*, — depende dele; *por ele,* existente por seu poder; e é *para* ele, isto é, finalmente retornará a ele como cabeça, assim aumentando a sua glória; mas nenhuma perda de identidade pessoal está em foco. Por conseguinte, tudo se deriva de Cristo e nele tem o ser, continuando a existir por seu poder e inteligência (ver Col. 1:17). Finalmente, tudo retornará a Cristo, aumentando a sua glória e participando da mesma. Essa é uma lindíssima idéia bíblica. Disso é que consiste o evangelho.

A criação «em Cristo» refere-se ao seu caráter como o *Alfa*. E a criação *para ele*, apresenta-o como o *Ômega* (ver Apo. 1:8). A primeira expressão, «nele», indica Cristo como a «esfera da criação», não devendo ser traduzida como «por ele», embora não seja dito pouco mais adiante, neste mesmo versículo. E isso sugere as seguintes idéias:

1. Todos os universos (todas as coisas), todos os seres, existem como um desdobramento da mente de Deus, acerca de como deveriam ser a natureza e os seres, e esse desdobramento da mente de Deus depende da natureza e das exigências do ser de Cristo.

2. Cristo é o *padrão ou arquétipo* da criação. Tudo foi criado sob a consideração a seu ser, expressando-o de alguma maneira, a fim de fomentar a sua glória, a fim de mostrar as excelências de sua pessoa.

3. No caso do homem, Cristo torna-se a própria imagem *segundo a qual* o homem foi criado e haverá de ser transformado, pelo que seu ser é o «arquétipo» de acordo com o qual o homem é transformado. Isso se assemelha ao que se lê em João 1:3,4: «Todas as cousas foram feitas por intermédio dele, e sem ele nada do que foi feito se fez. A vida estava nele, e a vida era a luz dos homens». Isso fala sobre a vida física, que tem sua fruição na vida espiritual (referida aqui sob o símbolo de «luz»). A vida física veio à

existência, não por causa de si mesma, mas para que, através dela, a vida espiritual pudesse manifestar-se. No tocante à redenção humana, isso significa que um homem remido deixa de ser mero ser mortal, porque torna-se imortal, compartilhando da própria «modalidade de vida» de Deus (segundo também se vê em João 5:25, 26 e 6:57), que também é o tipo de vida que Cristo Jesus possui. O homem passa a participar da imagem de Cristo (ver Rom. 8:29), bem como da divindade (ver II Ped. 1:4). Portanto, em sentido todo especial, o homem foi criado «em Cristo», ou seja, tendo em vista chegar a compartilhar de sua vida e substância.

4. A expressão *nele*, mui provavelmente, também dá a entender que a criação reside e se ergue dentre a esfera dessa vontade e energia criadora, pelo que todos os atos e realizações da criação dependem de Cristo. Notemos que sobre a igreja é constantemente dito que ela está «em Cristo». A igreja depende totalmente de Cristo quanto à sua vida e sustentação. E assim também, a criação inteira, em certo sentido, mantém esse relacionamento com Cristo. A causa de toda a vida está em Cristo, toda a existência depende dele, ao mesmo tempo que é uma expressão de seu ser, de uma maneira ou de outra. Por isso é que, no trecho de Atos 17:28, lê-se que toda a vida e a existência se acham «nele», porquanto «...nele vivemos, e nos movemos e existimos...» O que é dito acerca de Deus Pai, naquele lugar, é dito acerca de Cristo neste versículo.

Cristo, na qualidade de *arquétipo* da criação, equivale mais ou menos à idéia platônica das «idéias», que age como padrão para a criação das coisas terrenas. Tudo é criado com base na natureza e exigência de seu ser. A expressão «nele» mostra que a vida depende dele. Ele é tanto o padrão como a fonte de toda a vida. Ele é a causa *todo-inclusiva* da criação, em quem repousa toda a criação. Assim como a criação está «nele», para que tenhamos a «redenção», assim também está «nele», tendo vida e propósito da parte dele. Cristo é a «causa primária» da criação de quem se deriva a vida e a existência inteiras.

Todas as cousas. No grego temos *ta panta*, que inclui a tudo, todos os seres e todos os universos. Dentro do sistema gnóstico, o *Tudo* indicava o «agregado completo» de tudo, que era considerado como emanação de Deus. Há nisso certa verdade, embora mal compreendida. O «tudo» se deriva da divindade, mas não faz parte de Cristo e nem compartilha de sua natureza, ou seja, não é uma «emanação». Esse «tudo» se deriva da dependência e do retorno ao Cristo divino. Paulo negava também aqui a idéia gnóstica de que existiriam muitos «aeons», elevadas forças espirituais, que teriam poderes criadores, pelo que governariam sobre certas esferas da criação. Antes, existe apenas uma grande força criadora, sendo ele o responsável por toda a existência, sendo ele «o Deus» de todos os universos, e não apenas um «deus» da terra.

X. Universalidade Ilustrada em I Cor. 15:22

Pois como em Adão todos morrem, do mesmo modo em Cristo todos serão vivificados.

«Todos!» Como Podemos Entender Essa Palavra?

1. De alguma maneira, esse termo, «todos», deve envolver o sentido de universalidade, pois esse vocábulo, quando aplicado à frase «como em Adão todos morrem», não pode sofrer qualquer limitação ou qualificação. A queda no pecado foi universal. Todos os homens desta esfera terrena participam dos deletérios resultados do pecado de Adão, tendo primeiramente participado daquele próprio pecado, naquele homem representativo.

2. A palavra *todos*, pois, quando aplicada àquilo que Cristo faz em favor dos homens, também deve ter sentido de *universalidade*. Porém, de que maneira exata cumpre-nos entender esse fato?

a. Alguns dizem, *potencialmente*. Pois se todos «realmente» morreram em Adão, apenas potencialmente todos serão revivificados em Cristo. Isso é uma verdade, se pensarmos exclusivamente nos eleitos. É óbvio que nem todos os homens são eleitos, de fato, o número dos eleitos será comparativamente pequeno, em relação com a totalidade dos seres humanos. (Ver Mat. 7:13,14).

b. Portanto, rejeitamos totalmente o universalismo que alguns têm vinculado a este texto. Seria coisa grandiosa se Deus *salvasse* a todos os homens, de alguma maneira, em algum lugar, mas a verdade é que os próprios homens não lhe permitem isso. Todavia, os eleitos estão destinados a se tornarem uma *nova espécie*, muito acima dos demais seres humanos, os quais, por sua vez, se tornarão seres de muito menor estatura.

c. Mas esse *todos* em potencial não satisfaz à teologia neotestamentária. Sem dúvida Cristo fará *mais* do que salvar os eleitos, em sua missão. O trecho de João 12:32 é demonstração desse fato, pois, de alguma maneira, ele atrairá a si mesmo *todos* os homens. (Ver as notas ali existentes no NTI). O trecho de Rom. 11:32 nos apresenta algo similar, fazendo a misericórdia divina rebrilhar por detrás desse conceito). A passagem de I Ped. 3:18—4:6, mostra-nos que Cristo ampliou sua missão salvatícia até ao próprio hades. Penso que essa missão é muito maior e tem efeitos muito mais extensos do que se prega na maioria das igrejas evangélicas. O trecho de Efé. 1:10 mostra que haverá uma «restauração» geral de todas as coisas, sem qualquer exceção; e Col. 1:16 ensina que Cristo criou todas as coisas, e que estas retornarão a ele novamente, pois é ele tanto o Alfa quanto o Ômega. Digo, *Ômega*, e não apenas Alfa!

d. *De que maneira operará tudo isso?* Creio que haverá uma *restauração*, a qual pode ser posta em contraste com a «redenção» dos eleitos. Essa restauração trará um grau de glória aos perdidos, através do julgamento, e não à revelia do julgamento. O julgamento é restaurador e disciplinador em seu caráter, e nunca meramente retributivo. (Ver Rom. 11:32 quanto a esse fato, bem como aquela passagem em I Pedro). O julgamento não envolverá apenas sofrimento. Envolverá isso, mas o próprio sofrimento terá um propósito. O julgamento é o decreto de que os homens perderam a «redenção», tendo sido vedada a eles a oportunidade da participação na natureza divina (ver II Ped. 1:4). Trata-se de uma perda terrível, pois esse é, na realidade, o alvo de toda a existência humana (ver I Cor. 8:6). No entanto, consideremos a misericórdia e o amor de Deus, na restauração de todas as coisas. Esse é o «mistério de sua vontade», mediante o que ele «reunirá todas as coisas em unidade ao redor de Cristo» (ver Efé. 1:10). E isso só poderá redundar em um grande bem.

e. A missão de Cristo, pois, *não pode falhar*, da mesma forma que a contaminação de Adão não deixou de afetar a todos os seres humanos. A missão de Cristo terá sucesso de várias maneiras, e o julgamento é parte integrante desse conceito, e não algo separado do mesmo.

XI. A Descida de Cristo ao Hades e a Ascensão Efetuam a Restauração

RESTAURAÇÃO

Efésios 4:8-10 unem a descida de Cristo e sua ascensão em um só proposito: para que ele encha todas as coisas, ou para que ele seja tudo em todos, ou *tudo para todos*, como alguns interpretam Efé. 1:23. Seu domínio estende para todos os seres e eles acham seu propósito de viver nele. A descida de Cristo ao hades tinha um propósito salvador-restaurador, como I Ped. 4:6 faz claro. Este ato estendeu seu domínio e missão salvadora no hades. Sua ascensão estendeu o mesmo para os céus. Nos dois atos, sua missão cósmica se completa. Ver os artigos sobre a *Descida de Cristo ao Hades* e *Missão Universal do Logos Cristo*. Ver detalhes sobre esta doutrina no NTI em Efésios 1:23 e 4:8-10.

XII. Fatores de Amor e Justiça Exigem a Restauração

Para mim é claro que nós não podemos por o amor e a justiça de Deus em hostilidade. Não podemos por um contra o outro. A justiça de Deus *faz parte* de seu amor, e não há justiça sem amor. O oposto da injustiça não é a justiça—é o *amor*. A justiça de Deus é um dedo na mão amorosa de Deus, é uma função do amor. Se contemplarmos uma doutrina de eleição que tem a reprovação (que vide) como seu complemento, então já geramos grandes problemas teológicos. Se os não-eleitos foram rejeitados ou ultrapassados desde antes de sua própria existência, e eles, por isso, nunca tiveram uma chance verdadeira de escapar do julgamento, e se o julgamento é realmente um sofrimento eterno em um fogo que nunca se apaga, então a doutrina do julgamento é *imoral*, e aquela da eleição também. Imoral, digo, porque a missão de Cristo que foi declarada universal, para *todos os homens* (I João 2:2), é uma farça. *Imoral*, digo, porque enquanto as Escrituras disseram que Deus desejava a salvação de *todos os homens* (I Tim. 2:4), esta declaração não podia ser levada seriamente.

Mas, se paralelamente com uma verdadeira eleição, nós temos a restauração dos não-eleitos, para uma glória secundária, também a obra do *Logos*, então a eleição torna-se uma doutrina viável.

Com a realização desta missão suplementar da restauração, o amor de Deus será satisfeito e a sua justiça será afetuada *através* de um julgamento remedial que fará *alguma coisa*, de acordo com as exigências da missão *universal* do *Logos*. Ver o artigo sobre a *Eleição*.

XIII. A Missão Tridimensional de Cristo

Para garantir sua obra redentora-restauradora, foi preciso para o *Logos* (chamado *Cristo*, na sua encarnação), ter uma missão de *três dimensões*.

1. *Na terra*. Esta missão é o assunto principal dos evangelhos e do livro de Atos.

2. *No hades*. Cristo levou o seu evangelho para o próprio lugar do julgamento, I Ped. 3:18-4:6, e pregou as boas novas no meio da miséria daquele lugar. Ver o artigo detalhado sobre *Descida de Cristo ao Hades*.

3. *Nos céus*. A ascensão (vide) de Cristo, introduziu sua missão nos céus, e assim, onde existem os seres inteligentes (na terra, no hades ou nos céus) o Logos os pode alcançar. É por isso que podemos nos exultar no amor de Deus que fez uma *ampla provisão*. Ver Romanos 8:18 *ss*; Fil. 2:10,11; Efés. 1:9,10, 23; 4:8-10; e Col. 1:16. O senhorio de Cristo é redentor-restaurador, não destrutivo. Até o próprio julgamento é um *meio* para garantir o êxito do plano universal do Logos. Ver *Missão Universal do Logos (Cristo)*.

A encarnação, a vida terrestre de Jesus, a morte, a ressurreição, a descida ao hades, a ascensão, a missão celeste e o próprio julgamento, *todos* tinham e têm o mesmo propósito: redimir-restaurar.

Um Evangelho Otimista

A teologia da Igreja Ocidental (Romana Católica e as denominações Protestantes e Evangélicas) tem preservado um profundo *pessimismo* na sua teologia sobre os destinos finais dos homens. A alma é estagnada seja nos céus o no inferno. Estagnação é um conceito contrário à natureza de Deus. Os *limites* que os homens determinam são, meramente, os limites de suas próprias mentes. A teologia na Igreja Ortodoxa Oriental tem preservado uma teologia mais *otimista*, recusando cortar oportunidade da alma ao ponto da morte biológica. A Igreja Oriental segue as interpretações dos pais gregos; a teologia da Igreja Ocidental segue as interpretações dos pais latinos. Na doutrina dos destinos finais dos homens, a Igreja Ortodoxa Oriental tem-se mostrado mais sábia.

•••

Bibliografia. AM B C E IB ID LAN NTI

••• ••• •••

RESTAURAÇÃO DE ISRAEL

RESTAURAÇÃO DE ISRAEL

Rom. 11:26; *e assim todo o Israel será salvo, como está escrito:*

Virá de Sião o Libertador,
E desviará de Jacó as impiedades.

A fim de dar apoio à sua doutrina da «restauração nacional de Israel», o apóstolo Paulo emprega uma bem conhecida passagem das Escrituras do A.T., isto é, Isa. 59:20,21, de conformidade com a versão da Septuaginta, que é aqui citada de forma um tanto ou quanto livre. O original hebraico diz: «...e um Redentor virá a Sião, e àqueles que abandonarem a transgressão em Jacó». (Ver também as passagens de Sal. 13:7 e 52:7, que parecem ter exercido influência sobre o fraseado de Paulo nessa citação). O próximo versículo deste capítulo dá prosseguimento a essa citação, onde uma porção final do versículo foi extraída do trecho de Isa. 27:9. A combinação de várias passagens bíblicas pode ter sido feita com base nos chamados *testemunhos* cristãos, ou seja, passagens do A.T. utilizadas pelos primitivos cristãos como textos de prova quanto às idéias neotestamentárias, e que com freqüência combinavam trechos bíblicos provenientes de lugares os mais diversos e divergentes.

Devemos dar atenção às palavras «...como está escrito...» Paulo se utiliza dessa terminologia com freqüência, em suas epístolas, a fim de vincular certas passagens do A.T. aos seus temas neotestamentários, mostrando que ele cria que o sistema cristão é tão-somente a continuação do espírito dos melhores elementos do judaísmo e não alguma excrescência herética. (Ver as notas expositivas completas sobre essa expressão, e como e quando Paulo a usa, em Rom. 11:8 no NTI).

Lietzmann cita o Talmude babilônico (*Sanh.* 98a) a fim de demonstrar que a passagem de Isa. 59:19,20 era compreendida pelos judeus como profecia que fala sobre uma nova era: «O rabino Jochanan (cerca de 250 D.C.) disse: 'Quando virdes o tempo em que muitas tribulações sobrevierem a Israel como um rio, então esperai que o próprio Messias venha, conforme está dito: Pois virá como um rio...e continua, e virá a Sião um Salvador'». O apóstolo Paulo, pois, não lançou mão dessa passagem profética de maneira grandemente diversa do que fizeram tantos rabinos judeus.

Todo o Israel será salvo. Em que sentido deveríamos entender a palavra «...todo...», que é aqui usada. Abaixo alistamos as diversas interpretações a respeito:

1. *Não pode* significar «todo o Israel espiritual», como se estivesse aqui em vista o remanescente, quer dentro quer fora da igreja cristã. Essa interpretação é contrária a todo o fluxo do argumento que Paulo expõe neste texto, onde ele salienta especificamente que a salvação do remanescente israelita, a despeito de ser importante e significativa, não é o cumprimento das profecias em sua inteireza. De fato, o remanescente torna-se as «primícias», o fermento que levedará a massa inteira, finalmente.

2. A promessa teria sido feita ao «Israel nacional», embora pudesse significar «Israel como um todo», o «Israel predominante», e não necessariamente cada indivíduo pertencente a Israel.

3. Portanto, essa palavra poderia significar, simplesmente, que Israel se tornará uma *nação cristã*.

4. Mas Paulo parece estar insistindo sobre *algo mais* do que isso, pelo que também alguns intérpretes destacam a plena força da palavra *todo* a fim de que adquira o sentido de — *cada indivíduo*. Compreende-se que essa conversão total de Israel terá lugar após a Grande Tribulação durante a qual essa nação será grandemente reduzida em número, e quando, mediante as misérias da provação, o povo judeu será purificado. Os israelitas restantes, que representarão nesse caso toda a nação de Israel, serão salvos em sua totalidade. Mui provavelmente, esse é o sentido do texto que temos à nossa frente. Podemos esperar, pois, que Israel se torne uma nação cristã quando, por ocasião da terceira guerra mundial, ela será ameaçada por um inimigo avassalador, que ameaçará aniquilar a todos os israelitas restantes. Nessa crise, Israel receberá um óbvio livramento divino, através da intervenção do Senhor, e os israelitas reconhecerão que isso é feito pelo Senhor Jesus Cristo. Como resultado, a conversão nacional de Israel será a grande experiência, depois do que será inaugurado o reino do Messias. Desse modo, todas as profecias do A.T. serão levadas à plena concretização, profecias essas que, até então, haviam permanecido sem seu devido cumprimento.

5. É difícil acreditar, todavia, que a salvação de Israel será somente das pessoas vivas durante e depois da *Grande Tribulação*. Devemos nos lembrar do fato de que Cristo desceu ao Hades e tinha uma notável missão lá em benefício das almas perdidas. (Ver I Ped. 3:18; 4:6). É bem provável, portanto, que a salvação de Israel seja *vasta*, devido à *missão cósmica* de Cristo, e seja de *todo* o Israel, de todas as gerações. Isto não quer dizer, entretanto, que todos os indivíduos de Israel serão salvos, mas provavelmente significa alguma coisa espantosamente *maior* do que ousamos imaginar.

É deveras significativo que as profecias atuais dos místicos, à parte das profecias bíblicas, apontam para o mesmo fato.

6. Sendo essa a verdadeira interpretação dessa passagem, outras interpretações de menor envergadura, como aquela que diz que estão em foco os «cento e quarenta e quatro mil», a outra que diz que há aqui alusão aos «judeus convertidos em qualquer período específico da história eclesiástica», ou ainda as que pensam sobre um «Israel espiritual» ou «fragmentos tribais da nação a ser convertida», devem ser todas rejeitadas, porquanto são produtos de um ponto de vista extremamente limitado sobre o que significam essas profecias.

Será salvo. Estas palavras indicam a entrada na posse do reino messiânico, o começo do milênio e a participação da nação de Israel no mesmo, embora também esteja em foco a salvação *pessoal*, porquanto essa é a mesma, no contexto inteiro, sem importar se estão em vista judeus ou gentios.

RESTAURAÇÃO DE PEDRO

Mat. 21:15-23. Proporcionar à igreja cristã a história da *restauração de Pedro* ao ministério apostólico, o que os demais evangelhos não mencionam. Essa informação era absolutamente necessária, posto ter sido de conhecimento geral como Pedro negara ao Senhor na hora de sua maior provação, sem falarmos do fato de que Pedro, desde o princípio da igreja cristã, assumiu elevada posição de autoridade em seu seio, conforme fica claro no décimo sexto capítulo do evangelho de Mateus. Poder-se-ia indagar, pois, com que autoridade ele agia assim. Ora, Pedro havia negado ao seu Senhor por três vezes; pelo que também aqui, Simão confessa o seu amor ao Senhor por três vezes, nos versículos quinze, dezesseis e dezessete deste capítulo. —Cada vez o Senhor Jesus lhe confiou uma missão ou comissão, a saber: «apascenta os meus cordeiros...» (vs. 15). «Pastoreia as minhas ovelhas...» (vs. 16) e «apascenta as minhas

RESTAURAÇÃO — RETIDÃO

ovelhas...» (vs. 17). Isso constituía a missão de Pedro na igreja, como figura dotada de autoridade, e essa comissão lhe foi atribuída pelo próprio Senhor Jesus. Dessa maneira, a tríplice negação de Simão Pedro foi contrabalançada pela sua tríplice afirmação de afeto, bem como pela tríplice declaração de que era comissionado a exercer autoridade e serviço espiritual na igreja cristã. Desse modo a restauração de Pedro foi completa, e a sua autoridade ficou assegurada.

Além de enfatizar a *restauração apostólica* de Pedro, esta seção ensina-nos que o amor é a condição suprema imposta aos subpastores, amor esse que deve concentrar-se na direção do Senhor Jesus como na direção das ovelhas ou crentes entregues aos cuidados desses subpastores. Este amor restaura e utiliza a pessoa restaurada.

RESTAURACIONISMO

Essa palavra é usada como sinônimo de *Universalismo*, sob cujo título preparei um artigo sobre esse conceito. Ver também os artigos *Restauração* e *Missão Universal de Cristo*.

RESTITUIÇÃO

Ver o artigo intitulado **Reparação (Restituição)**. Algumas vezes, e em algumas traduções, essa palavra é usada em lugar de *restauração* (vide).

Ver Crimes e Castigos.

RETENÇÃO DE PECADOS

Ver *Perdão de Pecados pelos Apóstolos*.

RETIDÃO

Esboço
I. Sentido do Termo, Lingüisticamente Falando
II. Retidão no Antigo Testamento
   A. No tocante à natureza de Deus
   B. No tocante ao pacto
III. Retidão no Novo Testamento
   A. A idéia exposta nos evangelhos
   B. Abordagem crucial por parte de Paulo
IV. Retidão no Mundo Moderno
   A. A ênfase existencialista
   B. Retidão em algumas religiões do mundo

I. Sentido do Termo, Lingüisticamente Falando

O termo técnico no A. Testamento é traduzido por «retidão» ou «justiça», ao passo que a forma adjetivada é traduzida por «reto» ou «justo». O termo neotestamentário, *dikaiosúne*, e seus cognatos, também são traduzidos da mesma maneira, no Novo Testamento.

Quanto a seu *uso geral*, indica a conformidade com um padrão, sem importar se esse padrão tem a ver com o caráter de uma pessoa ou com o objetivo de uma lei aceita. Thayer sugere a seguinte definição: «O estado de quem é conforme deveria ser». No seu sentido mais amplo, refere-se àquilo que é reto ou virtuoso, que exibe integridade, pureza de vida e correção de sentimentos e de ações. Em um sentido um tanto negativo, significa inocência, ausência de defeito. No tocante ao homem, diz respeito à sua conformidade com a santidade de Deus. Em um falso sentido, porém, pode aludir àqueles que se jactam em suas próprias virtudes — às vezes reais, outras vezes, imaginárias — em cujo caso os tais «justos» na verdade estão debaixo da condenação do Deus reto (cf. Mat. 9:13; Mar. 2:17; Luc. 5:32 e 15:7).

II. Retidão no Antigo Testamento

Entre os usos acima sugeridos, a abordagem bíblica preocupa-se, principalmente, com o homem cuja maneira de pensar, de sentir e de agir amolda-se inteiramente à retidão de Deus. Nesse sentido, só Jesus Cristo pode ser chamado *díkaios* (cf. Atos 7:52; 22:14; I Ped. 3:18; I João 2:1). A perfeita conformidade com a vontade divina não pode ser encontrada entre os homens, estando eles ainda na existência terrena (ver Rom. 3:10,26). Isso suscita o problema teológico que é o âmago próprio da mensagem neotestamentária: Como é que um homem pode ser justo diante da absoluta santidade de Deus? Se Deus requer retidão, mas o homem não é reto, como pode um homem ser «justificado», isto é, como pode ser «declarado justo»?

A. No tocante à natureza de Deus. Com razão os judeus julgavam-se possuidores de uma revelação emanada da parte de Deus, a lei. Nas Escrituras do antigo pacto não há qualquer hesitação quanto à idéia de que a base de operações, tanto para a nação de Israel, como para os israelitas, era a revelação escrita, sumariada na lei mosaica. Mas, como explicar o estranho júbilo refletido nas Escrituras, diante de tão exigente lei! É que esta era considerada em Israel como um dom de Deus, o que tornava os judeus não apenas diferentes dos povos de outras nações, mas também superiores quanto à moral, o que os tornavam mais felizes do que os outros.

Precisa ser dito nestes dias em que a lei de Deus é reputada subserviente ao amor de Deus (embora esse amor possa ser concebido como mero sentimentalismo, à parte da lei), que os judeus não viam qualquer conflito entre a lei de Deus e o amor de Deus. Pois, como poderia Deus amar mais do que sendo fiel à sua própria natureza reta? O que a física significa para os cientistas do século XX, a lei moral era para os antigos judeus. Portanto, obedecer a lei era encontrar o sentido da vida; desobedecer a lei era cair em confusão.

Uma breve comparação com o taoísmo talvez ilumine a questão. Os taoístas buscam harmonizar suas vidas às supostas leis do céu. Isso equivale a procurar ajustar-se às leis naturais. O homem apenas destrói a si mesmo e perde qualquer esperança de cumprimento quando age contrariamente às leis naturais.

Ora, o fator decisivo do Antigo Testamento é que o caminho, a verdade e a lei são ultrapassados por uma Pessoa divina. Deus é um Ser vivo e supremo, que sustenta tudo quanto existe em seu Universo, em consonância com sua vontade soberana e benfazeja. Sua vontade e santidade absolutas são refletidas sob a forma de retidão, codificada e entregue aos homens sob a forma de mandamentos. Deus condescende em revelar a sua vontade.

Deus ama tão profundamente que o seu amor inclui um elemento paralelo, embora possa parecer estranho à mente moderna. É como ele mesmo declara: «...eu sou o Senhor teu Deus, Deus zeloso...(Êxo. 20:5). Transparece aí o elemento de ciúme por aquilo que lhe pertence, embora devamos conceber esse zelo por seu melhor prisma, e não por seu lado doentio, como sucede a muito do ciúme humano. Assim, quando o Senhor disse: «Não terás outros deuses diante de mim» (Êxo. 20:3), ele não baixou essa proibição por temer alguma competição. Mas Deus queria evitar o que qualquer perfeito amante quer evitar — a interferência de qualquer fator estranho e destrutivo. O grande perigo da idolatria é uma vida falsa, sem autenticidade. Quando o *summum bonum*, o bem maior, não é a perfeição, então os valores secundários tornam-se

693

RETIDÃO

menos importantes ainda do que deveriam ser.

O pensamento bíblico é dominado por sua norma teocêntrica. Repousa sobre o fato revelado de que Deus é *santidade absoluta*. Portanto, as imposições para que o homem tenha uma vida reta nunca são relativas. São exigências *absolutas*. O que assusta o homem é que Deus, necessariamente, é justo e eqüitativo em todo o seu trato para com ele. Visto que Deus é o centro de toda a realidade e existência, tudo quanto há no Universo está ligado a ele, mediante essas mesmas exigências absolutas. A conclusão de toda a questão é segundo Paulo afirma: «...como está escrito: Não há justo, nem sequer um...» (Rom. 3:10). Em outras palavras, na presença de Deus, «quem poderá permanecer de pé?» A resposta é óbvia: Ninguém! Para os homens não há recompensa pela obediência por eles prestada, nem podem reivindicar reconhecimento da parte de Deus e, finalmente, não há desculpas pela falta de santidade deles, na presença da absoluta santidade de Deus.

O catolicismo romano tem procurado algum alívio para esse dilema na sua doutrina de «retidão original» (*justitia originalis*). Graciosamente, Deus teria conferido ao homem, em sua condição original, antes da queda no pecado, uma retidão perfeita. Supostamente, isso incluiria liberdade da concupiscência, imortalidade física e impassibilidade e, talvez, até a garantia da felicidade. Mas, segundo os termos bíblicos, tal idéia é inteiramente fictícia. E, ainda que estivesse de acordo com a revelação bíblica, seria inútil para nós, porquanto o homem não mais vive segundo as condições anteriores à queda. Ademais, o Novo Testamento mostra que o real problema é o da retidão *positiva*. Uma coisa é um homem viver livre de pecados escandalosos e evidentes; e outra coisa é cumprir ele as demandas do amor.

Quando seguimos os esforços dos antigos israelitas por atingirem as demandas da retidão absoluta, topamos com a impotência humana. O resultado de todo o esforço judaico para obedecer à lei degenerou no legalismo tipo farisaico. Não obstante, nenhum outro grupo religioso da época do Senhor Jesus foi tão constante e duramente criticado por Cristo como o grupo dos fariseus. Ouçamo-Lo: «Porque vos digo que, se a vossa justiça não exceder em muito a dos escribas e fariseus, jamais entrareis no reino dos céus» (Mat. 5:20). As exigências da lei mosaica, por conseguinte, tornaram-se naquilo que Paulo intitulou de «jugo de escravidão» (Gál. 5:1). Algo sairá inteiramente errado na abordagem do retidão, por parte do povo de Israel.

B. No tocante ao pacto. Pelo que temos visto, é claro que a retidão tem a ver com o cumprimento das demandas do nosso relacionamento com Deus, primária e supremamente, e com os nossos semelhantes, em segundo lugar. E também ficou claro que o homem sempre falha nesse duplo relacionamento. Isso posto, que solução dá o Antigo Testamento para o dilema das absolutas demandas de Deus e da insuficiência humana? A mensagem veterotestamentária, confirmada, reforçada e esclarecida no Novo Testamento, é que a retidão precisa ser considerada em termos que independam da obediência absoluta. Embora a retidão humana fracasse, a de Deus permanece. Esse é o sentido da misericórdia, do amor permanente de Deus, em suma, da «graça» da mensagem cristã. Apesar da falha do homem, no dizer de Isaías, «...Deus é justo e Salvador...» (Isa. 45:21). Deus, pois intervém em favor daqueles que lhe pertencem, salvando-os dos efeitos desintegradores do pecado, perdoando-os de seus pecados e justificando-os diante de si mesmo e de toda a criação inteligente. A conexão de tudo isso com a mensagem cristã é perfeitamente óbvia: «...Deus prova o seu próprio amor para conosco, pelo fato de ter Cristo morrido por nós, sendo nós ainda pecadores...» (Rom. 5:8). E também: «...Deus estava em Cristo, reconciliando consigo o mundo...» (II Cor. 5:19). Paulo enfocava a questão debaixo do problema crucial de como Deus poderia ser «o justo e o justificador» (ver Rom. 3:25,26).

O Antigo Testamento pode ser visto como uma série de novos começos, diante de cada sucessivo fracasso humano. Houve um pacto com Adão, baseado sobre a condição de obediência absoluta. O ponto axial é atingido por Abraão, que, em Gên. 12:1-3, é o beneficiário de uma série de pactos firmados entre Deus Pai e os que crêem. Deus também chamou Isaque e um filho deste, Jacó, que, não fora a graça divina, nem entraria nas nossas cogitações como homem a quem Deus dava atenção. No entanto, Jacó tornou-se Israel, pai da nação judaica, príncipe diante de Deus. Por meio de Moisés, Deus outorgou a lei. Depois surgiu Davi. E, através dos profetas, a partir do século VIII A.C., Deus falou com Israel, e, através do judaísmo, com o resto da humanidade.

A «graça» é corretamente definida como «favor desmerecido de Deus». Não haveria a história do Antigo Testamento sem a iniciativa do favor desmerecido de Deus. E isso desde o começo. Quando Adão se ocultava, após o seu ato de desobediência, por sua graça, Deus veio procurar por ele entre as árvores do jardim. Esse é o enredo central das Escrituras. O grande Caçador dos Céus jamais desiste de sua presa: «...nestes últimos dias (Deus) nos falou pelo Filho» (Heb. 1:2).

As Escrituras insistem, desde o Antigo Testamento, que Deus, apesar de absolutamente reto e puro, devido ao seu amor, sempre busca o homem pecaminoso. Isso reflete-se no Novo Testamento: «Aquele que não conheceu pecado, ele o fez pecado por nós; para que nele fôssemos feitos justiça de Deus» (II Cor. 5:21).

Tal como na literatura judaica, o *sábio* era aquele que melhor podia perceber a vida do ponto de vista de Deus (cf. a *sub specie aeternitatis*, de Spinoza), assim também o *justo* era aquele que melhor podia compreender e preservar a sua relação com Deus. O livro de Jó, usualmente, é reputado literatura de sabedoria. Mas também podemos usar o termo «literatura de retidão». Pois, ao defender-se, Jó defendeu o ponto de vista veterotestamentário do homem reto, em seu relacionamento com Deus. (Ver especialmente Jó 29:15-17; 31:13-23). Ou, então, a queixa de Jó: «Que o Todo Poderoso me responda!» (Jó 31:35). O livro de Provérbios também reflete o homem reto em suas relações com a sua comunidade (ver Pro. 10:7; 11:10; 12:10; 14:34; 16:8; 21:26; 23:24; 29:7; 31:9, etc.).

Nos contextos mais amplos, o que era requerido do cidadão comum era exigido dos reis e dos juízes. Segundo os códigos ocidentais, a ênfase recai sobre a justiça forense, segundo a qual se chega a uma decisão imparcial quanto às duas partes contendoras, com base em alguma legislação padrão. Para os juízes de Israel, a justiça era mais do que o cumprimento das exigências da comunidade, com vistas ao bom equilíbrio e à harmonia. Ali os juízes desejavam restaurar a justiça da comunidade, e, em alguns casos, dava a uma das partes não somente o que lhe cabia por justiça, mas além do que lhe cabia por justiça. Os juízes retos seriam protetores e restauradores. Isso nos ajuda a compreender os clamores dos profetas, mormente em favor dos deserdados e dos espezinhados.

Uma das mais interessantes criações da economia veterotestamentária era o ano sabático, aliado ao ano de jubileu. O ano sabático pode ser entendido como um modo de conservar a terra, similar às modernas idéias de rotatividade no plantio. Porém, visto que a terra jazia sem cultivo durante o ano sabático, os pobres tinham certos direitos sobre a mesma. O ano de jubileu, porém, se mostrava ainda mais característico quanto a isso. Após sete anos sabáticos, totalizando quarenta e nove anos, o qüinquagésimo ano era declarado ano de jubileu, quando todas as terras retornavam às famílias proprietárias originais. Assim, muitos erros e injustiças eram corrigidos, dando uma nova chance e atendendo aos reclamos de justiça social. Contudo, que um sistema tão perfeito não tivesse funcionado muito bem na antiga nação de Israel é demonstração patente do egoísmo humano, mas o fato de que os profetas nunca cessaram de clamar pela restauração da herança ilustra muito bem o que era considerado retidão, segundo a lei do Antigo Testamento. Nisso destacaram-se Amós e Isaías. E quão distante pode estar o conceito de retidão do que é meramente «religioso» é ilustrado pelo infeliz episódio de Judá e Tamar, onde o conceito inteiro da retidão gira em torno do uso ou abuso dos relacionamentos familiares apropriados. (Ver Gên. 38).

O que era verdadeiro no caso dos juízes também o era no caso dos reis. Era responsabilidade destes estabelecerem um reino de justiça, e a ênfase não recai sobre uma justiça meramente forense, mas sobre a coesão e a estabilidade comunais. O Salmo 72 é um quadro de paz e prosperidade, estabelecido por um rei que julga com justiça. O apelo de Jeremias (22:3,15) era que Jeoiaquim fosse o rei para firmar a justiça e a retidão. Significativamente, as passagens proféticas acerca do Messias falam de um reino onde imperariam a retidão e a paz e onde o rei estabeleceria o reino contra todos os inimigos (cf. Isa. 9:7; 11:3; 16:5; 32:1-8; Jer. 23:5,6; 33:14-16).

Ora, o que era verdadeiro no caso dos cidadãos comuns, juízes e reis, deve ser verdadeiro no tocante à retidão de Deus. O pacto é anterior à lei. Paulo explora o fato de que a fé de Abraão antecedeu à lei mosaica. Abraão não foi escolhido por Deus por ser ele um homem justo — certamente ele era um pecador como qualquer um de nós — mas porque Deus resolveu estabelecer um povo, através de Abraão, mediante o qual pudesse fazer o seu poder salvatício afetar a todos os homens. «Ele (Abraão) creu no Senhor, e isso lhe foi imputado para justiça» (Gên. 15:6). Por igual modo, Habacuque frisou o princípio normativo da teologia paulina e da teologia da Reforma, com este lema: «...mas o justo viverá pela sua fé!» (Hab. 2:4).

O Deus justo, não tendo outros homens com quem tratar senão com homens pecadores, aproxima-se com suas promessas do pacto, iniciando o processo mediante o qual os homens podem ser levados a um relacionamento salvador. O Senhor sustenta os homens nesse relacionamento pelo poder dele, e não pelo poder humano, perdoando e restaurando a si mesmo aqueles que, mediante a fé, aceitarem essas promessas e se voltarem para ele arrependidos, por haverem rompido o pacto. Deus é o grande herói do Antigo Testamento. Não importa tanto o que os homens fazem, mas no que eles podem tornar-se, quando Deus se oferece para erguê-los e eles reagem positivamente. Isso é o que torna possível a concretização do pacto. Portanto, não é uma questão de empreendimento ou perfeição humana, mas de um

RETIDÃO

relacionamento salvatício provido por um Deus misericordioso e infinitamente paciente.

Em todos os lances da narrativa bíblica podemos notar a iniciativa divina, mesmo contra todas as expectações humanas. Embora as Escrituras levem em conta a inicial inércia passiva dos homens, elas não destacam tanto o que eles são, mas aquilo em que podem e deverão tornar-se, se aceitarem a oferta da iniciativa divina.

Israel podia sofrer a ira de Deus, mas não podia cair de suas mãos graciosas. Disse sabiamente um escritor evangélico: «Podemos pecar até ficar sujeitos à ira de Deus, mas não podemos pecar de tal modo que saiamos da órbita de seu amor». (Cf. Sal. 89:28-37, especialmente, vss. 32 e 33).

Qual é a função da lei dentro de um pacto gracioso? A lei estabelece a norma e o direito, proferindo uma palavra de juízo contra tudo que é menos que o melhor, e conduz o indivíduo ao Deus Todo Poderoso, que é capaz de capacitar o indivíduo a cumprir de modo crescente as exigências da santidade. A própria lei não tem o poder de levar o homem a uma vida boa. Mas ela estabelece no que consiste a vida boa, e esta última pode tornar-se realidade pelo poder de Deus e não pelo empenho humano.

Uma outra verdade é que a lei (que Paulo chama de «aio para nos conduzir a Cristo», em Gál. 3:24) serve de guia para aqueles que estão dentro do pacto. Somente para os que estão dentro do pacto há o interesse de corresponder aos convites de Deus relativos ao padrão de conduta. Portanto, para um judeu convertido do Antigo Testamento, a lei fazia parte do dom da graça. Basta-nos meditar sobre as palavras do salmista (Sal. 19:7-10) para entendermos isso. Para eles, a lei estava longe de ser opressiva.

Um outro aspecto que nos ajuda a compreender todo esse relacionamento dentro do pacto consiste em contemplarmos como Deus agia em favor de seu povo, contra todos os adversários. Do ponto de vista do Antigo Testamento, isso faz sentido. De que outra maneira Deus poderia proteger o seu povo de «outros»? Por outro lado, Abraão foi escolhido não por ser algo especial, mas a fim de vir a ser algo especial. «... de ti farei uma grande nação, e te abençoarei... em ti serão benditas todas as famílias da terra» (Gên. 12:2,3). Todo judeu perdia a sua finalidade quando pensava que a bênção divina terminava nele. O mesmo se dá com o conceito dos «eleitos», no Novo Testamento. Os eleitos são agentes de Deus para que outros sejam abençoados. Mas, voltando ao Antigo Testamento, vemos ali que a mediação de Israel, como canal de bênçãos, não bastava. Por isso, o foco de atenção cada vez mais se concentrava no Messias, o «Servo Sofredor», que obedeceu de modo perfeito e «cumpriu toda a justiça». Todo o empenho de Paulo, na sua exposição do cristianismo, consistia em mostrar como isso se tornou realidade.

III. Retidão no Novo Testamento

A. A idéia exposta nos evangelhos. Todos os estudos sobre o Novo Testamento partem do pressuposto que as epístolas de Paulo antecedem cronologicamente ao registro escrito dos quatro evangelhos. Mas, na forma como o Novo Testamento, geralmente, é impresso, os evangelhos aparecem logo no começo do volume, dando a impressão de que o ensino sobre a retidão alicerça-se sobre os escritos de Paulo e não sobre os evangelhos. Mas, conforme disse um comentador: «Cristo não veio pregar o evangelho, veio para que houvesse um evangelho a ser pregado». Cristo não era uma teologia, era uma Pessoa. E a

RETIDÃO

teologia seguiu-se à exibição da retidão em Cristo. As bases do ensino sobre a retidão encontram-se potencialmente nos evangelhos (como, de fato, em todo o restante anterior do Antigo Testamento), mas esse ensino só é devidamente desdobrado nas epístolas, mormente nas epístolas paulinas.

Nos evangelhos, José, noivo de Maria, aparece como um homem «justo» por não ter querido entregá-la à morte por apedrejamento, quando ela se achava grávida antes de haver-se juntado a ele. (Ver Mat. 1:19). A esposa de Pilatos considerou Jesus um homem «justo» (ver Mat. 27:19-24), havendo reconhecido nele algo de grandeza moral.

Em um sentido mais estrito, os fariseus exibiam uma fachada de **retidão** (ver Mat. 23:28), observando meticulosamente as formas externas exigidas pela lei. Mas Abel era chamado justo (Mat. 23:35); os heróis do passado eram justos (Mat. 23:29); e a promessa do reino messiânico é que o mesmo seria caracterizado pela «justiça» (13:43-49; 25:37-46). Nos evangelhos reflete-se o empenho de Jesus em modificar o conceito popular de «justiça» como mera anuência a padrões externos para o conceito da retidão implantada no coração por obra do Espírito de Deus. Cristo era o campeão da «piedade» (o respeitoso temor a Deus), em luta contra a superficialidade do ascetismo. Para Deus não basta a anuência às meras observâncias externas. Ele mesmo insufla no coração humano a sede por algo mais profundo: «Bem-aventurados os que têm fome e sede de justiça, porque serão fartos» (Mat. 5:6). E o resultado dessa fome e sede se vê em uma outra bemaventurança: «Bem-aventurados os limpos de coração, porque verão a Deus» (Mat. 5:8). Deus é quem faz o homem tomar consciência de sua miséria e insuficiência; e também é ele quem a soluciona, amoldando-o para ter comunhão com ele e, finalmente, chegar à sua presença, pois «verão a Deus».

Os que buscam a retidão divina são objetos de perseguição, em cada geração. Sabedor disso, Jesus disse: «Bem-aventurados os perseguidos por causa da justiça, porque deles é o reino dos céus» (Mat. 5:10). E os dois versículos seguintes (vide), expandem e aclaram o conceito.

Na grande passagem sobre a ansiedade, Jesus traça a distinção entre os que se preocupam apenas com as necessidades materiais e aqueles que, não sendo inconscientes quanto às mesmas, elevam os olhos para as realidades superiores: «...buscai, pois, em primeiro lugar, o seu reino e a sua justiça, e todas estas cousas vos serão acrescentadas» (Mat. 6:33). Somente quando se verifica a intervenção divina, na vida de uma pessoa, é que se cumpre o ideal da «retidão», cujos primeiros albores começam no livro de Gênesis, e cujo meio dia só ocorre nos escritos paulinos. E a concretização desse ideal é contemplada por nós, como uma prelibação, nos escritos escatológicos dos profetas, dos quais o livro de Apocalipse é um tapete de várias cores.

Foi Jesus quem mostrou que a questão da «retidão» não é tanto uma questão de atos, mas de motivos. Os homens precisam galgar das meras formas externas da lei para o seu conteúdo espiritual. Por isso mesmo, Jesus sumariou a lei no amor a Deus e ao próximo: «Amarás o Senhor teu Deus de todo o teu coração, de toda a tua alma, e de todo o teu entendimento. Este é o grande e primeiro mandamento. O segundo, semelhante a este, é: Amarás o teu próximo como a ti mesmo. Destes dois mandamentos dependem toda a lei e os profetas» (Mat. 22:37-40).

B. Abordagem crucial por parte de Paulo. A chave da posição paulina acerca da retidão, básica para a boa compreensão do evangelho de Cristo, acha-se na sua epístola aos Romanos. Temos ali a sua «teologia», e o seu tema é a «retidão». Seu tema é enunciado logo no começo: «Pois não me envergonho do evangelho, porque é o poder de Deus para a salvação de todo aquele que crê, primeiro do judeu e também do grego; visto que a justiça de Deus se revela no evangelho, de fé em fé, como está escrito: O justo viverá por fé» (Rom. 1:16,17; cf. Hab. 2:4). O problema fundamental nessa tese é aquilo que Paulo chamou de «a justiça de Deus» (*dikaiosúne theoû*). Há três interpretações possíveis da palavra grega no genitivo, *theoû*.

A primeira interpretação é que poderia ser o simples genitivo possessivo, seu uso mais comum. Estaria em foco um atributo do caráter de Deus. Isso volta ao começo desta discussão que diz respeito à própria essência divina, pois a justiça ou a retidão de Deus faz parte essencial de seu Ser. Sem importar o que mais esteja envolvido, esse fator deve ser considerado.

A segunda reflete uma posição comum ao judaísmo, ou seja, aquela retidão de Deus que se exibe em seu trato com o povo com o qual entrou em acordo, onde a justiça se autotransmite, em vez de ser distributiva. Os judeus concebiam a retidão de Deus como o elemento que sustentava o povo de Israel, defendendo-o quanto a seus direitos. Foi mediante essa justiça que Deus estabeleceu seu povo como nação entre outras nações. (Ver Sal. 35:24,28; 51:14; 71:2 *ss*; 24; Isa. 51:5; 54:17 e 56:1). Mas essa retidão é comunal, e não individual, podendo até haver a combinação de retidão nacional e de pecado individual, como se vê em Salmos 143:1,2.

A terceira interpretação da «retidão» é *crucial*. A pregação paulina do evangelho não era mensagem dirigida a um grupo nacional. No evangelho, Deus não estava livrando o seu povo em qualquer sentido comunal, antes, prega até hoje a indivíduos pecadores, conclamando-os ao arrependimento e à fé. O Deus justo se dispõe a justificar os injustos, sem com isso ameaçar a sua própria justiça. É conforme explicou Paulo: «...tendo em vista a manifestação de sua (de Deus) justiça no tempo presente, para ele mesmo ser justo e o justificador daquele que tem fé em Jesus» (Rom. 3:26). Após anunciar o seu tema, Paulo mostrou que a retidão dos homens, gentios ou judeus, não passa de uma ficção, concluindo ele como segue: «...pois já temos demonstrado que todos, tanto judeus como gregos, estão debaixo do pecado, como está escrito: Não há justo, nem sequer um...» (Rom. 3:9,10). E novamente: «...porque não há distinção, pois todos pecaram e carecem da glória de Deus» (Rom. 3:22,23). E, visto que no anúncio do seu tema ele havia dito que «a ira de Deus se revela do céu contra toda impiedade e perversão dos homens...» (Rom. 1:18), assim, na presença do Deus justo, a condição humana é desesperadora, é de falência total. A boa mensagem é realista: faz o homem encarar essa sua dura realidade, como um dos lados da moeda, e, então, apresenta-lhe o outro lado da moeda, a graça divina, em Cristo Jesus, que dá solução ao problema (para o homem insolúvel): Deus justifica o ímpio.

Do ponto de vista de Deus, a questão simples mas profunda é como Deus pode justificar o ímpio sem violar sua própria retidão e santidade. Deus não pode tolerar o pecado, e nem ao menos contemplá-lo. A solução é dada em Cristo, que, sendo Deus encarnado, em carne humana «cumpriu toda a justiça». Estão envolvidas idéias básicas como expiação vicária, resgate pelo sangue de Cristo e

RETIDÃO

justiça lançada na conta do ímpio, diante do tribunal do justo Deus: tudo com base no sacrifício único e suficiente do Deus homem.

Cristo morreu em lugar dos homens, e satisfez as demandas da infinita santidade de Deus. Satisfeita a santidade de Deus, face à morte e à ressurreição de Cristo, pôde ele demonstrar para com os homens que aceitam essa substituição o seu amor gracioso e perdoador.

Um outro aspecto da questão é destacado por Paulo em uma outra de suas epístolas: «...Deus estava em Cristo, reconciliando consigo o mundo, não imputando aos homens as suas transgressões, e nos confiou a palavra da reconciliação» (II Cor. 5:19). Vemos nisso quatro elementos necessários: a. Deus não foi mero espectador da morte de Jesus, foi participante. Assim entendia Paulo, segundo se vê em outras palavras suas: «...a igreja de Deus a qual ele comprou com o seu próprio sangue» (Atos 20:28). b. A morte de Cristo é suficiente para apagar todas as transgressões de todos os homens. João mostra-nos que essa conclusão é legítima. «...e ele (Jesus Cristo) é a propiciação pelos nossos pecados, e não somente pelos nossos próprios, mas ainda pelos do mundo inteiro» (I João 2:2). Potencialmente, todos os homens poderiam ser salvos em face do sacrifício expiatório de Cristo. c. Em Cristo, Deus não estava agindo como Juiz, mas como Salvador: «...porque eu não vim para julgar o mundo, e, sim, para salvá-lo» (João 12:47). Contrariamente aos méritos dos homens (que só mereciam desprezo e condenação da parte de Deus), Deus oferece aos homens a sua misericórdia e o seu amor. d. E o quarto elemento, que transparece nas palavras de Paulo «...e nos confiou a palavra da reconciliação», mostra-nos que há uma participação humana ativa na grande negociação proposta por Deus no sangue de Cristo. Diante da *oferta* da reconciliação, infelizmente a maior parte dos homens repele o plano gracioso de Deus. E assim, por rejeitarem a única maneira de serem salvos, por preferirem estabelecer a sua própria justiça humana, eles não aceitam a reconciliação oferecida. Contrariamente ao que diz muito da nossa teologia, a reconciliação não tem apenas o lado divino. O lado humano é imprescindível: «...rogamos que vos reconcilieis com Deus» (II Cor. 5:20b). Não fora a necessidade dos homens se reconciliarem com Deus, não haveria necessidade da pregação do evangelho. Este consiste no convite, e até mesmo na exortação, para que os homens desempenhem sua parte. Somente quando o homem se volta para Deus, confiando na eficácia expiatória do sangue de Cristo, este lhe é aplicado à alma manchada. Mas, por que a maioria dos homens rejeita a proposta divina, e só alguns a aceitam, é algo que só pode ser explicado se descermos mais fundo nos méritos da questão inteira, evocando a doutrina ainda mais basilar da eleição (vide). O próprio Senhor Jesus sumariou a questão: «Mas vós não credes, porque não sois das minhas ovelhas. As minhas ovelhas ouvem a minha voz; eu as conheço, e elas me seguem. Eu lhes dou a vida eterna; jamais perecerão, eternamente, e ninguém as arrebatará da minha mão». Aleluia! A reconciliação garante a salvação e a segurança eternas do pecador justificado.

IV. Retidão no Mundo Moderno

A. A ênfase existencialista e relativa. O existencialismo tem dominado grande parte do pensamento filosófico moderno sobre a retidão. O termo pode ser facilmente entendido, especialmente no tocante a corretas decisões. O existencialismo destaca o *momento da existência*. Tudo depende das circunstâncias em que se encontra o indivíduo, bem como do que ele acha ser justo em determinado momento. Assim, duas pessoas, diante de uma mesma situação, podem tomar decisões diametralmente opostas, mas o existencialismo decretará que ambas as decisões podem estar igualmente certas. Uma expressão usada pelos existencialistas para indicar tais situações é «ética situacional». Esse aspecto da questão também aparece nas páginas do Antigo Testamento, onde a retidão consistia em uma série de ajustamentos, dentro das demandas das relações sociais do indivíduo. Isso nos mostra que a abordagem existencial é um dos aspectos da abordagem bíblica. E isso se torna ainda mais evidente no Novo Testamento, que enfatiza o relacionamento do homem a Deus, como quem determina o que é reto ou não. Adicione-se a isso a idéia neotestamentária da obediência a um Senhor supremo, que é *dinâmico* e *pessoal*, de que ninguém cumpre perfeitamente a lei, e de que nossas as nossas melhores ações são como «trapos de imundícia» (cf. Isa. 64:6), e até poderemos justificar certos eruditos que interpretam o cristianismo segundo o prisma existencialista, contanto que não exclusivamente, mas só quanto a determinados aspectos da questão.

O ponto de vista bíblico e paulino é muito mais completo e abrangente que o existencialismo. Paulo mostrava que o que era apenas latente no Antigo Testamento tornara-se patente no Novo. A retidão de Deus é agora derramada através da vida e da morte de Cristo, primeiramente, como redenção e, em segundo lugar, como novidade de vida para o ser humano. O que começara como um código ético baseado na natureza divina, agora tornou-se uma fonte de vida e um poder que emana da própria natureza de Deus. A retidão, segundo os olhos cristãos esclarecidos a vêem, não é apenas um padrão de conduta, mas é um poder capacitador; não é apenas um código, mas uma vida que palpita. Consiste em uma lealdade, em um relacionamento salvatício, que dá colorido à vida diária, em todas as suas atividades.

O existencialismo também tem suscitado a indagação se resta qualquer valor ético e religioso absoluto. A resposta bíblica é que há um valor absoluto, que serve de ponto de referência a toda decisão moral — o amor. Os apologistas do amor afirmam que quando este é considerado como o grande valor absoluto deve ser concebido em termos do amor de Deus, conforme foi revelado em Jesus Cristo. Nesse amor não há qualquer relativismo. Em seu relacionamento com Deus, assinalado pela fé, sua primeira consideração é o amor de Deus, e decisões «retas» são tomadas exclusivamente sobre essa base. Assim, qualquer pessoa que vive sob a direção do poder do amor de Deus, necessariamente é uma pessoa «reta». E visto que o amor de que as Escrituras falam é *agape*, o amor cristão não descamba para o mero sentimentalismo ou emocionalismo. É conforme Jesus disse: «Aquele que tem os meus mandamentos e os guarda, esse é o que me ama...» (João 14:21).

Mas, apesar de haver um valor absoluto para o crente, o amor de Deus, a verdade é que continua havendo necessidade de controle e disciplina, o que transparece na citação que acabamos de fazer. Ama quem obedece, impulsionado pelo amor. Por serem os homens o que são, sempre inclinados ao erro e à distorção, têm necessidades de um padrão fixo de conduta. Nas ruas e avenidas, o fluxo de veículos só permanece ordeiro por causa das leis do trânsito. Assim também, a vida cristã só se manifesta plenamente em liberdade sob a direção da verdade revelada de Deus. «Disse, pois, Jesus aos judeus que haviam crido nele: Se vós permanecerdes na minha

RETIDÃO

palavra, sois verdadeiramente meus discípulos; e conhecereis a verdade e a verdade vos libertará» (João 8:31,32). A lei de Cristo, que é a lei mosaica elevada ao expoente da espiritualidade pura, permanecerá para sempre. Sem esse ponto fixo, o relativismo humano atira às cegas.

B. Retidão em algumas religiões do mundo. Um dito popular é: «Nenhuma religião ordena ou aprova a prática do mal». É verdade, toda religião que conta com alguma parcela da verdade tem natureza ética. Mas somente a religião cristã, conforme revelada na Bíblia, não se ressente de dois defeitos fatais: a. a ética só abrange o relacionamento entre homem e homem. As religiões do mundo não sabem como o homem injusto pode restaurar o seu relacionamento quebrado com Deus. O plano de salvação, revelado no evangelho, é que nos dá a solução para esse misterio. b. As religiões do mundo dispõem somente das ações humanas como possível base de aceitação merecida diante de um Deus ou Ser supremo desprovido de graça e misericórdia. Sucede a seus seguidores o que sucedia à mente judaica que dependia da eficácia duvidosa dos holocaustos diários. «...não teriam cessado de ser oferecidos (os sacrifícios e ofertas), porquanto os que prestam culto, tendo sido (supostamente) purificados uma vez por todas, não mais teriam consciência de pecados?» (Heb. 10:2). No entanto, os seguidores das religiões do mundo vão do berço à beira do sepulcro sem ter a certeza de aceitação e de salvação. Isso demonstra a falência de seu sistema de obras meritórias. A Igreja Católica Romana chega a estigmatizar os crentes, que afirmam a sua certeza de salvação, mediante os méritos exclusivos e suficientes de Cristo. — A certeza de salvação foi condenada em mais de um concílio romanista. Todos os porta-vozes das demais religiões do mundo, se convidados a se manifestarem, concordariam com tal juízo.

O máximo negativo atingido pelo judaísmo foi a hipocrisia farisaica, que consistia na conformidade externa a regras de conduta, sem o concurso da motivação do amor a Deus. Quando o crente obedece, não fá-lo a fim de tornar-se merecedor da aprovação divina, e, sim, para agradar Aquele que já o salvou.

Alguns sistemas do budismo representam uma religião dos «escapistas». Seu alvo é a cessação da existência, absorvida na existência impessoal do universo. As mentes que preferem evitar enfrentar a negra realidade de suas almas manchadas, sentem-se muito atraídas por tal fuga. O espantalho do budismo e de todas as religiões que concebem a idéia da transmigração das almas é a repetição da vida, em uma série interminável de vidas humanas terrenas. Para *alguns* sistemas, a salvação, jamais atingida, seria a interrupção desse ciclo sem-fim. Triste solução! Jesus não veio trazer fim da vida, mas vida ainda mais abundante!

O islamismo dá muito valor à justiça social, mas muito mais dentro do âmbito local. Um islamita não deve ser injusto com outro islamita. E tudo é muito colorido pelas conveniências do momento. Para eles, o fim justifica os meios. A generosidade, o cavalheirismo e o heroísmo são mais importantes do que as exigências reais do direito. O bom islamita morre na esperança de que suas ações heróicas sejam recompensadas com um harém de lindas e provocantes «huris», as lindas moças imaginárias do paraíso deles. É uma religião extremamente sensual.

RETÓRICA

Essa palavra vem do termo **grego rhétor**, «orador». A retórica é a arte de falar ou escrever bem, tendo em mira a persuasão dos ouvintes ou leitores. Visto que tanto a filosofia quanto a religião têm procurado persuadir aos homens, ambas essas atividades têm tido uma relação histórica com a retórica. Ver também o artigo *Homilética*, uma variante cristã da retórica.

1. *Os sofistas* foram os primeiros claros retóricos da história. Eles pouco se importavam com as questões morais, mas seu deleite era vencer nos debates e apresentar discursos impressionantes. Os advogados modernos, em certo sentido, são herdeiros dos sofistas, quando eles primam mais em convencer os jurados com argumentos bem arquitetados do que em buscar a justiça. A retórica, pois, pode produzir sentimentos e convicções, mas não necessariamente a verdade.

2. *Platão* opunha-se aos sofistas com base em questões morais e em uma sã teoria de conhecimento, que negava o ceticismo (posição tomada pelos sofistas). *Isócrates* também os combateu, e criou uma retórica mais técnica que a daqueles. Ao que tudo indica, ele foi o primeiro a chamar essa disciplina de «ciência da persuasão».

3. *Aristóteles* encarava a retórica como uma arte que exige que o conhecimento seja potencializado, tendo algum motivo significativo e útil, não envolvendo apenas uma questão de persuasão. Ele concebia a retórica como uma espécie de contraparte da dialética, utilizando-se de silogismos populares, e não de silogismos formais.

4. *Filodemo de Gadara* procurou maestria na expressão, guiado por regras, a fim de obter uma decente taxa de probabilidades na questão da veracidade.

5. *Hermágoras de Temnos* não se esqueceu de incluir o ideal de Aristóteles, combinando-o com um sistema de retórica prática.

6. *Cícero* seguiu o modelo filosófico de Hermágoras, embora frisando mais o ideal aristotélico. Seus escritos sobre as técnicas da retórica exerceram grande influência. Ele pensava que o *rhétor* deve ser um homem bom, que procura exprimir e viver a verdade.

7. *Quintiliano* foi discípulo de Cícero, aderindo ao conceito do orador-homem-bom e enfatizando a necessidade do cultivo intelectual. Também salientava a retórica prática e o desenvolvimento de regras práticas. Sua influência foi sentida desde o século I D.C. (época em que viveu), passando por todo o período medieval, e chegando até à *Renascença* (vide).

8. *Hermógenes de Tarso* tornou-se uma autoridade sobre o assunto, e exerceu vasta influência durante um século e meio.

9. *Longino*, no século III D.C., escreveu um volume chamado *Arte da Retórica*, que teve boa influência em seu tempo.

10. Outros nomes importantes para a retórica, antes da Idade Média, foram *Aftonio*, do século IV D.C., e *Élio Theon*.

11. *Agostinho*, no século V D.C., empregou sua habilidade retórica para defender a fé cristã, tendo-se tornado um dentre vários outros que praticaram essa arte em benefício da fé. Ver o artigo intitulado *Rhetorici*, quanto a uma declaração concernente aos seus esforços nesse sentido.

11. *Durante a Idade Média*, a retórica foi elevada à posição importante de ser uma das disciplinas de estudo do *Trivium*. Entre os séculos V e VII D.C., importantes nomes desse campo foram *Martino Cappela, Cassiodoro* e *Isidoro*.

RETIDÃO — RETRIBUIÇÃO

12. *Durante a Renascença*, a retórica tornou-se um instrumento de ataque contra o escolasticismo (e, naturalmente, contra o aristotelismo). Foi sentida a necessidade de ser formulada uma nova lógica.

13. *Lourenço Valla* manteve a retórica em associação à filosofia, mas desenvolveu uma abordagem mais lingüística do assunto.

14. *João Luís Vives* usou sua habilidade retórica para atacar a exagerada influência de Aristóteles nos vários campos do conhecimento, pedindo que se fizesse uma reavaliação do conhecimento.

15. *Pedro Ramus* retornou aos moldes clássicos, influenciado pelas idéias de Aristóteles e Cícero, especialmente este último.

16. *Após a Renascença*, a retórica começou a declinar em popularidade e uso. Uma notável exceção a essa negligência crescente foi George Campbel, que escreveu o notável volume *Filosofia da Retórica*, em 1776. A lógica e a retórica foram combinadas por ele para iluminar, instruir, excitar as emoções e influenciar a vontade. *Whately* foi personagem influente nesse campo, no século XIX.

17. *No século XX*, alguns poucos filósofos e lingüistas têm enfatizado a arte da retórica. Esse é o caso de I. A. Richard, o qual, em sua obra, *Philosophy of Rhetoric*, proveu uma análise da linguagem e suas funções. *Chaim Perelman* teve atuação parecida com seu volume *Rhetoric and Philosophy*.

RETORNO DA MORTE CLÍNICA
Ver **Experiências Perto da Morte**.

RETRIBUIÇÃO

Esboço:
I. Termos Bíblicos
II. Princípios Bíblicos Envolvidos:
   1. A natureza de Deus
   2. Inevitabilidade da retribuição
   3. Propriedade da punição
   4. Contradições aparentes
III. Retribuição na Vida Presente:
   1. Ênfase do Antigo Testamento
   2. O indivíduo e o grupo
   3. Uso de instrumentos humanos
IV. Retribuição no Mundo Vindouro
V. Retribuição e Restauração

Trata-se do ato de tratar alguém de acordo com seus merecimentos. Usualmente, é concebido como termos de punição pelos erros cometidos, embora não com exclusividade. A teologia sistemática distingue entre a justiça remunerativa de Deus, segundo a qual ele distribui *recompensas*, e a justiça retributiva de Deus, segundo a qual ele inflige *penas*.

I. Termos Bíblicos

A idéia de retribuição ocupa lugar importante na Bíblia, segundo se vê pelo uso freqüente de palavras hebraicas e gregas como «ira» (quatro termos hebraicos; *thumós* e *orge*, no grego: Êxo. 22:24; Jó 19:11; Sal. 2:12, etc.; Rom. 2:8; Apo. 14:10, etc.), «vingança» (dois termos hebraicos; *ekdikesis*, no grego: Sal. 94:1; Isa. 34:8; Jer. 50:15; Rom. 12:19; Heb. 10:30), «punição» (dois termos hebraicos; *epitimia* e *kólasis*, no grego: Sal. 89:32; Isa. 10:3; Jer. 51:6; II Cor. 2:6; Mat. 25:46, «julgamento» (uma palavra hebraica; *kríma* e *krísis*, no grego: Deu. 1:17; Jó 19:29; Sal. 76:8, etc.; Rom. 2:2; Apo. 19:2), «recompensa» (dois termos hebraicos; *misthós*, *apodídomi*; no grego: I Sam. 24:19; Sal. 58:11; Pro. 11:18, etc.; Mat. 5:12; Rom. 2:6; etc.). Exemplos de retribuição são o castigo contra Adão, Eva e a serpente, no jardim do Éden (Gên. 3:14-19), contra Caim (Gên. 4:11,12), o dilúvio (Gên. 6:5-8) e a destruição de Sodoma e Gomorra (Gên. 18:20,21; 19:15,24-29). Na Palestina, o povo de Israel escolheria entre as bênçãos resultantes da obediência e o castigo retributivo, resultante da desobediência (Deu. 27:14-26; Jos. 8:34). As muitas advertências e promessas dos profetas e de Cristo indicam a realidade da retribuição divina.

II. Princípios Bíblicos Envolvidos

1. *A natureza de Deus*. A doutrina da retribuição deriva-se da própria natureza divina. Deus caracteriza-se pela retidão, pela justiça e pela onipotência. Portanto, ele quer e é capaz de punir o mal e recompensar à retidão. Por isso, as pessoas recebem de Deus exatamente o que merecem, exceto quando sua justiça é temperada por sua misericórdia, quando então as pessoas recebem melhor e até contrariamente aos seus merecimentos. Contudo, a misericórdia não envolve apenas a negligência acerca do mal, antes, em Cristo, Deus recebeu o castigo que nós merecemos. O mal foi penalizado, e nós fomos salvos (ver II Cor. 5:21).

2. *Inevitabilidade da retribuição*. A retribuição é própria e inevitável devido à natureza divina. Isso é destacado em Gál. 6:7,8: «Não vos enganeis: de Deus não se zomba, pois aquilo que o homem semear, isso também ceifará. Porque o que semeia para a sua própria carne, da carne colherá corrupção, mas o que semeia para o Espírito, do Espírito colherá vida eterna». Isso apenas reitera o ensino veterotestamentário: «Arastes a malícia, colhestes a perversidade...» (Osé. 10:13). Esse ensino mostra que a retribuição não é apenas ato de Deus, mas também é resultado inevitável das ações humanas, boas ou más. É significativo que a palavra hebraica por detrás da idéia signifique tanto pecado quanto punição. Tal como no mundo físico, cada ato produz resultados inevitáveis, o mesmo se dá no campo espiritual e moral.

3. *Propriedade da punição*. Deus, como Juiz do Universo, não pode deixar o mal praticado passar despercebido e sem castigo. E este será de acordo com o mal feito: «Pois com o critério com que julgardes, sereis julgados, e com a medida com que tiverdes medido vos medirão também» (Mat. 7:2). Diz o trecho de Pro. 26:27: «Quem abre uma cova nela cairá, e a pedra rolará sobre quem a revolve». E Apo. 16:6 esclarece: «...derramaram sangue de santos e de profetas, também sangue lhes tens dado a beber; são dignos disso». (Ver também Rom. 1:27 e Apo. 18:6,7).

••• ••• •••

4. *Contradições aparentes*. Por desconhecerem os motivos de Deus, por muitas vezes os homens se rebelam contra o que lhes parece injustiça no trato divino para com eles. Assim, Jó parecia estar sofrendo, apesar de sua vida reta, ao passo que notórios malfeitores continuavam prosperando. Diz Salmos 73:12-14: «Eis que estes são os ímpios; e sempre tranqüilos, aumentam suas riquezas. Com efeito, inutilmente conservei puro o coração e lavei as mãos na inocência. Pois de contínuo sou afligido, e cada manhã castigado». O A.T. não fornece solução final para o problema. A solução é dada no N.T., que transfere a retribuição para o mundo vindouro, quando todas as injustiças serão reparadas definitivamente, e toda ação boa não passará despercebida. «Portanto, nada julgueis antes do tempo, até que venha o Senhor, o qual não somente trará à plena luz as cousas ocultas das trevas, mas também manifestará os desígnios dos corações, e então cada um receberá o

seu louvor da parte de Deus» (I Cor. 4:5).

III. Retribuição na Vida Presente

1. *Ênfase do Antigo Testamento*. Sem olvidar a retribuição final, o A.T. frisa o castigo divino nesta vida terrena. Esse é o tema básico do primeiro Salmo, além de muitos outros trechos, como Pro. 11:31, que diz: «Se o justo é punido na terra, quanto mais o perverso e o pecador».

2. *O indivíduo e o grupo*. A Bíblia fala muito em punições coletivas. O pecado de Adão afetou a humanidade inteira (Rom. 5:21-19). A obediência de Abraão exerceu consideráveis efeitos sobre ele mesmo e sua descendência. A família de Acã foi punida por seu desvario (Jos. 7:10-26). Mas Jeremias e Ezequiel mostraram que cada um é responsável pelos seus próprios erros, não respondendo apenas pelos erros de gerações anteriores. «Cada um, porém, será morto pela sua iniqüidade; de todo homem que comer uvas verdes os dentes se embotarão» (Jer. 31:30; ver também Eze. 18:4-20).

3. *Uso de instrumentos humanos*. Controlando todos os acontecimentos, Deus pode usar homens para castigar a outros. Judá foi castigada pela ímpia Babilônia. Deus mesmo disse: «Pois eis que suscito os caldeus, nação amarga e impetuosa, que marcha pela largura da terra, para apoderar-se de moradas não suas» (Hab. 1:6). Mas Babilônia seria castigada, por sua vez, por outras nações. «Visto como despojaste a muitas nações, todos os mais povos te despojarão a ti...» (Hab. 2:8). Mas o crente nem por isso deve arrogar-se ao direito de administrar justiça, antes, deve confiar na justa administração da mesma por parte do Senhor: «...não vos vingueis a vós mesmos, amados, mas dai lugar à ira; porque está escrito: A mim pertence a vingança; eu retribuirei, diz o Senhor» (Rom. 12:19). Cabe ao crente viver em nível superior, condizente com o que Paulo diz dois versículos adiante: «Não te deixes vencer do mal, mas vence o mal com o bem».

IV. Retribuição no Mundo Vindouro

A retribuição divina só começa neste mundo, completando-se apenas na futura existência. Muitos crimes atrozes jamais serão castigados aqui. Mas a Bíblia assegura que haverá um dia de prestação de contas (II Cor. 5:10; II Ped. 2:9; 3:7), quando os homens serão ressuscitados para a glória ou para a maldição eternas (Dan. 12:2,3; João 5:29). Também fala sobre as angústias da *Geena* final (Mat. 8:12; 10:28; 13:42; ver sobre o Inferno). Essa é a ênfase do N.T. Enquanto os castigos terrenos são temporários, o castigo final será ininterrupto. (Ver *Julgamento de Deus dos Homens Ímpios*).

Na terra, o crente é disciplinado para escapar do castigo eterno. «...quando julgados, somos disciplinados pelo Senhor, para não sermos condenados com o mundo» (I Cor. 11:32). Por isso, o crente não deve estranhar suas tribulações, que são apenas momentâneas, afinal. «Amados, não estranheis o fogo ardente que surge no meio de vós, destinado a provar-vos...» «Porque a nossa leve e momentânea tribulação produz para nós eterno peso de glória, acima de toda comparação» (II Cor. 4:17). Em contraste com os crentes, os impenitentes sofrerão eternamente o fruto de sua perversa predileção. «Dará a vida eterna aos que, perseverando em fazer o bem, procuram glória, honra e incorruptibilidade, mas ira e indignação aos facciosos que desobedecem à verdade e obedecem à injustiça» (Rom. 2:7,8).

V. Retribuição e Restauração

Alguns intérpretes têm uma visão míope sobre o amor de Deus. A própria retribuição é uma manifestação do amor divino. A retribuição castiga, sim, dura muito tempo, sim, mas também restaura. É um imenso erro pensar que a retribuição tem um pólo só, aquele do castigo. O próprio castigo tem o propósito de restaurar, não meramente de ajustar as contas da lei da semeadura e da ceifa. A cruz de Cristo representava uma retribuição contra o pecado, mas também era uma medida de salvação. O crente é castigado pelo Pai Divino para que ele cresça na espiritualidade, Heb. 12:6 *ss*. O julgamento do ímpio tem o propósito de restaurar, I Ped. 4:6. Um pólo da retribuição é vingança contra o mal. O outro pólo é restauração através de uma severidade merecida, mas que funciona como um remédio contra o mal. Ver o artigo sobre *Restauração*.

REÚ

No hebraico, «amigo», «companheiro». Era filho de Pelegue e pai de Serugue. Descendia de Sem (Gên. 11:18-21; I Crô. 1:25; Luc. 3:35).

REUEL (RAGUEL)

Ver também *Raguel*. Na LXX, Ragouel. Significa *amigo* ou *companheiro de Deus*. Há quatro personagens com esse nome, no Antigo Testamento:

1. Filho de Saú e Basemante, filha de Ismael (Gên. 36:3,4,10; I Crô. 1:35), e pai de Naate, Zerá, Samá e Mizzá, chefes de clãs dos edomitas (Gên. 36:13,17; I Crô. 1:37).

2. Um sacerdote de Midiã, que deu sua filha, Zípora, como esposa a Moisés (Êxo. 2:16-22). Visto que muitos dos antigos do Oriente Próximo tinham nomes duplos, ele era Reuel/Jetro (cf. Êxo. 4:18-20). Ele também era pai de Hobabe, um queneu, e cunhado de Moisés (Núm. 10:20; Juí. 4:11).

3. Pai de Eliasafe, capitão dos exércitos do Senhor por ocasião do recenseamento no Sinai (Núm. 2:14). No texto massorético, as passagens paralelas (Núm. 1:14; 7:42,47; 10:20) dizem Deuel, confundindo as letras hebraicas «D» e «R», mas a LXX sempre diz Reuel.

4. Um benjamita cujo nome aparece na lista dos habitantes de Jerusalém, antes do cativeiro (I Crô. 9:8).

5. Uma personagem do livro de Tobias (3:7 *ss*), marido de Edna e pai de Sara, esposa de Tobias.

6. Um arcanjo, em I Enoque 20:4.

REUM

As duas variantes do nome em hebraico significam, ambas, *misericordioso*. Há cinco pessoas com esse nome, no A.T.:

1. Um dos líderes que voltaram do exílio babilônico com Zorobabel, conforme o registro de Esd. 2:2 (I Esdras 5:8 diz Roimus). O trecho paralelo de Nee. 7:7 diz «*Neum*», que parece ser um erro escribal.

2. Nome de um oficial persa, um dos autores de uma carta enviada a Artaxerxes em oposição à reconstrução do templo de Jerusalém (Esd. 4:7-24). Após a chegada da resposta real, «...foram eles apressadamente a Jerusalém, aos judeus, e, de mão armada os forçaram a parar com a obra» (vs. 23). Em I Esdras 2:16-30, o nome desse homem aparece como Ratumo.

3. Nome de um levita, filho de Bani, que ajudou Neemias a reparar as muralhas de Jerusalém (Nee. 3:17).

4. Nome de um daqueles que apuseram o «selo» da «aliança fiel» de Neemias (Nee. 10:25). Pode ter sido o mesmo homem chamado Reum, em Nee. 3:17, ou pode estar relacionado ao Reum de Esd. 2:2.

5. Nome de um dos sacerdotes alistados no trecho de Nee. 12:1-7, que retornaram do exílio com Zorobabel. O confronto com Nee. 12:15 e I Crô. 24:8 tem levado alguns a compreenderem que o nome foi escrito por engano em lugar de Harim. No texto consonantal, essa alteração na forma do nome poderia ter sido efetuada pela transposição das duas primeiras letras. A Septuaginta omite totalmente o nome.

REUMÁ

No hebraico significa *pérola* ou *coral*. Era concubina de Naor (Gên. 22:24). Seus quatro filhos tornaram-se os ancestrais de tribos aramaicas que viviam ao norte de Damasco.

REUNIÃO DAS IGREJAS

Ver sobre o **Movimento Ecumênico**.

REVELAÇÃO (INSPIRAÇÃO)

Esboço:
I. Principais Artigos a Consultar
II. Modos Básicos de Conhecer
III. Limitando a Revelação
IV. Considerações Bíblicas
V. Valores Relativos dos Modos de Conhecer

I. Principais Artigos a Consultar

Ver o artigo intitulado *Conhecimento e a Fé Religiosa, O*, especialmente em sua seção I.4. *Misticismo*. A revelação é uma subcategoria do misticismo. Ver também o artigo detalhado sobre o *Misticismo*. Na segunda seção do artigo *Conhecimento e a Fé Religiosa, O*, mencionado acima, em seu sexto ponto, descrevo a revelação como uma teoria ou critério de conhecimento.

II. Modos Básicos de Conhecer

Os modos básicos de tomarmos conhecimento das coisas são: 1. A *percepção dos sentidos* (empirismo); 2. a *razão* (capacidade inata, alicerçada sobre os poderes mentais), que transcende à percepção dos sentidos; 3. a *intuição*, com base nas idéias inatas e nos poderes espirituais do homem, capaz de ficar sabendo de coisas acima da percepção dos sentidos e da razão; 4. as *experiências místicas*, que envolvem o conhecimento através de poderes espirituais: ou internos (como a alma) ou externos (como Deus, Cristo, o Espírito Santo, os santos, espíritos dos mortos, outros espíritos, etc.). A *revelação* é uma subcategoria das experiências místicas. Em primeiro lugar, temos as visões dos profetas; em segundo lugar, a concretização dessas visões em forma escrita, depois esses escritos tornam-se livros sagrados por via da canonização, então aparece alguma igreja ou outra organização religiosa para proteger e propagar a revelação, ou seja, o *conteúdo* dos livros sagrados.

A fé religiosa tira proveito de todos os modos de obtenção de conhecimento, embora, para ela, o principal meio seja a revelação. Ver o verbete chamado *Inspiração*, que aborda um aspecto necessário que o estudioso precisa considerar quando trata da questão da revelação.

É uma infeliz tendência de muitas pessoas religiosas de degradarem outros meios do conhecimento Ver sobre o *Antiintelectualismo*. Paralelamente a isso, elas costumam dizer que o conhecimento que é dado através da revelação não contém qualquer tipo de erro, embora Paulo tenha afirmado que sabemos apenas em parte, que somos dotados de um conhecimento meramente fragmentar, e assim, até o conhecimento obtido através da revelação tem seu ponto de debilidade—é incompleto. Portanto, é um dogma, e não um fato, que o conhecimento obtido através da revelação é destituído de erro, e a luta para manutenção dessa posição é a defesa de um dogma, e não uma real defesa da verdade. É evidente que a revelação divina não pode chegar até o homem sem estar maculada por problemas, debilidades e erros por omissão, mesmo porque o ser humano não compreenderia uma revelação completa, conforme Deus a entende. Mas também é verdade que o conhecimento que nos é dado por intermédio da revelação é válido, tendo-nos conduzido ao mais profundo e importante conhecimento espiritual de que dispomos. O que importa entender, em toda essa questão, é que o conhecimento dado por meio da revelação nos é suficiente como roteiro da alma e para obtenção da felicidade eterna e para escaparmos da merecida punição a que nossos pecados fazem jus. «...falamos a sabedoria de Deus em mistério, outrora oculta, a qual Deus preordenou, desde a eternidade, para a nossa glória... Mas Deus no-lo revelou pelo Espírito...» (I Cor. 2:7,10).

III. Limitando a Revelação

Um outro dogma envolvido nessa questão é o que diz que não pode haver revelação fora da Bíblia. O trecho de Apo. 22:18 é erroneamente usado como texto de prova a esse respeito, embora aquela recomendação aplique-se somente ao conteúdo do livro de Apocalipse. Cronologicamente, sabe-se que outros livros do Novo Testamento foram escritos depois dele. Deus está na plena liberdade de revelar-nos outras coisas, e até de fornecer material para outros livros sagrados, e é bem provável que venha a fazê-lo, quando começarem os grandes sinais para a abertura de uma nova dispensação, inaugurada pela *parousia* (vide). A segunda vinda de Cristo quase certamente produzirá outra grande revelação, da mesma maneira que ocorreu por ocasião de seu primeiro advento. Naturalmente, quaisquer propostas de novas revelações terão de ser testadas quanto à sua validade, mediante meios empíricos, históricos e espirituais, e jamais mediante o dogma, o qual sempre arrasta após si a estagnação. E até as alegadas modernas revelações devem ser submetidas à prova da universalidade, bem como de outros critérios que combinem com a espiritualidade. Ver o artigo sobre os *Livros Apócrifos Modernos*, onde teço comentários acerca de algumas supostas revelações modernas. Quanto a outros artigos que ventilam aspectos vários da revelação, ver *Revelação (Inspiração, em Efé. 1:17); Revelação Natural; Revelação Sobrenatural; Revelação Geral e Especial.*

IV. Considerações Bíblicas

1. *Definição*. Revelação é o desvendamento que Deus faz de si mesmo, girando em torno da pessoa de Jesus Cristo, através da criação, da história, da consciência humana e das Escrituras. Ela é dada através de acontecimentos e de palavras. Não há um termo técnico para exprimir a idéia nas Escrituras, a mesma é expressa de vários modos. Duas palavras gregas são mais comumente usadas: *apocalúptein* e *farenoūn*. Entre as duas há suas sombras de significado. A primeira significa «desvendamento», ao passo que a segunda aponta mais para o conceito de «manifestação daquilo que fora desvendado». Portan-

REVELAÇÃO

to, a idéia de revelação envolve o que antes era misterioso, oculto e desconhecido. Um sumário. O pecado embotou a mente humana no tocante às realidades divinas. A revelação divina, em Cristo, vai devolvendo gradualmente essa percepção, para que o homem conheça o plano de Deus, que gira em torno de Cristo. O último livro da Bíblia chama-se Apocalipse, «revelação», porque ali temos a fase final da revelação escrita, onde Deus mostra que o seu plano é reverter todos os efeitos do pecado e levar os remidos à glória de Deus, assentando-se com Cristo em seu trono.

2. *O duplo aspecto*. Os teólogos geralmente descrevem a revelação divina em termos de revelação geral (ou natural) e de revelação especial. O primeiro consiste no testemunho que Deus dá de si mesmo através da criação, da história e da consciência humana. Aparece em trechos como Sal. 19; Atos 14:8-18; 17:16-34; Rom. 1:18-32; 2:12,16, etc.

Quanto à revelação geral, católicos e protestantes concordam. A revelação geral proveria a base para a construção de uma teologia natural. (Teologia natural é o esforço de erigir uma doutrina de Deus, em que sua existência é estabelecida sem o apelo à fé ou à revelação especial, mas apenas através da natureza da razão e da experiência).

A teologia teria dois níveis. O *inferior* é o da teologia *natural*, —que inclui provas da existência de Deus e da imortalidade da alma. É insuficiente para a salvação da alma, embora importante para quem queira subir ao segundo nível da *revelação*. A maioria dos homens nem chega ao primeiro nível. No segundo nível, temos os *blocos de realidades revelados* na revelação especial (como nas Escrituas), cimentados uns aos outros pela argamassa da fé. Essa teologia revelada inclui todas as crenças distintivas da fé cristã, a Santa Trindade, etc. Só nesse nível o indivíduo é levado ao encontro remidor com Deus, na pessoa de Cristo. Essa é a idéia exposta pela maioria dos cristãos.

Calvino dizia que a revelação geral só pode ser corretamente entendida através das lentes da revelação especial. Isso porque, apesar de dispor de uma revelação geral, com base na natureza das coisas ao seu redor, segundo Paulo mostra no primeiro capítulo de Romanos, o homem caído procura sempre suprimir a verdade, substituindo-a por suas fantasias, segundo o apóstolo nos mostra em Rom. 1:20. Até mesmo os chamados «salmos naturais» foram escritos por. homens que viam a natureza através da perspectiva da revelação especial. Se o primeiro ponto de vista levou a uma apologética racionalista, o de Calvino levou a uma apologética revelacional. Essa é a posição da fé reformada.

A revelação especial é o desvendamento que Deus faz de si mesmo, dentro da história da salvação (revelação na realidade), e na palavra interpretativa das Escrituras (revelação na Palavra). Quantitativamente, portanto, essa revelação encerra mais do que aquilo que temos registrado nas Escrituras. Muitos lances da vida de Cristo não foram registrados (ver João 21:25). Mas nas Escrituras, temos o sumário interpretativo de seus atos reveladores. A importância desse sumário foi estabelecida pelo próprio Cristo: «As Escrituras não podem falhar!», disse Ele. A revelação bíblica, porém, só pode ser entendida pela *iluminação* do Espírito. Sem essa iluminação, os discípulos teriam aproveitado apenas parte do que Cristo lhes ensinara (ver João 14:26).

3. *Características do conceito bíblico de revelação*. O objetivo *final* da revelação divina é nos conduzir a Deus. — Isso é o que caracteriza as revelações divinas, e não meras formulações doutrinárias. O conceito bíblico da verdade não é mera reflexão crítica, mas um envolvimento subjetivo e apaixonado com o próprio Deus da verdade, na pessoa de Cristo. A revelação divina provê a resposta para o duplo dilema humano: 1. sua ignorância de Deus, e, portanto, de si mesmo; e 2. sua culpa diante de Deus. Portanto, isso envolve conhecimento e santidade.

A revelação se dá através dos atos da história. Não há fé em Cristo sem o *Jesus histórico* (vide). A história bíblica é a seleção de eventos que têm a ver com essa revelação. É como se lê em Miquéias 6:5: «Povo meu, lembra-te... do que aconteceu desde Sitim até Gilgal; para que conheças os atos da justiça do Senhor».

A revelação bíblica culmina em Jesus Cristo. A encarnação, e tudo quanto está envolvido na mesma, é o supremo ato revelador de Deus. Cristo é o centro do evangelho (ver Rom. 1:3,16; I Cor. 15:1-4; Gál. 4:4; Heb. 1:1,2, etc.). O Antigo Testamento revelava Cristo antecipadamente, o Novo reflete a pessoa de Cristo. Deus só se revela em Cristo (Cristomonismo).

A revelação bíblica também é interpretação divina do sentido da revelação, ou seja, a Bíblia é sua própria interpretação. Em I Coríntios 15:3,4, Paulo vincula a morte, o sepultamento e a ressurreição de Cristo às Escrituras do Antigo Testamento — «segundo as Escrituras». É que ele via a *continuidade* da revelação do Antigo no Novo Testamento. O *kerygma* do Novo Testamento é o fim de um processo iniciado no Antigo Testamento.

Todos os eventos revelatórios se concentram na **crucificação e ressurreição** de Cristo. E tudo olha para a futura e final revelação de Cristo, de tal modo que passado e presente só podem ser entendidos da perspectiva escatológica revelada. Disso conclui-se que a Bíblia não apenas contém a revelação, mas é a própria revelação autoritária de Deus.

A revelação deve ser entendida em termos de três fatores: 1. o *revelador*, que é o próprio Deus; 2. os *instrumentos da revelação* — visões, sonhos, Urim e Tumim, sortes, teofanias, anjos, a voz divina, eventos históricos selecionados e a encarnação, tudo o que produziu a Bíblia. Esses dois primeiros aspectos vêem o lado objetivo da revelação. 3. O *recebedor* — aqueles que correspondem com fé em Cristo. Esse é o aspecto subjetivo da revelação.

Um ponto de vista adequado da revelação também reconhece que a Bíblia precisa ser corretamente interpretada. A *hermenêutica* (vide) está sendo reestudada com interesse em nossos dias. A verdadeira filosofia da interpretação bíblica é a interpretação histórica gramatical, com seu manuseio responsável e sério do texto das Escrituras. O alvo da interpretação é determinar o que o Espírito de Deus, que falava através dos diversos escritores humanos, queria dizer em qualquer porção da Bíblia, dentro do contexto da revelação inteira. Vale dizer, a interpretação deve levar em conta todos os fatos revelados, sem destacar qualquer um deles do total. A *exegese*, por sua vez, interpreta a mensagem bíblica em sua aplicação às necessidades espirituais do homem moderno. E a iluminação é o ato do Espírito, mediante o qual o leitor da Bíblia é capacitado a compreender seu registro do ponto de vista do Espírito (ver I Cor. 2:13,14). Portanto, se a revelação tem a ver com o *desvendamento objetivo*, a iluminação tem a ver com a *apreensão subjetiva*. Esses três conceitos formam os passos essenciais da comunicação divina ao homem. A revelação diz respeito ao *quê* foi comunicado; a inspiração ao *como* a mensagem foi comunicada; e a iluminação ao *por quê* a mensagem foi comunicada.

REVELAÇÃO

V. Valores Relativos dos Modos de Conhecer

1. *Tertulianismo* é o nome que se dá à doutrina que diz que a revelação é auto-suficiente e não precisa da ajuda de outros métodos para que a verdade chegue ao conhecimento dos homens. Naturalmente, essa *verdade* é aquela de natureza espiritual, visto que Tertuliano não se referia à ciência. Contudo, ele desprezou a filosofia (utilizando-se de argumentos filosóficos!), e não via qualquer lugar para o uso da razão. Em seu antiintelectualismo radical, conforme ele mesmo declarou, ele «cria por ser absurdo»!

2. O *averroísmo* (uma noção do filósofo Averróis) salienta a supremacia da *razão*. Ele acreditava que a revelação é uma espécie de concessão às massas ignorantes, incapazes de empregar o poder do raciocínio filosófico, pelo que só seria útil para os ignorantes. Para ele, o raciocínio filosófico seria um instrumento muito mais poderoso e eficaz para que o homem chegue a conhecer as coisas, ultrapassando assim, em grau de importância, à revelação, com suas debilidades inerentes.

3. O *tomismo* (com base em idéias do filósofo e teólogo Tomás de Aquino) valoriza a razão, como um poder capaz de obter algumas verdades religiosas, embora reconhecendo que não é capaz de atingir as verdades mais altas, como a doutrina da *Trindade*. Para tanto, precisamos da revelação, mediante o concurso da fé, e isso porque não entendemos muitas elevadas doutrinas, nem lhes podemos emprestar uma roupagem racional. Não obstante, para o tomismo, a razão pode atuar como meio de preparação para a nossa aceitação da verdade divinamente revelada.

4. O *agostinianismo* (com base em idéias de Agostinho, um dos pais da Igreja) assevera que a razão é uma capacidade humana divinamente outorgada, mas que precisa ser submetida à fé. «Creio, a fim de compreender». Dessa maneira, a fé aparece como primária, e a fé seria a aceitação da revelação divina.

5. O *intuicionismo* afirma que a «verdade é imediata», podendo derivar-se das idéias inatas contidas na alma, ou, então, podendo derivar-se de poderes superiores. Ademais, haveria intuições provindas de fontes desconhecidas. Essa maneira de pensar, quando se torna exclusivista, despreza a revelação divina (ou pode ser um aspecto dessa revelação). Mas, seja como for, costuma subestimar tanto a percepção dos sentidos quanto a razão, como instrumentos fracos na obtenção de conhecimentos.

6. O *empirismo* (vide) dá preeminência à percepção dos sentidos, e apenas admite, secundariamente, os outros modos de obtenção de conhecimentos. O empirismo radical, entretanto, nega qualquer valor a esses outros meios, embora reconheça que a razão é útil para organizar informes. No empirismo, o misticismo em geral, e a revelação em particular, são ignorados ou mesmo repudiados.

Bibliografia. AM B E EP F P MM

REVELAÇÃO (INSPIRAÇÃO) em Efé. 1:17

1. A revelação deste versículo não é aquela de «escrituras» ou documentos escritos. Se realizar uma «terceira revelação», será, sem dúvida acompanhada por um movimento principal, histórico e espiritual, como a Segunda Vinda de Cristo. As «novas escrituras» de seitas que ganham, durante algumas gerações, poucos milhões de convertidos, não têm uma autoridade convincente. Qualquer nova revelação ganhará a aceitação da igreja universal, não meramente de um fragmento.

2. A revelação deste versículo é uma iluminação especial de verdades espirituais, através do poder e influência interior do Espírito Santo.

3. Pode incluir a expressão dos dons espirituais, tais como aqueles de sabedoria e conhecimento.

4. Mas deve incluir a iluminação sutil e gradual, em todos os crentes, através do Espírito. Mas a revelação transcenderá a isto, sem dúvida.

5. O alvo desta revelação é um conhecimento pleno e profundo da pessoa e das obras de Deus. Precisamos de um verdadeiro contato com o Espírito, para obter a iluminação que ele nos oferece.

6. O conhecimento e a compreensão de Deus não serão principalmente racionais. Serão elementos intuitivos que transformam a vida. Ver II Ped. 1:4.

7. Esta revelação nos dá o conhecimento dos mistérios de Deus. Ver João 16:14,15, II Cor. 3:13-18. Todo o conhecimento tem como alvo formar a imagem de Cristo em nós, como a última referência demonstra.

Como é que chegamos a saber das coisas?

1. Chegamos a conhecer as coisas em primeiro lugar, pelos «cinco sentidos», isto é, mediante os sentidos comuns da percepção. Entretanto, essa forma de obtenção de conhecimentos é imensamente limitada, devido à debilidade dos nossos sentidos (menores que os de quase todos os animais), e com freqüência, por isso mesmo, esses sentidos são enganadores.

2. Também chegamos a conhecer as coisas por meio da «razão», porquanto a mente humana foi criada de tal modo que é capaz de conhecer coisas sem o concurso da percepção dos sentidos, mas antes, mediante a pura reflexão. Os valores morais, por exemplo, só podem ser atingidos dessa maneira.

3. Também chegamos a conhecer por «intuição». No homem existe algo que comunga com o que é universal, e que ultrapassa tanto a percepção dos sentidos como a intuição. Trata-se de um «conhecimento imediato» das coisas. Opera no nível da alma, não estando limitado às experiências passadas pelo corpo. Até mesmo os sonhos podem ser intuitivos.

4. Mas a forma mais elevada de conhecimento, aquela necessária para atingirmos a compreensão sobre as realidades divinas, é a *revelação*. Essa pode ser de caráter «oficial», como através de algum «profeta» enviado por Deus (cujas revelações podem ser, posteriormente, concretizadas em «Escrituras»), mas também estão franqueadas a todos os crentes, contanto que andem em um nível espiritual suficientemente elevado.

«*...no pleno conhecimento dele...*» A tradução «...pleno conhecimento...» é justificada porque, o original grego, apresenta a forma intensificada, com um prefixo preposicional.

Natureza Desse Conhecimento

1. Esse conhecimento, sempre será mediado por intermédio de Cristo, pois ele é o Logos, a revelação e o revelador de Deus (ver João 1:18, Ver também I Cor. 1:30).

2. Trata-se do conhecimento sobre o Pai, e assim inclui aquilo que ele faz por nós, na qualidade de nosso Pai. (Ver acerca de nossa herança na qualidade de filhos, em Rom. 8:17).

3. Na qualidade de filhos que estão sendo conduzidos à glória (ver Heb. 2:10), chegaremos a desfrutar de íntima associação com o Pai, por meio do Filho; e, quando sua natureza e glória nos forem infundidas (ver Efé. 3:19), então nós mesmos seremos demonstrações vivas do que Deus é e do que ele faz. Veremos Deus espelhado em nós mesmos. O processo

REVELAÇÃO

da redenção dá início a esse tipo de conhecimento desde esta vida terrena, mas aqui temos apenas uma manifestação inferior daquilo que, finalmente, florescerá na glória eterna.

4. Todo desenvolvimento espiritual será aquilatado pela extensão em que chegarmos a conhecer a Deus. Conhecemo-lo eticamente (chegamos a compartilhar de sua perfeita natureza moral; ver Mat. 5:48), e conhecemo-lo metafisicamente (sendo transformados segundo a imagem de seu Filho).

5. Esse conhecimento, nos lugares celestiais, terá sua fruição na forma de visão beatífica, o que consistirá não meramente da contemplação de Deus, mas também, de serem os remidos iluminados a fim de participarem de sua natureza e de seus atributos (ver as notas em Efé. 3:19 no NTI). Isso será mediado por meio do Filho (ver Col. 2:10).

Trata-se de experiência mística: Quão muito mais profundo é isso do que a máxima corriqueira que diz «Estuda a tua Bíblia e ora!» Precisamos de contacto *real* com o Espírito divino, e é disso que consiste o misticismo. *Sem* esse contacto, os meios de estudo, a contemplação e a erudição intelectual são pobres e fracos demais para converter e santificar a uma alma.

A nós são multiplicadas «...*graça e paz*...» no pleno conhecimento de Deus e de Jesus, nosso Senhor (II Ped. 1:2).

Se pudesses esvaziar-te todo de ti mesmo,
Como uma concha desabitada,
Então Ele poderia achar-te no leito do oceano
E dizer, 'Este não está morto',
Enchendo-te de Si mesmo, ao invés disso.
Mas, estás tão repleto com o teu próprio 'EU',
E tuas atividades são de tal modo astuciosas
Que, ao vir, Ele diz: 'Este é bastante
Para si mesmo; Melhor é deixá-lo como está;
É tão pequeno e cheio que não há espaço para Mim'.
(T.E. Borwn, «Indwelling«).

REVELAÇÃO ESPECIAL

Ver o artigo **Revelação Geral e Especial**.

REVELAÇÃO GERAL

Ver o artigo **Revelação Geral e Especial**.

REVELAÇÃO GERAL E ESPECIAL

Ver o artigo geral sobre a **Revelação**, além de vários outros artigos aludidos naquele artigo.

Esboço:
1. Forças Conflitantes
2. Definição Geral
3. Revelação Geral
4. Revelação Especial
5. A Unidade da Revelação

1. Forças Conflitantes

O humanismo negativo, o positivismo, o naturalismo, o materialismo, o comunismo, e, com freqüência, até a ciência, têm negado a validade da revelação, geral ou especial. Essa negação origina-se, pelo menos em parte, da falta de conhecimento e da ausência de experiências com os poderes espirituais. Ver sobre *Sathya Sai Baba*, quanto a uma pessoa de nossos dias em quem os poderes espirituais atuam de maneira que deixa atônitos os céticos. Os estudos feitos no campo da *Parapsicologia* (vide) têm surtido o efeito de mostrar que existem poderes imensos no ser humano. Ver sobre *Experiências Perto da Morte*, quanto a uma afirmação do conhecimento e da consciência extra-cerebrais.

2. Definição Geral

Revelação é o desvendamento daquilo que era anteriormente desconhecido, e que vem a tornar-se conhecido por meios místicos, como as mensagens proporcionadas aos profetas, em suas visões, sonhos, comunicações auditivas, intuição, pensamentos divinamente orientados, etc. A revelação pode vir através das agências da percepção dos sentidos, da razão, da intuição, mas, com maior freqüência, ultrapassa essas agências.

3. Revelação Geral

O **Logos** (encarnado como Jesus Cristo) é o Revelador geral, tanto dentro quanto fora de livros sagrados. Sua revelação não se limita às Escrituras hebreu-cristãs, embora inclua as mesmas. Ele é «...a verdadeira luz que, vinda ao mundo, ilumina a todo homem» (João 1:9). Cristo também nos revela Deus na natureza, através da razão, da intuição, da história, das experiências místicas individuais, alcançando todas as pessoas, quer sejam religiosas ou não, conferindo a cada qual algum grau de iluminação. «...o que de Deus se pode conhecer é manifesto entre eles, porque Deus lhes manifestou» (Rom. 1:19). Cristo nos revelou Deus, e continua a fazê-lo (ver João 1:18). Deus é revelado até mesmo na porção mais excelente da filosofia grega (e de outras filosofias também). Deus é revelado na natureza e em todas as facetas da ciência. Deus desconhece limitação, e seus caminhos estão completamente fora do escopo de qualquer sistema estreito e exclusivista. Deus revela-se mediante a verdade instilada na consciência humana. Seus caminhos são múltiplos, abrangentes, não-sectaristas.

A revelação geral é um termo todo-abrangente, que alude a qualquer modalidade de revelação, incluindo a variegada atuação do Logos, mas que também abrange toda outra forma de atividade iluminadora possível. Considerada por esse prisma, a revelação é extremamente ampla. O mistério do Espírito Santo está envolvido nessa revelação geral, segundo o trecho de João 16:8 e seu contexto permite-nos deduzir. Ver também João 16:13. Assim, a revelação geral inclui o ministério do Espírito, que guia e influencia a racionalização do homem a respeito da natureza, das idéias e do designio que há nas coisas. No entanto, essa revelação geral pode atuar somente por meio da razão, porquanto essa é uma grande capacidade dada aos homens por Deus, a qual pode operar com eficácia, sem qualquer influência mais direta do Espírito.

4. Revelação Especial

Essa é a revelação que nos chegou por meio da tradição religiosa hebreu-cristã, apresentando a esperança messiânica e culminando no ministério do *Logos* encarnado (ver Heb. 1:2). Dentro dessa revelação especial, o poder remidor de Cristo mostra-se atuante através de sua missão tridimensional: na terra, no hades e nos céus.

Os remidos serão levados a participar da natureza humana (ver II Ped. 1:4), mediante a transformação segundo a imagem do Filho (ver Rom. 8:29 e II Cor. 3:18), de acordo com o que desfrutarão de plena participação na plenitude divina (ver Efé. 3:19). Mas também há a provisão de uma restauração universal, que afetará a todos os não-eleitos (ver Efé. 1:9,10). Ver o artigo intitulado *Restauração*. Quanto a isso estamos também tratando de um aspecto distintivo da revelação cristã, por ser algo especial. Essa revelação cristã caracteriza-se por sua decisiva ênfase sobre a idéia da redenção dos eleitos.

5. A Unidade da Revelação

É abundantemente claro que a revelação geral e a revelação especial não estão em competição uma contra a outra. Assim, o que foi revelado a Platão, por meio da revelação geral, não milita em nada contra a fruição da revelação através do *Logos* encarnado. O que a filosofia e a ciência nos apresentam, algumas vezes, de negativo, não consegue, realmente, anular a verdade, pois através dessas disciplinas a verdade vai sendo paulatinamente descoberta. Alguma revelação geral é obtida através da razão iluminada; outras revelações nos são propiciadas pelo método empírico, utilizado pela ciência. E essas coisas não militam contra o caráter místico, das visões conferidas aos profetas. E nem há qualquer coisa de contraditório entre a revelação natural (através da natureza; ver o primeiro capítulo de Romanos) e a revelação sobrenatural.

REVELAÇÃO NATURAL

Talvez possamos tachar de revelação *natural* a toda revelação *geral* (ver o artigo intitulado *Revelação Geral e Especial*). Usualmente, porém, essa expressão «revelação natural», limita-se às revelações dadas por meio da natureza. Observando as obras criativas de Deus, quedamo-nos impressionados diante delas. É assim que os homens chegam a compreender algo da glória, do poder, da majestade e da inteligência de Deus. Paulo refere-se a esse tipo de revelação no primeiro capítulo da epístola aos Romanos, dando a entender que a revelação por meio da natureza é suficiente para deixar os pagãos sem qualquer desculpa. Ver Rom. 1:19 ss. Paulo diz, naquele capítulo, enfaticamente, que os pagãos tomam «conhecimento» de Deus (vs. 21). É possível que ele estivesse incluindo, em seu pensamento, embora não o tivesse declarado abertamente, o ministério do Espírito Santo, o qual leva os homens a refletirem acerca do que observam, podendo tirar daí as conclusões certas. Há alguns daqueles que falam em revelação natural que crêem que o Espírito de Deus atua sobre as mentes dos homens, de tal modo que aquilo que chegam a saber não se dá meramente através de racionalizações daquilo que observam. Antes, o Espírito de Deus ensinaria a eles o que deveriam pensar no que concerne à imensidão, complexidade e desígnio da natureza. Outros, porém, acreditam que a razão humana, mesmo sem qualquer ajuda divina, é adequada para raciocinar corretamente diante das maravilhas da natureza que podem observar.

Apesar de ser esperado que a revelação sobrenatural possa dar um conhecimento mais completo e exato acerca de muitas coisas, em nenhum sentido deve ser concebida como se entrasse em choque com a revelação natural. Ambos os tipos de revelação procedem do mesmo Deus, tendo em vista os mesmos propósitos. Esses tipos de revelação formam uma unidade, visando ao bem do ser humano.

REVELAÇÃO SOBRENATURAL

Ver os artigos gerais intitulados **Revelação** e **Revelação Geral e Especial**. A revelação sobrenatural é aquela outorgada por Deus ou por algum elevado poder espiritual, como o Espírito de Deus e o *Logos* (isto é, poderes sobre-humanos, infinitamente maiores que o homem). Os livros sagrados da maioria das fés religiosas teriam essa proveniência sobrenatural. A revelação sobrenatural subentende a intervenção divina na história humana, e não algo que foi desenvolvido através do esforço humano desajudado, quer seja mediante a razão quer seja mediante a investigação empírica.

Os cristãos acreditam que suas Escrituras do Antigo e do Novo Testamento são resultantes da revelação sobrenatural e especial. Escreveu Paulo: «Toda Escritura é inspirada por Deus...» (II Tim. 3:16). E Pedro arremata: «...nunca jamais qualquer profecia foi dada por vontade humana, entretanto homens falaram da parte de Deus, movidos pelo Espírito Santo» (II Ped. 1:21).

REVERÊNCIA

Tanto no hebraico como no grego, *fóbos*, o sentido primário é de *temor*, tanto no Antigo quanto no Novo Testamentos.

1. *No Antigo Testamento*. No original, as palavras usadas são duas, uma delas com o sentido de *temer*, e a outra com o sentido de *prostrar-se*. No caso da primeira, ver Lev. 19:30; 26:2 e Sal. 89:7. No caso da segunda, ver II Sam. 9:6; I Reis 1:31; Est. 3:2,5. Estão em foco o temor, a deferência em tributo de adoração a Deus ou a uma outra coisa sagrada. Todas as referências do A.T. dizem respeito a um contraste entre a adoração a Yahweh e a outros deuses.

2. *No Novo Testamento*. Temos várias palavras, como *entrépomai*, «voltar-se para» ou «reverenciar» (ver Mat. 21:37; Mar. 12:6; Luc. 20:13 e Heb. 12:9); *fobéomai*, «ficar aterrorizado» ou «temer» (ver Efé. 5:33); *eulábeia*, «piedade» (ver Heb. 12:28).

REVERÊNCIA PELA VIDA

As pesquisas antropológicas têm demonstrado que as sociedades mais avançadas também são aquelas que mais se preocupam em impedir a crueldade contra os animais. A reverência pela vida inclui os animais irracionais, e não meramente os seres humanos. Também envolve o feto ou infante não-nascido, sem importar se o *aborto* (vide) é assassinato ou não.

Albert Schweitzer asseverou que a base própria da ética é a «reverência pela vida». Certo dia, ao atravessar as savanas africanas, diante da evidência de uma fantástica natureza, pulsante de vida por todos os lados, e com visões de missões misericordiosas dançando em sua cabeça, subiu aos seus pensamentos a frase: «reverência pela vida». Esse conceito, até certo ponto, resplandece como um *valor final* em toda a sua filosofia.

Foi Jesus Cristo quem ensinou que Deus nota e se preocupa até com a queda de um pardal por terra (ver Mat. 10:29). Sua declaração a respeito foi muito enfática. Jesus, pois, mostrou como *a vontade do Pai* está envolvida até mesmo na queda de um passarinho! E o mesmo texto alude aos cuidados de Deus Pai por todos os seus filhos. O livro de Jonas (o João 3:16 do Antigo Testamento) termina com a significativa declaração de que Deus teve misericórdia dos habitantes e até mesmo dos animais que viviam em Nínive (ver Jon. 4:11). Aquela cidade contava então com uma população de cento e vinte mil pessoas, além de muito «gado», e Deus estava tremendamente interessado por eles todos. Isso nos mostra algo do amor de Deus pela sua criação.

Os modernos hindus talvez sejam o mais notável exemplo de preocupação pela vida, em sua reverência por todas as formas de vida. Alguns têm-se referido jocosamente a isso. Na Índia, não se deve perseguir a uma vaca (quanto menos abatê-la para comer-lhe a carne), pois, afinal de contas, dizem os críticos, ela poderia ser a avó reencarnada de algum indiano! É verdade que muitos indianos acreditam na transmigração das almas, e um maior número ainda crê na reencarnação. Porém, a razão pela qual tratam bondosamente a todas as formas de vida é a sua marcante reverência pela vida. Esse é um princípio que faríamos bem em emular. Tenho lido, ainda recentemente, acerca de um praticante de ioga cuja simpatia com a vida humana, e cuja participação nos sofrimentos humanos são tão grandes que se alguém lhe falar sobre os sofrimentos de outrem, como, por exemplo de como certa pessoa foi açoitada com um chicote, as marcas de açoites aparecerão em suas costas, tão profunda é a sua participação, mentalmente falando, nos sofrimentos alheios. Temos muitas lições a aprender com pessoas assim.

Pessoalmente, mato insetos daninhos ou que apresentem ameaças à saúde humana. Mas evito matar àqueles insetos que são benfazejos, como as aranhas, as abelhas, etc. E ensinei a meus filhos a não infligirem sofrimento desnecessário aos homens ou aos animais. Senti-me penalizado, certo dia, quando vi alguém arrancando as asas de uma borboleta, meramente para contar com um item decorativo, em forma ressecada, em um álbum ou livro. Sou contra àqueles que caçam ou pescam por mero esporte, sem precisarem fazê-lo para se alimentarem. A criação de Deus exige nosso respeito, nossa reverência.

REVERENDO

Essa palavra portuguesa vem do latim, **reverendus**, o gerúndio de *reveri*, ou seja, «ser reverenciado» ou «digno de reverência». «...santo e tremendo é o seu nome» (Sal. 111:9).

Quando ainda estudante de seminário teológico, vários colegas (e eu entre eles) objetavam a qualquer homem ser chamado de «reverendo». Chegávamos a debater calorosamente sobre a questão. Nunca mereci e nem utilizei o título, e dói-me ver o título atrelado ao nome de alguém. Não obstante, trata-se de um título comumente aplicado a clérigos, sem importar o que eu e muitos outros pensemos a respeito. O título é usado para indicar qualquer clérigo, como também, em alguns grupos cristãos, até para indicar mulheres, pois as freiras são chamadas, em português, reverendas. Nem homens e nem mulheres merecem o título, mas o mesmo tornou-se de uso comum. Os membros do clero superior são distinguidos pelo título Reverendíssmo. Assim, — um arcebispo tinha — esse título, mas de acordo com um uso católico romano recente, esse título também começou a ser aplicado a bispos, e a simples padres.

Além disso, o título «padre» (pai) é aplicado aos sacerdotes romanistas. Essa prática parece ter começado na Irlanda. Na Inglaterra, a prática teve início em 1865. Na comunidade anglicana, o termo «padre», para os sacerdotes católicos romanos, não é obrigatório, e depende da preferência de cada um.

Alguns evangélicos têm pensado que o único título que deveríamos ter é «irmão». Com base nas palavras de Jesus, em Mat. 23:9 e seu contexto, essa maneira simples de tratamento está correta. Há o Pai celeste, que merece o título de reverendo; há o nosso *Guia* nesta vida terrena, a saber, Jesus Cristo, o qual também merece o título. Mas todos nós somos apenas «irmãos». Algumas traduções preferem dizer *mestre* ou *rabi*, em vez de Guia. O termo grego correspondente é *kathegetés*, «professor», «guia». Talvez o termo aramaico por detrás desse vocábulo grego (e que teria sido usado realmente por Jesus), era *rabbi*, o que explica a preferência de algumas traduções.

REVESTIMENTO

A arqueologia tem descoberto muitos itens que demonstram a habilidade dos artífices que usavam o processo de revestimento de materiais mediante certa variedade de meios. Essa técnica era conhecida desde os tempos remotos, no Egito, e podemos supor que os israelitas aprenderam essa técnica quando estavam ali escravizados. A forma mais comum dessa técnica consistia em recobrir artigos de luxo com placas de ouro. No tabernáculo, as colunas que apoiavam o véu e os arcabouços laterais foram recobertos de ouro, como também vários móveis usados no interior do mesmo. A arca da aliança foi revestida por fora e por dentro com ouro, como também o foram o altar do incenso e suas varas (ver Êxo. 25; 26; 36 e 37). Salomão, por sua vez, recobriu com ouro grande parte do templo de Jerusalém, retendo artigos que haviam sido também usados no tabernáculo, e adicionando outros. O interior do Santo dos Santos foi decorado dessa maneira, ficando inteiramente revestido de ouro. O altar perto da entrada, os querubins, o assoalho, as duas portas de entradas do templo—tudo foi recoberto de placas de ouro. O trecho de II Crô. 3:8 afirma que foram usados seiscentos talentos de ouro, somente no Santo Lugar, o que totaliza mais de vinte toneladas desse precioso metal! Placas de ouro foram fixadas às paredes mediante cravos de ouro, e Salomão utilizou ouro para revestir o seu trono (I Reis 10:18; II Crô. 9:17).

Visto que o ouro foi tão prolixamente usado, aparentemente não houve muito interesse no uso da prata. Todavia, esse metal foi usado para recobrir os capitéis das colunas, no átrio do tabernáculo (ver Êxo. 38:17,19,28).

Um revestimento de bronze foi usado para forrar o altar dos holocaustos, bem como as varas usadas para seu transporte, e as portas do átrio do templo (ver Êxo. 27:2,6; 38:3; II Crô. 4:9).

No Novo Testamento, só há menção a esse processo no trecho de Heb. 9:4, onde é mencionada a arca da aliança, e onde seus lados revestidos de placas de ouro são especificamente descritos.

REVISÃO DA VIDA

1. *Definição*. Essa expressão refere-se à crença que a verdadeira pessoa é uma alma que sobrevive à morte biológica, a qual, no estado espiritual que vem após a morte biológica, precisa enfrentar uma revisão da vida que teve na carne, sendo julgada de conformidade com ela.

2. *Um Motivo Universal*. Quase todas as religiões, bem como muitas filosofias, aderem a essa crença. Ela ensina que o homem é responsável por seus atos, dependendo de desígnio quanto ao seu alicerce lógico. Seria realmente caótica a existência, se o homem não tivesse de prestar contas, um dia, dos seus atos.

3. *No Contexto do Novo Testamento*. O novo pacto não isenta quem quer que seja dessa revisão da própria vida. O trecho de I Cor. 3:10 ss refere-se ao julgamento dos crentes. Ver o artigo detalhado intitulado *Julgamento do Crente por Deus*. O julgamento dos perdidos, por sua vez, é descrito no verbete chamado *Julgamento de Deus dos Homens Perdidos*. Esses juízos incluem revisões da vida, porquanto cada qual será julgado de acordo com suas obras—o crente para avaliação de sua qualidade de vida cristã; o não-crente para efeito da determinação do seu grau de condenação. Isso é descrito com pormenores no artigo chamado *Julgamento Segundo as Obras*.

4. *Nas Experiências Perto da Morte*. Uma das

REVISÃO — REVOLUÇÃO

principais características dessas experiências (ver sobre *Experiências Perto da Morte*) consiste na revisão da vida por parte do Ser de Luz. Mas isso envolve uma orientação, e não um julgamento final, porquanto os homens avançam para retificar suas vidas, para pagar suas dívidas e para avançar na inquirição espiritual. De fato, poderíamos afirmar que todas as revisões da vida são preliminares, até o tempo dos julgamentos escatológicos, terminado o milênio. Porém, nem mesmo esses últimos juízos farão estagnar-se o destino humano, visto ser esse um conceito impossível.

5. O Livro da Vida é uma metáfora do fato de que todos os atos e pensamentos dos homens estão registrados tanto na mente humana quanto na mente divina, pelo que a revisão da vida será algo extremamente completo e exato. Ver o artigo intitulado *Livro da Vida*.

REVOGÁVEL

Um termo usado para indicar algo *sujeito a objeção*. Pode ser aplicado a qualquer tipo de conceito ou questão legal, especialmente no que tange à responsabilidade legal. Se alguém age sob pressão, tensões mentais incomuns, insanidade temporária, etc., a sua responsabilidade é diminuída ou mesmo eliminada. A questão que envolve a responsabilidade moral é importante para a teologia. O livre-arbítrio é um elemento necessário, pois a responsabilidade moral de uma pessoa é *revogável*. Ver o artigo separado sobre a *Responsabilidade*.

REVOLUÇÃO, REVOLTA

1. Definição. Esse termo vem do latim, **revoltus**, relacionado ao verbo latino *revolvere*, «rolar de volta», «retornar», «revolver», «enrolar». Uma *revolta* ocorre, pois, quando há mudança de lealdade, quando alguém se rebela contra a autoridade. E a revolução é o estado criado por essa atitude, quando então os homens procuram conseguir mudanças radicais através de métodos violentos ou pacíficos. «Uma revolução é um processo sócio-político súbito e violento, que tem por fito derrubar algum poder governamental ou apossar-se das rédeas do mando. A revolução deve ser distinguida das formas mais brandas de violência política, como os levantes, as greves, o terrorismo em pequena escala, os motins, a sabotagem e os conflitos raciais. Essas dimensões sócio-políticas da violência, entretanto, podem crescer até tornarem-se uma revolução» (H).

As revoluções são rebeliões. É possível haver revolução sem qualquer mudança para melhor, e, sim, para pior, o que com tanta freqüência se tem averiguado nas repúblicas latino-americanas. No entanto, tem havido grandes revoluções históricas, que não são apenas golpes de Estado, e que têm produzido mudanças significativas, como é o caso da Revolução Francesa, do século XVIII, que acabou com o absolutismo dos reis franceses; ou como a Revolução Comunista, deste século XX (1917), que pôs fim ao regime czarista na Rússia.

2. Tipos de Revolução. a. Mudanças sociais radicais, com ou sem a aplicação de meios violentos; b. mudanças políticas radicais, que usualmente envolvem a mudança de tipo de governo ou de governantes, também com ou sem o uso de meios violentos; c. revoluções palacianas, que visam tão-somente substituir os principais dirigentes, mas sem qualquer modificação no sistema de governo.

Há outras classificações, mais elaboradas. Assim, Chalmers Johnson alistou seis tipos de revolução: a. a rebelião em massa de *aldeões*, que tencionam derrubar um governo; b. a rebelião *milenária*, inspirada por ideais religiosos; c. a rebelião *anarquista*, que não obedece a qualquer plano prévio, exceto que os envolvidos a tudo destroem, com a esperança de que algo melhor (conforme dizem) venha a tomar o lugar do que foi destruído; d. as *grandes revoluções*, que têm por alvo modificações maciças na filosofia governamental; e. o *golpe de Estado*, a derrubada de um governo, por inspiração de elites; f. a *insurreição em massa*, com freqüência iniciada por guerra de guerrilhas, dirigida por uma elite que procura obter o apoio popular.

3. O Novo Testamento e as Revoluções. O movimento cristão, em certo sentido, foi um movimento religioso revolucionário, no sentido de que modificou o mundo através de novas idéias e de grande zelo, sem qualquer concurso de armamentos ou de métodos violentos. Alguns têm insensatamente suposto que Jesus foi um ativista político, e que seu ato de purificação do templo foi um protesto político. E, visto que ele trouxe a *espada* (ver Mat. 10:34), isso é interpretado literalmente pelos tais. No entanto, o próprio Jesus condenou o uso da violência (ver Mat. 26:51 ss). O Sermão da Montanha é um grande modelo de pacifismo, sendo sempre usado por pessoas que promovem causas não-violentas. Na verdade, Jesus mostrou-se indiferente para com os conflitos entre os homens que agitam as marés políticas e militares na sociedade. Ele nunca tomou a posição radical dos fariseus, que se recusavam a pagar taxas a Roma (ver Mat. 22:17 ss). Mas, pelo contrário, ansiava para que a Deus fosse dado o que Lhe é devido, mediante a dedicação de vidas humanas ao Senhor. A pregação de qualquer revolução violenta é algo conspicuamente ausente no Novo Testamento, apesar do fato de que o cristianismo foi, inegavelmente, um movimento religioso revolucionário, embora de modalidade não-violenta. O décimo terceiro capítulo de Romanos e I Ped. 2:13 ss promovem, sem a menor sombra de dúvida, uma atitude pacífica e obediente da parte dos cristãos, que devem respeitar aos governos civis. Sim, o Novo Testamento provocou uma revolução no campo das idéias, e não uma revolução política armada.

4. A Revolução e o Cristianismo Moderno. Torna-se claro, na história mundial, que a Igreja cristã tem promovido várias revoluções. Uma grande porcentagem daqueles engajados na revolução norte-americana compunha-se de cristãos devotos. Os exércitos em marcha sempre pedem que Deus os ajude, e tornou-se tradicional supor que o vencedor, em uma guerra, venceu em resultado da bênção divina. De certas feitas, a Igreja tem-se mostrado por demais pacífica, ou mesmo acovardada, em face de grandes males sociais, conforme se vê no caso das igrejas protestantes e evangélicas na Alemanha, ao tempo do nazismo. O Novo Testamento dificilmente pode ser usado como texto ou orientação para as revoluções, mas os homens sentem, em sua consciência, que certas guerras são justas. Ver o artigo sobre *Guerra Justa, Critérios de Uma*.

Em anos recentes, devido aos muitos movimentos revolucionários no mundo que, necessariamente, têm envolvido a Igreja em seu vórtice, começou a emergir uma teologia da revolução. Assim, surgiram várias dessas formulações dentre a Conferência de Paz Cristã efetuada em Praga, em 1966. Essa conferência foi efetuada sob os auspícios da Conferência sobre a Igreja e a Sociedade, em Genebra, na Suíça. A teologia da revolução é a aplicação de padrões e

REVOLUÇÃO — REZIM, REZOM

esperanças cristãs aos esforços revolucionários. Alguns estudiosos liberais têm exagerado suas declarações tornando-se belicosos em seu estilo. Apesar de haver muitos e grandes males sociais a evitar, algumas vezes as forças de oposição são, elas mesmas, malignas, como o comunismo, que é ateu e antialma, que veio substituir as antigas opressões com novas opressões, as antigas ditaduras com novas ditaduras. Mas, indivíduos incapazes de pensar têm suposto que essa é a única força capaz de produzir mudanças de forma bem-sucedida, ignorando o fato de que essa é a própria força política que tem feito maior número de mártires cristãos do que qualquer outra, em toda a história da humanidade. De pouco ou nada vale curar uma perna, quebrando a outra.

A teologia da revolução (ou a teologia **em prol** da revolução, conforme alguns preferem dizer), apela para quatro conceitos bíblicos na tentativa de justificar o seu apelo às Escrituras, como uma espécie de texto de prova de suas formulações e de seu envolvimento na teologia cristã, procurando atingir as suas verdadeiras metas. Eis os quatro conceitos:

1. Deus é o criador e a força organizadora de todas as sociedades humanas, pelo que a justiça certamente as caracteriza. Quando isso não acontece, a revolução é justificada, para que as condições amoldem-se aos ideais cristãos.

2. A atividade de Deus é dinamicamente histórica, pelo que a vontade divina atua em favor das transformações históricas. Um povo peregrino sempre deverá lutar por novas formas de liberdade. O arrependimento é uma conclamação a uma nova vida, à revolução—e isso confere-nos uma lição objetiva a seguir.

3. A Bíblia favorece as renovações radicais, como na conversão e na subseqüente transformação da vida. Esse princípio também deveria ser aplicado às sociedades como um todo, mesmo que, para tanto, torne-se imperiosa a revolução.

4. O messianismo bíblico milita em favor de idéias revolucionárias. Alguns aplicam isso às esperanças escatológicas, mas seu futuro consiste em uma utopia social e política, e não na segunda vinda de Cristo, uma utopia onde se agitam efeitos revolucionários.

Questões Morais:

1. Apesar de ser verdade que cristãos têm sido apanhados em revoluções justas, trata-se de uma prática dúbia aquela que faz a Igreja cristã e sua teologia normal servirem de meios de promoção de revoluções, em escala mundial. Isso força a Igreja a tomar sobre si uma missão secular e violenta para o que certamente ela não foi chamada.

2. Algumas opções dadas aos males atuais são dignas de objeção por parte dos cristãos bíblicos, pois dificilmente foram idealizadas de modo a resolver os problemas humanos. Ver sobre o *Comunismo* e a *Teologia da Libertação*.

3. Apesar de que certas categorias bíblicas podem ser aplicadas à participação revolucionária, é impossível o crente aceitar a idéia de que a missão do seguidor de Cristo consiste em fomentar e participar de revoluções.

4. As mudanças pacíficas sempre devem ser preferidas às mudanças violentas. Isso se harmoniza com o tom do ensino geral do Senhor Jesus. Se algum cristão vier a envolver-se em mudanças do tipo violento, ele terá de justificar tal participação diante de sua consciência. Mas certamente estará deslocado se sair a fomentar revoluções como seu estilo de vida. Um crente pode considerar-se um soldado, mas isso nada tem a ver com fomentar revoluções sociais e mudanças drásticas por meios violentos.

5. Jesus foi um revolucionário religioso e espiritual, mas jamais foi um revolucionário sócio-político-militar. Faremos bem em emular e promover *esse* tipo *pacífico* de revolução. No entanto, muitos daqueles que atualmente promovem revoluções militares dizem pouquíssimo acerca da revolução moral espiritual. Na realidade, seus escritos manifestam-se de modo totalmente oposto ao Cristo da Bíblia.

REZEFE

Na LXX, **Rafes**. No hebraico significa «fortaleza». Trata-se de uma das várias cidades mencionadas pelo Rabsaqué de Senaqueribe a Ezequias, como exemplos de cidades anteriormente capturadas pelos assírios (II Reis 19:12 e Isa. 37:12). Essas cidades não haviam sido livradas por suas próprias divindades locais, e, segundo Rabsaqué argumentou, nem os habitantes de Jerusalém deveriam esperar que Yahweh os livrasse das mãos dos assírios. Não se sabe, porém, quando caiu a cidade de Rezefe. Mas, em 701 A.C., quando há menção ao lugar, nessas passagens, essa cidade já estava em possessão dos assírios por pelo menos um século. Textos assírios mencionam diversos governadores durante o período entre 839 e 673 A.C., pelo que é bem provável que a cidade tivesse caído em poder dos assírios nos dias de Salmanezer. Rezefe era importante centro de caravanas entre o Eufrates e Hamate. Seu local moderno é Rasafa.

REZIM, REZOM

Na Septuaginta, *Raassón*. No siríaco, a raiz significa *truque*. Mas há estudiosos que pensam no sentido *riacho*, ao passo que outros pensam no sentido *chefe*, devido ao assírio, *rasunu*, que tem esse sentido. Na nossa Bíblia portuguesa, o nome aparece sob as formas «Rezim» ou «Rezom». Há duas personagens com esse nome no Antigo Testamento:

1. Rezom ben Eliáda, um aventureiro sírio, que desertou de Hadadezer de Zobá e se estabeleceu em Damasco (II Sam. 8:5 s; I Reis 11:23). Talvez se trate do mesmo Heziom de I Reis 15:18 e da estela de Ben-Hadade, encontrada em Alepo. Ele começou a reviver o poder sírio, tendo fundado um reino que perdurou por dois séculos.

2. Rezim, último rei de Damasco, que foi derrotado e morto por Tiglate-Pileser III, em 732 A.C. Os anais de Tiglate-Pileser mencionam a «casa de seu pai» em Hadara, a quarenta e oito quilômetros a sudoeste de Damasco. Unger infere que o pai de Rezim era um príncipe local. Jeroboão II de Israel era suserano de Damasco (ver II Reis 14:28), o que significa que Rezim pode ter tomado o trono à força. A primeira menção clara de sua posição é de que ele pagou tributo, juntamente com Menaem, a Tiglate-Pileser, em 740 A.C., após a queda de Arpade, em algum tempo entre 743 e 739 A.C. Durante a campanha assíria contra Urartu (737-735 A.C.), Rezim e Peca, que haviam usurpado o trono de Israel, estabeleceram uma aliança, procurando organizar uma coligação contra a Assíria. Quando Acaz de Judá recusou dar o seu apoio, esses «dois tocos de tições fumegantes» (Isa. 7:4), tentaram obter o apoio de Judá mediante pressão militar, estabelecendo um rei títere, o filho de Tabeel.

Os aliados nortistas tiveram de se contentar com a notícia de que Judá, circunscrito às suas defesas e atacado por idumeus e filisteus (ver II Crô. 28:18), não era capaz de interferir. Em 734 A.C., os assírios responderam ao pedido de ajuda por parte de seu vassalo. Eles atacaram a Filístia, tendo atravessado a Galiléia, voltaram-se para abafar o reino de Israel, ao norte, e exigiram tributo de Tiro. Destarte, Rezim ficou isolado em Damasco, tendo sido morto quando a cidade se rendeu, após um assédio de dois anos. E assim chegou ao fim o império arameu de Damasco.

A forma *Rezom* significa «potentado», «governante». É possível que Rezom, que muitos eruditos identificam com o Heziom de I Reis 15:18, conforme já dissemos, tenha traído o seu senhor, Hadadézer, rei de Zobá, quando este foi derrotado por Davi (ver II Sam. 8:3). Desde então Rezom se tornou um livre atirador. Talvez somente durante o reinado de Salomão, ele tenha fundado uma dinastia em Damasco, que veio a tornar-se o mais poderoso dos reinos arameus, conforme já dissemos (ver I Reis 11:23-25). Essa ordem de acontecimentos foi necessária para dar tempo a Davi de estabelecer guarnições entre os arameus de Damasco, tendo-os submetido ao pagamento de tributo após a sua vitória sobre Hadadézer (em cerca de 984 A.C.; ver II Sam. 8:5,6). Rezom sobreviveu a Davi e tornou-se adversário de Salomão (ver I Reis 11:23).

REZOM
Ver sobre **Rezim (Rezom)**.

RHETORICI
Uma transliteração do grego para «orador», alusiva aos *sofistas* dos tempos de Platão (ou de tempos posteriores), que tanto se interessavam sobre os poderes da linguagem e da persuasão, embora pouco lhes importasse as questões morais. A virtude serviria para convencer, e não para servir à justiça. Platão opunha-se a tais pensadores, porquanto abandonavam qualquer sensata teoria do conhecimento, céticos como eles eram. Aristóteles, por sua parte, exortava-os a usar sua arte a fim de dar *impulso ao conhecimento*, e assim não divorciarem a linguagem da convicção e de assuntos significativos.

A filosofia tem tido sua história da retórica, tal como a Igreja cristã tem tido sua história da teologia. E presto tais informações no artigo que versa sobre a *Retórica*. A obra de Agostinho, *De Doctrina Christiana*, em seu quarto volume, é um clássico de retórica cristã. Ele copiava o estilo de Cícero, tendo incorporado em suas obras várias idéias básicas e modelos daquele autor.

RIBAI
No hebraico, «Yahweh contende». Era pai de Itai, um dos «heróis» de Davi (ver II Sam. 23:29; I Crô. 11:31). Era natural de Gibeá, da tribo de Benjamim.

RIBEIRO
Esse termo indica as correntes de água menores que as dos rios, indicando três coisas diferentes, a saber: 1. Riachos que emanavam de fontes subterrâneas e atravessavam vales, como o Arnom, o Jaboque, o Cedrom e Soreque e a torrente dos salgueiros, referido em Isa. 15:7. 2. Torrentes de inverno, que provinham da chuva ou da neve em fusão e que se ressecavam no verão (Jó. 6:14,19). Atualmente, algumas dessas torrentes são chamadas «wadis», termo árabe que alude aos leitos secos de riachos e rios, e que se encontra com freqüência na literatura sobre assuntos arqueológicos. O termo português *arroio* é um termo equivalente. 3. O leito de uma torrente também pode ser chamado de ribeiro, embora ali não haja água, conforme se vê no caso do ribeiro do Egito, no sul da Palestina (Núm. 34:5; Jos. 15:3,47).

Uso Figurado: 1. A sabedoria ou a verdadeira religião podem ser chamados de ribeiro fluente, porquanto traz a abundância, sendo fonte de vida, além de promover o bem-estar (Pro. 18:4). 2. Os ribeiros de mel e manteiga denotam notável abundância de comestíveis. Outro tanto se pode dizer no caso dos rios que transbordam de mel e leite (Jó 20:17). 3. Há também a idéia de comportar-se de modo enganador como um ribeiro, o qual aparece e desaparece, segundo a estação do ano, denotando como os amigos podem nos desapontar, deixando de nos prestar ajuda, quando esta se faz mais necessária (Jó 6:15).

RIBEIRO DA ARABÁ
Essa torrente é referida somente em Amós 6:14, e sua identificação moderna não é clara. Alguns identificam esse ribeiro com a torrente dos Salgueiros (Isa. 15:7), que ficava na fronteira entre Moabe e Edom. Mais provavelmente, porém, trata-se do wadi Zerede (que vide), modernamente wadi el-hesa, que flui para a Arabá (que vide), do lado oriental para o sul do mar Morto. (SI)

RIBEIRO DO EGITO
Um wadi ou torrente, que fluía somente durante a estação chuvosa, existente na fronteira sudoeste da Palestina. Suas referências bíblicas são: Núm. 34:5; I Reis 8:65; II Reis 24:7; II Crô. 7:8; Isa. 27:12; Eze. 47:19 e 48:28. Tem sido identificado com o wadi el-Arish, que flui para o norte, desde o interior da península do Sinai, desaguando no mar Mediterrâneo, a meio caminho entre o canal de Suez e a cidade de Gaza. (SI)

RIBLA (DIBLA)
Alguns estudiosos preferem pensar em um significado desconhecido, mas outros dizem que significa «lugar despido de vegetação». Era uma cidade da Síria, a cinqüenta e seis quilômetros a nordeste de Baalbeque.

Faraó Neco, do Egito, iniciou uma campanha na Palestina, durante o reinado de Josias, rei de Judá (ver II Reis 23:28 ss). No esforço de fazer Faraó retroceder, Josias perdeu a vida em Megido. O povo elegeu o filho caçula de Josias, Jeoacaz, como rei de Judá. A escolha não agradou nem a Neco e nem ao Senhor, porquanto Jeoacaz fez «o que era mau perante o Senhor». Faraó Neco mandou prender a Jeoacaz em Ribla, «para que não reinasse em Jerusalém» (II Reis 23:31-33). Aparentemente, Neco havia chegado às margens do rio Orontes por essa altura dos acontecimentos. Então, Faraó fez subir ao trono de Judá a Eliaquim, irmão mais velho de Jeoacaz, embora tendo-lhe mudado o seu nome para Jeoaquim (vs. 34).

Ribla ficava cerca de oitenta quilômetros ao sul de Hamate, pouco acima do lago Homs. A moderna cidade de Ribleh a representa. Fica bem situada, topográfica e geograficamente, podendo-se compreender por que razão um monarca militarista teria escolhido o local como sua base de operações.

Em 605 A.C., cinco anos após a campanha de Neco, Nabucodonosor ocupou a cidade, transformando-a em sua base de operações contra a Palestina. Zedequias, o novo rei a quem o monarca babilônico pusera no trono de Jerusalém, rebelou-se contra ele.

Quando Jerusalém foi cercada, Zedequias conseguiu fugir. Mas o exército de Nabucodonosor apanhou-o perto de Jericó, e Zedequias foi levado a Ribla, onde lhe furaram os olhos, — imediatamente depois que ele foi testemunha da execução de seus filhos (ver II Reis 25:1-7; cf. Jer. 39:1-7; 52:1-11). Posteriormente, outros líderes israelitas rebeldes perderam a vida na mesma cidade. (Ver II Reis 25:18—21; Jer. 52:24-27).

Em Ezequiel 6:14, o texto massorético diz «Dibla», o que é seguido nesse lugar pela nossa versão portuguesa.

O trecho de Números 34:11 menciona Ribla como um ponto na fronteira leste da Terra Prometida (embora Eze. 47:15-18 não a mencione). Nessa instância isolada, o nome é acompanhado pelo artigo definido hebraico. Trata-se de uma cidade não identificada, em algum lugar a nordeste do mar da Galiléia. A LXX diz *Arbela*, mas desconhece-se qualquer local com esse nome, na área do Golã.

RICARDO AVENARIUS

Filósofo alemão (1843-1896), nascido em Paris. Estudou em Leipzig. Foi professor na universidade de Leipzig. Criador da doutrina da *empiriocrítica*, idéia influenciada por William James, mas que Lenin atacou como reacionária. O pensamento é apresentado em sua obra *Kritik der reien Erfahrun* (Crítica da Experiência Pura), 1888-1900.

Idéias:

1. *Empiriocrítica*: Uma forma extremista de *positivismo* (ver o artigo), a qual insiste sobre a eliminação de toda a metafísica, afirmando que o conhecimento vem somente através das experiências empíricas. (Ver o artigo sobre o *empirismo*). Envolve o dever de buscar o conhecimento excluindo sistematicamente todo o presumível conhecimento não adquirido por meios empíricos.

2. Nessa atividade, é evitado todo o *dualismo* (ver o artigo). O próprio «eu», o meio ambiente, os processos mentais e físicos são vistos como valores contrastantes de uma única dada experiência.

3. As relações lógicas e as categorias de pensamento são construídas, e não recebidas. Essas construções são feitas mediante a solução dos problemas com que nos defrontamos. Um problema apresenta uma tensão. A solução do mesmo alivia a tensão, e isso é feito empiricamente, através da percepção dos sentidos.

4. Ele rejeitava a distinção entre o psicológico e o físico. Discutiu acerca do erro de ultrapassar a experiência, postulando objetos substanciais como opostos ao «eu», ou a mente em oposição ao corpo. Essa atividade se denomina *introjeção*. A fim de evitar tal erro, seria mister seguir os modos de proceder da *empiriocrítica*. (F P)

RICARDO DE SANTA VITÓRIA

Ele viveu nos fins do século XII. Faleceu no ano de 1173. Foi eminente monge e teólogo escocês. Foi discípulo do místico Hugo. Foi prior da abadia de Santa Vitória. Muito realizou no campo do *misticismo* (vide), e costumava afirmar que o conhecimento secular é inútil, a menos que, de algum modo, esteja ligado ao divino (um ponto de vista místico exagerado, embora compreensível em um místico). Enfatizava a meditação que leva à contemplação na busca por Deus e pela verdade espiritual. Ele cria na possibilidade do «arrebatamento da mente», como produto final da busca mística. Escreveu também sobre o mistério da Trindade. O neoplatonismo foi uma influência poderosa sobre seu pensamento. Era conhecido como homem de profunda piedade e de inquirição espiritual séria. Dante imaginou-o no paraíso, considerando-o um dos grandes mestres da Igreja. Ver o artigo separado sobre *São Vítor, Místicos de*.

RIDLEY, NICOLAU

Suas datas aproximadas foram 1503—1555. Ele foi um reformador protestante inglês. Foi bispo de Rochester e então de Londres. Mostrou-se ativo nas reformas religiosas da Igreja Anglicana. Usava uma mesa simples para servir a eucaristia, em vez de um altar. Foi figura influente nos tempos do rei Eduardo; mas foi executado na fogueira sob a rainha Maria, juntamente com *Latimer* (vide). O ódio teológico, portanto, fizera outra vítima, e continuará a fazer.

RIFÁ

Tanto no hebraico quanto no grego (LXX), é desconhecido o sentido dessa palavra. Foi o segundo filho de Gomer, irmão de Asquenaz e Togarma (Gên. 10:3). Todos esses nomes são de origem não semita e, provavelmente, derivaram-se da região da antiga Anatólia. A passagem paralela (I Crô. 1:6) diz *Difate*, embora cerca de trinta manuscritos da LXX e da Vulgata Latina digam *Rifá*. O nome tem sido identificado com as montanhas Rifeanas, com o rio Rebas, na Bitínia, segundo outros estudiosos, e com os Ribis, um povo que vivia a leste do mar Cáspio, além dos rifeaus, o antigo nome dos Paflagônios (ver Josefo, *Antiq.* I,vi.1). O ponto de vista de Josefo é favorecido pela contigüidade de Asquenaz, e a opinião de sua época favorecia *Togarma*. Segundo Bevan, o peso maior da opinião, em sua época, favorecia as montanhas Rifeanas, que Knobel identificou, etimológica e geograficamente, com a cadeia dos Cárpatos, a nordeste da Dácia (*A Dictionary of the Bible*, editado por W. Smith (1863). De acordo ainda com outros autores, *Rifá* teria dado origem aos celtas, que atravessaram a cadeia Rifeana (ou dos Cárpatos) e se espraiaram pelas regiões central e ocidental da Europa. Mas outros pensam que Rifá teria sido o ancestral dos armênios, que até hoje dão nome à sua terra com um som parecido com esse nome bíblico.

RIGORISMO

Dentro da teologia moral, esse termo indica a idéia que o cristão não pode valer-se do benefício da dúvida em seus atos. Em caso de dúvida, *não fazer*. Usado em termo mais lato, esse vocábulo indica rigor nas crenças teológicas, com oposição expressa a qualquer forma de lassidão nos atos e nos pensamentos. O rigorismo opõe-se ao secularismo e a toda forma de divergência nas crenças. No campo da ética em geral, o termo é usado como sinônimo de *formalismo* ou *absolutismo*, indicando que existem padrões absolutos de moral (como a vontade de Deus ou as verdades cósmicas), que não são formulados pelos homens, por meio de suas experiências.

RIG-VEDA

Esse é o principal dos quatro Vedas da antiga Índia. Os outros são: Sama-Veda, Yajur-Veda e Atharva-Veda. Essa é a mais importante divisão dos Vedas, chamada *Samhitas*, coletâneas de escrituras que contêm hinos e orações às divindades védicas.

RIG-VEDA — RINS

O Rig-Veda consiste em dez livros, tendo sido completado algum tempo antes de 800 A.C. Esses escritos eram usados na adoração a vários deuses védicos, fornecendo diretrizes para a ética e para as formas externas de adoração religiosa. Seus autores foram vários, tendo produzido durante considerável período de tempo. No hinduísmo são chamados *sruti*, «a própria palavra inspirada de Deus».

O termo *Veda* vem do antigo sânscrito, com o sentido de «conhecimento». O Rig-Veda é o mais antigo dos quatro Vedas, alguns dos quais poderiam ter sido compostos tão cedo quanto 1500 A.C., com certas pequenas porções tão tardias quanto 600 A.C. Destarte, qualifica-se como o mais antigo monumento literário das raças indo-européias. Essa obra consiste em mil e dezessete hinos ou poemas líricos curtos, com dez mil, quinhentos e oitenta versos. A mais antiga forma religiosa refletida nessa obra é a adoração à natureza, e os principais objetos de adoração são: *Agni*, o deus do fogo, e *Indra* (Júpiter Plúvio), aquele que impulsiona as nuvens. Na época, a Tríada Hindu ainda não havia sido adotada pela fé hindu. Também não transparece ali qualquer sistema de castas; comia-se carne; as mulheres ocupavam uma elevada posição, e alguns dos hinos foram compostos por elas. O rio Gandes ainda não era tido como um rio sagrado. Há evidências que indicam que esses hinos foram escritos em vários lugares da Índia, e que a primitiva fé, ali representada, era realmente generalizada. A Tríada Hindu consistia em Brahma (o criador), Vishnu (o preservador), e Shiva (o destruidor). Mas isso, conforme fica indicado, consiste em um desenvolvimento teológico posterior do hinduísmo.

RIM

Ver **Rins** e também, **Órgãos Vitais**.

RIMOM

No hebraico, **romã**, mas, quando considerada como palavra tomada por empréstimo do acádico, *trovoador* (cf. o acádico, *ramanu*, «rugir»). Na Bíblia representa nomes de pessoas, de cidades e de uma divindade síria, conforme se vê abaixo:

1. Um benjamita de Beerote, cujos dois filhos, Baaná e Recabe, que eram capitães guerrilheiros, assassinaram Isbosete, filho de Saul (ver II Sam. 4:2-9; na LXX, *Remmón*).

2. Uma cidade do Neguebe, próxima à fronteira com Edom, que a princípio foi dada à tribo de Judá (ver Jos. 15:32; na LXX, *Eromoth*), mas posteriormente alocada à tribo de Simeão (ver Jos. 19:7; na LXX, *Remmón*; I Crô. 4:32; na LXX, *en Remmión*, mas que é omitida nos ms Alexandrino). No texto de Josué e de I Crônicas, Rimom sempre é precedida por Aim (mas nota-se a confusão na LXX), ao passo que no livro de Neemias, os dois nomes são tratados como um só. De acordo com Zacarias 14:10 (na LXX, *Remmòn*), a cidade assinalava o extremo sul da terra que terminava em uma planície, sobre a qual Jerusalém se alçava quando Yahweh se aproximava. Usualmente, essa cidade é identificada com a moderna Khirbet er-Ramamim, cerca de 14 km a norte-nordeste de Beerseba.

3. Uma cidade fronteiriça de Zebulom (ver Jos. 19:13; na LXX, *Remmóna*, mas na LXX Alexandrina, *Remmòn*), entregue a levitas meraritas (I Crô. 6:77; na LXX, *Remmòn*). No trecho paralelo de Josué 21:35, há leve variante no texto hebraico, mas, provavelmente, trata-se da mesma cidade, pelos seguintes motivos: a. Dimná é desconhecida em outros trechos; b. os antigos textos latinos dizem ali Remom; e 3. o «D» e o «R» são, freqüentemente, confundidos pelos escribas antigos. Usualmente, essa cidade é localizada no extremo sul do Sahl-el-Bettof, na moderna Rummaneh, uma aldeia a dez quilômetros a norte-nordeste de Nazaré.

4. Seiscentos homens, sobreviventes de Benjamim, refugiaram-se por quatro meses na rocha de Rimom, quando foram perseguidos, após a matança de Gibeá (ver Juí. 20:45,47; 21:13; na LXX, *Remmon*). Um pesquisador moderno, Robinson, identificou-a com Rammum, localizada em uma elevada rocha ou colina cônica de giz, cerca de dez quilômetros a norte-nordeste de Jeba (Gibeá), e a pouco menos de cinco quilômetros a leste de Betel. Essa colina é visível de todas as direções, protegida pelas ravinas do norte, do sul e do oeste, e contém muitas cavernas.

5. Uma divindade síria, representação local de Hadade, o deus da tempestade, da chuva e do trovão. Na Síria, essa divindade era chamada «Baal», ou seja, o senhor por excelência. Os assírios chamavam-na de Ramanu, «o trovoador». Escreveu um comentador: «A identidade de Rimom com Hadade... é confirmada pelo fato de que 'Hadade' ocorre como um elemento no nome teofórico Ben-Hadade, que vários reis sírios adotaram como título, e por Tabrimom, pai de Ben-Hadade, contemporâneo de Asa, de Judá» (J. Gray, IDB, IV, 99). É bem provável que os judeus tivessem procurado zombar do nome alterando suas vogais a fim de que desse a entender a palavra hebraica romã.

Naamã, comandante do exército arameu, adorou no templo dessa divindade, em Damasco (II Reis 5:17-19; na LXX, *Remmàn*). Disso concluiu D.J. Wiseman: «O templo (de Rimom) provavelmente estava situado abaixo da atual mesquita de Ummayid, naquela cidade, a qual, por sua vez, foi construída sobre um templo ainda mais antigo, dedicado a Zeus, cujo símbolo, tal como o de Rimom, o de Hadade e o de Baal, era um relâmpago» (NDB. 1097).

RIMOM-PEREZ

No hebraico, «o irrompimento da romã». Uma das estações na jornada dos israelitas no deserto, entre Ritmá e Libna (ver Núm. 33:19,20). Modernamente, pode ser a Naqb el-Biyar, a oeste de Áqaba.

RIMONO

Forma alternativa para Rimom, em I Crônicas 6:7.

RIN

Transliteração do japonês para «companheirismo», para os japoneses um importante princípio ético, e tomado como a base própria da moral e da conduta por *Watsuji Tetsuro* (vide). Naturalmente, o companheirismo é um dos aspectos da lei do amor, ou uma expressão da mesma.

RINA

No hebraico, «louvor a Deus». Era filho de Simão, da tribo de Judá (ver I Crô. 4:20).

RINS

No hebraico **kelayoth**. Os rins são órgãos humanos vitais. Normalmente temos um par de rins, localizados à altura da cintura, mais para as costas do que

RINS — RIO

para a parte posterior do corpo. Medem, aproximadamente, em centímetros, dez, cinco e três, de cada lado da coluna vertebral. São protegidos por fortes músculos existentes nas costas. Sua função essencial é excretar os resíduos e toxinas do sangue. Funcionam como filtros. São dotados de cerca de um milhão de capilares com esse propósito, em cada rim. O produto final é a urina, coletada na pélvis em forma de funil, existente em cada rim, e, mediante os ureteres, passa para a bexiga, de onde é, finalmente, eliminada do corpo.

Crenças e Metáforas Antigas. Os antigos atribuíam muitas coisas aos rins, que não podem ser literalmente atribuídas a eles, como as reações emocionais e a capacidade de pensar. Naturalmente, o envenenamento pela uréia, retida na circulação sangüínea por mau funcionamento dos rins, pode causar inconsciência ou mesmo o estado de coma. Talvez por isso os rins eram ligados a funções que, na verdade, pertencem ao cérebro. Os trechos de Sal. 16:7; Lam. 3:13 e Apo. 2:23 associam nossos pensamentos e desejos mais íntimos aos rins. Em Jeremias 12:2, lemos que Deus está longe dos rins das pessoas que não têm verdadeiro conhecimento dele, nem o temem, nem o amam, e nem se deleitam nas realidades espirituais, pelo que realizam uma obediência meramente superficial. Nossa versão portuguesa, entretanto, diz «coração», e não «rins», nesse versículo. Os homens se comovem em seus «rins» (em nossa versão portuguesa, «entranhas»), quando suas almas são feridas ou inquietadas por pensamentos de inveja, de tristeza, de ira, ou de paixões atormentadoras de qualquer sorte (Sal. 73:21). Em contraposição, os «rins» (em nossa versão portuguesa, o «coração») nos instruem, quando Deus nos desperta os pensamentos, a fim de ensinar-nos (Sal. 16:7).

Julgava-se, entre os antigos, que o sangue e os rins continham a vida. Os rins seriam especialmente privilegiados por causa de seu envoltório de gordura, e por estarem protegidos por fortes músculos. Essas crenças dos hebreus sobre os rins não eram isoladas, visto que nos textos de Ras Shamra (que vide) há alusão à instrução que os rins nos podem dar. A tradição judaica posterior, no Talmude, aproveita esse uso figurado (*Berakoth* 61a).

Uso dos Rins nos Sacrifícios de Animais. Os rins dos animais sacrificados, juntamente com o redenho ou gordura circundante, eram queimados sobre o altar como a porção de Yahweh, ao passo que os adoradores podiam comer o resto (Lev. 3:4; 4:9; 7:4). Isso significava que a porção melhor era dada a Deus, por ser um direito seu, sendo ele a fonte de toda a vida e bem-estar.

Embora não apareça em nossa versão portuguesa, a parte mais substancial do trigo é chamada de «gordura dos rins» (Deu. 32:14). Nossa versão portuguesa diz apenas «o mais escolhido trigo».

Os rins de animais são mencionados muitas vezes nas prescrições sobre os holocaustos levíticos. No caso dos seres humanos, esse órgão, juntamente com o coração (sendo ambos aludidos juntos por muitas vezes), quase sempre indica o homem interior, que só Deus conhece. Assim, Deus escuta o coração e sonda os rins. Mas, na Bíblia portuguesa, sempre que a palavra hebraica traduzida por «rins» é usada em sentido simbólico, aparecem os vocábulos «pensamentos» ou «afetos» ou «coração». Nesse sentido simbólico, a palavra hebraica aparece no A.T. por treze vezes. Ver Jó 16:13 (único trecho onde aparece o termo «rins» na Bíblia portuguesa); 19:27; Sal. 7:9; 16:7; 26:2; 73:21; 139:13; Pro. 23:16; Jer. 11:20; 12:2;

17:10; 20:12 e Lam. 3:13. Por que os revisores da Bíblia portuguesa teriam evitado a palavra «rins»? Os rins são considerados a sede da consciência (Jer. 12:3; Sal. 16:7; Pro. 23:16), da tristeza e de outros sentimentos (Sal. 73:21; Jó 16:13; 19:27). No N.T., a única menção aos «rins» (no grego, *nefrós*) aparece em Apo. 2:23, que cita livremente Jer. 11:10 ou 17:10, mas que, na nossa Bíblia portuguesa, novamente, é palavra substituída por outra, no caso, «mente».

Dentro do antigo sistema fisiológico, os rins, devido à sua sensibilidade, eram tidos como uma das sedes das emoções, como os desejos. As Escrituras vinculam aos rins, simbolicamente, as nossas mais ternas experiências. Quanto se perde, desse simbolismo, quando se evita a palavra «rins»! Quando Deus sonda os rins, por exemplo, ele está perscrutando nossas mais ternas emoções e desejos.

Ver o artigo separado, *Orgãos Vitais*.

RIO

No hebraico, temos cinco palavras diferentes traduzidas por «rio», «ribeiro», «canal», etc. E no grego é *potamós*, «rio». As terras bíblicas incluem as duas grandes áreas de civilização ribeirinha do mundo antigo — as regiões do Nilo e do Eufrates. Nessas regiões, onde os respectivos rios permitiam a vida, sendo adorados como doadores da vida, era apenas natural que os rios formassem a principal característica geográfica na consciência do povo. É por essa razão que, algumas vezes, a Bíblia se refere simplesmente ao «rio» ou ao «grande rio» (ver Jos. 1:4; Apo. 9:14; 16:12), mediante cujo nome devemos pensar ou no rio Nilo ou no rio Eufrates. Os antigos concebiam um rio como doador da vida, e, conseqüentemente, de conforto e paz, conforme tantas vezes se percebe nas Escrituras (para exemplificar, Isa. 48:18 e 66:12).

A Palestina nunca contou com uma civilização ribeirinha que se comparasse com as civilizações dos grandes vales ao norte e ao sul da mesma. O Jordão é pequeno demais em volume de água, e por demais limitado em seu profundo vale para prover o tipo de agricultura irrigada que se via no Egito e na Mesopotâmia. De fato, nos tempos bíblicos o vale do rio Jordão era pouco povoado, havendo ali uma densa vegetação, que abrigava uma fauna numerosa, principalmente de animais ferozes. Somente na visão de Ezequiel (cf. Eze. 47) aparece um rio suficientemente grande na Palestina para encher o leito do rio Jordão e sustentar um cultivo generalizado. Seria um rio doador de vida, que desembocaria no mar Morto no ponto exato onde o Jordão — que por tantas vezes é simbolizado nas Escrituras como um rio mortífero — desemboca naquele mar, em um ponto a leste do templo de Jerusalém. A mesma imagem aparece como visão em Apocalipse 22.

Na história do povo de Israel, depois que eles partiram do Egito e deixaram a estável civilização à beira do rio Nilo, os rios aparecem mais freqüentemente como fronteiras ou marcos históricos na carreira daquele povo, e não tanto como uma fonte de satisfação ou suprimentos. Em uma época em que não havia pontes (essa palavra nem aparece no Antigo Testamento), a travessia de um rio, mesmo de tão pequenas dimensões quanto o Jordão, constituía um enorme risco, exigindo a intervenção divina (ver Josué 3). Uma vez que um povo atravessasse um rio, em muitos sentidos estava se rompendo com o passado. Assim, para os israelitas poderem voltar à margem esquerda do rio Jordão, com toda a probabilidade devem ter esperado pela época da vazante do mesmo. Por semelhante modo, Josué relembrou os israelitas

RIO — RIQUEZAS

sobre o importante passo histórico dado pelo antepassado deles, Abraão, que habitara com sua parentela «dalém do Eufrates» (ver Jos. 24:15), antes que ele tivesse atravessado esse rio, a caminho da Terra Prometida. Atravessar um rio, pois, era um ato simbólico de rompimento com o passado, ao qual não se podia retornar.

O rio Jordão, com seus tributários da margem esquerda, forma o único sistema principal de rios na Palestina, embora as montanhas do Líbano, mais ao norte, alimentem numerosos riachos, devido ao degelo de seus campos de neve. A despeito disso, os rios menores da Palestina fluem somente em certos períodos de cada ano.

Sentido metafórico. Às vezes, o Nilo e o Eufrates personificam, na Bíblia, os impérios do Egito e da Assíria, respectivamente (ver Isa. 8:7 ss; 33:21; Jer. 46:7 s; Eze. 29:3-5; cf. Jer. 2:18 e Eze. 32:2). Isso envolve um conjunto de sentimentos de orgulho e prestígio, bem como de fatores estratégicos, como se pode deduzir da comparação de textos como II Reis 5:12; Isa. 8:6 e 33:21. Por isso é que Jerusalém glorificada terá o seu rio (Sal. 46:5). De mistura com a idéia do rio do paraíso, esse tema reaparece em Apo. 22:1 s, texto que talvez seja um eco de difícil declaração de João 7:37,38. Não menos apocalíptico do que isso é o rio de fogo que emana do trono de Deus (Dan. 7:10), onde tanto o fogo quanto o rio tem seu simbolismo na aparição do Ser divino. O nome do Senhor virá «como torrente impetuosa» (Isa. 59:19). Bens como paz (Isa. 48:18; 66:12), sabedoria (Ecl. 24, 25—27; 47:14) e a bênção de Deus (Ecl. 39:22; cf. Jó 20:17) estão simbolizados pela idéia de força, irresistibilidade e abundância de um rio. Por outro lado, a metáfora do rio descreve, mui sugestivamente, calamidades como um terremoto (Amós 8:8; 9:5), a morte (Jó 14:11) e as perseguições (Apo. 12:15,16).

RIO DO EGITO

No hebraico e no grego o sentido é o mesmo conforme se vê em português. Esse pequeno rio formava a fronteira sul da Terra Prometida aos descendentes de Abraão (ver Gên. 15:18). Os hebreus usavam a palavra *nahar*, «rio», aos maiores rios que eles conheciam, contrastando isso com a palavra *nahal*, que eles aplicavam a algum riacho ou wadi perene. Portanto, o termo *nahar* aplica-se ao rio Nilo, principalmente a seu canal mais oriental, o Peleusíaco (ver *Shihor*). Nessa referência bíblica, os dois grandes rios da região coberta pela narrativa do Antigo Testamento, o Nilo e o Eufrates, são considerados, a grosso modo, como as fronteiras da Terra Prometida. Não há qualquer apoio textual para se emendar aquele texto de *nahar* para *nahal*, conforme alguns querem fazer, apesar do fato de que o rio do Egito não é uma grande torrente.

RIQUEZAS

Pelo menos vinte e cinco raízes hebraicas são usadas para se traduzir *riquezas*, *prosperidade*, etc. No Novo Testamento são usados apenas cinco vocábulos diferentes. Muitos dos termos hebraicos são mencionados por algumas vezes; e não há indícios quanto à possível gama de significados, nos diversos contextos. Abaixo fazemos uma breve análise dos oito termos hebraicos mais comumente usados no Antigo Testamento:

1. Um termo usado por onze vezes refere-se, primariamente, a *bens valiosos e móveis*, como ouro, prata, incenso, vestes, etc. O termo indica bens que podiam ser transportados em lombo de camelo ou de jumentos (ver Isa. 30:6). Há duas outras palavras hebraicas que também são usadas para indicar bens que podem ser transportados por animais. Uma delas, usualmente, não inclui riquezas sob forma de rebanhos (Gên. 34:28,29), embora as inclua ocasionalmente (Núm. 31:9). Tais formas de riquezas podiam ser adquiridas pelo comércio, como no caso de Tiro (ver Eze. 28:4,5). Ver também: Jó 20:15; Sal. 62:10; 73:12; Isa. 8:4; 10:14; 61:1; Eze. 26:12.

2. Um outro termo indica riquezas em termos de *prata e ouro* (ver Naum 2:9), mas também em termos de rebanhos (ver Gên. 31:1).

3. Há um termo geral para indicar toda espécie de *propriedade móvel*, como, por exemplo, quando Abraão deixou Harã (ver Gên. 12:5). Essa palavra hebraica também é usada por onze vezes: Gên. 12:5; 13:6; 15:14; I Crô. 27:31; 28:1; II Crô. 21:17; 31:3; 32:29; 35:7; Esd. 8:21 e 10:8. Jeremias 20:5 usa um termo hebraico, traduzido por «tesouros», em nossa versão portuguesa, que indica os despojos tomados pelo inimigo a uma cidade.

4. Um outro termo hebraico é usado por quatro vezes, em Gên. 43:23; Jó 3:21; Pro. 2 e Jer. 41:8. Tem o sentido de *tesouro oculto*, enterrado em tempo de guerra ou aflição. Nossa versão o traduz por «tesouro», na primeira dessas quatro referências.

5. Um certo termo hebraico, traduzido por *prata*, é o termo geral para indicar dinheiro.

6. Um termo hebraico muito usado, se incluirmos suas formas variantes, aparece por cerca de setenta vezes, e que tem o sentido de «avançar», em português, geralmente, é traduzido por *prosperar*. Exemplificamos com algumas referências: Núm. 14:41; Isa. 53:10; Jer. 12:1; Eze. 16:13; Gên. 24:10; Deu. 28:29; I Reis 22:12; I Crô. 22:11; II Crô. 13:12; Nee. 1:11; Sal. 1:3; Pro. 28:13; Jer. 2:37; Dan. 11:36; 6:28, etc.

7. Um outro termo hebraico, que se pode traduzir por «substância», «suficiência», etc., aparece por seis vezes no livro de Provérbios e por uma vez em Cantares de Salomão: Pro. 1:13; 3:9; 6:31; 12:27; 28:8; 29:3; Can. 8:7. Trata-se de um termo poético para indicar riquezas. O trecho de Pro. 28:22 nos fornece uma interessante análise psicológica: «Aquele que tem olhos invejosos corre atrás das riquezas».

8. Uma outra palavra hebraica muito usada que figura por cerca de trinta e seis vezes é usualmente traduzida por «riquezas». Para exemplificar, damos algumas referências: Gên. 31:16; I Sam. 17:25; I Reis 3:11; I Crô. 29:12; II Crô. 32:27; Est. 1:4; Sal. 49:6; Pro. 3:16; Ecl. 4:8; Jer. 9:23; Dan. 11:2. A única novidade quanto ao uso é o emprego da palavra para indicar as riquezas de reis, como Salomão, Josafá e Ezequias, e também do rei da Pérsia, conforme se vê em Ester 1:4.

Assuntos Centrais

1. O item mais importante das riquezas de *ordem material* eram os alimentos. Nos templos bíblicos, a alimentação era questão de vida ou morte. Ver Pro. 11:26: «Ao que retém o trigo o povo o amaldiçoa...» Segundo o profeta Miquéias, a retenção de alimentos por parte dos ricos de seus dias, que os negavam aos pobres, equivalia ao canibalismo (ver Miq. 3:2,3). Entre os artigos da alimentação são mencionados o trigo, a azeitona, o azeite (de oliveira e sésamo), o mel, o vinho e os figos. As carnes eram principalmente de carneiros e bodes. Os ricos também dispunham de especiarias, embora só sejam mencionadas por nome a cássia e o cálamo. «...nunca houve especiarias tais como as que a rainha de Sabá deu ao rei Salomão» (II Crô. 9:9). O bálsamo também era um luxo.

RIQUEZAS

2. Os ricos contavam com bens que eram *itens luxuosos*. A lã embranquecida pelos lavandeiros, o linho tingido de azul e púrpura, acabado com bordados entretecidos, eram usados para o fabrico de vestes suntuosas. Panos para selar animais e para tapetes multicoloridos eram muito procurados. Pedras preciosas de muitas variedades, sobretudo esmeraldas, ágatas e pérolas eram usadas no fabrico de jóias. Cavalos e mulas treinados para servir de montaria, e também cavalos treinados para puxar carruagens, eram usados pelos abastados, em seu transporte pessoal. O marfim e o ébano eram importados para o fabrico de móveis de madeira entalhada. Os homens da época do Antigo Testamento sabiam fabricar peças de metal quase tão bem quanto nós agora. Ezequiel menciona o ouro, a prata, o cobre e suas ligas, além do ferro, do estanho e do chumbo.

3. A maior tragédia era a abastança em forma de *escravos*, embora Israel geralmente contasse com um menor número de escravos do que sucedia às nações ao redor. As manufaturas, que tiveram início na época de Isaías, não demoraram a tornar-se riquezas importantes. As terras abandonadas eram arrendadas e os agricultores iam trabalhar nas manufaturas.

Comércio

4. **Abraão é grande exemplo de bom negociante da** antiguidade. Seu comércio estendia-se de Harã ao Egito. Ele mesmo se concentrava na área do Neguebe, deixando Eliézer cuidar dos negócios em Damasco, enquanto Ló cuidava do comércio com os árabes. Salomão também é mencionado como grande negociante, embora parte do crédito coubesse a Davi. As conquistas militares de Davi chegaram ao rio Eufrates, capacitando-o não somente a apossar-se de extensos despojos, como também a participar como um dos principais membros do monopólio do ferro, quando esse metal era tão revolucionário como o alumínio se tornou em nossos próprios dias. Além disso, ele podia cobrar impostos sobre qualquer mercadoria que circulasse por suas fronteiras através da Anatólia, do rio Eufrates, do deserto da Arábia, do Egito e de certas porções da costa do mar Mediterrâneo. Foram as riquezas amealhadas por Davi que permitiram a Salomão a construção do templo de Jerusalém e do complexo de seus palácios. Salomão adicionou o comércio com cavalos, algumas manufaturas e a venda de cobre — seu monopólio estatal — para os povos mais atrasados das margens do mar Vermelho. Após a época de Davi, a corte deu oportunidade para o avanço econômico ao povo em geral. Iniciou-se a atividade bancária, com a cobrança de juros sobre os empréstimos concedidos, embora não pudessem ser taxados juros quanto a empréstimos para fins agrícolas. Propriedades nas cidades podiam ser vendidas, mas as propriedades no interior tinham de permanecer na posse da família imediata.

Manufaturas

5. **Foi nos dias de Isaías, após a rápida introdução** das manufaturas, que certos israelitas ímpios adicionaram Mamom ao seu panteão pagão, que não tardou a igualar-se ao degenerado Baal. Depois que os habitantes de Jerusalém se negaram a arrepender-se, apesar dos repetidos apelos dos profetas, a cidade foi deixada vazia por setenta anos.

Há uma excelente descrição da riqueza móvel de Tiro, em Eze. 27:12-25, descrição essa que também se aplica a Israel. O trecho de Apo. 18:11-13 provê outra excelente lista de riquezas, onde o único item que não aparece nas listas do Antigo Testamento é a seda. Contudo, alguns estudiosos debatem se Eze. 16:10 menciona ou não a seda. Nossa versão portuguesa a menciona, seguindo versões em outras línguas. Mas a seda chinesa só apareceu na Ásia Menor por volta do século I A.C. (ver Seda).

6. *Moedas e Dinheiro*. Antes da invenção das moedas, o dinheiro era transportado sob a forma de lingotes, barras ou argolas de ouro ou de prata, mas o metal também podia ser pesado sob alguma outra forma. As jóias feitas com esses metais sempre eram mais valiosas do que os metais propriamente ditos, devido ao trabalho de arte investido. O ouro que Acã roubou em Jericó (ver Jos. 7:21), literalmente, era uma «língua» de ouro. Uma dessas «línguas» foi encontrada em escavações em Gezer. Pedras preciosas de todas as variedades também eram usadas como dinheiro, mesmo após a invenção da moeda. Devido ao grande valor concentrado nas pequenas pedras preciosas, eram elas o método mais conveniente de transportar grandes somas de dinheiro. Até hoje muitos judeus são joalheiros e montadores de jóias.

A moeda só foi inventada no século VII A.C. (ver Moedas). A primeira referência veterotestamentária às moedas aparece em Esdras 2:69, onde se lê sobre as «dracmas», que eram dários persas de ouro. O Novo Testamento faz alusão a diversas moedas de ouro, de prata e de cobre.

7. *Riquezas no Novo Testamento*. O Novo Testamento usa apenas um quinto do número de palavras para indicar riquezas, em relação ao Antigo Testamento. E apenas um desses termos gregos aparece por mais de três vezes. O grego *ploutos*, termo usado na parábola do semeador, é usado mais figuradamente do que de maneira literal. O trecho de II Coríntios 8:2 contrasta as riquezas com a pobreza. *Euporía* é termo grego que se refere às riquezas obtidas com o fabrico de nichos de Diana. Em nossa versão portuguesa essa palavra é traduzida por «prosperidade» (ver Atos 19:25). A palavra grega *euodóo*, «prosperar», é usada na saudação que há em III João 2. Paulo, em I Coríntios 16:2 admoesta os crentes a contribuírem para a igreja em proporção à prosperidade de cada um.

Plousíos é termo grego empregado em I Timóteo 6:17, onde os ricos são exortados a dependerem de Deus, e não de suas riquezas.

8. *Teologia da Riqueza*. Por toda a parte a Bíblia ensina que Deus é o Criador, o proprietário de todas as coisas. Só ele é o Criador e o distribuidor de riquezas. A riqueza é um dom de Deus. Em Deuteronômio 8:18, Israel foi instruído: «Antes te lembrarás do Senhor teu Deus, porque é ele que te dá força para adquirires riquezas...» O crente, pois, é apenas um administrador das riquezas pertencentes a Deus. Na aplicação da parábola dos talentos, porém, Cristo diz que ele merece um lucro em face do seu investimento.

9. *Abusos e Obstáculos*. Em parte alguma da Bíblia as riquezas materiais são consideradas como más por si mesmas. De fato, Israel recebeu ordens para honrar ao Senhor com os seus «bens» (Pro. 3:9), e os dízimos eram uma parte integral da adoração. Não obstante, as riquezas materiais, com freqüência, se tornavam motivo de tentação, pelo que o salmista (ver Sal. 62:10) sabiamente aconselhou: «...se as vossas riquezas prosperam, não ponhais nelas o coração». A atitude de Jó para com a totalidade da vida também se aplica ao seu aspecto econômico: «Nu saí do ventre de minha mãe, e nu voltarei; o Senhor o deu, e o Senhor o tomou; bendito seja o nome do Senhor!» (Jó 1:21).

Nos dias do cristianismo primitivo, o dinheiro e a filosofia eram dois dos maiores obstáculos à adoração de Deus em Cristo. O perigo mortal do amor ao

JESUS E O MESTRE RICO

••• ••• •••

Riquezas

A mim, o mínimo de todos os santos,
foi dado esta graça de anunciar
entre os gentios, por meio
do evangelho, as riquezas
incompreensíveis de Cristo.
    (Efé. 3:8)

A benção do Senhor é que enriquece,
e não acrescenta dores.
    (Prov. 10:22)

Acautelai-vos e guardai-vos da avareza;
Porque a vida de qualquer não consiste na
abundância do que possui.
    (Lucas 12:15)

Deus abundantemente nos dá todas
as coisas para delas gozarmos.
    (I Tim. 6:17)

Buscai primeiro o reino de Deus, e
a sua justiça, e todas estas coisas
vos serão acrescentadas.
    (Mat. 6:33)

••• ••• •••

dinheiro se percebe na observação de Cristo: «Quão dificilmente entrarão no reino de Deus os que têm riquezas!» (Mar. 10:23). E a parábola do rico tolo e o episódio do jovem dirigente salientam a mesma verdade. O Senhor Jesus sumariou: «Não podeis servir a Deus e às riquezas» (Mat. 6:24). E também: «...porque onde está o vosso tesouro, aí estará também o vosso coração» (Luc. 12:34).

Certos personagens do Antigo Testamento, como Abraão, Davi e Jó foram homens muito abastados. No Novo Testamento não há santo que se compare com eles quanto a esse particular. Podemos observar, entretanto, que o centurião romano, acerca de quem Cristo disse: «Em verdade vos afirmo que nem mesmo em Israel achei fé como esta» (Mat. 8:10), era homem suficientemente rico para haver construído a sinagoga de Cafarnaum, onde Cristo ensinou (ver Luc. 7:5). E, embora Jesus Cristo fosse o Senhor de todas as riquezas espirituais e materiais, achou por bem passar pela vida terrena sem riquezas materiais, confiando-se à compaixão de seus amigos.

10. A verdadeira riqueza é a *Espiritualidade*, I Tim. 6:18; Heb. 11:26; Luc. 12:21.

RISO

No hebraico, **sachaq** ou **tsachaq**. Ver Jó 5:22; 29:24; 41:29; Sal. 2:4; 37.13; 52:6; 59:8; Pro. 1:26; Ecl. 3:4; Gên. 17:17; 18:12,13,15; 21:6. Em Gên. 21:6 encontramos a forma *tsechoq*. O homem é o único animal *ridente*, ou seja, a única criatura terrestre capaz de rir.

1. *Natureza do Riso*. O riso consiste na atividade convulsiva dos músculos da respiração, que produz exalações e inalações espasmódicas. Esses atos produzem ruídos característicos, acentuando os movimentos da face que caracterizam o riso. O riso expressa certa variedade de emoções, desde a alegria à derrisão, desde a tristeza à consternação. Até mesmo o temor faz algumas pessoas rirem-se, incluindo algum perigo que ameaça, mas acaba não se tornando realidade.

2. *Uma Significativa Citação de Nietzsche*. Disse ele: «O homem é o animal mais sujeito ao sofrimento. Por essa razão, precisou inventar o riso, a fim de preservar a sua sanidade.» Devemo-nos lembrar, entretanto, de que ele era um pessimista que via muitas tragédias na vida, com poucos fatores remidores.

3. *Uma Variedade de Citações*:

«Deus nem ao menos concedeu aos mortais, dignos de comiseração, que rissem sem lágrimas» (Calímaco; 260—240 A.C.).

«A gente não se ri na manga da camisa» (Cícero, em *De Finibus;* 106—43 A.C.).

«A gargalhada que exprimiu a mente vazia» (Oliver Goldsmith, em *The Deserted Village*, 1730—1774).

«Um riso insopitável surgiu dentre os deuses benditos» (Homero, em *A Ilíada*, cerca de X—VIII A C.).

«Rio-me porque não devo chorar» (Abraham Lincoln, 1809-1865).

«Merece o paraíso aquele que faz seus companheiros rirem» (Maomé, no *Alcorão;* 570—632 D.C.).

«Tudo é motivo para ou o riso ou as lágrimas» (Sêneca, em *De Ira;* 4? A.C.—65 D.C.).

«O riso mais agradável é aquele que rimos às expensas de nossos inimigos» (Sófocles, em *Ajax;* 495—406 A.C.).

«O riso não é um mau começo para uma amizade, e é a melhor maneira de terminar uma amizade» (Oscar Wilde, em *The Picture of Dorian Gray;* 1854—1900).

«Ai de vós os que agora rides! porque haveis de lamentar e chorar» (Luc. 6:25).

«Pois qual o crepitar dos espinhos, debaixo duma panela, tal é a risada do insensato.:.» (Ecl. 7:6).

Essas citações ilustram os vários motivos que há para o riso. Também devemos pensar que há o simples sorriso, o riso franco e a gargalhada, cada um refletindo um ânimo diferente de espírito.

4. *O Ser Humano, um Ser Muito Ridente*

É realmente admirável observar quão inclinado é o homem para o riso. James Joyce tentou expressar algo da facilidade com que as meninas adolescentes riem, combinando a palavra inglesa *giggle*, «risadinha», «risote» (um riso nervoso, e em tom alto), com *girl*, «menina». Disso resultou *gigirl*. Também é curioso que os antropóides podem produzir uma espécie de casquinada, e pelas mesmas razões que fazem os homens rirem. Todavia, eles não casquinam diante do ridículo, pois isso, ao que parece, está acima da capacidade de abstração deles.

Os infantes humanos também sorriem, e, com base nisso, sabemos que as emoções que produzem o riso encontram-se inerentes no ser humano, desde o começo.

5. *O Riso como Substituto da Ação*.

Divertimo-nos, vicariamente, diante de coisas engraçadas que acontecem a outras pessoas. Os comediantes utilizam-se dessa capacidade humana, como também muitas produções teatrais. Ao mesmo tempo, o riso pode impulsionar os seres humanos à ação, porquanto tem o poder de liberar a inibição.

6. *Exemplos Bíblicos de Riso*

a. Abraão riu diante da ridícula idéia de que, com sua avançada idade, poderia gerar um filho (ver Gên. 17:17). Abraão caiu de rosto em terra, gargalhando convulsivamente. Sara também riu, porém, «no seu íntimo» (Gên. 18:12), ou seja, sem expressar externamente o riso. Foi esse contexto que provocou aquela notável declaração bíblica: «Acaso para Deus há cousa demasiadamente difícil?» (Gên. 18:14). No *tempo determinado*, Deus realiza o que promete, sem importar o quanto julguemos isso difícil.

b. Homens regozijaram-se e riram diante das bênçãos prometidas, ou quando entraram na posse das mesmas, por causa de sua segurança e prosperidade, ou por haverem sido preservados de calamidades diversas (ver Gên. 17:17; 31:6; Jó 5:22 e Lucas 6:21).

c. Existe uma espécie de hilaridade pecaminosa, que expressa dúvidas diante do poder espiritual. O riso também pode ser provocado por sentimentos de derrisão, como zombaria contra outras pessoas (Gên. 18:12,13; Luc. 6:25; Jó 29:24).

d. O riso também pode resultar de sentimentos de segurança (Jó 5:22).

e. Como uma expressão antropomórfica, o riso é atribuído a Deus. Ele é retratado como quem ri diante das calamidades que as pessoas atraem contra si mesmas, mediante seus atos insensatos, apesar das instruções apropriadas que tiverem recebido, instruções essas que poderiam ter evitado aquelas calamidades (ver Jó 9:23; Sal. 2:4; 37:13; Pro. 1:26).

f. O riso pode ser escarnecedor (ver Pro. 14:13; Ecl. 2:2 e 7:6).

g. As pessoas riem diante de tarefas tidas como impossíveis, quando outras pessoas resolvem realizá-las. Isso é uma forma de derrisão diante das ambições aparentemente absurdas de outras pessoas. Assim, muitos riram de Neemias, quando ele se propôs a reconstruir as muralhas de Jerusalém (ver Nee. 2:19). Quando o Senhor estava prestes a ressuscitar uma menina, os circunstantes riram de suas intenções (Mat. 9:24; Mar. 5:40) e também porque, eufemisticamente, ele se referiu à morte como se fosse apenas um sono, do qual fosse possível despertar à pessoa.

h. O cínico filósofo de Ecl. 2:2 declarou que a lamentação é melhor do que o riso (ver também 7:3) e que o riso, em meio a todas as dificuldades enfrentadas pelos homens, é apenas uma forma de loucura (2:2).

i. O riso expressa a alegria, naturalmente (Sal. 126:2).

j. Aqueles que agora choram, haverão de rir quando chegar o momento do triunfo espiritual (Luc. 6:21).

l. O verdadeiro riso, vinculado à alegria, origina-se em um senso de fortaleza, de segurança, de correção, de higidez, de produtividade. Um coração alegre é um tônico. Porém, o espírito abatido resseca os ossos (Pro. 17:22). A medicina psicossomática, naturalmente, tem podido comprovar cientificamente essa declaração bíblica. Nossas emoções, sem a menor sombra de dúvida, podem tornar-nos saudáveis ou adoentados. Ver o artigo detalhado sobre o *Humor*.

RISPA

No hebraico o sentido é «variegada» ou «pedra brilhante». Está em pauta uma filha de Aiá (que talvez seja o horeu mencionado em Gên. 36:24), que foi concubina de Saul. Após a morte de Saul, Isbaal, filho de Saul e rei somente de nome, acusou Abner, o verdadeiro mandante real, de havê-la tomado como sua esposa. Se isso fosse verdade, — equivaleria a estar reivindicando o trono (cf. II Sam. 16:20-22; I Reis 2:22). Como resposta à calúnia de Isbaal, Abner, prontamente, entregou o reino do norte a Davi, o que ocorreu por volta de 997 A.C. (ver II Sam. 3:7).

Mais tarde (cerca de 970 A.C.), um período de fome de três anos foi atribuído ao desprazer divino devido à matança dos gibeonitas, por parte de Saul, em violação ao pacto que Israel estabelecera com eles (ver Jos. 9:3,15-20). E quando Davi indagou dos gibeonitas que tipo de expiação poderia ser efetuado, os gibeonitas, de acordo com a lei mosaica (ver Núm. 35:33), rejeitaram dinheiro como compensação, mas exigiram que sete filhos de Saul fossem expostos às intempéries diante do Senhor. Então o rei lhes entregou dois dos filhos de Rispa e cinco dos filhos de Mical. Foi então que Rispa espalhou cilícios sobre a rocha — em sinal de que a terra se arrependera — e iniciou a sua heróica vigília perto dos cadáveres, enxotando as aves e as feras (cf. Sal. 79:2), desde o começo da colheita da cevada (que seria o mês de abril), até que a ira de Yahweh se abrandou, e houve chuvas (talvez no começo de outubro), conforme se lê, «até que sobre eles caiu água do céu» (II Sam. 21:8-10). Em face da devoção dela, Davi mandou sepultar os ossos deles juntamente com os ossos de Saul e Jônatas, no sepulcro de Quis, pai de Davi (ver II Sam. 21:11-14).

RISSA

No hebraico significa «orvalho». Foi uma das paradas nas jornadas dos israelitas (ver Núm. 33:21,22), entre Libna e Queelata. Talvez possa ser identificada com a moderna Kuntilet el-Jerafi.

RITA

No hinduísmo védico (e na antiqüíssima cultura indo-européia), esse vocábulo referia-se à *crdem* cósmica e ética. Essa palavra está relacionada a palavra inglesa *right*, «direito». No Rig-Veda, Varuna é o guardião, por excelência do *Rita*.

RITMÁ

No hebraico, «vassoura». Uma das paradas dos israelitas, em suas jornadas pelo deserto, entre Hazerote e Rimom-Perez (ver Núm. 33:18,19). Mas sua localização é desconhecida.

RITO ANTIOQUINO (SÍRIO)

Complexo de leis e costumes litúrgicos e disciplinares, originalmente usados no patriarcado de Antioquia. Os jacobitas sírios (ver *jacobitas*) usam esse rito. São cerca de duzentos mil, em dois grupos. Um grupo de cristãos de Malabar, entre duzentos e trezentos mil em número, também o usa. Os melquitas sírios, tanto ortodoxos quanto católicos, seguem o rito bizantino (ver o artigo a respeito), desde o século XIII. (E)

RITO CALDEU (PERSA)

A expressão indica o complexo de leis litúrgicas e disciplinares e costumes, usados nas igrejas nestorianas. Variantes desse rito são seguidas pelas igrejas nestorianas (que vide) da Mesopotâmia e da Pérsia, bem como pelos melusianos da Índia. Os católicos do patriarcado da Babilônia, dos caldeus e da ilha de Malabar, também seguem variantes desse rito. (E)

RITO DE COROAÇÃO

O rito religioso que acompanha a coroação dos reis da Inglaterra data da época do rei Edgar, coroado no ano de 973. Consiste em três passos: 1. As promessas feitas pelo monarca, no tocante ao seu ofício monárquico. 2. A aclamação popular. 3. A unção.

A Bíblia aparece nessa cerimônia, visto que é presenteada ao rei, já coroado. Esse detalhe vem da Reforma protestante. O resto da cerimônia tem origens medievais. Esse rito não faz do rei um monarca, pois a subida ao trono ocorre assim que falece seu antecessor. No século XIII, esse rito adquiriu um certo caráter sacramental, quando o rei receberia os sete dons do Espírito. Todavia, os reis ingleses não têm exercido funções litúrgicas ou sacerdotais. O ponto de vista moderno sobre a questão é que o rito é a dedicação pessoal do monarca às suas funções, além de um reconhecimento público e solene, por parte da nação, de que toda a autoridade terrena deriva-se de Deus e dele depende. (C)

RITOS BIZANTINOS

Originalmente, eram as formas litúrgicas do patriarcado de Constantinopla, as quais, pelos fins do século XIII D.C., foram ampliadas aos outros três patriarcados orientais: de Alexandria, de Antioquia e de Jerusalém. Atualmente, esses ritos são usados pela Igreja Ortodoxa Oriental inteira (que vide), incluindo as igrejas unidas (que vide). Nenhuma linguagem litúrgica é usada exclusivamente. A liturgia, no uso ordinário, é a de Crisóstomo (que vide). Ver sobre *Liturgia*. (E)

RITSCHL, ALBRECHT (RITSCHLIANISMO)

Suas datas foram 1822-1889. Foi um importante teólogo alemão. Nasceu em Berlim. Era filho de um pregador, e veio a tornar-se bispo. Estudou teologia em Bonn e em Halle. Tornou-se *Privatdozent* (professor particular) em Bonn, onde ensinou por muitos anos. Foi professor de teologia em Gottingen. A princípio foi influenciado por Hegel, mas acabou rompendo com ele. Foi influenciado por Kant e por Schleiermacher, e alguns o têm considerado um neokantiano. Sua imfluência foi grande na teologia protestante liberal alemã e anglo-americana.

Influências em seu Pensamento. Quanto à fé, Lutero; quanto ao primado da razão prática no tocante à fé religiosa, Kant; quanto ao homem como cidadão de dois mundos, Kant; quanto à ênfase histórica e social, Hegel; e quanto ao teísmo personalista, Lotze.

Idéias:
1. Jesus Cristo é o fundador do reino de Deus. O reino e a redenção são os dois grandes *eixos* da fé cristã.

2. Ritschl repelia a autoridade das tradições dogmáticas quanto às crenças religiosas, aos costumes sociais e às práticas éticas, e pensava que a comunidade religiosa deve formar uma unidade só.

3. Ele ressaltava a importância dos *julgamentos de valor*, como fonte do conhecimento religioso. Ele criou um pragmatismo quase-religioso, com base na fé-conhecimento, alicerçado sobre julgamentos de valores. Ritschl foi uma das figuras principais da *axiologia* (teoria do valor), à qual deu um lugar importante na teologia e na filosofia.

4. Para ele, a experiência religiosa é mais fundamental para o homem bom do que a doutrina. Essa experiência é promovida segundo moldes empíricos. Ele frisava mais os aspectos histórico, ético e social da experiência cristã, diminuindo a importância do aspecto místico.

5. Suas idéias têm sido uma das forças por detrás do desenvolvimento do *evangelho social*. Ele enfatizava essa expressão da vida religiosa, suspeitando muito das fantasias e do subjetivismo do misticismo.

6. Para ele, a teologia não deveria alicerçar-se sobre a metafísica, mas sobre as experiências religiosas positivas. Em seus primeiros escritos, seus preconceitos contra a metafísica aparecem tão fortes que ele parece ser virtualmente um positivista. Entretanto, ele não abandonou o teísmo, posto que fundamentava-o sobre os julgamentos de valores.

7. Ele distinguia claramente entre a razão e a fé, dando preferência e salientando a fé. Essa fé repousaria sobre as experiências autônomas. Importantes aspectos dessa fé seriam o sentimento de impotência e a dependência a Deus. As experiências religiosas, dentro da comunidade cristã, revestir-se-iam da máxima importância. Ele pensava que a filosofia é por demais remota e superficial para interpretar e orientar na experiência religiosa. No entanto, ele mesmo foi fortemente influenciado por certos filósofos.

8. A fé religiosa é autônoma, estando infensa aos ataques das ciências, as quais também seriam autônomas em seus respectivos campos.

9. Ele pensava que o *universalismo* é possível, embora isso não fosse dogmaticamente asseverado por ele.

RITSCHLIANISMO
Ver sobre **Ritschl, Albrecht (Ritschlianismo)**

RITUAL, RITUALISMO
1. *Um dos Principais Tipos Religiosos*. Ver o artigo sobre *Religião*, terceira seção, quanto a uma explicação a esse respeito. Os principais tipos de religião são: a. animista; b. legalista; c. ritualista; d. sacramentalista; e. natural; f. racional; g. revelatória; h. mística.

2. *Idéias Principais*. a. Os ritos, considerados agradáveis aos deuses ou a Deus, seriam *necessários* para o homem ser aceito pela divindade. Idéias mágicas mesclam-se aqui com o ritualismo; b. os ritos aparecem como aspectos importantes das formas e práticas religiosas, embora sem qualquer tipo de poder místico ou mágico. As religiões primitivas contavam com práticas ritualistas do primeiro sentido. Provavelmente, o antigo judaísmo compartilhava de tais noções. A partir daí, não está longe o desenvolvimento do *sacramentalismo* (vide). De acordo com este último, os ritos já adquirem poderes místicos, servindo de mediações às graças do Espírito de Deus.

3. *Tendência para os Abusos*. Até que ponto a Igreja cristã deveria empregar ritos, e como esses ritos devem ser celebrados, têm sido questões perturbadoras para vários grupos cristãos. Na Inglaterra, o termo *ritualismo* foi usado em um sentido hostil contra os *anglo-católicos* (vide), os quais, após 1845, reviveram o uso de vestimentas e cerimônias de origem medieval. Esse reavivamento foi aceso em defesa da dignidade da Igreja, nas mentes dos promotores do ritualismo. Esforços foram feitos por outros para suprimir esse ritualismo, e assim a controvérsia prosseguiu.

Em certos grupos protestantes, a questão tem-se tornado ridícula. Um grupo dos irmãos separou-se devido à questão do lava-pés, não por causa da cerimônia em si (que todos aqueles grupos consideram necessária), mas devido ao modo de sua observância. Alguns sentiam que uma mesma pessoa deveria lavar e enxugar os pés de um irmão qualquer, mas outros acreditavam que uma pessoa deveria lavar os pés de outrem, e outra pessoa deveria enxugar-lhos. Outro motivo de intenso debate girou em torno da refeição comunal anterior à distribuição da eucaristia. Um dos grupos afirmava que os elementos da eucaristia não deveriam ser servidos ao mesmo tempo que a refeição prévia, e que só deveriam ser expostos terminada essa refeição. Mas outros opinavam que tanto a refeição quanto os elementos da eucaristia devem ser apresentados ao mesmo tempo. Realmente, os ritos pareciam importantíssimos para aquelas pessoas, pelo menos o suficiente para dividi-las, embora sentissem que os ritos não são meios de graça.

4. *Ajuda e Empecilho*. Certas pessoas precisam dos ritos como auxílios à sua concentração religiosa e senso de respeito. Mas há quem pense que os ritos distraem a atenção, e preferem cultos que consistam somente em orações, explanações das Escrituras e música. Muita gente tem rompido sua comunhão com outras, por causa de tais preferências.

5. *Valor dos Ritos*. De acordo com os praticantes dos diversos ritos, podem ser enumerados os seguintes valores: os ritos vinculam o passado com o presente, conferindo ao indivíduo o senso de participar da «antiga Igreja», que fazia as mesmas coisas em seus cultos de adoração. b. Os ritos emprestam dignidade e solenidade aos cultos religiosos. c. Os ritos emprestam à Igreja um modo comum e universal de procedimento, outorgando certa base para a unidade. d. Os ritos atuam como ponto de concentração, ajudando as mentes das pessoas a fixarem-se sobre os elementos da adoração. e. Os ritos foram instituídos pelas autoridades da Igreja cristã, e não deveriam ser descontinuados. f. As instituições ritualistas têm demonstrado maior unidade e estabilidade que as

RIZIA — ROCHA

não-ritualistas.

6. Contra o Ritualismo. a. O Novo Testamento não nos encoraja ao ritualismo, e os ritos são uma adição a antigas formas, e não representações dessas formas. **b.** Os ritos desviam a mente dos adoradores para longe dos valores espirituais. **c.** Alguns grupos atribuem um poder sacramental aos ritos, o que é contrário à fé simples do Novo Testamento. **d.** Os ritos consomem um tempo precioso, que poderia ser melhor aproveitado para outras práticas religiosas. **e.** Os ritos tendem por ser repetitivos e enfadonhos, degradando assim a adoração religiosa.

A *moderação* parece ser a palavra-chave em toda essa controvérsia.

RIZIA

Palavra de sentido desconhecido no hebraico. Era nome de um chefe e poderoso guerreiro da tribo de Aser. (Ver I Crô. 7:39).

ROCA

No hebraico, **pelek**. Com esse sentido, o termo hebraico é usado somente em Pro. 3:19. O termo refere-se à vareta usada para segurar os fios de linho ou de lã, durante o processo da fiação. Naquele versículo, é declarado que, entre suas muitas atividades, a mulher virtuosa ocupa-se no trabalho com a roca, em benefício de seus familiares. A pessoa que fiava mantinha a roca sob o braço esquerdo. O fio da roca prendia-se no gancho que havia no fim do fuso, que era uma vara entre 23-31 cm de comprimento, afilada em ambas as extremidades. Perto da extremidade inferior do fuso havia uma peça que era um peso circular de argila, de pedra, de metal ou de algum outro material pesado. Essa peça tinha uma perfuração no centro, que permitia ser posta no fuso. Esse peso provia o movimento necessário para o processo da fiação, sendo manipulado com os dedos. Quem fiava tinha de repor continuamente os fios na roca. O processo era laborioso, mas eficaz na produção de tecidos.

ROCHA

No hebraico precisamos considerar várias palavras, e, no grego, duas.

1. *Challamish*, usada por cinco vezes no Antigo Testamento. Essa palavra significa «pederneira», tradução que aparece em Deu. 8:15; 32:13; mas como «seixo» em Sal. 114:8 e Isa. 50:7; e como «rochedo», em Jó 28:9.

2. *Kefim*, «rochas», pois é palavra usada no plural, em Jó 30:6 e Jer. 4:29. Mas a palavra é traduzida por «penhascos», na segunda dessas referências.

3. *Sela*, «rocha», olhada do ponto de vista de sua elevação. É palavra usada por sessenta vezes (por exemplo: Núm. 20:8,10,11; Deu. 32:13; Juí. 1:36; II Sam. 22:2; Sal. 18:2; Isa. 2:21; Jer. 5:3; Oba. 3).

4. *Tsur*, «rocha», olhada do ponto de vista de sua agudeza. Outra palavra muito usada (setenta e duas vezes, com sentido literal e figurado). Para exemplificar: Êxo. 17:6; Núm. 23:9; Deu. 8:15; Juí. 6:21; Jó 14:18; Sal. 18:31; 114:8; Isa. 2:10; 51:1; Naum 1:6.

5. *Petra*, «rocha», palavra grega usada por dezesseis vezes (ver Mat. 7:24,25; 16:18; 27:51,60; Mar. 15:46; Luc. 6:48; 8:6,13; Rom. 9:33; I Cor. 10:4; I Ped. 2:8; Apo. 6:15,16). A variante *petródes*, «lugares pedregosos», aparece por quatro vezes (ver Mat. 13:5,20; Mar. 4:5,16). A alcunha dada a Simão pelo Senhor Jesus, «Pedro», é uma variante dessa palavra, que em grego aponta para um seixo, embora nas páginas do Novo Testamento sempre indique a alcunha desse apóstolo. — É de uso freqüente, aparecendo de Mat. 4:18 a II Ped. 1:1.

6. *Líthos*, «pedra». É palavra usada por cinqüenta e seis vezes no Novo Testamento (por exemplo: Mat. 3:9; 28:2; Mar. 5:5; 16:4; Luc. 3:8; João 8:59; Atos 4:11; Rom. 9:32,33; II Cor. 3:7; I Ped. 2:4-8; Apo. 4:3; 21:11,19).

Os dois termos hebraicos mais usados são difíceis de serem distinguidos, embora o primeiro seja mais concebido como uma rocha elevada, ao passo que o segundo aponta mais para uma laje de pedra. Ambas as formas abundam nas terras bíblicas, onde séculos de destruição da vegetação e de erosão do solo removeram quase inteiramente a cobertura verde. Nos seus quarenta anos de vagueação pelo deserto, o povo de Israel deve ter passado muito de sua vida entre as regiões rochosas da península do Sinai e do sul da Palestina. Petra, a capital de Edom, foi escavada na pura rocha vermelha do local.

Em resultado do meio ambiente, as rochas da Palestina desempenham um papel proeminente na história bíblica, e o livro sacro abunda em metáforas, que acompanham a primeira referência bíblica a Deus como uma rocha (ver Deu. 32:4). 1. Nos primeiros tempos da ocupação dos hebreus na Palestina, era uma precaução racional usar a qualidade natural defensiva dos lugares rochosos, para edificar cidades fortalezas. Tais localidades se tornavam praticamente inexpugnáveis, em face das técnicas militares da época; somente a traição ou o assédio ofereciam alguma possibilidade de captura. 2. As rochas ofereciam abrigo face aos temporais (em sentido literal ou figurado). A pedra calcária da Palestina é cheia de perfurações, pelo que podemos encontrar Davi ocultando-se de Saul na caverna de Adulão (ver I Sam. 22:1), ou nas rochas em derredor de En-Gedi (ver I Sam. 24:1-3). 3. As rochas serviam de fonte de água para Israel, no deserto (ver Êxo. 17:6; Núm. 20:11). É fato bem conhecido que nos lugares rochosos a água se infiltra no solo para aflorar em lugares inesperados, sob a forma de fontes. E é claro que Deus guiou Moisés a lugares onde isso podia ter lugar.

Dentro do simbolismo bíblico, Deus é a Rocha de seu povo, e o Novo Testamento transfere a imagem para Cristo, a Rocha de onde seu povo bebe (ver I Cor. 10:4), a Rocha sobre a qual a Igreja está alicerçada (ver Mat. 16:18). Que o próprio Pedro assim entendeu é patente em suas palavras, em Atos 4:11: «Este Jesus é pedra rejeitada por vós, os construtores, a qual se tornou a pedra angular».

ROCHA ESPIRITUAL

No grego, **pneumatiké pétra**. Essa expressão grega figura somente em I Coríntios 10:4, onde lemos: «...e beberam da mesma fonte espiritual; porque bebiam de uma pedra espiritual que os seguia. E a pedra era Cristo». É evidente que a palavra «rocha», que faz parte dessa expressão, foi usada metaforicamente. Mesmo porque Paulo esclarece, no fim do versículo: «E a pedra era Cristo» (segundo a nossa versão portuguesa). Outras versões, mais corretamente, traduzem a palavra grega *pétra*, como «rocha». Também fazem isso em Mat. 16:18, onde lemos: «Também eu te digo que tu és Pedro, e sobre esta *pedra* edificarei a minha igreja...» Em nenhum desses casos devemos pensar em algum mero seixo ou pedrinha que alguém pudesse apanhar com uma das mãos e lançá-la a alguma distância. Antes, está em foco uma rocha, algum grande bloco de pedra, que um homem ou mesmo muitos homens não são capazes de abalar de seu lugar. No entanto, o termo grego *Pétros*, que em português torna-se *Pedro*, a alcunha de Simão, filho de João, dada pelo Senhor Jesus, realmente, significa «seixo». Pedro, juntamente com todos os demais servos do Senhor, pode ser comparado a uma pequena pedra, que pode ser usada em uma construção de pedra. Mas Jesus é a «rocha» que serve de alicerce para essa construção. O próprio Paulo disse: «...ninguém pode lançar outro fundamento além do que foi posto, o qual é Jesus Cristo» (I Cor. 3:11).

A Rocha que é Cristo, e que seguia Israel em suas vagueações pelo deserto, de cuja Rocha também manou água, representa Cristo em sua preexistência, isto é, antes de haver-se encarnado. Todavia, tudo isso é simbólico, ou seja, o poder de Cristo, o Filho de Deus é que serviu de manancial de Água, impedindo que os israelitas perecessem de sede, da mesma maneira que ele agora continua sendo a grande fonte de nosso suprimento espiritual.

Por nada menos de três vezes, Moisés, a mando de Deus, fez sair água da rocha: em Refidim (Êxo. 17:6), em Cades (Núm. 20:11), e à beira do poço de Beer (Núm. 21:16). Embora os rabinos tivessem uma lenda que dizia que a água realmente seguia aos israelitas, pelo deserto, manando de um fragmento de rocha com cerca de quatro metros e meio de altura, e, embora tenha havido, entre os comentadores evangélicos, quem pensasse que Paulo tirou proveito de uma tradição dessa ordem, é muito difícil que isso corresponda à verdade dos fatos. O que nos importa compreender, em todo o incidente referido por Paulo, é a presença *espiritual* de Cristo, e não alguma pedra material que de vez em quando jorrasse água para dessedentar os israelitas no deserto. Afinal, Paulo falou sobre uma *pedra espiritual*.

RODA

No hebraico temos três vocábulos que precisam ser estudados, no tocante a este verbete, a saber:

1. *Galgal*, «roda», «coisa rolante». Essa palavra hebraica ocorre por dez vezes: Sal. 83:13; Ecl. 12:6; Isa. 5:28; Jer. 47:3; Eze. 10:2,6,13; 23:24; 26:10 e Dan. 7:9. A forma variante, *gilgal*, não como nome de uma localidade, mas alusiva a uma roda, aparece somente por uma vez, em Isa. 28:28.

2. *Ophan*, «roda». Esse termo aparece por vinte e quatro vezes: Êxo. 14:25; I Reis 7:30,32,33; Pro. 20:26; Isa. 28:27; Eze. 1:15,16,19,20;21; 3:13; 10:6,9,10,12,13,16,10; 11:22 e Naum 3:2.

3. *Obnayim*, «rodas». Com o sentido de «rodas» figura apenas por uma vez, Jer. 18:3, onde se lê: «Desci à casa do oleiro, e eis que ele estava entregue à sua obra sobre as rodas». Conforme se vê, essa palavra aponta para a roda do oleiro. Ver também o artigo *Vasos*.

No Novo Testamento encontramos a palavra grega *trochós*, «roda», que figura ali somente por uma vez, em Tiago 3:6, onde lemos: «Ora, a língua é fogo... e não só põe em chamas toda a carreira (no grego, *a roda*) da existência humana, como é posta ela mesma em chamas pelo inferno». Como é evidente, aí a palavra «roda» (em nossa versão portuguesa, «carreira») é empregada em um sentido metafórico.

A invenção da roda, além de ser, sem dúvida das mais antigas, de tal maneira que está perdida nas brumas do passado, também constituiu um dos maiores avanços tecnológicos do homem. Modelos de argila, tanto de veículos dotados de rodas quanto de alguns fragmentos de rodas de oleiro, indicam que ambos os usos da roda já eram conhecidos nos países do Oriente Próximo e Médio desde tão cedo quanto o quarto milênio A.C.

É fácil de imaginar que as primeiras rodas tivessem sido criadas por alguma mente humana inventiva, que se inspirou em algum tronco de árvore a rolar. As primeiras rodas, portanto, devem ter sido meras partes cortadas de troncos de árvores. Por muito tempo, pois, mesmo quando não se usava mais esse método tão primitivo de fabrico de rodas, as rodas continuaram a ser compactas, tanto de madeira quanto de pedra. As rodas com raios só vieram a surgir em cena quando o cavalo passou a ser usado como animal de tração em substituição ao jumento, já nos meados do século XXV A.C.

Lemos em Êxodo 14:25: «...emperrou-lhes as rodas dos carros, e fê-los andar dificultosamente». A alusão é aos carros de combate que Faraó, rei do Egito, lançou contra o povo de Israel, que fugia para longe do Egito. Muitos pensam que, nessa altura da história, as rodas já seriam munidas de raios, dando-lhes maior leveza, e, se bem feitas, até maior resistência do que no caso das rodas compactas.

Na descrição sobre o templo de Salomão, no sétimo capítulo de I Reis, lemos a respeito das bacias de bronze, moldadas os seus suportes como se fossem carros dotados de rodas. Ali são mencionados os eixos, as cambas, os raios e os cubos das rodas, embora tudo formando uma só peça soldada, que não girava. É possível que esse ornamento tivesse sido inspirado na pesada carroça dos assírios, e não no carro de combate, muito leve, dos egípcios. Os carros de guerra dos países do norte, como a Assíria e a Babilônia, eram pesados e rolavam fazendo grande ruído (ver Jer. 47:3 e Naum 3:2).

Tanto Daniel (ver 7:9) quanto Ezequiel (ver 1:18,19) receberam visões apocalípticas onde as rodas que ali apareceram simbolizavam poder e força, além da idéia de movimentos rápidos de um lugar para outro. Em Ezequiel 23:10,24, a palavra «rodas» é usada, como uma sinédoque, para indicar carros de combate, porquanto esses veículos dependiam de sua velocidade e robustez, para serem úteis nas batalhas. No entanto, no dizer dos profetas de Israel, essas armas de guerra (equivalentes a tantos outros veículos de guerra modernos, como os tanques, os aviões, etc.) eram como um nada diante do poder de Deus. Lemos em Salmos 83:13: «Deus meu, faze-os como folhas impelidas por um remoinho, como a palha ao léu do vento». Ver também Isa. 17:13.

A roda do oleiro é abordada no artigo *Artes e Ofícios*. Também há menção, no Antigo Testamento, a um aparelho de rodas, usado na antiguidade para extrair água de um poço, em Eclesiastes 12:6: «...e se desfaça a roda junto ao poço». Sem dúvida, de acordo com o contexto, está em pauta o funcionamento harmônico do corpo humano, ameaçado de perto pela morte, que ocorre logo em seguida, quando o pó volta à terra e o espírito volta a Deus. É o poder que as autoridades constituídas têm de fazer justiça, castigando aos malfeitores, também é retratado com uma roda, em Provérbios 20:26, que diz: «O rei sábio joeira os perversos, e faz passar sobre eles a roda».

RODA DA VIDA Ver **Karma** e **Reencarnação**.

RODA DO OLEIRO
Ver sobre **Oleiro (Olaria)** e **Cerâmica**.

RODANIM

O nome aparece somente em Gên. 10:4 e I Crô. 1:7. O texto massorético grafa **Dodanim** na primeira referência, e Rodanim na segunda. É claro que um mesmo grupo étnico está em foco, pelo que uma das grafias está incorreta. A maioria dos estudiosos conclui, com base no fato de que esse povo é incluído entre os habitantes das ilhas do mar Egeu, que estão em pauta os habitantes da ilha de Rodes—ou seja, Rodanim. A LXX traduz por *Ródioi*, «ródios».

A troca do «r» pelo «d» pode ser explicada pelo fato de que as letras hebraicas correspondentes às letras latinas *r* e *d* assemelham-se uma à outra quanto à forma. Todavia, a variante Dodanim não tem explicação razoável, e nenhuma identificação plausível de um povo com esse nome tem sido proposta, embora alguns tenham sugerido os dardânios. Segundo a lenda, Dardanus, filho de Zeus e da ninfa Electra, filha de Atlas, em conseqüência de um dilúvio, retirou-se de Samotrácia para Trôade e terminou por fundar Dardânia, ao pé do monte Ida. Gerações mais tarde, Dardânia, Tróia e Ilion tornaram-se uma única cidade. As lendas continuam dando detalhes mais ou menos inverossímeis.

Sem importar a forma exata do nome, trata-se de uma raça descendente de Javã, filho de Jafé, um dos três filhos de Noé. Os filhos de Javã «repartiram entre si as ilhas das nações», segundo se vê em Gên. 10:5. Todos os estudiosos concordam que a expressão «ilhas das nações» representa as terras em redor do norte do Mediterrâneo, ou seja, desde a porção ocidental da Ásia Menor até às costas da Espanha. Onde ter-se-iam instalado os descendentes de Rodanim? Talvez novas investigações lancem luz sobre o assunto. Nossa versão portuguesa segue o texto massorético quanto à grafia do nome (ver acima).

RODAS

No hebraico, **obnayim**. Figura apenas por duas vezes em todo o Antigo Testamento, em Exo. 11:16 e em Jer. 18:3. Há várias possibilidades quanto ao seu significado: 1. As rodas de um oleiro, embora alguns duvidem disso. Com esse sentido é traduzida em nossa versão portuguesa, em Jer. 18:3. 2. Talvez uma banqueta com abertura no centro, sobre a qual se assentavam as mulheres, ao darem à luz. No trecho de Êxo. 1:16, em nossa versão portuguesa, os tradutores não a traduziram, ficando apenas levemente subentendida. 3. Também pode significar uma banheira para lavagem dos recém-nascidos. Não há qualquer certeza quanto ao sentido do vocábulo. (S)

RODE

Uma garota que era criada na casa de Maria, mãe de João Marcos, e que veio atender à porta, quando Pedro ali bateu, após ter sido solto da prisão de Jerusalém, pelo anjo. Os crentes oravam, incessantemente, em favor de Pedro, quando ele foi preso. Agora, Pedro estava pedindo entrada na casa, mas Rode, de tão alegre que ficou, voltou para o interior da residência, sem abrir a porta, e anunciou que era Pedro. Terminou sendo tachada de louca pelos outros crentes. Nossa fé no poder de Deus e na eficácia da oração é muito pequena! (Ver Atos 12:1-19). O nome da garota é grego, e significa «rosa».

RODES

Uma extensa ilha do grupo do Dodecaneso, com mais de oitocentos quilômetros de área, a quase vinte quilômetros do largo da costa da moderna Turquia e da antiga Cária. Rodes é uma ilha montanhosa, embora cortada por vales férteis e produtivos. Seu nome pode ser uma formação assimilada, porquanto, até onde é possível investigar, o local nunca se caracterizou por *rosas*, nem na antiguidade e nem no presente.

Houve uma colônia grega dória, no começo, do que resultaram três cidades. No século V A.C., esses estados faziam parte da confederação ateniense, presumivelmente, com constituições democráticas. Lutas com Atenas irromperam em 411 A.C., o que continuou pelo espaço de cinco anos. O resultado foi que os três estados se uniram, com a escolha de uma **nova capital — Rodes. As três cidade-estados mantiveram muito de sua autonomia, tendo mantido** suas instituições democráticas. A situação só foi interrompida na segunda metade do século IV A.C., devido a um breve período de dominação persa.

Após as conquistas de Alexandre, Rodes mostrou-se útil devido à sua posição vantajosa. Os habitantes contavam com uma boa marinha, que conquistou e manteve um considerável comércio com a extremidade oriental do mar Mediterrâneo, que foi aberto por Alexandre para o comércio e para a penetração do mundo ocidental. Sendo rica, poderosa, e por ser uma ilha bem defendida, conseguiu manter-se independente dos «sucessores» de Alexandre. Sua marinha policiava as costas da Ásia Menor, infestada de piratas desde os tempos imemoriais. Tal como já sucedera a Atenas, Rodes tornou-se um centro capitalista, onde se processava intenso comércio. Durante o período helenista, Rodes sempre se colocava ao lado do Egito e contra a Síria.

Tendo percebido a vantagem de aliar-se a Roma, Rodes se pôs ao lado daquele poder nas suas guerras contra Filipe V da Macedônia e contra Antíoco da Síria (201-197 A.C.), tendo sido recompensada por isso com a doação de territórios na Cárias e na Lícia, em terras continentais. Mas, na Terceira Guerra Romana contra a Macedônia, Rodes incorreu na ira romana devido à sua tentativa de neutralidade. A despeito da brilhante defesa de Catão, o famoso censor romano, Rodes foi punida pela instituição de Delos como um porto rival (166 A.C.). Isso muito contribuiu para a derrocada da anterior prosperidade comercial de Rodes.

Rodes reconquistou parte de sua anterior posição de aliada de Roma quando resistiu ao cerco de Mitrídates, quando aquele dinâmico rei do Ponto havia quase que destroçado a posição romana a leste do mar Egeu, em 88 A.C. Rodes ajudou Pompeu, com sua flotilha, quando este varreu os piratas do extremo oriental do Mediterrâneo, em 67 A.C., e, posteriormente, quando este lutou contra César. Após a vitória de Cesar na Guerra Civil, navios de Rodes ajudaram-no no cerco de Alexandria. Quando Paulo passou por Rodes, tendo viajado de Trôade a Cesaréia (ver Atos 21:1), o local não passava de um porto aprazível, um ponto na escala, uma cidade que ainda exibia alguma prosperidade, mas que estava longe do seu resplendor passado. Quando Augusto rejeitou Tibério como seu sucessor, foi o lugar para onde este último se exilou voluntariamente. Até hoje é uma bela cidade, plena de remanescentes da era antiga e do período das cruzadas.

RODOCO

No grego, **Ródokos**. Um judeu traidor que desvendou para os sírios os planos de Judas Macabeu acerca de uma cidadela que este último havia fortalecido. Ao ser descoberto, foi declarado culpado e aprisionado (ver II Macabeus 13:21).

••• ••• •••

ROGA

No hebraico, o nome significa «clamor», «alarme». Foi um aserita, segundo filho de Semer. (Ver I Crô. 7:34). Viveu por volta de 1600 A.C.

ROGELIM

A LXX grafa o nome como **Rogelleim** ou **Rakabein**. No hebraico, o nome significa «lavandeiros». Era onde habitava o idoso e rico Barzilai, que, juntamente com outros, mostrou-se simpático para com Davi, quando este fugia de Absalão e chegou a Maanaim (ver II Sam. 17:27-29), tendo escoltado Davi de volta às margens do Jordão. Barzilai pediu que Davi favorecesse seu servo, Quimã (ver II Sam. 19:31 ss). Um certo erudito sugeriu uma localização possível na moderna Tell Barsina, a leste de Gileade, devido à similaridade do nome com o de Barzilai, mas um outro não encontrou qualquer evidência de povoação ali antes do período romano, em razão do que propôs a localidade próxima de Zaharet Soq'ah. Ainda um outro estudioso vê possibilidades de identificação em Bersinya, cerca de quarenta quilômetros ao norte de Maanaim (*The Macmillan Bible Atlas*, 1968. pág. 182).

ROLA

No hebraico, *tor*, palavra usada por catorze vezes: Gên. 15:9; Lev. 1:14; 5:7,11; 12:6,8; 14:22,30; 15:14,29; Núm. 6:10; Sal. 74:19; Can. 2:12; Jer. 8:7. No grego, *trugón*, que aparece por somente uma vez, em Luc. 2:24 (citando Lev. 12:8).

O nome científico da espécie é *Streptopelia turtur*. Há muitas raças de rolas espalhadas pela Europa, Ásia e porção norte e central da África. As rolas são comuns na Palestina, em todas as estações do ano, e muitas outras são aves de arribação, que por ali passam por migração, ao viajarem entre a África e os lugares onde nidificam, bem mais ao norte. Raças aparentadas são as rolas das palmeiras e as rolas de colarinho, que residem na Palestina, mas onde são chamadas por um mesmo nome. A rola bárbara, um tanto mais pálida em seu colorido do que a rola comum, e também um pouco mais volumosa, é uma espécie domesticada que se origina da rola de colarinho. Pode-se supor que a espécie era criada para ser sacrificada. Pelo menos, sabe-se que não era prática, entre os israelitas, oferecer animais ou aves selvagens em seus holocaustos.

Somente em duas ocorrências, essas aves não são consideradas próprias para os sacrifícios: Cantares 2:14 e Jeremias 8:7. Ali, essas aves são mencionadas como aves de arribação. Ver o artigo geral sobre *Aves*.

ROLO

Ver **Escrita**.

ROLOS (MANUSCRITOS) DO MAR MORTO

Ver *Mar Morto, Manuscritos (Rolos) do*.

ROMA   Ver também, **Império Romano**.

1. *Origens*. No segundo milênio A.C., quando de grandes **migrações de povos, os tribos indo-européias** que formavam grande parte do padrão étnico da Europa, até os nossos dias, foram se infiltrando nas penínsulas ibérica, itálica e grega, por ondas sucessivas. Uma dessas ondas envolveu algumas tribos, —que deixaram um grupo à boca do Tibre e foram fundar povoados mais ao sul, na ilha da Sicília. Uma outra onda envolveu o grupo do Tibre, composta por tribos que falavam o umbriano e o osco. Na metade da península da Itália já havia uma raça proveniente da Ásia Menor, os etruscos, cujo nome sobrevive na moderna Toscana. Os etruscos eram mais altamente civilizados que os recém-chegados. Basta que agora mencionemos as povoações gregas em torno da costa da metade sul da península (Magna Grécia, conforme foram chamadas posteriormente), para que se forme o quadro étnico italiano, no início de sua história. As tribos celtas, ao norte da Itália, também não podem ser esquecidas, embora suas invasões só tivessem começado um pouco mais tarde.

2. *Cidade fundada*. Mais ou menos no centro da «bota italiana», entre o norte e o sul, a pouca distância do mar Tirreno, Rômulo e Remo fundaram a cidade de Roma. A data tradicional é 753 A.C., mas sabe-se, atualmente, que já havia um povoado ali desde, pelo menos, 1000 A.C. A antiga cidade não ficava às margens do rio Tibre, e, sim, nas faldas das elevações, as chamadas «colinas». As construções foram sendo feitas em nível cada vez mais baixo, até chegarem às margens do rio.

A história de Roma, quanto mais se retrocede no tempo, mais se perde em meras lendas, que não podem ser substituídas por dados mais concretos, por mais que os estudiosos investiguem. Os gêmeos Rômulo e Remo, filhos da vestal Rea e do deus da guerra, Marte, netos do rei de Alba, Numitor, milagrosamente salvos do rio Tibre, onde haviam sido atirados, e, então, amamentados por uma loba, sem dúvida, são figuras lendárias. Igualmente lendária é a história do fundador do Lácio, Enéias. Este ter-se-ia salvo de Tróia fumegante, — transportando aos ombros seu idoso pai e os penates, ou deuses domésticos.

Parece que um tanto mais real é a história que na recém-fundada cidade ajuntaram-se ladrões e assaltantes foragidos, que não demoraram a assaltar povoados vizinhos de tranqüilos sabinos, para lhes roubar as mulheres. Mais conhecidos ainda são o politeísmo e as superstições dos romanos. Os deuses romanos eram mais agricultores e guerreiros que as divindades gregas, talvez como reflexo dos povos que os conceberam. Entre os romanos antigos havia o Jano, deus da paz, Termino, deus das propriedades, Ópis, deusa da apicultura, etc. Os ritos e os prognósticos substituíam os princípios morais. Diz-se sobre os áugures ou adivinhos que eles nunca se entreolhavam sem rir, cônscios que estavam de suas mentiras e falsidades. Não demorou a surgir uma classe sacerdotal: os pontífices, que presidiam as cerimônias religiosas; os famínios, que se devotavam a algum culto especial; os feciais, que celebravam acordos de paz. Cada chefe de família oficiava o culto doméstico, exercendo uma autoridade que chegava ao direito de vender ou suplicar quem estivesse sob suas ordens.

Se os gregos tendiam para o belo e para a filosofia, os romanos pendiam para as questões práticas e para o direito. Portanto, Roma tornou-se uma sociedade política. As leis ocidentais de nossos dias estão alicerçadas sobre o chamado direito romano.

3. *O período dos reis também é fabuloso*. Esse período começa por volta de 750 a 509 A.C. Nenhum desses reis é rigorosamente histórico. Numa Pompílio, sucessor de Rômulo, teve índole pacífica, tendo-se tornado protetor da lavoura; Túlio Hostílio, ao contrário, era belicoso; Anco Márcio foi o construtor da ponte sobre o rio Tibre e do porto de Óstia;

ROMA — ROMA, IGREJA EM

Tarquínio Prisco teria sido um usurpador etrusco e grande construtor. Construiu a cloaca máxima, os primeiros esgotos de Roma. Sérvio Túlio, genro daquele, completou a ocupação das colinas de Roma e reformou a organização política, e Tarquínio, o Soberbo, acabou sendo destronado em razão de suas violências, e também por causa de seu filho, Sexto, que violentou a esposa de um nobre, fazendo-a suicidar-se de vergonha. Um sobrinho desse rei, Lúcio Bruto, e o marido ofendido, deram início à república patrícia, em substituição à realeza.

4. *A república.* Pelos meados do século IV A.C., a república havia solucionado os problemas das lutas internas, da pobreza econômica e dos choques raciais. A cidade já se havia tornado extensa e populosa, recortada por estradas internas que até hoje podem ser reconhecidas, devido ao grande acúmulo de escombros às suas margens. Em um lugar tão densamente ocupado há milênios, a arqueologia jamais terá a oportunidade de fazer uma devida investigação.

Toda a história de Roma envolve uma luta de classes, envolvendo-se em conflitos políticos, sociais e econômicos: os plebeus contra os patrícios. Somente o despotismo dos ditadores conseguiu distrair a população desses conflitos crônicos. Mais tarde, os imperadores procuravam pacificar as turbas com *panem et circenses* (pão e circo), escudados nas legiões romanas.

5. *O desenvolvimento político de Roma* envolve muitos e complicados detalhes. Lentamente os plebeus tiveram seus direitos reconhecidos, mas não sem a reação dos patrícios. Os censores eram os administradores supremos da justiça, embora também tivessem funções religiosas, pois presidiam a cerimônia qüinqüenal do lustro, ou purificação da cidade. Então oficериciam-se aos deuses, terminado o recenseamento, para efeito de cobrança de impostos, o sacrifício de um porco, de uma ovelha e de um touro. Houve muitas medidas e contramedidas políticas, antes que Roma se organizasse segundo a feição mais conhecida hoje em dia, ou seja, dirigida pelos césares e augustos, imperadores quase sempre imoderados, e alguns deles, sem dúvida, loucos, como Nero e Caracala. Não é nosso intuito recontar aqui a história da cidade de Roma ou do Império Romano, havendo abundante literatura histórica sobre o assunto. Importa-nos muito mais o sentido de Roma, à luz das profecias bíblicas do Antigo e do Novo Testamentos.

6. *Profecia.* Daniel é um dos mais importantes profetas do A. Testamento a esse respeito. Em 7:3, diz: «Quatro animais, grandes, diferentes uns dos outros, subiam do mar». Nos versículos subseqüentes há a descrição de cada um desses animais. Outros trechos do mesmo livro permitem-nos perceber que a visão envolvia quatro impérios mundiais consecutivos: Babilônia, Média-Pérsia, Grécia e Roma. Acerca do quarto animal diz o profeta: «...eis aqui o quarto animal, terrível, espantoso e sobremodo forte, o qual tinha grandes dentes de ferro; ele devorava e fazia em pedaços, e pisava aos pés o que sobejava; era diferente de todos os animais que apareceram antes dele, e tinha dez chifres» (Dan. 7:7).

Esse quarto animal representa Roma, a capital e o império, igualmente. Para muitas pessoas desavisadas, parece que o Império Romano é coisa de um passado distante, que não volta mais. Mas, os «dez chifres» falam de uma fase ainda futura do quarto império mundial. João, o vidente, tem algo para nos dizer sobre isso: «Os dez chifres que viste são dez reis, os quais ainda não receberam reino, mas recebem autoridade como reis, com a besta, durante uma hora. Têm estes um só pensamento, e oferecem à besta o poder e a autoridade que possuem». (Apo. 17:12,13). Esses chifres correspondem aos dez dedos, de ferro misturado com barro, do sonho de Nabucodonosor (ver Dan. 2:40-43).

Espiritualmente, pois, Roma encarna o mal e a revolta organizada da humanidade contra Deus, que se manifestará mormente durante o reinado do último imperador, o anticristo. Essa desvairada revolta contra o Cristo será esmagada: «Mas, nos dias destes reis, o Deus do céu suscitará um reino que não será jamais destruído; este reino não passará a outro povo: esmiuçará e consumirá todos estes reinos, mas ele mesmo subsistirá para sempre» (Dan. 2:44 *ss*). E também Apocalipse 17:14: «Pelejarão eles (o anticristo e seus dez reis) contra o Cordeiro, e o Cordeiro os vencerá, pois é o Senhor dos senhores e o Rei dos reis; vencerão também os chamados, eleitos e fiéis que se acham com ele».

No início do cristianismo, a cidade de Roma mui provavelmente, contava com um milhão de habitantes, e era a maior cidade do mundo. Isso explica melhor as palavras de João: «A mulher (prostituta) que viste é a grande cidade que domina sobre os reis da terra» (Apo. 17:18).

Tal como Babilônia, Roma tornou-se uma imagem do paganismo carnal e organizado. Nesse último simbolismo a seu respeito, a Bíblia retrata a cidade como uma meretriz embriagada, montada sobre uma fera terrível, poluindo o mundo com seus vícios e atrocidades. A fera é o império romano, ou, pelo menos, a cultura romana (lembremo-nos que nossa civilização ocidental é romana em muitos aspectos).

Ver também sobre *Império Romano*.

ROMA, IGREJA EM

Está em foco a Igreja Cristã na capital do Império Romano, localizada às margens do rio Tibre, a vinte e quatro quilômetros da costa ocidental mediterrânea da península itálica.

1. *Origem.* Desconhece-se a origem exata da igreja de Roma. Uma significativa comunidade cristã já existia por bastante tempo antes de Paulo haver escrito a epístola aos Romanos (cerca de 58 D.C.), conforme se percebe em Rom. 1:8-13 e 16:19, embora a narrativa bíblica não registre quaisquer visitas apostólicas senão já em 62 D.C. (ver Atos 28:15). Quando Paulo escreveu sua epístola aos Romanos, ainda não estivera em Roma (cf. Rom. 1:13 e 15:22). Portanto, é extremamente improvável que Paulo tenha tido qualquer participação direta na fundação da Igreja cristã dali. Os estudiosos têm sugerido várias possibilidades:

a. *Visitantes de Roma*, que teriam estado presentes em Jerusalém, no dia de Pentecoste (ver Atos 2:10), e que estiveram entre os três mil convertidos naquele dia (ver Atos 2:41), e que teriam estabelecido a igreja de Roma ao retornarem à capital. Embora essa possibilidade não possa ser descartada, ela é considerada improvável. E, mesmo que fosse aceita, não proveria qualquer explicação adequada para a natureza gentílica da igreja de Roma, e nem sua evidente organização, distinta da sinagoga.

b. *Pedro*. A posição tradicional da Igreja Católica Romana é que a igreja cristã de Roma foi fundada pelo apóstolo Pedro, seu primeiro bispo. Existe uma tradição de uma visita antiga (cerca de 42 D.C.) e de um ministério contínuo de vinte ou vinte e cinco anos. I Ped. 5:13, mencionando *Babylon*, certamente se refere a *Roma*. A evidência patrística está pesadamente em favor do ministério de Pedro em Roma. Mas

Cenas de Roma - Cortesia, Baker Book House

Coliseu

Ruínas de Roma

Mesa Romana para Refeição

Forum de Roma — Cortesia, John F. Walvoord

Arco de Tito — Cortesia, Baker Book House

não é provável que ele fundou a igreja naquele lugar.

Quando escreveu sua epístola aos Romanos, Paulo declarou sua intenção de ministrar em Roma (ver Rom. 1:10-13; 15:22 ss), desejo esse que, obviamente, se tornou bem conhecido (ver Atos 19:21). Outrossim, se tivesse havido a menor possibilidade de Pedro estar vinculado à igreja de Roma, Paulo teria saudado a ele colega de apostolado, ou teria feito alguma alusão ao ministério de Pedro, mas nenhuma das duas coisas foram feitas por Paulo. E isso teria sido um esquecimento imperdoável, à luz do fato de que ele chegou a mencionar Andrônico e Júnias como homens «...notáveis entre os apóstolos...», e que estavam em Cristo antes dele (ver Rom. 16:7). Se a reputação recomendável dos crentes romanos (ver Rom. 1:8 ss) era resultado da influência de Pedro, Paulo não teria ignorado esse fato.

Deve-se notar que os informes sobre os quais a tradição acima se alicerça, dizem que tanto Pedro quanto Paulo foram responsáveis pelo estabelecimento da igreja de Roma. Todavia, negar que Pedro foi o fundador da igreja de Roma não nega sua posterior visita a Roma e seu martírio ali. Se Pedro veio a Roma, deve tê-lo feito por ocasião do segundo aprisionamento de Paulo. Citando Dionísio, bispo de Corinto, diz Eusébio: «Semente florescente que fora plantada por Pedro e Paulo em Roma e em Corinto... eles sofreram o martírio mais ou menos ao mesmo tempo» (Eusébio, Hist. II.25). Eusébio também cita Tertuliano, Gaio, Irineu, Orígenes e outros que confirmam o martírio de Pedro em Roma.

c. *Convertidos de Paulo.* Uma explicação mais provável para a origem da igreja de Roma é que ela foi fundada por cristãos que levaram o evangelho à capital do império. Os nomes dos membros da congregação local de Roma pareciam bem conhecidos do apóstolo Paulo. Ele faz alusão específica a vinte e seis indivíduos, e a não menos de cinco grupos, por nome (ver Rom. 16:3-16). E não somente o apóstolo conhecia-os por nome, mas também comentou sobre a fé e a atividade deles em prol do evangelho. Aparentemente, alguns deles se tinham convertido através do ministério de Paulo (cf. Rom. 16:5).

Tem sido sugerido que visto que o evangelho foi levado até «...à Fenícia, Chipre e Antioquia...» (Atos 11:19), durante a perseguição que houve após a morte de Estêvão, é provável que alguns cristãos, logicamente, teriam fugido para Roma. Embora a sugestão seja possível, nenhuma evidência histórica existe para apoiar tal conclusão.

Embora não inteiramente isenta de problemas, a origem mais provável da Igreja que foi organizada em Roma é que Paulo fez convertidos e entrou em contato com crentes que haviam sido expulsos de Roma durante o reinado de Cláudio, em 49 D.C. (ver Atos 18:2,3).

A **identificação feita** de Áquila como um judeu «...natural do Ponto, recentemente chegado da Itália...» (Atos 18:2,3; cf. Atos 2:9), não prova que ele não fosse cristão, mas apenas que ele era um dentre «todos os judeus» que haviam sido expulsos de Roma. O fato de que Paulo foi residir com ele, sem qualquer indicação de que Áquila se convertera em Corinto, sugere a forte probabilidade de que ele já era um cristão desde Roma. Outros convertidos de Paulo poderiam ter imigrado ou retornado a Roma, o que explicaria a origem da Igreja cristã organizada na cidade imperial.

2. *Composição.* Quem compunha a igreja em Roma tem sido questão muito debatida e especulada. É improvável que fosse uma igreja totalmente gentílica, embora Paulo tenha se dirigido a ela como tal (ver Rom. 1:5,6,13, etc.). O que se pode dizer com certeza é que aquela Igreja era formada, quase inteiramente, por gentios. Calcula-se que a população judaica em Roma, durante o período apostólico, orçava entre vinte e trinta mil pessoas. Eles adoravam em sete sinagogas bem estabelecidas e possuíam três cemitérios. Quase todos os judeus de Roma eram descendentes de escravos, capturados durante as campanhas de Pompeu, Cássio e Antônio. E que muitos dos judeus libertos eram abastados, evidencia-se pelas polpudas somas anualmente enviadas a Jerusalém.

Todavia, a mera presença de judeus em Roma não prova que houvesse uma Igreja cristã judaica. Quando Paulo ministrou aos líderes judeus (ver Atos 28:21,22), eles pareciam ignorantes de qualquer informação em primeira mão acerca das crenças cristãs. Visto que Paulo era apóstolo dos gentios, e que a história não preservou qualquer epístola paulina a uma igreja não paulina, é difícil crer que houvesse um numeroso contingente de cristãos judeus na igreja de Roma. Além disso, os numerosos nomes pessoais gregos, mencionados por Paulo em sua epístola, argumentam em favor de uma igreja tipicamente gentílica. Todavia, deve-se pensar que muitos judeus romanos falavam o grego, pelo que poderiam ter nomes pessoais gregos.

Algumas vezes argumenta-se que o freqüente apelo que Paulo faz à lei (cf. Rom. 7:1), é evidência de um numeroso grupo de crentes judeus naquela igreja. Mas a isso, pode-se retorquir, com toda a razão, que o Antigo Testamento é o canal através do qual a Igreja cristã tem compreendido a verdade cristã.

3. *Reputação e crescimento.* Paulo afirma em sua epístola aos Romanos que a igreja de Roma tinha boa reputação de: 1. fé, largamente proclamada (1:8); 2. indivíduos que ele conhecia pessoalmente, cuja fama não era apenas local (16:3 ss); 3. obediência largamente reconhecida (16:19); 4. maturidade suficiente para despertar o regozijo do apóstolo (16:19). Que havia alguns problemas e dissensões também é evidente (16:17). A lealdade e o afeto dos crentes romanos pelo apóstolo foram confirmados pelo fato de que eles jornadearam por certa distância para virem ao encontro dele, quando souberam que ele se aproximava da cidade (ver Atos 28:14-16).

A alusão de Paulo à casa de César (Fil. 4:22), durante seu aprisionamento em Roma, na opinião de muitos indica que alguns dos nomes referidos no décimo sexto capítulo de Romanos, uma indicação de que pessoas de alto nível social se haviam convertido. É óbvio que a Igreja dali não era grande, ao tempo em que foi escrita a epístola aos Romanos (cerca de 58 D.C.), e nem o cristianismo era ainda bem conhecido até um ano depois da chegada de Paulo em Roma (ver Atos 28:21 ss). Entretanto, por volta de 64 D.C., durante a perseguição sob Nero, os cristãos haviam atingido um número suficiente para serem conhecidos, detidos e martirizados em grandes números («vastas multidões», no dizer de Clemente de Roma), o que provocou a simpatia popular em favor deles. (Clemente de Roma, *Epístola aos Coríntios* 6; Tácito, *Annais* xv.44).

4. *Perseguições.* Não se sabe com certeza quando o cristianismo tornou-se uma religião ilícita. Quando Paulo foi inocentado por Nero, não era crime algum ser cristão. E mesmo quando a perseguição teve início, a acusação de Nero contra os cristãos é que eles planejavam incendiar a cidade e não que impugnava a fé deles. (Tácito, *Anais*, xv.44). Por essa altura, os cristãos formavam uma comunidade bem conhecida. A tradição diz que Pedro e Paulo foram martirizados

ROMA, IGREJA EM — ROMANOS

em Roma, sob Nero, em 67 D.C. (Eusébio, *Hist.* II.26,6,7).

A fase seguinte das perseguições ocorreu durante o reinado de Domiciano (cerca de 95 D.C.), quando os cristãos receberam idêntico tratamento àquele dado aos judeus que se recusavam a pagar as taxas do templo dedicado a Júpiter. A tradição identifica isso como o motivo do exílio do apóstolo João à ilha de Patmos. (Ver Apo. 1:9).

A primeira política de perseguição que se pode discernir teve lugar na Bitínia, quando Plínio, o jovem, era o governador (cerca de 112 D.C.), no reinado de Trajano. A correspondência entre Plínio e Trajano mostra que o governo dispunha-se em estabelecer uma norma de que ser cristão era um crime punível com a morte, exceto em caso de retratação (ver Plínio, *Epis.* x. 96, 97). Inácio foi martirizado durante essa perseguição. Embora se tenha perdido o edito governamental, definindo a questão, torna-se patente que, no começo do século II D.C., a política imperial era considerar que ser cristão era um crime.

Não queremos expor neste artigo um martirológico completo. Portanto, diremos apenas que a perseguição da época do imperador Décio (cerca de 250 D.C.) foi uma questão local e esporádica. Após isso, o governo imperial procurou eliminar o cristianismo do território do império. O período mais intenso foi na época do imperador Diocleciano (303 e 304 D.C.), quando os crentes sofreram tantos abusos que eles entulhavam as prisões, ao ponto de «não haver mais espaço para os condenados por motivos criminosos» (Eusébio, *Hist.* viii.6,9).

Em 311 D.C., o imperador Galério, em seu leito de morte, baixou um edito de tolerância, sob a condição de que os cristãos não violassem o sossego do império. Mas as perseguições só cessaram, universalmente, quando Constantino baixou o edito de Milão, em 313 D.C.

5. *Lugar na História.* Visto que a igreja de Roma estava localizada na capital do império, seria apenas natural que ela atingisse proeminência desde os seus primórdios. Roma era o centro de toda a bacia do mar Mediterrâneo. E o fato de que a Igreja dali reteve o seu prestígio, mesmo depois que Constantino transferiu a capital do império para Constantinopla, pode ser explicado pelos seguintes fatores: 1. um episcopado firmemente estabelecido na Igreja Ocidental, com sua preocupação acerca da sucessão apostólica; 2. antiga tradição de privilégios, associados aos nomes de Pedro e Paulo; 3. relativa isenção de supostos erros doutrinários, que caracterizavam partes da Igreja Oriental; 4. declaração da supremacia doutrinária do bispo de Roma, pelo primeiro concílio ecumênico de Constantinopla (381 D.C.), e pelo imperador Valentiniano III (445 D.C.); 5. aceitação crescente da teoria petrina da sucessão apostólica; 6. estrutura organizacional, conduzida por homens capazes, que ocuparam uma liderança temporal cada vez maior no império em decadência. Foi assim que, pelos fins do século VI D.C., a antiga igreja de Roma tornara-se a Igreja Católica, no século XI tornou-se a Igreja Católica Romana, e o bispo de Roma tornara-se o papa.

ROMÃ

No hebraico, **rimmon**, uma árvore de pequeno porte, cientificamente chamada *Punica granatum*, que cresce selvagem em alguns países do Oriente Próximo e Médio, mas que também era muito prezada e cultivada desde tempos tão remotos quanto a história nos faz recuar. Vários nomes locativos, nos livros do Antigo Testamento, incluem o nome dessa fruta, como Gate-Rimom (Jos. 19:45); Rimom (Nee. 11:29). A árvore tem muitos galhos, com alguns espinhos ocasionais e folhas verde-escuras. Produz um fruto com o formato da maçã, com cores misturadas de amarelo e marrom. A fruta é cheia de sementes, rodeadas por uma polpa. Um refresco delicioso pode ser feito das sementes; um suco, feito da sua inflorescência, também é usado como adstringente. A graça das formas dessa árvore e seu fruto inspirou muitos artistas a incorporarem seu formato em adornos arquiteturais. Assim, romãs ornamentais decoravam as vestes sumo sacerdotais de Israel (ver Êxo. 28:33), e os capitéis das colunas do templo de Salomão continham esse desenho (ver I Reis 7:20). Uma moeda de prata que circulou na Palestina, aproximadamente entre 143 e 135 A.C., trazia a figura de uma romã.

Além dos usos que acabamos de mencionar, somos informados de que o suco da romã também era empregado no fabrico de um tipo de vinho, que servia para temperar vários pratos. A romã pode ser comida em seu estado natural. O líquido extraído das pétalas da flor tem sido usado para controlar a disenteria. Nos tempos modernos, o suco das sementes tem sido usado para dar gosto a um tipo de sorvete aguado. A película da casca contém *tanino*, que é um remédio eficaz contra a tênia solitária. Ver I Sam. 14:2; Can. 4:13; Êxo. 28:28; I Reis 7:20; II Reis 25:17 e Jer. 52:22, quanto a referências bíblicas.

ROMANOS, EPÍSTOLA DE PAULO AOS

Esboço
I. Autoria
II. As Epístolas de Paulo
III. Data, Proveniência e Destino
IV. Lugar Ocupado no Cânon
V. A Igreja Cristã em Roma
VI. Propósitos
VII. Temas Principais
VIII. Integridade da Epístola
IX. Conteúdo
X. Bibliografia

Nenhuma pessoa tem exercido tanta influência como intérprete do Senhor Jesus e da fé cristã como o apóstolo Paulo, quer nos tempos antigos ou modernos. Certos elementos se têm mostrado infelizes ante essa influência de Paulo, porquanto supõem que ele perverteu o evangelho de Cristo, — em vez de interpretá-lo corretamente, sobretudo no que diz respeito à sua doutrina da graça, porquanto, com base nos evangelhos sinópticos, poderíamos supor que o Senhor Jesus sempre foi um típico judeu, em sua doutrina soteriológica. Porém, até mesmo aqueles que assim encaram o apóstolo Paulo precisam admitir que ninguém jamais exerceu influência semelhante à sua, por todo o mundo cristão, em qualquer época. Por causa da grande importância de Paulo, um artigo foi devotado a ele, sob o título *Importância de Paulo*. Esse artigo oferece as informações conhecidas e pertinentes sobre o passado de Paulo, suas viagens missionárias, suas doutrinas e suas relações com Jesus, tudo o que aborda os mais difíceis de todos os problemas do N.T., isto é, as supostas e aparentes diferenças entre a soteriologia de Paulo e a soteriologia do Senhor Jesus.

Alguns estudiosos têm acusado Paulo de *rabinizar* o evangelho, devido ao seu passado e treinamento do farisaísmo, ao passo que outros afirmam que ele corrompeu o evangelho mediante a injeção de filosofias e idéias helenistas, com base nas antigas religiões misteriosas. Não obstante, no N.T., não encontramos evidências que consubstanciem essas afirmativas, porquanto Paulo sempre foi apoiado pelos demais apóstolos, conforme o livro de Atos demonstra de forma geral, sobretudo o seu décimo quinto capítulo, ou como o demonstram o primeiro e o segundo capítulos de sua epístola aos Gálatas. Supomos que nenhum dos apóstolos jamais abandonaria a doutrina ensinada pelo Senhor Jesus, e os apóstolos é que estavam na melhor posição de saber o que ele realmente ensinava. É extremamente improvável que Paulo tivesse obtido o apoio dos outros apóstolos para um «evangelho» que não fosse o de Jesus Cristo. Dependemos, portanto, desses escritos sagrados, que nos garantem que a interpretação paulina, até onde seguia paralelamente àquilo que Cristo ensinou, são representações fiéis do pensamento do Senhor Jesus, o que significa que Paulo é um de seus intérpretes válidos.

Naturalmente, isso não significa que a doutrina paulina não vá além de qualquer coisa que o Senhor Jesus ensinou, porque toda a sua doutrina da igreja, o chamamento e destino da mesma, bem como a sua doutrina da transformação dos remidos segundo a imagem de Cristo (ver Rom. 8:29; Efé. 1:23 e II Cor. 3:18), são doutrinas baseadas em *revelações* que foram dadas essencialmente a ele. Em um sentido verdadeiro, portanto, Paulo foi o instrumento por meio do qual foram dadas novas revelações ao mundo, embora através da dispensação do Cristo ressurrecto.

O apóstolo Paulo foi o *vaso escolhido* de Cristo glorificado para levantar a igreja cristã no mundo gentílico, revelando a todos os homens qual é a vontade de Deus por meio de sua igreja, e, ao mesmo tempo, para revelar quais são os mais altos cimos do destino humano, tudo de conformidade com o plano divino. A fim de cumprir apropriadamente essa missão, Paulo teve de ser o incansável missionário evangélico do mundo gentio, bem como o profeta inspirado, através de seus escritos inspirados. Mediante a combinação desses dois fatores, naqueles primeiros tempos do cristianismo, Paulo ergueu, quase sozinho, a igreja cristã no mundo pagão.

Se tivermos de falar sobre a influência literária de Paulo, será extremamente difícil exagerar acerca do impacto que a sua epístola aos Romanos tem exercido durante todos os séculos. Eleva-se acima de todas as demais porções do N.T. em sua declaração sobre a independência da igreja de Cristo. Dentro de sua mensagem jazem, em forma de semente, todas as características distintivas do cristianismo. Lutero costumava dizer que se pudéssemos preservar somente o evangelho de João e a epístola aos Romanos, o cristianismo seria salvo.

Embora outras das epístolas de Paulo, como aquela que dirigiu aos Efésios, por exemplo, desenvolvam alguns temas de forma mais completa que sua epístola aos Romanos, já que Efésios acentua mais a doutrina da igreja, contudo, como uma expressão total da fé cristã, nada que existe em todo o N.T., pode equiparar-se à epístola aos Romanos. Acima de todos os outros livros neotestamentários, a epístola aos Romanos expressa a teologia paulina, a qual tem determinado o rumo do pensamento teológico da igreja cristã. Nos tempos modernos, em face da desintegração parcial do cristianismo, os princípios básicos exarados na epístola aos Romanos são ou ignorados ou pervertidos. Seria aconselhável, pois, darmos atenção à seguinte citação:

«A única esperança do cristianismo reside na reabilitação da teologia paulina. Ela volta até os princípios fundamentais do Cristo encarnado e do sangue expiatório; sua alternativa é a continuação até o ateísmo e o desespero». (*Francis L. Patton*, ex-presidente da Universidade de Princeton, nos Estados Unidos da América do Norte).

«Ouvir a leitura, conforme faço continuamente, das epístolas do bem-aventurado Paulo... deleito-me no aprazimento de sua trombeta espiritual, e o meu coração salta de alegria, e os meus anseios começam a vibrar, ao reconhecer aquela voz que me é tão clara, que me parece estar diante de mim a imagem do orador, vendo-o a discursar. Lamento, porém, e me aflijo, porque nem todos conhecem esse homem como deveriam conhecê-lo... E é disso que se originam nossas miríades de males—de nossa ignorância sobre as Escrituras. Isso explica a epidemia de nossas heresias; isso explica nossas vidas negligenciadas, e isso explica nossos labores infrutíferos». (*Crisóstomo*, no preâmbulo de suas homilias sobre a epístola aos Romanos).

«Posto que essa epístola (aos Romanos)... é uma luz e uma vereda para a totalidade das Escrituras, penso que convém não somente que cada crente a conheça, de memória, ainda que não disponha do livro escrito, mas também que se exercite na mesma, sempre e continuamente, como se fora o pão diário de sua alma. Verdadeiramente, ninguém pode lê-la com demasiada freqüência, ou estudá-la demasiadamente bem; pois quanto mais a estudamos, mais fácil ela se torna; quanto mais a mastigamos, mais agradável ela fica, e quanto mais meditativamente ela é pesquisada, maior é o número de preciosidades que ali descobrimos, tão grande é o número de tesouros espirituais que ali se oculta». (*W. Tyndale*, conforme foi citado por Lutero).

«Já perto do final de uma de minhas noites de padecimentos, eram quatro e meia da madrugada pedi ao meu bondoso guardião... que me lesse um capítulo da Palavra de Deus. Ele propôs ler-me o oitavo capítulo da epístola aos Romanos. Concordei, com a condição de que, a fim de garantir a conexão de idéias, ele voltaria ao sexto e mesmo ao quinto capítulos. E assim lemos, em sucessão, quatro capítulos, o quinto, o sexto, o sétimo e o oitavo, e não mais pensei em dormir... Então lemos o nono capítulo, e as passagens restantes até o fim, com um interesse sempre igual e constante, e em seguida lemos ainda os quatro primeiros capítulos, para que nada se perdesse. Cerca de duas horas se tinham passado... Não posso dizer-vos o quanto fiquei impressionado, ao assim ler a epístola aos Romanos como um todo, com um selo de divindade, de verdade, de santidade, de amor e de poder, que se encontra impresso em cada uma de suas páginas, em cada uma de suas palavras. E sentíamos, meu jovem amigo e eu... que estávamos ouvindo uma voz vinda do céu». (A. Monod, «Adieux», §V., *Quelques Mots sur la Lecture de la Bible*).

Porém, talvez seja melhor deixarmos de lado os louvores sobre a excelência da epístola aos Romanos, observando o que disse Calvino: «No que diz respeito à excelência desta epístola, não sei se me convém demorar por longo tempo no assunto, pois temo que, através de minhas recomendações, muito aquém do que deveriam ser, eu venha a fazer algo que obscureça os seus méritos, e além disso, a própria epístola, já desde o seu começo, explica-se a si mesma de maneira muito melhor do que tudo quanto posso fazer com quaisquer palavras. Portanto, parece-me melhor avançar para o argumento, ou para o conteúdo dessa epístola. E ali transparecerá, para

ROMANOS

além de toda e qualquer controvérsia, que além de outras excelências, as quais são extraordinárias, o seguinte pode ser dito com veracidade a respeito: Quando alguém obtém conhecimento sobre essa epístola, é lhe conferida uma entrada para quase todos os tesouros ocultos das escrituras, embora jamais tudo possa ser suficientemente apreciado».

Estamos, sem dúvida, conscientes da história da vida de Agostinho. Ele lutava com denodo contra os males morais, ainda inconverso, e, sentindo-se perturbado de mente e de consciência, ouviu como que a voz de uma criança que lhe dizia, em latim, «Tolle, lege», que significa: «Toma, lê». Levantou-se e buscou imediatamente um manuscrito da epístola aos Romanos. Abriu-a no que atualmente é o seu décimo terceiro capítulo, onde lemos: «Andemos dignamente, como em pleno dia, não em orgias e bebedices, não em impudicícias e dissoluções, não em contendas e ciúmes; mas revesti-vos do Senhor Jesus Cristo, e nada disponhais para a carne, no tocante às suas concupiscências» (Romanos 13:13,14). Foi naquele exato instante que o afoito Agostinho se converteu a Jesus Cristo. (Ver Agostinho, «Confissões», livro VI, seção xii.28,29). A epístola aos Romanos tem o poder de ser o «Tolle, lege» de cada um de seus leitores.

I. Autoria

Dentre as catorze epístolas tradicionalmente atribuídas à autoria de Paulo, a epístola aos Hebreus é a mais duvidosa; pouquíssimos eruditos modernos pensam ser ela paulina. (Ver o artigo sobre Hebreus, sob o título *Autoria*). As chamadas «epístolas pastorais» também são aceitas como paulinas apenas por um número bem reduzido de estudiosos modernos, porquanto se pensa que essas epístolas as quais contêm muito material de valor, foram produtos da pena de algum dos discípulos de Paulo. (Ver o artigo sobre as *Epístolas Pastorais*). A epíst. aos Efésios, na opinião de alguns eruditos, igualmente tem sido atribuída a algum dos discípulos de Paulo, especialmente nos últimos tempos. Já as nove epístolas remanescentes (aos Romanos, I e II aos Coríntios, aos Gálatas, aos Filipenses, aos Colossenses, I e II aos Tessalonicenses e a Filemom) são quase universalmente aceitas como epístolas genuínas do apóstolo Paulo. Dentre essas nove, uma aceitação absolutamente universal é conferida a *quatro clássicos* escritos paulinos, a saber: as epístolas aos Romanos, I e II aos Coríntios e aos Gálatas. Dentre essas quatro, a epístola aos Romanos ocupa lugar de proeminência, não somente devido à sua extensão e ao seu tratamento mais completo acerca de questões de magna importância para a doutrina cristã, mas também porque os assuntos ali abordados são todos de grande profundidade e fundamentais para a nossa fé. A epístola aos Romanos não foi a primeira obra inspirada a sair da pena do apóstolo aos gentios, mas a sua importância lhe tem conquistado o primeiro lugar dentro do arranjo das epístolas paulinas, em nosso N.T., o que também sucede entre as coleções ordinárias de epístolas paulinas, em grego e em outros idiomas antigos. Sendo essa a principal das epístolas de Paulo, e sendo Paulo uma das mais importantes personagens da história da humanidade, essa epístola pode ser reputada como um dos mais importantes documentos que a raça humana conhece.

A simples comparação entre as quatro obras clássicas de Paulo—Romanos, I e II Coríntios e Gálatas—no que diz respeito a questões de estilo e vocabulário, revela-nos que todas essas quatro epístolas foram indisputavelmente produzidas pelo mesmo autor sacro. Aceitar uma delas como paulina é aceitar todas as outras três, e rejeitar uma delas, é rejeitar às demais. Estilo e vocabulário são elementos que não podem ser facilmente copiados ou imitados, e essas epístolas revelam-nos o mesmo homem, dotado de um estilo literário intensamente pessoal, o que revela a personalidade de seu autor de forma notável e indiscutível. Essas epístolas contêm, em seu próprio conteúdo, a reivindicação de terem sido escritas pelo apóstolo Paulo, e o conteúdo de cada uma delas consubstancia tal asseveração.

Além dessas evidências internas, que são conclusivas, existem diversas outras evidências externas. Por exemplo, o trecho de II Ped. 3:15,16 evidentemente faz alusão à passagem bíblica de Rom. 2:4, e essa passagem (juntamente com os escritos em geral de Paulo) é chamada de *Escrituras*. — Esse foi o primeiro impulso tendente à formação de um «cânon» do N.T., e tudo começou com os escritos do apóstolo Paulo. As epístolas de Clemente (*Cor. xxxv*) e de Policarpo(*Fil.* vi) citam, respectivamente, os trechos de Rom. 1:29-32 e 14:10-12, o que mostra que eles tinham conhecimento dessa epístola e também aceitavam a sua autoridade apostólica. Irineu citou a passagem de Rom. 4:10,11 como de origem paulina (ver iv.27§2). A obra *O Ouvir da Fé*, de Melito, emprestou seu título do décimo capítulo da epístola aos Romanos ou do trecho de Gál. 3:2,3. Todas as listas de livros sagrados autoritários, listas essas que também se chamam «cânones», sem importar se de origem ortodoxa ou herética, contêm a epístola aos Romanos. (Ver informação a respeito dessa questão sob o ponto IV, intitulado *Lugar Ocupado no Cânon*). Inácio de Antioquia, que escreveu diversas epístolas às igrejas cristãs, em cerca de 110 D.C., como também Policarpo, bispo de Esmirna, citaram a epístola aos Romanos como de autoria paulina.

II. As Epístolas de Paulo

A mais completa coleção das epístolas paulinas consistiria de catorze livros, o que incluiria também a epístola aos Hebreus, ainda que, no seu próprio bojo, não se encontre qualquer declaração nesse sentido, isto é, que foi escrita pelo apóstolo Paulo. O estilo e o vocabulário da epístola aos Hebreus (coisas extremamente difíceis de serem copiadas ou imitadas) não são paulinos, mas alguns eruditos modernos, que francamente formam a minoria, ainda se inclinam por incluir essa epístola dentro da coleção dos escritos desse apóstolo. (Ver o artigo sobre Hebreus, que desenvolve esse tema em geral, sob o título *Autoria*). A epístola aos Efésios também é posta em dúvida como de autoria de Paulo, parcialmente em face das mesmas considerações que, aplicadas à epístola aos Hebreus, deixam-na de lado—questões de estilo e vocabulário. Outrossim, os mais antigos manuscritos existentes dessa epístola não contêm as palavras «...em Éfeso...», porquanto tais palavras foram supridas por escribas subseqüentes. Alguns eruditos chegam mesmo a duvidar que Paulo tenha enviado alguma espécie de «carta circular», como alguns têm dito ter sido o caso da epístola aos Efésios, como um caso único, a fim de explicar a ausência do destino da mesma. Por essa razão é que muitos crêem que tal epístola foi escrita por algum discípulo de Paulo, talvez como carta de introdução às demais, a fim de reviver o interesse pela literatura paulina, quando tal interesse já ia arrefecendo. No entanto, todas essas considerações não passam de pura especulação. O problema, em sua inteireza, é ventilado com abundância de pormenores, no artigo sobre aquele livro.

Temos ainda que levar em conta o caso das chamadas *epístolas pastorais* (I e II Timóteo e Tito) que segundo alguns, não parecem ter sido de autoria

ROMANOS

paulina, em face de considerações de vocabulário e estilo, além do fato de que transparece certo desenvolvimento «eclesiástico», que muitos pensam refletir mais um período posterior ao do apóstolo Paulo. Por esses motivos muitos pensam que apesar dessas epístolas conterem muita informação valiosa, sobre os últimos anos de vida do apóstolo dos gentios, o seu verdadeiro autor deve ter sido algum de seus discípulos. Devemos lembrar-nos que, naqueles dias da antiguidade, não era considerado um erro ou plágio, escrever em nome de outro indivíduo, mas, bem pelo contrário, esse era um costume perfeitamente comum. Isso fica demonstrado pelo fato de que a coleção de livros apócrifos do N.T. conta com mais de cem livros, todos eles escritos em nome de algum dos apóstolos ou de outros dos primitivos cristãos, de maior vulto. O mesmo tipo de atividade literária prevalecia no mundo não-bíblico. Fazendo um sumário do que já dissemos sobre as epístolas de Paulo, nove livros chegaram até nós que gozam de uma aceitação quase universal como de sua autoria, a saber, Romanos, I e II Coríntios, Gálatas, Filipenses, Colossenses, I e II Tessalonicenses e Filemom. Dentre essas nove epístolas, quatro são aceitas sem discussão, universalmente, como saídas da pena do apóstolo dos gentios, sendo os escritos paulinos reputados clássicos, a saber, Romanos, Gálatas, I e II Coríntios.

Com base nos diversos informes cronológicos de que dispomos, nas próprias epístolas de Paulo (sobretudo a epístola aos Gálatas), como também com base no livro de Atos, ficamos sabendo que Paulo já vinha sendo um missionário cristão por determinado número de anos, provavelmente doze anos ou mais, antes de ter ele escrito qualquer livro canônico. Se a epístola aos *Gálatas* foi a mais antiga de todas as epístolas paulinas, (conforme a posição tomada por esta obra), então mui provavelmente catorze anos já havia se passado, depois de sua conversão, antes que Paulo escrevesse a sua primeira epístola inspirada, ou, pelo menos, essa é a primeira epístola sobre a qual temos algum conhecimento. (Ver Gál. 2:1 e *s*). É provável que a «visita» referida nessa passagem, tivesse sido a chamada *visita da fome*, e não a «visita do concílio», ou, em outras palavras, a visita referida no décimo primeiro capítulo do livro de Atos, e não aquela outra aludida no décimo quinto capítulo desse livro. Assim sendo, é provável que Paulo tenha escrito sua epístola aos Gálatas algum tempo entre os acontecimentos registrados nesses dois capítulos citados do livro de Atos, ainda que antes do concílio de Jerusalém. (Ver as notas introdutórias ao trecho de Atos 11:27 no NTI. Quanto ao ministério de Paulo na Galácia, ver Atos 13:13. Quanto a outros detalhes sobre a epístola aos Gálatas, como o mais antigo livro de Paulo, ver o artigo sobre aquele livro, sob o título *Data*). Tradicionalmente, as duas epístolas aos Tessalonicenses são consideradas como os mais antigos livros paulinos, e é bem possível que tivessem sido escritas pouco depois da epístola aos Gálatas. (Ver Atos 17:1 e *s*).

Pode-se supor, através da leitura do parágrafo acima, que pelo tempo em que Paulo escreveu a sua primeira epístola, ele já era um missionário e apóstolo de larga experiência, porquanto os seus escritos, desde o começo, refletem grande maturidade e solidez nas doutrinas, embora tenhamos de admitir que as chamadas *epístolas da prisão* (Efésios, Filipenses, Colossenses, Filemom) refletem um conhecimento ainda *mais maduro* sobre a igreja cristã e sobre o destino humano em geral, provavelmente como resultado de maiores revelações, recebidas por Paulo, já perto do fim de sua existência terrena.

Todas as epístolas canônicas de Paulo, que chegaram até nós, devem ter sido escritas durante um período que cobriu dezoito anos, de conformidade com a cronologia que podemos depreender do livro de Atos e das próprias epístolas paulinas. Isso deve ter acontecido entre 50 e 68 D.C., ainda que a epístola aos Gálatas possa ser datada até mesmo em 49 D.C.

O apóstolo Paulo escreveu as suas epístolas principalmente para *resolver dificuldades e questões locais*, nas congregações cristãs; e a maioria dessas epístolas tem uma natureza eminentemente prática, aplicando-se de imediato às situações daqueles para quem o apóstolo escreveu. Portanto, essas epístolas são todas elas *cartas*, no sentido mais verdadeiro da palavra, e não «epístolas», vocábulo esse que usualmente indica uma missiva mais longa e formal, escrita com a finalidade de expor certas idéias. Não obstante, na forma em que chegaram até nós, como parte integrante do N.T., como parte do «cânon» neotestamentário, sendo os alicerces básicos de várias doutrinas e práticas do cristianismo, bem podem ser designadas pelo seu título mais formal de «epístolas». Assim sendo, sem importar se o apóstolo Paulo as escreveu originalmente para prover um núcleo para a nova literatura cristã, ou para servir de fontes informativas que familiarizam os próprios cristãos com as suas atividades e idéias, no uso prático, elas se tornaram exatamente isso, «epístolas». Já as epístolas de Tiago e aos Hebreus, em contraste, sem dúvida foram escritas como verdadeiras «epístolas», desde o início, e não como cartas pessoais.

Porquanto as epístolas de Paulo foram escritas a fim de dar resposta a problemas específicos; não encontramos ali a discussão sobre muitos dos problemas, especialmente aqueles de natureza ética, que talvez nos preocupem hodiernamente, ou mesmo sobre muitas das questões doutrinárias sobre as quais nos sentimos curiosos hoje em dia. A despeito dessa dificuldade, os princípios básicos ali ensinados são tão numerosos e latos em seu escopo que nos fornecem alguma luz sobre a grande maioria dos problemas que perturbam hoje em dia o movimento cristão, especialmente em sua seção evangélica.

Oferecemos abaixo um arranjo sugerido das epístolas de Paulo, com suas supostas datas:

1. Gálatas (49 D.C.). Foi escrita após a «visita da fome» (ver Atos 11:27), mas antes do concílio de Jerusalém (ver Atos 15). Versa sobre problemas com o legalismo: como unir judeus e gentios, formando uma só comunidade, na igreja cristã. Relações entre Moisés e Cristo. Provavelmente foi enviada de *Corinto*.

I e II Tessalonicenses (50—51 D.C.). Versam sobre problemas de escatologia. Segundo advento de Cristo. Correção de conceitos errôneos. Provavelmente foram escritas em Corinto, pouco depois de Paulo ter saído de *Tessalônica*. (Ver Atos 16 e 17).

2. I e II Cor. (54-57 D.C.). Escritas durante o período de permanência de Paulo em *Éfeso*. (Ver Atos 20 e I Cor. 16:5-8).

Romanos (54-57 D.C.). Escrita de *Corinto*, provavelmente na terceira visita feita ali. (Ver II Cor. 13:1; após Atos 18). Versa sobre a delineação da doutrina cristã: justificação pela fé, transformação dos remidos segundo a imagem de Cristo. Problemas em uma igreja local mundana. Defesa paulina contra os judaizantes.

3. Filipenses, Filemom, Colossenses, Efésios (Laodicenses, perdida), são as chamadas «epístolas da prisão», escritas em *Roma* em 61 D.C. em diante. Alguns estudiosos pensam que parte dessas epístolas tenha sido escrita em algum aprisionamento em *Éfeso*

ROMANOS

ou *Cesaréia*, pelo que seriam de data bem anterior, associadas a Atos 19, ou 24 e 25, e não a Atos 28 e ao período subseqüente. Essa questão é discutida no artigo sobre cada uma dessas epístolas.

4. I Timóteo, Tito e II Timóteo (65—68 D.C.). São as chamadas «epístolas da prisão». I Timóteo teria sido escrita antes do primeiro aprisionamento, em Roma. Tito, entre os dois aprisionamentos, II Timóteo durante o segundo aprisionamento. Quanto a comentários sobre os aprisionamentos de Paulo, aqui aceitos como dois, com um intervalo talvez de quatro anos de liberdade entre eles, (ver no NTI as notas expositivas sobre o fim de Atos). Essas notas versam sobre problemas eclesiásticos, principalmente. (Se porventura houve apenas um período de aprisionamento, que terminou com a execução de Paulo, então I Timóteo e Tito devem ter sido escritas antes do mesmo, ao passo que II Timóteo foi escrita durante esse único aprisionamento).

«...o estilo, mesmo no caso de um só indivíduo, varia de conformidade com a sua idade. A idade madura abranda a exuberância da juventude, bem como a veemência apaixonada da virilidade. Podemos ver o próprio Paulo, em suas epístolas, conduzindo-se de várias maneiras e com diferentes atitudes emocionais. Porém, por todas as fases em mutação, em sua vida e trabalho, transparece o mesmo homem extraordinário, que se gloriava em ser escravo de Jesus Cristo e apóstolo dos gentios. A paixão de Paulo é Cristo, e podemos mesmo sentir o pulsar do coração daquele principal entre os pecadores, que se tornou o principal entre os santos, em todas as suas epístolas. Há um resplendor e uma glória tipicamente paulinos em todas elas». (*Robertson*, na sua introdução às epístolas paulinas).

III. Data, Proveniência e Destino

Podemos considerar os trechos de Atos 20:2 e **ss** e Rom. 15:24,28 como indicações sobre o tempo em que esta epístola de Paulo foi escrita. Todas as indicações mostram-nos que o apóstolo escreveu-a quase no fim de sua permanência na Grécia, ou seja, em Corinto, durante a sua terceira visita àquela cidade (ver II Cor. 13:1). Paulo escreveu essa epístola quando estava prestes a visitar a cidade de Roma, pois então se voltou decididamente para o ocidente, porquanto cria que seus labores missionários se estenderiam naquela direção, atingindo, finalmente, até mesmo a Espanha. Assim sendo, Paulo provavelmente escreveu imediatamente antes da porção final de sua terceira viagem missionária, o que situaria a data da epístola, a partir de 53 D.C. Alguns intérpretes, entretanto, atribuem-na a uma data cerca de quatro ou cinco anos mais tarde. A data da epístola aos Romanos está vinculada à menção que Paulo faz da coleta em que estava atarefado, entre as igrejas gentílicas. As epístolas que mencionam essa questão são Romanos (15:25-28), I Coríntios (16:1-4), II Coríntios (8-9) e, naturalmente, o livro de Atos (24-17). Os indícios de que dispomos mostram-nos que quando ele escreveu a epístola aos Romanos, já havia completado o seu serviço de recolhimento da oferta, a última parte da qual foi efetuada em Corinto. A passagem de II Cor. 9:3 e *s*, mostra-nos que, então, cumpria essa intenção, e se dirigia para Corinto a fim de completar sua incumbência, antes de subir a Jerusalém, a fim de levar a oferta completada. De Jerusalém ele iria a Roma. Assim, pois, durante algum tempo, quando de sua permanência final em Corinto (que foi a terceira visita; ver II Cor. 13:1), foi escrita esta epístola aos Romanos, por várias razões, entre as quais, essa de anunciar a sua visita que tencionava fazer ali.

IV. Lugar ocupado no «Cânon»

Ver o artigo sobre o «cânon» do N.T., quanto a um quadro completo sobre o assunto.

Nenhum dos livros do N.T. foi aceito como canônico antes da epístola aos Romanos, pois quando se fizeram as primeiras declarações sobre o «cânon» neotestamentário, a epístola aos Romanos sempre foi incluída, e isso nos pronunciamentos de grupos ou pessoas ortodoxas ou heréticas. A passagem de II Ped. 3:15,17, que cita o trecho de Rom. 2:4, chama-o de *Escrituras*, sendo esse o mais antigo pronunciamento que temos sobre a canonização de qualquer dos livros do N.T. Por conseguinte, pode-se dizer que a epístola aos Romanos aparece em primeiro lugar, no «cânon» do N.T. Outrossim, essa epístola foi escrita antes de qualquer dos evangelhos, com a possível exceção exclusiva do evangelho de Marcos, ainda que, na ordem cronológica, isto é, na ordem da escrita, a epístola aos Romanos apareça no sexto lugar entre os escritos de Paulo.

Márcion, aquele antiqüíssimo herege (150 D.C.), incluía a epístola aos Romanos em seu *cânon*, e esse pronunciamento levou outros pais da igreja a fazerem seus respectivos pronunciamentos. Todos esses pais da igreja, sem qualquer exceção, dentre os que se preocuparam com esse problema, também incluíram a epístola aos Romanos em seus respectivos «cânones». Os «cânones» mais antigos (pertencentes ao século II D.C.) incluíam cerca de dez das epístolas de Paulo, bem como os quatro evangelhos, ou seja, os mais antigos livros do N.T., num total de cerca de catorze livros. Mas alguns estudiosos supõem que o próprio Márcion não preparou o «cânon» de sua época, mas antes, aceitou tão-somente a opinião corrente na igreja de seus dias. Se assim realmente sucedeu, então talvez possamos fazer retroceder o mais primitivo «cânon» neotestamentário para 125 D.C., mais ou menos.

Escritores anteriores, que não contavam com qualquer «cânon» formal, mesmo assim demonstraram respeito e conhecimento por diversas das epístolas de Paulo, incluindo a epístola aos Romanos. Entre esses podemos citar Clemente de Roma (95 D.C.), Inácio de Antioquia (110 D.C.) e Policarpo de Esmirna (110 ou 130 D.C.). Quanto à localização das citações extraídas das epístolas de Paulo, encontradas nos escritos de Irineu, Clemente e Policarpo, ver o último parágrafo das notas sobre a primeira seção deste artigo.

Inácio de Antioquia (martirizado em cerca de 110 D.C.) escreveu várias epístolas às igrejas, como também uma endereçada a Policarpo, e esses escritos sobreviveram como uma «coleção». Cabe-nos o direito, portanto, de suspeitar que muitos crentes, daquela época primitiva, possuíam várias coleções das epístolas de Paulo. Além disso, é extremamente improvável que qualquer coleção de epístolas de autoria de outrem tenha precedido a coleção dos escritos do apóstolo dos gentios. E, assim sendo, podemos supor que, pelo fim do primeiro século da era cristã, alguma forma de coleção já fora feita, tendo sido esse o mais primitivo «cânon» do N.T., o qual, sem a menor sombra de dúvida, incluía a epístola aos Romanos.

A primeira dessas coleções consistia de dez dessas epístolas paulinas, conforme eram aceitas por Márcion, e, subseqüentemente, por outros pais da igreja. A ordem aceita por Márcion era a seguinte: Gálatas, I e II Coríntios, Romanos, I e II Tessalonicenses, Efésios, Colossenses, Filemom e Filipenses. E isso nos mostra quais as epístolas formadoras do mais primitivo «cânon». Já a lista muratoriana, feita posteriormente, pertencente cerca de 200 D.C., apresenta uma ordem diferente, a saber: I e II Coríntios, Efésios, Filipenses, Colossenses, Gálatas, I e II Tessalonicenses, Romanos e Filemom. Com esse número e com essa ordem de epístolas paulinas, Tertuliano (cerca de 200 D.C.) parece concordar.

Os elementos hereges, que admitiam a canonicidade da epístola aos Romanos, além de Márcion, foram os seguintes: Os ofitas (*Hippol. Haer.* 99; Rom. 1:20-26); Basílides (238, *Rom.* 8:19-22; 5:13,14); Valentino, Herácleom e Ptolomeu; Taciano (*Orat.* iv; 1:20). Crentes de séculos posteriores, que igualmente aceitavam a epístola aos Romanos como canônica, foram: as igrejas de Viena (Áustria) e Lyons (França; de acordo com Eusébio, *História Eclesiástica* v.1; Rom. 8:18); Atenágoras (13; Rom. 12:1; 37; Rom. 1:24); Teófilo de Antioquia (*Antol.* 79; Rom. 2:6; 12:6; 13:7,8).

V. A Igreja Cristã em Roma

A igreja cristã da cidade de Roma já existia por algum tempo quando Paulo lhe escreveu a epístola que tem seu nome (ver Rom. 1:8,10,12,13 e 15:23). Em Atos 28:15 a existência da igreja cristã de Roma é aceita como algo largamente conhecido, do que é demonstrado pelo grupo de irmãos que veio receber Paulo, no Apio Fórum, como representação oficial daquela igreja. A data e as circunstâncias da origem e da organização da igreja de Roma, entretanto, não podem ser determinadas com qualquer precisão, ainda que existam diversos informes tradicionais a esse respeito.

Existem tradições que vinculam tanto Pedro como Paulo aos primórdios da igreja de Roma, mas essas declarações se alicerçam mais no zelo torcido, que pretendia conferir àquela igreja um início importante e digno, e não em fatos conhecidos sobre o caso. Clemente de Roma, já em 95 D.C. (5:3 e *s*), liga ambos esses apóstolos a Roma, no que diz respeito ao martírio deles. E isso já parece muito mais provável, tendo obtido boa dose de aceitação, por parte de muitos. Disse *Clemente*:

«Fixemos os nossos olhos nos bons apóstolos: Pedro, o qual, por causa de uma inveja injusta, sofreu não uma ou duas apenas, mas muitas tribulações, e, tendo prestado assim o seu testemunho, foi para o lugar de glória, que lhe convinha. Em meio a invejas e contendas, Paulo mostrou o caminho ao prêmio da constância; por muitas vezes ele esteve em cadeias, foi exilado e apredrejado. Foi um arauto, tanto no oriente como no ocidente, e obteve a nobre fama de sua fé, tendo ensinado a retidão ao mundo inteiro. E ao chegar ele aos limites do mundo ocidental, prestou seu testemunho perante as autoridades, e assim saiu deste mundo e foi recebido no Lugar Santo—o maior exemplo de perseverança que se conhece».

Cumpre-nos observar, entretanto, que o apóstolo Pedro ainda se encontrava em Jerusalém, no tempo da conferência referida em Gál. 2:1-10, que corresponde à chamada *visita da fome*, que Paulo fez a Jerusalém, segundo se lê em Atos 11:27. Portanto, é altamente improvável que Simão Pedro tenha tido qualquer participação pessoal na fundação da igreja cristã de Roma. Além disso, Paulo nos dá a impressão de que a igreja romana fora estabelecida muitos anos antes de sua visita: «...e desejando há muito visitar-nos» (Rom. 15:23).- Em parte alguma Paulo dá a impressão que a fundação dessa igreja tenha sido realização sua. Andrônico e Júnias, compatriotas judeus de Paulo, já estavam em Cristo antes de Paulo (ver Rom. 16:7), e, se o décimo sexto capítulo da epístola aos Romanos realmente faz parte original desse livro, tendo sido endereçado aos romanos, então vemos que a igreja cristã original dali teve seu começo antes mesmo da conversão de Saulo de Tarso. É bem possível que foram convertidos judeus, quando do dia de Pentecoste (ver o segundo capítulo do livro de Atos), vindos de Roma a Jerusalém, a fim de participarem daquela festa religiosa, que voltaram à sua cidade, e através de seu testemunho, formou-se um núcleo original, que tornou-se a base daquela igreja local. Sendo assim, somente de forma muito indireta é que Pedro foi fundador da igreja cristã da cidade de Roma, embora ele mesmo não o tenha feito, indo a Roma.

Outrossim, as primeiras perseguições movidas contra a igreja de Jerusalém e das áreas em derredor sem dúvida, forçavam alguns crentes a se exilarem em Roma, onde podiam dar continuação a uma vida normal, perdidos em meio de uma população numerosíssima. Esses convertidos originais da igreja de Roma, por conseguinte, mui provavelmente eram todos judeus. Mas não tardou que o elemento gentílico passasse à maioria dominante, conforme se depreende de trechos como Rom. 1:5,13; 9:3,4 e 10:1. Que a igreja de Roma consistia tanto de judeus como de gentios podemos compreender com base nos seguintes versículos: Rom. 1:5,12—16; 3:27-30; 4:6; 6:19; 11:13,25,28,30; 15:1,8,15. A lista de nomes, existente no décimo sexto capítulo da epístola aos Romanos, para os quais Paulo se dirigiu, inclui tanto nomes de origem judaica como de origem gentílica, principalmente grega, e não latina, e isso talvez indique que muitos dos convertidos eram gregos que residiam em Roma.

A mais antiga declaração sobre essa questão, de um ponto de vista não-bíblico, foi a de um escritor do século IV D.C., chamado Ambrosiastro. Ele escreveu o seguinte sobre o assunto (*Obras* III,373): «É fato estabelecido de que havia judeus que habitavam na cidade de Roma, no tempo dos apóstolos, e que aqueles judeus que haviam crido em Cristo, passaram para os romanos a tradição de que deveriam professar a Cristo, mas também guardar a lei. Não deveríamos condenar os romanos, mas antes, louvar a sua fé, porquanto, sem quaisquer sinais ou milagres, e sem terem visto qualquer dos apóstolos, não obstante, aceitaram a fé em Cristo, ainda que de conformidade com os ritos judaicos».

Não há qualquer evidência sólida em contrário a essa declaração de Ambrosiastro, a qual sem dúvida é exata. Portanto, chegaram à cidade de Roma os cristãos, antes de quaisquer missionários cristãos, apostólicos ou não. Essa citação também subentende aquilo que podemos depreender da epístola de Paulo àquela igreja, isto é, que originalmente aquela congregação tinha um caráter judaico. E isso provavelmente explica o poderoso argumento de Paulo em prol da justificação pela fé, logo nos primeiros capítulos dessa epístola, como também o tratamento amplo que ele dá à questão da cegueira e a final restauração da nação de Israel, nos capítulos nono a décimo primeiro da mesma. Porquanto havia em Roma crentes que estariam intensamente interessados por esses esclarecimentos.

VI. Propósitos

1. Podemos estar certos de que os poderosos argumentos de Paulo sobre a justificação pela fé, nos capítulos primeiro a quinto da epístola aos Romanos, não eram de natureza meramente informativa e didática. Também eram de fundo *apologético*. Em outras palavras, ele fazia oposição aos judaizantes que atuavam na cidade de Roma, os quais sentiam obrigação ante as leis cerimoniais mosaicas, bem

como ante o conceito de salvação através de obras, formalidades e ritos religiosos. Já tivemos ocasião de notar, na seção V deste artigo, qual era o provável caráter judaico da igreja cristã de Roma, e seria apenas natural esperarmos que ali agissem alguns elementos de tendências judaizantes, não menos do que nas igrejas da Galácia.

2. O apóstolo Paulo tencionava fazer trabalho missionário no ocidente, começando o mesmo por uma visita a Roma, e daí estendendo sua jornada até à Espanha e territórios adjacentes. E desejava o encorajamento dado pelos crentes de Roma, bem como qualquer ajuda que fossem capazes de prestar-lhe. (Ver Rom. 15:24).

3. Na igreja de Roma tinham surgido *dificuldades* de natureza doutrinária e prática, — e Paulo estava ciente desses problemas. Alguns dos membros gentios da mesma abusavam da liberdade cristã, participando de alimentos oferecidos a ídolos e fazendo outras coisas perniciosas, que eram especialmente ofensivas para o segmento judaico daquela igreja. (Ver os capítulos décimo quarto e décimo quinto).

4. Havia muitas *indagações*, entre os primitivos cristãos de origem judaica, acerca da posição da nação de Israel aos olhos de Deus, bem como sobre a validade das promessas feitas aos patriarcas, agora que a nação judaica havia rejeitado o Messias, o Senhor Jesus. Tal rejeição significava que os judeus seriam repelidos irrevogavelmente por Deus? Por essa razão é que encontramos os esclarecimentos dados por Paulo, nos capítulos nono a décimo primeiro desta epístola, o que forma a explicação mais completa sobre esse assunto.

5. A epístola aos Romanos também é de natureza *didática*, pois nem tudo o que Paulo escreveu visou dar solução a algum problema. Seus estudos completos sobre a doutrina da graça e da fé (capítulos primeiro a quinto), seu estudo sobre a vida piedosa, sob a graça de Deus (capítulo sexto), seu tratamento sobre o matrimônio (capítulo sétimo), e sua seção prática geral, sobre a moral e a conduta cristãs (capítulos décimo segundo a décimo quinto), têm por propósito ensinar, informar e iluminar, e não meramente resolver determinados problemas. Acima de todas as suas demais epístolas, Paulo escreveu aos Romanos a fim de fazer uma exposição ordeira e completa das mais importantes verdades cristãs.

6. Paulo apresentou novas *revelações*, novas idéias e novos profundos conceitos, como a doutrina da transformação dos crentes segundo a imagem de Cristo e a herança que possuem nele (capítulo oitavo), o que também nos mostra que um dos principais propósitos do apóstolo dos gentios era o de informar aquela igreja sobre seu elevado destino. Ver este conceito também em II Cor. 3:18, I Cor. 15:49, e em Efésios 1:23, 3:19. Consulte no NTI, as notas em Col. 2:10 e Rom. 8:29. Estas notas oferecem detalhes abundantes. Portanto, apesar de Paulo talvez ter escrito esta epístola aos Romanos a fim de dar solução a certos problemas, reunindo facções em luta (especialmente em torno do problema legalista), ele ainda encontrou forças suficientes, a essa altura de seu ministério, para compor uma obra escrita que com razão, pode ser denominada de «epístola», e não somente uma carta informal, porquanto sua intenção foi a de produzir uma missiva didática, que expusesse, em pinceladas largas, as características mais distintivas da fé cristã.

VII. Temas Principais

Uma discussão acerca da teologia paulina, a sua ênfase e a sua forma de desenvolvimento, juntamente com declarações de vários eruditos e escolas de pensamento, que expressaram o que sentiam sobre Paulo, aparece no artigo intitulado, *Importância de Paulo*. (Ver especialmente II, e, intitulado *A Doutrina de Paulo*). O que dizemos abaixo representa uma declaração ampla sobre os temas abordados nesta epístola aos Romanos, e isso é seguido por uma explanação acerca da paixão dominante e da doutrina de Paulo, dentro do que todos os outros temas, de uma forma ou de outra, aparecem incorporados.

1. *A justiça de Deus*, que requer um plano de redenção para o homem. Os capítulos primeiro a terceiro trazem a lume a acusação de Deus contra a culpada raça humana, composta de judeus e gentios, igualmente culpados. A revelação dada pela natureza condena os povos gentílicos, e a revelação escrita da lei mosaica condena os judeus, porquanto nem um nem outro obedeciam à luz que possuíam. (Ver os capítulos primeiro e segundo). Portanto, a «ira» é um fator que precisa ser levado em conta, porquanto justiça e ira são elementos inseparáveis da natureza divina. Pois o pecado não pode passar sem receber a sua devida retribuição, porque isso seria contra a justiça de Deus (ver o terceiro capítulo).

2. *Cristo é a justiça de Deus*, a qual pode ser imputada ou atribuída aos homens. Existem dois homens representativos: Adão, em quem todos os homens morrem; e Cristo, em quem todos os homens são vivificados. A sentença oficial contra o homem reside em Adão, como representante da humanidade, ao passo que a redenção espiritual do homem reside em Jesus Cristo, através de quem fluem até nós todas as bênçãos celestiais. Esse fluxo de bênçãos espirituais chega até nós mediante as realidades da justificação, da regeneração, da santificação e da glorificação, tudo o que é feito através do Espírito. (Ver os capítulos quinto e oitavo).

3. *A fé* é o veículo por meio do qual fluem as bênçãos de Cristo. A fé não é meritória, por si mesma. A idéia do ensinamento bíblico não é que Deus fica mais satisfeito com a fé do que com as obras, como se a fé fosse mais meritória do que estas. Pelo contrário, a fé consiste em uma entrega confiante da alma, sendo ela mesma resultado da atuação do Espírito Santo. Portanto, a fé é o primeiro passo da regeneração, e vem à tona por meio da conversão, sendo uma virtude gêmea do arrependimento, que também é operação do Espírito de Deus. Essa atuação do Espírito de Cristo, naturalmente, se verifica em união e cooperação com a vontade humana, já que Deus não torna o homem a um mero autômato (ver os capítulos quarto e quinto). Em todo esse processo, domina a graça divina. Paulo tinha em mente uma religião mística na qual há um contacto genuíno de Deus com o homem, por intermédio do seu Espírito, em que a salvação se torna uma experiência viva, e não uma doutrina inanimada e fria, como se tudo não passasse do assentimento a um credo de qualquer espécie.

4. *A identificação espiritual com Cristo*, mediante um batismo espiritual (morte e ressurreição) é o tema do sexto capítulo. Por semelhante modo, trata-se de uma doutrina mística, pressupondo um contacto real, ao nível da alma, com o Espírito de Cristo, o que capacita o crente a ser vencedor. Aquele que goza desse contacto deve levar uma vida diária transformada. Pois aquele que não desfruta de uma vida diária transformada não desfruta também dessa comunicação com Cristo, no nível de sua alma. Assim, pois, a graça divina capacita o homem a triunfar. E essa graça divina é outorgada aos homens pela pura bondade e misericórdia de Deus, e não

provocada por qualquer mérito que o homem porventura possua.

5. *O conflito* entre a antiga e a nova natureza, que existe no indivíduo regenerado, é considerado no sétimo capítulo. Os intérpretes não estão acordes entre si se isso significa o conflito antes da pessoa converter-se, embora já sujeita a certas influências espirituais, ou se se refere à experiência cristã, após a conversão, em que o crente continuaria tendo problemas com a carne. A experiência humana natural, entretanto, mostra-nos que pode haver aplicação desse ensino paulino a ambos os aspectos, e que esse conflito pode ocorrer tanto antes como depois da conversão.

6. Os mais profundos temas desta epístola são apresentados todos no oitavo capítulo, isto é, as doutrinas da chamada, da eleição, da predestinação, da justificação, da glorificação, da herança e da segurança eternas. A esse oitavo capítulo haveremos de retornar, no fim da presente discussão, quando estivermos destacando a idéia central do apóstolo Paulo, em torno da qual tudo o mais revolve.

7. As relações entre a nação de Israel e a igreja cristã, onde também se aborda a questão do que Deus fará acerca de suas promessas ainda não cumpridas, e também a questão do senhorio divino, são os temas dos capítulos nono a décimo primeiro.

8. Os capítulos décimo segundo a décimo sexto são de natureza acentuadamente *ética*, pois descrevem a conduta cristã ideal, tanto perante o mundo, como diante da igreja, como aos olhos dos irmãos na fé.

A gama de ensinamentos paulinos, nesta sua epístola aos Romanos, portanto, é bastante lata. Todavia, existe um tema dominante em tudo. A Reforma protestante enfatizou a retidão e a justificação pela fé, questões estritamente legais, sem jamais ter levado a igreja cristã aos pensamentos paulinos mais profundos. É lamentável que a igreja em geral tenha obtido tão parco progresso na percepção espiritual, desde aquela época. Os membros comuns das igrejas evangélicas, ainda mesmo aqueles que conheçam bem a epístola aos Romanos e a doutrina cristã em geral, quando indagados sobre qual o tema dominante do evangelho de Cristo, invariavelmente retrucam com a «justificação pela fé» ou «com o perdão dos pecados». No entanto, o evangelho de Cristo consiste em muito mais do que isso.

Nos últimos anos, estudiosos como L. Usteri (1824) e A.F. Daehne (1835), continuaram a explicar a doutrina de Paulo em termos da retidão imputada, perdendo inteiramente de vista as implicações mais profundas dos escritos desse apóstolo. Paulus deu um imenso passo para frente quando falou sobre a «nova criação» e «santificação» (ver o quinto capítulo de II Coríntios e o sexto capítulo de Romanos). O erudito Paulus (século XIX) pôde penetrar com discernimento no pensamento paulino quando declarou que a «fé em Cristo», em última análise, significa *a fé de Cristo*. Isso pressupõe contacto com a sua própria natureza, o que capacita o crente a possuir e exercitar o mesmo tipo de fé que tinha Jesus. O intérprete F.C. Baur (1845), a princípio, sob a influência do idealismo hegeliano, procurou compreender Paulo em termos do Espírito que, mediante a fé, nos concede união com Cristo, e isso foi um avanço no ponto de vista sobre os conceitos paulinos, no entanto, mais tarde, Baur retornou aos conceitos da Reforma protestante. E.A. Lipsius (1853) deu mais um salto para a frente quando começou a compreender os escritos de Paulo em termos da «redenção», como o tema unificador desse apóstolo. Lipsius definiu dois pontos de vista centrais: o «jurídico» (justificação) e o «ético» (nova criação). Posteriormente, Hermann Luedemann concluiu que esses dois pontos de vista realmente repousam sobre dois pontos de vista diferentes sobre a natureza humana. O primeiro (justificação), ele considerava como a perspectiva «judaica» de Paulo sobre o homem, sempre preocupado com questões da lei, no que isso se aplica ao homem e no que isso não se aplica. E o segundo (nova criação) como se fosse a opinião de um apóstolo Paulo já mais maduro. (Ver o oitavo capítulo de Romanos e o primeiro capítulo de Efésios). Assim sendo, teríamos a transformação do homem, de *carne* para *espírito*. A morte da «carne» sobreviria mediante a união do crente com Cristo, em sua morte, ao passo que a participação no «espírito» viria através de sua ressurreição doadora de vida.

Richard Kabisch retrocedeu ao afirmar que essa redenção envolvia, essencialmente, apenas o livramento do juízo vindouro. E dizemos que ele retrocedeu porque o destino humano envolve muito mais do que isso. Albert Schweitzer, alicerçado nas idéias de Luedemann e de Kabisch, desenvolveu um ponto de vista escatológico (isto é, sobre o fim do mundo) em que a redenção seria um acontecimento escatológico, e não uma ocorrência do presente. Naturalmente, esse ponto de vista tem algum ponto de contacto com a realidade, pois a redenção final só ocorrerá no futuro, quando da glorificação dos remidos; porém, passagens como Fil. 2:12 e o quinto capítulo da segunda epístola aos Coríntios certamente são contrárias a essa idéia de Albert Schweitzer. Esse mesmo estudioso exibia uma doutrina do «misticismo físico», em que os sacramentos, através da mediação do Espírito Santo, servem de intermediários da ressurreição de Cristo, em seus efeitos sobre o crente, como se isso representasse a idéia apresentada pelo apóstolo Paulo. A isso retrucamos que o «misticismo» é ponto de vista perfeitamente bíblico e válido, mas não um misticismo «físico». Nada poderia distanciar-se mais do pensamento paulino. Porquanto dificilmente podemos imaginar que Paulo, ao perceber que Jesus Cristo não voltaria imediatamente a este mundo, ficando assim eliminada a redenção escatológica—em lugar disso tenha apresentado o tal «misticismo físico», conforme sugeriu Schweitzer.

Portanto, qual é o grande *tema* do apóstolo Paulo, em torno do qual tudo o mais gira, sendo apenas outras tantas subcategorias do seu tema dominante? Esse tema central é a «salvação» ou «redenção». Porém, de forma alguma, isto é freqüentemente ensinado pela igreja evangélica moderna, onde a «salvação» foi reduzida a mero «perdão dos pecados» ou a uma «viagem para o céu», mediante a «justificação pela fé». Pelo contrário, esse tema envolve a salvação inteira e completa, do princípio ao fim. Isso é declarado em Rom. 8:29 e 30.

A glorificação em Cristo, mediante a **transformação** dos remidos segundo a imagem do Senhor Jesus, é o alvo e o destino dos crentes. Para que isso chegue a tornar-se realidade, precisamos do concurso do perdão dos pecados, da justificação, da santificação, da predestinação, da eleição e da segurança em Cristo, tudo o que garante que esse processo chegará a bom termo, ainda que a plena transformação segundo a imagem *moral e metafísica* de Cristo venha a ocupar longo tempo. Não obstante, nenhum daqueles que põe os pés na estrada que conduz de volta a Deus, por intermédio de Jesus Cristo, deixará de chegar finalmente a esse elevadíssimo alvo, ainda que venha hesitar aqui e ali, temporariamente, porquanto a promessa que Cristo fez a todas as suas ovelhas, e isso repetidamente, é que elas todas alcançariam a ressurreição para a glória eterna. (Ver, por exemplo, João 6:39,40,44,64; Rom. 8:29; II Cor. 3:18; Efé. 3:19; e Col. 2:10).

Lutero e outros vultos do cristianismo moderno têm especulado sobre a redenção dos espíritos humanos, depois de ultrapassada a barreira física chamada morte, porquanto o longo braço da redenção divina pode atingir para além do sepulcro (ver I Ped. 3:18-20; 4:6). Seja como for, a transformação moral do crente, segundo a imagem de Cristo, em que ele virá a compartilhar da santidade de Deus Pai (ver Mat. 5:48), é que provoca a transformação metafísica. E é nessa transformação metafísica que a própria natureza de Cristo é produzida no crente. É dessa maneira que os remidos se tornam verdadeiros «filhos de Deus». O cabeça e o corpo, ou seja, Cristo e seus remidos, considerados como a igreja, possuem a mesma natureza, ainda que o cabeça continue sempre nessa posição de mando. Realizada essa transformação prometida, o crente passará a ser possuidor da autêntica natureza de Jesus Cristo, no sentido mais literal do termo. Será transformado em um ser celestial; será elevado muito acima da posição e da natureza dos anjos; de fato, participará da própria divindade, conforme o trecho de II Ped. 1:4 ousadamente nos ensina.

Ora, isso é o evangelho, o evangelho ensinado pelo apóstolo Paulo. Todos os seus outros ensinamentos, como o do perdão dos pecados, o da justificação, o da regeneração, o da conversão, o da santificação, o da ressurreição espiritual em Cristo, o da ascensão em Cristo e o da glorificação em Cristo, são elementos participantes dessa grande e maravilhosa transformação segundo a imagem de Cristo. Esse é o grande tema paulino, que unifica todos os demais, ainda que, mui infelizmente, tenha sido praticamente negligenciado pela igreja cristã, até mesmo por sua seção evangélica. (Ver no NTI as notas expositivas em Rom. 8:29; Efé. 1:23; II Cor. 3:18; I João 3:2). Essa é a *salvação* em sua definição completa, o alvo mesmo da existência humana.

VIII. Integridade da Epístola

A discussão acima tem demonstrado amplamente que praticamente todos os eruditos consideram que a epístola aos Romanos é uma obra genuína do apóstolo Paulo, um dos quatro escritos clássicos paulinos, que não têm sido postos em dúvidas, no tocante à sua autenticidade, virtualmente por ninguém. Isso não significa, entretanto, que essa epístola não tenha sido sujeita a estudo pesquisador no que diz respeito à sua validade e ao seu texto, conforme chegou até nós, ou — que cada passagem da mesma tenha sido aceita sem qualquer objeção. Há certo número de problemas secundários, que envolvem variantes textuais, que são averiguados dentro da exposição, por não serem suficientemente importantes para receberem uma atenção especial.

No entanto, existem três problemas de maior gravidade, que agora passamos a examinar.

1. Há alguns manuscritos onde a palavra *Roma* não se encontra em Rom. 1:7 e 15. Os manuscritos que omitem essas palavras são — G (século IX), Or(part), 1739(mg) e 1908(mg), os quais não se revestem de qualquer importância especial no tocante à epístola aos Romanos, e assim, de um ponto de vista da crítica textual puramente objetiva, nenhum erudito de vulto pode defender a tese de que a essa epístola, na realidade, falta a saudação aos crentes de Roma. O fato de que Orígenes, um dos pais da igreja, algumas vezes não citou o texto com a referência a Roma, mostra-nos que a variante original deve ter aparecido antes de 250 D.C., sendo, por isso mesmo, mais antiga que o nono século, que é a data do primeiro manuscrito em existência a exibir essa variante. Não obstante, a evidência textual objetiva, em favor dessa omissão, é extremamente débil.

O fato é que, ocasionalmente, ainda que em casos um tanto *raros*, os manuscritos posteriores retêm um texto original que manuscritos mais antigos haviam modificado. Isso poderia ser o caso quando surgem textos particularmente difíceis, que foram alterados para efeito de simplificação. Nesse caso, talvez tenha sido impossível para alguns escribas posteriores deixarem que uma tão grande epístola como essa fique sem alguma designação ou destino. Todavia, teria sido apenas natural, ainda que a epístola, originalmente, não contasse com qualquer designação de seus destinatários, dirigi-la aos romanos, porquanto a coleção de escritos paulinos, de outra maneira, não teria dirigido qualquer escrito àquela importante igreja do cristianismo primitivo. Com base nessas considerações, pode-se aceitar como possibilidade, ainda que talvez não como probabilidade, que essa epístola de Paulo, originalmente, não tinha qualquer atribuição de destino.

Poderíamos explicar a ausência de endereço, na epístola aos Romanos, de diversas maneiras, a saber: a. Essa epístola, apesar de paulina, poderia ter sido uma epístola geral enviada para um número indeterminado de igrejas cristãs. — Finalmente, porém, a saudação aos crentes «de Roma» se tornou vinculada a ela. b. Ou podem ter existido mais de uma epístola, uma mais breve e outra mais longa, uma que continha a designação *aos Romanos* e outra que não a continha. (As notas expositivas dadas mais abaixo discutem a possibilidade da epístola original aos Romanos ter envolvido somente os primeiros catorze capítulos, o que forma um dos outros problemas difíceis em torno dessa epístola). Com o tempo, entretanto, essas duas epístolas, enviadas separadamente, para diferentes localidades, vieram conter a referência «aos Romanos», com a exceção de alguns poucos manuscritos, que talvez fossem um reflexo da epístola geral, a qual, ou era muito semelhante à nossa presente epístola, ou então era uma duplicação, — ainda que sem os capítulos quinze e dezesseis. Precisamos dizer, entretanto, que as palavras «...*em Roma*...» pelo menos estavam inclusas na forma da epístola conforme a possuímos atualmente, o que se pode supor com base inteiramente separada do trecho de Rom. 1:7,15, já que as passagens de Rom. 1:10-15 e 15:22-32 indicam, de maneira bem definida, que o destino dessa epístola era a congregação cristã que estava na cidade de Roma. Assim sendo, podemos procurar explicar a omissão da palavra «Roma», nessa epístola, segundo alguns manuscritos, de diversas maneiras, a saber:

I. Algum escriba, estando familiarizado com uma forma dessa epístola que não tinha a palavra «Roma», pode tê-la omitido na sua cópia, assim criando a variante que subseqüentemente foi multiplicada através de outras cópias.

II. Um escriba pode ter querido fazer dessa epístola uma espécie de introdução para toda a coleção de escritos paulinos (conforme agora ela está situada, em nosso N.T.), pensando que se prestaria melhor a essa finalidade se fosse uma epístola geral, e não uma missiva dirigida a uma determinada comunidade, pelo que também apagou a palavra «Roma».

III. Alguns eruditos têm acusado *Márcion* (150 D.C.) de ser o culpado dessa omissão, porque é fato bem conhecido que ele não hesitava em truncar trechos bíblicos para atender os seus propósitos pessoais. Talvez ele tenha querido transformar esse escrito de Paulo em uma epístola geral, por motivos **por nós ignorados**. No entanto, todas as evidências que possuímos sobre a existência de um «cânon» de Márcion mostram-nos que ele possuía uma epístola aos Romanos, sem dúvida a mesma a qual damos esse nome; pelo que esse argumento rui por terra.

A mais favorecida dessas posições é a de número (II), e apesar de não sabermos qual a solução desse problema, com qualquer certeza, pelo menos essa idéia é possível, se não menos provável.

2. O segundo problema de maior envergadura, que diz respeito a esta epístola aos Romanos é o que envolve a *doxologia*, em Rom. 16:25-27, em nossas traduções. Essa doxologia aparece em três posições diferentes, nos manuscritos antigos. Em alguns manuscritos aparece por mais de uma vez, ao passo que, em outros, não aparece nenhuma vez. Abaixo damos as evidências textuais a respeito:

Os mss L, 104, 1175 e a versão Si(h) têm essa doxologia no fim do décimo quarto capítulo. Orígenes informa-nos que alguns manuscritos que ele conhecia (atualmente inexistentes), estampavam a doxologia nesse lugar. Já os mss AP, 5, 33 e as versões armênias apresentam essa doxologia tanto nesse lugar como no fim do décimo sexto capítulo. Já os mss D(3), F e G não contêm essa doxologia, e tanto Márcion como Jerônimo conheciam alguns manuscritos (atualmente inexistentes), que não a continham em parte alguma. É interessante que o códex G não exibe essa doxologia, mas deixa um espaço em branco para a mesma, mostrando que o escriba que o copiou tinha consciência de sua existência. As autoridades textuais que apresentam tal doxologia no fim do capítulo décimo sexto são Aleph, BD, algumas versões latinas, as versões Si(p), Cóp e os escritos dos pais da igreja, Clemente, Orígenes e Ambrosiastro, este último em seu comentário sobre a epístola aos Romanos (pertencente ao século IV D.C.). O ms P traz essa doxologia no fim do capítulo décimo quinto, mas não nos capítulos catorze ou dezesseis.

Alguns eruditos têm pensado que essa doxologia, originalmente, assinalava o final da epístola aos Romanos, no décimo quarto capítulo, e que os capítulos décimo quinto e décimo sexto foram adições posteriores feitas a essa epístola (ver a discussão abaixo, sobre esse problema). Então, ao ser acrescentado o décimo quinto capítulo, a doxologia foi transferida para o fim do mesmo, em alguns manuscritos. E, por semelhante modo, ao ser adicionado o décimo sexto capítulo, foi ela transferida de sua posição original, ou mesmo do fim do décimo quinto capítulo, para o fim do capítulo dezesseis, a fim de conferir à epístola um término apropriado. Muitos críticos textuais modernos, entretanto, atualmente acreditam que essa doxologia jamais fez parte original da epístola aos Romanos, conforme foi escrita pelo apóstolo Paulo; pelo contrário, essa bela doxologia foi criada por algum escriba subseqüentemente, a qual passou a ser usada para encerrar, com maior beleza, a grande epíst. aos Romanos. Isso pode ter sido feito, sem importar se a epístola aos Romanos consistia de catorze, de quinze ou de dezesseis capítulos, o que vem a ser o terceiro grande problema relativo a essa epístola, e que é discutido mais abaixo.

Alguns eruditos têm conjecturado que essa doxologia foi criada pelos marcionitas, que foram os primeiros a criarem, oficialmente, um «cânon» das Escrituras do N.T., o qual consistia de dez epístolas paulinas e de uma forma mutilada do evangelho de Lucas. Essa suposição é tão boa como qualquer outra, não havendo meios para comprovarmos a sua validade ou não.

3. A epístola aos Romanos, segundo foi originalmente escrita, tinha catorze, quinze ou dezesseis capítulos? Esse é o problema mais complicado que há, no que concerne à integridade da epístola aos Romanos, embora não se trate, realmente, de um problema textual, porquanto todos os manuscritos existentes dessa epístola contêm os capítulos quinze e dezesseis, embora, hodiernamente, alguns estudiosos duvidem que esses dois capítulos façam parte original da mesma. A discussão sobre essa questão gira em torno de duas coisas:

a. Um bom número de manuscritos evidentemente exibia essa doxologia no fim do décimo quarto capítulo, o que sugere que a epístola original aos Romanos terminava ali. É fato quase certo que a epístola aos Romanos, conforme era conhecida por Márcion (150 D.C.), terminava nesse décimo quarto capítulo. Os comentários de Tertuliano, sobre a epístola aos Romanos, dentro do «cânon» marcionita, terminam nesse capítulo, e Orígenes nos revela, incisivamente, que nesse ponto terminava o «cânon» de Márcion. E ainda existem outras provas tradicionais de que o décimo quarto capítulo assinalava o fim da epístola aos Romanos. Uma lista de antigos títulos em latim, dados aos capítulos dessa epístola, não exibe provisão para os capítulos quinze e dezesseis.

O fim da epístola aos Romanos, no décimo quarto capítulo, conforme alguns manuscritos e tradições, tem sido explicado por aqueles que defendem que o capítulo décimo quinto é uma porção autêntica da mesma, ou por aqueles que aceitam como autênticos tanto o capítulo quinze como o capítulo dezesseis, da seguinte forma:

I. *Márcion* teria sido o culpado por haver abreviado a epístola aos Romanos, ou essa abreviação pode ser atribuída a algum escriba. Porém, os que assim afirmam não oferecem qualquer razão pela qual Márcion, ou outro indivíduo qualquer, teria feito tal abreviação, e isso só contribui para confundir ainda mais a situação já confusa.

II. Outros estudiosos supõem que o final da epístola aos Romanos se perdeu, ou que, pelo menos, esse final foi danificado de tal maneira que se tornou impossível extrair do mesmo uma cópia. Essa idéia também tem pouca coisa para recomendá-la. Tudo não passa de uma especulação, que não pode ser comprovada.

III. Outros eruditos têm imaginado que o próprio apóstolo Paulo enviou uma versão mais curta de sua epístola. Mas essa é outra conjectura pura, sendo maneira muito duvidosa de dar solução ao problema.

IV. Parece melhor supor que a epístola original aos Romanos foi enviada sob a forma mais breve, e que pelo menos o décimo quinto capítulo também fazia parte da correspondência paulina aos crentes de Roma, que não tardou a ser acrescentado aos outros capítulos anteriores.

Não é impossível, por igual modo, que as **duas** epístolas, isto é, capítulos primeiro a décimo quarto e capítulo décimo quinto, tenham sido enviadas juntamente, — e que esta última represente um pensamento ulterior, ou post-scriptum da primeira. Algumas tradições, assim sendo, continham catorze capítulos, ao passo que outras exibiam quinze. O décimo quinto capítulo possui muitos sinais de autenticidade paulina e, de fato, dá uma continuação suave ao tratamento abordado nos catorze primeiros capítulos. Quanto ao seu estilo, esse capítulo quinze é paulino, e parece indiscutivelmente dirigido aos crentes de Roma. Pode-se observar particularmente os versículos vigésimo segundo a trigésimo segundo. A maioria dos eruditos concorda que o décimo quinto capítulo, quanto ao seu conteúdo, estilo e vocabulário, sugere a autoria paulina e alguma forma de conexão legítima com os primeiros catorze capítulos da epístola aos Romanos. Os versículos vinte e nove e trinta e dois antecipam a dificuldade que haveria em Jerusalém (pela qual Paulo ainda não haveria passado), sendo muito difícil que algum escriba subseqüente, se tivesse forjado essa seção, tivesse feito uma referência antecipatória dessa natureza, porque o mais certo é que, se isso houvesse de fato sucedido, teria injetado nessa porção escrita algumas ocorrências históricas conhecidas, a respeito de tais circunstâncias, por conhecimento posterior, e não por previsão. Pode-se afirmar com confiança, portanto, que sem importar se estivera ou não originalmente vinculado aos primeiros catorze capítulos, o décimo quinto capítulo sem dúvida foi enviado em conjunto com aquela primeira porção, talvez como uma adição, ou, segundo foi sugerido acima, como um *pós-scriptum*. Isso explicaria tanto o término da epístola no décimo quarto capítulo (o que pode ser indicado pela posição da doxologia, existente em alguns manuscritos, nesse ponto), como no décimo quinto capítulo, conforme alguns manuscritos exibem a doxologia nessa altura. O fato é que não sabemos, realmente, o que aconteceu, ainda que pareça não haver idéia melhor do que essa.

b. A segunda coisa que serve de fulcro sobre a pergunta se a epístola aos Romanos tinha catorze, quinze ou dezesseis capítulos, quando originalmente escrita e enviada, é o problema atinente ao décimo sexto capítulo. Essa questão ainda é mais difícil do que aquela primeira, representada em a. Em contraste com o décimo quinto capítulo, o capítulo dezesseis não apresenta uma continuação suave e natural em relação à primeira parte da epístola, pelo menos no que diz respeito ao seu conteúdo. Essa seção tem início com a apresentação de Febe, a portadora da missiva, mas ela era diaconisa da igreja de Cencréia, e não de Corinto. Naturalmente, não é impossível que ela estivesse de visita a Corinto, tendo sido convenientemente utilizada quando Paulo precisou de alguém que fosse a Roma, levar a sua epístola aos crentes daquela cidade.

Precisamos admitir que esse capítulo, fora a parte do problema da saudação, trata de questões que antes não haviam sido abordadas na epístola aos Romanos (os versículos dezessete e dezoito contêm advertências contra os falsos mestres e os perturbadores da ordem). E, apesar disso não ser *fatal* para a idéia de que esse capítulo fazia parte da epístola original aos Romanos, pode indicar que se tratava, realmente, de uma *pequena epístola, separada* daquela outra, mas que, com a passagem do tempo, veio a ficar vinculada à mesma.

Outra dificuldade diz respeito à questão da saudação. Sabemos que Paulo não tinha contatos pessoais com a igreja cristã de Roma. No entanto, esse décimo sexto capítulo encerra muitas saudações que parecem indicar que ele conhecia pessoalmente as pessoas a quem se dirigia, sem importar qual a igreja exata à qual ele se dirigia. Vinte e cinco indivíduos e duas famílias são ali saudados. Poderia Paulo conhecer de tal modo tanta gente, sem nunca ter visitado a cidade de Roma? Outrossim, o conhecimento com aquela gente não era casual, superficial, conforme se depreende das descrições usadas pelo apóstolo, como, por exemplo, «Saudai a meu querido Epêneto, primícias da Ásia...» e «Saudai a Andrônico e Júnias, meus parentes e companheiros de prisão...» Essa expressão, «meus parentes», verdadeiramente pode indicar apenas que eles eram compatriotas do apóstolo, e não parentes no sentido primário do termo. Ampliato, por igual modo, é chamado de «...meu dileto amigo no Senhor». Urbano aparece como «nosso cooperador em Cristo». A mãe de Rufo figura também como «mãe» do apóstolo Paulo. Em face de razões similares, levanta-se naturalmente a pergunta: «Será possível que tantas pessoas bem conhecidas de Paulo subseqüentemente se tenham mudado para a cidade de Roma, tendo sido saudadas tão afetuosamente pelo apóstolo? Não parece mais plausível supormos que, na realidade, Paulo escrevia essa *pequena epístola* ou saudação, apresentando Febe para levar alguns avisos para uma igreja localizada em outro lugar qualquer, talvez Éfeso?

Priscila e Áquila haviam trabalhado em Éfeso em companhia de Paulo, e provavelmente continuavam habitando ali, e Epêneto é distintamente vinculado à «Ásia», da qual região Éfeso era a principal cidade. Não obstante, a suposição de que essa *pequena epístola*, composta do nosso décimo sexto capítulo da epístola aos Romanos, foi realmente enviada a Éfeso, se defronta com inúmeras dificuldades, principalmente em face da ausência de qualquer designação específica de destino. Contudo, é difícil explicar como tal epístola poderia ter sido ligada à epístola aos Romanos, e por que um colecionador das epístolas paulinas tê-la-ia vinculado à mesma, e não a outra epístola qualquer. No entanto, Goodspeed aprova essa teoria, pensando que isso foi feito simplesmente porque uma missiva tão diminuta pareceria fora de lugar se figurasse ao lado das importantíssimas epístolas aos Romanos e aos Coríntios, se fosse posta na coleção dos escritos paulinos em nome próprio. E assim foi meramente posta como apêndice de uma epístola maior, a fim de assegurar a sua preservação, devido ao valor que a mesma possuía, apesar de seu volume diminuto. Por semelhante modo, alguns eruditos têm conjecturado de que a epístola a Filemom (outra epístola pequena de Paulo) teria sido originalmente vinculada à epístola aos Colossenses, pelas mesmas razões acima referidas, é que ambas foram publicadas sob um único título—Colossenses.

Para esse problema sobre o décimo sexto capítulo da epístola aos Romanos, entretanto, existem outras explicações alternativas, segundo enumeramos abaixo:

1. O décimo sexto capítulo seria parte original de uma outra epístola aos Efésios, que se perdeu, com exceção dessa pequena porção. Visto que essa idéia é uma pura conjetura, nada acrescenta ao nosso conhecimento, ainda que permaneça como remota possibilidade.

2. Outros estudiosos supõem que se tratava de uma pequena carta escrita por Paulo, enviada para alguma outra igreja ou igrejas, não identificadas, a qual foi levada por Febe, como carta de apresentação, mas que, finalmente, veio a ser vinculada à epístola aos Romanos, sem qualquer outro motivo especial além da tentativa de sua preservação, porquanto, se permanecesse isolada, mais facilmente se perderia.

3. Ainda outros eruditos lhe dão a categoria de uma epístola «pastoral», ou seja, uma minúscula epístola que não era de autoria paulina. Pois se tem observado que esse décimo sexto capítulo da epístola aos Romanos tem algumas características em comum com as «epístolas pastorais». As saudações, ainda que mais extensas, se assemelham àquelas que aparecem no fim da segunda epístola a Timóteo. Na realidade não

ROMANOS — ROMANTISMO

existe solução adequada para o problema do décimo sexto capítulo da epístola aos Romanos, mas as evidências pelo menos apontam-no como de autoria paulina. Todavia, deve ter sido uma carta originalmente enviada por meio de Febe, inteiramente à parte da epístola aos Romanos. E por razões desconhecidas, que talvez jamais possam ser descobertas, mas provavelmente por mera chance, ela veio a ser um apêndice da epístola aos Romanos. É razoável supormos que isso pode ter sido feito simplesmente para garantir a sua preservação, conforme a sugestão de Goodspeed. (Ver *An Introduction to the New Testament*, Chicago: University of Chicago Press, 1937, págs. 85 e 86).

IX. Conteúdo

Introdução (1:1-7). O apostolado de Paulo. A exaltação de Cristo. A saudação (1:8-14). Ação de graças e anseios espirituais por um ministério avançado (1:16,17). Tema geral: *O evangelho*, por meio do qual vem a revelação da justiça de Deus e do elevado destino do homem.

1. Necessidade que o mundo tem de Cristo, o Salvador: (1:18-3:20).
   a. O fracasso e a corrupção dos gentios, o que provoca seu julgamento (1:18-32).
   b. O fracasso dos judeus, que abusaram de seus privilégios e confiaram na lei, que é impotente para ajudá-los, mas antes, que os condena (2:1—3:20).
2. Justificação pela fé, para os judeus e os gentios (3:21-4:25).
   a. Definição de justificação (3:21-30).
   b. Sua relação para com o antigo pacto (3:31—4:25).
3. A vida no Espírito, que se segue à justificação: Plena salvação em Jesus Cristo e transformação segundo a sua imagem (5:1—8:39).
   a. Natureza da nova vida em Cristo (5:1-5).
   b. A reconciliação (5:6-11).
   c. A doutrina dos dois homens: Morte em Adão; vida em Cristo (5:12-21).
   d. O batismo espiritual, chave para a santidade (6:1—7:25).
      (1) Identificação com Cristo, na morte e na vida (6:1-14).
      (2) Analogia com base na escravidão (6:15-23).
      (3) Analogia com base no casamento (7:1-6).
      (4) A função da lei (7:7-13).
      (5) Derrota completa e vitória final (7:14-25)
   e. A vida espiritual dada por meio do Espírito (8:1-27); justiça, esperança e ajuda da parte do Espírito Santo.
   f. O verdadeiro evangelho de Cristo: o evangelho em profundidade—Total transformação à imagem de Cristo, o alvo da humanidade; garantia desse alvo (8:28-39).
4. Como a entrada da Igreja, na economia Divina, afeta Israel (9:1-11:36).
   a. O anelo de Paulo pela salvação de Israel (9:1-5).
   b. A apostasia judaica não importa em fracasso ou contradição no tocante aos propósitos de Deus (9:6-11).
   c. O senhorio de Deus: a predestinação não é injusta (9:12-29).
   d. O voluntarismo não indica arbitrariedade (9:30—10:21).
   e. A apostasia judaica não é final ou irrevogável (11:1-32).
      (1) Alguns estão atualmente na igreja (11:1-6).
      (2) A apostasia judaica, como um todo, é providencialmente usada por Deus para salvar os gentios (11:7-24).
      (3) A volta final e a total salvação de Israel: cumprimento das promessas divinas (11:25—32).
5. Seção Prática: A conduta cristã ideal (12:1-15 13).
   a. Dedicação verdadeira, base de toda a ação moral (12:1,2).
   b. Uso dos dons espirituais, mediante o amor (12:3-13).
   c. Amor aos perseguidores e inimigos (12:14-21).
   d. Conduta ideal dos crentes ante o estado (13:1-7).
   e. Como o amor cumpre a lei (13:8-10).
   f. Necessidade de consagração, em face da crise próxima (13:11-14).
   g. O amor cristão e a liberdade cristã, juntamente com questões de consciência (14:1-23).
   h. Conclusão da seção prática (15:1-13).
6. Questões pessoais em relação a Paulo e aos crentes em Roma. (15:14-33).
   a. Por que Paulo escreveu, e intenção de visitar Roma (15:14-24)
   b. Coleta para a igreja empobrecida de Jerusalém (15:25-33).
7. Apendice: apresentação de Febe; saudações; avisos contra os falsos mestres (16:1-23).
8. Doxologia Final (16:25-27).

X. Bibliografia: EN I IB ID LAN MOF NE NTI TI TIN VIN RO

ROMANTI-EZER

No hebraico, **ajuda maior**. Era filho de Hemã e foi nomeado por Davi como líder da vigésima quarta divisão dos cantores, no santuário (ver I Crô. 25:4, 31). Ele, seus filhos e seus irmãos, formavam um coro de doze pessoas, o que também sucedia no caso de cada uma das outras vinte e três divisões.

ROMANTISMO

1. *Definição*. Essa atitude caracteriza-se pelo romance, pelo sentimentalismo e pela fantasia, e não pela razão. O estilo literário, chamado *romance*, refere-se ao vocábulo *romans*, do francês arcaico, «uma estória escrita em francês». A partir daí, visto que tais relatos geralmente eram românticos, temos o sentido moderno da palavra, um romance ou novela. Os romances medievais modernos falavam sobre eventos aventurescos, heróicos e fascinantes. Naturalmente, um romance, em seu sentido moderno, envolve esses aspectos também. Assim sendo, o *romantismo* aponta para a literatura, a arte e as idéias que se originam da imaginação e das emoções, e não da razão, aquele fator que, supostamente, serviu de guia durante o período clássico.

2. *O Romantismo Como Movimento Histórico*. Historicamente, esse período tornou-se dominante nos fins do século XVIII e começos do século XIX, com reflexos em movimentos políticos, religiosos, filosóficos e literários. Nesses sistemas houve uma reação contra as tradições estabelecidas com uma concomitante busca por bases mais liberais de ação e pensamento. Assim, foram enfatizadas a imaginação e as emoções em lugar da razão rígida. O movimento foi uma espécie de revolta contra o neoclassicismo dos séculos XVII e XVIII.

3. *O Romantismo e a Filosofia*. A fase inicial do idealismo alemão teve lugar por essa altura dos acontecimentos, tendo produzido as filosofias de

Schiller, Fichte, Schelling, Schleiermacher e Hegel, sobre os quais tenho oferecido artigos separados. Pode-se incluir Rousseau nesse período, com sua ênfase sobre a natureza, o que levou às idéias de Schopenhauer e até de Nietzsche. Schlegel definiu o romantismo como «o espírito do subjetivismo». *Taine* (vide) opôs-se ao movimento e sua filosofia, substituindo-o pelo subjetivismo, a lógica fria do *positivismo*.

4. *O Romantismo, a Religião e a Ética.* Esse movimento salientava a filosofia idealista, tomando Kant como um ponto de partida. A revelação e até a razão foram rejeitadas como meios de obtenção de conhecimentos, pois os homens voltaram-se quase inteiramente para a intuição interna e para o subjetismo em busca de padrões éticos e de crenças religiosas. Outrossim, a ênfase sobre as revelações dadas pela natureza tornou-se forte. Através dessa agência é que se manifestaria o Espírito Absoluto. Para Hegel, o Absoluto era a Suprema Força Racional, mas, para o romantismo, o Absoluto era um Artista. Jacques Rousseau salientava os sentimentos e a liberdade humanos, além de frisar a bondade natural do ser humano, em seus ensinos éticos. Ele encorajava a auto-expressão, em vez da disciplina. Naturalmente, no terreno da política esse era o ideal para a democracia, e o conceito do direito divino dos reis foi substituído pelo voto do povo como a base da autoridade. Tais forças mostram-se favoráveis à emergência da revolução e da democracia.

RÔS

Precisamos considerar duas coisas diferentes, o nome de uma pessoa e o nome de um lugar:

1. Sétimo filho ou neto de Benjamim (ver Gên. 46:21).

2. Um título de Gogue, que algumas versões, mas não nossa versão portuguesa, dão como «príncipe de Rôs», em Eze. 38:2,3 e 39:1. Nossa versão portuguesa diz: «príncipe e chefe de Meseque e Tubal». Portanto, a questão envolve a interpretação da palavra «Rôs». Seria o nome de um lugar ou teria o sentido de «cabeça», «chefe» (que é o sentido literal da palavra hebraica envolvida)? Visto que no texto antigo não se grafava os nomes próprios, pessoais ou locativos, com a inicial maiúscula, a tradução tem que depender de outros fatores. No entanto, é impossível identificar com precisão um povo ou país chamado *Rós*, embora Rússia e Rasu, esta última na Assíria, tenham sido sugeridas. É interessante observar que, no grego moderno, *Rós* é Rússia, a mesma forma em que a palavra aparece na tradução da LXX. Coincidência ou não? Fora da Bíblia, os russos são mencionados pela primeira vez no século X D.C., por escritores bizantinos, o nome aparece como *Rôs*. Ibn Fosslan chama o mesmo povo de *Rus*, como um povo que habitava às margens do rio Volga. As opiniões a respeito estão divididas. Há eruditos que aceitam a identificação de Rôs com a Rússia moderna, e há outros que acham a identificação prematura, embora não tenham oferecido alternativa. Caso aquela identificação seja correta, então Ezequiel predisse a destruição das forças armadas da Rússia, nos últimos dias, em terras do Oriente Próximo, por ocasião de alguma futura invasão russa na Palestina. Essa predição ocupa os capítulos trinta e oito e trinta e nove do livro de Ezequiel.

ROSA

A palavra hebraica **chabatstseleth** figura apenas por duas vezes no Antigo Testamento: Cantares 2:1 e Isaías 35:1. Nossa versão portuguesa a traduz, na primeira referência, por «rosa», e, na segunda, por «narciso». A moderna flor chamada «rosa», criada por cultivo especial, certamente não é a espécie em foco nesses dois trechos. O mais provável é que se trate da espécie que, cientificamente, é chamada de *Hypericum calycinum*, que não é muito fragrante e nem tem o odor de rosa. Mas também não pode ser o moderno narciso, que cientificamente é a espécie *Narcissus tazetta*. Sabe-se, entretanto, que a *Hypericum calycinum* medrava na Ásia Menor, em sua porção ocidental, bem como no vale de Sarom (daí o nome «rosa de Sarom», em Can. 2:1). É uma planta perenemente verde, e suas flores douradas e fofas, podem ser vistas durante quatro longos meses. A planta cresce em quase qualquer lugar, mesmo debaixo das árvores. Portanto, poderia medrar na planície ou vale de Sarom, embora de mistura com outras espécies vegetais.

Recentemente, um professor de botânica bíblica da Universidade de Jerusalém declarou que, provavelmente, está em pauta uma tulipa, a *Tulipa montana*, —que, conforme seu nome científico sugere, cresce nos montes. Nesse caso, seria ainda mais provável a *Tulipa sharonensis*, que se encontra com abundância no vale de Sarom, uma variedade de espécie que medra selvagem nas margens norte do Mediterrâneo, no Oriente Próximo, na Armênia, no Cáucaso, no norte da África, no Irã e, esporadicamente, no centro da Ásia até no Japão.

Alguns estudiosos pensam que a palavra hebraica envolvida, na realidade, significa *bulbo*. Ora, a tulipa é uma planta bulbosa. Contudo, se se trata da *Narcissus tazetta*, então precisamos pensar em uma espécie inteiramente diferente, muito popular entre os israelitas antigos, que produz flores de cor creme ou branca, em grupos de cinco a dez flores.

Embora no livro apócrifo de Eclesiástico (ver 24:14 e 39:13) haja menção a uma «rosa», é improvável que se trate realmente de uma rosa, pois tal planta não floresce nos wadis e riachos. Seria melhor pensarmos no oleandro, que medra muito bem à beira da água e, especialmente, no vale do Jordão. Essa *Nerium oleander* é um arbusto de 1,20 m a 3,00 m de altura, e suas flores podem ser brancas ou róseas, e quando duplas assemelham-se, realmente, a uma rosa.

No livro apócrifo de II Esdras 2:18,19 lemos: «...onde crescem rosas e lírios». Nesse caso, «rosas» poderia ser menção à *Rosa phoenicia*, uma planta que chega até 2,70 m de altura e produz flores brancas isoladas, de aroma doce, além de muitos estames dourados. Essa planta medra em lugares de até 1.500 m de altura. Portanto, ajusta-se dentro do quadro das «sete elevadas montanhas», mencionadas no segundo capítulo de II Esdras.

ROSA DE OURO

Esse é o ornamento, feito de ouro puro, com o formato de uma rosa, que é abençoado pelo papa no quarto domingo da Quaresma (vide), e então presenteado a católicos romanos eminentes, como símbolo da estima do papa.

ROSACRUZ

Um nome alternativo dessa sociedade é «Irmãos da Rosacruz». Outros nomes são Cavaleiros da Rosacruz e Fraternidade Rosacruz. Os rosicrucianos formavam uma sociedade secreta que recomendava a reforma política e a regeneração espiritual nos começos do século XVII, na Alemanha. Acredita-se que começou em torno de uma sociedade religiosa fundada por um certo Christiano Rosenkreuz, o que explica o nome dessa sociedade. Esse homem teria vivido no século XV. Mas quase todos os historiadores pensam que ele é uma figura fictícia. Originalmente, essa sociedade tinha, como base de partida, a alquimia, o misticismo e as ciências ocultas, e até hoje retém esses elementos nas formas que chegou a adquirir devido ao progresso geral do conhecimento humano. A sociedade teima que não é uma religião, porém, é óbvio que se trata de uma entidade com fortíssimas crenças religiosas e filosóficas.

Certo cavaleiro alemão, Christiano Rosenkreuz, teria adquirido sua sabedoria especial em antigas fontes informativas encontradas em vários lugares por ele visitados, como a Palestina, Damasco, Egito e Espanha. Ele teria transmitido essa sabedoria a discípulos seus, sob juramento de segredo. O movimento atraiu indivíduos de tendências cabalísticas (ver sobre a *Cabala*), e, no começo, muito se interessou pela alquimia, pela astrologia, e até pela *maçonaria* (vide). Vários ramos do movimento instalaram-se nos Estados Unidos da América do Norte, com extensões internacionais em muitos países, como o Brasil. A seção de Oceanside, no estado da Califórnia, declara qual é a filosofia básica do movimento nos seguintes termos: «Uma filosofia mística, fundada sobre princípios cristãos e alicerçada sobre a realidade de Cristo e da obra que ele veio realizar na terra».

Por causa de suas tendências místicas, os fenômenos psíquicos são ali avidamente estudados. Atualmente, quase todos os seus membros aceitam a reencarnação como uma teoria básica sobre certo aspecto da realidade. Eles acreditam em dimensões espirituais da existência e muito se esforçam por aprender acerca dos mesmos através de experiências místicas.

Embora o tempo exato do começo desse movimento esteja em dúvida, sua existência *tornou-se* conhecida por meio de dois panfletos anônimos chamados *Fama Fraternitas Rosae-Crucis* e *Die chymische Hochzeit Christiani Rosenkreutz, anno 1459*. Ao que tudo indica, os dois panfletos foram escritos por um célebre teólogo luterano de nome Johann Valentin Andrea. O assunto dos mesmos era a reforma nas esferas social, educacional e religiosa. Imediatamente, surgiram impostores, professando-se membros do movimento, que passaram a pregar grande leque de assuntos, chegando até a afirmar-se possuidores do elixir da vida e de um método de transformar metais vis em ouro. Além disso, surgiram os *Illuminati* (iluminados), que asseveravam ter contacto direto com os mundos espirituais. Esses fenômenos, porém, serviram somente para obscurecer os verdadeiros propósitos do movimento. Mas, na verdade, até membros do movimento real envolveram-se em várias formas de engodo.

Os rosicrucianos modernos continuam a ênfase sobre o autoconhecimento e o desenvolvimento espiritual, e combatem qualquer noção que os apresente como uma organização religiosa. Através da história, a começar pelo século XVII, esse grupo tem atraído figuras de renome, bem conhecidos em outras áreas de atividade, — que buscaram sua expressão espiritual através dessa sociedade.

ROSADO, RUIVO

A idéia precisa ser desdobrada nas três palavras hebraicas que a expressam, a saber:

1. *Adom*, «vermelho», palavra que aparece por oito vezes no Antigo Testamento, e que em Can. 5:10, nossa versão portuguesa traduz por «rosado».

2. *Admoni*, «avermelhado», palavra que figura por três vezes (Gên. 25:25; I Sam. 16:12 e 17:42). Nossa versão portuguesa sempre traduz esse termo por «ruivo».

3. *Adam*, «vermelho», palavra que aparece por dez vezes, e que em Lam. 4:7 a nossa versão portuguesa traduz por «ruivos».

Os israelitas de antes do exílio (portanto, antes de sua miscigenação com pessoas de tez mais clara, como se deu com os judeus asquenazitas, que foram para o centro e o leste europeu — países germânicos e eslavos) eram mais trigueiros ou morenos do que atualmente se vê. Os judeus sefarditas, que após o exílio ocuparam terras gentílicas em torno do Mediterrâneo, conservaram um tanto mais puro o tipo israelita antigo, embora também houvesse miscigenação (mas com povos de tez mais escura que os germânicos e eslavos). Entre os antigos israelitas, a pele morena era considerada um toque de beleza. Lê-se em Cantares 1:5 «Eu estou morena, porém formosa...» Essa tonalidade da pele era indicada por alguma das palavras acima consideradas, embora, em algumas passagens, como em Gênesis 25:25, talvez haja mais uma alusão à cor ruiva dos cabelos.

ROSÁRIO

Naturalmente, o sentido dessa palavra é «jardim de rosas», podendo referir-se a uma coletânea de peças literárias seletas, que seria dotada de certa beleza. No contexto religioso, o rosário é uma forma de prece que consiste em quinze dezenas de Ave-Marias, cada dezena antecedida por um Padre-Nosso seguida por um Glória. Durante a recitação das preces, mediante o auxílio de contas, a pessoa deve meditar sobre os mistérios jubilosos, tristes ou gloriosos da vida de Cristo. Cinco dezenas usualmente são rezadas de cada vez. O termo *rosário* também pode aludir a um pequeno santuário recoberto de contas, onde são recitadas orações.

ROSCELINO DE COMPIÈGNE

Suas datas aproximadas foram 1050 — 1120. Foi monge e filósofo escolástico. Foi processor de *Abelardo* (vide). Estudou em Sossions e Rheims. Ensinou em Compiègne, Loches, Besançon e Tours. Todos os seus escritos perderam-se, com exceção de uma carta, que ele escrevera a Abelardo. Roscelino é lembrado em virtude de seu *nominalismo* extremado. Ver o artigo sobre o *Nominalismo*. E também fez combate sem tréguas ao *realismo* metafísico (vide).

Anselmo informou-nos que Roscelino dizia que o universal é apenas um *flatus vocis*, um «sopro da voz». A palavra latina *flatus* significa «sopro», «resfôlego». Platão, em contraste, com seu realismo extremado, afirmava que o universal é uma entidade de qualidade espiritual, a forma mais elevada de existência. Ver sobre os *Universais*, quanto a uma completa discussão sobre os vários pontos de vista a respeito. Roscelino, em contraste com ele, acreditava somente na existência de coisas individuais. Seus pontos de vista conduziram-no ao triteísmo, em lugar do trinitarianismo, mas ele foi obrigado a rejeitar tal posição diante do concílio de Soissons, em 1092. De fato, nem sempre uma idéia filosófica deveria conduzir a um dogma teológico.

••• ••• •••

ROSENZWEIG, FRANZ

Suas datas foram 1886-1929. Foi pupilo de Cohen e amigo íntimo de Buber (com quem colaborou em uma tradução da Bíblia para o alemão). Começando pelo idealismo alemão, acabou abandonando essa posição em favor de uma abordagem existencial à fé religiosa. Ele repensou e reexpressou o judaísmo e o cristianismo tradicionais. Sua obra escrita principal, *Der Stern Der Erlosung*, exerceu considerável influência sobre toda a filosofia judaica subseqüente, sendo reputada o último grande monumento da filosofia judaico-alemã.

ROSETA, PEDRA DE

Uma estela de basalto, inscrita em egípcio (hieroglífico e demótico) e em grego. A inscrição é um decreto dos sacerdotes egípcios em honra a Ptolomeu V Epifânio, em seu nono ano de governo (196 A.C.). O monumento foi desenterrado em 1799, por um certo tenente Bouchard, do exército de Napoleão, quando da consolidação de um fortim perto de Roseta, o que explica o nome da pedra. Quando as forças de Napoleão foram derrotadas pelos ingleses, a pedra foi levada para o Museu Britânico, em 1802. Paralelamente, a um obelisco e seu pedestal, encontrados em File (inscritos um em egípcio e o outro em grego), o texto bilíngüe da pedra de Roseta desempenhou um papel vital no deciframento dos antigos sistemas de escrita egípcia, por Thomas Young (inglês) e Jean François Champollion (francês), mas principalmente por este último. O alemão Lepsius confirmou o sucesso do francês, e assim abriu-se o patrimônio escrito inteiro do antigo Egito, cobrindo três mil anos da história e da civilização. Isso envolveu grande ganho para a humanidade em geral, e para a erudição bíblica em particular.

ROSTO (BOCHECHAS)

Parte lateral da boca, de cada lado do rosto, embora essa palavra popular não tenha uma limitação precisa. Continua desde as pálpebras inferiores até à base do maxilar inferior. Termina no nariz e nos lábios, e vai até cada orelha.

Usos na Bíblia. 1. Ferir na face é um ato de reprimenda (Lam. 3:30). 2. Jesus ordenou que os homens espirituais voltassem a outra face para ser esbofeteada também, em uma atitude de não-violência e de paciência sob o sofrimento e a perseguição (Mat. 5:39). Isso tem paralelo no ensino de I Ped. 4:14 e II Cor. 12:10, que fala sobre a humilde aceitação do crente quanto às diversas tribulações que precisa enfrentar. 3. No tocante aos animais sacrificados, a porção que cabia aos sacerdotes compreendia as queixadas, a espádua e o bucho (Deu. 18:3). 4. Os dentes dos queixais de uma leoa, em Joel 1:6, indicam o poder que esse animal tem de despedaçar e triturar a presa. Portanto, quebrar essa parte de seu corpo é desarmar a fera. Um símbolo de como Deus age, defendendo seu povo do inimigo, é que ele fere o inimigo nos queixos (Sal. 3:7).

ROUBO

Ver sobre **Crimes e Castigos**.

ROUPAS

Ver sobre **Vestimentas**.

••• ••• •••

ROUSSEAU, JEAN-JACQUES

Suas datas foram 1712 - 1778. Ele foi um filósofo político e educacional, nascido em Genebra, na Suíça. Viveu em Paris durante muitos anos. Contribuiu para a famosa *Encyclopédia*. Foi um dos porta-vozes do *romantismo* (vide). Mostrou ser importante figura dentro da teoria filosófica da educação e da política. Passou vários anos fora da França. Na Inglaterra, tornou-se amigo de Hume, embora não tenha demorado muito para se desentenderem. Sua vida foi assinalada por certa incoerência, o que se refletiu em seus escritos. Ele fazia experiências com as idéias e, qual pêndulo, passava de um extremo para outro. Seus gostos pessoais alternavam-se entre a vida citadina e a vida nos campos, entre o catolicismo romano e o protestantismo, entre as idéias puritanas e o amor pelas mulheres, especialmente aquelas de encantos femininos e de alta posição social, entre a nobreza e a trivialidade. Suas incoerências também caracterizaram a sua vida social. Era amigo de pessoas colocadas em altas posições, incluindo Voltaire, D'Alembert, Diderot, Mirabeau, Hume, Gibbon, Bosell, o príncipe Henrique, da Rússia, além de outros, mas também conseguia entrar em choque com eles, depois de não muito tempo de amizade.

A despeito de suas incoerências e de suas transferências de um pólo para outro, a sua influência foi poderosa. Ele foi o pensador político de maior envergadura do século XVIII, e foi uma das forças por detrás da Revolução Francesa. Suas realizações acadêmicas tiveram início em 1749, quando conquistou uma competição intelectual patrocinada pela Academia de Dijon. O assunto era se as artes e as ciências purificam a moral. Esse ensaio lhe trouxe fama imediata.

Idéias:

1. Os homens são iguais por natureza. Mas, à medida que as sociedades se desenvolvem, além das desigualdades naturais, que já são sérias por si mesmas, as desigualdades artificiais, politicamente impostas, complicam o quadro e deixam as massas em uma miséria relativa. As desigualdades políticas vão-se acentuando cada vez mais, porquanto são os fortes e privilegiados que baixam as leis e exercem o poder político. Os direitos de propriedade enriquecem mais ainda aos abastados e empobrecem mais ainda aos carentes. As cortes reais favorecem aos ricos e poderosos. Essas tendências contribuem para a formação de uma sociedade formada por mestres e escravos, mesmo onde a escravatura não existe oficialmente.

2. O avanço das artes e das ciências beneficia bem pouco às massas, e sempre se faz acompanhar pela corrupção moral. Esse «paralelo» serve de poderosa causa, porque a virtude não é recompensada na sociedade, e os ricos, poderosos e talentosos, buscam alvos egoístas, e o resultado inevitável é a opressão dos pobres, fracos e comuns.

3. O estado de selvageria que caracterizava o homem primitivo, não era melhor que a civilização, nada tendo de nobre, conforme alguns têm asseverado impensadamente (com base em uma filosofia comunista). Naquelas sociedades antigas (e nas sociedades selvagens que até hoje continuam), as desigualdades naturais se impunham, e os fortes sempre perseguiram e exploraram aos fracos. Os selvagens vivem por instinto, impulso e apetites, e o indivíduo selvagem continua vivendo dentro do chamado homem civilizado da sociedade moderna. Por outra parte, a verdadeira humanidade requer a justiça, a moralidade, o cumprimento dos deveres, a lei e a razão,

qualidades essas que não são fáceis de achar onde muitos seres humanos convivem.

4. Visto que o desenvolvimento da civilização mui naturalmente leva à corrupção e à opressão, principalmente porque os que servem de instrumentos nesse desenvolvimento são os fortes e talentosos, que usualmente agem impelidos pelo egoísmo, como é que uma verdadeira humanidade do homem para com o homem pode chegar a prevalecer na sociedade humana? Um meio apropriado, por ele proposto, é uma constituição humana adequada que garante os direitos e privilégios necessários para as massas.

5. *O Contrato Social*. Esse documento, segundo a opinião de Rousseau, renderia os efeitos desejados, se envolvesse os seguintes itens:

a. A formação de uma associação que garantisse as provisões alimentares.

b. Cada membro da sociedade unir-se-ia aos demais, mas permaneceria livre como indivíduo.

c. Os direitos individuais deveriam ser claramente definidos e garantidos. Esses direitos seriam aqueles para os quais os homens naturalmente tendem, e não aqueles criados e governados pela razão.

d. Os direitos individuais deveriam repousar sobre a convenção e o livre-arbítrio, sem serem impostos pela força.

e. Haveria duas vontades: a vontade individual e a vontade coletiva. Um cidadão deveria deixar-se governar por ambas as vontades. Quando alguém exercitasse a sua vontade individual, isso seria para *ele*. E quando exercitasse sua vontade coletiva, fá-lo-ia para o bem da comunidade toda.

f. O grande problema consistiria em harmonizar a vontade individual e a vontade coletiva entre si. Leis poderiam forçar essa união. Conforme Rousseau dizia, os homens «podem ser forçados a ser livres». A liberdade, porém, só pode operar dentro do contexto do contrato social que concorde com a razão coletiva.

6. Idéias Morais e Religiosas

Boas condições individuais e coletivas derivar-se-iam do cultivo do coração, e não do cultivo da razão. O homem tem conhecimento das verdades básicas. Entre essas verdades destaca-se o todo-importante princípio da liberdade, como também a realidade de Deus, a imortalidade e a tolerância religiosa. A religião deveria atuar ativamente no Estado. Deveria haver uma religião oficial que preservasse as idéias fundamentais dadas do alto. O contato social deve ser considerado sagrado e prenhe de responsabilidades. O após-vida aponta para a inevitabilidade do castigo contra o erro, o que deveria ser enfatizado. A própria crença deve ser livre, mas o *comportamento político*, influenciado pelas crenças religiosas, deveria ser promovido mediante a adêrencia a certas crenças básicas e imperiosas. Isso posto, torna-se evidente que Rousseau distinguia entre a religião *por si mesma*, que procede do coração de cada indivíduo e precisa ser tolerada, e a religião politicamente aplicada. Esta última precisa ser socialmente promovida e mantida sob controle. Ele também advogava o castigo para os hereges que se recusassem a aderir à religião básica, politicamente aplicada. Mas esse ponto é claramente contraditório com tudo o mais que ele dizia, arrastando em sua esteira todos os males das religiões impostas oficialmente pelo Estado.

Escritos. Discourse on the Sciences and the Arts; Discourse on the Origin of Inequality among Men; Julie or the New Heloise; The Social Contract; Emile; Confessions; The Revelries of a Solitary.

••• ••• •••

ROYCE, JOSIAH

Suas datas foram 1885-1916. Ele foi um filósofo norte-americano. Nasceu em Grass Valley, estado da Califórnia. Estudou nas Universidades de Berkeley e John Hopkins. Estudou sob a direção de Lotze, em Gottingen, Alemanha. Tornou-se o principal representante do *idealismo* (vide) na América do Norte, em sua própria geração. Ensinou em Harvard durante trinta e quatro anos. Durante sua vida exerceu grande influência, mas, após sua morte, foi sendo esquecido.

Idéias:

1. *Seu ímpeto principal* na filosofia foi a busca espiritual, de acordo com o que o indivíduo seria capaz de passar da existência finita e fragmentar que aqui conhecemos para o infinito, e ali ter um encontro com Deus ou o Absoluto, ao qual Royce chamava de Espírito da Grande Comunidade.

2. O *pessimismo* (vide) consiste em desespero moral, que ocorre por causa do fato de que o indivíduo não encontra algum ideal que o norteie na vida. Porém, até mesmo o desespero assim criado indica que tal busca é válida, mesmo quando é temporariamente evitada. Pois até mesmo então o ideal convida à busca.

3. *O ideal moral*. Ele dizia: «Vive de tal modo como se a tua vida e a vida do próximo fossem apenas uma para ti». Naturalmente, isso é uma aplicação da regra áurea de Jesus, através do *imperativo moral* de Kant (vide). Embora a essa declaração falte uma originalidade absoluta, trata-se de uma afirmação interessante e valiosa. O verdadeiro amor seria viver a própria vida como se também fosse a vida do próximo. A comunidade em uma única vida relembra-nos a declaração aristotélica de que a verdadeira amizade consiste em um corpo com duas almas.

4. O *ceticismo* consiste em desespero, porquanto pendemos para muitos fracassos. No entanto, o erro finito implica em uma verdade e em uma retidão infinitas. Há uma unidade infinita que nos convém obter, e isso poderá ser feito, mesmo que nos consuma muito tempo.

5. Sob a influência de *William James*, Royce emprestou ao seu idealismo um certo sabor voluntarista e pragmático. As idéias envolvem vontades e propósitos; a realidade deve ser aquilo que cumpre essas vontades e propósitos; *ser* é o *cumprimento de propósito*. Apesar de que, quanto a muitas coisas, podemos assumir uma abordagem pragmática, contudo, por detrás de todas as coisas há o Absoluto. As condições da verdade são absolutas, embora a nossa inquirição possa obscurecer esse fato.

6. *Deus* não é simplesmente uma infinita unidade de pensamento, dentro da qual existem os indivíduos, reunidos para formarem uma unidade. Ele também é um *eu* atento e amoroso.

7. *Os seres humanos são fragmentos* que buscam unidade com a Experiência Absoluta, que unifica todas as experiências.

8. *O temporal subentende o eterno*. Todos os acontecimentos, isolados ou coletivos, estão presentes na *Consciência Eterna*. Estão todos presentes ao mesmo tempo, como um *totum simul*. Se interpretarmos o mundo em termos de *vontade*, então a realidade como um todo é uma expressão de um único complexo de Significado, e esse Significado é consciência eterna.

9. Os homens estão envolvidos em uma *comunidade de egos finitos*, relacionados uns aos outros, que interpretam uns aos outros, embora fazendo todos parte do Infinito.

10. Em sua obra, *O Problema do Cristianismo*,

Royce via a comunidade dos homens ocupada em interpretações individuais e coletivas. Até os objetos físicos inter-relacionam-se mediante comunicações físicas. A comunidade religiosa caracteriza-se pela esperança, pela fé e pela graça remidora, e esses são os elementos da comunicação e da contemplação religiosas. A Grande Comunidade merece a nossa lealdade e a nossa confiança. Em certo sentido, o próprio Deus é o «espírito da comunidade», sendo também a essência da lealdade, bem como o seu inspirador.

11. *Os significados internos das idéias* são os *propósitos* que eles cumprem e de onde seus sentidos cognitivos ou externos emergem.

12. Royce permaneceu um absolutista, ao insistir que as *condições da verdade são absolutas*, no sentido de que a tentativa do homem de livrar-se delas implica em sua real existência. Porém, a nossa busca atrás do absoluto por muitas vezes é algo relativo e pragmático, em face de nossa condição humana.

Escritos. The Religious Aspect of Philosophy; The Spirit of Modern Philosophy; The Conception of God; Studies of Good and Evil; The World and The Individual; The Conception of Immorality; The Philosophy of Loyalty; The Problem of Christianity; Fugitive Essays; Logical Essays.

RUA

Precisamos considerar três palavras hebraicas e uma expressão no mesmo idioma, e três palavras gregas, quanto a este assunto:

1. *Chuts*, «lado de fora», «rua». Esse vocábulo hebraico ocorre por setenta e cinco vezes, mas, apenas por quarenta e quatro vezes com o sentido de «rua», visto que também quer dizer «espaço exterior», «campo», etc. Com o sentido de «rua», ver, para exemplificar, Jos. 2:19; II Sam. 1:20; I Reis 20:34; Sal. 18:42; Isa. 5:25; 10:6; 15:3; Jer. 5:1; 7:17,34; 11:6,13; Lam. 2:19,21; 4:1,5,8,14; Eze. 7:19; 11:6; Miq. 7:10; Naum 2:4; Sof. 3:6; Zac. 9:3; 10:5.

2. *Pene chuts*, «lado de fora». Essa expressão hebraica aparece somente em Jó 18:17, onde a nossa versão portuguesa a traduz por «praças».

3. *Rechob*, «lugar espaçoso», «rua». Palavra hebraica que aparece por quarenta e três vezes, conforme se vê, por exemplo, em Gên. 19:2; Deu. 13:16; Juí. 19:15,17,20; II Sam. 21:12; II Crô. 29:4; Esd. 10:9; Nee. 8:1,3,16; Est. 4:6; Jó 29:7; Sal. 55:11; Pro. 1:20; 5:16; 26:13; Isa. 15:3; Jer. 9:21; 50:30; Eze. 16:24,31; Dan. 9:25; Zac. 8:4,5.

4. *Shuq*, «lugar de andar», «rua». Esse termo hebraico é usado por quatro vezes: Pro. 7:8; Ecl. 12:4,5; Can. 3:2. Portanto, foi usado exclusivamente nos escritos atribuídos a Salomão.

5. *Plateía*, «rua larga». Vocábulo grego utilizado por dez vezes: Mat. 6:5; 12:19 (citando Isa. 42:2); Mar. 6:56; Luc. 10:10; 13:26; 14:21; Atos 5:15; Apo. 11:8; 21:21 e 22:2.

6. *Rúme*, «rua estreita», «viela». Vocábulo grego que aparece por quatro vezes: Mat. 6:2; Luc. 14:21; Atos 9:11 e 12:10.

7. *Agorá*, «mercado», «praça do mercado». Palavra grega usada por onze vezes: Mat. 11:16; 20:3; 23:7; Mar. 6:56; 7:4; 12:38; Luc. 7:32; 11:43; 20:46; Atos 16:19; 17:17. Somente no trecho de Marcos 6:56 há possibilidade desse vocábulo grego ser entendido como «rua». A nossa versão portuguesa o traduz por «praça», o que é uma tradução contra a qual não se pode fazer objeção.

Nas antigas cidades orientais as ruas eram estreitíssimas, às vezes, não atingindo dois metros de largura, o que permitia a passagem apenas de uma carroça puxada por animal, com uma só mão de trânsito. Acresça-se a isso que as ruas eram sinuosas, traçadas ao acaso, sem qualquer planejamento. Somente as cidades maiores contavam com uma ou duas avenidas, retas e largas.

Visto que o lixo e o refugo das casas eram lançados diretamente nas ruas, usualmente, estas eram muito sujas e mal cheirosas. Na verdade, essa condição perdurou até bem no fim da Idade Média, mesmo nas cidades européias. As ruas de Paris, capital da França, eram tão sujas que muitos franceses desmaiavam, se precisassem passar por elas. Não havia serviço de limpeza pública, e os lixeiros eram inteiramente desconhecidos; os cães vadios é que se encarregavam de fazer desaparecer a maior parte desse lixo. Tudo isso refletia o grande atraso em que viviam as populações citadinas antigas, tanto do Oriente quanto do Ocidente. Praticamente eram desconhecidos os princípios comezinhos da higiene pública.

Comerciantes e artífices de um mesmo ofício, geralmente, se amontoavam todos em uma mesma rua ou em um mesmo bairro. Havia a rua dos ferreiros, — dos joalheiros, dos negociantes de cereais, etc. Porém, visto que as ruas não eram pavimentadas (pelo menos em sua grande maioria), usualmente, elas eram lamacentas e cheias de depressões e desigualdades. Sabe-se, entretanto, de governantes que mandavam pavimentar as ruas principais de suas cidades. Foram esses os casos de Herodes, o Grande, que mandou pavimentar a principal rua de Antioquia, com pedras brancas, e o de Agripa II, que mandou pavimentar certas ruas de Jerusalém, também com pedras brancas. Usualmente, as casas e outros edifícios não eram construídos afastados alguns metros para trás, sendo que a parede da frente das construções coincidia com a margem da rua. Cada casa tinha uma porta nessa parede da frente, e as janelas ficavam na parede oposta, isto é, a de detrás, dando frente para um pátio interior.

Do lado de dentro dos portões das cidades muradas havia grandes espaços abertos (as «praças», onde havia mercados abertos um tanto semelhantes às modernas feiras livres brasileiras), onde se reuniam os comerciantes para fazerem seus negócios e transações. Também era ali que havia os «fóruns» ou tribunais de justiça. Ali, pois, dispensava-se a justiça, executavam-se os criminosos, liam-se as proclamações oficiais e espalhavam-se as notícias.

RUA DIREITA Ver Direita, Rua.

RUAH

No hebraico, um fator religioso indefinido, formado por forças não-humanas, espíritos ou almas tardias. Todavia, essa palavra também incluía a idéia da espiritualidade de *Yahweh*. O homem é uma *nephesh*, um diferente tipo de fator religioso, representante de uma natureza metafísica diferente. Após o exílio babilônico, o vocábulo *ruah* adquiriu a natureza da alma imaterial, de espíritos de muitos tipos, tornando-se o fator metafísico compartilhado por *Yahweh* e pelos homens, até certo ponto. O conceito de «alma» não entrou no pensamento dos hebreus senão já no tempo dos Salmos e dos Profetas, e mesmo assim sem qualquer definição ou análise teológica ou filosófica. A tendência do judaísmo helenista era tomar por empréstimo tais descrições de outras origens, incluindo a filosofia grega e o pensamento oriental.

RÚBEM — RUDIMENTOS DO MUNDO

RÚBEN

De acordo com Gên. 29:32, seu nome deriva-se de dois termos hebraicos que significam «ver» e «filho». Filho mais velho de Jacó e Lia, primeira esposa dele. Nasceu em Padã-Arã. Ele foi usado como instrumento no episódio das mandrágoras que deram início à intriga em família (Gên. 30:14-16). Perdeu o direito à primogenitura por ter tido relações sexuais com Bila, concubina de seu pai (Gên. 35:22; 49:4). Impediu que José fosse morto pelos demais filhos de Jacó (Gên. 37:21,22), e mais tarde, quando os irmãos foram pressionados por José, no Egito, que se mantinha incógnito, lembrou-lhes de que os aconselhara a não fazer mal a José (Gên. 42:22) e chegou a oferecer seus filhos a Jacó, como garantia de que Benjamim seria devolvido em segurança a seu pai (Gên. 42:37). Quando a família migrou para o Egito, Rúben tinha quatro filhos (Gên. 46:8,9).

A tribo de Rúben é mencionada pela primeira vez nas listas de Êxo. 1:1-4 e Núm. 1:5,20,21, aparecendo em primeiro lugar. Mas, em outras listas, já não é mencionada em primeiro lugar, pois a liderança passara para a tribo de Judá (Núm. 2:10 e 3). Rúben encabeçava a segunda divisão, que seguia os levitas que transportavam o tabernáculo (Núm. 10:17,18).

Durante a conquista, Rúben, juntamente com Gade e meia tribo de Manassés, preferiu o elevado platô a leste do rio Jordão, onde havia pasto abundante para o gado. Essa região lhes foi dada, terminada a conquista, pois deveriam ajudar seus irmãos (Núm. 32:1-32; Jos. 4:12,13; 13:8-23; 18:7).

Separadas das demais, essas duas tribos e meia quiseram ter seu próprio centro de adoração, o que quase provocou uma guerra (Jos. 22:10-34). A tribo de Rúben não se envolveu nos conflitos subseqüentes com os reis cananeus depois dos dias de Josué (Juí. 5:15,16), mas os rubenitas devem ter participado da guerra civil contra Benjamim (Juí. 20:10 e 21:5), visto que são mencionadas «todas» as tribos. No exército de Davi havia rubenitas (I Crô. 11:42 e 12:37), e eles foram integrados na estrutura política de Davi (I Crô. 26:32; 27:16). No reino dividido, os rubenitas foram-se afastando cada vez mais das atividades nacionais, até que o território deles passou ao controle sírio (II Reis 10:32,33). Vestígios da tribo são mencionados como deportados para a Assíria, por Tiglate-Pileser, juntamente com a tribo de Gade e a meia-tribo de Manassés (I Crô. 5:26).

O N.T. menciona Rúben apenas por uma vez, na enumeração das tribos que serão seladas (Apo. 7:5).

RUBI

Essa **pedra preciosa** algumas vezes é chamada de «rubi oriental», sendo uma pedra relativamente rara e preciosa. Sua cor vai do vermelho ao carmesim profundo, embora algumas vezes seja rósea ou com tons púrpuras. Tal como a safira (vide), o rubi é uma variedade de corindon (óxido de alumínio). Depois do diamante, é o mineral de maior dureza que se conhece. Pensa-se que a cor vermelha do rubi se deve à presença de traços de cromo. Os rubis ocorrem em pedras calcárias cristalinas e em cascalhos produtores de gemas, derivados dessas rochas. As melhores gemas encontram-se em Burma.

No hebraico, a pedra *peniyyim*, ou *peninim*, é mencionada em Jó 28:18; Pro. 3:15; 8:11; 20:15; 31:10 e Lam. 4:7. Mas nossa versão portuguesa traduz variegadamente a palavra por «pérolas», «jóias» ou «corais» e nenhuma vez por *rubi*. O termo grego *xalkedón* aparece em Apo. 21:19, e algumas versões também traduzem essa palavra por rubi. Porém, o peso da erudição prefere traduzir tal palavra por «calcedônia», o que acontece também em nossa versão portuguesa. (Ver *Pedras Preciosas e Calcedônia*).

Nossa versão portuguesa traduz por «rubi» a palavra hebraica *kadkod*, que aparece em Isa. 54:12 e Eze. 27:16. No entanto, fá-lo somente no trecho de Isaías, ao passo que em Ezequiel prefere «pedras preciosas». Também há muito escassas indicações para se determinar a natureza exata dessa pedra. Por isso, as versões variam entre o «jaspe», a «ágata», o «crisópraso» e o «rubi». A Vulgata Latina translitera a palavra por *chodchod*, em Eze. 27:16.

Há muita incerteza sobre como se devem traduzir nomes de plantas, de animais, de aves, de peixes, de pedras preciosas, etc., tanto no Antigo quanto no Novo Testamentos, mas mormente no Antigo. Isso explica a incrível hesitação dos tradutores, desde antes da era cristã até os nossos dias, quando procuram traduzir estes nomes.

RUBRICA NEGRA

Os reformadores criticavam o costume de ajoelhar-se por ocasião do recebimento dos elementos da Ceia. Temiam que isso daria a entender que eles adoravam o pão e o vinho, como se acreditassem na doutrina católica romana da transubstanciação (ver o artigo). No segundo Livro de Orações da Inglaterra, publicado em 1552, o ato de ajoelhar-se é recomendado. No entanto, foi inserida uma nota, apenas três dias antes de sua publicação, dissociando a prática de qualquer sugestão de adoração aos elementos da Ceia. Essa observação, posteriormente, foi alcunhada de *Rubrica* Negra, por elevados prelados anglicanos. A rainha Isabel mandou remover a emenda na próxima edição. Mas acabou fazendo outra emenda, com fraseado diferente, de modo a não mais parecer negar a presença de Cristo nos elementos da Ceia. Essa segunda emenda apareceu na revisão de 1661. (C E)

RUDIMENTOS DO MUNDO

1. No **grego, stoicheia**, — que literalmente significa «fileira», «série», como as letras do alfabeto, indicando os elementos físicos que compõem o universo (ver II Ped. 3:10,12). O uso desse vocábulo, neste ponto, tem recebido diversas interpretações, a saber:

2. Seriam os ensinamentos elementares (ver Heb. 5:12), como os elementos das leis cerimoniais e das práticas judaicas (ver Atos 15:10 e Gál. 4:3,9).

3. O cerimonialismo, com seus ritos, carnes, abluções, bebidas, práticas ascéticas, etc., de mistura com os mistérios simbólicos dos pagãos, com seus ritos iniciatórios, seriam coisas pertencentes a um sistema moralista rudimentar. (Ver Col. 2:1,21 e Gál. 4:9). «O ABC das instruções religiosas» (Abbott, *in loc.*).

4. Mas talvez seja mais correto compreendermos em Col. 2:8,20, os «espíritos elementares». As *stoicheia* eram, provavelmente, elementos ou representantes das emanações, dos «aeons», que eram adorados, em competição com Cristo, dentro do sistema gnóstico. O desenvolvimento da idéia dos «espíritos», associados aos «elementos», se originou da noção de que as substâncias (*stoicheia*) do mundo, a terra, o ar, o fogo e a água, seriam possuidoras de *vida* (*hilozoísmo*), isto é, toda a matéria seria realmente «animada»; e então, por um processo de rarefação e condensação, tudo quanto existe, animado ou

inanimado (segundo nossos termos modernos), veio à existência. Não distante dessa idéia é o conceito que os corpos celestes, como o sol, os planetas, as estrelas e a lua são corpos de deuses, que precisam ser adorados, através de seus corpos físicos. As antigas crenças astrológicas foram envolvidas em tudo isso, mediante a idéia de que esses corpos celestes influenciam as vidas dos homens. Não sabemos exatamente como os gnósticos de Colossos encaravam essas questões, mas parece que, para alguns deles, as «stoicheia» seriam uma espécie de *espíritos*, que mereciam ser adorados. Por conseguinte, diminuíam a importância da adoração a Cristo, pondo tais espíritos em atitude de competição com o Senhor. **Dentro da astrologia,** esse termo era empregado para indicar os corpos celestes, sendo eles considerados as moradias ou corpos dos espíritos. É possível que a mescla de tais idéias com conceitos astrológicos esteja implícita no décimo sexto versículo de Col. cap. 2, onde a questão da comemoração de *luas novas* e «sábados» é trazida à lume (pois isso, algumas vezes, tinha a ver com as fases da lua, etc.).

5. Dentro da literatura judaica posterior, há uma influência astrológica bem clara. No livro de Enoque 82.10 e *ss*, há alusão aos anjos, como se fossem estrelas que vigiam, dotadas de tempos e ordens de aparecimento e influência. Quatro líderes dividiriam as estações, e então doze taxiarcas dividiriam os meses, e sobre os trezentos e sessenta dias haveria governantes especiais, os «quiliarcas» ou chefes de mil. Em Enoque 18.15, as estrelas são vistas sob o castigo de Deus, por aparecerem fora de sua ordem. No livro de Jubileus, em seu segundo capítulo, aparecem muitos anjos, dotados de muitas funções, como os anjos dos ventos, das nuvens, do calor, do frio, da geada, do trovão, etc. Tais pensamentos podem ter influenciado os trechos de Sal. 114:4 e Apo. 7:1,2; 14:18 e 16:5. Na mistura peculiar de doutrinas que caracterizava o gnosticismo de Colossos, tais noções podem ter-se desenvolvido na doutrina dos «espíritos elementares», que eles consideravam dignos de adoração. Ora, tudo isso se opunha ao reconhecimento da posição suprema de Cristo no universo.

Os grupos protestantes, em sua ansiedade de varrerem os abusos que têm estado associados às doutrinas dos anjos, se têm esquecido do importante ministério que lhes é atribuído. É provável que alguns dos dons espirituais sejam angelicamente mediados. (Ver Heb. 1:14).

Ver o artigo sobre *Elementos* (*Espíritos Elementares*).

RUFO

No grego, **Roûfos,** forma helenizada do nome latino *Rufus*, «vermelho». O nome é freqüentemente usado por autores gregos dos séculos III e II A.C. O nome figura por duas vezes no Novo Testamento. Na narrativa da paixão (ver Mar. 15:21) é mencionado um certo Rufo, filho de Simão de Cirene, — que carregou a cruz do Senhor. Nas saudações da epístola aos Romanos (16:13), um Rufo é saudado como «eleito no Senhor, e igualmente a sua mãe, que também tem sido mãe para mim». Desnecessário é dizer que a tendência romântica dos expositores do século XIX foi suficiente para a tarefa de equiparar os dois homens, tecendo uma maravilhosa teia em torno deles. O fato de que Rufo era um nome latino, e que um governador militar romano da Judéia era assim chamado, empresta crédito à possibilidade de que essa mesma família pode ter retornado a Roma, e que ali desempenhou um importante papel na Igreja romana. O martírio de um certo Rufo é observado por Policarpo (*Epístola aos Filipenses* XI.1), em cerca de 135 D.C.

RUMA

No hebraico, «altura». As várias cópias da LXX dão o nome como *Krouma*, *Ruma* ou *Lobena*. Local do nascimento de Zebida, filha de Pedaías (ver II Reis 23:36). A localidade tem sido variegadamente identificada. Por causa da aparência similar entre o «*r*» e o «*d*» em hebraico, alguns pensam tratar-se da mesma Dumá, que aparece em Jos. 15:52, não distante de Libna, aldeia nativa de uma das esposas de Josias. Mas isso é improvável, porque a LXX distingue claramente entre as duas. Outros estudiosos sugerem Arumá (ver Juí. 9:41), nas vizinhanças de Siquém. Essa sugestão é apoiada por um trecho paralelo em Josefo, que menciona Abouma, sem dúvida, um erro escribal para Arumá (ver *Anti*. X.5,2). No entanto, Josefo também esclareceu que há uma Rumá na Galiléia (ver *Guerras* II.7.21). O mais provável é que esteja em foco essa última, que modernamente chama-se Khirbet er-Rameh, perto de Rimom de Gileade. Nos anais de Tiglate-Pileser III a cidade é chamada ARUMÁ (ANET, 283). Ora, se esse local está correto, então a observação de que uma das esposas de Josias e seu pai vieram dali é interessante, porquanto demonstra que a densa população do reino do norte, Israel, não fora inteiramente removida por aquele monarca a⋅·'rio, quando ele conquistou a região e deportou os seus habitantes. (Cf. Y. Aharoni, *The Land of the Bible*, 1967, págs. 349 e 350).

RUMOR

No hebraico, **shemuah,** «notícia». No grego, **akoé**, «voz» e **logos,** «palavra». A palavra hebraica é usada por vinte e seis vezes. Por exemplo: I Reis 19:7; Isa. 37:7; Jer. 49:14; 51:46; Eze. 7:26; Oba. 1. O termo grego *akoé* figura por vinte e duas vezes (por exemplo: Mat. 4:24; 13:14; Mar. 13:7; Rom. 10:16,17; Gál. 3:2). Esse termo deriva-se do verbo que significa «ouvir». E o termo grego LOGOS, extremamente freqüente no Novo Testamento (cerca de trezentos e vinte e cinco vezes), pelo menos em Luc. 7:17 tem o sentido de «notícia», conforme também é traduzido em nossa versão portuguesa.

RUSSELL, BERTRAND

Suas datas foram 1872-1970. Um filósofo inglês da primeira linha, que devemos incluir entre os filósofos universais, como Platão, Aristóteles, Agostinho, Tomás de Aquino e Emanuel Kant. Um imortal contribuinte para a filosofia da ciência, para a matemática e para a lógica.

Russell nasceu em Monmouthshire, na parte ocidental da Inglaterra. Freqüentou o Trinity College, em Cambridge. Foi membro do Trinity College. Foi acionado e multado por causa de um folheto que escreveu sobre objeção consciente. Foi acionado e encarcerado por seis meses, por causa de um segundo desses artigos. Durante esse período, aproveitou seu relativo lazer para escrever a *Introdução à Filosofia da Matemática*. Solto, visitou a Rússia e a China. Concorreu sem sucesso para o parlamento inglês, em 1922 e 1923. Fez uma série de preleções nos Estados Unidos da América.

Ao irromper a Segunda Guerra Mundial, renunciou ao seu pacifismo como antiprático, embora idealisticamente desejável. Ensinou na Universidade de Chicago, na Universidade da Califórnia e no City College, de Nova Iorque, ao passar, sucessivamente. por essas cidades, por pouco tempo. Experimentou um período de rejeição, e até de desligamento (da Barnes Foundation, na cidade de Filadélfia, nos Estados Unidos da América do Norte), apesar de sua imensa reputação como filósofo. Retornou à Inglaterra em 1944, onde reiniciou suas agitações políticas. Juntamente com Sartre e outros, acionou os Estados Unidos da América por motivo de crimes de guerra. Admiramo-nos por que ele não pôde achar outro objeto mais acertado para a sua indignação. Não obstante, apesar do que pudermos condenar em sua personalidade e em sua política, seu lugar como filósofo é proeminente e permanente. Foi eleito membro da Real Sociedade Inglesa, em 1908; foi condecorado com a Ordem do Mérito, em 1949; tornou-se membro honorário da Academia Britânica; e, em 1952, recebeu o prêmio Nobel de literatura. Casou-se por quatro vezes e teve três filhos.

Idéias:

Estágios de sua Filosofia. a. Russell começou como um idealista. b. Tornou-se um realista, passando a enfatizar a lógica, procurando mostrar que a matemática jaz à base da lógica. c. Partindo daí, experimentou encontrar soluções para os problemas filosóficos, por meio da lógica, dotado da confiança que essa disciplina pode resolver os mais vexosos problemas filosóficos. d. Seus pronunciamentos sobre a ética e sobre a religião podem ser considerados um quarto estágio. Suas contribuições à filosofia foram feitas nos estágios *b* e *c*.

A. Ao frisar o realismo, uma vez convicto do mesmo, ele entrou em controvérsia com os idealistas. Sua mente de fortes pendores matemáticos certamente foi o grande fator em tudo isso. Na matemática ele encontrou a realidade objetiva ilustrada que não se reconcilia facilmente com os conceitos básicos do idealismo.

B. Russell proveu um novo sistema lógico, capaz de prover as premissas da matemática. Esse foi o segundo estágio de sua filosofia.

1. Sua grandiosa obra, *Principia Mathematica*, foi sua *magnum opus*, embora sua mente agitada estivesse interessada em muitas atividades. Sua produção literária foi prodigiosa, mas coisa alguma pode comparar-se com os seus escritos matemáticos. Ele aplicou princípios básicos desses esforços a outros campos do saber humano.

2. A sua definição de número era cêntrica em sua redução da matemática à lógica. Peano influenciou-o quanto a esse particular. Em sua definição, o número resulta do agrupamento de coisas em classes, pelo que *três* é o número de todas as classes compostas de tripletos; dois é o número de todas as classes de pares, e um é o número de todas as classes com um único número, e zero é o número de todas as classes sem números. Os números cardeais podem ser definidos em termos estritamente lógicos, por meio de membros de uma classe, de igualdade e de desigualdade no uso de qualificações existenciais. «Considerando o caso mais simples, 'O' seria definido como a classe para a qual não é o caso que existe um 'x', de tal modo que 'x' é um membro de 'A'. Com outras qualificações, pode-se asseverar que algo é membro de 'A', por meio de 'x', e 'x' e 'y', ou 'x', 'y' e 'z', nada mais se utilizando do que a pessoa precisa a fim de definir um dado número» (P).

3. Russell encontrou uma contradição na idéia de que um número pode ser membro de uma classe, e foi exposta a sua teoria de tipos, na tentativa de solucionar o ponto. As classes podem ser «de si mesmas» ou não. A classe de coisas computáveis é computável, e a classe de coisas abrangentes é abrangente. Porém, uma classe de canetas, como é claro, não é uma caneta. Mas, se considerarmos que aquelas classes não de si mesmas pertencem à classe «não de si mesmas», então torna-se claro que ela é um membro de si mesma, afinal de contas. Não obstante, Russell tinha uma solução que afirmava que nenhuma classe é um membro de si mesma. Antes, as classes estariam em um nível mais alto do que seus membros constitutivos. Conforme o leitor pode perceber, certos aspectos da lógica não são fáceis de acompanhar, e Russell aplicou a sua mente a todas as variedades de distinções e definições intrincadas, as quais só podem ser seguidas por um especialista no campo.

4. Uma outra complicada definição lógica gira em torno da teoria das descrições definidas. Ele procurava uma teoria mediante a qual pudéssemos aludir a objetos não-existentes, e ainda assim isso fazer sentido. Ao fazermos certas declarações, fazemos sentidos, mas nem por isso atribuímos uma realidade correspondente às nossas declarações. Assim, poderíamos falar sobre o «monte de ouro» que não existe, sem que nossa declaração subentenda uma asserção ontológica. Ele conseguiu o feito reescrevendo tais declarações de tal modo a não parecer predicar a realidade a algo não-existente. O *argumento ontológico* (vide) tem sido acusado de predicar existência, mas escapa a essa acusação ao ser alicerçado sobre considerações místicas.

5. Observando que os símbolos que dão nomes a classes podem ser substituídos por descrições, Russell concluiu que as classes podem ser definidas como símbolos incompletos. Para ele, isso é compatível com a teoria dos tipos.

C. Em seu terceiro estágio, encontramos uma aplicação da lógica aos problemas filosóficos em geral.

6. *Tipos de Conhecimento.* a. Conhecimento por familiaridade, que se alicerça sobre a percepção de nossos sentidos. É nesse nível que também temos a autoconsciência e a consciência dos *universais* (vide). Esse tipo de conhecimento é fundamental e tão certo quanto as coisas podem sê-lo. b. Também devemos pensar no conhecimento por descrição, sendo aí que entram as experiências diárias e o método científico. Quanto a esse nível só podemos obter taxas de probabilidades.

7. *Teoria Causal da Percepção. O Monismo Neutro.* Conhecemos os objetos por inferência; os objetos são reais, independentes das mentes que tomam conhecimento deles (realismo), mas nossas descrições desses objetos são inferidas da maneira como nossas mentes manuseiam a percepção dos sentidos. Construímos nossa compreensão dos objetos físicos com base em informes reais e possíveis dos sentidos. Cada observador vê um mundo particular (vemos o mundo conforme somos, e não conforme o mundo realmente é). Vemos o mundo com base em nossas próprias *perspectivas*. Nisso tem lugar certa correlação entre os informes recolhidos pela experiência e nossos conceitos de espaço e tato. Também existem perspectivas não-percebidas, as quais Russell chamava de *sensibilia*. Isso posto, teríamos informes dos sentidos e sensibilia, o percebido e o não-percebido. Não crendo na mente como distinta do cérebro, ele chegou a falar na mente como o complexo inteiro de padrões dos próprios informes recebidos. Daí surgiu uma forma de *monismo neutro,* de acordo com o qual a mente e a matéria surgem como construções diferentes dos mesmos componentes básicos—os

quais, por si mesmos, não podem ser apropriadamente classificados como mentais ou materiais. Naturalmente, essa idéia deixa-nos sem qualquer definição da realidade (a ontologia não é definida). O *monismo neutro* é uma das muitas soluções propostas para o *Problema Corpo-Mente* (vide), sobre o que tenho provido um artigo detalhado. Essa posição pressupõe que a mente e o corpo são uma mesma coisa, embora organizados de formas diferentes, ou capazes de ver as coisas de diferentes pontos de vista. Essa visão da realidade é uma variedade possível do conceito do *duplo-aspecto*. Ali, a mente e a matéria são manifestações de alguma substância mais fundamental, onde elas se unem, e de onde emergem.

8. *O Atomismo Lógico*. Um tipo de experiência na linguagem, sugerido por Russell, foi o *atomismo lógico*. Ele afirmava que o mundo consiste em fatos atômicos, os quais podem ser representados com sucesso mediante proposições elementares. Uma proposição elementar combina um predicado de primeiro nível com um nome logicamente apropriado, e o nome apropriado representará o *dado colhido pelos sentidos*. O valor dessa idéia jaz mais no ímpeto que tem dado à construção de uma linguagem em concordância com o mundo, muito mais do que ter ela obtido qualquer sucesso real por si mesma.

9. *O monismo neutro*, sobre o qual comentei no parágrafo acima, também é intitulado, em outras filosofias, de teoria do *duplo-aspecto*. Melhor ainda é dizer que se trata de uma forma possível daquela teoria. De acordo com essa doutrina, a essência do mundo nem é matéria e nem é substância imaterial, mas antes, compõe-se de alguma espécie de estofo neutro, que se manifesta de forma material ou de forma imaterial. Quando ela se manifesta de modo a organizar-se segundo as leis da física, então temos a matéria, e quando se manifesta ou se organiza em concordância com as leis da psicologia, produz a mente. Há informes dos sentidos por detrás da matéria, e isso também é real, pelo menos em parte, no tocante aos eventos mentais. Porém, Russell também falava sobre *causas mnemônicas*, o processo psicológico por meio do qual uma experiência qualquer produz *imagens da memória* que podem vir a fazer parte de uma experiência posterior. Russell não resolveu, em qualquer sentido, os mistérios do *problema corpo-mente* (vide), mas pelo menos proveu uma maneira a mais de considerar esse problema.

10. Russell não tentou construir um sistema sem problemas ou contradições, mas proveu-nos um notável exemplo de análise filosófica orientada pela lógica, com a utilização de um número mínimo de pressupostos básicos.

D. Um quarto estágio em sua filosofia consistia em seus pronunciamentos a respeito de questões religiosas e éticas. Seus três ensaios (com títulos em inglês) *What I Believe; Why I am not a Christian; Unpopular Essays*, proveram uma sinopse de suas idéias. Por toda a sua carreira ele afirmou que a existência de Deus e a imortalidade pessoal são, quando muito, apenas possibilidades lógicas, e que não há base suficiente para crermos em qualquer dessas coisas mediante indícios seguros da experiência. Nisso, uma grande mente deixou transparecer seu provincialismo, pois faltavam-lhe aquelas experiências, mantendo-se na ignorância sobre certos campos de conhecimento, que poderiam tê-lo levado a uma posição mais positiva sobre esses pontos. Ele criticava a crença religiosa como racionalmente indefensável, asseverando que a mesma é um empecilho para o progresso e o bem-estar humanos. Quanto a isso, ele dependia um tanto do ceticismo de David Hume.

Encontrava muitas coisas sérias para criticar na religião organizada, e não se sentia à vontade diante da fé religiosa. Suas atividades políticas exibiam certo amargor em sua personalidade, e isso extravasava para as questões religiosas.

Seleção de seus escritos. Russell foi um escritor muito prolífico, tendo produzido boa literatura sobre uma grande gama de assuntos. Eis alguns exemplos: *An Essay on the Foundations of Geometry; A Critical Exposition of the Philosophy of Leibniz; Principles of Mathematics; Principia Mathematica* (em parceria com A.N. Whitehead); *Philosophical Essays; The Problems of Philosophy; Road to Freedom: Socialism, Anarchism and Syndicalism; Mysticism and Logic and other Essays; The Analysis of Mind; Skeptical Essays; Education and the Social Order; An Inquiry into Meaning and Truth; Unpopular Essays; The Impact of Science on Society; Human Society in Ethics and Politics; Logic and Knowledge; Bertrand Russell Speaks his Mind; Fact and Fiction; Essays in Skepticism; Autobiography of Bertrand Russell*.

RUSSELL, CHARLES TAZE

Nasceu em 1852 e faleceu em 1916. Era de ascendência escocesa-irlandesa. Era natural de Pittsburg, Pennsylvania, nos Estados Unidos da América. Era um congregacionalista que veio a rejeitar o protestantismo ortodoxo de seus pais. Objetava à doutrina comum do julgamento e terminou ensinando uma doutrina igualmente má, a saber, o aniquilamento das almas. Uma outra sua doutrina significativa era a noção de que o Senhor Jesus Cristo voltou invisivelmente ao mundo, em 1874, tendo então inaugurado o reino milenar. Esse reino é chamado *Dia de Jeová*. De acordo com os russellitas, as coisas irão ficando cada vez mais azedas, produzindo uma revolução das classes trabalhadoras, com o estabelecimento final de caos. Então ocorrerá a ressurreição dos mortos e o julgamento final, que se prolongará por mil anos. Finalmente, tornar-se-á concreto o reino messiânico. Os mortos ímpios serão aniquilados e os mortos justos, ressurrectos, passarão a ocupar a nova terra. No presente, as almas estão «dormindo», o que indica que ele não acreditava na existência real da alma, e que a ressurreição reviverá as almas que morreram (segundo dizem os russellitas ou Testemunhas de Jeová). Quanto a amplas descrições da doutrina de Russell ver o artigo intitulado *Testemunhas de Jeová*.

Russell estabeleceu-se como pastor de uma igreja independente, em 1878, e fundou um jornal que posteriormente veio a chamar-se *Watchtower*. Em seguida, fundou a Watch Tower Bible and Tract Society. Logo multiplicaram-se as congregações dos russellitas (posteriormente chamados *Testemunhas de Jeová*). Mais tarde, foi fundada a International Bible Students Association. Sua influência espalhou-se, e ele contava com uma coluna que aparecia em dois mil jornais. Seu *Watchtower* veio a ser publicado em trinta e cinco idiomas, até mesmo durante o seu período de vida, e, presumivelmente, muito mais hoje em dia.

Russell teve problemas pessoais. Ele se separou de sua esposa, em 1909, e houve rumores que o acusavam de licenciosidade com mulheres de seu rebanho. O *Daily Eagle*, do Brooklyn, acusou-o de fraude, na venda do «trigo miraculoso», mas nem por isso a sua reputação sofreu pesado dano, e nem esses fatores negativos reverterem o ímpeto de sua obra. Também entrou em dificuldades políticas com o seu pacifismo, mas isso também não envolveu mudanças significativas, afinal de contas.

RUSSELLISMO — RUTE

Russell escreveu uma obra em seis volumes, intitulada *Studies in the Scriptures*, que vendeu milhões de cópias e tornou-se um texto padrão de sua organização. Em cerca de 1909, as congregações locais ou salões do reino das Testemunhas de Jeová tinham alcançado o número de mil e duzentas, pelo que uma pequena mas vigorosa denominação religiosa havia obtido um lugar permanente nos Estados Unidos da América. E o esforço missionário no estrangeiro não demorou a fazer das Testemunhas de Jeová uma sociedade religiosa internacional. Russell faleceu em Pampa, estado do Texas, a 21 de outubro de 1916.

RUSSELLISMO

Ver sobre *Russell, Charles Taze* e sobre *Testemunhas de Jeová*. Esse movimento religioso já teve três nomes: Russellitas; International Bible Students Association; e, finalmente, Testemunhas de Jeová.

RUTE

Visto tratar-se de uma forma contraída, alguns estudiosos preferem não identificar seu sentido, mas outros pensam em «companheira». Na LXX, *Routh*. Seria uma palavra moabita, pois nenhuma raiz hebraica pode ser, convincentemente, identificada. Ela foi mulher moabita, bisavó do rei Davi.

Uma família judaica migrara de Belém para Moabe, a fim de escapar da fome que se agravava. O chefe da família, Elimeleque, não demorou a falecer, como também os dois filhos homens, Malom (que se casou com Rute), e Quiliom, que se casara com outra jovem moabita, Orfa. Desses casamentos, não houve filhos. As três viúvas, sogra e noras, ficaram juntas. Quando Noemi, a sogra, resolveu voltar à sua terra, insistiu com suas noras viúvas que retornassem cada uma à casa de sua mãe. Orfa terminou cedendo, mas Rute **estava resolvida** a acompanhar sua sogra onde quer que ela fosse, dizendo: «...o teu povo é meu povo, o teu Deus é meu Deus» (Rute 1:16).

Chegaram em Belém no tempo da colheita. Rute foi respigar, conforme o direito que assistia aos pobres, no campo plantado de Boaz, parente do falecido Elimeleque e que acolheu bondosamente à jovem moabita, por ter ouvido falar de sua lealdade para com Noemi. Disso resultou que, embora sendo homem já idoso, Boaz resolveu casar-se com Rute, embora houvesse um homem que tinha maiores direitos, de casamento levirato (vide), do que ele. Como esse outro homem se recusou a cumprir o seu papel de parente remidor (vide), Boaz alegremente assumiu esse papel. O filho do casal, Obede, foi o avô paterno de Davi. Quanto a certos detalhes técnicos sobre costumes e leis dos judeus, ver o livro de Rute.

Rute é uma das cinco mulheres mencionadas na genealogia de Jesus, em Mat. 1:1-17, a saber: *Tamar*, cananéia; *Raabe*, cananéia; a mulher de Urias, *Bate-Seba*, judia; *Maria*, mãe de Jesus, judia; e a própria *Rute*, moabita. A inclusão de Rute é muito mais notável porque os moabitas não podiam fazer parte do povo de Israel (ver Deu. 23:3-6; Nee. 13:1), mas sua lealdade e confiança foram recompensadas, e ela se tornou uma das antepassadas do Senhor Jesus, uma honra em nada pequena.

RUTE (LIVRO)

Esboço:
I. Significado do Nome
II. Pano de Fundo
III. Autoria
IV. Data
V. Propósito do Livro
VI. Canonicidade
VII. Teologia do Livro
VIII. Valor Literário
IX. Esboço do Conteúdo

I. Significado do Nome

No hebraico, **Rut**; na Septuaginta **Routh** embora haja estudiosos que dão a esse nome próprio feminino o sentido de «companheira», outros preferem pensar que o significado do nome é desconhecido.

No cânon hebraico, o livro de Rute faz parte de sua terceira seção, os *hagiógrafos* (vide). O livro era um dos cinco rolos (no hebraico, *megilloth*), cada um dos quais usado em uma das cinco principais festividades de Israel. Esse livro era lido por ocasião da festa das Semanas ou Pentecoste. Entretanto, na Septuaginta, na versão latina da Vulgata, e na Bíblia portuguesa, o livro de Rute vem imediatamente depois do livro de Juízes. E essa arrumação parece historicamente lógica, porque o autor situa sua narrativa dentro daquele período da história de Israel, ao dizer, logo no início da obra: «Nos dias em que julgavam os juízes...» (Rute 1:1).

O livro gira, principalmente, em torno de sua heroína, Rute, a moabita. O nome dela aparece por treze vezes na Bíblia, doze no próprio livro de Rute, e uma vez em Mat. 1:5, dentro da genealogia do Senhor Jesus Cristo. Aliás, por três razões principais a heroína, Rute, merece figurar como uma das grandes personagens femininas da Bíblia: 1. o romance de sua vida e de sua fé no Deus de Israel, *Yahweh*. 2. O fato de ter sido bisavó de Davi, o grande rei de Israel. 3. O fato, conseqüente do anterior, de ter sido uma das antepassadas do Senhor Jesus. Na genealogia de Cristo, no livro de Mateus, há menção a quatro mulheres, Tamar, nora de Judá; Rute; a que fora mulher de Urias, Bate-Seba; e Maria, Sua mãe. Tamar era cananéia. Bate-Seba e Maria eram israelitas. Mas Rute era moabita. E bastaria esse fato para torná-la uma figura estranha, porquanto Deus havia decretado que nenhum moabita faria parte do povo de Israel. Lemos em Deuteronômio 23:3: «Nenhum amonita nem moabita entrará na assembléia do Senhor; nem ainda a sua décima geração entrará na assembléia do Senhor, eternamente». Portanto, seu casamento com *Quiliom* (vide), e, posteriormente, com Boaz (vide), e dessa vez, na terra de Israel, têm que ser atribuídos a duas causas: ou esses israelitas afrouxaram na proibição acerca dos moabitas, ou, então, Rute mereceu ser uma exceção à regra, devido à sua excelência de caráter. Quanto à própria Rute, ela se integrou perfeitamente ao povo de Israel, o que transparece, acima de tudo, em sua famosa declaração à sua sogra, Noemi: «Não me instes para que te deixe, e me obrigues a não te seguir; porque aonde quer que fores, irei eu, e onde quer que pousares, ali pousarei eu; e teu povo é o meu povo, o teu Deus é o meu Deus» (Rute 1:16).

II. Pano de Fundo

A origem racial de Rute faz parte do pano de fundo da narrativa. Ela pertencia a um dos povos cuja entrada na comunidade de Israel era vedada até à décima geração (ver Deu. 23:3). Os dois primeiros capítulos do livro armam o palco para a introdução de Rute na vida e história do povo de Israel. Havendo uma época de escassez de alimentos em Judá, um habitante de Belém de Judá migrou para a terra de Moabe (não muito distante), levando consigo sua

RUTE

esposa e seus dois filhos solteiros. O chefe da família chamava-se Elimeleque (vide). Seus familiares eram Noemi (vide), sua esposa, Malom (vide) e Quiliom (vide). Elimeleque faleceu em Moabe. Agora a família de Noemi eram somente três, ela mesma e seus dois filhos rapazes. Mas, como é apenas natural, eles se enamoraram de duas jovens moabitas, com as quais acabaram se casando: Malom com Orfa, e Quiliom com Rute. Porém, a alegria de Noemi, já amargurada com sua viuvez, distante de sua terra, não durou muito. Menos de dez anos depois, seus dois filhos, Malom e Quiliom, também faleceram. Agora, a família estava em situação difícil como nunca, pois eram três viúvas numa só casa, uma já idosa e as outras duas ainda bem jovens, ambas sem filhos. A situação da mulher, na antiguidade, era da mais total dependência ao homem. Se não houvesse homem que tomasse conta dela, e ela não tivesse recursos próprios, geralmente, ficava reduzida à mais abjeta situação. Se fosse viúva, então, seu estado piorava mais ainda. Muitas mulheres, nessas condições, só dispunham de uma solução: entregar-se à prostituição. Era insustentável a situação de Noemi, em Moabe. E ela resolveu voltar à sua terra, velha e amargurada, sem marido, sem filhos, sem netos, com duas noras viúvas... e moabitas!

Noemi sabia das dificuldades que as três teriam de enfrentar, mesmo em Israel. Por isso, no caminho, tentava convencer suas duas noras moabitas a retornarem à sua terra, onde poderiam casar-se de novo. Orfa, viúva de Malom, resolveu atender às instâncias de sua sogra, e desistiu de continuar viagem. Mas Rute, como já vimos, não queria afastar-se dela, disposta a compartilhar das durezas da vida diária de mulher estrangeira e viúva, na terra de Israel, na época dos juízes, um período extremamente conturbado para o antigo povo de Deus, conforme toma consciência todo leitor do livro de Juízes.

Foi assim, apreensivas quanto ao presente e ao futuro, que as duas mulheres finalmente chegaram de volta a Belém de Judá. Os anos se tinham passado, e Noemi envelhecera. Mas os habitantes da cidade ainda se lembravam dela. Desoladas diante da situação de Noemi e Rute, as mulheres judias perguntavam: «Não é esta Noemi?» E ela, muito triste e amargurada de espírito, respondia: «Não me chameis Noemi (no hebraico, «agradável»), chamai-me Mara (no hebraico, «amarga»), porque grande amargura me tem dado o Todo Poderoso» (Rute 1:20). Todavia, o Senhor é Aquele que fere e cura a ferida, e o futuro próximo traria a Noemi perenes alegrias, como ela nem imaginava. O amargor e desesperança de Noemi cederiam lugar à satisfação e ao senso de realização, conforme se vê no decorrer da história.

Um dado interessante aparece no último versículo do primeiro capítulo do livro: Noemi e Rute «chegaram a Belém no princípio da sega das cevadas». Esse informe permite-nos saber que a seca terminara em Judá—os campos estavam novamente floridos e produtivos. E também permite-nos saber que elas chegaram em abril/maio. Na Palestina, essa é a primavera! Semanas mais tarde começaria a colheita do trigo e do linho. De acordo com Lev. 23:10,11, no mês de *abib* (vide), mais ou menos correspondente ao nosso abril, teria lugar a entrega das primícias do campo. Portanto, tudo era festivo em Israel. Somente Noemi guardava no coração a sua profunda tristeza. Mas, para Rute, as coisas começavam a perder os seus tons sombrios e iam-se tornando róseos e promissores!

Havia um parente rico de Elimeleque, falecido marido de Noemi. O nome desse parente era Boaz (vide). Era o tempo da sega das cevadas, e Rute desejou ser uma das segadoras. Com a permissão de Noemi, ela foi. E, «por casualidade» entrou na parte do campo plantado que pertencia a Boaz. Nessa casualidade, entretanto, podemos ver a mão de Deus, que controla desde os movimentos das estrelas até o vôo dos passarinhos. Quando Boaz veio ver como ia a colheita, pôs a vista em Rute, e perguntou ao encarregado: «De quem é esta moça?» E a resposta que recebeu foi: «Esta é a moça moabita que veio com Noemi, da terra de Moabe» (Rute 2:5,6). Imediatamente Boaz interessou-se por ela, posto que com grande discrição e respeito, chamando-a de «filha». De fato, a diferença de idade entre os dois era bastante grande. Embora viúva, provavelmente Rute ainda não havia chegado aos vinte e cinco anos, pois, na antiguidade, as mulheres casavam-se muito jovens. Boaz, entretanto, conforme a história nos permite depreender, já era homem maduro. O segundo capítulo do livro permite-nos ver com que carinho Boaz tratou Rute. Não há que duvidar que ele sabia que ela era nora de Noemi, viúva de Elimeleque, um parente seu, já falecido. Mas, sem dúvida, também soubera que Rute havia aceitado o povo de Israel como seu povo, e o Deus de Israel como seu Deus! Além disso, por que haveríamos de pensar que Rute era feia e sem graça?

Quando Rute contou à sua sogra, Noemi, onde estivera trabalhando durante todo aquele dia, estampou-se um sorriso na enrugada fisionomia da velha judia. E Noemi disse, triunfante:—Esse homem, esse Boaz, é um dos nossos parentes chegados. Ele é um dos nossos possíveis resgatadores! (Ver Rute 2:20).

Encontramos aí menção à lei mosaica do **parente remidor** (vide). O parente remidor tinha várias obrigações: cuidar dos membros necessitados de sua família mais imediata e mais remota, saldar as dívidas incorridas por esses membros, e fazer tudo em favor do bem-estar dos mesmos incluindo o dever de ser o **vingador do sangue** (vide). Ver Deu. 25:5-10; Lev. 25:25-28,47-49; Núm. 35:19-21. Esse aspecto será ventilado com maiores detalhes na seção VII. *Teologia do Livro*. Por enquanto, diremos apenas que a «redenção» é um dos temas chaves do livro de Rute. Ora, tudo isso mostrou a Noemi que a mão do Senhor estava com ela e sua nora, afinal de contas! A esperança brilhava cada vez com maior intensidade para as duas!

Diante de um protetor da qualidade de Boaz, por que motivo Rute iria procurar outra ocupação? Por isso mesmo, o segundo capítulo do livro termina com esta informação acerca de Rute: «Assim passou ela à companhia das servas de Boaz, para colher, até que a sega da cevada e de trigo se acabou, e ficou com a sua sogra».

O terceiro capítulo do livro de Rute é muito romântico. Narra o namoro entre Boaz e Rute. Noemi agiu como cupido, instruindo sua nora viúva sobre como deveria comportar-se de modo a poder atrair a atenção de Boaz, sem também mostrar-se vulgar. Esse capítulo do livro é interessante porque nos mostra antigos costumes sociais na antiga nação de Israel, uma época romântica e repleta de mesuras e respeito, que nunca mais voltará. Há muitos lances, inclusive aquele de um outro parente ainda mais chegado que Boaz, mas que não quis cumprir o seu dever de parente remidor. Penso que somente a própria leitura do livro será capaz de descortinar, para o leitor, o véu do tempo, a fim de que penetre naquela atmosfera para nós tão diferente. Eram

RUTE

outros tempos, e as pessoas não se sentiam ameaçadas de extinção repentina, em face de uma explosão atômica. Havia muito respeito pelos sentimentos das pessoas. É verdade que os tempos em Israel eram conturbados, e Israel só conseguia sobreviver graças às intervenções divinas, quase sempre miraculosas. Mas Boaz era um nobre de sua época e todas as suas ações refletem sua condição social.

III. Autoria

O livro é anônimo, isto é, seu autor não se identifica. Há uma tradição judaica que diz que o autor do livro de Rute foi o profeta Samuel. Mas outros opinam que isso é improvável, porque o trecho de Rute 4:17,22 menciona Davi, o que já implica em uma data posterior. Todavia, outros intérpretes defendem a autoria de Samuel, argumentando que essas notas sobre Davi foram adicionadas por algum editor posterior. Além disso, os filólogos ajuntam que o estilo literário do livro, em seu original hebraico, sugere que a obra foi escrita durante o período da monarquia de Israel. Voltam à carga os que defendem a autoria de Samuel, apelando para o Talmude (*Baba Bathra*, 14), que diz que os livros de Rute, Juízes, I e II Samuel devem todos ser atribuídos a Samuel, embora ele só possa ter sido o cronista do âmago histórico dessas obras, às quais editores posteriores vieram juntar suas anotações e acréscimos. Mas, conforme temos insistido no tocante a outros livros do Antigo Testamento, questões como autoria e data de composição não são de primária importância. O que realmente importa é a mensagem do livro, dentro do fluxo da história revelada. Entretanto, essas questões secundárias dão margem a intermináveis discussões e debates, que não levam a coisa alguma, visto que, em muitos casos, a própria Escritura não nos fornece tais dados, e tudo quanto se possa dizer será dito por inferência, ou mesmo por pura especulação.

IV. Data

A questão da data da composição do livro está presa à questão da autoria, como é lógico. Todavia, o livro de Rute, pelo menos fornece-nos um indício seguro quanto à questão data. Visto que em Rute 4:17-22, Davi aparece como rei, e, sabendo-se que Davi só se tornou o segundo monarca de Israel após a morte de Samuel, por isso mesmo o livro deve ter sido escrito após a época daquele profeta. Se aceitarmos as datas extremas de Samuel como 1170—1060 A.C., então teremos de datar o livro de Rute depois disso. Todavia, a questão tem suscitado muitos debates, com a apresentação de argumentos especiais. Procuraremos mencionar aqui os mais pesados desses argumentos.

a. A inclusão do livro de Rute entre os Hagiógrafos (ou Escritos), de acordo com o cânon hebraico, não determina, necessariamente, uma data posterior para a obra. Pois pode ter sido colocado ali devido ao fato de que era um dos cinco livros lidos nas festividades judaicas (os *Megilloth*, vide).

b. Alguns aramaísmos e outras formas literárias posteriores têm levado alguns eruditos a aceitar uma data *pós-exílica* para o livro. Mas esse argumento é rebatido por outros estudiosos, que afirmam que os aramaísmos podem ser vistos nos livros da Bíblia desde o período mosaico, e isso anula (possivelmente) esse argumento.

c. Aqueles que dizem que o livro de *Deuteronômio* é uma obra posterior, pertencente ao século VII A.C., e não ao período *mosaico* propriamente dito, também argumentam que o livro de Rute não pode ser posterior a Deuteronômio 23:3, onde se encontra a proibição da aceitação de amonitas e moabitas na comunidade judaica. Porém, esse argumento depende inteiramente da data da *composição* do livro de *Deuteronômio*. E a opinião dos autores da teoria do J.E.D.P.(S.) (vide), que envolve o livro de Deuteronômio (D), dizendo que o mesmo é de composição tardia, em relação aos demais livros do *Pentateuco* (vide), cada vez mais cai no descrédito. A maioria dos eruditos continua atribuindo a Moisés a autoria do Deuteronômio. E isso arrasta novamente, para a antiguidade, a data da composição do livro de Rute.

d. É verdade que a pureza do hebraico, quanto à gramática e ao estilo, que se vê no livro de Rute, aponta para uma data pré-exílica. Mas, pré-exílica até que ponto? O outro extremo é obtido graças à genealogia que se encontra em Rute 4:18-22, à menção a Davi, e à explicação acerca de um costume antigo, em Rute 4:7 (vide). Isso nos mostra que a época da composição do livro deve ter sido após a subida de Davi ao trono de Israel.

e. Uma aproximação talvez maior se obtém levando-se em conta a falta de hostilidade contra os moabitas. Não há necessidade alguma de apelar para Deu. 23:3, quanto a essa amizade entre israelitas e moabitas. Pois, nos primeiros anos de Davi não havia hostilidades entre Israel e Moabe, conforme se aprende em I Sam. 22:3,4, embora esse quadro seja um tanto negado em II Sam. 8:2,12; trechos esses que o leitor deve examinar, para que entenda a força desse argumento. Todavia, sabe-se que mais tarde, ainda durante o período monárquico dividido, quando a nação de Israel já se havia dividido em duas: Israel (ao norte) e Judá (ao sul), houve hostilidades entre Israel e Moabe. E os profetas posteriores chegaram a ameaçar aos moabitas, conforme se vê, por exemplo, em Isa. 15 e 16; 25:10; Jer. 9:26; 25:21; 27:3 e Eze. 25:8-11.

Levando-se em conta todos esses argumentos, embora não se possa precisar uma data exata para a composição do livro de Rute, pelo menos pode-se afirmar, com alguma segurança, que o mesmo deve ter sido escrito no começo da monarquia de Israel unida, nos dias de Davi ou de Salomão.

V. Propósito do Livro

O propósito do livro de Rute também depende, em muito, da data da sua composição. Na opinião de muitos estudiosos, pelo menos o principal propósito dessa jóia literária sagrada de Israel é o de servir de *elo de ligação* entre o período conturbado dos juízes, «...quando não havia rei em Israel...» (Juí. 21:25) e a monarquia, sobretudo o governo perenemente decantado de Davi, o maior de todos os monarcas de Israel. Que rei não tem sua genealogia? O livro de Rute, pois, preenche um período histórico que formaria um hiato misterioso e obscuro sem ele. Contudo, talvez nenhum outro livro do Antigo Testamento, dos menos volumosos, na opinião dos eruditos, tenha tantos propósitos, conforme se pode observar na lista abaixo:

a. Para alguns, seria uma novela sem valor histórico, um relato idílico em torno de personagens com nomes bem escolhidos: Rute, «companheira»; Noemi, «agradável»; Mara, «amargurada»; Malom, «enfermidade»; Quiliom, «desperdício»; Orfa, «teimosa»; Elimeleque, «Deus (El) é rei»; Boaz, «préstimo». No entanto, o próprio livro apresenta-se como uma obra histórica (Rute 1:1), não havendo quaisquer evidências de anacronismos.

b. Para outros, o livro quis mostrar como uma moabita foi incluída na linhagem ancestral de Davi. O clímax da narrativa do livro é atingido quando Rute dá à luz a Obede (no hebraico, «servo»). Obede foi pai de Jessé, e Jessé foi o genitor de Davi! Contudo, alguns pensam que esse propósito é pequeno demais, e que deveríamos incluir algo mais.

RUTE

c. Um apelo para que se desse continuidade à lei do levirato. Pois essa lei impedira a extinção de uma importante família em Judá. E isso de mistura com sentimentos humanitários para com Rute, uma estrangeira, moabita, viúva, desamparada, sem filhos, mas que aceitara tornar-se parte integrante do povo de Israel. Assim pensam outros eruditos.

d. Há quem pense que o livro foi escrito como um tratado pós-exílico a fim de combater o estreito exclusivismo dos judeus, exclusivismo esse introduzido por Esdras e Neemias. Destaca-se, então, o estatuto deles contrário a casamentos de mulheres estrangeiras com homens judeus. Todavia, há fortes razões para a não aceitação dessa opinião. A canonicidade do livro dependeu, em grande escala, de judeus que eram os herdeiros espirituais de Esdras e Neemias, pelo que, se esse tivesse sido o propósito do livro, eles o teriam rejeitado. Conforme têm dito alguns comentadores, a possibilidade de uma guerra literária, em torno de questões ideológicas, é muito duvidosa naquele período tão remoto.

e. Outros pensam que Rute é o modelo mais fulgurante de proselitismo. Assim também disseram rabinos posteriores. Lembremo-nos que ela rompeu definitivamente com o seu próprio povo, tornando-se leal à nação e à religião que preferiu adotar. Não há que duvidar que esse motivo é forte no livro de Rute.

f. Talvez não devêssemos pensar em um único propósito abrangente. O livro de Rute foi preservado por seus próprios méritos, como reflexo da providência abrangedora e amorosa de Deus, que condescende em dirigir as vidas simples de pessoas como Noemi e Rute. A história é muito consoladora para os desesperançados, desolados e destituídos de seus entes queridos. Também não podemos esquecer o papel de Boaz como o parente remidor, um tipo do nosso grande Parente Remidor, o Senhor Jesus Cristo, que nos remiu da servidão ao pecado ao preço de seu próprio sangue vertido. Se a isso ajuntarmos que o livro serviu de elo importante na corrente da história do povo de Israel, na história da redenção, então teremos penetrado na mente e no coração do autor sagrado, fosse ele quem fosse, dirigido como estava sendo pelo Autor maior, o Espírito de Deus. Há muitas lições preciosas no livro de Rute. Elas nos fazem lembrar do que diz Paulo, em uma de suas epístolas: «Pois tudo quanto outrora foi escrito, para o nosso ensino foi escrito, a fim de que, pela paciência, e pela consolação das Escrituras, tenhamos esperança» (Rom. 15:4).

VI. Canonicidade

A canonicidade do livro de Rute nunca foi posta em grande dúvida. Nem pelos judeus, que não tardaram a colocá-lo entre seus livros mais conhecidos, lido que era anualmente, publicamente, durante a festa das Semanas ou Pentecoste. Josefo (*Contra Apoio* 1:8), aparentemente, contou Rute juntamente com o livro de Juízes, tal como reunia Lamentações com Jeremias, perfazendo assim vinte e dois livros, segundo o cânon hebraico. Jerônimo, um dos pais da Igreja, também indica, no seu *Prologus Galeatus*, que os judeus juntavam Rute com Juízes, embora também tivesse dito que outros punham Rute e Lamentações entre os hagiógrafos. Esta última disposição do livro, dentro do cânon, foi feita na sinagoga judaica, embora não se saiba quando e nem porque. Isso é o máximo que se pode dizer sobre a história do cânon hebraico quanto ao livro de Rute. Dentro do cristianismo, o livro também nunca viu sua canonicidade ameaçada em qualquer sentido.

VII. Teologia do Livro

Quando Abraão foi abençoado pelo Senhor Deus, o Senhor decretou: «...em ti serão benditas todas as famílias da terra» (Gên. 12:3). Essa promessa permanece de pé, para os judeus, sempre que eles se conservam obedientes ao Senhor, e entendem sua missão na terra. É claro que a bênção mais definitiva chega a todos os povos da terra por meio de Jesus Cristo, descendente de Boaz e Rute. No entanto, muitos judeus, em cada geração, mas, especialmente em certos períodos de sua história, têm-se esquecido desse fato, e têm até sido exclusivistas e xenófobos. O livro de Rute, pois, ensina o erro desse exclusivismo judaico, sem dúvida uma das atitudes de defesa para a qual eles apelam quando muito perseguidos. O amor de Deus é universal, englobando todos os povos. A história de Rute, a moabita, veio ilustrar exatamente isso. Ela foi um exemplo vivo da verdade que a participação no reino de Deus não depende de carne e sangue (pois ela era moabita, estando vedada a sua entrada na comunidade de Israel por dez gerações), e, sim, em face da «obediência por fé» (Rom. 1:5). Ela aceitou de todo o coração ao povo de Deus e ao Deus do povo de Israel. Mas Deus a aceitou de tal maneira que ela se tornou antepassada não somente de Davi, mas do próprio Cristo!

Boaz, por sua vez, é o grande tipo de Redentor, no livro de Rute. De fato, como já dissemos, a «redenção» é o conceito central do livro. O termo hebraico correspondente, em suas várias formas, ocorre por nada menos de vinte e três vezes no livro. Esse termo é *gaal*. Boaz fez isso publicamente, à porta da cidade, diante de testemunhas: «Sois hoje testemunhas de que comprei da mão de Noemi tudo o que pertencia a Elimeleque, a Quiliom e a Malom; e também tomo por mulher a Rute, a moabita...»

No tocante a Noemi, o relato acompanha a transformação pela qual ela passou, depois que voltou à sua terra, de mulher amargurada em mulher feliz. Ela chegou ali empobrecida (1:21; 1:1), destituída de todos os seus parentes (1:1-5), e terminou uma mulher segura de si, feliz, radiosa de esperança (4:13-17). Podemos ver dois reflexos disso. Primeiro na história nacional de Israel, após a morte de Eli (I Sam. 4:18), quando a nação chegou a perder a arca da aliança, o emblema visível, por excelência, da presença do Senhor, e daí passou para a paz e a prosperidade dos primeiros anos do reinado de Salomão, trineto de Rute (I Reis 4:20-34; 5:4). Muito mais dramática, entretanto, é a transformação experimentada por toda alma remida ao preço do sangue de Cristo, do que todo o Novo Testamento dá testemunho. Podemos citar um trecho neotestamentário para avivarmos a memória. «...pois todos pecaram e carecem da glória de Deus, sendo justificados gratuitamente, por sua graça, mediante a redenção que há em Cristo Jesus» (Rom. 3:23,24). E esse segundo reflexo da teologia do livro de Rute é ainda maior que o primeiro, porquanto fala de bênçãos universais e eternas!

VIII. Valor Literário

O valor literário do livro de Rute é indiscutível. Ombreia-se com o melhor que a literatura mundial tem produzido. É um conto rápido, mas escrito com consumada habilidade. No gênero, talvez não tenha igual dentro da Bíblia inteira. Damos a mão à palmatória. Aqueles antigos israelitas sabiam escrever. A melhor técnica de obra literária de ficção é ali observada, desde a introdução, passando por um cativante enredo, com sua crise quase insolúvel, até à solução mais feliz, que satisfez a todos os envolvidos. Na observação de vários comentadores, o livro mostra-se muito simétrico em seus lances. A solução começa a descortinar-se exatamente no meio do livro, quando Noemi diz à sua nora: «...o Senhor... ainda não tem deixado a sua benevolência nem para com os vivos nem para com os mortos... Esse homem é nosso parente chegado, e um dentre os nossos resgatadores...» (2:20). Tem-se também observado que o encerramento de cada episódio facilita a transição para o que vem em seguida (ver 1:22; 2:23; 3:18 e 4:12). Outra característica do livro, que prende o interesse dos leitores, são os dois personagens principais: Rute e Boaz. A primeira é jovem, estrangeira, desamparada em sua viuvez; a outra personagem é um homem de meia idade, abastado, respeitado em sua comunidade. Boaz desempenha seu papel masculino, de protetor, com admirável ternura. Rute, por sua vez, soube oferecer-se sem ser coquete, desempenhando seu papel feminino com muita dignidade. Além disso, ambas as personagens principais contaram com alguém que fez contraste com elas, salientando as qualidades de caráter e de realização das personagens principais. Rute teve uma Orfa, que ficou muito aquém dela em valor; e Boaz teve o parente mais chegado ainda, mas cujo nome nunca é dado, e que, por motivo de seus próprios interesses, não fez seu papel de parente remidor, que lhe cabia, por dever, por ser parente ainda mais chegado que Boaz.

Outros lances da narrativa não são menos dignos de comentário. Noemi e Rute voltaram a Judá, para a cidade de Belém (no hebraico, «casa do pão»), enquanto que em Moabe elas tinham sofrido privações. E voltaram no tempo da sega, o que, por si só, serviu de previsão de abundância de bênçãos materiais e espirituais. Isso constituiu uma autêntica restauração. Nesse episódio, Noemi representa o povo judeu do futuro, e Rute, a moabita, representa todos os povos gentílicos que tiverem permissão de compartilhar da sorte renovada e feliz do povo de Israel, durante o milênio.

Enfim, aquele que começa a ler o livro de Rute, só cessa a leitura quando chega ao fim. E, então, sente o seu espírito refrigerado, compartilhando da felicidade da idosa e simpática Noemi. O nascimento de Obede, filho de Boaz e Rute, embora não fosse neto autêntico de Noemi, foi um grande consolo para ela. As mulheres judias compreenderam isso, e lhe disseram: «Ele (o menino) será restaurador da tua vida, e consolador da tua velhice, pois tua nora, que te ama, o deu à luz, e ela te é melhor do que sete filhos». E Noemi, de coração transbordante da felicidade recém-encontrada, «...tomou o menino, e o pôs no regaço, e enfrou a cuidar dele». Todos devem ter percebido o apego de Noemi pela criança, pois as mulheres da localidade comentavam: «A Noemi nasceu um filho» (4:15-17).

Também nós, quando da volta do Senhor Jesus, haveremos de apegar-nos a ele para nunca nos cansarmos dele. E ele de nós. Cristo já não mostrou como nos tratará? Eis que ele mesmo diz: «Eis aqui estou eu, e os filhos que Deus me deu» (Isa. 8:18 e Heb. 2:13).

IX. Esboço do Conteúdo
A. Introdução: O Drama de Noemi (1:1-5)
B. Noemi Volta a Judá (1:6-22)
  1. Rute apega-se a Noemi (1:6-18)
  2. Noemi e Rute chegam em Judá (1:19-22)
C. Encontro de Rute e Boaz (2:1-23)
  1. Rute começa a colher (2:1-7)
  2. Bondade de Boaz para com Rute (2:8-16)
  3. Rute volta a Noemi (2:17-23)
D. Rute e Boaz na Eira (3:1-18)
  1. Instruções de Noemi a Rute (3:1-5)
  2. Boaz resolve ser parente remidor (3:6-15)
  3. Rute volta a Noemi (3:16-18)
E. Boaz Prepara-se para Casar-se com Rute (4:1-12)
  1. O parente mais chegado nega-se (4:1-8)
  2. Boaz torna-se o remidor e casa-se com Rute (4:9-12)
F. Conclusão: A Felicidade de Noemi (4:13-17)
G. Epílogo: Genealogia de Davi (4:18-22).

Queremos ainda tecer alguns comentários esclarecedores sobre certos pontos desse esboço do conteúdo:

1. *A Desastrosa Migração a Moabe* (1:1-5). Uma data aproximada para esses acontecimentos, se formos retrocedendo da genealogia de 4:17, é 1100 A.C. O período de fome, em Israel, tornou Elimeleque e os três membros de sua família «peregrinos» em Moabe, onde não tinham quaisquer direitos como cidadãos. Não há menção a qualquer castigo divino por haverem eles deixado a sua terra, e em face do casamento de Malom e Quiliom com jovens moabitas, mas esse castigo pode aparecer implícito nos desastres que se abateram sobre a família, com a morte dos três membros masculinos da mesma, Elimeleque primeiro, e, então, Malom e Quiliom, deixando três mulheres viúvas. Outrossim, a lamentação de 1:21 sugere a perda de consideráveis possessões materiais, que a família teria trazido de Belém, talvez adquiridas antes que a fome apertasse em Judá. Diz aquele versículo: «Ditosa eu parti, porém o Senhor me fez voltar pobre...»

2. *Volta de Noemi a Belém de Judá* (1:6-22). Quando Noemi resolveu voltar à sua terra, suas duas noras viúvas teriam mais probabilidades de arranjar novos casamentos em Moabe. Orfa percebeu a desvantagem de jr para Judá com Noemi. Mas certas palavras de Rute mostram que ela já havia aceitado a Yahweh como o seu Deus, artes mesmo de resolver partir para Judá. Disse Rute: «...faça-me o Senhor o que lhe aprouver...» (1:17). E assim Rute partiu com Noemi, naquela viagem de apenas oitenta quilômetros até Belém da Judéia. Para nós, essa distância nada representa. Com um automóvel, nas estradas modernas, tal distância só poderia tomar apenas uma hora de viagem. Mas, naquele tempo, viajando a pé, duas mulheres podem ter passado vários dias no trajeto, enfrentando os mais diversos perigos.

3. *Rute e Boaz Conhecem-se* (2:1-23). Os cuidados demonstrados por Boaz, em favor de Rute, mostram-nos quão indefesa ficava uma mulher, jovem e estrangeira, em outra terra que não a sua. Apesar do perigo, Rute trabalhou arduamente, a fim de sustentar a si mesma e a sua idosa sogra. Sem dúvida, isso não deixou de ser observado por Boaz. Quem gosta de uma mulher preguiçosa, mesmo quando sofre penúria?

4. *O Plano de Noemi* (3:1-5). Assim como Rute mostrou-se disposta a trabalhar para sustentar sua sogra, assim também Noemi planejou para a felicidade de sua nora. As instruções de Noemi a Rute foram um apelo indireto a Boaz, para que ele desempenhasse o seu papel de parente remidor. Nessas instruções, Rute teria de tomar a iniciativa na conquista amorosa. Talvez Noemi tenha visto que Boaz, por ser homem de meia idade, e solteirão, não tomaria a iniciativa. Mas, depois que Rute pediu que ele lançasse a capa sobre ela, mostrando assim que aceitaria com prazer a ele como marido, Boaz começou a agir. Assim, Noemi planejou de modo estratégico certo. O primeiro obstáculo, para Boaz, foi o de afastar o parente ainda mais chegado, o que conseguiu valendo-se do argumento da necessidade dele também casar-se com Noemi, o que o parente

mais chegado não aceitou. E, tendo começado a tomar providências para casar-se com Rute, Boaz não era homem irresoluto para ficar pelo meio do caminho, conforme Noemi reconheceu. Ver Rute 3:18.

5. *Na Porta da Cidade* (4:1-12). Essa porta sempre dava para a praça principal das cidades antigas. Ali se faziam os negócios comerciais, judiciais e sociais. Interessante é o antigo costume refletido em 4:7,8. Aquele foi o sinal público de que o parente mais chegado desistia do dever de ser o parente remidor, transferindo-o a Boaz. O ato solenizou e deu legalidade ao casamento de Boaz e Rute.

Bibliografia. AM E I IB LAN MOF TI Z

RUTHERFORD, J.F.

Suas datas foram 1869 - 1942. Foi o sucessor de Charles T. Russell à testa das Testemunhas de Jeová. Ver os artigos sobre *Russell, Charles Taze* e sobre *Testemunhas de Jeová*.

Rutherford nasceu em Booneville, Missouri. Tornou-se advogado e juiz. Fomentou a causa das Testemunhas de Jeová, escreveu novos livros, importantes para os seguidores do movimento, e também introduziu o uso do rádio entre eles, além de instituir a propaganda agressiva das Testemunhas de Jeová, de porta em porta, vendendo a literatura deles e espalhando a doutrina do grupo.

RUYSBROECK, JOHN

Suas datas foram 1293-1381. Foi um místico flamengo. Após uma carreira como padre paroquiano, em Bruxelas, na Bélgica, com a idade de cinqüenta anos retirou-se para um eremitério, nas florestas de Soegnes. Ali, fundou uma comunidade religiosa e desenvolveu sua abordagem mística da fé cristã. Seu livro, *Adorno do Matrimônio Espiritual*, veio a tornar-se uma das obras clássicas do *misticismo* (vide). Ele era chamado *Doctor Ecstaticus*, por causa de suas realizações no misticismo prático. Ele argumentava que a alma encontra Deus em suas próprias profundezas, uma idéia mística tipicamente oriental. O progresso obter-se-ia mediante o avanço da vida diária ativa para a vida interior, e daí para a vida contemplativa.

• • • • • • • • •

•••

Sua opinião é importante
para nós. Por gentileza, envie
seus comentários pelo e-mail
editorial@hagnos.com.br

Visite nosso site:
www.hagnos.com.br

Esta obra foi impressa na
Imprensa da Fé.
São Paulo, Brasil.
Outono de 2021.